Gesamtverzeichnis des deutschsprachigen Schrifttums (GV) 1700 – 1910

Bearbeitet unter der Leitung von
Hilmar Schmuck und Willi Gorzny

Bibliographische und redaktionelle Beratung:
Hans Popst und Rainer Schöller

110

Po - Pou

K · G · Saur München · New York · London · Paris 1984

CIP-Kurztitelaufnahme der Deutschen Bibliothek

Gesamtverzeichnis des deutschsprachigen Schrifttums :
(GV). – München, New York, London, Paris : Saur. –
Bd. 1 – 6 bearb. unter d. Leitung von Peter Geils
u. Willi Gorzny.
ISBN 3-598-30000-X

1700 – 1910 / bearb. unter d. Leitung von Hilmar
Schmuck u. Willi Gorzny. Bibliograph. u. red.
Beratung: Hans Popst u. Rainer Schöller

NE: Schmuck, Hilmar [Bearb.]

110. Po – Pou. – 1984.

Techn. Realisierung und Druck: Norbert Gärtner, Mainz-Kastel
Binden: Karl Schaumann, Darmstadt
Printed in the Federal Republic of Germany
ISBN 3-598-30000-X (Gesamtwerk)

Po [Sachliches OW]

Po Prúd. Ctení užitečné i zábavné pro každého občana. S 39 vyobrazeními v dřevorytu a do ocele vytou podobiznou Frant. Palackého. [Vyňato z kalendáře „Posel z Prahy."] Prag 864. Kober. 4. (109 S.) n. 8 ngr.

Po und Rhein. Berlin 858. F. Duncker. 8. (64 S.) n. 10 ngr.

Po und Rhein. Berlin 1859. V: *Engels*, *Frdr.* (Stams)

Po und Rhein. 8. (64 S.) Berlin 859. [Franz Duncker.] Thlr. •

Po [Schlagwort]

Padi vel Po — Cursus Fluminis — per Longobardiam a fonte usque ad ostia cum fluv. Tanaro etc. delineatus olim ab Augustino Cerruti nunc emend. et ad statum hodiernum redact. ab Homannianis Heredibus. Norimb. 1806. 1: 500,000. 2 Bl.

Padi — Cursus — per Longobardiam a fonte usque ad ostia etc. aeri incisus et excusus per Matth. Seutter. 1 : 500,000. 1 Bl.

K[onstantin] P[etrovič] Pobedonoszew's [Pobědonoscev] Sammlung Moskowitischer Studien [Moskovskij Sbornik] über das politische und geistige Leben d. Gegenwart mit Bezug auf Rußland. Deutsch nach d. 4. Aufl. hrsg. von C. E. Wohlbrück. *Dresden: E. Pierson 1904.* (342 S.) 8° [09. 7340

Pobedonoszew, K. P., Streitfragen der Gegenwart. Autor. deutsche Uebersetzg. v. R. Borchard u. L. Kelchner. 1. u. 2. Aufl. gr. 8. (VII, 232 S. m. Bildn.) Berlin 897. H. Steinitz. n. 4. 50

[K.] Streitfragen der Gegenwart v. K(onstantin) P. Pobedonoszew [Pobědonoscev], Oberprocur. d. hl. Synod. Autoris. deutsche Uebs. v. R. Borchardt u. L. Kelchner. M. d. Portr. d. Vfs. 2. Aufl. *Berlin: A. Deubner 1897.* (5 Bl., 232 S., 1 Portr.) 1 Bd 8. 191. 677

Pobedonoscev, K(onstantin) P(etrowitsch), Streitfragen der Gegenwart. Autor. deutsche Uebers. von R. *Borchardt* u. L. *Kelchner*. M. d. Portr. d. Verf. 3. Aufl. Berlin 1897. 8°.

Pobedonoszeff. s.: Wort, ein herzliches, an unsere Jugend.

Poebel, Arno, Babylonian legal and business documents from the time of the first dynasty of Babylon, chiefly from Nippur, s.: Expedition, the Babylonian, of the university of Pennsylvania. VI, 2.

Poebel, Arno, Dr. phil.: Die sumerischen Personennamen zur Zeit der Dynastie von Larsam und der ersten Dynastie von Babylon. Breslau 1910: Fleischmann. 44 S. 8°
Breslau, Phil. Hab.-Schr. v. 25. Juli 1910 [U 10. 654
(Nicht für den Austausch)

Pöbelaufruhr, Der, zu Strassburg vom 19.—23. Juli 1789 . . . Dorlisheim [1790]. V: *Lamey*, *Wilhelm August.* (GGr)

Pöbelt, Geo., das Heizen unserer Zimmer durch den Regulirfüllofen, s. a. Hausbücher.

Pöbelt, G: Das Heizen unserer Zimmer durch den Regulirfüllofen. Stuttgart 1881

Pobethen [Schlagwort]

Pobethen, s.: Preussen. Messtischblätter.

Pobial, Joh. Ev., katholisches Gebet- u. Gesangs-Buch. Vollständigste Sammlung von Gebeten u. Meß-Gesängen, Kirchenliedern u. Litaneien. Zum Gebrauche für Volks- u. Bürgerschulen beim öffentlichen Gottesdienste. gr. 16. (184 S. m. Titelbild.) Mähr.-Ostrau 879. Prokisch. — 60

Poebing, Friedrich Edmund Theodor (Braunschweig), Hydrocephali acuti sanati historia cum epicrisi. Diss. med. Leipzig (Fr. Andraei) 1. IV. 1842. 32 S. (3.25) 26861
Gew.: K. Fr. Siegel, Eduard Wilhelm Guentz.

Poblocki, Jul. de, de Herodiani vita, ingenio, scriptis. Dissertatio philologica. gr. 8. (36 S.) Münster 864, Regensberg.

Poblocki, Leon v., kritische Beiträge zur ältesten Geschichte Litauens. 1. Thl. Inaugural-Dissertation. gr. 8. (42 S.) Königsberg 879. (Beyer.) n. 1. 20

Pobowsky, C. G., Religionsvortr. gr. 8. Danzig, Troschel. 795.

Pobožnosćź, mejsta. Měsac, swjatej Mariji, najzbožnischej knjeżnje a maczeri Božej poswjeczeny. Bautzen 864. (Schmaler & Pech.) 8. (XVI, 100 S.) 7½ ngr.

Pobožnost Odpoledni — w chramu Páně u Matky Boží na nábřeží we Wjdni. Usporádal kněz ze shromáždeni Nejswětěgssjho Wykupitele, B. B. W Wjdni 1855. Tisk Karla Ueberreutra. (22 S. 8.) (Die nachmittägige Andacht in der Kirche Maria am Gestade zu Wien. Verfaßt von einem Priester des Redemptoristen-Ordens. B. B. Wien. Gedr. bei Karl Ueberreuter.) (Böhm.)

Pobožnost k swatému Cyrillowi a Methodiowi i apoštolům Slowanským. 3. rozmnožené a oprawené wydání. 861. (60 S.) — 4. wydání. Olmütz 863. Halauska. 12. (72 S.) n. 4 ngr.

(Pobuda W), allgemeine deutsche Schulvorschriften für den zweiten Unterricht im Schönschreiben. (16 Bl) qu 8° Lemberg

Pobudka do życia chrześciańskiego czyli nauki i rady. Berlin 854. Behr. 18. (XII, 204 S.) n. 15 ngr.

Pobujan, J. B. z, Badania krytyczno-historyczne i literackie. 5 Bde. Berlin 870. Behr. 8. (VI, 291; 283; 313; 244 u. 248 S.) 5 ß

Pocahontas, s.a. Pokahontas

Pocahontas; Schspl. (v. Joh. Wilh. Rose). 8. Ansbach 784. Gassert. 5 gl

Pocahontas. Schausp. 8. Ansbach. Haueisen. 784.

Pocarus, Zacharias Benjamin (Buttstädt), De causis quibusdam incrementorum litterarum. Weimar (J. L. Mumbach) 21. IV. 1739. Mit Namen. (3.25) 26851

Pocar, Z. B., de simulacris solaribus Israelitarum. Ien. 1725. 4.

Počátkowé Českého básnictwi obzláště prozodyie. 8. Pressburg, Landes. 818.

Počátkowé katolického učenj pro menšši žáky. 8. (16 S.) Olmütz 849, Neugebauer. 3 ngr

Poccar, Moritz Adolf Eduard (Wittenberg), De febre venosa gastrica. Scriptio inaug. med. Präs. Curt Sprengel. Merseburg (Fr. Kobitzsch) 23. X. 1824. 31 S. mit Biogr. (M.: Strensch). (3.25) 26852
Gew.: C. H. T. Schreger.

Poccarus, Carl Albrecht u. Johann Christian Theophil Hintz (Wittenberg), Inclytae Vitebergensis academiae monumenta publica. Sive conspectus dissertationum, programmatum, a. r. s. 1812 in tabulis publ. acad. Vitebergensis propositorum. Accesserunt nomina doctorum, licentiatorum et magistrorum eodem anno ibi renunciatorum. Wittenberg (Chr. H. Graessler). Mit Namen. (4.—) 26853

— — Inclytae Vitebergensis academiae monumenta publica sive conspectus dissertationum, programmatum, a. r. s. 1813 et 1814. In tabulis publicis academiae Vitebergensis propositorum, accesserunt nomina doctorum, licentiatorum et magistrorum iisdem annis creatorum. Wittenberg (Chr. H. Graessler). Mit Namen. (4.—) 26854

Poccetti, Bernardino, Decken-Malereien d. 1. Corridors d. Uffizien zu Florenz. gr. Fol. (12 Lichtdr.- u. 1 farb. Taf. m. 1 Bl. Text.) Berlin 897. E. Wasmuth. In Mappe n. 20.—

Pocci, Franz. Hrsg. v. Ansgar Pöllmann, O.S.B. (S. 315 -378 u. 763—818 m. Abbildgn. u. 6 Taf.) 8. Münster (908). Alphonsus-Buchh. 1.50
Sonderabdruck aus: „Gottesminne".

Pocci, Frz. Graf, münchener Album, s.a. Album, münchener.

Pocci, Frz., Münchener Album. München 856. Kaiser in Comm. 16. (X, 426 S.) n. 1 Thlr. 10 ngr.

— und **Reding v. Biberegg**, Altes und Neues. 2 Bdchn. Stuttgart 855, 56. Gebr. Scheitlin. 8. (VII, 123; XII, 136 S.) Jedes Bdchn. 15 ngr.

Pocci, Franz. Anglia Jubiläum am 12. Februar 1856 o. O. u. J.
Leporelloalbum in 4 Abt., kol. Lithogr. 8°

Pocci, Franz Graf. *Bauern ABC* von Franz Pocci. München, Katholischer Bücherverlag [1856; Titel in einem Holzschnitt]. 2 Bl. 115 S. mit 24 Holzschnittvignetten. Kl.-8°. Hübscher Hlwd., der tadellos erhaltene braune Or.-Umschlag m. Holzschnitt-Titel beigebunden. — Sehr schönes Ex. der ★ Erstausg. 35.—

— Bauern ABC. München (856.) (Regensburg, Manz.) 8. (2 Bl., 115 S. m. Holzschn. im Text.) n. 10 ngr.

Pocci's, Frz., lustiges Bilderbuch. gr. 4. (5 S. u. 36 Holzschnitttaf. m. Text.) München 852, Braun & Schneider. 1 1/2 Thlr.

Pocci, Franz Graf v., *Bilder-Töne für's Klavier.* Knaben u. Mädchen gewidmet. (München, litter. Anst.) 1835. 4°. Cart. m. Lwdr.
6 Lieder ohne Worte mit Arabesken. — Holland no. 46—51.

Pocci, Fr.: Fliegende Blätter, s. Bechstein, Ludwig

Pocci, Frz. v., Blaubart. Ein Märchen. 8. (1 1/2 B. mit Holzschn.) München 845, Kaiser.

Pocci, Graf. *Blaubart.* Ein Märchen erzählt u. gezeichnet von F. Pocci. München, Buchhandlung von Christian Kaiser [1846]. 16 lithogr. S. mit 17 Zeichnungen und grauer Or.-Umschlag m. Titel u. 2 Zeichngn. 8°. Karton. 25.—
Dreyer p. 46—48, 204. Rüm. 1598. Einzige Ausgabe. Sehr schönes Ex. Exlibris a. d. Innenseite d. Umschlags.

Pocci, Frz. Graf, ein Büchlein für Kinder. 16. Schaffhausen 843, Hurter'sche Buchh. 1/4 Thlr.

Pocci, Frz. v., Dichtungen. 8. (17 1/2 B.) Schaffhausen 843, Hurtersche Buchh. Thlr.

Pocci. *Dieß ist Das Büchlein A bis Z.* In welchem nach dem Alphabet / Zu lesen ist in einer Reih' . . . Franz Pocci. München. Verlag des katholischen Büchervereins. 1857. 116 S. mit 25 figurierten Holzschnitt-Initialen. 12°. Brosch. 33.—
Dreyer S. 207. ★ Originalausgabe. Fleckenloses, unbeschnitt. Ex.

— Dieß ist das Büchlein A bis Z, In welchem nach dem Alphabet Zu lesen ist in einer Reih' Für Jung und Alt gar Mancherlei, Und der das Büchlein hat erdacht, Hat Bilder gleich dazu gemacht; So mög's denn Allen — Groß und Klein, Wie's vor euch liegt, willkommen sein! München 857. (Finsterlin.) 16. (IV, 116 S. m. Holzschn. im Text.) n. 10 ngr.

Pocci, Frz. Graf, Das Eulenschloß. Ein m. unglaubl. Zauberei vermischtes Drama (in 4 Aufzügen). (22 S.) 8. München (910). B. Höfling. —.80

– Der Fasan in Bayern, e. histor. u. zoolog. Darstellg. Mit 10 farb. Taf. in Autotyp. u. zahlreichen Textbildern. (XV, 225 S.) Lex. 8. München 906. (E. Hirsch.) Geb. 10

Pocci, Frz. Graf v., Fest-Kalender, s.a. Fest-Kalender.
Fortsetz. s. unt.: Ders., Geschichten u. Lieder etc.

Pocci, F., u. a. *Fest-Kalender* in Bildern und Liedern geistlich und weltlich von F. G. von Pocci, G. Görres und ihren Freunden. München bey George Jaquet [1835/36] [= Wortlaut des ersten lithogr. Innentitels innerhalb einer großen bildl. Umrahmung]. 2 Theile [= 10 Hefte] in 1 Bde. Text und Illustrationen in Lithographie, der braunrote, reich illustr. Or.-Umschlag zum ersten Theil, ebenso wie der gelbe zum 2. Theil sind miteingebunden. 4°. Einfacher Hlwd. d. Z. 75.—
Holland 33/34. Rüm. 1603. Dreyer S. 31—38 u. 202. Eins der frühesten Meisterwerke Poccis, Text u. Bild sind zu einer gelungenen Einheit verschmolzen, auch „die erläuternden Verse schmiegen sich ganz der kindlichen Fassungskraft an". Pocci steuerte die meisten Illustrationen u. mehrere Verse bei. Weitere namhafte Illustratoren waren L. Grimm, F. Dietz, A. Strähuber usw. — Die Umschlagtitel nennen als Verleger: die Cottasche Buchhandlung in München und die Mechitaristen in Wien. Jedes Heft umfaßt 8 Seiten (bzw. Blätter), deren Text von, teilw. sehr großen, Zeichnungen umgeben ist, u. hat einen besonderen Titel. — Im Jahre 1837 erschienen noch weitere 5 Hefte als „Dritter Theil". — Schönes Ex.

—— Frühlings-Laube für gute Kinder. 2., durch 17 (lithogr.) Bilder verm. Aufl. gr. 4. (36 S.) Frankfurt a. M. 853, Lizius.

—— dass. — 3., durch 17 (lithogr.) Bilder verm. Aufl. gr. 4. (54 S.) Ebds. 853.

Pocci, Frz., Geschichten u. Lieder, s.: Jugendschriften. Hrsg. v. Verlag der Jugendblätter.

– s.a. Geschichten und Lieder mit Bildern.

—— und Andere, Geschichten u. Lieder mit Bildern, als Fortsetzung d. Festkalenders. 1. Bd. 3 Hfte. u. 2. Bd. 1. u. 2. Hft. Lex.-8. (à H. 2 halbe B., Stndr.) München 840—42, Literar.-artist. Anstalt. à H.

— Geschichten u. Lieder mit Bildern, als Fortsetzung des Festkalenders von Frz. Pocci u. Andern. Heft 2 u. 3. Lex.-8. München 841, literar.-artist. Anstalt. à n. 1/4 Thlr.

— dass. 2. Bd. 1.—6. Heft. Lex.-8. Ebend. 842, 43. à n. 1/4 Thlr. 1. u. 2. Bd. in Pappe geb. à n. 1 1/6 Thlr. — in Sarsenet geb. à n. 1 1/2 Thlr.

— dass. 3. Bd. 6 Hefte. 845. n. $1^1/_4$ ℛ𝔭 geb. $1^1/_2$ ℛ𝔭

Pocci. *Lustige Gesellschaft.* Bilderbuch von Fr. Pocci. 1867. München bei Braun & Schneider [Titel in kolor. Holzschnitt]. 59 S. mit 31 handkolor. blattgroßen Holzschnitten. Quer-kl.-fol. Heller Or.-Karton mit kolor. Deckelholzschnitten u. Titel. 85.—
H. 326. Dreyer S. 208. Rüm. 1612. ★ Originalausgabe. Prachtvolles Bilderbuch m. Versen. Tadellos erhalten. ★★

– s.a. Hänsel u. Grethel.

— Hänsel u. Gretel, s.a. Schatzgräber, der.

dasselbe, s.a. Schatzgräbers Kinderbuch. Nr. 3.

[Pocci]. *Hänsel und Grethel* ein Märlein herausgegeben in Zach's lith. Kunstanstalt in München. 1838. 20 S. (inkl. lith. Titel) mit 21 lith. Bildern von P. Kl.-8°. Lith. grüner Or.-Umschlag. 26.—
Holl. 68. R. 1658. Seltene ★ Erstausgabe eines Poccischen Frühwerks mit „köstlichen Bildern".

Pocci, Graf Frz., Herbstblätter. München 867. Manz. gr. 16. (230 S.) n. 1 ℛ𝔭;
geb. mit Goldschn. n. 1 ℛ𝔭 15 ngr.

—— alte u. neue Jägerlieder, s.a. Jägerlieder.

Pocci und F. v. Kobell. *Alte und neue Jäger Lieder.* Mit Bildern und Singweisen. Herausgegeben von F. Pocci und F. v. Kobell. Landshut, Vogel [1843]. 48 S. mit 32 Holzschnitten von Pocci. Kl.-8°. Einfacher älterer Hldrbd. 14.—
Dreyer S. 204. R. 1592. ★ Originalausgabe. Etwas fleckiges Ex. Titel aufgezogen u. an den Rändern z. T. etw. schadhaft.

— L. **Richter** und G. **Scherer,** alte und neue Jäger-Lieder. Mit Bildern (Holzschn. im Text) u. Singweisen. Leipzig (854.) G. Mayer. 16. (81 S.) n. 10 ngr.

—— die Jahreszeiten. gr. 8. (III und 52 S. mit 4 lithogr. und ill. Bildern.) Stuttgart 856, Gebr. Scheitlin.

[Pocci]. *Jardinet de Roses.* Livre de prières catholiques pour les enfans . . . A Landshout, 1842. Imprimerie et Librairie de Vogel. (Umschlagtitel). 40 S. mit 37 reizenden Lithogr. v. Pocci. 12°. Grauvioletter, typogr. verz. Or.-Karton. In schöner Hldrkassette. 45.—
Pocci 115. Holl. 93. Von Pocci selbst besorgte französ. Ausgabe. Schönes, seltenes Büchlein.

Pocci, F., der Karfunkel, s.a. Bibliothek vaterländischer Schauspiele.

Pocci, Frz., der Karfunkel. Volksdrama in 3 Aufzügen nach Hebels allemannischem Gedichte frei bearb. München 860. Rohsold. (Fleischmann.) 16. (96 S.) n. 16 ngr.

Pocci, Frz. Graf, Kasperl ist überall, s.: **Dengler, Geo.**

-- Kasperl als Porträtmaler, s.: Volksbühnenwerke.

— Kasperl-Komödien. Für die Volks- u. Jugendbühne eingerichtet v. Demetr. Schrutz. 1—27. 8. Bonn (910). A. Heidelmann. p. 20.40

1. Zwei Prologe zur Eröffnung lustiger Komödienabende. Mit e. Vorwort versehen. (24 S.) — 75
2. Sassafras od. Doktor, Tod u. Teufel. Ein Märchen in 3 Aufzügen. (33 S.) — 80
3. Der gestiefelte Kater. Märchen in 3 Aufzügen. (34 S.) — 90
4. Prinz Rosenrot u. Prinzessin Lilienweiß od. Die bezauberte Lilie. Romantisches Zauberspiel in 3 Aufzügen. (26 S.) — 75
5. Die Zaubergeige od. Kasperl als Virtuos. Märchen-Drama in 4 Aufzügen m. Gesang u. Tanz. (38 S.) — 80
6. Waldkönig Laurin od. Kasperl unter den Räubern. Schauerliches Drama m. Gesang in 3 Aufzügen, nebst e. Vorspiel. (30 S.) — 75
7. Das Eulenschloß od. Kasperl als Minister. Ein m. unglaubl. Zauberei vermischtes Drama in 4 Aufzügen. (29 S.) — 75
8. Ritter Blaubart. Ein furchtbares Spektakelstück aus dem finstern Mittelalter in 3 Aufzügen. (29 S.) — 75
9. Hänsel u. Gretel od. Der Menschenfresser. Dramat. Märchen in 5 Aufzügen. (30 S.) — 75
10. Kasperl als Prinz. Moral. Komödie in 3 Aufzügen. (22 S.) — 75
11. Die 3 Wünsche od. Der Zauberring. Ein lehrreiches Beispiel in 2 Aufzügen. (16 S.) — 60
12. Undine, die Wassernixe. Romantische Sage in 4 Aufzügen m. Gesang. (38 S.) — 80
13. Das Märchen vom Rotkäppchen. Ein Zauberspiel in 5 Aufzügen. (31 S.) — 80
14. Aschenbrödel od. Der goldene Pantoffel. Märchenspiel in 5 Aufzügen nebst e. Vorspiel. (37 S.) — 80
15. König Drosselbart. Märchenspiel in 3 Aufzügen m. Musik. (26 S.) — 75
16. Die 7 Raben. Märchendrama in 3 Aufzügen m. e. Vorspiel. (29 S.) — 75
17. Die stolze Hildegard od. Asprian m. dem Zauberspiegel. Großes Ritterschauspiel in 3 Aufzügen. (29 S.) — 80
18. Herbed, der vertriebene Prinz. Romantisches Zauberspiel in 3 Aufzügen. (31 S.) — 80
19. Albert u. Berta od. Kasperl im Sack. Grausames Ritterschauspiel in 3 Aufzügen. (30 S.) — 80
20. Dornröslein. Romantisch-humoristisches Märchen in 3 Aufzügen. (40 S.) — 90
21. Der artesische Brunnen od. Kasperl bei den Lenwutschen. Patriotisch-musikal. Drama in 3 Auf- u. Zuzügen. (31 S.) — 80
22. Kasperl wird reich. Schicksalsdrama in 4 Aufzügen. (23 S.) — 75
23. Die Erbschaft. Komödie in 2 Abtlgn. (22 S.) — 75
24. Das Glück ist blind od. Kasperl im Schuldturm. Zauberspiel m. Gesang in 3 Aufzügen. (30 S.) — 75
25. Madam Kasperl. Ein Schauspiel, in welchem auch der Teufel in Person vorkommt. (14 S.) — 60
26. Die geheimnisvolle Pastete. Intermezzo in 2 Aufzügen (13 S.) — 60
27. Der Zaubergarten. Ein Scherzspiel in 1 Aufzug. (12 S.) — 60

Lustige Kasperl-Komödien von Franz Graf **Pocci.** Für d. Volks- u. Jugendbühne eingerichtet von Demetrius Schrutz. 1. Bonn: Heidelmann [1910]. 8° [11. 6690

Franz Pocci's Sämtliche Kasperl-Komödien. Bd 1–3. München: Etzold 1909. 8° [o: 14536 5

Pocci, Frz. Graf, sämtliche Kasperl-Komödien. Einzige vollständ. Ausg. in 6 Halbbdn. (XV, 401; III, 418 u. III, 385 S.) kl. 8. München 910. Etzold & Co. à 1.35; in 3 Bdn. à 2.50; geb. à 3. —

—— neues Kasperl-Theater. 8. (VII und 104 S. mit eingedr. Holzschn.) Stuttgart 855, Gebr. Scheitlin.

—— und Friedr. Güll, Kinderheimath, s. Güll, Friedr.

— Kinderheimath in Bildern u. Liedern, s. Gülls, Fr.

Pocci u. K. v. Raumer. *Alte und neue Kinder Lieder.* Mit Bildern und Singweisen. Herausgegeben von F. Pocci und K. v. Raumer. Leipzig, Gustav Mayer [1852] (Umschlagtitel m. gr. Holzschnitt). 1 Bl. 48 S. Mit 50 Holzschnitten von Pocci. 8°. Or.-Umschlag (2. Umschlagbl. erneuert). 18.—
R. 1593. RKB. 275. ★ Originalausgabe. Einige Kleine Flecken u. Benutzungsspuren.

Pocci u. Raumer. *Alte und neue Kinder Lieder.* Mit Bildern und Singweisen [in e. Holzschnitt hineingedruckt]. Herausgegeben von F. Pocci und K. v. Raumer. Verlag von Gustav Mayer in Leipzig [1852]. 2 Bl. 48 S. m. 47 Holzschn. v. Pocci. — Angebunden: Die Ammen-Uhr. Aus des Knaben Wunderhorn. In Holzschnitten nach Zeichnungen von Dresdener Künstlern (i. e. L. Richter, J. Hübner, E. Bendemann, Rietschel, Reinick). Leipzig, Mayer u. Wigand (1843). 12 Bl. (inkl. Titel) in Holzschnitt. — Kl.-8°. Hübscher Hlwd. d. Z. ★ Zwei Erstausgaben in schönen Exemplaren. R. 1593, 1883. 48.—

Pocci, Franz, Kinderreime in Bildern, s. Löschke.

— lustiges Komödienbüchlein. 2 Bdchn. München 859, 61. Lentner. 16. (2 Bl., 272 S.; XIX, 311 S. m. Holzschn.) Jedes Bdchn. n. 20 ngr.

— lustiges Komödienbüchlein. (Als Mscr. gedr.) 1. Bdchn. 2. Aufl. München 869. Lentner. gr. 16. (III, 272 S.) 21 ngr.

—— lustiges Komödienbüchlein. 1. und 2. Bdchn. 2. Aufl., und 3.—5. Bdchn. gr. 16. (272; 285; 283; 256 S. mit eingedr. Holzschn.) München 869—75, Stahl. à Bdchn. (ℳ 2,10.) 2 40
geb. mit Goldschn. * 3 80

Pocci, F., lustiges Komödienbüchlein. 6. Bdchn. gr. 16. (XXXVI, 264 S. m. Portr. in Lichtdr.) München 877. Stahl. 2. 50 (1—6.: 13. 10)

— lustiges Komödienbüchlein. 3. Bdchn. 2. Aufl. 16. (285 S.) München 880. Stahl. 2. 40

Pocci, Frz., lustiges Komödienbüchlein. 1. Bdchn. 3. Aufl. 16. (272 S.) München 883. Stahl sen. 2. 40

—— Lustiges Komödienbüchlein. Neue Ausg. in 6 Bdchn., m. Bildern vom Verf. selbst. 16. Münch. 891, [Stahl sen.]. O. Galler. geb. à Bd. 2 20; 13 20; geb. in 3 Bde. 12 —

1. Bdchn. 3. Aufl. (XIII, 272 S.) — 2. Bdchn. 2. Aufl. (XIX, 311 S.) — 3. Bdchn. 2. Aufl. (V, 285 S.) — 4. Bdchn. 2. Aufl. (V, 283 S.) — 5. Bdchn. (V, 256 S.) — 6. Bdchn. (XXVI, 264 S.)

— lustiges Komödienbüchlein. Neue (Titel-)Ausg. in 6 Bdchn., m Bildern vom Verf. selbst. 16. München 893. O. Galler. Kart. à 2. 20; in 3 Leinw.-Bde. geb. 12. —

1. 3. Aufl. (V, 272 S.) — 2. 2. Aufl. (XIX, 311 S.) — 3. 2. Aufl. (V, 285 S.) — 4. 2. Aufl. (XII, 285 S.) — 5. (V, 256 S.) — 6. (XXVI, 264 S.)

— lustiges Komödienbüchlein. 6 Bdchn. (Neue [Titel-] Ausg.) gr. 16. Paderborn (893) 897. B. Kleine. Kart. à 1. 50

1. 3. Aufl. (III, 272 S.) — 2. 3. Aufl. (XX, 330 S.) 3. 4. 2. Aufl. (à III, 285 S.) — 5. 6. (III, 256 u. XXXVI, 264 S.)

— lustiges Komödienbüchlein. Auswahl in 2 Bdn. m. zahlreichen, zum Tl. unveröffentlichten Zeichngn. (XIV, 358 u. 350 S.) 8. Leipzig 907. Insel-Verlag. n. 7. —; geb. in Halbperg. n. 10. —

Lustiges Komödienbüchlein. Von Franz **Pocci**. Berlin: Scherl [1909]. 265 S. 8°
(Bibliothek August Scherl. Bd 538.) [10. 13924

— Kunterbunt, m. lustigen Versen u. Erzählungen v. Frz. Pocci (Enkel) u. Konr. Dreher. (57 S. m. farb. Abbildgn.) gr. 8. München (910). [G. W. Dietrich.] Berlin, Brandus. Geb. in Leinw. 4.

— dasselbe. (Luxusausg. Mit Vorwort v. Expeditus Schmidt nebst mehreren Kunstbeilagen u. dem radierten Orig.-Exlibris der Grafen Pocci.) (5 Bl. u. 58 S. m. farb. Abbildgn.) gr. 8. München (910). G. W. Dietrich. Geb. in Perg. 50. —

— der Landsknecht. München 861. Fleischmann. 16. (VII, 54 S.) 12 ngr.

Kasperle Larifari, s.: Bloch's, Ludw., Kinder-Theater.

— Waldkönig Laurin od. Kasperl unter den Räubern, s.: Schatzgräber, der.

— Legende vom Sanct Hubertus. Und: Das Märlein von Schneeweißchen und Rosenroth. Mit Bildern. 16. München 840. Lindauer. 5/12 rß

— Heitere Lieder, Kasperliaden u. Schattenspiele. 2. Sammlg. (VI, 145 S. m. Abbildgn. u. 2 Farbdr.) 20×17 cm. München 908. Etzold & Co. Kart. 2. —

—, 6 *Lieder*, gedichtet von *Fr. Beck*, als Weihnachtsgabe den Kindern gewidm. von —. (München) 1836. Kl. quer-Fol. Cart.°) m. Lwdr.
° reich illustr. Musikblätter. — Holland no. 52—57.

Zwei Lieder zur Geschichte eines deutschen Steinmetzen von Fr[iedr.] Beck. Komp. von Franz Gf. v. **Pocci**. 2 Bl. 4° [Kopftit.]
in: Beck, F.: Geschichte eines deutsch. Steinmetzen. 1834 Anh.
Mit Noten.

— siehe: Löschke, Joh. Traug., Kinderreime in Bildern.

(Pocci, Frz. Graf v.,) Märlein von Einem, der auszog ..., s. Märlein.

– Das Märlein v. Hansel ..., s. Märlein.

— das Mährlein von Hubertus u. seinem Horn. Mit einem Anhang von Liedern. (Mit Radirungen.) 16. Landshut 842, v. Vogel'sche Verlagsbuchh. 1/4 rß

– Das lustige Märlein v. kl. Frieder ..., s. Märlein.

— Das Märlein v. Schneeweißchen u. Rosenrot, s.: Schatzgräber's Kinderbuch.

– Das Märlein v. Sneewittchen ..., s. Märlein.

— Märchen, Lieder u. lustige Komödien. Mit e. Geleitgedicht v. Mart. Greif. (VI, 201 S. m. Abbildgn.) 8. München (906). Etzold & Co. Kart. n. 2. —

Pocci. (Umschlagtitel): *Sechs Altdeutsche Minelieder* als Frühlingsgruß 1835, componirt von Franz Graf v. Pocci, München in der literarisch artistischen Anstalt [1835]. 12 Bl. (6 mit großen lithographierten Zeichnungen von P., 6 mit lithogr. Melodien u. Text) in grünlichem lithogr. Or.-Umschlag (lose). 36.—

★ Originalausgabe des interess. Werks. Unbeschnittenes Ex., hie u. da mit winzigen Flecken. R. 1620. Holl. 36—41. Kein eigentliches Kinderbuch.

—— die Nacht im Walde. Eine lehrreiche Geschichte, den Kindern zu Weihnachten erzählt. gr. 16. (39 S. mit 6 eingedr. Holzschn.) Stuttgart 851 (52,) Ed. Hallberger.

Pocci, F. G., Odoardo. Romantisches Schattenspiel in 5 Aufzügen. München 869. Ackermann. 32. (47 S.) n. 7½ ngr.

—— der Osterhas, s. Osterhas.

Pocci, Frz., u. Geo. Scherer, der Osterhas. Eine Festgabe f. Kinder in (farb.) Bildern v. F. P. u. Reimen v. G. Sch. 3. Aufl. gr. 4. (30 S.) Donauwörth 890. Auer. cart. n. 1. 50

— Puppenspiele, ausgewählt u. eingeleitet von Karl Schloß. (287 S. m. Vignetten.) kl. 8. München 909. G. Müller. 2.50; geb. 3. —

— Puppentheater, s. a. Universalbibliothek.

Puppentheater von Franz **Pocci**. Mit e. Vorw. u. Fingerzeigen f. d. Aufführung hrsg. von Max Eickemeyer. Bdch. 1. Leipzig: Reclam (1910). 8°
(Universal-Bibliothek. 5247.) [11. 155

(——) Rosengärtlein. Kathol. Gebetbuch f. Kinder. 16. (2½ B. u. viel. lith. Abbildn.) Landshut 841, v. Vogel'sche Vrlsbuchh.

— Rosengärtlein. Gebetbuch für Kinder. 2. Aufl. München (855.) v. Vogel. 16. (2 Bl., 36 S. mit Holzschn. im Text.) n. 4 ngr.

— Rosengärtlein. Gebetbuch für Kinder. 1—3. Aufl. Regensburg 867, 68. Pustet. 16. (30 S. mit eingedr. Holzschn.) cart. n. 2 ngr.

Pocci. Franz Graf, Sammlung auserlesener *Gebirgslieder*. hrsg. u. Sr. Hoh. Hrn. Herzog *Maximilian* in Bayern .... gewidmet (von *Frz. Graf Pocci ?*). 3 Hfte. (1 vol.) (Gelb-, Rosa- u. Blau-Druck, à 12 Bll.) München, Uhr. Halbreiter, 1839. Fol. Srsb.*) m. G.
Die farbigen, von Pocci illustr. Orig.-Umschl. sind mit eingebd. Durchweg mit Melodieen. — Selten! Nicht bei Holland.

—— Schattenspiel. qu. gr. 8. (30 Bl.) München 847, Literarisch-artistische Anstalt. *

—— u. Jürgens, neue u. alte Soldaten-Lieder, s. Soldaten-Lieder.

—— dramatische Spiele für Kinder. br. 8. (93 S. mit 6 lithochrom. Bildern und Singweisen.) München 850, Mey und Widmayer. *

Pocci. *Dramatische Spiele* für Kinder von Franz Pocci. 2. Aufl. München [1883?]. 71 S. und 6 farbige lithogr. Tafeln von L. Rottmann nach Pocci. 8°. Bedr. gelber Or.-Umschlag, in Pappbd. 28.—
Vgl. Holl. 240. Mit den Bildern (Figuren der Spiele) der 1. Ausg. von 1850. Tadelloses Exemplar.

— dramatische Spiele f. Kinder. 2. Aufl. 8. (71 S.) München 883. Mey & Widmeyer. n. 1. —; cart. n. 1. 25

Pocci, Frz., allerneuestes Spruchbüchlein. qu. 16. (31 Holzschnitttaf. m. Text.) München 850, Braun & Schneider. ½ ℛ

— allerneustes Spruchbüchlein. (2. Aufl.) qu. 16. (32 color. Holzschntaf. m. beigedr. Texte.) München 876. Braun & Schneider. n. 1. —

— Spruchbüchlein mit Bildern, den Kindern gewidmet. (32 lithogr. Blätt.) qu. 16. München 838. Lindauer'sche Buchh. (Sauer.) 5/12 ℛ

Pocci. *Neues Spruchbüchlein* mit Bildern von Fr. Pocci. München, Jos. Lindauer'sche Buchhandlung [= Titel a. d. Umschlag], [1845]. 32 illustrierte Bll. in Steindruck. Quer-12°. Rot bedruckter Or.-Umschlag (Rücken verstärkt) in Halblederkassette. 45.—
Pocci 176. Dreyer S. 206. Holl. 105. ★ Erste Ausgabe, von großer Seltenheit. Einzelne unbed. Stockfl.

— Sprüchlein mit Bildern für Kinder. kl. 16. München 846, Kaiser. geb. 4½ ngl

— Sprüchlein mit Bildern für Kinder. München 860. Kaiser. 32. (30 lith. Bl.) n. 6 ngr.

— s. Studenten-Lieder, Alte u. neue.

Pocci. Franz (Graf, geb. d. 7. März 1807 in München, † ebd. d. 7. Mai 1876). Gevatter Tod. (Dramat. Gedicht in 3 Abth. u. 1 Vorsp.) Mit Titelbild u. Titelvign. nach *Pocci* in Hlzschn. von *Andr. Müller*). München, Braun & Schneider. o. J. (1855). 12°. Illustr. Orig.-Cart.
In Versen. IV. 90 S. — Ueber Pocci vgl. Brümmer II. p. 152–153; ferner die Monographie von Dr. H. Holland, S. 36.

Pocci, Franz (Graf), *Todtentanz* in Bildern u. Sprüchen. München, E. A. Fleischmann's Buchhandl., o. J. (1862). Kl. 4°. Cart.*)
Frontisp., 1 Bl. Vorr., 12 Holzschn., unter jedem poet. Text zu 4 oder 6 Versen. — Holland no. 315.

Pocci, Frz., Todtentänze. Stuttgart 857. Gebr. Scheitlin. 8. (36 S. u. 1 Holzschn.) 7½ ngr.

—, *Viola Tricolor*. In Bildern u. Versen. München & New-York, Stroefer & Kirchner, 1876. Fol. Orig.-Cart.-Bd.
Frontisp. u. 8 Bll. schöne Farbendr. (von Lemercier & Cie. in Paris), mit 8 Special-Tit. u. 8 Bll. Text in Versen. — Holland no. 128.
1. Maler an d. Staffelei. 2. Pas de Deux. 3. Don Quixote. 4. Die Facultäten. 5. Liebeserklärung. 6. Concert d'amateurs. 7. Blocksberg. 8. Argonautenzug.

— Was Du willst. Ein Büchlein für Kinder. München (853.) Braun u. Schneider. 8. (207 S. mit Holzschn. im Text.) 1 ℛ.

— was Du willst. Ein Büchlein f. Kinder. 2. Aufl. 8. (205 S. m. eingedr. Holzschn.) Ebend. 876. 3. —

Pocci & J. B. Bach. *Güldenes Weihnachts ABC*. von Franz Pocci mit Verslein von J. B. Bach. Mey und Widmayer, München, o. J. [1854]. 24 Steinradierungen in farbigem Tondruck. 16°. Orig.-Umschlag. 48.—
Dreyer S. 206. ★ Originalausgabe dieses entzückenden Werks. J. B. Bach war zu dieser Zeit Erzieher im Hause des Grafen Pocci, später Missionar in Nordamerika. ★★

— güldenes Weihnachts-ABC, m. Verslein v. J. B. Bach. 32. (24 Chromolith. m. eingedr. Text.) Ebend. 884. n. 1. —

· Die Zaubergeige. Märchendrama in 4 Aufzügen. Für die Volksbühne bearb. v. J. Perwe. (20 S.) 8. München (909). B. Höfling. — 80

Pocetnica, němačka, za visji odsek pervoga razreda gradskih i glavnih ucionah u Austrijanskoj carevini. 8. (38 S.) U Becu. Tiskom L. Grunda. 1854. (Deutsches Lesebuch für die höhere Abtheilung der ersten Klasse in den Stadt- und Hauptschulen im Kaiserthume Oesterreich). Gebunden 4 kr. C. M.
Verlag der Schulbücher-Verschleiß-Administration.

Njemačka početnica za opće pučke škole. Wien 1895. K. k. Schulbücher-Verlag. (Min.-Erl. vom 6. Juni 1895, Z. 13028.) Broschirt —.07

Pocetnica za katolicke ucionice u austrianskoj carevini. 8. (92 S.) U Becu. Tiskano kod L. Grund. 1853. (Fibel für die katholischen Schulen im Kaiserthume Oesterreich.) Ungebunden 6 kr., gebunden in Leinwandrücken 9 kr C. M.
Verlag der Schulbücher-Verschleiß-Administration.

Pocetnica, zemljopisna, za pérvi razred nize gimnazije i nize realke. 8. (84 S.) U Becu Tiskom jermenskoga manastira. 1854. (Anfangsgründe der Geographie für die erste Klasse der Unter-Gymnasien und Unter-Realschulen.) Preis 11 kr. C. M.
Verlag der Schulbücher-Verschleiß-Administration.

Poech, Frz., l'industrie minérale de Bosnie-Herzégovine. Monographie, publiée à l'occasion du congrès international des mines et de la métallurgie de l'exposition universelle de Paris 1900 sur ordre du gouvernement de Bosnie-Herzégovine. Avec une petite carte géologique et 10 gravures en texte. gr. 8. (56 S.) Vienne 900. Freiberg, Craz & Gerlach. n. 2. —

Poech (J.). Enum. pl. . . . insulae Cypri. Vindob. 1842. 8°.

Pöch, Rud., phonographische Aufnahmen in Indien u. Neu-Guinea, s.: Exner, Fel. M.

Pöch, Rud., 2. Bericht üb. meine phonographischen Aufnahmen in Neu-Guinea (Britisch-Neu-Guinea), s.a. Berichte der Phonogramm-Archivs-Kommission der kaiserl. Akademie der Wissenschaften in Wien. X.

Pöch, R., Nr. X der Berichte der Phonogramm-Archivs-Kommission der kais. Akademie der Wissenschaften in Wien. Zweiter Bericht über meine phonographischen Aufnahmen in Neu-Guinea. (Britisch-Neu-Guinea vom 7. Oktober 1905 bis zum 1. Februar 1907.) [Aus: Sitzungsber. d. k. Akad. d. Wiss., mathem.-naturw. Klasse. Bd. CXVI.] Gr.-8°. (ill. 17 S. mit 1 Tafel) † K —.80
Wien: Hölder 1907.

— 1.—4. Bericht üb. meine Reise nach Neu-Guinea. gr. 8. Wien (A. Hölder.) n. 1. 65
1. Ueber die Zeit vom 6. VI. 1904 bis zum 25. III. 1905. (17 S. m. 4 Fig.) 905. n. — 50
2. Ueber die Zeit vom 26. III. 1905 bis zum 21. VI. (Bismarck-Archipel, 20. III. bis 14. VI. 1905.) (10 S.) 905. n. — 30
3. (Neu Süd-Wales, vom 21 VI. bis 6. IX. 1905, Britisch-Salomoninseln u. Britisch-Neu-Guinea bis zum 31. I. 1906.) (15 S.) 906. n. — 50
4. Ueber die Zeit vom 10. II. bis zum 31. III. 1906. (9 S.) 906. n. — 35
Sonderabdrucke aus: „Sitzungsber. d. k. Akad. d. Wiss."

— —²) 29. Beschreibung und Gebrauchsanweisung zur Type IV des Archivphonographen (mit 4 Textfiguren). S. 121. Ha. 18?? Ngr.
— —³) 32. Beschreibung einer modifizierten Type des Archiv-Phonographen mit Motorantrieb und Repetiervorrichtung (mit 2 Textfiguren). S. 122. Ha. 129 — 50
Separatabdruck

Pöch, Rud., **Hermann Franz Müller.** Worte d. Gedächtnisses, gesprochen in d. Trauerfeier d. Ärzte d. Wiener allgem. Krankenhauses am 20. XI. 1898. gr. 8. (9 S.) Wien 898. J. Šafář. n. — 50

Pöch, R., die Pest, s.: **Müller, H. F.**

— wie steht heute die Frage nach der Abstammung des Menschen? (8 S.) gr. 8. Wien 903. Wiener Volksbuchh. n. — 50

v. Poch zu Bernegg, P. Gedanken eines Truppen-Offiziers über Werth, Verwendung und Kräfte-Verhältniss der Kavallerie-Waffe. 8. Wien 1873

Pochard, Unterr., die Seelen in den Bußsakramenten mit Frucht zu leiten. 2 Bde. gr. 8. Augsburg, Rieger. 786.

Pochat, Emil [app. Arzt aus Stettin]: Aus d. städt. Krankenhause zu Kiel. Ein Beitrag zur Pathologie und operativen Behandlung von Lungenabscessen ... Kiel, Druck v. P. Peters, 1894; 26 S., 1 Bl. 8.
Kiel, Med. Fak., Inaug.-Diss. v. [20. Nov.] 1894

Poche, Frz., die Stellung des Kindes gegenüber den Eltern vom Standpunkte des Naturrechtes. (29 S.) 8. Leipzig 907. Modernes Verlagsbureau. — 75

Poeche, Isidor, eine frohe **Botschaft** f. jedermann zugleich e. Rettungsanker f. alle Kranken. (11 S.) 8. Leipzig (904). E. Demme. n. — 20

Poeche, Isidor, **Ehestand** — Wehestand, doch freien ist gut! Ein wohlmein., nützl. Ratgeber f. heiratslust. Jünglinge u. ehebeflissene Männer zur Beförderung ihres ersehnten Glückes. gr. 8. (89 S.) Leipzig 900. E. Demme. n. 1. 50

— das **Geschlechtsleben** des Menschen, seine Verirrungen u. Leiden. Ein belehr. Hand- u. Hilfsbuch f. gesunde u. kranke Erwachsene. (240 S.) gr. 8. Hamburg 902. J. Zaruba & Co. n. 3. —

Poeche, Isidor, goldenes **Gesundheitsbrevier** f. Weltpriester u. Ordenspersonen, sowie f. die Candidaten d. geistl. Standes. Eine prakt. Anweisung zur Wahrg., Stärkg. u. Wiedererlangg. der Gesundheit u. Meidg. v. Krankheiten. Nach den neuesten Ergebnissen der Wissenschaft u. Erfahrg. gr. 8. (164 S.) Ebd. 900. n. 2. 40

Pöche, J., prakt. **Haushaltungskunde** od. d. wohlerfahr. Hausfrau. E. Lehrbuch zur zweckmäß., vernunftgemäß. Führg. d. Haushaltes, incl. Pflege u. Erziehg. d. Kinder in Stadt u. Land. Für erwachs. Mädchen, Verlobte, junge Frauen u. solche, die es werden wollen. E. Nachschlagebuch zur Orientirg., Erleichterg. u. Hilfeleistg. in allen Zweigen e. bill. u. musterhaften Haushaltg. Nach hinterlass. Aufzeichngn. s. Tante, d. Frau Clara v. Hohn, ehem. Gutsbesitzerin bearb. u. m. bewährten Zusätzen bereichert. gr. 8. (XII, 311 S.) Leipzig 895. G. Weigel. n. 4. —; geb. n. 5. —
Erschien auch in 10 Lfgn. à n. — 40.

— **Hygiene** der geistigen Arbeit. Ein unentbehrl. Handbuch f. alle m. anstreng. geist. Arbeit vereinten Berufsarten, ihre Leiden u. Krankheiten u. die hygienisch-diätetischen Vorbeugungs- u. Heilmittel. gr. 8. (VII, 135 S.) Leipzig 901. E. Fiedler. n. 1. 80

Poeche, Isidor, **himmlische Kleinodien** in Lebensschilderg. gottsel. Frauen nach deutschen u. französ. Quellen. 12. (199 S.) Paderborn 895. Junfermann. n. 1. —

— die gedeihliche naturgemäße **Lebensweise** f. Gesunde u. Kranke. Ein zur Wahrg. u. Wiedererlangg. der Gesundheit u. Sicherg. e. erfolgreichen, glückl. u. langen Lebens unentbehrl. Hilfsbuch. gr. 8. (124 S. m. 1 Taf.) Leipzig (900). E. A. Winkler. Geb. n. 2. —

— **Mann,** Weib u. Kind od. das Geschlechtsleben des Menschen, seine Verirrungen, Leiden, Vorbeugung u. Heilung. Ein Hand- u. Hilfsbuch sowohl für gesunde als auch f. leid. Erwachsene. gr. 8. (156 S.) Leipzig 900. E. Demme. n. 2. 10

— **Mann,** Weib u. Kind od. das Geschlechtsleben des Menschen, seine Verirrgn., Leiden — Vorbeugg. u. Heilg. Ein Hand- u. Hilfsbuch sowohl f. gesunde als auch f. leid. Erwachsene. 4. Aufl. (148 S.) gr. 8. Leipzig 904. E. Demme. n. 2. 10

— geschlechtliche **Neurasthenie** u. andere sexuell-nervöse Schwäche- u. Erschöpfungszustände, ihr Wesen, ihre Ursachen u. naturgemäße Heilung, zur Belehrung u. zum Troste Leidenden u. Hilfesuchenden gewidmet. gr. 8. (195 S.) Leipzig (902). E. Fiedler. n. 2. 40

— geschlechtliche **Neurasthenie** u. andere sexuell-nervöse Schwäche- u. Erschöpfungszustände, ihr Wesen, ihre Ursachen u. naturgemäße Heilung, zur Belehrg. u. zum Troste Leidenden u. Hilfesuchenden gewidmet. (2. Aufl.) (208 S.) 8. Leipzig (906). E. Fiedler. n. 2. 40

— die sexuelle **Neurasthenie,** geschlechtlich-nervöse Schwächezustände, ihr Wesen, ihre Ursachen u. naturgemässe Behandlung. Zur Belehrg. u. zum Troste den Leidenden u. Hilfesuchenden gewidmet. gr. 8. (87 S.) Leipzig 901. E. Demme. n. 1. 50

Physiologie der geistigen Arbeit. Ein Handbuch f. Gelehrte, Künstler ... Nach langjähr. Forschungen u. d. neuesten Resultaten d. Wissenschaften. Von Dr. J. **Poeche.** *Münster in W.: A. Russell 1893.* (55 S.) 8° [04. 168] 6 2

Poeche, Isid. Goldene Regeln der Lebensklugheit. Ein Ratgeber f. den Weltmann. Nach den Lehren d. Baltasar Grazian. 12. (VII, III, 100 S.) Hamb. 891, Berendsohn. * 1 —

— **schaut auf Golgatha!** Passionsgeschichte uns. Herrn u. Heilandes Jesu Christi m. erbauenden Betrachtgn., Anmutgn. u. Gebeten f. alle Stände u. Lebensverhältnisse. 16. (VI, 868 S. m. 1 Farbdr.) Steyl 896. Missionsdruckerei. Geb. in Leinw. n. 1. 20

— der Schlaf u. das Schlafzimmer. Ein hygienisch-diätet. Handbuch als Wegweiser zur Erlangg. e. natürl. u. erquick. Schlafes. gr. 8. (107 S.) Berlin 901. [E. Beyer.] Berlin. Verlagsanstalt. 1. 50

— der Schlaf u. das Schlafzimmer. Ein hygienisch-diätet. Handbuch als Wegweiser zur Erlangg. e. natürl. u. erquick. Schlafes. (Neue [Titel-]Ausg.) (107 S.) gr. 8. Berlin [901] 903. Berlin. Verlagsanstalt. n. 1. 50

— der sexuelle Selbstmord der Jugend. Ursachen, Vorbeugg. u. Heilg. der Jugendverirrgn. u. ihrer Folgen. Jünglingen u. Jungfrauen, Eltern u. Lehrern gewidmet. 2. Aufl. (134 S.) gr. 8. Leipzig 903. E. Demme. n. 1. 50

— der sexuelle Selbstmord der Unkeuschheit. Ursachen, Vorbeugg. u. Heilg. der Onanie, Jünglingen u. Jungfrauen, Eltern u. Lehrern gewidmet. gr. 8. (134 S.) Leipzig 901. E. Demme. n. 1. 50

— Sünden gegen das VI. u. IX. Gebot. Geschlechtliche Ausschweifgn., besonders Onanie, Vorbeugg. u. naturgemäße Heilg. ihrer verderbl. Folgen. Belehrung, Trost u. Hilfe f. beide Geschlechter. gr. 8. (III, 156 S.) Leipzig 901. E. Fiedler. n. 2. —

— unsere Verdauung u. Ernährung, m. Berücksicht. der hier einschlag. Krankheiten samt Heilverfahren, nebst eingeh. hygienisch-krit. Beurteilung unserer Nahrungsmittel u. Getränke. Diätetisch-physiolog. Handbuch. Nach den neuesten Ergebnissen der Wissenschaft u. Erfahrg. Ein Wegweiser f. Gesunde u. Kranke. gr. 8. (VIII, 147 S.) Leipzig 900. W. Besser. n. 2. 40

Poeche, J., wie soll ich geistig arbeiten?, s.a. Georgi's, Carl, Bücherei. 2. Bd.

— wie soll ich geistig arbeiten? Ein unentbehrl. Handbuch f. alle m. anstreng. geist. Arbeit vereinten Berufsarten, ihre Leiden u. Krankheiten u. die hygienisch-diätet. Vorbeugungs- u. Heilmittel. (VII, 135 S.) 8. Berlin (905). C. Georgi. n. 1. 50

Poeche, J., wie soll man leben? u. weshalb lebt man? Ein Wegweiser f. Gesunde u. Kranke. gr. 8. (246 S. m. 1 Taf.) München 895. Seitz & Schauer. n. 3. —

Poeche, J., wie soll man leben? u. weshalb lebt man? E. Wegweiser f. Gesunde u. Kranke. (2. Aufl.) 8. (246 S. m. 1 Taf.) München 895. Seitz & Schauer. n. 1. 50

(**Pochhammer.**) Über die Führung der Artillerie im Manöver und Gefecht. Hannover 1883. 8°.

(**Pochhammer.**) Notizen zur Orientirung in der Geschichte des Festungsbau's. Berlin 1881. 2°. (Lithogr.)

(v. Pochhammer) Sammlung der über die neuen Steuer-Gesetze v. 20 Novbr. 1810, 27. Juni und 7. Septbr. 1811 ergangenen erläuternden, ergänzenden und abändernden Bestimmungen bis zum 1. Febr. 1811 incl. Berlin.

L. van Beethoven. IV. Konzert für Klavier und Orchester in G-Dur. (Op. 58.) Erl. von A[dolf] Pochhammer. *Leipzig: H. Seemann Nachf. [1900].* (4 Bl.) 8°
— Musikführer. 159. [01. 9544

Pochhammer, Adph., s.: Berlioz, Hector.

Anton Bruckner. Symphonie No. 2 in C-moll erl. von A[dolf] Pochhammer. *Stuttgart: J. Schmitt [1899].* (12 S.) 8°
— Musikführer. 153. [01. 9539

— s.: Bruckner's Symphonien.

— **s.: Chorwerke, die beliebtesten.**

— **Einführg. in d. Musik. 8. (189 S.) Frankfurt a/M. 896. Stuttgart, J. Schmitt. Kart. n. 1. —**

(B) – Einführg. in d. Musik, 896. (KBl. 90.) Jetzt: Berlin, Harmonie.

— **musikalische Elementar-Grammatik. Praktisch-theoret. Hilfsbuch f. Lehrende zum Gebrauch an Musikschulen u. im Privat-Unterricht, sowie f. Lernende als Repetitorium u. zum Selbstunterricht. gr. 8. (VIII, 215 S.) Leipzig (901). H. Seemann Nachf. Geb. in Leinw. n. 4. —**

— **d. Entwickelg. u. Bedeutg. d. Symphonien u. symphon. Dichtgn., s.: Symphonien u. symphonisch. Dichtungen, d. beliebtesten.**

Pochhammer, Adph., Gott u. Natur, Liebe u. Leben. Dichtungen. gr. 16. (VII, 77 S.) Wiesbaden 893. C. Schnegelberger & Co. Geb. in Leinw. m. Goldschn. n. 2. —

— **L. van Beethoven's IV. Konzert f. Klavier u. Orchester in G-dur, s. Musikführer, der.**

— **Peter Iljitsch Tschaikoffsky's Konzert f. Violine, s. Musikführer, der.**

Pochhammer, Adph., Ludwig van Beethoven's Leben u. Wirken, s.: Meisterführer. Nr. 1.

Pochhammer, Adph., Ludwig van Beethoven's Leben u. Wirken bes. als Symphoniker, s.: Beethoven's Symphonien.

Pochhammer, Adph., das Leben Franz Liszts, s.: Hahn, Arth., Franz Liszts symphonische Dichtungen.

— **Franz Liszt, s.: Hahn, Arth.**

W. A. Mozart, Symphonie in C-dur. M. d. Schlussfuge '(Jupiter-Symphonie)'. Erläut. v. A[dolf] Pochhammer, Lehrer ... zu Wiesbaden. *Frankfurt a. M.: H. Bechhold [1896].* (28 S.) 1 Bd 8.
= Musikführer, Der. No 54. [97. 99

– Rich. Wagner's Parsifal, s. Musikführer, Der.

– Rich. Wagner's Ring des Nibelungen, s.a. Musikführer, Der.

— **Richard Wagner's Der Ring d. Nibelungen. Erläutert v. P. 8 (139 S.) Frankfurt a/M. 896. Stuttgart, J. Schmitt. Geb. in Leinw. n. 2. —**

Pochhammer, Adph., Richard Wagner's Der Ring des Nibelungen. Erläutert. 3. Aufl. (139 S.) 8. Leipzig (903). [H. Seemann Nachf.] Berlin, Schlesinger'sche Buchh. Geb. in Leinw. n. 2. —

– Richard Wagner's Der Ring d. Nibelungen, s.a. Meisterführer. Nr. 5.

Richard Wagner's Der Ring des Nibelungen. Erl. von Adolph **Pochhammer**. Berlin: Schlesinger [1907]. (141 S.) 8°
— **Meisterführer**. No 5.
(Schlesingersche Musik-Bibliothek.) [c8. 10254

— **Hektor Berlioz' Romeo u. Julie, s.: Voltz, Ludw.**

– Camille Saint-Saens Sündflut,
s. Musikführer, Der.

— **Anton Bruckner's Symphonie No. 2 in C-moll, s. Musikführer, der.**

– W. A. Mozart's Symphonie in C-dur,
s. Musikführer, Der.

Peter Iljitsch **Tschaikoffsky**, Konzert für Violine mit Begleitung des Orchesters oder des Pianoforte (D dur). op. 35. Erl. von **Adolph Pochhammer**. *Leipzig: H. Seemann Nachf. [1900].* (12 S.) 8°
— **Musikführer**. 161. [01. 9546

Richard Wagner, Parsifal. '(Ein Bühnenweihfestspiel.)' Erläut. v. Ad[olf] Pochhammer. *Frankfurt a. M.: H. Bechhold (1897).* (47 S.) 1 Bd 8.
= Musikführer, Der. No 134 135. [illegible]

Richard Wagner, Der Ring des Nibelungen. Erl. v. Adolph Pochhammer. [Th.] I–IV. *Frankfurt a. M.: H. Bechhold [1897].* 4 Bde 8.
I. Das Rheingold. Vorabend zu d. Trilogie. (31 S.)
II. Die Walküre. Erster Tag aus d. Trilogie. (30 S.)
III. Siegfried. Zweiter Tag aus d. Trilogie. (38 S.)
IV. Götterdämmerung. Dritter Tag aus d. Trilogie. (45 S.)
= Musikführer, Der. No 105–112. [illegible]

Pochhammer, C., Beleuchtung der preußischen Heeres-Organisation für deutsche Patrioten. Berlin 862. Mittler & Sohn. gr. 8. (2 Bl., 48 S.) 7½ *ngr.*

Pochhammer, Conrad, s. Pochhammer, Konrad

Pochhammer, E. v., s.: Mund, E. D.

Pochhammer, Edmund von (Berlin), De articulis arte incidendis. Diss. med.-chir. Berlin (Nietack) 17. X. 1835. 32 S. mit Biogr. (M.: Zoellner.) (3.25) 26856
Oppon.: M. Nagel, C. Boeger, R. Marchand. — Gew.: Heinrich Grimm, Wilhelm von Pochhammer (Vater).

Pochhammer, Eugen (geb. Stendal 21. 1. 1845): Ueber zwei Mastdarmgeschwülste von seltnerem Vorkommen. Berlin (1867). (31 S.) 8°
Berlin, Med. Diss. v. 10. Aug. 1867

Pochhammer, (G. Fr.,) russische Dampfbäder als Heilmittel durch Erfolge bewährt. Nebst einer Anleitung z. Erbauung u. innern Einricht. ders. durch 3 Kpfrtaf. erläut. Mit einer kurzen Anweisung zum Gebrauche d. russ. Dampfbäder v. Dr. J. G. Schmidt. gr. 8. Berlin 824, Nauck.

Pochhammer, G. T. A., Handbuch z. vollständ. Kenntniß d. Zoll-Verfassung u. Verwaltung in d. Kgl. Preuß. Staaten, nach d. Gesetze v. 26. Mai 1818. 2 Thle. gr. 8. (69½ B.) Berlin 832, (Jonas's Vrlsh.)

Pochhammer, G. T. A.: „Handbuch zur vollständigen Kenntniss der Zollverfassung und -verwaltung in den Königlich Preussischen Staaten nach dem Gesetz vom 26. Mai 1818", 2 Bände. Berlin 1832 (Trowitsch & Sohn). — Vorh.: Büch. der Handelskammer Magdeburg.

Pochhammer, G. T. A., s. Jahrbücher der Zoll-Gesetzgebung.

(**Pochhammer, Karl Heinr. Wilh. v.,**) s. †Martell, Wilh.

Pochhammer, Konrad

Pochhammer, Conrad [aus Greifenberg in Pomm.]: Ueber Aetiologie der Myelitis, spez. in ihren Beziehgn z. Syphilis ... Berlin, C. Vogts Buchdr., *1896;* 32 S., 2 Bl. 8.
Berlin, Med. Fak., Inaug.-Diss. v. 17. Juli 1896

Pochhammer, Conr., experimentelle Untersuchungen üb. die Entstehung des Starrkrampfs u. die Wirkung des Tetanustoxins im menschlichen u. tierischen Organismus, s. a. Sammlung klinischer Vorträge.

Experimentelle Untersuchungen über die Entstehung des Starrkrampfs und die Wirkung des Tetanustoxins im menschlichen und tierischen Organismus. Von Dr. Conrad **Pochhammer**, Stabsarzt. Leipzig: Barth 1909. 92 S. 8°
(Sammlung Klinischer Vorträge. Nr 520/522.) [09. 6472

Pochhammer, L., Ueber die Entwickelung von Functionen nach den Integralen einer Klasse von linearen Differential-Gleichungen zweiter Ordnung.
Berlin 1871.

Pochhammer, L., Untersuchungen über das Gleichgewicht des elastischen Stabes. gr. 8. (XI, 184 S.) Kiel 879. Universitäts-Buchhandlung. n. 4. —

Beitrag zur Frage des Universitätsstudiums der Frauen. Rede z. Antritt d. Rektorats d. Christian-Albrechts-Univ. in Kiel am 6. März 1893 v. Leo **Pochhammer**. Kiel, Univ.-Buchh. '(P. Toeche.)', 1893; 20 S. 8.

Pochhammer, Leo (August) (geb. Stendal 25. 8. 1841): De superficierum [illegible] derivatione. Berolini (1863). (26 S.) 4°
Berlin, Phil. Diss. v. 8. Juli 1863

Zum Problem der Willensfreiheit. Eine Betrachtung aus d. Grenzgebiet von Naturwissenschaft u. Philosophie von Dr. L[eo] **Pochhammer**, Prof. Stuttgart: M. Kielmann 1908. (82 S.) 8° [F.] [08. 7440

Pochhammer, M. v., die Errettung. gr. 8. (57 S.) M.-Gladbach 868, (Hoster.) * — 40

— die große Trübsal, die der baldigen Wiederkunft des Herrn vorhergeht. Ebend. 868. gr. 8. (31 S.) n. 2 *ngr.*

— drei Vorträge gehalten zu M.-Gladbach am 26. April, 3. u. 6. Mai 1868. 2. Aufl. Ebend. 868. gr. 8. (117 S.) n. 8 *ngr.*

— die nahe Wiederkunft des Herrn. gr. 8. (27 S.) (Ebendas.) 868. * — 20
Drei Vorträge am 26. April, 3. und 6. Mai 1868 in Gladbach gehalten.

Pochhammer, Margarete, die Geschichte der Eltern, s.: Frauen-Bibliothek, moderne. Nr. 7.

Pochhammer, Margarete u. G. Erman. Die moderne Gesellschaft, ihre Geselligkeit u. ihre Moral, s. Schriften, deutsche, nationales Leben.

Frau Major Lüdicke. Lustspiel in 3 Aufz. von Margarete **Pochhammer**. Berlin: Thormann & Goetsch [1908]. (103 S.) 8° [F.] [08. 12665

Pochhammer, Margar., Frau Major Lüdicke. Lustspiel in 5 Aufzügen. (91 S.) 8. Berlin-Friedenau (909). Bureau Fischer. 2. —

Pochhammer, Margarete, Mode u. Bildung. — Spener, Mode u. Vereinsarbeit. 2 Vorträge, geh. am 12. II. 1898 in d. Sitzg. d. Allgem. Vereins f. Verbesserg. d. Frauenkleidg., „Zweigverein Dresden", im großen Saale d. Kaufmannschaft. gr. 8. (18 S.) Dresden 898. O. V. Böhmert. n. — 20

— d. Zukunft d. Mode, s.: Vorträge, zwei, geh. im Verein f. Verbesserg. d. Frauenkleidg.

Durch Dante. E. Führer durch die „Commedia" in 100 Stanzen und 10 Skizzen v. Paul Pochhammer. *Zürich & Leipzig: K. Henckell & C. (1897).* (144 S., 1 Taf.) 1 Bd 8. [98. 395 [illegible]

(B) — Durch Dante. 897. (KBL 30.) Jetzt: Leipzig, B. G. Teubner.

Pochhammer, Paul, Dante u. d. Schweiz. E. Wort an Einheim. u. Fremde. (M. e. Skizze f. Dante-Leser.) 8. (51 S.) Zürich 896. A. Raustein. n. — 80

Pochhammer, Paul, ein Dantekranz aus 100 Blättern. Ein Führer durch die „Commedia". Mit 100 Federzeichngn. v. Frz. Stassen u. 3 Plänen. 3 Lfgn. (272 S.) Lex.-8. Berlin 905. 906. G. Grote. Kart. à n. 4. —; Geb. in 1 Leinw.-Bd. n. 15. —

Pochhammer, P., Friedrich der Grosse u. Neisse. Vortrag. [Aus: „24. Bericht der wissenschaftl. Gesellsch. Philomathie in Neisse".] gr. 8. (32 S.) Neisse 888. Gravour's Verl.° n. — 60

Pochhammer, Paul, s.a. Dante's göttliche Komödie.

Pochhammer, Paul. Dantes Göttliche Komödie in deutschen Stanzen frei bearbeitet von Paul Pochhammer (Lausanne). Mit einem Dante-Bild nach Giotto von E(ugène) Burnand. Buchschmuck von H Vogeler-Worpswede und zehn Skizzen. L + 460 S. 8. Leipzig, B. G. Teubner, 1901. [geb. M. 7. 50]

Pochhammer, Paul. Ein Wort über ([Johann] Wolfgang von) Goethe, gesprochen am 27. August 1899 bei der Goethe-Erinnerungsfeier... zu Bern. [SA.] 8. Bern 1899.

Pochmann, Emanuel

Pochmann, E., die Influenza. Ihre Geschichte, ihre Symptomatologie, ihre Pathologie u. Aetiologie, ihre Diagnose u. Prophylaxis etc. Ferner das Entstehen u. Erlöschen der letzten Epidemie in Linz. gr. 8. (63 S.) Linz 890. (Fink.) n. 2. 50

Pochmann, Eman., e. Theorie der Entzündung u. Eiterung auf physiologischer, nicht auf bakteriologischer Grundlage. [Aus: „Oesterr. ärztl. Vereinszeitg."] gr. 8. (18 S.) Linz 893. (Wien, M. Merlin.) n. — 50

Pochmann, Eman., die Ursachen u. die Entstehung der Blattern-Epidemie, sowie ihre Verhütung. Eine Studie aus der letzten Blatternepidemie. gr. 8. (VII, 35 S.) Prag 875. (Haerpfer.) n. 1. 20

— „Wärme ist nicht Kälte, u. Kälte ist nicht Wärme" od.: Eine daraus abgeleitete neue mechan. Wärme-Theorie f. die gesammte organ. u. unorgan. Welt. gr. 8. (25 S. m. 2 Abbildgn.) Ebd. 890. n. 2. —

Pochon, A[dolf], und Zesiger, A[lfred]. Schweizer Militär vom Jahr 1700 bis auf die Neuzeit. (Liefg. 1.) [Mit Abbildungen und 4 farbigen Tafeln.] VI + 8 S. 4. Bern, Scheitlin, Spring & Cie., 1906. [pro Liefg. fr. 6. —]

Pochon, A[dolf], und Zesiger, A[lfred]. Schweizer Militär. Liefg. 2. [Mit Abbildungen und 4 farbigen Tafeln.] II S. + S. 9—16. 4. Bern, Scheitlin, Spring & Cie., [1907]. [pro Liefg. fr. 6. —]

Pochon, A[dolf], und Zesiger, A[lfred]. Schweizer Militär. Liefg. 3 u. 4. [Mit Abbildungen und 8 farbigen Tafeln.] je II S. + S. 17—32. 4. Bern, Scheitlin, Spring & Cie., [1907]. [pro Liefg. fr. 6. —]

Pochon, A[dolf], und Zesiger, A[lfred]. Schweizer Militär. Liefg. 5. [Mit Abbildungen und 4 Tafeln.] II S. + S. 33—40. 4. Bern, Scheitlin, Spring & Cie., [1908]. [pro Liefg. fr. 6. —]

Pochon, A[dolf], und Zesiger, A[lfred]. Schweizer Militär. Liefg. 6. [Mit Abbildungen und 4 Tafeln.] II S. + S. 41—48. 4. Bern, Scheitlin, Spring & Cie., [1908]. [pro Liefg. fr. 6. —]

Pochon, A[dolf], und Zesiger A[lfred]. Schweizer Militär. Liefg. 7. [Mit Abbildungen und 4 Tafeln.] II S. + S. 49—56. 4. Bern, Scheitlin, Spring & Cie., [1909]. [pro Liefg. fr. 6. —]

— — Le soldat suisse de l'année 1700 à nos jours. 1. livr. (VIII u. S. 1—8 m. Abbildgn. u. 4 farb. Taf.) 33×25 cm. Ebd. (907). nn 4. 80
Erscheint nicht weiter.

Pochon, Albert. Beiträge zur Kenntnis der Langerhansschen Inseln des Pankreas. Diss. Vet.-Med. Bern. Mit 1 Tafel. (Sonderabdruck aus dem Archiv für wissenschaftl. und prakt. Tierheilkunde. 1908. Bd. 34.) *Kopftitel:* Aus dem veterinär-anatomischen Institut der Universität Bern (Direktor: Prof. Dr. [Theodor Oscar] Rubeli). 46 S. 8. Berlin, L. Schumacher, 1908.

Pochop, J.: Über die poetische Diction des Hesiod. 16. Mähr-Weißkirchen. 1881. 18 S. Progr.

[Russ.] Pochoždenija russkago duchovenstva. *Berlin: G. Stejnic (1903).* (60 S.) 8°
[Auf d. Umschl.:] Das Treiben d. russ. Geistlichkeit ...
(Sobranie lučšich russkich proizvedenij. Č. 62.) [illegible]

Aus den Gedichten Po-Chü-i's. Von Dr. L. Woitsch. Peking 1908. (70 S.) 4° [08. 18352]

Pock, v., Grundriß d. Beschr. v. Aemtern 2c. in Pfalzbayern. 8. Regensb. Montag. 793.

Pock's, Alex., Bilderbuch f. die Jugend im Alter von 5—8 Jahren. 18 Farben- u. 18 Schwarzdr.-Bilder m. Texten, gesammelt u. gesichtet v. Frz. Bücking. qu. gr. 8. (III, 36 S.) Wien (899). Gesellschaft f. vervielfält. Kunst. Geb. n. 4. —

Pock's, Alex., Bilderbuch f. die Jugend im Alter von 5 bis 8 Jahren. 18 Farben- u. 18 Schwarzdr.-Bilder m. Texten gesammelt u. gesichtet v. Frz. Bücking. 2. Aufl. (III, 36 S.) qu. 8. Wien (903). Gesellschaft f. vervielfältig. Kunst. Geb. n. 2. 50

Pock, Edm.

— Einl. in d. Univers. Hist. 8. Ebend. 737.

Pock, Edm., (†, d. 21. Juli 1737.) histor.-chronolog. u. geograph. Tabellen, v. Anfang d. Welt bis zum J. 1736. Nebst e. kurzen Vorstellung u. 45 genealog. Tabellen. Fol. Augsb. 736. 2e A. Ebd. 764. N. A. 765. Wolff. 3 ß

v. Pock, Jh. Bapt., Grundriß d. Beschreib. v. Aemtern 2c. in Pfalzbaiern. 8. Regensb. 793. Montag u. W. 6 gr

— über das Studium d. Rechtsgelehrsamkeit u. ihre Vorbereitung u. Hülfswissenschaften. 4. Eichst. 783.

Pock, Johann Josef, s. P o c k h

Pock, Jul., deutsche Sprachinseln in Wälschtirol u. Italien m. besond. Berücksicht. der Enclaven Tischelwang, Sauris u. Bladen. 12. (37 S.) Innsbruck 892. Wagner. n. — 60

Pock, Match. († d. 25. Juni 1795.) Gebrauch des Proportionalzirkels, nach Bions Anleit. zu 6 Linien rc. Mit 7 Kpft. 8. Salzb. 785. Mayr. 4 gl.

Pöck, Conrad, s. P ö c k , Konrad

PÖCK, Gregorius, SOCist.: Quomodo ordines religiosi variis temporum indigentiis consuluerint. — (1890) 109 S. 4° (Handschr.) Diss. 493
Diss.Wien, Univ.

Pöck, Ign. v.

— Darstell. d. Zustandes der Oper u. des Ballets im k. k. Hoftheater nächst d. Kärnthnerthore, während d. Pachtung des Hrn. D. Barbaja. Vom 1. Dec. 1821 bis 26. März 1825. 12. Wien, Wallishauser. 4 gl.

v. P ö c k, (J. Freihr.,) humorist. Lustwäldchen. gr. 12. Wien 825, Tendler u. v. M.

POECK, JOSEPH: Wallfahrtslieder zum Gebrauche der frommen Pilger aus Blumenthal nach den Gnadenorten der seligsten Jungfrau Maria. Pressburg 1861.

Pöck, Konrad

(PÖCK, CONRAD) P. PRIMITIVUS: Die Christen in ihrem Charakter, und Endzwecke, der heutigen Welt zur Betrachtung vorgestellt, und in sieben Fasten-Reden vorgetragen von P. Primitivus. Preßburg 1784. Gedr. mit Patzkoischen Schriften. 188 S. - gr. 8°

(PÖCK, CONRAD) P. PRIMITIVUS: Fastenpredigt auf die dermaligen Umstände gerichtet vorgetragen in der Kirche der W. W. P. P. Kapuzinern zu Preßburg von P. Primitivus (Pöck Moor-Hungaro) obbemeldten Ordens Priester. Preßburg 1793: Bey Franz Augustin Patzkó. 31 S. - 8°

(PÖCK, CONRAD) P. PRIMITIVUS: Die Gefahr, welche der Religion, und dem Staate gedrohet wird, entdecket und wie derselben abzuhelfen gezeiget: in einer Fasten-Rede vorgetragen von P. Primitivus Kapuziner-Ordens Priester, gewöhnlichen Sonntag und Fastenprediger zu Preßburg. o. O. o. J.: Gedr. mit Patzkoischen Schriften. 36 S. - 160 mm

(PÖCK, CONRAD) P. PRIMITIVUS: Predigt zum Beschlusse des Jahres 1793 vorgetragen in der St. Salvator-Kirche von P. Primitivus . . . Preßburg 1793: Gedr. mit Patzkoischen Schriften. 28 S. - 160 mm

(PÖCK, CONRAD) P. PRIMITIVUS: Predigt auf das Jubelfest, welches in der Kirche der W. E. Kloster-Frauen der heiligen Elisabeth den 9. Juny 1794 feyerlich gehalten wurde, als Maria Clara geb. von Baumhackel, und würdigste Oberin im obbemelten Kloster, ihre Ordens-Gelübden . . . erneuert hat. Vorgetragen von P. Primitivus . . . zu Preßburg. Preßburg 1794. Gedr. mit Patzkoischen Schriften. 29 S. - gr. 8°

POECK, RUDOLF: Das heilige Messopfer. Primizpredigt gehalten in der Collegiat- und Pfarr-Kirche der k. Freistadt Tirnau am 8. August 1869, als Sr. Hochwürden Herr Nikolaus Kovách Priester des Graner Erzbisthums unter der Leitung von . . . Rudolf Poeck sein erstes heiliges Messopfer darbrachte. Pressburg 1869: Fr. Mayer. 11 S. - 8°

POECK, RUDOLF: Die zwei höchsten Vorzüge des Priesterthumes. Primiz-Predigt gehalten in der Kirche der W.W. E.E. Barmherzigen Brüder am 16. Oktober 1864 als Sr. Hochwürden P. V. Achatius Saghy . . . sein erstes heiliges Meßopfer . . . darbrachte. Pressburg 1864.

Frhr v. POECK, Th. Ign.: Supplementa Cod. Austriaci (1704. editi) od. Samml. u. s. w. — seit 1740. *Wien.* 775—76. 6 Thle. fol.

Poeck, Wilh., de Herr Innehmer B a r k e n b u s c h u. andere Geschichten v. der Waterkant. (186 S. m. Abbildgn.) 8. Hamburg-Großborstel 906. Gutenberg-Verlag Dr. E. Schultze. n. 2. —; geb. n. 3. —

De Herr Innehmer Barkenbusch u. andere Geschichten von d. Waterkant von Wilhelm **Poeck**. 2. Aufl. Hamburg: E. Schultze 1906. (185 S.) 8° [F.]
[07. 11... 9

Poeck, Wilh., lebendige Bütt, s. a. V o l k s b ü c h e r, Wiesbadener.

Lebendige Bütt. 2 Humoresken von d. Waterkant von Wilhelm **Poeck**. 1.-20. Taus. Wiesbaden: Volksbildungsverein 1907. (46 S.) 8° [F.]
= **Volksbücher**, Wiesbadener. No 89.
[07. 5912 9

— in de E l l e r n b u c h t. En Geschicht v. de Hamborger Waterkant. (448 S.) 8. Ebd. 907. n. 4. —; geb. n. 5. —

— Von H a m b u r g e r H e r r s c h a f t e n, Köksche n und Kindern. 3 lust. Geschichten. (115 S.) 8. Hamburg 910. M. Glogau jr. 1.—; geb. n 1. 50

— **I s l a n d z a u b e r.** Erzählung. (191 S.) 8. Hamburg 904. A. Janssen. n. 2. —; geb. n. 3 —

— Simon K ü l p e r ' s Kinder. Ein Fischerroman v. der Nordsee. (VII, 298 S.) 8. Leipzig (910). F. W. Grunow. 4.—; geb. in Leinw. 5. —

— Sinkendes L a n d. Roman. (314 S.) 8. Stuttgart (908). Union. 4.—; geb. in Leinw. 5. —

Sinkendes Land. Roman v. Wilhelm **Poeck.** Stuttgart Berlin Leipzig [1910]. 8°

— Von L ö w e n, Lumpen u. anständigen Leuten. Lustige Hamburger Geschichten. 1. u. 2. Aufl. (1. bis 5. Taus.) (IV, 107 S.) 8. Hamburg 908. M. Glogau jr. 1.—; geb. in Leinw. 1. 50

— N o r d k a p e r. Ein fideler Reiseroman. (279 S.) 8. Leipzig (908). Ph. Reclam jun. 3.—; geb. 4. —

Planeten-Pleite, s.: H u m o r. 1. Bd.

Poeck, Wilh., Schicksale. Novellen. 8. (190 S.) Hamburg 901. A. Janssen. n. 2. —

— T u r m s c h w a l b e n. Humoristischer Roman. (236 S.) 8. Stuttgart (907). Union. 3. —; geb. in Leinw. 4. —

Poeckel, Ge. Quir.: Tractatio iur., de crimine partus abacti. von Abtreibung der Geburth. Halae Sal. 1730.

— [Ed. nova.] 1749.

Pöckel, Karl

Pöckel, *Johannes* Carl [Gerichtsref. in Bonn]: Kann von demjenigen, welcher nicht selbst Besitzer, sondern nur Stellvertreter eines dritten Besitzers ist, durch constitutum possessorium der Besitz einer Sache auf einen andern übertragen werden? .. Bonn, Buchdr. J. Bach Wwe, 1892; 60 S., 1 Bl. 8.
Erlangen, Jur. Fak., Inaug.-Diss. v. 1892

Pöckel(l), Georg Quirin [Praes.], s. T r o p p a n n e g e r, Johann Friedrich: De interrogatoriis, eorumque in foro usu.

Pockels, Carl Friedrich, s. P o c k e l s , Karl Friedrich

Pockels, Friedrich

Pockels, F., s.: A n n a l e n der Physik.

Pockels, Frdr., üb. die partielle Differentialgleichung $\Delta u + k^2 u = 0$ u. deren Auftreten in der mathematischen Physik. Mit e. Vorwort v. Fel. Klein. gr. 8. (XII, 339 S. m. Fig.) Leipzig 891. B. G. Teubner. n. 8. —

Pockels, Friedrich [aus Braunschweig]: Ueber den Einfluss elastischer Deformationen, speciell einseitigen Druckes, auf das optische Verhalten krystallinischer Körper. . . . Leipzig, Johann Ambrosius Barth, 1889. 93 [1] S. 8°.
Göttingen, Phil. Fak., Inaug.-Diss. v. 13. Dez. 1888

— üb. den Einfluss des elektrostatischen Feldes auf das optische Verhalten piëzoelektrischer Krystalle. Eine v. der königl. Gesellschaft der Wissenschaften zu Göttingen m. dem vollen Preise gekrönte Arbeit. [Aus: „Abhandlgn. d. k. Gesellsch. d. Wiss. zu Göttingen".] gr. 4. (IV, 204 S. m. 14 Fig.) Göttingen 894. Dieterich's Verl. n. 22. —

Pockels, Frdr., Gustav Robert Kirchhoff, s.: Professoren, Heidelberger, aus dem 19 Jahrh.

— **Lehrbuch der Kristalloptik, s.a. Teubner's, B. G., Sammlung v. Lehrbüchern auf d. Gebiete der mathem. Wissenschaften.**

Lehrbuch der Kristalloptik von F[riedr.] **Pockels,** Prof. Mit 168 Fig. u. 6 Doppeltaf. Leipzig & Berlin: B. G. Teubner 1906. (x, 519 S.) 8°
= Sammlung. B.G.Teubners, v.Lehrbüchern d. math. Wiss. Bd 19. (06.4.14) 6

Pockels, Friedrich Gottlieb (Woermlitz/Magdeburg), De mundo optimo maxima Dei in finitis imagine. Diss. phil. Präs. Georg Friedrich Meier. Halle / Magdeburg (Kitler) Juni 1762. 34 S. (5.50) 26857
Gew.: Ernst Johann von Voss, Anton Friedrich Reimers. — Widm. v.: Georg Friedrich Meier, Johann Christian Förster, Johann Gottlieb Pockels (Vater), Johann Christian Lichotius, Johann And. Adolph Tauscher, Franziskus Carl Rischmüller.

Pockels, F. Gli., **Predigten** üb. Episteln u. a. Texte. 2 Sammlung. gr. 8. Halle, Hemmerde und S. 778. 79. (à 16 gr.)

— **Predigten** üb. d. Katechism. Lutheri. gr. 8. Ebend. 781.

Pockels, Karl Aug., wie erlange ich gute Manieren? Eine prakt. Anleitg. zur Beseitigg. schlechter Gewohnheiten u. zur Erlangg. tadelloser Formen sowie moderner Lebensart nach der Methode v. François Delsarte. (VI, 165 S.) gr. 8. Braunschweig (903). Leipzig-Connewitz, Deutscher Reform-Verlag. n. 5. —

Pockels, Karl Friedrich

POCKELS, C. Fr. Aphorismen zu einem Charaktergemälde des weiblichen Geschlechts. Mit Anmerkungen und Zusätzen. Hannover 1802. 8°. 243 S.

Pockels, C. F., Beitr. z. Beförder. d. Menschenkenntniß, Fragm. z. Kenntn. u. Belehrung d. menschl. Herzens. Hann. 8°.
1788

K. F. **Pockels:** Beyträge z. Beförderung d. Menschenkenntniss. *Berl.*, Vieweg. 788-89. 2 Hefte. 8° 18*gl*

Eb. neue Beytr. z. Beförd. d. Menschenkunde überh. u. d. Erfahrungsseelenlehre insbes. *Hamb.*, Hoffmann. 798. 8° 16*gl*

– s. Bekenntnisse d. Prinzessin v. Orleans.

— Briefe über die Weiber, s. unten: Fragmente.

— Briefe üb. d. Weiber. 8. Hannov. Ritscher. (Hahn.) 791.

BRIEFE über die Weiber (von *Karl Friedrich Pockels,* 1757—1814). Bdchn. 1. (einz.). Hannover 1792. Kl. 8°. VI u. 112 S. (3 Mk. 50 Pfg. Adolf Weigel, 1906.)
Fehlt im Anon.-Lex.

– s. Cassina: Versuch.

— — Charakter- und Umgangsgemälde. Aus dessen Schriften gezogen. 12. Pesth, Hartleben. 816.

Eb. Denkwürdigkk. z. Bereich. d. Erfahrungsseelenl. u. Charakterkunde. *Halle,* Renger. 794. 8° 14*gl*

— Denkwürdigkeiten des Edlen u. Schönen, s. K. Ph. **Moritz.**

— **Fragmente** z. Erkenntn. und Belehr. d. menschlichen Herzens. 3 Samml. 8. Hannov. Ritscher. (Hahn.) 788—94. (1r u. 3r à 12 gr. 2r 8 gr.)

— — Ueber Gesellschaft, Geselligkeit und Umgang. 2 Bde. Mit 1 Vignette. Ebd. 1813. 8°. (3 Mk. Taussig, Prag, 1904.)
In Bd. 1 wird über die erotischen Dichter und das Hetärenwesen der Griechen gehandelt.

Pockels, C. F., über Gesellschaft, Geselligkeit u. Umgang. 3r Bd.
Auch unter dem Titel:
Ueber die Kleinigkeiten im Umgange. 8. Hannover, Gebr. Hahn. 816.

Pockels, Karl Friedrich (Hrsg.), s. Gnothi seauton.

– s.a. Karl Wilhelm Ferdinand, Herzog zu Braunschweig.

Carl Wilhelm Ferdinand, Herzog zu Braunschweig und Lüneburg. Ein biographisches Gemälde dieses Fürsten. [Von Karl Friedrich Pockels.] Mit dem Portrait des Herzogs. Tübingen. 1809. 8°.

— Contraste zu dem Gemälde d. Weiber, ein Anh. z. d. Charaktergemälde d. weibl. Geschl. 8. Hannov. Hahn. 804.

– s. Lamourette: Üb. den bürgerlichen Zustand.

— d. Mann, e. anthropol. Charaktergem. s. Geschl. 4 Bde. gr. 8. Hannov. Ritscher. 805—8. (1r 1 Rthlr. 8 gr. 2r 1 Rthlr. 12 gr. 3r 1 Rthlr. 12 gr. 4r 1 Rthlr. 8 gr.)

— Taschenbuch, dem Edlen u. Schönen, d. frohen Laune u. der Philosophie f. d. J. 1803 m. 4. Mit 14 Kpf. 12. Hannov. 804. Hahn. 1 *ß* 12 *gl* (A. u. d. T.: Miscellen f. Freunde u. Freundinnen d. ernsten Nachdenkens 2c.)

Pockels, K. F.: Über den Umgang mit Kindern. Erfahrungen, Maximen u. Winke. Hannover 1811. 271 S.

— Versuch einer Charakteristik des weibl. Geschlechts. 5 Bde. 8. Hannover, Hahn. 806. 793. 799. 801. 802. (1r 2r Bd. à 1 Rthlr. 16 gr. 3r Bd. auch unter d. Titel: über Liebe und Ehe 1 Rthlr. 16 gr. 4r Bd. auch unter dem Tit.: Charaktergemälde des Alters. 1 Rthlr. 8 gr. 5r Bd. enthält Aphorismen 2c. 18 gr.)

— Versuch e. Charakteristik des weibl. Geschlechts. 5 Bde. 8. Hannov. 799—802. (1r Bd. 2e A. 806.) Hahn. 7 ℛ 2 ℊ (3r Bd. A. u. d. T.: Liebe u. Ehe. 1 ℛ 16 ℊ 4r Bd. A. u. d. T.: Charaktergemälde des Alters. 1 ℛ 8 ℊ 5r Bd. A. u. d. T.: Aphorismen zu e. Charaktergemälde ꝛc. 18 ℊ)

Pockels, K. F., Versuch e. Charakteristik des weibl. Geschlechts. 2r Bd. 2te Aufl. gr. 8. Hannover, Gebr. Hahn. 816.

Pocken in Halberstadt. [Halberstadt 1799.] V: *Niemann, Joh. Frdr.* (MGT)

Pocken, die, bei den deutschen Heeren im Kriege gegen Frankreich 1870/71, s. a. Sanitäts-Bericht üb. die deutschen Heere im Kriege gegen Frankreich 1870/71.

Pocken, die, bei den deutschen Heeren im Kriege gegen Frankreich 1870/71 unter Berücksicht. der entsprechenden Verhältnisse bei den französischen Armeen, bei den kriegsgefangenen Franzosen und bei der Civilbevölkerung der kriegführenden Staaten. Hrsg. von der Militär-Medizinal-Abtheilung des königl. preuss. Kriegsministeriums unter Mitwirkung der Militär-Medizinal-Abtheilung des königl. bayer. Kriegsministeriums, der königl. sächs. Sanitäts-Direktion und der Militär-Medizinal-Abtheilung des königl. württemberg. Kriegsministeriums. [Sep.-Abdr. des 1. Kapitels aus dem VI. Bde. des Sanitäts-Berichtes über die deutschen Heere im Kriege gegen Frankreich 1870/71.] gr. 4. (IV, 109; Beilagen 125 S. mit 7 lithogr. Taf. und 2 Karten.) Berlin 885, Mittler und Sohn.

Die Pockenepidemie d. J. 1905 u. 1906 im Grossherzogt. Luxemburg. Luxemburg 1910. 8°

Pocken-Inoculation, Die gepüfte, ein physikalisch-moralisches Gedicht. Frankfurt a. M. 1766. V: *Triller, Daniel Wilhelm.* (JL)

Pocker, Wilhelm

Pocker, W., christl. Andachten. 8. Sulzb. 711.

Pocker, Wilhelm, die mit Betrachtungen eröffnete Hölle. Sulzb. 707. 12.

— christl. Weisheit, od. Unterweis. z. andächt. u. fromm. Lebens. 8. Frkf. 709.

Pocket-Bibliothèque, s. Taschenbibliothek.

Pocket-Book **for Conversation**, s. Conversations-Taschenbuch.

Pocket-Book for Conversation ist a. de Genlis, Manuel etc. in 6 Sprachen.

Pocket-Book for Conversation, being a collection of such expressions as occur most frequently in traveling, and in the different situations of life. Composed after the Traveler's companion of Mad. Genlis and others. In 6 languages: English, German, French, Italian, Spanish and Russian. 6. edit. augm. and improved. 16. (27 B.) Leipsic 833, Hinrichs.

—— the same Work in 6 lang. with New-Greek. 6. edit. 16. (27 B.) Leipsic 833, Hinrichs.

—— the same Work in 3 lang.: English-German-French. 6. edit. 16. ($13\frac{1}{2}$ B.) Leipsic 833, Hinrichs.
Vgl. Conversations-Taschenbuch.

Pocket-book, the Lady and Gentleman's. With Engravings. 16. Leipz. Sommer. 814.

Pocket-Dictionary, s. Dictionary.

— English and french, s. Dictionnaire.

Pocket-Dictionary, German.-Engl. and Engl.-German. stereot. II Voll. Edit. 12. Frkf. a. M. 826. Brönner. 2 ℛ

— of the engl., french and german languages compiled from the best authorities. 8. Leipz. 800. Schwickert. 1 ℛ 8 ℊ

— of the english and german languages founded upon the larger work of Jos. L. Hilpert. A. u. d. T.: Englisch-deutsches u. deutsch-englisches Handwörterbuch ꝛc. 1.—5. Heft. Lex.-8. Pforzheim 843, Dennig, Finck u. Co. (Stuttgart, Scheible, R. u. S.) à $^{5}/_{8}$ ℛ

Pocket-Dictionary, new english-german and german-english, abstracted from the Dictionaries of Walker, Johnson, Adelung and others. — A. u. d. T.: Neues kleines engl.-deutsches u. deutsch-engl. Reise- u. Schulwörterbuch nach d. besten Meistern, mit d. Aussprache. Mit besond. Rücksicht auf d. Reisebedürfniß. Zunächst f. Auswanderer u. den Selbstunterr. 16. (20 B.) Bern 834, Dalp.

Pocket-Dictionary, a new, of the english and danish languages. Stereot.-Edition. 2 Parts. A. u. d. Tl.: Engelsk Lomme-Ordbog til Brug for Disciple og Begyndere i Sproget. 2 Dele. 16. ($48\frac{1}{2}$ B.) Leipsic 844, Charl. Tauchnitz.

Pocket-dictionary, a new, of the English and Danish languages. K. Tauchnitz's ster.-edit. New impression. 16. (VII und 765 S.) Leipzig 866, Holtze.

Pocket-dictionary, a new, of the English and Danish languages. K. Tauchnitz's ster.-edit. New impression. Leipzig 868. Holtze. 16. (VII, 765 S.) 1 ℛ

Pocket-Dictionary, a new, of the English and Danish Languages. Karl Tauchnitz' stereot. edit. New impression. — Engelsk lomme Ordbog til brug for disciple og begyndere i Sproget. 2 Thle. 16. (VII, 765 S.) Leipzig 875, Holtze. (M. 3.) 3 50

Pocket-Dictionary, a new, of the English and Danish languages. Karl Tauchnitz's Stereotype Edition. New impression. — Engelsk Lomme-Ordbog til brug for disciple og begyndere i sproget. 16. (VII, 765 S.) Leipzig 883, Holtze. 3 50

Pocket-Dictionary, a new, of the English and Dano-Norwegian languages. New stereotype-edition revised and improved. 16. (VI, 434 u. 326 S.) Leipzig 887. Holtze. 3. 50

Pocket-Dictionary, a new, of the English and Dano-Norwegian languages. New ster.-ed revised and improved. 2. impression. 16. (VIII, 433 u. II, 325 S.) Leipzig 892. O. Holtze's Nachf. 3. 50; geb. 4. 25

Pocket-dictionary, a new, of the English and Dano-Norwegian languages. New ster.-ed. revised and improved. 3. impression. 12. (VIII, 433 u. II, 325 S) Leipzig 897. O. Holtze's Nachf. 3. 50; geb. in Halbfrz. n. 4. 25

Pocket-dictionary, a new, of the english and dutch languages. Ster.-edition. (English-dutch. — Nederduitsch-engelsch.) — Nieuw woordenboek der nederduitsche en engelsche taal in zak-formaat. Ster.-uitgave. 16. (V und 832 S.) Leipsic 854, C. Tauchnitz.

— a new, of the english a. dutch languages. — Nieuw Woordenboek der nederduitsche en engelsche Taal. Ster.-Ed. gr. 16. (V, 832 S.) Ebend. 870. 3. —

Pocket-Dictionary, a new, of the English and Dutch Languages. — Nieuw Woordenboek der nederduitsche en engelsche Taal. Ster.-edit. gr. 16. (V, 832 S.) Leipzig 878, Holtze.

Pocket-Dictionary, The new, of the English and German Languages . . . Leipsic 1800. 1807. V: *Harnisch, Joh. Chn.* √(MGT) (Ky) (ErschDL)

Pocket-Dictionary, a new, of the english and german languages — Schul- u. Reise-Taschen-Wörterbuch der engl. u. deutschen Sprache. Nebst Bezeichnung der Aussprache u. Betonung nach Walker. 3. neu stereot. Ausgabe. 16. Leipzig 845, K. Tauchnitz. 3/4 ℛ

— a new, of the english and italian and italian and english languages, s. Dizionario.

— a new, of the English and Russian languages. K. Tauchnitz's ster.-edit. New impression. Ebend. 867. 16. (IV, 800 S.) 1 ℛ

— a new, of the english a. russian languages. Karl Tauchnitz Stereotype-Ed. New impression. 16. (800 S.) Ebend. 874. 3. 50

—— a new, of the English and Russian languages. Karl Tauchnitz's Stereotype Edition. New impression. — Новый карманный русско-англійскій и англійско-русскій Словарь. 16. (V, 404, 396 S.) Ebendas. 884. 3 50

— a now, of tho English and Russian languages. Karl Tauchnitz' ster.-od. New impression. 16. (VI, 404 u. 396 S.) Ebd. 893. 3. 50; geb. 4. 25

— a new, of the English and Russian language. Karl Tauchnitz'sche stor. od. Now impression. 12. (IV, 404 u. 396 S.) Ebd. 899. 3. 50; geb. in Halbfrz. n. 4. 25

—— a new, of the english and russian and of the russian and english languages. Stereot.-Edition. 16. (25 5/8 B.) Leipzig 846, Carl Tauchnitz.

Pocket-Dictionary, a new, of the English and Swedish languages. Stereotype-edition. — Nytt Engelskt och Svenskt Handlexikon. Stereot.-Upplaga. 16. (774 S.) Leipzig 847, K. Tauchnitz. 1 ℛ

— a new, of tho English and Swedish languages. K. Tauchnitz's ster.-edit. New impression. Ebend. 867. 16. (III, 774 S.) 1 ℛ

—— a new, of the English and Swedish Languages. — Nytt engelskt och svenskt Handlexikon. K. Tauchnitz' stereot.-edit. New impression. gr. 16. (775 S.) Ebendas. 873. (ℳ 3.) 3 50

— a new, of the english a. swedish languages. Ster.-Ed. New impr. 16. (775 S.) Ebend. 875. 3. 50

—— a new, of the English and Swedish languages. Karl Tauchnitz's Stereotype Edition. New impression. — Nytt engelskt och svenskt Handlexicon. 16. (775 S.) Ebendas. 883. 3 50

— a new, of tho English and Swedish languages. New ster.-ed. Revised and enriched. 1. and 2. impression. gr. 16. (VI, 435 u. 300 S.) Ebd. 887. 888. 3. 50

Pocket-dictionary, a new, of English and Swedish language. New ster.-ed., revised and enriched. 3. impression. 16. (V, 435 u. 300 S.) Leipzig 898. O. Holtze's Nachf. 3. 50; geb. n. 4. 25

Pocket-Edition of the most eminent English authors of the preceding century. Vol. I — XVII. 16. Schneeberg, Schumann.

A. u. d. Ttln.:

Vol. I. The man of Feeling. (12 B.) 830. 8 Gr.

- II., III. The Works of Jonath. Swift. Vol. II and III.
  A tale of a Tub: written for the universal improvement of mankind. With the author's apology, and explanatory notes, by W. Wotton and others. II Vol. (21 1/2 B.) 830. 16 Gr.
  Vgl. Vol. XIV — XVII.
- IV. The Works of Laur. Sterne. Vol. I.
  A sentimental Journey through France and Italy. Vol I. (14 B.) 830. 8 Gr.
  Vgl. Vol. VII — IX.
- V. The Works of Ossian. Vol. I.
  Fingal, an epic. poem. (9 B.) 831. 8 Gr.
- VI. The Works of Sheridan. Vol. I.
  The school for scandal. (9 B) 831. 8 Gr.
- VII. — IX. The Works of Laur. Sterne. Vol. II — IV.
  The life and opinions of Tristram Shandy, Gentleman. Vol. I — III. (29 B.) 831. à 8 Gr.
  Vgl. Vol XI — XIII.
- X. The Works of Goldsmith. Vol I.
  The Vicar of Wakefield. (15 1/4 B) 832. 10 Gr.
- XI — XIII. The Works of Laur. Sterne. Vol. V — VII.
  The life and opinions of Tristram Shandy, Gentleman. Vol. IV — VI. (25 B.) 832. à 8 Gr.
- XIV — XVII. The Works of Jonath. Swift. Vol. IV — VII.
  Lemuel Gulliver's Travels. Voyages to Lilliput, to Brebdingnag, to the country of the Houyhuhums, to Laputa. IV Vol. (31 1/4 B) 833. 1 Thlr. 8 Gr.

Pocket edition of english classics. s. Classics, english.

Pocket-Edition of engl. classics. Vol. I — 154. 16. Zwickau 821 — 27, Schumann. à Bdchn. 8 gr. geh. à enthalten:

(The works of Lord Byron. Vol. I. Childe Harold; Cantos I. 2. II. Edition. Vol. 2. The Giaour. — The Bride of Abydos. II. Edit. Vol. 3. The Corsar. — Lara. II. Edit. Vol. 4. Ode to Napoleon. — Hebrew Melodies. — Poems. 2. Edit. Vol. 5. The Siege of Corinth. — Parisina. II. Edit. Vol. 6. Part. I. The Prisoner of Chillon. — Manfred. Part. 2. Childe Harold; Canto 3. Vol. 7. 8. Childe Harold; Canto 4 and Notes. Vol. 9. The Vampyre. — Mazeppa. Vol. 10. Don Juan; Cantos I. 2. Vol. 11. Parga, a poem. — Beppo; a Venetian Story. Vol 12. 13. The Doge of Venice. — The Prophecy of Dante. 2 Volumes. Vol. 14. English Bards and Scotch Reviewers. — The Age of the Bronze. Vol. 15. Werner; Tragedy. Vol. 16. Sardanapalus; Tragedy. Vol. 17. The two Foscari; Tragedy. Vol. 18. Cain; Mystery. Vol. 19. Hours of Idleness, a Series of Poems. Vol. 20 — 26. Don Juan; Cantos 3 — 16. 7 Volumes. Vol. 27. The Island, or Christian and his Comrades. Vol. 28. Heaven and Earth; Mystery. — Morgante maggiore. Vol. 29. The parliamentary Speeches. — Lettor of Pope. Vol. 30. The Deformed Transformed. — The Curse of Minerva. — The Vision of Judgment. Vol. 31. 32. Recollections of the Life of Lord Byron; by the late R. C. Dallas. 2 Volumes.)

(The Works of Walter Scott. Vol. 1. 2. The Lay of the last Minstrel. 2 Vol. Vol. 3. 4. The Lady of the Lake. 2 Vol. 2. Edition. Vol. 5. 6. Rokeby. In 6 Cantos. 2 Vol. Vol. 7. a) Don Roderik; b) the Field of Waterloo. 1 Vol. Vol. 8. 9. The Lord of the Isles. 2 Vols. Vol. 10 — 13. Waverley; or tis sixty years since. 4 Vols. 2. Edition. Vol. 14 — 17. Guy Mannering; or the Astrologer. 4 Vols. Vol. 18 — 21. The Antiquary. 4 Vols. Vol. 22 — 25. Rob Roy. 4 Vols. Vol. 26 — 27. The Black Dwarf. 2 Vols. Vol. 28 — 31. Old Mortality. 4 Vols. Vol. 32 — 36. The Heart of Mid Lothian. 5 Vols. Vol. 37 — 39. The Bride of Lammermoor. 3 Vols. Vol. 40 — 41. The Legend of Montrose. 2 Vols. Vol. 42 — 45. Ivanhoe. 4 Vols. 46 — 49. The Monastery. 4 Vols. Vol. 50 — 53. The Abbot. 4 Vols. Vol. 54 — 57. Kenilworth. 4 Vols. Vol.

58—61. The Pirate. 4 Vols. Vol. 62—65. The Fortunes of Nigel. 4 Vols. Vol. 66—70. Peveril of the Peak. 5 Vols. Vol. 71—74. Quentin Durward. 4 Vols. Vol. 75—78. St. Ronans Well. 4 Vols. Vol. 79—82. Redgauntlet. 4 Vols. Vol. 83. Ballads and lyrical Pieces. 1 Vol. Vol. 84. 85. Marmion; a tale of Flodden Field. 2 Vols. Vol. 86 — 88. Lives of the Novelists. 3 Vols. Vol. 89. 90. Pauls Letters to his Kinsfolk. 2 Vols. Vol. 91—96. Tales of the Crusaders. 6 Vols. Vol. 99—102. Woodstock; or the Cavalier. 4 Vols. Vol. 103 — 106. The life of Napoleon Buonaparte. Vol 1—4.)
(The Works of Cooper. Vol. 1—7. The last, of the Mohicans. 4 Vol.— The Prairie a tale. Vol. 1—3.)
(Thom. Moore's Works. Vol. 1—4.)

Pocket-Edition of English classics. Vol. 149, 154—232. 16. Zwickau 828—31, Broth. Schumann. à 8 Gr., geh. Thlr.
The Works of Cooper. Vol. 8—33
The Prairie, a tale. Vol. 4. (14 B. u. 1 Kpfr.)
The Red Rover. 4 Vols. (53 B. u. 4 Kpfr.)
The Spy. 4 Vols. (... u. 4 Kpfr.)
The Pilot. 4 Vols. (... u. 4 Kpfr.)
Lionel Lincoln; or, the Leaguer of Boston. 4 Vols. (... u. 4 Kpfr.)
The Pioneers; or, the sources of the Susquehanna. A descriptiv tale. 4 Vols. (... u. 4 Kpfrt.)
Notions of the Americans: picked up by a travelling bachelor. 5 Vols. (52 B. u. 5 Kpfr.)
(Des Hauptwerks, Vol. 149, 80—91, 203—10, 14—17 a. b.)
Wash. Irving's Works. Vol. 1—3.
The Sketch Book of G. Crayon, Gent. A new edit. 3 Vols. (... u. 3 Kpfr.)
(Des Hauptwerks. Vol. 211—13.)
Tales of a Grandfather; being stories, taken from Scottish history. Humbly inscribed to Hugh Littlejohn. 2. Serie. 4 Vols. (... u. 4 Kpfr.)
Anne of Geierstein; or, the maiden of the mist. 5 Vols. (... u. 5 Kpfr.)
The history of Scotland. 6 Vols. (... u. 6 Kpfr.)
Tales of a Grandfather; being stories, taken from Scottish history. 3. Serie. 4 Vols. (... u. 4 Kpfr.)
(Des Hauptwerks, Vol. 164—73, 76—79, 92—202, 18—32.)
Vol. 1—148, 50—68. Ebendas. 1821—27. à 8 Gr., geh. à 9 Gr. — Das Ganze ist auf folgende Preise herabgesetzt, und zwar:
Byron's, Lord, compl. Works. 32 Vols. à 4 Gr., einzeln 6 Gr.
Cooper's, J. F., Works. 33 Vols. à 4 Gr., einzeln 6 Gr.
Irving's, Wash., Works. 3 Vols. à 6 Gr
Moore's, Thom., Works. 6 Vols. à 6 Gr.
Scott's, W., compl. Works. 156 Vols. à 4 Gr., einzeln 6 Gr.
Thom. Moore Works Vol. 5 and 6.
The Epicurean. 2 Vols. (24 B. u. 2 Kpfr.)
(Des Hauptwerks, Vol. 174, 75.)
W. Scott's Works. Vol. 107—56.
The life of Napoleon Buonaparte. Vol. 5—18. (... u. 14 Kpfr.)
Chronicles of the Canongate. 3 Vols. (... u. 3 Kpfr.)
Tales of a Grandfather. 3 Vols. (... u. 3 Kpfr.)
Chronicles of the Canongate. 2. Serie. 4 Vols. (... u. 4 Kpfr.)
Memoirs of Jonath. Swift, D. D. Decan of St. Patrick's, Dublin. 3 Vols. (... u. 4 Kpfr.)
Memoirs of John Dryden 3 Vols. (... u. 3 Kpfr.)
Goetz of Berlichingen, a Tragoedy, from the German of Goethe. (... u. 1 Kpfr.)

Pocket-Farrier, the, der Taschenschmidt, od. Taschenroßarzt; aus d. Engl. umgearb. u. mit Zusätzen verm. v. S. v. Tennecker. Mit 3 Kpf. 8. Leipz. 797. Baumgärtner. 8 gr 12e umgearb. Aufl. 12. Ebd. 826. 8 gr

— vergl. a. Taschenwörterbuch. (Beide Theile in 1 Band, kosten nur 2 Rthl.)

[The gentleman's **Pocket-Farrier**, dt.] The Pocket-Farrier, oder: Der Taschenschmied, ein unumgänglich nothwendiges Buch für jeden Pferdeliebhaber und Reisenden. [Verf.: William Burton.] Aus d. Engl. [v. Christian Ehrenfried Seifert von Tennecker.]
Leipzig: Fried. Gotth. Baumgärtner 1794. 1Bl., 98 S., 1 Titelkupf. 12°

[The gentleman's **Pocket-Farrier**, dt.] The Pocket-Farrier. Der Taschenschmidt oder Taschenroßarzt. Unterricht, wie man die Krankheiten seiner Pferde heilen, und was man bei deren Einkauf zu beobachten hat. [Verf.: William Burton.] Aus d. Engl. übers. neu umgearb. u. ... verm. v. [Christian Ehrenfried] Seifert von Tennecker ... 8. Aufl. ...
Leipzig: Friedr. Gotth. Baumgärtner (1797). 3 Bl., 82 S., 1 Titelkupf., 2 Kupfertaf. 8°

Pocket-Journal, the tourist's. Neue Ausg. A. u. d. T.: Journal de Poche à l'usage de Voyageur etc. Taschen-Tagebuch f. Reisende etc., enthält: linirte Blätter u. Vergleichungstafeln verschiedener Münzen. 8. Köln 826. Bachem. 16 gr

Pockh, Johann Joseph

Pock[h], J. J. Alvearium curiosarum scientiarum. Oder Immen-Hauß Verwunderlicher Wissenschafften; Das ist: Eine von allerhand Wissenschafften, seltzamen Künsten und Erfindungen, allerley frölich- und traurigen Begebenheiten, unterschiedlichen wohl-bedencklichen Lehr-Sprüchen ... berichtender Auszug, bestehend in 600. Absätzen ... zusammen getragen. Durch Johann Joseph Pock, beyder Rechten Doctoren. Augsburg, Schlüter & Happach, 1710. 4°. 2 Bl. 555 S. 6 Bl. Benutzter Pgtbd. auf Holzdeckeln mit 2 Schließen, Rücken fehlt.
H.-G. VI, 215: „Sehr selten". Wohl einzige Ausgabe.

Pockh, Johann Joseph. Güldener Denkring göttlicher Allmacht und menschlicher Thaten, welche sich begeben von Anfang der Welt durch die bissher etliche tausend verflossene Jahre biss auf jetzt lauffende Zeit. (34 Bde.) 8. Augspurg **1723—1752**.

Pock, J. Jos., güldn. Denkring göttl. Allmacht und menschl. Thaten, w. s. begeb. v. Anf. d. Welt etc. 19 Thle. 8. Augsb. Lotter. 724—36.

Pock, J. J.: „Hochschätzbarer Ehren-Cranz der Kauffmannschaft, oder allgemeine Nutzbarkeit, Freiheit, Recht, Gebräuche und Gewohnheiten der Handelschaften durch die ganze Welt", 4 Teile, München 1726.

— Gemüthsarzt. 8. Augsb. Schlüter. 711.

GLÜCKS- und Unglückshafen, Gantz neu-eröffneter, reichlich und woleingerichteter, fromb- und böser Weiber. Auffgerichtet und aussgesetzet, in der aller bekanntisten weit und brait beruffenen Statt Cosmopoli, Das ist: Kurtzweilig doch lehrreiche Beschreibung von Glück und unglückseeligen Heurathen, durch *J. J. P.* (d. i. *Joh. Jos. Pock*) V. I. D. (1675—1735). Augspurg, Daniel Walder, 1716. 8°. 322 S. u. 3 Bll. (5 Mk. L. Rosenthal, 1906; 12 Mk. Adolf Weigel, 1905; 6 Mk. Völcker, 1905.)
— — Dasselbe. Ebd. 1757. 8°.
— — Dasselbe. 2 Thle. (Th. 2 handelt über die Männer.) München 1733. 8°.
Dr. Franz Schnitzer's Bibl. München 1902. no. 373.

— Glücks- und Unglückshafen frommer u. böser Weiber u. Männer. 8. Münch. Wolf. 735.

— allgem. Goldgrube, woraus gr. Potentat. und ganze Länder s. bereichern k. 4. Ebend. 726.

— Immenhaus v. allerl. Wissensch., seltς. Künst. u. Erfind. 4. Augsb. Schlüter. 710.

— Kern d. römisch. Staatsrechts. 8. Nürnb. Adolph. 721.

Pock, J. Jos., polit. Passagier, od. Unterr., w. d. all. Höfen merkw. z. sehen. 10 Thle. 8. Augsb. Lotter. 724. Rthlr.

POCKH, JOH. JOS. Der Politische Catholische Passagier durchreisend Alle hohen Höfe, Republiquen, Herrschaften und Länder der gantzen Welt. Das ist: ... Unterricht, was in Politicis, Geographisch, Historisch. Genealogischen Wesen bey allen Höfen ... mercks-würdiges zu sehen, zu beobachten und zu mercken ... Augsburg, C. Brechenmacher, 1718. Kl. 8°. Front., *Titelkupfer (Providentia auf der Weltkugel)*, 17 Bl., 1147 S. 14 Bl. letztes leer. Etwas bestoßener und leicht beschädigter Ldbd. d. Z.
Das Werk ist als „erster Teil" bezeichnet, es erschienen später noch weitere selbständige Teile.

— Der Politische Catholische Passagier ... Achter Theil. Augsburg, C. Brechenmacher, 1721. 8°. *Doppelseitiges Titelkupfer, G. Roog fec. (Eingeborenentypen exotischer Länder).* 6 Bl. 1065 S. 9 Bl. Blindgepreßter SchweinsLdbd. d. Z.

— höllischer Riesenstreit. 8. Münch. 723.

— Statthalterschaft Christi hier a. Erden, wobey d. Leben all. bis hierher regierenden Päbste. 8. Münch. Wolf. 722.

— via regia ad latin. linguam. 8. Ulm. Wohler. 723.

Pöckl, Maxim. (Kapuz.-Guardian in Burghausen), die Kapuziner in Bayern. von ihrem Entstehen bis auf die gegenwärtige Zeit. Auf Kosten einiger Freunde der Kapuziner. Sulzbach (J. E. v. Seidel in Commiss.) 1826. 8°. Ppb.
XVI—200 S. Abwehr der (von einer andern Hand eingestreuten?) Unrichtigkeiten u. Entstellungen in Fel. Jos. Lipowsky's: „Geschichte u. Geist des Kapuzinerordens in Bayern. München 1804." (S. ob. Nr. 665.)

Pockrandt, H[ermannus]: *Quaestiones homericae. 73 S. 4° (2°)
Halle-Wittenberg, Phil. Diss. v. 29. Juli 1867
Geb. [Glashütte b. Kreuz (Kr. Czarnikau, Posen) 31. 12. 1838]

Pockrandt, Willy: Versuche zur Ermittelung der günst[i]gsten Arbeitsweise der Rundschleifmaschine. 1910. 65 S. 4°
¶ Auch als: Mitteilungen über Forschungsarbeiten auf d. Gebiete d. Ingenieurwesens. H. 105. 1911; Ausz. in: Zeitschrift d. Vereines deutscher Ingenieure. Bd 54, Halbj. 2.
Berlin, Dr.-Ing.-Diss. v. 11. 2. 1910

Pockstaller, Pirmin

Pockstaller, P., Wegweiser durch dieses Leben nach der Seligkeit, s. Wegweiser.

Pockstaller, Pirmin, Wegweiser durch dieses Leben nach der Seligkeit. Ein Buch zur Belehrg. u. Andachtsübg. f. jeden um sein Seelenheil besorgten kathol. Christen. 3. Aufl. 8. (XIV, 523 S.) Innsbruck 875. Wagner. n. 2. —; in Ldr. geb. m. Goldschn. n. 3. 60; in Chagrinldr. geb. m. Goldschn. n. 5. 20

*Pöcksteiner, Hans: Reichskanzler Bruno von Köln und sein Einfluß auf die Kultur seiner Zeit. S. 3—30. 8.
Progr. Kommunal-Obergymn. *Friedek* 1902.

*Pöcksteiner, Hans: Stoff- und Entstehungsgeschichte von Goethes „Groß-Cophta". S. 3—16. 8.
Landes-Unter- und Kommunal-Obergymn. *Mähr.-Neustadt* 1907.
Progr

Pöcksteiner Johann: Zu Goethes „Groß Cophta".
II. 1899 PN 1209 Diss. Wien, Univ. 91

Pockwitz, Louis, preußisches Gerichtskostengesetz u. d. Gebührenordng. f. Notare. Kurze tabellar. vollständ. Darstellg. m. erläut. Zusätzen aus d. Gesetzesmaterialien 2c., Gebühren-Tabellen, nebst Anh. u. „Hinweiser" z. Handgebrauche (auch als Ergänzg. zu and. Ausgaben jener Gesetze) f. Gerichte, Gerichtsbeamte, Notare, Rechtsanwälte, auch Kreditinstitute, Versicherungsanstalten, Immobilien- u. Hypothekengeschäfte 2c. Unt. Mitwirkg. v. Gerichtsbeamten hrsg. gr. 8. (104 S.) Stade 896. A. Pockwitz. n. 1. —

Pockwitz, Louis, preuß. Gerichtskostengesetz u. die Gebührenordnung f. Notare, nebst e. die Stempelsteuer-Tarif- 2c. Bestimmgn. enth. Nachtrag. Kurze tabellarisch vollständ. Darstellg. m. erläut. Zusätzen aus den Gesetzesmaterialien 2c., Gebühren-Tabellen, nebst Anh. u. „Hinweiser" zum Handgebrauche (auch als Ergänzg. zu and. Ausgaben jener Gesetze) f. Gerichte, Gerichtsbeamte, Notare, Rechtsanwälte, auch Kreditinstitute, Versicherungsanstalten, Immobilien- u. Hypothekengeschäfte 2c. Unter Mitwirkg. v. Gerichtsbeamten hrsg. 2. verb. Aufl., nach der v. 1. I. 1900 gelt. Fassg. der Gesetze. gr. 8. (116 S.) Stade 899. A. Pockwitz. n. 1. —

— s.: Termin- u. Geschäfts-Notizbuch, hannoversches.

Pockwitz, Michael (Erfurt), Decadem quaestionum matrimonialium secundum genuina juris ecclesiastici principia ac praxin ministerialem Erfurtensem decisarum. Diss. jur. Präs. Jo. Joachim Hahn. Erfurt (Grosch) Mai 1722. 36 S. (4.75)
26858

Pocock, R. I., Spinnen (Araneae) (d. Kükenthal'schen Forschungsreise in den Molukken u. Borneo). (In engl. Sprache.) [Aus: „Abhandlgn. d. Senckenberg. naturforsch. Gesellsch."] gr. 4. (37 S. m. 2 Taf.) Frankfurt a/M. 897. (M. Diesterweg.) n. 3. 50

(R) **Pocock,** R. J., Spinnen. 897. (KBL 80.) Jetzt: Frankfurt a/M. (Viktoria-Allee 7), Senckenberg. naturforsch. Gesellsch. Erm. Pr. nn 1. 50

Pococke, Richard. Beschreibung des Morgenlandes und einiger anderen Länder ... Erlangen [1754—55]. Ü: *Windheim, Christian Ernst von.* (EngG)

Pocoke, Richard, Beschreib. d. Morgenlandes u. einiger andern Länder; aus d. Engl. u. verb. von Jh. Fr. Breyer. 3 Thle. 2e Aufl. mit Anmerkk. von J. C. D. Schreber. Mit Kpf. gr. 4. Erlang. 771, 72. Mit n. Tit. 791, 92. (Heyder). 12 ß

Pocock, Richard, Beschr. d. Morgenlandes u. einig. and. Länder, a. d. Engl. v. Breuer u. Schreber. 3 Thle. gr. 4. Erl. Walther. 790. 91.

(**Pococke,** Richard): Richard Pococke's Beschreibung des Morgenlandes und einiger andern Länder. Neue Ausgabe nach der englischen Grundschrift genau durchgesehen und verbessert von Johann Friedrich Breyer, und mit Anmerkungen erläutert von Johann Christian Daniel Schreber. Th. 1. 2. 3 Erlangen 1791 u. 1792. 3 Bde. XXXII, 428; 392; 408 S. 8°.

Pocok, Eduard

Pocockius, Eduardus, Notae miscellaneae philologico-biblicae, quibus Porta Mosis sive praefationum R. Mosis Maimonidis in libros Mischnajoth Commentariis praemissarum & à Pocockio ex Arabico Latine versarum ... fascis olim stipata prodiit nunc denuo revisae & ... recusae cura Christiani Reineccii. Lipsiae 1705.

Pocok, Eduard, notae miscellae philolog.-biblicae, quae in porta Mosis reperiuntur. 4. Lips. Junius. (Gleditsch.) 705.

Pocoke, Richard, s. Pococke

Pocquet, J. M., theoret. u. prakt. chem. Abhandl. a. d. Frz. herausg. v. J. B. Trommsdorf. gr. 8. Erf. Hennings. 803.

Počta, A., Atlas üb. das k. k. oesterreichische Artillerie-Material, s.: Schöffler, B.

Počta, Philipp, über die Anfangskammer der Gattung Orthoceras Breyn. gr. 8. (6 S. m. 1 Taf.) Prag 902. (F. Řivnáč.) n. — 40
Sonderabdruck a.: „Sitzungsber. d. böhm. Gesellsch. d. Wiss."

— Anthozoaires et Alcyonaires, s.: Barrande, Joach., système silurien du centre de la Bohême. VIII. 2.

Filip POČTA Die Anthozoen der böhmischen Kreideformation
Prag, Diss. 1887/88.

Počta, Phpp., Beiträge zur Kenntniss der Spongien der böhmischen Kroideformation. 1—3. Abth. gr. 4. Prag, (Calve). n. 5. 44
1. Hexactinellidae. Mit 3 lith. Taf. u. 19 Fig. im Texte. (45 S.) 883. n. 2. —
2. Lithistidae. Mit 2 lith. Taf. u. 26 Fig. im Texte. (45 S.). 884. n. 2. —
3. Tetractinellidae, Monactinellidae, Calcispongiae, Ceratospongiae, Nachtrag. [Mit 1 lith. Taf. u. 26 Fig. im Texte.] (45 S.) 885. n. 1. 44

—— dass. — s.a Abhandlungen der mathematisch-naturwissenschaftlichen Classe der k. böhmischen Gesellschaft der Wissenschaften.

Počta, Philipp, der Boden der Stadt Prag. Eine geolog. Studie. (35 S. m. 2 Fig. u. 1 Taf.) Lex.-8. Prag 905. (F. Řivnáč.) n. — 70
Sonderabdr. a.: „Sitzungsber. d. böhm. Gesellsch. d. Wiss."

Počta, Phil., über Bilge in den Schichten des Barrandeschen Felsens. (19 S. m. 1 Taf.) Lex. 8. Prag 908. F. Řivnáč. — 50

Počta, Phpp., üb. den Inhalt e. Quarzknollens v. Ruditz. [Aus: „Sitzungsber. d. k. böhm. Gesellsch. d. Wiss."] gr. 8. (9 S. m. 1 Taf.) Prag 890. (Řivnáč.) n. — 60

— über fossile Kalkelemente der Alcyoniden u. Holothuriden u. verwandte recente Formen. [Mit 1 (lith.) Taf.] Lex.-8. (6 S.) Wien 885. (Gerold's Sohn.) n. — 40

Počta, P., Geologische Karte von Böhmen. Section V. Weitere Umgebung Prags. Archiv d. naturw. Landesdurchforschung von Böhmen. (XII. Bd. Nr. 6.) Gr.-8°. (39 S. mit Karte.) † K 5.60
Prag: Řivnáč 1903.

— Neues üb. Graptolithen. (9 S. m. 1 Taf.) gr. 8. Ebd. 907. — 40
Sonderabdr.a.: „Sitzungsber.d.böhm.Gesellsch.d.Wiss."

— über einige Spongien aus dem Dogger d. Fünfkirchner Gebirges. Mit 2 (Lichtdr.-)Taf. Lex.-8. (15 S. m. 2 Bl. Erklärgn.) Budapest 886. (Kilián.) n. 1. —

Počta, Phpp., üb. Spongien aus der oberen Kreide Frankreichs in d. k. mineralog. Museum in Dresden, s.a Mittheilungen aus d. königl. mineralogisch-geolog. u. praehistor. Museum in Dresden.

Ueber Spongien aus der oberen Kreide Frankreichs in dem k. mineralogischen Museum in Dresden. Kon Dr. Philipp **Počta**, Privatdoc. in Prag. Mit Vorw. von Dr H. B. Geinitz. Mit 4 Taf. Abb. *Cassel: Th. Fischer 1892.* (26 S.) 4°
— Mittheilungen aus d. Königl. mineral.-geol. u. praehist. Museum in Dresden. H. 11. [90. 189

Poculla, L. M., Leitfaden zur biblischen Geschichte. 8. (32 S.) Berlin 866. (Leipzig, Leiner.) — 30

Początki. Grammatyki języka polskiego. 8 (62 S.) W Wiédniu. Wycisnięto u L. Grunds. 1848. (Anfangsgründe der Grammatik der polnischen Sprache.) Ungebunden 4 kr., geb. 5 kr. CM.
Verlag der Schulbücher-Verschleiß-Administration.

Początki mitologii do użytku w szkolach dla mlodzieży dorosleyszey. Przez H. Wandelaincourt. Przelożone na język polski przez J. Wybickiego. Piąta edycya poprawna. 8. w Wrocławiu, W. B. Korn. 817.

Początki, pierwsze, rysunków w stopniowo-łatwych ćwiczeniach. Poszyt 1. i 2. (à 16 lithogr. Bl.) qu. 8. Lissa 848, Günther. à 5 Ngr.

Poczmiella, Alfons, Festzeitung anlässlich des 50jähr. Jubiläums der freiwilligen Feuerwehr Leobschütz 1854—1904. (16 S.) gr. 8. Leobschütz 904. (G. Schnurpfeil.) n. — 30

Freiwillige Feuer-Wehr Leobschütz. Festzeitung anläßlich d. 50jähr. Jubiläums der hiesigen Feuerwehr. 1854. 1904. Verfaßt von Alfons **Poczmiella.** Leobschütz (1904): F. Bär. (16 S.) 8°(4°) [05. 8148 2

Poda v. Neuhaus, Nikolaus

Poda, Nicolaus. Beschreibung und Abbildung der bei dem Bergbau zu Schemnitz errichteten Maschinen. Dresden 1771. H: *Born, Ignaz von.* (Ky) (EngMt)

Poda v. Neuhaus, († d. 29. April 1798.) Beschreib. d. beim Bergbau zu Schemnitz errichteten Maschinen, hrsgg. (v. Ign. v. Born). Mit 35 Kpf. gr. 8. (Wien) Dresd. 771. Walther. 1 ℛ 12 gr

Poda, Nic., Beschr. d. Eisens, s. Beschreibung.

— Beschreib. d. Luftmaschine zu Schemnitz. 8. Wien 770.

— insecta musei Graecensis, in ordines, genera et species juxta systema naturae Linnei digesta. 8. Grätz. 761.

— akadem. Vorlesung üb. den zu Schemnitz errichteten Pferdegöpel. Mit Kpf. gr. 8. Dresd. 774. Walther. 10 gr

— Vorles. üb. d. Pferdegöpel z. Schemnitz, als e. Anh. z. s. Beschr. m. K. gr. 8. Ebend. 775.

Poda v. Podafa, Andreas

PÓDA, A.: Gedenkblätter zur Geschichte der Glocken am St. Michaelisthurme in Ödenburg 1880. - 8°

PODA VON PODAFA, ANDREAS: Zwei Jahresschluß-Predigten . . . In der Sct. Michaelis Stadtpfarrkirche zu Oedenburg. I. Im Jahre 1883 über die christliche Familie. II. Im Jahre 1892 Über die christliche Ehe und die Civilehe. Ödenburg 1892: Carl Lichtfass. 16 S. - 8°

PODA, A(NDREAS): Primitz-Predigt. Ofen 1869: Universitäts-Buchdruckerei. 14 S. - 8°

Podack, Max [pr. Arzt]: Beitrag zur Histologie und Funktion der Schilddrüse ... Königsberg i. Pr., Buch- u. Steindr. E. Erlatis, 1892; 53 S., 1 Bl. 8.
Königsberg, Med. Fak., Inaug.-Diss. v. 30. März 1892

Podack, Max, Beitrag zur Histologie u. Funktion der Schilddrüse. Diss. gr. 8. (53 S.) Königsberg i/Pr. 892. (W. Koch.) n. 1. —

... Lectiones cursorias, quas ... Maximilianus **Podack** Med. Dr. sub titulo „Die Entwicklung der physikalischen Diagnostik der Brustkrankheiten" ad docendi facultatem rite impetrandam d. XXX. m. Julii ... habebit, indicit Antonius de Eiselsberg Med. Dr. P. P. O. Ord. Med. h. t. Decanus. Regimonti Bor., typ. Liedtkianis, 1897; 1 Bl. 4.

PODAGRA, Septimus. — Der profitable Apothecker-Tod in dem frembden Kräutlein Thee, samt seiner Medicinischen Sackpfeiffe, Gesprächs-weise vorgestellet, und Allen rechtschaffenen der edlen Medicin Ergebenen zu fernern geläuterten Nachsinnen überlassen, von *Septimo Podagra*, M. D. (Zierstock.) Im Jahr 1721. O. O. 8⁰. (In Breslau, Kgl. u. Univ.-Bibl.: Lit. teut. 8⁰. II. 861, Beibd. 1.) Sehr selten!

222 S. (incl. Tit. u. S. 3—20 „Vorrede", sowie 21—22 „Vorbericht"). Stellenweise derb-jokos, besonders zahlreiche R e i m e, u. a.:

Hast du durch die Venus-Werke
dir das an den Halß gebracht,
was das Blut entflammt gemacht,
bist blaß, heischer. ohne Stärcke,
Recipe edlen Thée,
der wird bald aus Haut und Hosen
relegiren die Franzosen.

Podagrist, der,. Originallustsp. v. Bösenberg. 8. Leipzig, Klefeld. (Bauer.) 797. -

— der,. Lustsp. in 5 Aufz. v. Weidmann. 8. Wien, Wallishäußer. -

Podagrist, Der. Ein Original-lustspiel von einem Aufzug. Wien 1774. V: *Weidmann, Paul.* (BrMm) (Jahrb. d. Grillp.-Ges. XIII.)

Podalirius. Zwanglose Hfte., als Beiträge zur Kritik d. ältern u. neuern Arzneikunde, hrsg. v. P. Philippson. 1. Hft. gr. 8. (10 B.) Magdeburg 832, Creuz.

Ekkehard. Ballade von A. Pacius. Für Bariton-Solo, Bass-Solo, Männerchor oder gemischten Chor u. Orchester oder Pianof. comp. von Theodor **Podbertsky**. Op. 136. *Berlin: O. Wernthal 1903.* (18 S.) 4° (03. 6873 9

Das Lied vom Schill ⟨1809⟩. Gedicht von Felix Dahn. Für Männerchor u. Orchester oder Pianof. comp. von Theodor **Podbertsky**. Op. 139. *Berlin: O. Wernthal 1903.* (7 S.) 4° (03. 6873 9

— Eines deutschen Seemanns Lieder. Ein Zyklus für Männerchor u. kleines Orchester od. Klavier m. verbind. Deklamation ad lib. Verbindende Dichtg. v. Ludw. Palmer. Gesangtext u. Musik v. P. Op. 174. Verbindende Dichtg. (8 S.) kl. 8. Leipzig (910). C. F. W. Siegel. — 30

Prinzeßchen U n z u f r i e d e n . Ein Weihnachtsmärchen mit Rezitation, Chor u. lebenden Bildern. Dichtung u. Musik von Theodor **Podbertsky**. Op. 191. [Textbuch.] Magdeburg: Heinrichshofen [1909]. 16 S. 8⁰

Podbertsky, Theodor: Ein W e i h n a c h t s a b e n d 1870. Liederspiel in 1 Aufz. Dichtung u. Musik von –. Vollst. Text- u. Regiebuch. Leipzig: Siegel [1904]. 24 S. 8⁰

Podbertsky, Thdr., ein Weihnachtsabend 1870. Liederspiel in e. Aufzuge. Dichtung u. Musik v. P. Vollständiges Text- u. Regiebuch. (24 S.) kl. 8. Leipzig (906). C. F. W. Siegel. n. — 60

Podbertsky, Thdr., Lieschens erster Weihnachtsabend, s.: A u f f ü h r u n g e n f. Weihnachten u. Neujahr.

Poddey, Hugo *Max Waldemar* [app. Arzt]: Drei Fälle von idiopathischer acuter gelber Leberatrophie ... Königsberg i. Pr., Druck v. M. Liedtke, 1892; 1 Bl., 30 S., 2 Bl. 8.
Königsberg, Med. Fak., Inaug.-Diss. v. 4. Aug. 1892

Poddey, Hugo, drei Fälle v. idiopathischer acuter gelber Leberatrophie. Diss. gr. 8. (30 S.) Königsberg i/Pr. 892. (W. Koch.) n. — 80

Pode, Nikolaus, s. P o d a v. N e u h a u s , Nikolaus

Poděbrad [Schlagwort]

Poděbrad-Görlitz, s.: Automobilkarten. Automobil-Tourenkarte.

Poděbrad-Wien, s.: Automobilkarten. Automobil-Tourenkarte.

Poděbradský, V. P., vánoční strom. Dárek štědrovečerní hodným dítkám. Se 5 malovanými obrazy. Prag 863. Kurunda. qu. 4. (48 S.) n. 20 ngr.

Podejuch [Schlagwort]

Podejuch. s.: Geologische Karten. Preussen. 67.

Podesta, A., Album von Tyrol und Salzburg, s. C. Auer.

Podesta, A., Gebirgs-Album, s. Gebirgs-Album.

Podestà, Hans [cand. med. aus Barmen]: Klinische Beiträge zur Pathologie der akuten Miliartuberkulose ... Erlangen, k. b. Hof- u. Univ.-Buchdr. v. F. Junge, 1894; 41 S. 8.
Erlangen, Med. Fak., Inaug.-Diss. v. Mai 1894

Podesti, Fr., die vaticanischen Wandgemälde im sogenannten Saale der unbefleckten Empfängniss. Eine Festgabe zur 25. Jahresfeier des 8. December 1854. Mit erläuterndem Texte von P. Adb. Kuhn, O. S. B. gr. Fol. (5 Lichtdr.-Taf. m. 4 S. Text.) Einsiedeln 879. Benziger. In Mappe. 6. —

Podewils, v.

— s. J o h n s t o n e , Jam.: Über das Austrocknen d. Sümpfe.

— s. M a r s h a l l , Humphry: Beschreib.

(Podewils): Das System Podewils zur Verarbeitung von Thiercadavern und Schlachthausabfällen. München
Broschüre 1. (1894)
Broschüre 2. 1897

P o d e w i l s' System zur Verarbeitung von Tierkadavern und Schlachthausabfällen. 1. u 2. Broschüre. (30, 39 S) 4° u 8° München 1895. 97

v. Podewils, auf Gusow, Graf, († d. 28. Mai 1804.) Wirthschafts-Erfahrr. auf seinen Gütern Gusow u. Platkow gesammlt. 4 Bde. Mit Kpf. gr. 4. Berl. 801—4. Maurer. (Heinemann in Stolp.) 7 ℔ 16 g

v. Podewils, Zeit-Aufgabe. br. 8. (17 S.) Berlin 848, Schneider & Co. in Comm. n. 2 ngr.

v. Podewils, Friedr. Frhr., über die Vortheile 1) des gesetzl. Principes der Beweisverbindung mit d. ersten Streitverhandlungen im Civilprozesse und 2, des Institutes der executorischen Urkunden. gr 8. München 837. Franz. 1/2 ℔

Podewils, G. v., s. K a t a l o g ausgewählter Kunstsachen ...

D'Otmachau le 29 mars 1741. V: *Podewils, Heinrich von.* (Preussische Staatsschriften. Bd. I. Berlin 1877. S. 300.)

Podewils, Kurt, aus Kiel: Der Anspruch des Gläubigers auf die Vorteile, die der Schuldner aus der geschuldeten Sache gezogen hat oder hätte ziehen können (unter Berücksichtigung des Bürgerlichen Gesetzbuches). Gekr. Preisschr. T. 1. *Berlin (1899): E. Ebering.* (43 S.) 8° ¶ (Erscheint vollst. als H. 4 d. Rechts- u. Staatswiss. Studien.)
Berlin, Jur. Diss. v. 10. Aug. 1899

Podewils, Kurt, der Anspruch des Gläubigers auf die Vorteile, die der Schuldner aus der geschuldeten Sache gezogen hat od. hätte ziehen können, s.a. Studien, rechts- u. staatswissenschaftliche. 4.

Podewils, Kurt: Der A n s p r u c h des Gläubigers auf die Vorteile, die der Schuldner aus der geschuldeten Sache gezogen hat oder hätte ziehen können (unter Berücks. d. Bürgerl. Gesetzb.) Von Dr. –. Berlin: E. Ebering 1900. (134 S.)8°
= Studien, Rechts- u. Staatswissenschaftliche. H. 4.

Podewils, Otto Christoph von (Pommerscher Adel), Jus publicum quod in Sac. Rom. imperio interregni magni temporibus obtinuit exercitatione acad. Präs. Jo. Wilhelm Hoffmann. Frankfurt/Oder (Ph. Schwartz) 25. VIII. 1736. 102 S. (—.—) 26859
Gew.: Heinrich von Podewils. — Widm. v.: Jo. Wilhelm Hoffmann.

— — Jus publicum quod in Sac. Rom. imperio interregni magni temporibus obtinuit. Präs. Johann Wilhelm Hoffmann. Frankfurt / Oder (Ph. Schwartz) 25. VIII. 1536 (1736!) Editio secunda. Rec. 1740. 110 S. (—.—) 26860
Gew.: Heinrich von Podewils. — Widm. v.: Johann Wilhelm Hoffmann.

Podewils, Tom Frhr. v., zweifelhafte Charaktere, s.a. Kürschner's Bücherschatz.

Zweifelhafte C h a r a k t e r e . Roman von Tom Frh. v. **Podewils.** Mit Ill. von A. Lewin. Berlin, Leipzig: Hillger [1909].
96 S 8°
(Kürschners Bücherschatz. Nr 678.)

— Selbstverschuldetes Leid, s.a. Kürschner's Bücherschatz.

Selbstverschuldetes Leid. Erzählung nach d. Leben von Tom Frh. v. **Podewils.** Mit Ill. von A. Lewin. Berlin, Leipzig: H. Hillger [1907]. (108 S.) 8° [F.]
= **Bücherschatz,** Kürschners. No 579. [07. 13393

Podewils, Tom Frhr. v., der Versuchung erlegen. Kriminal-Erzählg. (111 S.) 8. Mülheim-Ruhr (906). J. Bagel. — 30

Podewils-Gewehr. (1 Bl. Zeichnungen.)
Augsburg 1858. 4°

Das **Podewils-Gewehr** in Versen dargestellt von ein. bayer. Infanteristen. 5. Aufl.
München 1862. 32 S.

Podewils-Gewehr, das, in Versen dargestellt von einem bayerischen Infanteristen. 11. Aufl. München 862. (Lindauer.) 32. (32 S. m. Holzschn.) n. 1⅓ ngr.

Podgorc, V a l e n t i n. Lehrbuch der katholischen Religion. Klgft., St. Josefs-Druck., St. Hermagoras-Druck., 1906—10. 2 Bde.

Podgorc, V a l e n t i n. Sveta maša vedna daritev nove zaveze. Celovec, St. Hermagoras-Druck., 1909. 352 S.

Podgorc, V a l e n t i n. Razlaganje cerkvenega leta ali slovenski Goffine. V Celovcu, St. Hermagoras-Druck., 1910. 576 S.

Podgorc, Valent., der Religionsunterricht an der Volksschule. Methodische u. didakt. Vorträge f. Lehrer- u. Lehrerinnen-Bildungsanstalten. (96 S.) 8. Klagenfurt 904. Buch- u. Kunsthandlg. des St.-Josef-Vereines. n. 1. 20

Podgorc, V a l e n t i n. Domači zdravnik po naukih in izkušnjah župnika Kneippa. V Celovcu, St. Hermagoras-Druck., 1892. 176 S.
— 2. popravljeni natis. 1898. 192 S.

Podgorz [Schlagwort]

Podgorz, s.: Preussen. Messtischblätter.

Podhagský, Joh. v., Anleitung zur technischen Ausfertigung v. Grundtheilungs- u. Parzellirungsplänen gemäss der in den Grundbuchs- u. Kataster-Gesetzen, dann in der Bauordng. enthaltenen Vorschriften, u. erläutert durch e. Abtheilungsplan, dann durch e. v. e. prakt. Juristen entworfenes zugehör. Grundbuchsgesuch sammt Erledigung. gr. 8. (28 S.) Wien 886. (C. Helf's Sort.) n. 3. —

Podhagsky, Joh. v., technischer Bericht zum Projekte für die Marchfeldbewässerung. Erstattet an den n. ö. Landesausschuß. hoch 4. (48. S. m. 1 Tab. u. 1 chromolith. Karte in Imp.-Fol.) Wien 877. (Helf's Sort.) n. 3. —

Podhagský, J. v., die Marchfeldbewässerung u. Verwerthung der Wiener Abfallwässer. Entgegnung auf unter gleichem Titel v. Wilh. Wodiczka verf. Broschüre. [Aus: „Der Civil-Techniker".] gr. 8. (43 S.) Wien 892. (C. Helf's Sort.) n. 1. 60

Podhajský, V., zur Aetiologie der akuten Exantheme, s.: Klinik, Wiener, 1882.

Podhorsky, Felix: Reisebilder aus Italien und Griechenland.
S. 3—38. 8. **Progr.** K. k. Staats-Gymn. *Pola* 1902.
I. Florenz. II. Der Tempel von Bassai.

Podhorsky Felix: De versu Sotadeo. **Diss.** Wien Univ.
D: Diss. phil. Vindobonensis, V. Bd., 1895.
1893 PN 808 1517

Podhorszky, Ludw., etymologisches Wörterbuch der magyarischen Sprache genetisch aus chinesischen Wurzeln u. Stämmen erklärt. gr. 8. (344 S.) Paris 877. (Budapest, Tettoy & Co.) Leipzig, K. F. Köhler. n. 12. —

Podhradczky, Jos., Hungarorum de augusta domo Austriaca benemerita. gr. 8. (72 S.) Ofen 859, (Schröpfer.) * *

Podhradsky, Joseph —. Die Beschwerden und Klagen der evangelischen slavisch-betenden Kirchengemeinde Augsb. Konf. zu Pesth. Dargestellt in Folge eines am 23. März 1854 im Konvente gemachten Vorschlages von — —. 8. (44 S.) Ofen. Gedruckt mit M. Bagó'schen Schriften. 1854.

Podiaski, Otto (geb. Berlin 11. 8. 1858): Quomodo Terentius in tetrametris iambicis et trochaicis verborum accentus cum numeris consociaverit. Berolini (1882). (77 S.) 8°
Berlin, Phil. Diss. v. 14. Jan. 1882

Podiaski, Otto [Dr.]: Die trochäischen Septenare des Terenz, m. bes. Berücks. d. Hecyra. Berlin, R. Gaertner, 1894; 27 S. 4.
Berlin, Lessing-G, OP 1894 (62)

Podiebrad, Luise, Kinematographbilder. (98 S.) 8. Leipzig 908. Modernes Verlagsbureau. 2. —

Podivinsky, J., die alten Classiker u. die Bibel in Citaten. 8. (IV, 67 S.) Brixen 901. A. Weger. n. — 80

Podkomorski, Stefan: Die Vererblichkeit und Uebertragbarkeit des vertragsmässig begründeten dinglichen Vorkaufsrechts. (§§ 1094ff. B.G.B.) Breslau 1907: H. Fleischmann. (42 S.) 8°
Breslau, Jur. Fak., Ref. Schott-Brie, Diss. v. 31. Mai 1907
[Geb. 19. Dez. 78 Obersitzko, Kr. Samter (Posen); Wohnort: Obersitzko; Staatsangeh.: Preußen; Vorbildung: Kgl. Gymn. Wongrowitz (Posen) Reife O. 02; Studium: Breslau 2, Berlin 2, Breslau 4 S.; Rig. 15. Mai 07.]

Podkrajšek Heinrich, Obrtno knjigovodstvo z naukom o menicah. Wien 1908. Schulbücherverlag. Geb. K 1.20.

Podkrajšek H., Računske naloge za obrtne šole. Wien 1906. Karl Graeser und Komp. Halbsteif geb. K 1.10.

Podkrajšek H., Obrtno računstvo. Wien 1906. Verlag von Karl Graeser und Komp. Geb. K 1.20.

Ladislaus **Podlacha**. Die göttliche Liturgie in den Wandmalereien der Bukowiner Klosterkirchen. Düsseldorf: Schwann 1010. 10 S. 4°
Aus: Zeitschr. f. christl Kunst. Jg. 23. A 12.555 II

Podlaha, Ant., die Bibliothek des Metropolitankapitels in Prag, s: Topographie der histor. u. Kunst-Denkmale im Königr. Böhmen.

Podlaha. Ant., der politische Bez. Böhmisch-Brod, s.: Topographie der historischen u. Kunst-Denkmale im Königr. Böhmen. XXIV.

— u. Ed. Šittler, der Domschatz in Prag, s.a. Topographie der histor. u. Kunst-Denkmale im Königr. Böhmen.

Der Domschatz in Prag. Verf. von Dr. Anton **Podlaha** u. Ed. Sittler. (Mit 177 Textabb. u. 10 Taf.) Prag: Archaeol. Comm. bei d. böhm. Kaiser-Franz-Josef-Akad. f. Wiss. 1903. (210 S.) 4°(8°)
— **Topographie** d. histor. u. Kunst-Denkmale im Kgr. Böhmen. Prag: Hradschin. 2, Abt. 1. [08. 15116

Führer durch den Dom zu Prag. Von Dr. Anton **Podlaha**. 7. Aufl. Prag: Metropolitandomkapitel 1908. 30 S. 8° [09. 14760

Podlaha, Ant., ein deutsches Theaterspiel aus dem J. 1662 gr. 8. (23 S.) Prag 901. (F. Řivnáč.) n. — 36
Sonderabdruck a.: „Sitzungsber. d. böhm. Gesellsch. d. Wiss."

Topographie der historischen und Kunst-Denkmale. Die Bibliothek des Metropolitankapitels. Verf. von Dr. Anton **Podlaha**. (Mit 340 Textabb. u. 5 Taf.) *Prag: Archaeol. Comm. bei d. Böhm. Kaiser-Franz-Josef-Akad. f. Wiss. 1904.* (304 S.) 4°(8°)
= **Topographie** d. historischen u. Kunst-Denkmale im Kgr. Böhmen. Prag: Hradschin. 2, Abt. 2. [04. 4677

Topographie der historischen und Kunst-Denkmale im politischen Bezirke Karolinenthal. Verf. von Dr. Anton **Podlaha** u. Ed. Šittler. *Prag: Archaeol. Comm. bei d. Böhm. Akad. f. Wiss. 1903.* (381 S.) 4°(8°)
= **Topographie** d. hist. u. Kunst-Denkmale im Kgr. Böhmen. 15. [03. 6238

— Topographie der histor. u. Kunst-Denkmale i. polit. Bez. Melnik bezw. Příbram, s.a. Topographie der etc. Denkmale im Königr. Böhmen.

Topographie der historischen und Kunst-Denkmale im politischen Bezirke Melnik. Verf. von Dr. Anton **Podlaha**. *Prag: Archaeol. Komm. bei d. böhm. Akad. f. Wiss. 1901.* (224 S.) 4°(8°)
= **Topographie** d. histor. u. Kunst-Denkmale im Kgr. Böhmen. 6. [02. 8242

— u. Ed. Šittler, Topographie der histor. u. Kunst-Denkmale im polit. Bez. Mühlhausen bezw. Selčan, s.a. Topographie d. etc. Denkmale i. Königr. Böhmen.

Topographie der historischen und Kunst-Denkmale im politischen Bezirke Mühlhausen. Verf. von Dr. Anton **Podlaha** u. Ed. Sittler. *Prag: Archaeol. Comm. bei d. böhm. Akad. f. Wiss. 1901.* (168 S.) 4°(8°)
= **Topographie** d. histor. u. Kunst-Denkmale im Kgr. Böhmen. 5. [02. 8241

Topographie der historischen und Kunst-Denkmale im politischen Bezirke Příbram. Verf. von Dr. Anton **Podlaha**. *Prag: Archaeol. Komm. bei d. böhm. Akad. d. Wiss. 1902.* (186 S.) 4°(8°)
= **Topographie** d. histor. u. Kunst-Denkmale im Kgr. Böhmen. 13. [02. 8244

Topographie der historischen und Kunst-Denkmale im politischen Bezirke Rokytzan. Verf. von Dr. Anton **Podlaha**. *Prag: Archaeol. Komm. bei d. böhm. Akad. d. Wiss. 1901.* (189 S.) 4°(8°)
= **Topographie** d. histor. u. Kunst-Denkmale im Kgr. Böhmen. 9. [02. 8243

Topographie der historischen und Kunst-Denkmale im politischen Bezirke Selčan. Verf. v. Dr. Anton **Podlaha** u. Ed. Sittler. Mit 4 Taf. u. 141 Textfig. *Prag: Archaeolog. Comm. bei d. böhm. Akad. f. Wiss. 1899.* (167 S.) 4°(8°)
= **Topographie** d. histor. u. Kunst-Denkmale im Kgr. Böhmen. 3. [0. 930

Podlaha, Wilh., Erzählungen des Pfarrers von Kirchthal, s.a. Erzählungen.

PODLAHA. *Erzählungen des Pfarrers von Kirchthal.* Herausgegeben von Wilhelm Podlaha, Priester der frommen Schulen. Mit sechs illuminirten Zeichnungen [= handkolor. Lithogr.] von HASSLWANDER. Wien, Friedrich Beck, 1848. VIII, 167 S. u. lithogr. Titel in Golddruck. Kl.-8°. Orangefarbener „stummer" Karton d. Z. 22.—
Rümann 640. ★ Erste Ausgabe des reizend illustr. Werkes. Teilw. ganz leicht fleckig; Einbd. etwas bestoßen.

Podlaha, Wilhelm, Erzählungen des Pfarrers von Kirchthal. Von — —. 8. (142 S.) Wien. 1851.
Verlag der Schulbücher-Verschleiß-Administration.

Podlaha, Wilh., Erzählungen des Pfarrers von Kirchthal. Neu hrsg. u. mit einem Lebensbilde des Verf. versehen von Karl Landsteiner. 8. (XXIII, 132 S.) Wien 878. Hölder. cart. n. 1. 20

Podlaha, Wilh., Erzählungen des Pfarrers v. Kirchtal. Neu hrsg. u. m. e. Lebensbilde des Verf. versehen v. Karl Landsteiner. 3., durchgesch. u. verb. Aufl. Mit 6 Orig.-Illustr. v. F. Haßlwander. (XXII, 137 S.) 8. Wien 903. (A. Hölder.) Kart. n. — 70

Podlaha, Wilh., Muster deutscher Redekünste, m. besond. Rücksicht auf neuere Literatur, zur Bildung des Geschmacks u. des Stils. Lex.-8. (45½ B.) Wien 812, Beck'sche Universit.-Buchh.

Podlasly, Dan., Beiträge z. Verbesserung d. Gemeinheitstheilungs-Methoden, f. d. Auseinandersetzungs-Commissarien u. diejen. Ackerbesitzer, welche sich selbst, ohne Hülfe d. Behörden, aus d. Gemeinheit setzen wollen. 8. (6 B.) Danzig 829. (Marienwerder, Baumann.)
Vgl. Abramowski.

Podlech, E., Geschichte der Erzdiöcese Köln. 8. (VIII, 622 S.) Mainz 879. Kirchheim. n. 5. —

Geschichte der Pfarrei Wiesenthal, Kreis Münsterberg. Von d. zeit. Pfarrer (Peter **Podloch**). *Paderborn: Bonifacius-Dr. 1900.* (32 S.) 8° [F.] [01. 1302

Podlewski, Otto [aus Kreuzburg, (Schlesien)]: Ein Beitrag zur Casuistik des Fibroma molluscum .... Berlin, Langenscheidt'sche Buchdr. (1886); 27 + 8 S. 8°.
Berlin, Med. Fak., Inaug.-Diss. v. 5. Aug. 1886.

Podliaski, L(eiser), aus Russland: Ueber die durch Energieemission hervorgebrachte Dämpfung akustischer Schwingungen. *Berlin (1900): E. Ebering.* (36 S.) 8°
Berlin, Phil. Diss. v. 10. Dez. 1900

Vortrag des Präsidenten-Stellvertreters der Pester ungar. Commerzial-Bank Herrn Ladislaus Baron Podmanitzki an den löbl. Bank-Ausschuß in der Versammlung am 15. Juni 1857. Pest, 1857. Buchdruckerei von Emil Müller. (4 Bl. 4.)

Podmore, F., Gespenster lebender Personen, s.: Gurney, E.

Podobe iz misijonskih dežel. V Celovcu, St. Hermagoras-Druck., 1909. Heft 1.

Podolinskiy, S. [Red.], s. H r o m a d a.

Podolinskiy, S. Les métiers et les fabriques en Oucraïne. In-8⁰, 148 p. Genève et Bâle, H. Georg. 1880 2 —

Podolinsky, Serge [geb. Jaroslanka bei Kiew 31. 7. 1850]: Beiträge zur Kenntniss des pancreatischen Eiweissfermentes. Breslau 1876. (56 S.) 8⁰
Breslau, Med. Diss. v. 26. Mai 1876

Podolinsky, Serge. L'Hygiène du peuple en Oukraïne (en russe). In-8⁰, 244 p. Genève et Bâle, Georg. 1879 3 —

Подольскій, Л., Диди-Графъ. Фантазія. (P o d o l s k i, L., Grossvater Graf. Phantasie.) gr. 8. (IV und 181 S.) Leipzig 860, Gerhard.

Podowski, Henr. (geb. Warschau): De osteo-steatomate. Berolini (1830). (28 S.) 8⁰
Berlin, Med. Diss. v. 27. Nov. 1830

Podpěra, J., bryologische Beiträge aus Südböhmen. gr. 8. (28 S.) Prag 899. (F. Řivnáč.) n. — 40
Sonderabdruck a.: „Sitzungsber. d. böhm. Gesellsch. d. Wiss."

Podpera, J., u. H. Laus, Beiträge zur Phytogeographie Mährens, s.: Mitteilungen der Kommission zur naturwissenschaftlichen Durchforschung Mährens. Botan. Abt. 3.

PODRACZKY, Stephanus: De communicatione idiomatum in Christo. — (1871) 66 S. 4⁰ (Handschr.) Diss. 340
Diss.Wien, Univ.

Podrajanski, Leo [aus Poltawa, Russl.]: Die Einwirkung des Furols auf Acetophenon. Bern 1898. 27 S. 8⁰.
Bern. Phil. Diss. 1897/98.

Podrasek Hugo: De verborum traiectionibus, quae in T. Livi a. u. c. libris inveniunter.
H. 1907 PN 2314 Diss.Wien Univ. 1624

Podrazil: Bemerkungen über den Unterricht im Freihandzeichnen an Real- u. Gewerbeschulen. 7 S. u. 4 Tabellen.–Graz OR., Progr. 1864

Podręcznik Leśnictwa ułożony staraniem Centralnego Towarzystwa Rolniczego w Wielkiém Ks. Poznańskiém (wydział leśny). Posen 869. Leitgeber. gr. 8. (IV, 198 S.) 1 ₰

Podróż na wozie pocztowym czyli nie sądź, czego nie znasz! Z niemieckiego podług 3., wydania przełożył W. Lewandowski. gr. 16. (81 S.) Posen 853, Merzbach.

Podschiwalow, A. M., Beschreibung der unedirten u. wenig bekannten Münzen v. Sarmatia europaea, Chersonesus taurica u. Bosporus Cimmerius, aus der Sammlg. A. M. P.'s. Mit 3 Lichtdr.-Taf. gr. 4. (26 S.) Moskau 882. (Leipzig, Brockhaus' Sort.) n. 8. —

Podstatzky-Tonsern, Claud. v.

Podstatzky-Tonsern, C. Freiherr v. — Zur Kenntniß der Verhältnisse des österreichischen Grundbesitzes. Von — —. Wien, 1857. Druck von L. C. Zamarski. Wilh. Braumüller.

— zur Kenntniß der Verhältnisse des österreichischen Grundbesitzes. Wien 857. Braumüller. 8. (2 Bl., 56 S.) n. 8 ngr.

Podstatzky-Tonsern, C. v., die Landwirthschaft vom Standpunkte des Volkswirthes. Ein Compendium. Wien 857. Gerold. gr. 8. (VI, 76 S.) n. 20 ngr.

Podstránský, Jos. Boleslav, výklad křestansko-katolického náboženství pořádkem katechismu, stvrzen slovy písma svatého, výroky svatých Otcův a jiných učitelů církevních, s připojenem mnohých průpovědí, přísloví, podobenství a příkladův. Pro chrám, pro školu i pro domačnost etc. Díl I. Nové vydání. — Díl II. Svazek 1. Prag 861. Hess. gr. 8. (1. Bd.: VIII. 584 S.; 2. Bd.: S. 1—80.) n. 2 ₰ 5 ngr.

Podszus, Emil, Oberlehrer: Thermoelektrische Kräfte in Elektrolyten. (Berlin 1908: G. Schade.) 46 S. 8⁰
Berlin, Phil. Diss. v. 23. Sept. 1908, Ref. Nernst
[Geb. 21. Jan. 81 Königsberg i. P.; Wohnort: Rixdorf; Staatsangeh.: Preußen; Vorbildung: Gymn. Memel Reife O. 00; Studium: Königsberg 7 S.; Rig. 20. Juli 08.] [U 09. 251

Podtiagin, Michael, a. Balino (Rußland): Milzbrand nach den in der Leipziger chirurgischen Klinik vorgekommenen Fällen. Borna-Leipzig 1908: R. Noske. (52 S.) 8⁰
Leipzig, Med. Fak., Ref. Trendelenburg, Diss. v. 12. Juli 1908
[Geb. 11. Jan. 82 Balino (Rußland); Wohnort: Schaudrowka (Rußland); Staatsangeh.: Rußland; Vorbildung: Gymn. Smolensk Reife Juni 00; Studium: Moskau 1, Göttingen 2, Leipzig 8 S.; Rig. 21. Juli 08.]

Podtřemšinsky, Veleb., písně. Prag 860. (Rziwnatz.) 16. (139 S.) n. 12 ngr.

Poduk o letošnjem nenavadnem svetem letu in o njegovih odpustkih. V Celovcu, Leon. 1865. Duodez. 76 S.

Podwissotzki, Valerian, über die wirksamen Bestandtheile des Podophyllin's. Untersuchungen. gr. 8. (61 S.) St. Petersburg 881. (Dorpat, Karow.) n. 1. 60

Podwissotzky, Valerian, aus Tschernigow, Anatomische Untersuchungen über die Drüsen der Zunge des Menschen und der Säugethiere.
Preisarbeit Dorpat 1876.

— anatomische Untersuchungen über die Zungendrüsen des Menschen u. der Säugethiere. Inaugural-Dissertation. Mit 2 lith. Taf. (in qu. Fol.). 8. (144 S.) Ebend. 878. n. 2. —

Podwyssozki, W., zur Entwickelungsgeschichte des Coccidium oviforme als Zell-Schmarotzers, s.: B i b l i o t h e c a medica, Abth. D. II, Hft. 4.

Podwyssotzki [Sohn], W., Kefyr, kaukasisches Gährungsferment u Getränk aus Kuhmilch. Seine Geschichte, Literatur, Zubereitg., Zusammensetzg., sowie physiolog. u. therapeut. Bedeutg. Aus dem Russ. nach der 3. Aufl. übers. v. Mor. Schulz. gr. 8. (XI, 73 S.) St. Petersburg 884. Ricker. n. 1. 60

Podwyssozki jun., W., u. J. **Sawtschenko,** üb. Parasitismus bei Carcinom, nebst Beschreibg. einiger in den Carcinomgeschwülsten schmarotz. Sporozoen. (Aus dem Institute f. allgem. Pathologie an der Universität Kiew.) [Aus: „Centralbl. f. Bakteriologie".] gr. 8. (29 S. m. 2 farb. Taf.) Jena 892. G. Fischer. n. 2. —

Podwyssotski, W. u. J. Sawtschenko, Über Parasitismus bei Carcinomen nebst Beschreibung einiger in den Carcinomgeschwülsten schmarotzenden Sporozoen. Mit 2 chromolith. Taf. (29 S.) Jena 93. G. Fischer. M. 2.-

Podwyssozki, W. jun., Regeneration der Drüsengewebe, s. Beiträge zur pathologischen Anatomie und Physiologie.

Podwyssozki, W., die Reservekräfte des Organismus u. ihre Bedeutung im Kampfe m. der Krankheit. Rede, geh. in der feierl. Versammlg. des V. Pirogow'schen Aerzte-Congresses am 3. Jan. 1894 in St. Petersburg. Aus dem Russ. übers. v. N. Svenson. gr. 8. (24 S.) Jena 894. G. Fischer. n. -- 75

Podwyszyński, Adolf: Ad Caesarem. [Zur Feier des sechzigjährigen Regierungsjubiläums Seiner Majestät des Kaisers Franz Josef I.] S. 5—7, 1 Abb. 8. Progr. K. k. zweites Staats-Gymn. *Lemberg* 1908.

Podzahradsky: Ueb. d. Behandlung d. chron. Gelenks- u. Muskelrheumatismus. *Wien & Leipzig 1897.*
in: **Fortschritte d. Hydrotherapie.** Festschr. z. vierzigjähr. Doctorjub. d. Prof. Dr. W. Winternitz. [97. 1425

Podzimek Ferdinand und Travniczek Josef: Analyse der Schwefelwasserquelle im Sauerhof in Baden. S 18. II. 42 . . . . vgr.
Separatabdruck

Poe, Cl. Hamilton, die Baumwolle, s.: **Heine, E.**

Poe, Edg. Allan, die Abenteuer Arthur Gordon Pym's u. andere Erzählungen. Neue vollständ. Ausg. Ins Deutsche übertr. u. m. einleit. Worten versehen v. Herm. Eiler. (380 S. m. Bildnis.) 8. Berlin (910). A. Weichert. (Urspr. Pr. 2. —)

— The bells, The raven, Annabel Lee, and To one in paradise, hrsg. v. Heinr. Saure, s. Authors, modern English. XII.

— Denn die Elemente hassen . . ., s.: Mügge, Thdr.

Poe, Edgar Allan, d. junge Detektiv u. and. Kriminalgeschichten, s.: Twain, Mark.

Poe, Edgar Allan, unbegreifliche Ereignisse und geheimnißvolle Thaten. In achtzehn der merkwürdigsten Erzählungen. Stuttgart 861. Scheible. 16. (580 S.) 21 ngr.

— Die denkwürdigen Erlebnisse d. Artur Gordon Pym, s.a. **Bücher**, die, des deutschen Hauses

Die denkwürdigen Erlebnisse des Artur Gordon Pym (Narrative of Arthur Gordon Pym). Roman von Edgar Allan **Poe**. Deutsch von Bodo Wildberg [d. i. Harry Louis v. Dickinson]. Ill. von Ernst Stern. Berlin-Leipzig: Buchverl. fürs Deutsche Haus 1908. (304 S.) 8° [F.]
= **Bücher**, Die, d. Deutschen Hauses. Reihe 2, Bd 30. [08. 1337

— Erzählgn. wunderbarer u. unheiml. Begebenheiten, s.a Bibliothek d. Gesamtlitteratur d. In- u. Auslandes.

[F.] Edgar Allan **Poe's** Erzählungen wunderbarer und unheimlicher Begebenheiten, in Ausw. A. d. Engl. *Halle a. d. S.: O. Hendel [1896].* (VII, 303 S.) 1 Bd 8.
= **Bibliothek** d. Gesamtlitteratur d. In- u. Auslandes. No. 939—942.

Poe, Edg. Allan, das Feuerpferd u. andere Novellen. Übers. v. Gisela Etzel. Mit XV Bildbeigaben v. Alfr. Kubin. (181 S.) Lex. 8. München 910. G. Müller. 6.50; geb. 9. —

— Gedichte. Übertr. v. Thdr. Etzel. (110 S.) 8. Ebd. 909. 3.—; geb. 5. —

— — Gedichte. Deutsch von Th. Etzel (d. i. Theod. Schulze). München, Georg Müller, 1910. 8°. (Geheft. Mk. 3—; gebd. 4,50; 50 Luxusexpll. à 15—.)

Poe, Edg. Allan, ausgewählte Gedichte. Uebertr. v. Hedwig Lachmann. 12. (78 S.) Berlin 891. Bibliograph. Bureau. n. 1. 50; geb. n. 2. 50

— erstaunliche Geschichten und unheimliche Begebenheiten. Ebend. 859. 16. (456 S.) 14 ngr.

Poe, E. A., seltsame Geschichten, s.a Collection Spemann.

— seltsame Geschichten, s.a Romane, mod., aller Nationen.

Edgar Allan Poe. Seltsame Geschichten. (Vorr.: Ferdinand Gross.) *Stuttgart, Berlin, Leipzig: Union [1900].* (200 S.) 8° [F.]
= Romane, Moderne, aller Nationen. 8. [01. 13073

Seltsame Geschichten. Von Edgar Allan **Poe**. Leipzig: Reclam [1909]. 208 S. 8°
(Bibliothek August Scherl. Bd 539.) [10. 13925

Unheimliche Geschichten, s.: Lu p' Kriminal- u. Detektiv-Romane.

— unheiml. Geschichten, s.: Winterfeld, A. v.

— Der Goldkäfer u. andere Novellen. Übers. v. Gisela Etzel. Mit 14 Bildbeigaben v. Alfr. Kubin. (173 S.) Lex. 8. München 910. G. Müller. 6.50; geb. 9.—; Luxusausg. 20. —

— Das schwatzende Herz u. andere Novellen. Mit 14 Bildbeigaben v. Alfr. Kubin. (174 S.) Lex. 8. Ebd. 909. 6.50; geb. 9. —

— — Das schwätzende Herz und andere Novellen. Deutsch von Gisela Etzel. Mit vierzehn Bildbeigaben von Alfred Kubin. Ebd. 1910. 8°. (Geheft. Mk. 6—; gebd. 9—; 50 Luxusexpll. à 20—.) (9 Mk., Halbprgtbd., Edm. Meyer, Berlin, 1910.)
Einmalige Auflage von 1200 numer. Expll.
Inh.: Das schwätzende Hertz · Die Maske des roten Todes · Der Doppelmord in der Rue Morgue · Der Untergang des Hauses Usher · Die schwarze Katze · Eine Erzählung aus den Ragged Mountains · Hopp-Frosch.

Poe, E. A., Novellen, s. Familien-Bibliothek, illustrirte.

— Novellen, s.: Meyer's Volksbücher.

Poe, E. A., ausgewählte Novellen, s.a Universal-Bibliothek.

Ausgewählte Novellen, s.a Sammlung berühmter ausländischer Schriftsteller. I, 5.

Ausgewählte Novellen von Edgar Allan **Poe**. Aus d. Engl. übers. von Hedda und Arthur Moeller-Bruck. Berlin: F. Schulze [1910]. 79 S. 8° [Text stenogr.]
(Sammlung berühmter ausländischer Schriftsteller. Ser. 1, Bd 5.) A 11. 10714

— Novellen v. der Liebe. Deutsch v. Gisela Etzel. (VII, 120 S. m. 1 Bildn.) 8. Ebd. (908). 3.—; geb. 5. —

— — Die Novellen von der Liebe, übers. von Gisela Etzel. Mit dem Portrait der Virginia Clemm (Poe's Gattin). München u. Leipzig bei Georg Müller (1909). 8⁰. VII u. 120 S. 1000 numer. Expll. (Geheft. Mk. 3—; gebd. Mk. 5—; 50 Luxusexpll. à Mk. 15—.)
Enthaltend die Novellen: Eleonora; Ligeia: Morella; Berenice; das ovale Porträt und ein neu aufgefundenes, bisher unveröffentlichtes Gedicht: Leonainie, englisch und deutsch, das erstmalig im „Amethyst" S. 206 veröffentlicht wurde, jedoch in einer anderen viel freieren Umdichtung.

—— Poems and Essays, s. Collection of British Authors.

—— der Rabe, s. Theater, neues Wiener.

Poe, Edg., a Selection of the poetical Works, s. Collection of British and American Standard Authors.

— tales, s.: Collection of British authors.

—— Tales of mystery, imagination and humour, s. Library, the english.

Der rote Tod u. andere Novellen, s.a.Bücher, die, des deutschen Hauses.

Der rote Tod und andere Novellen von Edgar Allan Poe. Deutsch von Bodo Wildberg. Berlin: Buchverl. fürs Deutsche Haus; Wien: Perles 1909. 285 S. 8°
(Die Bücher d. deutschen Hauses. Reihe 4. Bd 79.) (09. 8373 11

Poe's, Edgar Allan, Werke in 10 Bdn. hrsg. v. Hedda u. Arth. Moeller-Bruck. 1. u. 3. Bd. 8. Minden 904. J. C. C. Bruns. à n. 2.—; geb. à n. 2.50; auch in 5 Doppelbdn. à n. 5.—
1. Poe's Leben u. Schaffen. (XIII, 215, 4 u. 4 S. m. Bildnis.)
3. Heureka u. Anderes. Der Dichtgn. 2. Reihe. (VI, 236 S.)

Poe's, Edgar Allan, Werke in 10 Bdn. Hrsg. v. Hedda u. Arth. Moeller-Bruck. 2. u. 4.—10. Bd. Minden, J. C. C. Bruns. à n. 2.—
2. Gedichte u. Anderes. Der Dichtgn. 1. Reihe. (V, 232 S.) (902.)
4. William Wilson. Der Novellen 1. Reihe (V, 240 S.) (901.)
5. Der Geist des Bösen. Der Novellen 2. Reihe. (V, 267 S.) (901.)
6. Mesmerische Enthüllungen. Der Novellen 3. Reihe. (V, 224 S.) (901.)
7. Hans Pfaalls Mondfahrt. Der Novellen 4. Reihe. (V, 258 S.) (902.)
8. Die Abenteuer Gordon Pyms. Roman. (V, 251 S.) (901.)
9. Der Teufel im Glockenstuhl. Der Humoresken 1. Reihe. (V, 240 S.) (901.)
10. Der Engel des Wunderlichen. Der Humoresken 2. Reihe. (V, 240 S.) (901.)
Die Bde. 1 u. 3 erscheinen später.

— ausgewählte Werke, s. Bibliothek, amerikanische.

— — Ausgewählte deutsche Werke. Aus d. Engl. von Wm. E. Drugulin. 3 Bde. Leipzig 1853. 8⁰. (4 Mk., Tit. gestemp., Max Jaeckel, Potsdam, 1910.)
Seltene 1. deutsche Ausgabe.

— Die überraschenden Wirkungen des Mesmerismus auf e. Sterbenden. Deutsch v. Alfr. Kuhn. (19 S.) 8. Lorch 907. K. Rohm. —20

—— select works, s. Authors, standard american.

— select works, s. Dürr's Collection etc.

Karl Hans Strobl. Worte Poes [Edgar Allan Poe. Ausz.]. Mit e. (Edgar Allen Poe-) Bibliogr. von Moriz Grolig u. m. e. Bildn. Poes. Minden i. W.: J. C. C. Bruns [1907]. (236 S.) 8°
= Breviere ausländischer Denker u. Dichter. Bd 7. (08. 4908

Poehr, E., s.: Sprudel.

Poema del Cid. Nach der einzigen Madrider Handschrift mit Einleitung, Anmerkungen u. Glossar neu hrsg. von Karl Vollmöller. 1. Thl.: Text. gr. 8. (96 S.) Halle 879. Niemeyer. n. 2. 80

— morale, das mittelenglische. Im krit. Text, nach den 6 vorhandenen Handschriften zum ersten Male hrsg. von Herm. Lewin. gr. 8. (78 S.) Ebend. 881. n. 2.—

Poema de auspicatissimo ab Hispanis Reditu Augustissimae Imperatricis Elisabethae Christinae. Viennae 1713. V: *Raditschnigg, Johann.* (Jes)

Poematis, latini reli. ex vol. Herculanensi evulgatas denuo recognovit, nova fragmenta ed. Ioa. Ferrara. (52 S. m. 13 Taf.) gr. 8. Papiae 908. (Leipzig, O. Harrassowitz.) 4.—

Poeme sur la bataille gagnée à Krichenau le 18 Juin 1757. [Wien] 1757. V: *Gaubier de Barreau.* (Kat. d. ständ. Bibl. Stuttg. 1907. S. 434.)

Poëmes didactiques, satiriques, et épiques de la littérature Française, siehe: Elite des classiques Français. Tome 5, série II.

Poems by the author of John Halifax, s. Collection of British Authors.

Poems, Four, viz. Armine and Elvira, the Hermit of Warkworth, the deserted Village, and the Traveller, gr. 8. Altb. Richter. (Acad. Buchhdl. in Jena.) 774.

Poems, the Hudsaillian, edited and translated by J. G. L. Kosegarten, s. Carmina Hudsailitarum.

Poems, modern english. s.a.Wiedemann, C. R. W.,

Poems modern English coll. by C. R. W. Wiedemann. II Vols. gr. 8. Kiel 815, 16. Hesse. 3 ₰ 12 gr.

Poenitentia secunda post naufragium tabula, argumentum quatuor meditationum . . . Monachii 1753. V: *Gachet, Franz Xaver.* (Jes) (so)

Poeppig, s. Pöppich.

Poeschmann, s. Pöschmann.

Poeseos popularis ante saeculum duodecimum latine decantatae reliquias sedulo collegit, e mscpt. exaravit et in corpus primum digessit Edélestand du Méril. — Poésies populaires latines antérieures au 12. siècle. gr. in-8. (27⅛ B.) Paris 843. [Leipzig, Brockhaus et Avenarius.] *

Poesias, todas las, de San Juan de la Cruz y de Santa Teresa de Jesus, recogidas y publicadas por W. Storck. Monastero 854. Theissing. 16. (VIII, 75 S.) n. 12 ngr.

Poesie bibliche, tradotte da celebri italiani ed illustrate, con note si aggiungono le versioni e parafrasi latine del Mussi, Rossi, Lowth, Vavasseur e Bucanano; i ragionamenti del Lowth sull' Ebraica Poesia e le dissertazioni di Varj. Tomo I. Parte I—III. Tomo II. Parte I., II. 12 maj. Milano 832, 33. (Vienne, Rohrmann.) n. 4⅓ ₰

Böhmens Dt. Poesie und Kunst. Monatsschr. über alle Gebiete des Schönen (Jg 3: Jahrbuch in Monatsheften über alle Gebiete des Schönen; Jg 4 ff.: Ill. Jahrbuch in Monatsheften . . .). Hrsg. von Eduard Fedor Kastner. Jg 1—5. — Wien: Kastner 1891—1895. [Mehr nicht feststellbar.]

Poésie chrétienne recueillie de divers auteurs français par Mme. Caroline Olivier. Nouvelle édition augmentée de morceaux nouveaux. 12. (288 S.) Genf 857. Leipzig, Hübner.

Poesie, die deutsche. Eine Kritik. 8. Hamburg 845, Hoffmann u. Campe. 1/4 ₰

Poesie der Franken ... Frankf. u. Leipzig 1707. H: *Oeder, Georg Ludwig.* (ML) (GGr) H: *Oeder, G. L., Weismüller & Müntz.* (Myl)

POESIE der Franken. Erste (einz.) Sammlung. Frankfurt und Leipzig (Nürnberg), bey Peter Conrad Monath, 1730. Gr. 8⁰. (In Berlin: Yf 2276; auch in Göttingen [P 1692a] und in Zürich.) (10 Mk. Wilh. Jacobsohn & Co., Breslau, 1909.) Selten!

Titelkpf., 5 Bll. Vorst., 420 S. Die von Onoltzbach datirte Vorrede ist unterzeichnet: *G. L. Oe.* (i. e. *Oeder*). — Enth. nur Gelegenheitsgedichte. — Eine handschriftl. Notiz vor dem Titel d. vorliegenden Ex. sagt: „Poemata in hoc libro contenta, elaborata sunt à M.* *Oedero*, ex tempore Pastore vt vocant pomeridiano (Mittags-Prediger) & Conrectore Gymnasii Onoldini; pars eorum poematum originem suam debet M.* *Weismüllero*, Pastori Heidenheimensi, & * *Müntzio*, Norimbergensi. Vide die Auserlesene Theolog. Bibliothek (Coleri). part. 46. num. 7."
Goedeke III, 355, 37 (nach Meusel, Lex. 10, 156, u. Baader 2, 1, 224—27). — Selten!

Poesie, Die, und Germanien. Berlin 1755. V: *Zachariae, Just. Friedrich Wilh.* (Waniek, Gottsched. Leipzig 1897. S. 603.) (Ladendorf, Schönaich. Leipz. 1897. S. 76.) (Dtsche Litt.-Denkmale d. 18. u. 19. Jh. Nr. 127.)

Poesie, Goethes religiöse. Kurzer Abriss der Theologie dargestellt aus Göthe's poetischen Werken ... Leobschütz 1850. V: *Lange, Johann Peter.* (Ky) (BrMm)

POESIE u. Prosa, Humoristische, für ausgelassene Leute. Des Humoristischen Liederschatzes Zweiter Theil. Dessau: Schnellpressendruck u. Verlag v. Herm. Neubürger, o. J. (c. 1868?). 8⁰. (2 Mk. G. Priewe, 1895.)

IV—258 S., 1 Bl. Verlags-Anz. [wo auch Th. 1 m. d. Tit.: „Humorist. Liederschatz. Mit besond. Berücks. solcher Deklamationsstücke, welche sich zum Vortrag in Schulen eignen. Gesammelt v. F. L. Gehricke. Erster Bd. Pr.: 15 Sgr." offerirt wird].
Darin u. a.: Die Wirkung des Tabakrauchens (19 sechszeil. Str. nach älterem Muster, leichte Waare, e. ehelichen Zwist betr.); die Pantoffeln (Hahnreigesch. nach d. Französ. des Alphonse Karr (II. S. 93—106); viel Humoristisches im Berliner Dialekt (dramat. Scenen); ferner eine pikante „Gardinen-Komödie in 1 Aufz.: „Nächtlicher Zwist" (S. 52—56), etc. etc.

Poesie und Prosa, humoristische, für ausgelassene Leute. Des humoristischen Liederschatzes 2. Thl. Dessau 858. Neubürger. 8. (2 Bl., 258 S.) 15 ngr.
1. Thl., s. Gehricke, F. L., humoristischer Liederschatz.

Poesie d. Jugend, s. a. Fr. Pustkuchen.

— d. Jugend. 2e Aufl. A. u. d. T.: kleine Schriften v. Verfass. d. Wanderjahre (Fr. Pustkuchen.) 1r Theil. gr. 12. Berlin 823, Reimer.

— der Kriegskunst, od. Feldzug d. Franzosen in Aegypten in d. Jahren 1798—1800. Aus d. Französ. mit Anmerkk. vom Prof. D. Lebret; mit strateg. Bemerkk. bereichert v. Graf. v. Bismark. Mit 4 Pl. u. 1 Karte. gr. 8. Stuttg. 824. 2e A. 825. v. Cotta. 3 ₰ 12 gr.

Poesie, latein. altkirchl., ausgewählt v. Hans Lietzmann, s.: Texte, kleine, f. theologische u. philologische Vorlesgn. u. Übungen.

— v. d. musikalisch. 8. Berl. 752.

POESIE der Nieder-Sachsen, oder allerhand, mehrentheils noch nie gedruckte (zahme) Gedichte von den berühmtesten Nieder-Sachsen, sonderlich einigen ansehnlichen Mit-Gliedern der vormals in Hamburg blühenden Teutsch-übenden Gesellschaft u. s. w. Hrsg. von C. F. Weichmann. 6 Thle. Mit schönem Titelkupfer v. B. Picart u. Titelvign. Hamburg, J. Chr. Kissner u. Chr. Herold, 1723—1738. 8⁰. (40 Mk., tadelloses Expl. in 2 Ldrbdn., Ad. Weigel, Lpz., 1905.)
Goedeke III, S. 344, 53. — I. Mit e. Abhandl. v. Brockes, 1725. — II. Mit Abhdlgn. v. Fabricius u. Richey. 1723. — III. Mit Abhdlgn. v. Richey. 1726. — IV. hrsg. v. J. P. Kohl. 1732. — V. hrsg. v. Kohl, 1738. — VI. Mit Gedichten v. d. Bauer-Poeten Hinrich Jansen, hrsg. v. Kohl.

Poesie u. Prosa, von Ch. H. Schütze. s. Schütze, H.

Poesie und Prosa, Lustspiel in 1 Aufzuge von F. Plötz. 8. München, Lentner. 818.

Poesie u. Prosa der Didaktik. 1. Tl.: Die Kunst im Seminar od. der anschaulich-entwickelnde Unterricht. 2. Tl.: Die Logik in der Didaktik od. der anschaulich-entwickelnde Unterricht. Von e. Lehrer. gr. 8. (VIII, 94 S.) Berlin 891. L. Oehmigke's Verl. n. 1. 20

— d. romantische, Stanzen z. Erklärung eines Maskenzuges d. 30. Jan. 1810. gr. 4. Weimar, Land. Industrie-Comt.

Poesie, Die Romantische, Stanzen zur Erklärung eines Maskenzuges ... Weimar 1810. V: *Goethe, Johann Wolfgang von.* (Mn)

Poesie scelte di tutti i secoli, s. Buonaventura und Schmidt, Uebersetzungs-Bibliothek.

Poesie di Luigi Uhland e di altri autori tedeschi, imitate da Nic. Negrelli, con note e prose. gr. 8. (327 S.) Venezia 847, Münster. 1 ₰ 24 ngr

Poesie des Unbewußten von einem Bewußten. gr. 16. (101 S.) Leipzig 878. Findel. n. 2. —

Poesie im Zuchthause. Gedichte v. Verbrechern. Gesammelt u. hrsg. v. Johs. Jäger. Ein Beitrag zur Kriminalpsychologie. (XXVI, 227 S.) 8. Stuttgart 905. M. Kielmann. n. 3. —; geb. in Leinw. n. 3. 60

Poesie-Album. Ausg. Nr. 1. qu. 12. (68 chromolith. S.) Leipzig 888. Karrer. geb. m. Goldschn. 2. —; Ausg. Nr. 2. qu. gr. 16. (48 chromolith. S.) geb. m. Goldschn. 1. 60

Poesie-Album, Margarethas geheimes, s.a. Poesiëen-Album

MARGARETHAS geheimes Poesie-Album. Aus den hinterlassenen Papieren einer Lebedame. Privatdruck, 1907. Original-Ganzlederband. 72 S. In 600 Exemplaren erschienen.

Poesieblätter. E. Sammlung neuerer deutscher Lyrik u. Denksprüche. Hrsg. v. Frida Schanz. Neue Ausg. 4. (160 S. m. Holzschn. u. 1 Lichtdr.-Taf.) Leipzig 892. F. Cavael. Geb. 4. 50

Poesieblätter. Eine Sammlg. neuerer deutscher Lyrik u. Denksprüche, ausgewählt v. Frauenhand (Pauline Schanz). Mit vielen Illustr. nach Bildern hervorrag. Künstler u. A.: W. Amberg, Rob. Aßmus, Rob. Beyschlag 2c., sowie e. Titelbilde. 3. u. 4. Tauf. 4. (V, 156 S. m. Text-Illustr. u. 4 Lichtdr.-Bildern.) Leipzig 892. F. Cavael. Geb. in Leinw. m. Goldschn. 6. —

Poesieen, biblische, für Kinder. Vom Verfasser d. „armen Heinrich" 2c. (Chr. G. Barth). 1e – 3e Samml. Mit vielen Abbildd. (in Holzschnitt). 16. Calw 833, 38 u. 40. (Stuttgart, Steinkopf.) (à n. 1/6 ꝑ) 1/2 ꝑ

Poesien, Biblische, für Kinder... Stuttgart 1853. V: *Barth, Christian Gottlieb.* (ZU) (KY)

Poesieen, biblische, für Kinder, vom Verfasser des „armen Heinrich 2c." (Von Chrn. Glo. Barth.) Mit Abbildgn. (Holzschn. im Text.) Gesammtausgabe, verb., verm., u. nach der Zeitfolge geordnet. Calw 853. (Stuttgart, J. F. Steinkopf.) 12. (VIII, 300 S.) nn. 6½ ngr.

Poesieen, biblische, f. Kinder, vom Verf. d. „armen Heinrich" 2c. 2. Ausg. Hrsg. v. dem Calwer Verlagsverein. 8. (VIII, 208 S. m. eingedr. Holzschn.) Calw. Stuttgart 876. J. F. Steinkopf in Comm. n. 1. --

Poesiëen-Album, Margarethas geheimes, s.a. Poesie - Album

MARGARETHA'S geheimes Poesiëen-Album. (Obscöne Produkte schlimmster Art.) Amsterdam 1893. Breit-kl. 12⁰. Orig.-Umschl. Hübsche Ausstattung: Randleisten, Kopfleisten, roth gedr. Ueberschriften.

— — Dasselbe. (Neudruck mit dem eingeklammerten Zusatz: „Aus den hinterlassenen Papieren einer Lebedame".) O. O. 1905. Privatdruck. 8⁰. (Mk. 10—; Luxus-Ausgabe in nur 50 numer. Expll. auf Bütten in eleg. weichen Lederbd., Mk. 15—.) Vergriffen! (6 Mk., gewöhnl. Ausg., F. Waldau, 1908.)

Poesien, od. Auswahl d. vorzügl. Gedichte u. Lieder, welche z. Feste des 18. Octbr. 1814 erschienen sind. Taschenform. Kranff. Körner. 815.

Poesien, Auserlesene, aus den besten englischen Dichtern übersetzt. Zürich 1761. Ü: *Burckard, Joh. Jacob.* (MGT)

Poesien, auserlesene griechische, in deutschen Uebersetzungen. 16. Bresl. 801. Buchheister. 4 gl (Andreä in Leipz.) 6 gl

Poesien, Ausgewählte, von Lord Byron, Thomas Moore, Walter Scott u. A., in deutschen Übertragungen. Reutlingen 1832. Ü: ***Kurz (Kurtz), Hermann.*** (Morgenblatt 1858, S. 464 f.) (Zeitschr. f. Büch. N. F. 15, 1923, S. 118)

Poesien, ausgewählte, v. Lord Byron, Tomas Moore, Walter Scott u. Andern, in deutschen Uebertragungen. 16. Reutlingen 832. (Fischer). 12 gl

Poesien, Biblische, für Kinder, s. Poesiëen

Poesien und Bilder von Axenstein..., nebst Brunnen und Umgebungen. Von Professor Eduard Osenbrüggen und Anderen. Mit einem Panorama von A' in Stahlstich-Reproduction, einem Situationsplänchen des Parkes und 70 Illustrationen, sowie einer Karte vom Vierwaldstättersee. 8. Zürich *o. J.* [ca. 1884].

Poesien von Louise Brachmann . . . Ein Musenalmanach f. . . . . 1809. Frankfurt/M.

Poesien und Briefe. Jena 1763. V: *Rönnberg, Jacob Friedrich.* (KY)

— u. Briefe (J. F. Rönnberg) 8. Jena 763. Gollner. 6 gl

Poesien, Freundschaftliche, eines Soldaten. Berlin u. Leipzig [1764]. N. Ausg. . . . Berlin 1793. V: *Scheffner, Johann Georg.* (KY) (MGT) (KN) (FE) (BrMm) (GGr) (ZK X, 459) (Grisebach, Weltlitteraturkat. Berl. 1898—1900. I, 209.)

— freundschaftliche, eines Soldaten. N. Aufl. mit 1 Titelvign. von Meil. gr. 8. Berlin 793. (Leipzig, Fr. Fleischer.) 3/4 ꝑ (Auf geglättetem Velinpap. 1 1/3 ꝑ)

Poesien, Kleinere. Von Mir; allen Geistern der Liebe, Freundschaft und Freude heilig. O. O. 1773. V: *Reichard, Heinrich August Ottocar.* (ADB) (MGT) (GGr)

— eines Kurländ. Herrn von Adel (Gerh. v. Koschkull) selbsteigen componirte u. nach dessen Tode, in e. Alter v. 93 Jahren, nachgelassene Poesien. 4. Königsb. 774.

Poesien, Lyrische, elegische und epische, nebst einer kritischen Abhandlung . . . Halle 1759. V: *Schröder, Friedrich Joseph Wilhelm.* (ML)

— lyrische, eleg. u. epische, 2c. gr. 8. Halle, Hemmerde u. Schwetschke. 759.

Poesien nach verschiedenem Maas und Gewicht . . . Berlin u. Leipzig 1775. V: *Hymmen, Johann Wilhelm Bernhard von.* (MN)

— nach verschied. Maaß u. Gewicht 2c. 8. Berl. 775. Decker. 7 gl

—— der dichtenden Mitglieder d. Breslauer Künstlervereins, K. Griesheim, H. Grünig, H. Hoffmann v. Fallersleben, K. Schall, W. Wackernagel, Karl Witte. gr. 12. (14 B.) Breslau 830, Gosohorsky.

—— Neugriechische, hrsg. v. Th. Kind, s. Τραγῳδία.

Poesien, Scherzhafte epische. Braunschw. u. Hildesh. 1754. V: *Zachariae, Frdr. Wilh.* (Kat. d. Bibl. Fr. Schnitzer. München 1902. S. 83.) (Bibl. Görres III, 88.)

Poesien, Vermischte, Frankf. u. Leipzig 1756. V: *Beyer, Johann August.* (Gleim-Uz, Briefwechsel. Tübingen 1899. S. 485.) (JL) (Ky) (Mn)

—vermischte, (von Jh. Aug. Beyer). gr. 8. Frankf. u. Leipz. 756. (Sommer). 10 gl

Poesien, Vermischte teutsche und französische. Vermehrte Aufl. Frankf. u. Leipzig 1782. V: *Schwab, Johann Christoph.* (Ky) (MGT)

—vermischte, deutsche u. französ., verm. Aufl. (von J. C. Schwab). 8. Frankf. u. Leipz. (Stuttg.) 782. v. Cotta. 6 gl

Poesien, Verschiedene, verfertigt von einer armen Sünderin . . . O. O. 1752. V: *Sophia Carolina Fürstin von Ostfriesland.* (Bruun, Bibl. Danica I, 384.)

Poesienbüchlein für Elementarschulen. Bern [1892]. V: *Hadorn, Friedrich.* (BSchwLk V, 10c)

Poésies. Wien 866. Sintenis. gr. 8. (IV, 132 S.) n. 1 ℳ

Poésies tirées de divers Auteurs à l'usage de la Jeunesse allem. qui s'applique à lire les poët. fr. 12. Königb. Hartung. 769.

Poésies tirées de divers auteurs à l'usage de la jeunesse allem., qui s'applique à lire les poëtes franç. 12. Königsb. 789. Hartung. 4 gl

— choisies de Voltaire. 16. Lpz. Rabenhorst. 799.

— diverses, voyez Frédéric II.

Poësies diverses. A Berlin 1759. V: *Friedrich II. König von Preussen.* (Grisebach, Weltlitteraturkat. Berlin 1898—1900. I, 120.) »1760« (BrMm)

Poésies et Fables à l'usage de la jeunesse. Rassemblées par A. Charlier. Illustrations de J. Kirchhof. gr. 8. Leipzig 846, E. Kretzschmer. geb. n. 1 ℳ

Poésies françaises, s. Eshusius.

Poésies françaises propres à être apprises par coeur. — Französ. Lieder zum Auswendiglernen. (Text, Musik, Präparation.) (19 S.) kl. 8. Nürnberg (908). C. Koch. —20

Poésies de V. Hugo, de Lamartine, de Delavigne et de Béranger. Anthologie dédiée à la jeunesse par Charles Graeser. 8. Marienwerder 845, Levysohn. n. 3/4 ℳ Feine Ausgabe 7/8 ℳ

Poésies de V. Hugo, de Lamartine, de Delavigne et de Béranger. Anthologie dédiée à la jeunesse par Charles Graeser. 2. édit., revue, corrigée et augmentée. Marienwerder 854. Levysohn. 8. (VIII, 280 S.) n. 22½ ngr.

Poésies huguenotes. Strasbourg 1881. V: *Schmidt, Carl.* (Brockhaus' Convers.-Lex. 14. Aufl. 1895.)

Poésies huguenotes du seizième siècle. 12. (44 S.) Strassburg 882. Schmidt. n. 3. —

—libertines. 12. Leipz. 796. (W. Nauck). 1 ℳ

— patriotiques. (En langue russe.) Leipzig 869. Gerhard. 8. (VII, 272 S.) In engl. Einb. mit Goldschn. 1 ℳ

Poésies provençales inédites tirées des manuscrits d'Italie par Carl Appel. *Paris [&] Leipzig: H. Welter 1898.* (126 S.) 8° [illegible] 2

Poesies and Scenery of Axenstein ..., by Prof. Edward Osenbrüggen and others. With Panorama of A' in Siderographs, a Plan of the Park, 70 Illustrations and a Map of the Lake of Lucerne. 8. Zurich *s. d.* [ca. 1884].

Poésies de Schiller, trad. de l'allemand; suivies d'autres essais poétiques p. C. Ph. Bonafont. gr. in-8. (13¾ B.) Stuttgart 837. F. F. Autenrieth.

— spirituelles, ou l'on appr. à s'élever à Dieu etc. 8. Leipz. Jacobaer. 736.

Poesis enthea, super praesentem Europae sortem . . . Viennae Austriae 1719. V: *Vanossi, Anton.* (Jes) »anthaea« (so)

Poesis, scenicae Romanorum, fragmenta, rec. O. Ribbeck, s. Scenicae Romanorum poesis fragmenta.

Poesis hebraica, publicae disputationi submissa . . . Augustae Vind. 1765. V: *Weitenauer, Ignaz.* (Jes)

Poesl, s. Pösl.

Poestion, Jos. Calasanz, s.a. Poestion

Poestion, Jos. Calasanz, l'assonance dans la poésie norraine. 2. éd. 12. (26 S.) Kolozsvár 884. (Wien, Gilhofer & Ranschburg.) n. 2. —

Poestion, Jos. Cal., griechische Dichterinnen. Ein Beitrag zur Geschichte der Frauenliteratur. 8. (VIII, 222 S.) Wien 876. Hartleben. n. 3. 60

Poestion, Jos. Cal., griechische Dichterinnen. Ein Beitrag zur Geschichte der Frauenliteratur. 2. Aufl. 8. (VIII, 222 S.) Wien 882. Hartleben. 3. 60; geb. n. 4. —

— Einleitung in das Studium des Altnordischen. I. Grammatik. gr. 8. (VIII, 181 S.) Hagen 882. Risel & Co. n. 2. 40

Poestion, J. C., Einleitung in das Studium d. Altnordischen. II. Lesebuch m. Glossar. gr. 8. (X, 391 S.) Hagen 887. Risel & Co. n. 4. — (cplt.: n. 7. —)

— aus Hellas, Rom u. Thule. Cultur- u. Literaturbilder. 8. (IV, 184 S.) Leipzig 882. Friedrich. n. 4. —; geb. n.n. 5. —

— aus Hellas, Rom u. Thule. Cultur- u. Litteraturbilder. 2. Aufl. 8. (184 S.) Leipzig 884. Friedrich. n. 2. —

— Island. Das Land u. seine Bewohner nach den neuesten Quellen. Mit 1 (chromolith.) Karte. gr. 8. (VIII, 461 S.) Wien 885. Brockhausen & Bräuer. n. 10. —

– Die Kunst, die dänische Sprache schell zu erlernen, s. Kunst, Die, der Polyglottie.

– Die Kunst, Die schwedische Sprache zu erlernen, s.a. Kunst, Die, der Polyglottie.

Poestion, J. C., Die Kunst, die schwedische Sprache durch Selbstunterricht zu erlernen. 8. (VIII, 183 S.) Geb. (Bibliothek der Sprachenkunde. Band 10.) 1.10
Wien: Hartleben 1889

– Lehrbuch der norwegischen Sprache, s. Kunst, Die, der Polyglottie.

-- isländische Märchen. Aus den Orig.-Quellen übertr. gr. 8. (XXVI, 303 S.) Wien 884. Gerold's Sohn. n. 6. 80

— lappländische Märchen, Volkssagen, Räthsel u. Sprichwörter. Nach lappländ., norweg. u. schwed. Quellen. Mit Beiträgen v. Fel. Liebrecht. gr. 8. (XII, 274 S.) Ebend. 886. n. 6. —; geb. n. 8. —

— griechische Philosophinnen. Zur Geschichte des weiblichen Geschlechtes. 8. (X, 478 S.) Norden 882. Fischer Nachf. n. 6. —

— griechische Philosophinnen. Zur Geschichte d. weibl. Geschlechtes. 2. Aufl. 8. (X, 478 S.) Norden 885. Fischer Nachf. n. 6. —

— Fridthjofs Saga. Aus dem Alt-Isländ. 16. (XVII, 99 S.) Wien 879. Gerold's Sohn. n. 2. —

— das Tyrfingschwert. Eine altnord. Waffensage. Deutsch v. J. C. P. 8. (XIX, 143 S.) Hagen 883. Risel & Co. n. 3. —; geb. n. 4. —

Poet u. Bauer. Orig.-Lokal-Posse m. Gesang in 2 Akten v. Th. D(ohmen). 12. (36 S.) Düsseldorf 880. J. P. Witschel. n. 2. —

Poet, der lustige, Scherzgedichte, geleimt und gereimt für Alle, die an einer heiteren Poesie Gefallen finden etc. Gesammelt vom Vogel Känguruh. 1r Flug. gr. 12. Blaubeuren 840. Mangold. 1/6 ℛ

Poet, Wohlinformirter. 3. Aufl. Leipzig 1708. V: *Uhsens, Erdmann.* (Ba)

Poet, Wohlinformirter, worinnen die poetischen Kunstgriffe vom Kleinsten bis zum grössten durch kurtze Fragen und ausführliche Antwort vorgestellet. [Leipzig 1719.] V: *Uhse, Erdmann.* (Baer Nr. 737/905)

Poetae

— Bucolici Graece sive Theocriti, Bionis et Moschi quae supersunt cum notis var. et suis edit. Th. Briggs gr. 8. Cantabrigiae (Lond., Bothe.) 822.

Poetae, bucolici et didactici. (1. Abth.) Theocritus, Bion, Moschus, recognovit et praefatione critica instruxit C. Fr. Ameis. Nicander, Oppianus, Marcellus Sideta de piscibus, poeta de herbis, recognovit F. S. Lehrs. Praefatus est K. Lehrs. Phile jambi de proprietate animalium, ex codicibus emendarunt F. S. Lehrs et Fr. Dübner. Graece et latine cum scholiis et indice locupletissimo. gr. Lex.-8. Paris 846, Didot fratres. n. 2 ℛ

Poetae bucolici et didactici. Theocritus, Bion, Moschus, recognov. et praefatus est C. Fr. Ameis; Nicander, Oppianus, Marcellus de piscibus, poeta de herbis, ed. F. S. Lehrs; Phile de animalibus, elephante, plantis, etc. ed. Fr. Dübner; poetarum de re physica et medica reliquias collegit U. Cats Bussemaker. Aratus, Manethonis, Maximi et aliorum astrologica recens. et dissertatione instr. Arm. Koechly. Graece et Latine. Pars II. Lex. 8. (LXXXVI u. 227 S.) Parisiis 851, Didot fratres. n. 2 ℛ (I u. II: n. 4 ℛ)

— gnomici, stud. J. H. Schaeferi. 8. Leipz. 817. Weigel. 12 gℛ Hbg. Pr. 4 gℛ

Gnomici poetae Graeci. Cura Brunckii Argent. 784. 8. 20 gr. *Ed. nova, notis et indicibus (Schaeferi) aucta. Lips. 817. 8. 1 rthl. 16 gr.

— graeci gnomici. 12. Leipz. 815. Tauchnitz. 4 gℛ Fein Pap. 12 gℛ

Poetae Graeci *gnomici*. Graece. Cura Schaeferi. Lips. 815. 12. 12 gr. Ib. 819. 12. 12 gr.
— — — Graece. Lips. 818. 8. 12 gr.

Poetae graeci gnomici. Ad optimorum librorum fidem accurate editi. Nova edit. ster. C. Tauchnitiana. Nova impressio. Leipzig 867. Holtze. 16. (IV, 195 S.) 5 ngr.

Poetae graeci gnomici. Ed. ster. C. Tauchnitiana. Nova impressio. 16. (IV, 195 S.) Leipzig 874. Holtze. — 60

Poetae latini aevi Carolini, rec. Ludw. Traube, s.: Monumenta Germaniae historica.

POETARVM LATINORVM MEDII AEVI Tomus I—II. pars 1. Berolini 1881—1883. Apud Weidmannos. A. u. d. T.: POETAE LATINI AEVI CAROLINI recensuit ERNESTVS DUEMMLER. Tomus I—II. pars 1. ib. 1881—1883. — 4°.

POETARVM LATINORVM MEDII AEVI
Tomus II. Berolini 1884. Apud Weidmannos. — A. u. d. T.: POETAE LATINI AEVI CAROLINI recensuit ERNESTVS DUEMMLER. Tomus II. ib. 1884. — 4°.

— latini medii et recentioris aevi elegantiores ad opt. exemplar. fidem denuo rec. Tom. I. — E. s. t.: Actii Synceri Sannazarii Opera omnia. Ad opt. libror. fidem accurate edita. 8. (18 B.) Augustae Vindel. 833, Kranzfelder. Thlr.

Poetae latini Minores cur. I. Chr. Wernsdorff. T. I—V Pars I. gr. 8. Altenburg, Richter, (Academ. Buchhdl. in Jena.) 780—89. (I. II. à 1 Rthlr. III. 1 Rthlr. 12 gr. IV. 2 Rthlr. V. P. 1 1 Rthlr. 12 gr.)
Schrbp. (I. II. à 1 Rthlr. 12 gr. III. 2 Rthlr. IV. 3 Rthlr. 12 gr. V. P. 1. 2 Rthlr.)

— — — cur. T. V. P. 2—VI. P. 2. gr. 8. Helmstedt, Fleckeisen 791—99. (V. P. 2. 1 Rthlr. 8 gr. P. 3. 1 Rthlr. VI. P. 1. 1 Rthlr. P. 2. 1 Rthlr. 4 gr.)

Poëtae latini minores. Cum prooemiis et animadverss. curav. Wernsdorf. Altenb. 785-799. 6 Tom. 9 P. 8. 15 rthlr.
Die einzelnen Theile sind:
Tom. I. Gratii, Nemesiani, Ausonii aliorumque de venatione, aucupio et piscatu carmina, Nemesiani carmen de laudibus Herculis.
Tom. II. Bucolica et Idyllia Calpurnii, Septimii Sereni, Ausonii, Severi Seti, Optatiani Porphyrii, aliorum.
Tom. III. Satirici minores, Elegiae et Lyrica variorum.
Tom. IV. P. I. II. Carmina heroica.
Tom. V. P. I. II. III. Carmina geographica, Rutilii, Avieni, Prisciani, aliorum.
Tom. VI. P. I. II. Carmina de re hortensi et villatica, item Amatoria et Ludicra.

Poetae latini minores, collegit, ed., emendavit Aemilius Baehrens, s.a. Fragmenta poetarum romanorum.

Poetae latini minores. Recensuit et emendavit Aemil. Baehrens. Vol. I. 8. (XIII, 239 S.) Leipzig 879, Teubner.

Poetae latini minores. Rec. et emendavit Aemilius Baehrens. Vol. II—V. 8. Leipzig, Teubner. [Vol. II. (191 S.) 880. ℳ 1,80.; Vol. III. (308 S.) 881. ℳ 3.; Vol. IV. (446 S.) 882. ℳ 4,20.; Vol. V. (446 S.) 883. ℳ 4,20.]
Vol. I. Ebendas. 1879. ℳ 2,70.

Poetae latini minores. Post Aemilium Baehrens iterum recensuit Frider. Vollmer. Vol. I. Appendix Virgiliana. (VIII, 208 S.) kl. 8. Leipzig 910. B. G. Teubner. 2.40; geb. 2.80
(Bibliotheca scriptorum Graec. et Rom. Teubneriana.)

—— latini veteres, ad fidem optim. edit. expressi et in unum Vol. (VI Fasc.) redacti. Lex.-8. (97½ B.) Florentiae 827—29. (Lipsiae, Barth; Weigel.)
Cont.: Catullus. Lucretius. Virgilius. Tibullus. Propertius. Horatius. Ovidius. Manilius. Phaedrus. Lucanus. Silius Italicus. Statius. Valerius Flaccus. Iuvenalis. Sulpitia. Martialis. Ausonius. Claudianus. Plautus. Terentius. Seneca. Gratius. Nemesianus. Calpurnius. Rutilius. Albinovanus. Virgilii poemata minora. Avianus. Pervigilium Veneris.

Poetae lyrici. Fragmente von Kallinos, Tyrtaeus, Solon übersetzt v. A. Bieringer. Pr. 1863. 28 S. 4°. 1.50

— lyrici Graeci. Edidit Theod. Bergk. 8 maj. Lipsiae 843, Reichenbachii Fratres. 4½ ₰

— lyrici Graeci. Recensuit Thdr. Bergk. Editio altera. Fasc. prior. gr. 8. (S. 1—400.) Lipsiae 852, Reichenbach. 2 ₰

Poetae lyrici graeci. Recensuit Thdr. Bergk. Editio II. auctior et emendatior. Fasc. posterior. Lipsiae 853. Reichenbach. gr. 8. (XIV, S. 401—1093.) 3 ₰. 15 ngr.

— lyrici graeci. Tertiis curis recensuit Theodor Bergk. 3 Partes. Leipzig 866, 67. Teubner. gr. 8. n. 7 ₰
Pars 1. Pindari carmina cont. (XVI u. S. 1—383.) n. 2 ₰
- 2. Poetas elegiacos et iambographos cont. (S. 385—804.) n. 2 ₰
- 3. Poetas melicos continens. (S. 805—1391.) n. 3 ₰

— lyrici graeci. Rec. Thdr. Bergk. Ed. IV. 3 voll. gr. 8. Ebend. 878—82. n. 32. 60
1. Pindari carmina. (XX, 488 S.) n. 9. —
2. Poetae elegiaci. (IV, 522 S.) n. 10. —
3. Poetae melici. (III, 747 S.) n. 13. 60
Allg. Bücher-Lexikon. VIII. Supplement-Band. 2.

Poetae lyrici graeci collegit Thdr. Bergk. Ed. V. pars I vol. I. gr. 8. Leipzig, B. G. Teubner. n. 14. —
Pindari carmina recensuit Otto Schroeder. (VI, 514 S. m. 1 Taf.) 900.

— lyrici graeci minores, ed. Joh. Pomtow. 2 voll. 16. (356 u. 396 S. m. 1 Titelbl. in Stahlst.) Leipzig 885. Hirzel. n. 5. —; geb. m. Goldschn. n. 7. —

— — minores graeci, Praecipua lectionis varietate et Indicibus locupletissimis instruxit Thom. Gaisford. 2 Vol. 8maj. Oxonii. 814.

Poetae minores Graeci, Praecisum lectionis variet. et indic. locupletiss. instrux. Th. Gaisford. Editio novae. F. V. Reizii annot. in Hesiodum, plaerium poetar. fragmentis aliisq. access. aucta. V. Vol. 8 maj. Lips. 823, Kühn. 11 Rthl. Schreibp.

Poetae scenici Graeci. Accedunt perditarum fabularum fragmenta. Recogn. et praefatus est Guil. Dindorfius. (In uno Vol.) Schmal gr. 4. (120 B.) Lipsiae 830, Weidmann.

—— scenici Graecorum. Rec., et annotat., siglisque metricis in margine scriptis, instr. Fr. H. Bothe. X Vol. 8 maj. Lipsiae, Hahn.
E. e. t.:
Vol. I., II. Euripidis Dramata. 2 Vol. [I. (42 B.) 825. 2 Thlr., II. (53 B.) 826. 2 Thlr. 16 Gr.] 4 Thlr. 16 Gr.
Daraus einzeln: Hecuba. Orestes. Alcestis. Andromache. Rhesus. Cyclops. Heraclidae. à 4 Gr. — Phoenissae. Medea. Hippolytus. Supplices. Troades. Iphigenia. Taurica. Bacchae. à 6 Gr. — Iphigenia in Aulide. Hercules furens. Helene. à 8 Gr. — Electra et Danaë. Ion. à 3 Gr.
III, IV. Sophoclis Tragoediae. 2 Vol. [I. (25 B.) 827. 1 Thlr. 6 Gr., II. (37 B.) 828. 2 Thlr.] 3 Thlr. 6 Gr.
Daraus einzeln: Antigone. Trachiniae. Philoctetes. à 6 Gr. — Ajax. Electra. Oedipus Rex. Oedipus Colon. à 10 Gr.
Vol. V—VIII. Aristophanis Comoediae. IV. Vol. [I. (26 B.) 828., II. (26½ B.) 829. à 1 Thlr. 8 Gr., III. (21 B.) 829. 1 Thlr., IV. (22½ B.) 830. 1 Thlr. 8 Gr.] 5 Thlr.
Daraus einzeln: Lysistrata. Thesmophoriazusae. à 6 Gr. Ecclesiazusae. 8 Gr. — Pax. Plutus. Acharnenses. Vespae. Equites. à 10 Gr. — Aves. Ranae. Nubes. à 12 Gr.
IX., X. Aeschyli Tragoediae. II Vol. [I. (22½ B.) 1 Thlr. 4 Gr., II. (27 B.) 831. 1 Thlr. 12 Gr.] 2 Thlr. 16 Gr.
Daraus einzeln: Supplices. Septem adversus Thebas. Persae. Choëphorae. Eumenides. à 6 Gr. — Prometheus vinctus. Agamemnon. à 8 Gr.

— id. lib. Vol. III. — Et. s. titulo: Sophoclis Tragoediae. Vol. I. 8 maj Lips. 826, Hahn.

Poetae scenici Graecorum. Recens. et annot. siglisque metricis in margine scriptis instruxit Frid. Henr. Bothe. Ed. 2. emendatior. Vol. V., VII. et VIII. Et. s. tit.: Aristophanis comoediae. Vol. I—IV. 8maj. Lipsiae, libr. Hahniana. Thlr.
Vol. I. Acharnenses. Equites. Nubes. (25¼ B.) 845. 1 Thlr. 10 Ngr.
- II. Vespae. Pax. Aves. (24 B.) 845. 1 Thlr. 10 Ngr.
- III. Lysistrate. Thesmophoriazusae. Ranae. (20 B.) 846. 1 Thlr.
IV. Ecclesiazusae. Plutus. Index. (21 B.) 846. 1 Thlr. 10 Ngr.

Poëtae scenici Latinorum. Rec. F. H. Bothe. Halberst. 821. 8. Volum. I. II. Plauti Comoediae. 2 rthl. 12 gr. Vol. 3. Senecae Tragoediae.

—— scenici Latinorum. Collatis codd. Berolinens., Florent., Friburg., Gothano, Guelpherbytanis, Helmstad., Monacensi, Palatino, Parisio, Ultraject., aliisque spectatae fidei libris, recens. Frid. Heinr. Bothe. VI Vol. (Wohlf. Ausg.) 8 maj. Lipsiae 834, Weinedel.
Vol. I., II. M. Atti Plauti Comoediae. (61½ B.) 1 Thlr. 8 Gr.
- III. L. Annaei Senecae Tragoediae (30 B.) 18 Gr.
- IV. P. Terentii Afri Comoediae. (28 B.) 12 Gr.
- V., IV. Poetar. latii scenicor. fragmenta. (36½ B.) 1 Thlr.
Erschien zuerst u. d. T.: Poetar. scenicor. latin. collat. etc. Halberstadt 821—25. 6 Thlr. 20 Gr.

Poetarum Comicorum Graecorum fragmenta post A. Meineke recogn. et latine transtulit Frid. Henr. Bothe. Accessit index nominum et rerum quem construxit J. Hunzicker. Parisiis 855. Didot fratres. Lex.-8. (XI, 807 S.) n. 4 ℳ.

Poetarum elegiographor. Simonidis et Cunichii par nobile 4. Warschau. 771.

Poetarum graecorum fragmenta. Auctore Udalr. de Wilamowitz-Moellendorff collecta et edita. Vol. III fasc. 1 et Vol. VI fasc. I. gr. 8. Berlin, Weidmann. à n. 10.—
III. 1. Poetarum philosophorum fragmenta ed. Herm. Diels. (VIII, 270 S.) 901.
VI. 1. Comicorum graecorum fragmenta ed. Geo. Kaibel. Vol. I fasc. I. Doriensium comoedia, Mimi, Phlyaces, (VIII, 256 S.) 899.

Poetarum aliquot Latinorum Carmina selecta carminumve partes. Scholarum causa seorsum describenda curavit Jo. Nic. Madvigius. 8maj. (7¼ B.) Hauniae 813, libr. Gyldendal. *

Poetarum aliquot latinorum carmina selecta carminumve partes. Scholarum causa seorsum describenda curavit Io. Nic. Madvigius, quintum edidit J. L. Ussing. 8. (118 S.) Kopenhagen 888. Gyldendal. Kart. n. 1. 80

Poetarum Latinorum Hostii, Laevii, C. Licinii Calvi, C. Helvii Cinnae, C. Valgii Rufi, Domitii Marsi aliorumque Vitae et Carminum reliquiae. Scripsit, colleg. et ed. Aug. Weichert. 8maj. (32 B.) Lipsiae 830, Teubner.

— polonorum Carmina pastoralia ex bibl. Zalusciane. gr. 8. Altenb. Richter. (Academ. Buchhandlung in Jena.) 780.

— Polonorum carmina pastoralia ex bibl. Zaluscіana. 8maj. Altenb. 780. (Schnuphase). 8 ℊ

Poëtarum recentiorum Germanorum carmina latina selectiora. Helmst. 749. 52. 2 Tom. 8. 2rthlr.

Poetarum recentiorum selecta carmina. Edid. Froebel. Rudolphopol. 820. 2 Vol. 8. 12 gr. (Vol. I. Secundi Basia. Oweni Epigrammata. Vol. II. Vidae Schacchia. Barlaei Virgo androphoros).

— recentior. selecta Carmina edid. K. P. Froebel. Vol. I. Jo. Secundi Basia. Oweni Epigrammata. 821. 12 ℊ — Vol. II. Vidae Schacchia Barlaei Virgo androphoros. 821. 12 ℊ — Vol. III. Jak. Kastii patriarcha bigamos, cui H. Grotii historiam Jonae junxit. J. Secundi sylvae deambulaturis patefactae. 822. 12 ℊ Vol. IV. Hel. Eobani Hessi Venus triumphans. Ge. Buchanani varia. 12 ℊ 8. Rudolst. 824. Hofbuchh. 2 ℳ Velinp. 3 ℳ

— scenicorum Graecorum quorum integra opera supersunt fragmenta edid. Frid. Henr. Bothe. Et. s. t.: Aeschyli dramatum fragmenta recens. et annotatione instr. Frid. Henr. Bothe. 8maj. Lipsiae 844, libr. Hahniana. ½ ℳ

— ead. — Et. s. t.: Aristophanis dramatum fragmenta recens. et ann. instruxit Fr. Hnr. Bothe. gr. 8. ibid. 844. ⅚ ℳ

Poetarum scenicorum Graecorum, Aeschyli, Sophoclis, Euripidis et Aristophanis, fabulae superstites et perditarum fragmenta. Ex recognitione Guil. Dindorfii. Editio II. correctior. boch 4. (VIII u. 778 S.) Oxonii 851, Parker. In Engl. Einb. n. n. 6 ℳ

Poetarum scenicorum graecorum Aeschyli, Sophoclis, Euripidis et Aristophanis fabulae superstites et perditarum fragmenta ex recensione et cum prolegomenis Guil. Dindorfii. Editio V. correctior. 10 Fascc. Leipzig 867–69. Teubner. hoch 4. (XXX, 793 S.) à Fasc. n. 20 ℳ

Poetarum scenicorum Graecorum Aeschyli Sophoclis Euripidis et Aristophanis fabulae superstites et perditarum fragmenta ex recensione et cum prolegomenis Guilelmi Dindorfii. Editio quinta correctior. 4. (XXX, 965 S.) Leipzig 870, Teubner. * 20 —

Poetarum scenicorum latin. collat. codd. Berol. florent etc. rec. Fr. Bothe. Vol. I et II. Plauti, Comoediae. 2 Voll. 821. 2 Rthl. 12 gr. — Vol. III. Senecae, Tragoediae 822. 1 Rthl. 12 gr. — Vol. IV. Terentii, Comoediae 822. 1 Rthl. — Vol. V. p. 1 u. 2. Fragmenta Tragicorum 823. 1 Rthl. 20 gr. gr. 8. Halberst., Brüggemann.

Poetarum scenicorum latin. collat. codd. Berol., Florent. etc. rec. Fr. Bothe, (Vol. I. et II. Plauti Comoediae. II Voll. 821. — Vol. III. Senecae Tragoediae. 822. — Vol. IV. Terentii Comoediae. 822. — Vol. V. P. I. et II. Fragmenta Tragicorum. 823. 1 ℳ 12 ℊ) V Voll. gr. 8. Halberst. 821—23. (Weinedel in Leipz.) 5 ℳ 12 ℊ

Poetarum tragicorum Graecorum fragmenta edidit Frid. Guil. Wagner. Vol. II. Euripidis fragmenta continens. 8maj. Vratislaviae 844, Grass, Barth et Soc. 2½ ℳ (Vol. I. ist noch nicht erschienen.)

—— tragicorum graecorum fragmenta ed. Frider. Guil. Wagner. Vol. I. Et. s. t.: Aeschyli et Sophoclis perditarum fabularum fragmenta. 8maj. (XII und 509 S.) Vratislaviae 852, [Trewendt.]
Vol. II. Vratislaviae 1844, Grass, Barth et soc. — Vol. III. ibid. [Trewendt.] 1848. à Vol. 2 Thlr. 15 Ngr.

—— tragicorum Graecorum fragmenta ed. Frid. Guil. Wagner. Vol. III. Et. s. t.: Poetarum tragicorum Graecorum fragmenta exceptis Aeschyli Sophoclis Euripidis reliquiis. 8maj. (VIII und 367 S.) Vratislaviae 848, [Trewendt et Granier.]

Poetarum veter. latinor. et recentior. quorundam etc., f. Carmina.

POETEN, Die. Ersten Bandes erster, zweyter Theil (soviel ersch.). Schwabach, zu finden in der Hochfürstl. privilegirten Enderesischen Buch- und Disputations-Handlung. 1764. 8°. (3 Mk. Völcker, 1909.)
Seltene Anthologie von Gedichten meist fränkischer Poeten, wobei eine Anzahl freier und jokoser Stücke. — I. Tit., 3 Bll. Vorber., 196 S., 2 Bll. Inh.-Verz. II: 206 S. (incl. Tit.), 1 Bl. Inh.-Verz. — Mit zahlr., z. Th. recht netten typogr. Ornamenten am Schluss der Gedichte, im Rokoko-Geschmack.

Poeten, fürstliche. Hrsg. u. m. e. literarhistor. Einleitg., sowie m. biograph. u. krit. Notizen versehen v. Fr. Xav. Seibl. gr. 4. (VIII, 256 S. m. eingedr. Holzschn.) Stuttgart 875. Bruckmann. n. 18. —; geb. m. Goldschn. n. 24. —

Poeten, Die, nach der Mode ... Hamb. 1757. 2. Aufl. Leipzig 1771. V: *Weisse, Christian Felix.* H: *Eckhof, Hans Conr. Dieterich.* (MGT) (GGr) »Leip. 1757« (Ky)

Poeten, die, nach der Mode. Lstspl. (v. Chr. Felix Weiße; herausg. v. Konr. Eckhof). 8. Leipz. 757. N. A. 771. Dyck. 6 ℊ

Poeten und Poetinnen, Schwäbische evangelische geistliche. O. O. [1757]. V: *Moser, Johann Jacob.* (Heyd)

POETENKASTEN, Der Nieder-Schlesische, welcher die auserlesensten Gedichte, Fabeln, Erzählungen u. Epigrammen in sich hält. (Druckerst.) Schmiedeberg u. Breslau, gedruckt bei Krahn, in Commission (!) bei C. F. Gutsch, o. J. (c. 1790). 8⁰. Sehr selten!
2 Bll. u. 394 S. Besonders reich an Fabeln u. Epigrammen. — Gedicht 1 und 2 von 1788 u. 1782 datirt. Der Band ist mit einer Menge Anfangs- u. Schlußvignetten in Holzschn. geziert.

Poetenkasten, d. niederschlesische, w. die auserl. Gedichte, Fabeln ꝛc. in sich hält. 8. Schmiedeb. Gutsch. 790.

Poeterei, medizinische, von Theophilus a Nemore muscario. Arnsberg 864. Grote. 16. (111 S.) 12 ngr.

Poetereien Altvater Opitzen geheiligt. Erstes Bändchen. Breslau 1776. H: *Willer*. (Kat. Friedrich Meyer, Leipzig, Nr. 100)

Poetereyen, Altvater Opiz geheiligt. 8. Bresl. (Sommer in Leipz.) 776.

POETEREYEN (eine Wochenschrift, hrsg. von C. F. Sinapius). Erstes (einz.) Baendgen. Altvater Opitzen geheiligt. 26 Stücke (datiert Breslau. 4. Sept. 1775—26. Febr. 1776; soviel ersch.). Mit 1 Portr. Opitzens (gestoch. von J. C. Krüger), Haupttitel u. zahlr. Holzschnittvignetten. Breslau. bey Gottlieb Loewe, 1776. 8⁰. (15 Mk., schönes unaufgeschn. Expl., Jos. Baer & Co., 1912; 25 Mk., tadelloses Expl. in Hfz., Bernh. Liebisch. 1908. Stück 1—9 in Breslau. Kgl. u. Univ.-Bibl.: Lit. Teut. I 8⁰ 102 d.)
Sehr seltenes Periodicum. Enthält ausschließlich Gedichte, darunter ein solches auf den Tod von Matthial Claudius, der erst 39 Jahre später starb, und eine Wertheriade „Sympathie", unterz. *Amalie S.*, in Stück 19.

Poetereyen, Altvater Opitzen geheiligt.
1776. Erstes Bändgen.
1777. Zweytes Bändgen.
Breslau.

Poëtes, les anciens, de la France. Publiés sous la direction de F. Guessard. Vol. I—VIII. Leipzig (Paris) 858--64. Franck. 16. Jeder Bd. n. 1 ₰ 20 ngr.
Inhalt: I. Gui de Bourgogne. Otinel. Floovant. (CII, 320 S.) — II. Doon de Mayence. (LV, 368 S.) — III. Gaufrey. (LXVIII, 331 S.) — IV. Fierabras. Parise la duchesse. (CII, 318 S.) — V. Huon de Bordeaux. (CXXV, 329 S.) — VI. Aye d'Avignon. Gui de Nanteuil. (CXLIII, 247 S.) — VII. Gaydon. (CXXXV, 364 S.) — VIII. Hugues Capet. (CLXXXII, 288 S.)

Poëtes contemporains. Poésies françaises. Poésies provençales et wallones avec traductions en prose ou en vers. Réd. en chef: Jules vom Hag. 1. année. 64. (174 S.) Leipzig 881. Lenz. — 75; geb. n. 1. 25

Poëtes français. 1.—4. Lfg. 12. Bielefeld, Velhagen & Klasing. cart. 3. 65
1. 60 Fabeln v. La Fontaine. Mit Anmerkgn. zum Schulgebrauch hrsg. v. J. Sarrazin. Ausg. A. Mit Anmerkgn. unter dem Text. (120 S.) 886. — 60
2. Béranger. Auswahl v. 50 Liedern. Mit Anmerkgn. zum Schulgebrauch hrsg. v. J. Sarrazin. Ausg. A. Mit Anmerkgn. unter dem Texte. (148 S.) 885. — 75
3. Victor Hugo. Auswahl v. 40 Gedichten. Mit Anmerkgn. zum Schulgebrauch hrsg. v. J. Sarrazin. Ausg. A. Mit Anmerkgn. unter dem Text. (152 S.) 887. — 80
4. Anthologie des poëtes français. Sammlung französ. Gedichte. Mit Anmerkgn. zum Schulgebrauch hrsg. v. A. Benecke. (XII, 284 S.) 890. 1. 50

Poëtes français. 5. Lfg. 12. Bielefeld 891. Velhagen & Klasing. Kart. — 60
François Coppée. Auswahl v. 40 Gedichten. Mit Anmerkgn. zum Schulgebrauch hrsg. v. Rose. (VIII, 88 u. 28 S.)

— dasselbe. Ausg. A m. Anmerkgn. zum Schulgebrauch unter dem Text; Ausg. B m. Anmerkgn. in e. Anh. 2. u. 4. Lfg. (Neue Ausg.) 12. Ebd. 893. Kart. 2. 25
2. Béranger. Auswahl v. 50 Liedern. Hrsg. v. Jos. Sarrazin. (145 S.) — 75
4. Anthologie des poëtes français. Sammlung französ. Gedichte. Hrsg. v. Alb. Benecke. (XII, 281 S.) 1. 50

Poëtes français, Ausg. A. m. Anmerkgn. zum Schulgebrauch unt. d. Text; Ausg. B. m. Anmerkgn. in e. Anh. 1. Lfg. 12. Bielefeld 895. Velhagen & Klasing. Kart. — 75
60 Fabeln von La Fontaine. Hrsg. von Jos. Sarrazin. Ausg. A. (120 S.); Ausg. B. (77 u. 29 S.)

Poëtes français. Ausg. A. m. Anmerkgn. z. Schulgebrauch unter dem Text: Ausg. B. m. Anmerkgn. in e. Anh. 1.—4. Lfg. (Neudr.) 12. Bielefeld, Velhagen & Klasing. Kart. 4. 15
1. La Fontaine, 60 Fabeln. Hrsg. v. Jos. Sarrazin. Ausg. A. (120 S.) 900. — 75; Ausg. B. (77 u. 29 S.) 899.
2. Béranger, Auswahl von 50 Liedern. Mit Anmerkgn. zum Schulgebrauch hrsg. v. Jos. Sarrazin. Ausg. B. (126 u. 23 S.) 897. — 90
3. Hugo, Vict., Auswahl v. 40 Gedichten. Hrsg. von Jos. Sarrazin. Ausg. B. (122 u. 24 S.) 887. — 90
4. Anthologie des poëtes français. Sammlung französ. Gedichte. Hrsg. v. Alb. Benecke. Ausg. B. (XII, 288 S.) 899. n. 1. 60

Poëtes français. Ausg. A m. Anmerkgn. zum Schulgebrauch unter dem Text; Ausg. B m. Anmerkgn. in e. Anh. 1.—4. u. 6. Lfg. (Neudr.) Bielefeld, Velhagen & Klasing. Geb. 6. 80
1. La Fontaine, 60 Fabeln. Hrsg. v. Jos. Sarrazin. Ausgabe B. (77 u. 29 S.) 12. 903. n. — 80
2. Béranger, Auswahl v. 50 Liedern. Hrsg. v. Jos. Sarrazin. (126 u. 23 S.) 12. 904. Geb. n. 1. —
3. Hugo, Vict., Auswahl v. 40 Gedichten. Hrsg. v. Jos. Sarrazin. Ausg. B. (122 u. 24 S.) 12. 906. n. 1. —
4. Engwer, Th., Anthologie des poëtes français. Sammlung französ. Gedichte. Neu bearb., verm. u. bis auf die neueste Zeit fortgeführte Aufl. v. Beneckes Sammlg. französ. Gedichte. Mit 16 Porträts. (XVI, 306 S.) 8. 903. 2. —; Anmerkungen u. Wörterbuch. (III, 128 u. 69 S.) 903. 1. 80
6. Engwer, Th., Choix de poésies françaises. Sammlung französ. Gedichte. Mit 17 Portr. 11.—15. Taus. (XVIII, 310 S.) 8. 906. n. 2. —; Ergänzungsbd.: I. Einleitung. II. Anmerkungen. III. Uebersetzungen. IV. Wörterbuch. 2. Aufl. (68 S.) 8. n. 1. 80

Poëtes français. Ausg. A m. Anmerkgn. zum Schulgebrauch unter dem Text; Ausg. B m. Anmerkgn. in e. Anh. 6. Lfg. m. Ergänzungsbd. 8. Bielefeld, Velhagen & Klasing. Geb. 3. 80
9. Choix de poésies françaises. Sammlung französ. Gedichte. Von Th. Engwer. Mit 17 Portr. 16.—25. Taus. (XVIII, 310 S.) 907. 2.—; Ergänzungsbd.: I. Einleitung. II. Anmerkungen. III. Übersetzungen. IV. Wörterbuch. 2. Aufl. (68 S.) 907. 1. 80

Poëtes français contemporaines Par Mmes. **. gr. in-8. (36 B.) Francfort s. M. 832, Schmerber. 3 Thlr. 8 Gr., hrbgs. Pr.

Poetevin, Dictionnaire suisse franç. allem. et allem. franç. 4. Basle, Imhof. 766.

— u. Ehrenreich, Grammaire, od. franz. u. ital. Sprachl. 8. Augsb. Stage. 785.

— Grammaire franç. et allem. gr. 8. Francf. Varrentrapp 787.

— nouv. et parfaite grammaire française et allem. gr. 8. Frankf. a. M. 784. N. A. 787. Varrentrapp. 20 gr.

— le nouv. Secretaire franç. allem. 8. Strasb. König. 775.

Poetica maior. Giess. 607. 8. und oft hernach. Ib. 624. 8. Lubec. 624. 8. Marp. 647. 8. Giess. 677. 8. zu 14 gr. Ibid. 707. 8.

Poetica, Selecta, auctorum latinorum, veterum et recentiorum. Friburgi 1831. H: *Roullier, Jos., Prosper Coppens* & *Andr. v. Iseghem.* (Jes)

Poetices methodicae confirmatae libri duo. 8. Marb. Kessler. 752.

Poetik, s. Miniatur-Bibliothek des Nützlichen u. Angenehmen.

Poetik, kleine, od. Anfangsgründe d. Dichtkunst. 2e umgearb., mit einem Anhange vermehrte Ausg. gr. 12. Merseb. 824. Sonntag. (Weidemann). 16 gl.

Poetik, kleine, od. Anfangsgründe d. Dichtkunst. Mit Beispielen üb. d. verschied. Dichtungsarten. 3. Ausg. gr. 12. (8 B.) Quedlinburg 840, Ernst'sche Buchh.

Les quatre *poetiques* d'Aristote, d'Horace, de Vida et de Boileau. Trad. avec des remarq. par Batteux. Paris 771. 2 Vol. 8. Berl. 781. 8. 12 gr.

* *Johann Michael Poetius* Gründliche Anleitung zu der unter den Gelehrten jetzt üblichen Arithmetischen Wissenschaft, vermittelst einer parallelen Algebra, worinnen zugleich vom Gebrauch derer Rechnungen in Facultäten u. Disciplinen, auch von unterschiedlichen Arithmetischen Instrumenten und Machinen gehandelt wird. Sammt einer Anatomia Numerorum von 1—10000. Frankf. u. Leipz. 8. 501 S. 1 B. Titel etc. 2 Seiten Druckfehler, 3 Bog. Anat. num. und Gebrauch. (16 gr.) 1728
— Halle. 1738

Poeti, J. Mich., Anl. z. d. arithmet. Wissensch. 8. Halle, Fritsch. 728.

Poetry, the, of Germany. Consisting of selections from upwards of seventy of the most celebrated poets, translated into English verse, with the original text on the opposite page by Alfr. Baskerville. Leipzig 854. G. Mayer. 8. (XXIV, 663 S.) 1 Thlr. 22⅓ ngr.

Poetry-Book, a, of Songs and Sonnets, Odes and Idylls, s. Collection of British Authors.

Poets, British. Vol. I. cont. The Minstrel by Beatty; the Farmers boy by Bloomfield. 12. Kopenh. 815. Bonnier. 14 gl.

Poets, the british, of the nineteenth century, including the select. Works of Crabbe, Wilson, Coleridge, Wordsworth u A. 1e u. 2e Liefg. gr. 8. Frankf. 827, Brönner. 2 Rthl. 16 gr. Velin-P. Rthlr.

Poets, the British, of the 19. Century. Including the select Works of Crabbe, Wilson, Coleridge, Wordsworth, Rogers, Campbell, Miss Landon, Barton, Montgomery, Southey, Hogg, Barry, Cornwall, and others. Being a supplementary Volume to the poetical Works of Byron, Scott and Moore. (3. u. 4. Lfg.) Lex.-8. (26 B.) Francfort o. M. 828, Broenner. 2 Thlr. 16 Gr., Vlnp.
1. u. 2. Lfg. Ebendas. 1827. 2 Thlr. 16 Gr, Vlnp. 4 Thlr.

Poets, the British, of the nineteenth century, including the select Works of Crabbe, Wilson, Coleridge, Wordsworth, Rogers, Campbell, Miss Landon, Barton, Montgomery, Southey, Hogg, Barry, Cornwall and others. Being a supplementary Volume to the poetical Works of Byron, Scott and Moore. 2d. Edit. Lex.-8. Francfort 834. H. L. Broenner. 3½ Thlr.

Poets, English. A selection from the works of the British poets ... Leipzig 1856. H: *Heubner, Otto Leonh.* (Ky)

Poets, English. A selection from the works of the British poets from Chaucer to Tennyson with a German translation by O. L. H.....r (Heubner.) — A. u. d. T.: Englische Dichter. Eine Auswahl englischer Dichtungen mit deutscher Uebers. Leipzig 856. G. Wigand. 16. (VII, 735 S.) n. 2 Thlr.

Poets, the, of Great Britain from Chaucer to Bayly. — Hausschatz englischer Poesie. Auswahl aus den Werken der bedeutendsten engl. Dichter seit Chaucer bis zur Gegenwart, in chronol. Ordnung begleitet v. biograph. u. literar. Einleitungen v. O. L. B. Wolff. Lex.-8. (24 B.) Leipzig 846, Vereins-Verlagsbuchh.

Poets, the standard, of Great-Britain, s. Standard poets, the.

— the standard, of Great-Britain from Milton to Walter Scott edited by L. Gantter. Nr. 1—14. Stuttgart 853, 54. Metzler. 16. Jede Nr. 5 ngr.
Nr. 1. 8. 12. 13.: The poetical works of John Dryden, with biographical and critical notices. (495 S.)
Nr. 2. 6. 14.: The poetical works of Edward Young, with biographical and critical notices. (340 S.)
Nr. 3. 5. 10.: The dramatic works of Rich. Brinsley Sheridan, with a biographical and critical sketch. (432 S.)
Nr. 4.: Select dramatic works of Th. Otway, with biographical and critical notices. (124 S.)
Nr. 7. 9. 11.: Hudibras by Sam. Butler, with biographical and critical notices. (360 S.)

Poezje obłąkanego. Lipsk. 1868. V: *Kozłowski, Feliks.* (BrVV)

Poezje obłakanego. Leipzig 868. Brockhaus' Sort. 16. (VI, 222 S.) n. 20 ngr.; geb. n. 1 Thlr.

Poezya Maryi z Gniezna. 8. (51 S.) Gnesen 849. (Lange.) n. ⅙ Thlr.

Poezye

Poezye przez F. Ł. gr. 8. Poznań 845, Zupański. 1 Thlr.

— nowe, Anny L. Krakowianki. gr. 8. Kraków 846, Gieszkowski (Friedlein.) n. 1⅔ Thlr.

Poezye studenta. Tom I. 8. (XV und 387 S.) Leipzig 863, (Brockhaus' Sortiment und Antiquarium.) * 1 Thlr.; geb. *

— studenta. Tom. III i IV. Ebend. 865. 8. (XIV, 804 S.) à Tom. n. 1 Thlr. 10 ngr.; geb. n. 1 Thlr. 20 ngr.
Tom. II. nicht erschienen.

Pöffel, Osk., im Anfang. (56 S.) gr. 8. Wien (909). (Stähelin & Lauenstein.) 1.—

Pogačnik, Ant., die Tuberkulose in Wien. Eine populäre, die Verhinderung u. Heilung der Tuberkulose bezweckende Schrift. 4. Aufl. gr. 8. (65 S.) Wien 882. Teufen. n. 2. —

Pogačnik, Ant., die Tuberkulose u. Tuberkelbacillen. Eine populäre Anleitg. zur Verhinderg. u. Heilg. der Tuberkulose. Preisgekrönt auf der internationalen Ausstellg. zu Brüssel im J. 1888. 5. Aufl. gr. 8. (III, 56 S.) Leipzig 892. H. Voigt. n. 1. 80

Pogany, A. Tentamen demonstrationis trium propositionum. 8. Pest, Strohmaier. 790.

Pogány, László. Zur Kenntnis der Chinonhydrazone und Oxyazoverbindungen. Diss. Phil. [II.] Univ. Zürich. 72 S. 8. Zürich, J. J. Meier, 1909.

Pogatscher, Alois

Pogatscher, A., s.: Beiträge, Wiener, zur englischen Philologie.

Pogatscher A.: Th. v. Karajans Index zu J. Grimms Deutschen Rechtsaltertümern. 44 Salzburg R. 77.
Progr.

Pogatscher, A., zur Lautlehre der griech., latein. u. roman. Lehnworte im Altenglischen, s. Quellen u. Forschungen zur Sprach- u. Culturgeschichte der german. Völker.

Pogatscher, Alois: Zur Lautlehre der griechischen, lateinischen und romanischen Lehnworte im Altenglischen. II. Teil: Vokalismus der Tonsilben .... (Aus d. Quellen u. Forschungen z. Sprach- u. Kulturgesch. d. germ. Völker ... H. 64.) Strassburg, Verl. v. Karl J. Trübner, 1888; 1 Bl. + 81 S. 8°
Strassburg, Phil. Fak., Inaug.-Diss. v. 1888

Pogatscher, Alois Zur Volksetymologie. Nachträge und Bemerkungen zu Andresens und Palmers volksetymologischen Schriften. 36 S. 8. Progr. LRsch. *Graz* 1884.

Heinrich POGATSCHER Stadtbild von Strassburg
Prag. Phil. Diss. 1892/93

Von Schlangenhörnern und Schlangenzungen vornehmlich im 14. Jahrh. Mit Urkunden u. Akten a. d. vatic. Arch. von Heinrich Pogatscher. *Rom 1898: Buchdr. d. Ges. d. göttl. Heilandes.* (56 S.) 8°
Aus: Röm. Quartalschr. f. christl. Alterthumskunde. 1898, H. 1. 2.

Pogatsching, M., Entw. d. Pflichten Oesterr. Beamten a. d. Lande. 8. Wien, Rößl. (Kaulfuß.) 796.

Pogatschnig, Mar., Entwurf d. Pflichten österr. Beamter auf d. Lande. 8. Wien 794. (Schaumburg u. C.) 12 gr. Heg Pr. 9 gr.

Pogatschnig, M.: Entwurf wirthschaftsämtl. Pflichten für Beamte auf d. Lande. *Wien*, 796. (12 Gr.)

Pogatschnigg, Ludw., alter Bergbau in Bosnien. [Aus: „Wissenschaftl. Mittheilgn. aus Bosnien u. d. Hercegovina". 2. Bd.] Lex.-8. (7 S. m. 3 Abbildgn.) Wien 894. (C. Gerold's Sohn.) n. — 60

Pogatschnigg. die Wälschen in d. Sage. Graz. 1864
Schul-/Univ.-Schrift

Pogatschnigg, Dr. V. und Dr. Em. Herrmann, Lieder ... aus Kärnten. Deutsche Volkslieder aus Kärnten. 2. Bd. 1870. ... 271 S. Graz, Leyk. 1 fl. 50 k.

– (Mitarb.), s. Spruchpraxis, Die.

Pogatschnigg, V., s. Volks-Lieder, deutsche, aus Kärnten.

Pogatschnigg, V., deutsche Volkslieder aus Kärnten, s. Herrmann, E.

POGATSCHNIGG, V. D., und Herrmann, E. D., Deutsche Volkslieder aus Kärnten. I. Band: Liebeslieder. Graz 1869. 12°.
Haydinger's Bibl. I. 1. no. 1788.

Pogatschnigg, V., u. Em. Herrmann, deutsche Volkslieder aus Kärnten. 1. Bd. Liebeslieder. 2., verb. u. verm. Aufl. 16. (XXII, 396 S.) Graz 879. Leykam. n. 3. — ; geb. m. Goldschn. n. 4. —

POGAZHAR, Johannes Chrysostomus: De ministro, materia et forma sacramenti poenitentiae. — (1837) 56 S. 4° (Handschr.) Diss. 12
Diss. Wien, Univ.

Poege, Elias Friedrich (Torgau), De criteriis quibusdam suspectis in reperiundis prophetiis Messianis. Diss. theol. Torgau (Fr. S. Ruidel) (5. I. 1784.) 20 S. (4.—) 26869
Gew.: Carl Christian Tittmann.

— Predigten üb. wichtige Wahrheiten d. Religion. gr. 8. Leipz. 777. (Knobloch). 8 gr.

— Rede am Grabe d. Hrn. Stadtpredigers M. Jh. Fr. Hnr. Gramers. 8. Dresd. 820.

Pöge, Elias Fr., Rede bei der Confirmation d. Jugend. 8. Dresd. 812.

Pöge, E. F., üb. d. Werth e. mild. Stiftung, d. f. Alte u. Schmerzhafte best. ist. gr. 8. Dresd. Gerlach. 801.

— wozu wir in unsern Tagen die Hoffnung auf das Ewige u. Bessere vorzügl. gebrauchen sollen; eine Bußtagspredigt. 8. Dresd. 820.

Poege, Gerhard, Referendar am Amtsger. zu Dresden: Juristische Natur des Avals mit Berücksichtigung seiner Unterschiede von der zivilrechtlichen Bürgschaft und dem Kreditmandat. Borna-Leipzig 1909: Noske. VI, 52 S. 8°
Leipzig, Jur. Diss. v. 7. Mai 1909
[Geb. 21. Dez. 83 Freiberg i. S.; Wohnort: Klotzsche-Königswald; Staatsangeh.: Sachsen; Vorbildung: Kgl. Gymn. Dresden-N. Reife O. 03; Studium: Genf 1, Leipzig 7 S.; Rig. 16. Jan. 08.] [U 09. 2628

Pogge. Die neueren Gesetze auf dem Gebiete des preußischen Volksschulwesens. gr. 8. (VII, 250 S.) Berl. 892, C. Heymann. * 5 —

Pogge, d. neueren Gesetze auf d. Gebiete d. preußischen Volksschulwesens. Zusammengest. u. erläut. Ergänzungshft. gr. 8. (III, 42 S.) Berlin 895. C. Heymann's Verl. n. — 80
(Hauptwerk u. Ergänzungshft.: n. 5. 80)

— Verordnungen, betr. d. Volksschulwesen d. Reg.-Bez. Merseburg. Aus amtl. Quellen zusammengestellt. gr. 8. (431 S.) Breslau 895. F. Hirt.
Geb. in Halbleinw. n. 6. —

— die neuen preußischen Volksschulgesetze. Zusammengest. u. erläut. 2. Aufl. gr. 8. (VII, 416 S.) Berlin 897. C. Heymann's Verl. n. 7. — ; geb. n. 8. —

Pogge, Carl, s. Pogge, Karl

Pogge, F. J. C., Ansichten üb. d. Entstehung u. Ausbild. d. edlen Pferdes, u. die z. Verbesserung d. Pferdezucht anzuwend. Mittel. gr. 8. (4 B.) Güstrow 828. (Rostock, Stiller.)

Pogge, F. J. C., Ansichten über die Entstehung u. Ausbildung des edlen Pferdes, und die zur Verbesserung der Pferdezucht anzuwendenden Mittel; sowie über die Nothwendigkeit einer veränderten Einrichtung der Landesherrl. Gestüte in Deutschland, 2e verm. Aufl. gr. 8. Güstrow 836. Opitz u. Frege. 1 1/8 ⅌
— 2e Ausg. mit dem Jahrg. 1840. Quedlinb., Ernst. 1 ⅌

Pogge, F. J. C., s. Bericht über die Verhandlungen der allgem. Bauernversammlungen. — Bericht, amtl., über die Verhandlungen in der von dem Mecklenburg. Patriot. Vereine gestifteten allgem. Versammlung zur Förderung der Industrie 2c. zu Güstrow.

Pogge, Günth., einsame Feuer. Gedichte. (108 S.) 8. Stuttgart (907). Charlottenburg, A. Juncker Verl. 2.50

Pogge, Günth., frühe Wanderung. Gedichte. gr. 8. (80 S.) Kiel 901. Lipsius & Tischer. n. 1. 20

Pogge, Karl

Pogge, Car. (Frid.) (geb. Greifswald 3. 9. 1839): De prolapsu funiculi umbilicalis. Berolini (1862). (31 S.) 8°
Berlin, Med. Diss. v. 11. Aug. 1862

Pogge, Paul

Pogge, P., im Reiche des Muata Jamwo, s.a. Beiträge zur Entdeckungsgeschichte Afrika's.

Pogge, Paul: Im Reiche des Muata Jamwo. Tagebuch meiner im Auftrage der Deutschen Gesellschaft zur Erforschung Aequatorial-Afrika's in die Lunda-Staaten unternommenen Reise. Mit 6 Holzschnitten, 6 lith. Tafeln und 1 Karte. (Beiträge zur Entdeckungsgeschichte Afrika's. Heft 3.) Berlin 1880. VIII, 246 S. 8°.

Pogge, Wilhelm [aus Schwaan i. M.]: Ueber einige disubstituirte Aminoacetone und deren Derivate ... Rostock, C. Boldt'sche Hof-Buchdr., 1896; 46 S., 1 Bl. 8.
Rostock, Phil. Fak., Inaug.-Diss. v. [9. Juli] 1896

Pogge-Dammwolde, der Bund der Landwirthe. Eine Betrachtg. gr. 8. (30 S.) Güstrow 893. Opitz & Co. n. — 50

Pogge-Roggow, Wilh., rund um Afrika in 70 Tagen. (16 S. m. Abb.) Lex. 8. Berlin 908. W. Süsserott. — 50

Poggel, Heinr., d. zweite u. dritte Brief d. Apostels Johannes geprüft auf ihren kanon. Charakter, übers. u. erklärt. gr. 8. (IV, 169 S.) Paderborn 896. F. Schöningh. n. 4. —

Poggel, Kaspar

Poggel, Caspar, Beitrag zur rechten Würdigung des Formellen in der Poesie und des Accents und der Quantität im Latein und Griech., als Einleitung zur Theorie d. Strophen. gr. 12. Recklinghausen 837. (Münster, Theissing.) 1/2 ₰

— Grundzüge einer Theorie des Reimes und der Gleichklänge, mit besond. Rücksicht auf Göthe. Ein Versuch. 8. Hamm 834. Schulze'sche Buchh. n. 1/2 ₰

— das Verhältniß zwischen Form und Bedeutung in der Sprache. — Die Ausbildung d. Sinnes im Menschen. 2 Abhandlungen. 8. Münster 833. Theissing. 7/12 ₰

Poggendorff, Johann Christian

Poggendorff, J. C., Annalen d. Physik u. Chemie, s.a. Annalen.

Poggendorff, J. C. Annalen der Physik und Chemie. Leipzig. 8. (Fortsetzung von Gilbert's Annalen der Physik und Chemie.) Jährlich 3 Vol. 1814—1863. Vol. 1—120. Auch in 4 Serien à 30 Vol. 1824—1834—1844—1854. — Ergänzungsbände 51 a, 72 a, 87 a, 90 a. — Barentin Register für Vol. 1—30, bei Vol. 60, für 60—90 bei Vol. 90

Poggendorff, J. C., Annalen für Physik u. Chemie. 8°.
1. Reihe. Leipzig 1824—33. Bd. 1—30. (1824 Heft 5—12. 2 Bde.)
2. Reihe. Leipz. 1834—43. Bd. 31—60. Reg. zu Bd. 31—60.
3. „ „ 1844—53. „ 61—90. „ „ „ 61—90.
4. „ „ 1854—63. „ 91—120. „ „ „ 91—120.
5. „ „ 1864—73. „ 121—150. „ „ „ 121—150.
6. „ „ 1874—76. „ 151—160.
Hiezu: Jubelband, dem Verfasser zur Feier 50jährigen Wirkens gewidmet. Mit 6 Figtfln. 1874.

Poggendorff, J. C., Annalen für Physik u. Chemie. 8°.
Ergänzungs-Bände 1—8.
Namen-Register zu Bd. 1—150, zu Erg.-Bd. I—VI nebst Jubelbande und
Sach-Register zu Bd. 121—150, zu Erg.-Bd. V u. VII nebst Jubelbande. Mit Verzeichniss der † Autoren und Zeittfl. zu den Bänden.

Poggendorf, Auffindung von Blitzröhren in der afrikanischen Wüste. (Separat-Abdruck aus Poggendorf's Annalen der Physik.)

Poggendorff, Elementar-Zusammensetzung der bisher zerlegten Substanzen ganischen Ursprungs, nach den zuverlässigeren Angaben zusammengestellt von —. (Poggendorff's Annalen, Bd. XXXVII.)

Poggendorff, J. C., Geschichte der Physik. Vorlesungen, gehalten an der Universität zu Berlin. Mit 40 (eingedr.) Holzschn. gr. 8. (VII, 937 S.) Leipzig 879. Barth. n. 16. 80

Poggendorf, J. C: Biographisch-literarisches Handwörterbuch zur Geschichte der exakten Wissenschaften. Von Bd 5 ab: ... für Mathematik, Astronomie, Physik, Chemie und verwandte Wissenschaftsgebiete. Leipzig
Bd 1. A—L. 1863
Bd 2. M—Z. 1863
Bd 3. 1858—1883. Hrsg. von B. W. Feddersen und A. J. v. Oettingen.
Abth. 1. A—L. 1897
Abth. 2. M—Z. 1898
Bd 4. (Die Jahre 1883 bis zur Gegenwart umfassend.) Hrsg. von A. J. v. Oettingen.
Abth. 1. A—L. 1902—1904
Abth. 2. M—Z. 1903—1904
Bd 5. 1904 bis 1922. Red. von P. Weinmeister
Abt. 1. A—K. 1925
Abt. 2. L—Z. 1926

Poggendorff, J. C., biographisch-literarisches Handwörterbuch zur Geschichte der exacten Wissenschaften enthltd. Nachweisungen über Lebensverhältnisse und Leistungen von Mathematikern, Astronomen, Physikern, Chemikern, Mineralogen, Geologen u. s. w. aller Völker und Zeiten gesammelt. 1. Liefg. Leipzig 858. Barth. Lex.-8. (Sp. 1—576.) n. 2 ₰ 20 ngr

Poggendorff, J. C., biographisch-literarisches Handwörterbuch zur Geschichte der exacten Wissenschaften, enthaltend: Nachweisungen über Lebensverhältnisse u. Leistungen von Mathematikern, Astronomen, Physikern, Chemikern, Mineralogen, Geologen u. s. w. aller Völker u. Zeiten. 2—6. Liefg. Leipzig 859—63. J. A. Barth. Lex.-8. (1. Bd.: VIII S. u. Sp. 577—1584; 2. Bd.: 1468 Sp.) n. 10 ₰ 20 ngr

— biographisch-litterarisches Handwörterbuch zur Geschichte der exacten Wissenschaften, enth. Nachweisgn. üb. Lebensverhältnisse u. Leistgn. v. Mathematikern, Astronomen, Physikern, Chemikern, Mineralogen, Geologen, Geographen u. s. w. aller Völker u. Zeiten. 3. Bd. 1858 bis 1883. Hrsg. v. B. W. Feddersen u. A. J. v. Oettingen. gr. 8. (VIII, 1496 S.) Leipzig 896—898. J. A. Barth. geb. in Halbfrz. n. 49. —
Erschien auch in 15 Lfgn. à n. 3. —.

Poggendorff's, J. C., biographisch-litterarisches Handwörterbuch zur Geschichte d. exacten Wissenschaften, enth. Nachweisgn. üb. Lebensverhältnisse u. Leistgn. v. Mathematikern, Astronomen, Physikern, Chemikern, Mineralogen, Geologen, Geographen u. s. w. aller Völker u. Zeiten. 4. Bd. (Die J. 1883 bis zur Gegenwart umfassend.) Hrsg. von A. J. v. Oettingen. (In etwa 15 Lfgn.) 1.—5. Lfg. gr. 8. (S. 1—360.) Leipzig 902. J. A. Barth. à n. 3. —

Poggendorff's, J. C., biographisch-literarisches Handwörterbuch zur Geschichte d. exacten Wissenschaften, enth. Nachweisgn. üb. Lebensverhältnisse u. Leistgn. v. Mathematikern, Astronomen, Physikern, Chemikern, Mineralogen, Geologen, Geographen u. s. w. aller Völker u. Zeiten. 4. Bd. (Die J. 1883 bis zur Gegenwart umfassend.) Hrsg. von A. J. v. Oettingen. 6.—24. Lfg. (XII u. S. 861—1718.) gr. 8. Leipzig 903. 904. J. A. Barth. à n. 3. — (4. Bd. kplt. 72. —; geb. in Halbfrz. 76. —)

—— Handwörterbuch d. reinen u. angewandten Chemie, s. Handwörterbuch.

Poggendorff.: Handwörterbuch der reinen und angewandten Chemie. s. Liebig

— Ueber die galvanischen Ketten aus zwei Flüssigkeiten und zwei einander nicht berührenden Metallen. (Aus Poggendorff's Annal., Bd. XXXXIX, 1840.)

Poggendorff, J. C., Lebenslinien zur Geschichte der exacten Wissenschaften seit Wiederherstellung derselben. Berlin 853. A. Duncker. gr. 4. (VI, 14 S. u. 3 lith. Taf. in Fol.) n. 1 ₰. 10 ngr.

Poggendorff, J. C., Ueber einige Magnetisirungs-Erscheinungen. (Aus Poggend. Annal., Bd. XXXXV, 1838, No. 11.)

— Ueber ein Problem bei linearer Verzweigung elektrischer Ströme. (Bericht über die Verhandl. der Königl. Preuss. Akad. der Wissensch. zu Berlin im Monat Januar 1846.)

Poggendorff, J. C. Meine Rede zur Jubelfeier am 28. Februar 1874. 4.

— Ueber das Holtz'sche Rotations-Phänomen. (Auszug aus dem Monatsber. der Konigl. Akad. der Wissensch. zu Berlin, 25. Nov. 1869.)

Poggendorff, Versionen über den Ursprung des Wortes Theodolith.

Poggendorff, P. A., die Landwirthschaft in Belgien. Reisefrüchte aus den Monaten April, Mai und Juni 1856 zugleich als Handbuch und Wegweiser für reisende Landwirthe zusammengestellt. Bevorw. von Mentzel. Mit 6 Steindrucktaf. (in 8. u. 4.). Leipzig 858. Barth. 8. (XV, 173 S.) 22½ ngr.

Poggendorff, P. A., die Landwirthschaft in England. Reisefrüchte aus den Monaten Juli bis November 1856 zugleich als Handbuch u. Wegweiser für reisende Landwirthe. Mit 8 Steindrtaf. (in 4. u. Fol.) Ebend. 860. 8. (XI, 286 S. u. 1 Tab. in 4.) 1 ₰ 15 ngr.

Poggi. Giovan., s.c.Duomo, il, di Firenze.

Il duomo di Firenze. Documenti sulla decorazione della chiesa e del campanile tratti dall' archivio dell' Opera. Per cura di Giovanni Poggi. (In 9 P.) Berlin: B. Cassirer 1909. CXXXVII, 290 S. 4°(8°) (Italienische Forschungen, hrsg. v. Kunsthist. Inst. in Florenz. Bd 2.) [09. 11087 7

Gian Francesco Poggio Bracciolini

[De Balneis. Deutsch:] Die Baeder zu Baden in der Schweiz. Eine Beschreibung derselben aus dem 15. Jh.([Verf.:Gian Francesco] Poggio [Bracciolini].) Mit neuen Anm. o.O. 1780. 45 S. 8°

(Poggio [Bracciolini, Giovanni Francesco].) Die Bäder zu Baden in der Schweiz. Eine Beschreibung derselben aus dem fünfzehenten Jahrhundert. (Uebersetzung eines von P. 1417. geschriebenen lateinischen Briefs.) Mit neuen Anmerkungen.... (SA.) 8. (Florenz [*d. i.* Zürich?] 1780.

Poggii Epistolae, editas collegit et emendavit plerasque ex Codd. Mss. eruit ordine chronologico disposuit notisque illustr. Thomas de Tonellis. Vol. I. 8 maj. (24½ B.) Florentiae 832. (Berolini, Dümmler.)

Poggii Florentini epistulae duae editae ab A. Wilmanns. Pr. 1877. 10 S. 4°.

POGGIUS Florentinus (i. e. *Francesco Poggio Bracciolini*, Philolog u. Historiker, geb. 1380 zu Terranuova, unweit von Florenz, † in letzterer Stadt am 30. Octob. 1459). — Die (273) Facezien des *Poggio* Fiorentino. Aus d. Lateinischen übersetzt (nach der Basler Ausgabe der Werke Poggios von 1538) und eingeleitet von Hanns Floerke. Mit einem literaturhistor. *Anhang* von Albert Wesselski. Privatdruck. 1906. München. Bei Georg Müller. O. J. 8°. Eleg. weiss. Ppb. mit Golddruck in Carton. (Mk. 10—.) (In Wien, Stadtbibl.: Secr. A. 7.) (9 Mk., Orig.-Cart., Taussig, Prag, 1906; 12 Mk., Adolf Weigel, 1906; 25 Mk., Origbd., v. Zahn & Jaensch, Dresden, 1911.)

Nur in kleiner Auflage für Subscribenten gedruckt. VIII (incl. Vortit., roth u. schwarz gedr. Tit. u. Einleitung), 312 pp. (incl. Anmerkgn. p. 273 ff.). — Viel derb Pikantes.

Poggio Bracciolini, des Florentiners Gian-Francesco, Schwänke u. Schnurren, s.o. Meistererzähler, romanische. IV.

Die Schwänke und Schnurren [Facetiae] des Florentiners Gian-Francesco Poggio Bracciolini. Übers., Einl. u. Anm. von Alfred Semerau. Leipzig: Deutsche Verlagsactienges. 1905. 244 S. 8°
(Romanische Meistererzähler. Bd. 4.)

Pogius Florentinus, kurze Todesgeschichte des Johannes Huß, beschrieben von dem Augenzeugen P. Bearb. u. hrsg. von J. G. Munder. 2. rechtmäßige u. verb. Aufl. 8. (93 S. m. 1 Holzschn.) Stuttgart 847. (Beck & Fränkel.) 6 ngr

Pogius, die Unfehlbarkeit d. Papstes auf dem Concile zu Constanz u. Johs. Huß' Verhör, Verurtheilg. u. Feuertod [5. u. 6. Juli 1415.] 8. (24 S.) Berlin 873. Huß-Comité. — 50

Poggio Bracciolini, Giovanni Francesco s. Wyle, Niclas von. Niclasens von Weyl XI. Translation.... (Crefeld 1852.)

Pöggstall [Schlagwort]

Pöggstall, Bez., s.: Krems.

Pogiani, Jul., Epistola de Ciceronis imitandi modo. Stolberg. 709. 8.

Pogio, M. A., Korea. Aus dem Russ. übers. von St. Ritter v. Ursyn-Pruszyński. Mit 1 (farb.) Karte v. Korea. gr. 8. (VIII, 248 S.) Wien 895. W. Braumüller. n. 4. —

Pogius Florentinus, s. Poggio Bracciolini, Gian Francesco

Pogląd na wypadki warszawskie z dni 25. i 27. Lutego b. r. (Rückblick auf die warschauer Ereignisse vom 25. und 27. Februar.) 8. (13 S.) Berlin 861. [Posen, Jagielski.]

Poglayen, E., in den Wildnissen Afrikas. Jagd- u. Reiseerlebnisse. Mit 54 Illustr. nach Orig.-Aufnahmen des Verf. (131 S.) gr. 8. Klagenfurt (907). J. Leon sen. Geb. in Leinw. 4. —

Wiener **Klavier- und Orgelwerke aus der zweiten Hälfte des 17. Jahrhunderts**: Alessandro Poglietti, Ferdinand Tobias Richter, Georg Reutter der Ältere. Bearb. von Hugo Botstiber. Wien: Artaria & Co. 1906. (XXI, 104 S.) 2°
— **Publikationen** d. Gesellschaft z. Herausgabe d. Denkmäler d. Tonkunst in Österreich. Jg. 13, T. 2. [06. 7146

Pogner, Johann

Pogner's, J., Verzeichniß über den Bau der evangelischen Kirche in Presburg, s. Annales evangelicorum in Hungaria.

Pogner's, Johann, Verzeichniß über den Bau der evangelischen Kirche in Preßburg von 1636 bis 1638 und Johann Liebergott's Tagebuch von der Wegnahme der evangelischen Kirchen und Schulen im Jahre 1672. Mit urkundlichen Beilagen. gr. 8. (XVI. 152 S.) Preßburg, Wigand in Comm. 80 kr.
1861

Pognon, H., Une version syriaque des aphorismes d'Hippocrate. Texte et traduction. 2 parties. hoch 4. Leipzig. J. C. Hinrichs' Verl. n. 24. —
1. Texte syriaque. (XL, 32 S.) 903. n. 12. —
2. Traduction. (XX. 67 S.) 903. n. 12. —

Pogodn, C. T. Über eine Schafkrankheit. Cherson 1871. (Russisch.)

Pogodin, [M. P.]: Offener Brief an Herrn Professor Schirren über dessen Buch: Livländische Antwort. Aus dem Russischen. — Bln: Behr in Comm. 1870. 64 S.

Pogodin, Michael, histor. Aphorismen. A. d. Russ. v. Erhard Göring. gr. 8. (6 B.) Leipzig 836, Voß.

Pogódin, Michail, politische Briefe aus Rußland. Aus der russischen Handschrift übersetzt. Leipzig 860. O. Wigand. 8. (XII, 219 S.) 1 ₰ 6 ngr.

Pogodin, Mich. Nestor, s. Beiträge zur Kenntniss des russ. Reiches.

Pogodin, Nestor, eine histor.-krit. Untersuchung über den Anfang der Russ. Chroniken, s. Beiträge zur Kenntniß d. Russ. Reichs, 10. Bdchn.

Pogoski, A., russische Teufels-Geschichten, Volks-Sagen, wiedererzählt. [Der erste Branntweinbrenner. Antschutka ohne Ferse.] Aus dem Russ. v. Ida Brendel. 12. (80 S.) Neubrandenburg 889. Brünslow. n. 1. 20; geb. m. Goldschn. n. 2. 50

Pogrell, Johann Caspar von (Schlesischer Adel), Vindiciae Austriacae pro aurei velleris ordine. Diss. jur. Präs. Jo. Daniel Gruber. Halle/Magdeburg (J. Grunert) 20. V. 1724. 83 S. (5.25) 26906
Widm. v.: Jo. Daniel Gruber.

— — Dasselbe. Halle/Magdeburg (J. Fr. Grunert) 20. V. 1724. Rec. 1738. 83 S. (5.25) 26907
Widm. v.: Jo. Daniel Gruber.

Pogrome, die, in Russland. (Nach offiziellen Dokumenten.) (In russ. Sprache.) (21, CCXV u. 458 S.) 8. Berlin (908). J. Ladyschnikow Verl. 6. —

[Ant. u. Russ.] Die Pogrome in Russland. **Pogromy** v Rossii ⟨po officiaľnym dokum.⟩ Berlin: Ladyschnikow [1908]. 451 S. 8° (09. 8736

Pohl, Johann George, oder: Denkwürdige Jugendschicksale . . . eines Preussischen Veteranen . . . Löwenberg 1844. V: *Lischke, Ch. Gottlieb.* (Nent)

Pohl: Lectionum Catullianarum specimen. 30 S. –Hedingen, Progr. 1866

Pohl, Stammliste des Offizierkorps des Infanterie-Regiments v. Manstein (Schleswigsches) Nr. 84, s.: Bode, Geschichte des Infanterie-Regiments v. Manstein.

Pohl: Ueber Herders „Stimmen der Völker' im Allgemeinen und über ‚Das Grab der Prophetin' insbesondere. 8 S. – Prag, N., Progr. 1857.

Pohl, Bayer. Verfassgs.-usw.-Recht. 2 Thle. in 3 Bdn. München 899.

Pohl's allgemeine Volksbücherei deutsch-österreich. Schriftsteller. I. Jahrg. 1.—24. Bd. kl. 8. Prachatitz, K. Pohl. à — 40; geb. à — 70

Amadei, Anna Gräfin, die Geigenschlucht u. andere Novellen. (167 S.) 908. (Bd. 9.)
Bock, Ida, der Heimweg. Roman. Selbständige Fortsetzg. des Romanes: „Die Bernhardmädeln". (163 S.) 908. (Bd. 10.)
Bohrmann, Marianne, schwarze Nächte. Aus Trotz verfehlt. Zwei Erzählgn. (147 S.) 908. (Bd. 22.)
— Die Priorin. Roman aus der Gesellschaft. 2 Bde. (166 u. 180 S.) (908.) (Bd. 1. 2.)
Dahl, Herm., Erlöser Arbeit. Wiener Roman. 2 Bde. (148 u. 172 S.) 908. (Bd. 12. 13.)
Edler, Karl Erdm., Erzählungen u. Novellen. (174 S.) 908. (Bd. 5.)
Groner, Auguste, aus schlechtem Blute. 's Kreuztöpfl. Erzählgn. aus d. oberösterreich. Bergen. (144 S.) 908. (Bd. 4.)
Horner, Max, unter der Rotflagge. Roman. (176 S.) 908. (Bd. 7.)
Hruschka, A. (Erich Ebenstein), das lockende Licht. Roman. (184 S.) 908. (Bd. 6.)
— Traumland. Orig.-Roman. 2 Bde. (160 u. 167 S.) 908. (Bd. 15. 16.)
Nagel, Siegfr. Rob., die Stadt der Lieder. Wiener Roman. 2 Bde. (155 u. 189 S.) 908. (Bd. 20. 21.)
Noël, A., die Carreaudame. Roman. (166 S.) 908. (Bd. 14.)
Plankenberg, A. v., ein Kind seiner Zeit. Roman. (176 S.) 908. (Bd. 17.)
Schuck, P., der König der Panduren. Geschichtlicher Roman aus der Zeit der Kaiserin Maria Theresia. 2 Bde. (173 u. 160 S.) 908. (Bd. 23. 24.)
Schullern, Heinr. v., Streiflichter. Novellen u. Geschichten. (145 S.) 908. (Bd. 3.)
Troll-Borostyáni, Irma v., Irrwege. Orig.-Roman. 2 Bde. (167 u. 164 S.) 908. (Bd. 18. 19.)
Wallner, Susi, bunte Blätter. (168 S.) 908. (Bd. 8.)
Wolff, Frz., Erschautes u. Erträumtes. (159 S.) 908. (Bd. 11.)

POHL (A.). Ein Beitrag zur Quebrachofrage. St. Petersb. 1880. 8°.

Pohl, A.: Buchführungs- und Rechnungslegung der Konsumvereine. Wien: Zentralverband österr. Konsumvereine 1906.

Pohl, A., humoristische Erzählungen u. Skizzen. 8. (15½ B.) Breslau 846, Trewendt. –

Pohl, A., Lyrisch, Episch, Satyrisch. Gedichte. gr. 12. Breslau 844. (Graß, Barth u. Comp.) n. ⅔ ₰

Pohl, A. Ueber Machiavelli und Machiavellismus. Neisse, G., 1867. 26 S. 4. **Progr.**

Pohl. Uebersetzung dreier Satiren des Horaz u. des Frosch-Mäuse-Krieges. Neisse. 1865.
Schul-/Univ.-Schrift

— Uebersetzung dreier Satiren des Horaz (I, 5 u. 9; II, 1). Gel. 1882. 22 S.

Pohl, Alfred, appr. Arzt, a. Berlin: Aus dem Pathol. Institut der Univ. Berlin. ⟨Direktor Geh. Med.-Rat Prof. Dr. Orth⟩: Beiträge zu einer örtlichen Diagnostik am Verdauungstraktus. Leipzig 1906: B. Georgi. (55 S.) 8°
Leipzig, Med. Fak., Ref. Curschmann, Diss. v. 23. Juni 1906
[Geb. 11. Dez. 74 Berlin; Wohnort: Berlin; Staatsangeh.: Preußen; Vorbildung: Französ. Gymn. Berlin Reife M. 94; Studium: Berlin 12 S.; Coll. 23. Juni 06; Approb. 8. Mai 06.]

Pohl, Andr.: Der Einfluß Kleons auf die Politik Athens. 18 S. – Progr. Neiße 1856.

POHL, Antonius: De sponsalibus. — (1876) 118 S. 4° (Handschr.) Diss. 318
Diss. Wien, Univ.

Pohl, Artur

Pohl, A., Schlesien. Präparationen f. den heimatkundl. Unterricht. Unter Berücksicht. der Reformbestrebgn. auf dem Gebiete des erdkundl. Unterrichts bearb. Mit 13 Karten- u. anderen Skizzen. gr. 8. (68 S.) Bunzlau 901. G. Kreuschmer. n. 1. 25

Pohl, A., Schlesien. Präparationen f. den heimatkundl. Unterricht. Unter Berücksicht. der Reformbestrebgn. auf dem Gebiete des erdkundl. Unterrichts bearb. 2. verb. u. verm. Aufl., m. 20 Karten- u. anderen Skizzen. (79 S.) 8. Bunzlau 907. G. Kreuschmer. 1.25

Das zweite Buch und die erste Hälfte des vierten Buches der Georgica von P. Vergilius Maro übersetzt von Aug. Pohl. 25 S. **Progr.** Rg. *Neisse* 1882.

Pohl, Aug., de oratione pro Polystrato Lysiaco, s. Dissertationes philologicae Argentoratenses.

Pohl, Augustinus [Sigmaringensis]: De oratione pro Polystrato Lysiaca. Argentorati apud Carolum Truebnerum, 1881. 8. 37 S.

Pohl, Aug. Mein Vermächtnis. Dichtungen. Mit dem Bildnisse des Verf. hrsg. v. Paul Schwarzer. 12. (VIII, 104 S.) Neisse 890, Huch. * 1 50; geb. * 2 50

[F.] Mein Vermächtniss. Dichtgn v. August Pohl, weil. Oberl. des Realgymn. in Neisse. 2. bedeutend erweit. Aufl. Hrsg. v. s. Freunde Paul Schwarzer u. s. Amtsgen. Felix Köhler, Prof. ... in Neisse. Bd 1—3. *Breslau: E. Trewendt 1896.* 3 Bde 8.
1. Epigrammatisches, Soziales u. Lyrisches. M. d. Bilde d. Dichters. (XIV, 74 S. 1 Portr.)
2. Fabeln. (1 Bl., 95 S.)
3. Freie Übs. aus Horaz u. Vergil. (1 Bl., 115 S.) (96. 679)

Pohl, Aug., mein Vermächtnis. Dichtgn. 2., bedeut. erweit. Aufl. Geordnet, gesichtet u. m. e. Vorw. vers. v. Fel. Köhler. 8 Tle. Neue [Titel-] Ausg. 8. Neisse (891) 898. J. Graveur. à n. 1. 20; in 1 Bd. geb. n. 3. —
1. Fabeln. (XIV, 95 S. m. Bildn.)
2. Freie Uebersetzgn. aus Horaz u. Vergil. (116 S.)
3. Epigrammatisches, Soziales u. Lyrisches. (74 S.)

Pohl, C.: Über Lucian und seine Stellung zum Christentume. 19 S. – Breslau k. St. Math., Progr. 1871.

Pohl C.: Die weltwirtschaftliche Stellung Rumäniens in der Landwirtschaft. Diss. Heidelb. 1909. 124 S.

Pohl, C. F., Denkschrift aus Anlass d. 25jährigen Bestehens d. Singvereines der Gesellschaft der Musikfreunde in Wien. Lex.-8. (III, 81 S.) Wien 883. (Gerold & Co.) n. 1. 20

Pohl, C. F., **Denkschrift** aus Anlass d. hundertjährigen Bestehens der Tonkünstler-Societät, i. J. 1862 reorganisirt als „Haydn," Wittwen- u. Waisen-Versorgungs-Verein der Tonkünstler in Wien. Auf Grundlage der Societäts-Acten bearb. gr. 8. (IV, 137 S.) Wien 871. Gerold's Sohn in Comm. n. 2. —

— Festschrift aus Anlass der Feier des 25 jährigen ununterbrochenen Bestandes der . . . philharmonischen Concerte in Wien Wien 1885.

— die Gesellschaft der Musikfreunde d. österreichischen Kaiserstaates u. ihr Conservatorium. Auf Grundlage der Gesellschafts-Actien bearb. gr. 8. (VIII, 198 S.) Wien 871. Braumüller. n. 4. —

— Joseph Haydn. 1. Bd. 1. Abth. gr. 8. (XX, 422 S. m. 1 Stammtaf. in qu. Fol.) Berlin 875. Sacco Nachf. n. 9. —

Pohl, C. F., Joseph Haydn. 2. Bd. (resp. 1. Bd. 2. Abth.) Mit einem Portr. (in Lichtdr.). gr. 8. (VII, 383 u. themat. Verzeichniß 14 S.) Leipzig 882. Breitkopf & Härtel. n. 9. —; geb. n. 10. 50 (1. u. 2.: n. 18. —; geb. n. 21. —)

Pohl, C. F., Mozart u. Haydn. 2 Abthlgn. Wien 867. Gerold's Sohn. 8. n. 4 *rthl*
1. Abthl. Mozart in London. Nebst Facs. einer Handschrift Mozarts. (XIV, 188 S.) n. 1 *rthl* 10 *ngr.*
2. Abthl. Haydn in London. (XVI, 390 S.) n. 2 *rthl* 20 *ngr.*

Pohl, C. Gtl., allgem. deutsche Vorschriften f. d. ersten Unterr. im Schönschreiben, method. geordnet. Schmal qu. 4. (16 Stnt. u. 1 B. Text.) Breslau 834, (Aderholz.)

Pohl, Carl, s. Pohl, Karl

Pohl, Caspar Gottlieb, s. Pohl, Kaspar Gottlieb

Pohl, Chr. Fr., s. Chr. J. Götz, Beiträge.

— s. Suaresii notitia.

Pohl, Christian Eduard: Expositio generalis anatomica organi auditus per classes animalium. 48 S., gbd., 5 Taf.

Vindobonae: Schaumburg 1818

Pohl, C. F., expositio generalis anatomica organi auditus per classes animalium, acced. V. tab. lithogr. 4. Vindobonae, Schaumburg et C. 819.

Pohl, Christian Eduard (Leipzig), **De ruptura cordis.** Diss. med. Leipzig (G. Bruder) 23. VI. 1808. 38 S., 2 Taf. (3.75) **26909**

Pohl, Christian Friedrich

Pohl, Chr. F., († d. 27. Nov. 1820.) de canonicis Protestantium successionis in res utensiles maternas exsortibus. 4. Leipz. 785.

Pohl, Christian Friedrich u. Ernst Wilhelm Küstner (Leipzig), De codicibus Gregoriano atque Hermogeniano comment. histor. Leipzig (Walther) 27. IX. 1777. 60 S. (4.50) 26915

Pohl, Christian Friedrich [Praes.], s. Falcke, Joh. Karl: De canonicis protestantium successionis in res utensiles maternas exsortibus.

— — u. (Soc.) **Christoph Wilhelm [Pohl]** (Bruder), **De fatis praescriptionis longissimi temporis ex legibus Justiniani.** Diss. Leipzig (Jacobaeer) 16. III. 1780. 36 S. (4.50) **26916**
Gew.: Johann Christoph Pohl (Vater).

— **Christian Friedrich** (Leipzig), **Historia jur. civ. de praescriptione adversus civitates.** Präs. August Friedrich Schott. Leipzig (Langenheim) 17. III. 1774. 39 S. (4.50) **26910**
Widm. v.: August Friedrich Schott.

Pohl, Christian Friedrich [Praes.], s. Jaspis, Reinhold Sigismund: De indole jurisjurandi in judicio delati ejusque in Saxonia usu.

Pohl, Christian Friedrich [Praes.], s. Klinguth, Johann Christian Karl: De jure et fide dextrae disputatio.

— — **De origine atque fatis praescriptionis longissimi temporis usque ad Justinianum. Diss. Leipzig (Walther) 8. IV. 1779. 72 S. (4.50)** 26911

(—). — Procancellarius **Christian Friedrich Pohl** (Leipzig) sollemnia inaug. cand. Gustav Benedikt Heinrich Haensel (Leipzig) jur. utriusque baccal. publ. indicit. Leipzig (Fr. Chr. Dürr) 20. IV. 1809. 18 S. mit Biogr. v. Haensel (Leipzig) (M.: J. H. Koch). (3.75) 26912

(—). — Ordinarius senior et reliqui doctores facultatis jur. Lipsiensis summos in jure honores cum spe suo tempore locum in collegio obtinendi viris **Christian Friedrich Pohl** et **Christian Gottfried Koerner** (Leipzig) collatos indicunt. — Rhapsodiae Supplementa. Leipzig (Langenheim) 17. IV. 1779. 22 S. mit Biogr. v. Pohl (Leipzig) (M.: Chr. S. Lechla) u. Koerner (Leipzig) (M.: S. M. Stirner). (4.—) 26913

(—). — **Dasselbe.** Leipzig (Langenheim) 17. IV. 1779. 22 S. mit Biogr. v. Pohl (Leipzig) (M.: Chr. S. Lechla) u. Koerner (Leipzig) (M.: S. M. Stirner). (4.—) 26914
Mit Tafel: Rectore Johann Christoph Pohl, procancellario Carl Ferdinand Hommel, promotore Friedrich Gottlieb Zoller, compromotore Friedrich Heinrich Mylius viris Christian Friedrich Pohl et Christian Gottfried Koerner contulit. Misericord. 1779.

Pohl, Clara, s. P o h l , Klara

Pohl, Clara-Maria, s. P o h l , Klara-Maria

Pohl, Constantin, s. P o h l , Konstantin

Pohl, E., Handbuch d. Geographie von Böhmen. gr. 8. Prag, Calve. 813.

— — Kriegslisten der Krieger aller Zeiten. 8. Ebendas. 815.

Pohl, E. (Red.), s. P a l m b l ä t t e r aus der Mission.

— — systemat. Ueberblick der Reihenfolge einfacher Fossilien. 4. Ebend. 816.

Pohl, Eduard

Pohl, **Ed.**, der Curort Aussee in Steiermark. Ein historisch-physikalisch-medicin. Skizze. 2. Aufl. Mit e. (lith.) Karte der Umgebgn. v. Aussee (in gr. Fol.) u. e. geolog. Taf. gr. 8. (VIII, 181 S.) Wien 871. Braumüller. n. 3. —

Pohl, Eduard, *Dr. Med. Mag. Chir. k. k. Salinen-Phys.* Das Soolbad Aussee im steir. Salzkammergute *Graz* 1857 bei *Leykam's Erben.* 4 S. 179 S. 8°.
Anhang: a) Orographische Karte von Aussee; b) Idealer Durchschnittsriss des Ausseer Salzberges.

(Pohl, Eduard,) s. †Gottwalt, P.

Pohl, Ed., die Melancholie nach dem neuesten Standpunkte der Physiologie u. auf Grundlage klin. Beobachtungen bearb. Lex.8. (XII u. 191 S.) Prag 852, Calve. 1 *ₒβ*

— die Sool-Heil-Producte der k. k. Saline zu Aussee in Steiermark. Eine physisch-chemisch-therapeut Skizze der obigen bei der Weltausstellg. zu Wien i. J. 1873 expon. Objecte. 8. (38 S. m. 1 Tabelle in qu. Fol.) Aussee 874. Ebend. n. — 60

Pohl, Emil

Pohl, E., vom landwirthschaftlichen Ball, s.: Bloch's, E., Theater-Correspondenz.

—— ein flotter Bursche von der Flotte, s. Bloch's, E., Dilettanten-Bühne.

— Couplets aus der Posse: Berlin arm u. reich. Musik von A. Conradi. Berlin 862. Lassar's Buchh. gr. Lex.-8. (24 S.) n. 15 *ngr.*

Pohl, Emil, seine Dritte, s. Bloch's, E., Dilettanten-Bühne.

— u. H. **Wilken**, auf eigenen Füßen, s.: Universal-Bibliothek.

— klein Geld, s.: Universal-Bibliothek.

Pohl, Emil: Der G o l d - O n k e l ,
s.a. U n i v e r s a l - B i b l i o t h e k . Nr. 1523.

—— der Gold-Onkel. Posse mit Gesang und Tanz in 3 Acten und 7 Bildern. Musik von A. Conradi. Sämmtliche Couplets mit Pianoforte-Begleitung. gr. Lex.-8. (15 S.) Berlin 862, Hofmann und Comp.

— der Gold-Onkel. Posse mit Gesang u. Tanz in 3 Acten u. 7 Bildern. Musik von A. Conradi. Sämmtliche Couplets mit Pianoforte-Begleitung. Berlin 868. Hofmann & Co. gr. Lex.-8. (15 S.) n. 10 *ngr.*

—— Jeremias Grille. s. Bloch's, E., Dilettanten-Bühne.

—— Heydemann und Sohn, s. Müller, H.

– Der J o n g l e u r ,
s. U n i v e r s a l - B i b l i o t h e k . Nr. 1548.

– Bruder L i e d e r l i c h ,
s.a. U n i v e r s a l - B i b l i o t h e k . Nr. 1576.

Pohl, Emil, Bruder Liederlich. Eine leichte Person. Gesangs-Possen. Musik von A. Conradi. Sämmtl. Couplets mit Pianoforte-Begleitung. Berlin 864. Hofmann & Co. hoch 4. (15 S.) n. 10 *ngr.*

– L u c i n d e vom Theater,
s. U n i v e r s a l - B i b l i o t h e k . Nr. 1592.

Pohl, Emil, Lygia. Drama in 5 Aufzügen. Mit freier Benutzg. des Romans „Quo vadis". 8. (118 S.) Stuttgart 901. Kathol. Vereinsbuchh. n. — 80

(F) **Pohl**, E., Lygia, Drama in 5 Aufzügen. 8°. (118 S.)
Feldkirch: Unterberger 1904. K 1.—

—— die Maurer von Berlin. — Eine Million für einen Erben. — Sachsen in Preußen. — Der Jongleur. Gesangs-Possen. Musik von Conradi, Stiegmann u. A. Couplets mit Pianoforte-Begleitung. 5 Hefte. gr. 4. (36 S.) Berlin 861. Hofmann und Comp. à Heft – $7^1/_2$ Ngr.

Pohl, Emil, Herr Meidinger u. sein Contrabaß, s. Bloch's, E., Dilettanten-Bühne.

— Morgenstündchen einer Soubrette, s.: Bühnenfreund, der. — Träger, A.

— Namenlos, s. Kalisch, D.

Pohl, Emil, Referendar aus Landsberg a. W.: **Nießbrauch und** Nutznießung nach B.G.B. *Borna-Leipzig 1903: R. Noske.* (VIII, 68 S.) 8°
Leipzig, Jur. Diss. v. 1903

– Eine leichte Person,
s. Universal-Bibliothek. Nr. 1627.

Pohl's, Emil, Possen. 1. Bd. Berlin 863. Lassar. gr. 16. (153 S.) n. 1 ℛ

– Die sieben Raben,
s. Universal-Bibliothek. Nr. 1647.

— Sachsen in Preußen, s. Bloch's, E., Dilettanten-Bühne.

Pohl, E.: Sachsen in Preußen,
s. Bloch's, E., Theater-Correspondenz.

— die Schulreiterin, s.: Bloch's, E., Theater-Correspondenz.

– Die Sterne wollen es,
s. Universal-Bibliothek. Nr. 1665.

— eine Sylphide außer Dienst, s. Bloch's, E., Dilettanten-Bühne.
— acht Tage vernünftig, s. Bloch's, E., Dilettanten-Bühne.

— e. verfolgte Unschuld, s.: Bloch's, E., Theater-Correspondenz.

Pohl, Emil, Vasantasena. Drama in 5 Akten, m. freier Benutzg. der Dichtg. d. altind. Königs Sudraka. 8. (128 S.) Stuttgart 893. J. G. Cotta Nachf. n. 2. —; geb. n. 3. —

– Zahnschmerzen, s. Bloch's, E., Theater-Correspondenz.

– Unruhige Zeiten,
s. Universal-Bibliothek. Nr. 1696.

Pohl, Engelbert. (geb. Pissenheim im Rheinl. 7. 2. 1837): De femoris luxationibus. Berolini (1862). (34 S.) 8°
Berlin, Med. Diss. v. 28. Juli 1862

Pohl, Ernst, aus den Anfängen unserer Breklumer Mission. 8. (152 S. m. Abbildgn.) Breklum 902. (Christl. Buchh.) n. — 75; geb. n. 1. —

Pohl, Ernst, aus den Anfängen unserer Breklumer Mission 2. Aufl. (2.—4. Taus.) (168 S. m. Abbildgn.) 8. Breklum 903. (Christl. Buchh.) Kart. n 1. 20

– Die deutsche Gebührenordnung...,
s. Waldenburg, Siegfried

Geschichte unserer Missionsstation Parvatipur v. Ernst **Pohl.** Breklum. 1902. 8°

Pohl, Ernst: Gesetz betr. die Gebühren der Medizinalbeamten vom 14. Juli 1909. (Preuß. G. S. S. 625.) Mit Erl. Cöln 1910.

— Jesus nimmt die Sünder an (Paul Chinnayah in Salur), s. a. Morgenrot in Indien. Nr. 2.

Jesus nimmt die Sünder an. ⟨Paul Chinnayah in Salur.⟩ Von Missionar E[rnst] **Pohl.** 3. Aufl. Breklum: Missionshaus 1903. (20 S.) 8° [F.]
= **Morgenrot** in Indien. No 2.
(Kleine Missionsschriften hrsg. v. Missionshause in Breklum.) [06. 13060

Die Knechtschaft der indischen Frau. Ein Aufruf zur Arbeit für ihre Befreiung. Vortrag v. Ernst **Pohl.** Breklum. 1908. 8°

Pohl, Ernst: Die Lohn- und Wirtschafts-Verhältnisse der Landarbeiter in Masuren in den letzten Jahrzehnten. Magdeburg 1908: Faber. (123 S.) 8°
Königsberg, Phil. Fak., Ref. Gerlach-Albert, Diss. v. 24. Juli 1908
[Geb. 6. Nov. 74 Danzig; Wohnort: Magdeburg; Staatsangeh.: Preußen; Vorbildung: Gymn. Wehlau Reife O. 00; Studium: Halle 1, Königsberg 5 S.; Rig. 25. Juli 06.]

Pohl, F., Martin von Dunin, Erzbischof von Gnesen u. Posen. Eine biographische u. kirchenhistor. Skizze. gr. 8. (Mit 1 Lithogr.) Marienburg 843, Dormann. n. 1/2 ℛ

Pohl, F. W. Andeutungen üb. d. Einheit d. Natur u. Geschichte. 25 S.
Berlin, F. W., Progr. 1826

Pohl, F. W., der schlesische Dorfschulze in seiner amtl. Thätigkeit als Vorsteher der Gemeinde u. als Organ der Verwaltungs- u. Gerichts-Behörden. Unter Mittheilung der bezügl. Vorschriften systematisch beleuchtet. Schweidnitz 868. Heege. gr. 8. (VII, 130 S.) n. 15 ngr.

Pohl, F. W., die Polizeigesetze und Regierungs-Verordnungen für die Provinz Schlesien. Eine systematische Zusammenstellung aller noch gültigen polizeilichen Gesetze und Verordnungen in Bezug auf die Polizei-Verwaltung und Polizei-Gerichtsbarkeit. Als Leitfaden für Jedermann, besonders aber mit Rücksicht auf die Ausübung der Orts-, Dominial-, Sicherheits-, Sanitäts- ꝛc. Polizei ꝛc. Breslau 854. Aderholz. Lex.-8. (X, 480 S.) 1 ℛ. 20 ngr.

Pohl, F. W., die Polizeigesetze und Regierungs-Verordnungen für die Provinz Schlesien. Eine systematische Zusammenstellung aller noch gültigen polizeilichen Gesetze u. Verordnungen in Bezug auf die Polizei-Verwaltung u. Polizei-Gerichtsbarkeit. Als Leitfaden für Jedermann, besonders aber mit Rücksicht auf die Ausübung der Orts-, Dominial-, Sicherheits- ꝛc. Polizei. 2. verb. bis Ende 1858 ergänzte Aufl. Breslau 859. Aderholz. gr. 8. (VIII, 457 S.) 1 ℛ 20 ngr.

— die Polizei Gesetze u. Regierungs-Verordnungen für die Provinz Schlesien. Systematisch zusammengestellt bezüglich der öffentl. Ordnungs- u. Sicherheits-, Sitten-, Gesinde-, Sanitäts- ꝛc. Polizei ꝛc. Als Leitfaden für Jedermann, besonders aber für Polizei-Verwaltungen, Ortsvorsteher, Gutsherrschaften, Bau- u. Fabrik-Unternehmer, Handel- u. Gewerbetreibende. 3., umgearb. u. bis Ende Septbr. 1861 ergänzte Aufl. Breslau 865. Aderholz' Buchh. gr. 8. (VI, 319 S.) 1 ℛ 20 ngr.

Pohl, F. W., die polizeigesetzlichen Verordnungen in der Prov. Schlesien. Nach Maaßgabe der Reichsgesetzgebg. u. Kreis-Ordng. bis Juli 1876, bezüglich der öffentl. Ordnungs- u. Sicherheits-, Sitten-, Gesinde-, Sanitäts-, Gewerbe-, Bau-, Feuer-, Wasser-, Feld-, Jagd-, Forst-, Wege- u. Landwirthschafts-Polizei rc. systematisch zusammengestellt. 4. Aufl. gr. 8. (VI, 324 S.) Schweidnitz 876. Heege. n. 5. —

Pohl, F. W., die polizeigesetzlichen Verordnungen in der Prov. Schlesien, soweit solche seit den frühesten Zeiten u. nach der neuesten Gesetzgebung bis jetzt in Gültigkeit sind, enth. Gesetze u. Bestimmungen bezügl. der öffentl. Ordnungs- u. Sicherheits-, Sitten-, Gesinde-, Sanitäts-, Gewerbe-, Bau-, Feuer-, Wasser-, Feld-, Jagd-, Forst-, Wege- u. Landwirthschafts-Polizei rc. für Polizei-Verwaltungen, Polizei- u. Amtsanwälte rc. Systematisch zusammengestellt. 5. Aufl. gr. 8. (VI, 316 u. Suppl.-Bd. zur 4. Aufl. III, 93 S.) Schweidnitz 880. Heege. n. 5. 60; Suppl.-Bd. np. n. 1. —

Pohl, Felix [aus Danzig]: Drei Fälle von Perichondritis Auriculae ... Halle a. S., Hofbuchdr. v. C. A. Kaemmerer & C., 1894; 35 S., 1 Bl. 8.
Halle, Med. Fak., Inaug.-Diss. v. 16. März 1894

Pohl, Frz., Pastoraltheologie oder die Wissenschaft von den gottmenschlichen Thätigkeiten der Kirche. Ein Handbuch. Paderborn 862. Schöningh. gr. 8. (XVIII, 902 S.) n. 3 ℳ

Pohl, Franciscus: De ecclesia catholica humanae libertatis vindice optima commentatio. Part. I. Vratislaviae (1849). (45 S.) 8° *[Verf. wurde zugleich: Dr. theol. promoviert. vgl. Anh. Nr. 51.]*
Breslau, Kath.-theol. Fak., Antr.-Progr. als ord. Prof. v. 11. Aug. 1849

Pohl, Franz: Über Abkömmlinge des Dicyandiamids und die Frage seiner Konstitution. 1905. 63 S. 8° ¶ Ausz. in: Journal f. prakt. Chemie. Bd 185. N. F. Bd 77. 1908. Dresden, Dr.-Ing.-Diss. v. 15. 3. 1905

Pohl, Friedrich, s.a. P o h l , Hanns Friedrich

Pohl, Friedrich [approb. Arzt aus Bromberg]: Beitrag zur Kasuistik der Lehre von der Thrombose der Vena subclavia und jugularis .... Göttingen, Druck d. Univ.-Buchdr. v. E. A. Huth, 1887; 31 S. 8°.
Göttingen, Med. Fak., Inaug.-Diss. v. 11. Mai 1887.

Pohl, Friedr., Beitrag zur Kasuistik der Lehre von der Thrombose der Vena subclavia und jugularis. Inaugural-Dissertation. gr. 8. (31 S.) Göttingen 887, (Vandenhoeck und Ruprechts Verlag.) *

Pohl, Friedrich, a. Münstereifel: Ueber die Compressibilität von Salzlösungen. Bonn 1906: P. Hauptmann. (27 S.) 8°
Bonn, Phil. Fak., Ref. Kayser, Diss. v. 14. Jan. 1907
[Geb. 28. Mai 85 Munstereifel; Wohnort: Bonn; Staatsangeh.: Preußen; Vorbildung: Gymn. Thomaeum Kempen, Paulinum Münster i. W. Reife O. 03; Studium: Bonn 7 S.; Coll. 14. Nov. 06.]

— **Friedrich August** (Christianstadt), Variolarum Lipsiae annis 1827—28 epidemice grassatarum observationes. Diss. med. et chir. Leipzig (G. Maret) 3. VII. 1829. 24 S. (3.75) 26919

— **Friedrich Gustav** (Leipzig), Diss. med. sistens collectanea quaedam de gastritidis morborumque qui eam sequuntur, pathologia. Leipzig (Staritz) 4. IV. 1822. 48 S., 3 Taf. (3.75) 26920
Gew.: Friedrich August Benjamin Puchelt, Ludwig Cerutti.

Pohl. G. Chr. (J. G. Jaske) de medico exorcista. Lips. 788. 4.

Pohl, Gerhard [app. Arzt aus Breslau]: Über Metastasen bei genuiner croupöser Pneumonie, spez. über d. seltneren bei ders. ... Leipzig-Reudnitz, Druck v. M. Hoffmann, 1895; 47, IX S., 1 Bl. 8.
Leipzig, Med. Fak., Inaug.-Diss. v. 1. Nov. 1895

Pohl, Georg. Beiträge zur Kenntnis einiger Verbindungen des Molybdäns und deren Untersuchung. Diss. Phil. Bern. 59 S. 8. Bern, W. Wälchli, 1906.

Pohl, Geo., über die Dressur englischer Vorstehhunde. Vortrag, geh. im Verein „Nimrod" zu Oppeln am 5. Febr. 1880. [Aus: „Der Hund".] 8. (32 S.) Leipzig 880. Wolff. — 30

Pohl, Georg Friedrich

Pohl, Geo. Frid., Commentatio principior. tam in physice universa quam praesertim in ejusd. parte chimica adhuc desideratorum. 8maj. (6⅛ B. u. 1 Stnt.) Vratislaviae 837, G. P. Aderholz. Thlr.

Pohl, Georgius Fridericus: Principiorum tam in physice universa quam praesertim in ejusdem parte chemica adhuc desideratorum commentatio. Vratislaviae (1837). (96 S., 1 Taf.) 8° *[Buchausg. 1837 bei Aderholz in Breslau.]*
Breslau, Phil. Fak., Antr.-Progr. als ord. Prof. v. 18. März 1837

Pohl, (G. F.,) Andeutungen über die Einheit d. Natur u. Geschichte. gr. 4. Berlin 826, Reimer.

Pohl, G. F. Andeutungen üb. d. Einheit der Natur u. Geschichte. 25 S. Berlin, F. W., Progr. 1826

Pohl, G. Fr., Ansichten u. Ergebnisse üb. Magnetismus, Electricität u. Chemismus. Ein Bericht an d. grössere naturwissenschaftl. Publicum. Auszugsweise vorgetr. in d. Versammlung d. deutschen Naturforscher u. Aerzte zu Berlin. 8. (6½ B.) Berlin 829, Dümmler.

Pohl, G. F., Zur Begründung einer genügenden Erklärung des Elektro-Magnetismus, veranlasst durch den Aufsatz des Herrn Prof. Muncke. (Ein Schreiben an Gilbert.) (Aus: Ann. der Phys., B. 71, St. 1, J. 1822, St. 5.)

Pohl, G. Fr., der Elektromagnetismus, theoret.-praktisch dargestellt. 1. Abthl. M. 3 Kpfrt. (gr. 4.) gr. 8. (19 B.) Berlin 830, Duncker u. Humblot. Thlr.

Pohl, Geo. Fr., der Elektromagnetismus u. die Bewegung der Himmelskörper in ihrer gegenseitigen Beziehung dargelegt. Mit 23 in den Text gedruckten Holzschn. gr. 8. Breslau 846, G. P. Aderholz. ¾ ℳ

— Grundlegung der drei Keppler'schen Gesetze besonders durch Zurückführung des dritten Gesetzes auf ein neu entdecktes weit allgemeineres Grundgesetz der kosmischen Bewegungen, welches an die Stelle des Newtonischen Gravitationsgesetzes tritt. gr. 8. Ebend. 845. ⅙ ℳ

Pohl, G. F. Die Kugelfläche als mathematisches Constructionsfeld. Berlin 1819. 4.

Pohl, G. F., die Kugelfläche als mathemat. Constructionsfeld im Gegensatz der Ebene rc. Mit 6 Kupfert. gr. 8. Berlin, Reimer. 820. Rthlr.

Pohl, Geo. Fr., das Leben der unorganischen Natur. Eine zur Gedächtniß-Feier der 300jährigen Begründungszeit des Copernicanischen Systems den 11. Juni 1843 zu Breslau gehaltenen Vorlesung. gr. 8. Breslau 843, Graß, Barth u. Comp. n. ⅓ ℳ

— Ueber eine beobachtete elektro-magnetische Partial-Erregung (Leitung) und diese Erregung überhaupt. (Gilb. Annal. der Physik, B. 73, St. 3, J. 1823, St. 3.)

— der Procеß der galvanischen Kette. gr. 8 Leipz. 826, Barth.

Pohl, Geo. Frdr., († d. 10. Juni 1849), über das Wesen der Elektricität u. Schwere. Offener Brief an Hrn. Prof. Dr. H. W. Dove. gr. 8. (40 S.) Breslau 848, G. P. Aderholz. 6 ngl

Gustav POHL — Zur Entstehung der landständischen Verfassung in Böhmen
Prag: Phil. Diss. 1904/1905.

Pohl, H., e. kritische Uebersicht der in Form v. Recepten empfohlenen Mittel gegen Cholera m. Hinweis auf ihre Anwendung. [Aus: „Allg. medicin. Centralzeitg."] gr. 8. (27 S.) Berlin 892. O. Coblentz. n. 2. —

Pohl, H. T., Rathschläge f. d. Landwirthe Deutschlands insbesond. die Bewohner Ost- u. Westpreußens u. des Großhrzgth. Posen. Nach vieljähr. Beobachtungen u. Versuchen z. Beherzig. niedergeschr. M. 1 Stndrcktaf. (Fol.) 8. (3 B.) Glogau 834, [Berlin,] Heymann.

Pohl, Hans, a. Duisburg a. Rh.: Die Folgen der vertragswidrigen Lieferung beim Gattungskauf nach gemeinem, Handels- und neuem bürgerlichen Recht. Würzburg 1904: C. J. Becker. (29 S.) 8°
Würzburg, Jur. Fak., Ref. v. Burckhard, Diss. v. 21. Dez. 1904
[Geb. 10. März 81 Eichstaedt; Wohnort: Duisburg; Staatsangeh.: Preußen; Vorbildung: Gymn. Duisburg Reife O. 00; Studium: München 2, Berlin 2, Marburg 2 S.; Rig. 23. Nov. 04.]

Pohl, Hanns Friedrich

— Anleit. z. Bereitung d. Obstweins. (Aus d. Archiv abgedr.) Leipz. 823. Hinrichs. 4 gl

— Anleit. z. Bereitung des Obstweins. Leipz. 824, Hinrichs.

Pohl, F., Anleitung zum Kochen u. Braten im Wasserdampfe. 8. Leipz. Engelmann. 812.

– Dass., s.a. Pohl, Henriette

Pohl, H. Fr. (Hrsg.), s. Anzeiger, Ökonomisch-gemeinnütziger. . .

Pohl, (Hanns) Friedr., Archiv d. teutschen Landwirthschaft, s. Archiv.

Pohl, F.: „Beiträge zur neuesten Geschichte der Landwirthschaft, oder chronologische Uebersicht des Wirthschaftsjahres 1823; in staatswirthschaftlicher, naturhistorischer, wissenschaftlicher, gewerbsmäßiger und merkantilischer Hinsicht", Leipzig 1823 (Kollmann). Dieselben für die Jahre 1830, ebenda.

— Beiträge zur neuesten Geschichte d. Landwirthschaft. 1s—4s Bdchen. 8. Leipz. 824—27, Kollmann. 1s Bdchn. 18 gr. 2s Bdchn. 1 Rthl. 12 gr. 3s Bdchn. 1 Rthl. 4s Bdchn. 1 Rthl. —

—— Beiträge z. neuesten Geschichte d. Landwirthschaft. 5—7. Bdchn. Enth. d. chronolog.-Uebersicht d. Wirthschaftsjahre 1827—29. 8. Leipzig, Expedit. d. Archivs. (Kollmann.) [5. (25½ B.) 828. 1 Thlr. 12 Gr., 6. (16½ B.) 829., 7. (14 B.) 830. à 1 Thlr.]
Aus dess. „Archiv d. Landwirthsch." besond. abgedruckt.
1—4 Bdchn. Ebendas. 1824—27. 4 Thlr. 6 Gr.

—— die beste Benutzung erfrorner Früchte, od. Anleit. die erfrornen Kartoffeln, Rüben u. Obstfrüchte vielfältig zu benutzen. 8. (2½ B.) Leipzig 830, Expedit. d. Archivs. (Kollmann.)
Aus dess. „hauswirthschaftl. Neuigkeiten" besond. abgedruckt.

— Beschreib. u. Abbild. eines Stubenheiz- u. Kochofens, der bereits seit mehreren Jahren in Leipzig als der vortheilhafteste erprobt, leicht herzustellen u. Brennmaterial ersparend ist, das Ueberrauchen verhindert u. gut aussieht rc. Mit 1 Steindr. 8. Leipz. 821. Hinrichs. 8 gl

—— Beschreibung u. Abbild. e. Stubenheiz- u. Kochofens, der bereits seit vielen Jahren in Leipzig als d. vortheilhafteste erprobt, leicht herzustellen u. Brennmaterial ersparend ist, das Ueberrauchen verhindert u. gut aussieht. Nebst Bemerkn. u. Angaben üb. Küchenkoch- u. Bratöfen, erwärmte Küchen, das Kochen in Stuben, zweckmäß. Ofenaufsätze u. Schornsteine z. Wegbringen d. lästigen Rauches rc. 3., verm. Aufl. 8. (4½ B. u. 1 Stnt.) Leipzig 837, Hinrichssche Buchh.

— ausführl. Beschreib. d. Stein- u. gebogenen Klees, zweier merkwürd. u. z. Anbau empfohlner Kleearten, nebst Abbildd. 8. Leipz., Joachim. 4 gl

— — Handbuch der Gärtnerey, für Gartenbesitzer u. Gartenliebhaber, oder wissenschaftlich-praktische Anleitung zu allen Geschäften und Rücksichten des Küchen-, Baum-, Wein-, Hopfen- u. Ziergartens. 7te Aufl. Mit Kupf.
Auch unter dem Titel:
P. V. Engel's, L. Ph. Krause's und F. G. Leonhardi's kluger, sorgfältiger u. verständiger Gärtner. gr. 8. Leipzig, Hinrichs. 820.

— möglichst vollständ. Handb. d. Gärtnerei f. Gartenbesitzer u. Gartenliebhaber; od. wissenschaftl.-prakt. Anleit. z. allen Geschäften u. Rücksichten d. Küchen-, Baum-, Wein-, Hopfen- u. Ziergartens. Nebst P. V. Engel's, L. Ph. Krause's u. F. G. Leonhardi's vervollkommneten Monatsgärtner. Mit Kpf. gr. 8. 7. Aufl. Leipzig, 1821. Hinrichs. 1. 15
— — dass. s.: Engel (Aengel), P. V. — Leonhardi, Friedr. Glo.

Pohl's, Fr., goldener Hausschatz. Ein für jede Haushaltung unentbehrl. Rathgeber zur besten Benutzung einheimischer Naturerzeugnisse aus dem Mineral-, Pflanzen- u. Thierreiche nach vieljähr. Erfahrungen u. den besten Quellen zusammengestellt mit alphabetisch geordnetem Register. 2. sehr verb. u. verm. Aufl. 8. (VIII u. 223 S.) Leipzig 850, Voigt. 1/2 rf

Pohl, H. F., (ehemal. Buchhändler), s.a. Heirathstempel, Allgem.

POHL, H. J., u. Schärf, Allgemeiner Heirathstempel für beiderlei Geschlechter errichtet von —. 2 Stücke. Penig 1798—99. 8°. Sehr rar! (Lippert, Halle, vor 1870.)
Stück 1 auch in der Bibl. Günther. III. no. 6575.

— — Allgemeiner Heirathstempel für Verehelichte und Unverehelichte beiderlei Geschlechts. Januar u. März 1801. Penig. 8°. (War ebenfalls in e. alten Lippert'schen Cat.)

Pohl, Hanns Fr., das Herrmannsbad bei Lausigk, unweit Leipzig, in bemerkenswerthen Rücksichten beschrieben. gr. 12. Lpz. 822. Wienbrack. 14 gl

— die Hypothek in gewerbmäßiger Hinsicht erwogen. (Aus d. Archiv d. deutschen Landwirthschaft abgedr.) 8. Leipz. 824, Kollmann.

—— Industrie, s. Industrie.

Pohl, Fr., die Kartoffeln. Ein Beitrag zur Geschichte ihrer Einführung u. Verbreitung, besonders in Sachsen. — Zur Feier des Kartoffel-Festes in Machern am 9. Dezember 1840. (Aus dem Dezemberhefte 1840, des Archivs der teutschen Landwirthschaft besonders abgedruckt.) 8. Leipzig 841, Exped. des Archivs d. t. L. (Kollmann.) 1/12 rf

—— die Kartoffeln. Ein Beitr. z. Geschichte ihrer Einführ. u. Verbreit., besond. in Sachsen. — Zur Feier d. Kartoffel-Festes in Machern am 9. Dez. 1840. 8. (2 B.) Leipzig 841, (Voigt u. Fernau.)
Aus: Archiv d. teutschen Landwirthschaft, 1841. Dec., besond. abgedruckt.

— botan. Kinderfreund, od. botan. Lehr- u. Lesebuch f. die Jugend u. Pflanzenliebhaber aus allen Ständen. 1r Bd. 1e Hälfte. Mit ill. Kpf. 8. Leipz. 797. Joachim. 1 ß

— botanischer Kinderfreund, od. bot. Lehr- u. Lesebuch f. d. Jugend u. Pflanzenliebhaber aus allen Ständen. Mit Kpf. 1. Bd. 8. Leipzig, 1797. Neue Ausg. 1800. (Joachim.) 1. —

Pohl, (Hanns) Friedr., d. Kunst grüne Bohnen z. trocknen etc. Nebst Anleit. z. Trocknen junger Erbsen, u. Anweis. süsse Kirschen in Rosinen z. verwandeln etc. (Aus dessen: »hauswirthschaftl. Neuigkeiten«). 8. Leipzig, 1829. 3. Aufl. 1833. (Kollmann.) — 2½

Pohl, Hanns Friedr., die Kunst, grüne Bohnen zu trocknen, daß sie wie frische aussehen u. eben so gut schmecken. Nebst Anleitung zum Trocknen junger Erbsen, und Anweisung, süße Kirschen in Rosinen zu verwandeln, die in keiner Hinsicht den Traubenrosinen nachstehen, sondern selbst noch Vorzüge haben. 3e Aufl. 8. Leipzig 833. Expedition des Archivs d. t. Landw. (Kollmann.) 1/12 ß

— Lehrbuch d. landwirthschaftl. Technologie. gr. 8. Leipz. 826, (Kollmann.)

—— Lehrbuch d. land- u. hauswirthschaftl. Technologie. Eine system. Anleitung z. Kenntniß u. Anwendung nutzbarer, einheim. Naturprodukte aus dem Mineral-, dem Pflanzen- u. Thierreiche. 2., verb. Aufl. 8. (14⅜ B.) Leipzig 843, Voigt u. Fernau. 1 Thlr. 7½ Ngr. (Wohlf. Ausg. 1846.)

—— über d. Mängel u. Beschwerden d. Landwirthschaft im Königr. Sachsen, u. ihre zeitgemäße Abhilfe. 8. (2 B.) Leipzig 831, Expedit. d. Archivs. (Kollmann.)
Aus dess „Archiv d. Landwirthsch." besond. abgedruckt.

Pohl, F.: „Ueber die Mängel und Beschwerden der Landwirthschaft im Königreich Sachsen und ihre zeitgemässe Abhülfe", Leipzig 1832 (Kollmann).

– s. Nebbien, C. H.: Einrichtungskunst.

—— das Neueste der Fischerei. 8. (3½ B.) Leipzig 829, Expedit. d. Archivs. (Kollmann.)
Aus dess. „Archiv d. Landwirthsch." besond. abgedruckt.

– Hauswirthschaftl. Neuigkeiten, s. Neuigkeiten.

— Sendschreiben ꝛc., s Sendschreiben.

— die Runkelrübe. Eine zeitgemäße Sammlung alles dessen, was irgend Bezug auf d. Runkelrübe hat; Kenntniß u. Kultur der Pflanze, Behandl. u. Verarbeit. d. Rübe auf Syrup, Zucker, Rum ꝛc. In zwanglosen Hftn. 1s Bdchn. 8. Ebd. 836. 1/2 ß

—— die Stuben-Heizung nach Erfahrungsgrundsätzen. Beitrag z. Beförder. binglicher Häuslichkeit. Als Beil. zu allen Haushaltungsschriften. 8. (2½ B.) Leipzig 830, Expedit. d. Archivs. (Kollmann.)
Aus dess. „hauswirthschaftl. Neuigkeiten" besond. abgedruckt.

—— über das Studium d. Gewerbswissenschaften auf den Universitäten, besond. zu Leipzig. 8. (2 B.) Leipzig 831, Expedit. d. Archivs. (Kollmann.)

Pohl Fr, land- und hauswirtschaftliche Technologie. 2. Auflage. Leipzig

— natur- u. kunstgemäßes Verfahren, aus Körnern, Obst ꝛc. alle Sorten Essig zu bereiten. 8. Leipz. 812. (Engelmann).

Pohl, Haus Fr., das Verjüngen d. Wiesen ꝛc. 8. Leipz. Gräff. 810.

Pohl H. F.: Das Verjüngen d. Wiesen. Nebst einer vorausgeschickten Revision d. Wiesenwirthschaftslehre. Leipz. 1810. 286 S.

Pohl, Heinr., Anleitung zur methodischen Behandlung der Heimatkunde in den Volksschulen Mährens. gr. 8. (IV, 91 S.) Brünn 899. C. Winiker. n. 1. 30

Pohl, Heinrich [aus Wetzhausen (Unterfranken)]: Ein Beitrag zur Kenntnis der desinficierenden Eigenschaften des Lysols ... Erlangen, k. b. Hofbuchdr. v. A. Vollrath, 1893; 38 S. 8.
Erlangen, Med. Fak., Inaug.-Diss. v. 23. Juli 1892

Pohl, Heinrich, Referendar: Die Entstehung des belgischen Staates und des Norddeutschen Bundes. Eine staatsrechtliche Studie. Freiburg i. B. 1905: C. A. Wagner. (VIII, 54 S.) 8° (Ersch. als: Abhandlungen aus d. Staats-Verwaltungs- und Völkerrecht, Bd 1, 1905, H. 1.)
Bonn, Jur. Fak., Ref. Zorn, Diss. v. 25. Februar 1905
[Geb. 4. Febr. 83 Linz a. Rhein; Heimatsort: Bonn; Staatsangeh.: Preußen; Vorbildung: Gymn. Kempen Reife O. 01; Studium: München 1, Bonn 6 S.; Rig. 9. Dez. 04.]

Pohl, Heinr., die Entstehung des belgischen Staates u. des Norddeutschen Bundes, s. a. Abhandlungen aus dem Staats-, Verwaltungs- u. Völkerrecht, I. 1.

Die Entstehung des belgischen Staates und des Norddeutschen Bundes. Eine staatsrechtl. Studie von Dr. Heinrich Pohl. Tübingen: J. C. B. Mohr 1905. (X, 54 S.) 8°
= Abhandlungen aus d. Staats-, Verwaltungs- u. Völkerrecht. 1, 1. [05-1908

Pohl, Heinr., der Rechtsfall Mannesmann. Bericht u. Gutachten, auf Ersuchen d. Marokko-Minensyndikats G. m. b. H. erstattet. (82 S.) Lex. 8. Bonn 910. C. Georgi.
Aus dem Handel zurückgezogen. 1. —

Der Monroe-Vorbehalt. Von Heinrich Pohl. Berlin: Weidmann 1919. S. 449–472. 8°
Aus: Festgabe d. Bonner jurist. Fakultät f. Paul Krüger. [11. 1394 B

Pohl, H[einrich], Gymnasial-Oberlehrer a. D. a. Kaiserswerth: Kritische Rundschau über ältere deutsche Ansiedlungen in den Tropen zur Feststellung der Bedeutung von Togo, Kamerun und Deutsch-Ostafrika für die deutsche Auswanderung. Bonn 1905: J. W. Heeg. (XV, 130 S.) 8°
Bonn, Phil. Fak., Ref. Rein, Diss. v. 25. Jan. 1905
[Geb. 29. Juni 71 Kaiserswerth a. Rh.; Heimatsort: Essen; Staatsangeh.: Preußen; Vorbildung: Kgl. Gymn. Düsseldorf Reife O. 91; Studium: Bonn 8, Berlin 1 S.; Rig. 20. Juli 04.]

Pohl, Heinrich, a. Hagen i. W.: Synthese von Carbithiosäuren. (Berlin 1907: G. Schade.) (52 S.) 8°
Berlin, Phil. Fak., Ref. Fischer, Diss. v. 9. März 1907
[Geb. 29. Juni 83 Hagen i. W.; Wohnort: Hagen; Staatsangeh.: Preußen; Vorbildung: Oberrealsch. Cassel Reife O. 03; Studium: Heidelberg 2, Bonn 3, Berlin 3 S.; Rig. 4. März 07.]

Pohl, Heinrich Fr., s. Pohl, Hanns Friedrich

Henriette Pohl

Anleitung zum Kochen und Braten im Wasserdampfe... (Verf. [Henriette Pohl.]) Hrsg. von Friedrich Pohl. Leipzig: Mitzky 1812. XII, 132 S., 1 Taf. 8°
Erschien zuerst in: Archiv der teutschen Landwirthschaft. Bd 6.1812.
an: Die Hausmutter als Köchin. Leipzig 1809.

Pohl, Henriette, Anleit. z. Kochen u. Braten im Wasserdampfe, hrsgg. v. Hns. Fr. Pohl. Mit 1 Kpf. 8. Leipz. 812. 2e Aufl. 813. 3e A. ... 4e A. 818. (Wienbrack). 16 gr.

Pohl, geb. Kabe, Henriette, Anleitung z. Kochen u. Braten im Wasserdampfe. Ein Beitr. z. Verbesserung d. häusl. Kochkunst. Hrsg. v. Friedr. Pohl. 5. Aufl. 8. (9⅓ B. u. 1 Kpfrt.) Leipzig 838. Wienbrack.

Pohl, geb. Kabe, Henriette, Anleitung zum Kochen und Braten im Wasserdampfe. Ein Beitrag zur Verbesserung der häusl. Kochkunst. Herausg. vom Prof. Fr. Pohl. Mit 1 Kupfer. 5e Aufl. 8. Leipzig 839. Wienbrack. 2/3 ℛ

Pohl, Henriette, geb. Kabe, Anleitung zum Kochen und Braten im Wasserdampfe. Zur Verbesserung der häuslichen Kochkunst. Hrsg. von Friedr. Pohl. Der 5. Aufl. 2. (Titel-) Ausg. 8. (XVI und 149 S. mit 1 Kpfrt.) Leipzig 853, Voigt. Thlr. *–

Pohl, Hermann, a. Stettin: (Aus d. Zool. Inst. zu Halle a. S.) Über den feineren Bau des Genitalsystems von Polycera quadrilineata. Mit 2 Taf. u. 2 Abb. im Text. Halle a. S. 1905: (Lippert & Co., Naumburg a. S.) (26 S.) 8° (Aus: Zoolog. Jahrbüch., Bd 21. Abt. f. Anat., 1905.)
Halle, Phil. Fak., Ref. Grenacher, Diss. v. 2. März 1905
[Geb. 17. Dez. 80 Stettin; Wohnort: Hinzenhagen; Staatsangeh.: Preußen; Vorbildung: Realgymn. Stettin Reife M. 99; Studium: Halle 2, Berlin 1, Halle 5 S.; Rig. 3. Juni 04.]

Pohl, H., der Betrieb elektrischer Licht- u. Kraftanlagen, s.a. Bibliothek der gesamten Technik.

Der Betrieb elektrischer Licht- und Kraftanlagen. Ein Handbuch ... von H. Pohl. Mit 89 Abb. Hannover: Jänecke 1909. X, 121 S. 8°
(Bibliothek d. gesamten Technik. Bd 100.) (09. 10981) 7

Pohl, Hermannus *(geb. Landeshut in Schles. 10. 12. 1834)*: De diaeta atque regimine in prima infantia observando. Vratislaviae (1859). (29 S.) 8°
Breslau, Med. Diss. v. 16. Juli 1859

Pohl, H., die Freileitungen. Ihre Konstruktion, Anordng. u. Berechng. Erweiterter Sonderdr. des Kapitels „Freileitgn." aus dem Handbuch der Elektrotechnik Bd. VI,2 „Die Leitgn., Schalt- u. Sicherheitsapparate f. elektr. Starkstromanlagen". (VIII, 142 S. m. 132 Abbildgn.) Lex.-8. Leipzig 906. S. Hirzel. n. 5. —; geb. n. 6. —

Leiter und Isoliermittel. Fabrikation d. Leitungen. Schalter. Sicherungen. Schutzvorrichtungen gegen Überspannungen u. atmosphär. Entladungen. Bearb. von H[ermann] Pohl, Oberingen. Mit 395 Abb. *Leipzig: S. Hirzel 1904.* (XXIV, 448 S.) 4°(8°)
= Pohl: Die Leitungen, Schalt- u. Sicherheitsapparate f. elektr. Starkstromanlagen. Abt. 1.
= Handbuch d. Elektrotechnik. Bd 6, Abt. 1. [04. 14...]

— u. B. Soschinski, die Leitungen, Schalt- u. Sicherheitsapparate f. elektrische Starkstromanlagen, s.a. Handbuch der Elektrotechnik. VI.

Die Leitungen, Schalt- und Sicherheitsapparate für elektrische Starkstromanlagen von H[ermann] Pohl, Oberingen., u. B[runo] Soschinski. Mit Abb. Abt. 1–3 (2 u. 3 in 1 Bd). Leipzig: S. Hirzel 1904–06. 2 Bde 4°
1. Leiter- u. Isoliermittel. Fabrikation d. Leitungen. Schalter. Sicherungen ... 1904.
2. Schaltanlagen, Montage d. Leitungen ... Bearb. von H. Pohl. Mit 6 Taf. 1906.
3. Berechnung von Leitungsnetzen. Bearb. von B. Soschinski. 1906.
= Handbuch d. Elektrotechnik. Bd 6. (08. 7848)

— Zerlegbares Modell e. Dampfturbine, erbaut v. den Skodawerken in Prag. Zur Selbstbelehrg. sowie f. den Unterricht an techn. Schulen. (2 farb. Modelle u. 4 S. Text m. Abb.) 26,5×35 cm. Leipzig (908). O. Spamer. Kart. 6. —

— zerlegbares Modell e. Dynamomaschine, s.: Wilte, Arth., die Elektrizität.

— Zerlegbares (farb.) Modell e. Drehstrom-Motors nach den Ausführgn. der Allgemeinen Elektrizitätsgesellschaft Berlin. Zur Selbstbelehrg. sowie f. den Unterricht an techn. Schulen entworfen. (4 S. Text.) 26×34,5 cm. Ebd. (907). In Mappe 6. —

— dasselbe e. stehenden Dreifach-Expansionsmaschine zum Betriebe e. Kreiselpumpe, gezeichnet nach den Ausführgn. v. Haniel u. Lueg in Düsseldorf. Zur Selbstbelehrg. sowie f. den Unterricht an techn. Schulen entworfen. (4 S. Text.) 26×34,5 cm. Ebd. (907). In Mappe 6. —

— zerlegbares (farb.) Modell e. Förder-Maschine neuester Konstruktion. Zur Selbstbelehrg. sowie f. den Unterricht an techn. Schulen entworfen. qu. gr. 4. (1 Bl. Text.) Berlin (899). R. Schwarz. Geb. n. 3. —

— dasselbe e. Gleichstrom-Dynamomaschine nach Ausführung der Elektrizitäts-Aktien-Gesellsch. vorm. Lahmeyer & Co. in Frankfurt a/M. Zur Selbstbelehrg. u. f. den Unterricht an techn. Schulen entworfen. (1 S. Text.) 26×34,5 cm. Ebd. (907). In Mappe 6. —

— zerlegbares (farb.) Modell e. Hochofens neuester Konstruktion. Zur Selbstbelehrg. sowie f. den Unterricht an techn. Schulen entworfen. qu. gr. 4. (1 Bl. Text.) Ebd. (899). Geb. n. 3. —

Pohl, H., zerlegbares (farb.) Modell e. Compound-Dampfmaschine neuester Konstruktion. Zur Selbstbelehrg. sowie f. den Unterricht an techn. Schulen entworfen. qu. gr. 4. (1 Bl. Text.) Berlin (899). R. Schwarz. Geb. n. 3. —

— dasselbe e. elektrischen Vollbahn-Lokomotive erbaut v. der Firma Ganz & Comp. in Budapest. Zur Selbstbelehrg., sowie f. den Unterricht an techn. Schulen entworfen. (4 S. Text m. 1 farb. Taf.) 26×34,5 cm. Ebd. (908). In Mappe 6. —

— Die Montage elektr. Licht- u. Kraftanlagen, s.a. Bibliothek der gesamten Technik.

— die Montage elektrischer Licht- u. Kraftanlagen. Ein Taschenbuch f. Elektromonteure, Installateure u. Besitzer elektr. Anlagen. Mit 328 in den Text gedr. Beispielen u. Schaltgn. (XIV, 272 S.) 8. Hannover 903. Dr. M. Jänecke. Geb. in Leinw. n. 4,40

Die Montage elektrischer Licht- und Kraftanlagen. Ein Taschenbuch ... Von H. Pohl, Ober-Ing. Mit 230 Beispielen u. Schaltungen. 2., neubearb. u. erw. Aufl. Hannover: M. Jänecke 1907. (IX, 167 S.) 8°
= Bibliothek d. gesamten Technik. Bd 1. (08. 2868) 7

Die Montage elektrischer Licht- und Kraftanlagen. Ein Taschenbuch ... von H. Pohl, Ober-Ing. Mit 253 Abb. 3. verm. Aufl. Hannover: Jänecke 1910. VIII, 176 S. 8°
(Bibliothek d. gesamten Technik. Bd 1.) (11. 11763) 7

Pohl, H., kritische Rundschau üb. ältere deutsche Ansiedlungen in den Tropen zur Feststellung der Bedeutung v. Togo, Kamerun u. Deutsch-Ostafrika f. die deutsche Auswanderung. Diss. (Umschlag: Zur Besiedelg. unserer Schutzgebiete im trop. Afrika.) (XV, 136 S.) 8. Bonn 905. H. Behrendt. n. 1.50

— zerlegbares Telephon-Modell neuester Konstruktion. Zur Selbstbelehrg. sowie f. den Unterricht an techn. Schulen entworfen. qu. gr. 4. (4 farb. Taf. m. 1 Bl. Text.) Ebd. (899). Geb. n. 3. —

Pohl, Hugo, medicinisches Haus-Lexikon. Alle Krankheiten des Menschen u. ihre Behandlung, die wichtigeren Arzneimittel u. ihre Anwendung, die hauptsächlichsten Heilquellen u. Kurorte, sowie die bedeutendsten medicinischen Anstalten in alphabetischer Reihenfolge. 3. Aufl. 8. (X, 435 S.) Leipzig 880. O. Wigand. geb. 3. 75

Pohl, Hugo, medicinisches Haus-Lexikon. Alle Krankheiten d. Menschen u. ihre Behandlg., die wichtigeren Arzneimittel u. ihre Anwendg., die hauptsächlichsten Heilquellen u. Kurorte, sowie die bedeutendsten medicin. Anstalten in alphabet. Reihenfolge. 5. Aufl. 8. (XII, 420 S.) Leipzig 886. O. Wigand. geb. 3. 75

Pohl, Hugo, medicinisches Lexikon. Alle Krankheiten d. Menschen u. ihre Behandlg., die wichtigeren Arzneimittel u. ihre Anwendg., die hauptsächlichsten Heilquellen u. Kurorte, sowie die bedeutendsten medicin. Anstalten in alphabet. Reihenfolge. 8. (X, 415 S.) Leipzig 872. O. Wigand. 3. —

— dasselbe. 2. Aufl. gr. 16. (X, 445 S.) Ebend. 874. geb. 3. 75

Pohl, J., die Anlage von Wassermühlen mit besonderer Berücksichtigung der Terrain-Verhältnisse. 1. Aufl. 865. n. 1 Thlr 12 ngr. u. 2. (Titel-)Abdr. Wien 865. Beck's Verlag. 8. (IV, 196 S. mit 3 Steintaff. in qu. Fol.) n. 1 Thlr 10 ngr.

Pohl, J., die Anlage von Wassermühlen mit besond. Berücksicht. der Terrain-Verhältnisse. 2. (Titel-)Abdr. gr. 8. (IV, 196 S. mit 3 lithogr. Taf. in qu. gr. 4.) Wien (865)69, Beck's Verlag. *

Ueber die Einwirkung seelischer Erregungen des Menschen auf sein Kopfhaar. Von Dr. med. I. **Pohl** in Berlin. M. 1 Taf. ... *Halle: In Comm. b. W. Engelmann in Leipzig; Druck v. E. Blochmann & Sohn in Dresden 1894.* (61—138 S., 1 Taf.) 4.
— **Acta,** Nova, Academiae Caes. Leopoldino-Carolinae Germ. naturae curiosorum. T. 64. No 2. [97. 6190

Pohl, J.: Das Haar, s. Pohl-Pincus, J.

Pohl, Leitfaden zum Selbstunterricht in den Anfangsgründen d. Telegraphen-Wesens, s.: Lohmeier, C. H.

Pohl, J., Reductions-Tafeln Cos α f. alle Distanzen von 1 100 u. alle Winkel von 1° bis incl. 36° von 20 zu 20 Minuten, dann f. die Distanzen 1 bis 10 u. die Winkel von 37° bis incl. 46° von 10 zu 10 Minuten auf 2, resp. 3 Decimalen fertig berechnet. Ferner Umwandlungs-Tafeln f. 1 bis 1000 Wiener Klafter in Meter. Schliesslich: Elemente zum Ausstecken v. Probeflächen u. Tafel zur Umwandlg. v. Quadratklafter auf Decimalen des Joches. Genau berechnet. (In deutscher u. ungar. Sprache.) gr. 8. (28 S.) Resicza 893. (Wien, W. Frick.) n. 1. 10

— Reductions-Tafeln Cos 2 α f. alle Distanzen von 1 bis 100 u. alle Winkel von 1° bis incl. 36° von 10 zu 10 Minuten, dann f. die Distanzen 1 bis 10 u. die Winkel von 37° bis incl. 46° von 10 zu 10 Minuten auf 2, resp. 3 Decimalen fertig berechnet. (In deutscher u. ungar. Sprache.) gr. 8. (40 S.) Ebd. 893. n. 1. 10

Pohl, J., Thierzucht, s.: Ausstellungs-Bericht, officieller.

Pohl, J , Vorbemerkungen u. Beiträge zu einer latein. Orthographie. I. u. II. Pr. 1871, 72 2 . 24 S. 4°. à 1.20

Pohl, J. Franc. Bened. (geb. Löwenberg in Schles. 1792): De artis musicae in sanos et aegrotantes effectu. Berolini (1818). (31 S.) 8°
Berlin, Med Diss. v. 3. Nov. 1818

Pohl, Johann

Pohl, J., der naturgemäße Arbeitslohn. Vortrag. gr. 8. (22 S.) Leipzig 887. Gebhardt's Verl. n. — 80

Pohl, Johann, aus Lorchhausen a. Rh.: Aus d. Königl. Universitäts-Frauenklinik zu Berlin. (Director Herr Geheimrat Prof. Dr. Olshausen.) Beitrag zur Lehre von Placenta praevia an der Hand von 407 Fällen. *Berlin (1898): G. Schade.* (28 S.) 8°
Berlin, Med. Diss. v. 21. Okt. 1898

Pohl, Joh., landwirtschaftliche Betriebslehre. [3 Tle.] 1. Tl.: Ökonomik der Landgutswirtschaft. Mit 10 Holzschn., 2 schwarzen u. 5 farb. lith. Taf. gr. 8. (XV, 696 S.) Leipzig 885. Gebhardt. n. 18. —; geb. n. 21. —; auch in 9 Lfgn. à n. 2. —

— landwirtschaftliche Betriebslehre. [3 Tle.] 2. Tl.: Organisation der Landgutswirtschaft. Mit 6 Holzschn., 2 farb. lith. Taf., 1 Katastralmappenkopie u. 1 geolog. Karte. gr. 8. (XIII, 316 S.) Ebd. 889. n. 12. —; geb. n. 15. — (1. u. 2.: n. 30. —; geb. n. 36)

Pohl, Joh., u. Jos. Ebers, d. Brillantnadel, s. a. Vereinstheater, neues.

Die Brillantnadel. Lustspiel in 1 Aufz. von Joh. **Pohl** u. Jos. Ebers. *Essen: Fredebeul & Koenen 1896.* (35 S.) 8° [F.]
— [Vereinstheater, Neues. No 6.] [94. 7271

— u. Jul. E. **Thausing,** Buchführung für Bierbrauereien nach einfachem u. doppeltem System. gr. 8. (VIII, 207 S.) Leipzig 881. Gebhardt. n. 6. —; geb. n. 6. 60

Pohl, Joh., u. Jul. E. Thausing, Buchführung f. Bierbrauereien nach einfachem u. doppeltem System. 2. verb. Aufl. gr. 8. (VIII, 210 S.) Leipzig 901. J. M. Gebhardt. n. 6. —; geb. n.n. 6. 50

— die Buchführung d. einzelnen Landgutes u. d. Gütercomplexes. (Internationaler land- u. forstwirthschaftl. Congress zu Wien 1890, 20. Hft.) gr. 8. (14 S.) Wien 890. Frick. n. 1. —

Pohl, J. und **Widimsky,** B. Eisenbahn-Karte des östlichen Europa mit besonderer Berücksichtigung des Russischen Reiches. 1 : 2 500 000. Wien 1882.
Desgl. 5., 6. und 8. Auflage (1891, 1893, 1896).
Je 4 Bl. c. I..

Pohl, Joh., und Bohuslav **Widimský,** Eisenbahn-Karte des östlichen Europa mit besonderer Berücksichtigung des russischen Reiches. Nach amtl. Quellen bearb. 1 : 2,500,000. 4 Bl. Chromolithogr. Imp.-Fol. Nebst Verzeichniss der russ. Stationen. 8. (14 S.) Wien 884, (Lechner's Sortiment.) * 10 — Auf Leinw. in Schuber * M 18.; mit Oesen in Schuber * 19 —

Pohl, Joh., Grundzüge e. Dienstpragmatik f. Verwaltgn. größerer Güter. Vom Vereine f. Güterbeamte in Wien preisgekrönte Schrift. [Archiv f. Landwirthschaft. (Beilage z. „Wiener landwirthschaftl. Zeitg.") Hrsg. v. Hugo v. Hitschmann. XXVII.] gr. 8. (X, 186 S.) Wien 897. (C. Gerold's Sohn.) n. 6. —

Pohl, Joh., Handbuch der landwirthschaftlichen Rechnungsführung. gr. 8. (X, 436 S. m. 1 Plan.) Berlin 879. Parey. n. 8. —

Pohl, Joh., Handbuch der landwirthschaftlichen Rechnungsführung. 2., umgearb. Aufl. gr. 8. (X, 390 S.) Berlin 894. P. Parey. Geb. in Leinw. n. 8. —

Pohl, Joh., Liebessieg, s. Haus-Theater.

Pohl, J., Liebessieg, s.: Kühling's, A., Album f. Liebhaber-Bühnen.

— Justus v. Liebig und die landwirthschaftliche Lehre, s. Zeit- und Streit-Fragen, deutsche.

Pohl J. Justus v Liebig und die landwirtschaftliche Lehre. (Zeit- u Streitfr. 219) Berlin 1885

Pohl, Prof. Joh., Die Reformziele in der Agrarfrage. Sociale Vorträge, geh. bei dem Wiener socialen Vortragscurse 1894. gr. 8⁰. Wien 1895.

— Stand und Ursachen der heutigen Agrarfrage. Sociale Vorträge, geh. bei dem Wiener socialen Vortragscurse 1894. gr. 8⁰. Wien 1895.

(—). — Facultatis medicae in academia Lipsica procancellarius **Johann Christoph Pohl** panegyrin medicam. — De abscessu vesicae urinariae et intestini coli. (Leipzig (Langenheim)) 24. I. 1777. 15 S. mit Biogr. v. Peter Johann Daniel Lutheriz (Lommatzsch) (M.: J. Ch. May). (3.25) 26939

(—). — Facultatis medicae in academia Lipsiensi procancellarius **Johann Christoph Pohl** panegyrin medicam. — Quasdam de nervis animadversiones. (Leipzig (Langenheim)) 20. V. 1774. 16 S. mit Biogr. v. August Friedrich Wilhelm Ernst Jahn (Gehren/Thüringen) (M.: A. E. Trommler). (3.25) 26934

(—). — Facultatis medicae in academia Lipsiensi procancellarius **Johann Christoph Pohl** panegyrin medicam. — De atrophia infantum. (Leipzig (Sommer)) 16. VI. 1780. 15 S. mit Biogr. v. Carl Ludwig Cauer (Berlin) (M.: M. E. Bilau). (3.25) 26943

(—). — Facultatis medicae in academiae Lipsiensi procancellarius **Johann Christoph Pohl** panegyrin medicam. — De callo ulcerum. (Leipzig (Langenheim)) 5. VI. 1767. 12 S. mit Biogr. v. Johann Gottfried Jokusch (Bautzen / Lausitz) (M.: M. E. Ritter). (3.25) 26926

(—). — Facultatis medicae in academia Lipsiensi procancellarius **Johann Christoph Pohl** panegyrin medicam. — De callositate Ventriculi ex potus spirituosi abusu. (Leipzig (Langenheim)) 14. III. 1771. 16 S. mit 1 Taf. u. Biogr. v. Johann Gottlieb Arnold (Lauchstädt) (M.: S. Koethen). (3.25) 26932

(—). — Ordinis medici in academia Lipsica procancellarius **Johann Christoph Pohl** panegyrin medicam. — De carcinomate mammae singulari curato. [Leipzig] ((Langenheim)) 27. VI. 1777. 16 S. mit Biogr. v. Christian Gottlob Demiani (Bautzen / Lausitz) (M.: Chr. E. Krügel). (3.25) 26948

— **Johann Christoph,** Casum anatomicum de defectu lienis sistit et de liene in genere quaedam disserit simulque collegium disputatorium publ. indicit. (Leipzig (Langenheim)) Rog. 1740. 16 S. mit Namen. (4.—) 26922

(—). — Ordinis medici in academia Lipsiensi procancellarius **Johann Christoph Pohl** panegyrin medicam. — De caussis morborum in hominibus carcere inclusis observatorum. (Leipzig (Langenheim)) 20. XII. 1781. 16 S. mit Biogr. v. Carl Christlieb Bethke (Leipzig (M.: M. S. Schoss). (3.25) 26951

(—). — Facultatis medicae in academia Lipsiensi procancellarius **Johann Christoph Pohl** panegyrin medicam. — De communicatione cellularum contextus cellulosi. (Leipzig (Langenheim) 3. p. Epiphan. 1768.) 16 S. mit Biogr. v. Daniel Christian Burdach (Kohl bei Guben / Lausitz) (M.: E. M. Heins). (3.25) 26929

(—). — Facultatis medicae in academia Lipsiensi procancellarius **Johann Christoph Pohl** panegyrin medicam. — De contextu celluloso fabricae ossium varietatem efficiente. O. O. 7. VIII. 1767. 16 S. mit Biogr. v. Johann Gottlob Haase (Leipzig) (M.: J. R. Landgraf). (3.25) 26927

(—). — Ordinis medici in academia Lipsiensi procancellarius **Johann Christoph Pohl** panegyrin medicam. — De cura morborum in hominibus carcere inclusis observatorum. (Leipzig (Langenheim)) 6. III. 1772. 16 S. mit Biogr. v. Gottgetreu Carl Ludwig Seydler (Schleusingen/Henneberg) (M.: J. Chr. E. Klett). (3.25) 26944

(—). — Ordinis medicorum in academia Lipsiensi procancellarius **Johann Christoph Pohl** panegyrin medicam. — De difficili infantum dentitione. (Leipzig (Langenheim)) 19. IV. 1776. 15 S. mit Biogr. v. Benjamin Ferdinand Quaas (Mittweida) (M.: E. Ch. Frölich). (3.25) 26953

(—). — Ordinis medici in academia Lipsiensi procancellarius **Johann Christoph Pohl** panegyrin medicam. — De apta musculorum disquisitione et divisione. (Leipzig (Langenheim)) 27. III. 1772. 16 S. mit Biogr. v. Johann Ehrenfried Pohl (Sohn) (Leipzig) (M.: Chr. S. Lechla). (3.25) 26945

(—). — Ordinis medici in academia Lipsica procancellarius **Johann Christoph Pohl** panegyrin medicam. — De difficili disquisitione cadaverum aqua submersorum. [Leipzig] 6. II. 1778. 16 S. mit Biogr. v. Carl Gottlob Krause (Annaberg) (M.: J. S. Richter). (3.25) 26949

Pohl, Jo. Chr., resp. B. G. **Faber,** Diss. de dysuria ab acredino humorum. Lps. 4°. 1749

(—). — Facultatis medicae in academia Lipsiensi procancellarius **Johann Christoph Pohl** panegyrin medicam. — De fomite varioloso. (Leipzig (Langenheim)) 1. VII. 1774. 16 S. mit Biogr. v. Johann August Caemmerer (Zörbig) (M.: W. S. Horn). (3.25) 26935

(—). — Facultatis medicae in academia Lipsica procancellarius **Johann Christoph Pohl** panegyrin medicam. — De fractura ossis bregmatis cum fissura per suturam in os temporum penetrante. [Leipzig] 20. IX. 1776. 15 S. mit Biogr. v. Johann Samuel Lieberkühn (Herrnhagen / Büdingen) (M.: H. Chr. Meurmann). (3.25) 26938

(—). — Facultatis medicae in academia Lipsiensi procancellarius **Johann Christoph Pohl** panegyrin medicam. — De genesi tumorum in contextu celluloso. (Leipzig (Langenheim)) 14. III. 1766. 12 S. mit Biogr. v. Johann Gottlob Horstig (Forst/Lausitz) (M.: A. M. Seidel). (3.25) 26925

(—). — **Ordinis medici in academia Lipsica procancellarius Johann Christoph Pohl panegyrin medicam. — De tumorum tunicatorum genesi et cura. (Leipzig (Langenheim)) 30. IV. 1778. 15 S. mit Biogr. v. Carl Gottlob Schubarth (Merseburg) (M.: Chr. H. Bachstein). (3.25)** 26950

Pohl, Johann Christoph [Praes.], s. Gerdessen, Immanuel Gottlob: De anomalo animalium albidiore colore quaedam.

Pohl, Johann Christoph [Praes.], s. Gerischer, Christian Traugott: De praecipuis quibusdam curationis morborum obstaculis.

Pohl, Johann Christoph [Praes.], s. Hagemeyer, Johann Arnold Lebrecht: De fibra senili.

Pohl, Johann Christoph [Praes.], s. Halpitius, Martin Gottlob: De febre lochiali.

Pohl, Johann Christoph [Praes.], s. Haenel. Christian Heinrich: De morbis ex senio.

(—). — **Facultatis medicae in academia Lipsica procancellarius Johann Christoph Pohl panegyrin medicam. — Historiam steatomatis. (Leipzig (Sommer)) 24. IX. 1778. 15 S. mit Biogr. v. Johann Gottlob Tenner (Ernstthal/Schoenburg) (M.: S. M. Frenzel). (3.25)** 26942

Pohlius, J. Chr., resp. J. G. **Hertel**, De hominibus post mortem sanguisugis vulgo Vampyren. Lps. 4°. 1732

Pohlius, Jo. Chr., De hydrocephalo infantis recens nati interno et externo disserit. 20 pp. Lps. 4°.
1766

(—). — Facultatis medicae in academia Lipsica procancellarius **Johann Christoph Pohl** panegyrin medicam. — **De hydrocephalo infantis recens nati interno et externo. [Leipzig] 18. IV. 1777. 20 S. mit 1 Tafel u. Biogr. v. Christian Ernst Wünsch (Hohenstein/Schoenburg) (M.: M. R. Bender). (3.25)** 26941

— — **De hydrope saccato ab hydatidibus disserit simulque ad audiendam orationem qua munus prof. med. publ. extraordin. auspicabitur invitat. Leipzig (Langenheim) 21. IV. 1747. 20 S., 1 Taf. (4.—)** 26923

Pohl, Johann Christoph [Praes.], s. Hyttig, Karl Gottlieb August: De selectu remediorum.

Pohl, Johann Christoph [Praes.], s. Lehmann, Joh. Gottfr.: De causis obstructionis lentae.

(—). — **Ordinis medicorum in universitate Lipsica procancellarius Johann Christoph Pohl panegyrin medicam. — De lethalitate vulnerum lienis. (Leipzig (Langenheim)) 5. XII. 1777. 16 S. mit Biogr. v. Michael Christian Justus Eschenbach (M.: J. E. Schmid). (3.25)** 26954

Pohlius, J. C., resp. C. D. **Leonhard**, De dura matre passim ossea facta disserit. 12 pp. Lps. 4°. Lpz. Zeit. 1. St. 1765. Gött. Anz. 6. St. 1765. Jenaer Zt. 1765. 1764

(—). — **Facultatis med. in acad. Lipsiensi procancellarius Johann Christoph Pohl panegyrin medicam. — De morbis contextus cellulosi in genere. (Leipzig (Langenheim)) 30. VIII. 1765. 16 S. mit Biogr. v. Wilhelm Johann Friedrich Heinigke (Altenburg) (M.: M. Berckelmann). (3.75)** 26924

(—). — **Facultatis medicae in academia Lipsiensi procancellarius Johann Christoph Pohl panegyrin medicam. — De motu humorum in contextu cellulari corporis animalis. (Leipzig (Langenheim)) 18. IX. 1767. 15 S. mit Biogr. v. Christoph Albert Klimm (Meißen) (M.: Crus). (3.25)** 26928

Pohl, J. C., Observatio de tumore capitis fungoso, cum carie cranii et cerebri colliquatione. Lps. 4°.
1736

(—). — **Ordinis medicorum in academia Lipsiensi procancellarius Johann Christoph Pohl panegyrin medicam. — Observationes anatomicas de Ureteribus. (Leipzig (Langenheim)) 3. VII. 1772. 16 S. mit Biogr. v. Traugott Christoph Haertel (Schneeberg) (M.: J. C. Hausdorffer). (3.25)** 26952

(—). — **Ordinis medici in academia Lipsiensi procancellarius Johann Christoph Pohl panegyrin medicam. — Observationes angiologicas de arteriis. (Leipzig (Langenheim)) 2. IV. 1773. 16 S. mit Biogr. v. Christoph Friedrich Sartorius (Dresden) (M.: Chr. Ch. Sternickel). (3.25)** 26946

(—). — **Ordinis medici in academia Lipsiensi procancellarius Johann Christoph Pohl panegyrin medicam. — Observationes angiologicas de venis. (Leipzig (Langenheim)) 3. IX. 1773. 16 S. mit Biogr. v. Johann Christian Bodenstein (Grimma) (M.: J. R. Neick). (3.25)** 26947

(—). — Facultatis medicae in academia Lipsiensi procancellarius **Johann Christoph Pohl** panegyrin medicam. — **De ossificatione vasorum praeternaturali. (Leipzig (Langenheim)) 4. III. 1774. 16 S. mit Biogr. v. Balthasar Christian Brückner (Salzungen/Henneberg) (M.: A. D. Krah). (3.25)** 26933

(—). — **Facultatis medicae in academia Lipsiensi procancellarius Johann Christoph Pohl panegyrin medicam. — De pericardio cordi adhaerente eiusque motum turbante. (Leipzig (Langenheim)) 14. VII. 1775. 18 S. mit Biogr. v. Carl Frey (Friedrichsdorff bei Lauban/Lausitz) (M.: J. E. Haud). (3.25)** 26937

(—). — **Facultatis medicae in academia Lipsiensi procancellarius Johann Christoph Pohl panegyrin medicam. — De periculo contusionum capitis. (Leipzig (Loeper)) 2. XII. 1774. 16 S. mit Biogr. v. Carl Gottfried Deutrich (Großenhain) (M.: Chr. E. Ch. Burger). (3.25)** 26936

(—). — Facultatis medicae in academia Lipsiensi procancellarius **Johann Christoph Pohl** panegyrin medicam. — **De regimine caloris et frigoris in morbis exanthematicis. (Leipzig (Langenheim)) 3. VI. 1768. 16 S. mit Biogr. v. Johann Siegfried Kaehler (Triebel/Lausitz) (M.: M. D. Krüger). (3.25)** 26931

(—). — **Facultatis medicae in academia Lipsiensi procancellarius Johann Christoph Pohl panegyrin medicam. — De sede obstructionis inflammatoriae. (Leipzig (Langenheim)) 15. IV. 1768. 15 S. mit Biogr. v. Johann Gottlieb Lehmann (Neukirch bei Bautzen/Lausitz) (M.: A. M. Kligner). (3.25)** 26930

— **Jo. Christoph,** De tumoribus cysticis feliciter maleque curatis disserit, simulque collegium disputatorium publ. indicit. [Leipzig] ((Langenheim) Rog. 1738). 12 S. mit Namen. (4.—) 26921

(—). — Facultatis medicae in academia Lipsica procancellarius **Johann Christoph Pohl** panegyrin medicam. — De venaesectione gravidarum. (Leipzig (Langenheim)) 21. III. 1777. 15 S. mit Biogr. v. Christian August Gerischer (Schönheide / Schneeberg) (M.: A. S. Rosenbaum). (3.25) 26940

Pohl, Johann Ehrenfried

— — Ad audiendam orationem solennem qua professionem pathologiae ordinariam clementissime sibi demandatam auspicabitur invitat. — Disseritur de analogia inter morbillos et russim convulsivam. Leipzig (Solbrig) 8. VIII. 1789. 18 S. (4.—) 26957

— — (Leipzig) u. (Respond.) **Nathanael Gottfried Leske** (Muskau/Lausitz), Animadversiones in structuram ac figuram foliorum in plantis. Leipzig (Langenheim) 21. XII. 1771. 32 S. (4.25) 26958

— — De soli differentia in cultura plantarum attendenda disserit et ad benivole audiendam orationem qua professionem botanices extraordinariam auspicabitur invitat. (Leipzig (Langenheim)) 22. XII. 1773. 18 S. (4.—) 26956

Pohl, Johann Ehrenfried [Praes.], s. J a n c k e , Johann Gottfried: De medico exorcista.

Jo. Ehrenfr. Pohl (resp. Jo. Gfr. Janke) de medico exorcista. Lips. 1788. 4.

— **Johann Ehrenfried,** De sensibus morborum causis. Präs. Anton Wilhelm Plaz. Leipzig (Langenheim) 27. III. 1772. 43 S. (4.50) 26955

Pohl, Jo. E., De sensibus morborum causis. 43 pp. Lps. 4°. 1773

Pohl, Johann Ehrenfried (Comm.u.Hrsg.)

s.: Vogel, Rudolf Augustin: Vorlesungen über die Kenntniß und Heilung der vornehmsten Krankheiten des menschlichen Körpers. (Academicae praelectiones de cognoscendis et curandis praecipuis corporis humani affectibus. Dt.) Leipzig: 1780

Pohl, Joh. Eman. († den 22. Mai 1834), Beiträge zur Gebirgskunde Brasiliens, nebst Aufzählung aller eingesammelten u. im k. k. Brasilianer-Museum in Wien aufbewahrten, einfachen und zusammengesetzten Fossilien. 1e Abthl. Mit 1 lithograph. geognostischen Ansicht. gr. 4. Wien 832. Wallishauser. n. 1 1/8 ℛ

— expositio generalis anatomica organi auditus per classes animalium; acced. V tab. lithogr. 4. Wien 819. Schaumburg u. C. 1 ℛ 8 gr

Pohl (J. E.). Des F. von Hochberg botanischer Garten . . . Prag, 1812. 8°.

Pohl, (J. E.,) Plantarum Brasiliae icones descriptiones hactenus ineditae. Fasc. I. gr. Fol. Vindobonae 826, (Hofmeister in Leipz.) 6 Rthl. 8 gr. illum.

—— Plantarum Brasiliae icones et descriptiones hactenus ineditae. Jussu et auspiciis Francisci I., Imperatoris et Regis augustissimi. II Ti. Fol. maj. (200 Stnt. u. 77 B.) Vindobonae 827, 31, (Wallishausser.)

—— Brasiliens vorzügl. lästige Insecten, v. Pohl u. V. Kollar. M. 1 ill. Kpfrt. (qu. gr. Fol.) gr. 4. (2½ B.) Wien 832, Wallishausser.
Schrift aus dess. „Reise im Innern v. Brasilien" besond. abgedruckt.

— Reise im Innern von Brasilien. Auf allerhöchst. Befehl Sr. Maj. des Kaisers von Oesterreich, Franz des Ersten, in den J. 1817 — 1821 unternommen. 1r Thl. Mit 4 großen in Kupfer gestoch. Ansichten, 1 ausgemalten Insekten- u. 1 lithogr., ill. geognost. Tafel, in einer Mappe. gr. 4. Ebd. 832. n. 22 2/3 ℛ

— dass. 2r Thl. Mit 3 in Kupfer gestoch. Ansichten, worunter jene von Rio Janeiro in doppelter Größe. gr. 4. Ebd. 837. n. 28 ℛ — Feine Ausg. n. 36 ℛ

Pohl, I. E., Tentamen florae Bohemiae. 1 Abthl. 8. Prag. (Enderes in Schw.) 810. Rthlr.

Pohl, J. E., Tentamen florae Bohemicae. Versuch einer Flora Böhmens. 2 Bde. gr. 8. Prag, Enders. 814.

Pohl, J. C., Tentamen florae Bohemiae etc. II Vol. 8maj. Prag, Enders. 815. ist der Preis

— systemat. Ueberblick der Reihenfolge einfacher Fossilien. 4. Prag 816. (Calve). 1 ℛ 8 gr

— **Johann Friedrich,** De agriculturae nonnullis capitibus nunc cum maxime considerandis. Commentatione praemissa observant. invitat ad audiendam orationem aditialem quam auctoritate amplissimi philos. et illustris ictorum ord. permissu in audit. jur. habebit. Leipzig (A. Deutrich) 27. III. 1816. 16 S. (3.75) 26959

— — u. (Soc.) **Carl Friedr. August Nobbe,** De oeconomiae pastoralis rationibus. Disput. philos. oecon. Leipzig (E. G. Teubner) 4. II. 1815. 31 S. (4.—) 26960
Gew.: Heinrich Viktor August von Ferber, Carl Christian Tittmann, Christoph Friedrich Ammon, Carl Theophil Kuehn, Carl Theophil Weber, Christian Gotthelf Rittler, Friedrich August Nauwerk, Carl Anton Ludwig Dittmar.

Pohl, Johann Karl

Pohl: Die Dämonologie des Plutarch. 28 S. – Breslau Kath. G., Progr. 1860.

Pohl, Johann Carl. Commentationis philologicae de digammate Homericis carminibus restituendo. Pars I. (De universo digammate.) 30 S.
Breslau, kath. G., Progr. 1854

Pohl, Jh. Wenzel, († . . .) Böhmische Grammatik. 8. Wien 756. 2e A. 764. N. Aufl. unt. d. T.: neuverb. böhm. Grammatik, mit allen erforderl. tüchtigen Grundsätzen rc. 8. Ebd. 783. Gräffer. 20 gr

Pohl, J. Wzl., böhm. Sprachlehre.. 4 Thle. gr. 8. Wien, Gräffer. 776.

Pohl, Jos., Elemente der landwirtschaftlichen Pflanzenphysiologie. gr. 8. (VI, 142 S. m. 21 Abbildgn.) Wien 892. A. Pichler's Wwe. & Sohn. n. 2. 40

Pohl, Jos. Zur Kritik von Goethes Faust, seiner Ballade Mignon und Schillers Braut von Messina. 11 S. **Progr.** *Linz a/Rh.* 1884.

Pohl, Jos., lectionum Catullianarum specimen. Dissert. philologica. Euskirchen 860. (Münster, Regensberg.) gr. 8. (63 S.) n. 7½ ngr.

Pohl, Jos., lectionum Catullianarum specimen II. Sigmaringen 866. Liehner. 4. (30 S.) 7½ ngr.

Pohl, Iosephus [Dir. Dr.]: Lectionum Catullianarum specimen III. (I: Inaug.-Diss. Münster 1860; II: P-Beil. Hedingen 1866.) Kempen, Buch- u. Steindr. v. A. Wefe s., *1892;* III—XVI S. 4.
Kempen '(Rhein)', k. G Thomæum, OP 1892 (445)

Pohl, Jos., vaterländ. Liederbuch, s.: Wagner, E., u. W. Stute.

Pohl, **Jos.,** († 1786.) manuductio ad historiam ecclesiasticam. Ptes I—VI. 8. Wien 753—59. Trattner. 5 ℛ 8 g.

Pohl, Jos., die Maus. Anreg. Betrachtgn. üb. d. Einfluss d. Körpergrösse auf Bau u. Leben der Säugethiere. Für d. Jugend. 8. (54 S.) Znaim 897. Fournier & Haberler. Kart. n. 1. —

Pohl, Jos., Rechtfertigung d. kathol. Kirche d. 16. Jahrh. u. ihre Anhänger geg. d. Beschuldign. d. Franz'schen Schrift: „Kurzer Abriß e. Gesch. d. evangel. Kirche u. Parochie Schwerta." 8. (4¼ B.) Teplitz u. Leitmeritz 837, Medau.

Pohl, Jos. Statutenbuch der Stadt Linz. 36 S. — Bürgerbuch der Stadt und des Kirchspiels Linz. Zweiter und letzter Teil. 19 S. **Progr.** *Linz a/Rh.* 1880. 1883.

Pohl, Joseph [Dir. Dr.]: Thomas von Kempen ist der Verfasser der Bücher De imitatione Christi. Kempen, Buch- u. Steindr. v. A. Wefers, *1894;* III–XXVIII S. 4.
Kempen '(Rhein)', k. G Thomæum, OP 1894 (447)

Josef POHL Über den Verfasser der Elisabeth und Erlösung ...
Prag: Phil. Diss. 1903/1904.

Pohl, Joseph Verona und Caesoriacum, die ältesten Namen für Bonn und Mainz. I. Theil. Ein Beitrag zur Kritik und Erklärung des Florus. 4 (S. 3—33). Zweiter und letzter Theil. 4 (S. 3—23). **Progr.** G. *Münstereifel* 1886 (413). 1887 (420).

Pohl, Joseph, Vertheidigung der kathol. Kirche, ihrer Lehren u. Uebungen gegen mehrere Beschuldigungen ihrer Gegner. 8. (248 S.) Regensburg 847, Manz. ⅝ ℛ

Pohl, Josef: Die Wallenstein-Festspiele in Eger im J. 1908. Eger '09. S. 3—12. Eger, Staats-G., Jahresber. 1908/09.

Pohl, Joseph [Dir. Dr.]: Über ein in Deutschland verschollenes Werk des Thomas von Kempen. Kempen, A. Wefers'sche Druckerei, *1895;* III XXVIII S. 4.
Kempen '(Rhein)', k. G Thomæum, OP 1895 (457)

Pohl, Jos., üb. e. in Deutschland verscholl. Work d. Thomas v. Kempen. Progr. 4. (XXVIII S.) Kempen 895. (Klöckner & Mausberg.) n. 1. —

Pohl, Josef: Die drei Zauberstücke in der Szene in Auerbachs Keller und ihr Vorkommen in der Faustsage. S. 3—25. 8.
Progr. K. k. Staatsgymn. *Eger* (*Böhmen*) 1906.

Pohl, Josef Johann

— Analyse des Brunnenwassers aus dem Hause Nr. 42 in der Josefstadt, Wien. S. 15. 301 . . . . vgr.
Separatabdruck

Pohl, J. J., chemische Analyse der Heilquelle und der Amazonenquelle des Kaiserbades zu Ofen in Ungarn. (Aus den Sitzungsber. der k. Akad. der Wissensch.) Wien 860. Gerold in Comm. gr. 8. (48 S.) n. 6 ngr.

— Chemische Analyse der Heilquelle und der Amazonenquelle des Kaiserbades zu Ofen in Ungarn. 1. Die Heilquelle. 2. Die Amazonenquelle. S. 38. 497 . . . . —.60
Separatabdruck

— Analyse der Mutterlauge aus der Seesaline zu Pirano. S. 22. 122 . . . . —.30
Separatabdruck

Pohl, J. J., *Dr.* Anleitung zum Gebrauch des Mitscherlich'schen Polarisations-Saccharimeters. *Wien,* typ.-lit.-art. Anstalt. 20 S., 1 Bl. 8°.
Eigenthum und Verlag der Fabrik und Handlung chemischer, pharmaceutischer, physikalischer u. meteorologischer Instrumente etc. Von *G. A. Lenoir* in Wien.

Pohl, J. J., über die Anwendung der Pikrinsäure zur Unterscheidung von Geweben vegetabilischen und thierischen Ursprungs. Lex.-8. (6 S.) Wien 853, (Gerold's Sohn.) *
Aus: Sitzungsberichte der k. Akademie der Wissenschaften J. 1852, besonders abgedruckt.

Pohl, Jos. Joh., Behelfe zum Gallisiren der Weine. gr. 8. (IV und 98 S. mit eingedr. Holzschn.) Wien 863, Helf. *

Pohl, J. J., Beitrag zur Statistik des Studiums der Chemie am k. k. polytechn. Institute zu Wien. (Aus d. Sitzungsberichten 1851 d. kais. Akad. d. Wiss. abgedr.) gr. 8. (10 S. m. 2 lith. Taf.) (Wien 851, Braumüller.) n. ⅙ ℛ

Pohl, J. J. Beiträge zur Prüfung der Mikroskope. 1853.

— Beobachtungen während der Sonnenfinsternis am 28. Juli 1851 (mit 4 Taf.). S. 8. 445 . . . . 1.—
Separatabdruck

— Ermittelung des technischen Werthes der Kartoffeln. (Aus d. Sitzungsberichten 1852 der kais. Acad. d. Wiss. abgedr.) gr. 8. (12 S.) Ebd. 852. n. 3 ngr

— über den Gebrauch des Thermo-Hypsometers zu chemischen und physical. Untersuchungen. Mit 1 (lith.) Taf. (Aus d. Sitzungsberichten d. k. Akad. d. W.) Wien 858. Gerold in Comm. gr. 8. (14 S.) n. 4 ngr.

— Die Heliotypie als Mittel zum Studium der Blatter- und Blüten-Nervatur von Pflanzen sowie zur Erkennung der Verfälschungen gewisser Arzneiwaren und Genußmittel. S. 22. 24 . . . . vgr.
Separatabdruck

Pohl, Jos. Joh., Lehrbuch der chemischen Technologie. 1. Hälfte. Wien 865. Braumüller. gr. 8. (208 S.) mit 57 dem Texte eingedr. Holzschn.) n. 1 ℛ 10 ngr.

— Nachtrag zur thermo-aräometrischen Bierprobe. Aus d. Denkschriften der kais. Akad. d. Wiss. (IV. Bd.) Fol. (14 S.) Wien 852. (Braumüller.) n. ⅓ ℛ

Pohl, J. J., Nachtrag zur thermo-aräometrischen Bierprobe. (Aus den Sitzungsberichten 1852 d. kais. Akademie d. Wissenschaften abgedr.) Lex. 8. (7 S.) Wien 852. (Braumüller.) n. 2 ngr

— Chemische Notizen. 1. Bemerkungen über die Darstellung des Karamels und des Assamar. 2. Chemische Analyse eines dem Anlaufen unterworfenen Flintglases. 3. Beiträge zur Kenntnis der Löslichkeitsverhältnisse chemischer Verbindungen. 4. Bemerkungen über das kohlensaure Kali. 5. Zur Kenntnis der Dosierung des sogenannten weißen Schießpulvers. S. 11. 623 . . . . —.40
Separatabdruck

— Physikalisch-chemische Notizen. 1. Mitteilung (mit 1 Taf.). 1. Über die Anwendung des Schwefelammoniums als Fixationsmittel in der Photographie. 2. Einfluß der Temperatur auf die Schwärzung des Chlorsilbers am Lichte. 3. Beschreibung einer Gaslampe zum Gebrauche in chemischen Laboratorien. 4. Bourdins Harzkomposition als Radiergrund. 5. Analyse und Bereitung einer Seife mit Stärkezusatz. 6. Analyse des Kalksteines von Sievering bei Wien. 7. Neue Methode zur Bestimmung von Schmelzpunkten. 8. Basisch-chromsaures Ammoniak. 9. Analyse des sogenannten Gersdorffschen würfelförmigen Nickels. 10. Löslichkeit verschiedener Substanzen in Wasser und Alkohol. S. 6. 571 . . . . —.80
Separatabdruck

— Physikalisch-chemische Notizen. 2. Mitteilung. 1. Verhalten des Palmöles beim Erhitzen. 2. Nachweisung der Pikrinsäure als Verfälschungsmittel des Bieres. 3. Untersuchung von bei Kälte in englischer Schwefelsäure gebildeten Kristallen. 4. Über die unvollkommene Verbrennung des Alkohols und Leuchtgases. 5. Analyse einer Maschinenschmiere. 6. Beobachtung zufällig entstandener Moserscher Lichtbilder. 7. Analyse eines Brauneisensteines aus Brasilien. 8. Über Sesamöl und dessen Unterscheidung vom Olivenöl. 9. Zur Kenntnis des Verhaltens von Zucker gegen schwefelsaures Kupferoxyd und Alkalien. 10. Zur Chemie der Farbstoffe. S. 12. 80 . . . . K —.60
Separatabdruck

— physikalisch-chemische Notizen. (Aus den Sitzungsberichten 1852 der kais. Akad. d. Wiss. abgedr.) gr. 8. (33 S. m. 1 lith. Taf.) Ebd. 852. n. 8 ngr

— über mikroskopische Probeobjecte, insbesonders Nobert's Testobject-Platte. (Aus den Sitzungsber. der k. Akad. der Wissensch.) Wien 860. Gerold in Comm. gr. 8. (37 S.) n. 4 ngr.

— Reisenotizen. S. 9. 600 . . . . vgr.
Separatabdruck

— Revision der bisherigen Analysen einiger Bestandteile der Fette. S. 10. 485 . . . —.60
Separatabdruck

— über Sacharometer, deren Anfertigung und Prüfung. Mit 1 (lith.) Taf. (Aus d. Sitzungsberichten d. k. Akad. d. W.) Wien 853. (Gerold.) gr. 8. (37 S.) n. 8 ngr.

— über die Siedepuncte mehrerer alkoholhältiger Flüssigkeiten u. die darauf gegründeten Verfahren, den Alkoholgehalt derselben zu chemisch-techn. Zwecken zu bestimmen. [Aus d. II. Bd. der Denkschriften der mathemat.-naturwissenschaftl. Classe d. kais. Akad. der Wiss. abgedr.] Fol. (71 S. m. 1 lith. Taf. u. 9 Tab.) Wien 850. (Braumüller.) n. 2½ ₰

Pohl J. J., Dr.: Auszug aus seiner Abhandlung: „Über die Siedepunkte mehrerer alkoholhältiger Flüssigkeiten und die darauf gegründeten Verfahren, den Alkoholgehalt derselben zu chemisch-technischen Zwecken zu bestimmen" (mit 1 Taf.). S. 4. 286 . . . . vgr.
Separatabdruck

— Über ein neues Sonnenokular. S. 23. 482 . . . . vgr.
Separatabdruck

— und Weselsky Ph.: Studien aus dem Gebiete der Megatypie. S. 23. 317 . . . . vgr.
Separatabdruck

Pohl, J. J. und J. Schabus. Tafel zur Bestimmung der Capillardepression in Barometern. 1852.

— und J. Schabus. Tafel zur Bestimmung der Capillardepression in Barometern. (Aus den Sitzungsberichten d. k. Akad. d. W.) Wien 853. (Gerold.) gr. 8. (17 S.) n. 4 ngr.

Pohl, Dr. J. J. und Schabus, Dr. Jac., Tafeln zur barometrischen Höhenmessung. 8. (49 S.) Wien, Helf. cart. 1 fl.
1861.

— u. J. Schabus, Tafeln zur Reduction der Barometerstände, s.: Schabus, J.

Pohl, J. J. und Schabus, J., Tafeln zur Reduktion der in Millimetern abgelesenen Barometerstände auf die Monatstemperatur von 0° Cels.

Pohl, J. J. u. J. Schabus. Tafeln zur Reduction der Barometerstände auf die Normaltemperatur. Wien 1852.

Pohl, J. J., und J. Schabus: Tafeln zur Vergleichung und Reduction der in verschiedenen Längenmassen abgelesenen Barometerstände. ([S.-A.] Sitzungsberichte der math.-naturw. Classe der kais. Akademie der Wissenschaften. Bd. 8. Jahrg. 1852. Marz-Heft.) (Wien 1852.) 15 S. 8°.

— chemisch-technische Untersuchungen österreichischer Weine. Wien 864. Helf. gr. 8. (2 Bl., 164 S. m. Holzschn.) n. 1 ₰ 5 ngr.

— über die Verwendbarkeit des Mitscherlich'schen Polarisations-Saccharimeters zu chemisch-techn. Proben. (Aus d. Sitzungsberichten d. k. Akad. d. W.) Wien 856. (Gerold.) gr. 8. (31 S.) n. 5 ngr.

— Über die Zusammensetzung und Eigenschaften zweier Legierungen von Zinn und Blei. S. 4. 402 . . . . vgr.
Separatabdruck

Pohl, Jul., Bernsteinperlen zum Schmucke der ermländisch-kölnischen Jubelmitra. 8. (188 S. m. Abbildgn. u. Zierstücken.) Paderborn 893. F. Schöningh. n. 2. 80; geb. in Leinw. m. Goldschn. n. 4. —

— Bernsteinperlen vom Haffesstrand f. König, Heimat, Vaterland: u. darum auch das Buch zugleich f. Gott den Herrn im Himmelreich. Neue v. den Allerhöchsten Majestäten des Kaisers u. der Kaiserin Allergnädigst angenommene Bearbeitg. 8. (195 S. m. Abbildgn.) Heiligenstadt 896. F. W. Cordier. n. 3. —; geb. n. 4. —

Pohl, Jul., s. Haus-Kalender, ermländischer.

— s. Hauskalender, illustrirter.

Pohl, Jul., illustrirter Hauskalender, s.: Haus-Kalender, ermländischer.

Pohl, J. (II.), illustrirter katholischer Haus-Kalender, s.: Haus-Kalender.

Pohl's, Jul., illustrirter katholischer Hauskalender. 1886—1889. [St. Adalbertskalender.] 30.—33. Jahrg. 8. (à Jahrg. ca. 128 S.) Braunsberg, Huye's Buchh. à Jahrg. * — 50

Pohl's, Jul., illustrirter Haus-Kalender für das katholische Volk. 1870—1875. 14.—19. Jahrg. 16. (186; XLVI, 144; XLVIII, 168; XXXIX, 190; XLVIII, 127; XXXI, 96 S. mit eingedr. Holzschn. und Holzschntaf.) Leipzig, C. Peter's Verlag. à Jahrg. *

Pohl's, Jul., illustrirter Haus-Kalender für das katholische Volk. 1876—1880. 20.—24. Jahrg. 8. (XXXII, 96; XXXII, 111; 112; 112; 112 S. mit eingedr. Holzschn. und Holzschntaf.) Leipzig, Peter's Verlag. Jahrg. 1876 * — 60
Jahrg. 1877—1880 à * — 50

Pohl's, Jul., illustrirter Hauskalender für das katholische Volk. 1881—1885. 25.—29. Jahrg. 8. (à Jahrg. ca. 112 S.) Leipzig, Peter's Verlag. à Jahrg. *

Pohl, Jul., Immortellen. Gedichte. 12. (204 S.) Braunsberg 899. Huye. Geb. in Leinw. m. Goldschn. n. 3. —

Pohl, Jul., Jubelgold. Kränze um die Tiara. 4., verm. u. verb. Aufl. Mit Portr. des Hl. Vaters Leo XIII. (VIII, 240 S.) 12. Regensburg 903. Verlagsanstalt vorm. G. J. Manz. Geb. in Leinw. m. Goldschn. n. 3. —

— Jubelgold-Kränze um die Tiara. 1. u. 2., verm. Aufl. 8. (191 S. m. Bildnis.) Paderborn 893. F. Schöningh. n. 2. 50; geb. in Leinw. m. Goldschn. n. 3. 80

Pohl, Jul., botanische Mitteilung üb. Hydrastis canadensis, s.: Bibliotheca botanica.

Botanische Mitteilung über Hydrastis canadensis von Dr. Julius Pohl. Privatd. in Prag. Mit 4 Taf. *Stuttgart: E. Nägele 1894.* (12 S.) 4°
— Bibliotheca botanica. H. 29. [01. 8829

— Vaterland u. Königshaus. Deutsche Weisen. gr. Lex.-8. (61 S. m. 2 Bildn.) Heiligenstadt 896. F. W. Cordier. Geb. in Leinw. m. Goldschn. n. 6. —

[Ant. u. F.] Vaterland und Königshaus. Deutsche Weisen v. Julius Pohl. *Heiligenstadt '(Eichsfeld)': F. W. Cordier [1896?].* (61 S.) 1 Bd 8.
[96. 940

— Veilchen u. Vergißmeinnicht f. gute Kinder u. fromme Mütter. Ein Bilderbuch m. Reimen u. Gedichten. 1. Bdchn. hoch 4. (VII, 56 S.) Ebd. 896. Kart. 3. —

Pohl, Julius. *Veilchen und Vergißmeinnicht* für gute Kinder und fromme Mütter ... Erstes Bändchen. Heiligenstadt, [ca. 1900]. 4 Bl. 56 S. Mit vielen Bildern in Rot- und Gründruck. 4°. Or.-Karton mit Leinenrücken (repariert). Leicht benutzt. 8.—

Pohl, (Julius), s.: Wandtafeln, pharmakognostische.

Pohl, Jul., wie gelangen wir zu neuen Arzneimitteln?, s.: Sammlung gemeinnütz. Vorträge.

Pohl, K., Rechenbuch f. Mädchenmittelschulen, s.: Hecht, C.

Pohl, Karl

Pohl, Carl: Das Börsentermingeschäft in Waaren und Wertpapieren nach dem Gesetze vom 22. Juni 1896. *Greifswald 1898: J. Abel.* (94 S.) 8° [J.]
Greifswald, Jur. Diss. v. 1898

Pohl, Karl, Referendar: Das Erbrecht der Abkömmlinge ausgeschlossener Eltern. Borna-Leipzig 1909: Noske. VIII, 28 S. 8°

Breslau, Jur. Diss. v. 3. Febr. 1909, Ref. Schott-Leonhard

[Geb. 23. Okt. 85 Kattowitz; Wohnort: Loslau; Staatsangeh.: Preußen; Vorbildung: Gymn. Kattowitz Reife O. 04; Studium: Breslau 7 S.; Rig. 4. Juni 08.] [U 09. 511

Pohl, Carl, pract. Arzt in Biskupitz-Borsigwerk O. S.: **Aus d. Kgl. chirurg. u. d. Poliklinik f. Ohren-, Nasen- u. Kehlkopfkrankheiten zu Breslau.** Über **Fremdkörper** im Kehlkopf, in der Luftröhre und in den Bronchien. *Breslau 1902: Bresl. Genoss.-Buchdr.* (65 S.) 8°

Breslau, Med. Diss. v. 6. Dez. 1902

Pohl, Karl, Geschichte des Mülheimer Turnvereins, 1856—1906, m. d. Vorgeschichte d. Vereinsturnens v. 1811—1856, 104 S., 8°.

Pohl, Karl, theoretisch-prakt. Grammatik der poln. Sprache, mit poln. und deutschen Uebungsaufgaben, Gesprächen, Titulaturen u. den zum Sprechen nöthigsten Wörtern. 2e verb. u verm. Aufl. gr. 8. Breslau 834. W. G. Korn. 5/6 ₰

Pohl, Karl, theoretisch-praktische Grammatik der polnischen Sprache, mit polnischen und deutschen Uebersetzungsaufgaben, Gesprächen, Titulaturen und den zum Sprechen nöthigsten Wörtern. 6. verb. etc. Aufl. Breslau 854. Korn. gr. 8. (VII, 416 S.) 25 ngr.

Pohl, Carl, theoretisch-praktische Grammatik der polnischen Sprache, mit poln. u. deutschen Uebungsaufgaben, Gesprächen, Titulaturen u. den zum Sprechen nöthigsten Wörtern. 8., verb. Aufl. Breslau 867. Korn. gr. 8. (IV, 292 S.) n. 25 ngr.

Handbuch des Staats- und Verwaltungs-Rechts für das Königreich Bayern. Mit bes. Rücksicht auf d. Geschäftsthätigkeit d. rechtsrhein. Gemeindebehörden, sowie auf d. einschläg. Litteratur u. Rechtsprechung bearb. von Bürgermeister a. D. Carl **Pohl**, Rechtsanw. in Traunstein. Bd 1, 2. *München: J. Schweitzer 1898–1900.* 2 Bde 8° [J.]

1. Das deutsche Reich u. d. Königr. Bayern. 1898.
2. Die rechtsrhein. Gemeinden u. d. Gemeindeverbände (Gemeindeordnung, Distrikts- u. Landratsgesetz). 1900. [00. 437

Pohl, Carl, Handbuch des bayerischen Verfassungs-, Verwaltungs- u. Polizei-Rechts unt. bes. Berücksicht. d. einschläg. Geschäfts-Aufgaben d. rechtsrhein. Gemeindebehörden, sow. die Rechtsprechg. d. bayer. Gerichte u. Verwaltungsbehörden. 1.—15. Lfg. gr. 8. (1. Bd. 616 S. u. 2. Bd. S. 1—640.) München 896—898. J. Schweitzer Verl. n. 15. 70

Der Titel von Lfg. 1—4 lautete: Pohl, Handbuch f. d. rechtsrhein. bayer. Gemeindebehörden u. Gemeindebürger.

Pohl, Carl, Handbuch des Staats- u. Verwaltungsrechts f. das Königr. Bayern. Mit besond. Rücksicht auf die Geschäftsthätigkeit der rechtsrhein. Gemeindebehörden, sowie auf die einschläg. Litteratur u. Rechtsprechg. bearb. 16. Lfg. gr. 8. (1. Bd. VIII S. u. 2. Bd. S. 631—753.) München 900. J. Schweitzer Verl. n. 1. 60; (kplt. n. 17. 30; geb. in Leinw. n. 20. —)

Ⓑ **Pohl,** Carl, Handbuch d. Staats- u. Verwaltungsrechts. 896–900. (KBL 30. 32.) Erm. Pr. nn 5.—; geb. nn 8.—

Pohl, Carl, der Heil-Magnetismus, der einzige Weg, seine Gesundheit auf naturgemäße Weise wiederzuerlangen u. sich dieselbe zu erhalten. gr. 8. (16 S. m. Bildnis.) Berlin (899). (Berolina-Versand-Buchh.) — 50

Pohl, Karl, Lesebuch d. poln. Sprache f. Schulen, nebst e. Wortregister. gr. 8. (18¾ B.) Breslau 838, W. G. Korn.

Pohl, Carl, Mal-Vorlagen in neuzeitlichem Geschmack. 1. u. 2. Serie. Fol. (à 6 farb. Lichtdr.-Taf.) Plauen (901. 902). Ch. Stoll. à Serie n. 6. —

Pohl, Carl, Mal-Vorlagen in neuzeitlichem Geschmack. 3. u. 4. (Schluss-)Heft. (12 farb. Lichtdr.-Taf.) gr. Fol. Plauen (904. 906). Ch. Stoll. à n. 6. —

Pohl, Carl, Mal-Vorlagen in neuzeitlichem Geschmack. 5. Heft. (6 farb. Lichtdr.-Taf.) 40×26,5 cm. Plauen (908). Ch. Stoll. 6. —

Pohl, Carl (geb. Schweidnitz 10. 9. 1853): Die Rachentonsille, ihre Hyperplasieen und deren Behandlung. Berlin (1879). (31 S.) 8°

Berlin, Med. Diss. v. 17. März 1879

Pohl, Carl (geb. Ranske in Schles. 11. 11. 1842): Ueber Sklerose des Gehirns und Rückenmarks. Berlin (1874). (32 S.) 8°

Berlin, Med. Diss. v. 7. Nov. 1874

Pohl, *Friedrich Wilhelm* Carl [Pastor in Schillersdorf in Mecklenb.]: Das Verhältnis der Philosophie zur Theologie bei Roger Bacon ... Neustrelitz, Druck d. Hellwigschen Hofbuchdr., 1893; 1 Bl., 41 S., 1 Bl. 8.

Leipzig, Phil. Fak., Inaug.-Diss. v. [23. März] 1893

Pohl, Carl, das Verhältnis der Philosophie zur Theologie bei Roger Bacon. Diss. gr. 8. (44 S.) Neustrelitz 893. (R. Jacoby.) n. 1. —

Pohl, Kaspar Gottlieb

Pohl, Casp. Gl., neu-verbess. deutsche Orthographie. 2 Thle. 8. Lpz. Fritsch. 735.

Pohl, Caspar Gottlob, Neu verbeßerte // Teutsche Orthographie // In zwey Theile abgetheilet: // Davon der erste Theil die nöthigen Regeln, // welche durch vielfältige Exempel erlautert wor= //den / in sich enthalt. // Der andre Theil aber besteht aus mehr // denn drittehalb tausend solchen Wörtern / in // deren Orthographie man leichtlich irren // kann: // welche insgesamt etymologice, zur Theil auch // philologice durchgegangen, deren eigentliche Bedeu= // tung untersucht, und so denn die beste und richtigste Art dieselben zu schreiben, // theils aus eigner Erfindung, theils aus den bewährtesten Scri= //benten gewiesen worden. // Mit besonderem Fleis verfertiget // von // Caspar Gottlob Pohl, Jaura-Silesio. // Leipzig 1735. // Verlegts Johann Christian Martini. // In der Grimmischen Strase. - Titelkupfer, 4 Blatt (nicht paginiert) Titelblatt und Widmung, ferner 18 S. Vorbericht und noch 2 Blatt (nicht paginiert) Register. - 431 S. und noch 12 Blatt (nicht paginiert) Register.

B. S. T. 8°.532.

Pohl, Caspar Gottlieb. Neu verbeßerte Teutsche Orthographie, In zwey Theile abgetheilet. Davon der erste Theil die nöthigen Regeln ... in sich enthält. Der ander Theil aber bestehet aus mehr denn drittehalb tausend solchen Wörtern ... Leipzig, J. C. Martini, 1735. 8°. *Titelkupfer.* 4 Bl. 18 S. 2 Bl. 431 S. 12 Bl. Gelockerter und benutzter HPgtbd. d. Z.

Es scheint sich trotz der Bezeichnung „Neu verbeßerte" um die Originalausgabe zu handeln. Über den Verfasser, e. Schlesier vgl. Jöcher-Adelung VI, 478. Er widmet sein Buch dem Magistrat von Leipzig.

Pohl, Klara

Pohl, Frl. Clara, s.: Austrau, Ernst.

Pohl, Klara-Maria

Pohl, Clara-Maria, Heinz Vogelsang. Ein Sang v. der Kynsburg. Unter Benutzung einzelner Sagen u. Daten aus der Geschichte der Burg. (III, 181 S.) 8. Breslau 908. Preuß & Jünger. 3.—; geb. in Leinw. 4.

Pohl, Konstantin

Pohl, Constantin: Die weltwirtschaftliche Stellung Rumäniens in der Landwirtschaft. Heidelberg 1909: Rössler & Herbert. 124 S. 8°

Heidelberg, Phil. Diss. v. 20. April 1909, Ref. Gothein

[Geb. 29. Mai 80 Craiova; Wohnort: Craiova; Staatsangeh.: Rumänien; Vorbildung: Gymn. Craiova Reife O. 97; Studium: Berlin Techn. Hochsch. 14, Univ. 4, Heidelberg 1 S.; Rig. 27. Febr. 09.] [U 09. 2013

Pohl, L., Uebersichtskarte des Telegraphen-Netzes der österreichisch-ungarischen Monarchie. Hrsg. vom Departement XVI des k. k. Handels-Ministeriums in Wien. Chromolithogr. Imp.-Fol. Wien 877, k. k. Hof- und Staatsdruckerei. *

Pohl, Leop., das Licht, der materielle Urgrund aller Dinge, oder die Bausteine des Weltalls. Ein Vortrag. Oppeln 860. (Breslau,) Clar. gr. 8. (48 S.) 7½ ngr.

Pohl, Louise, Hector Berlioz' Leben u. Werke. Mit Berlioz' Portr. in Lichtdr. u. 2 Facsms. gr. 8. (VII, 282 S.) Leipzig 900. F. E. C. Leuckart. n. 4. —; geb. in Leinw. n. 5. —

Pohl, Louise (Hrsg.), s. Pohl, Richard: Wiegand.

Pohl, Ludw. Der Vierzehnte, s. Universal-Bibliothek Nr. 2590.

Pohl, Maria, der Erbprinz v. Gonzaga, s.: Vereinstheater, neues.

— Patriotische Gedichte u. Festspiele f. Kinder. (55 S.) kl. 8. Essen (907). Fredebeul & Koenen. — 60

— das goldene Glückwunschbuch. Eine Sammlg. v. Gedichten f. die Jugend u. Erwachsene zu allen Festen u. besonderen Gelegenheiten. (218 S.) kl. 8. Ebd. (906). Geb. in Leinw. n. 1. 50

— Das goldene Glückwunschbuch. Eine Sammlung v. Gedichten f. die Jugend u. Erwachsene zu allen Festen u. besonderen Gelegenheiten. (Neue Aufl.) (IV, 269 S.) kl. 8. Ebd. (910). Geb. in Leinw. 1. 50

Pohl, Maria, zur silbernen Hochzeits-Feier des deutschen Kaiserpaares am 27. II. 1906. Festspiel u. Gedichte zur Benutzg. f. die Volksschulen. (19 S.) kl. 8. Essen (906). Fredebeul & Koenen. n. — 50

— Zum schönsten Tag des Lebens. Erzählungen f. Erstkommunikanten. (230 S.) kl. 8. Ebd. (910). Geb. in Leinw. 1. 50

Pohl, Max: Das deutsche Volkslied im Gesangunterricht des Gymnasiums. Steglitz 1905: Emil Werner. (21 S.) 4°
Steglitz, G OP 1905 (07)

Pohl, O., Handbuch f. den Reichs-Post- u. Telegraphendienst. E. Sammlg. v. Gesetzen, Verordngn., Erlassen etc. zur Vorbereitg. auf die Dienstprüfgn., besond. auf die Prüfg. f. d. höh. Stellen d. Verwaltg., sow. e. Hülfs- u. Nachschlagebuch f. Behörden u. Beamte. Text m. Anmerkgn. u. alphabet. Sachregister. gr. 4. (VIII S. u. 856 Sp.) Berlin 895. 96. R. v. Decker. Geb. in Leinw. n. 12. —
Erschien auch in 11 Lfgn., u. zwar Lfg. 1—9 u. d. T.: Sammlung v. Gesetzen, Verordnungen, Erlassen u. s. w.

Pohl, Osk., basaltische Ergussgesteine v. Tepler Hochland, s.a. Archiv f. die naturwiss. Landesdurchforschung v. Böhmen.

Basaltische Ergußgesteine vom Tepler Hochland. Von Oskar **Pohl**, Supplent in Arnau. Mit 2 Taf. u. 1 Übersichtskarte. Prag: F. Řivnáč in Komm. 1905. (72 S.) 4°(8°)
= **Archiv** f. d. naturwiss. Landesdurchforsch. von Böhmen. Bd 13, No 3. 106.248

Pohl, Oswald (geb. Jauer 8. 2. 1826): De inflammationis iridis ... Berolini (1849). (30 S.) 8°
Berlin, Med. Diss. v. 6. Juni 1849

Pohl, Otto, der Arbeiter im kapitalistischen Staate u. in der socialistischen Gesellschaft. gr. 8. (15 S.) Wien 902. Wiener Volksbuchh. n. — 10

Pohl, Otto [aus Godesberg]: Aus d. chirurg. Klinik d. Univ. Bonn. Ueber die Behandlung des Klumpfusses. . . . Bonn, Buchdr. Joseph Bach Wwe., 1890; 34 S. + 1 Bl. 8°
Bonn, Med. Fak., Inaug.-Diss. v. [26.] Jul. 1890

Pohl, Otto, a. Heidelberg: Über die Einwirkung von Thiophenolen auf die Nitroderivate des Anthrachinons. Freiburg i. B.: Speyer & Kaerner 1904. (29 S.) 8°
Heidelberg, Naturw.-math. Fak., Ref. Curtius, Diss. v. 25. Jan. 1905
[Geb. 30. Jan. 76 Heidelberg; Wohnort: Freiburg i. B.; Staatsangeh.: Baden; Vorbildung: Realschule Mannheim bis II b; Studium: Heidelberg 11 S.; Rig. 22. Febr. 04.]

Pohl, Otto (Aemilius Gustavus) (geb. Breslau 21. 8. 1851): De enuntiationibus optativis Graecorum. P. 1: Enuntiationum optativarum apud poetas Graecos quales extiterint formae. 1. Vratislaviae 1875. (38 S.) 8° *(Teil d. eingereichten Arbeit.) [Forts. nach Mitteil. d. Verf. bis 1904 nicht erschienen.]*
Breslau, Phil. Diss. v. 3. Aug. 1875

Pohl, O., die altchristliche Fresko- u. Mosaik-Malerei. 8. (III, 203 S.) Leipzig 888. Hinrichs' Verl. n. 4. —

Pohl, O.. Das Ichtys-Monument von Autun. Diss. 1880. 22 S. u. 1 Taf. 4°.

Pohl, Otto, das Ichthys-Monument von Autun, erklärt. Mit 1 lith. Taf. gr. 4. (22 S.) Berlin 880. Kamlah. n. 2. —

[F.] **Pohl,** Otto [Prof. Dr.]: Die Lehre Lessings von der Tragödie verglichen mit der aristotelischen. Breslau, Druck v. Grass, Barth & C., 1895; 3—18 S. 4.
Breslau, RG am Zwinger, OP 1895 (214)

Pohl, Otto Caesars Rheinbrücke (Bell. Gall. IV, 17) 8 (S. 31—47 u. eingedr. Fig.).
In: II. Abschnitt der Festschrift z. 50jähr. Jubiläumsfeier des Rg. am Zwinger *Breslau* 1886.
Nicht im Tauschverkehr.
Progr.

Pohl, Otto, kleine Schulgrammatik der lateinischen Sprache, s.: Fromm, A. H.

Pohl, Otto, Referendar: Die Überlassung von Kiautschou seitens Chinas an das Deutsche Reich. (Der Überlassungsvertrag ist abgedruckt im Deutschen Reichsanzeiger vom 29. April 1898 (Nr. 101), ferner bei Fleischmann: Völkerrechtsquellen (S. 287).) Borna-Leipzig 1908: R. Noske. (IX, 42 S.) 8°
Breslau, Jur. Fak., Ref. Brie-Gretener, Diss. v. 31. Juli 1908
[Geb. 2. Aug. 85 Breslau; Wohnort: Breslau; Staatsangeh.: Preußen; Vorbildung: Johannes-Gymn. Breslau Reife M. 04; Studium: Breslau 6 S.; Rig. 12. Mai 08.]

Pohl, Otto, Uebungsbuch zum Uebersetzen aus d. Deutschen in d. Lateinische, s.: Fromm, A. H.
— latein. Uebungs- u. Lesebuch,

Pohl, P. I. manuduct. ad hist. ecclesiast. IV Tomi. 8. Vien. Trattner. 753—59.

Pohl, Rich., s.: Album v. Baden-Baden.

—— s. Amberger, G. A., Erinnerungen an Baden-Baden und Umgebungen.

Pohl, Rich. (Hrsg.), s. Anregungen für Kunst, Leben und Wissenschaft. Bd. 2 ff.

Pohl, Rich., Autobiographisches. gr. 8. (32 S. m. Portr.) Leipzig 881. E. W. Fritzsch. n. — 60

— Baden-Baden u. Umgebg., s.: Bruckmann's illustr. Reiseführer.

Pohl, Rich., Baden-Baden u. Umgebung, s.: Städtebilder u. Landschaften aus aller Welt.

Pohl, Rich., Baden-Baden and its surroundings, s.: Towns and landscapes of the whole world.

Pohl, Richard, aus Neunkirchen (Bez. Trier): **Beiträge zur Kenntnis der Diazoamidoverbindungen.** *Heidelberg 1904: J. Hörning.* (63 S.) 8°
Heidelberg, Naturw.-math. Diss. v. 1904

— Hektor Berlioz. Studien u. Erinnergn. gr. 8. (XV, 275 S.) Ebend. 884. n. 6. —; geb. n. 7. 50

Pohl, Rich., akustische Briefe für Musiker und Musikfreunde. Eine populäre Darstellung der Akustik als Naturwissenschaft in Beziehung zur Tonkunst. (1. Bdchn.) Leipzig 853. Hinze. (Matthes.) 8. (XVI, 128 S.) n. 20 ngr.

Pohl, Richard: Einleitung zu Liszt's Dante-Symphonie v. –. Leipzig: Breitkopf & Härtel [1895]. (12 S.) 8°
= Textbibliothek, Breitkopf & Härtel's. No. 311.

Pohl, Richard: Einleitung zu Liszt's Dante-Symphonie. Kleiner Konzertführer von –. Leipzig: Breitkopf & Härtel [1908]. 12 S. 8°
(Breitkopf & Härtels Musikbücher. Abt. 2 Nr. 622.)

— **Erinnerungen an Baden-Baden u. Umgebungen, s.: Amberger, G. A.**

— Bayreuther Erinnerungen. Freundschaftliche Briefe. 8. (88 S.) Leipzig 877. Kahnt. 1. 50

Pohl, Rich., Erläuterungen zu Franz Liszt's Faust-Symphonie. 3. Aufl. [Aus: „P., Franz Liszt".] 8. (29 S.) Leipzig 899. B. Elischer Nachf. n. — 50

Pohl, Rich., Gedichte. Weimar 859. Landes-Industrie-Comptoir. (Leipzig, Günther.) 16. (XV, 168 S.) n. 25 ngr.

— Gedichte. 2., sehr verm. Aufl. 12. (XX, 288 S.) Baden-Baden 883. Sommermeyer. n. 4. —; geb. m. Goldschn. n. 5. —

Pohl, Rich., die Höhenzüge der musikalischen Entwickelung. In 6 Vorlesgn. dargestellt. Mit 4 tabellar. Beilagen. gr. 8. (XIV, 373 S.) Leipzig 888. Elischer Nachfolger. n. 6. —; geb. n. 7. —

—— Jahrbuch des großherzogl. weimarischen Hof-Theaters und der Hof-Kapelle, s.a. Jahrbuch.

Pohl, Richard. Jahrbuch des Grossherzoglich Weimarischen Hof-Theaters und der Hof-Kapelle. 1. Jahrgang. Weimar 1855.

[–] Das Karlsruher Musikfest im October 1853. Von Hoplit. Leipzig 1853.

— gesammelte Schriften über Musik u. Musiker. 1. Bd. A. u. d. T.: Richard Wagner. Studien u. Kritiken. gr. 8. (XV, 349 S.) Leipzig 883. Schlicke. n. 7. 50; geb. n. 9. —

Pohl, Rich., gesammelte Schriften üb. Musik u. Musiker. 2. Bd. A. u. d. T.: Franz Lißt. Studien u. Erinnergn. 8. (XV, 402 S.) Leipzig 883. Elischer. n. 7. 50; geb. n. 9. —

Pohl, Rich., gesammelte Schriften üb. Musik u. Musiker. 3. Bd. 8. Leipzig, B. Elischer Nachf. n. 6. —; ermäß. Pr. n. 4. —; geb. n. 5. 50
3. Hektor Berlioz. Studien u. Erinnergn. (XV, 275 S. m. 1 Bildn.) 884.

— die Tonkünstler-Versammlung zu Leipzig am 1. bis 4. Juni 1859. Mittheilungen nach authentischen Quellen. Berichte, Vorträge, Protocolle, Programme ꝛc. Leipzig 859. Kahnt. 8. (IX, 181 S.) 18 ngr.

— Richard Wagner, s.a. Sammlung musikalischer Vorträge.

Pohl, Richard. Richard Wagner. Leipzig 1883.
(Aus: Sammlung musikalischer Vorträge (Waldersee). Ser. V, 53,51.)

Pohl, Rich., Richard Wiegand. Episoden aus dem Leben e. großen Meisters. Nach Aufzeichngn. v. R. P. hrsg. v. dessen Gattin Louise Pohl. (366 S.) 8. Braunschweig 904. Leipzig, R. Sattler. n. 3. 50; geb. n. 4. 50

Pohl, (Joan. Guil.) Rob. (geb. Ihleburg in d. Prov. Sachsen 15. 1. 1833):
De eclampsia parturientium. Berolini (1855). (31 S.) 8°
Berlin, Med. Diss. v. 23. Jan. 1855

Pohl, Robert, a. Hamburg: Über die Einwirkung stiller elektrischer Entladung auf Ammoniak und Sauerstoff. (Berlin 1906: G. Schade.) (45 S.) 8°
Berlin, Phil. Fak., Ref. Drude, Diss. v. 30. Juni 1906
[Geb. 10. Aug. 84 Hamburg; Wohnort: Berlin; Staatsangeh.: Hamburg; Vorbildung: Gymn. Johanneum Hamburg Reife O. 03; Studium: Heidelberg 1, Berlin 5 S.; Rig. 10. Mai 06.]

Pohl, Rob., elektrisch. Einakt. Posse nach d. Franz. d. Cordier u. Clairville. 16. (32 S.) München (898). Rubinverlag. n. 1. —

Pohl, Rob., die elektrische Fernübertragung v. Bildern, s.a. Wissenschaft, die. 34. Heft.

Die elektrische Fernübertragung von Bildern. Von Dr. Robert Pohl, Assist., Berlin. Mit 25 Abb. Braunschweig: Vieweg 1910. VIII, 45 S. 8°
(Die Wissenschaft. H. 34.) [10. 2604

Pohl, Rob., Monsieur Filou. Schwank in 1 Akt aus d. Franz. 16. (26 S.) München (898). Rubinverlag. n. 1. —

Pohl, Rob., Grundsteine zum Meraner Theaterbau. Gespendet v. deutschen Dichtern u. Schriftstellern. 8. (84 S.) Meran 895. F. W. Ellmenreich. n. 1. —

Pohl, Rob., Heimatkunde der Stadt u. des Kreises Landsberg a. W. Für den Schulgebrauch hrsg. gr. 8. (72 S.) Landsberg 901. Volger & Klein. n. — 50

— d. fliegende Holländerin. Schwank in 3 Aufzgn. nach d. Franz. d. Rob. Charles Bossu. gr. 16. (99 S.) Ebd. (898). n. 2. —

— Servus, Farce in 1 Akt nach d. Franz. 16. (24 S.) Ebd. (898). n. 1. —

Pohl, Rob., Peppi's Soldat u. andere heitere Bilder u. Geschichten, s.: Universal-Bibliothek.

Pohl, Rob., die Sonnenfinsterniß. Lustspiel in 1 Aufzuge. 8. (24 S.) Prag 888. André. n. 1. —

Pohl, Robert: Ueber magnetische Wirkungen der Kurzschlussströme in Gleichstromankern. 1905. 62 S. 8° ¶ Auch als: Sammlung elektrotechn. Vorträge. Bd 6, H. 10. Hannover, Dr.-Ing.-Diss. v. 11. 1. 1905

Ueber magnetische Wirkungen der Kurzschlußströme in Gleichstromankern. Von Dr. Ing. Robert **Pohl**, Bradford. Mit 38 Abb. Stuttgart: F. Enke 1905. (S. 349–410.) 8°
= Sammlung Elektrotechn. Vorträge. Bd 6, H. 10. [05. 4163

Pohl, Rob. A. **Berchtesgaden, s. Woerl's Reisehandbücher.**

Pohl, Rob. A., Führer durch Berchtesgaden u. Umgebung, s.: Woerl's Reisehandbücher.

Pohl, Rudolfus, Berolinensis: De Graecorum medicis publicis. (Berolini 1905: G. Reimer.) (80 S.) 8°
Berlin, Phil. Fak., Ref. v. Wilamowitz-Moellendorff, Diels, Diss. v. 24. Juni 1905
[Geb. 24. Okt. 79 Berlin; Heimatsort: Berlin; Staatsangeh.: Preußen; Vorbildung: Luisengymn. Berlin Reife M. 97; Studium: Berlin 13 S.; Rig. 2. Febr. 05.]

Pohl, Rud., de Graecorum medicis publicis. (Diss.) (86 S.) gr. 8. Berlin 905. (Mayer & Müller.) n. 1. 80

Pohl, Rud., Register, s.: Jahrbuch des kaiserl. deutschen archäologischen Instituts.

Pohl, Rud., s.: Taschenkalender f. Geflügelzüchter.

Pohl, Rud. Mich. Rob. (geb. Fraustadt in Posen 29. 9. 1832): De opii vi therapeutica in inflammationibus. Berolini (1855). (31 S.) 8°
Berlin, Med. Diss. v. 21. Apr. 1855

Pohl, S. T.: „Rathschläge für den Landwirth in Deutschland und besonders für die Bewohner Ost- und Westpreussens und Posens", Glogau 1834 (Heymann).

Pohl, Stanislaus [aus Sielce '(Russl.)']: Ein Fall von malignem Adenom der Niere ... Würzburg, Druck v. F. Fromme, 1893; 22 S. 8.
Würzburg, Med. Fak., Inaug.-Diss. v. 1893

Pohl, Theodor: Spontaner Geburtsverlauf bei Beckenenge. *Berlin (1898): E. Ebering.* (36 S.) 8°
Berlin, Med. Diss. v. 4. Mai 1898

Pohl, Theodor ⟨geb. am 29 Nov. 1860 in Beuel bei Bonn⟩: Untersuchung der Reime in Maistre Wace's Roman de Rou et des Ducs de Normandie ... Erlangen, A. Deichert 1885. 34 S., 2 Bl. 8.
¶ Sonderabdr. d. 1 Th. einer gleichbetitelten Abh., die vollständig in d. Roman. Forschungen II 1886 S. 321—350 u. 543—631 erschien.
Bonn, Phil. Fak., Diss. v. 18 März 1885

Pohl, W., Laboratoriumsbuch f. den Metallhüttenchemiker, s.: Laboratoriumsbücher f. die chemische u. verw. Industrie. (Nissenson, H.)

Pohl, W., die junge Mutter. Aerztlicher Rathgeber. gr. 16. (94 S.) München 874. Beck. n. 1. 50

Pohl, Walther, appr. Arzt: Aus d. Hygien. Inst. zu Posen, pathol.-anatom. Abt. Über Ausreifung der Niere. Unreife und krankhafte Bildungen in Säuglingsnieren. Greifswald (1909): Adler. 65 S. 8°
Greifswald, Med. Diss. v. 22. Juli 1909, Ref. Busse, Posen-Grawitz
[Geb. 20. Juni 84 Bromberg; Wohnort: Posen; Staatsangeh.: Preußen; Vorbildung: Realgymn. Posen Reife O. 03; Studium: Breslau 2, Halle 1, Breslau 7 S.; Coll. 2. Okt. 08; Approb. 1. Juli 09.] [U 09. 1497

Pohl, W., Russisch f. Offiziere. Prakt. Lehrbuch d. russ. Sprache: Grammatik, Lesebuch, Gesprächsübgn. (In 6 Lfgn.) 1. u. 2. Lfg. gr. 8. (IV, 64 S.) Berlin 895. E. S. Mittler & Sohn. à n. 1. —

— dasselbe. Anh. gr. 8. (32 S. m. 2 lith. Karten.) Ebd. 895. n. 1. 50

Pohl, W., Hauptm. im Inft.-Reg. Nr. 128. Russisch für Officiere. Anhang. 1. Etymologische Tabellen. 2. Uebersetzung russischer und deutscher Präpositionen. 3. Russische Münzen, Masse und Gewichte. 4. Anleitung zum Lesen russischer Karten. A. Allgemeines. B. Signaturen. C. Abkürzungen. 5. Karte des westlichen Grenzgebietes Russlands unter besonderer Berücksichtigung der Befestigungen und des Eisenbahnnetzes. 6. Russische Generalstabskarte (1 : 126.000). (Mit 2 Karten.) 8. Berlin 1895.

Pohl, Wilhelm, aus Eger: Ueber **Isomerie** zwischen Antidiazohydraten und primaeren Nitrosaminen. *Würzburg 1902: C. J. Becker.* (36 S.) 8°
Würzburg, Phil. Diss. v. 1902

Pohl, Wilh., die Kanzel 2c., s. Kanzel.

Pohl, Wilhelm, aus Kaiserswerth, Referendar bei d. Staatsanwaltschaft d. Kgl. Landgerichtes zu Bonn: Die juristische **Natur** des Bierlieferungsvertrages. Ist der Bierlieferungsvertrag inhaltlich erlaubt, und wie ist bei Übergang des Geschäfts einer Partei auf einen Dritten durch Rechtsgeschäft unter Lebenden der Eintritt dieses Dritten in den Bierlieferungsvertrag zur Sicherung der anderen Partei zu erreichen? *Bonn: H. Behrendt 1904.* (86 S.) 8°
Erlangen, Jur. Diss. v. 22. Febr. 1904

Pohl, Wilhelm, Referendar in Magdeburg: Das Recht der Jagdfolge nach den verschiedenen deutschen Jagdrechten. Borna-Leipzig 1908: R. Noske. (VIII, 76 S.) 8° [J.]
Leipzig, Jur. Fak., Diss. v. 8. Mai 1908
[Geb. 6. Sept. 80 Zerbst; Wohnort: Magdeburg; Staatsangeh.: Preußen; Vorbildung: Francisceum Zerbst Reife O. 00; Studium: Heidelberg 3, Berlin 1, Halle 2 S.; Rig. 24. Okt. 03.]

POHL, Wilhelm Christian (Hof): Das Kindbettfieber.- München: Deschler 1846. 16 S.
19.8.1844 - Urk (Titel: De febri puerperali.); F 66
Diss. Ingolst.-Landsh.-Mchn.

Pohl, Willibald, aus Neustadt i. S.: Über **o-Nitrobenzyl-p-amidobenzoesäure** und ihre Derivate. *Erlangen 1901: F. Junge.* (32 S.) 8°
Erlangen, Phil. Diss. v. 23. Juli 1901

Pohl, Willy, der Alkohol u. seine Wirkungen. Ein Vortrag. Hrsg. vom Vereine zur Förderg. e gesunden u. enthaltsamen Lebensweise zu Wien. gr. 8. (16 S.) Wien 894. (Leipzig, Literar. Anstalt A. Schulze.) — 30

Pohl, Willy, d. Branntweinausschank am Sonntag, e. Lücke in d. sozialen Gesetzgebg. d. Sonntagsruhe. gr. 8. (7 S.) Leipzig 895. Literar. Anstalt, A. Schulze. n. — 20

Pohl, Willy [app. Arzt aus Berlin]: Pyoktanin als Antisepticum. ... Flensburg, Druck v. J. B. Meyer, 1890; 29 S., 1 Bl. 8°
Kiel, Med. Fak., Inaug.-Diss. v. [20. Dez.] 1890

Pohl, W., Pyoktanin als Antisepticum. 8. (29 S.) Kiel, Lipsius & Tischer, Verl. n. 1. —

Poehl, Alexander (Petersburg)
Anwendung der optischen Hülfsmittel bei Ermittelung von Pflanzengiften.
St. Petersburg 1876. 42 S.
Dr. phil. Giessen 22.6.1876.

Poehl, Alex., die physiologisch-chem. Grundlagen der Spermintheorie, nebst klin. Material z. therapeut. Verwendg. d. Sperminum-Poehl. (Uebers. aus dem Russ.) gr. 8. (X, 330 S. m. Abb.) St. Petersburg 898. Berlin, A. Hirschwald. Kart. n. 5. —

Poehl, Alex., Mittheilungen aus dem analytisch-chemischen Laboratorium. [Aus: „St. Petersb. med. Wochenschr."] gr. 8. (26 S.) St. Petersburg 877. Röttger. n. 1. —

Poehl, A. v., Fürst J. v. Tarchanoff, u. P. Wachs, rationelle Organotherapie m. Berücksicht. der Urosemiologie. Uebers. aus dem Russ. Hrsg. v. dem russ. „Journal f. medizin. Chemie u. Organotherapie" zu St. Petersburg. 1. Hälfte. (VIII, 242 u. XXIII S. m. Abbildgn.) gr. 8. Berlin 905. (Urban & Schwarzenberg.) n. 6. —

— die Pharmacie auf der Pariser Weltausstellung 1878. gr. 8. (49 S.) Ebend. 879. n. 1. —

— Untersuchung der Blätter von Pilocarpus officinalis [Juborandi] in pharmacognostischer u. chemischer Beziehung. gr. 8. (62 S. m. 4 photogr. Taf.) Ebend. 879. n. 4. 50; ohne Taf. n. 1. 50

— über das Vorkommen u. die Bildung des Peptons ausserhalb des Verdauungsapparates u. über die Rückverwandlung des Peptons in Eiweiss. (Inaugural-Dissertation.) gr. 8. (108 S.) St. Petersburg 882. (Dorpat, Karow.) n. 1. —

PÖHL, Meno: Bemerkk. üb. Havarie-Grosse nach Principien d. Rechts u. d. Handelspolitik u. mit besond. Hinblick auf ein. Erörtt. d. neuesten Zeit. *Hamb.*, Hoffmann u. Campe. 823. gr. 8. (12 Gr.)

PÖHL, Meno.: Darstellung d. gem. Deutschen u. d. Hamburg. Handelsrechts f. Juristen u. Kaufleute. 4 Bde. *Hamb.*, Hoffmann u. Campe. 828—34. gr. 8. (18 Gr.)

PÖHL, Meno: Vers. e. gründl. Darst. d. Lehre v. d. Innominat-Contracten, hauptsächl. geg. *Gans. Heidelb.*, Groos. 821. 8. (20 Gr.)

Ders.: Zusätze zu sein. Bemerkk. üb. Havarie-Grosse. Nebst e. Anh., enth. e. vergleich. Zusammenstell. d. beständ. Bedingg. sämmtl. activen Assecuranz-Compp. d. freien Städte Hamburg, Lübeck u. Bremen, so weit sie d. Verhältn. z. Versicherten betr. *Eb.* 824. gr. 8. (12 Gr.)

Pöhl, W., die Gebühren in bürgerlichen Rechtsstreitigkeiten u. Konkursen nach dem Gerichtskostengesetze vom 18. Juni 1878. Zusammenstellung zur Benutzung bei Anwendung des Gerichtskostengesetzes. Mit 1 Tab. (in qu. Fol.). gr. 16. (18 S.) Schwerin 878. (Schmiedekampf.) n. — 80

Pöhl, W., das Züchtigungsrecht der Volksschullehrer, s. Kossow, H.

Pohl-Pincus, J.

Pohl, J., das Haar. Die Haarkrankheiten, ihre Behandlg. u. die Haarpflege. 5., neu bearb. u. erweit. Aufl. (178 S. m. 1 Tab.) 8. Stuttgart 902. Deutsche Verlags-Anstalt. n. 2.50; geb. in Leinw. n.n. 3.50

Pohl-Pincus, J., die Haarkrankheiten, ihre Behandlg. u. die Haarpflege, s.: Hausbücher, medicinische.

Pohl-Pincus, J., die Krankheiten des menschlichen Haares, s. Hausbücher, medicinische.

— das polarisirte Licht als Erkennungs-Mittel f. die Erregungs-Zustände der Nerven der Kopfhaut. gr. 8. (53 S. m. 1 Chromolith.) Berlin 886. Grosser. n. 2. —

Pohl-Pincus, J., Untersuchungen über die Wirkungsweise der Vaccination. gr. 8. (VIII, 163 S. mit lithogr., zum Theil farb. Taf.) Berlin 882, Hirschwald. *

Pohla, Wilhelm

Pohla, Guilelmus (geb. Breslau 15. 1. 1845): De dynastis Caricis. Vratislaviae (1868). (31 S.) 4°

Breslau, Phil. Diss. v. 14. Febr. 1868

Pohland, M., Frankfurt a. Oder, s.: Bieder, H.

Pohland, Karl Gustav

Pohland, Carl Gustav (Dresden), De juribus ad bona conjugum, qui matrimonium nullum contraxerunt, spectantibus ex jure communi et patrio rite aestimandis, adjectis iis quae hac de re in legibus Borussicis, Austriacis, Bavaricis, Francogallicis et Anglicis sancita leguntur. Diss. jur. Leipzig (Breitkopf-Haertel) 14. X. 1828. VI, 63 S. (3.75) 26961

Pöhland, Friedr. Wilh., der Zuruf d. Constitution an ihr Volk. Predigt am Constitutionsfeste, den 15. Sonnt. n. Trinit. 1845 gehalt. gr. 8. (1 B.) Altenburg, Helbig.

Pohlandt, M., Frankfurt a. Oder, s. Bieder, H.

Pohlandt, Max. Diesterweg's Verdienste um die Lehrerbildung. Eine Jubiläumsgabe an die Deutsche Lehrerschaft zum 29. Oktbr. 1890. gr. 8. (V, 99 S.) Lpz. 890, Oesterwitz Nachf. * 1 60

Pohlandt, Wilhelm, Referendar a. Berlin: Grundlagen und Schranken der Sicherheitspolizei. Unter besonderer Berücksichtigung Preußens. Berlin [1907]: G. Schade. (41 S.) 8°

Heidelberg, Jur. Fak., Ref. Anschütz, Diss. v. 16. Juli 1907

[Geb. 17. Mai 79 Berlin; Wohnort: Schöneberg-Berlin; Staatsangeh.: Preußen; Vorbildung: Gymn. Neu-Ruppin Reife M. 00; Studium: Paris 1, Heidelberg 1, Berlin 1, München 1, Berlin 2 S.; Rig. 17. Juni 04.]

Pöhlandt, Fr. Wlh., Nachklänge aus dem Gotteshause. Predigten. gr. 8. Altenburg 841, Helbig. 5/6 ℛ

Pohle: De analogia et anomalia veterum grammaticorum. – Prüm, Progr. 1860.

Pohle's neuer Bücherschatz. 1. u. 2. Bd. 8. Berlin, Pohle. à n. — 20

1. Lebenskämpfe u. andere Erzählungen. Von M. Hoenecke. (88 S. m. 2 Vollbildern.) (906.)
2. Die Stiefkinder des Glücks. Von Max Hoenecke. (96 S. m. Abbildgn.) (906.)

Pohle's neuer Bücherschatz. 3. Bd. kl. 8. Berlin, Pohle. — 20

Die Stiefkinder des Glücks. Von Max Hoenecke. (Fortsetzung.) (95 S. m. Abb.) (907.)

Pohle: Kurze Geschichte der gefürsteten Abtei Prüm. – Prüm, Progr. 1856.

Pohle (Red.), s. Handel und Gewerbe.

Pohle: De rebus divinis quid senserit Euripides. 16 S. – Trier, Progr. 1868

Pohle, Abgeordneter, Rede über die preußische Note vom 23. Januar. Gehalten in der Sitzung der Kammer der Abgeordneten beider Meklenburg am 5ten Februar 1849. Schwerin, Kürschner, 1849. 14 S. 8°.

Pohle, s.: Volksschulen, die, des Reg.-Bez. Merseburg.

Pohle, C. L. F., die Beschlüsse des Frankfurter Congresses u. unsere Verfassungsreform. gr. 8. (15 S.) Parchim 848, Hinstorff. 3 Ngr

— Entwurf eines Verfassungsgesetzes für beide Großherzogth. Meklenburg. [Abdr. aus d. „wiedergeborenen Meklenburg", red. v. W. Raabe.] Fol. (8 S.) Ebd. 848. 3 Ngr

— die constitutionelle Monarchie. Ein Beitrag zur Begründung des neuen Staatsrechts mit besonderer Rücksicht auf Mecklenburg. gr. 8. (16 S.) Schwerin 848, Kürschner (jetzt: Hildebrand). 1 1/2 Ngr

— die Noth des Meklenburg. Handwerkerstandes. Ein Bericht, Namens u. im Auftrage der vom Reformverein zu Schwerin zur Prüfung der Verhältnisse des Handwerkerstandes niedergesetzten Committe erstattet. gr. 8. (16 S.) Ebd. 848. n. 1/12 ℛ

— Rede über die preuß. Note vom 23. Januar. Gehalten in der Sitzung der Kammer der Abgeordneten beider Meklenburg am 5. Febr. 1849. gr. 8. (14 S.) Ebd. 849. 1/12 ℛ

— die Reform der Landesvertretung. Eine Denkschrift im Auftrage des Magistrats zu Schwerin verfaßt. gr. 8. (63 S.) Parchim 848, Hinstorff. 1/3 ℛ

— die preußisch-deutsche Verfassung u. die Politik der kleineren deutschen Staaten besonders beider Meklenburg. gr. 8. (11 S.) Schwerin 849, Kürschner (jetzt: Hildebrand). n. n. 1/12 ℛ

Pohle, C. L. F., Versuch einer Darstellung des Mecklenburg-Schwerinschen Criminal-Processes. 1. u. 2. Lfg. Allgem. Theil. gr. 8. Parchim 846, Hinstorff'sche Hofbuchh. à n. 1/2 ℛ

— Versuch einer Darstellung des Mecklenburg-Schwerin'schen Criminal-Processes. 3 u. 4. letzte Lfg. gr. 8. (S. IX—XVI u. 151—273.) Parchim 847. 49, Hinstorff. 3: n. 1/2 ℛ 4: n. 1/3 ℛ (cplt.: n. 1 5/6 ℛ)

Pohle, Carl F. R., s. Pohle, Karl F. R.

Pohle, Christ. Friedr., über das Einstudiren der Compositionen, oder Aufschluß über die Geheimnisse des Vortrags für Pianofortespieler. gr. 8. Leipzig 836. Klinkhardt. 1/2 ℛ

Pohle, Christian Gottlob (Groed./Lausitz), Exercit. jur. qua selectas observationes forenses. Präs. Jo. Balth. Wernher. Wittenberg (Kreusig) 23. XI. 1709. 24 S. (1.50) 26962

Gew.: Martin Pohl (Vater).

— — De his, quae circa praescriptionem moratoriam falso traduntur. Diss. inaug. Präs. Jo. Heinrich Berger. Wittenberg (Gerdes) Dez. 1711. 40 S. (4.75) 26963

— — Dasselbe. Wittenberg (Gerdes) Dez. 1711. Editio secunda. 1720. 40 S. (4.75) 26964

Pohle, E., aus der Geschichte d. Friedrichsstädter Seminars. Veröffentlicht zur Feier d. 100jähr. Bestehens d. königl. Schullehrer-Seminars zu Dresden-Friedrichstadt am 23. Septbr. 1887. (Sep.-Abdr.) gr. 8. (40 S. m. 2 Lichtdr.) Dresden 887. Huhle. n. — 75

Pohle, E., der Seminargedanke in Kursachsen u. seine erste staatliche Verwirklichung. Festschrift. gr. 8. (211 S. m. 2 Lichtdr.) Dresden 887. Huhle. n. 2. 50

Pohle, Emil, die angeblich Xenophonteische Apologie in ihrem Verhältnisse zum letzten Capitel der Memorabilien. Kritische Untersuchg. gr. 8. (66 S.) Altenburg 874. Bonde. n. 1. 20

Pohle, Emil. Regelmäßige Besprechgn. in d. Kirchenvorstandssitzungen über Erhaltung v. Zucht u. Sitte u. Belebung d. christlichen Sinnes in der Kirchengemeinde. Vortrag. gr. 8. (37 S.) Dresd. 892, Niederlage d. Vereins zur Verbreitg. christl. Schriften. * — 40

Pohle, Ernst, Dekorations-Radfahrer-Reigen f. 16 Herren. (6 S. m. 1 Taf.) 16. Leipzig (904). Rauh & Pohle. n. 1. —

— Dekorations-Verwandlungs-Reigen, s.: Kostüm-Reigen.

Pohle, Ernst, Feuerwehr-Reigen f. 16 Turner, s.: Kostüm-Reigen.

— Gnomen- u. Elfenreigen,
— Heinzelmännchen-Reigen, s.: Kostüm-Reigen.
— Irrlichter-Tanz.

— Keulenreigen, s.: Reigensammlung I. Serie Nr. 3.

— Pyramidon. (16 Taf.) 8. Probstheida (902). Leipzig, Rauh & Pohle. n. 1. —

Pohle, Ernst, 35 Pyramiden mit Verwendung von Stühlen, Leitern, Eisenstäben, Stangen und Dreifuß, gez. v. R. Wolf.
— 36 Pyramiden, Probstheida-Leipzig, 8°. 2 Bde.

— Radfahrer-Reigen f. 6 Damen u. 6 Herren. (4 S. m. 1 Taf.) 16. Leipzig (904). Rauh & Pohle. n. 1. —

— fünf Reigen. (54 S. m. 72 Fig.) 16. Probstheida (903). Leipzig, Rauh & Pohle. n. 1. —

Reigen m. langen Springstäben f. 20 Turner, s.: Reigensammlung.

— Schneeball-Reigen, s.: Kostüm-Reigen.

— Stab-Reigen, s.: Reigensammlung II. Serie Nr. 5.

— Stab- u. Gruppierungsreigen, s.: Reigensammlung. I. 1.

-- Stab-Reigen f. Turnerinnen, s.: Reigensammlung.

— die Wunderteufel. s.: Kostüm-Reigen.

Pohle, Franz. Erzielung der größtmöglichsten Ausbeute an Spiritus aus mehligen Stoffen, vorzügl. aus Kukuruz, sowie Maischverfahren, Bereitung einer vorzügl. Kunsthefe, Einmaischungen aus jedwedem Rohprodukt geeignet, vorzügl. Verfahren der Malz-Bereitung, von großem Werthe für Spiritus-Brennereien und Bierbrauereien. gr. 8. (7 S.) Brünn 861, Buschak und Irrgang.

Pohle, Friedrich Alfred, aus Baukau b. Herne: **Beiträge zur quantitativen Bestimmung der Kohlehydrate in menschlichen Faeces bei verschiedenen Krankheitsformen.** *Bonn 1902: C. Georgi.* (24 S.) 8°
Bonn, Med. Diss. v. 17. Mai 1902

Pohle, Frdr. Wilh., dreistimmiges Choralbuch zum Gebrauche in Schulen, Kirchen u. auf Friedhöfen, nebst e. Anh. v. religiösen Figuralgesängen. br. 8. (24 S.) Langensalza 871. Beyer & Söhne. n. — 35

Pohle, Frdr. Wilh., Chronik v. Loschwitz. Auf Grund v. amtl. Quellen u. m. Benutzg. d. königl. sächs. Haupt-Staatsarchivs, d. Ratsarchivs, der königl. Haupt- u. Residenzstadt Dresden, sowie der königl. Bibliothek zusammengestellt u. bearb. 1—5. Hft. gr. 8. (S. 1—280) Dresden 883—86. Teich. à n. — 50

Pohle, F. W., Chronik v. Loschwitz. gr. 8. (333 S.) Dresden 886. Albanus'sche Buchdr. (Chr. Teich). n. 3. —; geb. n. 3. 50

— Führer f. Loschwitz u. Umgegend. Nebst 1 Karte, 1 : 1000, gezeichnet v. R. Mittelbach. 8. (20 S.) Ebd. 887. n. 1. —: ohne Karte n. — 25

Pohle, Frdr. Wilh., stenographische Vorschriften nach Gabelsberger's System. Für den Schul- u. Privat-Gebrauch entworfen u. herausg. Dresden 863. Türk. qu. 4. (2 S. u. 10 lith. Bl.) n. 8 ngr.

Pohle, Gustav Wilhelm, a. Köln-Deutz: Probleme aus dem Leben eines industriellen Großbetriebs. Naumburg a. S. 1905: Lippert & Co. (97 S.) 8°
Rostock, Phil. Fak., Ref. Ehrenberg, Diss. v. 19. Mai 1905
[Geb. 19. Okt. 78 Cöln-Deutz; Wohnort: Halle a. S.; Staatsangeh.: Preußen; Vorbildung: Realgymn. Hagen Reife f. Obersekunda O. 95; Studium: Handelshochsch. Leipzig 4, Berlin 1, Rostock 5 S.; Rig. 9. Juni 04.]

Pohle, G. W., Probleme aus dem Leben eines industriellen Grossbetriebes (Gebr. Stollwerk, Köln). Diss. 8°. Rostock 1905.

Pohle, H. Itinerar- und trigonometrische Aufnahmen in Lüderitzland. 1 : 1 000 000. Gotha 1886. 1 Bl. c. A. Sch.

Pohle, Herm., Heimatkunde v. Plauen im Vogtlande, nach geograph. Einheiten f. den Unterricht bearb. gr. 8. (88 S. m. 1 lith. Taf.) Plauen (902). A. Kell. n. 1. 60

Pohle, Hugo, B. Pollini. Eine Beleuchtungsprobe u. kulturhistor. Skizze. gr. 8. (74 S.) Hamburg 896. Selbstverl. n. 1. —

Pohle, Johann August Wilhelm

- s. Arbeitsstunden im Stricken, Nähen u. Sticken

Pohle, Jh. Aug. Wlh. († d. 28. Oct. 1818.) Gespräche üb. sittl. religiöse Gegenstände, mit gebild. Kindern. Mit 1 Vorrede v. Direkt. Plato. 8. Leipz. 800. Köhler. 14 gr.

Pohle, J. G., d. Jahre meiner Kindh. 8. Glaz, Nordorf. 797.

— Jubelpredigt am Wechsel d. Jahres u. d. Jahrhund. gr. 8. Bresl. 801. J. F. Korn. 4 gr.

— **Johann Gottlob** (Langen./Lausitz), Theologiam philosophiamque morum non posse in unius principii scientiam coalescere, viro praenobilissimo amicissimoque Sohrio suo, disput. habitam pie gratulatus, scripsit. Kieslingswalda. Görlitz (Fickelscherer) 27. II. 1774. 12 S. (4.—) 26965

Pohle, Johannes Theod. (geb. Berlin 17. 8. 1853): Ueber das Sterben und die Kennzeichen des eingetretenen Todes. Berlin (1879). (28 S.) 8°
Berlin, Med. Diss. v. 22. Nov. 1879

Pohle, Joseph. Die Erbin von Südholz. Roman aus d 30 jhr Kriege. StL, 1893.

Pohle, Jos., s.: Himmel u. Erde.

Pohle, Jos., s.: **Jahrbuch, philosophisches.**

Pohle, Jos., Lehrbuch der Dogmatik, s.a. Handbibliothek, wissenschaftliche. XX.

Lehrbuch der Dogmatik in 7 Büchern. Für akad. Vorlesungen u. z. Selbstunterr. von Joseph **Pohle**, Prof., Breslau. Bd 1–3. Paderborn: F. Schöningh 1902–05. 3 Bde 8° [F.]
1. 1902. 2. 1903. 3. 1905.
= **Handbibliothek**, Wissenschaftliche. Reihe 1, 20–22.

Lehrbuch der Dogmatik in 7 Büchern. Für akad. Vorlesungen u. z. Selbstunterr. von Joseph **Pohle**, Prof. 2., verb. Aufl. Bd 1–3. Paderborn: F. Schöningh 1905–06. 3 Bde 8° [F.]
1. 2. 1905. 3. 1906.
= **Handbibliothek**, Wissenschaftliche. Reihe 1, 20–22.

Lehrbuch der Dogmatik in 7 Büchern. Für akad. Vorlesungen u. z. Selbstunterr. von Joseph **Pohle**, Prof. 3., von neuem durchges. Aufl. Bd 1–3. Paderborn: F. Schöningh 1907–08. 3 Bde 8° [F.]
1. 2. 1907. 3. 1908.
= **Handbibliothek**, Wissenschaftliche. Reihe 1, 20–22.

Lehrbuch der Dogmatik in 7 Büchern. Für akad. Vorlesungen u. z. Selbstunterr. von Joseph **Pohle**, Prof. 4. verb. Aufl. Bd 1–3. Paderborn: Schöningh 1908–10. 8°
1. 1908. 2. 1909. 3. 1910.
(Wissenschaftliche Handbibliothek. Reihe 1, 20–22.)

— s.: **Religion, die christliche.**

— **Religion u. Freiheit.** s.: **Fischer, Max.**

s.: **Religion**, systematische christliche.

Pohle, Jos., P. Angelo Secchi. Ein Lebens- u. Culturbild. (1. Vereinsschrift der Görres-Gesellschaft f. 1883.) gr. 8. (VII, 156 S.) Köln 883. (Bachem.) n. 2. 50

— **P. Angelo Secchi. Ein Lebens- u. Kulturbild aus dem 19. Jahrh.** 2., gänzlich umgearb. u. stark verm. Aufl. Mit 1 Portr. u. Facsim. Secchis, 1 farb. Spektraltaf. u. 87 Abbildgn. im Text. (XV, 288 S.) gr. 8. Köln 904. J. P. Bachem. n. 4. —; geb. n.n. 5. 30

— Der Sternenhimmel, s.: **Plaßmann, J.**

Pohle, Jos., die **Sternwelten** u. ihre Bewohner. Eine wissenschaftl. Studie üb. die Bewohnbarkeit u. die Belebtheit der Himmelskörper nach dem neuesten Standpunkte der Wissenschaften. 2 Thle. gr. 8. (VIII, 120 u. 214 S.) Köln 884. 85. Bachem. n. 5. 40

— Die **Sternenwelten** u. ihre Bewohner. Ein populärwissenschaftlicher Versuch über die Bewohnbarkeit der Himmelskörper nach dem neuesten Standpunkte der Wissenschaften. Köln, Bachem, 1899, gr. 8°, 2. gänzlich umgearb. u. stark verm. Aufl. Mit 5 farbigen Tafeln u. 53 Text-Illustr., 12°, 462 S., 8 M.

— **die Sternenwelten u. ihre Bewohner.** Zugleich als erste Einführg. in die moderne Astronomie. Ein Versuch über die Bewohnbarkeit der Himmelskörper nach dem neuesten Standpunkte der Wissenschaften. 3. verb. u. abermals verm. Aufl. Mit 5 farbigen, 12 schwarzen Taf. u. 24 Text-Illustr. gr. 8. (XV, 484 S.) Köln 902. J. P. Bachem. n. 8. —; geb. n. 10. —

— **die Sternenwelten u. ihre Bewohner.** Zugleich als erste Einführung in die moderne Astronomie. 5., aufs neue verb. u. ergänzte Aufl. Mit 1 Karte, 4 farb. u. 12 schwarzen Taf., sowie 31 Abbildgn. im Text. (XII, 508 S.) gr. 8. Ebd. 906. n. 8. —; geb. n. 10. —
4. Aufl. (XVI, 504 S.) 904. n. 8. —; geb. n. 10. —

— Die Sternenwelten u. ihre Bewohner, zugleich als erste Einführung in die moderne Astronomie. 6., umgearb. Aufl. (XII, 539 S. m. 60 Abb., 16 [4 farb.] Taf. u. 1 farb. Karte.) gr. 8. Köln 910. J. P. Bachem. 8.—; geb. 10. —

Die heilige Ehe. Lustspiel in 1 Akt. Von Karl Pohle. Berlin: A. Hoffmann 1897. (16 S.) 8°

Pohle, Karl, die heilige Ehe. Lustspiel in 1 Akt. (2. [Umschlag-]Aufl.) gr. 8. (16 S.) Berlin 900. A. Hoffmann. — 30

Pohle, Karl F. R.

Pohle, Carl F. R. [aus Jena pr. Arzt in Plauen-Dresden]: Zur Kenntnis der Zwerchfellrupturen ... Jena, G. Neuenhahn Univ.-Buchdr., 1893; 27 S. 8.
Jena, Med. Fak., Inaug.-Diss. v. [16. Okt.] 1893

Pohle, L., das deutsche **Buchhändlerkartell.** [Aus: „Schriften d. Vereins f. Socialpolitik".] gr. 8. (72 S.) Leipzig 895. Duncker & Humblot. n. — 60

Pohle, L., **Unterlagen** f. d. Frage d. zeitlichen Verlegung der Leipziger Messen. Im Auftrage d. Meß-Ausschusses der Handelskammer zusammengestellt. Lex.-8. (52 S.) Leipzig 893. (J. C. Hinrichs' Verl.) n. — 60

— weitere **Unterlagen** f. die Frage der zeitlichen Verlegung der Leipziger Messen. gr. 8. (43 S.) Ebd. 893. n. — 60

Pohle, Lambert Joseph, über Höhe und Ursachen des Blutverlustes bei abnormen Geburten, speziell über den Einfluss der abwartenden Methode der Nachgeburts-Behandlung auf die Höhe des Blutverlustes. Diss. Marburg !886, N. G. Elwertsche Univ.-Buchh. 8°. 43 S.

Pohle, Lambert Joseph [approb. Arzt]: Über Höhe und Ursachen des Blutverlustes bei abnormen Geburten, speciell über den Einfluss der abwartenden Methode der Nachgeburts-Behandlung auf die Höhe des Blutverlustes .... Marburg, Univ.-Buchdr. (R. Friedrich), 1886; 43 + 1 S. 8°.
Marburg, Med. Fak., Inaug.-Diss. v. [16. Okt.] 1886.

[F.] **Pohle**, Ludwig [aus Eisenberg i. S.-Alt.]: Die Auswanderungspolitik des Königreichs Sachsen ... Leipzig, Duncker & Humblot, 1892; 38 S., 1 Bl. 8.
Freiburg i. B., Phil. Fak., Inaug.-Diss. v. 1892

Pohle, Ludw., Bevölkerungsbewegung, Kapitalbildung u. period. Wirtschaftskrisen. Eine Betrachtung der Ursachen u. sozialen Wirkgn. der modernen Industrie- u. Handelskrisen m. besond. Berücksicht. der Kartellfrage. Erweit. Ausg. e. auf dem 13. evang.-sozialen Kongreß in Dortmund geh. Vortrags. gr. 8. (62 S.) Göttingen 902. Vandenhoeck & Ruprecht. n. 1. 60

— **Deutschland am Scheidewege.** Betrachtungen üb. die gegenwärt. volkswirtschaftl. Verfassg. und die zukünftige Handelspolitik Deutschlands. gr. 8. (XII, 242 S.) Leipzig 902. B. G. Teubner. n. 4. 80; geb. n. 5. 60

Die neuere Entwicklung des Kleinhandels. Vortrag geh. in d. Gehe-Stiftung 1900 von Dr. Ludwig **Pohle**, Privatd. zu Leipzig. *Dresden: v. Zahn & Jaensch 1900.* (62 S.) 8° [F.]
= **Jahrbuch** d. Gehe-Stiftung zu Dresden. Bd 6, [5.]

Die neuere Entwicklung des Kleinhandels. Vortrag geh. zu Dresden 1900 von Dr. Ludwig **Pohle**, Privatd. zu Leipzig. *Dresden: v. Zahn & Jaensch 1900.* (62 S.) 8° [F.]
= **Vorträge**, Staatswiss., d. Gehe-Stiftung zu Dresden. [24.]

— **die neuere Entwicklg. d. Wohnungsverhältnisse in Deutschland.** Erweit. Ausg. des Referats auf dem I. allgem. deutschen Wohnungskongresse, m. e. Nachwort üb. Sozialreform u. Wissenschaft. (IV, 34 S.) gr. 8. Göttingen 905. Vandenhoeck & Ruprecht. n. 1. 40

Pohle, Ludw., die Entwicklung des deutschen Wirtschaftslebens im letzten Jahrhundert, s. a. **Aus Natur u. Geisteswelt.**

Pohle L, die Entwicklung des deutschen Wirtschaftslebens im 19. Jahrhundert. (132 S) (Aus Natur und Geisteswelt 57) Leipzig 1904

Die Entwicklung des deutschen Wirtschaftslebens im letzten Jahrhundert. 5 Vorträge von Prof. Dr. L[udwig] **Pohle**. 2. Aufl. Leipzig: B. G. Teubner 1908. (IX, 150 S.) 8° [F.]
— **Natur**, Aus, u. Geisteswelt. Bdch. 57. [08. 14694

— **Frauen-Fabrikarbeit u. Frauenfrage. Eine prinzipielle Antwort auf die Frage der Ausschliessg. der verheirateten Frauen aus der Fabrik. gr. 8. (XII, 112 S.) Leipzig 900. Veit & Co. n. 2. —**

Pohle, L[udwig]: Die Kartelle der gewerblichen Unternehmer. *Leipzig 1898: Frankenstein & Wagner.* (150 S.) 8° [F.]
Leipzig, Phil. Hab.-Schr. v. 28. Apr. 1898

— die Kartelle d. gewerbl. Unternehmer. E. Studie üb. d. großindustr. Organisationsformen d. Gegenwart. gr. 8. (IV, 151 S.) Leipzig 898. Veit & Co. n. 3. 20

— s.: Rektoratswechsel an der Akademie f. Sozial- und Handelswissenschaften zu Frankfurt a/M.

— die Sozialdemokratie e. vorübergehende Erscheinung?, s.a. Bücherei, burschenschaftliche. I. 2.

Die Sozialdemokratie, eine vorübergehende Erscheinung? Von Privatd. Dr. L(udwig) Pohle. *Berlin: C. Heymann 1900.* (IV, 40 S.) 8° [F.]
— **Bücherei**, Burschenschaftliche. Bd 1, H. 2. [03. 4986

— Der Unternehmerstand. Vortrag. 8⁰. Leipzig, B. G. Teubner, 1910. (Vorträge d. Gehe-Stiftung, Bd. 3.)

Pohle L. der Unternehmerstand. (57 S) Leipzig 1910

Pohle, L., Unternehmerverbände. Leitsätze zu einem Vortrag. Hamburg, 1907. 13 S.

Die Wohnungsfrage, s.a. Sammlung Göschen.

— Die Wohnungsfrage. I. Das Wohnungswesen in der modernen Stadt. II. Die städtische Wohnungs- und Bodenpolitik. 8⁰. Leipzig, G. J. Göschen, 1910. (Sammlung Göschen, 495/496.)

s.: Zeitschrift f. Socialwissenschaft.

Pohle, M.A. (Resp.): De curatione morborum..., s. Brendel, Adam. (Praes.)

Pohle, Martin Adolph: Prodromum commentationis de Carolinis Boiemiae fontibus 2. Diss. 24 S., gbd.

Vitembergiae: prelo Gerdesiano 1708

Pohle, Paul, von der Heimatkunde zur Erdkunde. Ein Beitrag zur spez. Methodik des erdkundl. Unterrichtes, theoret. begründet u. prakt. dargestellt an dem nach landschaftl. Einheiten geglied. Vogtlande. Mit 6 Skizzen u. 2 Bildern im Texte, sowie 28 Skizzen u. Gäblers Schulhandkarte des Vogtlandes im Anh. (111 S.) gr. 8. Leipzig 905. E. Wunderlich. 2. —; geb. 2. 50

Pohle, Paul, Landeskunde vom Königr. Sachsen. Eine prakt. Einführg. in die Methodik des erdkundl. Unterrichtes. Mit viel. Bildern, Skizzen u. Karten. (184 S.) gr. 8. Leipzig 908. J. Klinkhardt. 2. 60

Pohle, Richard, aus Riga: Pflanzengeographische **Studien** über die Halbinsel Kanin und das angrenzende Waldgebiet. Bericht zweier Reisen, ausgeführt in d. Sommern 1898/99 in d. nordruss. Waldregion ⟨Gebiet d. Flüsse: Pinega, Jula, Kuloi, Mesen⟩ u. auf d. Halbinsel Kanin. *O. O. [1903/4].* (112 S.) 8° ¶(Enth. nur Th. 1, Kap. 1—3.)
Rostock, Phil. Diss. v. [20. Juli] 1901

Pflanzengeographische Studien über die Halbinsel Kanin und das angrenzende Waldgebiet. Bericht zweier Reisen, ausgeführt in d. Sommern 1898/99 in d. nordruss. Waldregion ... u. auf d. Halbinsel Kanin. Von Richard **Pohle**. Th. 1. (St. Peterburg) 1903: (Tipo-Lit. Gerold). 8°
— **Acta** Horti Petropolitani. T. 21, Fasc. 1, [3.] [06. 1091

Pohle, Rich., **Vegetationsbilder aus Nordrussland, s.a. Vegetationsbilder. V, 3—5.**

POHLE, R.: Vegetationsbilder aus Nordrußland. - Jena 1907. 17 Taf.

Pohle, Robert: Zur Geschichte der Bertram-Realschule ⟨Nr. 1⟩ ⟨1884—1909⟩. Berlin: Weidmann 1910. 53 S. 4°
Berlin, Bertram-R 1 OP 1910 (157) [S 10. 340

Pohle, Robertus: De pugna ad Trebiam flumen commissa quaestiones criticae. Halis Saxonum 1872: (Eupel in Sondershausen). 26 S. 8°
Halle-Wittenberg, Phil. Diss. v. 13. Dez. 1872
Geb. Posen 14. 8. 1848. V.

Pohle, Robert [Oberl. Dr.]: Welche Aufgaben hat der erdkundliche Unterricht an den höheren Lehranstalten zu erfüllen? Berlin, R. Gaertners Verlagsbuchh. H. Heyfelder, 1889; 49 S. 4°
Berlin, Leibniz-G, OP 1889 (60)

Pohle, Rob. Welche Aufgaben hat der erdkundliche Unterricht an den höheren Lehranstalten zu erfüllen? gr. 4. (49 S.) Berl. 889, Gaertner. * 1 —

Pohlen, s. Polen

[Lied.] Zum Jahresschlusse. Comp. von **Pohlenz.** o. O. u. J. 1 Bl. 8⁰ [Kopftit.]
Mit Chor ohne Noten: „Mit ernstem Glockenschlage ...“

Pohlenz, Emil [aus Hänchen bei Cottbus]: Ueber Risse des Sphincter iridis und der Chorioidea. . . . Halle a. S., Buchdr. v. G. Schröter, 1891; 34 S., 1 Bl., 4 Taf. 8⁰
Halle, Med. Fak., Inaug.-Diss. v. 19. Jan. 1891

Pohlenz, Emil. Über Risse d. Sphincter Iridis u. der Chorioidea. gr. 8. (34 S. m. 15 Fig. auf 4 Taf.) Lpz. 892, Fock. * 1 —

Pohlenz, Ern. Julius (geb. Vetschau in d. Lausitz 18. 9. 1818): De tetano. Berolini (1844). (28 S.) 8°
Berlin, Med. Diss. v. 3. Apr. 1844

Pohlenz, Frid. Gust. Arm(in.) (geb. Vetschau in d. Lausitz 19. 12. 1829): De spasmo glottidis. Berolini (1852). (31 S.) 8°
Berlin, Med. Diss. v. 4. Okt. 1852

Pohlenz, Max

Pohlenz, M., De Ovidi carminibus amatoriis. Pr. 1913. 25 S. 1.50

Pohlenz, M[ax]: De Ciceronis Tusculanis disputationibus. Gottingae (1909): Dieterich. 37 S. 8°
Göttingen, Progr. z. akadem. Preisverteilung 1909 [U 09. 1425

Pohlenz, M., de Ciceronis Tusculanis disputationibus. Progr. (37 S.) Lex. 8. Göttingen (909). Vandenhoeck & Ruprecht. nn — 50

Pohlenz, [Max], Dr.: [**Gedächtnisrede** bei der Trauerfeier für den Oberlehrer Dr. Heinrich Schuld.] *Berlin 1903: R. Kühn.* (S. 24—26.) 4°
Schöneberg, Hohenzollern-S, P 1903 (65)

Pohlenz, M., De Galeni libris de placitis Hippocratis. 1898.

Pohlenz, Max, De Posidonii libris περὶ παθῶν. [Aus: „Jahrbb. f. class. Philol."] gr. 8. (100 S.) Leipzig 898. B. G. Teubner. n. 3. 60

Pohlenz, Maximilianus: Quemadmodum Galenus Posidonium in libris de placitis Hippocratis et Platonis secutus sit. *Lipsiae 1898: B. G. Teubner.* (42 S.) 8° • (Enthält nur einen Theil der eingereichten Arbeit.)
Berlin, Phil. Diss. v. 30. Apr. 1898

Pohlenz, Max, vom Zorne Gottes. s. a. Forschungen zur Religion u. Literatur des Alten u. Neuen Testaments. 12. Heft.

Vom Zorne Gottes. Eine Studie über d. Einfluß d. griech. Philosophie auf d. alte Christentum von Dr. Max **Pohlenz**, Prof. Göttingen: Vandenhoeck & Ruprecht 1909. (VIII, 156 S.) 8° [F.]
= **Forschungen** z. Religion u. Literatur d. Alten u. Neuen Testaments. H. 12. (08, 18393

Pohlenz, Oswin, poetische Knospen. 12. (71 S.) Straßburg 887, (Heinrich.) geb. ** 2 50

Pohlenz, Rob., technische Bemerkungen zum rationellen Wiesenbau nebst einer Anleitung zur Ausführung des Wässerns. 8. Bautzen 816, Schlüssel. 9 ngr

Pohlenz, Rob., Betrachtungen über die Wirkung der Pflanzenernährungsmittel oder was düngt und wie soll man düngen. gr. 8. (VII und 79 S. mit 2 Stnt. in 4.) Breslau 858, Kern.

Pohlenz, Rob., Blut, Temperament u. Form in ihrer Bedeutung für den Thierzüchter. Breslau 866. Kern's Verl. gr. 8. (VI, 122 S.) 22½ ngr

Pohlenz, Rob., Kunst u. Methode der Züchtung. gr. 8. (101 S.) Prag 874. Calve. n. 2. —

—— des Landwirths „Soll und Haben." Der landwirthschaftl. Betrieb gewerblich aufgefaßt. gr. 8. (VIII und 140 S.) Breslau 860, Kern.

Pohlenz, Rob., Des Landwirths „Soll und Haben" beruht auf der Erkenntniß der wirthschaftlichen Gesetze des Betriebes und einer einfachen und correcten Buchführung zur Controlle desselben. 860. (VIII, 140 S.) 24 ngr — 2. vollständig umgearb. Aufl. Breslau 864. Kern. gr. 8. (X, 152 S.) 27 ngr

—— die Thierzüchtung und die Vererbungs-Gesetze. gr. 8. (XI und 98 S.) Breslau 863, Kern's Verlag.

— landwirthschaftliche Verträge. Ein Formular- u. Hilfsbuch für Gutsbesitzer u. zu „des Landwirths Soll u. Haben". Ebend. 864. gr. 8. (VII, 104 S.) 20 ngr

Aber Fritz! Dramat. Scherz in einem Aufzug von Augustus [d. i. Amand Pohler]. *Berlin: E. Bloch (1898.)* (9 S.) 8° [F.]
= Sammlung, Ludwig Blochs, von Zwie- u. Dreigesprächen. H. 1.

Pohler, Amand (Augustus), rund um den Spielberg. E. Sammlg. ausgew. Feuilletons. gr. 8. (VIII, 327 S. m. Bildn.) Brünn 898. F. Irrgang. n. 3. —

Pohler, Johannes

Pohler, Joh., Bibliotheca historico-militaris. Systematische Uebersicht der Erscheingn. aller Sprachen auf dem Gebiete der Geschichte der Kriege u. Kriegswissenschaft seit Erfindg. der Buchdruckerkunst bis zum Schluss d. J. 1880. (In 15—20 Lfgn.) 1. Lfg. gr. 8. (IV, 64 S.) Cassel 886. Kessler. n. 2. —

Pohler, J., Bibliotheca historico-militaris. Systemat. Uebersicht der Erscheingn. aller Sprachen auf dem Gebiete der Geschichte der Kriege u. Kriegswissenschaft seit Erfindg. der Buchdruckerkunst bis zum Schluss d. J. 1880. 1. Bd. 2.–10. Lfg. gr. 8. (1. Bd. XVII u. S. 65—619.) Cassel 887. Kessler. à n. 2. — (1. Bd. cplt.: n. 22. 50; geb. n. 25. —)

— dasselbe. 2. Bd. gr. 8. (X, 867 S.) Ebd. 890. n. 32. 50; geb. n. 35. —

Pohler, Joh., bibliotheca historico-militaris. Systematische Uebersicht der Erscheingn. aller Sprachen auf dem Gebiete der Geschichte der Kriege u. Kriegswissenschaft seit Erfindg. der Buchdruckerkunst bis zum Schluss d. J. 1880. 3. Bd. 1. u. 2. Hft. gr. 8. (344 S.) Cassel 893. F. Kessler. n. 11. — (I—III, 2.: n. 66. —)

Pohler, Joh., bibliotheca historico-militaris. Systemat. Uebersicht d. Erscheingn. aller Sprachen a. d. Gebiete d. Geschichte d. Kriege u. Kriegswiss. seit Erfindg. der Buchdruckerkunst bis zum Schluss des J. 1880. 3. Bd. 3.—5. (Schluss-) Heft. gr. 8. (VI u. S. 345—773.) Cassel 893—95. Leipzig, G. Lang. n. 19. — (3. Bd. n.n. 30. —; 1.—3. Bd. n. 85. —; erm. Pr. n. 60. —; Einbdo. à n. 2. 50)

— dasselbe. 4. Bd. 1.—8. Hft. gr. 8. (S. 1—640.) Leipzig 897. 98. G. Lang. à Hft. n. 8. — (I—IV, 8.: n. 84. —)

Pohler, Joh., Bibliotheca historico-militaris. Systematische Uebersicht der Erscheingn. aller Sprachen auf dem Gebiete der Geschichte der Kriege u. Kriegswissenschaft seit Erfindg. der Buchdruckerkunst bis zum Schluss des J. 1880. 4. Bd. 9.—12. Hft. gr. 8. (III, S. 641—983.) Leipzig 899. G. Lang. n. 13. —; IV. Bd. kplt. n. 37. —; geb. n.n. 39. 50; I—IV n. 97. —)

— Diodoros als Quelle zur Geschichte v. Hellas in der Zeit v. Thebens Aufschwung u. Grösse. [379—362.] gr. 8. (84 S.) Ebend. 885. n.n. 2. —

Pohler, Johannes [Dr.]: Kriegerische Ereignisse in der Umgebung von Cassel. I. Die Kämpfe an d. Mündener Strasse i. J. 1758. Cassel, Druck v. L. Döll, 1895; 1 Bl., 22 S. 4.
Cassel, Neue R, OP 1895 (425)

Pohler, Johannes [Dr.]: Kriegerische Ereignisse in der Umgebung von Cassel. I. Die Kämpfe an d. Mündener Strasse i. J. 1758. '(Schluss.)' II. Die Ereignisse d. Jahre 1759 u. 1760. [Forts. d. P-Beil. 1895.] Cassel, Druck v. L. Döll, 1896; 1 Bl., 23—47 S. 4.
Cassel, R, OP 1896 (423)

Pohler, Johannes [Prof. Dr.]: Kriegerische Ereignisse in der Umgebung von Cassel. III. Die Belagerg v. Cassel im J. 1761. [Forts. d. P-Beil. 1895. 96.] Cassel, Druck v. L. Döll, 1897; 1 Bl., 49—64 S. 4.
Cassel, R, OP 1897 (429)

— die Litteratur üb. die Geschichte v. Festungen, kriegsgeschichtlich denkwürdigen Städten u. anderen Orten. Systematische Uebersicht der bis zum Schluss d. J. 1880 darüber erschienenen Werke. [Aus: „Bibliotheca historico-militaris".] gr. 8. (284 S.) Ebd. 893. n. 12. —

— die Litteratur der wichtigsten preussischen u. deutschen Kriege d. XIX. Jahrh. Systematische Uebersicht der vom Beginn dieser Kriege bis zum Schluss d. J. 1880 üb. dieselben erschienenen Werke. [Aus: „Bibliotheca historico-militaris".] gr. 8. (IV, 212 S.) Ebd. 890. n. 6. —

Pohler, J. Österreichs Türkenkrieg 1663–64. I. Die siebenbürgischen Unruhen. (22) 4. M. 1 Krte. Frankfurt a./O. 1879.

Pöhler, Alfr., französische und englische Lieder, s.: Fischer, Herm.

Pöhler, A., Liedersammlg. f. Realschulen, s.: Friedenberg, R.

Pöhler, Alfr., Männersang in schlichtem, eng begrenztem Satz (G—g) f. höhere Lehranstalten. (IV, 88 S.) kl. 8. Dresden 910. A. Huhle. Geb. in Leinw. — 80

Volksschulgesangunterricht. Vorschläge f. das neue Volksschulgesetz vom Dresdner Gesanglehrerverein. (12 S.) 8. Ebd. 910. — 30

Pohlen, A., was Heiratslustige vor der Ehe von der Ehe wissen müssen! Wohlgemeinte Winke u. Ratschläge, welche vor der Vermählg. zu beachten sind. (IV, 80 S.) 8. Leipzig (909). Ernst. 1. —

Pohlhammer, Frz., griechische Altertumskunde, s.: Maisch, Rich.

Pohlhausen, Aug., Berechng., Ausführg. u. Betrieb d. Dampfkesselanlagen. Lehr- u. Handbuch f. Techniker u. Ingenieure. 2., verm. u. verb. Aufl. 7.—12. Lfg. gr. 4. (S. 73—134 m. Fig. u. 22 Taf.) Mittweida 897. 98. Polytechn. Buchh. à n. 1. 10

Pohlhausen, A., Berechnung, Ausführung u. Betrieb der Dampfkesselanlagen. Lehr- u. Handbuch f. Techniker u. Ingenieure. 2., verm. u. verb. Aufl. m. in den Text gedr. Abbildgn. u. 32 Taf. 13.—16. Lfg. gr. 4. (V u. S. 145—187 m. 8 Taf.) Mittweida 899. Polytechn. Buchh. à n. 1. 10; (kplt. geb. in Halbfrz. n. 20. —)

Pohlhausen, A., Berechnung, Ausführung u. Wartung der heutigen Dampfkessel-Anlagen. Lehr- u. Handbuch für Techniker u. Ingenieure. 3., verm. u. verb. Aufl. 18 Lfgn. (VIII, 209 S. m. Abbildgn. u. 36 Taf.) gr. 4. Nebst Beilage. (92 S. m. Abbildgn.) 8. Mittweida 905. 906. Polytechn. Buchh. à n. 1. —

— Berechng., Konstruktion u. Anlage d. Transmissions-Dampfmaschinen. Lehr- u. Handbuch f. Techniker u. Ingenieure. 11.—20. Lfg. gr. 4. (S. 1—296 m. Fig. u. 42 Taf.) Ebd. 896—898. à Lfg. n. 1. —

— Berechnung, Konstruktion u. Anlage der Transmissions-Dampfmaschinen. Lehr- u. Handbuch f. Techniker u. Ingenieure. In 2 Bdn. Mit in den Text gedr. Abbildgn. u. 50 Taf. Zeichngn. 21.—25. Lfg. gr. 4. (VII u. S. 297—341 m. 8 Taf.) Mittweida 898. 899. Polytechn. Buchh. à n. 1. —; (kplt. geb. in Halbfrz. n. 30. —)

— dasselbe, 2. Aufl. m. in den Text gedr. Abbildgn. u. 50 Taf. Zeichngn. gr. 4. (V, 341 S.) Ebd. 901. Geb. in Halbfrz. n. 30. —

— Berechnung, Konstruktion u. Ausführung der wichtigsten Flaschenzüge, Winden, Aufzüge u. Krane m. besond. Beachtung der elektrisch betriebenen Hebezeuge dieser Art. (In etwa 25 Lfgn.) 1.—13. Lfg. Imp.-4. (S. 1—156 m. Fig. u. 26 Taf.) Ebd. 902. à n. 1. 10

— Berechnung, Konstruktion u. Ausführung der wicht. Flaschenzüge, Windon, Krane u. Aufzüge mit besond. Berücksicht. der elektrisch betriebenen Hebezeuge dieser Art. In 2 Bdn. Mit vielen in den Text gedr. Abbildgn. u. 50 Taf. Zeichngn. 14.—25. Lfg. (V, u. S. 157—303 m. 24 Taf.) Imp. 4. Ebd. 903. 904. à n. 1. 10; (vollständig geb. n. 32. 50)

— Berechng. u. Konstruktion der wichtigsten Last-Hebemaschinen. gr. 4. (107 z. Tl. farb. Taf. m. IV, 127 S. Text.) Ebd. 894. n.n. 22. —; geb. n.n. 24. 50

Pohlhausen, A., Berechnung und Konstruktion der Maschinenelemente, s.: Rebber, W.

– Die Dampfkesselanlagen, s.a. Weitzel, Karl Geo., die Schule d. Maschinentechnikers.

— Dampfkesselanlagen. (Weitzel, Schule des Maschinentechnikers 12) Leipzig 1898

— die Dampfkessel- u. Dampfmaschinenanlagen, deren Berechnung, Konstruktion, Ausführung u. Beurteilung. I. Die Dampfkesselanlagen. 1. Lfg. gr. 8. (VII, 124 S. m. 1 Atlas v. 36 Taf. in Fol.) Mittweida 890. Polytechn. Buchhandlg. n. 10. —

— die Dampfkessel- u. Dampfmaschinen-Anlagen, deren Berechnung, Konstruktion, Ausführung u. Beurteilung. I. Die Dampfkesselanlagen. 2. Lfg. gr. 8. (VII u. S. 125—312 m. Fig. u. 1 Atlas v. 18 Taf. in Fol.) Ebd. 898. n. 9. — (I. Bd. kplt.: n. 19 —)

Pohlhausen, A., die Dampfmaschinen. (Kolbendampfmaschinen u. Dampfturbinen.) Lehr- u. Handbuch f. Studierende, Techniker u. Ingenieure. (In 2 Bdn.) I. Bd.: Die Wärmemechanik u. die Kolbendampfmaschinen. 3., völlig neu bearb. Aufl. (VIII, VIII, 509 S. m. Fig. u. 21 Taf.) Lex. 8. Mittweida (908—10). Polytechn. Buchh. 13.20; geb. 16.—; auch in 22 Heften à — 60

— s.: Fehland's Ingenieur-Kalender.

– Die Hebemaschinen, s.a. Weitzel, Karl Geo., die Schule d. Maschinentechnikers.

Pohlhausen A, Hebemaschinen. (Weitzel, Schule des Masch. 13) Leipzig 1898

Pohlhausen, A., Construction der Maschinen-Elemente, s.: Rebber, W.

— Construotionen aus dem Dampfkesselbau. Fol. (28 autogr. Taf.) Mittweida 888. Polytechn. Buchh. n. 7. —

Pohlhausen, A., d. Maschinen-Elemente, s.a. Weitzel, Karl Geo., d. Schule d. Maschinentechnikers.

Pohlhausen A. Maschinenelemente. 2 Teile mit Atlas. (Weitzel, Schule des Maschinentechnikers 10) Leipzig 1895

Pohlibal, H. Psyche. Sensitive Novellen. 8. (III, 158 S.) Dresd. 892, Pierson. * 2 —; geb. m. Goldschn. * 3 —

Pohlidal, H., e. freigewordenes Weib. Komödie in 3 Acten u. e. Vorspiel. 8. (62 S.) Wien 896. Vial & Freund. n. — 80

Pohlidal, Frau Helene, s.: Dahl, Herm.

Pohlig: Beiträge zur Kritik und Erklärung von Vergil Aen. lib. I. 17 S. 4°.– Seehausen i/A., Progr. 1871.

Pohlig, Petrus Silitonga, e. früh vollendeter Batak, s.a. Missionsschriften, rheinische. Nr. 116.

Petrus Silitonga. Ein früh vollendeter Batak. Von Miss. Pohlig. *Barmen: Missionshaus 1902.* (20 S.) 8° [F.]
= Missions-Schriften, Rheinische. No 116.

Pohlig, C. *Theodor* [Prof.]: Die romanische Baukunst in Regensburg. M. e. Anh.: Der Neubau d. Kgl. Neuen Gymn. zu Regensburg. Regensburg, Druck d. „Nationale Verlagsanst. Buch- u. Kunstdr. A.-G.", 1895; IV, 48 S., 1 Taf., 2 Pl. 8. Regensburg, k. Neues G., P 1895.

Pohlig, C. Th., d. romanische Baukunst in Regensburg. Mit e. Anh.: D. Neubau d. kgl. neuen Gymnasiums zu Regensburg. Progr. gr. 8. (IV, 48 S. m. Abb. u. 3 Taf.) Regensburg 895. (H. Bauhof.) n.n. — 70

Pohlig, C. Th. „Ueber die Bedeutung des Zeichnenunterrichts und dessen Behandlung an technischen und humanistischen Lehranstalten". pg. 3—11. 4°. C. Fritz.
Dinkelsbühl, Progr. 1872/73

— e. verschwundene Bischofspfalz. (D. Salzburger Hof in Regensburg.) [Aus: „Zeitschr. f. bild. Kunst".] gr. 4. (12 S. m. 32 Abb.) Ebd. n.n. — 90

Pohlig, C. Th., Dinkelsbühl in seiner Vorzeit u. Gegenwart. Mit Illustr. [Aus: „Zeitschr. f. bild. Kunst".] hoch 4. (12 S.) Leipzig 887. E. A. Seemann. n. — 50

Pohlig, C. Th. Das Goliathhaus in Regensburg u. seine Umgebg. gr. 4. (12 S. m. 14 Abbildgn.) Regensb. 891, Bauhof. * — 60

— Hauskapellen u. Geschlechterhäuser in Regensburg. hoch 4. (46 S. m. 2 Taf. u. 68 eingedr. Abbildgn.) Ebd. 890. ** 2 50
Vorstehende Schrift aus: Zeitschr. f. bild. Kunst, besonders abgedruckt.

— Regensburger Höfe. Mit Abbildgn. [Aus: „Zeitschrift f. bild. Kunst".] hoch 4. (15 S.) Leipzig 888. E. A. Seemann. n. 1. —

— Kelheim nebst der Befreiungshalle, der Donauschlucht u. dem Altmühlthal. In Wort u. Bild. Mit 10 Vollbildern, 1 Durchschnitt m. Innenansicht der Befreiungshalle u. 6 in den Text gedr. Illustr., nebst e. Anh., Notizen f. Touristen enth. gr. 8. (36 S.) Ebd 893. n. 1. 80

— Kehlheim, nebst d. Befreiungshalle, d. Donauschlucht u. d. Altmühlthal. In Wort u. Bild. M. 10 Vollbild., e. Durchschnitt m. Innenansicht d. Befreiungshalle u. 6 in d. Text gedr. Illustr., nebst e. Anh., Notizen f. Touristen enth. 2. Aufl. gr. 8. (36 S.) Ebd. 897. n. 1. 80

Pohlig, C. Th., die St. Georgskirche zu Dinkelsbühl. Mit (eingedr. Holzschn.-) Abbildungen. [Aus: „Zeitschr. f. bild. Kunst".] hoch 4. (20 S.) Leipzig 882. Seemann. n. 2. —

Pohlig, Hans, Abstammungstheorie m. Rücksicht auf Erdgeschichte, s.a. Weltanschauungs-Fragen.

Abstammungstheorie mit Rücksicht auf Erdgeschichte. Nach s. Vorlesungen von Hans Pohlig. Mit vielen Abb. Stuttgart: 'Neue Weltanschauung' 1909. 191 S. 8°
(Weltanschauungs-Fragen. Sonderbd. 2, 3.)

— Eiszeit u. Urgeschichte des Menschen, s.a. Wissenschaft u. Bildung.

Pohlig, Hans. Eiszeit und Urgeschichte des Menschen. Nach seinen Vorlesungen von H' (*Umschlag:* J[ohann]) P'.... [Mit Illustrationen und 1 Tafel.] VIII + 142 S. 8. Leipzig, Quelle & Meyer, 1907. (M. 1. —, geb. 1. 25)
Wissenschaft und Bildung. Einzeldarstellungen aus allen Gebieten des Wissens. Hrg. von Privatdozent Dr. Paul Herre. (Bändchen) 8.

Pohlig, Hans, e. Elephantenhöhle Siciliens u. der erste Nachweis des Cranialdomes v. Elephas antiquus. [Aus: „Abhandlgn. d. k. b. Akad. d. Wiss."] gr. 4. (37 S. m. 4 Fig., 5 Taf. u. 5 Bl. Erklärgn.) München 893. (G. Franz' Verl.) n.n. 2. 80

Pohlig (H.). Geologisch-Paläontologisches vom Niederrhein. (Separat-Abdr. a. d. Sitzungsber. d. niederrhein. Ges. für Natur- und Heilkunde. Bonn 1883.) 8.

Aus dem Märchenlande v. 1001 Nacht. Beobachtungen u. Abenteuer e. Geologen im nördl. Persien, s.a. Büchersammlung, allgemeine.

Aus dem Märchenlande von 1001 Nacht. Beobachtungen u. Abenteuer e. Geologen im nördl. Persien mit zahlr. Abb. Von Hans Pohlig. Bd 1. (Leipzig: Körner [1909].) 8°
(Allgem. Büchersammlung d. freien Vereinigung von Schriftstellern ... Folge 2. [Bd 1.])

Pohlig (H.), Vorläufige Mittheilungen über das Pleistocaen, insbesondere Thüringens. (Sep.-Abdr. a. d. Sitz.-Ber. d. Niederrhein. Ges. zu Bonn. 1884.) 8.

Pohlig, H., Monographie der Elephas antiquus Falc. führenden Travertine Thüringens, ihrer Fauna u. Flora. 1. Stück: Monographie d. Elephas antiquus Falc. m. Beiträgen üb. Elephas primigenius Blum. u. Elephas meridionalis Nesti. A. u. d. T.: Dentition u. Kraniologie d. Elephas antiquus Falc. m. Beiträgen üb. Elephas primigenius Blum. u. Elephas meridionalis Nesti. 1. Abschn. Mit 10 Taf. u. 110 in den Text eingedr. Zinkogr. [Aus: „Nova Acta d. ksl. Leop.-Carol. deutschen Akad. d. Naturforscher".] gr. 4. (280 S.) Halle 888. (Leipzig, Engelmann.) n. 25. —

Pohlig, Hans. Monographie der Elephas antiquus Falc. führenden Travertine Thüringens, ihrer Fauna u. Flora. I. Stück: Monographie d. Elephas antiquus Falc. m. Beiträgen üb. Elephas primigenius Blum. u. Elephas meridionalis Nesti. 1. Hälfte: Dentition u. Kranologie d. Elephas antiquus Falc. m. Beiträgen üb. Elephas primigenius Blum. u. Elephas meridionalis Nesti. 2. Abschn. Mit 7 Doppel-Taf. u. 47 in d. Text eingedr. Zinkogr. gr. 4. (S. 269—466 S.) Halle a. S. 891. Lpz., (W. Engelmann). * 20 —
Aus: Nova Acta Academiae Caesareae Leop.-Carol., besonders abgedruckt. 1. Abschn. Ebd. 1888. * 25 —.

— dasselbe. II. Stück: Die Cerviden d. thüring. Diluvial-Travertines, m. Beiträgen üb. andere diluviale u. üb. recente Hirschformen. [Aus: „Palaeontographica".] gr. 4. (III u. S. 215—262 m. 29 Holzschn., 4 Taf. u. 4 Bl. Erklärgn.) Stuttgart 892. E. Schweizerbart. n. 12. —

— die grossen Säugetiere der Diluvialzeit, s.a. Vorträge, zoologische.

(Zoologische Vorträge hrgg. v. William Marshall. Heft 5.) Die grossen Säugetiere der Diluvialzeit v. Hans Pohlig. Leipzig. 1890. 8°.

— üb. die wildlebenden Wiederkäuer Nordpersiens u. Einiges üb. die dortige Landwirtschaft, s.: Berichte aus dem physiolog. Laboratorium u. der Versuchsanstalt d. landwirtschaftl. Instituts der Universität Halle.

Pohlig, J., in Köln.
Otto'sche Drahtseilbahnen. Hunt's Verlade- und Transporteinrichtungen.

Pohlig, J., Das Entladen von Schiffen mit Berücksichtigung ihrer zweckmäßigsten Bauart. Berlin, 1903. 14 S. mit 3 Taf.

Pohlig, J: Kataloge üb. Transportanlagen usw. Köln o. J. (um 1900)

Pohlig, J., Maschinentheile. Eine Sammlung von Zeichnungen der wichtigsten Maschinentheile mit erläut. Text u. den nöthigsten Berechnungen. Zum Gebrauche für den Unterricht an Gewerbe- u. Handwerkerschulen, sowie zum Selbststudium des prakt. Maschinenbauers. 2 Hälften. Leipzig 868. Seemann. gr. 4. (IV, 24 S. Text mit 20 zum größten Theil color. Steintaff. in Fol.) In Couvert. n. 2 ₰ 12 ngr.

Pohlig, J., Maschinentheile. Eine Sammlung von Zeichnungen der wichtigsten Maschinentheile mit erläut. Text u. den nöthigsten Berechnungen. Zum Gebrauche für den Unterricht an Gewerbe- u. Handwerkerschulen, sowie zum Selbststudium des praktischen Maschinenbauers. 2., umgearb. u. erweiterte Aufl. Mit 52 lith. u. color. Taf. (in qu. gr. Fol.). gr. 4. (32 S.) Leipzig 877. Gebhardt. n. 14. —

Pohlig, J., Akt.-Ges.: Prospekte usw. betr. elektrische Anlagen. 1910 ff. Cöln

Pohlig, J. Sammlung von Zeichnungen der wichtigsten Maschinentheile. Leipzig. 1868.

Pohlig, J. W., Album der herrschaftlichen Landsitze und Schlösser in Oesterreich, s. Album.

Pohlig's, (J. W.), Vademecum für den Badegast in Teplitz u. Schönau. Vollständigster u. billigster Fremdenführer nach, in u. um Teplitz. Sommer 1852. 16. (64 S.) Teplitz 852, Pohlig. n. 1/4 ₰ Mit zinkographischer Karte in gr. Fol. n. 2/3 ₰

Pohlig's Vademecum für den Badegast in Teplitz und Schönau. Vollständigster und billigster Fremdenführer nach, in und um Teplitz. Sommer 1852—1854. 16. (à 64—66 S. mit 1 Plan in Kpfrst.) Teplitz, Pohlig. à Jahrg. *

Pohlig. Vademecum für den Badegast in Teplitz und Schönau. Vollständigster und billigster Fremdenführer nach, in und um Teplitz. Enthaltend eine historische, topographisch-statistische und medizinische Skizze, Beschreibung der besuchtesten Orte um Teplitz, den Weg dahin und der Unterhaltungen in Teplitz, polizeiliche, zollämtliche und sonst dem Fremden zu wissen nöthige Notizen und Adressen, größere Ausflüge in die Umgegend, in das Mittelgebirge und Reisetouren in die sächsische Schweiz nebst Angabe der Reise- und Beförderungsmittel, namentlich der Eisenbahn-, Post-, Dampfschiff- und Stellwagen-Kourse zwischen Dresden, Teplitz, Prag, Karlsbad u. s. w. Sommer 1854. 12. (66 S. und 1 Plan.) Leitmeritz. Gedruckt bei C. W. Medau. Teplitz. Verlag von J. W. Pohlig's Buchhandlung.

Pohlig's Vademecum für den Badegast in Teplitz und Schönau. Vollständigster und billigster Fremdenführer nach, in und um Teplitz. Enthaltend: Eine historische, topographisch-statistische und medizinische Skizze, Beschreibung der besuchtesten Orte um Teplitz, der Wege dahin und der Unterhaltungen in Teplitz; polizeiliche, zollämtliche und sonst dem Fremden zu wissen nöthige Notizen und Adressen; größere Ausflüge in die Umgegend, in das Mittelgebirge und Reisetouren in die sächsische Schweiz, nebst Angabe der Reise- und Beförderungsmittel, namentlich der Eisenbahn-, Post-, Dampfschiff- und Stellwagen-Curse zwischen Dresden, Teplitz, Prag, Carlsbad u. s. w. Sommer 1855. (Erscheint jeden Sommer wenigstens einmal neu.) Leitmeritz 1855. Gedruckt bei C. W. Medau. Teplitz, Verlag von J. W. Pohlig.

Pohlig. Vademecum für den Badegast in Teplitz und Schönau. Vollständigster und billigster Fremdenführer nach, in und um Teplitz. Enthaltend: eine historische, topographisch-statistische und medizinische Skizze, Beschreibung der besuchtesten Orte um Teplitz, der Wege dahin und der Unterhaltungen in Teplitz; polizeiliche, zollämtliche und sonst dem Fremden zu wissen nöthige Notizen und Adressen; größere Ausflüge in die Umgegend, in das Mittelgebirge und Reisetouren in die sächsische Schweiz, nebst Angabe der Reise- und Beförderungsmittel, namentlich der Eisenbahn-, Post-, Dampfschiff- und Stellwagen-Kurse zwischen Dresden, Teplitz, Prag, Karlsbad u. s. w. Sommer, 1856. Gedr. bei C. W. Medau in Leitmeritz. Teplitz. Verlag von Pohlig's Buchhandl. (68 S. 8.)

Pohlig's Vademecum für den Badegast in Teplitz und Schönau. Vollständigster und billigster Fremdenführer nach, in und um Teplitz. VI. Auflage. Sommer 1857. *Teplitz*, Verlag von *J. W. Pohlig's* Buchhandl. Gedr. bei *C. W. Medau* in *Leitmeritz*. 68 S. 16°.

Pöhlig, Karl

Pöhlig, C., Beiträge z. Kritik u. Erklärung d. Vergil. Aen. lib. I. Pr. 1871. 17 S. 4°. 1.—
— II. Pr. 1880. 16 S. 1.20

Pöhlig, Karl Beiträge zur Erklärung von Vergils Aeneide. II. Teil. 16 S. [I: 1871.] Progr. *Seehausen i. A.* 1880.

Pöhlig, C[arolus]: • De Herodoto Homeri imitatore. 29 S. 4° (2°)
Halle-Wittenberg, Phil. Diss. v. 11. Jan. 1866
Geb. [Hornburg (Kr. Halberstadt) 22. 12. 1838]
Verf. erlebte die Diplomerneuerung 1916 als Gymnasialprofessor a. D. in Erfurt, vgl. Anh. Nr. 663.

Pöhlig, *Karl* [Prof. Dr.]: Das grammatische Pensum im Lateinischen in den mittleren Klassen. (1. Tl: Das grammat. Pensum d. Unter-Tertia.) Seehausen i. d. A., Druck d. R. Schröterschen Buchdr., 1896; 3—18 S. 4.
Seehausen i. d. A., G, OP 1896 (256)

Pöhlig, Carl, Prof. Dr.: Das grammatische **Pensum** im Lateinischen in den mittleren Klassen der Gymnasien. T. 2. Das grammat. Pensum d. Ober-Tertia u. Unter-Sekunda. *Erfurt 1900: F. Bartholomäus.* (23 S.) 4° (Forts. d. P-Beil. Seehausen i. A. 1896.)
Erfurt, k. G, OP 1900 (247)

Pöhlig, [Carl]: [Rede bei der Trauerfeier für den verstorbenen Direktor Dr. Richard Thiele.] S. 22—24. 4. Kgl. Gymn. *Erfurt* 1908 (307).
Progr.

Pöhlig, Carl, der Athener Theramenes. [Aus: „Jahrbb. f. class. Philol. 9. Suppl.-Bd."] gr. 8. (96 S.) Leipzig 877. Teubner. n. 2. 40

Pöhlig, *Carl Max* Wilhelm [aus Seehausen '(Altmark)']: Ueber die Bedeutung des Cervixcarcinoms als Geburtshindernis . . . Berlin, C. Vogts Buchdr., *1896*; 44 S., 2 Bl. 8.
Berlin, Med. Fak., Inaug.-Diss. v. 27. März 1896

POHLING, Lizitationsausrufer (ps.), Gesammelte interessante Bemerkungen des —, gesendet an seinen Freund Herrn Pfiffspitz, Redacteur des Notizenblattes zu Krähwinkel. 3 Hefte. Wien, Adolph 1829. 30. 8°. 10 Bogen. Rar!

Die beglückte Ankunft Seiner Magnificenz des . . . Herrn Johann Christoph Gottsched, . . . wurde im Namen der Königlichen Deutschen Gesellschaft mit zärtlicher Hochachtung bezeuget von FRIDERICH WILHELM POEHLING . . Königsberg 1741. im Julius — fol.

Pohlisch, Bernhard: Die Patoisformen in Molières Lustspielen. Halle a. d. S. 1884: o. Dr. 28 S. 8°
Halle-Wittenberg, Phil. Diss. v. [20. Aug.] 1884
Geb. Niewerle (Kr. Sorau, Nieder-Lausitz) 1. 11. 1854. V.

Pohlisch, Gustav [aus Oberfriedersdorf]: Über die pädagogischen Verdienste des Domherrn E. v. Rochow . . . Zwickau, Druck v. R. Zückler, 1894; 2 Bl., 97 S. 8.
Leipzig, Phil. Fak., Inaug.-Diss. v. [28. Febr.] 1894

Pohlisch, Gust., üb. die pädagogischen Verdienste des Domherrn E. v. Rochow. gr. 8. (97 S.) Zwickau 894. (Leipzig, G. Fock.) n. 2. —

Pöhlitz, Herm. Mathematische Abhandlung. (Der geometrische Unterricht in der Gymnasialquarta.) 12 S. **Progr.** *Creuzburg* 1877.

Pohlke, K., darstellende Geometrie zunächst für den Gebrauch bei den Vorträgen an der Königl. Bau-Akademie u. dem Königl. Gewerbe-Institut zu Berlin bearb. 1. Abth. Darstellung der geraden Linien u. ebenen Flächen, so wie der aus ihnen zusammengesetzten Gebilde, vermittelst der verschiedenen Projectionsarten. Mit 1 Hefte von 10 (lith.) Taf. (in 4.) Berlin 860. Gaertner. gr. 8. (VIII, 143 S.) n. 1 ₰

Pohlke, K., darstellende Geometrie. 1. Abthl. Darstellung der geraden Linien u. ebenen Flächen, sowie der aus ihnen zusammengesetzten Gebilde, vermittelst der verschiedenen Projectionsarten. Nebst 1 Hefte von 10 Steintaff. (in 4.) 2. Aufl. Berlin 866. Gaertner. gr. 8. (VIII, 148 S.) n. 1 ₰

Pohlke, K., darstellende Geometrie. 1. Abthl.: Darstellung der geraden Linien und ebenen Flächen, sowie der aus ihnen zusammengesetzten Gebilde, vermittelst der verschiedenen Projectionsarten. Nebst einem Hefte von 10 (lithogr.) Taf. (in gr. 4.). 3. Aufl. gr. 8. (XII, 147 S.) Berlin 872, Gaertner. (*M 3,50.) *

Pohlke, K., darstellende Geometrie. 2 Abthlgn. m. Atlas v. je 10 (lith.) Taf. (in 4.) gr. 8. Berlin 876. Gärtner. n. 9. 60
1. 4. Aufl. (X, 142 S.) n. 3. 60. — 2. (X, 231 S.) n. 6. —

Pohlke, K., darstellende Geometrie. 2 Abthlgn. mit Atlas von je 10 (lithogr.) Taf. (in 4.). gr. 8. Berlin 878, Gärtner. [1. Abthl. 4. Aufl. (X, 142 S.) * M 3,60.; 2. Abthl. (X, 231 S.) * M 6.] * 9 60

Pohlman, A., s. Pohlmann, Adolf

Pohlmann, Fräulein, als Zerline im Don Juan . . . Hamburg 1827. V: *Kratz, Friedrich Ernst Leberecht.* (schr)

Fabeln

— —, Neue, und Erzählungen (von *Pohlmann*), nebst einer Vorrede Herrn Dan. Wilh. Trillers. Leipzig u. Bremen, 1752. 8°.
Name d. Vf. in: Catal. bibl. Fischeri, p. 303.

Pohlmann, A.: Construction aus d. Dampfkesselbau, s. Pohlhammer, August.

Die Ablösbarkeit ländlicher Schulden und Lasten. Von Adolf **Pohlmann**. (Itzehoe [1903]: Nord. Kurier.) (44 S.) 8° [F.]
Aus: Pohlmann: Die Not d. deutschen Landwirtschaft. [03. 1325 9

Die Ablösbarkeit ländlicher Schulden und Lasten v. Adolf **Pohlmann.** Sonderabdruck der „Not der deutschen Landwirtschaft und die Bodenreform". o. O. u. J. (1905?) 8°

Pohlmann, Adf., 1806. Schauspiel in 4 Aufzgn., nach e. O. L. Tesdorpf'schen Erzählg. frei bearb. 8. (112 S.) Hamburg 896. H. Seippel. n. 2. —

Pohlmann, Adolf, a. Osnabrück: Experimentelle Beiträge zur Lehre vom Gedächtnis. Berlin: Gerdes & Hödel 1906. (191 S.) 8°
Göttingen, Phil. Fak., Ref. Müller, Diss. v. 28. Mai 1906
[Geb. 13. Juni 75 Osnabrück; Wohnort: Göttingen; Staatsangeh.: Preußen; Vorbildung: Realgymn. I Hannover Reife 04; Studium: Bonn 2, München 1, Berlin 1, Göttingen 4 S.; Rig. 9. Mai 06.]

Pohlman, A., Bergbaufreiheit u. Staatsinteresse, s. a. Zeitfragen, soziale. 32. Heft.

Bergbaufreiheit und Staatsinteresse. Von A[dolf] **Pohlmann**-Hohenaspe, Potsdam. Berlin: Bodenreform [1906]. (28 S.) 8° [F. u. Ant.]
— **Zeitfragen**, Soziale. H. 32. [07. 9222

Pohlmann-Hohenaspe, A., Bergbaufreiheit und Staatsinteresse. Berlin, [1907]. 28 S.

Pohlman-Hohenaspe, P., Einanzen, s. Kultur u. Fortschritt, H. 233. 234.

Pohlmann, Adf., Einrichtungsplan für eine zweiklassige Rektoratschule. gr. 8. (28 S.) Bensheim 877. Lehrmittelanstalt. n. — 60

— Gedichte u. Uebersetzgn. gr. 16. (180 S.) Hohenaspe 895. Ebd. Geb. in Leinw. n. 2. 50

Pohlmann, Adf., die vergessene Grundrente, s.a. Streitfragen, soziale. 9. Hft.

Pohlman, A. Die vergessene Grundrente. Ein Beitrag zur Kanalfrage. Berlin (o. J.).

Die vergessene Grundrente. Ein Beitrag z. Kanalfrage von **Adolf Pohlman.** 3. Taus. *Berlin: J. Harrwitz Nachf. [1900].* (27 S.) 8° [F.]
= **Streitfragen, Soziale.** II. 9. [00. 10378

Pohlmann, Adolf, Die vergessene Grundrente. E. Beitr. z. Kanalfrage. Berlin [1901]. 8°.
(Soziale Streitfragen, hrsg. von Adolf *Damaschke.* H. 9.)

Pohlmann, Adph., Kriegs- u. Siegesklänge aus Eisenach. gr. 16. (16 S.) Eisenach 871. Bacmeister. n. — 20

— Laienbrevier d. National-Ökonomie. (215 S.) 8. Leipzig 908. R. Voigtländer. 2.—; geb. 2. 40

Pohlmann, d. Not der Landwirtschaft u. die Bodenreform. Berlin 898.

— die Not der deutschen Landwirtschaft u. die Bodenreform, s.a. Streitfragen, soziale. 4. Hft.

Die Not der deutschen Landwirtschaft und die Bodenreform. Von **Adolf Pohlman**, Hohenaspe. *Berlin: J. Harrwitz Nachf. [1899].* (40 S.) 8° [F.]
= **Streitfragen, Soziale.** II. 4. [00. 10374

Pohlmann, Adf., Religionsunterricht u. Schulaufsicht im Rahmen des Volksschulgesetzes. Promemoria, dem IX. evang. Schulkongreß, sow. d. Vertreter-Versammlg. des Verbandes deutscher evang. Schul- u. Lehrervereine ganz ergebenst überreicht. Um e. längeren Anh. verm. Sonderabdr. aus d. „Evang. Schulblatt, begründet von F. W. Dörpfeld". gr. 8. (31 S.) Gütersloh 896. C. Bertelsmann. n. — 40

Pohlman-Hohenaspe, A., der erste Schritt zu gesunden Finanzen, s.a. Kultur u. Fortschritt.

Pohlmann, A., Der erste Schritt zu gesunden Finanzen. E. Beitr. z. Reichsfinanzreform. Gautzsch b. Leipzig 1909. 8°.
(Kultur u. Fortschritt Nr 21/24)

Pohlmann, Adf., der Schulfriede. Ein Vorschlag f. Friedfertige. gr. 8. (98 S.) Essen 894. G. D. Baedeker. n. 1. 20

Pohlmann, Adf., zwei Tage u. Nächte im Luftballon. Im Göttinger „Segler" von Bitterfeld nach Frankreich. Eine Pfingstfahrt m. Prof. Dr. Poeschel. (63 S. m. 1 Abb.) 11. 8. Leipzig-Gohlis 909. B. Volger. — 50

— e. Wort f. d. Schulfrieden. Ein Vortrag. Mit e. Nachwort v. Frdr. Polack. [Aus: „Neue pädagog. Zeitg."] gr. 8. (32 S.) Essen 896. G. D. Baedeker. n. — 40

Pohlman, A., s.: Zuwachssteuer, die.

Pohlmann, Alex., s.: Schriften des Vereins f. Socialpolitik. 127, I. (Einzeltragen der Finanzpolitik der Gemeinden.)

Pohlmann, Alfr., Allerhand ut't ollmark'sch' Land. Plattdiitsch' Gedichten. (X, 94 S.) 8. Stendal 905. (E. Schulze.) n. 1. 20

Pohlmann, Alfr., Sagen aus der Wiege Preußens u. des deutschen Reiches, der Altmark, neu bearb. u. neu gesammelt. gr. 8. (XII, 252 S.) Stendal 901. Franzen & Große's Verl. 3. —

Pohlmann, Anton

Pohlmann, A., Annotationes in Corneli Taciti „Agricolam" admixtis observationibus sermonis Tacitei ut extat in „scriptis minoribus". Diss. 1871. 61 S.

Pohlmann, Anton., S. Ephraemi Syri commentariorum in s. Scripturam textus. Zwei Abhandlungen im Index lection. des Lyceums zu Braunsberg, 1862 u. 1864, 4°.

Pohlmann, Ant., Sancti Ephraemi Syri commentariorum in sacram scripturam textus in codicibus vaticanis manuscriptus et in editione romana impressus. Commentatio critica. 2 Partes. Lex.-8. (IV und 76 S.) Braunsberg 862,64, Peter. à Pars * 16 Ngr. *

Pohlmann, Antonius *[geb. Retsch im Ermland 6. 5. 1829]*: Theses theologicae controversae ... ad licentiati in s. s. theologia honores rite impetrandos. Vratislaviae (1856). (2 Bl.) 8°
Breslau, Kath.-theol. Liz.-Thesen v. 15. [vielmehr 13.] März 1856

Pohlmann, August Wilhelm

Pohlmann, A. W., Geschichte d. Stadt Salzwedel aus Urkunden u. glaubwürd. Nachrichten bearbeitet. gr. 8. Halle, Hemmerde u. Schw. 811.

Pohlmann, Aug. Wlh., Geschichte d. Stadt Salzwedel, aus Urkunden u. glaubwürd. Nachrichten bearb. gr. 8. Salzw. 811. (Halle, Schwetschke u. S.) 1 ℛ 12 ℊ

(Pohlmann, Aug. Wilh.,) Margar. Minde, s. Margaretha.

Pohlmann, Aug. Wlh., historische Wanderungen durch Tangermünde. Ein Beitrag zur Kunde der altmärkischen Vorzeit. Aus archivalischen Nachrichten u. Urkunden bearbeitet. 8. Tangermünde 816, Döger. n. 1 ℛ

— s. Xenophons Apologie d. Socrates.

Pohlmann, C., neueste Karte vom Harz-Gebirge mit 8 Randansichten. gr. Fol. Lith. u. illum. Angehängt ist ein Register sämmtl. Ortschaften, Berge, Ruinen, Hütten u. s. w. Magdeburg 844, Baensch. 3/4 ℛ

Pohlmann, C. Plan von **Magdeburg.** Magdeburg. 1 Bl. 1.

Pohlmann, E. Anmeldungen zum Handels- u. Genossenschaftsregister, s. Wahlstedt, K.

Pohlmann, E. A. C., († ...) zehn Predigten. Nach d. Tode d. Verfassers mit Hinzufügung e. Lebensgeschichte desselb. hrsgg. v. G. Löschin. 8. Danzig 831. Ewert 1 ℛ 8 ℊ

Pohlmann, E. C.

— allgemeines Grundgesetz der franz. Sprache. 8. Halle, Kümmel. 752.

— **Recueil** de Lettres choisies etc. v. **Recueil.**

— s. **Récueil** de poesies françaises.

Pohlmann, E. C., Traité des Libertés de l'**Eglise gallicane.** 8. Halle. 753.

Pohlmann, G. H., Anweisung zur Kenntniß, Würdigung u. Behandlung der Georgine od. Dahlie. Nebst einem Anhange zur richtigen Aussprache der engl. Georginen-Namen. Für Freunde u. Liebhaber dieser Blume. 8. Magdeburg 841, Schmilinsky. 1/4 ℛ

Pohlmann, E. H., Georginen-Lehre od. Anweis. z. Kenntniss, Würdigung u. Behandl. d. Georginen od. Dahlien. Nebst e. Anh. z. richtigen Aussprache d. engl. Georginen-Namen. 8. Magdeburg, 1841. 2. Ausg. 1847. Baensch. — 7½

Pohlmann, E. H., Georginen-Lehre od. Anweisung zur Kenntniß, Würdigung u. Behandlung der Georginen od. Dahlien; nebst einem Anhang. 2. unveränd. Ausg. 8. (62 S.) Magdeburg 852, Baensch. ¼ ℛ

Pohlmann E. H.: Die embryonale Metamorphose d. Physiognomie u. d. Mundhöhle d. Katzenkopfes. Diss. (Erlangen). Leipz. 1910. 62 S. Fig. P.

Pohlmann, Fritz, der moderne Wagenbau. Ansichten mit Detail-Zeichnungen. 2 Sammlungen. gr. 8. (à 36 lith. Taf. Ansichten u. 9 Bog. Detail-Zeichnungen.) Leipzig 877. Grieben. In Mappe. à n. 7. —

Geschichte des Infanterie-Regiments Graf Barfuß ‹4. Westfäl.› Nr. 17 im neunzehnten Jahrhundert von [Georg] **Pohlmann**, Hauptm. Mit Bildn., Abb. u. Karten. Berlin: E. S. Mittler & Sohn 1906. (VIII, 311 S.) 8° [F.] 106. 1891

Pohlmann, H., Fibel z. Leſenlernen u. z. Beförderung e. guten Leſetons. Für Schule u. Haus. 8. (3 B.) Bielefeld 838, Belhagen u. Klaſing.

Pohlmann, H., Fibel zum Leſenlernen u. zur Beförderung eines guten Leſetons. Für Schule u. Haus. 2. verb. u. ſtark verm. Aufl. 8. Bielefeld 844, Belhagen u. Klaſing. $^1/_{12}$ ℛ

Pohlmann, H., Fibel zum Leſenlernen u. zur Beförderung eines guten Leſetons. Für Schule u. Haus. 3. verb. Aufl. 8. (102 S.) Bielefeld 850, Belhagen & Klaſing. $^1/_{12}$ ℛ

Internationales Reisebureau H. Pohlmann in Basel ‹Schweiz›. Allgemeines Handbuch [== Prospect]. 28 S. 8. [1901.]

Pohlmann, H., Hausſchatz komiſcher Vorträge u. humoriſtiſcher Deklamationen von erprobter Wirkung. In verſchiedenen Dialekten. 8. (160 S.) Oberhauſen 880. Spaarmann. n. 1. —

Pohlmann, H., Hausſchatz komiſcher Vorträge u. humoriſtiſcher Deklamationen v. erprobter Wirkung. In verſchiedenen Dialekten. 2. Aufl. 8. (160 S.) Oberhauſen 884. Spaarmann. 1. —

Pohlmann, H., Hausſchatz humoriſtiſcher Vorträge und humoriſtiſcher Deklamationen von erprobter Wirkung. In verſchiedenen Dialekten. 2. Aufl. 8. (160 S.) [Oberhauſen 885.] Styrum, Spaarmann. 1 —

Pohlmann, H . Pilatus-Bahn = Chemin de fer du Mont Pilate = Mount Pilatus Railway. Editeur: H. P'. [Avec 4 planches.] 8. Bâle 1889.

Pohlmann, H. Sammlg. komiſcher Vorträge u. humoriſtiſcher Deklamationen v. erprobter Wirkung. In verſchiedenen Dialekten. 3. Aufl. 8. (160 S.) Styrum 892, Spaarmann. 1 —

Pohlmann, H . Illustrirter Wegweiser durch's Birsig- und Leimenthal. Ein Handbüchlein für Touristen, bearbeitet u. hrg. von H. P'.... Mit einem Plan des Birsig- und Leimenthals, 10 Illustrationen und 3 Textvignetten. 8. Basel 1888.

Pohlmann, H. Illustrirter Wegweiser durchs Birsig- und Leimenthal. Kl. in-8°. XIV. u. 57 S. Basel, Chr. Krüsi's Wittwe. 1888 — 50

Pohlmann, Harry, der Tanzhuſar, ſ.: Mehrkalter. (Jacoby, Wilh.)

Pohlmann, Hinrich

POLANDER (d. i. Advokat *Pohlmann*). — Die poetische 4. Jahres-Zeiten der Jugend, entworffen von *Polandern*. Leipz. u. Magd., Cph. Seidel. 8°.

So im Frf. Fast. M. V. 1703. H 4b sub lib. fut. nund. prod. — Wirklich vorhanden?

— — Der Entlarvte CUPIDO, welcher Allerhand wahrhafftig gewechselte Liebes- u. Freundschaffts-Briefe der galanten Welt Zum beliebten Zeitvertreib offeriren läst (!) durch *Polandern*. Leipzig, Verlegts Christoph Seidel. 1704. 8°. (10 Mk. Gust. Klötzsch, Lpz., 1885.)

Titel (roth u. schwarz, auf Rücks. Widm.: „An die Tugendhafften u. Annehmlichen Hollsteinerinnen"), 2 Bll. Vorr., 330 S. (incl. 1 S. Druckf.). Abgesehen von einigen Derbheiten, ziemlich harmlosen Inhalts. Einiges in Versen. — Hervorzuheben ein „Bericht-Schreiben . . . von allerhand raren Antiqvitäten (20 fingirte Titel), S. 89—91; ausführliche Nachricht von der Romanlitt. des 17. u. Anf. 18. Jahrh., S. 215—223, wobei auch mehrere Titel von Büchern, „welche aller Erbarkeit [!] Adjeu gegeben", citirt werden (S. 222); scharfe Angriffe gegen den Vielschreiber Menantes (Hunold), welcher in seinen Gedichten Polander's „lustige Studier-Stube" „durchzuziehen" gewagt hatte (S. 323—329). — Rar!

— — Dasselbe. Ibid. 1719. 8°. 18 Bogen.

[**Pohlmann, Hinrich**, Pseudonym:] Polander. Die lustige Studir-Stube eröffnet von Polandern. Erste und Andre Eröffnung. 2 Teile in 1 Band (= alles Erschienene). Leipzig, Chr. Seidel, 1703. Kl.8°. 4 Bl. 197 S. *mit 1 ganzseit. Kupfer.* Alter Pbd.

H.-G. VI, 225: „Sehr selten". H.-G. zitiert 2 Ausgaben aus dem gleichen Jahr.

— — Dasselbe, tit.: Die Lustige Studier-Stube, eröffnet von *Polandern*. Erste und andere Eröffnung. (Alles was erschienen.) Mit TKupf. (Zechgesellschaft auf einer Studentenbude). Leipzig, anno 1721. 8°. 3 Bll. u. 197 S. (10 Mk. Adolf Weigel, 1907.)

Galante Studentenabenteuer. Sehr selten!

— **Johann Christoph** (Halle), De jure circa infamiam, eiusque inter Christianos abusu. Disput. jur. Präs. Heinrich Bodin. Halle/Magdeburg (Chr. A. Zeitler) 30. VI. 1710. 28 S. (4.75) 26972

— — De jure circa infamiam, eiusque inter Christianos abusu, Von dem Recht in Ansehung der Ehrlosigkeit und deren Mißbrauch unter denen Christen. Diss. jur. Präs. Heinrich Bodin. Halle/Magdeburg (Hendel) 30. VI. 1710. 1752. 32 S. (4.75) 26973

Pohlmann, Johann Heinrich

Pohlmann, J. H., Leitfaden zum Unterr. u. zur Selbſtbelehr. im einfachen u. doppelten Buchhalten. gr. 8. (4¼ B.) Lübeck 829, v. Rohden.

Pohlmann, Jh. Hnr., Leitfaden zum Unterricht u. zur Selbſtbelehrung im einfachen u. doppelten Buchhalten. (Wohlfeile Ausg.) gr. 8. Lübeck 841, von Rhoden'ſche Buchh. $^1/_6$ ℛ

— Münzzuſtände der Stadt Lübeck. gr. 8. Ebend. 846. n. ¾ ℛ

Pohlmann, Joh. Heinr., Nachtrag zu den Münz-Zuſtänden der Stadt Lübeck (Uebergang zum 35-Mark-Münzfuße). gr. 8. (32 S.) Lübeck 847, v. Rohden. 6 ngr (cplt. n. 28½ ngr)

—— Wandfibel z. Leſenlernen, u. z. Beförderung e. guten Leſetons. gr. Fol. (24 B.) Bielefeld 838, Belhagen u. Klaſing.

Pohlmann, Paul, Assistenzarzt in Bethel b. Bielefeld: **Beitrag zur Lehre von den Ammonshornveränderungen bei Epilepsie.** *Kiel 1901: Schmidt & Klaunig.* (16 S.) 8°
Kiel, Med. Diss. v. [2. Mai] 1901

Pohlmann, Walter Die französische Aussprache auf den höheren Schulen mit besonderer Berücksichtigung der Gymnasien. 13 S. **Progr.** *Neuwied* 1885

Pohlmann, Walter, Beiträge zur Umgestaltung des höheren Schulwesens. 1. Hft.: Zur Umgestaltung d. Gymnasiallehrplans. gr. 8. (55 S.) Berlin 881. Wohlgemuth. n. — 80

Pohlmann, Walt., Christen u. Juden. gr. 8. (47 S.) Neuwied 894. Heuser's Verl. — 60

— die Hauptregeln der englischen Aussprache. gr. 8. (16 S.) Ebend. 881. n. — 30; cart. n. — 35

— die Juden u. die körperliche Arbeit. Ein Vortrag, geh. am 27. März 1894 zu Berlin im Centralverein deutscher Staatsbürger jüd. Glaubens. gr. 8. (21 S.) Berlin 894. M. Harrwitz. n. — 50

— das Judentum u. seine Feinde. 8. (46 S.) Ebd. 893. — 60

— das Judentum u. sein Recht. gr. 8. (III, 48 S.) Neuwied 893. Heuser's Verl. — 50

Pohlmann, W[alter]: * John Keats. 41 Bl. 4° (2°)
Halle-Wittenberg, Phil. Diss. v. 17. Juli 1876
Geb. [Klein-Schwarzlosen (Kr. Stendal) 12. 11. 1853]

— jüdische Leiden. 8. (48 S.) Ebd. 893. — 60

Pohlmann, W. Die Schule und die Fremdwörter. 13 S. Rg. *Barmen* 1879. Progr.

Pohlmann, Walter, Sedanlieder. 16. (96 S.) Leipzig 878, [Hartknoch.] Wartig's Verlag. * 1 —

— Waldmärchen. gr. 16. (IV, 167 S.) Halle 879. Niemeyer. n. 2. 40

Pohlmann-Hohenaspe, A., s. P o h l m a n n , Adolf

Poehlmann: Quomodo poetae epici augmento temporali usi sint. 18 S. – Tilsit, Progr. 1858.

Pöhlmann, A. Gh. A., physiologisch-toxicolog. Untersuchungen über das Coniin. 8. Erlangen 838. Palm u. Enke. 1/6 ₰

Pöhlmann, August, appr. Arzt a. München: Aus dem pathologisch-anatomischen Institut der Universität München. Wachsartige Degeneration eines Extremitätenmuskels beim Kind unter dem Bilde eines Tumors. ⟨Mit einer Tafel.⟩ München 1905: C. Wolf. (21 S.) 8°
München, Med. Fak., Ref. v. Bollinger, Diss. v. 14. Juli 1906
[Geb. 13. Febr. 82 Erlangen; Wohnort: München; Staatsangeh.: Bayern; Vorbildung: Gymn. Erlangen Reife Juli 00; Studium: Erlangen 2, München 7 S.; Coll. 14. Juli 00; Approb. 31. [!] Juni 05.]

Pöhlmann, Carl, s. P ö h l m a n n , Karl

Pöhlmann, Christoph Ludwig

Poehlmann, Christ. Lud., s.: Formenlehre, lateinische.

Poehlmann's, Christ. Ludw., Englisch leicht gemacht, bearb. nach den Grundsätzen v. Poehlmanns Gedächtnislehre v. C. L. Poehlmann u. Hub. Bruns. 4 Tle. (228, 185, 55 u. 83 S. m. Titelbild u. Formularen.) 8. München 909. Berlin, Verlag v. Poehlmann's Sprachen-institut. 28.—

Poehlmann's, Christof Ludw., Französisch leicht gemacht, bearb. nach den Grundsätzen v. Poehlmann's Gedächtnislehre v. C. L. Poehlmann u. Hub. Bruns. 4 Tle. (255, 138, 73 u. 40 S. m. Titelbild u. Formularen.) 8. München 909. (Th. Riedel.) 24.—
Wird nur gegen Revers geliefert.

— dasselbe. II. Tl. 4 Hefte. (104, 98, 89 u. 26 S.) 8. Ebd. 910. 12.—
Wird nur gegen Revers geliefert.

— Das Gedächtnis u. seine Entwicklungsfähigkeit. (66 S.) 8. Stuttgart (909). E. Leupoldt. 1.—

Gedächtnislehre. Ihre Regeln u. deren Anwendung aufs prakt. Leben. Von Christof Ludwig **Poehlmann.** (Warschau 1902.) Getr. Pag. 8° [11. 120

— s.: G e h e i m n i s, das, des genialen Schaffens.

— juristische Handbücher. I. Bd. 1.—6. Lfg. 8. München. (Leipzig, Jordan & Co.) n. 19. 15
1. Das bürgerl. Recht des deutschen Reiches auf der Grundlage v. Pöhlmanns Gedächtnislehre gemeinverständlich erläutert. Von Karl Otto. 1.—3. Tauf. 1. Lfg. (VI, 87 S.) 904. n. 2. 50
2.3. Dasselbe. 1.—3. Tauf. 2. u. 3. Lfg. (224 S. m. 6 Tab. in Lex.-8.) 904.905. n. 6. 95
4.5. Dasselbe. 1.—3. Tauf. 4. u. 5. Lfg. (VI u. S. 87-344.) 905 n. 7. 20
6. Dasselbe. 2. Buch. (6. Lfg.) (IV u. S. 225—308.) (906.) n. 2. 50

(B) — jurist. Handbücher. 2 Bde. (KVL 34.) Jetzt: Stuttgart, E. Leupoldt.

— Italienisch leicht gemacht, bearb. nach den Grundsätzen v. Poehlmann's Gedächtnislehre v. C. L. Poehlmann u. Hub. Bruns. 4 Tle. (231, 175, 51 u. 91 S. m. Titelbild u. Formularen.) 8. München 910. (Th. Riedel.) 28.—
Wird nur gegen Revers geliefert.

— s.: Kunst, die, zu denken.

— Russisch leicht gemacht, bearb. nach den Grundsätzen v. Poehlmanns Gedächtnislehre v. C. L. Poehlmann u. J. Peissakowitsch. 1. Lfg. 3 Tle. (41, 90 u. 20 S. m. 6 Formularen.) 8. Kirchhain 910. (München, Th. Riedel.) 4. 50
Wird nur gegen Revers geliefert.

Poehlmann, Chrph. Ludw., s.a. Schule, die, der Zukunft.

Die Schule der Zukunft. (Verf.: Christoph Ludwig **Poehlmann.**) *Leipzig: Eisenschmidt & Schulze in Comm. [1901].* (19 S.) 8° [F.] [01. 6602

Pöhlmann, Fr. G., Beiträge z. Erörterung d. Uebereinstimmung u. d. Unterschieds zwischen Recht u. Moral. 8. (2 B.) Baireuth 829, Grau.

Pöhlmann, Fr. G., System der Staatsthätigkeit zum Schutz d. Privatrechte. Eine rechts- u. polizeiwissenschaftl. Abhandl. 8. (3 B.) Baireuth 829, Grau. Thlr.

Pöhlmann, Fritz [Cand. med. aus Etzenricht in der Oberpfalz]: Statistische und klinische Beobachtungen über die genuine croupöse Pneumonie. . . . Erlangen, Druck d. Univ.-Buchdr. v. Junge & Sohn, 1888; 76 S. + 1 Bl. u. 30 Taf. 8°
Erlangen, Med. Fak., Inaug.-Diss. v. 6. Jul. 1888

Pöhlmann, F., statistische u. klinische Beobachtungen über die genuine croupöse Pneumonie. Inaug.-Diss. gr. 8. (77 S. m. 30 graph. Taf.) Erlangen 888. (Mencke.) n. 1. 60

POEHLMANN, Fritz: Ein Schutzbrief für den Wald. - Neustadt a. A. o. J. 34 S.

– (Hrsg.), s. W a g e n b a u - J o u r n a l, Deutsches.

Pöhlmann, Gust., die Nähe des Heilands in schwer bewegter Zeit. Predigt am Sonnt. Reminiscere 1848 (zu Burggrub gehalten). gr. 8. (14 S.) Nürnberg 848, Raw. 1/24 ß

Pöhlmann, Hans

— Realistische Bildung u. Religionsunterricht. (39 S.) gr. 8. Nürnberg 907. U. E. Sebald. — 85

Pöhlmann, Hans: Die Erkenntnistheorie Rud. Herm. Lotzes. *Erlangen 1897: A. Vollrath.* 103 S., 8°
Erlangen, Phil. Diss. v. 4. Juni 1897

Pöhlmann, Hans, s.: Noris.

— Die Erlanger Theologie. Ihre Geschichte u. ihre Bedeutg. Eine historisch-dogmat. Studie. (V, 73 S.) 8. Gotha 907. F. A. Perthes. 1. 20
Sonderabdruck aus: „Theolog. Studien u. Kritiken".

Pöhlmann, Hans, Rudolf Euckens Theologie m. ihren philosophischen Grundlagen dargestellt. gr. 8. (93 S.) Berlin 903. Reuther & Reichard. n. 1. 50

Pöhlmann, Heinr., Beiträge zur Geschichte d. königl. Gymnasiums zu Tilsit. 1—4. Stück. 4. Tilsit 874. Schubert & Seidel in Comm. à — 75
1. Valentin Tenner, Rector der fürstl. Schule zu Tilsit 1586—1598. (78 S.)
2. Die fürstl. od. Provinzial-Schule von 1598—1682. (50 S.)
3. Die kurfürstl., dann königl. Provinzial-Schule von 1682—1748. (54 S.)
4. Die königl. Provinzial-Schule von 1748—1791. — Nachträge zum 3. Stücke der Beiträge. — Nachricht üb. die auf der Lehrer-Bibliothek d. königl. Gymnasiums zu Tilsit vorhandenen Handschriften u. alten Drucke. (36 S.)

— Zur Erinnerung an Gottl. Theod. Fabian. S. 23—30. G. *Tilsit* 1878. Progr.

Pöhlmann, Heinr., eine Frankenchronik. Geschichte des Marktfleckens Küps vorm Frankenwalde m. Umgegend. Buchschmuck v. Hans Droescher. (VIII, 385 S. m. 38 Abbildgn.) 8. Lichtenfels 909. H. O. Schulze. Geb. in Leinw. 5.—; in Halbfrz. 6. —

Pöhlmann, Johann Paul

Pöhlmann, J. P., zweckmäßig eingerichtetes franz. A B C-Buch. gr. 8. Erl. Breuning. 808.

Pöhlmann, (J. P.,) zweckmäßig eingerichtetes französ. ABC-Buch. 3e Aufl. gr. 8. Erlangen 826. Heyder.

— ABC- u. Lesebuch, s. unten: Elementarbuch.

Pöhlmann, Jh. Paul, neues ABC- u. Lesebuch. 3e, zum Theil umgearb., verm. u. mit Kpfrn. verseh. Aufl. (Mit 16 ill. u. 1 schwarzen Kpfr.) 8. Nürnberg 835. Campe. 3/4 ß

— Aeneas. Ein zur Ausübung d. Pflichten d. vierten Gebotes ermunterndes Lesebuch. Mit Kpfrn. 8. Nürnb. 824, Riegel u. W.

— Agnes u. ihre Kinder, s. unten: Elementarbuch.

PÖHLMANN, J. P. *Agnes und ihre Kinder.* Ein Lesebuch zur Erzeugung religiöser Gesinnungen bey sechs- bis achtjährigen Kindern. Von D. J. P. Pöhlmann. Nürnberg, bey Friedrich Campe, 1809. VIII, 114 S. und 7 vorzügliche, gefaltete Kupfer (c. 125: 150 mm). Kl.-8°. Pbd. d. Z. 35.—
★ Originalausgabe m. d. Vortitel: „D. J. P. Pöhlmanns Elementarbuch. Zweyter Theil." Interess. Werkchen, das den Katechismus als Unterrichtsbuch ersetzen möchte. Verf. schließt sich an Salzmann u. Lossius an. Sehr bemerkenswert sind die unsignierten großen Kupfer. — Unbedeut. benutzt, Einband lädiert.

— die ersten Anfangsgründe d. Geometrie, als Stoff zu Denk- u. Sprachübung, z. Gebrauch f. Lehrer in Bürgerschulen. 1r Bd. 2 Abthll. u. 2r Bd. Mit Kpf. 8. Fürth 804—6. (Nürnb., Campe). 3 ß 14 gr 1r Bd. 2e Aufl. 8. Nürnb. 818. Campe. 1 ß 8 gr 3s Bdchn. A. u. d. T.: Unterhaltung e. Lehrers mit seinen Schülern üb. stereometr. Wahrheiten. Mit 4 Kpf. 8. Erlang. 815. Palm u. E. 1 ß Der dazu gehör. Versinnlichungs-Apparat, 48 Numm. in e. Kästchen. 5 ß

Pöhlmann, Joh. Paul, kurze Anleitung f. Lehrer d. franz. Sprache. gr. 8. Nürnb. Riegel u. W. 815. -

– s. A n l e i t. für Lehrer der französ. Sprache.

— Anweis. z. rechten Gebr. meiner Fibel f. Lehrer. 8. Nürnb. 809. Campe. 4 gr

— prakt. Anweis., Kindern auf eine leichte Art französisch lesen u. sprechen zu lehren. 8. Erlang. 802. Palm. 8 gr Mit der Wandfibel 1 ß 12 gr

Pöhlmann, Jh. Paul, Beschreib. seiner neu erfundenen Lesemaschine. Mit 4 Holzschn. u. e. Anhang. gr. 8. Erlang. 817. Palm. 10 gr

— Blumenlese z. Verbreitung mythol. Kenntnisse. 8. Erlangen 819. Palm u. E. 1 ß

— erstes Buch f. Anfänger im Lernen. 8. Erlang. 814. N. A. 818. Palm u. E. 9 gr Mit schwarz. Kpf. 14 gr Mit illum. Kpf. 18 gr

— die Declinationen u. Conjugationen der deutschen Sprache, s. o. unten: das Gemeinnützlichste. 2s Bdchn. Anhang.

— — die Declinationen u. Conjugationen der deutschen Sprache. (Erster Anhang zu dem Werke: das Gemeinnützlichste aus der deutschen Sprachlehre.) 2te Aufl. 8. Ebendas. 818.

— der sich selbstübende Denkleseschüler. Mit ill. Kpf. 8. Erlang. 820. Palm u. E. 2 ß 14 gr

— Elementarbuch f. Schulen. 1r Thl. Fibel, od. ABC- u. Lesebuch. 8. Nürnb. 808. Campe. 3 gr Mit 16 schwarz. Kpf. 6 gr Mit 16 illum. Kpf. 20 gr — Dass. 2r Thl. Agnes u. ihre Kinder, e. Lesebuch z. Erzeugung religiöser Gesinnungen bei Kindern v. 6—8 Jahren. 8. Ebd. 810. 6 gr Mit 8 schwarzen Kpf. 12 gr Mit 8 ill. Kpf. 20 gr

— — Elementarlehre, s. Pöhlmann Fragen-Fortsetzung.

— der fragende Elementarlehrer. (Als 2s Bdchn. d. neuen Fragen an Kinder). 8. Erlang. 820. Palm u. E. 20 gr

— neues französ. Elementarwerk. 5 Bdchn. 2e verm. u. verb. Aufl. gr. 8. Erlang. 817. Heyder. 1 ß 8 gr Einzeln unter folg. Titeln: 1s Bdchn. enth. das zweckmäß. eingericht. französ. ABC. 3e A. 826. 8 gr — 2s Bdchn. enth. Fingerzeig f. Lehrer d. französ. Sprache z. Gebrauch seines ABC-Buches. 815. 4 gr — 3s Bdchn. enth. elementar. Lesebuch der französ. Sprache. 6 gr — 4s Bdchn. enth. kurze Anleit. für Lehrer, welche methodische Sprachübungen ꝛc. 6 gr — 5s Bdchn. enth. die kleine Grammatik f. den ersten Anfänger im Französ. 8 gr)

— der Erzähler in langen Winterabenden. 8. Erlangen 818. Palm u. E. 1 ƒ Mit illum. Kpf. 1 ƒ 16 gr (A. u. d. T.: Magazin f. Eltern u. Schullehrer, die Kindern gern etwas Angenehmes u. Lehrreiches erzählen wollen).

— Fingerzeig f. Lehrer, s. oben: **Elementarwerk.**

— neue Fragen an Kinder, die man im Denken u. richtigen Sprechen üben will. 8. Erlang. 817. 2e Aufl. 826. Heyder. 12 gr

— Geist u. Kraft des Vaterunsers. Ein Andachtsbuch f. christl. Familien, die sich gern nach Jesu Sinn u. Vorschrift mit Gott unterhalten. 8. Erl. 825, (Palm.)

Pöhlmann, Joh. Paul, Geist u. Kraft d. Vaterunsers. Ein Andachtsbuch f. christl. Familien, die sich gern nach Jesu Sinn u. Vorschrift mit Gott unterhalten. 3., durchaus verb. u. verm. Aufl. Mit Titkpfr. 8. (21½ B.) Nürnberg 833, Zeh. 18 Gr., Vlnp.

—— Geist u. Kraft d. Vaterunsers. Ein Andachtsb. f. christl. Familien, die sich gern nach Jesu Sinn u. Vorschrift mit Gott unterhalten. (4 Lfgn.) 3., durchaus verb. u. verm. Aufl. 8. (21¼ B. u. 4 Stahlst.) Nürnberg 839, 40, Zeh'sche Buchh. à ¼ Thlr.

— das Gemeinnützlichste aus d. deutschen Sprachlehre, als Stoff zu Denk- u. Sprechübungen benutzt. 1s Bdchn. 8. Erlang. 813. (Anonym.) 2e A. 816. 3e A. 820. Palm. 20 gr (Auch u. d. T.: prakt. Anleit. f. Schullehrer, welche ihren Zöglingen zu einer gründl. Kenntniß ihrer Muttersprache verhelfen wollen). 2s Bdchen. Mit e. Anhange: die Declinationen u. Conjugationen der deutschen Sprache. 8. Ebd. 816. 2e Aufl. 820. 1 ƒ Der Anh. apart 2e A. 818. 4 gr 2r Anh. s. unten **Präpositionen.**

— — der Anhang apart, s. Pöhlmann Declamationen.

—— die Giftgefahren, welche d. Leben täglich bedrohen, in vielen Beyspielen dargest. zur Belehr. u. Warnung f. Jedermann; nebst Angabe d. Mittel z. Rettung Vergifteter. 8. (16 B.) Nördlingen 830, Beck.

—— die Giftgefahren, welche d. Leben tägl. bedrohen, in vielen Beispielen dargest. z. Belehr. u. Warnung f. Jedermann; nebst Angabe d. Mittel zur Rettung Vergifteter. Neue, mit 1 ill. Abbild. d. Giftpflanzen vers. Ausg. 8. (16 B.) Nördlingen 837, Beck'sche Buchh.

– s. Grammatik für die ersten Anfänger im Französischen.

— kleine Grammatik f. die ersten Anfänger im franz. 8. Nürnb. Riegel u. W. (in Comm.) 815.

Pöhlmann, Jh. Paul, die Grundwahrheiten d. Religions- u. Sittenlehre in 8 illum. Kupferstichen dargestellt, u. auf der Rückseite mit einer Erklärung versehen. gr. 4. Nürnb. 811. Campe. 2 ƒ

– s. J. C. Gütle: Kunst d. natürl. Hexerei.

Pöhlmann, J. P., s. Gütle, Jh. Conr., der junge Zauberer.

— Hauptsätze d. christl. Glaubenslehre, s. unten **Unterr. in d. Sittenlehre, Anhang.**

— die Hausthiere. Ein angenehmes Unterhaltungsbuch f. die Jugend. 8. Mit Kpf. Nürnb. 819. Riegel u. W. 1 ƒ 12 gr

– s. Kosaken, Die.

—— die Kunst d. natürl. Hexerei, s. Gütle, J. Chr.

— Lesemaschine. Nürnb., Campe. 16 gr

— gemeinschaftl. Lesetafeln; nebst Unterhaltungen über d. Inhalt derselben, ein Anh. z. Versuch einer prakt. Anweis. für Schullehrer. 1s Bdchn. 8. Erlang. 805. Palm. 1 ƒ 8 gr

— der Lichtfreund. Ein Lesebuch z. Bekämpfung d. Aberglaubens. 8. Erlang. 822. Palm u. E. 16 gr

– s. Lottobüchlein.

— Magazin f. Eltern u. Lehrer, s. oben: der **Erzähler.**

— — Materialien, s. Pöhlmann, Gedichte.

— Materialien, s. oben: Samml. v. unterhalt. **Gedichten.**

— ein Mittel z. Zeitersparniß beim Corrigiren dictirter Aufsätze u. z. Erreichung anderer Zwecke. 3 Hfte. 8. Erlang. 804–8. Palm. (à 12 gr) 1 ƒ 12 gr

– s. J. P. Philoteknos.

— Philoteknos, etwas für jeden der sich dem Schulstudium widmen will ꝛc. 8. Altenb. Schnuphase. 801.

— die Präpositionen d. deutschen Sprache, als Stoff zu Denk- u. Sprechübungen benutzt. (2r Anhang zu d. Gemeinnützl. aus der deutschen Sprachlehre). 8. Erlang. 819. Palm u. E. 12 gr

— unterhaltende u. belehrende Sammelschrift f. die Jugend. 8. Erlang. 819. Palm u. E. 1 ƒ

— — Sammlung von unterhalt. u. lehrreichen Gedichten f. d. Jugend. Ebend. 818. ohne Kupf.
mit 6 illum. Kupf.
Auch unter dem Titel:
Materialien für Schullehrer zum Dictiren und zu Gedächtnißübungen.

— meine Schreibelectionen, od. Anweis. f. Schullehrer u. Hofmeister, welche d. ersten Unterricht im Schönschreiben als Verstandesübung benutzen wollen. Mit 2 Kpf. 8. Fürth 803. 2e Aufl. 8. Nürnb. 818. Campe. 16 gr Anhang dazu. Fol. Ebd. 804. 10 gr

Pöhlmann, J. P., meine Schreibelectionen oder prakt. Anweisung f. Schullehrer, welche den ersten Unterricht im Schönschreiben zugleich als Verstandsübung benutzen wollen. M. 2 K. 2te Aufl. 8. Nürnb., Campe. 818. Rthlr.

— dem Geiste unsers Zeitalters angemessene Unterhaltungen e. Lehrers mit sn. Schülern üb. die bibl. Erzähll. 1s Bdchn. 8. Fürth 803. (Nürnb., Campe). 16 gr

— belehrende Unterhaltungen f. Kinder, in 3 Abthll. mit 8 ill. Kpf. 8. Nördl. 827. Beck. 1 ƒ

— Unterhaltungen e. Lehrers mit seinen Schülern, s. oben: **Anfangsgründe** d. Geometrie. 3s Bdchn.

— Unterhaltungen eines Lehrers mit seinen Schülern üb. stereometrische Wahrheiten, mit K. 8. Erlang. Palm u. Enke. 815.
Der hierher gehörende stereometrische Versinnlichungs=Apparat, welcher aus 48 Nummern, die gegen 100 Körper enthalten, besteht, kostet in einem Kästchen:
Auch unt. d. Titel:
Di. ersten Anfangsgründe d. Geometrie als Stoff zu Denk= u. Sprech=Uebungen. 3r Bd.

— kurzer Unterricht in d. im bürgerl. Leben außer d. Regel de Tri, am häufigsten vorkommenden zusammengesetzten Rechnungsarten; nebst vielen Aufgaben. 8. Erlang. 808. Palm. 16 kr (A. u. d. T.: Anhang zu seinem Rechenbuche).

— kurzer Unterricht in d. christl. Sittenlehre in gereimten Fragen u. Antworten mit beigefügten Bibelsprüchen u. Sprüchwörtern f. die Jugend in Volksschulen. 8. Erlang. 181.. 2e Aufl. 815. 3e A. 816. 4e A. 820. Palm u. E. 8 kr Anhang zu Obigem unt. d. T.: Hauptsätze d. christl. Glaubenslehre in Liederversen ꝛc. 8. Ebd. 820. 4 kr

— leichtfaßl. Unterricht in d. Lehre v. d. Quadrat= u. Cubiczahlen. Mit 1 Kpft. 8. Erlang. 819. Palm u. E. 12 kr

— leichtfaßl. Unterricht im Rechnen mit Decimalbrüchen. (Ein 2r Anh. zu meinem Rechenbuche). 8. Erlang. 819. Palm u. E. 10 kr

— Unterricht in d. christl. Sittenlehre, in gereimten Fragen u. Antworten. 3te Aufl. 8. Nürnb. Riegel u. W. (in Conm.) 816.

— Versuch e. prakt. Anweis. f. Schullehrer ꝛc. welche die Verstandeskräfte ihrer Zöglinge u. Kinder auf eine zweckmäßige Weise üben u. schärfen wollen. 1s Bdchen. A. u. d. T.: Versuch e. prakt. Anweis. f. Schullehrer ꝛc., welche ihren Zöglingen u. Kindern auf eine leichte, angenehme Weise u. in kurzer Zeit, z. Buchstabenkenntniß, z. Fertigkeit im Buchstabiren u. Lesen verhelfen u. zugleich ihren Verstand bilden wollen. 8. Erlang. 801. 2e Aufl. 3e Aufl. 812. Palm. 18 kr 2s—5s Bdchn. A. u. d. T.: Wie lehrt man Kindern im Buche d. Natur lesen, oder: Sokrat. Unterhaltt. e. Lehrers mit seinen Schülern üb. die Gegenstände d. Natur. Mit 41 Kpft. 8. Ebd. 802—8. (2s u. 3s Bdchn. 2e Aufl. 807, 14.) Ebd. 7 fl 8 kr 6s u. 7s Bdchn. A. u. d. T.: Rechenkunst. 1s u. 2s Bdchn. 2e A. 807, 8. 2 fl 4 kr

— Versuch eines elementar. Lesebuchs d. französ. Sprache, s. oben Elementarwerk.

Pöhlmann, Joh. Paul, Versuch eines elementarischen Lesebuchs d. franz. Sprache. 1r Bd. gr. 8. Nürnb. Riegel u. W. 815.

— der warnende u. belehrende Volksfreund. Ein Exempelbuch f. Geistl. u. Schullehrer. Lesebuch f. Jedermann. 1s u. 2s Bdchn. 8. Erlang. 824, 25. Palm. (à 16 kr) 1 fl 8 kr

— die ächte Wahrsagerkunst ꝛc., s. Philalethes.

— d. ächte Wahrsagerkunst ꝛc. e. Volksschrift. 8. Erl. Palm. 802.

— stehende Wandfibel f. Kinder, welche französ. lernen sollen. Ein Anhang zu meiner prakt. Anweisung ꝛc. In 20 Tabell. gr. Fol. Erlang. 805. Palm. 1 fl 4 kr

— Wandfiebel f. Kinder, z. Franz. les. lern. Ein Anh. z. dess. prakt. Anweis. Kindern franz. lesen u. spr. z. lehr. ꝛc. 20 Tab. gr. Fol. Erl. Palm. 806.

— stehende Wandfibel, nebst e. Anweisung z. Gebrauch, mit Tafeln. Erlang. Palm. 814.

— wie können Eltern ihren Kindern die Zahlenbegriffe von 1—100 auf eine zweckmäßige Art beibringen. 8. Erlang. 806.

— Zeichendrehen, oder neues Buchstabenspiel, ein Hülfsmittel, wodurch man Kindern unbemerkt u. auf eine angenehme Art zur Buchstabenkenntniß verhelfen kann, mit illum. Spielplan, 2 ABC=Tafeln u. einzelnen Buchstaben. 8. Nürnb. 814. Bieling. 9 kr

Pöhlmann, Karl, Besitzungen des Klosters Herbitzheim a. Saar in der Herrschaft Bitsch. (8 S.) gr. 8. Saargemünd (910). (Zweibrücken, F. Lehmann.) — 20

Pöhlmann, Carl, der Dom zu Würzburg. Kunstgeschichtliche Studie. gr. 8. (49 S. mit 5 Taf.) Würzburg 887, (Woerl.) * 1 —
Aus: Archiv des historischen Vereines von Unterfranken und Aschaffenburg, besonders abgedruckt.

Pöhlmann, Carl, Reinhold v. Rosen, Herr v. Bollweiler u. Herrenstein, der Verteidiger Zweibrückens 1635. (36 S.) 8. Zweibrücken 909. F. Lehmann. — 80

Pöhlmann, Karl, über das Wesen der sogenannten administrativ=kontentiösen Sachen mit besonderer Rücksicht auf Bayern. Würzburg 853. Stahel. gr. 8. (71 S.) n. 12 ngr.

Pöhlmann, Ludw., die Gymnastik der Herzleidenden, s.: Hofmann, Jul.

Poehlmann, Margarete, über das Mädchenturnen, Tilsit 1882, 8 S., Gr.-8°.

Poehlmann, Margarete: Die Reform der höheren Mädchenschule. Tilsit 1907: J. Reyländer & S. (S. 3—13.) 8° [F.]
Tilsit, h. Privat-M OP 1907

Poehlmann, Margarete: Die Reform der höheren Mädchenschule. 2. Die Frauenschule. Tilsit 1908: Reylaender. S. 3—15. 8° ¶ [Forts. d. P-Beil. 1907.]
Tilsit, h. Privat-M OP 1908 [252] [S 08. 353

Poehlmann, Margarete: Die Reform der höheren Mädchenschule. 3. Die Bestimmungen vom 18. August und vom 12. Dezember 1908. Tilsit 1909: Reylaender. S. 3—16. 8° ¶ [Forts. d. P-Beil. 1907. 08.]
Tilsit, h. Privat-M OP 1909 [257] [S 09. 305

Poehlmann, Margarete: Die Reform der Höheren Mädchenschule. 4. Die Durchführung der Bestimmungen vom 18. Aug. 1908. Tilsit 1910: Reylaender. S. 1—13. 8° ¶ (Forts. d. P-Beil. 1907—09.)
Tilsit, h. Privat-M OP 1910 [262] [S 10. 339

(Poehlmann, Margarete:) Die Vorbildung der Frau zu höheren Berufen. Vortr., geh. auf d. 1. Ostdt. Frauentag i. Bromberg 1903 ... — (Gera 1903: Hofmann.) 17 S. 8°
Aus: Die Lehrerin. Jg. 20. Nr 23 u. 24. [1903/04.]

Poehlmann (R.), Die vulkanischen Aschen des Calbuco vom Jahre 1893. Santiago 1895. S. 122—132.
Aus: Verhandl. d. Deutsch. Wiss. Vereins zu Santiago. Bd 3.

—— u. Hans Schulze. Bemerkungen über die Golderze v. Guanaco. gr. 8. (11 S.) (Ebd.) 891. * — 50
Vorstehende Schrift aus: Verhandlgn. d. deutschen wissenschaftl. Vereins zu Santiago, besonders abgedruckt.

Pöhlmann, R.. Die Feldgemeinschaft bei Homer. S.-A. s. a. 42 S.

Pöhlmann, R., mineralogische Mittheilungen. [Aus: „Verhandlgn. d. deutschen wissenschaftl. Vereins zu Santiago".] gr. 8. (10 S.) Santiago 892. (Berlin, R. Friedländer & Sohn.) n. — 60

Pöhlmann, R., Repetitorium der Chemie f. Studierende. 2 Tle. 8. Leipzig 888. 889. Hirzel. n. 5. 80
1. Anorganische Chemie. (VI, 199 S.) n. 2. 80
2. Organische Chemie. [Chemie der Kohlenstoffverbindgn.] (VIII, 215 S.) n. 3. —

— das Vorkommen u. die Bildung d. sog. Glockensteins (Magnesit) auf Juan Fernandez. Über das fälschlicher Weise „Leucit"-Lava genannte Gestein d. Vulkans v. Chillan. Sinopsis mineralógica ó catálogo descriptivo de los minerales, por Carlos F. de Landero (Referat). [Aus: „Verhandlgn. d. deutschen wissenschaftl. Vereins zu Santiago".] gr. 8. (12 S.) Ebd. 893. n. — 40

Poehlmann, Richard: Ueber Miliaraneurysmen des Gehirns. München 1908: Kastner & Callwey. 32 S. 8°
München, Med. Diss. v. 22. Nov. 1906, Ref. v. Bollinger
[Geb. 26. Okt. 79 Selb; Wohnort: Selb; Staatsangeh.: Bayern; Vorbildung: Gymn. Bayreuth Reife Juli 99; Studium: München 4, Erlangen 2, Berlin 1, München 2 S.; Coll. 22. Nov. 06; Approb. 11. Juli 05.] [U 09. 3380

Pöhlmann, Rob., aus Altertum u. Gegenwart. Gesammelte Abhandlgn. gr. 8. (V, 406 S.) München 895. C. H. Beck. n. 7. —

Pöhlmann, Rob. v., aus Altertum u. Gegenwart. Gesammelte Abhandlgn. 2. umgestaltete u. verb. Aufl. (V, 438 S.) 8. München 911. C. H. Beck. 7.—; geb. in Leinw. 8. —

Pöhlmann, Rob., die Anfänge Roms. gr. 8. (IV, 64 S.) Erlangen 881. Deichert. n. 1. 20

Pöhlmann, R., Hellen. Anschauungen üb. d. Zusammenhang zw. Natur u. Geschichte Hab. 1879. 93 S. 1.50

— hellenische Anschauungen über den Zusammenhang zwischen Natur u. Geschichte. gr. 8. (93 S.) Leipzig 879. Hirzel. n. 1. 60

——— Einschlüsse von Granit im Lamprophyr (Kersantit) des Schieferbruches Bärenstein bei Lehesten in Thüringen. (Sep.-Abdr. a. d. N. Jahrb. für Mineralogie etc. 1888. Bd. II.) 8.

Poehlmann, Robert v.: Geschichte der sozialen Frage und des Sozialismus in der antiken Welt. 2. Aufl. Bd 1. 2. München 1912. 8° *[1. Aufl. 1893.]*

— Zur Geschichte der Gracchen. (S. 443—493.) gr. 8. München 908. G. Franz' Verl. — 80
Sonderabdr. a.: „Sitzungsber. d. bayer. Akad. d. Wiss."

Griechische Geschichte im neunzehnten Jahrhundert. Festrede geh. in d. öffentl. Sitzung d. k. b. Akad. d. Wiss. zu München z. Feier ihres 143. Stiftungstages am 13. März 1902 von Robert Pöhlmann. *München: K. b. Akad. 1902.* (37 S.) 4° [02. 11854

— griechische Geschichte im 19. Jahrh. Festrede, geh. in der öffentl. Sitzung der k. b. Akademie der Wissenschaften zu München zur Feier ihres 143. Stiftungstages am 13. III. 1902. 4. (37 S.) München 902. (G. Franz' Verl.) n. — 60

Pöhlmann, Rob., Geschichte des antiken Kommunismus u. Sozialismus. (In 2 Bdn.) 1. Bd. gr. 8. (XVII, 618 S.) München 893. C. H. Beck. n. 11. 50; geb. in Halbfrz. n.n. 13. 50

Pöhlmann, Rob., Geschichte des antiken Kommunismus u. Sozialismus. 2. Bd. gr. 8. (XI, 617 S.) München 901. C. H. Beck. n. 12. —; geb. in Halbfrz. n.n. 14.—; (kplt. n. 23.50; geb. n.n. 27. 50)

Pöhlmann, polit. Geschichte v. Griechenland, s.: Handbuch der klassischen Altertumswissenschaft. 3. Bd.

Pöhlmann, Rob., zur Geschichte der antiken Publicistik. (S. 3—79.) gr. 8. München 904. (G. Franz' Verl.) n. 1. —
Sonderabdruck aus: „Sitzungsber. d. bayer. Akad. d. Wiss."

— Grundlagen der Nationalökonomie, s. Roscher, Wilh., System der Volkswirtschaft. I.

— Grundriss d. griech. Geschichte, nebst Quellenkunde, s. a. Handbuch d. klass. Altertums-Wissenschaft. III.

Grundriss der griechischen Geschichte nebst Quellenkunde v. Dr. Robert Pöhlmann, ord. Prof. ... in Erlangen. 2. völlig umgearb. u. bedeutend verm. Aufl. *München: C. H. Beck 1896.* (3 Bl., 268 S.) 1 Bd 4. (S.)
= Handbuch d. klassischen Alterthums-Wissenschaft. Bd 3. Abt. 4. [96. 2707

Grundriß der Griechischen Geschichte nebst Quellenkunde von Dr. Robert Pöhlmann, Prof., München. 3., verm. u. verb. Aufl. München: C. H. Beck 1906. (307 S.) 8°
= Handbuch d. klass. Altertums-Wissenschaft. Bd 3, Abt. 4. [05. 13454

Grundriss der griechischen Geschichte nebst Quellenkunde von Dr. Robert v. Pöhlmann, Prof. 4. verm. u. verb. Aufl. München: C. H. Beck 1909. VI, 331 S. 8°
(Handbuch d. klass. Altertums-Wissenschaft. Bd 3, Abt. 4.) [09. 16171

Pöhlmann, s. Handbuch der klassischen Altertumswissenschaft.

Pöhlmann, Rob., der Römerzug Kaiser Heinrichs VII. u. die Politik der Curie, d. Hauses Anjou u. der Welfenliga. gr. 8. (IV, 148 S.) Nürnberg 875. Korn. n. 2. —

— Sokrates u. sein Volk, s. a. Bibliothek, histor. 8.

Sokrates und sein Volk. E. Beitr. z. Gesch. d. Lehrfreiheit. Von Dr. Robert Pöhlmann, ord. Prof. ... an d. Univ. Erlangen. München & Leipzig: R. Oldenbourg 1899. (3 Bl., 133 S.) 1 Bd 8°
= Bibliothek, Historische. Bd 8.

— Sokratische Studien. (S. 49—142.) gr. 8. München 906. (G. Franz' Verl.) n. 1. 20
Sonderabdruck aus: „Sitzungsber. d. bayer. Akad. d. Wiss."

— System d. Volkswirthschaft, s.: Roscher, Wilh.

Pöhlmann, R., die Übervölkerung der antiken Grossstädte, s. a. Preisschriften, gekrönt u. hrsg. v. der fürstl. Jablonowski'schen Gesellschaft zu Leipzig.

Die Übervölkerung der antiken Grossstädte im Zusammenhange mit der Gesammtentwicklung städischer Civilisation dargestellt v. Robert Pöhlmann. Leipzig. 1884. = Preisschriften gekrönt v. der Fürstl. Jablonowskischen Gesellschaft zu Leipzig. 24. 4°.

Pöhlmann, Robert (Christian Robert Paul) (Wurzbach/Reuß j. L.), Untersuchungen über Glimmerdiorite und Kersantite Südthüringens und des Frankenwaldes. Diss. Stuttgart (E. Schweizerbart) 1884. S. 67—106 u. Biogr. (2.—) 26872
Sep.-Abdr. aus d. Neuen Jahrb. f. Mineral., Geol. u. Paläontologie. III. Beilage-Bd. — Gew.: C. W. Blank (Oheim).

— Die Weltanschauung des Tacitus, s. a. Sitzungsberichte der königl. bayer. Akademie der Wissenschaften. Philos.-philol. u. histor. Kl. 1910, I.

Die Weltanschauung des Tacitus. Von Robert v. Pöhlmann. München: Franz in Komm. 1910. 90 S. 8°
(Sitzungsberichte d. Kgl. Bayer. Akademie d. Wiss. Philos.-philol. u. hist. Kl. Jg. 1910, Abh. 1.) [10. 4238

— die Wirthschaftspolitik der Florentiner Renaissance u. das Princip der Verkehrsfreiheit, s. a. Preisschriften, hrsg. von der fürstlichen Jablonowski'schen Gesellschaft.

Die Wirthschaftspolitik der Florentiner Renaissance und das Princip der Verkehrsfreiheit v. Robert **Pöhlmann.** Leipzig. 1878. == Preisschriften gekrönt v. der Fürstl. Jablonowskischen Gesellschaft zu Leipzig. 21. 4°.

Pohlmanndecke, Die, mit perforierten Betoneisen D. R. P. 170117. Magdeburg (o. J.). Beigeb.: 1. Stoffens & Nölle, A.-G.: Statische Berechnungen einer Pohlmanndecke mit perforierten Betoneisen. Berlin (o. J.). 2. Kaufmann, G: Die Pohlmanndecke mit einer Platte aus porösen Hohlsteinen. (Eine neue Form der Bulbeisendecke) Berlin 1910

Pohlmey, E., s.: Gymnasial-Bibliothek.

Pohlmey, E. Der römische Triumph, s. Gymnasial-Bibliothek.

Pohlmey, Emil

Pohlmey [Oberl. Dr.]: Rede zur Feier des Geburtstags Sr. Majestät des Kaisers und Königs. Gütersloh, gedr. bei C. Bertelsmann, 1890; S. 3–9; 4°
Gütersloh, ev. G, P 1890

Pohlmey, (E[mil]), Prof. Dr.: Uber **Staat** und Staatsverfassung. Ein **Beitrag** zum Geschichtsunterricht. *Gütersloh (1901): C. Bertelsmann.* (S. 127—196.) 8° [F.]
Gütersloh, ev. G, Festschr. 1901 **

Pohlmey, Emil, Wortschatz zu d. C. Julius Caesar Bellum Gallicum liber I—III, in Präparationsform zusammengestellt. 8. (VII, 176 S.) Gütersloh 885. Bertelsmann.
n. 1. 60

Pohlmüller, Eduard, Uebungen in der Feuerleitung. **Ein Behelf f. Unteroffiziere.** (66 S. m. Fig.) kl. 8. **Királyhida 906.** (Wien, L. W. Seidel & Sohn.) n. 1. —

Pohlner, Ign., Handbuch f. Aerzte, Chirurgen u. Hausapotheken-Besitzer, zur Prüfung der wichtigeren Arzneimittel. 16. (112 S.) Wien 852, Wallishausser. 1/2 Rthlr

Pöhls, A. Meno: „Bemerkungen über Havarie-Grosse nach Prinzipien des Rechtes und der Handelspolitik, nebst Zusätzen zu seinen Bemerkungen über Havarie-Grosse", Hamburg 1823/1824 (Hoffmann & Campe).

Pöhls, Meno, Darstellung des gemeinen Deutschen u. d. Hamburg. Handelrechts f. Juristen u. Kaufleute. 1. Bd. Allgem. Thl. gr. 8. (27 B.) Hamburg 828, Hoffmann u. Campe.
2 Thlr., Blnp.

—— dass. 2. Bd. — A. u. d. T.: Darstellung d. Wechselrechts nach gemein. u. Hamburg. Rechte u. nach den Gesetzen d. vorzügl. handelnden Staaten Europa's. 2 Thle. gr. 8. (45½ B.) Ebds. 829.
4 Thlr., Blnp.

—— dass. 3. Bd. — A u. d. T.: Darstellung d. Seerechts nach gemein. u. Hamburg. Rechte, u. nach den Gesetzen d. vorzügl. handelnden Staaten Europa's u. Amerika's. 4 Thle. gr. 8. (78 B.) Ebds. 830—33.
8 Thlr., Blnp.

—— dass. 4. Bd. — A. u. d. T.: Darstellung d. See-Assecuranzrechtes nach gemein. u. Hamburg. Rechte u. nach den Gesetzen d. vorzügl. handelnden Staaten Europa's u. America's. 2 Thle. (50 B. u. 1 Tab. Fol.) gr. 8. Ebds. 832, 34.
4 Thlr., Blnp.

Pöhls, M.: „Darstellung des See-Assecuranzrechtes nach gemeinem und hamburgischem Rechte und nach den Gesetzen der vorzüglichsten handelnden Staaten Europa's und Amerika's", 2 Teile (= „Darstellung des Handelsrechts" 4. Band, 1. und 2. Teil), Hamburg 1832, 1834.

Pöhls, Meno: Darstell. d. Wechselrechts nach gem. u. Hamb. Rechte u. nach d. Gesetzen d. vorzüglichst. handelnden Staaten v. Europa. *Hamb.* **829.**

Pöhls, Handelsrecht.
I. Allgem. Theil. Hamburg 828. (6. —)
II. Wechselrecht. Hamburg 829. (12. —)
III. Seerecht. Hamburg 833. (24. —)
IV. Seeassekuranzrecht. Hamburg 834. (12. —)

Pöhls, Meno, das Recht der Actiengesellschaften, mit besond. Rücksicht auf Eisenbahngesellschaften. gr. 8. Hamburg 842, Hoffmann u. Campe. 2½ Rthlr

—— zur Reformfrage. Eine Kritik. gr. 8. (2 B.) Hamburg 843, Hoffmann u. Campe.

Pöhls, Meno, Versuch einer gründl. Darstellung der Lehre von Innominat-Contracten. Hauptsächlich gegen Gans. 8. Heidelberg, Groos. 821.

—Versuch e. gründl. Darstell. d. Lehre v. Innominat-Contracten. Hauptsächlich gegen Gans. 8. Heidelb. 821. (Hoffmann u. Campe in Hamb.) 26 gGr

— Zusätze zu seinen Bemerkk. üb. Havarie-Grosse. Nebst Anhang. gr. 8. Hamb. 824, Hoffmann u. C.

Pohlschmidt, Wilhelm

Pohlschmidt, Guilelmus, Hannoveranus: Quaestiones Themistianae. Borna 1908: R. Noske. (91 S.) 8°
Münster, Phil. Fak., Ref. Kroll, Diss. v. 4. Aug. 1908
[Geb. 7. Aug. 84 Osnabrück; Wohnort: Münster; Staatsangeh.: Preußen; Vorbildung: Gymn. Osnabrück Reife O. 04; Studium: Münster 8 S.; Rig. 9. Mai 08.]

Pohlschröder, F., d. fressende Flechte (Lupus). Wesen u. Heilg. nach der Suppurationsmethode. Allgemeinverständl. dargest. gr. 8. (35 S.) Neuwied 895. Heuser's Verl.
n. 1. 50

-- Dass., s.a. Pohlschröder, L.

Pohlschröder, H., s. Amtskalender, Tirol.

[F.] Die fressende Flechte (Lupus). Wesen u. Heilung nach d. Suppurationsmethode. (A. d. Umschl.: Lupus ist heilbar!) Allgem. verständl. dargest. v. Dr. med. L. **Pohlschröder,** Arzt. *Berlin, Leipzig, Neuwied: Heuser 1895.* (35 S.) 1 Bd 8. (9. 1894

-- Dass., s.a. Pohlschröder, F.

Pohlschroeder, Ludwig [app. Arzt aus Münster i. Westf.]: Ein Fall von chronischer ulceröser Enteritis ... *Köln, J. P. Bachem, 1895;* 28 S. 8.
München, Med. Fak., Inaug.-Diss. v. 1895

Poehn, s: Zeitschrift, jurist., f. d. Reichsland Elsaß-Lothr.

Pöhn, Edm., Grundriss zur Einführung in die operative Zahnkunst. (77 S. m. Abbildgn.) 8. **Berlin** (903.) (H. **Musser.)** n. 2. 50

Pöhn, Edm., Kompendium des Goldfüllens. Meine Methode, in **kurzer Zeit** e. perfekter Goldfüller zu werden. (79 S. m. 64 **Abbildgn.**) gr. 8. Berlin (907). Berlinische Verlagsanstalt.
3. —

Pöhn, Hans (geb. Hungen in Oberhessen 2. 8. 1840): Beschreibung eines Falles von Dermoidcyste des Mediastinum anticum. Berlin (1871). (40 S.) 8°
Berlin, Med. Diss. v. 19. Aug. 1871

Pöhner, G., aus der Gemeinde-Verwaltung der Stadt Hof. Berichte üb. die Sitzgn. d. Magistrats-Collegiums. 1. Jahrg. 1875. gr. 8. (XI, 215 S.) Hof 876. Grau & Co.
n. 1. 50

Pöhner, G., aus der Gemeinde-Verwaltung der Stadt Hof. Berichte über die Sitzungen des Magistrats-Collegiums. 2—5. Jahrg. 1876—1879. gr. 8. (VIII, 198; IX, 225; VIII, 224 u. X, 243 S.) Hof 877—80. Grau & Co.
à Jahrg. n. 1. 50

— dasselbe. 6. u. 7. Jahrg. 1880 u. 1881. gr. 8. (XIII, 399 u. XVI, 368 S.) Ebend. 881. 82. à Jahrg. n. 3. —

Pöhner, G., aus der Gemeinde-Verwaltung der Stadt Hof. Berichte üb. die Sitzgn. d. Magistrats-Collegiums. 8—10. Jahrg. 1882—1884. gr. 8. (à ca. XIX, 254 Sp.) Hof 883. Lion. à Jahrg. n. 2. —

Pöhner, G., aus der Gemeinde-Verwaltung der Stadt Hof. Berichte über die Sitzungen des Magistrats-Collegiums. XI.—XIII. Jahrg. 1885—1887. gr. 8. (248, 262, 270 S.) Hof 886—888. Lion. à Jahrg. n. 2. —

Pöhner, G. Aus der Gemeinde-Verwaltung der Stadt Hof. Berichte üb. die Sitzgn. d. Magistrats-Collegiums. XIV. u. XV. Jahrg. 1887 u. 1888. Lex.-8. (236; 264 Sp.) Hof 888/89, Lion.
Nicht weiter erschienen. à Jahrg. * 2 —

Pohnert, Eduard: Katalog der Lehrer-Bibliothek des k. k. Staatsgymnasiums in Pola. [1. 2.] Pola '11—12. Pola, Staats-G., P. 1911. 12.

Ludwig POHNERT Kritik und Metrik von Wolframs Titurel
Prag: Phil. Diss. 1908/1909.

Pohnert, Ludw., Kritik u. Metrik v. Wolframs Titurel, s. a. Studien, Prager deutsche.

Kritik und Metrik von Wolframs Titurel. Von Ludwig **Pohnert**. Prag: Bellmann 1908. 99 S. 8°
(Prager Deutsche Studien. H. 12.)

Pöhnert, Karl, cand. theol.: Joh. Matth. **Gesner und sein Verhältnis zum Philanthropinismus und Neuhumanismus. Ein Beitrag zur Geschichte d. Pädagogik im XVIII. Jahrhundert.** *Leipzig: E. Gräfe in Komm. 1898.* (V, 129 S.) 8°
Leipzig, Phil. Diss. v. [10. Dez.] 1898

Pöhnitzsch, Hermann

Pöhnitzsch, H., Adreß-Buch u. Wohnungs-Anzeiger für Halle, s. Adreß-Buch.

—— s. Adreßbuch und Wohnungs-Anzeiger für die Gesammtstadt Halle a. d. S. und Giebichenstein.

Pöhnitzsch, Herm., alphabetisches Ortsverzeichniß der Provinz Sachsen mit Angabe der Kreise, Amtsbezirke, der nächsten Poststationen, sowie der derzeitig fungir. Amtsvorsteher und deren Stellvertreter. Practisches Handbuch für die Herren Amtsvorsteher, Magisträte, Polizei-Verwaltungen und sonst. Behörden, nicht minder auch für die Herren Vertreter der Feuer-Versicherungs-Gesellschaften. Nach amtl. Unterlagen bearb. und zusammengestellt. gr. 8. (124 S.) [Halle 875, Herrmann.] Leipzig, Spetz. * 3 —

Pöhnl, Hans

Pöhnl, H., Mauz und Mizi, s. Universal-Bibliothek Nr. 1184.

Pöhnl, H., deutsche Volksbühnenspiele. 2 Bde. 8. (359; 472 S.) Wien 887. Konegen. n. 8. —
Daraus einzeln:
Der liebe Augustin. Ein Fastnachtsspiel. (180 S.) n. 2. —
Gismunda. Deutsches Volksbühnenspiel. (120 S.) n. 1. 60
Der arme Heinrich. Deutsches Volksbühnenspiel. (126 S.) n. 1. 60
Die schöne Magellone. Deutsches Volksbühnenspiel. (115 S.) n. 1. 60
Ritter Staufenberg und die schöne Meerfei. Deutsches Volksbühnenspiel. (176 S.) n. 2. —

Napoleon I. a jeho wójny. Sa lubych Sserbow spissal JAN AUGUST POHONČ. (Napoleon I. und seine Kriege. Für die lieben Wenden beschrieben von J. A. POHONČ.) ib. 1864. — 8°.

Pohonč, Jan Aug., Napoleon I. a jeho wójny. Bautzen 864. Schmaler & Pech in Comm. gr. 8. (98 S. m. Holzschn.) n. 12 ngr.

Pohonč, Miron, Andachten. (158 S.) kl. 8. Leipzig 907. J. C. Hinrichs' Verl. — 30

Pohonč, Miron, im Schatten des Kreuzes. Predigten üb. freigewählte Texte. (VII, 146 S.) gr. 8. Leipzig 904. A. Deichert Nachf. n. 2. 50

Pohorecki: Einiges über die regulären Körper im allgemeinen, insbesondere aber die Berechnung der Halbmesser solcher Kugeln, aus welchen diese Körper geschnitten werden können, falls sie sämtlich gleiche Kantenlänge oder gleichen Kubikinhalt erhalten sollen. – Tarnopol, Progr. 1854.

Pohořelý, Jos. M., heilige Anklänge zum Lobe und Preise Gottes. Gebetbuch für kathol. Christen. Würzburg 855. Etlinger. (Berlin, Genrich.) 8. (XIII, 374 S. u. 4 Stahlst.) 1 ₰.; fein Pap. mit 9 Stahlst. 1 ₰. 15 ngr.

Pohořely, Jos. Mjr., Kancionál, čili sbjrka cjrkewnjch i do máčjch, po celý rok naskrz takmèř w každé osadě užjwaných pjsnj ꝛc. 2. opravené a rozmnožené wydánj. 8. (VI u. 685 S. m. 1 Holzschn.) Prag 849. (Calve.) n. 11/12 ₰

Pohořelý, Jos., wahrhaftes Opfer von Gott u. das große Schildwachbüchlein nach der Ursprache vom Jahre 1569. Ein kathol. Gebetbuch neu übers., verb. u. mit vielen Abbildungen der Heiligen als Patronen der Sterbstunde ꝛc. versehen. 3. Aufl. Neuhaus 866. Landfraß & Sohn. 16. (384 S. mit eingedr. Holzschn.) n. 6¾ ngr.

Pohorilles Nouch: Entwicklung und Kritik der Erkenntnistheorie Eduard von Hartmanns.
1910 PN 2947 **Diss.** Wien, Univ. 146

Pohrt, J. B., ein Jahr Jagd in Riga u. Umgegend, illustr. v. W. Felsco. gr. 8. (65 S. m. 1 Tab. u. Musikbeilage 8 S.) Riga 899. (N. Deubner.) n. 4. —

Pohrt, Otto, appr. Arzt: Beitrag zur Lehre von den traumatischen psychopathischen Konstitutionen. Berlin 1909: G. Schade. 30 S. 8°
Berlin, Med. Diss. v. 23. Juli 1909, Ref. Ziehen
[Geb. 12. Aug. 84 Kokenhusen (Livland); Wohnort: Rendsburg; Staatsangeh.: Preußen; Vorbildung: Gymn. Plön Reife O. 02; Studium: Erlangen 2, Göttingen 2, Jena 4, Berlin K. W. A. 4 S.; Coll. 20. Juli 09; Approb. 14. März 09.] [U 09. 83

Poj k Jesußej! Wudate wot Wupperthalskeho tawarstwa twubawanju natwarjazych kschesźijanskich pißmow. (Kommet zu Christus. Hrsg. von der wupperthaler Gesellschaft zur Verbreitung der nützlichsten christlichen Schriften.) 8. (56 S.) Barmen 857. (Hoyerswerda, Erbe.)

Pojarsky, Fürst, oder die Befreiung von Moskau. Trauerspiel in 3 Aufzügen, von Krubowsky. 8. Carlsruhe, Braun. 815.

Pojattion, N. Eine Vorlesung über die Pasigraphie. Wien 1870.

Poiesis, Ethike, sive gnomici poetae graeci . . . emendavit Rich. Franc. Phil. Brunck. Editio nova . . . Lipsiae 1817. H: *Schäfer, Gfr. Heinrich.* (Ky) (Hoff)

Poiger, Benedikt

— kurze Abhandl. üb. wichtige Religionsgegenstände f. das gemeine Christenvolk. 2 Bde. gr. 8. Grätz 788, 89. Zaunrieth; (a. Mayr in Salzb.) 1 ₰ 12 ℛ

– s. Amulet f. Kranke.

Poiger, Bdkt., (eigentl. Jh. Bapt.) Anekdotenbuch f. kathol. Priester, s. a. Anekdotenbuch

Poiger, Be., Anekdotenbuch f. kathol. Priester. 4 Bde. 8. Salzb. Mayr. 787—90.

– s. Beichtgespräche, d.i. Dialogen . . .

– s. Erquickungsstunden f. Kranke.

– s. Erasmus od. d. goldne Spiegel.

— chriſtl. Gedanken v. Bildern d. Heiligen Gottes. 8. Salzb. (791.) Duyle. 3 gl

— chriſtl. Gedank. v. Bildern d. Heiligen. 8. Salzb. Duyle. 790.

— kathol. Geſpräch üb. die Worte d. Herrn, Mtth. VI, 19, 20. 8. Münch. 814.

— Baierns Glückſeligkeit in ſeinem Wittelsbach. Regenten. 8. Salzb. 786. Duyle. 1 gl

— Leichenrede. 8. Salzb. 786. Duyle. 1 gl

— de ingeniorum moderatione in rebus philosophor. 8. Münch. Lindauer. 793.

— ob u. wie man zu Einführung e. zweckmäßigen Armenanſtalt mit zu wirken ſchuldig ſei. M t e. Schreiben an den Herrn Generalmajor Trempſen. gr. 8. Weißenburg 791.

— Positiones ex Theologia practica. 8. Salzb. 770.

— Predigt von d. Ave Maria, od. engl. Gruß. 8. Salzb. 783. Duyle. 1 gl

— Predigten f. d. ſtudir. Jugend. 8. Ebend. 793.

Polger, B., der Prieſterfreund. 8. Salzb. Mayr. 791. Rthlr. -

— d. Prieſterfreund. 8. Grätz, Coſch. 807.

— üb. wicht. Religionsgegenſtände f. gemeine Chriſtenvolk. 2 Bde. gr. 8. Grätz, Zaunrieth (a. Mayr in Salzb.) 788. 89.

— theologia exmagica, s. magica e theologia proscribenda. 4. Salzb. 789. Mayr; auch Duyle; (a. Wienbrack in Leipz.) 4 gl Dann u. unt. T.: Theologie ohne Hexen u. Zauberer. 8. Ebd. 784. (Duyle). 4 gl

— theologia ex magica, s. magica ex theologia proscribenda. 4. Salzb. Mayr (Gräff, Lps.) 789.

— Theologie ohne Hexen u. Zauberer. 8. Salzb. Waiſenh. (Duyle.) 784.

— üb. d. Triumph d. Laſters u. der Tugend. 8. Salzb. 797. Mayr. 4 gl

— Verſuch z. Errichtung e. pfärrl. Armenleute Bruderſchaft. 8. Salzb. 786. Duyle. 1 gl

Poiger, Franz Xaver „Ansprache bei Gelegenheit des Festaktes zu Ehren des in den Ruhestand getretenen kgl. Rektors Rohe". pg. 59—62. 8°. Emil Thieme.
Kaiserslautern, Progr. 1898/99

Poilleux, A., Correspondance commerciale, s.: Handelskorrespondenzen, nationale.

Poilloüe de Saint-Mars, Anne Gabriele de Cisternes-Courtiras Mise de
s. Dash, Ctesse

Pojman, Jul., u. C. A. Neufeld, illustrierter Führer durch Bosnien u. die Herzegowina, s.a Hartleben's, A., illustr. Führer.

Pojman, Jul., illustrierter Führer durch Bosnien u. die Hercegovina, s.a Neufeld, C. A.

Pojman, J. und **Neufeld,** C. A., Illustrierter Führer durch Bosnien und die Herzegowina. 3. Aufl. 8°. (104 S. mit 2 Plänen) Wien: Hartleben 1909. geb. K 4.—

Poimon, Frant., Dárek uſſlechtilé mladeži. (Geſchenk für die ehrenhafte Jugend.) 18. (IV und 77 S.) Olmütz 857, [Grosse.]

— úplný Kancionál katolický. Dle sebraných písní uſpořádal, modlitbami a ponančením opatřil ꝛc. Ebend. 856. 8. (XIV, 899 S. u. Titel in Stahlſt.) 1 ℳ. 3¾ ngr

—— katolický Kancionálek, obſahující Píſně a Modlitby weřejným i domácím pobožnoſtem, z úplného biſkupſkým ſchwálením opatřeného kancionálu katolického. 2. rozmnožené wydání. (Das katholiſche Canzional, enthaltend Lieder und Gebete für Kirche und Haus nach dem alten Geſangbuch, mit biſchöfl. Bewilligung neugedruckt. 2. Aufl.) 8. (368 S.) Olmütz 858, (Grosse.)

Poimon, Fr. P., Katolický Kancionálek, obſahující Píſně a Modlitby k weřejným i domácím pobožnoſtem, z úplného biſkupſkým ſchwálením opatřeného katolického. 2. rozmnožené wydání. Olmütz 858. Neugebauer. 16. (368 S.) 12 ngr

Poimon, Frant. P., katolický kancionálek, obſahující píſně a modlitby k weřejným i domácím pobožnoſtem, z úplného biſkupſkým ſchwalením opatřeného kancionálu katolického. 3. rozmnožené a oprawené wydání. Olmütz 861. Halauska. 8. (376 S. u. 1 Stahlſt.) n. 12 ngr

Poimon, Fr. P., **Příležitostná kázaní, s. Bibliotéka, nová, kazatelská.**

— Officium Defunctorum. Hodinky za mrtwé. Dodatek k úplnému kancionálu katolickému ꝛc. Ebend. 856. 8. (60 S.) 3¾ ngr

— koſtelní píſné při weřejných ſlužbách Božích wybraté z úplného katolického Kancionála jejž uſpořadal ꝛc. Ebend. 856. 8. (144 S.) 5 ngr

— poutnické píſné wybraté z úplného Kancionála katolického. Ebend. 856. 12. (24 S.) 1½ ngr

Poimon, Fr. P., wzdělávající powídky. 8. (74 S.) Brünn 851, Nitſch & Groſſe. n. 4 ngr

—— wzdělávající powídky. 8. (74 S.) Brünn 852, Nitſch und Groſſe.
Vgl.: Kancionál, úplný, katolický. — Officium defunctorum. — Píſně.

—— Přehled církewního dějepiſu a rozdílu w naboženſtwí neka tolickém a římſkokatolickém. (Ueberſicht der kirchlichen Geſchichte in Bezug auf nichtkatholiſchen und römiſch-katholiſchen Gottesdienſt.) gr. 8. (211 S.) Olmütz 857, [Grosse.]

— kytka zábawného i poucného čtení kterou pro uſſlechtilou mládež. 2. wydaní. Ebend. 862. 8. (IV, 96 S.) n. 4 ngr

— o životě, zázracích, ostatcích a uctění svatého Liguriáše mučenníka a poustevníka. 2. opravené a rozmnožené vydání. Brünn 863. (Nitsch.) 16. (39 S.) nn. 2½ ngr

Poimon, Frz., Chriſtus unſer Heil. Ein Gebetbuch für alle Stände. 2. verm. und verb. Aufl. 16. (376 S. mit Farbentitel und 1 Stahlſt.) Wien 885, Grottendiek. * — 80
geb. in Leinw. * 1 40
geb. mit Goldſchn. * 1 70
geb. in Chagrinleder mit Goldſchn. * 2 50

Poimon, Frz., im Kreuz iſt Heil. Ein Gebetbuch für alle Stände. 32. (448 S. m. 1 Stahlſt.) Wien 878. Grottendiek. n. — 80

Poincaré, leçons sur la physiologie normale et pathologique du système nerveux. Tome I. et II. Avec figures intercalées dans le texte. gr. 8. (VI, 395 u. 455 S.) Paris 873. Berger-Levrault & Co. à n. 6. —

Poincaré, Henri

Poincaré, H. Elektricität u. Optik. Vorlesungen. Redig. von J. Blondin. Autoris. deutsche Ausg. von W. Jaeger u. E. Gumlich. 2 Bde. gr. 8. Berl., Springer. * 15 —
1. Die Theorien v. Maxwell u. die elektromagnetische Lichttheorie. Mit 39 in den Text gedr. Fig. (VIII, 248 S.) 891. * 8 —.
2. Die Theorien v. Ampère u. Weber. — Die Theorie von Helmholtz u. die Versuche v. Hertz. Mit 15 in den Text gedr. Fig. (VII, 222 S.) 892. * 7 —.

Die neue Mechanik. Vortrag, geh. von Henri **Poincaré** 1910 zu Berlin. Berlin (1910): Bernstein. 32 S. 8° [11. 14978 11

Poincaré, H., mathematische Theorie des Lichtes. Vorlesungen. Red. v. J. Blondin. Autoris. deutsche Ausg. v. E. Gumlich u. W. Jaeger. gr. 8. (X, 295 S. m. 35 Fig.) Berlin 894. J. Springer. n. 10. —

Poincaré, (Henri), die Maxwellsche Theorie u. die Hertzschen Schwingungen. Die Telegraphie ohne Draht. Aus dem Franz. übers. v. Max Iklé. (199 S. m. Fig.) 8. Leipzig 909. J. A. Barth. Geb. 3. 20

-- Thermodynamik. Vorlesungen. Red. v. J. Blondin. Autoris. deutsche Ausg. v. W. Jaeger u. E. Gumlich. gr. 8. (XVIII, 298 S. m. 41 Fig.) Ebd. 893. n. 10. —

- Sechs Vorträge über ausgewählte Gegenstände aus der reinen Mathematik u. mathematischen Physik, s. a. Vorlesungen, mathemat., an der Universität Göttingen. IV.

Sechs Vorträge über ausgewählte Gegenstände aus der reinen Mathematik und mathematischen Physik ... geh. zu Göttingen 1909 von Henri **Poincaré**. Mit 6 Fig. Leipzig & Berlin: Teubner 1910. 60 S. 8°
(Mathematische Vorlesungen an der Univ. Göttingen. 4.) [09. 18570

Henri **Poincaré**. Der Wert der Wissenschaft [La valeur de la science]. Mit Genehm. d. Verf. ins Deutsche übertr. von E(milie) Weber. Mit Anm. u. Zusätzen von H[einrich] Weber, Prof. in Strassburg, u. e. Bildnis d. Verf. Leipzig: B. G. Teubner 1906. (IV, 252 S.) 8°
= [**Wissenschaft** u. Hypothese. 2.] [08. 5139

Henri **Poincaré**. Der Wert der Wissenschaft [La Valeur de la science]. Mit Genehmigung d. Verf. ins Deutsche übertr. von E[milie] Weber. Mit Anm. u. Zusätze... H[einrich] Weber, Prof., u. 1 Bildn. d. Verf. Mit e. Vorw. d. Verf. 2. Aufl. Leipzig & Berlin: Teubner 1910. VII, 251 S. 8°
(Wissenschaft u. Hypothese. 2.) [11. 3669

Henri **Poincaré**, membre de l'Inst. Wissenschaft und Hypothese [La science et l'hypothèse]. Autor. deutsche Ausg. mit erl. Anm. von F[erdinand] u. L[isbeth] Lindemann. Leipzig: B. G. Teubner 1904. (XVI, 342 S.) 8°
= [**Wissenschaft** u. Hypothese. 1.] [08. 3734 4

Henri **Poincaré**, membre de l'Inst. Wissenschaft und Hypothese [La science et l'hypothèse]. Autor. deutsche Ausg. mit erl. Anm. von F[erdinand] u. L[isbeth] Lindemann. 2., verb. Aufl. Leipzig: B. G. Teubner 1906. (XVI. 346 S.) 8°
= **Wissenschaft** u. Hypothese. 1. [08. 9968

Poincaré, Lucien

Poincare, L., die Elektrizität. Übers. v. A. Kalähne. (VIII, 261 S.) 8. Leipzig 909. Quelle & Meyer. 3.80; geb. in Leinw. 4. 40

Poincaré, L., die moderne Physik. Übertr. v. M. Brahn u. B. Brahn. (VIII, 260 S.) 8. Leipzig 908. Quelle & Meyer. 3.80; geb. in Leinw. 4. 40

Poinsard, Léon = **Daspróni,** Noel [Autorname].

Poinsard, Léon. Curiosités géographiques: Comment la Géographie explique les phénomènes sociaux. Conférence faite dans la Séance publique [de la Société de géographie de Berne] du 1er mars 1894. SA. 8. ([Bern] 1895.)

Poinsard, Léon. Les unions et ententes internationales. 2de éd., revue. 35 p. 8. Berne, E. Baumgart, 1901. [fr. 1. —]

Poinsignon, Adolf

Poinsignon, A., Geschichte der protestantischen Kirchengemeinde zu Livorno. Eine geschichtl. Skizze. gr. 8. (13 S.) Halle 899. E. Strien. — 75
Sonderabdruck aus: „Deutsch-evangel. Blätter".

Poinsignon, A., geschichtliche Ortsbeschreibung der Stadt Freiburg i/B., hrsg. v. der städt. Archivcommission. gr. 8. (VIII, 170 S. m. 2 Plänen.) Freiburg i/B. 891. F. Wagner. n. 2. —

Poinsignon, A[dolf]. Bodman'sche Regesten. Gesammelt von A. P. [Beilage zu: Schriften des Vereins für Geschichte des Bodensee's und seiner Umgebung. Heft 10–12.] 4. (Lindau 1880–1883.)

— s.: Todtentanz, der, in der St. Michaelskapelle auf dem alten Friedhof zu Freiburg i/B.

Poinsignon, Ad., s. a. Urkunden, die, d. hl. Geist-Spitals zu Freiburg i/B.

Die Urkunden des hl. Geist-Spitals zu Freiburg i. B. bearb. von Ad. **Poinsignon**, Stadtarchivar (2: bearb. von Leonard Korth u. Dr. Peter P. Albert) hrsg. von d. Städt. Archiv-Comm. Bd 1. 2. *Freiburg i. B. 1890–1900: Ch. Lehmann (2.: F. Wagner).* 2 Bde 8°
1. 1255–1400. 1890.
2. 1401–1662. Mit e. Anh. u. Reg. von Eduard Intlekofer. 1900.
= Veröffentlichungen a. d. Archiv d. Stadt Freiburg i. B. Th. [2.] 3. [00. 7006

Poinsinet, Antoine Alexandre Henri

Poinsinet, le Cercle, ou la Soirée de la mode. Comédie. 8. Dresd. 765. Walther. 4 gl.

Poinsinet, Choix de poésies. II Vol. 18. Leipz. Industr. Comt.

— Tom Jones. Comédie imitée du Roman anglois de Mr. Fielding. 8. Dresd., Walther. 6 gl.

— Tom Jones; Singspl.; aus d. Französ. 8. Frankf. 773. Andreä. 6 gl.

Poinsinet, Antoine Alexandre Henri. Der Zauberer. Schauspiel; a. d. Franz. Frankfurt 1772. Ü: *Faber, Johann Heinrich.* (Ky)

— der Zauberer. Schspl.; aus d. Französ. (v. J. H. Faber). 8. Frankf. 772. Andreä. 6 gl.

Poinsot, B., der Freund d. Kranken auf d. Lande, od. Anzeige v. verschied. einfachen, wohlfeilen u. leicht genießbaren Arzneimitteln rc. gr. 8. Basel 803. Flick. 10 gl. Straßb., Levrault. 13 gl.

Poinsot, L., A. L. **Cauchy,** J. **Bertrand,** A. **Cayley,** Abhandlungen üb. die regelmässigen Sternkörper, s.: Ostwald's, Wilh., Klassiker der exakten Wissenschaften.

Poinsot, L., Anfangsgründe d. Statik, nebst e. Abhandl. üb. d. Theorie der Momente u. Flächenräume. Nach d. 4. Orig.-Ausg. deutsch bearb. v. J. W. Lambert. M. 4 Stnt. (gr. 4.) gr. 8. (25½ B.) Gießen 828, [Heyer, Vater.]

—— Elemente d. Statik, als Lehrbuch f. den öffentl. Unterr. u. zum Selbststud. Nach d. 5. Ausg. a. d. Franz. übers. v. J. G. Hartmann. 8. (16 B. u. 5 Stnt. gr. 4.) Berlin 831, [Rücker u. Püchler.]

Poinsot, L., Elemente der Statik. Autoris. deutsche Ausg. Nach der von Bertrand bearb. 12. Aufl. des französ. Originals hrsg. von H. Servus. gr. 8. (X, 173 S. mit 4 lithogr. Taf.) Berlin 887, Springer. *

Poinsot, neue Theorie der Drehung der Körper. Uebers. von K. H. Schellbach. Mit (eingedr.) Holzschn. gr. 4. (IV u. 54 S.) Berlin 851, Hayn. n. ½ ß

Point d'appui patriotique allemand, par rapport aux opérations de la présente guerre, dans la haute et basse Allemagne, surtout les plus recentes; avec des cartes et plans en taille douce. A Bremen 1759. V: *Chevrier*, *Franç. Ant.* (Barbier)

Point d'appui entre les princip. puissances de l'Europe av. fig. en 12. 6 Vol. 8. Lütt. (Eslinger, F.) 759.

Point, Le, d'apui entre Thérèse et Fréderic ou pensées militaires, politiques, critiques mais impartiales et libres sur la guerre et l'état présent de l'Europe dignes d'être lues par ceux qui ont la volonté de se guérir de l'ignorance et des préjugés. Francfort 1758. V: *Chevrier*, *Franç. Ant.* (Barbier)

— **d'Honneur**, üb. d., e. Pend. z. d. Schrift: üb. d. Dienst. 8. Bresl. Gutsch. 785.

Point d'honneur, Das, oder die Tabaksdose. Lustspiel in 2 Aufzügen. Aufgeführt Landstrasser Theater Wien 1/7 1793; aufgeführt Pressburg 17/12 1786 ... V: *Spiess*, *Chn Hch.* (Theaterkalender. Gotha 1778. S. 261; 1783, S. 209) (Blümml u. Gugitz, Alt-Wiener Thespiskarren. Wien S. 411) V: *Seipp*, *Christoph Ludwig.* (Karl Benyowsky, Das alte Theater. Pressburg 1926. S. 64) (BiblPort)

Pointmayr, Beschreibung der Mineralquelle Höhenstadt in Niederbayern. Lex. 8. (40 S. m. 1 Lith.) Passau 849. (Elsäßer & Waldbauer.) n. 1/3 ₰

POINTMAYR, Joseph (Falkenberg): De cholera.- Monachii: Lindauer 1857. 15 S. 13.3.1835 - Urk; F 62
Diss. Ingolst.-Landsh.-Mchn.

POINTMAYR, Joseph (Fürstenzell): Ueber Fingerverkrümmungen.- Passau: Keppler 1878. 18 S. 6.6.1878 - Urk (Titel: De digitorum incurvationibus.); Chr 1877/78,10
Diss.Ingolst.-Landsh.-Mchn.

Pointner, Andy: Agostino d'Antonio di Duccios Tätigkeit in Perugia von 1457—1462. Strassburg 1909: Heitz. 56 S. 4°(8°) ¶(Ersch. vollst. u. d. T.: Die Werke des florentin. Bildhauers ... di Duccio, als: Zur Kunstgeschichte d. Auslandes. H. 68.)
München, Phil. Diss. v. 20. Juli 1908, Ref. Riehl, Wolters
[Geb. 14. Febr. 82 Unterwössen b. Traunstein; Wohnort: München; Staatsangeh.: Bayern; Vorbildung: Wilhelms-Gymn. München Reife Juli 01; Studium: München 14 S.; Rig. 20. Juli 08.] [U 09. 3500

Pointner, Andy, die Werke des florentinischen Bildhauers Agostino d'Antonio di Duccio, s. a. Zur Kunstgeschichte des Auslandes. 68. Heft.

Die Werke des florentinischen Bildhauers Agostino d'Antonio di Duccio von Andy **Pointner**. Mit 22 Lichtdrucktaf. Strassburg: Heitz 1909. XXI, 216 S. 4° (8°)
(Zur Kunstgeschichte d. Auslandes. H. 68.)

Pointner, Hans, appr. Arzt a. Erding: Ueber Herzklappenfehler als Unfallfolge. München 1905: C. Wolf. (33 S.) 8°
München, Med. Fak., Ref. v. Bollinger, Diss. v. 21. Juli 1905
[Geb. 18. Sept. 79 Erding, Oberbayern; Wohnort: Erding; Staatsangeh.: Bayern; Vorbildung: Gymn. Burghausen Reife Juli 99; Studium: München 9 S.; Coll. 21. Juli 05; Approb. 8. Juli 04.]

Pointner, Ign., wie u. wann geht die Welt zugrunde? Nach der Sage, Wissenschaft u. Offenbarung beantwortet. (64 S.) kl. 8. Linz 906. Preßverein. n. — 32

Poinz, Staat oder Nationalität? Eine österreich. Studie. Leipzig 867. O. Wigand. gr. 8. (III, 51 S.) n. 8 ngr.

Poirault, M. Georges, recherches d'histogénie végétale, s.: **Mémoires** de l'académie impériale des sciences de St.-Pétersbourg.

Poiräus, F., Maria, die sicherste Schutzwehr ihrer Pflegekinder im Tode. Aus dem Franz. ins Lat. übers. v. A. Schirmbeck. Aus dem Lat. ins Deutsche übers. u. m. e. Anh. v. Gebeten verm. v. D. J. Faustmann. gr. 16. (VIII, 156 S.) Würzburg 887. Bucher. n. — 40

Poiré, Frz., die dreifache Krone der seligsten Jungfrau Mutter Gottes, gewoben aus ihren erhabensten Vorzügen der Vortrefflichkeit, der Macht u. der Güte, u. geschmückt mit den verschied. Zeichen ihrer Kinder, sie zu lieben, zu ehren u. ihr zu dienen. Mit den Verbesserungen u. Zusätzen der ehrw. Mutter v. Blemur, Benedictinerin. Auf's Neue durchgesehen, verb. u. hrsg. von den ehrw. VV. Benedictinern zu Solesmes. Aus d. Franz. 3 Bde. gr. 8. (1: 581 S. 2: 711 S. 3: 717 S.) Regensburg 852. 53, Manz. (1: $1^2/_3$ ₰ 2 u. 3: à 2 ₰) $5^2/_3$ ₰

Poiret, Reise in d. Barbarey, od. Briefe a. Alt-Numidien, a. d. Franz. 2 Thle. gr. 8. Strasb. Akad. (Hinrichs in Lpz. in Commiss.) 789.

Poiret, J. L. M., Leçons de flore etc. voyez **Leçons.**

Poiret, J. L. M., Ueber den pyritnosen Torf (tourbe pyritneuse) des Aisne-Departements und dessen Formation. 1803.

Poiret, Pet., cogitat. de Deo, anima et malo. 4. Amst. Pauli. 715.

— de eruditione solida, superficiar. et falsa. II Tom. 4. ibid. 707.

— de eruditione triplici, c. praefat. C. Thomasii. 8. Frcf. Zeitler. 708.

— volltomm. Gemüthsruhe. 8. Frankf. Zieger. 714.

— Herzenstheologie. 2 Thle. 12. Halle, Waisenh. 702.

— virtutum christianor. insinuatio facil. 8. Amst. Wolter. 711.

— oeconomia divina. VI Tom. 4. Frcf. Fritsch. 705.

— — dies. 2 Thle. 4. Lpz. Crusius (F. C. W. Vogel) 728.

— — diese 6 Thle. 8. Berleb. Haug. 735—46.

— — — salutis. 4. Frcf. (Weidmann, Lps.) 728.

— opera posthuma, Socinianism. repress. 4. Amst. Wettstein. 721.

Poirier, Dom Germain, s.: **Correspondants,** les, de Grandidier, IX.

Historischer Atlas der Schweiz mit erkl. Text z. Gebr. f. Sekundarschulen u. andere Lehranstalten. Von Louis **Poirier**-Delay, am Gymn. von Montreux, u. F. Müllhaupt, Kartogr. in Bern. Bern: H. Boneff [1901]. (16 Kartenbl., 16 S.) quer-8°

Poirot, Franziskus Joseph, De relationibus judicialibus. O. O. u. J. 16 S. (3.75) 26975
Gew.: Johann Baptist von Klinglin (Großvater).

Poirson, Paul, u. Louis **Gallet,** Cinq-Mars. Oper in 4 Akten. Zur Musik deutsch von Ferd. Gumbert. Musik von Charles Gounod. 8. (65 S.) Mainz 877. Schott's Söhne. — 75

Poisson, Abhandlung über die allgemeinen Gleichungen für das Gleichgewicht u. die Bewegung sowohl der festen elastischen Körper als auch der Fluida. Zweite Fortsetzung der Bemerkungen über den Einfluss der Umdrehung der Artillerie-Geschosse auf ihre Bahn. 1. Abth. enth. die oben genannte Abhandlung Poisson's in der Uebersetzung, u. eine Vorrede, in welcher das Verhältniss jener Abhandlung zur Mechanik überhaupt u. der Zusammenhang zwischen ihr u. dem bezeichneten artilleristischen Gegenstande insbesondere dargelegt wird. Von F. Otto. gr. 4. (XXVIII u. 183 S.) Neisse 847, Muller. 3 ₰

Poisson, Abhandlung über die allgemeinen Gleichungen für das Gleichgewicht u. die Bewegung sowohl der festen elastischen Körper als auch der Fluida. Zweite Fortsetzung der Bemerkungen über den Einfluss der Umdrehung der Artilleriegeschosse auf ihre Bahn. 1. Abthl. enthltd. die obengenannte Abhandlung Poissons in der Uebersetzung, u. eine Vorrede, in welcher das Verhältniss jener Abhandlung zur Mechanik überhaupt u. der Zusammenhang zwischen ihr u. dem bezeichneten artillerist. Gegenstande insbesond. dargelegt wird. Von J. C. F. Otto. 2. (Titel-)Ausg. Neisse (847)66. Graveur. gr. 4. (XXVIII, 183 S.) 3 ₰
Vgl. Otto, J. C. F.

Poisson, Berechnung der Bewegung eines Körpers, der von der Oberfläche des Mondes fortgeschleudert wird. (Annal. der Phys., J. 1806, St. 11.)

Poisson, chez Golbert: Comédie en 1 Acte et en prose, par M. M. Moreau et Lafortelle. gr. 8. Rudolstadt, Hofbuchh. 811.

Poisson, P., der Papier- u. Schreibmaterialien-Händler, s. Fontenelle, J.
—— Unterr. üb. Schreib- rc. Materialien,

Poisson, Raim. et Phil., Théatre. 1 vol. in-18. (Didot) (Leips. Fr. Fleischer.)
(papier fin, 12 Gr. papier vélin, 1 Thlr. format in 12, pap. vél., 1 Thlr. 8 Gr.)

Poisson, S. D., Lehrbuch d. Mechanik. 2 Thle. Aus d. Franzöf. von J. C. Ed. Schmidt. 8. (Mit 5 Steintaf. in Fol.) Stuttg. 825. v. Cotta. 4 ₰

Poisson, S. D., Lehrbuch der Mechanik. Nach der 2n, sehr verm. Ausg. übersetzt von Moritz A. Stern. 2 Thle. (Mit 4 Steint.) gr. 8. Berlin 835, 36. Reimer. 6 ₰

Poisson, S. D., Lehrbuch der Mechanik. nach der 3. Aufl. übersetzt von Berlin. 1835. 8. 6 Thlr.

Poisson, S. D. Lehrbuch der Mechanik. Deutsch von M. A. Sternberg. Theil I. II. Berlin. 1835–1836.

Poisson, S. D., Lehrbuch der analytischen Mechanik. Deutsch hrsg. und mit einem Anhang versehen von Aug. Pfannstiel. (In 11—12 Lfgn.) 1.—4. Lfg. gr. 8. (IV, S. 1—448 mit 3 Taf.) Dortmund 888, Herm. Meyer. à Lfg. ℳ 2.75.

Poisson, S. D., Lehrbuch der analytischen Mechanik. Deutsch hrsg. u. m. e. Anh. versehen v. A. Pfannstiel. 1. Bd. gr. 8. (612 S. m. Taf.) Dortmund 889. Herm. Meyer. geb. n. 17. 50

Poisson, S. D., Lehrbuch d. analytischen Mechanik. Deutsch hrsg. u. m. e. Anh. vers. v. Aug. Pfannstiel. 1. Bd. gr. 8. (XXII, 596 S. m. 10 Taf.) Dortmund 890. H. Meyer. Geb. in Halbfrz. n. 17.50

—— Lehrbuch d. Wahrscheinlichkeitsrechnung u. deren wichtigsten Anwendn. Deutsch bearb. u. mit d. nöthigen Zusätzen vers. v. C. H. Schnuse. Lex.-8. (35 B.) Braunschweig 841, G. C. E. Meyer sen.

Poissonnier, de, Discours sur les moyens de conserver la santé dans le pays du Nord. 4. Lps. Hartknoch. 759.

Poissonnier-Desperrières, (Antoine): Krankheitsgeschichte von funfzehn von einem tollen Hunde gebissenen Personen, die zu Senlis behandelt worden sind (Histoire du traitement fait à Senlis à quinze personnes mordues par un chien enragé. Dt.) von (A.) Poissonnier-Desperrières und anderen. 98 S.(S.347 - 444), gbd.

Leipzig: Junius 1785
in: Andry, (Charles François): Untersuchungen über die Wuth... (Recherches sur la rage. Nouvelle édition. Dt.) 1785

Poiteau, A., et P. **Turpin,** Flore parisienne. 8 Livres, av. pl. noir. 4. Paris. Schöll.
fol. av. pl. enl. P. V.

Poitevin, v. Poetevin.

Poitevin, P., Cours théorique et pratique de langue française. (Ouvrage rédigé sur un plan entièrement neuf.) Adopté par le Conseil royal de l'Instruction publique. 1. Année. Grammaire du premier âge. A. s. l. T.: Exercices sur la grammaire du premier âge, ou application raisonnée des premiers principes d'orthographe, de concordance et de construction, comprenant des Compositions et des Analyses graduées, une Etude sur les principaux homonymes, et des Modèles indiquant la manière de faire les devoirs. 8. (7½ B.) Paris 845, Didot Frères. *

—— le même. A. s. l. T.: Traité théorique et pratique de la Conjugaison. Corrigé. 8. (9 B.) Les mêmes 845. *

—— le même. 2. Année. A. s. l. T.: Traité théorique et pratique d'analyse grammaticale, ouvrage rédigé sur un plan entièrement neuf et comprenant une étude complète et raisonnée des différentes espèces de mots considérés sous le rapport de la classification, de la concordance, de la dépendance et de la construction. Par P. Poitevin et L. Le Brun. 8. (7½ B.) Les mêmes 845. *

—— le même. A. s. l. T.: Traité théorique et pratique de la Conjugaison des verbes français, ouvrage rédigé sur un plan entièrement neuf, comprenant l'exposé des principes communs à tous les verbes et l'explication de toutes les irrégularités de la conjugaison française, par P. Poitevin et L. Le Brun. Théorie et Application. 8. (9 B.) Les mêmes 845. *

—— le même. (II. Année.) A. s. l. T.: Grammaire franç. élémentaire, comprenant un traité de lexicologie et un abrégé de Syntaxe. Corrigé de l'application. 4. Edit. 8. (10⅝ B.) Les mêmes 845. *

—— le même. (II. Année.) Grammaire française élémentaire. Théorie et application. 6. Ed. 8. (10⅝ B.) Paris 846, Didot Frères. *

—— le même. (III. Année.) A. s. l. T.: Grammaire franç. théorique et pratique, comprenant un traité complet de lexicologie et une étude raisonnée de la syntaxe française. 4. Edit. 8. (18⅝ B.) Les mêmes 845. *

—— le même. (III. Année.) 4. Edit. Grammaire complète. Corrigé. 8. (18⅝ B.) Les mêmes 846. *

—— le même. (III. Année.) Cours de Dictées. Avec la collaboration de L. Le Brun. 8. (8 B.) Les mêmes 846. *

—— le même. (III. Année.) Cours de Dictées. Corrigé. Avec la collaboration de L. Le Brun. 8. (8 B.) Les mêmes 846. *

Poitevin, P., cours théorique et prat. de langue Française, ouvrage redigé sur un plan entièrement neuf. Ouvrage adopté par le Conseil royal de l'instruction publ. etc. — Analyse logique en collabor. avec M. L. Lebrun. gr. 12. (VI u. 220 S.) Paris 847, Didot frères. n. 16 ngr

— Grammaire du premier âge, ou traité élémentaire, dans lequel les premiers principes de la Lexicologie et de la Syntaxe sont exposés dans le langage le plus simple et le plus clair. Théorie. Ouvrage abrégé de la Grammaire du même auteur, adoptée pour les Collèges. 2. édit. gr. in-12. (3½ B.) Paris 844, Didot Frères. *

— Grammaire franç. théorique et pratique, rédigé sur un plan entièrement neuf, et comprenant un traité complet de Lexicologie et une étude raisonnée de la syntaxe française. 3. édition. Ouvrage adopté par le Conseil royal de l'Instruction publique et recommandé pour l'usage des Collèges. gr. in-12. (18⅚ B.) Paris 844, Didot Frères. *

Poittevin de la Croix, Edm., the traveller's guide in Antwerp to every object worthy of attention; including a every particular description of the Paintings. etc. etc. ... Antwerpen 846, Kornicker. ¾ ₰

Poitu, Bertrand, Graf v., od. d. Geisterlehrling; e. romant. Mährchen. 8. Danzig, Goldstamm. 803.

Poivre, s. Reisen e. Philosophen.

REISEN eines Philosophen, oder Bemerkungen über die Sitten und Künste der Einwohner von Afrika, Asien und Amerika. Aus d. Französ. (des *Pierre Poivre* übers. von Joh. Pezzl). Salzburg 1783.
Anon.-Lex. III. p. 365 (nach Meusel, Kayser, Engelmann, Wurzbach). — Eine frühere Uebersetzung „Reisen ...., oder Betrachtungen" .... 1767 (von Gottfr. Rud. Wiedmer) nennen Meusel, Otto u. Engelmann.

Pok, Frz., praktische Tabellen, namentlich: Zinsen-Tabellen von ½—10 Prct., Stempel-Scalen u. die wichtigsten Aenderungen im Stempelgesetze, Tabellen über Rückzahlungen in Annuitäten bei Gewährung von Hypothekar-Darlehen, wie sie bei der Hypothekenbank, bei der Hypothekar-Credit-Gesellschaft u. bei der Prager städtischen Sparkasse im Gebrauche stehen, Tabellen der wichtigsten Münzen u. Giebigkeiten, österreich. Lotterie-Anlehen, Post- u. Telegrafen-Anstalt, Verzeichniss der böhmisch-mähr. Vorschusskassen. 8. (176 S.) Prag 878. Mikuláš & Knapp. n. 2. —; geb. n. 2. 80

Pokahontas, s. Geschichte e. indischen Prinzessin.

Pokahuntas, s.a. Pocahontas

Pokahuntas, e. edelmüthigen amerikanischen Prinzessin Leben u. Schicksale; e. wahre Gesch. 8. Berlin, Hesse. 781.

Pokahuntas einer edelmüthigen amerikanischen Prinzessin, Leben und Schicksale eine wahre Geschichte, 8. Berlin, 781. Nauck. 15 sgl.

Pokal- und Adressen-Sendung, Die, einer grossen Anzahl Einwohner des Kurfürstenthums ... Hessen an ... Welcker in Karlsruhe ... Hanau 1831. V: *Buchner*, *Carl.* (Ky)

Pokal- u. Adressen-Sendung, die, e. großen Anzahl Einwohner des Kurfürstenth. u. Großh. Hessen an ihren Landsmann, den Abgeordneten, Hofr. u. Prof. D. Welcker in Karlsruhe. Beschrieben durch einen der Ueberbringer v. Pokal u. Adressen (K. F. A. Buchner). Mit angehängt. Dankschreiben des Abgeordn. Welcker, biograph. u. literär. Notizen üb. Denselben rc. gr. 8. (4 B.) Hanau 832, König.

Pökel, W., s. Krüger, K. W. Griechische Sprachlehre f. Schulen.

Pökel, W., K. W. Krüger's Lebensabriss. Mit dem (Stahlst.-)Bilde u. Schriftenverzeichnisse d. Verewigten. 8. (40 S.) Leipzig 885. K. W. Krüger. n. 1. —

Pökel, W., philologisches Schriftsteller-Lexikon. gr. 8. (VIII, 328 S.) Leipzig 882. A. Krüger. n. 6. —

— Verzeichniss der Abiturienten des Gymnasiums u. der Realschule I. O. zu Prenzlau. 1818—1878. (Mit Angabe der jetzigen Lebensstellung.) gr. 4. (16 S.) Prenzlau 878. Biller. n.n. — 50

§ **PÖKELFLEISCH** und Schnurrbärte, oder: Herz und Geist erhebende Gedanken, zum Nachtisch für Freunde der Schönheit und Erquickung. Bunzlau 1803. 8⁰. (In München sub libris remotis.)
16 SS. Von grosser Seltenheit!

Pöket: Bemerkungen zur Odyssee. 12 S.–Prenzlau. Progr. 1861

Pokladnice, česko-moravská. Kalendář na obyčejný rok 1856—58. S šedesáti čtyřmi vyobrazeními. 1—3. ročnik. Prag, Bellmann. 4. (à XXVIII, 168 S. m. Holzschn. im Text u. 1 Kpfrtaf.) Jeder Jahrg. 14 ngr.

Pokladnice, česko-moravská. Obrázkový kalendář na obyčejný rok 1859–65. Pořadatel Vinc. Vávra-Haštalský. 4—10. Ročnik. Prag, Bellmann. 4. Jeder Jahrg. (à 20 Bgn. m. Holzschn. u. 1 Holzschntaf.) n. 16 ngr.

Pokladnice, domácí, zábavného čtení. Číslo I.: Čest rodinná. Novella od Betty Paoli. Z německého volně přeložil Leop. Hansmann. 8. (155 S.) Brünn 852, Buschak & Irrgang. 12 ngr.

Poklatecki, Kasimir v.

Poklatecki, Casimir von [aus Gnesen, approb. Arzt]: Beitrag zur Casuistik der Psychosen bei acuten fieberhaften Erkrankungen .... Strassburg, Univ.-Buchdr. v. J. H. Ed. Heitz (Heitz & Mündel), 1886; 39 S. 8⁰.
Strassburg, Med. Fak., Inaug.-Diss. v. 1886.

Pokłon utajonemu w najśw. sakramencie Bogu i czlowiekowi Chrystusowi panu w czterdziestogodzinnym nabożeństwie oddany, to jest: Sposób odprawiania jednéj z'czterdziestu godzin. Na nowo przedrukowany. 12. (XII u. 61 S.) Gnesen 851, Lange. n. 2 ngr.

Pokłosie. Zbieranka literacka na korzyść sierot. Rok 2. 1853. 8. (256 S.) Lissa 853, (Günther.) *

Pokomo-Fibel u. Lesebuch. Nebst Anh. 12. (48 S.) Neukirchen b/Mörs 894. Missionsbuchh. Geb. n. 1. 60

Pokomo-Katechismus. (Kuuza Na Kwambukuya Kwo Njia Ya Muungu.) 16. (23 S.) Neukirchen 902. Missionsbuchh. Stursberg & Co. n. — 80

Pokora, I. A., Dissertatio politica. 8. maj. Pest, Eggenber. 800.

Pokorny, Diss. de colica pictonum. Vienn. 8°. 1777

Pokorny: Einige Eigenschaften periodisch. Dezimalbrüche. 11 S.–Prag N., Progr. 1864

Pokorny, Dr. A., Ueber die Begrenzung u. Vertheilung des naturwissenschaftlichen Lehrstoffes an Gymnasien. Ein Vortrag, gehalten in dem Vereine „die Mittelschule." Am 11. Dec. 1861. gr. 8. (34 S.) Wien, Gerold. 30 kr.

Wien, C.-ROG. II.: Das erste Decennium des Leopoldstädter C.-ROG. (1864 bis 74). Ein histor.-statist. Rückblick v. Dr. A. Pokorny. 35. 1874. Progr.

Pokorny, A., Entstehung u. Einrichtung der Wiener Communal-Realgymnasien. Wien. 36 S. u. 1 Plan. 1865
Schul-/Univ.-Schrift

Pokorny, A., allgemeine Erdkunde, s. Hann, J.

— Die Eröffnung des neuen Schulgebäudes am 11. Oktober 1877 v. dems. mit Figuren und Plänen. (7). 1878.
Progr.

— Das neue Schulgebäude v. dems. (22). 1878.
Progr.

Pokorny Dr. A.: Ein Votum über den Forstbestand der communalen R.-G. in Wien. 13. Wien CROG. II. 82.
Progr.

Pokorny Dr. A.: Worte der Erinnerung an Prof. K. Hoelzl. 4. Wien C.-ROG. II. 79.
Progr.

Pokorny Adolf: Construction der gemeinschaftlichen Punkte und Tangenten zweier Kegelschnitte für den Fall, dass zwei solche Punkte oder Tangenten gegeben sind. (9) Troppau R. 94.
Progr.

Pokorny, Alois, Anlage, Einrichtung u. Lehrmittel der Volks- u. Mittelschule, s.: **Ausstellungs-Bericht, officieller.**

Pokorny, Alois, über die Anwendung der Buchdruckerpresse zur Darstellung physiotypischer Pflanzenabdrücke. Mit 3 Taf. (in Naturselbstdr.) (Aus d. Sitzungsberichten d. k. Akad. d. W.) Wien 856. (Gerold.) gr. 8. (9 S.) n. 10 ngr.

Pokorny, Alois, über die Begrenzung und Vertheilung des naturwissenschaftlichen Lehrstoffes an Gymnasien. Ein Vortrag, gehalten in dem Vereine „die Mittelschule“ am 11. Dezbr. 1861. (Abgedr. aus der Zeitschrift für die österr. Gymnasien 1862.) Wien 862. Gerold. gr. 8. (34 S.) 6 ngr.

Pokorny, Al. Erster bis fünfter Bericht der Commission zur Erforschung der Torfmoore Oesterreichs. — Ueber die Vegetation der Moore im Allgemeinen. Nachrichten über den Laibacher Morast und seine Vegetations-Verhältnisse. (Aus den Verh. d. k. k. zool. bot. Gesellsch.) Wien. 1858—1860. 8.

— über die Darstellung einiger mikroskopischer, botanischer Objecte durch Naturselbstdruck. Mit 2 Taf. (in Naturselbstdr.) (Aus den Sitzungsberichten d. k. Akad. d. W.) Ebend. 856. gr. 8. (15 S.) n. 8 ngr.

Pokorny, Alois, pro domo. Ein Wort zu Gunsten der österreich. Realgymnasien, gesprochen gelegentlich der Eröffnung des neuen Gebäudes des Leopoldstädter Communal-Real- u. Ober-Gymnasiums am 11. Octbr. 1877. gr. 8. (14 S.) Wien 877. Hölder. n. —50

Pokorny, Alois, primi elementi di storia universale per le scuole popolari e cittadine in tre gradi, secondo l'opera di Giorgio Orsetich. Grado 1° e 2°. gr. 8. Prag 885, Tempsky. * 2 80

Inhalt:
Grado 1°. Specie principali dei tre regni della natura. Con 177 incisioni (in legno, intercalate nel testo). (VIII, 128 S.) *ℳ 1,20.
» 2°. I più importanti gruppi naturali dei tre regni. Con 313 incisioni (in legno, intercalate nel testo.) (XI, 163 S.) *ℳ 1.60.

Pokorny, A., die Erde als Wohnsitz, s.: Wissen, unser, von der Erde.

Pokorny, Dr. A. u. F. Rosicky, Leitfaden der Botanik für die oberen Classen d. Mittelschulen. 8. (VI u. 209 S.) geh. 1 fl.
Prag: Tempsky 1882.

—— und F. Rosicky, Leitfaden der Botanik für die oberen Classen der Mittelschulen. 2. revid. und gekürzte Aufl. gr. 8. (171 S. mit 235 Abbild. nnd 1 Kärtchen in Farbendr.) Ebendas. 883. geb. *

—— Naturgeschichte für Bürgerschulen in 3 Stufen. gr. 8. Ebendas. * 2 96

Inhalt:
Stufe 1. Die wichtigsten Naturkörper der drei Reiche. 6. umgearb. und gekürzte Aufl. (V, 88 S. mit 91 Abbild.) 883. * 80 Pf.
» 2. Die wichtigsten natürlichen Gruppen der drei Reiche. 4. umgearb. und gekürzte Aufl. (VII, 119 S. mit 100 Abbild.) 884. * 96 Pf.
» 3. Allgemeines über den Menschen, die Thiere, Pflanzen und Mineralien. 4. Aufl. (VI, 148 S. mit 137 Abbild.) 884. *ℳ 1,20.

—— Naturgeschichte für Bürgerschulen in 3 Stufen bearb. von Josef Gugler. gr. 8. Prag, Tempsky. — Leipzig, Freytag. *

Inhalt:
Stufe 1. Die wichtigsten Naturkörper der drei Reiche. 7. verb. Aufl. (VIII, 128 S. mit 140 Abbild.) 885; 8. verb. Aufl. (VIII, 130 S. 151 Abbild.) 886; 9. verb. Aufl. (VI, 122 S. mit 145 Abbild.) 888. *ℳ 1.20.
» 2. Die wichtigsten natürlichen Gruppen der drei Reiche. 5. umgearb. Aufl. (VIII, 171 S. mit 215 Abbild.) 885. *ℳ 1.30.
» 3. Allgemeines über den Menschen, die Thiere, Pflanzen und Mineralien. 5. Aufl. (VI, 154 S. mit 171 Abbild.) 884. *ℳ 1.20.

Pokorny, Naturgeschichte für Bürgerschulen in drei Stufen. Bearbeitet von Josef Gugler. III. Stufe. 8. verbesserte Auflage. Verlag von F. Tempsky in Wien und Prag und von G. Freytag in Leipzig. 1890. (Min.-Erl. 29. Mai 1890. Z. 10650.) Geheftet —.84, gebunden 1.—

Pokorny's Naturgeschichte f. Bürgerschulen in 3 Stufen. Bearb. v. Jos. Gugler. gr. 8. Prag u. Wien, F. Tempsky. — Leipzig, G. Freytag. Geb. in Leinw. n.n. 4. 50
1. 10., verb. Aufl. (VI, 138 S. m. 147 Abbildgn.) 891. n.n. 1. 60
2. 8., gekürzte Aufl. (VIII, 152 S. m. 143 Abbildgn.) 893. n.n. 1. 40
3. 9., gekürzte Aufl. (IV, 148 S. m. 129 Abbildgn.) 893. n.n. 1. 60

Pokorny's Naturgeschichte für **Bürgerschulen** in drei Stufen. Bearbeitet von Josef Gugler. Erste Stufe. 11. verbesserte Auflage, mit 145 Abbildungen. Prag und Wien, Tempsky. Leipzig, Freytag. 1894. (Min.-Erl. v. 4. Januar 1895, Z. 26827.) Geb. 1 K 50 h

Pokorny's Naturgeschichte für Bürgerschulen in drei Stufen, bearbeitet von Josef Gugler. Zweite Stufe. 9. verbesserte Auflage. Mit 142 Abbildungen. Wien und Prag. F. Tempsky. Leipzig. G. Freytag. (Min.-Erl. v. 23. April 1895, Z. 7051.) Gebunden —.80

— Naturgeschichte f. Bürgerschulen in 3 Stufen. Bearb. von Jos. Gugler. gr. 8. Wien u. Prag, F. Tempsky. — Leipzig, G. Freytag. Geb. in Leinw. à n. 1. 60
1. M. 165 Abb. u. 1 Taf. „Essbare Schwämme“ in Farbendr. 12., verb. Aufl. (II, 142 S.) 898.
2. M. 166 Abb. 10., verb. Aufl. (IV, 164 S.) 898.
3. M. 152 Abb. u. 1 Taf.: „Giftige Schwämme“ in Farbendr. 10., verb. Aufl. (176 S.) 897.

— Naturgeschichte f. Bürgerschulen in 3 Stufen. In Lebensbildern neu bearb. v. Rob. Neumann. 1. Stufe. 13. Aufl. (1. Aufl. der Neumannschen Bearbeitg.) gr. 8. (126 S. m. 127 Abbildgn. u. 4 farb. Taf.) Leipzig 902. G. Freytag. Geb. n. 1. 50

Pokorny's Naturgeschichte f. Bürgerschulen in 3 Stufen. Bearb. v. Jos. Gugler. I. u. II. Stufe. gr. 8. Wien 903. F. Tempsky. Geb. à n. 1. 60
I. Mit 165 Abbildgn. u. 1 Taf. „Eßbare Schwämme“ in Farbendruck. 13. Aufl. Inhaltlich unveränd., nach der neuen Rechtschreibg. hergestellter Abdr. der 12. Aufl. (II, 142 S.)
II. Mit 166 Abbildgn. 11. Aufl. Inhaltlich unveränd., nach der neuen Rechtschreibg. hergestellter Abdr. der 10. Aufl. (IV, 161 S.)

Pokornys Naturgeschichte für Bürgerschulen. In drei Stufen. In Lebensbildern neu bearbeitet von Robert Neumann. I. Stufe. Mit 125 Abbildungen und 7 Tafeln. 16. Auflage. (3., nach dem Lehrplane vom 15. Juli 1907, Z. 2 68, umgearbeitete Auflage der Neumannschen Bearbeitung.) Wien 1908. F. Tempsky. Geb. K 1.80.

Pokornys Naturgeschichte für Bürgerschulen in drei Stufen. In Lebensbildern neu bearbeitet von Robert Neumann. 2. Stufe. Mit 158 Abbildungen und 10 farbigen Tafeln. 18. Auflage. 3., nach dem Lehrplane vom 15. Juli 1907, Z. 2368, umgearbeitete Auflage der Neumannschen Bearbeitung. Wien 1908. F. Tempsky.

Pokornys Naturgeschichte für Bürgerschulen. In drei Stufen. [illegible] Lebensbildern neu bearbeitet von Robert Neumann. III. St[illegible]. Mit 205 Abbildungen, 9 farbigen Tafeln und 1 schwarzen Ta[illegible]. 12. Auflage. (2., nach dem Lehrplane vom 15. Juli 1907, Z. [illegible], umgearbeitete Auflage der Neumann'schen Bearbeitung.) Wien 1910. F. Tempsky. Geb. K 1.95.

Pokorny, Dr. Alois, Illustrirte Naturgeschichte des Mineralreiches. Für die unteren Klassen der Mittelschulen bearbeitet. 5. vermehrte und verbesserte Auflage mit 140 Abbildungen. gr. 8. (IV u. 108 S.) Prag, Tempsky. 50 kr.
1867

— — Dasselbe. Ausgabe mit böhmischer Terminologie. Ebds. 50 kr.
1867

— — Illustrirte Naturgeschichte des Pflanzenreiches. Für die unteren Klassen der Mittelschulen bearbeitet. 6. vermehrte und verbesserte Auflage mit 342 Abbildungen. gr. 8. (VIII u. 219 S.) Ebds. 85 kr.
1867

— — Dasselbe mit böhmischer Terminologie. Ebds. 85 kr.
1867

Pokorny, Dr. Alois, Illustrirte Naturgeschichte des Pflanzenreiches. Für die unteren Klassen der Mittelschulen bearbeitet. 7. vermehrte und verbesserte Auflage mit 338 Abbildungen. Ausgabe mit böhmischer Terminologie. gr. 8. (VIII u. 237 S.) Prag, Tempsky. 85 kr.
1869

— — illustrirte Naturgeschichte des Pflanzenreiches. Für die unteren Klassen der Mittelschulen bearbeitet. 8. vermehrte und verbesserte Auflage mit 339 Abbildungen. Mit böhmischer Terminologie. gr. 8. (VIII u. 237 S.) Ebds. 85 kr.
1870

Pokorny, Dr. Alois, Illustr. Naturgeschichte des Mineralreiches. Für die untern Classen d. Mittelschulen. 11. Aufl. 8. (VIII u. 128 S.) geb. 76 kr.

Prag: Tempsky 1882.

——— Illustrirte Naturgeschichte der drei Reiche. II. . . . des Pflanzenreiches. Wien, 1856. 8°. Ed. 2. 1877.
Also versions in Bohemian, and Italian.

— illustrirte Naturgeschichte der drei Reiche. Für die untern Classen der Mittelschulen bearb. Prag 865. Tempsky. Lex.-8.
1. Thl.: Illustrirte Naturgeschichte des Thierreichs. 6. verm. u. verb. Aufl. mit 503 Abbildgn. (Holzschn.) Ausg. mit böhmischer Terminologie. (VIII, 303 S.) n. 20 ngr.

Pokorny, Alois, illustrirte Naturgeschichte der drei Reiche. Für die unteren Classen von Mittelschulen bearb. 3 Thle. Prag 866—70. Tempsky. Lex.-8. n. 1 ⁄ 18 ngr.
1. Thl. Illustrirte Naturgeschichte des Thierreichs. 6—9. verm. u. verb. Aufl. mit 480 Abbildgn. (in Holzschn.) (VIII, 270 S.) n. 20 ngr.
2. Thl. Illustrirte Naturgeschichte des Pflanzenreichs. 6. u. 7. verm. u. verb. Aufl. Mit 338 Abbildgn. (in Holzschn.) (VIII, 233 S.) n. 18 ngr.
3. Thl. Illustrirte Naturgeschichte des Mineralreiches. 6. verm. u. verb. Aufl. Mit 148 Abbildgn. (in Holzschn.) (X, 119 S.) n. 10 ngr.

Pokorny A, illustr. Naturgeschichte der drei Reiche. I. 11. Aufl. II. 9. Aufl. Prag 1872

— illustrirte Naturgeschichte der drei Reiche. Für die unteren Klassen der Mittelschulen. 1—3. Thl. gr. 8. Ebend. 872. 73. n. 5. —
1. Naturgeschichte d. Thierreiches. 13. verm. u. verb. Aufl. m. 490 Abbildgn. (in eingedr. Holzschn.) (VIII, 284 S.) n. 2. —
2. Naturgeschichte d. Pflanzenreiches. 9. verm. u. verb. Aufl. m. 350 Abbildgn. (in eingedr. Holzschn.) (VIII, 231 S.) n. 1. 80
3. Illustrirte Naturgeschichte d. Mineralreiches. 9. verb. Aufl. m. 149 Abbildgn. (in eingedr. Holzschn.) (XII, 123 S.) n. 1. 20

— illustrirte Naturgeschichte der drei Reiche. Für die unteren Classen der Mittelschulen bearb. 3 Thle. gr. 8. Ebend. 876—79. n. 5. 20
1. Illustrirte Naturgeschichte des Thierreiches. 14., unveränd. Aufl. m. 503 (eingedr. Holzschn.-)Abbildungen. (VII, 284 S.) n. 2. —
2. Illustrirte Naturgeschichte des Pflanzenreiches. 11., unveränd. Aufl. m. 350 (eingedr. Holzschn.-)Abbildungen. (VIII, 235 S.) n. 2. —
3. Mineralreich. 10., verb. Aufl. m. 161 (eingedr. Holzschn.-)Abbildungen. Ausg. m. böhm. Terminologie. (XII, 125 S.) n. 1. 20

— dasselbe. Für Mittelschulen bearb. 1. Thl. A. u. d. T.: Illustrirte Naturgeschichte des Thierreiches. 15., unveränd. Aufl. m. 522 (eingedr. Holzschn.-)Abbildungen u. einer Taf. in Farbendr. gr. 8. (XII, 280 S.) Ebend. 880. geb. n. 2. 30

—— dass. — Für Gymnasien, Realschulen, höhere Bürgerschulen und verwandte Lehranstalten. 1. und 3. Tl. gr. 8. Prag 885, Tempsky. — Leipzig, Freytag. *

Inhalt:
Tl. 1. Tierreich. 17. verb. Aufl. (XII, 307 S. mit 565 Abbild.) *M 2.40.
" 3. Mineralreich. 12. und 13. verb. Aufl. (VIII, 153 S. mit 180 Abbild. und 1 Taf. Krystallnetze.) *M 1.40.
" 3. Naturgeschichte des Mineralreiches.

—— illustrierte Naturgeschichte der drei Reiche. Für die unteren Classen der Mittelschulen bearb. [Ausg. für Oesterreich.] 3 Thle. gr. 8. Ebendas. geb. **

Inhalt:
Thl. 1. Thierreich. 20. verb. Aufl. Während des Druckes besorgt von R. Latzel und J. Mik. (X, 269 S. mit 500 Abbild.) 887. **M 2.40.
" 2. Pflanzenreich. 16. verb. Aufl. (X, 195 S. mit 303 Abbild.) 887. **M 2.—.
" 3. Mineralreich. 12. verb. Aufl. (VIII, 102 S. mit 124 Abbild.) 885. **M 1.50.

— — Ausgabe mit böhmischer Terminologie. Ebend. 867. 868. Lex.-8. n. 1 ⁄ 18 ngr.
1. Thl. Illustrirte Naturgeschichte des Thierreichs. 7., verm. u. verb. Aufl. Lex.-8. (VIII, 270 S. mit 478 Abbildgn. in Holzschn.) n. 20 ngr.
2. Thl. Naturgeschichte des Pflanzenreichs. 6. Aufl. (VIII, 219 S. mit 312 Abbildgn. in Holzschn.) n. 18 ngr.
3. Thl. Illustrirte Naturgeschichte des Mineralreiches. 5., verm. u. verb. Aufl. (IV, 108 S. mit 140 Abbildgn. in eingedr. Holzschn.) n. 10 ngr.

— dasselbe. 3 Tle. Ausg. für das Deutsche Reich in der amtlich festgestellten Rechtschreibung. gr. 8. Leipzig 883. Freytag. n. 5. 20; geb. n.n. 6. 32
1. Naturgeschichte des Tierreiches. 16., unveränd. Aufl. m. 521 (eingedr. Holzschn.-)Abbildungen. (X, 372 S.) n. 2. —; geb. n.n. 2. 40
2. Naturgeschichte des Pflanzenreiches. 13. Aufl. m. 354 (eingedr. Holzschn.-)Abbildungen. (X, 232 S.) n. 2. —; geb. n.n. 2. 40
3. Naturgeschichte des Mineralreiches. 11., veränd. Aufl. m. 148 (eingedr.) Abbildungen u. 1 Taf. Farbendr. (VIII, 123 S.) n. 1. 20; geb. n. 1. 52

— illustrierte Naturgeschichte der drei Reiche f. höhere Lehranstalten. Ausg. f. das Deutsche Reich. 3 Tle. gr. 8. Ebd. n. 5. 80; geb. n.n. 6. 70
1. Naturgeschichte d. Tierreiches. 19., verb. Aufl. Mit 578 Abbildgn. (XII, 325 S.) 887. n. 2. 20; geb. n.n. 2. 50
2. Naturgeschichte d. Pflanzenreiches. 15., verb. Aufl. Mit 401 Abbildgn. (XII, 276 S.) 887. n. 2. 20; geb. n.n. 2. 50
3. Naturgeschichte d. Mineralreiches. Bearb. v. Max Fischer. 16., verb. Aufl. Mit 189 Abbildgn. u. e. Taf. Krystallnetze. (IV, 156 S.) 891. n. 1. 40; geb. n.n. 1. 70

(6.) Pokorny, Dr. Alois, Illustrirte Naturgeschichte des Thierreiches. Für die unteren Klassen der Mittelschulen bearbeitet. 7. verm. u. verb. Aufl. mit 478 Abbildungen. Ausgabe mit böhmischer Terminologie. 1867. 8. (VIII u. 270 S.) Prag, Tempsky. 1 fl.
1866

(8.) Pokorny, Dr. Alois, Illustrirte Naturgeschichte des Thierreiches. Für die untern Klassen der Mittelschulen bearbeitet. (Pokorny, illustrirte Naturgeschichte der drei Reiche. 1. Thl.) 8. vermehrte und verbesserte Auflage mit 478 Abbildgn. gr. 8. (VIII u. 257 S.) Prag, Tempsky. 1 fl.
1868

Pokorny, Dr. Alois, illustrirte Naturgeschichte des Thierreiches. Für die unteren Klassen der Mittelschulen bearbeitet. 10. Auflage. Mit 480 Abbildungen. 1871. gr. 8. (VIII u. 259 S.) Prag, Tempsky. 1 fl.
1870

Pokorny, Dr. A., Illustrirte Naturgeschichte des Thierreiches. Für die unteren Classen der Mittelschulen bearbeitet. 16. unveränderte Auflage mit 521 Abb. 8. (272 S.) geb. 1 fl. 16 kr.
Prag: Tempsky 1882.

Pokorny, Dr. Alois, illustrirte Naturgeschichte des Thierreiches. Für die unteren Classen der Mittelschulen. 18., verbess. Aufl. 8°. (275 S. mit 503 Abbildungen. Prag. Tempsky. geb. fl. 1.20.
1886

Pokorny, Dr. Alois, illustrirte Naturgeschichte des Thierreiches. Für die unteren Classen der Mittelschulen bearbeitet. 20., verb Auflage mit 500 Abbildungen. (Ausg. f. Oesterreich.) Während des Druckes besorgt von Gymn.-Proff. DD. R. Latzel u. J. Mik. gr. 8°. (X, 269 S.) Prag, Tempsky. geb. fl. 1.20.
1887

— illustrierte Naturgeschichte f. allgemeine Volksschulen. Bearb. v. J. Gugler. 2., verb. Aufl. Mit 344 Abbildgn. gr. 8. (VIII, 247 S.) Ebd. 888. n. 1. 60; geb. n.n. 1. 90

— illustr. Naturgeschichte f. allgemeine Volksschulen. Bearb. v. Jos. Gugler. 3., gekürzte Aufl. gr. 8. (X, 237 S. m. 285 Abbildgn.) Ebd. 891. Geb. n.n. 1. 80

Pokorny, Illustrirte Naturgeschichte für allgemeine Volksschulen. Bearbeitet v. Josef Gugler. Vierte gekürzte Auflage. Mit 246 Abbildungen. Wien und Prag, F. Tempsky. Leipzig, G. Freytag. (Min.-Erl. v. 3. April 1895, Z. 5687.) Gebunden —.90

— illustrierte Naturgeschichte f. allgemeine Volksschulen. Bearb. v. Jos. Gugler. 5., durchgeseh. Aufl. gr. 8. (216 S. m. 252 Abbildgn.) Wien 898. F. Tempsky. — Leipzig, G. Freytag. Geb. in Leinw. n. 1. 80

— Naturgeschichte des Mineralreiches für Gymnasien, Realschulen, höhere Bürgerschulen u. verwandte Lehranstalten, bearb. von Max Fischer. 16. verb. Aufl. Ausg. f. d. Deutsche Reich. Mit 189 Abbildgn. u. 1 Taf. Krystallnetze. gr. 8. (156 S.) Lpz. 891, Freytag. * 1 40

Pokorny, Naturgeschichte des Mineralreiches. Für die unteren Classen der Mittelschulen, bearbeitet von Dr. R. Latzel und Josef Mik. 15. verbesserte Auflage. Mit 119 Abbildungen, 1 Karte von Oesterreich-Ungarn und 1 Tafel mit Krystallformen. Wien und Prag 1890. Tempsky. (Min.-Erl. 21. April 1890. Z. 6995.) Geheftet —.55 Gebunden —.75

Pokorny, Dr. A., Naturgeschichte des Mineralreiches für die unteren Classen der Mittelschulen, bearbeitet von Dr. R. Latzel und Josef Mik. 17. verbesserte Auflage. Mit 96 Abbildungen, einer Karte von Oesterreich-Ungarn und einer Tafel mit Krystallformen. Wien und Prag 1893. F. Tempsky. (Min.-Erl. v. 15. März 1893, Z. 3372.) Geheftet —.55

Pokorny, Naturgeschichte des Mineralreiches für die unteren Classen der Mittelschulen. Bearbeitet von Dr. R. Latzel und Jos. Mik. 18. verbesserte Auflage. Mit 98 Abbildungen, einer Karte von Oesterreich-Ungarn und einer Tafel mit Krystallformen. Wien und Prag 1895. F. Tempsky. (Min.-Erl. v. 3. Febr. 1895, Z. 30257 ex 1894.) Geh. —.55, geb. .80

Pokorny's Naturgeschichte des Mineralreiches für die unteren Classen der Mittelschulen. Bearbeitet von Dr. R. Latzel und Josef Mik. 19. verbesserte Auflage. Wien und Prag 1898. F. Tempsky.

— Naturgeschichte d. Mineralreiches f. höh. Lehranst., bearb. v. Max Fischer. 17., verb. Aufl. M. 197 Abb. u. 1 farb. geolog. Karte. gr. 8. (IV, 160 S.) Leipzig 895. G. Freytag. Geb. in Leinw. n. 2. —

— Naturgeschichte des Mineralreiches. Für höhere Lehranstalten bearb. v. Frz. Noë. Mit 64 Abbildgn. im Text, 1 Karte von Österreich-Ungarn, 1 Taf. m. Krystallnetzen u. 2 farb. Mineraltaf. 20., umgearb. Aufl. gr. 8. (III, 64 S.) Leipzig 902. G. Freytag. Geb. in Leinw. n. 1. 60

— dasselbe, f. höhere Lehranstalten, bearb. von Max Fischer. 18., verb. Aufl. Mit 244 Abbildgn., 2 farb. Mineral-Taf. u. 1 geolog. Karte. (IV, 161 S.) gr. 8. Leipzig 904. G. Freytag. Geb. in Leinw. n. 2. 40

— Naturgeschichte des Mineralreiches. Für die 3. Klasse der Gymnasien bearb. v. Frz. Noë. Mit 69 Abbildgn. im Text, 1 Karte v. Oesterreich-Ungarn, 1 Taf. m. Kristallnetzen u. 2 farb. Mineraltaf. 21., verb. Aufl. (62 S.) gr. 8. Ebd. 905. Geb. in Leinw. n. 1.60

Pokorny's Naturgeschichte des Mineralreiches. Für die 3. Klasse der Gymnasien bearb. v. Frz. Noë. Mit 107 Abbildgn. im Text, 1 Karte v. Österreich-Ungarn, 1 Taf. m. Kristallnetzen u. 2 farb. Mineraltaf. 22., verb. Aufl. (80 S.) gr. 8. Wien 908. F. Tempsky. Geb. 2. —

Pokorny, Alois. Naturgeschichte des Pflanzenreiches. Für die k. k. österreichischen Unter-Gymnasien und Unter-Realschulen, bearbeitet von — —. 8. (XX. 170 S.) Wien Gedruckt bei K. Ueberreuter. 1853. Preis 21 kr. C. M.
Verlag der Schulbücher-Verschleiß-Administration.

— Naturgeschichte des Pflanzenreiches. Wien 856. k. k. Schulbücher-Verlag. (Leipzig, Steinacker.) 8. (XX, 167 S.) n. 10 ngr

Pokorny (A.). Naturgeschichte . . . III. Pflanzen. Prag, 1875. 8°. Ed. 2. 1878 [1877].

— — des Pflanzenreiches f. d. untern Classen der Mittelschulen. 12. Aufl. 8. (XII u. 239 S.) geh. 1 fl. 60 kr.
Prag: Tempsky 1882.

Pokorny, Naturgeschichte des Pflanzenreiches für die unteren Classen der Mittelschulen, bearbeitet von Dr. R. Latzel und Josef Mik. 17. verbesserte Auflage mit 307 Abbildungen. Wien und Prag 1890. Tempsky. (Min.-Erl. 21. Mai 1890. Z. 9791.) Geheftet —.90, gebunden 1.10

Pokorny, Naturgeschichte des Pflanzenreiches, für die unteren Classen der Mittelschulen, bearbeitet von Dr. R. Latzel und Joh. Mik. 19. umgearbeitete Auflage. Wien u. Prag 1893 F. Tempsky. (Min.-Erl. v. 31. Januar 1893, Z. 1108.) Geheftet —.90

— Naturgeschichte des Pflanzenreiches. Für die unteren Classen der Mittelschulen bearbeitet von Dr. R. Latzel und Josef Mik. 20. verbesserte Auflage, mit 287 Abbildungen. Wien und Prag 1895. F. Tempsky. (Min.-Erl. v. 3. Januar 1895, Z. 28500.) Geheftet —.90, geb. 1.15

Pokorny, Naturgeschichte des Pflanzenreiches für die unteren Klassen der Mittelschulen. Bearbeitet von Dr. K. Fritsch. Mit 144 farbigen Pflanzenbildern auf 36 Farbendrucktafeln und 308 Abbildungen im Text. 22., ganz neu durchgearbeitete Auflage. Wien 1903. F. Tempsky. Preis, gebunden 4 K.

Pokorny, Naturgeschichte des Pflanzenreiches für die unteren Klassen der Mittelschulen. Ausgabe A. Bearbeitet von Dr. R. Latzel und Josef Mik. Wien 1904. F. Tempsky. Preis, geheftet 2 K 30 h, gebunden 2 K 80 h.

Pokorny-Fritsch, Naturgeschichte des Pflanzenreiches für die unteren Klassen der Mittelschulen. Ausgabe B. 23. Aufl. Gr.-8°. (ill. VI, 262 S. mit 36 Tafeln) geb. K 3.60
Wien: Tempsky 1904.

Pokorny, Naturgeschichte des Pflanzenreiches für die unteren Klassen der Mittelschulen. Ausgabe B. Bearbeitet von Dr. K. Fritsch. Mit 144 farbigen Pflanzenbildern auf 36 Farbendrucktafeln und 308 Abbildungen im Text. Wien 1904. F. Tempsky. Preis, gebunden 3 K 60 h.

Pokornys Naturgeschichte des Pflanzenreiches für die unteren Klassen der Mittelschulen. Bearbeitet von Dr. A. Fritsch. Ausgabe B. Mit 141 farbigen Pflanzenbildern auf 86 Farbendrucktafeln und 236 Abbildungen im Text. 24., neu durchgearbeitete Auflage. Wien 1905. F. Tempsky.

Pokornys Pflanzenkunde. Für die unteren Klassen der Mittelschulen Bearbeitet von Dr. K. Fritsch. 25., nach den neuen Lehrplänen bearbeitete Auflage. Wien 1910. Tempsky. Geb. K 4.—.

—— Naturgeschichte des Pflanzenreiches für Gymnasien, Realschulen, höhere Bürgerschulen u. verwandte Lehranstalten, bearb. von Max Fischer. 18. verb. Aufl. Mit 405 Abbildgn. gr. 8. (VIII, 283 S.) Ebd. 891. * 2 20; geb. * 2 50

— Naturgeschichte des Pflanzenreiches f. höhere Lehranstalten, bearb. v. Max Fischer. 19., verb. Aufl. gr. 8. (X, 285 S. m. 405 Abbildgn.) Leipzig 894. G. Freytag. Geb. in Leinw. n. 2. 50

— Naturgeschichte d. Pflanzenreiches f. höh. Lehranst., bearb. v. Max Fischer. 20., verb. Aufl. gr. 8. (VIII, 285 S. m. 421 Abb.) Ebd. 898. Geb. in Leinw. n. 2. 50

— Naturgeschichte des **Pflanzenreiches für höhere Lehranstalten, bearb. v. Max Fischer. 21., verb. Aufl. gr. 8. (VI, 274 S. m. 436 Abbildgn.) Ebd. 902. Geb. in Leinw. n. 3. —**

— **Naturgeschichte** des Pflanzenreiches f. höhere Lehranstalten. Bearb. von K. Fritsch. Mit 144 farb. Pflanzenbildern auf 36 Farbendr.-Taf. u. 308 Abbildgn. im Text, ausgeführt v. Heinr. Morin. 22., ganz neu durchgearb. Aufl. (VI, 262 S.) gr. 8. Ebd. 903. Geb. in Leinw. n. 4. —

— dasselbe des Pflanzenreiches f. höhere Lehranstalten, bearb. v. Max Fischer. 22. Aufl. (VI, 284 S. m. 399 Abbildgn. u. 36 Farbendr.-Taf.) 8. Leipzig 907. G. Freytag. Geb. 4. —

Pokorny, Alois. Naturgeschichte der drei Reiche. Für die k. k. österreichischen Unter-Gymnasien bearbeitet von — —. Erster Theil. Naturgeschichte des Thierreiches. 8. (XII. 212 S.) Wien, bei St. Anna. Druck von Karl Ueberreuter. 1854. Preis: Broschirt 25 kr. C. M.
Verlag der Schulbücher-Verschleiß-Administration.

— Naturgeschichte des Thierreiches. Ebend. 856. (Ebend.) 8. (XII, 212 S.) n. 12 ngr.

Pokorny, Naturgeschichte des Thierreiches, für die unteren Classen der Mittelschulen bearbeitet von Dr. R. Latzel und Josef Mick. 21. verbesserte Auflage mit 442 Abbildungen und einer Karte der beiden Halbkugeln der Erde. Wien und Prag 1890. Tempsky. (Min.-Erl. 13. Februar 1890. Z. 2062.) 1.10. Gebunden 1.30

Pokorny's Naturgeschichte des Thierreiches für die unteren Classen der Mittelschulen. Bearbeitet von Dr. R. Latzel und Josef Mik. 24. verbesserte Auflage, mit 368 Abbildungen und einer Karte. Wien und Prag 1897. F. Tempsky. (Min.-Erl. v. 30. Nov. Z. 29081.) Geh. 1.05, Geb. 1.30

— dasselbe für die unteren Classen der Mittelschulen. Bearb. v. R. Latzel u. Jos. Mik. Mit 394 Abbildgn. u. 1 Karte der beiden Halbkugeln der Erde. 25. verb. Aufl. gr. 8. (254 S.) Wien 900. F. Tempsky. Geb. in Leinw. n. 2. 70

Pokorny, Naturgeschichte des Tierreiches. Für die unteren Klassen der Mittelschulen neubearbeitet von Dr. Robert Latzel. Mit 73 farbigen Tierbildern auf 24 Tafeln, 283 Abbildungen im Texte und 1 Erdkarte. 26., nach biologischen Gesichtspunkten umgearbeitete Auflage. Wien 1903. F. Tempsky. Preis, gebunden 4 K.

— dasselbe, f. höhere Lehranstalten. Ausg. B. Bearb. v. Rob. Latzel. Mit 73 farb. Tierbildern auf 24 Taf., 283 Abbildgn. im Texte u. 1 (farb.) Erdkarte. 27. Aufl. (V, 233 S.) gr. 8. Ebd. 901. Geb. u. kart. n. 4. —

—— Naturgeschichte des Tierreiches für höhere Lehranstalten, bearb. von Max Fischer. Ausg. für d. Deutsche Reich. 22. verb. Aufl. Mit 583 Abbildgn. gr. 8. (VII, 325 S.) Ebd. 891. * 2 20; geb. * 2 50

— Naturgeschichte d. Tierreichs f. höhere Lehranstalten, bearb. v. Max Fischer. 23., verb. Aufl. gr. 8. (334 S. m. 592 Abbildgn. u. 1 farb. Karte.) Ebd. 894. Geb. in Leinw. n. 2. 50

— Naturgeschichte d. Tierreiches f. höh. Lehranst., bearb. v. Max Fischer. 24., verb. Aufl. Mit 592 Abb. u. 1 farb. Taf. gr. 8. (V, 338 S.) Ebd. 897. Geb. in Leinw. n. 2. 50

Pokorny, Naturgeschichte des Tierreiches f. höhere Lehranstalten, bearb. v. Max Fischer. 25., verb. Aufl. Mit 616 zum Tl. farb. Abbildgn. u. 5 farb. Taf.) gr. 8. (VI, 372 S.) Leipzig 901. G. Freytag. Geb. in Leinw. n. 3. 60

— Naturgeschichte des Tierreiches f. höhere Lehranstalten, bearb. v. Max Fischer. Ausg. A. Mit zahlreichen, zum Tl. farb. Abbildgn. u. 5 farb. Taf. 26., nach biolog. Gesichtspunkten umgearb. Aufl. (VI, 309 S.) gr. 8. Ebd. 906. Geb. in Leinw. n. 3. 60

— dasselbe des Tierreiches f. höhere Lehranstalten. Bearb. v. Max Fischer. Mit zahlreichen, zum Tl. farb. Abbildgn. u. 29 farb. Taf. 27. Aufl. Unveränd. Abdr. der nach biolog. Gesichtspunkten umgearb. 26. Aufl. (293 S.) gr. 8. Ebd. 907. Geb. 4. —

— Naturgeschichte f. Volks- u. Bürgerschulen in 3 Stufen. 1—3. Stufe. gr. 8. Prag 875. Tempsky. n. 4. 40

1. Die wichtigsten Naturkörper der 3 Reiche. 2. Aufl. Mit 176 Abbildgn. (in eingedr. Holzschn.) (VI, 126 S.) n. 1. 20
2. Die wichtigsten natürlichen Gruppen der 3 Reiche. Mit 313 Abbildgn. (in eingedr. Holzschn.) (VII, 171 S.) n. 1. 60

Allgemeines üb. den Menschen, die Thiere, Pflanzen u. Mineralien Mit 201 (eingedr. Holzschn.-)Abbildgn. (VI, 148 S.) n. 1. 60

— Naturgeschichte für Volks- u. Bürgerschulen in 3 Stufen. gr. 8. Ebend. 878. n. 4. —

1. Die wichtigsten Naturkörper der 3 Reiche. Mit 177 (eingedr. Holzschn.-) Abbildungen. 5., unveränd. Aufl. (VIII, 124 S.) n. 1. 20

2. Die wichtigsten natürlichen Gruppen der 3 Reiche. Mit 313 (eingedr. Holzschn.-)Abbildungen. 3., umgearb. Aufl. (VIII, 168 S.) n. 1. 40

3. Allgemeines über den Menschen, die Thiere, Pflanzen u. Mineralien. Mit 201 (eingedr. Holzschn.-) Abbildungen u. 1 Taf. in Farbendr. 2., umgearb. Aufl. (VIII, 151 S.) n. 1. 40

— dasselbe. 3. Stufe. Allgemeines über die Thiere, Pflanzen, Mineralien u. den Menschen. Mit 201 (eingedr.) Abbildungen u. 1 Taf. in Farbendr. 3., unveränd. Aufl. gr. 8. (VIII, 153 S.) Ebend. 881. n. 1. 20

— Naturgeschichte, für vier-, fünf- u. sechsklassige Volksschulen. Mit 386 (eingedr. Holzschn.-)Abbildungen. gr. 8. (IV, 261 S.) Prag 880. Tempsky. n. 1. 80

Pokornys Naturgeschichte für Volksschulen. Unter Mitwirkung von Franz Blaschek neu bearbeitet von Robert Neumann. Mit 149 Abbildungen. 6. Auflage. Wien 1907. F. Tempsky. Geb. K 1.80.

Pokorny, A. Nachrichten über den Laibacher Morast und seine Vegetationsverhältnisse. (Aus den Schriften der k. k. zoolog. botan. Gesellsch.) Wien. 1857. 8.

— über die Nervation der Pflanzenblätter. Mit besonderer Berücksichtigung der österreich. Cupuliferen. Mit 59 Fig. (im Text) in Naturselbstdr. (Aus d. Progr. d. k. k. akadem. Gymn. in Wien.) Wien 858. Gerold in Comm. gr. 4. (32 S.) n. 15 ngr.

— Pflanzenkunde f. höhere Lehranstalten. Ausg. B. Bearb. v. K. Fritsch. Mit 144 farb. Pflanzenbildern auf 36 Farbendr.-Taf. u. 236 Abbildgn. im Text. 24., neu durchgearb. Aufl. (208 S.) gr. 8. Ebd. 906. Geb. u. kart. n. 3. 60

— Physiotypia plantarum austriacarum, s.: Ettingshausen, C. v.

— Plantae lignosae imperii austriaci. Oesterreichs Holzpflanzen. Eine auf genaue Berücksichtigung der Merkmale der Laubblätter gegründete floristische Bearbeitung aller im österreich. Kaiserstaate wild wachsenden oder häufig cultivirten Bäume, Sträucher u. Halbsträucher. Wien 864. Hof- u. Staatsdruckerei. gr. 4. (XXVIII, 524 S. mit 1640 Blattabdrücken in Naturdruck auf 80 Taff.) n. 13 ₰ 10 ngr.
geb. mit Goldschn. n. 15 ₰ 10 ngr.

Pokorný, Al., Rosický, J., Přírodopis pro školy měšťánské. I. Stufe. 10. unbedeutend veränderte Auflage. Prag und Wien 1895. F. Tempsky. (Min.-Erl. v. 31. März 1895, Z. 5829)

Pokorný, Al. a Rosický, Josef, Přírodopis pro školy měšťanské. I. Stufe. 11. verbesserte Auflage. Prag und Wien 1898. F. Tempsky.

Pokorný, Al., und Rosický, Josef, Přírodopis pro školy měšťanské. II. Stufe. 7. ungeänderte Auflage. Prag u. Wien 1894. F. Tempsky. (Min.-Erl. v. 3. Februar 1894, Z. 322.) Gebunden 1 K 70 h

Pokorny, Al., und Rosicky Josef. Přírodopis pro školy měšťanske. III. Stufe. 6. Auflage. Prag und Wien 1895. F. Tempsky. (Min.-Erl. vom 10. Juli 1895, Z. 15025.) Geb. —.85

— rastlinstvo. Prirodopis niže gimnazije in realke. Poslovenil Ivan Tušek. Klagenfurt 864. Leon. gr. 8. (124 S.) n. 22 ngr.

— s. Schmidl, A. Adolf

Pokornys Tierkunde für die unteren Klassen der Mittelschulen. Ausgabe B. Nach biologischen Gesichtspunkten bearbeitet von Dr. Robert Latzel. 28., verbesserte Auflage. Wien 1906. F. Tempsky. Geb. K 3.60.

Pokornys Tierkunde für die unteren Klassen der Mittelschulen. Nach ökologisch-biologischen Grundsätzen bearbeitet von Dr. Robert Latzel. 29., nach den neuen Lehrplänen verbesserte Auflage. Wien 1909. F. Tempsky. Geb. K. 4.—.

— Tierkunde f. höhere Lehranstalten. Bearb. von Walt. Schoenichen. Mit 488, zum Tl. farb. Textabb. u. 34 farb. Taf. 28., unter Berücksicht. biolog. Gesichtspunkte gänzlich umgearb. Aufl. (290 S.) gr. 8. Leipzig 908. G. Freytag. — Wien, F. Tempsky. Geb. 4. —

— Untersuchungen über die Torfmoore Ungarns. Mit 1 (lith.) Taf. (in 4.) (Aus den Sitzungsber. der k. Akad. der Wissensch.) Wien 861. (Gerold.) gr. 8. (66 S.) n. 15 ngr.

Pokorny, Alois, die Vegetationsverhältnisse von Iglau. Ein Beitrag zur Pflanzengeographie des böhmisch-mährischen Gebirges. Mit 1 (lith.) Karte v. den Umgebungen Iglau's (in gr. Fol.). Lex. 8. (VIII u. 164 S.) Wien 852, Braumüller in Comm. n. 1⅓ ₰

— über die Verbreitung u. Vertheilung der Lebermoose v. Unter-Österreich. [Aus d. Sitzungsber. 1852 d. kais. Akad. d. Wiss.] Lex. 8. (17 S.) Ebd. 852. n. 4 ngr.

Pokorny (A.). Vorarbeiten zur Kryptogamenflora von Unter-Oesterreich. Wien, 1854. 8°.
I. Revision der Literatur.

— botanische Wandtafeln. Taf. 1—21. à 80×56 cm. Farbendr. Smichow 894. V. Neubert. à 1. 60
Flachs, Feuerlilie, Milchahorn, Stechapfel, Tollkirsche, Fingerhut, Mohn, der scharfe Hahnenfuss, Haselnuss, Bohne, Hopfen, Seidelbast, Bilsenkraut, Tabak, europäische Olive, Erdbeerstrauch, Herbstzeitlose, vierblätterige Einbeere, Weinrebe, Baumwollstaude, Kaffeestrauch.

— über phyllometrische Werthe als Mittel zur Charakteristik der Pflanzenblätter. [Mit 2 (eingedr.) Holzschn. u. 2 (lith.) Taf. (in qu. gr. Fol.)] [Aus: „Sitzungsber. d. k. Akad. d. Wiss."] Lex.-8. (21 S.) Wien 875. (Gerold's Sohn.) n. 2. —

Pokorny, A., *Dr.* Ueber die Wirksamkeit des zoologisch-botanischen Vereines in Wien. *Wien. A. Schweiger.* 8 S., 8°.
Separatabdruck aus der Realschule 5. Heft 1858.

— živalstvo. Prirodopis za niže gimnazije in realke. Poslovenil Fr. Erjavec. Klagenfurt 864. (Leon.) gr. 8. (160 S.) n. 24 ngr.

Pokorny Ant.: Die Wirksamkeit der Legaten des Papstes Honorius III. in Frankreich und Deutschland. 39. Krems R. 86.
Progr.

Pokorny, Ed., Bücher für Herz und Scherz. Gesammelte Schriften. 1—5. Thl. Prag 855. Haase. 16. (XVI, 340; 3 Bl., 312; 320; 319; 316 S.) Jeder Thl. 15 ngr.

POKORNY, EMANUEL: Kleine Bibel für die 3-6. Klasse der Elementarvolksschulen. Mit farbigen Bildern. Budapest 1909. Verlag des St. Stephans-Vereins. Druck Stephaneum. 124, 2 S. - 180 mm

Pokorny, Franz, Pflanzenbilder zum Anschauungs-Unterricht (deutsche Ausgabe). 1.—4. Serie zu je 3 Blatt. 5. Serie zu 4 Blatt. Verlag von A. Pichler's Witwe und Sohn in Wien. 1892

Pokorny, Franz, Pflanzenbilder zum Anschauungsunterrichte. Deutsche Ausgabe. 6. Serie zu 5 Blatt. Verlag von A. Pichler's Witwe und Sohn in Wien. (Min.-Erl. v. 2. Jan. 1895, Z. 13.961.) Per Tafel, unaufgespannt —.80, auf starkem Papier mit Leinwandschutzrand und Oesen 1.—

Pokorny, Frz., Stiftung der Vorstadtkirche „zum hl. Leopold" in Wr.-Neustadt durch e. vormalige türkische, darnach getaufte Familie. Populär in 46 Paragraphen dargestellt, m. wissenschaftlichen Belegen u. 7 Bildern versehen. (98 S.) gr. 8. Wr.-Neustadt 903. (A. Folk.) n. 2.—

Pokorny, Gust., Skizzen zur Geschichte des Pferdes, des Reit- u. Fahrwesens. Zusammengestellt nach den neuesten u. besten Quellen. gr. 8. (VI, 472 S.) Prag 878. Reinitzer & Co. in Comm. n. 10.—; geb. n. 12.—

Pokorny, Hanns, s.: Weber-Lutkow, Hanns.

Pokorny, Ign., gemeinverständliche Abhandlungen über das Wohlgefallen am Schönen, das Pathos u. die Komik. (III, 74 S.) gr. 8. Langensalza 903. H. Beyer & Söhne. n. 1.20
Sonderabdruck aus: „Ztschr. f. Philosophie u. Pädagogik".

Pokorny, Ign., die Arten der neuhochdeutschen Zeitwortbestimmungen nach ihrer Stellung. (III, 31 S.) gr. 8. Brünn 910. C. Winiker. 1.60

Pokorny, Ign., Beiträge z. Logik d. Urtheile u. Schlüsse. gr. 8. (IV, 171 S.) Wien 901. F. Deuticke. n. 4.—

— über die Einschränkung des ß der Mehrzahl. Zunächst m. Bezug auf die österreich. Regeln f. die deutsche Rechtschreibg. (23 S.) gr. 8. Wien 903. A. Hölder. n. —60
Sonderabdruck aus: „Oesterr. Mittelschule".

Landskron: Die feierliche Eröffnung des neuen Gymnasialgebäudes zu L. (3.—5. October 1874) v. J. Pokorny. (29) 1875. Progr.

Pokorny: Zur Geschichte der Lehre von den Gefühlen, von Wolff bis Hegel. 16 S.–Iglau, Progr. 1863.

Pokorny, Ign., neuer Grundriss der Logik. gr. 8. (XV, 184 S.) Wien 878. Graeser. n. 2.40

Pokorny, Ign., zu den neuen österr. Gymnasial-Instructionen f. die Sprachfächer. gr. 8. (16 S.) Wien 885. (Pichler's Wwe. & Sohn.) n. —40

Pokorny: Die Hauptpunkte der Lehre von den Gefühlen bei Herbart und seiner Schule. 36 S. – Znaim, Progr. 1867.

Pokorny, I. Ueber die reduplicierten Präterita der germanischen Sprachen und ihre Umwandlung in ablautende. Landskron, O. G., 1874. 29 S. Progr.

— über die reduplicierten Praeterita der germanischen Sprachen u. ihre Umwandlung in ablautende. gr. 8. (29 S.) Ebend. 885. n. —60

Die Vereinungen und Wahlen von Begriffen und ihre Beteiligung bei verschiedenen Denkvorgängen. Von Reg.R. Ignaz **Pokorny**. Langensalza: Beyer 1910. 28 S. 8° (11. 403

Welche Gesetze bestimmen heute die Betonung der Zeitwortbestimmungen: durch, hinter, über, um u. unter? Von Reg.R. Ignaz **Pokorny**, Gymn.Dir.i.R. Brünn: Winiker 1910. 22 S. 8° (10. 17031

Pokorny, Ig.: Würdigung der klassischen Philologie, vom Standpunkte Herbartscher Pädagogik. 12 S.– Progr.Iglau, 1865.

Pokorný, Jos. Die Amphibolie bei Aeschylos und Sophokles. 37, 46 SS. 8. Progr. *Ung. Hradisch* 1884. 1885.

Pokorny, Jos., methodische Anleitung zum Elementar-Schreibunterricht in Volksschulen mit freier Benützung der Taktirmethode, basirt auf die vom hohen k. k. Ministerium für Cultus und Unterricht empfohlenen, mit systematischen Vorschriften versehenen, billigen Schreibe-Bücher. Brünn 855. Winiker. qu. gr. 8. (61 S. u. 43 lith. Taf.) n. 20 ngr.

— Elementar-Unterricht im Schön- und Schnellschreiben nach e. neuen Lehrsysteme mittelst Schreib-Büchern welche für die Schüler zur leichtesten und genauesten Nachbildung stufenweise fortschreitend mit Rücksicht auf die Taktir-Methode vorgeschrieben sind. Current. I—XII. (à 8 lith. Bl.) Brünn 854, 57. Winiker. Jedes Heft n. ¾ ngr.

Pokorny, Josef. Elementar-Unterricht im Schön- und Schnellschreiben. 2. verbesserte Aufl. 6 Hefte. 4. Brünn. Carl Winiker. à 12 kr 1865

Pokorny, Jos., praktyczna nauka krasopisania i skoropisu za pomocą pisówek zastasowana w najnowszych zasadach. Dla szkół polskich przez Adama Walacha. Zeszyt I—IV. Brünn 861. Winiker. qu. 4. Jedes Heft (à 12 S.) ½ ngr.

— Unterricht im Schön- u. Schnellschreiben für Realschulen, Gymnasien u. Handelsschulen. 2. Aufl. qu. Fol. 24 Vorschriften Current u. 24 Vorschriften Englisch. In Umschlag. Ebend. 865. n. 17 ngr.

— zweiter Unterricht im Schön- und Schnellschreiben. Current. 1—3. Heft. (à 6 lith. u. Kpfrtaf.) Ebend. 857. qu. gr. 8. Jedes Heft n. 4 ngr.

— zweiter Unterricht im Schön- und Schnellschreiben. Current-Schrift. 4. Heft. Ebend. 861. qu. 4. (6 Bl. in Kpfrst.) n. 4 ngr.

— — Englische Schrift. I—XII. (à 8 lith. Bl.) Ebend. 854, 57. qu. gr. 8. Jedes Heft n. ¾ ngr.

— — Englische Schrift. 4 Hefte. Ebend. 859—61. qu. 4. Jedes Heft (à 6 Bl. in Kpfrst.) n. 4 ngr.

— Vorlagen zu Prüfungs-Schriften für die Unter-Real-, Haupt- und Volks-Schulen, welche von den vom h. k. k. Unterrichts-Ministerium empfohlenen, billigen, mit systemat. Vorschriften versehenen Schreibebüchern Gebrauch machten. Ebnd. 857. qu. gr. 8. (17 lith. u. in Kpfr. gest. Bl.) n. 12 ngr.

— — Vorlagen zu Prüfungsschriften für d. Unter-Real-, Haupt- und Volksschulen, 2. Aufl. Ebds. 17 Bl. 63 kr. 1865

— Vorschriften für Volks-, Haupt- und Unter-Realschulen. 1. Heft. Current. — 2. Heft. Englisch. Brünn 854. Winiker. qu. gr. 8. (63; 71 S.) Jedes Heft n. 4 ngr.

Pokorny, Jos., Vorschriften f. Volks-, Haupt- u. Unter-Realschulen. 1. Hft. Current. 6. Aufl. qu. 4. (40 S.) Brünn 873. Winiker. n. — 50

— — Vorschriften für Volks-, Haupt- u. Unterrealschulen. Ebds. 1 Heft Current. 6. Aufl. 18. 2. Heft Englisch 3. Aufl. 21 kr. 1865

Pokorny, Jos., Vorschriften für Volks-, Haupt- u. Unter-Realschulen. 2. Hft. Englisch. 4. Aufl. schmal gr. 8. (36 Bl.) Brünn 879. Winiker. n. — 48

Pokorny, Karl, ein Monstrum mit Aprosopie. Als ein kleiner Beitrag zur Anatomie der Monstrositäten. Mit 1 (lith.) Taf. (Abdr. aus den Sitzungsber. der k. Akad. der Wissensch.) Wien 863. (Gerold.) gr. 8. (12 S.) n. 4 ngr.

Pokorny, Ludw., die österreichischen Zoll-, Control- und Staatsmonopols-Vorschriften [mit dem neuen Zoll- und Control-Verfahren — den vollständigen Originaltext der Grundvorschriften u. alle Nachtrags-Verordnungen enthaltend] für den Selbstunterricht in Fragen u. Antworten. Systematisch zusammengestellt zum Gebrauch für k. k. Finanzbeamte u. Finanzwach-Angestellte, insbesondere für Zollprüfungscandidaten ꝛc. Mit einer Einleitung [über das Wesen u. die Arten der directen u. indirecten Besteuerung. — Kurze historische Darstellung des Entwicklungsganges des Zollwesens überhaupt u. des österreichischen Zollsystems insbesondere] u. einem Anhang [die Vorschriften über die Anlegung des ämtlichen Verschlusses — die Zollbefreiungen mit allen Nachtragsverordnungen — Erklärung des Zolltarifs ꝛc.] 2 Thle. Graz 859. Kienreich. (Leipzig, Haessel.) Lex.-8. (VIII, 309 S.) n. 2 ₰ 4 ngr.

Pokorny, Luigi, Storia naturale delle piante ad uso dei Ginnasj e delle scuole reali inferiori dell' Impero Austrisco di — —. Voltata dal Tedesco in Italiano dal Prof. Dr. S. G. 8. (204 p.) Vienna. Typografia Mechitaristica. 1854. Prezzo: L. a. 1. cent. 20.
Verlag der Schulbücher-Verschleiß-Administration.

Pokorny, Luigi. Storia naturale dei tre regni per le classi inferiori dei ginnasi dell' impero. Parte I. Zoologia. *Vienna* 1857. Tip. di PP. *Mechitaristi.* Presso l'i. r. Direzione per la vendita dei libri scolastici VIII, 220 S. 8°.

Pokorný, M., základové technologie, s. Průmyslová škola.

Pokorny, Michael Hieronymus (Vielen bei Posen), Analecta quaedam ad doctrinam de naturae vi medicatrice. Diss. med. Berlin (Nietack) 21. IX. 1838. 28 S. u. Biogr. (M.: R. Luhm). (3.25) 26976
Oppon.: Alex. Dorantowicz, Jos. Dropsy, Ant. Gruszczynski. — Gew.: Th. Theoph. Matecki.

Pokorny, Vict. Ritter v., Nachrichten- und Marschsicherungs-Dienst. gr. 8. (24 S.) Wien 885, (Seidel und Sohn.) *
Aus: Organ der militär-wissenschaftlichen Vereine, besonders abgedruckt.

Pokorny, W. Die Kaiserlich Königliche Militair-Grenze. Wien 1840. 6 Bl. c. 1. Kt.

Pokorny, W., Schlagwetter-, Kohlenstaub- und Sprengstoffversuchsanlagen in Deutschland und Belgien. Bericht der Studienkommission des Nordwestböhmischen Bergbaukomitees. Wien, 1909. 96 S. mit 49 Abb. u. 16 Taf.

Pokorny, Wenzel. Die Gebühren des k. k. österreichischen Heeres an Geld, Naturalien und Service. Auf der Grundlage der bis zum Jahre 1841 im Fache der Militär-Verwaltung über die Bezahlung und Verpflegung der Truppen erflossen und noch gegenwärtig in voller Wirksamkeit bestehenden Gesetze und Normal-Verordnungen. (3 Bde.) gr. 8. Wien 1842—1844.

Pokorsky-Juravko, A., kurze Uebersicht über die Bienenzucht in Rußland. Aus d. Russ. übersetzt. (Mit 1 Steintaf.) gr. 8. Leipzig 841. Hirschfeld. 1/8 ₰

Pokrok v rolnictví. Ročník pro vlastenské hospodáře. Vydává A. E. Komers. 1861. Prag, (Rziwnatz.) gr. 8. (2 Bl., 216 S. u. 1 Tab. in Fol.) n. 16 ngr.

Pokrowska, Marie. Sulfitodiäthylendiaminkobaltsalze. Diss. Phil. [II.] Univ. Zürich. 51 S. 8. Zürich, Selbstverlag der Verfasserin, 1905.

Pol, Conrad, s. Pol, Konrad

Pol, Friedrich, aus Jever: Lotzes **Ansicht** über die Reproduction der Vorstellungen und Vergleich derselben mit den gegenwärtigen Lehren der Psychologie. *Norden 1903: D. Soltau.* (54 S.) 8°
Erlangen, Phil. Diss. v. 22. Juli 1902

Pol, G., Bedenken vom Exorcismo bei der Kindertaufe. Frckft. 1704. 4.

Pol, H., die Vorbedingungen zu e. richtigen Verständnis Schillers. Festrede zur Erinnerg. an Schillers 100jähr. Todestag. 9. V. 1905. (24 S.) Lex.-8. Groningen (905). P. Noordhoff. n.n. — 80

Pol, Herm., Dissert. liter. inaug., de Aristophane, poeta comico, ipsa arte boni civis officium praestante. 8 maj. Groningae 834. van Boekeren. (Lipsiae, Barth) n. 1 1/6 ₰

Pol, J., Predigt über Matth. 13, 37. 38. am Jahresfeste des märkischen Missionsvereins. gr. 8. Iserlohn u. Barmen 835. Langewiesche. 1/12 ₰

— J. F. C. Sander u. J. W. Keller, (evangel. Pfarrer), s. Reden am Missionsfeste.

Pol, J. Hulshoff, Beriberi-Forschungen in den niederländisch-ostindischen Kolonien, besonders in bezug auf Prophylaxis u. Heilung, s.: Archiv f. Schiffs- u. Tropenhygiene. 1910. Beiheft 3.

Pol, Jan., s. Blüthen d. Poesie.

Pol, Konr., s. Ad. Born.

BORN, Adolph, ein bürgerlicher Roman (von *Conrad Pol*). Altenburg 1803.
Anon.-Lex. I. p. 254 (nach Kayser).

Pol, Nic., Jahrbücher d. Stadt Breslau, s. J. G. G. Büsching.

Pol, Nikolaus. Jahrbücher der Stadt Breslau. Herausgegeben von Johann Gustav Büsching. 5 Bde. Breslau 1813—1824. 4°.

Pol, Nic., Jahrbücher der Stadt Breslau herausgeg. von J. G. Büsching. 3r Bd. gr. 4. Breslau, J. F. Korn. 820. Auch unter dem Titel: Zeitbücher der Schlesier 3r Bd.

Pol, (N.) Zeitbücher d. Schlesier, s. Zeitbücher.

Pol, Rudolf, a. Heidelberg: Studien zur pathologischen Morphologie der Erythrocyten, insbesondere bei der Schwefelkohlenstoff- und Phenylhydrazinvergiftung. Heidelberg 1905: H. Dörr. (32 S.) 8°
Heidelberg, Med. Fak., Ref. Arnold, Diss. v. 1905
[Geb. 28. Febr. 79 Heidelberg; Wohnort: Heidelberg; Staatsangeh.: Bayern; Vorbildung: Gymn. Heidelberg Reife Juli 97; Studium: Heidelberg 9 S.; Coll. 16. Juli 04; Approb. 18. Juli 02.]

Pol, Wincenty

Pol, W., Przygody J. P. Benedykta Winnickiego w podróży jego z Krakowca do Nieświeża 1766 roku i powrót w dóm rodzicielski. 12. Lemberg 840. J. Millikowsky.) $^1/_3$ ₰

Pol, Wincenty, Przygody JP. Benedykta Winnickiego w podróży jego z Krakowca do Nieświeża 1766 roku i prowrót w dom rodzicielski Drugie, poprawne wydanie. 8. Lemberg 845, Millikowski. $^2/_3$ ₰

[Poel, Emma]: Denkwürdigkeiten aus dem Leben von Amalie Sieveking, in deren Auftr. v. e. Freundin ders. verf. Mit e. Vorw. v. [Johann Hinrich] Wichern. — Hamburg: Rauhes Haus 1860. XVII, 512 S. 8°
— — 2. Aufl. 1860.

Nach Briefen u. Tagebuchblättern.

Poel, Gustav, s. B i l d e r aus Piter Poels u. seiner Freunde Leben.

Bilder aus vergangener Zeit nach Mittheilungen aus großentheils ungedruckten Familienpapieren [v. Gustav **Poel**]. 8°.
Thl. 1. Bilder aus Piter Poels und seiner Freunde Leben. 1760—1787. Hamburg. 1884.
Thl. 2, Bilder aus Karl Sievekings Leben, 1787—1847. ebd. 1887.

Poel, G., Johann Georg Hamann, der Magus im Norden. Sein Leben u. Mittheilgn. aus seinen Schriften in 2 Theilen. 1. u. 2. Thl. gr. 8. Hamburg 874. Agentur d. Rauhen Hauses. à n. 6. —
1. Das Leben. (XV, 438 S. m. 1 Photolith. u. 1 Tab. in qu. 4.)
2. Die Schriften. (XVIII, 640 S.)

Poel, G., Johann Georg Hamann, der Magus im Norden. Sein Leben und Mittheilungen aus seinen Schriften in 2 Thln. 2. Thl.: Die Schriften. gr. 8. (XVIII, 640 S.) Hamburg 876, Agentur des Rauhen Hauses.
1. Thl. Ebendas. 1874. *M 6.

Poel, G., Nachträgliches zu den „Mittheilungen aus Hamann's Schriften". gr. 8. (38 S.) Hamburg 877. Agentur des Rauhen Hauses. n. — 40

– (Hrsg.), s. R i s t , Johann Georg: Lebenserinnerungen.

Anzeige der Schrift des Herrn von Hess, Agonieen betitelt [von Peter **Poel**]. Aus dem Altonaer Mercur mit dem hinzugefügten Beschlusse abgedruckt. Altona. 1815. 8°.

Nachträglicher Bericht über das Armenwesen in den Herzogthümern Schleswig und Holstein an die Central-Administration der Schleswig-Holsteinischen patriotischen Gesellschaft (v. [Peter] **Poel**). Mit 10 Beylagen. Altona. 1821. = Schriften der Schleswig-Holsteinischen patriotischen Gesellschaft. Bd. 4, Heft 2. 8°.

Poel, Nachträglicher Bericht über das Armenwesen in den Herzogthümern Schleswig und Holstein. *Altona, J. F. Hammerich.* 1821 und 1822.

Poel, Pt., s. Frankreich in d. J. 1795—802.

Poel, R., Aufrechnung, Zurückbehaltung, Einbehaltung, Verwirkung bei Lohnforderungen. Diss. Hamburg, 1905. 92 S.

Pola [Sachliches OW]

Pola. Statist. Bericht über die wichtigsten demographischen Verhältnisse. Verfasst vom Municipium der Stadt Pola. Lex.-8. (10 S.) Wien 887, Gerold's Sohn. *
Aus: Städtebuch, österreichisches, besonders abgedruckt.

— K. K. Marine-technisches Comité, Transoceanische Reise S. M. Corvette „Saïda" in den Jahren 1884—86. Pola 1886.

Pola, seine Vergangenheit, Gegenwart u. Zukunft. Eine Studie. Mit 4 Taf., enth. Ansichten u. Pläne. Lex.-8. (95 S.) Wien 886. Gerold's Sohn. n. 4. —

Pola [Schlagwort]

Pola. Ive, Domenico, Pianta della città di Pola. — Plan von Pola. 1 : 4000. 56,5 × 56,5 cm. Farbdr. Pola 898. F. W. Schrinner. n. 1. 20

Pola. Pianta della città di Pola in base al piano regolatore. 1 : 5000. 57×59,5 cm. Farbdr. Mit Text an den Seiten. Pola (904). Schrinner. n. 1. 80

Pola — Umgebung von —. Nach einem von der Generalstabs-Abthl. der VII. Tr.-Divis. erh. Originale. 28,800. 10 Bl.

Pola, die Umgebungen von. 6 Bl. [illegible] im Massstabe [illegible] 40000. Ebds. [illegible]

Pola [Verfasser]

Angela di Pola. Anhang zu den gefährlichen Stunden. Mit Titelkpf. Leipzig 1801. 8°, 160 S. (1 Mk. 50 Pfg., etwas fleckig, R. Bertling, 1888.)
Nicht von Cramer. — Goedeke (nach Meusel 13, 247).

Pola, Angelo di, Anhang zu d. gefährlichen Stunden v. Cramer. 8. Lpz. Joachim. 801.

Pola, Gottfried Adolf

Pola, Gfried., griechische, römische und mittelalterliche Bau-Verzierungen. 1. Heft. Augsburg 860. Schlosser. gr. Fol. (6 lith. Taf.) n. 1 ₰ 10 ngr.

Pola, G., das Linear-Zeichnen. Für Schulen u. zum Selbstgebrauche bearbeitet. I. Curs. (Construction in der Ebene.) qu. Fol. (Mit 20 lith. Tafeln.) Augsburg 845, Janna u. Comp. n. $1^1/_2$ ₰

— dass. II. Curs. 33 Tab. mit Text. qu. Fol. Ebd. 845. n. $1^2/_3$ ₰

Pola, Gottfried Adolf (Lehrer des Zeichnens) „Ueber architektonische Verzierung". pg. 3—12. 4°. Lauter.
Augsburg, Progr. 1844/45

Polac, J. F., s. P o l a c k , Johann Friedrich

Polacco, Ruggero [Apotheker aus Triest]: Studien über Fructus rhamni catharticae. Bern 1900. 43 S. 8°.
Bern. Phil. Diss. 1900/1901.

Aus dem Ospedale Maggiore zu Mailand. Diagnostische und therapeutische Versuche über den Abdominaltyphus. Von Dr. Romolo **Polacco**. Berlin & Wien: Urban & Schwarzenberg 1901. 28 S. 8°(4°)
Aus. Wiener Med. Presse 1901, Nr 24–26 A 12. 5684 7

Polach, Ed. Krystallformen und chemische Zusammensetzung der Körper. Aussig. 1890.

Polach, Johann: Erziehungsideale des Platon und Aristoteles. 17 S. 8. **Progr.** K. k. II. deutsches Staats-Gymn. *Brünn* 1904.

Polach Johann: De numero Ciceroniano.
H. 1900 PN 1328 **Diss.** Wien, Univ. 1571

Polack

— s. auch Pollack.

Polack, Alexander, Arzt: Aus d. chir. Abt. d. Augusta-Viktoria-Krankenh. Weissensee b. Berlin. Dirig. **Arzt**: G. Seefisch. Ein Beitrag zur Kasuistik der Kleinhirngeschwülste. Leipzig 1908: Georgi. 24 S. 8°
Leipzig, Med. Diss. v. 13. Nov. 1908, Ref. Flechsig
[Geb. 29. Sept. 80 Berlin: Wohnort: Halensee; Staatsangeh.: Preußen; Vorbildung: Landessch. Pforta Reife O. 02; Studium: Berlin 4, Kiel 6 S.; Coll. 20. Nov. 08; Approb. 1. Aug. 08.] [U 09. 2844

Polack, Alfred [aus Hamburg]: Beiträge zur Kenntniss des Orthophenylencarbamids ... Breslau, Dr. R. Galle's Buchdr., 1896; 29 S., 1 Bl. 8.
Heidelberg, Naturw.-math. Fak., Inaug.-Diss. v. [2. Jan.] 1897

Polack, Aurelius Bruno (Leipzig), **Observationes quaedam de tussi convulsiva Lipsiae anno 1826 epidemice grassata. Diss. med. Leipzig (J. F. Fischer) 18. IX. 1829. 26 S. (3.25)** 26977
Gew.: Valentin Traugott Lebrecht Polack (Vater).

Polack, C., hygiänische Excursionen. Populäre Vorträge. Hannover 867. Brandes. gr. 8. (III, 88 S.) n. 20 *ngr.*

Polack, C., der thüringische Candelaber. Eine historisch-kritische Erörterung über denselben als die angebliche erste christliche Stiftung des heil. Bonifacius in Thüringen. Herausg. zum 5. Juni 1855, als der Feier des Todestages des heiligen Bonifacius. Gotha 855. Müller. 8. (39 S.) n. 4 *ngr.*

Polack, C., die Landgrafen von Thüringen zur Geschichte der Wartburg. Gotha 865. F. A. Perthes. 8. (XII, 459 S. mit 2 Abbildgn. Holzschntaff. u. 1 lith. Facs. in Fol.) n. 1 *Rthl* 22 *ngr.*

Polack, C., die Schauenburg. Das Ahnenschloß der Landgrafen von Thüringen und Fürsten von Sachsen bei Friedrichroda in Thüringen. 8. (66 S.) Gotha 858, Müller.

Polack, C., Wachsenburg, Mühlberg und Gleichen, die thüringischen drei Gleichen in ihren Beziehungen zu einander. Mit 1 Ansicht der Wachsenburg (in Holzschn.). Gotha 859. Müller. 8. (X, 136 S.) 15 *ngr.*

Polack, Frdr., s.: Aus deutschen Lesebüchern.

— Bilder aus der alten u. vaterländischen Geschichte. Ein Leitfaden für Volks- u. Bürgerschulen. 10. Aufl. Mit 33 in den Text eingedr. Abbildungen. gr. 8. (80 S.) Berlin 882. Th. Hofmann. cart. n. — 40

Polack, Fr., Bilder aus der alten und vaterländischen Geschichte. Ein Leitfaden für Volks- und Bürgerschulen. 22.—28. Aufl. (80 S. mit 33 in den Text gedr. Abbild.) 1885,86; [29.—39.] 40. Aufl. gr. 8. (88 S. mit 44 Holzschn.) Gera 888, Th. Hofmann. cart. *

Polack, Fr., Bilder aus der alten u. vaterländischen Geschichte. Ein Leitfaden f. Volks- u. Bürgerschulen. 54. Aufl. 8. (88 S. m. 44 Abbildgn.) Gera 890. Th. Hofmann. cart. n. — 40

Polack, Friedr. Bilder aus d. alten u. vaterländischen Geschichte. Ein Leitfaden f. Volks- u. Bürgerschulen. 67. Aufl. gr. 8. (96 S. m. 49 Abbildgn.) Gera 892, Hofmann. cart. * — 40

— Bilder aus der alten u. vaterländischen Geschichte. Ein Leitfaden f. Volks- u. Bürgerschulen. 72. Aufl. gr. 8. (96 S. m. 49 Abbildgn.) Gera 893. Th. Hofmann. Kart. n. — 40

Polack, Frdr., Bilder aus d. alten u. vaterländ. Geschichte. E. Leitfaden f. Volks- u. Bürgerschulen. 94. Aufl. gr. 8. (104 S. m. 51 Abb.) Gera 898. Th. Hofmann. Kart. n. — 40

— Bilder aus der alten u. vaterländischen Geschichte. Ein Leitfaden f. Volks- u. Bürgerschulen. 102. Aufl. gr. 8. (104 S. m. 51 Abbildgn.) Gera 900. Leipzig, Th. Hofmann. Kart. n. — 40

— B i l d e r aus der Heimat- und Erdkunde.

— dasselbe, s. a. Realienbuch, illustriertes.

— Bilder aus der Heimats- u. Erdkunde. Ein kurzer Leitfaden f. Volks- u. Bürgerschulen. 62. Aufl. der „Geograph. Skizzen u. Bilder". gr. 8. (72 S. m. 19 Abbildgn. u. Karten im Text u. 3 Karten in Farbendr.) Ebd. 892. Kart. n. — 40

— Bilder aus der Heimat- u. Erdkunde. Ein kurzer Leitfaden f. Volks- u. Bürgerschulen. Mit 19 Abb. u. Karten im Text u. 3 Karten in Farbendr. 90. Aufl. d. „Geographischen Skizzen u. Bilder". gr. 8. (72 S.) Ebd. 898. Kart. n. — 40

— Bilder aus der Heimat- u. Erdkunde. Ein kurzer Leitfaden f. Volks- u. Bürgerschulen. Mit 19 Abbildgn. u. Karten im Text u. 3 Karten in Farbendr. 99. Aufl. der „Geographischen Skizzen u. Bilder". gr. 8. (72 S.) Ebd. 900. Kart. n. — 40

— B i l d e r aus der Naturbeschreibung und Naturlehre.

— dasselbe, s. a. Realienbuch, illustriertes.

— Bilder aus der Naturbeschreibung u. Naturlehre für einfache Schulverhältnisse. 8. (88 S.) Ebend. 878. cart. n. — 35

Polack, Fr., Bilder aus der Naturbeschreibung und Naturlehre für einfache Schulverhältnisse. 2.—4. Aufl. 8. (91 S. mit eingedr. Holzschn.) [Wittenberg 878,79, Herrosé's Verlag.] Berlin, Th. Hofmann. cart. *

— dasselbe. 6—10. Aufl. 8. (92 S. m. eingedr. Holzschn.) Ebend. 880—82. cart. n. — 40

—— Bilder aus der Naturbeschreibung und Naturlehre. Ein Leitfaden für Volks- und Bürgerschulen. 23.—27. Aufl. (112 S. mit 137 in den Text eingedr. Holzschn.) 1885,86; [28.—37.] 38.—42. Aufl. gr. 8. (120 S. mit 145 Abbild.) Ebendas. 888. cart. *
Vorstehende Schrift aus: Illustrirtes Realienbuch, besonders abgedruckt.

— Bilder aus der Naturbeschreibung u. Naturlehre. Ein Leitfaden f. Volks- u. Bürgerschulen. 50. Aufl. 8. (128 S. m. 145 Abbildgn.) Ebd. 890. cart. n. — 50

—— Bilder aus der Naturbeschreibung u. Naturlehre. Ein Leitfaden für Volks- u. Bürgerschulen. 64. verb. u. verm. Aufl. gr. 8. (128 S. m. 143 Abbildgn.) Ebd. 892. cart. * — 50

— Bilder aus der Naturbeschreibung u. Naturlehre. Ein Leitfaden f. Volks- u. Bürgerschulen. 71. Aufl. gr. 8. (128 S. m. 143 Abbildgn.) Ebd. 893. Kart. n. — 50

— Bilder aus der Naturbeschreibung u. Naturlehre. Ein Leitfaden f. Volks- u. Bürgerschulen. 95. Aufl. gr. 8. (136 S. m. 158 Abb.) Ebd. 898. Kart. n. — 50

— Bilder aus der Naturbeschreibung u. Naturlehre. Ein Leitfaden f. Volks- u. Bürgerschulen. 103. Aufl. gr. 8. (136 S. m. 158 Abbildgn.) Gera 900. Leipzig, Th. Hofmann. Kart. n. — 50

Polack, Friedr., Brosamen. Erinnerungen aus dem Leben eines Schulmannes. 2 Bde. 8. Wittenberg, Herrosé Verlag. * 5 — geb. * 6 20
Inhalt:
Bd. 1. Jugendleben. (IV, 327 S.) 883; 2. Aufl. (331 S.) 884. *ℳ 2.; geb. *ℳ 2,60.
" 2. Amtsleben. (484 S.) 884. *ℳ 3.; geb. *ℳ 3,60.

Polack, Fr., Brosamen. Erinnerungen aus dem Leben e. Schulmannes. 1. u. 2. Bd. 3. Aufl. 8. Wittenberg 885. Herrosé Verl. n. 5.—; geb. n. 6. 20
1. Jugendleben. (335 S.) n. 2.—; geb. n. 2. 60
2. Amtsleben auf dem Lande. (472 S.) n. 3.—; geb. n. 3. 60

— Brosamen. Erinnerungen aus dem Leben e. Schulmannes. 3. Bd.: Amtsleben in der Stadt. 2. Aufl. 8. (487 S.) Wittenberg 887. Herrosé Verl., Sep.-Cto. n. 3. —; geb. n. 3. 60 (1—3.: n. 8.—; geb. n. 9. 80)

— Dasselbe. Schülerausgabe. Wittenberg 1888

—— Brosamen. Erinnerungen aus dem Leben eines Schulmannes. 4.(Ster.)Aufl. 20 Lfgn. od. 3 Bde. 8. (338; 474; 487 S. m. Portr.) Wittenb. 889,90, Herrosé Verlag. à Lfg. * — 40; * 8 —

— Brosamen. Erinnergn. aus d. Leben e. Schulmannes. 2. Bd.: Amtsleben auf dem Lande. 5. (Ster.-) Aufl. gr. 8. (474 S.) Wittenberg 896. R. Herrosé. n. 3. —

— Brosamen. Erinnerungen aus dem Leben e. Schulmannes. (Neue [Titel-]Ausg.) 12 Lfgn. 8. (1. Bd. Jugendleben. 6. Aufl. 335 S. 2. Bd. Amtsleben auf dem Lande. 6. [Ster.-]Aufl. 472 S. u. 3. Bd. Amtsleben in der Stadt. 7. [Ster.-]Aufl. 488 S.) Wittenberg [889. 890.] 901. R. Herrosé. à n. — 50

— Brosamen. Erinnerungen aus dem Leben e. Schulmannes. 4. Bd. I. Abtlg. u. 5. Bd. 8. Wittenberg, R. Herrosé. 5.—; geb. 6. —
4, I. Mein Amtsleben als Kreis-Schulinspektor, u. einige Brosamengeschichten. (328 S.) 908. 2.50; geb. 3. —
5. Meine Freunde. Offene Briefe. Reisen. Persönliches. (475 S.) (909.) 2.50; geb. 3. —

— s.: Brosamen, pädagogische.

—— Deutsch, s. Tesch, P.

Polack, Friedrich (Hrsg.), s. Dichtungen, Epische u. lyrische.

— epische u. lyrische Dichtungen, erläutert, s.: Frick, O.

— ein Führer durchs Lesebuch. Erläuterungen poet. u. pros. Lesestücke aus deutschen Volksschul-Lesebüchern. 2 Tle. gr. 8. (240 u. 600 S.) Gera 886. Th. Hofmann. n. 5. 95

Polack, Fr., ein Führer durchs Lesebuch. Erläuterungen poet. u. pros. Lesestücke aus deutschen Volksschul-Lesebüchern. 1. Tl. 2., verm. Aufl. gr. 8. (240 S.) Gera 890. Th. Hofmann. n. 2.—; geb. n. 2. 60

— u. Paul Polack, e. Führer durchs Lesebuch. Erläuterungen poet. u. pros. Lesestücke aus deutschen Volksschul-Lesebüchern. 2. Tl. 2., verm. Aufl. 13 Lfgn. gr. 8. (614 S.) Gera 890. Th. Hofmann. à n. — 35 (2. Tl. cplt.: n. 4. 60; geb. n.n. 5. 20)

Polack, Friedr. u. Paul Polack. Ein Führer durchs Lesebuch. Erläutergn. poet. u. pros. Lesestücke aus deutschen Volksschul-Lesebüchern. 2. Tl. 2. verm. Aufl. 13 Lfgn. gr. 8. (614 S.) Gera 891, Hofmann. à Lfg. * — 35; * 4 60; geb. ** 5 20

— u. Paul Polack, e. Führer durchs Lesebuch. Erläutergn. poet. u. prosaischer Lesestücke aus deutschen Volksschul-Lesebüchern. 2 Tle. 3, verm. Aufl. gr. 8. Gera 896. Th. Hofmann. n. 6. 60; geb. n.n. 7. 70
1. (Unterstufe.) (240 S.) n. 2.—; geb. n.n. 2. 50
2. (Mittel- u. Oberstufe.) (608 S.) n. 4. 60; geb. n.n. 5. 20

— u. Paul Polack, ein Führer durchs Lesebuch. Erläuterungen poet. u. prosaischer Lesestücke aus deutschen Volksschul-Lesebüchern. 1. Tl. 4., verm. Aufl. (X, 226 S.) gr. 8. Leipzig 903. [Th. Hofmann.] B. G. Teubner. n. 2.—; geb. in Leinw. n. 2. 50

— u. Paul Polack, ein Führer durchs Lesebuch. Erläuterungen poet. u. prosaischer Lesestücke aus deutschen Volksschul-Lesebüchern. 2. Tl. 2 Lfgn. 4. verm. Aufl. gr. 8. (616 S.) Leipzig 901. 902. Th. Hofmann. n. 5.—; in 1 Leinw.-Bd. n. 5. 60

— u. Paul Polack, ein Führer durchs Lesebuch. Erläutergn. poet. u. prosaischer Lesestücke aus deutschen Volksschul-Lesebüchern. 2. Tl. 5., verm. Aufl. (624 S.) 8. Leipzig 907. B. G. Teubner. 5.40; geb. in Leinw. 6. —

—— Gedächtnisfeier an den Geburts- und Sterbetagen der in Gott ruhenden Kaiser Wilhelm I. und Friedrich. Lehrer-Ausg. 8. (80 S.) Wittenberg 888, Herrosé Verlag. *
Schüler-Ausg. (24 S.) *

— Gedächtnisfeier d. Kaiser Wilhelm I.u Friedrich III.Schülerausg. (24 S) Wittenberg 1888

— historische Gedichte. Für Schule u. Haus ausgewählt. [Ein Anhang zu jedem Lehrbuch der Geschichte.] gr. 8. (136 S.) Berlin 881. Th. Hofmann. cart. n. — 60

— historische Gedichte. Für Schule u. Haus ausgew. (E. Anhang zu jedem Lehrbuch d. Geschichte.) 2., verm. Aufl. gr. 8. (144 S.) Gera 897. Th. Hofmann. n. — 50; kart. n.n. — 65

Polack, Fr., Geschichtsbilder in gedrängter Darstellung aus der allgemeinen und vaterländischen Geschichte. Für Mittel-, Bürger- und mehrklass. Volksschulen. 8. (227 S.) Nordhausen 874, Haacke. *

—— dass. — Leitfaden für Präparandenanstalten, höhere Töchter-, Mittel- und Bürgerschulen. 2. Aufl. gr. 8. (233 S.) Ebendas. 875. *

Polack, Fr., Geschichtsbilder in gedrängter Darstellung aus der allgemeinen vaterländischen Geschichte. Leitfaden f. Präparandenanstalten, höhere Töchter-, Mittel- u. Bürgerschulen. 3. Aufl. gr. 8. (233 S.) Nordhausen 877. Haacke. n. 1. 25

—— Geschichtsbilder aus der allgemeinen und vaterländischen Geschichte. Leitfaden für höhere Töchter-, Mittel- und gehobene Bürgerschulen. 4. und 5. Aufl. gr. 8. (240 S.) [Wittenberg 878.79. Herrosé's Verlag.] Berlin, Th. Hofmann. *

— Geschichtsbilder aus der allgemeinen u. vaterländischen Geschichte. Leitfaden für höhere Töchter-, Mittel- u. gehobene Bürgerschulen. 8., verm. u. verb. Aufl. [Die Orthogr. nach der amtl. Festsetzung.] gr. 8. (240 S.) Ebend. 881. n. 1. 25

— Geschichtsbilder aus der allgemeinen u. vaterländischen Geschichte. Leitfaden f. höhere Töchter-, Mittel- u. gehobene Bürgerschulen. 9. Aufl. gr. 8. (239 S.) Ebend. 881. n. 1. 25

— dasselbe. 10. Aufl., hrsg. unter Mitwirkg. v. H. Zander. Mit 221 Porträts u. kulturhistor. Abbildgn., nebst 8 histor. Karten in Farbendr. gr. 8. (IV, 308 S.) Ebend. 885. n. 1. 80; Einbd. n.n. — 40

—— Geschichtsbilder aus der allgemeinen und vaterländischen Geschichte. Leitfaden für mittlere und höhere Schulen. 10. und 11. verm. und teilweise umgearb. Aufl., hrsg. unter Mitwirkung von H. Zander. gr. 8. (IV, 308 S. mit 221 Portr. und kulturhistor. Abbild., IV, 310 S. mit 191 Portr. und kulturhistor. Abbild., nebst je 8 histor. Karten in Farbendr.) [Berlin 885.] Gera, Th. Hofmann. *
geb. **

— Geschichtsbilder aus der allgemeinen u. vaterländ. Geschichte. Leitfaden f. mittlere u. höhere Schulen. 12., verb. Aufl., hrsg. unter Mitwirkg. v. H. Zander. Mit 251 Portr. und kulturhistor. Abbildgn., nebst 8 histor. Karten in Farbendr. gr. 8. (VII, 335 S.) Gera 889. Th. Hofmann. n. 1. 80; geb. n.n. 2. 20

—— Geschichtsbilder aus der allgem. u. vaterländischen Geschichte. Leitfaden f. mittlere u. höhere Schulen. 13. verb. Aufl., hrsg. unter Mitwirkg. v. H. Zander. Mit 243 Portr. u. kulturhistor. Abbildgn., nebst 8 histor. Karten in Farbendr. gr. 8. (VIII, 350 S.) Ebd. 891. * 1 80; geb. ** 2 20

— Geschichtsbilder aus der allgemeinen u. vaterländischen Geschichte. Leitfaden f. mittlere u. höhere Schulen. 14., verm. Aufl., hrsg. unter Mitwirkg. v. H. Zander. Mit 247 Porträts u. kulturhistor. Abbildgn., nebst 8 histor. Karten in Farbendr. gr. 8. (VIII, 366 S.) Ebd. 893. n. 1. 80; geb. n. 2. 20

— Geschichtsbilder aus der allgem. u. vaterländ. Geschichte. Ausg. A. Leitfaden f. mittl. u. höh. Schulen. 16. Aufl., hrsg. unt. Mitwirkung v. H. Zander. Mit 248 Porträts u. kulturhistor. Abb., nebst 8 histor. Karten in Farbendr. gr. 8. (VIII, 367 S.) Ebd. 896. n. 1. 80; geb. n.n. 2. 20

— Geschichtsbilder aus der allgem. u. vaterländ. Geschichte. Ausg. A. Leitfaden f. mittlere u. höh. Schulen. 18., verb. Aufl., hrsg. unter Mitwirkg. v. H. Zander. Mit 266 Portr. u. kulturhistor. Abbildgn., nebst 8 histor. Karten in Farbendr. gr. 8. (VIII, 462 S.) Leipzig 902. Th. Hofmann. Geb. in Leinw. n. 2. 40

— Geschichtsbilder aus der allgemeinen u. vaterländ. Geschichte. Ausg. A. Leitfaden f. mittl. u. höh. Schulen. 19., verb. Aufl, hrsg. unter Mitwirkg. v. H. Zander. Mit 269 Portr. u. kulturhistor. Abbildgn., nebst 8 histor. Karten in Farbendr. (VIII, 473 S.) 8. Leipzig 906. [Th. Hofmann.] B. G. Teubner. Geb. n. 2. 40

— dasselbe. Ausg. B. Leitfaden f. mittl. u. höh. Mädchenschulen. 16., nach d. Bestimmgn. v. 31. V. 1894 umgearb. Aufl. Mit 257 Porträts u. kulturhistor. Abb., nebst 8 Geschichtskarten in Farbendr. gr. 8. (VIII, 360 S.) Ebd. 896. n. 1. 80; geb. n.n. 2. 20

— dasselbe. Ausg. B. Leitfaden f. mittlere u. höh. Mädchenschulen. 17., nach d. Bestimmgn. v. 31. V. 1894 umgearb. Aufl. Mit 257 Porträts u. kulturhistor. Abbildgn., nebst 8 Geschichtskarten in Farbendr. gr. 8. (VIII, 372 S.) Gera 899. Leipzig, Th. Hofmann. n. 1. 80; geb. n.n. 2. 20

— dasselbe. Ausg. B. Leitfaden f. mittlere u. höh. Mädchenschulen. Nach den Bestimmgn. vom 31. V. 1894. 19., verm. u. verb. Aufl. Mit 274 Porträts u. kulturhistor. Abbildgn., nebst 8 Geschichtskarten in Farbendr. (VIII, 463 S.) gr. 8. Leipzig 903. [Th. Hofmann.] B. G. Teubner. Geb. in Leinw. n. 2. 40

— Geschichtsbilder aus der alten u. der vaterländischen Geschichte für Volksschulen. 6. Aufl. gr. 8. (96 S.) Ebend. 880. cart. n. — 40

—— Geschichtsbilder aus der vaterländischen Geschichte für einfache Schulverhältnisse. 2.—4. Aufl. 8. (80 S.) Ebendas. 878,79. cart. *

— das erste Geschichtsbuch. Lehr- u. Lesebuch f. den ersten Geschichtsunterricht im Anschluß an die Heimatkunde. gr. 8. (120 S. m. 54 Abbildgn.) Ebd. 892. n. — 75

— das erste Geschichtsbuch. Lehr- u. Lesebuch f. den ersten Geschichtsunterr. im Anschluß an d. Heimatkunde. 4., verm. Aufl. gr. 8. (132 S. m. 57 Abb.) Ebd. 897. n. — 75; kart. n.n. — 90

— das erste Geschichtsbuch. Lehr- u. Lesebuch für den ersten Geschichtsunterricht im Anschluß an die Heimatkunde. 5. verm. Aufl. gr. 8. (136 S. m. 58 Abbildgn.) Ebd. 898. n. — 75; kart. n.n. — 90

Polack, Frdr., das erste Geschichtsbuch. Lehr- u. Lesebuch f. den ersten Geschichtsunterricht im Anschluß an die Heimatkunde. 6. verm. Aufl. (VIII, 136 S. m. 68 Abb.) gr. 8. Leipzig 903. [Th. Hofmann.] B. G. Teubner. Kart. n.n. — 90

— Das erste Geschichtsbuch. Lehr- u. Lesebuch f. den ersten Geschichtsunterricht im Anschluß an die Heimatkunde. 7. Aufl. (VIII, 136 S. m. 67 Abb.) 8. Leipzig 907. B. G. Teubner. Geb. nn — 90

— erstes Geschichtsbuch für einfache Schulverhältnisse. Lehr- u. Lesebuch f. den ersten Geschichtsunterricht. (80 S.) gr. 8. Ebd. 903. n.n. — 50

— Geschichts-Leitfaden f. Mittel- u. Bürgerschulen. 10. Aufl. der Geschichtsbilder aus der allgemeinen u. vaterländ. Geschichte". Mit 48 Porträts u. kulturhistor. Abbildgn. gr. 8. (247 S.) Ebend. 886. n. 1. 25; Einbd. n.n. — 20

— Geschichts-Leitfaden f. Bürger- u. Mittelschulen. 11., verb. Aufl., hrsg. unter Mitwirkg. v. O. Sattler. Mit 209 kulturgeschichtl. Abbildgn. gr. 8. (VII, 280 S.) Ebd. 889. n. 1. 40; geb. n.n. 1. 70

— Geschichts-Leitfaden f. Bürger- u. Mittelschulen. 12., verb. Aufl. gr. 8. (VIII, 291 S. m. 211 Text-Abbildgn.) Ebd. 892. n. 1. 40; geb. n.n. 1. 70

— Geschichts-Leitfaden f. Bürger- u. Mittelschulen. 14., verb. Aufl. gr. 8. (VIII, 308 S. m. 213 Abb.) Ebd. 898. n. 1. 40; geb. n.n. 1. 70

— Geschichts-Leitfaden f. Bürger- u. Mittelschulen. 16. Aufl. (VIII, 352 S. m. 202 Abbildgn.) 8. Ebd. 904. Geb. n. 2. —

— Kantor Grobe u. andere Leute. Gesammelte Erinnergn. aus der Zeitschrift „Pädagog. Brosamen". 8. (136 S.) Wittenberg 902. R. Herrosé. n. 1. 20; geb. n. 1. 50

— Heimatskunde der Prov. Sachsen. 2., verb. Aufl. gr. 8. (16 S.) Ebend. 882. n. — 15

—— Heimatskunde der Prov. Sachsen. 5. verb. Aufl. gr. 8. (16 S. mit 2 Karten der Prov. Sachsen.) Ebendas. 888. *

— Heimatskunde der Provinz Sachsen. 6. Aufl. Mit 2 Karten der Provinz Sachsen. gr. 8. (16 S.) Ebd. 889. n. — 20

—— Heimatskunde der Prov. Sachsen. 9. Aufl. Mit 2 Karten der Prov. Sachsen. gr. 8. (16 S.) Ebd. 892. * — 20

— Heimatkunde der Prov. Sachsen. 10. Aufl. gr. 8. (16 S. m. 2 farb. Karten.) Ebd. 893. n. — 20

— Heimatkunde d. Prov. Sachsen. M. 2 Karten d. Prov. Sachsen. (11. Aufl.) gr. 8. (16 S.) Ebd. 895. n. — 20

Heimatkunde der Prov. Sachsen. Mit 2 (farb.) Karten der Prov. Sachsen. (Neue Aufl.) (16 S.) 8. Ebd. (909). — 25

— über den Helferdienst der Schule bei Heilung der socialen Schäden, s.a. Sammlung pädagog. Vorträge.

Polack Fr. üb. d. Helferdienst d. Schulen b. Heilung v. sozial. Schäden. Bielefeld 1890

— aus der Jugend — für die Jugend. Märchen. Mit Zeichngn. v. Ed. Rancillio. gr. 8. (IV, 234 S.) Wittenberg 889. Herrosé Verl., Sep.-Cto. geb. n. 2. 50

— aus meiner Jugendzeit. I. Meine Jugenderlebnisse. II. Meiner Mutter Märchen. Für große u. kleine Leute erzählt. 8. (136 u. 92 S.) Ebd. 889. geb. n. 1. 60
Daraus einzeln: Meine Jugenderlebnisse. cart. n. — 80. — Meiner Mutter Märchen. cart. n. — 60.

— Kaiserworte u. Schulaufgaben. Allerlei Verbesserungsvorschläge f. die Schulerziehg. gr. 8. (134 S.) Wittenberg 891. R. Herrosé Verl. n. 1. 50

— 200 Jahre preußisches Königtum. Volks- u. Jugendschrift zur 200jähr. Jubelfeier des preuß. Königtums. Mit e. Vorworte von Bosse. Hrsg. v. der rhein. Pestalozzi-Stiftg. Mit zahlr. Bildern von A. v. Menzel, R. Knötel, H. Lüders u. a. gr. 8. (VIII, 216 S.) Berlin (900). A. Scherl. — 60

— dasselbe. (Neue Aufl.) gr. 8. (VIII, 216 S.) Duisburg (901). Dietrich & Hermann. Geb. n.n. — 85

— Landwirtschaft u. Handwerk. Lesebuch f. gemischte Fortbildungsschulen in Stadt u. Land. Ausg. B. des Lesebuchs f. „ländl. Fortbildungsschulen". Hrsg. unter Mitwirkg. v. W. C. Saupe. (VIII, 376 S.) gr. 8. Wittenberg 906. R. Herrosé. Geb. n. 1. 60

Landwirtschaft u. Handwerk. Lesebuch f. gemischte Fortbildungsschulen in Stadt u. Land. Ausg. B des Lesebuchs f. „ländl. Fortbildungsschulen". Hrsg. unter Mitwirkg. v. W. C. Saupe. 2. Aufl. (384 S.) gr. 8. Wittenberg 908. R. Herrosé. Geb. 1. 60

— u. H. Kellner, Lehrplan m. Pensenvertheilung, Lehrbericht u. Lektionsplänen für getheilte, ein-, zwei- u. dreiklassige Volksschulen. 2., verm. Aufl. [Ausg. A. für evangel. Schulen.] 4. (IV, 70 S.) Ebend. 879. geb. n. 1. 50
Ausg. B. für kathol. Schulen (IV, 70 S.) geb. n. 1. 50

— und H. Kellner, Lehrplan mit Pensenverteilung, Lehrbericht. Lektionsplänen und Schulchronik für geteilte. ein-, zwei- und dreiklassige Volksschulen. 2. verm. Aufl. 4. (IV, 83 S.) Berlin 880, Th. Hofmann. geb. *
Ausg. für kathol. Schulen *

— Lehrplan m. Pensenverteilung, Lehrbericht, Lektionsplänen u. Schulchronik f. ein- bis dreiklassige evangel. Volksschulen. Nach dem Grundsatze der Stoffzusammengehörigkeit aufgestellt. 3., umgearb. Aufl. hoch 4. (78 S.) Gera 888. Th. Hofmann. n. 1. —; geb. n. 1. 25
— dasselbe. Für kathol. Schulen bearb. v. H. Kellner. 3., umgearb. Aufl. hoch 4. (78 S.) Ebd. 888. n. 1. —; geb. n. 1. 25

— Lehrplan m. Pensenverteilung, Lehrbericht, Lektionsplänen u. Schulchronik f. ein- bis dreiklassige evangelische Volksschulen. Nach dem Grundsatze der Stoffzusammengehörigkeit aufgestellt. 4. Aufl. Fol. (78 S.) Gera 891. Th. Hofmann. n. 1. —; geb. n. 1. 25

— Lehrplan m. Pensenverteilg., Lehrbericht, Lektionsplänen u. Schulchronik für ein- bis dreiklassige Volksschulen. Nach dem Grundsatze der Stoffzusammengehörigkeit aufgestellt. 5. Aufl. (78 S.) schmal Fol. Leipzig 902. Th. Hofmann. n. 1. 20; geb. n. 1. 50
— dasselbe. Für kath. Schulen bearb. v. H. Kellner. 4. umgearb. Aufl. schmal Fol. (78 S.) Ebd. 901. n. 1. 20; geb. n. 1. 50

— s.a. Lesebuch f. ländl. Fortbildungsschulen.

Lesebuch f. ländliche Fortbildungsschulen. Hrsg. unter Mitwirkg. v. J. B. Krämer, F. Rockstroh, B. Schreiber u. K. Stier. (Ausg. A.) 5. Aufl. (VIII, 474 S.) gr. 8. Ebd. 910. Geb. in Leinw. 2. —

— s.a. Liedertexte f. Schule u. Haus.

—— Liedertexte für Schule u. Haus. 4. Aufl. 8. (108 S.) [Worbis 892, Müller.] Gera, Hofmann. ** — 25

— Liedertexte f. Schule u. Haus. Zusammengestellt in den Lehrerkonferenzen des Schulaufsichtskreises Worbis unter Leitg. v. F. P. 5. Aufl. Evangelische Ausg. 16. (116 S.) Gera 893. Th. Hofmann. Kart. n. — 25; kathol. Ausg. (120 S.) n. — 25

— meines Vaters Märchen. 8. (142 S. m. Abbildgn.) Wittenberg 890. Herrosé Verl., Sep.-Cto. cart. n. — 80

— Philipp Melanchthon, Deutschlands Lehrer u. Luthers Freund u. Mithelfer. Bilder aus s. Leben u. Wirken. Zur Jubelfeier v. Melanchthons 400jähr. Geburtstage (16. Febr. 1897). gr. 8. (107 S. m. Abb.) Wittenberg 896. R. Herrosé. n. — 50

— illustrirte Naturgeschichte der drei Reiche in Bildern, Vergleichungen u. Skizzen. Lehr- u. Lernbuch f. Mittelschulen, höhere Bürger- u. Töchterschulen, Lehrerbildungsanstalten u. andere gehobene Lehranstalten. Unter Mitwirkung v. R. Bürgel, W. Machold u. Frz. Schröder. gr. 8. (IV, 328 S. m. eingedr. Holzschn.) Wittenberg 879. Herrosé Verl. n. 2. —

— dasselbe. 3., verb. Aufl. 3 Kurse. gr. 8. (Mit eingedr. Holzschn.) Ebend. 880. 81. n. 2. 80; geb. n. 3. 30
1. Repräsentanten der drei Reiche. (VI, 163 S.) n. 1. 20
2. Vergleichung von Repräsentanten. — 3. Systematische Behandlung der Naturgeschichte. (287 S.) n. 1. 60

— illustrierte Naturgeschichte der drei Reiche in Bildern, Vergleichungen u. Skizzen. Lehr- u. Lernbuch f. gehobene Lehranstalten, unter Mitwirkg. v. R. Bürgel u. Frz. Schröder. 4. Aufl. v. Wilh. Machold. 1. u. 2. Kurs. gr. 8. Wittenberg 884. Herrosé Verl. n. 2. 80; in 1 Bd. geb. n. 3. 30
1. Repräsentanten der 3 Reiche. [Zugleich abgeschlossener Leitfaden f. einfache Schulverhältnisse] (VI, 170 S.) n. 1. 20; Einbd. n.n. — 25
2. Vergleichung v. Repräsentanten u. systematische Behandlung der Naturgeschichte. (284 S. m. eingedr. Holzschn.) n. 1. 60; Einbd. n.n. — 30

— illustrierte Naturgeschichte der drei Reiche in Bildern, Vergleichungen u. Skizzen. Lehr- u. Lernbuch f. gehobene Lehranstalten, unter Mitwirkg. v. R. Bürgel, Frz. Schröder, W. Machold. 6., verb. Aufl. 2 Kurse. gr. 8. Ebd. n. 2. 80; geb. n. 3. 35
1. Vertreter der 3 Reiche. Anh.: Naturkunde in Lebensgemeinschaften. [Zugleich Leitfaden für einfache Schulverhältnisse.] 6. Aufl. (VII, 196 S. m. Abbildgn.) 890. n. 1. 20; geb. n. 1. 45
2. Vergleichung von Repräsentanten u. systemat. Behandlg. der Naturgeschichte. 5. Aufl. (284 S.) 887. n. 1. 60; geb. n. 1. 90

—— Illustrierte Naturgeschichte der drei Reiche in Bildern, Vergleichungen u. Skizzen. Lehr- u. Lernbuch für gehobene Lehranstalten, unter Mitwirkg. v. Wilh. Machold. 2 Kurse. gr. 8. Wittenb., Herrosé Verlag. * 2 80
1. Vertreter der 3 Reiche. Anh.: Naturkunde in Lebensgemeinschaften. [Zugleich abgeschlossener Leitfaden für einfache Schulverhältnisse.] 8. Aufl. (VII, 202 S.) 892. * 1 20.
2. Vergleichung von Vertretern u. systematische Behandlung der Naturgeschichte. 6. Aufl. (285 S.) 890. * 1 60.

Polack, Fr., illustr. Naturgeschichte der drei Reiche in Bildern, Vergleichungen u. Skizzen. Lehr- u. Lernbuch f. gehobene Lehranstalten, unter Mitwirkg. v. Wilh. Machold. 2 Kurse. gr. 8. Wittenberg 894. R. Herrosé Verl. n. 2. 80
I. Vertreter der 3 Reiche. (Zugleich abgeschlossener Leitfaden f. einfache Schulverhältnisse.) Anh.: Naturkunde in Gruppenbildern. 9. unveränd. Aufl. (VII, 202 S. m. Abbildgn.) n. 1. 20
II. Vergleichung v. Vertretern u. systematische Behandlung der Naturgeschichte. 7. Aufl. (298 S.) n. 1. 60

— illustrierte Naturgeschichte d. 3 Reiche in Bildern, Vergleichgn. u. Skizzen. Lehr- u. Lernbuch f. gehobene Lehranstalten, unt. Mitwirkung v. Wilh. Machold hrsg. 2 Kurse. gr. 8. Ebd. n. 3. —; geb. n.n. 3. 60; in 1 Bd. geb. n.n. 3. 50
1. Vertreter der 3 Reiche. (Zugleich abgeschloss. Leitfaden f. einfache Schulverhältnisse.) Anh.: Naturkunde in Gruppenbild. 11., verb. Aufl. (220 S. m. Abb.) (896.) n. 1. 25; geb. n.n. 1. 50
2. Vergleichg. v. Vertretern u. systemat. Behandlg. d. Naturgeschichte. 9. Aufl. (307 S. m. Abb.) 898. n. 1. 75; geb. n.n. 2. 10

— illustrierte Naturgeschichte der drei Reiche in Bildern, Vergleichungen u. Skizzen, in neuer Bearbeitg. v. Gust. Melinat. 1. u. 2. Kurs. gr. 8. Wittenberg, R. Herrosé. Geb. in Leinw. nn. 3. 70; in 1 Bd. n.n. 3. 50
1. Vertreter der 3 Reiche. (Zugleich abgeschlossener Leitfaden f. einfachere Schulverhältnisse.) Anh.: Naturkunde in Gruppenbildern. 12. Aufl. (272 S. m. Abbildgn.) 901. n.n. 1. 60
2. Vergleichg. v. Vertretern u. systematische Behandlg. der Naturgeschichte. 10. Aufl. (348 S. m. Abbildgn.) 901. n.n. 2. 10

— illustrierte Naturgeschichte der 3 Reiche in Bildern, Vergleichungen u. Skizzen. 13. verb. Aufl. im Anschluß an die v. G. Mellinat hrsg. 12. I. Kurs.: Vertreter der 3 Reiche. (Zugleich abgeschlossener Leitfaden f. einfachere Schulverhältnisse.) Anh.: Naturkunde in Gruppenbildern. (282 S. m. Abbildgn.) 8. Wittenberg 905. R. Herrosé. Geb. n. 1. 60

— Naturgeschichte der drei Reiche in Bildern u. Skizzen. Hülfsbuch f. den Unterricht in höheren Töchter-, Mittel- u. Bürgerschulen, wie in Unter- u. Mittelklassen der Gymnasien u. Realschulen. gr. 8. (248 S.) Ebend. 875. n. 1. 50

—— Parzival. Rittergedicht von Wolfram von Eschenbach. Auszug zum Schulgebrauch und für Schulbibliotheken. 8. (72 S.) [Berlin 886.] Gera, Th. Hofmann. * — 60
geb. * — 75

– Dass., s.a. Wolfram v. Eschenbach: Parzival

Vater Pestalozzi. Bilder aus d. Leben d. grossen Erziehers v. Friedrich Polack, Kgl. Schulrath. Jugend- u. Volksschrift zu H. Pestalozzis 150j. Geburtst. hrsg. v. d. Rhein. Pestalozzi-Stiftg. M. Bildern. *Bonn: F. Soennecken 1896.* (94 S.) 1 Bd 8. [96. 9..

Polack, Friedrich, Vater Pestalozzi. Bilder aus dem Leben des grossen Erziehers. Jugend- und Volksschrift. Herausgegeben von der Rheinischen Pestalozzi - Stiftung. 2. Auflage. Mit 13 Bildern. 8. (94 S.) In Comm. —.20, cart. —.36
1896.

— Vater Pestalozzi. Bilder aus d. Leben d. grossen Erziehers. Jugend- u. Volksschrift, hrsg. v. d. rhein. Pestalozzi-Stiftung. 3. Aufl. 8. (94 S. m. 13 Bild.) Bonn 896. F. Soennecken. — 30

Polack, Frdr., Vater Pestalozzi. Bilder aus dem Leben des großen Erziehers. Jugend- u. Volksschrift. 8. (87 S. m. Abb.) Wittenberg 902. R. Herrosé. n. — 40; geb. n. — 60

Vater Pestalozzi. Bilder aus dem Leben des großen Erziehers. Jugend- u. Volksschrift, hrsg. v. der rhein. Pestalozzi-Stiftg. 3. Aufl. (90 S. m. Abb.) 8. Stuttgart (908). Union. — 50

—— illustriertes Realienbuch. Leitfaden der Geschichte, Geographie, Naturgeschichte und Naturlehre. Für Volks- und Bürgerschulen. 3 Thle. in 1 Bd. Mit 182 in den Text gedr. Abbild. und 3 Karten in Farbendr. gr. 8. Ebendas. 880–85. cart. * ℳ 1,30.; in 1 Bd. geh. * — 75

Inhalt:
Tl. 1. Bilder aus der alten und vaterländischen Geschichte. 4.–24. Aufl. (96 S. mit 33 in den Text. eingedr. Abbild.) * 40 Pf.
" 2. Geographische Skizzen und Bilder. 4.—18. Aufl. (64 S. mit 12 Holzschn. im Text und 3 Karten in Farbendr.) * 40 Pf.
" 3. Bilder aus der Naturbeschreibung und Naturlehre. Mit 137 in den Text eingedr. Holzschn.; 6.–13. Aufl. (96 S.); 14.–24. Aufl. (112 S.) * 50 Pf.
Auch in besonderen Ausgaben für Bayern, Hannover, Hessen, Prov. Sachsen und Schlesien zu haben.

Polack, Frdr., illustriertes Realienbuch. Leitfaden in Geschichte, Geographie, Naturgeschichte u. Naturlehre. Für Volks- u. Bürgerschulen bearb. 10. Aufl. Mit 171 in den Text gedr. Abbildungen u. 3 Karten in Farbendr. gr. 8. (239 S.) Berlin 882. Th. Hofmann. n. — 75; Ausg. für das Königr. Bayern (239 u. 63 S.) n. 1. —; Ausg. für das Großherzogt. Hessen (239 u. 16 S.) n. — 85; Ausg. für die Prov. Sachsen (239 u. 16 S.) n. — 85; Ausg. für die Prov. Schlesien (239 u. 20 S.) n. — 85

— dasselbe. Mit Anh.: Heimatskunde der Prov. Hannover v. Johs. Meyer. gr. 8. (80, 64, 96 u. 32 S.) Ebend. 883. n. — 90

— illustrirtes Realienbuch. Leitfaden f. Volks- u. Bürgerschulen. 3 Tle. in 1 Bd. gr. 8. Ebend. 886. n. — 75; Einbd. n.n. — 25; einzeln cart. n. 1. 30
1. Bilder aus der alten u. vaterländischen Geschichte. 28. Aufl. Mit 33 Abbildgn. (80 S.) n. — 40
2. Geographische Skizzen u. Bilder. 28. Aufl. Mit 12 Holzschn. im Text u. 3 Karten in Farbendr. (64 S.) n. — 40
3. Bilder aus der Naturbeschreibung u. Naturlehre. 30. Aufl. Mit 137 Holzschn. (112 S.) n. — 50

— dasselbe. Ausg. f. das Königr. Bayern. 14. Aufl. gr. 8. (II, 80; 64, 112 u. 63 S.) Ebend. 883. n. 1. —

— dasselbe. Ausg. f. die Prov. Hannover. 14. Aufl. gr. 8. (II, 80; 64, 112 u. 32 S.) Ebend. 883. n. — 90

— dasselbe. Ausg. f. das Großherzogt. Hessen. 14. Aufl. gr. 8. (II, 80; 64, 112 u. 16 S.) Ebend. 883. n. — 85

— dasselbe. Ausg. f. die Prov. Sachsen. 14. Aufl. gr. 8. (II, 80; 64, 112 u. 16 S.) Ebend. 883. n. — 85

— dasselbe. Ausg. f. die Prov. Schlesien. 14. Aufl. gr. 8. (II, 80; 64, 112 u. 20 S.) Ebend. 883. n. — 85

—— illustriertes Realienbuch. Leitfaden der Geschichte, Geographie, Naturgeschichte und Naturlehre. Für Volks- und Bürgerschulen. 3 Tle. in 1 Bde. 41. Aufl. gr. 8. (272 S. mit 202 in den Text gedr. Abbild. und 3 Karten in Farbendr.) Ebendas. 888. * 75 Pf.; cart. ** 1 —

Daraus einzeln:
Tl. 1. Bilder aus der alten und vaterländischen Geschichte. 40. Aufl. (88 S. mit 44 in den Text eingedr. Abbild.) * 40 Pf.
" 2. Geographische Skizzen und Bilder. Ein kurzer Leitfaden in der Heimats- und Erdkunde. 40. Aufl. (64 S. mit 12 Holzschn. im Text und 3 Karten in Farbendr.) * 40 Pf.
" 3. Bilder aus der Naturbeschreibung und Naturlehre. 42. Aufl. (120 S. mit 145 in den Text eingedr. Holzschn.) * 50 Pf.
(Ausgaben mit angehängter Heimatskunde der Provinzen Hannover, Posen, Rheinprovinz, Sachsen, Schlesien, Ost- und Westpreußen und des Großherzogt. Hessen, von Thüringen, Reg.-Bez. Wiesbaden à 85 Pf., des Königreichs Sachsen 90 Pf., des Königreichs Bayern ℳ 1.—.)

— illustriertes Realienbuch. Leitfaden f. Geschichte, Geographie, Naturgeschichte und Naturlehre. 53., 52. und 54. Aufl. 8. (88, 64 u. 128 S. m. 202 Abbildgn. u. 3 Karten in Farbendr.) Gera 890. Th. Hofmann. n. — 75; geb. n.n. 1. —

— Illustriertes Realienbuch. Leitfaden für Geschichte, Geographie, Naturgeschichte u. Naturlehre. Für Volks u. Bürgerschulen bearb. 66. Aufl. gr. 8. (96, 72, 128 S. m. 213 Abbildgn. u. Karten im Text u. 3 Karten in Farbendr.) Gera 892, Hofmann. * — 75; geb. ** 1 —

Kathol. Ausg., s. Realienbuch.

— illustr. Realienbuch. Leitfaden f. Geschichte, Geographie, Naturgeschichte u. Naturlehre. Für Volks- u. Bürgerschulen bearb. 3 Tle. in 1 Bde. 78., 74. u. 76. Aufl. gr. 8. (104, 72 u. 136 S. m. 3 farb. Karten.) Gera 894. Th. Hofmann. Geb. in Halbleinw. n.n. 1. —

— illustr. Realienbuch. Leitfaden f. Geschichte (95. Aufl.), Geographie (92. Aufl.), Naturgeschichte u. Naturlehre (95. Aufl.). M. 228 Abb. u. Karten im Text u. 3 Karten in Farbendr. gr. 8. (104, 72, 136 u. 16 S.) Gera 898. Th. Hofmann. Geb. n.n. 1. —

— illustriertes Realienbuch. Leitfaden für Geschichte (108. Aufl.), Geographie (107. Aufl.), Naturgeschichte u. Naturlehre (110. Aufl.). Mit 237 Abbildgn. u. Karten im Text u. 3 Karten in Farbendr. gr. 8. (104, 72 u. 144 S.) Leipzig (902). Th. Hofmann. Geb. n.n. 1. —

— dasselbe, Ausg. f. kathol. Schulen, s.: Realienbuch, illustr.

—— kleines Realienbuch. Für einfache Schulverhältnisse. 1.–8. Aufl. gr. 8. (144 S. mit 124 Abbild. im Text und 3 Karten in Farbendr.) Ebendas. 882–84. * — 50 cart. * — 60

— dasselbe. 2. Aufl. Mit Anh.: Heimatskunde der Prov. Hannover von Johs. Meyer. gr. 8. (144 u. 32 S.) Ebend. 883. n. — 60

—— kleines Realienbuch. Für einfache Schulverhältnisse bearb. [19.–23.] 24. Aufl. (144 S. mit 124 Abbild. im Text und 3 Karten in Farbendr.) 1885,86; [25.–43.] 44. Aufl. gr. 8. (144 S. mit 128 Abbild. im Text und 3 Karten in Farbendr.) Ebendas. 888. * 50 Pf.; cart. ** — 60
Mit angehängter Heimatskunde (s. illustr. Realienbuch) je * 10 Pf. mehr.

— kleines Realienbuch. Für einfache Schulverhältnisse bearb. 64. Aufl. 8. (144 S. m. 127 Abbildgn. u. 3 Karten in Farbendr.) Ebd. 890. n. — 50; geb. n.n. — 60

— kleines Realienbuch. Für einfache Schulverhältnisse bearb. Mit 152 Abbildgn. u. Karten im Text u. 3 Karten in Farbendr. 96. Aufl. gr. 8. (176 S.) Ebd. 895. n. — 50; geb. in Halbleinw. n.n. — 60

— kleines Realienbuch. Für einfache Schulverhältnisse bearb. Mit 152 Abb. u. Karten im Text u. 3 Karten in Farbendr. 117. Aufl. gr. 8. (176 S.) Ebd. 898. Kart. n.n. — 60

— kleines Realienbuch. Für einfache Schulverhältnisse bearb. Mit 152 Abbildgn. u. Karten im Text u. 3 Karten in Farbendr. 136. Aufl. gr. 8. (176 S.) Ebd. 902. Kart. n.n. — 60

— kleines Realienbuch. Für einfache Schulverhältnisse bearb. Mit 153 Abbildgn. u. Karten im Text u. 3 Karten in Farbendr. 145. Aufl. (176 S.) 8. Leipzig 904. [Th. Hofmann.] B. G. Teubner. Kart. n.n. — 60

—— Realienbuch für einfache Schulverhältnisse. [I. Geschichtsbilder aus der vaterländ. Geschichte. — II. Kleine geograph. Skizzen und Bilder. — III. Bilder aus der Naturbeschreibung und Naturlehre.] gr. 8. (78; 63; 88 S.) [Wittenberg 878, Herrosé's Verlag.] Berlin, Th. Hofmann. *

—— dass. — 2. Aufl. 3 Thle. gr. 8. Ebendas. 878. *

Inhalt:
I. Geschichtsbilder aus der vaterländischen Geschichte. (80 S.) Einzelpr. cart. * 35 Pf.
II. Kleine geographische Skizzen und Bilder. (63 S.) Einzelpr. cart. * 30 Pf.
III. Bilder aus der Naturbeschreibung und Naturlehre. (88 S.) Einzelpr. cart. * 35 Pf.

—— dass. — 3. Aufl. Mit Anhang: Das Großherzogth. Hessen. Als specielle Heimatkunde in übersichtl. Darstellung bearb. von L. Dosch. gr. 8. (243, 16 S.) Ebendas. 879. *

— Realienbuch für Volksschulen. 6., verm. u. verb. Aufl. gr. 8. (96, 64 u. 92 S.) Ebend. 880. n. — 75

— dasselbe. Ausg. für das Königr. Bayern. Mit Anh.: Heimatskunde des Königr. Bayern. Von J. Volkert. gr. 8. (315 S.) Ebend. 881. n. 1. —

— dasselbe. Mit Anh.: Das Großherzogthum Hessen. Specielle Heimatskunde in übersichtlicher Darstellung. Von L. Dosch. 6., verm. u. verb. Aufl. gr. 8. (96, 64, 92 u. 16 S.) Ebend. 880. n. — 85

— dasselbe. Mit Anh.: Heimatskunde der Prov. Sachsen. gr. 8. (252 u. Anh. 16 S.) Ebend. 880. n. — 85

— dasselbe. Mit Anh.: Heimatkunde der Prov. Schlesien. Von Heinr. Adamy. [Die Orthographie nach der amtlichen Festsetzung.] gr. 8. (252 u. Anh. 20 S.) Ebend. 880. n. — 85

— unser Schiller, zur 100. Wiederkehr von Schillers Todestage hrsg. v. der Vereinigg. der deutschen Pestalozzi-Vereine. 171.–210. Taus. (144 S. m. Abbildgn.) 8. Liegnitz 905. C. Seyffarth. n. — 30; geb. in Leinw. n. — 50

Unser Schiller von Friedrich **Polack**, Schulr., z. 100. Wiederkehr von Schillers Todestage hrsg. von d. Verein. d. deutschen Pestalozzi-Vereine. 210.–234. Taus. Liegnitz: K. Seyffarth 1905. (143 S.) 8° [F.] [05. 13137

— die Schulaufsicht, wie sie ist, u. was ihr noch fehlt, s.: Sammlung pädagogischer Vorträge.

— meine Schülererlebnisse. Für alte u. junge Leute erzählt. 8. (109 S.) Wittenberg 890. Herrosé Verl., Sep.-Cto. cart. n. — 80

— Schulfeier an Kaiser Wilhelms II. Geburtstage. Anh. zur: Gedächtnisfeier an den Geburts- u. Sterbetagen der in Gott ruh. Kaiser Wilhelm I. u. Friedrich. 8. (20 S.) Wittenberg 889. R. Herrosé Verl. n. — 15; Schülerausg. 8. (15 S. m. 1 Bildnis.) n.n. — 5

—— Schulfeier an Kaiser Wilhelm II. Geburtstage. Lehrerausgabe. 8. (15 S.) Schülerausgabe. 8. (15 S.) Wittenb. 889, Herrosé. * — 05

Polack, Frdr., Schulfeier an Kaiser Wilhelms II. Geburtstage. Anh. zur: Gedächtnisfeier an d. Geburts- u. Sterbetagen der in Gott ruh. Kaiser Wilhelm I. u. Friedrich. (Lehrerausg.) 8. (20 S.) Wittenberg 896. R. Herrosé. n. — 15; Schülerausg. (14 S. m. 1 Bildn.) n.n. — 05

—— Geographische Skizzen u. Bilder, s.a. Polack, Fr. Bilder aus der Heimats- u. Erdkunde.

— geographische Skizzen u. Bilder. Ein kurzer Leitfaden in der Heimats- u. Erdkunde für Volks- u. Bürgerschulen. 10. Aufl. Mit 12 Holzschn. im Text u. 3 Karten in Farbendr. gr. 8. (64 S.) Ebend. 882. cart. n. — 40

—— geographische Skizzen und Bilder. Ein kurzer Leitfaden in der Heimats- und Erdkunde für Volks- und Bürgerschulen. 19.—40. Aufl. gr. 8. (64 S. mit 12 Holzschn. im Text und 3 Karten in Farbendr.) Ebendas. 885—88. cart. * — 40

— geographische Skizzen u Bilder. Ein kurzer Leitfaden in der Heimats- u. Erdkunde f. Volks- u. Bürgerschulen. 25. Aufl. Mit 12 Holzschn. im Text u. 3 Karten in Farbendr. gr. 8. (64 S.) Ebend. 886. cart. n. — 40

— geographische Skizzen u. Bilder. Ein kurzer Leitfaden in der Heimats- u. Erdkunde f. Volks- u. Bürgerschulen. 51. Aufl. 8. (64 S. m. 12 Holzschn. u. 3 Karten in Farbendr.) Gera 890. Th. Hofmann. cart. n. — 40

— kleine geographische Skizzen u. Bilder für Volksschulen. 6., verb. Aufl. [Mit Berücksichtigung der amtlich festgesetzten Orthographie.] 8. (64 S.) Ebend. 880. cart. n. — 30

— Stoffplan u. methodische Winke zu e. einfachen Behandlung d. Naturkunde in Lebensgemeinschaften. gr. 8. (26 S.) Wittenberg 890. Herrosé Verl., Sep.-Cto. n. — 20

— **was dem Lehrerstande u. d. Schule noch fehlt, s.a. Sammlung pädagog. Vorträge.**

Was dem Lehrerstande und der Schule noch fehlt. Von Friedrich **Polack**, Kgl. Schulrat. [Th.] A. B. *Bonn, Berlin [&] Leipzig: F. Soennecken [1897].* 8.
A. Drei Lebensfragen d. Lehrerstands. (22 S.)
B. Drei Lebensfragen d. Schule. (23–58 S.)
= Sammlung pädagogischer Vorträge. Bd 10. H. 1. 2. [97. 1995

— **welche Unterrichtsmängel hemmen die Zielerreichg. in den Fortbildungsschulen u. wie sind sie zu beseitigen, s.a. Sammlung pädagog. Vorträge. XII. 3.**

Welche Unterrichtsmängel hemmen die Zielerreichung in den Fortbildungsschulen und wie sind sie zu beseitigen? Von Fr[iedrich] Polack, Kgl. Schulrat. *Bonn: F. Soennecken [1899].* (18 S.) 8.
= Sammlung pädagogischer Vortraege. Bd XII. H. 3. [99. 5674

Der Kreis Worbis in den hundert Jahren preussischer Herrschaft von 1802 bis 1902. Gedenkbuch z. Hundertjahrfeier d. Einverleibung d. Kreises Worbis in d. Königr. Preussen am 3. Aug. 1902. Auf Wunsch d. Kreistages Worbis verf. von Friedrich **Polack**, Kgl. Schulrate. *Worbis: B. Müller 1902.* (135 S.) 8° [F.] [03. 3457 3

— ein Wort f. d. Schulfrieden, s.: Pohlmann, Adf.

Polack, Johann Friedrich

Polac (Polack), J. Fr. De cometa anni currentis. Trajecti ad Viadrum. 1744. 4.

Polac, Johann Friedrich [Praes.], s. Heusinger, Dan. Ehrenfried: De noxia et incongrua favorabilium ac odiosorum interpretatione.

Polac (Polack), J. Fr. Über den Cometen von 1744. Frankfurt 1744.

Polac, Johann Friedrich [Praes.], s. Kupffender, J. P.: De marito alienante.

Polack, Jo. Fr., († d. 22. Apr. 1771.) mathesis forensis, worin die Rechenkunst, Geometrie, Baukunst rc. abgehandelt wird; nebst Bilfingers Anh. v. Interusurio u. G. A. Hoffmanns Demonstration v. Interusurio. Mit Kpfrn. 4. Leipz. 734. 2e A. 740. 3e A. 756. 4e A. 770. (Brockhaus). 1 ₰ 8 ℊ

Polack, J. Fr.: Mathesis forensis, od. Entwurf derj. mathemat. Wissenschaften, welche ein gelehrter nöthig hat. *Leipzig*, 734. 8. — 2. Ausg. unt. d. Tit.: M. f. od. ausführl. Abhdlg. derj. in Anwend. d. Rechte fürkommenden Fälle, bei deren Beurtheilung u. Entscheidung man der Mathematik unentbehrlich nöthig hat. *Ebend.* 740. 3. Ausg. m. Kpf. *Eb.* 751. 4.

Johann Friedrich Polack

Johann Friedrich Polacks Mathesis forensis, oder ausführliche Abhandlung derjenigen, in Anwendung der Rechte fürkommenden Fälle, bey deren Beurtheilung und Entscheidung man der Mathematik unentbehrlich nöthig hat. Nebst e.Anh.G[eorg] B[ernhard] Bilfingers Von Berechnung des Interusurii.2.,verm.Aufl. Leipzig: Lanckisch 1740. 372 S. 8°

[Darin außerdem:] Hoffmann,Gottfried August: Demonstrationen von richtiger Berechnung des Interusurii.

Johann Friedrich Polack

Johann Friedrich Polacks Mathesis forensis, worinnen die Rechenkunst, Geometrie,Baukunst,Mechanik... abgehandelt, zugleich die Anwendung derselben auf die in der Rechtsgelehrsamkeit...vorkommenden Fälle...deutlich gezeiget wird.Nebst G[eorg] B[ernhard] Bilfingers Anh.(Berechnung des Interusurii.) Vom Interusurio und Gottfr[ied] Aug[ust] Hoffmanns (Demonstrationen von richtiger Berechnung des Interusurii.)Demonstrationen vom Interusurio.3.,mit allem Fleißverb.u.mit vielen Zusätzen verm.Aufl. Leipzig:Lanckisch 1756. 479 S. 8°

— Leipz. Junius. 4. 37 Bog. 4½ B. Kupf. (1 Rthlr. 8 gr.) 1770

— mathesis forens., worin die Rechenkunst, Geometrie, Baukunst rc. abgeh. wird. m. K. 4. Lpz. Junius (Gleditsch) 770.

Polac, Jo.: Systema jurisprudentiae civilis Germanicae antiquae ex ipsis fontibus legum antiquissimarum depromtum. *Lips.* 733. 4.

Polac, I. F., Syst. jurisprudentiae civil. Germaniae antiquae. 4. Lips. Iunius (Cuobloch) 733.

Polack, Leo, a. Moskau: Ueber die Anhydride aromatischer Sulfinsäuren. Heidelberg 1907: K. Rössler. (45 S.) 8°
Heidelberg, Naturw.-math. Fak., Ref. Curtius, Diss. v. 18. Dez. 1907
[Geb. 2. Juli 82 Moskau; Wohnort: Moskau; Staatsangeh.: Rußland; Vorbildung: Gymn. Nischni-Nowgorod Reife O. 01; Studium: Moskau 5, Leipzig 1, Heidelberg 5 S.; Rig. 22. Nov. 07.]

Polack, Paul, s.: Aus deutschen Lesebüchern.

— Handbuch der deutschen Sprache, s.: Lyon, Otto.

Polack, P., die Prov. Sachsen. Heimatkundl. Lesestücke als Anh. zu Fr. Polacks Heimatkunde u. zu deutschen Lesebüchern. Unt. Mitwirkg. v. Fr. Polack hrsg. gr. 8. (87 S.) Ebd. 898. Kart. n. — 40

Polack, Paulus [Worbisanus]: De enunciatorum interrogativorum apud Antiphontem et Andocidem usu .... Halis Sax., typ. Hofmannianis, 1886; 76 S. 8°.
Halle. Phil. Fak., Inaug.-Diss. v. [19. Apr.] 1886.

Polack, Paulus, de enunciatorum interrogativorum apud Antiphontem et Andocidem usu. Diss. Halle 1886, Lippertsche Buchh. 8°. 76 S.

— **Valentin Traugott Leber.** (Wurzen/Meißen), De consumtione pulmonum eiusque prodromis et cura. Diss. med. Präs. Ernst Benjamin Gottlieb Hebenstreit. Leipzig (Klaubarth) 12. IV. 1802. 32 Seiten. (3.25) 26978
Gew.: Ernst Friedr. Carl Emil von Werthern.

Diemer, Aug. Ludw.: Einige Worte bei Ueberreichung eines silbernen Bechers an den Br. Diemer bei dessen Abgange von Leipzig, gesprochen vom Br. [Valentin Traugott Lebrecht] Polack in der Loge Apollo [in Leipzig]. [Leipzig 1818.] 7 S. 8° [Kopftit.]
Abgedr. in: A. 4 (1828) S. 171--175; FZ. 8 (1854) S. 67--69.
Kl. 1208, Tt. 2149. In Bibelsprache.

Polaczek, Ernst

Polaczek, E., s.: Denkmäler der Baukunst im Elsass.

— das Elsaß u. seine Stellung in der kunstgeschichtl. Entwicklung. Ein Vortrag. Geh. am 26. X. 1905 in der Ausstellg. der Denkmalpflege in Straßburg. (17 S.) gr. 8. Straßburg 905. K. J. Trübner. n. — 50

Polaczek, Ernst, s. Kunstdenkmäler, die, der Rheinprovinz.

Polaczek, Ernst, d. Kunstdenkmäler d. Rheinprovinz, s. Clemen, Paul, IV. Bd. 2.

Die Kunstdenkmäler des Kreises Rheinbach. Im Auftr. d. Provinzialverbandes d. Rheinprov. bearb. v. Ernst Polaczek. M. 10 Taf. u. 70 Abb. im Text. *Düsseldorf: L. Schwann 1898.* (VIII, 172 S., 10 Taf.) 4.
= Kunstdenkmäler, Die, d. Rheinprovinz. Bd IV. H. 2. [98. 8231 H.

Polaczek, Ernst, der Übergangsstil im Elsass, s.a. Studien zur deutschen Kunstgeschichte.

Polaczek, Ernst: Der Übergangsstil im Elsass. E. Beitr. z. Baugeschichte d. Mittelalters. 1. Th. ... Strassburg, Univ.-Buchdr. v. J. H. E. Heitz, 1894; IV, 76 S., 1 Bl. 8.
Strassburg, Phil. Fak., Inaug.-Diss. v. 1894

Polaczenie Litwy z Polska na pamiatke trzechsetletniéj unji Lubelskiéj opowiedział **Mieczysław** z Posnania. Wydanie 2. Posen 869. Leitgeber. 16. (82 S.) cart. n. 5 *ngr.*

Polag, Berthold, Dr. jur.: Die Berechtigung des künstlichen Abortus vom medizinischen, juristischen und nationalökonomischen Standpunkte. Strassburg: Beust 1900. 91 S. 8°
(Ersch. auch als Buch ebd.)
Straßburg, Med. Diss. v. 1. Juni 1909, Ref. Fehling
[Geb. 13. Okt. 75 Wansen, Schlesien; Wohnort: Straßburg; Staatsangeh.: Preußen; Vorbildung: Matthias-Gymn. Breslau Reife M. 96; Studium: Jura München, Straßburg, Breslau, Jena, Med. Straßburg 10 S.; Coll. 28. Mai 09; Approb. 25. Mai 09.] [U 09. 3817

Polag, Berthold, aus Wansen i. Schl.: Das **Recht** der Anlieger an den öffentlichen Straßen nach preußischem Rechte. *Jena 1902: B. Vopelius.* (43 S.) 8°
Jena, Jur. Diss. v. 15. Sept.) 1902

Polain, Alphons

Polain, A: Armurerie liégeoise. Liége, Paris et Leipzig 1863

Polain, Alphs., die Gewehrfabrikation in Lüttich. Auszug aus den histor. Nachforschungen über die Probe der Feuerwaffen in der Lütticher Landschaft. Aus dem Französ. übers. von M. J. Foettinger. Lüttich 864. (Leipzig, Brockhaus' Sort.) gr. 8. (152 S.) n. 2 *Thlr*

Polain, Jules, gesetzliche Strafbestimmungen Belgiens, Frankreichs, Englands, Oesterreichs u. Deutschlands die Probe v. Feuerwaffen betr. Aus dem Franz. übers. 2. Aufl. gr. 8. (55 S. m. Fig.) Lüttich 894. (Leipzig, O. Harrassowitz.) n. 2. —

Polak w Anglii i w Ameryce. System Kuntzégo, najszybciejsza nauka każdego języka bez nauczyciela z podaniem dokładnej wymowy. Bonn: K. Georgi [1901]. (23 S.) 8° [Umschlagt.]
[Der Pole in England u. Amerika.]
= Kuntzé, Méthode Polyglotte. [60.] |05. 230

Polak we Francyi. System Kuntzégo, najszybciejsza nauka każdego języka bez nauczyciela z podaniem dokładnej wymowy. Bonn: K. Georgi [1900]. (31 S.) 8° [Umschlagt.]
[Der Pole in Frankreich.]
= Kuntzé, Méthode Polyglotte. [34.] |05. 205

Polak w Niemczech. System Kuntzégo, najszybciejsza nauka każdego języka bez nauczyciela z podaniem dokladnej wymowy. Bonn: K. Georgi [1900]. (31 S.) 8° [Umschlagt.]
[Der Pole in Deutschland.]
= Kuntzé, Méthode Polyglotte. [35.] |05. 206

Polak w Rosyi. System Kuntzégo, najszybciejsza nauka każdego języka bez nauczyciela z podaniem dokładnej wymowy. Bonn: K. Georgi [1901]. (22 S.) 8° [Umschlagt.]
[Der Pole in Rußland.]
= Kuntzé, Méthode Polyglotte. [61.] |05. 231

Polák: Chronologisch-historische Darstellung d. physikalischen Erfindungen. 21 S. – Schemnitz, Progr. 1859.

Polak: Wurf und Centralbewegung. 15 S. – Schemnitz, Progr. 1857.

Polak, A. J., die Harmonisierung indischer, türkischer u. japanischer Melodien. Neue Beiträge zur Lehre v. den Tonempfindgn. (IV, 108 S.) Lex.-8. Leipzig 905. Breitkopf & Härtel. n. 3. 50; geb. in Leinw. n. 4. 50

Polak, A. J., die musikalischen Intervalle als spezifische Gefühlserreger auch in bezug auf Tonarten u. Akkorde. Neue Beiträge zur Lehre v. den Tonempfindgn. Aus dem Nachlasse des Verf. als Fragment hrsg. (III, 223 S.) gr. 8. Leipzig 909. Breitkopf & Härtel. 8. —

Polak, A. J., über Ton-Rhythmik u. Stimmenführg. Neue Beiträge zur Lehre vom musikal. Hören. gr. 8. (263 S.) Leipzig 902. Breitkopf & Härtel n. 8. —

— über Zeiteinheit in Bezug auf Konsonanz, Harmonie u. Tonalität. Beiträge zur Lehre der Musik. gr. 8. (125 S. m. 8 lith. Taf.) Ebd. 900. n. 4. —

Polak Anton: Die altböhmischen Oster- und Passionsspiele.
H. 1909 PN 2822 Diss. Wien, Univ. 2753

Polak, Clara, s. Polak, Klara

Polak, E., Jeschuat Mosche. Rettung d. Juden zu Damascus, durch Mos. Montefiore u. Ado. Cremieux 2c. gr. 8. (1 B.) Preßburg 841, (Landes sel. Wwe.)
Vgl. Pollack.

Jahresbericht, vierter — des k. k. katholischen Obergymnasiums zu Schemnitz am Schlusse des Schuljahres 1857. Veröffentlicht durch den Direktor der Anstalt Johann Nebolyi. Pest, 1857. Dr. von J. Beimel und Basil Kozma. (20 S. 4.) (Mit einer Tabelle.)
Enthält: Wurf- und Centralbewegung. — Eine physikalische Abhandlung von Prof. Dr. Eduard Polak.

Polak, F., Gewinnung und Bearbeitung von Bausteinen, s. Handbuch der Ingenieurwissenschaften.

Polak, G. J., Oostersche wandelingen; bevattende gedichten, lofzangen, en briefwisselingen met geleerde vrienden, omtrent belangrijke archaeologische onderwerpen. gr. 8. (92 S.) Amsterdam 846. (Eisendrath.) n. 1⅓ ℳ

Polak, H. J., ad Odysseam ejusque scholiastas curae secundae. Fasc. 1. Emendationes ad scholiam in Homeri Odysseam. gr. 8. (VIII, 275 S.) Leiden 881. Brill. n.n. 6. —

Polak, Dr. J. E. A. R. P., Vorschläge zur Verbesserung des öffentlichen Gesundheitszustandes Wiens. gr. 8. (32 S.) Wien, Dirnböck's Buchh. (G. Draudt.) 30 kr.
1867.

Polak, Jakob Eduard

Polak JE, die Beteiligung Persiens an der Wiener Weltausstellung. Wien 1872

Polak, J. E., die österreichischen Lehrer in Persien. Vortrag, geh. am 18. Decbr. 1876. [Vorlesungen des orientalischen Museums.] gr. 8. (32 S.) Wien 876. Hölder in Comm. n. — 60

Polak, J. E., Persien, s. a. Ausstellungs-Bericht, officieller.

Polak, Jak. Ed., Persien. Das Land u. seine Bewohner. Ethnographische Schilderungen. 2 Thle. Leipzig 865. Brockhaus. gr. 8. (XIV, 389 S., V, 370 S.) Jeder Thl. n. 2 ℳ

Polak, Johann Friedrich, s. Polack

Polak Dr. Joh. M.: Der naturgeschichtliche Unterricht und seine Förderungsmittel in den Unterklassen der Mittelschule 32. Plan R. 03. Progr.

Polak, Jos. Aerztliche Bemerkungen über Ischl. (Abgedruckt aus der »Allgem. medizinischen Central-Zeitung Nr. 25—27. Berlin, 1853.) 8. (20 S.) Wien, U. Klopf u. Alex. Eurich 1853.

Polak, Jos., Ischl et ses environs considérés sous le rapport climatérique, médical, topographique et pittoresque. Détails descriptifs par M. Leger Noël. Avec une carte topographique du domaine des salines et un plan d'Ischl. 8. (X u. 260 S. m. 1 lith. Taf. in Imp. 4.) Vienne 848, Braumüller. n. 1⅓ ℳ

Polak, Klara

Polak, Clara, die Anatomie des Genus Colobus. [Verhandelingen der koninkl. akademie van Wetenschappen te Amsterdam.] (X, 247 S. m. Abb.) Lex. 8. Amsterdam 908. J. Müller. 6. —

Polak, Léon: Untersuchungen über die Sigtridsagen. (Berlin 1910: G. Schade.) 146 S. 8°
Berlin, Phil. Diss. v. 16. Febr. 1910, Ref. Roethe
[Geb. 1. Okt. 84 Rotterdam; Wohnort: Haarlem; Staatsangeh.: Niederlande; Vorbildung: Oberrealsch. Haarlem Reife Aug. 01, Erg. Gymn. Haarlem Juli 05; Studium: Groningen 6, Berlin 5 S.; Rig. 4. Nov. 09.] [U 10. 224

Polák, M. Z., spisy, s. Spisy.

Polak, Markus S.

Polak, M. S., Encyclopädie für BB. Freimaurer. 1. Bd. A. u. d. T.: Die Tapis in ihrer historisch-pädagogischen, wissenschaftlichen und moralischen Bedeutung. Oder: Geschichte der Urreligion als Basis der Freimaurerei. Mit einer Vorrede von Leutbecher. Amsterdam 855. Günst. (Leipzig, Thomas.) gr. 8. (XVI, 463 S. u. 1 lith. Taf. in Fol.) Subscr.-Pr. 5 ℳ; einzeln 6 ℳ

Geschichte der Urreligion als Basis der Freimaurerei. von M[arkus] S. Polak. Mit einer Vorr. von J[oh.] Leutbecher. Amsterdam: Günst [1855]. XIV, 304 S. 8°
Einl. z. Teppicherklärung.

[Erweiterte Ausg. u. d. Tit.:]

Die Tapis in ihrer historisch-paedagogischen, wissenschaftlichen und moralischen Bedeutung. Oder: Geschichte der Urreligion als Basis der Freimaurerei. Von M[arkus] S. Polak. Mit einer Vorr. von [Joh.] Leutbecher. Amsterdam: Günst 1855. XVI, 463 S. u. 1 Taf. 8⁰ [Encyclopädie f. BB.·. Frmr 1.)

Recens: A. 23 (1862) S. 307—310; FZ. 15 (1861) S. 402.

Tt. 332. In den Symbolen des Teppichs soll sich eine uralte Geheimlehre fortpflanzen. Die frmrischen Dogmen werden auf den alten Ursabäismus u. die Priesterreligion der alten Aegypter zurückgeführt, die wieder in genauestem Zshang stehen soll mit den Geheimlehren der israelitischen Priester.

[Andere Ausg. u. d. Tit.:]

Die Loge Post Nubila Lux und die Grossloge der Niederlanden. Enthüllungen bezüglich der Stiftungsgeschichte der Loge Post Nubila Lux im Morgen von Amsterdam nebst Darlegung des wahren Zustandes der niederländischen Logen im Allgemeinen, sowie der fünf Amsterd. Bauhütten im Besonderen. Von M[ark.] S. Polak. Amsterdam: Günst, Leipzig: Thomas 1854. 156 S. 8⁰.

Die Tapis in ihrer historisch-paedagogischen. wissenschaftlichen und moralischen Bedeutung. Ein Handbuch für Freimaurer von M[arkus] S. Polak. Mit einer Abb. der Tapis. Amsterdam: Günst o. J. 159 S. 8⁰

— die Unsterblichkeitsfrage, vermittelst einer neuen philosophischen Grundlehre, und nach vorhergegangener Widerlegung der Gründe aller materialistischen Schulen beantwortet. Mit einem Vorwort von Leutbecher. Ebend. 856. (Ebend.) gr. 8. (X, 252 S.) n. 1 *ℛ*. 15 *ngr.*

Polak, Martinus Theophilus, s. Bersohn, Math.

Polak, O., Ueber Agrarverfassung. 8⁰. Leitmeritz 1883.

Polak, Otto, social od. liberal?? Ein freier Vortrag, geh. am 7. März 1884 in der staatswissenschaftl. Gesellschaft zu Prag. [Nach den stenograph. Aufzeichngn. e. Mitgliedes der staatswissenschaftl. Gesellschaft.] gr. 8. (22 S.) Prag 884. Mercy. n. — 80

Polak, S., Pieśn Symonidesowa w Platońskim Protagorasie, jej rekonstrukcya i zwiazek z całoscia dyalogu. Pr. 1891. 65 S. 1.20

Polakowsky, Helmuth: Bericht des Franziskanermönches Augustin de Ceballos über die Provinz Costa-Rica im Jahre 1610. ([S.-A.] 18., 19. u. 20. Jahresbericht des Vereins für Erdkunde zu Dresden.) (Dresden 1883.) 12 S. 8⁰.

Polakowsky, H., der Chilisalpeter u. die Zukunft der Salpeterindustrie. Hrsg. vom Direktorium der landwirtschaftl. Hauptgenossenschaft zu Berlin. gr. 8. (IV, 76 S.) Berlin 893. (G. Schuhr.) n. 1. —

Polakowsky, H., d. Chilisalpeter u. d. Zukunft d. Salpeterindustrie. 2. Aufl. gr. 8. (IV, 76 S.) Berlin 895. R. v. Decker. n. 1. —

Polakowsky, Helmuth: Deutschland und der Panama-Canal. (Preussische Jahrbücher. Bd. 64. 1889. S. 212–230.) Berlin 1889. 19 S. 8⁰.

Polakowsky, Helmuth: Ein neues Canalprojekt durch Darien. (Beilage zur Allgemeinen Zeitung. Jahrg. 1897. No. 3.) München 1897. 5 S. 4⁰.

Polakowsky, Helmuth: Der Panama-Kanal und der geographische Kongress zu Paris, Mai 1879. Vortrag, (gehalten in der Polytechnischen Gesellschaft zu Berlin am 12. Februar 1880). Berlin 1880. 32 S. 8⁰.

— Panama- od. Nicaragua-Canal? gr. 8. (VI, 81 S. m. Karten, Plänen u. Ansichten.) Leipzig-Neustadt 893. A. Solbrig. n. 3. —

Polakowsky, H., was soll mit den Juden geschehen? Eine Anleitung zur gesetzl. Lösung der Judenfrage. gr. 8. (60 S.) Berlin 881. M. Schulze. n. 1. —

Polancus, Joa. Alphonsus, Vita Ignatii Loiolae et rerum Societatis Jesu historia, s.: Monumenta historica Societatis Iesu.

Poland, F. De legationibus Graecorum publicis. 1885. 118 S.

Poland, Franz: [Ansprache bei der Gedächtnisfeier für den am 26. Juni 1909 verstorbenen Rektor Dr. Otto Meltzer.] S. 4—9. 4. Progr. Wettiner Gymn. *Dresden* 1910 (744).

Poland, Frz., Bemerkungen zum Entwurfe eines Strafgesetzbuches für den norddeutschen Bund. Leipzig 869. Fues. 8. (16 S.) 3 *ngr.*

Poland, Frz. (I.), Bemerkungen zu dem Entwurf eines bürgerlichen Gesetzbuches für das Deutsche Reich. gr. 8. (16 S.) Dresden 888, Warnatz und Lehmann. * — 60

Poland, Frz., praktische Bemerkungen zum Entwurfe eines bürgerlichen Gesetzbuches für das Königreich Sachsen. Leipzig 853. Jackowitz. 8. (29 S.) 7½ *ngr.*

Poland, Franz: [Bericht über seine Einführung als Rektor.] S. 9 bis 11. 4. Progr. Wettiner Gymn. *Dresden* 1910 (744).

Poland, Franciscus [Dr.]: De collegiis artificum Dionysiacorum. Dresden, Rammingsche Buchdr., 1895; 3—27 S. 4. Dresden, Wettiner G, OP 1895 (547)

Poland, Frz., de collegiis artificum Dionysiacorum. Progr. gr. 4. (27 S.) Dresdae 895. (Leipzig, Buchh. G. Fock.) n. 1. —

Poland, Frz., Dichter u. Kanzler. Trauerspiel in 4 Aufzügen. 8. (100 S.) Leipzig 852, Brockhaus. n. 16 *ngr.*

Poland, Frz., Dichter und Kanzler. Trauerspiel in 4 Aufzügen. 2. unveränd. Aufl. Leipzig 860. Jackowitz. 8. (100 S.) n. 12 *ngr.*

Poland, Franz: Gedächtnisrede auf den verstorbenen Rektor Oberstudienrat Dr. (Otto) Meltzer. Dresden 1910: Ramming. S. 4—9. 4°
Dresden, Wettiner-G P 1910 (744) [S 10. 341

Poland, Frz., Geschichte des griechischen Vereinswesens, s. a. Preisschriften, gekrönt u. hrsg. v. der fürstl. Jablonowskischen Gesellschaft zu Leipzig. 38.

Poland, Franz: Geschichte des griechischen Vereinswesens. Von –. Leipzig: Teubner 1909. 655 S. 4⁰
(Preisschriften, hrsg. von d. Fürstl. Jablonowskischen Gesellschaft. 38. Hist.-nationalök. Sekt. Nr. 23.)

Poland, Frz., die Hindernisse einer wirksamen Strafrechtspflege, bes. im Königr. Sachsen. Ein wissenschaftl. Versuch, den Gebildeten aller Stände gewidmet. gr. 8. Leipzig 846, Hinrichs'sche Buchh. 4 *ngr.*

— Die hellenische Kultur, s.: Baumgarten, Fritz.

— die Musik eine Sprache, am Beispiele von Spontini's Vestalin erläutert. Dresden 870. Brauer. 8. (57 S.)

Poland, Frz. (II.), de Graecorum sollemnibus ex regum diadochorum et epigonorum nominibus appelatis, s. Commentationes Philologae quibus Ottoni Ribbeckio congratulantur Discipuli Lipsienses.

— Römisches u. Sächsisches Recht, oder: Welche im Sächs. bürgerl. Rechte noch geltenden Bestimmungen des Röm. Rechts sind abzuändern, u. wie sind noch unentschiedene Streitfragen zu entscheiden? Ein Beitrag zu einer neuen bürgerl. Gesetzgebung in Sachsen u. dem übrigen Deutschland, den Gebildeten aller Stände gewidmet. gr. 8. (31 S.) Leipzig 850, Hinrichs. n. 1/6 ℛ

—— rechtsgelehrte Richter oder Geschworene. Ein Vermittlungsvorschlag mit Rücksicht auf das neue sächsische Strafverfahren, den Gebildeten aller Stände gewidmet. gr. 8. (23 S.) Leipzig 858, Jackowitz.

— gemeinnützige Schriften. 8. (III, 94 S.) Dresden 895. H. Burdach. n. 3. —

Poland, Frz., Ovid's Tristien, Elegien eines Verbannten. Ein Gesammtbild ihres Inhalts u. poet. Gehalts m. den bedeutendsten Stellen in Latein u. Deutsch. gr. 8. (63 S.) Leipzig 881. Serbe. n. 1. 20

Poland, Louis, s. Kater Murr's Jugendstreiche.

Poland, S. A., Vorübungen zu einem geistigen Schreib- und Lese-Unterrichte, nach der Elementarschule für's Leben, nebst Lese-Uebungen aus dem ersten Lebensverhältnisse. 5. verm. u. verb. Aufl. 8. Bayreuth 841. (Buchner'sche Buchh.) n. 1/6 ℛ — 6. verm. u. verb. Aufl. 8. Ebend. 843. n. 1/6 ℛ — 7. verb. u. verm. Aufl. 846. n. 1/6 ℛ

Poland, S. A., Vorübungen zu einem geistigen Schreib- u. Lese-Unterrichte, nach der Elementarschule für's Leben, nebst Lese-Uebungen aus dem ersten Lebensverhältnisse. 8. Aufl. 8. (134 S., wovon 40 lith.) Bayreuth 848, Buchner in Comm. n. 1/6 ℛ

Poland, S. An., Vorübungen zu einem geistigen Schreib- u. Leseunterricht nach der Elementarschule für's Leben, nebst Leseübungen aus dem ersten Lebensverhältnisse. 9. Aufl. Bamberg 853. Buchner. 8. (2 Bl., 134 S.) n. 5 ngr.

Poland, Will., S. J., the dream of Bonaparte. A Napoleonic study. 8. (46 S.) St. Louis, Mo. 897. Freiburg i/B., Herder. n. 1. 50

Poland-China-Schweine-Herdbuch, deutsches. Hrsg. von der Vereinigung deutscher Poland-China-Schweine-Züchter. 1. Bd. gr. 8. (XXIV, 180 S. mit 10 Taf.) Oldenburg 886, Hintzen. * 5 —
Der 2. Band erschien im Selbstverlage der Herdbuch-Gesellschaft; Vorstand Oeconomierath v. Mendel, Halle a. S.

Polander [Pseud.], s.a. Pohlmann

Polander, entlarvter Cupido. 8. Magdeb. 713.

Polanec, Ivan (Johann) Nekoliko o srbskih národnih pesnih. [Über serbische Nationallieder.] 8 (S. 3—20). K. k. Ober-G. *Rudolfswert* 1886. Progr.

Polano, Oscar, Dr.: Aus der Königlichen Frauenklinik zu Würzburg. Experimentelle Beiträge zur Biologie der Schwangerschaft. *Würzburg 1904: H. Stürtz.* (68 S.) 8°
Würzburg, Med. Hab.-Schr. v. 1904

Polano, Oscar *J. H.* [app. Arzt aus Hamburg]: Aus d. kgl. Augenklinik zu Kiel. Ueber isolierte Chorioidealrupturen ... Kiel, Druck v. P. Peters, 1897; 15 S., 2 Bl. 8.
Kiel, Med. Fak., Inaug.-Diss. v. [22. Juli] 1897

Polano, Osc., über die Entwicklung u. den jetzigen Stand der Lehre von der Blasenmole u. dem sogen. malignen Deciduom, s.a. Sammlung klin. Vorträge.

Über die Entwicklung und den jetzigen Stand der Lehre von der Blasenmole u. dem sogenannten malignen Deciduom von Oscar Polano (Greifswald). *Leipzig: Breitkopf & Härtel 1902.* (S. 649–660.) 8°
= Sammlung Klinischer Vorträge. N. F. No 329.

Polano, Osk., der Magenkrebs in seinen Beziehungen zur Geburtshülfe u. Gynäkologie, s.: Abhandlungen, Würzburger, aus dem Gesamtgebiet der prakt. Medizin. IV. 11.

Polano, O., die Untersuchungsmethoden u. Erkrankungen der männlichen u. weiblichen Harnorgane, s.: Burkhardt, L.

Polanski, Eug. René, der Halley'sche Komet. Nebst e. kurzgefaßten Abhandlg. üb. die Kometen im allgemeinen u. e. Biographie des Astronomen Edmund Halley. Volksausg. (62 S. m. Titelbild.) 8. Proßnitz (910). F. Karášek. — 50

Polanski, Pet., die Labialisation u. Palatalisation im Neuslavischen. gr. 8. (VIII, 81 S.) Berlin 898. S. Calvary & Co. n. 3. —

Polanski, karpathische Novellen, s.a. Bibliothek, russische.

Polanski, P., karpathische Novellen. 2 Bde. [In kleinruss. Sprache.] 8. (IV, 236 u. 265 S.) Leipzig 888. Gerhard. n. 6. —

Polanski, Stanislaus, s. Polansky

Polanski, W. D. Schußverletzgn d. Thorax, bes. durch d. kleinkalibr. Geschoß. (Diss.) München 1894.

Polansky, F., Rožnauer Führer. Nach Auftrag d. Kurkomités. 2. Aufl. Wien 865. Braumüller. 8. (30 S. mit 1 lith. Karte der Umgebung von Rožnau in 4.) n. 10 ngr.

Polansky, F., Rožnauer Führer. Im Auftrag des Cur-Comités. 3. Aufl. Verb. und verm. bis auf die neueste Zeit von Fr. Bayer. Nebst einer Karte. 8. Wien 874, Braumüller. *

Polansky, Dr. F. — Ueber die Molkenkur in Rožnau in Mähren. Enthaltend gründliche Anweisung zum richtigen Gebrauche der Molken und Regelung der Lebensweise. Von — —. 8. (1 Blatt, 28 S) Neutitschein. Schnellpressendruck und Verlag von J. N. Enders. 1854.

Polanský, Frant. Urb., Reči duchowní k prospěchu ústawu pro chudé sepsané. gr. 8. Brünn 846. (Winiker.) n. 3/4 ℛ

Polansky, Franz

Polansky, F., Grundriß zu einer Lehre von den Ohren-Krankheiten. gr. 8. Wien 842. (Fr. Beck.) n. 2/3 ℛ

Polansky, F(ranz): Grundriss zu einer Lehre von den Ohren-Krankheiten. 120 S., gbd.

Wien: Rack 1842

Polansky, Friedr., die Selbstpflege der Brustschwachen. Wien 858. (Gerold in Comm.) gr. 8. (VI, 48 S.) n. 10 ngr.

Polansky, Stanislaus

— — Lehrbuch der Physiologie für Tierärzte, s.: Bruckmüller.

Polanski, Stanisl., Ursachen d. seuchenartigen Verwerfens. [Aus: „Oesterr. Monatsschrift f. Thierheilkunde u. Thierzucht".] (Internationaler land- u. forstwirthschaftl. Congress zu Wien 1890, Hft. 83.) gr. 8. (11 S.) Wien 890. (W. Frick.) n. — 60

Polansky, Stanisl., Ursachen des seuchenartigen Verwerfens. S.-A. Wien 90. Perles. M. —.60

— — Vorlesungen über die Naturgeschichte, Rassenlehre und Hygiene des Pferdes. (Mit S.) (VIII., 76 S.) Wien 94. Braumüller. M. 2.—

Polansky, St., s.: Zeitschrift, österr., f. wissenschaftl. Veterinärkunde.

Polanten, Kurt v.

Kreuz und Kelle. Erzählung für das Volk von Curt v. Polanten. Wesel: Kühler 1873. 64 S. 8°

[Dasselbe.] 2. Aufl. Ebendas. 1873. 64 S. 8°

°[Dasselbe.] 3. Aufl. Ebendas. 1873. 64 S. 8°

[Dasselbe.] 4. Aufl. Ebendas. 1873. 64 S. 8°

[Dasselbe.] 5. Aufl. Ebendas. 1873. 64 S. 8°

°[Dasselbe.] 6. Aufl. Ebendas. 1873. 64 S. 8°

[Dasselbe.] 7. Aufl. Ebendas. 1873. 64 S. 8°

°[Dasselbe.] 8. Aufl. Ebendas. 1873. 64 S. 8°

°[Dasselbe.] 9. Aufl. Ebendas. 1873. 64 S. 8°

[Dasselbe.] 10. Aufl. Ebendas. 1873. 64 S. 8°

[Dasselbe.] 11. Aufl. Ebendas. 1873. 64 S. 8°

[Dasselbe.] 12. Aufl. Ebendas. 1873. 64 S. 8°
cf. f. 3. Aufl. Z. 8 (1873) S. 37—38. Tt. 2668, TB. 370. Gegen die Ultramontanen als Antwort auf J. Bischoffs „Kelle od. Kreuz" 1871. Polanten ist Pseud.

Polanten, Curt v., Kreuz u. Kelle. Erzählung f. das Volk. 12. Aufl. 16. (64 S.) Wesel 873. Kühler. — 30

Polarch, Ernest (Pseud.), s.a. A b i c h t, Johann Heinrich

Polarch, Er., (Jh. Hnr. Abicht,) des Paracelsi Spinosini absolutes Ey oder urs absoluti, od. das durch Scherz u. Ernst rektificirte Schellingsche Identitätssystem. 8. German. 803. (Hildebrand in Arnstadt). 8 gr.

Polar-Coordinaten, s.a. Landes-Triangulation, die königl. preussische.

Polar-Coordinaten, geographische Positionen und Höhen sämmtlicher vom Bureau der Landestriangulation bestimmten trigonometrischen Punkte. Herausg. vom Bureau der Landestriangulation (Th. 1 von v. Morozowicz); vom 2. Th. an: Herausg. von der trigonometrischen Abtheilung der Landesaufnahme (O. Schreiber.) Th. 1—7, 11. Berlin 1874—86.

Polarexpedition. Bergslien, Knud, kart over Fridtjof Nansen's Polarexpedition 1893—189? Gjennemseet af H. Mohn. 32,5×23,5 cm. Farbendr. Christiania 893. Cammermeyer. — 60

Die **Polar-Expedition** von A. Weyprecht und Julius Payer im Jahre 1871. Vorbericht über die Expedition zur Untersuchung des Nowaja Semlä-Meeres. Juni — September 1871. ([S.-A.] Mittheilungen der k. k. Geographischen Gesellschaft in Wien. Bd. 14. 1871.) Wien 1872. 24 S. 8°.

Polarforschung, die internationale, 1882—1883. Die Beobachtungs-Ergebnisse der deutschen Stationen. 2 Bde. Hrsg. im Auftrage der deutschen Polar-Kommission v. Neumayer u. Börgen. gr. 4. Berlin 886. Asher & Co. cart. n.n. 100. —
1. Kingua-Fjord u. die meteorologischen Stationen II. Ordnung in Labrador: Hebron, Okak, Nain, Zoar, Hoffenthal, Rama, sowie die magnet. Observatorien in Breslau u. Göttingen. (830 S. m. Taf. u. Karten.)
2. Süd-Georgien u. das magnet. Observatorium der kaiserl. Marine in Wilhelmshaven. (591 S. m. Taf. u. Karten.)

Polarforschung, die internationale, 1882—1883. Die österreich. Polarstation Jan Mayen, ausgerüstet durch Se. Exc. Graf Hanns Wilczek, geleitet von Emil Edlen v. Wohlgemuth. Beobachtungs-Ergebnisse, hrsg. v. der kaiserl. Akademie der Wissenschaften. 1. Bd., 2. Bd. 1. Abthl. u. 3. Bd. Wien 886. (Gerold's Sohn.) cart. n. 66. —
I. Mit 4 Karten, 15 Taf. u. 10 Holzschn. (III, 493 S.) n. 36. —
II. 1. Mit 12 Taf. u. 69 Holzschn. (III, 232 S.) n. 16. —
III. Mit 9 Taf. u. 2 Holzschn. (X, 132 u. 44 S.) n. 14. —

— dasselbe. Die österreich. Polarstation Jan Mayen, ausgerüstet durch Se. Exc. Graf Hanns Wilczek, geleitet v. Emil Edlen v. Wohlgemuth. Beobachtungs-Ergebnisse, hrsg. v. der kaiserl. Akademie d. Wissenschaften. 2. Bd. 2. Abth. Imp.-4. (III, 175 S. m. 4 Holzschn. u. 25 Taf.) Wien 887. (Tempsky.) cart. n. 10. — (I—III.: n. 76. —)

— dasselbe. Beobachtungs-Ergebnisse d. norweg. Polarstation Bossekop in Alten. Im Auftrage des königl. norweg. Cultus-Ministeriums hrsg. v. Aksel S. Steen. 2 Thle. gr. 4. Christiania, (Aschehoug & Co.). n.n. 46. 50
1. Historische Einleitung. Astronomie. Meteorologie. Mit 4 Taf. u. 3 Holzschn. (V, VIII, 31 u. 100 S.) 887. n.n. 10. 50
2. Erdmagnetismus. Nordlicht. Mit 27 Taf. u. 1 Holzschn. (VIII, 73, 89, 12 u. 127 S.) 888. n.n. 36. —

— dasselbe. Die deutschen Expeditionen u. ihre Ergebnisse. 2. Bd. gr. 8. Ebd. 890. n. 22. —
Beschreibende Naturwissenschaften in einzelnen Abhandlungen, hrsg. im Auftrage der deutschen Polar-Kommission von deren Vorsitzenden G. Neumayer. (VII, 574 S. m. Karten u. Taf.)
Der 1. Bd. erscheint später.

Polarforschung, die internationale, 1882—1883. Die deutschen Expeditionen u. ihre Ergebnisse. 1. Bd. Geschichtlicher Thl. u. in e. Anh. mehrere einzelne Abhandlgn. physikal. u. sonst. Inhalts; hrsg. im Auftrage der deutschen Polar-Kommission v. G. Neumayer. gr. 8. (VII, 243 u. 120 S. m. Abbildgn., Karten u. Taf.) Berlin 891. Asher & Co. n. 14. — (kplt.: n. 36. —)

Polarisation, üb. die, des Lichts, in den neuesten Anfangsgründen d. Experimentalphysik, üb. die Théorie des accès de facile transmission etc. gr. 8. Potsd. 819. Horvath u. S. 4 gr.

Ueber die Polarisation des Lichts, in den neuesten Anfangsgründen der Experimental-Physik. Potsdam 1819. 8. (Verf. steht am Schluss des Buchs: Rohde).

Deutsche Polar-Kommission. Bericht über die Süd-Expedition nach Süd-Georgien, die Nord-Expedition nach Cumberland-Sund und die Expedition nach Labrador. Vorbemerkungen von G. Neumayer. (Hamburg 1883.) 16 S. 8°.

Polarreisen, die, und Mac Clintock Expedition zur Aufsuchung J. Franklin's, s. Lorck's, C. B., Zeithefte.

Polarstation. Die österr., Jan Mayen, ausgeführt durch seine Excellenz Graf Hans Wilczek, geleitet vom k. k. Corvetten-Capitän Emil Edlen von Wohlgemuth. Beobachtungs-Ergebnisse, herausgegeben von der k. Akademie der Wissenschaften. II. Bd. I. Abth. Hoch-4°. (232 S. mit 12 Tafeln und 69 Holzschnitten. Ebd. In Comm. cart. fl. 8.—.
— III. Bd. Mit 9 Tafeln und 2 Holzschnitten. Hoch-4°. (X, 176 S. Ebd. In Comm. fl. 7.—.
1886

Polarstation, die österreichische. Jan Mayen, ausgeführt durch Se. Excellenz Graf Hanns Wilczek, geleitet vom k. k. Corvetten-Capitän Emil Edlen v. Wohlgemuth. Beobachtungsergebnisse, hrsg. v. der k. Akademie d. Wissenschaften. II. Bd. II. Abthlg. Mit 25 Tafn. u. 4 Holzschn. 4°. (175 S.) In Comm. cart. fl. 5.—.
1887

Polar-Stern, der, eine cosmopolitisch-constitutionelle Wochenschrift; hrsgg. v. D. Jos. Gambihler in Würzburg. (1r Jahrgang) 1832. 104 Numm. Mit Titelvign. gr. 4. Nürnberg, Campe 4 ₰

Polaschek, Ant., der Anschauungsunterricht m. bes. Rücksicht auf die Liviuslectüre. Progr. gr. 8. (XXXII S.) Czernowitz 894. (H. Pardini.) n.n. 1. —

*Polaschek, Anton: [Ansprache anläßlich des 70. Namensfestes Sr. Majestät des Kaisers Franz Josef.] S. 6—7 der Schuln. 8.
Progr. K. k. Staatsgymn. *Floridsdorf* 1901.

Polaschek, *Anton* Beiträge zur Erkenntnis der Partikeln *ἄν* und *κέν*. 8 (S. 3—32). Progr. Ober-G. *Czernowitz* 1890

Polaschek, *Anton* Beiträge zur Erkenntnis der Partikeln *ἄν* und *κέν*. (Schluss). 8 (S. 3—24, 2 S. Nachtr. u. Bericht.)
Progr. K. k. Ober-G. *Czernowitz* 1891.

*Polaschek, Anton: Bemerkungen zur Methodik des lateinischen Unterrichts auf der untersten Stufe. 12 S. 8.
Progr. K. k. Staatsgymn. *Floridsdorf* 1901.

Polaschek, Ant., zur Berechtigungsfrage an den Realschulen. (12 S.) 8. Wien 902. (C. Konegen.) n. — 20
Sonderabdruck aus: „Wiener Abendpost".

— [Bericht über die Jubelfeier vom 2. Dezember 1908.] S. 60 bis 65. 8.
K. k. Staats-Realgymn. im XXI. Gemeindebezirke *Wien*
Progr. (früher Staatsgymn. *Floridsdorf*) 1909.

— Cäsars Bürgerkrieg, das bell. Alexandrinum u. bell. Africanum u. d. codex Vindobonensis 95 (Hist. prof. 594). Endl LXV. Progr. gr. 8. (XX, S.) Ebd. (893). n.n. 1. —

— Eröffnung des neuen Gymnasialgebäudes. S. 3—15. 8.
Progr.

Polaschek, Ant., Schulwörterbuch zu Cäsar's bellum gallicum, s.: Brammer.

— Studien zur grammatischen Topik im corpus Caesarianum. Progr. (23 S.) gr. 8. Floridsdorf 902. (Wien, C. Konegen.) n. — 40

* Polaschek, Anton: [Der suppl. Religionslehrer P. Karl Zanda, † 11. Dec. 1900.] S. 7—8. — Wirklicher Lehrer August König † 5. Jänner 1901 S. 8—9 der Schuln. 8. K. k. Staatsgymn. *Floridsdorf* 1901.
Progr.

Polaschek Erich: De visu atque coloribus quid Democritus docuerit.
II. 1909 PN 2676 Diss. Wien, Univ. 1651

Polášek, B., Was soll man wissen und tun, bevor man Meß- und Wägemittel nacheichen läßt? 8°. (27 S.) K —.60
Mähr.-Ostrau: Polasek 1908.

POLÁŠEK, JOSEF. Ueber Asa foetida. Bern, 1897.

Poláček, s.: Landbote-Kalender, neuer.

Poláček's Temesvárer neuer Landbote-Kalender, s.: Landbote, neuer.

Poelchau, Arth., das Bücherwesen im Mittelalter, s. Sammlung gemeinverständlicher wissenschaftlicher Vorträge.

Pölchau A, das Bücherwesen im Mittelalter. (Slg wiss. Vortr. 377) Berlin 1881

Poelchau, Arth., die livländische Geschichtsliteratur im J. 1883 u. 1884. 12. (87 u. 95 S.) Riga 884. 85. Kymmel. à n. 1. —

Poelchau, A., die livländische Geschichtsliteratur in den J. 1885—1889. 12. (108, 101, 84, 100, 103 S.) Riga 886—889. Kymmel's Verl. à Jahrg. n. 1. —

Poelchau, Arth., die livländische Geschichtsliteratur im J. 1889, 1890, 1891. 12. (103, 108, III, 96 S.) Riga, N. Kymmel's Verl. à Jahr n. 1. —

Poelchau, Arth., d. livländische Geschichtsliteratur in d. J. 1892—1897. 12. (92; 111; 90; III, 76; IV, 139 u. III, 59 S.) Riga 893—898. N. Kymmel's Verl. à n. 1. —

Poelchau, Arth., die livländische Geschichtsliteratur im J. 1898. 12. (III, 94 S.) Riga 899. N. Kymmel's Verl. n. 1. —

— dasselbe im J. 1899. 12. (III, 71 S.) Ebd. 900. n. 1. —

— dasselbe in den J. 1900 u. 1901. 12. (III, 124 S.) Ebd. 902. n. 1. —

Poelchau, Arth., die livländische Geschichtsliteratur, Fortsetz., s.: Feuereisen, Arnold.

— griechische u. römische Sagen für den Geschichtsunterricht in den untersten Klassen, nebst einem Anh., enth. die Geschichte der ältesten Kulturvölker. 2., umgearb. Aufl. 8. (70 S.) Riga 882. Kymmel. cart. n. — 90

— griechische u. römische Sagen f. den Geschichtsunterricht in den untersten Klassen, nebst e. Anh., enth. die Geschichte der ältesten Kulturvölker. 3. Aufl. gr. 8. (68 S.) Ebend. 885. n. — 75

— der Zeichenunterricht in der Volks- und Kreisschule. Ein Hinweis auf die Bedeutung eines method. Zeichenunterrichts für die niederen Lehranstalten. gr. 8. (11 S.) Ebendas. 882. *

Poelchau, G., Carl Ernst v. Baer. Ein Vortrag, geh. am 16. Apr. 1879 im Saale der Schwarzhäupter in Riga. gr. 8. (28 S.) Riga 879. (Bruhns.) n. — 50

Poelchau, G.: Das kleine Handbuch des Schlittschuhlaufes. Riga 1905. 102 S. m. Abb.

Poelchau, Gustav

— Anleitung zur Benutzung des Schulverbandkastens Typ 665. (14 S. m. 1 Abb.) kl. 8. Charlottenburg 910. P. J. Müller. — 20

Poelchau, Gust., Anleitung f. die schulärztliche Tätigkeit. (VIII, 134 S.) 8. Hamburg 908, Leipzig, L. Voss. 2. 50

Poelchau, Gustav [pr. Arzt]: Aus d. anatom. Institut zu Königsberg i. Pr. No. 4. Ein Fall von Perodaktylie. . . . Königsberg i. Pr., Druck v. M. Liedtke, 1891; 33 S., 2 Bl., 1 Taf. 8°
Königsberg, Med. Fak., Inaug.-Diss. v. 29. Jul. 1891

Poelchau, Gust., e. Fall v. Porodaktylie. Diss. gr. 8. (33 S. m. 1 Taf.) Königsberg i/Pr. 891. (W. Koch.) n. 1.—

— die Gewissensnot in den baltischen Provinzen Rußlands. Vortrag, geh. am 10. Novbr. 1893. gr. 8. (20 S.) Wernigerode 893. (P. Jüttner.) n.n. —30

Poelchau, Gustav Friedrich

Poelchau, G. F., gerichtsärztliche Gutachten. Riga 868. Bruhns. gr. 8. (XII, 240 S.) n. 2 ℳ

Poelchau, Gust. Frdr., Studien über den Einfluß der bedeutendsten medicinischen Systeme älterer und neuerer Zeit auf die Pharmakologie. 1. Abth. Dorpat 861. (Gläser.) gr. 8. (109 S.) n. 18 ngr.

Poelchau, Hermannus: De fructibus rei pigneratae. Berolini 1844: formis academicis. VI, 39 S. 8°

Halle-Wittenberg, Jur. Diss. v. [29. Juni] 1844

Geb. [Berlin 16. 1. 1816]

Verf. erlebte die Diplomerneuerung 1894 als Oberlandesgerichtsrat a. D. in Hamburg.

Poelchau, Karl, a. Wernigerode a. H.: Susannah Centlivre's Tragödie „The Cruel Gift" in ihrem Verhältnis zur Quelle Boccaccios Decameron IV 1. Halle a. S. 1905: C. A. Kaemmerer & Co. (121 S.) 8°

Halle, Phil. Fak., Ref. Wagner, Diss. v. 4. April 1905

[Geb. 1. Mai 79 Riga; Wohnort: Wernigerode; Staatsangeh.: Preußen; Vorbildung: Gymn. Wernigerode Reife O. 99; Studium: Charlottenburg T.H. 4, München 1, Straßburg 1, Grenoble 1, Berlin 1, Halle 5 S.; Rig. 19. Dez. 04.]

Poelchau, Osc., der Zeichenunterricht in der Volks- u. Kreisschule. Ein Hinweis auf die Bedeutung eines method. Zeichenunterrichts für die niederen Lehranstalten. gr. 8. (11 S.) Riga 882. Kymmel. n. — 60

Poelchau, P., der landwirtschaftliche Unterricht in der Kaserne. Eine Reihe v. Vorträgen. (IV, 67 S.) 8. Berlin 909. Liebel. 90

Poelchau, Peter Harald

— Rigas evangelische Kirche im 19. Jahrh. 3 Vorträge, geh. in der Aula der Stadt-Realschule zu Riga. (65 S.) gr. 8. Ebd. 910. 1.25

Sonderabdruck aus: „Mittlgn. u. Nachr. f. d. ev. Kirche in Rußl."

Poelchau, P. H., zwei Jahrhunderte Rigascher Kirchengeschichte 1710—1910. (Rigaer Volksschriften zur livländ. Kirchengeschichte.) (24 S.) 8. Riga 910. Jonck & Poliewsky. — 25

Poelchen, R., Katechismus für die freiwilligen Krankenträger der Kriegervereine. Im Auftrage des Chefs des Danziger Kriegervereins und Vorsitzenden des III. Bezirks Deutschen Kriegerbundes verfaßt. gr. 8. (23 S.) Danzig 887, (Saunier.) * — 40

Poelchen, Rich. (geb. Kolberg 18. 8. 1855): Die Fascien der Achselhöhle. Berlin (1879). (25 S.) 8°

Berlin, Med. Diss. v. 11. Okt. 1879

Polchow, J. D., de unctione Christi. Jen. 1751. 4.

Polchow, Jh. Dav., († d. 6. Sept. 1801.) Buchstaben-, Syllabir- u. Zahlentafel f. seine Schulen. 8. Lübeck 784. Neue Ausg. 791.

— hat unsere Gegend bei d. Einführung d. Christenthums unter Otto d. Großen u. Herzog Heinrich d. Löwen gewonnen? — beantwortet. 4. Lübeck 790.

— Instruktion f. die Lehrer an d. Capitularschulen d. Hochstifts Lübeck. 8. Lübeck 792.

— gemeine Syllabirtafel, z. ersten Anleit. z. Lesen rc. 8. Götting. 785. Verb. Ausg. 8. Lübeck 791. — Dieselbe z. Gebr. f. sämmtl. Capitelschulen eingerichtet. 8. Rostock 793.

— üb. Volk u. Fibel, z. fruchtbaren Gebrauch in Volksschulen; (ein Dialog). 4. Lübeck (786).

Polcich, Karl

Polcich, Carl, Elementar-Grammatik der französischen Sprache. 8. (VIII, 191 S.) Wien 875. Hölder. n. 1. 50

— lectures ou exercices orthographiques sur les finales, la réduplication des consonnes etc. etc. Ouvrage spécialement destiné aux élèves allemands. 8. (81 S.) Wien 874. Sintenis. n. 1. 60

Polcich, Carl, vergleichendes französisches Vocabelbuch zur Erleichterung des Memorirens, der Rechtschreibung der französ. Wörter u. der Scheidung der Synonymen. Nach dem grossen Wörterbuche v. E. Littré. 8. (118 S.) Wien 877. Lechner's Verl. n. 1. 60

Polcke, Johann Christian

Polcke, J.C.: De Diana Ephesia. – Lips. 1718.

Polcke, Johann Christian [Praes.], s. Florin, Johann Christoph Sigism.: Ex historia Romana vestem palmatam.

Polcke, J. C., historia passionis Chr. fabulis adspersa. Lips. 1715. 4.

Polcke, J. C., vestis palmata. Altorf. 1720. 4.

Polcke, Johann Christian [Praes.], s. Weinold, Gottlob: Historia passionis Jesu Christi fabulis adspersa.

Polcke, Wilh., Abhandlung üb. d. Haupt-Principien, wodurch d. Bekehrung d. Juden erzielt u. d. Vereinigung d. getrennten Christenthums befördert werden kann, gewid. seinen sämmtl. Religions-Oberhäuptern d. christl. u. jüd. Konfessionen. gr. 8. (3 B.) Köln 838. [Coblenz, Bädeker.]

— Veröffentlichung des Messias und seines Reiches, oder Beweis aus der heil. Schrift des alten Testamentes 1) wer der Messias ist, 2) daß derselbe gekommen ist, 3) daß ein Solcher nur allein ein Freund Gottes ist, wer Gott und dem Messias gehorchet. gr. 8. Köln 836. Renard. n. 1 ℳ

— Veröffentlichung des Messias u. seines Reiches, od. Beweis aus d. heil. Schrift des alten Testamentes, 1) wer der Messias ist, 2) daß derselbe gekommen ist, 3) daß ein Solcher nur allein ein Freund Gottes ist, wer Gott u. dem Messias gehorchet. gr. 8. (35¼ B.) Cöln 836. [Coblenz, Bädeker.] •

Polczyk, Emil

Polczyk, Aemilius: De unitatibus et loci et temporis in nova comoedia observatis. Vratislaviae 1909: Nischkowsky. 80 S. 8°

Breslau, Phil. Diss. v. 30. Juli 1909, Ref. Skutsch

[Geb. 28. Nov. 84 Schoppinitz; Wohnort: Schoppinitz; Staatsangeh.: Preußen; Vorbildung: Gymn. Kattowitz Reife O. 05; Studium: Breslau 9 S.; Rig. 27. Febr. 09.] [U 09. 617

RITTER Poldchen von Ortberg, Eine Rittergeschichte aus den neuesten Zeiten. Stendal. Franzen u. Grosse. 1797. 8°. Selten!

Der Vagabund und die Prinzessin. Spieloper in 1 Akt von Ed. **Poldini**. Text frei nach Andersen von A. E. Seligmann. (Textbuch.) *Breslau: J. Hainauer [1903?].* (15 S.) 8° [04. 3·05 2

Der Vagabund und die Prinzessin. Opernspiel in 1 Akt von Ed. **Poldini**. [Textbuch.] Text nach Andersen von A[dalbert] F[ranz] Seligmann. Leipzig, Wien: Weinberger [1909]. 10 S. 8° A 14. 7285

Pole, der geschickte, od. die Kunst, in kurzer Zeit polnisch lesen, schreiben u. sprechen zu lernen. Von e. prakt. Polen. 12. (54 S.) Leipzig 900. E. H. Mayer. n. — 50

Pole, der kleine, oder die Kunst die polnische Sprache in einigen Tagen, ohne vorher ein Wort davon gewußt zu haben, verstehen, schreiben u. vollkommen richtig sprechen zu lernen. Ein Hülfsbuch für alle, welche nach Polen reisen u. diesen., welche schnell polnisch lernen wollen. Hrsg. von S. gr. 16. (147 S.) Posen 847, Gebr. Scherk. n. 5/12 ℛ — 2. verb. u. verm. Aufl. gr. 16. (142 S.) Ebd. 851. 3/8 ℛ

Pole, der kleine, oder die Kunst die polnische Sprache in einigen Tagen verstehen, lesen, schreiben und vollkommen richtig sprechen zu lernen. Ein Hülfsbuch für alle, welche nach Polen reisen u. diejenigen, welche schnell polnisch lernen wollen. Herausg. von S. 3. Aufl. 854. (142 S.) — 4. unveränd. Aufl. Berlin 856. Scherk. 16. (127 S.) 11¼ ngr

Pole, der kleine, oder die Kunst, die polnische Sprache in einigen Tagen verstehen, lesen, schreiben und richtig sprechen zu lernen. Ein Hülfsbuch für Militairs, Kaufleute, Landwirthe u. alle nach Polen Reisende. Mit Bezeichnung der Aussprache. Herausg. von S. 6. sehr verm. Aufl. Berlin 861. Gebr. Scherk. 16. (130 S.) 12 ngr

Pole, Der kleine, oder die Kunst, die polnische Sprache in einigen Tagen ... zu lernen ... 11. Aufl. Berlin [1892]. H: *Scherck.* (Berl)

— der verbannte, oder die Familie Sirema Ufoff. Eine Erzählung f. die Jugend. 2. (Titel-) Ausg. 12. (72 S.) Hamburg (847) 852, Kittler. 6 ngr (1. Ausg. siehe: Flora u. Pomona.)

Pole, Will., Wilhelm Siemens. Mit Portr., Abbildgn. u. e. Karte. gr. 8. (VIII, 435 S.) Berlin 890. Springer. n. 8. —

Polec, Janko, Materialien zur Lehre v. der Rehabilitation, s.: Delaquis, Ernst.

Poleck, Erwin [Aus Breslau]: Beiträge zur Desinfectionspraxis ... Breslau, Druck v. Grass, Barth & C., *1897;* 50 S., 1 Bl. 8.
Breslau, Med. Fak., Inaug.-Diss. v. 28. Juli 1897

Poleck, Erwin, Beiträge zur Desinfectionspraxis. Diss. gr. 8. (50 S.) Breslau 897. (Schletter.) n. 1. 20

Poleck, Theodor

Poleck, Th., chemische Analyse der Kronenquelle zu Salzbrunn in Schlesien. gr. 8. (12 S.) Breslau 882. Maruschke & Berendt. n. — 50

— chemische Analyse d. Ober-Brunnens zu Flinsberg in Schlesien. gr. 8. (16 S.) Ebend. 883. n. — 50

— chemische Analyse der Thermen v. Warmbrunn am Fusse d. Riesengebirges in Schlesien. gr. 8. (19 S.) Ebend. 885. n. — 50

Chemische (Das) Atom und die Molekul. Rede bei dem Antritt des Rektorats der königlichen Universität zu Breslau am 15.Ocktober 1888 gehalten. Breslau, 1889. 8vo.

Poleck, Th., das chemische Atom und die Molekel. Rektorats-Rede. gr. 8. (27 S.) Breslau 890. Maruschke & Berendt. n. — 75

Poleck, Theodor: Beiträge zur Kenntniss der chemischen Veränderungen fliessender Gewässer. Breslau: Maruschke & Berendt 1869. (71 S., 1 Taf.) 8° *[Buchausg. ebenda.]*
Breslau, Phil. Fak., Antr.-Progr. als ord. Prof. v. 6. März 1869

Poleck, Thdr., Beiträge zur Kenntniss der chemischen Veränderungen fliessender Gewässer. Mit einer (chromolith.) Karte (in qu. gr. 4.). Breslau 869. Maruschke & Berendt. Lex.-8. (III, 71 S. mit einer Tab. in qu. 4.) n. 20 ngr

(Poleck, Theodor): 1. • De corporibus nonnullis, quae in sicca cerae destillatione formantur. 62 S. 4° (2°) u. dass. [deutsch] 2. • Untersuchung einiger Producte der trocknen Destillation des Bienenwachses. 44 S. 4° (2°)
Halle-Wittenberg, Phil. Diss. v. 19. April 1849
Geb. [Neisse 10. 11. 1821]
Vom Verf. war ersch.: Notiz über die Destillationsproducte des Bienenwachses und über einen harzartigen Körper aus Pflanzenparasiten. In: Annalen der Chemie u. Pharmacie. Bd 67. Lemgo u. Heidelberg 1848. S. 174—180. — Verf. erlebte die Diplomerneuerung 1899 als Geheimer Regierungsrat, ordentlicher Professor der pharmazeutischen Chemie in Breslau.

— die chemische Natur der Minengase u. ihre Beziehung zur Minenkrankheit. Für Ingenieur- u. Artillerie-Offiziere u. Aerzte. Berlin 867. Mittler & Sohn. gr. 8. (147 S. mit 1 Tableau u. 3 Steintaff. in 4., qu. 4., qu. gr. 4. u. Fol.) n. 24 ngr

Poleck, Thdr.. über naturwissenschaftliche Sachverständige. Habilitations-Rede gehalten zu Breslau am 6. März 1869. Breslau 869. Gebhardi. gr. 8. (11 S.) 3 ngr

—— Dr. Scheidemann und die wissenschaftliche Kritik. Eine Beleuchtung der Scheidemann'schen Schrift: „Die Minenkrankheit, ihre wahre Ursache, Verhütung und Behandlung." Für Ingenieur-Offiziere und Aerzte. gr. 8. (44 S. mit 1 Tab. in qu. 4. und 1 Stnt. in Fol.) Berlin 867, Mittler und Sohn. *

Poleck, Thdr., chemische Untersuchung des wachsähnlichen Bestandtheiles der Balanophora elongata, Blume. [Für die kais. Leopold.-Carol. Akad. d. Naturforscher.] gr. 4. (10 S.) Breslau u. Bonn 848, Weber. n. 1/3 ℛ (siehe auch: Actorum, novor., acad. caes. Leopold.-Carol., vol. XXII, pars 1.)

Poleck, Theodor, Dr., Ueber die chemische Zusammensetzung der Minengase und ihre Beziehung zur Minenkrankheit.

Urkunde der Polednik'schen Stiftung zu Lissek Kreis Rybnik. (Verf.: Joseph Benedict **Polednik**.) [Hrsg.:] Rudolph Müntzberg, Stiftsrendant a. D. Glogau 1906. 64 S. 8° (11. 7738 2

Poléjaeff, N., über das Sperma und die Spermatogenese bei Sycandra raphanus Haeckel. [Aus dem zootom. Institute der Universität Graz.] Lex.-8. (23 S. mit 2 lithogr. Taf.) Wien 882, (Gerold's Sohn.) *
Aus: Sitzungsberichte der k. Akademie der Wissenschaften, besonders abgedruckt.

Polek, J. B., Australien. Ein Natur- u. Culturbild. Mit 1 (lith.) Karte (in qu. gr. 4.) gr. 8. (35 S.) Wien 875. Weiske & Co. n. 1. —

POLEK, Johann
(F) Die Anfänge der deutschen Besiedelung der Bukowina unter der Militärverwaltung (1774—1786). Von Dr. Johann Polek. Czernowitz. 1899. R. Eckhardt'sche Buchdruckerei. [Pardini.] Gr.-8°. 14 S. fl. —.24

Polek, Joh., die Anfänge der deutschen Besiedelung der Bukowina unter der Militärverwaltg. (1774—1786). gr. 8. (14 S.) Czernowitz 899. (H. Pardini.) n. — 42
Sonderabdruck aus: „Bukowiner Bote".

Polek, Joh., die Anfänge des k. k. Staatsgestütes Radautz. [Aus: „Jahrb. d. Bukowiner Landes-Museums" 2. Bd.] gr. 8. (83 S.) Czernowitz 894. (H. Pardini.) n.n. 2. —

— die Anfänge d. Volksschulwesens in der Bukowina. Ein Beitrag zu e. Geschichte der Bukowiner Militärverwaltg. 12. (104 S.) Ebd. 891. n. 1. 20

— die magyarischen Ansiedelungen Andreasfalva, Hadikfalva u. Joseffalva in der Bukowina. 8. (42 S.) Ebd. 899. n.n. — 80
Sonderabdruck aus: „Czernow. Zeitung".

Polek, Joh., die Armenier in der Bukowina. I. (43 S.) Lex.-8. Czernowitz 906. H. Pardini. n. 1. —

Polek, Joh. (Hrsg.), s. Asbóth, Gfr.v.: Die Religionsfondsherrschaft Radautz.

— s.a. Spleny's Beschreibung der Bukowina.

Polek, Dr. Johann, General Splény's Beschreibung der Bukowina. 16. (XVI, 167 S.) 1.20
Czernowitz: Pardini 1893.

Polek, Dr. Johann, Topographische Beschreibung der Bukowina mit militärischen Anmerkungen von Major Friedrich von Mieg. Gr.-8. (38 S.) —.50
Czernowitz: Pardini 1898.

Polek, Joh., die Bukowina zu Anfang des J. 1801 in alphabetischer Darstellg. Nach e. amtl. Denkschrift hrsg. (76 S.) Lex. 8. Czernowitz 908. (H. Pardini.) nn 1.50

— die Bukowina zu Anfang d. J. 1783. Nach e. Denkschrift des Mappierungsdir. Joh. Budinszky. 12. (84 S. m. 1 Tab.) Ebd. 894. n.n. 1. —

Polek, Johann u. Rosenfeld, L.: Czernowitz. Wien: Gerold 1888. (Sonderausgabe aus: Österreichisches Städtebuch, 2/1888)

Polek, Joh., d. Entstehen u. d. Entwickelg. d. evang. Pfarrgemeinde in Czernowitz. [Aus: „Jahrb. d. Bukowiner Landesmuseums".] Lex.-8. (19 S.) Czernowitz 897. (H. Pardini.) n.n. — 50

— die Erwerbung der Bukowina durch Oesterreich. gr. 16. (55 S.) Ebd. 889. n. 1. —

— Zur Frage der Errichtung e. römisch-katholischen Bistums in der Bukowina. (28 S.) Lex. 8. Ebd. 909. 1.—
Sonderabdruck aus: „Jahrb. d. Bukowiner Landesmus."

— die Huldigung der Bukowina am 12. X. 1777. (86 S.) Lex.-8. Ebd. 902. n. 1. —
Sonderabdruck a.: „Jahrb. d. Bukowiner Landesmuseums".

— s.: Jahrbuch des Bukowiner Landes-Museums.

Polek, J., ausgewählte Capitel aus dem Gedenkbuche der römisch-kathol. Pfarre zu Czernowitz. Aus dem Latein. in das Deutsche übertr. u. hrsg. [Aus: „Czernowitzer Zeitg."] 12. (115 S.) Czernowitz 890. Pardini. n. 1. 50

— die Lippowaner in der Bukowina. I. Geschichte ihrer Ansiedelg. [Aus: „Jahrb. d. Bukowiner Landesmuseums" IV.] gr. 8. (87 S.) Ebd. 896. n.n. 1. 50

— die Lippowaner in der Bukowina. II u. III. Lex.-8. Ebd. n.n. 3. 40
II. Religion u. Kirchenwesen. (84 S.) 898. n.n. 2. —
III. Sitten u. Gebräuche. (49 S. m. 5 Abb.) 899. n.n. 1. 40

Polek, Johann: Die Lipowaner-Kolonien in der Bukowina. In: MGGW, 28/1885, S. 301–12. Sonderdruck: Wien: Hölzel 1885.

— die ehemalige russische Münzstätte in Sadagóra. [Aus: „Jahrb. d. Bukowiner Landes-Museums".] Lex.-8. (10 S.) Czernowitz 894. (H. Pardini.) n.n. — 40

Polek, Joh., Ortschafts-Verzeichnis der Bukowina. [Aus: „Jahrb. des Bukow. Museumsver."] Lex.-8. (20 S.) Czernowitz 893. (H. Pardini.) n. — 60

— der Protestantismus in der Bukowina. 8. (114 S.) Ebb. 890. n. 1. —

— Joseph's II. Reisen nach Galizien u. d. Bukowina u. ihre Bedeutung f. letztere Provinz. [Aus: „Jahrb. des Bukowiner Landes-Museums".] gr. 8. (116 S.) Czernowitz 895. (H. Pardini.) n. 2. —

Polek, Johann: Religion und Kirchenwesen in der Bukowina. In: JBLM, 6/1898, S. 22–103. Sonderdruck: Czernowitz: Pardini 1898.

—— Repertorium der landeskundlichen Literatur d. Bukowina. Lex.-8. (41 S.) (Ebd.) 892. * 1 —
Aus: Mittheilgn. d. statist. Landesamtes d. Herzogth. Bukowina, besonders abgedruckt.

—— Rückblick auf die Forschungen zur Landes- u. Volkskunde der Bukowina seit 1773. Vortrag. gr. 8. (32 S.) (Ebd.) 892. * — 60

— dasselbe. 2., verm. Aufl. [Aus: „Jahrb. d. Bukow. Museumsver."] Lex.-8. (20 S.) Ebd. 893. n. — 60

Polek, Johann: Statistik des Judentums in der Bukowina. In: SM, 15/1889, S. 249–74. Sonderdruck: Wien: Hölder 1889.

POLEK, Johann
Die Vereinigung der Bukowina mit Galizien im Jahre 1786. Von Dr. Johann Polek. (Sonderabdruck aus dem Jahrbuche des Bukowiner Landesmuseums, VIII. 1900.) Czernowitz. 1900. Pardini. Lex.-8°. 68 S. K 1.60

Polek, Johann: Deutsche Weihnachtsspiele in der Bukowina. In: JBLM, 19–20/1909–10, S. 5–45. Sonderdruck: Czernowitz: Pardini 1910.

— Weinhandel u. Weinbau in der Bukowina. (16 S.) Lex.-8. Czernowitz 904. (H. Pardini.) n. — 50
Sonderabdruck aus: „Jahrb. d. Bukowiner Landes-Museums".

— das armenische Kloster Zamka bei Suczawa in der Bukowina. gr. 8. (19 S. m. 1 Abb.) Czernowitz 901. H. Pardini. n. 1. —

— Die Zigeuner in der Bukowina. (21 S.) Lex. 8. Czernowitz 908. H. Pardini. — 60
Sonderabdr. a.: „Jahrb. d. Bukowiner Landes-Museums".

Polemann, Ios., nov. lumen medicum. 8. Frcf. (B. Fleischer, Lps.) 747.

Polemica de s. s. eucharistiae sacramento inter Bartholomaeum Arnoldi de Usingen O. E. S. A. ejusque olim in universitate Erphurdiana discipulum Martinum Lutherum anno 1530. Manuscripto „De sacramentis ecclesiae" extracta ac introductione variisque commentariis neonon imagine illustrata a Dominico Fr. X. P. Duijnstee, ord. erem. St. Aug. gr. 8. (VIII, 98 S. m. Titelbild.) Würzburg 903. Stahel's Verl. n. 2. 50

Polemik, Zur, über die Schlacht von Solferino. (Separat-Abdruck aus der „Milit.-Zeitung" 1865.) 8. Wien 1865.

Polemik, die rechte, wider das „specifisch Römische" in der kathol. Kirche, aus dem Gesichtspunkte des Protestantismus u. d. evangel. Lehrfreiheit; mit vorausgeschickter Betrachtung über die wahre Bedeutung des den kirchl. Angelegenheiten gewidmeten Absatzes 8. der neuesten k. sächs. Instruction der Censoren. gr. 8. (6 B.) Erfurt 844, Bartholomäus.

Polemii Silvii laterculus, s.a. Silvius.

Polemius Silvius. Laterculus. Hrsg. v. T. Mommsen. S.-A. 1857. 47 S. 4°. 1.20

Polemonis Periegetae Fragmenta. Collegit, digessit, notis auxit L. Preller. Acced. de Polemonis vita et scriptis et de historia atque arte Periegetarum commentationes. 8maj. (13¼ B.) Lipsiae 838, Engelmann.

Polemo, Antonius

Polemonis declamationes quae exstant duae. Accedunt excerpta e Callinici Adriani Jamblichi Diodori libris et Isaaci Porphyrogenneti περὶ τῶν καταλειφθέντων ὑπὸ τοῦ Ὁμήρου et περὶ ἰδιότητος καὶ χαρακτήρων τῶν ἐν Τροίᾳ Ἑλλήνων τε καὶ Τρώων quae vulgo dicuntur scripta recensuit Hugo Hinck. 8. (XII, 93 S.) Leipzig 873. Teubner. n. 1. —

— *Laudationes duae funebres.* Gr. et lat. Acc. Lesbonactis Declamationes duae. Gr. et lat. Cum varior. notis et suis ed. J. C. Orellius. Lips. 818. 8. 1 rthl. 10 gr.

Polemonis, Laod. Sophist., Laudationes II funebres, graece, cum paraphr. lat. D. Possini ejusdemque et H. Stephani notis acc. Lesbonactis Declamationes II. graece et lat., c. animadv. W. Canteri et J. J. Reiskii recogn. suasq. adnotatt. adj. J. Conr. Orellius. 8maj. Lipsiae, Reclam. 819.

POLEMON (sic!) und Krates, oder über den Werth der Liebe. Frankf. 1775. 8°. Selten! Ehestandsalmanach II. p. 291.

Polen [Sachl. OW]

Polen. (Von L. R. Brougham,) s. Brougham.

Polen s.o. Polska.

Polen, die. Ein Beitrag zur Charakteristik dieses Volkes aus d. Erinnerungen eines alten Justiz-Beamten. gr. 8. (58 S.) Berlin 848, Vereins-Buchhandlung. ⅓ ꝛf

Polen. Topolnicki Jan Mapa Rzezy pospolitej polskiej ułozóna podług map Lelewela, Wrotnowskiego i Żanoniego i podług opisów Balinskiego, Lelewela i Sarniekiego, (Karte des polnischen Freistaates, 18" h., 25" br. mit 5 Farben gedruckt, Lemberg, Karl Wild 1 fl., auf besserem Papier 1 fl. 40 kr., gefalzt in Cart. à 1 fl 10 kr. à 1 fl. 50 kr. 1864

Polen. Vergangenheit, Gegenwart, Zukunft. Eine historisch-polit. Studie. Leipzig 870. Kasprowicz. gr. 8. (VII, 159 S.) n. 20 ngr.

Polen — Das alte und neue — wissenschaftlich und artistisch zusammengestellt von E. H. Michaelis Königl. Preussischen Hauptmann a. D. Ritter etc. 1831. München in Commission des geographischen Dépots. Das Detail v. C. Schach, die Schrift v. A. Edler gravirt. Der lithogr. Druck von Selb, der typogr. v. Dr. Wolf. 1: 4,000,000. 1 Bl.

Polen u. Deutsche in d. Prov. Posen. [Aus: „Das Volk".] gr. 8. (48 S.) Berlin 897. Buchh. d. Berliner Stadtmission. n. — 50

[J.] Polen und Deutsche in der Provinz Posen. '(SA. a. d. 'Volk'.)' *Berlin: Vaterländ. Verlagsanst. [1897].* (48 S.) 1 Bd 8. [97. 4082]

Polen in Deutschland, Die. 7 chromolith. Karten auf 1 Tafel. Weimar, Geogr. Inst., 1886. gr. qu.-Fol.

Polen, die, in u. bei Elbing. Ein Beitr. z. Tagesgeschichte, v. e. Augenzeugen. gr. 8. (3 B.) Halle 832, Kümmel. Thlr.

Polen u. seine Erhebung zur Freiheit im J. 1846. Eine Darstellung des gegenwärt. Freiheitkampfes d. Polen. 1. Hft. Die Ereignisse bis zum März 1846. gr. 8. (2½ B.) Leipzig 844, Friese.

— seine Erniedrigung durch die 3 Theilungen zwischen Oestreich, Preußen u. Rußland in den Jahren 1772—1793 u. 1795 u. seine Versuche zur Wiedererlangung der Selbstständigkeit. Ein Handbüchlein für Zeitungsleser ꝛc., nebst 1 Karte. 8. Wesel 846, Bagel. ¼ ꝛf

Polen, die, in der orientalischen Frage. Ein Mahnruf an Europa's Völker v. einem Polonus Posnaniensis. 8. (16 S.) Berlin 877. F. Duncker. n. — 50

Polen, geogr. u. histor. geschildert. M. e. vollst. Geschichte d. J. 1830 u. 1831. 8. M. 11 Tfln. Stuttgart 1834.

Polen nach seinen jetzigen Grenzen, dem Theilungs-Tractate vom Jahr 1795 gemäss entworfen. Nürnberg 1796. 1 Bl. c. K. v.

— u. die Grossmächte. gr. 8. (181 S.) Leipzig 881. Friedrich. n. 3. —

— historisch, geographisch, statistisch, siehe: Atlas für Zeitungsleser. Nr. 2.

Polen in das Herzogthum Warschau und unter Oesterreich und Russland getheilt, nebst den angränzenden Ländern etc. Nach Rizzi Zannoni bearbeitet dann verbessert und vermehrt 1810. Wien bey T. Mollo. 1: 2,000,000. 1 Bl.

— das conföderirte, 5 Theile. 8. Erfurt, Wittekind. 770—73.

Polen, das conföderirte, (von Jh. Geo. Cranz). 6 Thle. 8. Erf. 770—73. Wittekind in Eisen. 1 ℘ 16 gr.

Polen, das Königreich. Topographische und statist. Skizzen. gr. 8. (VI und 110 S.) Leipzig 864, Fries.

— das getheilte Königr., od. Schicksale Stan. Augusts. 8. Wien, Lendler. 796.

—— und Krug. Ein freimüth. zeitgemäßes Wort geg. den Verf. d. Sendschreibens an die Hrn. Morawski u. Rembowski in Warschau. Von e. Freunde d. Gerechtigkeit u. Humanität. 8. (2 B.) Altenburg 832. (Leipzig, Schumann.)

Polen, landlose. Ein Wort zur Enteignungs-Vorlage. Von Wilhelm. Hrsg. v. Hans Delbrück. (32 S.) 8. Berlin 908. Verlag Dr. Wedekind & Co. — 50

— landlose? Eine Entgegnung auf die unter diesem Titel erschienene Broschüre, v. Walter. (16 S.) 8. Lissa 908. O. Eulitz. — 50

Polen, Litauen und Kurland im Jahre 1790. 1 Bl. c. K. v.

—— nach Malte-Brun u. Chodzko, s. Andree, C

Polen, die, u. die Mission des Polenclubs im österreich. Reichsrathe. Von e. poln. Staatsmann. 1.—3. Aufl. gr. 8. (à 76 S.) Leipzig 899. F. Luckhardt. n. 1. —
4. Aufl., s.: Bresnitz v. Sydacoff.

K........l. Polen und die Polen. Ein interessanter Beytrag zur Geschichte dieses Landes und zur Charakteristik seiner Bewohner. Aus dem polnischen Manuscripte des Herrn v. ..... übersetzt. 8. Germanien 1811.

—— die, u. die Polinnen der Revolution v. 1830, s. Straszewicz, J.

Polen, Preussen und Deutschland. Ein Beitrag zur Reorganisation Europas. Halberstadt 1848. V: *Frantz, Constantin.* (wen S. 29)

— Preußen u. Deutschland. Ein Beitrag zur Reorganisation Europa's. gr. 8. (48 S.) Halberstadt 848, Frantz. 1/4 ℳ

—— und Schleswig-Holstein die Angelpunkte napoleonischer Politik. Ein Mahnruf an das deutsche Volk und seine Fürsten von Walther vom Norden. gr. 8. (20 S.) Leipzig 863, (Waldow.)

Polen und das Schweizervolk. Von einem Schweizer, Augenzeugen des Polnischen Aufstandes. 8. Zürich 1863.

— die, im rheinisch-westfälischen Steinkohlen-Bezirke. Mit e. statist. Anh., e. Sammlg. poln. Lieder u. 2 (farb.) Karten. Hrsg. vom Gau „Ruhr u. Lippe" des Alldeutschen Verbandes. gr. 8. (XI, 163 S.) München 901. J. F. Lehmann's Verl. n. 3.60

Polen, Das verwirrte, In einer genauen Gegeneinanderhaltung der Geschichte des vorigen und ietzigen Kriegs vorgestellet ... Franckf. u. Leipzig 1711. V: *Rink, Eucharius Gottlieb.* (BrMm) (will)

Polen, West-Russland bis zum Dniepr, die Ostseeprovinzen und die Nieder Donauländer nebst einer Uebersicht der Theilungen von Polen. Revidirt 1863. (2 Karten.) 4. 1863.

—— wie es war u. ist. Histor.-geograph.-statist. Darstellung zur Verbreit. näherer Kunde d. Beschaffenheit u. Verfassung Polens, u. z. Bestimm. u. Berichtig. der Urtheile üb. d. polit Lage desselben. 8. (2 B.) Hamburg 831, Schuberth u. Niemeyer.

Polen wie es war, wie es ist, wie es werden wird. Aus dem Französischen übersetzt. Paris u. Warschau. Danzig 1775. V: *Carracioli, L. A.* (Barbier, Dict. des ouvrages an. VI, 649b) (Hdschr. Mitth. von Friedrich Müller, München)

Polen, wie es war, u. wie es ist, und werden wird. 8. Lpz. Sommer. 775.

Polen zur Zeit der zwei letzten Theilungen dieses Reichs: historisch, statistisch und geographisch beschrieben. Nebst einem allegorischen Frontispiz, drei Prospekten und einer Landcharte, welche die verschiedenen Theilungen Polens in den Jahren 1772, 1793 und 1795 dem Auge deutlich macht. 8. 1807.

Polen [Schlagwort]

Polen, Königr., s.a. Hand- u. Reisekarten 12.

– s.a. Ostpreussen, Gräf, C.

– s.a. Russisch-Polen.

— s. a.: Westrussland.

Poloniae — Nova totius regni — Magnique etc. Exacta Delineatio per G. Le Vasseur de Beauplan S. R. Mtis. Architectum Militarum et Capitaneum. Jacob Sandrart sculps. et excudit Norimbergae. 1: 4,250 000. 1 Bl.

Poloniarum — Hanc regni — Magnique Ducatus Lithvaniae etc. Novam et exactam Delineationem, addita etc. Author Joh. Bapt. Homann Geogr. C. Norimbergae 1712? 1: 3,000,000. 1 Bl.

Polen — General Karte von den Preussischen, Russischen, und Oesterreichischen Besitzungen im ehemaligen — worauf die 1797 festgesetzten Grenzen, welche obgedachte Mächte von einander absondern, genau verzeichnet sind. Nürnberg im Verlage der Schneider und Weigelschen Kunsthandlung 1797. 1: 1,900,000. 1 Bl.

Polen, Litauen, Generalkarte von — und den angränzenden Ländern. Nach Zannoni etc. Neu herausgegeben von Herrn F. A. Schraembl 1788. H. Benedicti sc. 1,280,000. 4 Bl.

Polen und Litauen — Neueste Karte von — samt dem Oesterreichischen, Russischen und Preussischen Antheile, und den übrigen angränzenden Ländern A 1797. F. Müller fecit in Wien. Zu finden in Wien bey Artaria et Comp. 1: 2,000,000. 1 Bl.

Polen — Karte von Oesterreichisch-, Preussisch- und Russisch- — nebst Kurland und West-Russland. Von Jos. Fr. Kaiser. 1,400,500. Verl. v. J. F. Kaiser in Graz (1855?). 4 Bl.

Polen — Karte von — Nach dem Petersburger Theilungs-Tractate vom 24 October und dem Russisch Kaiserlichen Manifeste von 15 December 1795. Herausgegeben von Franz Joh. Jos. von Reilly. Wien zu finden im v. Reillyschen Landkarten und Kunstwerke Verschleiss Komptoir 1796. 1: 2,000,000. 1 Bl.

Polen — Charte von — Nach dem Frieden zu Tilsit vom 9 July 1807 abgetheilt und entworfen von F. L. Güssefeld, berichtigt im Juny 1810. Weimar im Verlag des geogr. Instituts 1810. 1: 2,700,000. 1 Bl.

Polen — Karte von — in den Oesterreichischen, Russischen und Preussischen Antheil eingetheilt 1795 ?. Nürnberg bey Homanns Erben. 1: 3,000,000. 1 Bl.

Pohlen — Karte von dem Königreich — Grossherzogthum Posen, und den angrenzenden Staaten in IV Sectionen nach etc. entworfen im Jahre 1810 vom F B. Engelhardt Königl. Preuss. Kriegs- und Domainen Rath. Herausgegeben im Jahre 1812 Berlin bey Sim. Schropp et Comp. Berichtigt 1819 und die neu angelegten Postcourse eingetragen. 1: 770,000. 4 Bl.

Polen, — Karte von den Königreichen — Galizien, und dem Grossherzogthume Posen entworfen von D. F. Sotzmann, Königl. Kriegsrath und Geographen der Acad. der Wissensch. Berlin im Verlage der Königl. Acad. Kunst- und Buchhandlung. 1: 1,100,000. 15 Bl.

Polen — Karte von dem Königr. —, Grossh. Posen u. d. angr. Staaten in 4 Sect. von F. B. Engelhardt. Verl. von S. Schropp, Berlin. Ber. 1853. 770,000.

(Pohlen und Lithauen) — Eine Karte von — Holzschnitt, ohne Titel und ohne Angabe des Verfassers jedoch mit einem „Carmen in Poloniae laudem, et tabulae hujus commendationem." 1: 1,650,000. 1 Bl.

Poloniae — Mappa Geographica Regni — ex novissimis etc. a Tob. Mayero S. C. S. Luci publicae tradita per Homannianos Heredes. Norimb. A. 1757. 1: 3,000,000. 1 Bl.

Polen, russisch. O'Grady, G., **Handkarte v. Russisch-Polen u. der angrenzenden Gouvernements.** [Separat-ausg. der Uebersichtskarte vom westl. Russland.] Nach dem neuesten amtlichen Material bearb. Rev. 1898. 1 : 1,750,000. 59 × 40 cm. Farbdr. Leipzig 898. C. Meyer's graph. Institut. n. — 50

Poloniae Regnum ut et etc. Opera et studio Matth. Seutteri. Aug. Vind. 1: 3,000,000. 1 Bl.

Polen — Neue militairische Situations- und Post Carte von — und Preussen von J. E. Knittel. Nürnberg bey Fried. Campe 1812. 1: 1,000,000. 1 Bl.

Polen — Theilung des Königreichs — von 1773 — 1795. Berlin bey S. Schropp et Comp. 1: 2,500,000. 4 Bl.

Polen. Topolnicki, Jana, mapa do dziejów polski. Wydanie drugie. Photolith. u. color. qu. gr. Fol. Wien 889. (Hölzel.) n. 2. 40

Poloniae amplissimi regni typus geographicus. 1: 1,700,000. 1 Bl.

Polenaar, B. J., syntagma institutionum novum. Gai institutiones juris civilis rom. secundum Guil. Studemund cod. Ver. collationem ed. emend. notisque illustr., appositis Justiniani institutionibus, iis quidem ex rec. Pauli Krueger fere repititis, ad locos deperditos lumina adjecit ex epitome Gaiana, Ulpiani fragmentis aliisque. 2 Prts. 8. (XVI, 119 u. 346 S.) Leiden 876. Brill. n.n. 4. —

Polen-Attentat, Das, im Jahre 1846. Aus dem Tagebuch eines Offiziers der westgalizischen Armee. Grimma 1846. V: *Nitschner, Jacob F.* (nicht: *Messenhauser, W.*). (Österr. Zeitschr. f. Gesch. Wien 1917—19. I, S. 473)

Polen-Attentat, das, im J. 1846. Aus dem Tagebuche eines Offiziers der westgalizischen Armee. 16. Grimma 846, Verlags-Comptoir. 2 ₰

* * * Im Polen Aufruhr 1846—1848. Aus den Papieren eines Landrats. 8. Gotha 1898.

Der Polenaufstand 1806/7. Urkunden u. Aktenstücke aus d. Zeit zwischen Jena u. Tilsit. Hrsg. von Dr. Kurt Schottmüller. Posen: Hist. Gesellsch. f. d. Prov. Posen 1907. (80*, 210 S.) 8°
= **Sonder-Veröffentlichungen** d. Histor. Gesellschaft f. d. Prov. Posen. 4. [07. 9324

Polen-Enteignungsgesetz v. 20. März 1908
s. **Gesetz** über Maßnahmen z. Stärkung d. Deutschtums in d. Prov. Westpreußen u. Posen. [09. 12024

Polenfrage, die, im Großherzogth. Posen betreffend. — Schrift für den Funfziger Ausschuß. (Von dem Central-Bürgerausschuß für den Netzdistrikt zur Wahrung Preuß. Interessen im Großherzogth. Posen.) gr. 8. (15 S.) Bromberg 848, Levit. n. 2 ngl

Polenlieder. Hamburg 1832. V: *Veit, Moritz.* (Brü IV, 241)

Polenlieder, ein Todtenopfer. 8. (3 B.) Hamburg 832, Hoffmann u. Campe.

Polen-Lieder. Hamburg 863. Gerrits. 16. (56 S.) 3 ngr

Polenmädchens, des schönen, Kampf u. Liebe. Ein Gemälde aus d. Geschichte d. letzten Poln. Empörung, bis z. Erstürmung v. Warschau. Vom Verf. der „Paulowna" &c. (Heinr. A. Müller). 2 Thle. M. 2 Kpfr. 8. (30¼ B.) Neuhaldensleben 832, Eyraud.

Polenpolitik u. **Landarbeiterfrage.** Deutscher Mahnruf aus d. Ostmark gegen das Enteignungsgesetz. Von e. deutschen Bürger der Stadt Posen. (24 S.) 8. Berlin 908. Herm. Walther. — 50

Anklage-Schrift des Staats-Anwalts bei dem Königl. Kammergericht gegen die bei dem Unternehmen, zur Wiederherstellung eines polnischen Staats in den Grenzen desselben vor dem J. 1772, Betheiligten: wegen Hochverraths. [Polen-Prozeß.] [Berlin 1847.] fol.

Skarga prokuratora rządowego przy królewskim sądzie kameralnym przeciwko osobom należącym do przedsięwzięcia w celu przywrócenia państwa polskiego w granicach jego przed r. 1772 o zbrodnią kraju. [Polen-Prozeß.] [Berlin 1847.] fol.

Polenprozeß, der, öffentlich verhandelt vom 2. Aug. 1847 an vor dem Criminal-Senat des K. Kammergerichts zu Berlin. Authent. Bericht eines dabei fungirenden Beamten. 1. Hft. 8. (80 S.) Berlin 847, R. Liebmann. n. ⅙ ₰

— der. Prozeß der von dem Staatsanwalte bei d. K. Kammergerichte als Betheiligte bei dem Unternehmen zur Wiederherstellung eines polnischen Staates in den Grenzen vor 1772 wegen Hochverraths angeklagten 254 Polen, verhandelt im Gebäude des Staatsgefängnisses bei Berlin. Hrsg. von Gust. Julius. 13 Lfgn. Imp. 4. (432 S.) Berlin 847. 48, Hayn. (à n. ⅓ ₰) n. 1⅓ ₰

Polenprozeß, der. Prozeß der von dem Staatsanwalte bei dem k. Kammergerichte als Betheiligte bei dem Unternehmen zur Wiederherstellung eines polnischen Staates in den Grenzen vor 1772 wegen Hochverraths angeklagten 254 Polen, verhandelt im Gebäude des Staatsgefängnisses bei Berlin. Hrsg. von Gust. Julius. Imp.-4. (130 S.) Berlin 848, Hayn. Thlr *

Polen-Prozeß. Vertheidigungsrede des Defensors Prof. Dr. Gneist in der Sitzung des Staatsgerichtshofes am 17. Novbr. 1864. Nach stenograph. Aufnahme. Berlin 864. Reichardt & Zander. Fol. (27 S.) 5 ngr

Polen-Prozeß. Verhandlungen des Königl. Staats-Gerichtshofes zu Berlin in der Untersuchungssache wider den Grafen Joh. **Działyński** u. Genossen wegen Hochverraths. (Nach stenogr. Berichten.) Berlin (1864).

Polens letzter Aufstand 1863—1864. 8. (IV und 46 S.) Leipzig 864, Fries. *

Polens Ende, hist. stat. geogr. beschrieben v. Sitisa, m. K gr. 8. Lpz. Dyk. 797.

Schreibp.

Polens Kampf um seine Wiedergeburt im J. 1831. 2 Bde. gr. 12. Stuttgart, Schweizerbart. [1. (22 B. u. Chlopizki's Portr.) 831. 1 Thlr. 6 Gr., 2. (16⅓ B. u. Skrzynecki's Portr.) 832. 21 Gr.]
Aus der „Geschichte unserer Tage" besond. abgedruckt.

Polens Könige u. Herrscher. Portraitgallerie, dargestellt in 40—50 Heliograv. nach Orig.-Zeichngn. v. Jan Matejko. Mit histor. Einbegleitg. v. Stanisl. Smolka. (In 20—25 Lfgn.) 1.—8. Lfg. Fol. (à 2 Bl. m. Text S. 1—30.) Wien 890. Perles. à n. 2.—; feine Ausg. auf Chinapap. à n. 3.60; Mappe dazu in Leinw. n.n. 6.—: in Ldr. n.n. 16.—

Polens Könige u. Herrscher. Portraitgallerie, dargestellt in Heliograv. nach Orig.-Zeichngn. v. Jan Matejko. Mit histor. Einbegleitg. v. Stanisl. Smolka, fortgesetzt v. Aug. Sokolowski. 9.—23. (Schluss-)Lfg. Fol. (28 Bl. m. Text, IV u. S. 31—108.) Wien 891. 892. M. Perles. à n. 2.—; feine Ausg. auf Chinapap. à n. 3.60 (kplt. in Mappe: n. 52.—; geb. m. Goldschn. n. 56.—; feine Ausg. in Mappe: n. 88.80; geb. m. Goldschn. n. 92.80)

— **neues Leben d. Napoleon.** 8. Breslau, Kunst- u. Industr Comt.

— neues Leben durch Napoleon. 8. Bresl., (Max u. C.) 18 gr

— Schicksale seit 1763 bis zu d. Augenblicke, wo es sich für unabhängig erklärte. 8. (11¼ B.) Paris 831. (Leipzig, Engelmann.)

Polens Untergang. 8. Breslau, Kunst- u. Ind. Comt. Rthlr.

— Untergang. 8. Bresl., (Max u. C.) 22 gr

Polenske, Karl, Referendar am Amtsgericht zu Kalkberge: Beiträge zur Lehre vom Deutschen Fideikommißerbrecht. Berlin (1904): G. Schade. (72 S.) 8°
Berlin, Jur. Fak., Ref. Gierke, Diss. v. 29. Sept. 1904
[Geb. 16. Apr. 81 Brooklyn (New-York); Wohnort: Berlin; Staatsangeh.: Preußen; Vorbildung: Luisengymn. Berlin Reife M. 99; Studium: Marburg 1, Berlin 2, München 1, Berlin 4 S.; Rig. 19. Juli 04.]

Polenske, Karl, Forschungen zur Bodenreform. I. Boden u. Kapitel im Recht — e. Grundlegg. II. Die Rechtserstreckg. v. Boden auf Bau u. Baustoff u. das Baugläubigerpfandrecht im röm. Recht. (XVIII, 99 S.) gr. 8. Jena 909. G. Fischer. 2.50

— dasselbe. III. Der Baugläubigerschutz im Mittelalter u. in der Neuzeit. (X u. S. 101—206.) gr. 8. Ebd. 910. 2.50

Polenske, Karl, Gedichte. Eine Auswahl. (88 S.) 8. Leipzig 906. Modernes Verlagsbureau. n. 1.50

Die Johannis-Freimaurerloge Phoebus Apollo im Or. Güstrow in ihrem hundertjährigen Bestehen geschildert und der feiernden Loge gewidmet zu ihrem Jubelfeste von C[arl] **Polenski.** Güstrow [1905]: Michael. 71 S. 8°
[Umschlagtit.:] Geschichte d. Johannis-Loge PhöbusApollo zu Güstrow 1805 bis 1905. Zum 100jähr. Stiftungsfeste dargest.
Recens: Bbl. 19 (1905) S. 504—505 (G. Diercks).
Nebst Verzeichn. u. biogr. Notizen der M. v. St., u. Verzeichn. der Stiftungen der Loge.

Alphabetisches Sachregister zu der Grundverfassung und den Statuten des Bundes der Freimaurer der Grossen National-Mutterloge in den preuss. Staaten gen.: „Zu den drei Weltkugeln". Nach der Ausg. vom Jahre 1895. Zsgest. von C[arl] A[lex.] **Polenski.** Berlin [1895]: Denter & Nicolas. 33 S. 8° [Umschlagtit.]

Polentz, Emil: Die Funktionen des französischen Relativpronomens lequel. T. 1. *Berlin: R. Gaertner 1901.* (43 S.) 4°
Berlin, Andreas-RG, OP 1901 (99)

Polentz, Emil: Die Funktionen des französischen Relativpronomens lequel. T. 2. *Berlin: R. Gaertner 1902.* (31 S.) 4°
¶ [Forts. d. P-Beil. 1901.]
Berlin, Andreas-RG, OP 1902 (105)

Polentz, Emil: Französische Relativsätze als prädikative Bestimmungen und verwandte Konstruktionen. *Berlin: Weidmann 1903.* (55 S.) 4°
Berlin, Andreas-RG, OP 1903 (105)

Polentz, Emil: Die relative Satzverschmelzung im Französischen. Berlin: Weidmann 1904. (54 S.) 4°
Berlin, Andreas-RG OP 1904 (104)

Polentz, Georg von

Polentis, Georgii a, primi episcopi Sambiensis evangelici, conciones sacrae festo nativitatis et resurrectionis Jesu Christi et festo Pentecostes a. MDXXIII et MDXXIV in ecclesia cathedrali Regiomontana habitae. Ex autographo edid. Aug. Rud. Gebser. 4 maj. (5½ B.) Regimonti 843, Graefe et Unzer.-

v. Polentz, Georg, Bischoff zu Samland, ein Sermon, gepredigt am Christtag 1523 in der Domkirche zu Königsberg in Preußen. Herausgeg. von A. R. Gebser. 4. Königsberg 841, Gräfe u. Unzer. ⅙ ℛ

Polentzi, Johann Franz: Kurtze aber gründliche Lehre und Unterricht von der Pest-Seuche, darinnen die Eigenschafft, die Zeichen, und Ursachen derselben wie auch der Bewahrung und Außheilung, außerlesene und wolbewährte Mittel und Artzneyen, deutlich beschriben... 118 S., gbd.
Prag: typ.Hoffmann 1708

Polenz, Eisenwerks-Faktor, Beschreibung der patentirten Torfpresse. Mit 2 lithogr. Zeichn. ... Cottbus., Meyer. n. 2⅓ ℛ

v. Polenz, ..., s. Licht u. Schatten rc.

Polenz, Benno v., Spielt Handpuppentheater! Dresden-N., 36 S., 8°.

MONATE, Drei, in Paris (von *C. v. Polenz*). Dresden 1841. 8°. (2 Mk. 50 Pfg., Expl. in Hpрgt. m. hdschr. Widm., B. Liebisch, Lpz., 1911.)

Polenz, Geo. v., Georg v. Polentz, der erste evangelische Bischof. 8. (III und 122 S.) Halle 858, Fricke. *

– Dasselbe, s.a. Polenz, Gottlob

Polenz, Glob. v., Geschichte des französischen Calvinismus bis zur Nationalversammlung i. J. 1789. Zum Theil aus handschriftl. Quellen. 1. Bd. A. u. d. T.: Geschichte des französischen Calvinismus in seiner Blüthe. Bis zum Aufstande von Amboise im J. 1560. Gotha 857. F. A. Perthes. gr. 8. (XVI, 736 S.) n. 4 ₰.

Polenz, Glob. v., Geschichte des französischen Calvinismus bis zur Nationalversammlung im Jahre 1789. Zum Theil aus handschriftlichen Quellen. 2—4. Bd. Gotha 859—64. F. A. Perthes. gr. 8. n. 12 ₰
2—4. Bd.: Geschichte des politischen französischen Calvinismus vom Aufstand von Amboise im Jahre 1560 bis zum Gnadenedict von Nimes im Jahre 1629. 1—3. Thl.
1. Thl., vom Aufstand von Amboise im Jahre 1560 bis zur Thronbesteigung Heinrichs III. im Jahre 1574. 859. (XII, 720 S.) n. 4 ₰
2. Thl., der politische französische Calvinismus im Begriff u. seine Litteratur. 860. (XVI, 480 S.) n. 3 ₰
3. Thl., von der Thronbesteigung Heinrichs III. im Jahre 1574 bis zum Tode Heinrichs IV. im Jahre 1610. 864. (XX, 888 S.) n. 5 ₰

Polenz, Glob. v., Geschichte des französischen Calvinismus bis zur Nationalversammlung im Jahre 1789. Zum Theil aus handschriftl. Quellen. 5. Bd. Geschichte des politischen französischen Calvinismus vom Aufstand von Amboise im Jahre 1560 bis zum Gnadenedict v. Nimes im Jahre 1629. 4. u. letzter Thl. vom Tode Heinrichs IV. bis zum Gnadenedicte von Nimes. Gotha 869. F. A. Perthes. gr. 8. (XVIII, 456 S.) n. 3 ₰

—— Georg Müller, ein Hallischer Student und der englische August Hermann Francke. Geschichtlicher Abriß seines Lebens und Wirkens. 8. (VIII und 108 S.) Halle 865, Fricke. *

— Georg v. Polentz, der erste evangelische Bischof. Halle 858. Fricke. 8. (2 Bl., 122 S.) n. 12 ngr.

– Dasselbe, s.a. Polenz, Georg.

HERMANN POLENZ, Chronik der in Ostpreussen belegenen Sr. Hoheit dem regierenden Herzoge von Anhalt gehörigen Norkitten'schen Güter. Nach actenmässigen und anderen authentischen Quellen zusammengestellt. Abgeschlossen im Jahre 1868. (Mit Tabellen.) ib. 1885. — 4°.

Polenz, (Car.) Paulus (geb. Berlin 17. 5. 1830): De laryngitide exsudativa. Berolini (1851). (31 S.) 8°
Berlin, Med. Diss. v. 24. Dez. 1851

Polenz, Richard: Der Unterricht in der Erdkunde in Sexta. Tilsit, gedr. bei J. Reylaender & Sohn, 1896; 3—25 S. 4.
Tilsit, k. RG, OP 1896 (22)

Polenz, Wilh. v., Andreas Bockholdt. Tragödie in 4 Akten. 8. (VII, 180 S.) Dresden 898. E. Pierson. n. 2.—

— der Büttnerbauer. Roman. gr. 8. (427 S.) Berlin 895. F. Fontane & Co. n. 6.—

Polenz, Wilh v., der Büttnerbauer. Roman. 3. u. 4. Aufl. gr. 8. (à 427 S.) Berlin 902. Grunewald, F. Fontane & Co. n. 6.—; geb. n. 7. 50

Polenz, Wilh. v, der Büttnerbauer. Roman. 5. u. 6. Aufl. (Je 427 S.) gr. 8. Berlin 904. F. Fontane & Co. n. 6.—; geb. n. 6. 50

Wilhelm v. **Polenz.** Der Büttnerbauer. Roman. 15. bis 19. Aufl. Bd 1. 2. Berlin: Fontane [1909]. 479 S. 8°
(Bibliothek August Scherl. Bd 540. 541.) [10. 13926

— **Erntezeit.** Nachgelassene Gedichte. Mit Titelzeichngn. von Hans v. Volkmann. (VIII, 110 S.) kl. 8. Ebd. 904. n. 2—; geb. n. 3.—

— das Glück der „Riegels v. Petersgrün", s. a. Zehnpfennig-Unterhaltungshefte f. Nationalstenographen. Nr. 15.

Das Glück der 'Riegels von Petersgrün'. Von Wilhelm v. **Polenz.** Liegnitz: Verl. f. Nationalstenogr. 1905. (16 S.) 8° [Text stenogr.]
= **Zehnpfennig-Unterhaltungshefte** f. Nationalstenogr. No 15. [06. 3466

[F.] Der Grabenhäger. Roman in 2 Bdn v. Wilhelm v. **Polenz.** Bd 1. 2. *Berlin: F. Fontane & C. 1898.* 2 Bde 8.
1. (3 Bl., 406 S.) 2. (2 Bl., 344 S.) [97. 7298

— der Grabenhäger. Roman in 2 Bdn. 2. Aufl. 8. (406 u. 344 S.) Ebd. 899. n. 10.—; geb. n. 12.—

— der Grabenhäger. Roman in 2 Bdn. 3. Aufl. (406 u. 344 S.) 8. Berlin 903. F. Fontane & Co. n. 10.—; geb. n. 12.—

Polenz, Wilh. v., der Grabenhäger. 4. Aufl. (626 S.) 8. Berlin (908). F. Fontane & Co. 4.—; geb. 5.—

Polenz, W., Grabstein-Versbuch. Inschriften u. Verse f. Grabdenkmäler. 2. verm. Aufl. (187 S.) 8. München 910. E. Pohl. 1. 20

— Junker u. Fröhner. Dorftragödie (in 3 Aufzügen). 8. (173 S.) Ebd. 901. n. 3.—; geb. n. 4.—

Polenz, Wilh. v., Karline. Novellen u. Gedichte. 8. (174 S.) Berlin 894. F. Fontane & Co. n. 2.—; geb. n. 3.—

— Heinrich v. Kleist. Trauerspiel in 4 Akten. 8. (VII, 93 S.) Dresden 891. [E. Pierson.] Berlin-Grunewald, F. Fontane & Co. n. 1. 50

The land of the future [Das Land der Zukunft]. By Wilhelm v. **Polenz.** Authorized transl. by Lily Wolffsohn. Chicago, New York, Washington: Brentano; Berlin: F. Fontane & Co. 1904. (301 S.) 8° [04. 6035

— das **Land der Zukunft.** 5. Aufl. (VII, 420 S.) gr. 8. Ebd. 904. n. 6.—; geb. n. 7. 50
1.—4. Aufl. (à 419 S.) 903. n. 6.—; geb. n. 7. 50.

— Liebe ist ewig. Roman. 8. (412 S.) Berlin 901. Grunewald, F. Fontane & Co. n. 5.—; geb. n. 6 50

— Liebe ist ewig. Roman. 8. Aufl. (412 S.) 8. Ebd. 904. n. 5.—; geb. n. 6. 50

— Thekla Lüdekind. Die Geschichte e. Herzens. 2 Bde. 1.—3. Aufl. 8. (à 387 u. 360 S.) Ebd. 900. 902. n. 10.—; geb. n. 12.—

— Luginsland. Dorfgeschichten. 1. u. 2. Aufl. 8. (à V, 87 S.) Ebd. 901. n. 1.—; geb. n. 2.—

— Luginsland. Dorfgeschichten. 3. Aufl. (87 S.) 8. Ebd. 905. n. 1. – ; geb. n. 2.—

— glückliche Menschen. Roman. 2.—5. Aufl. (Je 276 S.) 8. Ebd. 905. n. 3.—; geb. n. 4.—

— der Pfarrer v. Breitendorf. Roman in 3 Bdn. 8. (212, 250 u. 284 S.) Ebd. 893. n. 9.—; geb. n. 12.—

— der Pfarrer v. Breitendorf. Roman in 2 Bdn. 2. Aufl. 8. (302 u. 315 S.) Ebd. 901. n. 8.—; geb. n. 10.—

— der Pfarrer v. Breitendorf. Roman in 2 Bdn. 3. Aufl. (302 u. 315 S.) 8. Ebd. 904. n. 8.—; geb. n. 10.—

— Der Pfarrer v. Breitendorf. 4. Aufl. (547 S.) 8. Ebd. (908). 4.—; geb. 5.—

— Reinheit. Novellen. 8. (207 S.) Ebd. 896. n. 3. —

Polenz, Wilh. v., Sühne. Roman. 2 Bde. 8. (386 u. 380 S.) Dresden 890. Minden. n. 7. 50; geb. n.n. 9. 50

— Sühne. Roman. 2 Bde. 2. (Titel-) Aufl. 8. (386 u. 380 S.) Dresden-Blasewitz (890) 896. H. Minden. n. 6. —

—— Die Unschuld und andere Federzeichnungen. 8. (VII, 200 S.) Dresd. 892, Pierson. * 2 —; geb. * 3 —

—— Die Versuchung. Eine Studie. 8. (173 S.) Dresd. 891, Minden. * 2 —; geb. ** 3 —

— Wald. Novelle. 1. u. 2. Aufl. 8. (à 186 S.) Ebd. 899. n. 2. —; geb. n. 3. —

[5.] Wald. Novelle v. Wilhelm v. Polenz. Berlin F. Fontane & C. 1899.
(2 Bl., 186 S.; 1 Bl.) 8.
(Fontane's 2-Mark-Bücher.) [illegible]

Polenz, Wilhelm v. Gesammelte Werke. 10v. Berlin, 1904.

Polenz, Wilh. v., gesammelte Werke. 10 Bde. 8. Berlin (909). F. Fontane & Co. 30.—; geb. in Leinw. 40.—; in Halbfrz. 50. —
1. Der Büttnerbauer. Mit dem Portr. des Dichters u. e. Vorwort v. Adolf Bartels. 11. Aufl. (XXXII, 179 S.) Einzelpr. 4.—; geb. in Leinw. 5.—; in Halbfrz. 6. —
2. Der Grabenhäger. 4. Aufl. (626 S.) Einzelpr. 4.—; geb. in Leinw. 5.—; in Halbfrz. 6. —
3. Der Pfarrer v. Breitendorf. 4. Aufl. (547 S.) Einzelpr. 4.—; geb. in Leinw. 5.—; in Halbfrz. 6. —
4. Thekla Lüdekind. 4. Aufl. (752 S.) Einzelpr. 5.—; geb. in Leinw. 6.—; in Halbfrz. 7.
5. Sühne. 3. Aufl. (664 S.) Einzelpr. 5.—; geb. in Leinw. 6.—; in Halbfrz. 7. —
6. Wurzellocker. 3. Aufl. (490 S.) Einzelpr. 4. —; geb. in Leinw. 5.—; in Halbfrz. 6. —
7. Dorfgeschichten. (464 S.) Einzelpr. 4.—; geb. in Leinw. 5. —; in Halbfrz. 6. —
8. Novellen u. Nachlese. (503 S.) Einzelpr. 4.—; geb. in Leinw. 5.—; in Halbfrz. 6. —
9. Gedichte u. Dramen. (VI, 496 S.) Einzelpr. 4.—; geb. in Leinw. 5.—; in Halbfrz. 6. —
10. Das Land der Zukunft od. Was können Deutschland u. Amerika voneinander lernen? (444 S.) Einzelpr. 4.—; geb. in Leinw. 5.—; in Halbfrz. 6. —

— Wurzellocker. Roman in 2 Bdn. 1. u. 2. Aufl. 8. (à 281 u. 282 S.) Ebd. 902. n. 8.—; geb. n. 10. —

— Wurzellocker. 3. Aufl. (490 S.) 8. Ebd. (908). 4.—; geb. 5. —

Pöler, Gottl., Grundr. a. d. Liebesschätze Zions. 1r Thl. 8. Gotha, Mevius. 761.

Poles, Steph., zwei Regierungen in Warschau. Reiseskizzen. gr. 16. (VII und 133 S.) Wien 864, Typographisch-literarisch-artistische Anstalt. *

Polesworth, Humphry, (Fr. Just. Riedel,) der Trappenschütze; ein kom. Heldengedicht in 3 Gesängen. 8. Halle 765.
de Poletika, Michael, f. *Essais* philosophiques etc.

Полевый, Н. А., Царствованіе Іоанна Грознаго. (Отрывокъ изъ исторіи государства россійскаго. (Polewyj, N. A., Regierungszeit Johann des Grausamen. Auszug aus der Geschichte des russischen Reichs.) 8. (192 S.) Berlin 859, F. Schneider.

Polewoi, N. A., Geschichte des Fürsten Italiiski Grafen Suworoff-Rimnikski Generalissimus der russ. Armeen. Mit dem in Stahl gest. Portrait des Helden, seinem Fac-Simile u. 95 aus seinem Leben geschöpften, in Holzschn. durch vaterländ. Künstler dargestellten Scenen illustrirt u. in freier deutscher Uebertragung hrsg. von J. de la Croix. Lex. 8. (XXII u. 365 S.) Riga 850. (Mitau, Reyher.) n. 3 *ℛ*

Polewoi, N. A. Geschichte des Fürsten Italiiski Grafen Suwaroff-Rimnikski, Generalissimus der russischen Armee. Mit 95 Holzschn. Deutsch von J. de la Croix. (XXII. 365) 8. Riga 1850. — Mitau 1851. 53. 9,00

Polewoi, N. A., Regierung Johann des Grausamen. (In russ. Sprache.) 2. Aufl. Berlin 870. Behr. 8. (192 S.) 24 *Ngr.*

Polewoi, N., der Stammvater der russischen Flotte, s. Bühnen-Repertoir, Bd. XIII.

Polewski, Stanislaus [pr. Arzt]: Aus d. patholog. Institut d. Univ. Breslau. Ueber Pachydermia laryngis. Auszug aus der gekrönten Preisschrift: „Untersuchung der anatomischen Beziehungen der Pachydermia laryngis zu den Neubildungen des Kehlkopfes.“ ... Breslau, Druck d. Bresl. Gen.-Buchdr., 1891; 53 S. 8°
Breslau, Med. Fak., Inaug.-Diss. v. 17. Jan. 1891

Polewski, Stanisl., üb. Pachydermia laryngis. Auszug aus der gekrönten Preisschrift: „Untersuchung der anatom. Beziehgn. der Pachydermia laryngis zu den Neubildgn. d. Kehlkopfes“. Diss. gr. 8. (53 S.) Breslau 891. (L. Köhler.) n. 1. —

Poley, Heinrich Engelhardt, Die // Beherrschung // der // Gedancken // in einem anmutigen // DISCURS // von // GEORGE JOLLIE // Unterlieutenant zu Yorck // in Engelland/ // in Englischer Sprache geschrieben /// jetzt / wegen seiner Vortrefflichkeit / ins // Deutsche übersetzt // von // M. Heinrich Engelhardt Poley. // Mit angehängtem Register. // LEIPZIG /// verlegts Jacob Schuster / 1731. - XXXII S. Titelblatt, Widmung, Vorreden des Verfassers und des Übersetzers. - 174 S. und noch 5 Blatt (nicht paginiert) Register und Druckfehler.
Auf dem Vorblatt steht die Widmung:
Der Deutschen Gesellschaft
in Leipzig
überreichte dieses
als
ein Geschencke
M. Heinrich Gottlieb Schellhaffer.
B. S. 1. 8°.[illegible]

Poley, Hnr. Engelh., († d. 15. Nov. 1762.) s. J. Locke, Versuch v. menschl. Verstande.

Poley, Heinrich Engelhard, Philosophiam eclecticam illustris Augustei civibus commendat simulque praelectiones logicas. (Weißenfels (G. A. Legius) 21. p. Trinit. 1733.) 12 S. (3.25) 26982

Poley, Ludwig

Poley, L. (Hrsg.), s. Bṛhadāraṇyakam.

Poley, Ludov., Devimahatmyam, s. Devimahatmyam.

— Oupanichats, Théologie des Védas, Texte Sanskrit. Commenté par Sankara, trad. en Français. I. — III. Livr. Kàthaka-Oupanichat. Roy.-4. les mêmes 835. (à n. 2 *ℛ*) 6 *ℛ*

Poley, Ludw., s. Sadánanda, Vedánta-Sára.

Poley [illegible] Vgr.
Separatabdruck

Poley, L., Védânta-Soutras, Philosophie des Védas, Texte Sanskrit. Commenté par Sankara, trad. en Français. I. Livr. (5 lithogr. B.) Roy.-4. Paris 835. Mercklein. (Leipzig, Hermann.) n. 2 *ℛ*

Poley, Dr. Ludwig, Vedánta-Sára verfasst von Sadánanda. Aus dem Sanskrit übersetzt. Sonder-Abdr. a. d. Sitzungsber. d. k. Akad. d. Wiss. gr. 8. 124 S. Wien, Gerold in Comm. 1 fl.
1870

Poley, L., s. Vrihadáranyakam Káthakam.

Von der Freiheit. [illegible]
[illegible]
[illegible] 30 kr.
1868

Polgar, Alfr., Bewegung ist alles. Novellen u. Skizzen. (Titelzeichnung v. Max Schwerdtfeger.) (V, 148 S.) 8. Frankfurt a/M. 909. Literar. Anstalt. 2.—; geb. 3.—

-- Goethe, s.: Friedell, Egon.

-- Brahm's Ibsen. (VI, 50 S.) gr. 8. Berlin-Westend 910. Berlin, E. Reiß. 1.—

Der Quell des Übels u. andere Geschichten, s.: Bibliothek Langen, kleine.

-- u. Egon Friedell, Soldatenleben im Frieden. Ein zensurgerechtes Militärstück, in das jede Offizierstochter ihren Vater ohne Bedenken führen kann. (52 S. m. Abbildgn.) 8. Wien 910. H. Heller & Co. 1.25

Polgári-és pórkönyvtár. Erkölcsi népnevelést és anyagi jólétet eszközlö irományok. Megjelenik füzetenkint. Elsö füzet. Aranygyárto-falú. (Zschokke Henrik után magyarúl Köpe János által.) Németh Vilmos sajátja. 8. (6¾ B.) Brassóban 845. (Kronstadt, Németh's Buchh.) *

Polhammer, Andr., zum Andenken an den bayerischen Feldzug 1866. Anrede bei der gottesdienstl. Feier zu Postmünster für die auf dem Felde der Ehre Gefallenen am 31. Dezbr. 1866. 2., mit Zusätzen verm. Aufl. Altötting 867. Passau, Elsässer & Waldbauer. 8. (20 S.) 1½ ngr.

Polhem, Christoph. Patriotisches Testament, oder Unterricht von Eisen, Stahl, Kupfer . . . A. d. Schwed. . . . Grätz 1770. Ü: *Schreber, Daniel Gfr.* (Ky) (ML)

Polhem, C., patriot. Testam. oder Unterr. z. Manufaktur v. Eisen, Stahl u. Kupfer &c. gr. 4. Nrnb. Felsecker. 770.

Polhöhe, die, v. Potsdam, s. a. Veröffentlichung des königl. preuss. geodätischen Institutes. N. F. 1.

Die Polhöhe von Potsdam. H. 1. M. 3 lithogr. Taf. *Berlin: P. Stankiewicz 1898.* 4.
(Veröffentlichg d. Kgl. Preuss. Geodät. Institutes.) [98. 6916

K. Preuss. Geodätisches Institut Potsdam.

— — Die Polhöhe von Potsdam. II. Heft. Berlin 1900. 4°.

Polhöhenbestimmungen, s.: Veröffentlichung d. königl. preussischen geodätischen Instituts.

Polhöhenbestimmungen aus dem J. 1886 für 20 Stationen nahe dem Meridian des Brockens vom Harz bis zur dänischen Grenze. [Berlin 1889.] H: *Löw, Moritz.* (EB)

Polhöhenbestimmungen aus dem Jahre 1886 für 20 Stationen nahe dem Meridian des Brockens vom Harz bis zur dänischen Grenze. — Gelegentlich ausgeführte Polhöhen- und Azimuthbestimmungen aus den Jahren 1878—84. Berlin 1889. 4. (Publ. d. k. preuss. geod. Inst.)

Polhöhenbestimmungen im Harzgebiet, s. a. Veröffentlichung des königl. preussischen geodätischen Institutes.

Polhöhenbestimmungen im Harzgebiet ausgeführt in den Jahren 1887—91. Berlin 1894. H: *Löw, Moritz.* (EB)

Poli, A. Joh. Nep., sind in Bayern die Müller, Bäcker u. Melber in Vortheil? oder sollen die polizeil. Taxationen aufgehoben werden? nebst Vorschlägen u. Erörterungen üb. d. gegenwärt. Bestand der Mühlen Bayerns, im Hinblick auf d. Ausland, u. über den Mühllohn (Mahlmitze) dann den hierauf basirten Brod- u. Mehl-Tarif. gr. 8. (3½ B.) München 813, Franz.

Poli, Camillo v.

Poli. Memoiren Camillo von Poli's, Hauptmann und Adjutant unter Napoleon. A. d. Französ. von Dr. A. Th. Peucker. 2 Bde. (21¾ B.) 8. Breslau 1846. 4,50.

v. Poli, Camillo, Memoiren. Aus d. Franz. v. Aug. Theod. Peucker. 2. wohlf. (Titel-)Ausg. gr. 8. (VI, 146 u. 192 S.) Breslau (846) 847, Schulz & Co. n. 1 ℛ︁

Poli, G. S., Elementi di fisica sperimentale. 5 Tomi. Venezia 819. (Vienna, Volke.)

Poli, Geo., Bedenk. v. Exorcismo b. d. Kindertaufe. 8. Frkf. Pape. 704.

Poli (M.). Ski Heil! Kurze prakt. Ski-Fahrschule, zur Anwendung f. Sport-, Dienst- und Verkehrs-Zwecke. 42 S. illustr. kl. 8°. Regensburg. 1910. M. 1.—

Poli, Matth.

— Anmerk. üb. d. 5te B. Mosis, a. d. Engl. 4. Jena, Cuno. 749.

Poli, Matth., synopsis criticor. aliorumq. S. Script. interpretum etc. etc. V Vol. fol. maj. Frcf. Andreae. 712.

Poliadis, Minervae, sacra et aedem in arco Athenarum, illustravit C. O. Müller; adjecta est interpretatio inscriptionis atticae quae ad architecturam aedis hujus pertinet, cum 3 tab. aere inc. 4maj. Göttingae, Röwer. 820.

Poliakoff, Sarah. Die Erregbarkeit von Nerv und Muskel perfundierter Frösche. Diss. Med. Bern. [Mit Figuren. — Sep.-Abdr. aus: Zeitschrift für Biologie. Band 45, Heft 1.] 44 S. 8. München, R. Oldenbourg, 1903.

Poljakow, J. S., Reise nach der Insel Sachalin in den J. 1881—1882. Briefe an den Secretär der kaiserl. russ. geograph. Gesellschaft. Aus dem Russ. übers. v. A. Arzruni. gr. 8. (III, 134 S.) Berlin 884. Asher & Co. n. 4.—

Poliander

— — Analecta historico-literaria curiosa. Vermischte und gesammlete Anmerkungen. Aus der Historie, Litteratur, und curieusen Wissenschafften, welche in sich halten I. Mathematische Merckwürdigkeiten. II. Historische Merckwürdigkeiten. III. Oeconomische Merckwürdigkeiten. IV. Vermischte Merckwürdigkeiten. 17 Gänge mit vielen Abbildungen. Erfurt 1721 ff. 8°. So cplt. sehr rar!
Haydinger's Bibl. — Rassmann, Lex. Pseud. p. 144 hat nur „9 Gänge".

POLIANDER (ps.), Anmuthige und zeitkürzende Quellen. 1720.
Weller, Lex. Ps. p. 454, wo auch das folgende. Beides selten!

Poljanec, Johann (*Ivan*) Crtica o romantični poeziji srbski. Ženitev Maksima Črnojeviča. (Narodna pesen.) 8 (S. 3—18).
Progr. K. k. Ober-G. *Rudolfswert* 1893.
Eine Skizze über die romantische Poesie der Serben. Hochzeit des Maxim Črnojević. Ein Volkslied.

Poljanec, Dr. Leopold, Mineralogija in geologija za velike gimnazije. Klagenfurt 1909. Druckerei der St. Hermagoras-Bruderschaft. Geb. K 2.80.

Poljanec, L e o p o l d. Prirodopis živalstva za višje razrede srednjih šol. Celovec, St. Hermagoras-Druck., 1910. 260 S.

Polibus, s. P o l i t u s

Police, die. Donnerstag erschein. Unterhaltungsblatt, hrsg. v. Hugo Ruhemann. Schriftleitung: Sigmar Mehring. Beilage: „Deutsche Wespen", red. v. Jul. Stettenheim. 1. Jahrg. Juli—Decbr. 1890. 26 Nrn. (B.) gr. 4. Berlin 890. W, Link-Str. 25, „Police". n. 14.—

Policei, s. Polizei.

Policey, s. P o l i z e i

Policey-Ordnung, s. P o l i z e i - O r d n u n g.

Policey-Placat, s. P o l i z e i - P l a k a t

Polich, De tragicorum Graecorum philosophia et de fontibus, ex quibus eam haus videntur. Pr. 1858. 14 S. 4°.

Polichinell, der siegreiche Held, ein Schwank in zwei Aufzügen. Mit 10 illum. Kupfern. (Kleinkinderbuch.) qu. 16. Leipzig 843, Baumgärtner's Buchh. n. 1/3 ₰

Polichinelle der merkwürdige Zwerg. Sein Leben u. seine unglaublichen Fahrten u. Abenteuer. Ein lustiges Mährchen zur Erheiterung der deutschen Jugend. Nach d. Franz. frei bearb. v. M. Schlimpert. Mit Holzschn. 8. (111 S.) Leipzig 847, Teubner. 3/4 ₰

Beiträge zur Geschichte der Freimaurerei in den beiden Grossherzogthümern Mecklenburg vom Br. A[ug.] F[riedr.] Polick. H. 1—3. Rostock 1854—1855: Behm. 8⁰
1. Mit 1 Lithogr. 120 S. 1854; 2. Mit 1 Lithogr. 120 S. 1854; 3. Mit 1 Lithogr. 120 S. 1855.
cf. FZ. 10 (1856) S. 189—191 (F. Voigts); Bh. 1 (1858) S. 174—175.
Tt. 404.

Ditmar, Baron von, von Schröder und von Nettelbladt. Skizzen zu den Lebensabrissen von A. F. Polick. Rostock 1855. S. S. 88—103 u. 3 Bildnisse. Aus Policks Geschichte der Freimrei in Mecklenburg. 3. Heft.

Erinnerungsblätter an die Feier des 27. Febr. 1854 in der ger. u. vollk. Loge zu den drei Sternen im Or. zu Rostock. Eine Brudergabe aus der oben genannten freim. Werkstätte. [Hrsg. von Aug. Friedr. Polick.] Rostock 1854: Behm. 29 S. 8⁰ [Umschlagtit.]
Tt. 1998. Protokoll, Reden, Gesänge u. Toaste des Doppelfestes der Loge: der Geburtstagsfeier des Grossherzogs von Mecklenburg-Schwerin Friedrich Franz II. u. der Aufnahme des 7. Sohnes des Br. Eggers daselbst.

[Autogr.] Hiram und das Meisterwort. Eine freim. Studie von A[ug.] F[riedr.] Polick. Ms. f. BBr Mstr. [Rostock] 1871. 11 S. 8⁰ [Umschlagtit.]
Tt. 1380.

Säcularfeier der Einführung der Freimaurerei in Mecklenburg, festlich begangen von der Prov.-Loge von Mecklenburg-Schwerin und Strelitz im Or. zu Rostock, am 15. Mai 1854. [Hrsg. von Aug. Friedr. Polick.] Ms. f. Brr. Rostock 1855: Behm. 32 S. 1 Taf. 8⁰
Tt. 403. Protokoll, Vor-, Nachw., Ritual von A. F. Polick. Vortrag üb. die geschichtl. Entwicklung der Mrei in Mecklenburg von J. D. Capell.

Friedr. Ludw. Schröder. Ein kurzer Abriss seines Lebens und maurerischen Wirkens zur Erinnerung an seinen am 3. Nov. d. J. eintretenden 100jährigen Geburtstag vom Br. A[ug.] F[riedr.] Polick. Ms. f. Brr. Mit Schröder's Bildn. in Folio. Rostock: Selbstverl. 1844. 45 S. 8⁰
Auszug in: Bh. 1 (1858) S. 188—190, 195—198.
Tt. 977. Das Bildn. fehlte.

Polick, Aug. Fr., Verzeichniss sämmtlicher in Deutschland seit dem Jahre 1737 gegründeten, erloschenen und noch bestehenden Gross- und Provinzial-, Johannis- und Schottenlogen und Capitel so wie der bekannten Winkellogen. Mit historischen Notizen unter Angabe des betreffenden Logenbundes, der Zeit der Begründung, Veränderung und des Erlöschens. Leipzig 859. Luppe. (Friedlein.) gr. 4. (28 S.) n. 15 ngr.

Policy, the, of the Danish government and the „misunderstandings" A key to the budget-dispute. Dedicated to the right honourable the Earl of Ellenborough. Translated from the German. Hamburg 861. Rudolphi. gr. 8. (74 S.) n. 15 ngr.

Polidor, oder die unglücklichen Geschwister. Ein Trauerspiel in fünf Aufzügen. Zum Vergnügen entworfen von R.**** Stralsund. H. J. Struck. 1762. 80 S.

Polidor, des Herrn v., Geschichte. 3 Thle. 8. Mannheim, Schwan. 781.

Polier, Der. Gemeinverständliches Handbuch zur Ausbildung der Poliere ... Potsdam, Leipzig u. Berlin [1896]. Red: *Karnack, O. (= Müller)*. (Berl)

[F.] Der Polier. Gemeinverständl. Handb. z. Ausbildg der Poliere m. Beig., enth. e. Vorlagewerk v. Entwürfen zu Land- u. einfachen Stadthäusern, Geschäftshäusern ... sowie m. vielen hundert Textill. u. color. Abb. (Redig. v. O. Karnack.) H. 1—27. *Potsdam, Leipzig & Berlin: Bonness & Hachfeld [1896].* 8.
= Baugewerbeschule. Unterrichtsbriefe f. d. Selbststudium d. ges. Hoch- u. Tiefbauwesens. [Bd 1.] 96. 6765

Polier, L. M. de, la Mythologie des Indous etc. II Tom. gr. 8. Rudolst. Hofbuchhdl. 809.

de Polier, Marie Elisabeth, la Mythologie des Indous; travaillée sur les Manuscripts authentiques apportés de l'Inde. II Tom. gr. 8. Rudolst. 809. Hofbuchhdl. 6 ₰

Polier de St. Germain, du Gouvernement des moeurs. 8 Bern, Haller. 784.

— — le même. 8. Lausanne, Pott et C. 785.

— Mémoires. 8. Basel 779. Thurneisen. 12 gr.

Polier de St. Germain, de. Von der Regierung der Sitten. Aus dem Französischen des Herrn de Polier de St. Germain ... Uebersetzt von Georg Friedrich Götz. Frankfurt und Leipzig, bei Heinrich Ludwig Brönner 1785.
Tit., 3 Bl., 340 S. 8°.

Polifka, Johannes

— der Eheſtand u. die chriſtliche Familie. 1. u. 2. Aufl. (à 229 S.) kl. 8. Ebd. 902. 906. 1. 50

Polifka, Johs., C. Ss. R., Frauentugenden. Für die Frauen u. ihre Vereine geſchrieben. 12. (181 S.) Münſter 902. Alphonſus-Buchh. 1. 20

Polifka, Johs., C. Ss. R., Frauentugenden. Für Frauen u. Jungfrauen geſchrieben. 2. Aufl. (184 S.) kl. 8. Münſter 908. Alphonſus-Buchh. 1.50; geb. 2. 25

— P. Georg Freund, C. Ss. R. Ein Mann der Tat. (439 S. m. 1 Bildnis.) gr. 8. Wien 907. A. Opitz Nachf. 3.50; geb. 4. 20

(F) **Polifka,** P. J. P., Georg Freund, C. SS. R. Ein Mann der Tat. Gr.-8°. (437 S.) K 4.—, geb. K 5.—
Wien: „Reichspost" 1907.

— das Geld u. ſein Paradies. (IV, 200 S.) 8. Regensburg 906. Verlagsanſtalt vorm. G. J. Manz. n. 1. 20

Polifka, Johs., C. Ss. R., Jeſus u. Moſes. Predigten üb. d. größte Denkmal d. Liebe, d. allerheil. Sacrament d. Altares. gr. 8. (III, 167 S.) Münſter 898. Alphonſus-Buchh. n. 1. 80

— Jeſus u. Moſes. Predigten üb. das größte Denkmal der Liebe, das allerheil. Sakrament des Altares. 2. Aufl. (III, 220 S.) kl. 8. Münſter (908). Alphonſus-Buchh. 2.—; geb. 2. 75

— der hl. Gerard Majella, Profeß-Laienbruder der Kongregation des allerheiligſten Erlöſers. Eine Lebensſkizze m. Gebetsanh. (69 S. m. 1 Bildnis.) 16. Linz 904. Preßverein. — 25

[F.] Maria-Filippsdorf. E. Wallfahrtsbuch zu Ehren d. allerseligsten Jungfrau 'Maria, Heil d. Kranken u. Hilfe d. Christen', geschrieben v. P. Johannes Polifka ... Munster i. W.: Alphonsus-Buchh. (1897) 263 S., 1 Bl., 1 Taf.) 1 Bd 8.

— Maria-Filippsdorf. E. Wallfahrtsbuch zu Ehren d. allerheiligſten Jungfrau „Maria, Heil d. Kranken u. Hilfe d. Chriſten". 16. (267 S. m. Titelbild.) Ebd. 898. Geb. in Leinw. n. 1. —

— Prieſterfeinde u. die ſchwarze Gefahr. Loſe Skizzen. (228 S.) kl. 8. Münſter 904. Alphonſus-Buchh. n. 1. 50

— St. Johannes, der Täufer. Faſten-Vorträge. (340 S.) kl. 8. Ebd. (908). 2.—; geb. 3. —

Verleumdungen der katholischen Kirche widerlegt von P. Johannes Polifka, C. S.S. R. Tatsachen, nicht Worte. Münster i. W.: Alphonsus-Buchh. 1903. (281 S.) 8° [F.]

— Vorträge üb. das heiligſte Herz Jeſu. 12. (278 S.) Ebd. 900. 1.80

— Vorträge üb. das heiligſte Herz Jeſu. 2. Aufl. (272 S.) kl. 8. Ebd. 909. 2. —

— vier Waffen des katholiſchen Oeſterreichers. Ein Wort in Sturmeszeit. Zum V. allgemeinen öſterreich. Katholikentage! (89 S.) kl. 8. Wien 905. H. Kirſch. n. — 60

Polifka, Johs., C. Ss. R., Cölibat od. Prieſterehe? Eine Frage, beantwortet v. P. (64 S.) kl. 8. Münſter 904. Alphonſus-Buchh. n. — 30
Sonderabdruck aus: „P., Prieſterfeinde".

POLIGNAC (Yolande, Martine, Gabrielle *de Polastron*), Duchesse de (um 1749—93). — Ueber das Leben und den Charakter der Herzogin v. Polignac. Nebst interessanten Anekdoten betreffend die französ. Revolution und Marie Antoinette. Von der Gräfin *Diane Polignac.* Aus d. Französ. Berlin, Unger, 1796. 12°. XVI—128 S. Rar! (3 Mk. C. Uebelen, München, c. 1890; 4 Mk., Orig.-Umschl., F. W. Haschke, Lpz., 1912.)

Orig.: *Polignac,* Comtesse *Diane de,* Mémoires sur la vie et le caractère de la princesse de Polignac. Hambourg 1796. 8°. (Vendu 3 fr.) —, Mémoires de Mme. la duchesse de Polignac, avec des particularités sur sa liaison avec Marie-Antoinette, reine de France. Paris, an V. (1797.) in-18°. (5 fr.) Authentiques? Est-ce la même chose que l'ouvrage précédent du même auteur? — Manuel .... Turin 1892. col. 653.

v. Polignac, Fürſt Jul., hiſtoriſche, politiſche u. moraliſche Studien über den Zuſtand der europ. Geſellſchaft um die Mitte des 19. Jahrhunderts. Von dem Verf. genehmigte u. verm. Originalausg. aus dem Franzöſ. 2 Bde. 8. Regensburg 846, Manz. $1^2/_3$ ℛ

Polignac, Melchior de, Kardinal. Anti-Lucretius, sive de Deo et Natura libri novem. Opus posthumum. Ad exemplar Parisinum rec. et de poetis philosophis, antiquis aeque ac recentioribus praefatus est IO. CHRISTOPH. GOTTSCHEDIUS. Leipzig, B. C. Breitkopf, 1748. 8°. *Frontispizporträt Polignacs, Bernigeroth sc.,* 7 Bl. XLVIII & 430 S. 9 Bl. *Mit einer reizenden Porträtvignette der sächs. Kurfürstin Maria Antonia v. Bayern nach Blessing v. Bernigeroth.*

— — daſſ. überſ. v. Schäfer. 2 Thle. 8. Bresl. Korn d. ält. 760.

Polignosie und Polilogie, s.a. **Versuch, erster, einer wissenschaftlichen Begründung der Ethnologie.**

Polignosie und **Polilogie, oder:** Genetische und **comparative Staats-** und Rechts-Philosophie ... **Marburg 1855. V:** *Vollgraff, Carl Frdr.* (CBH)

Poligrafo, il, Austriaco. Giornale illustrato di Scienze, Lettere, Belle Arti, Filologia, Linguistica, Teatri, Mode, Musica, Industria ecc.; con illustrazioni stampate nel Testo; con Figurini di Moda orig. e color. ecc. Editore e Red. principale: F. A. Rosenthal. Anno I. 1848. 156 Nrr. gr. Fol. (Bog., Italien. u. Deutscher Text.) Vienna. (Lechner.) n. 16 ℛ Prachtausg. n. 20 ℛ

Polikeit, H(ans): Wie ich bei meinen Untersekundanern Freude an Schillers Lied von der Glocke zu erwecken versuchte. Neumark Wpr. 1909: Koepke. 42 S. 8°
Neumark Wpr., k. PG m. st. VS OP 1909 (43) [S 09. 366

Polikier, H. Über die Condensations-Producte von Formaldehyd mit Harnstoff und Sulfoharnstoff. Bern 1888.

Polikier-Ledermann, Anna Balbina. Chemisch-mineralogische Untersuchungen einiger oberhalb Gampel ⟨Kt. Wallis⟩ vorkommenden Gesteine und Mineralien. Diss. Phil. Bern. 8. Bern 1891.

Poliklinik, die, das mediciniſche Profeſſoren-Collegium u. die praktiſchen Aerzte Wiens. Streiflichter auf die ärztl. Verhältniſſe der Reſidenz. gr. 8. (36 S.) Wien 877. Rosner. n. — 60

Polikowsky, I[saac]: Prosper Mérimée. Le caractère et l'œuvre littéraire. Carouge-Genève 1910. 164 S. 8°. [18. VII. 08.]
Bern. Phil. Diss. 1909/10.

* **POLIMON** (ps.), Der Durch die Gewalt der Liebe In der Person Der Durchlauchtigsten Prinzeßin Emma Höchst beglückseeligte SECRETARIUS Eginhard. Der galanten Welt zu einem wahrhafften Liebs- und Helden-Roman Zur vergönnten Gemüths-Ergötzung vorgestellet von —. Franckfurt und Leipzig 1749. 8°. 3 Bll., 207 S. (In Berlin: Yv 43014) (3 Mk. Friedr. Scharre, Berlin, c. 1880; jetzt theurer!)
Sehr steif und langweilig.

Pöling, Wilhelm, a. Düsseldorf: Kritische Studien zu E. B. Browning. Münster i. W. 1909: Westf. Vereinsdr. VI, 85 S. 8° ¶(Ersch. vollst. als: Münstersche Beiträge z. engl. Literaturgesch. 6.)
Münster, Phil. Diss. v. 17. Juni 1909, Ref. Jiriczek
[Geb. 17. Sept. 84 Ohligs; Wohnort: Münster i. W.; Staatsangeh.: Preußen; Vorbildung: Oberrealsch. Düsseldorf Reife O. 03; Studium: Münster 2, Berlin 4, Münster 5 S.; Rig. 20. Febr. 09.] [U 09. 3010

Pöling, Wilh., kritische Studien zu E. R. Browning, s. a. Beiträge, Münstersche, zur engl. Literaturgeschichte. VI.

Kritische Studien zu E. B. Browning. Von Dr. Wilhelm **Pöling**. Münster ‹Westf.›: Schöningh 1909. VIII, 90 S. 8°
(Münstersche Beiträge z. engl. Literaturgeschichte. 6.) [10. 10359

Polingano, Jos. de, ein wahres Räubergemälde uns. Tage. 2 Thle. (2r Thl. a. unter den Tit.: Flüchtlinge.) 8. Halle, Hendel. 803. (1r 1 Rthlr. 2r 18 gr.)

de Polingano rc. ist nur 1 Bd.; die Flüchtlinge rc. gehören nicht dazu. (Hat auch Joachim in Leipzig.)

— — Dasselbe (mit verkürztem Titel): Joseph de Polingano. 2 Bde. Ebd. 1810. 8°.
Nur Bd. 2 (IV u. 273 S.) lag vor.

Polio, s. Pollio

POLIOLOGIA, Das ist: Accurate Beschreibung Aller vornehmsten Städte, Vestungen, Klöster, Schlösser, Märckte, Pässe etc. in Europa, Sowohl was ihre Erbauung, Fortification, Religion, Herrschafft und Regierungs-Form, als auch die von ihrem Ursprung an ... sich ereignete denckwürdige Begebenheiten betrifft; ... Bey dieser Vierdten Auflage ... revidirt u. vermehrt herausgegeben von Johann Heinrich Seyfried. Nürnberg, Buggel und Seitz, 1727. 12°. *Doppelblattgroßer Kupfertitel*, zweiseitiger gedruckter Titel in rot & schwarz, 8 Bl. 741 S. In altes Neumen-Prgt. gebunden.
Ein interessanter Reiseführer in Taschenformat, der das Wichtigste über tausende von europäischen Städten (die alphabetisch geordnet sind) kurz verzeichnet und „statt eines compendieusen Zeitungs-Lexici nützlich" gebraucht werden kann.

Griechische **Poliorketiker**. Mit d. handschriftl. Bildern hrsg. u. übers. von Rudolf Schneider, (Heidelberg). (1.) Berlin: Weidmann 1908. 4°
= **Abhandlungen** d. Kgl. Gesellschaft d. Wiss. zu Göttingen. Phil.-hist. Kl. N. F. Bd 10, No 1. [08. 14471

Polis
① Eine Monatsschrift. Sozialpsychologische Rundschau (1908) ⑤ 1. 12. 1906 —1908 ⑦ Vierteljahrsschrift ⑧ Zürich: F. Hinnen ⑩ Dr. Joh. Widmer, U. W. Züricher ⑪ der Herausgeber; Mitarbeiter: Fritz Brupbacher ⑫ links-orientiertes Anzeigeblatt für Neuerscheinungen auf dem Gebiet der Politik, Literatur und Kunst ⑭ Zh: Z.

Polis. (Sozialpsychologische) **Monatsschrift.** Hrsg. v. Johs. Widmer. 1. Jahrg. 1907. 12 Nrn. (à ca. 16 S.) Lex.8. Zürich, (Buchh. des schweiz. Grütlivereins). 6.—
Nicht im Buchhandel.

Polis, Alfred [Dr.]: Ueber aromatische Bleiverbindungen. ... *Aachen* (1889); S. I–XVI; 4°
Aachen, R, OP 1889 (440)

Polis, Alfr., Grundzüge der theoretischen Chemie für Studirende. 8. (VI, 145 S. mit 1 Tab.) Aachen 887, Barth. [*ℳ 2.40.] * 1 60

— précis de chimie théorique à l'usage des étudiants. Traduit de l'allemand par A. Lecrenier. 8. (VI, 127 S. m. 1 Tab.) Ebd. 888. n. 1. 60

Polis, Alfred Ueber neue aromatische Siliciumverbindungen. 4 (XXIX S.). Progr. Rech. mit Fachklassen *Aachen* 1886 (428).

Polis, Peter

Polis, P., üb. wissenschaftliche Ballonfahrten u. der. Bedeutg. f. d. Physik d. Atmosphäre! Vortrag, geh. in der naturwissenschaftl. Gesellsch. zu Aachen am 13. Jan. 1896. Hrsg. von d. naturwissenschaftl. Gesellschaft zu Aachen. gr. 8. (27 S. m. Abb.) Aachen 896. (C. Mayer.) n. 1. 40

Ueber Wissenschaftliche Ballonfahrten u. deren Bedeutg f. d. Physik d. Atmosphäre! Vortr., geh. in d. Naturwissenschaftl. Ges. zu Aachen ... v. P. Polis, Vorsteher d. Meteorolog. Station Aachen. M. Ill. Hrsg. v. d. Naturwissenchaftl. Ges. zu Aachen. *Aachen: (Dr.: Victor & Mindel) 1896.* (27 S.) 1 Bd 4. [96. 5247

Die Entwickelung der Meteorologie unter besond. Berücks. der Aachener Station im 19. Jh. Festrede bei d. Einweihung d. Meteor. Observat. zu Aachen. Geh. am 22. Sept. 1900 von Dr. P[eter] **Polis**. *Aachen (1900): H. Kaatzer.* (8 S.) 8° [Umschlagt. F.] [01. 4663 B

Ergebnisse der Luftdruck-Registrierungen von Aachen. Die Wärme- und Niederschlagsverhältnisse der Rheinprovinz. Hrsg. ... von Dr. P[eter] Polis. Karlsruhe: Braun in Komm. 1905. 21 S. 4°
Aus: Deutsches Meteorolog. Jahrbuch f. Aachen. 1903.
(Veröffentlichungen d. Meteorolog. Observatoriums Aachen.)

Polis, P., Ergebnisse der Niederschlags-Registrierungen v. Aachen. Hrsg. im Auftrage der naturwissenschaftl. Gesellschaft zu Aachen. (15 S. m. Fig.) gr. 4. Karlsruhe 903. (G. Braun'sche Hofbuchdr.) n. 2. —

— die Gewitterböe in der Rheinprovinz am 26. VII. 1902. (17 S. m. Fig.) gr. 4. Ebd. 903. n. 2. —

— s.: Jahrbuch, deutsches meteorolog. (Aachen.)

Das Klima von Aachen von Privatd. P[eter] **Polis**. Mit 7 Abb. Festgabe z. Erinnerung an d. Einweihung d. Meteor. Observat. zu Aachen im J. 1900. *Aachen 1900: (H. S. Hermann in Berlin).* (24 S.) 4°
Aus: Aachener Festschr. d. 72. Versamml. dtsch. Naturforscher u. Aerzte [00. 7084 II

Das Klima von Marienbad von P. **Polis,** Vorstand d. Meteorolog. Station Aachen. *Aachen: O. Müller 1895.* (23 S., 1 Bl.) 1 Bd 8. [96. 4037

Klimatafel von Aachen. Nach d. Beobachtungen d. Meteorol. Station. (Unterz.: Dr. [Peter] **Polis**) *Aachen [1900]: La Ruelle.* (1 Bl. gr. 2°) [illegible] 5

Polis, P., zur Klimatologie Aachens. Resultate der in den J. 1829–1889 angestellten meteorolog. Beobachtungen. gr. 4. (14 S. m. 28 Tab. u. 1 graph. Darstellung.) Aachen 890. Barth. cart. n. 5. —

— die Luftdruckverhältnisse v. Aachen. Hrsg. im Auftrage d. naturwissenschaftl. Gesellschaft zu Aachen. gr. 4. (10 S. m. Fig.) Karlsruhe 900. G. Braun'sche Hofbuchdr. n. 1. 20
Sonderabdr. aus: „Deutsch. meteorolog. Jahrb. f. Aachen".

Die Methode der Pilotballonmessungen für Aerologie und Luftschiffahrt, insbes. ihre Ergebnisse am Aachener Observatorium. Von Prof. Dr. [Peter] **Polis**. Dat. Aachen Dezember 1910. 20 S. 8° [Kopft.] [11. 3079

Polis, Pierre: Die wolkenbruchartigen Niederschläge des Juni 1898 im Maas- und Roer-Gebiete. ([S.-A.] „Das Wetter". Meteorologische Monatsschrift. Heft 9. 1898.) (Braunschweig 1898.) 7 S. 8°.

Niederschlagskarte der mittleren Rhein-Provinz und der Nachbargebiete. 9 Karten. Jährl. Verteilung, jahreszeitl. Verteilung, Winter-, Frühlings-, Sommer-, Herbstregen ... von Dr. P[eter] **Polis**. Dir., Aachen. *Stuttgart: J. Engelhorn 1899.* (9 Karten.) 4° [0-. 1348

— Vergleichende Niederschlagsmessungen an der Meteorologischen Station Aachen. (Sonder-Abdruck aus „Das Wetter", Meteorologische Monatsschrift für Gebildete aller Stände, Heft 5, 1897.) (o. O. u. J.)

Polis, Pierre: Niederschlagsverhältnisse von Aachen. ([S.-A.] „Das Wetter". Meteorologische Monatsschrift. Heft 9 u. 10. 1897.) Braunschweig 1897. 16 S. 8°.

— d. Niederschlagsverhältnisse v. Aachen. [Aus: „Deutsches meteorolog. Jahrb. f. Aachen" II, 1896.] gr. 4. (20 S.) Karlsruhe 897. G. Braun'sche Hofbuchdruckerei u. Verlag. n. 2. —

— Die Niederschlags-Verhältnisse der nördlichen Eifel. [Vortrag auf der Naturforscher-Versammlung in Braunschweig 1896.] — Die Strömungen der Luft in den Cyklonen und Anticyklonen. [Vortrag auf der Naturforscher-Versammlung in Düsseldorf 1898.] — Die wolkenbruchartigen Niederschläge des Juni 1898 im Maas- und Roer-Gebiet. [Sonder-Abdr. aus „Das Wetter", Meteorolog. Zeitschrift für Gebildete aller Stände, Heft 9, 1898.]

Die Niederschlagsverhältnisse der Rheinprovinz v. P. Polis, Dir. d. meteorol. Centralstation. Vortr., geh. im Aachener Bezirksver. deutscher Ingen. [Aachen 1898.] 2 Bl. 4°

– die Niederschlagsverhältnisse der mittleren Rheinprovinz u. der Nachbargebiete, s.a.Forschungen zur deutschen Landes- u. Volkskunde. XII. 1.

Die N i e d e r s c h l a g s v e r h ä l t n i s s e der mittleren Rheinprovinz und der Nachbargebiete. Von Dr. P. Polis, Aachen. M. 10 Tab., 9 Kart. u. 3 Textill. Stuttgart: J. Engelhorn 1899. (96 S.) 8⁰
= Forschungen zur deutschen Landes- u. Volkskunde. Bd 12. H. 1.

Polis, Pierre: Die Niederschlagsverhältnisse des südlichen Roergebietes im Jahre 1897. (S.-A.) „Das Wetter". Meteorologische Zeitschrift. Heft 6. 1898. (Braunschweig 1898.) 6 S. 8°.

Nord-Eifel und Venn. Ein geogr. Charakterbild. Von Dr. P[eter] **Polis**, Dir. zu Aachen. Mit 25 Abb., 4 Tab. u. 4 Kartenbeil. Aachen: Aachener Verl. u. Dr.-Gesellsch. 1905. (4, 117 S.) 8° [05. 9914

Das Meteorologische Observatorium zu Aachen von Privatd. P[eter] **Polis**, Dir. Mit 5 Abb. Festgabe z. Erinnerung an d. Einweihung d. Observ. im J. 1900. *Aachen 1900: (H. S. Hermann in Berlin).* (7 S.) 4°
Aus: Aachener Festschr. d. 72. Versamml. dtsch. Naturforscher u. Ärzte. [00. 7055 II

Das Meteorologische Observatorium zu Aachen auf dem Wingertsberg im Stadtgarten und seine Entwickelung. Von Dr. P[eter] Polis. *Aachen 1899: La Ruelle.* (1 Bl., 1 Taf.) gr. 2° [F.] [99. 911

das neuerbaute meteorologische Observatorium zu Aachen. gr. 4. (21 S. m. Abbildgn. u. 10 Taf.) Karlsruhe 901. (G. Braun'sche Hofbuchdr.) n. 1. 80

Polis, Pierre: Ueber die Quellen der Erwärmungen und Erkaltungen; im Anschlusse der Wärmerückfall vom Monat November 1895. (S.-A.) „Das Wetter". Meteorologische Monatsschrift für Gebildete aller Stände. 1896. Heft 3. Braunschweig 1896. 13 S. 8⁰.

Die wolkenbruchartigen R e g e n f ä l l e im Maas-, Rhein- und Wesergebiete am 17. Juni 1904 von Dr. [Peter] Polis. Karlsruhe: Braun in Komm. 1906. 7 S. 4⁰ [Umschlagt.]
Aus: Deutsches Meteorolog. Jahrbuch f. Aachen. 1904.
(Veröffentlichungen d. Meteorolog. Observatoriums Aachen.)

Polis, P. [aus Aachen]: Die Strömungen der Luft in den barometrischen Minima und Maxima, ein Beitrag zur Theorie der Cyklonen und Anticyklonen. Hamburg 1899. 38 S. Mit 22 Tab., 73 Fig. auf 8 Taf. und 5 Fig. im Text. 4°. (Sep.-Abdr. aus „Aus dem Archiv der Deutsch. Seewarte", 22. Bd.)
Basel. Phil. Diss. 1898/99.

Die Strömungen der Luft in den barometrischen Minima und Maxima, ein Beitrag z. Theorie d. Cyklonen u. Anticyklonen. Von Dr. P[eter] Polis, Aachen. (Mit 22 Tab., 73 Fig. auf 8 Taf. u. 5 Fig. im Texte.) *Hamburg 1899: Hammerich & Lesser in Altona.* (38, XXIX S.) 4°
= Archiv, Aus dem, d. Deutschen Seewarte. Jg. 22, No 2. [00. 9085

Polis, Pierre: Temperaturbeobachtungen an der Schneedecke während des Winters 1894/95 zu Aachen. (S.-A.) Meteorologische Zeitschrift. Jahrg. 13. 1896. Heft 1. Wien 1896. 11 S. 4°.

– Temperaturkalender, Feuchtigkeit u. Bevölkerg. zu Aachen. Hrsg. im Auftrage d. naturwissenschaftl. Gesellschaft zu Aachen. gr. 4. (14 S.) Ebd. 899. n. 1. 50
Sonderabdr. aus: „Deutsch. meteorolog. Jahrb. f. Aachen".

Temperaturkarte der Rheinprovinz. Auf Grund 20jähr. Beobachtungen 1881–1900. Jahreskarte. Hrsg. v. Meteorol. Observat. Aachen, entw. von dessen Dir. Dr. P[eter] **Polis**. Masst. 1:175,000. [In 2 Bl.] [Mit 4 Nebenkarten.] [Nebst] Erl. Text. Mit 11 Abb. u. 4 Tab. Essen-Ruhr: G. D. Baedeker (1905); (Geogr. Anst. Graupner & Köner, Leipzig). (1 Kartenbl. in 2 Bl., 20 S. 8°) [lith.] [kol.]
(Veröffentlichungen d. Meteorol. Observat. Aachen.) [06. 4893

Polis, Pierre: Die Temperaturverhältnisse von Aachen. (S.-A.) „Das Wetter". Meteorologische Monatsschrift. Heft 12. 1898. u. 2. 3. 1899. (Braunschweig 1898 u. 1899.) 19 S. 8⁰.

– die Temperaturverhältnisse v. Aachen. [Aus: „Deutsche meteorolog. Jahrb. f. Aachen".] Hrsg. im Auftr. d. naturwissenschaftl. Gesellschaft zu Aachen. gr. 4. (25 S. m. 3 Diagrammen.) Ebd. 898. n. 1. 60

Die diesjährige T r o c k e n p e r i o d e in ihrer Beziehung zur Wasserversorgung der Stadt Aachen. Von Dr. P[eter] Polis. Aachen. Aachen [1899]: H. Kaatzer. (1 Bl.) 4⁰

Polis, P., Klimatische Verhältnisse von Aachen. (Sonder-Abdr. aus dem Meteorologischen Jahrbuch für Aachen, 1895.) Aachen 1896.

– s.: Veröffentlichungen des meteorologischen Observatoriums Aachen.

— die Wärme- u. Niederschlagsverhältnisse der Rheinproviuz. Hrsg. im Auftrage der naturwissenschaftl. Gesellschaft zu Aachen. (5 S. m. Fig.) 4. Karlsruhe 905. (G. Braun'sche Hofbuchdr.) n. — 80
Sonderabdruck aus: „Deut. meteorolog. Jahrb. f. Aachen".

Der Wetterdienst u. die Meteorologie in den Vereinigten Staaten v. Amerika u. in Canada, s.a. Berichte üb. Landwirtschaft.

Der W e t t e r d i e n s t und die Meteorologie in den Vereinigten Staaten von Amerika und in Canada. Studienreise unternommen . . . von Dr. P[eter] **Polis**. Mit 12 Abb. u. 2 Kartenbeil. Berlin: Parey 1908. 43 S. 4⁰ (8⁰)
(Berichte über Landwirtschaft. H. 7.)

Die Wetterlage bei der Strandung des Luftschiffes 'Deutschland'. Von Dr. P[eter] **Polis**. Dat. Aachen Juli 1910. 1 Bl. 4° [Kopft.] [11. 5078

— die Wettervorhersage, s.a. Projections-Vorträge 71. Hft.

Die Wettervorhersage. Vortrag zu e. Reihe von 57 Lichtbildern, mit 26 Abb. u. 1 Kartenbeilage. Von Dr. P[eter] **Polis**, Dir. zu Aachen. Düsseldorf: E. Liesegang 1905. (37 S.) 8°
= Projections-Vorträge. H. 71. [05. 6708

— die Wind- u. Gewitter-Verhältnisse v. Aachen. Hrsg. im Auftrage der naturwissenschaftl. Gesellschaft zu Aachen. gr. 4. (12 S. m. Fig.) Karlsruhe 901. G. Braun'sche Hofbuchdr. n. 1.20
Sonderabdr. aus: „Deutsch. meteorolog. Jahrb. f. Aachen".

— Witterungskunde, s.a. Hilf dir selbst!

Witterungskunde. Anleitung z. Beurteilung u. Voraussage d. Witterung von Dr. P[eter] Polis. Dir. d. Meteorol. Centralstat., Aachen. Mit 24 Abb. u. 3 Tab. *Aachen: C. H. Georgi [1906].* (45 S.) 8° [F.]
[Umschlagt.:] Was haben wir morgen für Wetter?
= Hilf dir selbst! No 18. [06. 8766

— Wolkentafeln. 16 Bilder in Lichtdr. (auf 4 Taf.) gr. 4. (7 S. Text.) Karlsruhe 899. G. Braun'sche Hofbuchdr. In Mappe n. 5.—

Polisch, Karl, moderne Dekorations-Motive. Reproduktionen nach d. Karten u. Skizzen v. P. 1. u. 2. Serie. (Neue Aufl.) gr. Fol. (à 25 Lichtdr.-Taf.) Zürich 895. M. Kreutzmann. In Mappen à n. 35. —

Polisch, Karl, moderne Decorations-Motive. Vervielfältigung der Entwürfe u. Pausen v. P. (1. u. 2. Serie.) 5. Aufl. gr. Fol. (à 25 Taf. in Phototyp.) Zürich 900. M. Kreutzmann. In Mappe à n. 32.—; französ. Ausg. zu gleichem Preise.

Polisch, C., neue Decorationsmotive. Vorlagen f. Decorationsmaler, Bildhauer, Holzschnitzer, Glasätzer, Graveure u. Cisleure. 1. Serie. 2. Aufl. u. 2. Serie. Fol. (à 25 Bl. in Lichtdr.) Berlin 884. 86. Claesen & Co. In Mappe. à n. 35. —

Polisch, C. Ornamentale Entwürfe. Eine Sammlg. von Friesen, Füllgn., Eckstücken etc., bearb. v. A. Schiller. 6 Lfgn. Fol. (à Lfg. 4 Lichtdr.-Taf.) Stuttg. 891,92, J. Hoffmann. à Lfg. * 3 — * 18 —; cplt. in Mappe * 20 —

— motifs de décoration moderne. Réproduction des cartons et poncis. 1. série. Fol. (25 Lichtdr.-Taf.) Ebend. 883. In Mappe. n. 35. —

Polisch C. Samml. v. ornament. Entwürfen. 64 Phot. auf 12 T. [VS] (Zürich 1877)

Pólit, Manuel Maria, la familia de Santa Teresa en América y la primera carmelita americana. Estudio histórico. (XII, 383 S. m. 3 Taf. u. 1 Fksm.) 8. Freiburg i/B. 905. Herder. n. 3. 60; geb. in Leinw. n. 4. 40

Politechnicum, das, in Wien und Herr Prof. Winkler. Eine Entgegnung von F. K. Wien 863. (Förster &) Bartelmus. gr. 8. (16 S.) n. 4 ngr.

Polites, s. Politis

Politesse, la, et la bonne éducation conduisent aux honneurs et nous font aimer de tous les hommes. 8. München, Lentner.

Polith, M., die orientalische Frage und ihre organische Lösung. Wien 862. Leo. gr. 8. (47 S.) n. 8 ngr.

— die Nationalität und ihre staatsrechtliche Begründung. Ebend. 862. 8. (2 Bl., 87 S.) n. 10 ngr.

Politi, s. Politus

Politia, Sacro-civilis. S. l. 1836. V: *Krzykowski, Wenz.* (SO)

Politiani, A., Elegia de exilio et morte Ovidii per N. Barberium italico carmine reddita. 4. Ticini, Regii. (Viennae, Volke.) 810.

Politica, la, Napoleonica nei suoi rapporti colla pace Europea e colla quistione Italiana. Considerazioni illustrative gli Opuscoli: Napoléon III. et l'Italie — La guerre — Italie et France — La foi des traités. Lex.-8. (39 S.) Triest 859, Schubart. Thlr. *

Politica, la vera, della persone di Qualità. 8. Augsb. Stage. 798.

Politicus, s.: Bürgerkunde, deutsche.

Politicus, socialis, s.: Hammerstein, L. v., Freiheit.

Politie, oder der Staaten Verfassungen. Stuttgart 1819. V: *Gagern, Hs Chph Ernst v.* (Cat. d. Stadtbibl. Zürich. Zürich 1864—97.)

Politik. Hrsg. v. Paul Pacher. Bausteine zu e. Lehrbuch f. polit. Denker. Schriftleiter: Geo. Holaubek. Juli 1905 —Juni 1906. 12 Hefte. (à ca. 36 S.) 8. Salzburg (Nonnberg 16), P. Pacher. n. 2. 40

— dasselbe. Gegründet v. Paul Pacher. Hrsg. u. Schriftleiter: Geo Holaubek, v. Nr. 4 ab Schriftleiter Jos. Giglmair. 2. Jahrg. Oktbr. 1906—Septbr. 1907. 12 Hefte. (à ca. 32 S.) 8. Salzburg (Nonnberg 16), P. Pacher. n. 2. 50

Politik. Gegründet v. Paul Pacher. Hrsg.: Geo. Holaubek. Schriftleiter: Jos. Giglmaier. 3. Jahrg. Oktbr. 1907—Septbr. 1908. 12 Hefte. (à ca. 32 S.) 8. Salzburg, Verlag der Politik. 2. 50

Die Politik. Untersuchung über d. völkerpsycholog. Bedingungen gesellschaftl. Organisation von Alexander Ular. Frankfurt a.M.: Rütten & Loening (1906). (99 S.) 8°
— Gesellschaft, Die. Bd 3. [06. 15018

die. Eine staatswissenschaftl. Hausbücherei, geleitet v. Frdr. Wegener. 1. 2. u. 4. Heft. gr. 8. Berlin [C. A. Schwetschke & Sohn], Süd-West-Verlag. à 1. —
Ludwig, Frz., die Reichstagswahlen v. 1907 u. die Sozialdemokratie. 1. Tl. Nach dem Dreimillionen-Sieg. (IV, IV, 84 S.) 907. (Heft 1.)
— dasselbe. 2. Tl. Die Reichstagswahlen v. 1907. (IV, 104 S.) 907. (Heft 2.)
Wegener, Frdr., die deutschkonservative Partei u. ihre Aufgaben f. die Gegenwart. 3. Aufl. (92 S.) 908. (Heft 1.)
Heft 3 ist noch nicht erschienen.

Politik, zur aktuellen. Zeitgeschichtliches von einem Bayern. München 1869. 8.

Politik, Altenburger. (Gedicht.) 1 Bl. in gr. 8. Leipzig 848, Naumburg. n. 1 ngr.

Politik, die äußere, des Abgeordnetenhauses und die Militärreform. Ansprache eines Wahlmannes an die liberale Majorität der Abgeordneten. Berlin 860. (Th. Enslin.) gr. 8. (63 S.) n. 8 ngr.

Die äußere Politik des Abgeordnetenhauses und die Militärreform. Ansprache eines Wahlmannes an die liberale Majorität der Abgeordneten. Berlin, G. Schade 1860. 63 S. 8.

Die äußere Politik Baierns in den letzten Monaten der Regierung des Königs Ludwig zur Zeit der Portefeuilleführung des Fürsten Wallerstein. 1. Dezember 1847 bis 3. März 1848. (Aus Bluntschlis Blättern für politische Kritik.) München, J. G. Weiß, 1848. 32 S. 8°.

Politik, die äußere, u. die sittlichen Gesetze. Eine Untersuchung von E. v. A. Lex.-8. (34 S.) Hannover 888. Helwing's Verl. n. 1. —

— die auswärtige, der „neuen Aera" gerichtet durch sich selbst. Von einem Preußischen Mann. Berlin 861. v. Trautman in Comm. gr. 8. (36 S.) n. 7½ ngr.

Bayerns Politik, Ueber, besonders unter der gegenwärtigen Regierung. 8. Deutschland 1816.

Politik, üb. Bayerns, besonders unter d. gegenwärtigen Regierung. 8. Sulzb. 816. (Seidel); (a. Franz in Münch.) 6 gr.

— britische, u. Balkankrise. Von Scotus Viator. (IV, 13 S.) 8. Wien 909. C. W. Stern. — 50

Politik, bulgarische. Von *,* 1.—3. Aufl. gr. 8. (64 S.) Dresd. 891, Druckerei Glöß. * 1 —

Politik, die, der Christen u. d. Politik der Juden im mehr als tausendjähr. Kampfe. Ein Nachtr. z. „Porträt v. Europa" &c. (Von W. T. Krug.) gr. 8. (5½ B.) Leipzig 832, Kollmann.
2. Nachtrag, vgl. Papstthum, das.

—— die christliche, oder der freundliche Zurechtweiser. An die verschied. polit. und religiösen Partheien der jetzigen Zeit. Von einem wahren Vaterlandsfreund. 16. (36 S.) (Philadelphia 860, Schäfer und Koradi.) *

— üb. Dänemarks gegenwärtige, (v. Graf J. J. v. Ahlefeldt-Laurwig). 8. Schlesw. 793. (Hammerich). 2 gr.

Politik, über Dänemarks gegenw., 8. Schlesw. Röhß. 793.

Dänemarks innere Politik im Widerstreit mit seiner äussern Politik. Beleuchtet mit Beziehung auf die gegenwärtige Crisis. Hamburg. 1861. 8°.

Politik, Die deutsche, Preussens und das Berliner Central-Pressbureau? Hildesheim 1855. V: *Jürgens, Carl.* (Ky)

— die deutsche, Preußens und das Berliner Central-Preßbüreau. (Von Jürgens.) Hildesheim 855. Fincke. gr. 8. (91 S.) n. 15 ngr.

Politik, die deutsche, der preußischen Regierung u. die Hauptgegner derselben. Kurze Skizze der parlamentar. Kämpfe in der deutschen Frage 1860—1882. 1—4. Aufl. gr. 8. (36 S.) Berlin 882. F. Luckhardt. n. — 60

— die deutsche, der Zukunft, s.a. Odins-Flugblatt.

Die Deutsche Politik der Zukunft von einem Grossdeutschen. *München: 'Odin' 1900.* (16 S.) 8° [Fl.]
= Odins-Flugblatt. No 2. [illegible]

Politik, die Englisch-Französische, in der Orientalischen Frage. Von einem Diplomaten, der sich zurückgezogen hat. (Von Tengoborsky.) Berlin 854. F. Schneider. gr. 8. (72 S.) n. 12 ngr.

— — Aus dem Französ. übertragen von F. H. Ungewitter. 1. u. 2. Aufl. Wien 854. Hügel. gr. 8. (56 S.) 10 ngr.

Politik, Die englisch-französische, und einige weitere Worte in der orientalischen Frage. Deutsch von Amand von Struve. Leipzig 1854. V: *Tengoborski, Ldw. de.* (Ky)

— — und einige weitere Worte in der orientalischen Frage. Deutsch von Amand v. Struve. Leipzig 854. Remmelmann. (Kaiserslautern, Meuth.) gr. 8. (87 S.) n. 10 ngr.

Zur europäischen Politik im Jahre 1854, in geschichtlichen Ueberlieferungen zusammengestellt i. Januar 1855. Berlin und Potsdam 1855. 66 S. 8.

Politik, die friedfertige, der Regierung Preußens gegenüber Frankreich vor dem Ausbruch d. deutsch.-französ. Krieges. Ein Beleg f. den defensiven Charakter der deutschen Politik. Aus den Papieren e. verstorbenen Staatsmannes. gr. 8. (78 S.) Hamburg 871. Boyes & Geisler. n. 1. —

Die frühere und künftige Politik des Königs von Preußen, Deutschlands kaum errungene Freiheit und Einheit au'fs (so!) Neue gefährdend: I. der König von Preußen als Vertreter des Preußenthums nährte den Nationalhaß der verschiedenen deutschen Völker. II. der König von Preußen, im Bunde mit dem Kaiser von Rußland, dem Würger des polnischen Volks, zur Unterdrückung deutscher Freiheit und deutscher Industrie. Leipzig, R. O. Schulze, 1848. 7 S. 8°.

— n. d. Grundl. d. Vernunft u. alter Völker. 2 Bdch. 8. Kempt. Kösel (Dannheimer) 792.

Politik, die, am Berliner Hofe. 8. (151 S.) Leipzig 896. C. F. Müller, Berl. n. 3. —

— der drei seit 1786 verbund. Höfe zu London, Berlin u. im Haag, od. die Ursachen d. Revolutionen u. Kriege in Frankreich, Lüttig, Brabant u. Polen rc. 8. Salzb. 794. Duyle. 6 gr.

Politik, Die innere, der Preussischen Regierung von 1862 bis 1866. Sammlung der amtlichen Kundgebungen und halbamtlichen Äusserungen. Berlin 1866. H: *Hahn, Ludwig.* (KGBerlin I, 1669)

— die innere, der preußischen Regierung von 1862 bis 1866. Sammlung der amtl. Kundgebungen u. halbamtl. Aeußerungen. Berlin 866. v. Decker. gr. 8. (XX, 636 S.) 1 ₰ 22½ ngr.

— die, auf der Kanzel. Ein Wort zur Berichtigung. An die Gebildeten aller Stände. Von *n. (Maria Minderman n.) gr. 8. (14 S.) Bremen 851, Kühtmann & Co. n. 2 ngr

Politik, Die, auf der Kanzel ... Bozen 1872. V: *Stock, Norbert.* (margr)

Politik und Krieg. Wien und Leipzig 1898. V: *Sacken, Adolph Freih. v.* Hof- u. Landesbibl. Carlsruhe. Zugangsverz. 1900.)

Politik u. Krieg. Betrachtgn. üb. d. Heerwesen d. Gegenwart bei d. Großmächten des europ. Continentes. Von A. S., e. Soldat. gr. 8. (69 S.) Wien 898. W. Braumüller. n. 1. 50

Die Politik der deutschen Minister im Widerspruche mit den Interessen der deutschen Fürsten und des deutschen Volks. Ein urkundlicher Beitrag zur Beurtheilung der deutschen Zustände. Aus den hinterlassenen Papieren eines berühmten Publicisten und Staatsmannes. Glarus 1844. VIII 124 S. 8. (Protokolle des Karlsbader Congresses.)

— die, „Nur nicht drängeln!" Ein humoristisches Genrebild mit einem ernsthaften Schluß. Von einem Abgekühlten der „neuen Aera." 1—3. Aufl. Leipzig 861. Kollmann. gr. 8. (27 S.) n. 6 ngr.

Die Politik „Nur nicht drängeln!" [illegible] mit einem ernsthaften Schluss. Von einem Abgekühlten der „neuen Aera." 4. Aufl. Leipzig 1861. [illegible]

— die, Oesterreichs mit besonderer Beziehung auf Deutschland. 8. (144 S.) Leipzig 851, Jackowitz. ½ ₰

— die, des Hauses Oesterreich Deutschland u. dem Protestantismus gegenüber. Nach der Geschichte betrachtet von einem Protestanten. gr. 8. (IV u. 216 S.) Göttingen 852, Vandenhoeck & Ruprecht. 1 ₰

Politik, Die, des Hauses Oesterreich Deutschland und dem Protestantismus gegenüber. Göttingen 1865. V: *Löbell, Joh. Wilh.* (Tübz 13, 19) Gött. 1852. (Klüpfel) Gött. 1852. V: *Schröder, August.* (Zu)

Politik, Österreichs innere, mit Beziehung auf die Verfassungsfrage. Stuttgart 1847. V: *Koch, Matthias.* (Hauptkat. d. Univ.-Bibl. Tübingen. F. S. 297.) (Koch, M., Genesis der Wiener Revolution. Wien 1850.)

Politik, Österreichs, in Italien und die wahren Garantien seiner Macht und Einheit. Wien 1859. V: *Lorenz, Ottocar.* (Tübz 8, 23)

Politik und Kaiserhaus, Oesterreich's. Frankfurt 1815. V: *Woltmann, Carl Ludwig von.* (AarK) (Ky)

Politik, Österreichs volkswirthschaftliche, und der Verkauf der Montanwerke. Steyr 1868. V: *Kraft, Alois.* (EB)

— — volkswirthschaftliche Politik und der Verkauf der Montanwerke. 8. (15 S.) Steyr, Sandböck. 15 kr.
1868

— die, Preußens. Eine Stimme aus Süddeutschland. (Abdr. aus dem Preußischen Wochenblatt.) Berlin 859. Th. Enslin. gr. 8. (16 S.) 3 ngr.

Politik. Preussens auswärtige Politik 1850 bis 1858. Unveröffentlichte Dokumente aus dem Nachlasse des Ministerpräsidenten Otto Frhrn. v. Manteuffel. Hrg. von Heinrich v. Poschinger. Band 1: 1850 bis 1852. — *A. u. d. T.:* Von Olmütz bis zur Errichtung des zweiten französischen Kaiserreichs. Vom 1. November 1850 bis zum 2. Dezember 1852. XX + 474 S. 8. Berlin, Ernst Siegfried Mittler & Sohn, 1902. [M. 10. —]
Darin S. 221–224. 237 f. 286. 301. 307–309. 333. 369 f. 379 f. 394. 397 die Schweiz betr.
(Das Werk wird drei Bände umfassen.)

Politik. Preussens auswärtige Politik 1850 bis 1858. Unveröffentlichte Dokumente aus dem Nachlasse des Ministerpräsidenten Otto Frhrn. v. Manteuffel. Hrg. von Heinrich v. Poschinger. Band 3: 1854 bis 1858. — *A. u. d. T.:* Von der Beendigung der orientalischen Krisis bis zum Beginn der neuen Aera. Vom 15. Dezember 1854 bis zum 6. November 1858. XXIV + 514 S. 8. Berlin, Ernst Siegfried Mittler & Sohn, 1902. [M. 11. 50]
Darin S. 249–352 etc. insbes. über die Neuenburger Frage.

Preußens Politik in Bezug auf Deutschland. Eine historische Skizze von einem Bayer. Augsburg, B. Schmid, 1849. 48 S. 8°.
Zweite unver. Aufl.

Auch eine preussische **Politik.** Berlin. 1862. 8°.

Politik, Die Preussische, und der Antrag Hannover beim Bunde auf Aufstellung eines Observationscorps am Oberrhein. Hannover 1859. V: *Weber, O.* (JStBbH) V: *Pernice, Herbert Vict. Ant.* (Scheffer, Die Preuss. Publizistik i. J. 1859. Berlin 1902 S. 161.)

— die preußische, und der Antrag Hannovers beim Bunde auf Aufstellung eines Observationscorps am Oberrhein. Hannover 859. (Brecke.) gr. 8. (16 S.) n. 5 ngr.

—— preußische, der letzten 100 Jahre. gr. 8. (91 S.) Dresden 866, L. Wolf's Buchh. *

— die rationelle, Lamartine's, von ihm selbst entwickelt in einem Schreiben an den Director der Revue Européenne v. 20. Sept. 1831. Im Auszuge für das deutsche Volk. gr. 8. (15 S.) Braunschweig 848, Vieweg & Sohn. n. 1/12 ngr

Politik, Die, der Rechtspflege, dargestellt in ihren Verhältnissen zum allgemeinen Privatrechte. Leipzig 1808. V: *Merkel, Carl Frdr. Gottlieb.* (Ky) (EngJ)

— die, der Rechtspflege, dargestellt in ihren Verhältnissen z. allgem. Privatrechte (v. Merkel) 1r Thl. gr. 8. Lpz. Beygang. 808.

Politik, Die, der dänischen Regierung und die Missverständnisse zur Würdigung des Budgetstreites. Hamb. 1861. V: *May, Martin.* (A)

— die, der dänischen Regierung und die „Mißverständnisse". Ein Beitrag zur Würdigung des Budgetstreits. Hamburg 861. Rudolphi. gr. 8. (66 S.) n. 9 ngr.

Politik, Die, der königlich hannöverischen Regierung in der deutsch-dänischen Frage. Hannover 1864. V: *Klopp, Onno.* (SWKl) V: *Meding, Joh. Ferd. Mart. Oscar.* (JStBbH)

Politik, die, der königlich hannöverischen Regierung in der deutsch-dänischen Frage. Hannover 864. Klindworth. gr. 8. (36 S.) n. 6 ngr.

— die, des Deutschen Reiches in Einzeldarstellungen. Hrsg. v. Chr. Grotewold. 1.–5. Bd. 8. Leipzig, G. H. Wigand. 22. —
Grotewold, Chr., die Parteien des deutschen Reichstags. (VIII, 339 S.) 908. (Bd. 1.) 5.
Hübner, R., Militärpolitik. (VIII, 180 S.) 908. (Bd. 5.) 4. —
Calois, B., Deutschland als Seemacht, sowie Betrachtungen marinepolitischen Inhalts. (VIII, 195 S.) 908. (Bd. 4.) 4. —
Volger, Bruno, die deutsche Gewerbepolitik nach ihrer Entwicklung u. ihrem gegenwärtigen Stande, im Abriß dargestellt. (VII, 352 S.) 908. (Bd. 3.) 5. —
Wenck, Mart., die Geschichte u. Ziele der deutschen Sozialpolitik. (X, 242 S.) 908. (Bd. 2.) 4.

Politik, Russlands, und die Donaufürstenthümer. Wien 1854. V: *Ficquelmont, Carl Ldw. Graf v.* (Pr)

Politik und Heer, Russlands, in den letzten Jahren. Berlin 1852. V: *Brandt, Heinrich.* (KA)

Politik, Die, der Seemächte und der Fortschritt des Völkerrechts. O. O. [1855]. V: *Wurm, Christ. Frdr.* (Tübz 3, 61)

Politik, sexuelle. Ein Spiegel der Zeit. Von Hypokrat. gr. 8. (VII, '87 S.) Leipzig (898). Hygieia-Verlag. n. 2. —

(B) **Politik,** sexuelle. 898. (KBl. 82.) Jetzt: Leipzig, H. Hedewig's Nf.

Politik der bayerischen Staatsregierung. München 1851. V: *Morett.* (Bücher-Samml. d. hist. Ver. v. u. f. Oberbayern. München 1867.)

— die, der bayerischen Staatsregierung. gr. 8. (61 S.) München 851, Kayser. n. 4 ngr

— die, d. Standespersonen u. a. übr. honett. Leute. 8. Nrnb. Lochner. 743.

— d. Tages. 3 Bde, gr. 8. Stuttg. 823—26. Brodhag. 5 ß

Politik d. Tages. 3 Bde. gr. 8. Stuttg. 823—26, Franckh.

— tiroler, s.a. Zeit- u. Lebensfragen, I.

Politik, Tiroler. Ein Wort zur Aufklärung und Verständigung im politischen Kampfe. Bozen [1908]. V: *Waitz, Sigmund.* (margr)

Tiroler Politik. [Zeit- und Lebensfragen. Heft 1.] 8°. (71 S.) K —.60
Bozen: „Tyrolia", Murr 1908.

— die, d. Unbewußten von Malthus II., s.a. Beta, Ottomar.

— die, d. Unbewußten v. Malthus II. gr. 8. (IV, 110 S.) Leipzig 887. Renger. n. 2. 40

— unsere (von Const. Franz). 8. (70 S.) Berlin 850, Schneider & Co. — 2 u. 3. Aufl. 8. (71 S.) Ebd. 850. — 4. 5 u. 6. Aufl. (à 64 S.) Ebd. 851. 1/4 ß

Politik, Unsere. Berlin 1850. 2. Aufl. 1850. 3. Aufl. 1851. V: *Frantz, Constantin.* (zuwzür 1912) (wen 281)

Politik, unsere, u. die Kirche. Von Aliquis 'A. (In poln. Sprache.) (48 S.) gr. 8. Berlin 906. Herm. Walther. n. 1. —

— unsere, u. vier Wochen auswärtiger Politik. Unbefangen beleuchtet. Ende Januar u. Anfang Februar 1851 geschrieben. 8. (32 S.) Leipzig 851, T. O. Weigel. 1/6 ß

— die, der Versöhnung u. die Solidarität der Regierungen. gr. 8. (22 S.) Berlin 851, Brandis in Comm. 3 ngr

Die wahre Politik Preußens. Von keinem Oestreicher. Berlin 1850. 16 S. 8.

* Politik, die wahre, der Standespersonen, in franz., italien. und deutscher Sprache beschrieben. 8. Augsburg, Stage. 798.

— die, als Weltstudium unter den Politikern u. ihren Trabanten. Von e. Politiker. gr. 16. (98 S.) Wien 872. Kirsch. — 60

— die, der Zukunft für Oestreich. Von einem Alt-Oestreicher. Berlin 859. F. Schneider. Lex.-8. (14 S.) n. 5 ngr

Politik, Die, der Zukunft vom preussischen Standpunkte. Berlin 1858. V: *Bluhm, Julius.* (Scheffer, Die Preuss. Publizistik i. J. 1859. Berlin 1902 S. 21.) V: *Blume.* (KA)

— die, der Zukunft. vom preußischen Standpunkte. 1. u. 2. unveränd. Aufl. Berlin 858. J. Springer. gr. 8. (2 Bl., 100 S.) n. 16 ngr

Politika I. Bedenken u. Wünsche e. wirklich Liberalen. gr. 8. (41 S.) Leipzig 876. Hildebrandt & Co. n. 1. —

[Russ.] Russkaja politika nasilija v Finljandii. *Berlin: G. Štejnic 1902.* (53 S.) 8° [Umschlagt.]
[Die russ. Gewaltthätigkeitspolitik in Finland.] [02. 9783]

Politiker, der — (Früher Wiener Courier, und als solcher IV. Jahrg.) Eigenth. u. verantw. Red. *Moriz Bermann.* Druck u. Verl. v. *Holzwarth.*
Erscheint in **Wien**, tägl. 1 Bog. in Fol. 3-spalt. Prän. Pr. 1/4-jährl. 2 fl. 30 kr. — pr. Post 3 fl. 30 kr. Einz. Bl. 2 kr.

(F) Der Politiker. Gliederung des österreichischen Herrenhauses, des Abgeordnetenhauses, des niederösterreichischen Landtages, des Wiener Gemeinderathes, sowie der Wiener Bezirks-Ausschüsse nach Parteien, Gruppen und Wahlkörpern, sammt deren politischen Programmen. Auf Grund authentischer Daten nach dem Stande vom 15. Juli 1899. Zusammengestellt von E. Howanski. Wien. 1899. Manz. 16°. 79 S. fl. 1.—

Politiker, die Breslauer, u. ihre Politik im Jahr der Klubbs. Ein Taschenspiegel f. Alle. 8. (31 S.) Breslau 849, Schulz & Co. 1/6 ß

Politiker u. Nichtpolitiker, die deutschen. Eine nach den merkwürd. Schlachten bei Leipzig im Oktbr. 1813 abgefaßte freie Schilderung. Nebst Kernsprüchen von Garve, Göthe, Klopstock rc. Leipz. Joachim. 814.

Politiker u. Nationalökonomen. Eine Sammlg. biograph. System- u. Charakterschildergn., hrsg. v. G. Schmoller u. O. Hintze. I. gr. 8. Stuttgart, F. Frommann. n. 2. 50; geb. n.n. 3. —
Machiavelli. Von Rich. Fester. (IX, 204 S.) 900.

Politiker u. Nationalökonomen. Eine Sammlg. biograph. System- u. Charakterschildergn., hrsg. v. G. Schmoller u. O. Hintze. II. 8. Stuttgart, F. Frommann. n. 5. —; geb. n.n. 6. —
Lassalle. Von Herm. Oncken. (VII, 450 S.) 904.

Politikus [Pseud.] , s.a. Dülfer, Rudolf

Politikus, s.a. Aufgaben, die, des liberalen Bürgertums.

Die Aufgaben des liberalen Bürgertums auf Grund der Ergebnisse der Reichstagswahlen von Politikus. *Görlitz: R. Dülfer 1903.* (15 S.) 8° [F.] [04. 4743]

— s.a. Bismarck od. Lassalle?

Politikus, Bismarck oder Lassalle? gr. 8°. Görlitz, R. Dülfer, 1903.

Bismarck oder Lassalle? Von **Politikus.** 2. Aufl. Görlitz: R. Dülfer 1904. (59 S.) 8° [F.] [05. 6769 2]

— s.a. Marx od. Lassalle?

Marx oder Lassalle? Eine Entscheidung von grundlegender Bedeutung f. d. Arbeiterpolitik d. Gegenwart. Von Politikus. *Görlitz: R. Dülfer 1903.* (56 S.) 8° [04. 4215]

— s.: Wert, welchen, hat die preußische Verfassung f. unser Volk?

Politique. De la p' catholique en France. (E.) *s.* (R[oget], Am[édée]).

Politique, la, française devant l'Europe par un Allemand. gr. 8. (33 S.) Berlin 859, Behr's Buchh. *

Politique, la, du Gouvernement Danois et les „malentendus". Mémoire pour servir à l'appréciation du conflit budgétaire. Hamburg 861. Rudolphi. gr. 8. (64 S.) n. 12 ngr.

Politique d'un Philosophe chrétien, ou considerations adressées aux hommes de foi. gr. in-8. Paris 842. (et Leipzig, Brockhaus et Avenarius.) n. 2½ ₰

Politique sociale de l'Empire Allemand. Origines et développements du socialisme allemand. Législation contre la démocratie-socialiste. Institutions de l'Empire en faveur des classes ouvrières. Documents historiques et législatifs, débats parlementaires, discours du Prince de Bismarck, relatifs aux questions sociales. Aussi sous le titre: Les discours de M. le Prince de Bismarck. 2. éd. Tome VI. gr. 8. (VI, 534 S.) Berlin 889. Wilhelmi. n. 12. —

Politique, la veritable, s. Politik, die wahre.

Politique, La veritable, des personnes de qualité. Basel 1786. V: *Callières, Franç. de.* (Ky)

— la veritable, des personnes de qualité, (par de Caillères). 8. Basel 786. Schweighäuser. 5 gr

— — — l. m. franç. et ital. 12. Strasb, König. 704.

— — — l. m. 12. Lemgo, Meyer. 770.

— — — l. m. franç. et ital. 8. Nrnb. Felsecker. 777.

— — — l. m. 8. Jéne, Cröcker. 782.

POLITIS, Georgios (Korfu): Ueber das Verhältniss der Phosphorsäure zum Stickstoff im Harn bei Fütterung mit Gehirnsubstanz.- München: Oldenbourg 1884. 26 S.
28.7.1883 - Urk (Titel: De acidi phosphorici et nitrogenii in urina relatione.); Chr 1883/84,12
Diss. Ingolst.-Landsh.-Mchn.

Politis, Johannes [aus Korfu]: Ueber die Einwirkung von Anisaldehyd auf Bernsteinsäure .... Strassburg, Univ.-Buchdr. v. J. H. Ed. Heitz (Heitz & Mündel), 1885; 37 S. 8°.
Strassburg, Math.-Naturw. Fak., Inaug.-Diss. v. 1885.

Politis, Johannes, über die Einwirkung von Anisaldehyd auf Bernsteinsäure. Diss. Strassburg i. Els. 1885, Trübners Buchh. u. Antiqu. (E. d'Oleire). 8°. 37 S.

Politis, N. G.

Polites, N. G., *Γλωσσικὴ ὕλη. Γλωσσάριον Λέσβιον.* S.-A. 1872. 91 S.

Πολιτὸς, Ν. Γ., μελέτη ἐπὶ τοῦ βίου τῶν νεωτέρων Ἑλλήνων. Τομος 1. 8. (XLIII, 204 S.) *Ἀθήναις* 872. (Berlin, Calvary & Co.) n. 3. 50

Polites. N. G., *Δημώδεις μετεωρολογικοὶ μῦθοι.* S.-A. 1880. 49 S.

-- s.: Spiele, die olympischen.

Politis, N. G., d. olympischen Spiele im Altertum, s.: Lambros, Sp. P.

Politis, N. G., üb. die bei den Neugriechen vorhandenen Vorstellungen vom Monde, s.: Roscher, Wilh. H., Studien zur griech. Mythologie u. Kulturgeschichte.

Politos, s. Politis

Politowski, Eugen Sigismundowitsch

Politowski, E. S. Von Libau bis Tsuschima. Briefe. Aus d. Russ. von Gercke. Berlin 1911. 8°. (Orig. 1910.)

Politowski, Eug., Sigismundowitsch, von Libau bis Tsuschima. Briefe des m. dem Ssuworow untergegangenen russ. Schiffbaumeisters an seine Gattin. Auf Veranlassg. der Schriftleitg. der Marine-Rundschau übers. v. Gercke. (VII, 240 S.) gr. 8. Berlin 911. E. S. Mittler & Sohn. 4.—; geb. 5.—

Politus, Alexander, Oratio de literarum Graecarum necessitate in Pisano gymnasio anno 1733. publice habita. — Gottlob August Jenichen recensuit et singularia quaedam de Alexander Politus adiecit. Leipzig (Langenheim) (3. VII.) 1737. 28 S. (4.25) 26983
Gew.: Samuel Theodor Quellmalz v. Gottlob August Jenichen.

Politi, Alex. Clerin., orationes ad academiam Pisanam. 8. Bresl. 759. J. F. Korn. 20 gr

— orationes XII; accessit Isidori Oliverii ejusd. ordinis oratio de utili studiorum brevitate, cura Quirini a St. Augustino. 8. Bresl. 758. J. F. Korn. 20 gr

Polityka, nasza, w obec Rosyi jaka być powinna? Leipzig 865. Rhode? gr. 8. (39 S.) n. 12 ngr.

Politz [Schlagwort]

Politz, s.: Oesterreich-Ungarn. Spezialkarte.

Politz [Verfasser]

Politz, Andreas

— Anweis. u. sichere Leitung z. Englisiren d. Pferde. 8. Berl. 825. Th. Enslin. 10 gr

Politz, Andr., Anweis. z. Reiten u. Zureiten; nebst Bemerkk. üb. die Wahl e. Reitpferdes, u. üb. Fehler d. Pferde. Mit 1 Kpf. 8. Magdeb. 803. Creuz. 10 gr 116 S.

Politz, Andr., faßl. Unterricht zur Campagne-Reiterei. Nebst 1 Zeichn. 8. Berl. 822. Christiani. 12 gr

Politz, A. Faßlicher Unterricht zur Kampagne-Reiterei. Ein Handbuch für Kavalleristen. Mit 1 Zeichn. Berlin 1822. 224 S.

Pölitz [Schlagwort]

Pölitz, s.: Geologische Karten, Preussen. 93.

Pölitz [Verfasser]

Pölitz, Andreas, s. Politz

Poelitz, Carl Heinrich, s. Poelitz, Karl Heinrich

Pölitz, Carl Heinrich Ludwig, s. Pölitz, Karl Heinrich Ludwig

Pölitz, Jh. Gotthlf., († d. 7. April 1809.) s. Charakter e. Ertemporirers.

Poelitz, Karl Heinrich

Poelitz, Carl Heinrich (Ernstthal/Schoenburg) u. (Respond.) **Johann Heinrich Pabst** (Zwochau / Meißen), De gravissimis theologiae seriorum Judaeorum decretis, quorum vestigia in libris inde ab exilii aetate usque ad saeculi quarti post c. n. initia deprehenduntur. Disput. histor. Leipzig (Jacobaer) 12. IV. 1794. 55 S. (4.75) 26875

Pölitz, Karl Heinrich Ludwig

Pölitz, Karl Heinr. Ludw., Andeutungen üb. politische, besond. parlamentar. Beredsamkeit. gr. 8. (1½ B.) Leipzig 832, Hinrichs.
Aus dess. „Jahrbüchern d. Gesch. u. Staatskunst" besond. abgedruckt.

—— Andeutungen üb. d. staatsrechtl. u. polit. Charakter d. Grundgesetzes f. d. Herzogth. Sachsen-Altenburg v. 29. April 1831; mit vergleich. Rücksicht auf d. Verfassungen v. Schwarzburg-Sondershausen, Churhessen, Hannover u. Braunschweig ꝛc. gr. 8. (11¼ B.) Leipzig, Hahn.

— Anreden bei d. allgemeinen Beichte ꝛc., s. Anreden, u. setze hinzu: (v. K. H. L. Pölitz); 6s Hft. A. u. d. T.: Belebungen d. reinen Sittlichkeit u. Tugend.

Pölitz, K. H. L., populäre Anthropologie, oder Kunde von dem Menschen, u. sinnl. u. geist. Anlagen. 8. Lpz. Cramer (Schiegg) 800.
Schreibp.

K.H.L. Pölitz: popul. Anthropol., od. Kunde v. d. Menschen nach seinen sinnl. u. geist. Anlagen. *Lpz.*, Kummer. 800. 8° 20 gl

— s. Archiv, diplomat.

— d. Aesthetik für gebildete Leser. 2 Bde. gr. 8. Lpz. Hinrichs. 807.
Schreibp.
Velinpap.

— wissenschaftl. Aesthetik, od. üb. d. Gemeinsame d. Künste. 8. Dresd. Arnold. 800.

— Beytr. z. Critik d. Religionsphilosophie u. Exegese unsers Zeitalters. 8. Lpz. Breitkopf. 795.

— neue Beitr. z. krit. Philosophie, s. J. C. A. Grohmann.

—— Beleuchtung d. Entwurfes e. Staatsgrundgesetzes f. d. Königr. Hannover, wie solcher der niedergesetzt. Commission v. Seiten d. landesherrl. Commissarien im Nov. 1831 vorgelegt worden ist. gr. 8. (6 B.) Leipzig 831, Hahn.

— sittlich-religiöse Betracht. am Morgen u. Abend, auf alle Tage im Jahre. 3 Bde. Mit Kpf. gr. 8. Leipz. 806. N. Aufl. 810. Hinrichs. 2 Rthl. Fein Pap. 3 Rthl. Velinp. 4 Rthl.

—— Bibliothek d. wichtigst. neuern Geschichtswerke d. Auslandes, s. Bibliothek ꝛc.

— Bruchstücke aus d. Klassikern d. deutschen Nation ꝛc. 3 Thle. gr. 8. Leipz. 804—7. Schwickert. 18 gl 2r A. 814—16. 3e Aufl. 4 Thle. 8. Ebd. 821. 2 Rthl. 4 gl (Aus dessen prakt. Handbuche z. statar. u. kursor. Lektüre ꝛc. besond. abgedr.)

—— Bruchstücke aus d. Classikern der teutschen Nation. (4 Thle.) 8. (98¼ B.) Leipzig 828, Schwickert. [1. u. 2. à 12 Gr., 3. 16 Gr., 4. 12 Gr.]
Aus dess. „pract. Handbuch zur statar. u. cursor. Erklärung d. teutsch. Classiker" besond. abgedruckt.

– s. Ceres f. Bildung.

Pölitz, Karl Heinrich Ludwig, s. Constitutionen, Die, der europäischen Staaten seit den letzten 25 Jahren.

(——) die Cortesverfassung ꝛc., s. Cortesverfassung.

– s. Curas Universalhistorie.

— gedrängte Darstellung d. Geschichte d. Deutschen; e. Taschenbuch f. die reifere Jugend. 8. Lpz. (804). (W. Rauck) 16 gl

— gedrängte Darstellung d. Geschichte d. Deutschen. 8. Lpz. Sommer. 806.

— Darstell. d. philosoph. u. theolog. Lehrsätze F. V. Reinhards, in e. wissenschaftl. geordn. u. vollständ. Auszuge aus seinen sämmtl. (bis 1806) herausgeg. Schriften. 4 Thle. gr. 8. Amb. 801—3. (v. Seidel in Sulzb.) 5 Rthl. 8 gl jetzt 3 Rthl.

– s. Darstellung, wahrer, der höhern Bedürfnisse.

— synchronistische Darstellung d. Weltbegebenheiten in d. Jahren 1806—9. 2 Thle. gr. 8. Lpz. Hinrichs. 808—9. (1r enth. 806 – 8. 10 gr. 2r 808—9. 12 gr.)

— — synchronistische Darstellung der Weltbegebenheiten in den Jahren 1812—19.

— daß durch eine unvorbereitete Aufklärung u. durch Verbreitung neuer ungewöhnl. Meinungen üb. d. verschied. Volksklassen mehr geschadet als genützt werde; eine Rede. 8. Dresd. 797.

Poelitz, C. H. L., de gravissimis theologiae seriorum Judaeorum decretis. Lips. 1794. 4.

– s.a. Deutschland, in geograph.-statist. Hinsicht, u. setze hinzu: (v. K. H. L. Pölitz).

— Deutschland in geograp. statistischer Beziehung, seit den letzten 1000 Jahren. gr. 8. Leipz. Cnobloch. 814. –

— Progr. de discrimine paedagogices et educationis. 4. Leipz. 804. Hinrichs. 6 gl

— **Carl Heinrich Ludwig,** De discrimine paedagogices et educationis. Brevis comment. Leipzig (Jacobaeer) 2. 5. 1804. 28 S. (3.25) 26876

Pölitz, Ritter K. H. L., üb. d. Einfluß, den der fortschreit Geist d. Zeitalters auf die höhere Kultur d. Officiers haben kann u. soll. 8. Dresd. 798.

— Elementarb. d. Wissenswürdigst. u. Unentbehrl. a. d. deutsch. Spr. 8. Görl. Anton. 802.
Schreibp.

—— Elementarbuch d. Wissenswürdigsten u. Unentbehrlichsten aus d. teutschen Sprache. Für d. Schul- u. Privatunterr. geschrieben. 2., bericht., veränd. u. verm. Aufl. 8. (37 B.) Halle 831, Anton.

— Elementarkursus für d. Vortrag d. Geschichte unsers Geschlechts. Mit ethnograph. Tabellen. 8. Dresd. 795. Hilscher. (Grimmer). 8 gl

— Elementarcursus f. d. Vortr. d. Geschichte uns. Geschl. 8. Dresd. Hilscher. 799.

K. H. L. **Pölitz**: Elementarlogik f. pädagog. Zwecke. *Dresd.* u. *Lpz.*, Hilscher. 802. 8° 4 gl

— s.a. Elisabeth, Königin v. England.

(**Poelitz**, Hch. L. K.) Elisabeth, Königin von England. 8. Leipzig 1803.

— s. Encyklopädie f. die Bildung d. weibl. Geschlechts.

— systematische Encyklopädie d. Stylistischen Wissenschaften (ist Lehrbuch der deutschen Sprache.)

— systemat. Encyklopädie d. stylist. Wissensch. e. Lehrbuch d. deutschen Sprache ꝛc. 8. Lpz. Hinrichs. 805.

— Encyklopädie der gesammten philosoph. Wissenschaften im Geiste d. Systems e. neutralen Philosophie. 2 Thle. gr. 8. Leipz. 807, 8. Schwickert. (à 1 ß 8 gl) 2 ß 16 gl

— s. Entwürfe zu Casualpredigten.

— s. Entwürfe u. Uebersichten zu Religionsvorträgen.

— s. Erbauungsbuch z. Beförderung einer reinen Tugend.

— die Erziehungswissenschaft, aus d. Zwecke d. Menschheit u. d. Staats prakt. dargestellt. 2 Bde. gr. 8. Leipz. 806. Hinrichs. 3 ß Schrbp. 3 ß 12 gl Velinp. 4 ß

— s. Heinrich v. Feldheim, od. d. Offizier ꝛc.

— Fragmente z. Philosophie d. Lebens, aus d. Gebiete d. Moral, d. Rechtslehre, Erziehungswissenschaft u. der deutschen Sprache. 8. Chemnitz 802. (Leske in Darmst.) 16 gl

K. H. L. **Pölitz**: Fragmente f. Philosophie d. Lebens a. d. Gebiete d. Moral, d. Rechtslehre, d. Erziehungswiss. u. d. deutschen Sprache. *Chemn.*, Tasché. 802. 8° 1 ß

— philosophische Fragmente. 8. Gießen 807, jetzt Leske.

— s. J. F. Gast, Religionsvortr.

— histor. Gemälde der drei letzten Jahrhund. bis z. Preßburg. Frieden. (Mit 2 Anhängen.) gr. 8. Leipz. 806—10. Hinrichs. 3 ß 6 gl Schrbp. 3 ß 18 gl Velinp. 4 ß 12 gl (Ist der 3e Thl. des Handbuchs der Weltgeschichte).

Pölitz, Ritter K. H. L., das Gesammtgebiet der deutschen Sprache nach Prosa, Dichtkunst u. Beredsamkeit theoretisch u. prakt. dargestellt. In 4 Bdn. gr. 8. Leipz. 825. Hinrichs. 6 ß Schrbp. 8 ß

Pölitz, Carl Heinrich Ludwig, ordentl. Prof. der sächs. Geschichte und Statistik auf der Universität in Leipzig. Geschichte des östreichischen Kaiserstaates. 8. Leipzig 1817.

— Geschichte d. Kultur d. Menschheit nach krit. Principien. 1r Thl. gr. 8. Leipz. 795. Weygand. 2 ß 4 gl

— kurze Geschichte d. Königreichs Sachsen f. d. Vortrag derselben auf Lyceen ꝛc. gr. 8. Leipz. 809. Hinrichs. 8 gl Schrbp 12 gl Velinp. 21 gl N. Aufl., s. unten Lehrbuch d. Geschichte d. K. S.

— die neuere u. neueste Geschichte der Deutschen ꝛc. s. E. L. Posselt's Geschichte der Deutschen ꝛc. 4r Bd.

Pölitz, K. H. L., oesterreichische Geschichte. Neu herausg. von Ottok. Lorenz. Wien 859. Tendler & Co. (Gerold.) gr. 8. (VI, 228 S.) n. 1 ß

Pölitz, K. H. L., österreichische Geschichte. Neue Ausg. v. Ottok. Lorenz. 2. verm. Aufl. gr. 8. (VII, 244 S.) Wien 871. Gerold's Sohn. n. 3. —

Pölitz, K. H. L., oesterreichische Geschichte. Neue Ausg. v. Ottokar Lorenz. 3., verm. Aufl. gr. 8. (IV, 240 S.) Wien 877. Gerold's Sohn. n. 3. 40

— die Geschichte Preußens v. d. ältesten Zeiten bis auf unsere Tage. 4 Bdchen. 8. Dresd. 824. Hilscher. 1 ß 12 gl

Poelitz, Karl Heinrich Ludwig
Die Geschichte Preussens, von den ältesten Zeiten bis auf unsere Tage. Bdchn 3.
Dresden: Hilscher 1827. 139 S. 8°

— die Geschichte Preußen von den ältesten Zeiten bis auf unsere Tage. 4 Bdchen. 8. Dresden 827, Hilscher.

Pölitz, Karl Hnr. Ldw., die Geschichte Preußens von den ältesten Zeiten bis auf unsere Tage. 2. verb. u. verm. Aufl., besorgt von Karl Ramshorn. 10 Liefg. gr. 8. Leipzig 841. Brandes. (à n. 1/6 ß) n. 1 2/3 ß

— die Geschichte d. Königr. Sachsen. 2 Bdchen. 8. Dresd. 826. Hilscher. 1 ß (Histor. Taschenbibliothek. 10r Thl.) Mit n. Tit. 16. Leipz. 831. Taubert. 1 ß

— die Geschichte d. Staaten d. Ernestin. Hauses Sachsen, des Großherzogth. Weimar-Eisenach u. d. Herzogth. Altenburg, Meiningen-Hildburghausen, Saalfeld u. Coburg-Gotha. 8. Dresd. 827. Hilscher. 12 gl

— Geschichte, Statistik u. Erdbeschreib. des Königr. Sachsen u. d. Herzogthums Warschau z. Selbstbelehrung. 3 Thle. gr. 8. Leipz. 808—10. Hinrichs. 4 ß 12 gl Schrbp. 5 ß 12 gl Velinp. 7 ß (1r Thl. A. u. d. T.: Handbuch d. Geschichte d. Königreichs Sachsen ꝛc. 1 ß 12 gl 2r Thl. A. u. d. T.: Handbuch d. Statistik d. Königreichs Sachsen ꝛc. 1 ß 12 gl 3r Thl. A. u. d. T.: Handbuch d. Erdbeschreib. d. Königr. Sachsen ꝛc. 1 ß 12 gl)

— Grundlegung zu einer wissenschaftl. Aesthetik, od. üb. das Gemeinsame aller Künste ꝛc. 8. Pirna u. (Dresd.) 800. Arnold. 15 gl

— Grundlinien z. pragmat. Weltgeschichte als ein Versuch, sie auf ein Princip zurückzuführen. gr. 8. Leipz. 794. Barth. 1 ß 8 gl

— Grundlinien z. pragmat. Weltgesch. als e. Vers. s. a. e. Princip zurückzuführen. gr. 8. Lpz. Barth. 795.

— s. Grundriß der Reinhardischen Dogmatik.

Pölitz, Ritter K. H. L. Grundriss für encyklopädische Vorträge über die gesammten Staatswissenschaften. gr. 8°. Leipzig, Hinrichs, 1825.

– s. K. F. Hahn, deutsche Sprachlehre.

– s. Handbuch z. sittl. Bildung d. weibl. Geschlechts.

— Handbuch der Erdbeschreibung Sachsens, s. unter: Geschichte, Statistik u. Erdbeschreibung. 3r Bd.

— Handbuch d. Geschichte d. Königr. Sachsen (ist Geschichte Statistik u. Erdbeschreibung 1r Bd.

— Handbuch der Geschichte der souverainen Staaten d. deutschen Bundes. 1r Thl. 1e Abtheil. (Auch unt. d. T.: Geschichte des Oesterreichischen Kaiserstaates.) Mit 4 genealog. Tabellen. gr. 8. Leipz. 817. Weidmann. 1 ß 3 gr Schrbp. 1 ß 12 gr 1r Thl. 2e Abthl. (A. u. d. T.: Geschichte der Preuß. Monarchie.) Mit 5 genealog. Tabb. gr. 8. Ebd. 818. 2 ß 9 gr Schrbp. 3 ß

— Handbuch d. Geschichte d. souveränen Staaten d. Rheinbundes. Mit 4 genealog. Tabellen d. in diesen Staaten regierend Häuser. 1r Bd. enth. die 4 Königreiche: Baiern, Wirtemberg, Sachsen u. Westphalen. gr. 8. Leipz. 811. Weidmann. 1 ß 18 gr Schrbp. 2 ß 4 gr 2r Bd. enthält: die Großherzogthümer, Herzogthümer u. Fürstenthümer d. rhein. Bundes, u. 16 genealogische Tabellen d. Regentenhäuser in diesen Staaten. gr. 8. Ebd. 811. 2 ß 6 gr Schrbp. 2 ß 16 gr

— moral. Handbuch, od. Grundsätze eines vernünft. u. glückl. Lebens. 8. Leipz. 794. (anonym.) 2e A. Ebd. 794. Heinsius in Gera. 18 gr

Pölitz, K. H. L., prakt. Handbuch z. statorisch. u. kursor Lekture d. deutsch. Klassiker, f. Lehrer rc. 1r - 4r Thl. gr. 8 Lpz. Schwickert. 804-6. (1r u. 2r à 1 Thlr. 12 gr. 3r 2 Thlr 4r 18 gr.) Rthr.

— — a. dess. 1n Thl. ist besonders abgedruckt: Bruchstücke a d. Klassik. d. deutsch. Nation rc. gr. 8. Ebend. 804.

Pölitz, K. H. L., prakt. Handbuch der statar. u. kursorischen Lektüre der deutschen Klassiker rc. 5r oder Supplementband. 8. Leipzig, Schwickert. 817. Rthlr.

—— pract. Handbuch zur statar. u. cursor. Erklärung d. teutschen Classiker, f. Lehrer u. Erzieher. 4 Thle. 2., verb. u. verm. Aufl. gr. 8. (123 B.) Leipzig 828, Schwickert. [1. u. 2. à 1 Thlr. 12 Gr., 3. 1 Thlr. 16 Gr., 4. 1 Thlr. 8 Gr.]
Auszug daraus, s. dess. „Bruchstücke aus den Classikern" rc.

— Handbuch d. Statistik d. Königr. Sachsen, ist Geschichte, Statistik u. Erdbeschreibung 2r Bd.

— Handbuch d. Weltgeschichte; ein Lehr- u. Lesebuch f. die reifere Jugend gebild. Stände auf Schulen. 3 Bde. gr. 8. Lpz. 806. Neue unveränderte Ausg. mit Kpf. 807. Hinrichs. 5 ß 16 gr (3r Bd. Auch u. d. T.: histor. Gemälde d. drei letzten Jahrhunderte).

— Handbuch e. Weltgeschichte. 3 Thle. mit Anh., bis z. Jahre 1810. gr. 8. Leipz. 806—10. Hinrichs. 6 ß 14 gr Schrbp. 7 ß 12 gr Velinp. 9 ß 16 gr (1r Anh. hierzu apart 4 gr) 2e Aufl. unt. d. T.: die Weltgeschichte f. gebildete Leser u. Studirende. 4 Bde. Mit 4 Titelkpfn. gr. 8. Ebd. 813. 7 ß Schrbp. 8 ß 16 gr Velinp. 12 ß Ergänzungsheft, enth. die Begebenheiten d. Jahre 1812—1819. (A. u. d. T.: synchronist. Darstell. d. Weltbegebenheiten in d. J. 1812—19.) gr. 8. Ebd. 819. 16 gr weiß Druckp. 18 gr Schrbp. 1 ß (4r Thl. d. 2n Ausg. A. u. d. T.: das Zeitalter Napoleons, e. histor. Gemälde. gr. 8. Ebd. 813. 2 ß Schrbp. 3 ß) 3e verm. Aufl. 4 Bde. gr. 8. Ebd. 820. 7 ß Schrbp. 8 ß 16 gr 4e Aufl. 824. 5e Aufl. 825. 6e verm. Aufl. 4 Bde. gr. 8. Ebd. 830. 5 ß Weiß P. 5 ß 8 gr Schrbp. 7 ß Druckp. mit 4 Titelkpf. 5 ß 20 gr Ausg. für Oesterreich. 4 Bde. gr. 8. Ebd. 815. 5 ß Ausg. f. Süddeutschland. 4 Bde. gr. 8. 6e Aufl. 830. Ebd.; (auch Hermann in Frankf.) 4 ß 12 gr

—— die neue Handels-Lehranstalt zu Leipzig. gr. 8. (1½ B.) Leipzig 831, Hinrichs.
Aus dess. „Jahrbücher d. Gesch. u. Staatskunst" besond. abgedruckt.

— kurzgefaßtes Handwörterbuch der Wissenschaften u. Künste, nach ihrer allmähligen Entwickelung bis zu ihrer gegenwärt. Gestalt. 1r Bd. A bis H. gr. 8. Regensb. 805. Montag u. W. 2 ß 20 gr

– s. Eph. Glo. Heinrich, sächs. Geschichte u. dessen Handbuch d. deutschen Reichsgeschichte.

—— Jahrbücher d. Gesch. u. Staatskunst, s. Jahrbücher rc.

– s. Jahrbücher der Geschichte u. Statistik.

Pölitz, Karl Heinr. Ludw., neue Jahrbücher der Geschichte rc., s. Jahrbücher.

– s. Im. Kant, Vorlesungen über phil. Religionslehre u. über Metaphysik.

Pölitz, K. H. L., s. Karl der Große.

Pöllitz, K. H. L. Karl der Grosse. 2 Bde. 8. Berlin 1801.

– s. Kayserhaus, das sächsische.

*Pölitz, K. H. L., können höhere Wesen auf den Menschen wirken und sich mit ihm verbinden? Leipz. 794. 8. Ausg. 2. Gera 810. 8.

— können höhere Wesen auf die Menschen wirken u. sich mit ihnen verbinden? freimüthig untersucht. 8. Leipz. 794. 2e Aufl. 810. Heinsius in Gera. 10 gr

– s. T. W. Krug, Versuch e. systemat. Encyklopädie.

Pölitz, Ritter K. H. L., Kursus z. allgemeinen Uebersicht d. Geschichte d. Völker u. der Menschheit. gr. 8. Dresd. 799. N. Aufl. bis 1809 fortgesetzt. gr. 8. Ebd. 810. (Grimmer). 2 ß Hbg. Pr. 1 ß 12 ß

—— das constitution. Leben, nach seinen Formen u. Bedingungen dargestellt. gr. 8. (11¼ B.) Leipzig 831, Hahn.

— Lehrbuch f. d. ersten Kursus d. Philosophie gr. 8. Leipz. u. Gera. 795. 2e A. 798. Heinsius. 1 ß 6 gr

— kurzes Lehrbuch d. Geschichte des Königr. Sachsens für den Vortrag derselben, auf den Lyceen u. bessern Erziehungsanst. Neue bis Ende 1822 fortgesetzte Ausgabe. gr. 8. Leipz. 823, Hinrichs.

— Lehrbuch der deutschen, dichterischen Schreibart f. höhere Bildungs-Anstalten u. häusl. Unterricht. 8. Halle 827, Hemmerde u. S.

— Lehrbuch d. deutschen prosaischen u. rednerischen Schreibart, f. höhere Bildungsanstalten u. häusl. Unterricht. 8. Halle 826, Hemmerde u. S.

Pölitz, Karl Hnr. Ldwg. Lehrbuch der deutschen Sprache in ihrem ganzen Umfange und nach ihrer gegenwärtigen Gestalt besonders für den Vortrag derselben auf Universitäten und Lyceen. Leipzig 1803 (1810). 8.

— Lehrbuch d. deutschen Sprache in ihrem ganzen Umfange u. ihrer gegenwärt. Gestalt. (2e Aufl. d. Encyklopädie d. stylist. Wissenschaften). gr. 8. Leipz. 810. Hinrichs. 1 ℔ Velinpap. 1 ℔ 16 gl.

– s. Lexicon, homilet.-prakt.

— encyklopädisch-scientifische Literatur, s. Krug, W. T., Versuch e. systemat. Encyklopädie d. Wissenschaften. 3r Thl. 1r Bd. 2e. gr. 8. Züllichau, Darnmann. 812.

— Materialien z. Diktiren, nach einer dreifachen Abstufung v. Leichten z. Schweren geordnet ꝛc., mit fehlerhaften Schemen u. einer kurzen Theorie d. Interpunktion. 8. Leipz. 801. 2e A. 812. 3e A. 819. 4e A. 824. Gnobloch. 15 gl. Die Theorie d. Interpunktion apart 801. 4e A. 824. 6 gl. Die Schemata apart. 6 gl.

— Materialien zum Dictiren nebst e. dreyfachen Abstufung. 2 Thle. 8. Lpz. Linke. 801.

— populäre Moral d. Christenth. gr. 8. Lpz. Jacobäer. 794.

— — populäre Moral d. Christenthums, nebst einer histor. Einleit. in das Zeitalter Jesu. Neue unveränd. Aufl. 8. Leipzig, Jacobäer. 821.

— — De mutationibus, quas systema juris naturae ac gentium a Grotii temporibus hucusque expertum fuerit, comment. liter. Wittenberg (Chr. H. Graessler) 9. X. 1805. 20 S. (4.25) 26877

— Progr. de mutationibus, quas systema juris naturae ac gentium a Grotii temporibus hucusque expertum fuerit. 4. Wittenb. 800. (Leipz., Hinrichs). 4 gl.

— Jh. M. Schröckh's Nekrolog. gr. 8. Wittenb. 808. 4 gl. (Aus d. Wittenberg. Wochenblatt abgedr.)

– s. Philosophie des Zeitalters.

– s. P. L. Posselt, Geschichte d. Deutschen.

– s. Predigtentwürfe üb. die Evangelien, in Sturm. Manier,
— Dies. über Evangelien u. Episteln,
— Dies. über die Leidensgeschichte,
— Dies. über die neuen Perikopen,
— Dies. über freie Texte,
— Dies. üb. Luthers Katechismus.

— Rede, in d. Kurfürstl. Ritter-Akademie zu Dresden gehalten. gr. 8. Dresd. 787. Hilscher. 2 gl.

– s. Reden bei Taufhandl.

—— die Regierung Friedrich Augusts, König v. Sachsen. Nach d. Quellen dargestellt. 2 Thle. Den Zeitraum v. 1763 —1827 enthalt. M. 15 Beil. gr. 8. (50 B., 7 Tab. u. 1 Fac-simile.) Leipzig 830, Hinrichs.

—— dass. — 54 Denkmünzen hierzu, s. Denkmünzen.

— Dr. Frz. Volkmar Reinhard, nach seinem Leben u. Wirken. In 2 Abtheil. gr. 8. Leipz. u. Altenburg. (Brockhaus.) 815.

– s. F. V. Reinhard, Opuscula.

– s. Religionsvorträge f. die Bedürfnisse unsers Zeitalters.

—— neues allgem. Repertorium d. Literatur, s. Repertorium.

— s.a. Resultate aus d. Prämissen.

(*Eb.*) Resultate a. d. Prämissen e. reinen Moral-Philosophie; als Beytr. z. Vervollk. u. Bericht. d. innern Gebiets ders. *Lpz.*, Feind. 799. 8° 1 ℔ 11 gl

— der Rheinbund, histor. u. statistisch dargestellt. gr. 8. Leipz. Hinrichs. 811.
Druckp.
Schreibp.
Velinp.

— Rubriken der sächs. Geschichte. gr. 8. Dresden, Hilscher 799.

— Rubriken d. Staatengeschichte d. alten u. neuern Zeit, v. Entstehen d. Staaten bis z. Anfang d. 19. Jahrh. ꝛc. Mit 12 histor.-genealog. Blättern. 8. Görl. 801. Anton in Halle. 1 ℔ 18 gl Schrbp. 2 ℔

– s. Sachsen, d. Herzogth., in histor.- statist.- geograph. Hinsicht.

—— das Königr. Sachsen. Ein geschichtl. Gemälde. 2 Bdchn. Neue Ausg. 16. (42¼ B. u. 1 Kpfr.) Leipzig 831, [Taubert jun.]

– s. Saladin, Egyptens Beherrscher.

—— vermischte Schriften aus den Kreisen d. Geschichte, d. Staatskunst, u. d. Literatur überh. 2 Bde. gr. 8. (50½ B.) Leipzig 831, Göschen. 3 Thlr. 18 Gr., Schrbp. 4 Thlr. 12 Gr., Vlnp.

– s. Jh. M. Schröckh, allgem. Weltgeschichte.

— s.a. Semiramis.

SEMIRAMIS. Ein romantisches Gemählde der Vorzeit (von *Carl Heinr. Ludw. Pölitz*). Freyberg, Graz, 1800. 8°. (1 Rthl.)
Anon.-Lex. IV. p. 68 (nach Meusel); Kayser hat .... „Gemälde aus dem Alterthume".

— sind wir berechtigt, eine größere künftige Aufklärung u. höhere Reife unsers Geschlechts zu erwarten? 8. Leipz. 795. (Brockhaus). 8 gl.

— Sind wir berechtigt, eine größere künftige Aufklärung und höhere Reife unsers Geschlechts zu erwarten? 8. Leipzig, Heinsius (Gleditsch) 798.

— d. deutsche Sprache f. Bürgersch. gr. 8. Lpz. Feind. 804.

— die deutsche Sprache f. Bürgerschulen bearb. gr. 8. Leipz. 804. (Taubert). 1 ℔ 4 gl.

— — die Sprache der Teutschen, philosophisch u. geschichtlich für akademische Vorträge und für den Selbstunterricht dargestellt. gr. 8. Leipzig, Weidmanns. 820.
Schreibpap.

— allgem. deutsche Sprachkunde, log. u. ästhet. begründet u. m. literar. Notizen begleitet. gr. 8. Lpz. Schwickert. 804.

— der preuß. Staat historisch dargestellt. 2 Thle. gr. 8. Züllichau, Darnmann.

— die Staatensysteme Europa's u. Amerika's seit dem Jahre 1783, geschichtl. polit. dargestellt. 3 Thle. gr. 8. Frankf. 826. Hermann. Leipz., Hinrichs. Wohlf. Ausg. 4 ℛ Weiß Druckp. 5 ℛ 8 ℊ Holl. Pap. 7 ℛ 12 ℊ

— die Staatslehre f. denkende Geschäftsmänner, Kameralisten u. gebildete Leser. 2 Thle. gr. 8. Leipz. 808. Hinrichs. 3 ℛ Schrbp. 3 ℛ 16 ℊ Velinp. 5 ℛ

—— das posit. europä. Staatsrecht nach d. Verfassungsurkunden. (Staatenkunde, od. posit. Staatsrecht [Verfassungsrecht] 1828.) — Ergänzungsbd., v. Bülau z. 2. Aufl. bearb. u. von 1828—1841 fortgeführt. — A. u. d. T.: Darstellung d. europä. Verfassungen in den seit 1828 darin vorgegang. Veränderungen v. Friedr. Bülau. gr. 8. (14¾ B.) Leipzig 811, Hinrichsche Buchh.
Schließt sich an: Dess., Staatswissenschaften. 4. Bd. Ebendas. 1828. 3 Thlr. 4 Gr.

— die Staatswissenschaften im Lichte unserer Zeit. 1r Thl. Natur- u. Völkerrecht, Staats- u. Staatenrecht, u. Staatskunst. 2r Thl. Volkswissenschaft, Staatswirthschaft, Finanz- u. Polizeiwissenschaft. 2e Aufl. gr. 8. Leipz. 827, Hinrichs. 5 Rthl. Schreibp.

— dess. 3r Thl. A. u. d. T.: die Geschichte des europäischen Staatensystems (seit d. J. 1492) aus dem Standpunkte d. Politik dargestellt. 2e Aufl. gr. 8. Leipz. 827, Hinrichs. 2 Rthl. 12 gr. Schreibp.

— dess. 4r Thl. A. u. d. Titel: Staatenkunde u. positives öffentl. Staatsrecht. gr. 8. Leipz. 824, Hinrichs. Weiß Drckp. 2 Rthl. 12 gr. Schreibp.

— dess. 5r u. letzter Thl. A. u. d. T.: Prakt. Völkerrecht; Diplomatie u. Staatspraxis. gr. 8. Leipz. 824, Hinrichs. Weiß Drckp. 1 Rthl. 12 gr. Schreibp.
(NB. Alle 5 Bde zusammengenommen kosten 10 Rthl.)

— dess. Werks wohlf. Originalausgabe der 5n Aufl. Ebend. u. für Süddeutschland ꝛc. gr. 8. auch bei d. Hermann'schen Buchh. in Frankf.

Pölitz, Karl Heinr. Ludw., die Staatswissenschaften im Lichte unsrer Zeit dargestellt. 4. Thl. — A. u. d. T.: Staatenkunde, u. positives Staatsrecht (Verfassungsrecht). 2., bericht. u. verm. Aufl. gr. 8. (50 B.) Leipzig 828, Hinrichs.
3 Thlr. 4 Gr., Postp. Thlr.

—— dass. 5. Thl. — A. u. d. T.: Pract. (europ.) Völkerrecht; Diplomatie; u. Staatspraxis. 2., bericht. u. verm. Aufl. gr. 8. (22½ B.) Ebds. 828. 1 Thlr. 12 Gr., Postp.
1—3. Thl. 2. Aufl. Ebendas. 1827. 7 Thlr. 12 Gr., Postp. 10 Thlr. — 5 Bde. vollständig (191 B.) 10 Thlr. 16 Gr., hrbgs. Pr. 7 Thlr., Postr. 14 Thlr. 12 Gr., hrbgs. Pr. 9 Thlr.

— üb. die polit. Stellung Sachsens im Staatensystem v. Deutschland u. Europa. gr. 8. Leipz. 816. Engelmann. 6 ℊ

— Summarien d. philos. Sittenlehre, od. propädevtischer Cursus einer wissensch. Moral. gr. 8. Hamb. Nestler. 802.

— — Solemnia philos. doctorum et magistrorum Ll. Aa. creandorum inaug. indicit. — Insunt: Symbolae ad historiam Academiae Vitebergensis illustrandam. Part. I. Wittenberg (Chr. H. Grässler) 30. IV. 1811. 20 S. (3.75) 26878

— System des deutschen Styls, 4 Thle. 8. Görlitz, Anton. 800—802. (1r 18 gr. 2r 1 Thlr. 16 gr. 3r 16 gr. 4ter 1ste Abth. 1 Thlr. 2te 1 Thlr. 12 gr.)

— — dess. 4 Theile unter folgenden besondern Titeln:
1r Analyse stylisirter Aufgaben.
2r Vorlesungen üb. Fragm. a. deutschen Autoren, als Vers. in d. Interpunction.
3r Grammatik d. Verstandes.
4r Theorie d. deutschen Styls.

—— die drei Systeme d. Staatswirthschaft in Bezieh. auf d. Staatsverwaltung im Königr. Sachsen. Ein akadem. Vortrag. gr. 8. (2 B.) Leipzig 828, Hinrichs.
Aus dess. „Jahrbücher d. Gesch. u. Staatskunst" besond. abgedruckt.

— — historisches Taschenbuch für Teutschlands gebildete Stände auf 1817 in 2 Abtheil.
Auch unter dem Titel:
die Staaten Teutschlands in historischen Gemälden. 1r Jahrg. das Kön. Sachsen. 2 Theile mit 3 Portraits. 12. Leipzig, Franz. 817.

— histor. Taschenbuch f. Deutschlands gebildete Stände auf 1817 in 2 Abthll. (A. u. d. T.: die Staaten Deutschlands in histor. Gemälden. 1r Jahrg. das Königr. Sachsen). 2 Thle mit 3 Portr. 12. Leipz. 817. (Taubert). 2 ℛ 16 ℊ Hbg. Pr. 1 ℛ 12 ℊ

— Theorie d. Interpunction nach logisch. Grundsätzen. 8. Lpz. Junius (Linke) 801.

— kurze Theorie d. Interpunktion, s.a. Materialien.

— kurze Theorie d. Interpunktion, nach logischen Grundsätzen, aus d. Materialien zum Dictiren besond. abgedruckt. 2te Aufl. 8. Leipz. Enobloch. 812.

——, D. H. G. Tzschirner. Kurzer Abriß seines Lebens u. Wirkens. 2., unveränd. Aufl. gr. 8. (2¼ B.) Leipzig 828, Hinrichs.
Aus dess. „Jahrbücher d. Gesch. u. Staatskunst" besond. abgedruckt.

—— krit. Uebersicht d. neuesten Literatur in dem gesammten Gebiete d. Staatswissenschaften, s. Uebersicht.

— pragmat. Uebers. d. Theologie d. spät. Juden. 1r. gr. 8. Lpz. Junius (Gleditsch) 795.

— pragmat. Uebersicht d. Theologie d. spätern Zeiten. 1r Thl. gr. 8. Leipz. 795. (Brockhaus). 21 ℊ

— synchronist. Uebersicht d. Weltbegebenheiten in d. J. 1805—7. od. 1r u. 2r Anh. zum Handbuch d. Weltgeschichte. gr. 8. Leipz. 806. Dass. in d. J. 808—10. Hinrichs. Zusammen 16 ℊ Dass. in d. J. 1812—19. gr. 8. Ebd. 819. 16 ℊ

— — Umarbeitung von H. Curas Universalhistorie. s. Curas.

— — Umriß d. Geschichte des preuß. Staats für Lehrvorträge auf Universitäten. 8. Halle, Kümmel. 820.
Schreibpap.
Velinpap.

Pölitz, C. H. L., Erster Unterricht in der latein. Sprache. Dresden 799. 8. 8 gr.

– s. **Urchristenthum** nach dem Geiste der sämmtl. neutest. Schriften.

—— die europäischen **Verfassungen** seit d. J. 1789 bis auf d. neueste Zeit. Mit geschichtl. Erläuterungen u. Einleitungen. 2., neugeord., bericht. u. ergänzte Aufl. 3 Bde. gr. 8. Leipzig, Brockhaus.

Bd. 1. Die gesammt. Verfassungen d. teutschen Staatenbundes enth. 2 Abthln. (78½ B.) 832. 4 Thlr. 20 Gr.
" 2. Die Verfassungen Frankreichs, der Niederlande, Belgiens, Spaniens, Portugals, der italien. Staaten u. der ion. Inseln enth. (31 B.) 833. 2 Thlr.
" 3. Die Verfassungen Polens, der freien Stadt Cracau, der Königr. Galizien u. Lodomerien, Schwedens, Norwegens, der Schweiz u. Griechenlands enth. (39¾ B.) 833. 2 Thlr. 12 Gr.

(Die 1e Aufl. in 4 Bden erschien anonym unt. d. T.: die Constitutionen der europ. Staaten ꝛc. s. **Constitutionen** ꝛc.)

— die europäischen Verfassungen seit dem J. 1789 bis auf die neueste Zeit. Mit geschichtl. Erläuterungen u. Einleitungen. 2., neugeordnete, bericht. u. ergänzte Aufl. 4. Bd. Hrsg. von **Frdr. Bülau.** 1. Abth., die Verfassungen des teutschen Staatenbundes seit dem J. 1833 enth. gr. 8. (XII u. 359 S.) Ebd. 847. 1 Thlr. 21 Ngr.

Pölitz, Karl Heinr. Ludw., († d. 27. Febr. 1838), die Verfassungen des teutschen Staatenbundes seit dem J. 1789 bis auf die neueste Zeit. Mit geschichtl. Erläuterungen u. Einleitungen. Fortgesetzt v. **Frdr. Bülau.** 1 u. 2. Abth. (Neue Ausg.) u. 3. Abth. gr. 8. (1704 S.) Leipzig 847, Brockhaus. 5 Thlr.
Die 3. Abth. a. u. d. T.:

— üb. d. Verhältniß d. Studiums d. sächsischen Geschichte zur Belebung u. Erhöhung e. reinen Patriotismus. gr. 8. Leipz. 816. Hinrichs. 6 Gr.

— Versuch einer Grammatik d. Verstandes, s. unter Versuch e. Systems d. deutschen Styls.

— Versuch e. Systems d. deutschen Styls. 4 Thle. 8. Görlitz 800—802. Anton. 5 Thlr. 14 Gr. Schrbp. 6 Thlr. 16 Gr. (1r Thl. A. u. d. T.: Versuch in der Analyse stylist. Aufgaben ꝛc. 18 Gr. 2r Thl. A. u. d. T.: Vorles. üb. Fragmente aus deutschen Autoren ꝛc. 1 Thlr. 16 Gr. 3r Thl. A. u. d. T.: Versuch einer Grammatik d. Verstandes. 16 Gr. 4r Thl. (in 2 Abthl.) A. u. d. T.: Theorie d. deutschen Styls. 2 Thlr. 12 Gr.)

– s. Ch. **Villers** Darstell. der Reformation Luthers.

— das deutsche Volk u. Reich. Für akadem. Vorträge dargest. gr. 8. Leipz. 816. Weidmann. 2 Thlr. Schrbp. 2 Thlr. 12 Gr.

— das sächs. Volk, als ein, während d. 50jähr. Regierung seines Königs, mündig gewordenes Volk. Akadem. Vortrag am Jubelfeste d. Königs. gr. 8. Leipz. 818. Kollmann. 6 Gr.

— die europ. Völker u. Staaten am Ende d. 18n u. am Anfange d. 19n Jahrh., 2 Bde. s. Jo. M. Schröckh, allgem. Weltgeschichte f. Kinder. 4r Thl.

— Vorlesungen üb. Fragmente aus deutschen Autoren, s. oben: Versuch eines Systems d. deutschen Styls.

—— staatswissenschaftl. **Vorlesungen** f. d. gebild. Stände in constitution. Staaten. 3 Bde. gr. 8. Leipzig, Hinrichs.

Bd. 1., 2. Staatsbegründung, Verfassung, Regierung, Verwaltung. (45½ B.) 831, 32. 2 Thlr 18 Gr.
" 3. Das philosoph. Strafrecht. Das pract. Völkerrecht. Diplomatie, Sprache u. Styl im constit. Leben, parlementar. u. constitut. Opposition ꝛc. (20½ B.) 833. 1 Thlr. 6 Gr.

— üb. die Vorzüge d. gemischten Princips in d. Moralphilosophie vor d. formellen u. eudämonist., in Rücksicht auf seine Anwendung bei d. Vortrage d. Religion auf d. Kanzel u. in Schulen. gr. 8. Gera 800. Haller. 4 Gr.

— Votum üb. den Entwurf d. revidirten Landschaftsordnung des Herzogthums Braunschweig. gr. 8. Leipz. 831. Hinrichs. 10 Gr.

— **Weltgeschichte.** 3 Thle. m. Anhang, b. z. Jahre 1810. gr. 8. Ebend. 806—810.
Schreibp.
Velinpap.
(1r Anhang hierzu apart 4 gr. 2r 10 gr. 3r 12 gr.)

Pölitz, K. H. L., kl. **Weltgeschichte.** gr. 8. Lpz. Hinrichs 808.
Rthlr.
Schreibp.
Velinpap.

—— **kleine Weltgeschichte,** od. gedrängte Darstellung d. allgem. Geschichte f. höhere Lehranstalten. 6., bericht., verm. ꝛc. Aufl. (33 B.) 829., 7., bericht., verm. u. bis zum Anfange d. J. 1834 fortgeführte A. (36½ B.) gr. 8. Leipzig, Hinrichs. à

— kl. Weltgeschichte, od. kompendiar. Darstell. d. Universalgeschichte f. niedere u. höhere Lehranstalten. gr. 8. Leipz. 808. Hinrichs. 21 Gr. Schrbp. 1 Thlr. 12 Gr. Velinp. 2 Thlr. 2e A. 814. 3e A. 818. 4e A. 822. 5e A. 825. 6e A. 829. gr. 8. Ebd. 1 Thlr. Schrbp. 1 Thlr. 8 Gr.

— Kleine Weltgeschichte für höhere und niedere Schulen. Ausg. 3. verb. Leipzig 818. 8. 21 gr.

— Weltgeschichte f. gebildete Leser und Studirende. Leipz. 806–10. 3 Thle. 8. 6 rthl. 14 gr. Ausg. 3 verm. Eb. 820. 4 Bände. 8. 7 rthl.

— — dieselbe f. gebildete Leser u. Studirende. 4 Bde. gr. 8. mit K. Ebend. 813.
Druckp.
Schreibp.
Velinp.

— — dieselbe Ausg. f. Oestreich. gr. 8. Ebend. 815.
ord. Pap. ohne K.

— — die **Weltgeschichte** für gebildete Leser und Studirende dargestellt. Neuer Bearbeitung Ergänzungsheft, enth. die Begebenh. d. Jahre 1812 bis 1819. gr. 8. Ebend. 819. -
weiß Druckpap. -
Schreibpap.

— — die **Weltgeschichte** für gebildete Leser und Studirende. IV Bde. 3te bericht. verm. u. ergänzte Aufl. gr. 8. Leipzig, Hinrichs. 820.
Schreibpap.

— d. Weltgeschichte f. gebildete Leser u. Studirende. 4 Bde. 5e berichtigte, verm. u. ergänzte Aufl. gr. 8. Leipz. 825, Hinrichs. 5 Rthl. 16 gr. Schreibp.

—— die **Weltgeschichte** f. gebild. Leser u. Studierende. 4 Bde. 6., bericht., verm. u. ergänzte Aufl. gr. 8. (152 B.) Leipzig 830, Hinrichs. 5 Thlr. 8 Gr., Schrbp.

—— dass. 4 Bde. 6., ber., verm. u. erg. Aufl., wohlf. Ausg. gr. 8. (152 B.) Ebds. 830.

—— die **Weltgeschichte,** f. gebild. Leser u. Studierende dargest. Neue Ausg. d. 6. verm. u. verbess. Aufl., fortgeführt bis z. J. 1838. (15 Lfgn.) gr. 8. (175¼ B.) Leipzig 838, Hinrichssche Buchh. à ⅓ Thlr.

Das 14. u. 15. Hft. a. u. d. T.:
Allgem. Geschichte d. J. 1830—1838. Von Friedr. Bülau. (23 B. 838. 1 Thlr.
Funfzehn Stahlstiche, z. Weltgesch. v. Pölitz. Nach guten Orig.-Zeichnn. gest. v. berühmt. Künstlern. 1. Lfg. (3 Bl.) gr. 8. Berlin Heymann. * 9 Gr.
Nicht fortgesetzt.

— Weltgeschichte f. gebildete Leser u. Studirende. In 7. Aufl. umgearb. u. ergänzt von Frdr. Bülau u. Karl Zimmer. 16 Lfgn. gr. 8. (I. Bd. XIV u. 432 S. II. Bd. XIV u. 432 S. III. Bd. 1. Abth. VIII u. 336 S. III. Bd. 2. Abth. X u. 670 S.) Leipzig 850—53, Hinrichs. (à 1/3 ℛ) 5 1/3 ℛ

— Weltgeschichte f. Real- u. Bürgerschulen z. Selbstunterricht. gr. 8. Leipz. 811. 2e A. 816. 3e A. 818. 4e A. 825. Hinrichs. 12 gl

Eb.: d. philosoph. Wissenschaften in e. encyklopäd. Uebersicht f. s. Vorless. dargest. *Lpz.*, Cnobloch. 813. 8° 16 *gl*

— s.a. Wochenblatt, neues Wittenberg.

— neues Wittenberg. Wochenblat rc. f. d. J. 1805. 4. Wittenb. Zimmermann. 805.

— das Zeitalter Napoleons, s.a.: Weltgeschichte 2e Aufl. 4r Thl.

— das Zeitalter Napoleons, ein histor. Gemälde. Mit Kupf. (Aus dessen Weltgeschichte 4r Bd.) gr. 8. Leipzig, Hinrichs. 813.

Schreibp.

— das Zeitalter d. polit. Umbildung Europens, ein histor. Gemälde. (Aus dessen Weltgeschichte 4r Bd.) gr. 8. Leipz. 814. Hinrichs. 1 ℛ

K. H. L. **Pölitz** üb. d. nothwend. Zusammenh. d. Philos. m. d. Gesch. d. Menschheit; e. Abschiedsvorles. *Lpz.*, Breitkopf. 795. gr 8° 3 *gl*

Politzer, Adam, s.: **Archiv f. Ohrenheilkunde.**

— **Atlas** der Beleuchtungsbilder des Trommelfells im gesunden u. kranken Zustande f. prakt. Ärzte u. Studierende. M. 392 chromolith. Trommelfellbild. (auf 14 Taf.) u. 67 in den Text gedr. Abb. gr. 8. (XI, 154 S. m. 26 Bl. Erklärgn.) Wien 896. W. Braumüller. Geb. in Leinw. n. 30. —

— Atlas u. Grundriss d. Ohrenheilkunde, s.: Brühl, G.

Politzer Adam, Dr.: Beiträge zur Physiologie des Gehörorgans. Vorläufige Mitteilung. S. 43. II. 42 . . . . vgr.
Separatabdruck

Politzer, Adam, die Beleuchtungsbilder des Trommelfells im gesunden u. kranken Zustande. Klinische Beiträge zur Kenntniss u. Behandlung der Ohren-Krankheiten. Wien 865. Braumüller. gr. 8. (VII, 143 S. mit 24 chromolith. Trommelfell-Bildern auf 2 Taff. u. 13 in den Text gedr. Holzschn.) n. 2 ℛ

— **Geschichte** der Ohrenheilkunde. (In 2 Bdn.) I. Bd. Von den ersten Anfängen bis zur Mitte d. 19. Jahrh. Mit 31 Bildnissen auf Taf. u. 19 Textfig. (XIV, 467 S.) Lex. 8. Stuttgart 907. F. Enke. 20.— ; geb. in Leinw. n 22.—

— Grundriss u Atlas der Ohrenheilkunde, s.: Brühl, Gust.

Politzer, Adam, Lehrbuch der Ohrenheilkunde. Für pract. Aerzte u. Studirende. In 2 Bdn. Mit 258 in den Text gedr. Holzschn. gr. 8. (XII, 878 S.) Stuttgart 878—82. Enke. n. 22. —

Politzer, A., Lehrbuch der Ohrenheilkunde f. praktische Ärzte u. Studirende. 2., umgearb. Aufl. Mit 285 in den Text gedr. Abbildgn. gr. 8. (X, 570 S.) Stuttgart 887. Enke. n. 14. —

Politzer, Adam, Lehrbuch der Ohrenheilkunde f. practische Ärzte u. Studirende. 3., gänzlich umgearb. Aufl. gr. 8. (VIII, 619 S. m. 331 Abbildgn.) Stuttgart 893 F. Enke. n. 15. —

Politzer, Adam, Lehrbuch der Ohrenheilkunde, für prakt. Ärzte u. Studirende. 4. gänzlich umgearb. Aufl. gr. 8. (X, 710 S m. 346 Abb.) Stuttgart 901. F. Enke. n. 17. —; geb. in Leinw. n. 18. 40

— **Lehrbuch** der Ohrenheilkunde f. praktische Ärzte u. Studierende. 5. gänzlich umgearb. u. verm. Aufl. (X, 693 S. m. 337 Abb.) Lex. 8. Ebd. 908. 17.— ; geb. in Leinw. n 18. 40

— über die **Wahl** der Adstringentien bei eitrigen Ohrenkatarrhen. [Aus: Wiener medizinische Presse.] Wien 866. (Czermak.) gr. 8. (18 S.) n. 3 ngr

Politzer, Adam, zehn Wandtafeln zur Anatomie d. Gehörorgans. Zum Gebrauche f. Vorlesgn. u. zum Studium der Anatomie d. Ohres. Nach den Originalien d. Autors in Lithographie ausgeführt v. G. Schlesinger. Imp.-Folio. Wien 873. Braumüller. In Mappe. n. 60 —

— die anatomische u. histologische **Zergliederung** d. menschlichen Gehörorgans im normalen u. kranken Zustande. Für Anatomen, Ohrenärzte u. Studirende. Mit 164 Abbildgn. u. 1 in den Text gedr. Taf. gr. 8. (X, 245 S.) Ebd. 889. n. 10. —

Politzer, L. M., die Entstehung der Gefahr im Krankheitsverlaufe. Mit besond. Berücksicht. der Diagnose der Gefahr, ihrer Prophylaxe u. Therapie. gr. 8. (XX, 395 S.) Wien 878. Braumüller. n. 7. —

Politzer, Dr. L. M., Die Frage des konstituirenden Reichstags. Wien, Lechner, 1848. 18 S. 8°.

Politzer, Leop., die Pflege des kranken Kindes. Vortrag, geh. am 21. Jänner 1879. gr. 8. (24 S.) Wien 879. (Braumüller.) n. — 60

Politzer, Sigmund (Hrsg.), s.a. Behandlung der politischen Gefangenen in Bayern.

Politzer, Sigm., Die Behandlung der politischen Gefangenen in Bayern. Prozess Franz Rohleder's. Zusammengestellt nach stenogr. Aufzeichnungen. 8°. München, Politzer, 1878.

Polívka František, Rostlinopis pro nižší třídy škol středních. 5., inhaltlich im wesentlichen unveränderte Auflage. Olmütz 1908. R. Promberger. Geb. K 3.20.

Polívka, Geo., eine alte Schulanekdote u. ähnliche Volksgeschichten. Ein Beitrag zur vergleich. Märchenkunde. (8 S.) Lex.-8. Wien (905) (Gerold & Co.) n. — 50
Sonderabdruck aus: „Ztschr f. öst. Volkskde."

Polívka, J., Denkschrift über die Wasserversorgungsfrage der königl. Hauptstadt Prag, s.: **Huppert, H.**

Polixa, Aug., Telegraphen- u. Fernsprechverkehr. Die wichtigst. Bestimmgn. f. das den Reichs-Telegraphen u. die Fernsprecheinrichtgn. benutz. Publikum. Nach amtl. Quellen zusammengestellt u. an Beispielen erläut. (Dr. Ludw. Huberti's mod. kaufm. Bibliothek.) (VII, 96 S.) 8. Leipzig (905). Verlag der mod. kaufmänn. Bibliothek. Geb. in Leinw. n. 2. 75

Polizei

— f. d., in Bds 1s n. 2s St. 8. Hannov. Helwing. 788.

Polizei, die. Zeitschrift f. Polizeiwissenschaft, -dienst u. -wesen m. den Beilagen: Der Polizeihund u. Die Familie. Hrsg.: Kameradschaft, Wohlfahrtsgesellschaft m. beschr. Haftg. Schriftleitung: Rob. Gersbach. 1.—3. Jahrg. 1904—1906. à 26 Nrn. (2. u. 3. Jahrg. XIV, 627 u. XVI, 624 S. m. Abb.) Lex.-8. Berlin, Kameradschaft. à Jhrg. n. 6. —

Polizei, die. Zeitschrift f. Polizeiwissenschaft, -dienst u. -wesen m. der Beilage: Der Polizeihund. Hrsg.: Kameradschaft, Wohlfahrtsgesellschaft m. b. H. Hauptschriftleiter: Rob. Gersbach. Verantwortlich: E. R. Burg. 4.—7. Jahrg. April 1907—März 1911. à 26 Nrn. (522, 510, 520 u. 512 S.) Lex. 8. Berlin, Kameradschaft. à Jahrg. 6. --

Altonaische Polizey, die. Aus dem 10. H. des Journals Hamburg und Altona abgedrukt. Hamburg. 1802. P.

Polizei, die, u. die Arbeitslosen. Stenographischer Bericht üb. die Gerichtsverhandlg. gegen die 8 Redakteure vom 8. u. 9. Mai 1894. gr. 8. (87 S.) Berlin 894. Ullstein & Co. — Buchh. d. „Vorwärts". — 15

— die Berliner, s. a. Großstadt-Dokumente.

Polizei, die Berliner. Von Assessor ***. (83 S.) gr. 8. Berlin, H. Seemann Nachf. 1907. 1. —; geb. 2. —
„Grossstadt-Dokumente". Bd. 34.

Die **Berliner Polizei**. Von Assessor ***. 2. Aufl. Berlin: H. Seemann Nachf. [1908]. (83 S.) 8° [S.]
— Großstadt-Dokumente. Bd 34. [08. 1494

Polizei, Die entlarvte hohe und geheime, des zerstörten Königsreichs Westphalen. O. O. (Göttingen, Dietrich) 1814. 8⁰. VIII u. 216 S.
Sehr seltener Beitrag zur Chronique scandaleuse von Cassel unter dem König Jérôme. (10 Mk. Adolf Weigel, Lpz., 1908.)

Policey, erneuerte Nicotianische, oder Tobacks-Ordnung. Allen u. jeden Liebhabern u. Zunftgenossen des edlen Toback-Schmauchs zu sonderl. Besten in Druck gegeben

v. Blasius Fumarius, Edler Herr v. Rauchhausen. — Schmauchburg 1719. (Neudr.) gr. 8. (17 S.) Köln a/Rh. 890. Teubner. n. 1. —

Polizei, geheime, Bundestagsbeschlüsse und die Mouchards, zusammengestellt und so nochmals im Buchhandel versendet. 8. Merseburg 833. Weidemann. 1/4 ℔

Polizei zu Wien, Die geheime. Aus einer französischen Handschrift übersetzt. Im siebenten Jahr (der Republik = 1799). 8⁰.
Karajan's Bibl. II. no. 4770.

[J.] Die Politische **Polizei** in Preussen. Bericht üb. d. Verhandlgn im Prozess Leckert-Lützow-Tausch am 2., 3., 4. u. 7. Dez. 1896 vor d. Landger. I. zu Berlin. Nach stenogr. Aufnahmen. M. Einl. u. Anh. *Berlin: Vorwärts 1896.* (95 S.) 1 Bd 8. [97. 266

— politische, u. Spitzelwirtschaft. Hrsg. v. der sozialdemokrat. Fraktion des Zürcher Kantonsrates. (Verhandlungen des Zürcher Kantonsrates üb. die polit. Polizei u. die Bundesanwaltschaft.) (71 S.) gr. 8. Zürich 905. Buchh. des schweiz. Grütlivereins. n. — 50

Polizei, Die, praktisch oder Handbuch für Magistrate, Wirtschaftsämter, Aerzte, Wundärzte, Apotheker u. s. w. Prag 1794. V: *Eichler, Andr. Chrysogon.* (KY 2/107) (BiblPort) (GGr VI/733—734, Nr. 34/4) S. a. III, 9262.

Policey, d. prakt., od. Handb. f. Magistrate, Wirthschaftsämter rc. gr. 8. Prag, Herrl. 794.

Polizei, Die, praktisch, oder Handbuch für Magistrate, Wirthschaftsämter, Aerzte . . . 4. . . . Ausg. Prag 1815. V: *Eichler, Andr. Chrysogon.* (MGT) »1794« (NN)

Polizei, die, in Preußen, ihre Befugnisse u. der. Grenzen. E. zeitgem. Zusammenstellg. d. Bestimmgn. über d. Organisation, d. Rechte u. Befugnisse d. Polizei, sow. d. Rechtsmittel gegen polizeil. Verfüggn. u. Maßnahmen. 8. (III, IV, 112 S.) Breslau 898. A. Bergmann. — 75

Polizei, die, in Preußen, ihre Befugnisse u. deren Grenzen. 8. (III, IV, 112 S.) Breslau 898. Leipzig, R. Lipinski. — 75

Polizei, Utopische. [Nürnberg 1799.] V: *Siebenkees, Johann Chn.* (MGT)

Polizei, die, und ihre Verhältnisse insbesondere in Oesterreich. Wien 863. Typograf.-literar.-artist. Anstalt. gr. 8. (45 S.) n. 8 *ngr.*

Polizei, Die, im alten Wien. Wien 1866. V: *Reuterer, V.* (Mitth. Dr. Ign. Schwarz.)

Polizei-Amts-Nachrichten oder vermischte Abhandlungen . . . aus allen Theilen der ökonomischen Wissenschaften. Göttingen 1755—57. H: *Justi, Johann Heinrich Gottlob.* (ML)

Göttingsche Polizey-Amts-Nachrichten, oder vermischte Abhandlungen zum Vortheil des Nahrungsstandes aus allen Theilen der ökonomischen Wissenschaften, benebst verschiedenen in das Göttingsche Polizeywesen einschlagende Verordnungen u. Nachrichten. Herausgegeben von v. *Justi*. Göttingen 1755-57. (Götting. Pol.-A.-N.)

Polizeianstalten, Lästige, für Spatziergänger; Fragment aus einem Reiseberichte eines berühmten Gelehrten. [Kiel 1785.] V: *Musäus, Johann Carl August.* (ML)

Polizei-Anwalt, der, wie er nach der Verordnung vom 3. Jan. 1849 u. der Ministerial-Instruktion vom 23. April 1849 rc. sein soll. Eine Monatsschrift f. Polizei-Anwälte, so wie überhaupt für Gerichts-Behörden, Landraths-Aemter rc. Hrsg. v. Chr. Rochlitz. 1. Jahrg. Octbr.—Decbr. 1849. 3 Hfte. gr. 8. (144 S.) Erfurt, Knick in Comm. (à Hft. n. 1/6 ₰) n. 1/2 ₰

Policeyanzeigen, Jahrg. 1804—8. 4. Tübing. 806. v. Cotta. 8 ₰ 8 gr

Polizei-Anzeiger. Amtliches Fahndungsblatt der kantonalen Polizei. Jahrg. 1883. Erscheint wöchentlich. Aarau, Sauerländer,

Polizeianzeiger, aargauischer. Polizeil. Fahndungsblatt für 1885. Wöchentlich 1 N°. In-8°. Aarau, Sauerländer.

Polizeianzeiger, aargauischer. Fahndungsblatt der aargauischen Polizei. Erscheint wöchentlich. Gr. in-8°. Aarau, Sauerländer. 1886 - 1888

Polizei-Anzeiger, allgemeiner, für Thüringen, Franken und Sachsen. Herausg. vom Polizeirath rc. Fr. Eberhardt. 1r—8r Bd. à 52 Numm. (1/4 u. 1/2 Bog.) gr. 8. Gotha 836—39. (Becker'sche Buchh.; Gläser.) (à n. 1 3/4 ₰) 14 ₰

Polizei-Anzeiger der Lemberger k. k. Polizei-Direktion. Aus der k. k. galizischen Aerarial-Staats-Druckerei. 8. 3spaltig. Mit deutschem, polnischem und ruthenischem Text. Lemberg 1856.

Polizei-Archiv f. Preußen. Herausgeg. v. L. Hoffmann. 1r—7r Jahrg. 1817—23, u. Jahrgg. 1824 u. 25. gr. 4. Berl., v. L. Oehmigke à 4 Rthl.

Reiswitz, Freiherr von (Herausgeber): „Allgemeines Polizey-Archiv für Preussen", Berlin 1818 bis 1821 (Jahrg. 1818 bis 1820 je 4 Bände, Jahrgang 1821 Band 1). — Vorh.: Preuß. Staatsbibl. Berlin.

— dass. Jahrg. 1826. 104 Num. gr. 4. Berl., Petri.

Polizeibeamte, der, s.: Polizei-Bureaubeamte, der.

Polizei- und Verwaltungs-Beamte, Der, wie er sein soll . . . Warburg [Leipzig] 1842. H: *Neukirchen, W. A.* (EngJ) (Ky) (Wa)

Polizei- u. Verwaltungs-Beamte, der, wie er sein soll. Nebst e. Anhange, enthalt. Formulare zu Berichten u. Denunciationen, so wie ein kleines Verdeutschungs-Wort-Register. Herausgeg. von W. A. N(eukirchen). 16. Warburg 842, Billig. (Leipzig, Klinkhardt.) n. 1/4 ₰

Polizeibeamten-Zeitung, preußische. Wochenschrift f. die Interessen der Exekutivbeamten im königl. preuß. Polizeidienste. Hrsg.: H. Schlichting. Jahrg. 1901. Mai—Dezbr. 32 Nrn. gr. 4. (à ca. 8 S.) Berlin. (Leipzig, G. Schnurpfeil.) n. 3.—
Nicht mehr im Buchhandel.

Polizeibetrachtungen, Einige, über das Betteln. [Nürnberg 1797.] V: *Siebenkees, Johann Christian.* (MGT) (will)

Polizeiblatt für Kärnten. Hg. vom k. k. kärntnerischen Landespräsidium. Klgft., Leon, 1894—. Quart.

Policeyblätter, s. unter Policeyfama.

Policeyblätter (ist die Forts. v. d. Policeyfama) Jahrgang 1808—11. 4. Tübing. Cotta (à 4 Thlr.)

Policeiblätter, allgemeine deutsche Justiz- und, siehe Hartleben.

POLIZEI-Briefe eines Franzosen über die geheime Polizei in Wien. Aus d. Französ. Paris (fing.) 1798.
Weller, fing. Dr.

Polizei-Bureaubeamte, der. Vorbereitung zur Annahme, zur weiteren Ausbildung u. Prüfung. Methode Rustin. Selbst-Unterrichts-Briefe, hrsg. vom Rustinschen Lehrinstitut. Red. v. C. Jlzig. Bearb. v. Gust. Behrendt, Max Baumann, Frz. Bußler u. v. a. 1.—84. Lfg. Lex.-8. (2852 S. m. Abbildgn., 1 Tab., 12 farb. Karten u. 38 farb. Kartens. in gr. 4.) Potsdam (900—902). Bonneß & Hachfeld. Subskr.-Pr. à n. —90; Einzelpreis à n. 1.25

Polizei-Bureaubeamte, der. Vorbereitung zur Annahme, zur weit. Ausbildg. u. Prüfg. Methode Rustin. Selbst-Unterrichtsbriefe in Verbindg. m. eingeh. Fernunterricht. Hrsg. vom Rustinschen Lehrinstitut f. briefl. Unterricht. Bearb. v. Gust. Behrendt, Max Baumann, Frz. Bußler u. v. a. 85.—149. Lfg. (1964 S. m. 7 Taf.) Lex.-8. Potsdam (903—906). Bonneß & Hachfeld. Subskr.-Pr. à n. —90; Einzelpr. à n. 1.25
Erschienen zum Tl. m. Umschlag: Polizeibeamte, der.

Polizei-Bureaubeamte, der. Vorbereitung zur Annahme, zur weiteren Ausbildg. u. Prüfg. Methode Rustin. Selbst-Unterrichtsbriefe in Verbindg. m. eingeh. Fernunterricht. Hrsg. vom Rustinschen Lehrinstitut f. briefl. Unterricht. Bearb. v. Gust. Behrendt, Max Baumann, Bayer u. v. a. 150.—152. Lfg. (95 S.) Lex. 8. Potsdam (908. 09). Bonneß & Hachfeld. Subskr.-Pr. à —90; Einzelpr. à 1.25
Erschien zum Tl. m. Umschlag: Polizeibeamte, der.

Polizei-Codex, s. Polizei - Kodex

Polizeidirector, der; das geheimnißvolle Verhältniß, v. das Abenteuer des Baron v. ***. Drey Erzählungen v. Fr. Laun. Mit K. 8. Leipz. Hinrichs. 812.
Weller.

Polizeifama, s. Justiz-, Cameral- u. Polizei-Fama.

Polizeifama. Tübingen 1802—7. H: *Hartleben, Theodor Conrad.* (Ky)

Policeyfama, (herausgeg. v. Th. Hartleben.) Jahrg. 1802—1807. 4. Tübing., v. Cotta. (à Jahrg. 3 ₰ 4 gr) 19 ₰—Fortsetzung unt. d. T.: Policeyblätter. Jahrg. 1808—1814 4. Ebd. à Jahrg. (2 ₰ 6 gr) 29 ₰ 18 gr. Fortsetz. unt. d. T.: Allgem. Justiz-, Cameral- u. Policeifama. Jahrg. 1815—27. gr. 4. Ebd. (à J. 5 ₰ 12 gr) 71 ₰ 12 gr Neue Folge. Redig. v. Tödinger. 1829 Juli—Dec. u. Jahrg. 1830. gr. 4. Ebd. 8 ₰ 6 gr

Policeyfama (ist d. Forts. v. Hartlebens Justiz- u. Policeyfama) Jahrg. 1807. 4. Ebend.

Polizei- und Cameralgegenstände, Vermischte, des praktischen Forst- und Jagdwesens. Mainz 1791. V: *Müllenkampf, Franz Damian Frdr.* (EB)

Policey- u. Cameral-Gegenstände, verm., im praktisch. Forst- u. Jagdwesen. m. K. gr. 8. Mainz, Fischer. 791.

Polizei-Geheimnisse. Deutsch von C. Homburg. 3 Thle. Stuttgart 865. C. Ebner. 8. (IX, 877 S.) 1 ℛ 18 ngr.

Polizei- und Criminalgeschichten, Berliner, in humoristischer Färbung ... Berlin 1858. V: *Temme, Jodocus Donatus Hubert.* (Ky)

Polizei- und Criminalgeschichten, Berliner, in humoristischer Färbung. Vom Verf. „der neuen deutschen Zeitbilder." (Von J. D. H. Temme.) Mit 36 Illustr. (Holzschn. im Text) von L. Löffler. Berlin 858. Hofmann u. Co. 8. (102 S.) n. 10 ngr.

Polizeigesetz für Eisenbahnen. Wien, 1855. Gedruckt bei Josef Stöckholzer von Hirschfeld. (20 S. 8.)

Polizeigesetze

— älteste, der Stadt Wunsiedel im Fürstenthum Bayreuth v. 1383—1548, erläutert u. herausgg. von F. W. A. Layritz. gr. 8. Bayreuth 801.

Polizei-Gesetze und Verordnungen, Die in Neuvorpommern und Rügen bestehenden besonderen ... Greifswald 1855. H: *Dabis, C. C. B.* (EngJ) (Ky)

— und Verordnungen, die in Neu-Vorpommern und Rügen bestehenden besonderen, im Anschlusse und in Ergänzung der, im Auftrage des Königl. Ministeriums des Innern von K. F. Rauer herausg., Zusammenstellung der in den Preuß. Staaten bestehenden allgem. Polizei-Gesetze u. Verordnungen. (Von Dabis.) Greifswald 855. Akademische Buchhdlg. gr. 8. (VI, 126 S.) n. 17 ngr.

Policeygesetze, heidelberg., s. a. W. Deurer.

Policeygesetze, Heidelberg. noch geltende, v. d. Jahr. 1800 bis 1806. v. Deurer. 8. Heidelb. Mohr u. Z. 807.

Polizei-Gesetze und Lokal-Polizeiverordnungen für den Regierungs-Bezirk Erfurt, s. a. Huthsteiner.

Polizei-Gesetze und Lokal-Polizei-Verordnungen, die in dem Regierungsbezirke Erfurt außer den allgemeinen Polizei-Strafgesetzen besonders gültigen. Zusammengestellt auf Veranlassung der königl. Regierung zu Erfurt und hrsg. von W. Huthsteiner. gr. 8. (IV und 212 S.) Erfurt 853, (Weingart.) *

Polizei-Gesetze des Kgr. Sachsen, s. Funke.

[F.] Die **Polizei-Gesetze** und Verordnungen des Regierungsbezirks **Breslau**. Sammlg der allgem. Reichs- u. Landesges., sowie d. Ober-Präsidial- u. Präsidial-Verordngn, welche im Regbez. Breslau Gültigkeit haben. Hrsg. v. Otto Kotze, Bürgerm. a. D. II. Aufl. [Nebst] Nachtr. *Breslau: O. Gutmann* (übergeklebt: *Schletter*; Nachtr.: *Dr. v. G. Schenkulowsky) 1893—95.* 2 Bde 8.
Polizei-Gesetze 1893. (XXXI, 1008 S.) Nachtr. 1895. (3 Bl., 134 S.) [56. 8230

[F.] Die **Polizei-Gesetze** und Verordnungen des Regierungsbezirks **Liegnitz**. Sammlg der auf d. Polizeiwesen bezügl. allgem. Reichs- u. Landesgesetze, sowie der Ober-Präsidial- u. Präsidial-Verordngn, welche im Regiergsbez. Liegnitz Gültigkeit haben. Hrsg. v. Otto Kotze, Bürgermeister a. D. *Breslau: S. Schottlaender 1894.* (XXXIII, 1021 S.) 1 Bd 8. [96. 1492

Polizei-Gesetze, die, und Verordnungen des Königr. Sachsen mit Inbegriff der organischen und formellen Bestimmungen. Systematisch-chronolog. zusammengestellt und erläutert und ergänzt durch Hinzufügung der ergangenen Anweisungen und befolgten Grundsätze, so wie durch Nachrichten über bestehende Einrichtungen. Von Glob. Leber. Funcke. 2. Bd. (2 Abthlgn.) Die Polizeigesetze und Verordnungen, insoweit sie weder auf die Medicinal- noch auf die Gewerbepolizei Bezug haben (einschließl. der die Staats- und Heimathsangehörigkeit angehenden Bestimmungen und Grundsätze.) gr. 8. (XVI und 592 S.) Leipzig 847, Hahn'sche Vrlgsh.

—— dass. — 3. Bd. A. u. d. T.: Die Medicinalpolizei-Gesetze und Verordnungen Sachsens. gr. 8. (XVI und 549 S.) Ebds. 847.

—— dass. — 4. Bd. A. u. d. T.: Die Gewerbspolizei-Gesetze und Verordnungen rc. gr. 8. (XXII und 694 S.) Ebds. 848.
1. Bd. Ebendas. 1846. 3 Thlr. 10 Ngr.

—— und Verordnungen, die des Königr. Sachsen, mit Inbegriff der organ. und formellen Bestimmungen. Systematisch chronologisch zusammengestellt rc. Von Glob. Leberecht Funke. 5. Bd.: Nachträge zu den 4 ersten Bdn. auf die nachfolgende Zeit. gr. 8. (XII und 715 S.) Leipzig 856, Hahn'sche Vrlgsh.
1—4. Bd. Ebendas. 1846—48. 13 Thlr.

Polizei-Gesetze und Verordnungen, die, des Königreichs Sachsen, mit Inbegriff der organischen und formellen Bestimmungen. Systematisch chronologisch zusammengestellt rc. Von Glob. Leberecht Funke. 6. Bd.: Nachträge zu den 5 ersten Bdn. auf die Zeit vom Septbr. 1856 bis mit Octbr. 1863. Leipzig 864. Hahn. gr. 8. (XVIII, 702 S.) 3 ℛ
Bd. 1—5 statt 16 ℛ jetzt nur 10 ℛ

Polizeihund, der. Zeitschrift zur Förderg. der Zucht, Dressur u. Verwendg. von Hunden im öffentl. Sicherheitsdienst. Organ des Vereins zur Förderg. der Zucht u. Verwendg. v. Polizeihunden (P. H. V.) zu Elberfeld Beilage der Zeitschrift: „Die Polizei". Schriftleiter: Fritz Gersbach. Mitschriftleiter: Frhr. v. Kleinsorgen. April 1905—März 1907. 18 bzw. 12 Nrn. (2. Jahrg. 104 S. m. Abbildgn.) Lex.-8. Berlin, Kameradschaft. à Jhrg. n. 3. —

Polizeihund, der. Zeitschrift zur Förderg. der Zucht, Dressur u. Verwendg. v. Hunden im öffentl. Sicherheitsdienst. (Beilage der Zeitschrift: Die Polizei. — Der Gendarm.) Schriftleitung: Fritz Gersbach. 4.—7. Jahrg. April 1907—März 1911. à 12 Nrn. (à Jahrg. 104 S. m. Abb.) Lex. 8. Berlin, Kameradschaft. à Jahrg. 2.50; geb. 3.50

Polizei-Kalender f. d. J. 1893. Taschenbuch f. Polizeibeamte rc., insbesondere f. Schutzmannschaft rc. Hrsg. v. H. Göllnitz. gr. 16. (289 S. m. 1 Karte.) Bresl. 892, (Felder's Verlag). * 1 25; geb. in Leinw. * 1 50; in Ldr. * 2 —

—— für d. J. 1893. (Kalendarium v. 1. Oktbr. 1892 bis 31. Dezbr. 1893), nach d. Beschlüssen der Polizei-Inspektoren d. Reg.-Bez. Düsseldorf hrsg. v. F. Retzlaff. 1. Jahrg. gr. 16. (VI, 387 S. m. 1 Taf.) M.-Gladbach 892, Schellmann. geb. * 1 50

— für d. J. 1894. Hrsg. v. F. Retzlaff. 2. Jahrg. gr. 16. (IV, 365 S.) M.-Gladbach, E. Schellmann. Geb. in Leinw. n. 1. 50

Polizei-Kalender f. d. J. 1895. Taschenbuch f. Beamte u. Publikum, amtlich empfohlener Rathgeber auf dem Polizeigebiet. 3. Jahrg. Hrsg. v. H. Göllnitz. gr. 16. (237 u. 39 S. m. 1 Karte u. 1 farb. Taf.) Breslau, (A. Felder's Verl.). Geb. in Leinw. n. 1. 50; in Ldr. n. 2. —

Polizei-Kalender f. d. J. 1897. Hrsg. von F. Retzlaff. 5. Jahrg. gr. 16. (III, VIII, 396 S. m. 1 farb. Taf.) M. Gladbach, E. Schellmann. Geb. in Leinw. n. 1. 50

Polizei- u. Gendarmerie-Kalender, bayerischer, f. d. J. 1909, bearb. v. F. Huber. (XXIV, 206 S. m. 1 Abbildg. u. 1 Karte.) kl. 8. Nürnberg, C. Koch. Geb. 1. —

Polizei- u. Gendarmerie-Kalender, bayerischer, f. d. J. 1910 v. F. Huber. 2. Jahrg. (X, 335 S. m. Abbildgn. u. 1 eingedr. Bildnis.) kl. 8. Nürnberg, C. Koch. Geb. 1. —

Polizei- u. Gendarmerie-Kalender, bayerischer, f. d. J. 1911, v. Frdr. Huber. 3. Jahrg. (XVI, 268 S. m. 1 Karte.) kl. 8. Nürnberg, C. Koch. Geb. in Leinw. 1.

Polizei-Kalender, österreichischer, f. Kommunal-Sicherheitswachorgane f. d. J. 1903. Hrsg. v. S. Schade. (320 S. m. 1 Abb.) 16. Wien, Derflinger & Fischer. Geb. in Leinw. n.n. 2. —
Erscheint nicht mehr.

Polizei-Kalender, preußischer, zum Gebrauch für Polizei- und Verwaltungs-Beamte, insbesond. für Landräthe, Rentmeister, Districts-Commissarien ꝛc. Hrsg. von H. Dennstedt. 1. und 2. Jahrg. 1857 und 1858. gr. 16. Berlin, C. Heymann's Verlag. [1. Jahrg. (358 S.) 2. (IV und 298 S.)]
geb. à Jahrg. * *
durchschossen à Jahrg. *

Polizei-Kalender, preussischer, f. 1906. Hrsg. v. F. Retzlaff. 14. Jahrg. Mit (2 farb.) Uniformtaf. (XXX, 496 S.) kl. 8. Recklinghausen, Leipzig, O. Maier. Geb. in Leinw. 3. --

— **preußischer**, f. 1907. Hrsg. v. F. Retzlaff. 15. Jahrg. Mit (2 farb.) Uniformtaf. 2 Tle. kl. 8. Recklinghausen. (Leipzig, O. Maier.) Geb. in Leinw. n.n. 4. 50
1. Taschen- u. Notizbuch. (IV, 234 S.)
2. Das kleine Polizei-Handbuch. (VIII, 556 S.)

Polizei-Kalender, preussischer, f. 1908. Hrsg. v. F. Retzlaff. 16. Jahrg., 2 Tle. (1. Tl. VIII, 273 S.) kl. 8. Recklinghausen, F. Retzlaff. Geb. in Leinw. f. vollständig 4. 30.

Polizei-Kalender, preußischer, f. 1910. Hrsg. v. F. Retzlaff. 18. Jahrg. 2 Tle. (VII, 166 u. VI, 210 S.) kl. 8. Recklinghausen, F. Retzlaff. Geb. in Leinw. nn 2. 50

-- dasselbe f. 1911. Hrsg. v. F. Retzlaff. 19. Jahrg. (1. Tl.) (VII, 198 S.) kl. 8. Recklinghausen. (Leipzig, O. Maier.) Geb. in Leinw. 1. 20

Polizei-Kodex

Polizei-Codex. Dresden 1809. V: *Globig, Hans Ernst von.* (Ky)

Polizeiministerium Brenn, das, in Preußen. Vom Verf. d. Schrift: „Die Pietisten als Revolutionaire gegen Staat u. Kirche. 8. (1 B.) Ratibor 835. (Leipzig, Drobisch.)

Polizey-Nachrichten. — Jenaische Wöchentliche Polizey- und Commercien-Nachrichten. – 2.I.1771 – 1771 Nr. 1. Vorh. u. fortges. u.d.T.: Wöchentliche Jenaische Frag- und Anzeigen.

Polizeiordnung

Polizey-Ordnung für die Stadt Altona vom 4. Dec. 1795. Altona. (1795.) 8°

Polizey-Ordnung für die Stadt Altona, nebst Anhang. Altona. 1836. 4° k.

Fürstliche Braunschweig-Lüneb. Zellischen Theils **Policey-Ordnung** und andere zu deren Erl. dienende, wie auch sonsten ... außgelassene Verordnungen, Mandata und Constitutiones welchen appendicis loco die Chur-Fürstliche Braunschweig-Lüneburgische Ambts-Ordnung und deren Confirmation u. Erl. beygefüget. Hannover u. Zell 1700.

Policey-, Deich-, Holz- u. Jagd-Ordnung, d. Herzogthums Bremen u. Verden. Sammt e. zweifachen Anhange u. dazu gehörigen Verordnungen. Im Auszuge 4. Stade 829. Pockwitz. 2 ß

Der Hertzogthümer Bremen und Verden **Policey-Teich-Holtz- und Jagt-Ordnung** auf Königlichen Befehl wieder aufgeleget, samt einem zweyfachen [u.] fernerweitem Anh. Stade 1732. 49. 2 Bde

Der Kayser- u. Königl. Stadt Breßlau, Policey- u. Kleider-Ordnung. Breßlau, in der Baumannischen Erben Druckerey, druckts Johann Jancke, Factor. 1704. Fol. 2 Bog.

Der Kayser- und Königl. Stadt Breszlau, Policey- und Kleider-Ordnung. 1704, Sept. 3. Breslau, Baumann. Fol. 4 Bll.

Polizei-, Deich-, Holz- und Jagdordnung der Herzogthümer Bremen und Verden samt einem zweifachen Anhang und dazu gehörigen Verordnungen. - Stade 1836

[Kopft.:] [J.] **Polizei-Ordnung** betreffend das Droschken-Fuhrwesen in der Stadt Königshütte O.-S. *(Königshütte O.-S. 1896.)* (10 S.) 1 Bd 8. 158. 8614

Polizei-Ordnung, Der Stadt Flensburg von des König Christian des Vierten Majestät ... 1600 gnädigst confirmirte. Flensburg 1778. H: *Lüders, Ulr. Adolph.* (schles)

„Policey Ordnung vnd Constitution, von wegen verkaufung vnnd verfürung der Wollen, Mandat Ferdinandts, Römischen Königs etc. verkündigt durch Melchior, Bischoffe zu Wirtzburg vnd Hertzog zu Francken. Geben inn Wirtzburg den 24. Monats tag Januarij, Anno . . . . LVI". Einblatt. — Vorh.: Bibl. des German. Museums Nürnberg.

Policeyordnung Kaiser Rudolphs II. v. Böhmen im Jahr 1605. aus dem Böhmischen, v. J. L. Wandrer. gr. 8. Dresd. Walther. 792.

— russ., a. d. Russ. v. C. G. Arndt, 1r Thl. gr. 4. Leipzig, Hartknoch. 782.

— russische; aus d. Russ. v. Chr. Gü. Arndt. Ir Thl. gr. 4. St. Petersb. 782. 20 gl

— russ.: kaiserl., a. d. Russischen, v. Arndt. 4. Riga, Müller. 792.

Polizei-Ordnung f. die Schiffahrts-Kanäle u. kanalisierten Flüsse in Elsaß-Lothringen. (61 S.) 8. Zabern (906). A. Fuchs. n. — 60

Gross-Fürstlich Schleswig-Hollsteinische **Policey-Ordnung** de dato Kiel den 29. Januar. 1768. Kiel. o. J. 4°.

Fürstlich schleswig-hollstein-plönische renovirte **Policey-Ordnung,** wornach alle fürstliche Bediente, Einwohner und Unterthanen sich unterthänigst zu verhalten haben; ausgefertiget und publiciret in Anno 1737. Ploen. (1737.) 8°

Der Statt **Straßburg Policey Ordnung.** Getruckt bey Adolph Giessen Anno M. DCC. VIII [1708].
Kupfertit., gest. von F. Brentel, 6 Bl., 199 S. 4°.
Abb. 180

Policey- u. Taxordnung so zu Frankfurt a. M. am kaiserl. Wahltage d. 16. Sept. 1790 publicirt worden. 4. Frankf. 790. Andreä. 3 gr.

Chur-Cöllnischen Hertzogthumbs Westphalen verbesserte **Policey-Ordnung** de anno 1723. (Geben Bonn d. 20. Sept., bestätigt Ahauß d. 20. Nov. 1723.) o. O. (1723).

Des Herzogthums Bremen und Verden Policey-, Teich-, Holz- und Jagd-ordnungen. - Stade 1732

Polizeyordnungen des bürgerlichen Magistrats zu München vom J. 1370. (Ausschn. aus *Westenrieder's* „Beyträgen", Bd. 6: S. 88—165.) 8°. Hübsch. Ppb.
Abdr. aus dem Orig.-Pgmt.-Codex im bürgerl. Archiv zu München. — Anhängend noch: „Vergonstigungen, Freybriefe vnd anders." (S. 165—210.)

Polizeiordnungen, Nürnberger, aus d. 13. bis 15. Jahrhundert. Hrsg. v. Joseph Baader, s. XVIII. Bd. 1. Abthl. S. 157: Bibliothek des litterarischen Vereins in Stuttgart. Bd. 63.

Die Polizeiordnungen der Städte Ratzeburg und Lauenburg. Im Auftrage des Vereins für die Geschichte des Herzogthums Lauenburg herausgegeben von CARL GÜNTHER. Mölln i. Lbg. 1890. Ludw. Alwart. (Comm. bei Max Schmidt, Ratzeburg.) 8°.

Policey-Placat. dass im Sommer bey trockner Witterung die Strassen vor dem Fegen mit Wasser besprengt werden sollen. Kiel d. 23. Jun. 1794. o. O. u. J. Fol., in 4° gebunden.

Policey-Placat des Königlichen Oberpräsidii zu Kiel wegen gehöriger Bedeckung der nach den Strassen zu gehenden Eingänge und Oefnungen der Wohn- und andrer Keller. Kiel d. 28. April 1788. o. O. u. J. Fol., in 4° gebunden.

Policey-Placat in Ansehung des Verkehrs der Bürger und sonstigen Einwohner in der Stadt Kiel mit der Mannschaft der Garnison daselbst. Kiel d. 17. Aug. 1793. o. O. u. J. Fol., in 4° gebunden.

Policeypräsidenten, ein benachbarter Bürger an einen Deutschen, gr. 8. Bamb. Göbhard. 777.

Aus dem berliner Polizei-Präsidium. Mit einem Portrait des Polizei-Oberst Patzke. Leipzig, Friese 1861. 134 S. 8.

[F.] Das formelle **Polizeirecht** in Preussen. E. Zsstellg d. Rechte u. Befugnisse d. Polizeibehörden u. Polizeibeamten in Preussen. M. e. Sach- u. alphab. Reg. ... *Breslau: A. Bergmann 1898.* (1 Bl., 112 S., 2 Bl.) 1 Bd 8. [98. 4545

Polizeirecht, das formelle, in Preußen. Eine Zusammenstellg. der Rechte u. Befugnisse der Polizeibehörden u. Polizeibeamten in Preußen. Mit e. Sach- u. alphabet. Register. 8. (116 S.) Breslau 898. Leipzig, R. Lipinski. —75

Polizey-Reglement der Armee von Deutschland; 8. Juni 1809. Kaiserl. Hauptquartier zu Schönbrunn 1809. 4°

Polizei-Reglement für den Bau der Altona-Kieler Eisenbahn. Altona. 1843. 4°. in Fol. gebunden.

Polizei-Reglement für das Droschken-Fuhrwesen der Stadt Breslau. [Dat.:] Breslau den 7. Juni 1872.

Polizei-Reglement und Tarif für das Droschken-Fuhrwerk zu Berlin. Berlin: Kühn 1869.

POLIZEY-Schrift, Geheime, des Grafen von Vergennes als Beweis der feinen Politik des ehemal. Kabinets in Versailles unter d. Regierung d. unglückl. Königs Ludwigs des Sechzehnten. Mit Kupf. (u. 1 Tabelle). 8°. 10 u. 46 S. (6 Mk., Expl. in alt-marmor. Umschl., Oskar Rauthe, 1909:)

Polizeischuftereien (Deutsche). Aktenstücke und Enthüllungen auf Grund authentischen Materials dargestellt. 8°. Hottingen-Zürich, Schweizer Genoss.-Buchdr., 1882.

Polizeispion, der, aus Berlin. Volksposse in 1 Akt. 12. (23 S.) Hamburg 849, Volksbuchhandlung in St. Pauli. 2 ngr

Polizeistrafe für einen Becker. [Celle u. Hannover 1789.] V: *Rüling, Joh. Philipp.* (MGT)

Polizei-Strafgesetz, das, für das Herzogth. Anhalt-Dessau-Köthen, unter Beifügung der darin angezogenen Gesetze und Artikel des Strafgesetzbuches abgedr. und mit einem alphabet. Sachregister versehen. 8. (XIV und 250 S.) Dessau 855, Hofbuchdruckerei.

Polizei-Strafgesetz, das, für das Herzogthum Anhalt-Dessau-Köthen, unter Beifügung der darin angezogenen Gesetze u. Artikel des Strafgesetzbuches abgedr. u. mit einem alphabet. Sachregister versehen. Dessau (855.) Hofbuchdruckerei. 8. (XIV, 250 S.) n. 8 ngr.

Polizeistrafgesetz für das Königr. Hannover. gr. 8. (63 S.) Hannover 847, Helwing. 1/6 rℓ

— für das Königr. Hannover. gr. 8. (28 S.) Hannover 847, Pockwitz. 1/8 rℓ

— für das Königreich Hannover. 2. Aufl. Hannover 853. Helwing. gr. 8. (64 S.) 5 ngr.

— für das Königreich Hannover vom 25. Mai 1847 und die hauptsächlichsten, mit demselben in Verbindung stehenden Gesetze und Verordnungen. Mit Genehmigung des Königl. Justiz-Ministerii zusammengestellt von G. R. Peterssen. Hannover 855. Rümpler. gr. 8. (XII, 195 S.) n. 20 ngr.

Polizeistrafgesetz für das Königreich Hannover vom 25. Mai 1847 und Gesetz über die Untersuchung und Aburtheilung von Polizeivergehen durch die Verwaltungsbehörden vom 28. April 1859, sowie die hauptsächlichsten, mit denselben in Verbindung stehenden Gesetze, Verordnungen und Bekanntmachungen, herausg. von G. R. Peterssen. Hannover 859. C. Rümpler. gr. 8. (XV, 598 S.) n. 1 rℓ 20 ngr.

Das Hannoversche **Polizeistrafgesetz** vom 25. Mai 1847, soweit dessen Bestimmungen durch d. Verordnung v. 25. Juni 1867 aufrecht erhalten sind. Zsgest. u. durch d. Rechtsprechung erl. durch [Ernst] v. Hartwig, Landger.R. Hannover: Helwing [1909]. IV, 60 S. 8°

Polizeistrafgesetz, das hessische, v. 30. X. 1855, redigirt nach d. Bestimmgn. d. Gesetzes v. 10. X. 1871, betr. d. Uebergang zu d. Strafgesetzbuch für das Deutsche Reich, insbes. bezüglich der Polizeistrafgesetzgebg. u. der Preßpolizei-, Jagd-, Fischerei-, Forst- u. Feldpolizeigesetze, unt. Zufügg. d. Paragraphen des deutschen Strafgesetzbuchs u. d. Gewerbeordng., welche an d. Stelle aufgehob. Artikel treten. Textausg. m. Anmerkgn. u. einem Anh., enth.: I. d. Gesetz v. 10. X. 1871, betr. den Uebergang zu d. Strafgesetzbuch f. d. Deutsche Reich, II. d. zu den einz. Artikeln d. Polizeistrafgesetzes ergang. Entscheidgn. des großherzogl. Oberlandesgerichts Darmstadt. gr. 8. (VI, 324 S.) Darmstadt 897. (G. Jonghaus.) n. 2. 40

Polizei-Strafgesetz für das Königreich Württemberg vom 2. Okt. 1839. Nebst der K. Verfügung, betreff. die Anwendung des Polizei-Strafgesetzes. Amtliche Handausg. gr. 8. Stuttgart 839. Steinkopf. 1/4 ₰

— dass. (nebst der dazu gehörigen Ministerial-Verfügung vom gleichen Tage, und dem Gesetz über Bestrafung der einfachen Unzuchtvergehen v. 22. Juli 1836, u. der Verfehlungen gegen die Finanz- u. Forstgesetze vom 2. Okt. 1839). Wörtlich aus d. Regierungsblatt No. 53. abgedruckt. Nebst Inhaltsübersicht. gr. 8. Reutlingen 839. Kurtz. (Leipzig, Herbig.) n. 1/6 ₰

— das, für das Königr. Württemberg, mit Erläuterungen v. Dr. Herm. Knapp. gr. 8. Stuttgart 840. Cotta. n. 1 1/6 ₰

Polizei-Strafgesetz f. d. Königr. Württemberg v. 2. Okt. 1839. Nebst d. k. Verfügung, betreff. die Anwend. d. Polizei-Strafgesetzes. Amtl. Handausg. gr. 8. (4 B.) Stuttgart 841, J. F. Steinkopf.

— das, für das Königr. Württemberg vom 2. Octbr. 1839, mit den Abänderungen desselben durch neuere Gesetze, u. erläut. Bemerkungen; unter Beifügung der damit in Verbindung stehenden Gesetze, Verordngn., Normal-Verfügungen u. s. w. Mit Sachregister, hrsg. von Fr. Kappler. Taschenausg. gr. 16. (VIII u. 160 S.) Stuttgart 850, J. F. Steinkopf. n. 12 ngr.

Polizeistrafgesetzbuch, das. Gesetz, die Bestrafg. der Polizei-Uebertretgn. betr., d. d. Braunschweig, den 23. III. 1899. Textausg. m. ausführl. Sachregister. 8. (52 S.) Braunschweig 899. J. H. Meyer. Kart. n. — 90

Polizeistrafgesetzbuch

—— dass. — Mit Hinweisung auf die einschlägigen noch in Kraft bleibenden ober- und lokalpolizeil. Bestimmungen und Verordnungen. 16. (XXXI und 80 S.) Augsburg 862, (v. Jenisch und Stage'sche Buchh.) *

—— dass. — Mit kurzen ergänz. Anmerkungen und einer Uebersicht über das Verfahren bei Polizeiübertretungen zur Benützung für Jedermann hrsg. von einem Fachmanne. gr. 16. (XII und 130 S.) Bamberg 862, Buchner'sche Buchh. *

—— das bayerische. Für den Bürger und Landmann leichtfaßlich erklärt von einem prakt. Juristen. 8. (IV und 174 S.) München 862, Lentner'sche Buchh.

—— dass. — (Ausg. für die Pfalz.) Mit kurzen ergänz. Anmerkungen und einer Uebersicht über das Verfahren bei Polizeiübertretungen zur Benützung für Jedermann hrsg. von einem Fachmanne. 2., mit einem alphabet. Register verseh. Abdr. gr. 16. (VIII und 151 S.) Ebendas. 862. *

Polizeistrafgesetzbuch f. d. Kgr. Bayern. Amtl. Ausgabe. München 1861. 8°. Beiband.
Mit viel. Bleistift-Randnot. u. 8 Bll. leerem Büttenpap. 2 Bll., X—131 S. u. Sachreg. 60 S.

Polizeistrafgesetzbuch, das, für das Königreich Bayern. 8. (108 S.) Bamberg 862, Buchner'sche Buchh. *

—— dass. — Mit kurzen ergänz. Anmerkungen und einer Uebersicht über das Verfahren bei Polizeiübertretungen zur Benützung für Jedermann hrsg. von einem Fachmanne. 3., verm. und verb. Aufl. gr. 16. (VIII und 160 S.) Bamberg 862, Buchner'sche Buchh. *

—— dass. — Mit leichtfaßl. Anmerkungen für den Bürger und Landmann hrsg. von einem rechtskundigen Beamten. 8. (VIII und 65 S.) Würzburg 862, Stahel'sche Buchh.

—— Anhang dazu. Sachregister. 8. (36 S.) Ebendas. 862.

— — (Ausgabe für die Pfalz.) 2. mit einem alphabet. Register versehener Abdr. Ebend. 862. 16. (VIII, 151 S.) n. 12 ngr.

Polizeistrafgesetzbuch für das Königreich Bayern. 5., mit Anmerkungen u. sämmtl. bis jetzt zu demselben erschien. oberstrichterl. Präjudizien verm. Aufl. Nebst ausführlichem Sachregister hrsg. von einem Juristen. Würzburg 869. Stahel. 8. (IV, 102 S.) 10 ngr.

Polizeistrafgesetzbuch f. Bayern vom 26. Dezbr. 1871. Nebst ausführl. Sachregister, Inhaltsangabe der Artikel, Anmerkgn. u. Erläutergn. Zum Handgebrauch. 8. (IV, 98 S.) Erlangen 872. Deichert. n. — 80

Polizeistrafgesetzbuch f. Bayern vom 26. Dezbr. 1871, nebst Inhalt u. Sachregister. gr. 16. (XVII, 65 S.) München 872. Franz. n. — 50

— dasselbe. Mit kurzen Erläutergn. u. Register bearb. v. e. prakt. Juristen. 8. (69 S.) Nördlingen 872. Beck. — 45

— dasselbe. Nebst ausführl. Sachregister. 8. (50 S.) Würzburg 872. Stahel. — 50

— dasselbe. 2., m. Rücksicht auf die neueste Gesetzgebg., namentlich auf die Reichsgewerbeordng., umgearb. Aufl. Zum Handgebrauch. 8. (IV, 108 S.) Ebend. 875. n. 1. —

Polizeistrafgesetzbuch f. Bayern vom 26. Dezbr. 1871. 3. Aufl. Zum Handgebrauch. 8. (IV, 110 S.) Erlangen 886. Deichert. cart. n. 1. —

Polizeistrafgesetzbuch f. Bayern. Gesetz vom 26. XII. 1871 f. sämtl. Landesteile Bayerns (in der Fassg. vom 22. VI. 1900). (Nürnberger Volksausg.) (114 S.) kl. 8. Nürnberg 907. R. Henkelmann. — 60

—— das, und das Gesetz über die Gerichtsbarkeit und das Verfahren in Polizeistrafsachen für das Großherzogth. Baden. Mit Erläuterungen. 2 Abthlgn. gr. 8. 1. Abthl. bearb. von J. Jolly. (VIII und S. 1—108.) 2. Abthl. bearb. von A. Eisenlohr. (S. 109—448.) Heidelberg 864,67, A. Emmerling. *

Polizeistrafgesetzbuch für das Grossherzogtum Hessen. 2. Aufl. Darmstadt 1857

Polizeistrafgewalt, die, d. badischen Bürgermeisters. Eine Zusammenstellg. der Strafbestimmgn., welche der Bürgermeister als Polizeirichter nach dem Stande der heut. Polizeigesetzgebg. anzuwenden hat. 2. Aufl. gr. 8. (16 S.) Mannheim 873. Bensheimer. n. — 50

Polizeistrafgewalt, die, des badischen Bürgermeisters. Eine Zusammenstellung der Strafbestimmungen, welche der Bürgermeister als Polizeirichter nach dem Stande der neuesten Gesetzgebung anzuwenden hat. 3. Aufl. gr. 8. (23 S.) Mannheim 879. Bensheimer. n. — 75

Polizei-Strafordnung, allgem., für den Kanton Basel-Stadttheil, nebst einem Anhang darauf bezügl. Verordnungen. 1837. gr. 8. Basel 837. Schweighauser. 1/2 ₰

Polizei-Strafproceßordnung nach Grundlage der Strafproceßordnung vom 8. Novbr. 1850, unter Berücksichtigung der zur Ausführung der letzteren erlassenen Bestimmungen. Von C. H. Ebhardt. gr. 8. (77 S.) Hannover 853, Gebr. Jänecke. *

—— Zusammenstellung der das Untersuchungs-Verfahren wegen Uebertretungen betreffenden Gesetze und Verordnungen. Zum Gebrauch für Polizeibehörden, Polizeirichter, Polizei-Anwälte, Ortsbehörden und Staatsbürger von H. A. Mascher. 8. (XXIV und 220 S.) Merseburg 855, (Garcke'sche Buchh.) Thlr. *

Polizei-Strafprozeßordnung (für Hannover), s. Ebhardt.

— (für Preußen), s. Mascher.

Polizeistrafrecht, das württembergische, nach dem neuesten Stande der Gesetzgebg. Textausg. m. Bezeichng. der zuständ. Behörden, Inhaltsverzeichnis u. alphabet. Sachregister. 12. (X, 104 S.) Stuttgart 899. Strecker & Schröder. Kart. n.n. 1.20

Polizeistrafrecht, württembergisches, sowie Strafprozeßordnung u. Strafgesetzbuch f. d. Deutsche Reich, s.a. Sammlung von deutschen Reichsgesetzen u. württ. Landesgesetzen.

Polizeistrafrecht, württembergisches, sowie Strafprozess-Ordnung und Straigesetzbuch für das Deutsche Reich. Textausgabe. Stuttgart 1891

POLIZEI- und Kabinetsstücke, Geheime, welche in Paris an den Meistbietenden verkauft worden sind. Paris (Joachim in Leipzig) 1814.
Sehr seltenes Jocosum, in Hugo Hayn's Bibliogr. d. scherzhaften Cataloge (Ztschrift f. Bücherfreunde) nachzutragen.

Polizei-Verordnung betreffend die Abfuhr der menschlichen Excremente, sowie die Straßenreinigung im Flecken Bramstedt. Kiel. 1872. 8°

Polizeiverordnung, allgemeine, der Gemeinde Hottingen. 1881.

Polizeiverordnung, allgemeine, der Stadt Zürich 1858, 1862 und 1894.

[F.] Polizei-Verordnung über Anlage, Bau und Einrichtung von öffentlichen und Privat-Kranken-, Entbindgs- u. Irren-Anstalten ... *Berlin: A. Seydel 1838.* (11 S.) 1 Bd 8. [90. 4578

Polizei-Verordnung betr. die bauliche Anlage u. die innere Einrichtung v. Theatern, Circusgebäuden u. öffentlichen Versammlungsräumen. Fol. (20 S.) Berlin 889. Ernst & Korn. n.n. 1.—

—— betr. die bauliche Anlage u. die innere Einrichtung v. Theatern, Circusgebäuden u. öffentl. Versammlungsräumen. 8. (35 S.) Berl. 890, Polytechn. Buchh. * — 50

—— dass. — gr. 8. (38 S.) Berl. 890, C. Heymann. cart. *
Aus: Preuß. Verwaltungsblatt, besonders abgedruckt.

— dasselbe, s.a. Bau-Polizei-Ordnung f. den Stadtkreis Berlin.

— betr. die bauliche Anlage u. die innere Einrichtung v. Theatern, Circusgebäuden u. öffentlichen Versammlungsräumen. Nachtrag vom 18. März 1891. Fol. (7 S.) Berlin 891. W. Ernst & Sohn. — 50
(Hauptwerk u. Nachtrag: n.n. 1. 50)

— betr. die bauliche Anlage u. die innere Einrichtung v. Theatern, Circusgebäuden u. öffentlichen Versammlungsräumen. 2. Aufl. In der durch Ministerialerlaß vom 18. März 1891 abgeänderten Fassg. gr. 8. (44 S.) Berlin 891. C. Heymanns Verl. Kart. n. — 80

— üb. die bauliche Anlage, die innere Einrichtung u. den Betrieb v. Theatern, öffentl. Versammlungsräumen u. Zirkusanlagen. (80 S.) kl. 8. Garding 909. H. Lühr & Dircks. Kart. — 60

Polizeiverordnung über die bauliche Anlage, die innere Einrichtung und den Betrieb von Theatern, öffentlichen Versammlungsräumen und Zirkusanlagen. Cöln: Geerling 1909. 34 S. 4° [Umschlagt.]
[11. 4119

— dasselbe. Normalentwurf nach dem Wortlaut des Erlasses der Herren Minister der öffentl. Arbeiten u. des Innern vom 6. IV. 1909 (MBl. S. 134). (48 S. m. Abb.) 8. Berlin 910. C. Heymann. — 60

Polizeiverordnung, betreffend die Anlage von Viehställen (Kiel. 1884.) 8°.

Polizei-Verordnung betr. den Anschluß d. bebauten Grundstücke an die städtischen Kanäle u. die Anlage d. Hausentwässerungen nebst Ortsstatut u. Gebühren-Ordnung f. den Stadtkreis Rheydt. (24 S. m. 2 farb. Taf.) 8. Rheydt (907). (W. R. Langewiesche.) 1. 80

[F.] Polizei-Verordnung über den Anschluss der Grundstücke an die Strassenkanäle u. üb. d. Entwässerg d. bebauten Grundstücke. *(Köln): Köln. Verl.-Anst. u. Dr. A.-G. (1896).* (20 S.) 1 Bd 8. [96. 501

— u. Arbeiterschutzbestimmungen f. Bäckereien u. Konditoreien. (16 S.) kl. 8. Ebd. (907). p nnn — 20

—— betr. die Aufbewahrung, den Verkauf u. die Verwendung v. Giften, Droguen u. giftigen Stoffen, f. die Prov. Schleswig-Holstein. Nebst e. Anh., enth. den Wortlaut aller in dieser Polizei-Verordng. angeführten Stellen aus anderen Gesetzen u. Verfüggn. 16. (24 S.) Garding 891, Lühr u. Dircks. cart. * — 40

betr. Aufstellung, Beschaffenheit u. Betrieb v. beweglichen Kraftmaschinen. (Bewegliche Dampfkessel u. Motoren.) (13 S.) kl. 8. Berlin 908. Polytechn. Buchh. A. Seydel. p — 25

— dasselbe. Erlaß der Herren Minister f. Handel u. Gewerbe u. f. Landwirtschaft etc. vom 25. III. 1908. (16 S.) kl. 8. Berlin 908. F. Kortkampf. — 25

— dasselbe, gültig vom 1. X. 1908 ab. (18 S.) kl. 8. Hagen 908. O. Hammerschmidt. — 30

— betr. d. Ausbildg. d. Bergarbeiter z. Zwecke d. Verhütg. v. Unfällen. 12. (4 S.) Gelsenkirchen 894. (C. Bertenburg.) n.n. — 10

— betr. die Ausbildung der Bergarbeiter zum Zwecke der Verhütung v. Unfällen. (Neue Ausg.) 12. (4 S.) Gelsenkirchen 900. (C. Bertenburg.) n. — 10

Polizei-Verordnung (über die Ausführung der Schornsteine für die mehr als 10000 Einwohner zählenden Städte des Regierungsbezirks Arnsberg, sowie f. d. Landkreis Gelsenkirchen v. 11. Mai 1905). (Arnsberg: F. W. Becker [1905].) (7 S.) 8° [Kopft. F.] [06. 3356 6

—— vom 3. Juli 1891, betr. das Bauen in der Außenstadt Frankfurt a. M. gr. 8. (34 S.) Nebst Bebauungsplan m. farb. Abgrenzg. d. Zonen u. Viertel. Hrsg. im Auftrage d. Tiefbau-Amtes. 1:10,000. Farbendr. 52,5×63,5 cm. Frankf. a. M. 891, Ravenstein. * 1 50

— betr. das **Bauen** in der Außenstadt Frankfurt am Main vom 8. IV. 1910. Mit amtl. Bauzonenplan. (10 S.) Lex. 8. Frankfurt a/M. (910). Gebr. Knauer. nn — 70

Polizei-Verordnung über die Bauten für die Städte und das platte Land der Provinz Pommern v. 7. März 1903. *Berlin: A. W. Hayn's Erben 1903.* (36 S.) 8° [F.]
Aus: Baupolizeil. Vorschriften f. d. Prov. Pommern. [04. 3836 11

Polizei-Verordnung üb. die **Bauten** in den Städten d. Reg.-Bez. Breslau m. Ausnahme der Stadt Breslau vom 1. März 1883. gr. 8. (16 S.) Breslau 883. Morgenstern's Verl. n. — 20

— üb. d. **Bauten** in d. Städten des Reg.-Bez. Breslau m. Ausnahme der Stadt Breslau v. 1. März 1883 u. 7. Juni 1890. [Aus: „Amtsbl. der kgl. Regierung zu Breslau".] gr. 8. (16 S.) Breslau 891. E. Morgenstern Verl. n. — 20

Polizei-Verordnung, über die **Bauten** in den Städten des Reg.-Bez. Liegnitz. 8. (81 S.) Liegnitz 882. Krumbhaar. — 30

— über die **Bauten** in den Städten d. Reg.-Bez. Oppeln. 8. (24 S.) Oppeln 886. Franck. n. — 50

Polizei-Verordnung über die **Bauten** in den Städten des Reg.-Bez. Oppeln v. 1. IV. 1903. (59 S.) gr. 8. Berlin 903. A. W. Hayn's Erben. Geb. in Leinw. n. 1. 50
Sonderabdr. a.: „Baupolizeil. Vorschriften f. d. Reg.-Bez. Oppeln".

— betr. das **Bauwesen** f. das platte Land des Reg.-Bez. Erfurt vom 18. Dezbr. 1893. 16. (39 S.) Langensalza 894. Wendt & Klauwell. — 20

Polizei-Verordnung, betr. d. **Bauwesen** auf d. platten Lande in d. Prov. Sachsen. Vom 29. IV. 1898. 8. (31 S.) Merseburg 898. F. Stollberg. n. — 80

— betr. das **Bauwesen** auf dem platten Lande in der Prov. Sachsen. Vom 29. IV. 1898. 12. (25 S.) Gardelegen 900. J. Manger. — 40
Sonderabdruck aus: „Amtsbl. d. kgl. Regierg. zu Magdeburg".

— dasselbe. In der Fassg. vom 15. XI. 1900. 4. Aufl. 8. (32 S.) Merseburg 902. F. Stollberg. n. — 40

— betr. das **Bauwesen** auf dem platten Lande in der Prov. Sachsen. Vom 29. IV. 1898. In der Fassg. vom 15. XI. 1900. 5. Aufl. (32 S.) kl. 8. Merseburg 907. F. Stollberg. — 40

— betr. das **Bauwesen** in den Städten d. Reg.-Bez. Merseburg m. Ausnahme der Stadt Halle a. S. vom 31. März 1884. Amtliche Ausg. m. Anmerkgn. u. e. Anh., enth. Auszüge aus einschläg. Gesetzen ꝛc. 8. (95 S.) Merseburg 884. Stollberg. n — 50

Polizei-Verordnung betreffend das **Bauwesen** in den Städten des Reg.-Bezirks Merseburg mit Ausnahme der Stadt Halle a. S. vom 31. März 1884. 2. Aufl. *Merseburg: F. Stollberg 1899.* (70 S.) 8° [F.] [00. 4867

— betr. das **Bauwesen** in den Städten des Reg.-Bez. Merseburg mit Ausnahme der Stadt Halle a. S. vom 31. III. 1884. 3. Aufl. (70 S.) 8. Merseburg 905. F. Stollberg. n. — 80

Polizei-Verordnung (über die **Beleuchtung** bewohnter Grundstücke bei Dunkelheit in Dramburg). Dat. 7. Okt. 1903. *(Dramburg 1903.)* (2 S.) 8° [Kopft. F.] [04. 16/6 9

Polizei-Verordnung betreffend die **Benutzung** von Bierdruckvorrichtungen. *(Königsberg 1903: Ostpr. Dr.)* (4 S.) 8° [Kopft. F.] [04. 5908 10

Polizeiverordnung von Berlin betr. Strom-, Schiffahrts- u. Wasserbau-Polizei. [Aus: Bd. III d. amtl. Sammlg. d. Polizei-Verordngn. u. polizeil. Bekanntmachgn. f. Berlin. — 5. Ausg.] (VIII, 54 S.) 8. Berlin, A. W. Hayn's Erben. 1910. Geb. in Halbleinw. 1. 20.

Polizei-Verordnung betr. den **Betrieb** d. Droschkenfuhrgewerbes in **Düsseldorf**. 12. (18 S.) Düsseld. 891, [F. Bagel.] Mischel. * — 50
geb. m. farb. Situationsplan, 61×60 cm., m. Straßenverzeichnis an den Seiten * 3 50; Plan allein * 2 50

— über den **Betrieb** der Steinbrüche in Elsaß-Lothringen. (Deutsch u. französisch.) gr. 4. (16 S.) Straßburg 879. Schultz & Co. n. — 60

Polizeiverordnung, betreffend den **Betrieb** der mit elektrischer Kraft betriebenen Strassenbahnen und Strassenbahnähnlichen Kleinbahnen im Reg.Bez. Arnsberg. *Arnsberg 1900: F. W. Becker.* (18 S.) 8° [Umschlagt. F.] [01. 2527

Polizei-Verordnung betreffend den **Betrieb** der mit elektrischer Kraft betriebenen Strassenbahnen und strassenbahnähnlichen Kleinbahnen im Reg.Bez. Arnsberg. *Arnsberg: F. W. Becker (1902).* (19 S.) 8° [Umschlagt. F.] [03. 1688 6

Polizei-Verordnung, betr. die **Betriebs-Ordnung** für den Königsberger Seekanal. *(Königsberg 1901: Ostpr. Dr. u. Verlagsanst.)* (23 S.) 8° [Umschlagt. F.] [03. 3956 10

Polizei-Verordnung und **Betriebs-Vorschrift** für Privat-Anschlussbahnen. *Arnsberg: F. W. Becker 1900.* (22 S.) 8° [Umschlagt. F.]
Aus: Amtsblatt d. Kgl. Regierung Stück 17. 1900. [01. 2528

— u. **Betriebs-Vorschrift** f. Privat-Anschlußbahnen. Auszug aus Stück 35 des Amtsblattes der königl. Regierg. Ausg. Arnsberg, 30. VIII. 1902 (S. 563—570). (20 S.) 8. Arnsberg 903. (F. W. Becker.) n. — 60

[Kopft.:] [F.] **Polizei-Verordnung** betr. die **Bierdruck-Apparate** [im Regiergsbez. Düsseldorf]. *(Essen: Gedr. u. zu beziehen durch H. L. Geck) [1892].* (8 Bl.) 1 Bd 4. [96. 5427

— üb. **Bierdruck-Vorrichtungen** (f. den Reg.-Bez. Düsseldorf). (15 S.) kl. 8. Barmen (904). (D. B. Wiemann.) n. — 15

Polizeiverordnung für Böhmen 1605; a. d. Böhm. . . . Dresden 1792. Ü: *Wander von Grunwald, Jos.* (Ky)

Polizei-Verordnung für die Stadt **Breslau** vom 20. Septbr. 1852. (Beilage zum öffentlichen Anzeiger Nr. 16 des Amtsblattes pro 1853) mit Zusätzen und Ergänzungen. Neue amtliche Ausgabe. Breslau 863. Ziegler. (Ratibor, Thiele.) gr. 8. (50 S.) n. 5 *ngr.*

— **Bullenkörung** f. die Prov. Westfalen. (Vom 30. VII. 1901.) (12 S.) kl. 8. Arnsberg 902. F. W. Becker. — 20

Polizeiverordnung betr. das **Droschkenfuhrwesen** in Tilsit. *(Tilsit: J. Reyländer & Sohn 1902.)* (15 S.) 8° [Kopft. F.] [03. 3770 10

Polizei-Verordnung über **Einführung** der obligatorischen Leichenschau im Stadtkreise Landsberg a. W. [Dat.:] 28. Mai 1903. Landsberg a. W. 1903.

Polizei-Verordnung betreffend die **Einrichtung** und Beschaffenheit der Arbeitsräume in Fleischereien und verwandten Betrieben. *(Königsberg i. Pr. 1902: Ostpr. Dr.)* (3 S.) 8° [Kopft. F.] [04. 5909 10

Polizei-Verordnung vom 27. März 1893 üb. die Einrichtung u. den Betrieb v. Aufzügen (Fahrstühlen). 12. (12 S.) Berlin 893. Polytechn. Buchh. n. — 50

Polizei-Verordnung v. 27. III. 1893 üb. d. Einrichtg. u. d. Betrieb v. Aufzügen (Fahrstühlen). Neuer Abdr. 12. (12 S.) Berlin 898. Polytechn. Buchh. A. Seydel. n. — 30

— dasselbe, s. a. Ministerial-Erlaß betr. Einrichtung u. Betrieb v. Aufzügen.

Polizei-Verordnung betr. die Einrichtung u. den Betrieb v. Aufzügen (Fahrstühlen), m. Erläutergn., Gebührenordng. u. Dienstvorschriften, nebst Anweisg. zur Berechnung der Seile u. Prüfg. der Aufzüge. 2. verm. Aufl. gr. 16. (36 S.) Hagen 902. O. Hammerschmidt. Kart. n. — 50

Polizei-Verordnung betr. die Einrichtung u. den Betrieb v. Aufzügen (Fahrstühlen). Nachtrag, nebst Ministerial-Erlaß vom 20 IV. 1903. (6 S.) 12. Frankfurt a/M.-Bockenheim (903). A. Kullmann. n. — 10
Hauptwerk u. d. T.: Vorschriften, betr. die Einrichtung ꝛc. v. Aufzügen. Ebd. 900. — 50.

— dasselbe m. Erläutergn., Gebührenordng. u. Dienstvorschriften, nebst Anweisg. zur Berechng. der Seile u. Prüfg. d. Aufzüge. 3. Aufl. (41 S.) kl. 8. Hagen 906. O. Hammerschmidt. Kart. — 80

Polizei-Verordnung vom ... 1908 üb. die Einrichtung u. den Betrieb v. Aufzügen (Fahrstühlen). Entwurf. (35 S.) kl. 8. Berlin 908. Polytechn. Buchh. A. Seydel. n — 50

Polizei-Verordnung betr. die Einrichtung und den Betrieb von Aufzügen (Fahrstühlen) mit d. einschläg. gesetzl. Bestimmungen u. Verordnungen nebst e. Anweisung z. Berechnung d. Seile u. Ketten u. d. Prüfung d. Aufzüge. Von H[ugo] Jahr. 4. Aufl. Hagen i. W.: O. Hammerschmidt 1908. (64 S.) 8° [F.] [08. 16370

Polizeiverordnung über die Einrichtung und den Betrieb von Aufzügen (Fahrstühlen). Erlaß ... vom 27. Dez. 1909. (Berlin: Seydel 1910.) 10 S. 8° [Kopft.]
Aus: Ministerialblatt d. Handels- u. Gewerbe-Verwalt. Jg. 10. 1910. [10. 15107

Polizei-Verordnung betreffend die Einrichtung und den Gebrauch der nicht im Fahren arbeitenden landwirthschaftlichen Maschinen. Vom 15. Aug. 1896. Mit erl. Bemerk. versehen vom kgl. Gewerbeinsp. Kamecke-Gumbinne. Gumbinnen: C. Sterzel 1898. (48 S.) 8°

Polizei-Verordnung betreffend die Entrichtung der Hundesteuer in der Stadt Altona. o. O. (1885.) 1 Bl. 8° [Kopft.]

— betr. d. Fahren m. Fahrrädern im Herzogth. Anhalt. 32. (14 S.) Dessau 896. C. Dünnhaupt. n.n. — 15

— betr. das Feuerlöschwesen auf dem platten Lande in Schleswig-Holstein u. Lauenburg. gr. 16. (16 S.) Schleswig 891, Detleffsen. * — 25

Polizeiverordnung betreffend das Feuerlöschwesen in der Provinz Westfalen. (Arnsberg [1907]: F. W. Becker.) (24 S.) 8° [Kopft. F.] [08. 14115

— üb. d. Feuerpolizei u. d. Feuerlöschwesen auf dem platten Lande d. Prov. Sachsen. Vom 19. IX. 1897. 8. (15 S.) Merseburg 897. F. Stollberg. n. — 10

[F.] **Polizei-Verordnung** über die Feuerpolizei und das Feuerlöschwesen auf dem platten Lande der Provinz Sachsen. Vom 19. Sept. 1897. 10. Aufl. *Merseburg: F. Stollberg 1898.* (15 S.) 1 Bd 8. [98. 2988

— über die Feuerpolizei und das Feuerlöschwesen auf dem platten Lande der Prov. Sachsen. Vom 22. IX. 1899. 8. (15 S.) Merseburg 899. F. Stollberg. n. — 10

— dasselbe. Vom 19. IX. 1897. 12. (12 S.) Gardelegen 898. J. Manger. — 40
Sonderabdruck aus: „Amtsbl. d. kgl. Regierg. zu Magdeburg".

[Wappen] | Der Verwittibten Kayserli-|chen auch Koniglichen Apostolischen | Majestät, | in Hungarn und Böhmen | Präsident und Rähte ... (Polizeiverordnung betreffend die Fremden, die sich hier niederlassen wollen) ... Geben zu | Lutzemburg am 4ten Octobris 1770. ... (Am Ende:) Lutzemburg, | Bey der Wittib J. B. Kleber, ... 1770. |
2 S., 4° (335 × 195 mm).

Polizeiverordnung über den Handel mit Giften. ([Arnsberg] 1906: [F. W. Becker].) (19 S.) 8° [Kopft. F.] [07. 5090

Polizei-Verordnung, betr. die Herstellung, Aufbewahrung und Verwendung von Acetylen, sowie die Lagerung von Carbid. (Arnsberg 1906: F. W. Becker.) (19 S.) 8° [Kopft. F.] [07. 5091

— betr. Kamin-Ordnung (f. d. Reg.-Bez. Wiesbaden). gr. 8. (14 S.) Wiesbaden 898. R. Bechtold & Co. n. — 20

1. **Polizeiverordnung** über die Körung der Zuchtstiere. 2. Allgemeine Instruktion f. d. Stier-Körungskommissionen im Bezirke d. Landwirtschaftskammer f. d. Prov. Schleswig-Holstein. Kiel 1901: Vollbehr & Riepen. (18 S.) 8° [Umschlagt. F.] [07. 17330 B

Polizei-Verordnung betreffend die Leichenschau sowie Dienstanweisung f. die nichtärztl. Leichenschauer im Reg.-Bez. Cassel. *Cassel: Ref. Waisenhaus 1902.* (16 S.) 8°(4°) [Umschlagt. F.] [03. 169 A

[F.] **Polizei-Verordnung** für den Gemeindebezirk Magdeburg v. 20. Jan. 1890, enth. Bestimmgn üb. d. Bauzonen m. 1 Pl. in Farbendr. (Nebst e. Anh.: Bauvorschriften f. d. Bauzonen der Stadt Magdeburg. Tabellar. geordn. durch Stadtbaur. [Otto] Peters. *Magdeburg: Creut: (Anh.: E. Baensch jun.) 1896.* (16, 13 S., 1 Pl.) 1 Bd 8. [97. 345

Polizei-Verordnung betreffend Massregeln gegen die Verbreitung ansteckender Krankheiten vom 10. August 1891 (f. d. Reg.-Bez. Minden) nebst Ausführungs-Anweisung ... zsgest. von O[tto] Rapmund. Minden: J. C. C. Bruns 1892. (IV, 176 S.) 8° [F.] [07. 3013 B

Polizei-Verordnung betreffend Massregeln gegen die Verbreitung ansteckender Krankheiten vom 21. Jan. 1899 nebst Ausführungs-Anweisung vom 12. Mai 1899 u. den darauf bezügl. Minist.-Erlassen ... Zum Gebr. f. d. Ortspolizeibehörden ... auf amtl. Veranl. zsgest. von Dr. O[tto] Rapmund, Reg.- u. Geh. Med.R. *Minden i. W.: J. C. C. Bruns 1899.* (IV, 240 S.) 8° [F.] [00. 4871

Polizei-Verordnung über das Meldewesen für den Landespolizeibezirk Berlin (vom 6. Sept. 1904). (Berlin 1904.) fol.

— üb. das Meldewesen f. die Vororte Berlins vom 27. IX. 1904. [Sonderausg. des Amtsblatts der kgl. Regierg. zu Potsdam u. der Stadt Berlin.] (S. 341—351.) Lex.-8. Berlin (904). (A. W. Hayn's Erben.) n. — 20

[F.] **Polizei-Verordnung** für den Regierungsbezirk Merseburg betr. die Anlage u. d. Betrieb v. Steinbrüchen u. Gruben nebst Anw. z. Ausführg ders. *Merseburg: F. Stollberg 1898.* (32 S.) 1 Bd 8. [98. 2989

— des Ministers des Innern u. des Ministers f. Handel u. Gewerbe, betr. den Verkehr m. Sprengstoffen. [Aus: „Zeitschr. f. Berg-, Hütten- u. Salinen-Wesen".] gr. 4. (8 S.) Berlin 894. W. Ernst & Sohn. n. — 60

— dasselbe. Nebst dem Gesetz gegen den verbrecher. u. gemeingefährl. Gebrauch v. Sprengstoffen, s. a. Sammlung amtlicher Veröffentlichungen aus dem Reichs- u. Staatsanzeiger.

— dasselbe vom 19. Oktbr. 1893. In Kraft tretend am 1. Apr. 1894. 12. (20 S.) Essen 894. G. D. Baedeker. n. — 20

— d. Ministers d. Innern u. d. Ministers f. Handel u. Gewerbe vom 19. Oktbr. 1893, betr. den Verkehr m. Sprengstoffen. 12. (8 S.) Essen 895. G. D. Baedeker. n. — 10

Neue Polizei-Verordnung für die Schifffahrt und Flösserei auf dem Rheinstromgebiet. Ausg. 1897. *Duisburg: H. Bautzmann (1897).* (48 S.) 1 Bd 8. [97. 8673

— betr. das Omnibus-Fahrwesen in der Stadt Düsseldorf. 12. (8 S.) Ebd. 891. — 25

Polizei-Verordnung der Polizei-Verwaltung zu Brandenburg a. H. vom 22. Juni 1880, betr. den Verkauf von Getreide, Kartoffeln, sämmtlichen Mühlenfabrikaten aus Getreide, Hülsenfrüchten, Obst nach Gewicht. Brandenburg (1880).

Gemeinderat der Stadt Bern. Polizei-Verordnung betreffend das Radfahren vom 27. März und 13. April 1901. 7 S. 8. [Bern, Gottfr. Iseli.]

— betr. den Radfahrverkehr auf öffentlichen Wegen u. Plätzen im Herzogt. Anhalt nach dem Stande der Gesetze vom Dezbr. 1907. 2. Aufl. (29 S.) 8×5,5 cm. Dessau 908. Hofbuchdr. C. Dünnhaupt. — 20

Polizeiverordnung betreffend die Regelung des Verkehrs mit Arzneimitteln außerhalb der Apotheken. ⟨Amtl. veröff. in Stück 9 d. Amtsblattes d. hiesigen Kgl. Regier. v. 26. Febr. 1903.⟩ *(Königsberg i. Pr. 1903: Ostpr. Dr.)* (2 Bl.) 8° [Kopft. F.] [04. 5910 10

Polizei-Verordnung für den Gemeindebezirk Reinickendorf vom 15. Aug. 1907, betr. Leerung der Düngerstätten in Schweinemästereien. Reinickendorf 1907.

— für die Salinen im Bezirk des königl. Oberbergamts zu Halle a. d. S. Vom 21. Mai 1881. Amtlich. 16. (8 S.) Halle 881. Pfeffer. n. — 10

Polizei-Verordnung für die Schiffahrt und Flößerei auf den Binnenwasserstraßen der Provinz Ostpreußen. *(Labiau 1901: O. Grisard.)* (19 S.) 8° [Kopft. F.] [04. 1942 10

— f. die Schiffahrt u. Flösserei auf dem Main unterhalb der Bürgel-Offenbacher Grenze vom 28. I. 1899 u. Ergänzungen hierzu v. 3. IV. 1902. Hrsg. v. Verein zur Wahrg. der Rheinschiffahrts-Interessen, Sitz Duisburg-Ruhrort. (II, 30 S.) 8. Duisburg (910). „Rhein". — 75

— f. die Schifffahrt u. Flößerei auf dem Rhein, welche am 1. Febr. 1888 an Stelle der Schifffahrts-Polizei- u. Floß-Ordnung vom 7. Juli 1869 in Kraft getreten ist. 12. (37 S.) Neuwied 888. Strüder. — 30

Polizeiverordnung für die Schiffahrt und Flösserei auf der Weser von Hann. Münden bis zur Kaiserbrücke in Bremen, vereinbart zwischen den Uferstaaten Preussen, Oldenburg, Braunschweig, Lippe und Bremen. O. O. [1906.] 8°.

— über die Schiffahrt auf der Oder vom 11. August 1885, nebst der Polizeiverordnung vom 10. Septbr. 1885 das Rohpetroleum und dessen Destillationsproducte betreffend. 5. revidirte u. ergänzte Aufl. 8. (24 S.) Stettin 890, Dannenberg. * — 40

— betr. das gewerbsmäßige Schlachten u. den gewerbsmäßigen Verkauf v. Fleisch u. Fleischwaren. Vom 30. IV. 1910. (Amtsblatt 1910, Stück 19, S. 161.) (8 S.) kl. 8. Merseburg (910). F. Stollberg. nn — 15; Plakatausg. 36×38 cm. — 20

Polizei-Verordnung betreffend die Schließung der Weinberge und die Ordnung der Traubenlese. Trier 1906: Leistenschneider. 8 S. — 121*

— -Verordnung (betr. Schornsteinanlagen f. die Städte des Reg.-Bez. Arnsberg sowie f. den Landkreis Gelsenkirchen). (7 S.) kl. 8. Arnsberg, F. W. Becker. 1905. —. 10.

[F.] Polizei-Verordnung betr. die Sonntagsheiligung in der Provinz Westfalen. Textausg. m. Anm. u. Sachreg. Z. Handgebr. hrsg. v. W[ilh.] Assmann, Polizei-Comm. zu Bochum. *Bochum: Ecken, Schaefers & C. 1897.* (11 S.) 1 Bd 8. [98. 1652

— f. die mehr als 10,000 Einwohner zählenden Städte des Reg.-Bez. Arnsberg sowie f. den Landkreis Gelsenkirchen üb. die Ausführung der Schornsteine. (Vom 11. V. 1905.) (7 S.) kl. 8. Arnsberg (905). F. W. Becker. — 10

— dasselbe. (16 S.) kl. 8. Essen 905. G. D. Baedeker. n. — 20; Plakatausg. n. — 50; auf Pappe n. 1. 20

— betr. die innerhalb des Stadtkreises Berlin betriebenen elektrischen Straßenbahnen. 12. (7 S.) Berlin (900). A. W. Hayn's Erben. — 15

Polizei-Verordnung betreffend die elektrischen Strassenbahnen in Charlottenburg, sowie die von Berlin oder Charlottenburg ausgehenden u. in d. angrenzenden Kreisen endigenden elektr. Strassenbahnen. *(Berlin & Potsdam: A. W. Hayn's Erben 1898.)* (4 Bl.) 8° [Kopft. F.] [00. 9258

— betr. die elektrischen Straßenbahnen in Charlottenburg, sowie die v. Berlin od. Charlottenburg ausgehenden od. in den angrenzenden Kreisen endigenden Straßenbahnen. 12. (8 S.) Ebd. (900). — 15

[F.] Polizeiverordnung betreffend die Strasseneisenbahnen mit elektrischem Betriebe in Altona. *Altona: Dr. v. H. W. Köbner & C. 1895.* (15 S.) 1 Bd 8. [96. 1291

Polizeiverordnung betreffend die Strasseneisenbahnen mit elektrischem Betriebe in Altona u. d. Gemeinden Stellingen-Langenfelde u. Lokstedt. *Altona 1900: H. W. Köbner & Co.* (12 S.) 8° [F.] [01. 2329

Polizei-Verordnung betr. den Straßenverkehr im Polizeibezirk der Stadt Sorau N.-L. vom 5./27. Dez. 1894. Sorau N.-L. (1894).

Policeyverordnung für Stuttgart. 4. Stuttgart, Cotta. 790.

— über den Tagebau auf Eisenerze in Elsaß-Lothringen. (Deutsch u. französisch.) gr. 4. (13 S.) Straßburg 879. Schultz & Co. n. — 60

Polizei-Verordnung und Taxe betreffend die Kieler Droschken. (Beilage der Kieler Zeitung.) Kiel. 1886. 8°.

Polizei-Verordnung (betr. die Todesbescheinigung im Bezirke der Stadt Dramburg). *(Dramburg 1902.)* (2 S.) 8° [Kopft. F.] [03. 9017 9

Polizei-Verordnung f. den Umfang der Stadtgemeinde Barmen, die Ausführung v. Bauten betr., vom 22. März 1894. gr. 8. (31 S.) Barmen 894. (Steinborn & Co.) — 70

Polizei-Verordnung für den Umfang der Stadtgemeinde Elberfeld. Baupolizeivorschriften. Elberfeld (1894): Friderichs. 68 S. 8°

— betr. die Untersuchung der geschlachteten Schweine auf Trichinen. 12. (16 S.) Gardelegen (899). J. Manger. — 40
Sonderabdruck aus: „Amtsbl. d. kgl. Regierg. zu Magdeburg".

Polizei-Verordnung betr. die Untersuchung der Schweine und Wildschweine auf Trichinen nebst den Ausführungsbestimmungen zu derselben. Arnsberg (1904): F. W. Becker. (11 S.) 8° [Umschlagt. J.]

— betr. die Untersuchung v. Schweinen, Wildschweinen u. Hunden auf Trichinen u. Finnen. Vom 17. II. 1904. (23 S.) kl. 8. Merseburg 904. F. Stollberg. n. — 20

Polizei-Verordnung (über Verbot einer Einfahrt). Dat. 20. Jan. 1904. (*Dramburg 1904.*) (1 Bl.) 8° [Kopft. J.]

Polizeiverordnung betreffend verschiedene sanitätspolizeiliche Verhältnisse. Zürich 14. Okt. 1878.

Polizei-Verordnung betreffend den Verkehr mit Fahrrädern auf öffentlichen Wegen, Strassen und Plätzen. *Berlin & Potsdam: A. W. Hayn's Erben (1900).* (7 S.) 8° [J.]

— betr. den Verkehr m. Fahrrädern auf öffentlichen Wegen, Straßen und Plätzen im Herzogthum Anhalt. (Nr. 1114 der Gesetz-Sammlg.) (Umschlag: Radfahrer-Recht im Herzogth. Anhalt.) 32. (27 S.) Dessau (901). C. Dünnhaupt. n. — 20

— dasselbe (f. die Prov. Brandenburg u. den Stadtkreis Berlin). 8. (7 S.) Berlin (900). A. W. Hayn's Erben. n. — 20

— dasselbe vom 17. III. 1900 in der Prov. Sachsen. 16. (8 S.) Osterwieck 900. A. W. Zickfeldt. — 10

Polizei-Verordnung, betreffend den Verkehr mit Fuhrwerken auf öffentlichen Wegen, Straßen und Plätzen (f. d. Umfang d. Prov. Westfalen v. 12. März 1905). Arnsberg [1905]: F. W. Becker. (8 S.) 8° [Umschlagt. J.]

— betr. den Verkehr m. verflüssigten u. verdichteten Gasen nach den Erlassen des Hrn. Ministers f. Handel u. Gewerbe vom 14. VIII. 1905. (H.-Min.-Bl. S. 247), vom 19. II. 1909 (H.-Min.-Bl. S. 110), vom 16. III. 1909 (H.-Min.-Bl. S. 154) u. vom 5. IV. 1909 (H.-Min.-Bl. S. 189), nebst der Gebührenordng. f. die Prüfg., Abnahme u. regelmäßig wiederkehr. Untersuchg. d. Behälter. (24 S.) kl. 8. Hagen 909. O. Hammerschmidt. — 50

— über den Verkehr m. Kraftfahrzeugen. gr. 8. (8 S.) Berlin (901). A. W. Hayn's Erben. — 10

Polizei-Verordnung betreffend den Verkehr mit Kraftfahrzeugen in Berlin, Charlottenburg, Schöneberg und Rixdorf. Giltig vom 1. Okt. 1906. Berlin (1906). 8°.
[Dasselbe.] in der Provinz Brandenburg m. Ausnahme d. Stadtkreise Charlottenburg, Rixdorf u. Schöneberg. Giltig vom 1. Okt. 1906. Berlin (1906). 8°.
[Dasselbe.] in der Provinz Pommern. Giltig vom 1. Okt. 1906. Berlin (1906). 8°.
[Dasselbe.] in der Provinz Posen. Giltig vom 1. Okt. 1906. Berlin (1906). 8°.
[Dasselbe.] in der Provinz Schlesien. Giltig vom 1. Okt. 1906. Berlin (1906). 8°.
[Dasselbe.] in der Provinz Sachsen. Giltig vom 1. Okt. 1906. Berlin (1906). 8°.

— dasselbe für den Landespolizei-Bez. Berlin. gr. 16. (15 S.) Berlin 901. (Berolina-Versand-Buchh.) n. — 20

Polizei-Verordnung über den Verkehr mit Kraftfahrzeugen. (Für d. Landespolizeibezirk von Berlin.) (*Potsdam 1901: A. W. Hayn's Erben.*) (8 S.) 8° [Kopft. J.]

Polizei-Verordnung über den Verkehr mit Kraftfahrzeugen. (Für d. Umfang d. Prov. Brandenburg.) (*Potsdam 1901: A. W. Hayn's Erben.*) (8 S.) 8° [Kopft. J.]

— betr. den Verkehr m. Kraftfahrzeugen in der Prov. Schlesien. Giltig vom 1. X. 1906. (38 S.) kl. 8. Berlin (906). A. W. Hayn's Erben. — 50

— betr. den Verkehr m. frischer Kuhmilch, nebst Ausführungs-Anweisung. Amtliche Ausg. 12. (19 S.) Berlin 888. Hayn's Erben. cart. n.n. — 25

— betr. den Verkehr m. Kuhmilch u. Sahne. gr. 8. (8 S.) Berlin (902). (A. W. Hayn's Erben.) n. — 20

Polizeiverordnung betr. den Verkehr mit Mineralölen. (Arnsberg 1906: F. W. Becker.) (16. 4 S.) 8° [Kopft. J.]

Polizei-Verordnung, betr. den Verkehr v. Schiffen u. Flößen an der Ausmündung des kleinen Rheins bei Straßburg. 8. (7 S.) Straßburg 901. Straßburger Druckerei u. Verlagsanstalt. n. — 20

[J.] Polizeiverordnung betr. d. Verkehr mit Sprengstoffen. Vom 19. Okt. 1893. Nebst d. Ges. gegen d. verbrecherischen und gemeingefährl. Gebrauch v. Sprengstoffen u. den zugehör. Bekanntmachgn. *Gelsenkirchen: C. Bertenburg 1894.* (22 S.) 1 Bd 8.

Polizeiverordnung betreffend den Verkehr mit Sprengstoffen vom 14. Sept. 1905 (f. d. Umfang d. gesamten Staatsgebiets [nebst] Nachtrag v. 30. Sept. 1905). Arnsberg: F. W. Becker [1905]. (23 S.) 8° [J.]

Polizei-Verordnung vom 14. Sept. 1905 über den Verkehr mit Sprengstoffen. Essen: G. D. Baedeker 1905. (10 S.) 8° [J.]

Polizei-Verordnung (bezüglich der Zuweisung nicht bankwürdigen Fleisches auf die Freibank für den Polizeibezirk der Stadt Dramburg). (*Dramburg 1902.*) (4 S.) 8° [Kopft. J.]

— betr. den Zwangsanschluß der Grundstücke in der Stadt Trier an die städtischen Straßenkanäle. 8. (16 S.) Trier (901). (Paulinus-Druckerei.) n.n. — 10

Polizei-Verordnungen. I. Schifffahrt u. Flößerei auf dem Rhein. II. Schifffahrt u. Flößerei auf dem Main unterhalb der alten Brücke zwischen Frankfurt u. Sachsenhausen. III. Hafen-Ordnung zu Frankfurt a/M. 8. (64 S.) Wiesbaden 888. Bechtold & Co. — 60

Polizei-Verordnungen. I. Rheinschiffahrts-Polizei-Ordng. Bekanntmachg. f. die Rheinschiffahrt. II. Schiffahrt u. Flößerei auf d. Main unterhalb d. alten Brücke zwischen Frankfurt u. Sachsenhausen. III. Hafen-Ordng. zu Frankfurt a/M. IV. Schiffahrts-Polizei-Reglement f. d. Flüsse unterhalb Rotterdams bis zur See. V. Polizei-Verordng. betr. d. Transport ätz. u. gift. Stoffe auf d. Rheine. 8. (64 S.) Wiesbaden 897. R. Bechtold & Co. n. — 60

Polizei-Verordnungen und statutarische Anordnungen, die für den Amtsbezirk Buergelten. Amtl. zsgest. (Vorr.: de la Chevallerie.) [Hauptwerk.] Essen-Ruhr 1903: Fredebeul & Koenen. 8° [J.]

[J.] Die im Regierungsbezirke Arnsberg bestehenden Polizei-Verordnungen u. die damit im Zshange stehenden gesetzl. Vorschriften. Im amtl. Auftr. zsgest. v. W. Schaltenberg, Rechngs-Rath. 4. Aufl. *Arnsberg: F. W. Becker 1895.* (4 Bl., 579 S.) 1 Bd 8.

Polizei-Verordnungen betr. die Bau-Polizei v. Berlin. (Errichtung v. Schank- u. Gastwirthschaften, Anlage v. Feuerstätten. — Ausladung der Erker u. Balkons.) 16. (8 S.) Berl. 892, Polytechn. Buchh. — 30

Polizei-Verordnungen üb. die Bauten in den Städten d. Reg.-Bez. Liegnitz. Polizei-Verordngn. üb. die Bauten in der Stadt Görlitz. Orts-Statut üb. die Anlage u. Unterhaltg. der städt. Straßen in Görlitz. gr. 4. (13, 4 u. 7 S.) Görlitz 876. Vierling. n. 1. —

Polizei-Verordnungen f. den Bergwerksbetrieb im Oberbergamtsbez. Dortmund m. Erläuterungen u. allgem. auf den Bergbau bezügl. gesetzlichen Bestimmungen u. Bekanntmachungen. Hrsg. v. e. prakt. Bergbeamten. Anh.: 1. Das Oberbergamt zu Dortmund. 2. Bergrevierfeststellung f. den Oberbergamtsbez. Dortmund. 3. Einheitliche Bezeichng. der westfäl. Flöze ꝛc. nebst e. Tabelle. Mit e. mehrfarb. Taf. der bei Anfertigg. v. Wetterrissen anzuwend. Bezeichngn. (IV, 196 S.) kl. 8. Essen 905. G. D. Baedeker. Kart. n. 1. 20

— f. den Bergwerksbetrieb im Oberbergamtsbez. Dortmund m. Erläuterungen u. allgemeinen auf den Bergbau bezüglichen gesetzlichen Bestimmungen u. Bekanntmachungen. Hrsg. v. e. prakt. Bergbeamten. Anh. 1. Das Oberbergamt zu Dortmund. 2. Bergrevierfeststellung f. den Oberbergamtsbez. Dortmund. 3. Einheitliche Bezeichng. der westfäl. Flöze ꝛc. nebst 1 Tab. Mit 1 mehrfarb. Taf. der bei Anfertigg. v. Wetterrissen anzuwend. Bezeichngn. 3. verb. u. verm. Aufl. (IV, 226 S.) kl. 8. Essen 910. G. D. Baedeker. In Leinw. kart. 1. 60

Polizei-Verordnungen, die, für Berlin. Systematisch zusammengestellt von A. Ballhorn. gr. 8. (XVI u. 374 S.) Berlin 850, Decker. n. 2/3 ₰

Polizei-Verordnungen, die, für Berlin. Nach amtl. Quellen systematisch geordnet von A. Ballhorn. 2., neu redig. Aufl. gr. 8. (XV und 359 S.) Berlin 857, Decker'sche geheime Ober-Hofbuchdruckerei. *

Polizei-Verordnungen v. Berlin betr. die Baupolizei. [Aus: Bd. III d. amtl. Sammlg. d. Polizei-Verordngn. u. polizeil. Bekanntmachgn. f. Berlin. — 5. Ausg.] (XII, 113 S.) 8. Berlin 910. A. W. Hayn's Erben. Kart. 1. 50

— von Berlin betr. Strom-, Schiffahrts- u. Wasserbau-Polizei. [Aus: Bd. III d. amtl. Sammlg. d. Polizei-Verordngn. u. polizeil. Bekanntmachgn. f. Berlin. — 5. Ausg.] (VIII, 54 S.) 8. Berlin 910. A. W. Hayn's Erben. Kart. 1. 20

— von Berlin betr. Verkehrswesen u. Straßenpolizei. [Aus: Bd. I d. amtl. Sammlg. d. Polizei-Verordngn. u. polizeil. Bekanntmachgn. f. Berlin. — 5. Ausg.] (XII, 124 S.) 8. Ebd. 910. Kart. 2. —

Polizeiverordnungen der Stadt Bern bis u. mit 1898. Hrsg. v. der städt. Polizeidirektion Bern. gr. 8. (VIII, 817 S.) Bern 899. (A. Francke.) n. 3.80; geb. n.n. 4.30

— betr. das Feuerlöschwesen auf dem platten Lande in Schleswig-Holstein u. Lauenburg. gr. 16. (16 S.) Schleswig 891. L. Detleffsen. n. — 25

— üb. die Feuerpolizei u. das Feuerlöschwesen auf d. platten Lande der Prov. Sachsen. I. Feuerpolizeiordng. vom 22. IX. 1899 in der Fassg. vom 29. IV. 1904. II. Feuerlöschordnung vom 28. VI. 1906. 4. Aufl. (16 S.) kl. 8. Merseburg 907. F. Stollberg. — 10

Polizei-Verordnungen für den Reg.-Bezirk Frankfurt, s. a. Schimmelfennig, F. G.

—— für den Regierungs-Bezirk Frankfurt der Provinz Brandenburg, bis zum Schlusse des J. 1858. Geordnet und hrsg. von Friedr. Gust. Schimmelfennig. gr. 8. (X und 309 S.) Berlin 859. Frankfurt a./O., Harnecker und Comp. *

Polizei-Verordnungen für die Stadt Frankfurt am Main nebst e. Anh. wichtiger Preussischer u. Reichs-Gesetze. Zsgest. von M. Ewald, Kgl. Polizei-Komm. *Frankfurt a. M., Berlin: R. Hülsen 1899.* (VIII, 261 S.) 4° [F.] [99. 8140

Polizei-Verordnungen für die Hauptstadt Freiburg. In alphabet. Folge. 16. Freiburg 841, Fr. Wagner'sche B. 1/6 ₰

Polizei-Verordnungen, die, für Köslin, } s. a. Schimmelfennig.

Polizei-Verordnungen, die, für den Regierungsbezirk Koeslin bestehenden und bis zum Schlusse des J. 1854 ergangenen. Geordnet und hrsg. von Friedr. Gust. Schimmelfennig. gr. 8. (VIII und 238 S.) Stettin 855. (Köslin, Volger'sche Buchh.) *

— **Nürnberger**, s. a. Bibliothek d. litterar. Vereins in Stuttgart. 63.

POLIZEIORDNUNGEN, Nürnberger, aus d. 13.—15 ten Jahrhundert. Hrsg. v. J. Baader. Stuttgart, Lit.-Ver., 1861. Gr. 8°. Nicht im Handel.

[Umschlagt.:] [F.] **Polizei-Verordnungen** nebst Orts-Statut für die Stadt Remscheid. *Remscheid: G. Schmidt 1896.* (3 Bl., 65 S.) 1 Bd 8. [97. 2556

Polizei-Verordnungen, Ortsstatuten, technische Vorschriften und Tarife betr. d. Wasserleitung u. d. Kanalisation d. Stadt Insterburg. *Insterburg: Buchdr. d. Ostdeutschen Volkszeitung (1898).* (32 S.) 8° [F.]
← Volkszeitung, Ostdeutsche. Jg. 39, No 158. Extra-Beil. [04. 1745 10

—— die, der Stadt Potsdam. Im amtl. Auftrage zusammengestellt von Konrad Gent. gr. 8. (XVII, 264 S.) Potsdam 886, Döring. *

— über die Schiffahrt u. Flösserei auf der Oder von der österreichischen Grenze bei Oderberg bis zur oberen Grenze des Hafens v. Stettin vom 15. V. 1906. (III, 51 S.) gr. 8. Berlin 906. A. W. Hayn's Erben. — 50

Die **Polizei-Verordnungen** über die Schiffahrt und Flößerei auf der Oder a) von d. österr. Grenze bis Nipperwiese, b) von Nipperwiese bis z. oberen Grenze d. Hafens von Stettin, nebst Anhängen mit wichtigeren älteren Verordnungen. Breslau 1906: Schles. Druckerei-Genossensch. (VIII, 73 S.) 8° [F.] [08. 5140

— statutarische u. sonstige Bestimmungen im Stadtbezirke Minden nach dem Stande vom 1. VIII. 1902. Unter amtl. Beihülfe zusammengestellt. 12. (VIII, 216 S.) Minden 902. J. C. C. Bruns. Geb. in Leinw. n.n. 1. 75

Die Polizei-Verordnungen, Statuten und Legate der Stadt Egeln bis zum 1. Juni 1902. Hrsg. von d. Stadt Egeln. Egeln (1902): Heyl. VIII, 360 S. 8°

Polizei-Verordnungen, } s. a. Schimmelfennig.
— die, für Stralsund, }

—— die für den Regierungs-Bezirk Stralsund bestehenden und bis zum Schlusse des J. 1854 ergangenen. Geordnet und hrsg. von Friedrich Gustav Schimmelfennig. gr. 8. (VIII und 239 S.) Stralsund 855, Löffler'sche Buchh.

Polizei-Verordnungen betr. den Verkehr m. Fahrrädern auf öffentlichen Wegen, Strassen u. Plätzen (f. die Prov. Brandenburg u. den Stadtkreis Berlin). 8. (7 S.) Berlin, A. W. Hayn's Erben. 1900. —. 20.

— f. die Stadt Wiesbaden. 8. verm. Aufl. gr. 8. (XV, 600 S.) Wiesbaden 899. Ch. Limbarth's Verl. Geb. in Leinw. n. 8. —

Polizey-Verwaltung, oder summarisches Verzeichniß d. sämmtl. Monats-, Quartals-, Semesters- und jährlichen Anzeigen, Berichten u. tabellar. Arbeiten ꝛc. mit beygefügten Gesetzen, Verordnungen und bestimmten Vorschriften, nach welchen sie bearbeitet werden müssen. 4. Landshut, Krüll. 816.

Polizei-Verwaltung, die, von Berlin. Berlin 863. v. Decker. 8. (70 S.) n. 5 ngr.

Polizeiverwaltung, die, Wiens im Jahre 1876. Zusammengestellt u. hrsg. von dem Präsidium der k. k. Polizei-Direction. gr. 8. (VI, 220 S.) Wien 878. Hölder. n. 4. 80

— dasselbe, im Jahre 1877. gr. 8. (VII, 264 S.) Ebend. 879. n. 5. —

Polizeiverwaltung, die, Wiens im J. 1878. Zusammengestellt und hrsg. von dem Präsidium der k. k. Polizei-Direction. gr. 8. (VI, 203 S.) Wien 880, Hölder. *

— dasselbe, im Jahre 1879. gr. 8. (VIII, 167 S.) Ebend. 880. n. 4. 60

— dasselbe, im Jahre 1880. gr. 8. (VI, 161 S.) Ebend. 881. n. 4. 60

— dasselbe, im Jahre 1881. gr. 8. (VI, 156 S.) Ebend. 882. n. 4. 60

Polizeiverwaltung, die, Wiens im J. 1882. Zusammengestellt u. hrsg. v. dem Präsidium der k. k. Polizei-Direction. gr. 8. (VI, 134 S.) Wien 883. Hölder. n. 4. 20

— dasselbe im J. 1883. gr. 8. (VI, 140 S.) Ebend. 884. n. 4. 40

Polizeiverwaltung, die, Wiens im J. 1884. Zusammengestellt und hrsg. von dem Präsidium der k. k. Polizei-Direction. gr. 8. (VI, 137 S.) Wien 885, Hölder. *

—— dass. — im J. 1885. Zusammengestellt und hrsg. von dem Präsidium der k. k. Polizei-Direction. gr. 8. (VI, 202 S.) Ebendas. 886. *

Polizeiverwaltung, die, Wiens im J. 1886, 1887, 1888, 1889. Zusammengestellt u. hrsg. v. dem Präsidium d. k. k. Polizei-Direction. gr. 8. Wien, Hölder. n. 19. — 1886. (VI, 163 S.) 887. n. 4. 60. — 1887. (VI, 170 S.) 888. n. 4. 80. — 1888. (IV, 173 S.) 889. n. 4. 80. — 1889. (IV, 173 S.) 890. n. 4. 80.

Polizei-Verwaltung, die, Wiens in d. J. 1890, 1891, 1892. Zusammengestellt u. hrsg. v. dem Präsidium der k. k. Polizei-Direktion. gr. 8. Wien, A. Hölder. n. 14. 80 1890. (IV, 184 S.) 891. n. 4. 80. — 1891. (IV, 196 S.) 892. n. 5. 20. — 1892. (IV, 175 S.) 893. n. 4. 80.

[F.] Die **Polizei-Verwaltungs-Gesetze** nebst Ausführgsbestimmgn. Textausg. m. Anm. u. Sachreg. unt. Berücks. d. bezl. Entscheidgn deutscher Gerichtshöfe u. des neuen bürgerl. Gesetzb. ... v. W[ilh.] Assmann, Polizei-Komm. zu Bochum. *Mülheim a. d. Ruhr: J. Bagel 1896.* (303 S.) 1 Bd 8. [97. 5243

Polizeivorschriften, Allgemeine, für den unterirdischen Betrieb gewerblicher Gruben des Königreichs Sachsen vom 24. August 1906. Freiberg, 1906. 41 S.

Policeyvorschriften f. d. Hauptst. Mannheim. 8. Mannheim, Löffler. 807.

Polizei-Vorschriften f. d. Großherz. Badische Hauptst. Mannheim. Nach alphabet Ordnung. 2c, mit den neuen Verordnungen u Vorschriften, auch d. allgemeinen Bau-Ordnung verm. Aufl. 8. Manh. 822, Löffler.

Polizei- u. Verkehrsvorschriften des Bundesrates zum Gesetz über den Verkehr m. Kraftfahrzeugen (Automobilgesetz), m. d. internat. Landesvorschriften v. Preussen, Bayern, Sachsen, Württemberg, Baden, Elsass-Lothringen, Hessen, u. s. w., erläutert v. Dr. G. Schmid. Stuttgart 1910. 195 S. 8°

Polizeiwesen, das deutsche. Statistisches Handbuch f. d. J. 1909. Auf Grund amtl. Mitteilgn. bearb. (8 S. u. Sp. 9—78.) gr. 8. München (908). W. Girr. 2.50; geb. 3. — Sonderabdruck aus: „Kürschner's Staats-, Hof- u. Kommunalhandb."

Das Deutsche **Polizeiwesen**. Statist. Handbuch. Auf Grund amtl. Mitteilungen bearb. [1.] Für d. J. 1909. München: Ertel 1909. 8° [09. 79

Policeywissenschaften, natürl., s. a. Pfeiffer.

Polizeiwissenschaft, Natürliche, aus dem Endzweck der Gesellschaft entstehende allgemeine, ... Frankf. a. M. 1779—80. V: *Pfeiffer, Johann Friedrich von.* (Ky) (ML)

Policeywissenschaft, aus d. Endzweck d. Gesellschaft entstehende allgemeine, (von Jh. Fr. v. Pfeiffer). 2 Thle. 8. Frankf. a. M. 779. (Schäfer). 2 ß 8 gr

Polizei- u. Criminal-Zeitung, Berliner. Früher: Beiträge zur Erleichterung des Gelingens der prakt. Polizei. Begründet durch Merker. Red.: W. Stieber. 25 u. 26. Jahrg. 1847 u. 1848. à 52 Nrn. gr. 4. (à 1—1½ Bog.) Berlin, Simion. à n. 4 ß

Berliner **Polizei-** u. Criminal-Zeitung. (Früher: Beiträge zur Erleichterung des Gelingens der praktischen Polizei.) Hrsg. von W. Stieber. 26. Jahrg. Nr. 17. 1848 enth. die Verhandlung gegen Student Schlöffel am 11. Mai. 4.

Policey-Zeitung. – Cassel'sche Policey-, Gelehrte und Commercien-Zeitung.
4.I.1751 – 7.I.1753.
Vorh. u.d.T.: Casselische Zeitung.
Fortges. u.d.T.: Casselische Policey- und Commercien-Zeitung.

Polizey-Zeitung. – Casselische Policey- und Commercien-Zeitung. –
8.I.1753 – 1.I.1809.
Vorh. u.d.T.: Cassel'sche Policey-, Gelehrte und Commercien-Zeitung.
Fortges. u.d.T.: Intelligenzblatt.

Polizei- und Commerzien-Zeitung, Casselische. Cassel 1766-88. H: *Strieder, Friedrich Wilhelm.* (MGT)

Polizeyzeitung. – Casselsche Polizey- und Commerzien-zeitung. –
1.I.1814 – 1.I.1822.
Vorh. u.d.T.: Casselsches Wochenblatt.
Fortges. u.d.T.: Wochenblatt.

Polizeyzeitung. – Polizey- und Commerzzeitung. – Goslar. – 1783 – 28.XII.1800.
Fortges. u.d.T.: Goslarsches Wochenblatt.

Polizey ..., s. Polizei ...

Polla, Anna, aus der Ferne in die Ferne. 200 Grüße, Sprüche u. Wünsche f. Postkarten. 2. [Umschlag-] Aufl. 16. (61 S.) Neutitschein 898. R. Hosch. n. — 50

Polla, Anna, aus der Ferne in die Ferne. 225 Grüße, Sprüche u. Wünsche f. Postkarten. 4., verm. u. umgearb. Aufl. 16. (66 S.) Neutitschein (901). R. Hosch. n. — 50

— grüß Gott! 100 Verse f. Postkarten. gr. 16. (28 S.) Ebd. 899. n. — 35

Polke. Artis gymnicae quae fuerit origo atque indoles apud Graecos quaeritur. 25 S.
Gleiwitz, Progr. 1851

Polke: Erziehungsformen und Erziehungszwecke auf dem Standpunkte der Familie und des Staates. 23 S.– Gleiwitz, Progr. 1868.

Polke: Num qua fuerit apud Romanos ars gymnastica. 15 S.–Gleiwitz, Progr. 1863

Polke: Num qua fuerit apud Romanos ars gymnastica. Gleiwitz 1863. 36 S. Gleiwitz, Kgl. Kath. Gymn. P 1862—63.

Polke, Hugo, die deutschen Gewerkvereine. 8. (56 S.) Stuttgart 879. Krabbe. n. 1. —

Polke, Hugo, die deutschen Gewerk-Vereine u. die Social-Demokratie. [Mit besond. Berücksicht. der engl. Gewerk-Vereine.] gr. 8. (52 S.) Berlin 875. Stuttgart, Krabbe. -- 80

— Gewerkvereins-Leitfaden, s.: Hirsch, M.

Poelking, Phil., diesseit und jenseit der Linie. Erzählungen. Köln 853. Bachem. 12. (2 Bl., 552 S.) n. 1 ℛ. 18 ngr

Polko, Elise, verklungene Akkorde. Gedenkblätter. (Internationale Bibliothek.) Berlin 867. R. Lesser. 8. (III, 159 S.) 15 ngr

— — 2. Aufl. Ebend. 868. 8. (188 S.) geb. mit Goldschn. 1 ℛ 10 ngr

Polko, Elise, verklungene Akkorde. 3. Aufl. gr. 16. (192 S. m. 1 Holzschntaf. in Tondr.) Berlin 873. Leipzig, Amelang. geb. m. Goldschn. 5. —

Polko, Elise, poetische Albumsprüche. gr. 8. (308 S.) Leipzig 879. Barthel. geb. m. Goldschn. 7. 50

Con amore! Neueste Novellen von Elise Polko. *Wiesbaden: R. Bechtold & Komp. [1892].* (155 S.) 8° [Ant. u. F.]

— Aquarellskizzen. gr. 16. (302 S.) Bremen 874. Kühtmann & Co. n. 4. 50; geb. m. Goldschn. n. 6. —

Polko, Elise, Aquarellskizzen. 2. Ausg. 12. (III, 302 S.) Norden 886. Fischer Nachf. n. 4. 50

Polko, Elise, frohe Augen, s.: Bachem's Novellen-Sammlung.

— im Bann der Erinnerung. Novellen. 8. (360 S.) Ebd. 888. n. 5. —; geb. n. 6. —

Polko, Elise, die Bettler-Oper. Ein Lebensbild aus der Dichter- und Musikerwelt der Zeit Georg I. 3 Bde. Hannover 864. C. Rümpler. 8. (772 S.) 4 ℛ

—— kleine Bildermappe. Federzeichnungen. 8. (VII, 818 S.) Karlsruhe 886, Gebr. Pollmann. *
geb. mit Goldschn. *

— Blauveilchen. Ein frischer Strauß deutscher Dichterblüten. Mit Kunstbeilagen in Lichtdr. u. zahlreichen Holzschn.-Vollbildern v. E. Nietzky, G. Schachinger, F. Weiser u. A. 8. (X, 166 S.) Stuttgart 894. Süddeutsches Verlags-Institut. Geb. in Leinw. m. Goldschn. n. 3. —

Polko, Elise. Eine fremde Blume, s. Bachem's Novellen-Sammlg. 37.

—— Kleine Blumen, kleine Blätter. Mit dem Portr. der Verf. in Lichtdr. 16. (V, 369 S.) Weimar 891, Jüngst u. Comp. geb. * 3 —

Polko, Elise, Blumen u. Lieder. E. musikal. Blumensprache, s.a. Wallner's kleines Universum.

— Blumen u. Lieder. Eine musikal. Blumensprache. 1. u. 2. verb. Aufl. 16. (VI, 72 S.) Erfurt 881. Bartholomäus. n. 1. —; geb. m. Goldschn. n. 1. 60

— Blumen u. Lieder. Eine musikal. Blumensprache. 4. verb. Aufl. 16. (VI, 72 S.) Erfurt 883. Bartholomäus. geb. m. Goldschn. n. 1. 60

— kleine Blüthen, kleine Blätter, s.: König, H.

— Brautstrauß. Sammlung deutscher, französ. u. engl. Gedichte u. Citate aus der neueren Literatur üb. die Liebe. Mit 7 chromolith. Blättern gemalt v. Thekla Richter-Eberhard. hoch 4. (VII, 177 S.) Leipzig 870. Frohberg. geb. m. Goldschn. u. in Cart. n. 18. —;
in Leder geb. n. 21. —

— Briefblätter u. Frauen-Bilder. Münster 866. Brunn's Verlag. 16. (III, 354 S.) 1 ℛ 15 ngr;
geb. mit Goldschn. 2 ℛ

— Damen-Schreibmappe m. Sprüchen für das weibliche Leben u. Auszügen aus der Blumen- u. Fächersprache. 4. (24 S.) Leipzig 879. Barthel. geb. 5. —

Polko, Elise, Dichtergrüße, s.a. Dichtergrüße.

— Dichtergrüße. Neuere deutsche Lyrik ausgewählt. Mit vielen Illustr. (in Holzschn.) 860. (XXVII, 572 S.) — 2. Aufl. 860. (XXVI, 552 S.) — 3. Aufl. Leipzig 864. Amelang. 16. (XXX, 558 S.) 2 ℛ

—— Dichtergrüße. Neuere deutsche Lyrik. Mit vielen Illustr. (Holzschntaf.) 5.—9. Aufl. Mit einem alphabet. Verzeichniß der Dichter mit biogr.-krit. Bemerkungen von Heinr. v. Wedell. 16. (600 S.) Leipzig 868—75, Amelang's Verlag.
geb. mit Goldschn.

— Dichtergrüße. Neuere deutsche Lyrik, ausgewählt v. E. P. 13. Aufl. Mit e. farb. Titelbild nach Eug. Klimsch u. vielen Holzschn.-Vollbildern v. Paul Thumann u. A. 12. (VII, 611 S.) Leipzig 886. Amelang.
geb. m. Goldschn. 6. —

—— Dichtergrüße. Neuere deutsche Lyrik, ausgewählt. 14. Aufl. Mit 6 Kunstbeilagen in Lichtdr. u. vielen Holzschn.-Vollbildern v. F. Flinzer, Edm. Kanoldt, C. Kröner u. A. 12. (VII, 536 S.) Lpz. 892, Amelang. geb. m. Goldschn. 6 —

— Dichtergrüße. Neuere deutsche Lyrik, ausgew. v. P. 15. Aufl. Mit 6 Kunstbeilagen in Lichtdr. u. vielen Holzschn.-Vollbildern v. F. Flinzer, Edm. Kanoldt, C. Kröner u. A. 12. (VII, 534 S.) Leipzig 896. C. F. Amelang. Geb. in Leinw. m. Goldschn. 6. —

Polko, Elise, Dichtergrüße. Neuere deutsche Lyrik. 16. neubearb. Aufl. Mit 1 Heliograv. nach R. Beyschlag u. 24 Holzschn.-Vollbildern nach Wilh. Hasemann, Edm. Kanoldt, C. Kröner u. a. 8. (VII, 520 S.) Leipzig 903. C. F. Amelang. Geb. in Leinw. m. Goldschn. 6. —

Polko, Elise, Dichtergrüße. Neuere deutsche Lyrik. 18., neubearb. Aufl. Mit 1 Heliograv. nach R. Beyschlag u. 24 Holzschn.-Vollbildern nach Wilh. Hasemann, Edm. Kanoldt, C. Kröner u. a. (VII, 520 S. 8. Leipzig 905. C. F. Amelang. Geb. in Leinw. m. Goldschn. n. 6. —

Polko, Elise, Dichtergrüße. Neuere deutsche Lyrik, ausgewählt v. P., m. 24 Dichterbildnissen. 301—312. Taus. (Bearb. v. Jul. R. Haarhaus, Buchausstattg. v. Walt. Tiemann.) (431 S.) 8. Leipzig 909. C. F. Amelang. Geb. in Leinw. m. Goldschn. 6.—; Luxusausg. 10.

— in der Villa Diodati. Aus den Erinnerungen eines Verstorbenen. 16. (91 S.) Münster 878. Leipzig, Lenz. geb. m. Goldschn. 3. —

—— Dita, s. Bachem's Novellen-Sammlung.

Polko, Elise
Elisabeth. Geschichte, Stuttgart 1859.
In: Hausblätter. Bd 2.

Polko, Elise, Erinnerungen an Felix Mendelssohn-Bartholdy. Ein Künstler- u. Menschenleben. Leipzig 868. Brockhaus. 8. (IX, 216 S.) n. 1 Thlr 10 ngr; in engl. Einb. mit Goldsch. n. 1 Thlr 20 ngr

—— Erinnerungen an einen Verschollenen. Aufzeichnungen und Briefe von und über Ed. Vogel. 8. (VIII und 231 S.) Leipzig 863, Weber. *

Polko, Elise, Erzählungen für den Sylvester-Abend, s. Wildermuth, O.

—— ein Familien-Ideal. Roman. 8. (295 S.) Breslau 880, Schottländer. *
geb. *

Ein Familienideal. Roman von Elise **Polko**. 2. Aufl. Breslau: Schles. Verlagsanst. 1906. (403 S.) 8° [F.]
(Collektion Schottlaender.) 05. 13558

— im Fluge. Reiseblätter u. Skizzen. 2 Bde. 8. (207 u. 275 S.) Wien 874. Gerold's Sohn. 9. —

— la belle France. Anthologie lyrique. 12. (IV, 308 S.) Berlin 880. Eckstein's Nachf. 3. —; geb. m. Goldschn. n. 4. —

— la belle France. Anthologie lyrique. 2. éd. 12. (VI, 299 S.) Berlin 891. R. Eckstein Nachf. n. 2. 50; geb. in Leinw. m. Silberschn. n.n. 3. 50

— schöne Frauen. Handzeichnungen. 1. Reihe. Wien 865. Schönewerk. 8. (V, 248 S.) 1 Thlr 10 ngr

— — 1. Reihe. 2. (Titel-)Aufl. Troppau 869. Kolck. 8. (III, 248 S.) 1 Thlr 10 ngr; in engl. Einb. 1 Thlr 20 ngr

— — 2. Reihe. Ebend. 869. 8. (III, 313 S.) 1 Thlr 15 ngr; in engl. Einb. 1 Thlr 25 ngr

—— s. Frauen-Album, ein.

— Frauen-Album. Mit Orig.-Beiträgen v. S. Augustin, M. Berger, L. Ernesti ꝛc. gr. 16. (III, 154 S. m. 5 Steintaf.) Wien 872. literar.-artist. Anstalt. cart. m. Goldschn. 2. —

Polko, Elise, ein Frauenleben. Roman. 2 Bde. Leipzig 854. Schlicke. 8. (IV, 137; 159 S.) 2 Thlr 20 ngr

— aus der Fremde. Neue Dichtergrüße, aus vieler Herren Länder gesammelt. gr. 16. (VIII, 406 S. m. Portr. u. Fcsm. der Verf. in Lichtdr.) Breslau 879. Schottländer. geb. m. Goldschn. n. 6. —

— Freundschafts-Album. Aeltere u. neuere Dichtersprüche in Poesie u. Prosa, ausgewählt. 12. (III, 156 S.) Leipzig 882. Licht & Meyer. geb. m. Goldschn. n. 3. —

— „Ihre Füßchen" u. Anderes. Geschichten u. Bilder. 2. Aufl. v. Verwehte u. frische Spuren. 8. (V, 347 S.) Dresden (897.) 899. E. Pierson. 3. —

— from garden and fields. A bouquet of english poems. 8. (VIII, 267 S.) Berlin 883. Eckstein Nachf. n. 3. 60; geb. m. Goldschn. n. 5. —

Polko, Elise, Gedenke Mein! Ein Frauen-Album. Illustrirter Damen-Kalender für das Jahr 1871. Mit Photographien und Original-Beiträgen von S. Augustin, M. Berger, L. Ernesti, Elise von Glümer, von Hohenhausen, M. Koch, H. v. Olfers, M. [illegible], v. Schwarzkoppen. 16. (151 S.) Wien, literar.-art. Anstalt. (T. [illegible].) Eleg. geb. m. Goldschnitt 4 fl. 50 kr. Seiden-Moiré mit Goldschnitt 5 fl. 50 kr. Prachtausgabe. 1870. [illegible] fl.

— Genzianen. Skizzen-Blätter. Münster 865. Brunn. 16. (3 Bl., 318 S.) 1 Thlr 15 ngr

—— vom Gesange. Musikalische Winke und Lebensbilder. 1. und 2. Aufl. 8. (349 S. mit Initialen in Holzschn. und 1 Stahlst.) Leipzig 876,77, Barth. *
geb. in Leinw. *
geb. in Leinw. mit Goldschn. *

Polko, Elise, klingende Geschichten. 8. (VII, 400 S.) Stuttgart 894. Deutsche Verlags-Anstalt. n. 4. —; geb. n.n. 5. —

— klingende Geschichten. (Neue [Titel-]Ausg.) 8. (VII, 400 S.) Stuttgart [894] (901). Deutsche Verlags-Anstalt. n. 1. 50; kart. n. 1. 75

— Getrennt. Roman. 2 Thle. in 1 Bde. 8. (231 u. 173 S.) Breslau 882. Schottländer. n. 3. —; geb. n. 4. —

—— Getrennt. Roman. 2 Thle. in 1 Bde. 8. (231; 173 S.) Breslau 883, Schottländer. *
geb. *

— getrennt. Roman. 2 Thle. in 1 Bde. 2. Aufl. 8. (VII, 231 u. III, 173 S.) Breslau 898. Schles. Buchdruckerei ꝛc. n. 3. —; geb. n. 4. —

—— Unser Glauben, Lieben, Hoffen. Fromme u. ernste Lieder und Verse neuerer u. neuester Dichter. Mit 4 Chromolithogr. 1. Aufl. u. 2. (Titel-)Aufl. kl. 8. (VII, 288 S.) Hannov. 891,92, Ost. geb. m. Goldschn. * 3 —

— Glück u. Leid. Romane u. Skizzen. gr. 8. (V, 187 S.) Leipzig 894. Buchh. d. ev. Bundes v. C. Braun. n. 3. —; geb. in Leinw. n. 4. —

Polko, Elise, auf dunkelm Grunde. Frauengestalten aus der französ. Revolution [1793]. Novelle. 8. (215 S.) Leipzig 869, Dürr'sche Buchh.

— Faustina Hasse. Musikalischer Roman. 2 Bde. Leipzig 860. Schlicke. gr. 8. (XII, 586 S.) n. 3 Thlr 27½ ngr

— Faustina Hasse. Musikalischer Roman. 2. Aufl. 2 Bde. Leipzig 870. Schlicke. gr. 8. (XIII, 292 S. mit 1 Holzschntaf. u. V, 264 S.) n. 3 Thlr 27½ ngr

— Faustina Hasse. Eine Geschichte aus dem Musikleben d. 18. Jahrh. 3. Aufl. 8. (VIII, 696 S.) Leipzig 884. Elischer. n. 6. —; geb. m. Goldschn. n. 7. 50

— Faustina Hasse. Musikal. Roman. 4. Aufl. 4 Tle. in 2 Bdn. 8. (VII, III, III, III, 654 S.) Leipzig 895. B. Elischer Nachf. n. 6. —; geb. in Leinw. m. Goldschn. n. 8. —

— Haus-Album, s. Frauenwelt, deutsche.

— — Haus-Album. Lose Skizzenblätter. (Deutsche Frauenwelt. 6. Bd.) gr. 8. (272 S.) Wien, Hartleben's Verlag. 2 fl. Eleg. geb. 2 fl. 50 kr. 1870.

— Hausgarten. Sammlung von Citaten u. Gedichten üb. das Leben der Frau. Mit e. Titelbl. in Farbendr. gemalt v. Marie Remy. hoch 4. (VII, 108 S.) Leipzig 871. Frohberg. geb. m. Goldschn. In Carton. n. 10. 50; in Leder geb. n. 13. 50

—— In's deutsche Heim. Grüße aus d. neuen Heimat. 8. (V, 170 S.) Wiesb. 889, Bechtold u. Comp. * 2 —

— ins deutsche Heim. Grüße aus der neuen Heimat. 8. (V, 170 S.) Wiesbaden 890. Bechtold & Co. n. 2. —

— Hell u. Dunkel. Neue Novellen. 8. (V, 354 S.) Köln 895. A. Ahn. n. 4. —; geb. n. 5. —

— am stillen Herd. Gedichte u. Sprüche aus dem deutschen Dichterschatz. Mit 9 Illustr. in Holzschn. u. 1 farb. Titelbilde v. Carl Gehrts. 8. (XXX, 480 S.) Minden 884. Bruns. geb. m. Goldschn. n. 8. —

— am stillen Herd. Gedichte u. Sprüche aus dem deutschen Dichterschatz. Mit 9 Illustr. in Holzschn. u. 1 farb. Titelbilde v. Carl Gehrts. 2. Aufl. 8. (XXX, 480 S.) Minden 887. Bruns. geb. m. Goldschn. n. 6. —

— alte Herren, die Vorläufer Bach's. Sechs Cantoren der Leipziger Thomasschule. Silhouetten. Hannover 865. Rümpler. 8. (XII, 252 S.) 1 ℛ︀

—— Herzensfrühling, s. Bachem's Novellen-Sammlung.

Polko, Elise, Herzensfrühling u. Rosenzeit. Novellen. [Im alten Schlosse. Die junge Frau Gräfin. Ein blühendes Wunder. Dora.] 8. (254 S.) Breslau 884. Schottländer. n. 3. —; geb. n. 4. —

— aus dem Jahre 1870. Briefblätter u. Skizzen. Salon-Ausg. m. 6 Aquarellen u. 20 Initialen (in Holzschn.) nach Zeichngn. v. Casp. Scheuren. 4. (242 S.) Ratibor 873. Wichura & Co. in Lwd. geb. n. 18. —; in Chagrinldr. geb. n. 21. —; in Kalbldr. geb. n. 24 —

— Ikarusflügel, s.: Bachem's Roman-Sammlung.

— Jugendliebe. 2. Aufl. v. „Aus d. nachgelass. Papieren e. Einsamen". 12. (62 S.) Schleswig 898. L. Detleffen. Geb. n. 1. —

—— Unsere Kinder. Poetische Gedanken u. Herzensworte deutscher u. ausländ. Dichter, ausgewählt. 12. (V, 232 S. m. 7 Illustr. in Lichtdr.) Stuttg. 892, Greiner u. Pfeiffer. geb. m. Goldschn. * 4 —

— Kinderstube. Sammlung v. Citaten u. Gedichten üb. Mütter, Kinder u. Erziehg. Mit e. Titelblatte in Farbendr., gemalt v. Marie Remy. hoch 4. (118 S.) Leipzig 872. Frohberg. in Leinw. geb. m. Goldschn. n. 10. 50; in Ldr. geb. m. Goldschn. n. 13. 50

—— Künstlermärchen und Malernovellen. Neue Aufl. von „Aus der Künstlerwelt". 8. (VII, 524 S. mit eingedr. Illustr. in Holzschn.) Leipzig 879, Barth. geb. in Leinw. geb. in Leinw. mit Goldschn.

—— neue Künstlermärchen, Phantasien und Skizzen. 8. (X, 494 S. mit eingedr. Illustr. in Holzschn.) Ebendas. 879. geb. in Leinw. geb. in Leinw. mit Goldschn.

— aus der Künstlerwelt. I. (Bd.) Mit Illustr. in Holzschn. Leipzig 858. Barth. gr. 8. (4 Bl., 179 S.) n. 2 ℛ︀

— aus der Künstlerwelt. II. (Bd.) Mit Illustrationen in Holzschn. Leipzig 863. J. A. Barth. gr. 8. (4 Bl., 229 S.) n. 2 ℛ︀ 12 ngr.

— Lavinia. Ein Roman. Die engl. Bohème aus der Zeit Georgs I. 2 Bde. (267 u. 268 S.) gr. 8. Leipzig 903. A. Schumann's Verl. n. 10. —

Polko, Elise, die Königin Luise. Portraitskizzen. 8. (125 S. m. 1 Lichtdr.) Berlin 880. Eckstein's Nachf. n. 2. —

—— die Königin Luise. Portraitskizzen. 8. (125 S. mit 1 Lichtdr.) [Leipzig 881.] Berlin, Eckstein Nachf. *

— s.: Mädchen-Jahrbuch, deutsches.

— s.: Mädchen-Kalender, deutscher.

— „Mädchenspielzeug." Blumenbilder. Mit (6) Illustr. (Holzschn.) in Buntdruck von L. Hofmann. Leipzig (856.) Schlicke. 16. (VIII, 51 S.) 27 ngr.

— kleine Malereien für die Kinderstube. Mit 12 Bildern (Holzschn.) in Buntdr. von C. Merkel. 1. Bd. 854. — 2. Aufl. Leipzig 855. Schlicke. 16. (X, 99 S.) n. 1 ℛ︀

—— kleine Malereien für die Kinderstube. 2. Bd. 2. Aufl. br. 8. (VI und 92 S. mit 9 Bildern in Buntdr. von Carl Merkel.) Leipzig 858, Schlicke.
1. Bd. 2. Aufl. Ebendas. 1854. 1 Thlr.

—— unsere Mama. Novelle. 1. und 2. Aufl. 16. (140 S.) Leipzig 883, Schulze und Comp. * geb. mit Goldschn. *

—— musikalische Märchen, Phantasien und Skizzen. Mit Illustr. in (eingedr.) Holzschn. nach Zeichnungen von J. C. Löbel und G. Schlick. 1. Aufl. (VI und 284 S.) 1852. 1 Thlr. 15 Ngr. und 2., neu durchgeseh. und verm. Aufl. 8. (VII und 393 S.) Leipzig 855, Barth.

— musikalische Märchen, Phantasien und Skizzen. Mit Illustr. in Holzschn. nach Zeichnungen von J. C. Löbel und G. Schlick. 2., neu durchges. ꝛc. Aufl. 855. (VII, 393 S.) 2 ℛ︀ 7½ ngr. — 3., neu durchges. u. abermals verm. Aufl. Leipzig 857. Barth. 16. (VIII, 499 S. u. Bildniß in Stahlst.) 2 ℛ︀ 3 ngr.

— musikalische Märchen, Phantasien und Skizzen. 1. Reihe. Mit Illustr. in Holzschn. nach Zeichngn. von J. C. Löbel, G. Schlick u. S. Thon u. dem Bildniß der Verf. in Stahlst. 4. Aufl. 859. — 5. Aufl. 861. — 6., neu durchgesehene Aufl. Ebend. 863. 8. (VII, 497 S.) 2 ℛ︀

— — 2. Reihe. Mit Illustr. in Holzschn. nach Zeichngn. von J. C. Löbel. Ebend. 859. 8. (3 Bl., 376 S.) 1 ℛ︀ 15 ngr.

— musikalische Märchen, Phantasien u. Skizzen. 1. u. 2. Reihe. Mit Illustr. in (eingedr.) Holzschn. nach Zeichnungen von J. C. Lödel, G. Schlick u. S. Thon. Leipzig J. A. Barth. 8. [1. Reihe. 7—14., neu durchgeseh. Aufl. (VI, 497 S. mit Portr. in Stahlst.) 865—70., 2. Reihe. 3—5., neu durchgeseh. u. verm. Aufl. (X, 514 S.) 866—70.] Jede Reihe 2 ℛ geb. Jede Reihe 2 ℛ 7½ ngr.; geb. mit Goldschn. Jede Reihe 2 ℛ 15 ngr.

POLKO. *Musikalische Märchen,* Phantasien und Skizzen von Elise Polko. Erste [-Zweite] Reihe. Mit Illustrationen in Holzschnitt nach Zeichnungen von I. C. LÖDEL und S. THON. 15e u. 2. neu durchges. Aufl. Leipzig, J. A. Barth, 1875 [1862]. 1 Stahlstichporträt. 1 Titel, IV S. 1 Bl. 497, 7 S. (Verlangsanz.) — 4 Bl. 449 S. Kl.-8°. Blind und goldgepreßte Or.-Leinenbde. violett u. grün. 15.—

Elise Polko (1822—1899), die auf Mendelssohns Anregung Gesang bei Garcia studierte, verfaßte neben vielen Romanen u. Novellen 3 Reihen dieser musikalischen Märchen, meist Szenen aus dem Künstlerleben.

— musikalische Märchen, Phantasien u. Skizzen. Neue durchgeseh. Ausg. in 2 Bdn. Mit je 1 Titelbild. 8. Leipzig 890. Barth. geb. m. Goldschn. à 6.—
1. 22. Aufl. (VI, 470 S.) — 2. 12. Aufl. (VI, 458 S.)

— musikalische Märchen, Phantasien u. Skizzen. Neu durchgeseh. Ausg. in 2 Bdn. M. je 1 Titelbild. 12. Leipzig 896. J. A. Barth. Geb. in Leinw. m. Goldschn. à 6.—
1. 23. Aufl. (VI, 470 S.) — 2. 13. Aufl. (VI, 458 S.)

— musikalische Märchen, Phantasieen u. Skizzen. 2. Bd. 14. Aufl. Neue durchgeseh. Ausg. in 2 Bdn. Mit Titelbild. 12. (VI, 458 S.) Leipzig 901. J. A. Barth. Geb. in Leinw. m. Goldschn. 6.—

— musikalische Märchen, Phantasieen u. Skizzen. Neue durchgeseh. Ausg. in 2 Bdn. (Mit je 1 Titelbild.) 12. Leipzig 904. J. A. Barth. Geb. in Leinw. m. Goldschn. à n. 6.—
I. 25. Aufl. (VIII, 454 S.) — II. 15. Aufl. (VII, 459 S.)

— neues Märchenbuch. Musikalische Skizzen u. Träumereien. Mit e. farb. Titelbilde v. Casp. Scheuren. 8. (VIII, 470 S.) Minden 884. Bruns. n. 6.—; geb. m. Goldschn. n. 7. 50

— neues Märchenbuch. Musikalische Skizzen u. Träumereien. 2. Aufl. Mit e. farb. Titelbilde v. C. Scheuren. 8. (VIII, 470 S.) Minden 887. Bruns. geb. m. Goldschnitt. n. 6.—

— Meister der Tonkunst. Ein Stück Musikgeschichte in Biographien. 8. (V, 377 S.) Wiesbaden 897. Lützenkirchen & Bröcking. Geb. in Leinw. n. 5.—; in Seide m. Goldschn. n. 8.—

— bedeutende Menschen. Portraitskizzen, Lebenserinnergn. u. Novellen. 8. (403 S.) Breslau 895. Schles. Buchdruckerei &c. n. 5.—; geb. n. 6.—

— Miniaturen u. Novellen. 12. (236 S.) Breslau 880. Schottländer. n. 3. 50; geb. n. 4. 50

—— Mitgeholfen, s. Bachem's Novellen-Sammlung.

— unsere Musikklassiker. Sechs biographische Lebensbilder. Mit 6 Portr. (Holzschntaf.). 8. (V, 201 S.) Leipzig 880. Schmidt & Günther. n. 2.—; geb. n. 3.—

— Notizen und Briefe über und von Dr. Carl Vogel, vormal. Director der Bürger- und Realschule zu Leipzig. Ein Lebensbild. Nebst photograph. Titelbild. 1. u. 2. Aufl. Leipzig 863. Schlicke. 8. (3 Bl., 245 S.) n. 1 ℛ 10 ngr.

— gesammelte Novellen. gr. 8. (VII, 183 S.) Wiesbaden 890. Bechtold & Co. n. 1. 50; geb. n. 2. 50

— neue Novellen. Ebend. 861. 8. (IX, 262 S.) n. 1 ℛ 15 ngr.

— — 2—5. Folge. Ebend. 861—63. 8. (VII, 232 S.; VII, 243 S.; VII, 264 S.; 267 S.) Jeder Bd. n. 1 ℛ 15 ngr.

— neue Novellen. 6. Folge. Leipzig 866. Schlicke. 8. (V, 288 S.) n. 1 ℛ 15 ngr.

— — 7. Folge. Versunkene Sterne. Ebend. 867. 8. (V, 292 S.) n. 1 ℛ 15 ngr.

— — 8. Folge. Herzensgeheimnisse. Ebend. 867. 8. (III, 278 S.) n. 1 ℛ 15 ngr.

— — 9. Folge. Aus dem „wunderlichsten Buche." Ebend. 868. 8. (IV, 262 S.) n. 1 ℛ 15 ngr.; geb. mit Goldschn. n. 1 ℛ 27½ ngr.

— — 10. Folge. Aus Staub u. Asche. Ebend. 869. 8. (VI, 272 S.) n. 1 ℛ 15 ngr.; geb. mit Goldschn. n. 1 ℛ 27½ ngr.

— — 11. Folge. Frische Blätter. Ebend. 870. 8. (V, 275 S.) n. 1 ℛ 15 ngr.; geb. mit Goldschn. n. 1 ℛ 27½ ngr.

— neue Novellen. 12—14. Folge. Leipzig 871—73. Schlicke. à n. 4. 50; geb. m. Goldschn. à n. 5. 75
12. Freudvoll u. leidvoll. (III, 288 S.)
13. Im Vorübergehen. (III, 320 S.)
14. Wolken-Schatten. (298 S.)

Polko, Elise, neue Novellen. 15—17. Folge. 8. Leipzig 874—76. Schlicke. à n. 5.—; geb. à n. 6. 50
15. Suchen u. Finden. (268 S.)
16. Weiße u. rothe Rosen. (236 S.)
17. Glück ohne Ruh. (298 S.)

— neue Novellen. 18. (Schluß-)Bd. A. u. d. T.: Von der Staffelei im Lahnthal. 8. (304 S.) Leipzig 879. Schlicke. n. 4. 50; geb. m. Goldschn. n. 6.—

— Nicolo Paganini u. die Geigenbauer. Mit dem Portr. Paganini's (in Lichtdr.) 8. (228 S.) Ebend. 876. n. 5. 50; geb. n. 6. 75

— Papillon, s.: Bachem's Novellen-Sammlung.

—— eine deutsche Fürstin, Pauline zur Lippe. Versuch eines Lebensbildes. Aus Notizen, Briefen und Tagebuchblättern zusammengestellt. Mit dem Stahlst.-Portr. der Fürstin. 8. (VI, 280 S.) Leipzig 870, Dürr'sche Buchh. M 5.; geb.

—— unsere Pilgerfahrt von der Kinderstube bis zum eigenen Heerd. Lose Blätter. 8. (VII und 242 S.) Leipzig (861)62, Amelang's Verlag. geb. *

— unsere Pilgerfahrt von der Kinderstube bis zum eignen Heerd. Lose Blätter. 862. (VII, 242 S.) n. 1 ℛ 10 ngr. — 2. verb. Aufl. Mit 6 Illustr. (in Holzschn.) von Paul Thumann. Leipzig 865. Amelang. 8. (XII, 252 S.) 1 ℛ 15 ngr.

— unsere Pilgerfahrt von der Kinderstube bis zum eigenen Heerd. Lose Blätter. 3., verb. Aufl. Leipzig 868. Amelang's Verlag. 8. (XIV, 262 S. mit 8 Illustr. in Holzschn. von Paul Thumann.) geb. mit Goldschn. 1 ℛ 15 ngr.

— unsere Pilgerfahrt von der Kinderstube bis zum eignen Heerd. 4. verb. Aufl. Mit 8 Illustr. (Holzschntaf.) v. Paul Thumann. 8. (XV, 277 S.) Leipzig 871. Amelang. geb. 4. 50

— dasselbe. 5. verb. Aufl. Mit 8 Illustr. (Holzschntaf.) v. Paul Thumann. 8. (XV, 284 S.) Ebend. 874. geb. m. Goldschn. 5. —

—— unsere Pilgerfahrt von der Kinderstube bis zum eignen Heerd. Lose Blätter. 6. und 7. Aufl. 8. (XV, 284 S. mit 8 Illustr. [Holzschntaf.].) Leipzig 877,80, Amelang's Verlag. geb. mit Goldschn.

— unsere Pilgerfahrt von der Kinderstube bis zum eignenen Herd. Lose Blätter. 8. Aufl. Mit 8 Illustr. v. Eug. Klimsch. 8. (XIII, 306 S.) Leipzig 886. Amelang. geb. m. Goldschn. 5. —

—— Unsere Pilgerfahrt von der Kinderstube bis zum eignen Herd. Lose Blätter. 9. Aufl. Mit 8 Illustr. v. Eug. Klimsch. 8. (XIII, 306 S.) Lpz. 892, Amelang. geb. m. Goldschn. 5 —

— unsere Pilgerfahrt von der Kinderstube bis zum eignen Herd. Lose Blätter. Neu bearb. v. L. Devrient. 10. Aufl. (61. Tausd.) Mit 1 Titelbild in Heliograv. v. M. Honegger. 12. (XI, 299 S.) Leipzig 900. C. F. Amelang. Geb. in Leinw. m. Goldschn. 5. —

— Unsere Pilgerfahrt von der Kinderstube bis zum eigenen Herd. Lose Blätter. Neu bearb. v. L. Devrient. 64. Tausd. Mit 1 Titelbild in Heliograv. v. M. Honegger. (XI, 280 S.) kl. 8. Leipzig 909. C. F. Amelang. Geb. in Leinw. m. Goldschn. 5. —

— Plaudereien. Mit dem (lith.) Portr. der Verf. nach e. Zeichng. v. Jos. Scheu. gr. 16. (VI, 279 S.) Bremen 872. Kühtmann & Co. n. 4. 50; geb. m. Goldschn. n. 6. —

— dasselbe. Neue Folge. gr. 16. (V, 259 S.) Ebend. 873. n. 4. 50; geb. m. Goldschn. n. 6. —

— Sabbathfeier. Roman. Mit einem Vorwort von Heinr. König. 2 Bde. Leipzig 858. Schlicke. 8. (VIII, 220; 183 S.) n. 2 ℛ︀. 25 ngr.

— Sabbathfeier. Roman. 2. Aufl. 2 Bde. gr. 8. (221 u. 186 S.) Leipzig 874. Schlicke. n. 10. —; geb. m. Goldschn. in 1 Bd. n. 11. 50

—— Ohne Sang u. Klang, s. Haus- u. Reise Bibliothek.

— Selam. Blumen-Sprache nebst Liebes-Liedern zusammengestellt. gr. 16. (95 S.) Leipzig 876. Wölfert. 1. 50; geb. m. Goldschn. n. 2. 50

— sie schreibt Roman. Leipzig 869. Schlicke. 8. (III, 288 S.) n. 1 ℛ︀ 20 ngr.; in engl. Einb. m. Goldschn. n. 2 ℛ︀ 2½ ngr.

— sie schreibt! Roman. 2. Aufl. 8. (287 S.) Leipzig 894. B. Elischer Nachf. n. 4. —; geb. in Leinw. m. Goldschn. n. 5. 50

— im Silberkranz. Gedenkblätter zur silbernen Hochzeit Ihrer k. u. k. Hoheiten d. Kronprinzen u. Kronprinzessin d. Deutschen Reiches u. v. Preußen. Mit e. (phototyp.) Titelbild nach e. Orig.-Zeichng. v. E. Geyger. 8. (79 S.) Berlin 883. Eckstein Nachf. n. 1. 50

— eine zehnte Sinfonie, s.: Bachem's Novellen-Sammlung.

Polko, Elise, verwehte u. frische Spuren. Geschichten u. Bilder. 8. (V, 347 S.) Dresden 897. E. Pierson. n. 4. —; geb. n. 5. —

Ⓑ — Verwehte u. frische Spuren. 897. (ABL 30.) Jetzt: Berlin, Verlag Berlin-Wien.

— Stephanie. Novelle. gr. 16. (119 S.) Münster 878. Leipzig, Lenz. geb. m. Goldschn. 3. —

— Stimmungsbilder. Novellen u. Skizzen. 12. (279 S.) Breslau 881. Schottländer. n. 3. 75; geb. n. 4. 50

— am Theetisch einer schönen Frau. Erinnerungen an den Kaiser Alexander I. Berlin 866. Gebr. Paetel. gr. 16. (112 S.) 27 ngr.

—— Umsonst. Roman. 8. (379 S.) Breslau 878, Schottländer. * ℳ 5.; geb. *

— umsonst. Roman. 2. Aufl. 8. (379 S.) Ebend. 879. n. 5. —

—— Umsonst. Roman. 2. (Titel-)Aufl. 8. (379 S.) Ebendas. 880. geb. * ℳ 5. *

— Umsonst. Roman. 3. Aufl. (423 S.) 8. Breslau 904. Berlin, S. Schottlaender's schles. Verlagsanst. n. 3. —; geb. n. 4. —

— aus Vergangenheit u. Gegenwart. Bilder u. Skizzen. 8. (296 S.) Ebend. 877. n. 4. 50

— aus Vergangenheit u. Gegenwart. Bilder u. Skizzen. 2. (Titel-)Aufl. 8. (296 S.) Leipzig 877. Wölfert. n. 2. —

— ein Vergißmeinnichtstrauß. Novellen u. Skizzenblätter. 8. (VI, 336 S.) Minden 884. Bruns. n. 5. —; geb. m. Goldschn. n. 6. 50

— e. Vergißmeinnichtstrauß. Novellen u. Skizzenblätter. 2. Aufl. 8. (IV, 336 S.) Minden 887. Bruns. geb. m. Goldschn. n. 6. —

— verwöhnt. — Der Hausfreund. — Wenn Wände reden. 8. (297 S.) Breslau 893. Schles. Verlags-Anstalt. n. 4. 50; geb. n. 5. 50

— verwöhnt. — D. Hausfreund. — Wenn Wände reden. (Neue [Titel-] Ausg.) 8. (297 S.) Breslau (893) 898. Schles. Buchdruckerei ꝛc. n. 2. —

—— vom Herzen zum Herzen. Eine Plauderei. 16. (VI, 86 S.) Leipzig 879, C. A. Koch's Verlag. geb. mit Goldschn.

— vom Herzen zum Herzen. Eine Plauderei. 2. Aufl. 16. (VI, 86 S.) Leipzig 881. C. A. Koch. geb. m. Goldschnitt. 2. 40

— vom Herzen zum Herzen. Eine Plauderei. 3. Aufl. 12. (VIII, 92 S.) Leipzig 885. C. A. Koch. geb. m. Goldschn. 2. 4

— weder Glück noch Stern. Eine einfache Geschichte. 8. (273 S.) Leipzig 876. Wölfert. n. 4. 50

— weder Glück noch Stern. Eine einfache Geschichte. 2. (Titel-)Aufl. 8. (273 S.) Leipzig (1876) 877. Wölfert. n. 2. —

Polko, Elise, aus meiner Welt. Novellen u. Skizzenblätter. [Ein Stillleben. — Monsieur Alix. — In Bardolino. — Kinderliebe. — Ein Zauberschloß am Rhein.] 8. (272 S.) Breslau 887. [Schottländer.] Schlesische Verlagsanstalt. n. 4. —; geb. n. 5. —

Polko, Georg [aus Bitterfeld]: Ueber die Aethylaethenyltricarbonsäure und ihr Zersetzungsprodukt, die Aethylbernsteinsäure .... Halle a. S., Plötz'sche Buchdr. (R. Nietschmann), 1886; 32 S. 8°.
Halle, Phil. Fak., Inaug.-Diss. v. 9. Aug. 1886.

Polko, Georg, über die Aethylaethenyltricarbonsäure und ihr Zersetzungsprodukt, die Aethylbernsteinsäure. Diss. Halle 1886, Lippertsche Buchh. 8°. 32 S.

Polko, Ign. (geb. Katscher in Schles. 1801): Experimenta nonnulla de nervorum faciei functionibus. Berolini (1824). (30 S.) 8°
Berlin, Med. Diss. v. 14. Okt. 1824

Polko, Karl, soziale Klippen. Ein Zeitroman. (IV, 365 S.) 8. Dresden 907. C. Reißner. 4.—; geb. 5.—

Polko, L., die Geschichte der Pfennigkirche zu Rosenberg O/S., mitgetheilt v. ihrem Gründer u. ersten Geistlichen. Dem Buch ist beigefügt e. Bild der Kirche u. e. Anh. v. Briefen, als erheb. Zeugnisse evangel. Bruderliebe. gr. 8. (VI, 133 S.) Breslau 885. (Kuh.) — 75

Polko, Paul, Hohenzollern- u. Judenblut wider Rom. Aus südamerikan. Leben. Novelle. (151 S.) kl. 8. Bitterfeld 910. (M. Kiesel.) 2.—

Polkowski, X. Ign.

(X. I. POLKOWSKI), Album wydane staraniem Towarzystwa Przyjaciol Nauk w Poznaniu w czterechsetną rocznicę urodzin Mikołaja Kopernika. (Mit Tafeln.) Fotodruk Beyera i Dutkiewicza. 1873. Druk J. B. Langiego w Gnieźnie. 4°.

Polkowski, X. J., groby i pamiatki polski w rzymie. Dresden 870. Kraszewski. gr. 4. (84 S.) n. 1 *ℛ* 10 *ngr.*

Polkowski, X. Ign., Kopernikijana czyli materyały do pism i życia Mikołaja Kopernika. Tom. I. gr. 8. (VI, 344 S.) Gneson 873. Lange. n. 6. —

— żywot Mikołaja Kopernika. gr. 8. (V, 363 S.) Ebend. 873. n. 8. —

Poll, A., Frivolität u. Anderes, s. a. Collection Tiefenbach.

POLL, A., Frivolität und andere moderne Geschichten. Leipzig, o. J. (c. 1890). 8°. 268 S. (1 Mk. 50 Pfg. Taussig, 1906.)

Poll, B[ernhard], approb. Arzt aus Grabow a. d. O.: Ein Fall von multipler Zottengeschwulst im Ureter und Nierenbecken. *Tübingen: H. Laupp 1899.* (15 S.) 8° ¶(Aus: Beiträge zur klinischen Chirurgie, Bd 23, H. 3.)
Rostock, Med. Diss. v. [27. Mai] 1899

Poll, Carl, s. Poll, Karl

Poll, Heinrich [Assistenzarzt d. chirurg. Station d. St. Vincenz-Hosp. zu Duisburg]: Casuistischer Beitrag zur Lehre von den syphilitischen Lebererkrankungen ... Berlin, Buchdr. v. G. Schade, 1894; 19 S. 8.
München, Med. Fak., Inaug.-Diss. v. 1894

Poll, Heinr., zur Biologie der Mäusetumoren, s.: Hertwig, Osc.

— H. Beitzke, R. Ehrmann, die Biologie der Nebennierensysteme. Zusammenfassender Bericht. (64 S.) gr. 8. Berlin 909. A. Hirschwald. b 1.60
Sonderabdruck aus: „Berl. klin. Wochenschr."

— Über Nebennieren bei Wirbellosen: Die chrombraunen Zellen im Zentralnervensystem der Ringelwürmer. (S. 889—896 m. 1 Taf.) Lex. 8. Berlin 909. G. Reimer. — 50
Sonderabdr. aus: „Sitzungsber. d. preuss. Akad. d. Wiss."

Poll, Heinrich, prakt. Arzt aus Berlin, Assist. am anat.-biol. Institut: (Aus d. anat.-biol. Insitut [!] d. Universität zu Berlin.) **Veränderungen** der Nebenniere bei Transplantation. *Berlin (1900): G. Schade.* (37 S.) 8°
Berlin, Med. Diss. v. 19. Juli 1900

— s.: Zentralblatt f. allgemeine u. experimentelle Biologie.

Poll, (Henr. Maurit. van de,) Dissert. juridica inaug. de princips foederis quod dicitur, neutralitas armata. 8. Leyden, Wwe Cyllveer (823,) (118 S. u. Vorrede u. Beilage.)

Poll, J., Sankta Elisabeth! Zyklus v. Deklamationen u. Gesängen m. leb. Bildern. (Von Paula.) Für Soli, 3stimm. Frauenchor m. Klavier- od. Harmonium-Begleitg. komp. v. P. Der großen Patronin des 3. Ordens, der lieben hl. Elisabeth, zum 7. Zentenarium ihrer Geburt. (Textbuch.) (41 S. m. Titelbild.) 8. Regensburg (907). J. Habbel. — 60

Poll, Karl

Poll, Carl. Allein. Eine Gedichtsammlung. 12. Stuttg. 886. Wien, Frick. * 2 —

Poll, Carl, allein. 12. (IV, 110 S.) Stuttgart 886, Metzler'sche Buchh., Verlag. *

Das Fräulein von Entragues. Schauspiel in 5 Aufz. von Carl **Poll** [d. i. Leopold Scheiner]. Wien: W. Frick 1894. (105 S.) 8° [F.] [07. 3703]

Carl **Poll** [d. i. Leopold Scheiner]. Historien. Wien: W. Frick 1896. (102 S.) 8° [F.] [07. 8738]

Poll, Carl, Liebe u. Leben. Glossen. (95 S.) 8. Wien 907. W. Braumüller. n 1.80; geb. in Leinw. n. 2.50

— Spätherbst. 8. (111 S.) Wien 884. Rosner. n. 2. —

Poll, Max. Die Fabeln von Gottl. Conr. Pfeffel und ihre Quellen, s. Studien, Strassburger. 3. Bd.

Poll, Max [aus Danzig]: Die Quellen zu Pfeffels Fabeln .... Strassburg, Karl J. Trübner, 1888; 3 Bl. + 129 S. 8°
Strassburg, Phil. Fak., Inaug. Diss. v. 1888

Poll, Rob. (geb. Stettin 19. 3. 1845): Ueber die Verhaltung der Nachgeburt. Berlin (1869). (35 S.) 8°
Berlin, Med. Diss. v. 5. Juni 1869

Pöll, J., Hieracien, s.: Murr, J.

Pöll, J.: Hieracien, s. Reichenbach, H. B. Ludw.: Deutschlands Flora bezw. Icones florae.

Pöll, Joh. Jak., Pomologie, od. kurze Anleitung z. Obstbaumzucht. 8. (10 B. mit vielen eingedr. Holzschn.) Botzen 831. (Regensburg, Manz.)

Pöll, S., Viator religios. ad terminum suae vocationis etc. suspirans. 8. Augsb. Doll. 760.

Pöll, Wolfg. Das Invaliditäts- u. Altersversicherungsgesetz v. 22. Juni 1889. Mit Einführungsbestimmgn., Vollzugsvorschriften, Formularien, Tabellen, Anmerkgn. u. m. Sachregister. Für die bayer. Gemeindebehörden u. Bezirksämter, Arbeitgeber u. Arbeiter hrsg. gr. 8. (IV, 220 S.) Regensb. 891, Pustet. * — 60; geb. * — 85

Pollach, Jac., Compendium der Balneotherapie. Nebst einem Vorwort von H. Zeissl. gr. 8. (X, 335 S.) Wien 880. Perles in Comm. n. 5. —

Pollach, Jac., s.: **Repetitorium, kurzes, d. Chirurgie.**

Pollack, Bernhard

Pollack, B., die Färbetechnik d. Nervensystems. 8. (V, 130 S.) Berlin 897. S. Karger. Geb. in Leinw. n. 2. —

Die Färbetechnik des Nervensystems. Von Dr. Bernhard **Pollack** in Berlin. 2., verm. u. verb. Aufl. *Berlin: S. Karger 1898.* (V, 172 S.) 1 Bd 8. [98. 2190

Pollack, Bernh., die Färbetechnik f. das Nervensystem. 3., wesentlich erweit. Aufl. (VI, 158 S.) Lex.-8. Berlin 905. S. Karger. n. 3. 50

Pollack, Bernhard [app. Arzt aus Berlin]: Ueber metastatische Lungentumoren ... Heidelberg, Univ.-Buchdr. v. J. Hörning, 1893; 47 S. 8.
Leipzig, Med. Fak., Inaug.-Diss. v. 17. Apr. 1893

Pollack, Bernh., üb. metastatische Lungentumoren. Diss. gr. 8. (47 S.) Heidelberg 893. (J. Hörning.) 1. 20

Pollack, Curt, s. P o l l a c k, Kurt

Pollack, Edward. Gesang-Verein Österreich (NY). Zum 25. Jub 21. Feb 1905 ... NY. 1905.

Pollack, Erich, pract. Arzt aus Hirschberg i. Schl.: **Ein Beitrag** zur Mechanik der Lunge. (Aus d. physiol. Institut d. Universität Königsberg i. Pr.) *Königsberg i. Pr. (1901): L. Krause & Ewerlien.* (34 S.) 8°
Königsberg, Med. Diss. v. 30. Apr. 1901

Pollack, Erich, Kammergerichtsreferendar: Der Majestätsgedanke im Römischen Recht. Eine Studie auf dem Gebiet des Römischen Staatsrechts. Leipzig: Veit & Co. 1908. (XX, 208 S.) 8°
Leipzig, Jur. Fak., Diss. v. 17. Juni 1908
[Geb. 27. Okt. 82 Köslin; Wohnort: Charlottenburg; Staatsangeh.: Preußen; Vorbildung: Prinz-Heinrich-Gymn. Berlin-Schöneberg Reife O. 01; Studium: Berlin 7 S.; Rig. 19. Juli 05.]

Pollack, Erich, der Majestätsgedanke im römischen Recht. Eine Studie auf dem Gebiet des röm. Staatsrechts. (XX, 208 S.) gr. 8. Leipzig 908. Veit & Co. 6. —

Pollack, Ernst, prakt. Arzt aus Berlin: Querer **Fundalschnitt** und Tubenresektion bei Sectio caesarea. *Berlin (1902): G. Schade.* (44 S.) 8°
Berlin, Med. Diss. v. 25. Febr. 1902

Pollack, Erwin, s.: **Ecce, afranisches.**

Pollack, (Erwin), Dr.: [Das **Ecce** der Fürsten- und Landesschule St. Afra in Meissen am 19. Nov. 1898.] *Meissen 1899: C. E. Klinkicht & Sohn.* (S. 17—19.) 4° (Nach Mitteilungen von Prof. Gustav Türk. — Ausführlicheres s. in Türks 'Afranischem Ecce' 1898, H. 3.)
Meissen, Fürsten- u. Landes-S St. Afra, MP 1899 (573)

Pollack, *Heino Ricardus* Ervinus [Geisingensis]: Hippodromica. ... Lipsiae, typ. I. B. Hirschfeldi, 1890; 3 Bl., 112 S., 1 Taf. 8°
Leipzig, Phil. Fak., Inaug.-Diss. v. [24. Jan.] 1891

Pollack, Ervinus, Hippodromica. gr. 8. (V, 110 S. m. 1 Taf.) Leipzig 891. M. Ruhl. n. 2. 50

Pollack, F., s.a. P o l l a k, Franz

Das prähistorische Gewand des Breitenberges bei Striegau. Ein Beitrag z. Klärung u. Lösung dieser Frage. Von F. **Pollack**-Reichenbach, O.-L. Striegau [1907]: Ph. Tschoerner. (11 S.) 8° [F.] [07. 10627 2

Pollack, Fr. X., s. P o l l a k, Franz Xaver

Pollack, Fritz, „La recherche de la paternité est interdite". Eine dunkle Seite des „Code civil", beleuchtet. 2. Aufl. gr. 8. (38 S.) Neuwied 894. [A. Schupp.] Dresden, C. O. Lehmann. n. — 50
Die 1. Aufl. u. d. T.: Pollaczek, F., die unverehelichten Mütter u. der Code civil in Deutschland.

— s.a. **Unwesen,** das, der Kellnerinnenwirthschaften in Preußen.

UNWESEN, Das, der Kellnerinnen-Wirthschaften in Preußen, unter besonderer Berücksichtigung der Verhältnisse in Köln (von *Friedr. Pollads*). 3. Auflage. Hagen i. W., o. J. (1891). 8°. (In Frankfurt a. M., Stadtbibl.)
Anon.-Lex. V. p. 303 (nach dem Cat. genannter Bibl.).

Pollack, G. H. O.

—— Geographie des deutschen Kaiserreiches und des Kaiserthums Oesterreich nebst einer Uebersicht der brandenburgisch-preuß. Geschichte. 6.—9. Aufl. 8. (47 S.) Ebendas. 872—75. *

Pollack, G. H. O., **Geographie** d. deutschen Kaiserreiches u. d. Kaiserth. Oesterreich, nebst e. Uebersicht der brandenburgisch-preuß. Geschichte. 9. Aufl. 8. (48 S.) Langensalza 876. Schulbuchh. — 25

Pollack, G. H. O., Geographie des Deutschen Kaiserreiches u. des Kaisertums Oesterreich, nebst einer Übersicht der brandenburgisch-preußischen Geschichte. 11. Aufl. 8. (52 S.) Langensalza 881. Schulbuchh. cart. — 30

Pollack, G. H. O., Geographie d. Deutschen Kaiserreiches u. d. Kaisert. Österreich, nebst e. Übersicht der brandenburgisch-preuß. Geschichte. 12. Aufl. 8. (52 S.) Langensalza 884. Schulbuchh. cart. — 30

Pollack, G. H. O., Geographie des Deutschen Kaiserreiches und des Kaisertums Österreich, nebst einer Übersicht der brandenburgisch-preuß. Geschichte. 13. Aufl. 8. (52 S.) Langensalza 887, Schulbuchhandlung.

Pollack, G. H. O., Geographie des preußischen Staates u. der übrigen deutschen Länder nebst einer Uebersicht der brandenburgisch-preuß. Geschichte. 2. u. 3. Aufl. Langensalza 870. Greßler. 8. (46 S.) n. 2½ ngr.

—— dass. — und des deutschen Kaiserreiches nebst einer Uebersicht der brandenburgisch-preuß. Geschichte. 4. und 5. Aufl. 8. (48 S.) Ebendas. 871,72. *

Pollack, H., Mittheilungen über den Hexenprozeß in Deutschland, insbesondere über verschiedene westphäl. Hexenprozeßakten. gr. 8. (III, 50 S.) [Lankwitz-Groß-Lichterfelde 885, Wallmann.] Berlin, Siemenroth und Worms. [*M 1.50.] *

—— der Schenkungswiderruf, insbesondere seine Vererblichkeit. Ein Beitrag zur Abfassung des deutschen bürgerl. Gesetzbuches. gr. 8. (XV, 220 S.) Berlin 886, Siemenroth und Worms. *

Pollack, Heino Ricardus Ervinus, s. P o l l a c k, Erwin

Pollack, Heinrich, s.a. P o l l a k

Pollack, Henr. (geb. Glogau 15. 4. 1844): De exceptionum praescriptione. Berolini (1866). (50 S.) 8°
Berlin, Jur. Diss. v. 4. Juli 1866

Pollack, Henr., de exceptionum praescriptione. Dissertatio inauguralis. Berlin 866. (Calvary & Co.) gr. 8. (50 S.) n. 10 *ngr.*

Pollack, Hermann [aus Rawitsch, Posen]: Ueber einen Fall von spontaner Ausstossung eines Darmpolypen ... Freiburg i. B., Buchdr. v. Ch. Ströcker, 1892; 26 S., 1 Bl. 8.
Freiburg i. B., Med. Fak., Inaug.-Diss. v. 1892

POLLACK, Hugo. Der Blutfleck im Hemde eines schönen Kindes. Berlin, Franz Junge (um 1880). 8°.
Verb. d. Ldg. I Berlin J. IIc. 773/84.

Pollack, J.: Kurzes Repetitorium der Kinderheilkunde, s. P o l l a k, Josef

Pollack, J., der erste Schnee, s. Theater-Mappe.

Pollack, (J. J.,) Anleit. z. Methode d. Redekunst, z. zweckmäß. Erleichterung des Humanitäts-Studiums. gr. 8 Wien 825, Heubner. Rthlr.

Pollack, Kurt

Pollack, Curt [aus Sorau]: Beitrag zur Lehre von der Verbrennung ... Sorau N.-L., Buchdr. v. J. D. Rauert, *1891*; 31 S. 8.
Berlin, Med. Fak., Inaug.-Diss. v. 10. Dez. 1891

Pollack, Kurt, approb. Arzt: Aus d. Kgl. chirurg. Universitäts-Klinik zu Breslau. **Beiträge** zur Kenntnis des tuberkulösen Ileocökaltumors. *Breslau 1903: Th. Schatzky.* (56 S.) 8°
Breslau, Med. Diss. v. 6. Aug. 1903

Pollack, Kurt, pract. Arzt: Aus d. Pathol.-anat. Abth. d. Kgl. hygien. Instituts in Posen (Vorstand: Prof. Dr. O. Lubarsch). Ueber **Knochenbildungen** in der Lunge. *Berlin 1901: G. Reimer.* (64 S.) 8° ¶ (Aus: Virchow's Archiv, Bd 105.)
Leipzig, Med. Diss. v. (15. Febr.) 1901

Pollack, Kurt, Tuberkulosebüchlein des Stettiner städtischen Krankenhauses, s.: N e i s s e r, Ernst.

Pollack, Ludwig [aus Guttentag i. Schlesien]: Ueber Meningitis tuberculosa mit aphatischer Sprachstörung. . . . Erlangen, Druck d. Univ.-Buchdr. v. Junge & Sohn, 1888; 31 S. 8°
Erlangen, Med. Fak., Inaug.-Diss. v. 9. Jan. 1888

POLLACK, Markus (Brody): De febri intermittente. (Titel nach der Urkunde)
26.4.1856 - Urk; F 69
Diss. Ingolst.-Landsh.-Mchn.

Gedenkblatt zur Hundertjahr-Feier der vier vereinigten Johannis-Logen: Friedrich Wilhelm zur Gekrönten Gerechtigkeit, Zur Siegenden Wahrheit, Urania zur Unsterblichkeit, Pythagoras zum Flammenden Stern im Or. Berlin am 24. Juni 1898. 1798—1898. [Zsgest. von Martin **Pollack.**] [Berlin 1898: Denter & Nicolas.] 45 S. 8°
Verzeichn. der Brüder, die von 1798—1898 in den 4 Logen ein Amt bekleidet haben.

Pollack, Mauritius (*geb. Brieg 28. 4. 1833*): De pneumothorace. Vratislaviae (1857). (35 S.) 8°
Breslau, Med. Diss. v. 8. Aug. 1857

Pollack, O., der Geist im Forsthause, — Rache u. Vergeltung, } s.: Volks-Bibliothek, die.

Pollack, Otto, aus Wien: Die **Tötung** auf Verlangen. § 210 d. Deutschen Reichsstrafgesetzbuchs unt. Berücks. d. Bestimmungen d. Österr. Strafgesetzes vom 27. Mai 1852. *Greifswald 1903: J. Abel.* (45 S.) 8° [F.]
Greifswald, Jur. Diss. v. [27. Sept.] 1903

Pollack, Paul, zur Entwickelung des katholischen Ordenswesens im Deutschen Reich, s.a. Flugschriften des Evangelischen Bundes.

Pollack, Paul: Zur E n t w i c k e l u n g des katholischen Ordenswesens im Deutschen Reich. Ein statist. Versuch von —. Halle: Evang. Bund 1909. 28 S. 8° [Umschlagt.]
(Flugschriften d. Evang. Bundes. 266.)

Pollack, Paul, von katholischer Marienverehrung, s.a. Flugschriften des Evangelischen Bundes. 221.

Von katholischer Marienverehrung. Streiflichter z. Würdigung der 50jähr. Jubelfeier d. Dogmas von d. 'Unbefleckten Empfängnis'. Von Paul Pollack, Pastor zu Groitzsch. *Leipzig: C. Braun 1904.* (32 S.) 8° [G.]
== Flugschriften d. Evangel. Bundes. 221. 104. 1569

Pollack, Rich., böhmische Braunkohle in den J. 1861—1889. Chronologisch-statist. Taf. üb. Productions-, Transport- u. Absatz-Verhältnisse. Nach amtl. Quellen bearb. gr. Fol. Teplitz-Dux 890. (Dresden, Urban.) n. — 50

Pollack, Rich., die böhmische Braunkohle in den letzten 25 Jahren. Chronologisch-statist. Taf. über Productions-, Transport- und Absatz-Verhältnisse. Vom J. 1861 bis zum J. 1885. Nach amtl. Quellen bearb. Fol. Dresden 887, (Urban.) *

Pollack, Rich., Kohlen-Industrie-Special-Karte vom nordwestlichen Böhmen. Lithogr. qu. Fol. Teplitz 877. (Dresden. Gilber'sche Buchh.) *

Pollack, Rich., s.: Lehrbuch f. die österreichischen Schifferschulen an der Elbe.

Pollack, Rich., s.: Schifffahrts-Kalender f. das Elbegebiet.

— chronologisch-statist. Tafel üb. Productions-, Transport- u. Absatz-Verhältnisse böhmischer Braunkohlen v. J. 1861—1896. Entworfen u. aus amtl. Quellen zusammengest. 67×59,5 cm. [Aus: „Statistik d. böhm. Braunkohlenverkehrs im J. 1896."] Teplitz 897. (A. Becker.) n. — 50

—— Tarif-Stations-Karte für den böhmischen Braunkohlen-Verkehr. 2. und 3. Aufl. Lithogr. Imp.-Fol. Nebst alphabetischem Verzeichniss aller directen Eisenbahn-Tarif-Stationen und der wichtigeren Schifffahrts-Stationen. 8. (22 S.) Ebendas. 876,77. *

Pollack, Rudolf, s. P o l l a k

Pollack, T., der Komiker u. Coupletsänger, — die beliebtesten Soldatenlieder, — komische Vorträge, — im Waffenrock, } s.: Volksbücher, Münchener.

Pollack, Valentin, s. Pollak

Pollack, Vinc., der Bergsturz im „grossen Tobel" nächst Langen am Arlberg vom 9. Juli 1892. [Aus: „Jahrb. d. geolog. Reichsanstalt".] Lex.-8. (11 S. m. Fig., 3 Taf. u. 3. Bl. Erklärgn.) Wien 893. (R. Lechner's Sort.) n. 1. 50

Pollack, Vincenz, über Erfahrungen im Lawinenverbau in Österreich. (90 S. m. 87 Abbildgn. u. 1 Taf.) Lex.-8. Wien 906. F. Deuticke. n. 5. —
Erweit. Sonderabdr. a.: „Ztschr. d. öst. Ing.- u. Architektenver."

— üb. die Lawinen Oesterreichs u. der Schweiz u. deren Verbauungen. Vorträge, geh. im österreich. Ingenieur- u. Architekten-Verein in Wien am 29. Novbr. u. 11. Decbr. 1890. [Aus: „Zeit- u. Wochenschr. d. österr. Ingenieur- u. Architekten-Vereines".] Imp.-4. (32 S. m. 4 Taf.) Wien 891. Lehmann & Wentzel. n. 3. 60

— üb. photographische Messkunst, Photogrammetrie u. Phototopographie. Vortrag, geh. am 17. März 1891. [Aus: „Mittheilgn. d. k. k. geograph. Gesellsch."] gr. 8. (21 S. m. Fig.) Wien 891. R. Lechner's Sort. n. — 80

—— Die photographische Terrainaufnahme [Photogrammetrie od. Lichtbildmeßkunst], m. besond. Berücksicht. der Arbeiten in Steiermark u. d. dabei verwendeten Instrumentes. gr. 8. (15 S. m. Fig.) Ebd. 891. * — 80
Aus: Centralbl. f. d. ges. Forstwesen, besonders abgedruckt.

Pollack, W., Söffken v. Gievenbieck,
— Graf Tucks,
— Mester Tüntelpott, } s.: Marcus, E.

Pollack, W., s.: Volksbühne, niederdeutsche.

Pollack, Walt., Denkschrift betr. die Gründung e. internat. Verbandes zur Unterstützung der gelehrten Arbeit, s. a. Archiv f. Rechts- u. Wirtschaftsphilosophie. Beiheft.

Denkschrift betr. die Gründung eines Internationalen Verbandes zur Unterstützung der gelehrten Arbeit von Walter Pollack, Berlin. Berlin & Leipzig: Rothschild 1908. 16 S. 8°
(Archiv f. Rechts- u. Wirtschaftsphilosophie. Jg 1, H. 3, Beih.) (10. 5720 2

— Über die philosoph. Grundlagen der wissenschaftl. Forschung, als Beitrag zu e. Methodenpolitik. (154 S.) gr. 8. Berlin 907. F. Dümmler's Verl. 2.50; geb. n 3. 50

Pollack Walter von: Kondensation der Amidobenzoesauren mit Malonsäurediathylester. S. 113 [illegible] . . . . vgr.
Separatabdruck

[Umschlagt.:] **Pollack**, Wilhelm [aus Zabrze]: Giebt es, nach dem heutigen Stande der Litteratur, eine sichere histologische Diagnose der progressiven Paralyse aus den Veränderungen der Grosshirn-Rinde? ... Coblenz, Buchdr. v. Kindt & Meinardus, 1895; 12 S. 8.
Würzburg, Med. Fak., Inaug.-Diss. v. 1895

Pollacsek, J., Hamburg, s.: Städtebilder u. Landschaften aus aller Welt.

Pollacsek, J. A., Handbuch für das Detail-Waren-Geschäft, die einfache und doppelte Buchführung, Handels-Correspondenz und kaufmänn. Rechnen umfassend; in leichtfaßl. und prakt. Weise dargestellt. 1. Thl. A. u. d. T.: Buchhaltung für das Detail-Waren-Geschäft. gr. 8. (VII, 155 S.) Schleswig 877, Meves. *

Pollacsek, Dr. J. A., Buchhaltung für das Detail-Waarengeschäft. In leichtfasslicher und praktischer Weise dargestellt. 2. Aufl. 8°. (155 S.) Graz, Cieslar. fl. 1.—. 1887.

Pollacsek, M. Beschreibung des Tracé der Bahn Seebach-Oerlikon-Zürich. Zürich 1876. 4.

Pollacsek, M.: Erläuterung zu dem Organisationsplane für den gesammten Wiener Localverkehr. Fol. (12 S. m. Plan) geh. 60 kr. nur baar. Wien: Lehmann & Wentzel 1882.

Pollacsek, M., Erläuterung zu dem Organisationsplane für den gesammten Wiener Localverkehr. Fol. (12 S. m. 1 chromolith. Plan.) Wien 882. (Spielhagen & Schurich.) n. 1. 20

Pollacsek, M., u. Wilh. v. **Lindheim**, die Organisation d. gesammten Verkehrs f. Wien u. Umgebung. [Mit 1 Plane.] gr. 8. (71 S.) Wien 885. Spielhagen & Schurich. n. 1. 50

Pollacsek, M., der Secundärbetrieb normalspuriger Bahnen. Erläutert durch concrete Reformvorschläge für die schweizer. Nationalbahn. Eine Denkschrift. gr. 8. (103 S.) Zürich 879, Meyer und Zeller. *

— zur Stadtbahnfrage. Eine Studie. gr. 8. (III, 57 S.) Wien 881. Spielhagen & Schurich. n. — 80

Pollacsek, Moricz, theoretisch-practische Unterrichts-Briefe [nach Rosenthal's Meisterschafts-System] zur Erlernung der ungarischen Sprache. Hauptsächlich für den „Selbstunterricht" verf. (In 14 Briefen.) 1.—3. Brief. 8. (S. 1—111.) Budapest 888, Grimm. à Brief * 50 Pf. *

Pollacsek, Moricz. Theoretisch-practische Unterrichtsbriefe [nach Rosenthal's Meisterschafts-System] zur Erlernung der ungarischen Sprache. Hauptsächlich f. den „Selbstunterricht" verf. 4.—15. (Schluß-)Brief. 8. (S. 113—560.) Budap. 889,90, Grimm. à Brief * — 50; * 6 —
1.—3. Brief. Ebd. 1888. à Brief * — 50; compl. * 7 —.

Pollacsek, M., theoretisch-practische Unterrichtsbriefe [nach Rosenthal's Meisterschafts-System] zur Erlernung der ungarischen Sprache. Hauptsächlich f. den „Selbstunterricht" verf. 15 Briefe. 8. (560 S.) Budapest 888. 889. Grimm. à n. — 50 (cplt.: n. 7. —)

Pollacsek, Mor., theoretisch-prakt. Unterrichts-Briefe (nach Rosenthal's Meisterschafts-System) zur Erlerng. d. ungar. Sprache. Hauptsächlich f. d. „Selbstunterr." verf. 2., v. Stef. Szemák durchgeseh., verb. Aufl. 8. (507 S.) Budapest 896. G. Grimm. In Karton: n. 7. —
Erschien auch in 15 Briefen à n. — 50.

Pollaczek, Alfr. Versicherungsrechtliche Entscheidungen d. k. k. Obersten Gerichtshofes in Wien. gr. 8. (IV, 312 S.) Wien 892, Perles. * 6 —

Pollaczek, F., die unverehelichten Mütter u. der Code civil in Deutschland. Ein sozialer Übelstand, beleuchtet v. F. P. gr. 8. (38 S.) Neuwied 893. München, A. Schupp. n. — 50

— dasselbe, s. Pollack, Fritz, la recherche de la paternité est interdite.

Pollaczek, Max, der Assessor, s.: Weber's moderne Bibliothek.

Die neue Brücke. Eine Kleinstadtgesch. von Max Pollaczek. *Berlin: Freund & Jeckel 1900.* (148 S.) 8° [F.] [oo. 9060

— der zweite Doktor. Dr. Wholestone. Lord Robert's Reise. Sterns Gedichte, s. a. Kürschner's, Jos., Bücherschatz.

Der zweite Doktor. Dr. Wholestone. Lord Roberts Reise. Sterns Gedichte. Von Max Pollaczek. Mit Ill. von W. Roegge. *Berlin, Eisenach, Leipzig: H. Hillger [1901].* (120 S.) 8° [F.]
= Bücherschatz, Kürschners. No 262. [02. 1443

— Geläutert, s. a. Kürschner's, Jos., Bücherschatz.

Geläutert. Roman von M(ax) **Pollaczek**. Berlin, Eisenach, Leipzig: H. Hillger [1904]. (127 S.) 8° [F.]
= **Bücherschatz**, Kürschners. No 420. [05. 10399

Pollaczek, Max, Gertrud. 8. (193 S.) Breslau 897. E. Peterson. n. 2. —

— vor dem Gesindeball, s.: Universal-Bibliothek.

— Glatteis, s.a. Kürschner's, Jos., Bücherschatz.

Glatteis. Roman von Max **Pollaczek**. Berlin, Leipzig: H. Hillger [1906]. (128 S.) 8° [F.]
= **Bücherschatz**, Kürschners. No 536. [07. 15355

Die **Marracher-Partie**. Erzählung von **Max Pollaczek**. *Berlin: O. Janke [1903]*. (100 S.) 8° [F.]
(Collektion Otto Janke.) [04. 4500

Pollaczek, Max, bacc. iur., in Berlin: Die rechtliche Natur des Mäklervertrages nach dem Rechte des Bürgerlichen Gesetzbuches und dem neuen Handelsgesetzbuche. Borna-Leipzig 1905: R. Noske. (VII, 33 S.) 8°
Leipzig, Jur. Fak., Diss. v. 21. Okt. 1905
[Geb. 15. März 68 Nikolai, Oberschles.; Wohnort: Berlin; Staatsangeh.: Preußen; Vorbildung: Friedr.-Gymn. Breslau Reife M. 89; Studium: Breslau 6, Berlin 2 S.; Rig. 3. Aug. 05.]

Pollaczek, Wolfg. Eine Lustspielidee, s. Theater, neues Wiener.

Pollaczek, Wolfg., ein modernes Mädchen, s.: Theater, modernes.

Pollads, Friedrich, s. Pollack, Fritz

Pollak, A., ärztliches Hausbüchlein. Die wichtigsten Kapitel der Gesundheits- u. Krankenpflege. Ein Ratgeber f. Stadt u. Land. gr. 8. (VIII, 262 S. m. 48 Holzschn. u. 1 farb. Taf.) Leipzig 893. E. Haberland. Kart. n. 3. —

Pollak, A., Huldigungen, der Gottheit dargebracht; in 7 Gesängen. Zur Beförderung frommer Gemüthserhebungen, dem Hebräischen d. Samuel Chasid nachgebildet. 12. Wien 818. Wallishauser. 12 gr.

Pollak, Adam J. — Antrag Behufs einer bessern Regelung des Produkten - insbesondere des Cerealien-Verkehrs zu Prag, gestellt und vorgetragen in der Plenar - Sitzung der Prager Handels- und Gewerbekammer am 4. Juni 1856 von — —. Prag, 1856. Druck bei M. J. Landau. (13 S. 8)

Pollak. Frau Adele, s.: Delp, A.

POLLAK, ALFRED. Untersuchungen über die Oxyazokörper. (Basel) Reichenberg, 1892.

Pollak, Alois, über Bedeutg. u. zweckmäß. Einrichtg. der Sommerfrischen, s.: Sammlung gemeinnütz. Vorträge.

Pollak, Alois, das Programm der Freiländer, dargelegt u. begründet im Auftrage der „Ersten Wiener Freiland-Gesellschaft im 1. Bezirke". 12. (29 S.) Wien 894. W. Schaumburg. n. — 40

— aus dem Tagebuche e. Wieners in Amerika. New-York, Chicago, Denver, Salida, Grand-Junction, Salt-lake-City, San-Francisco, Monterey, Santa Cruz, Bigtree, Portland, Yellowstone-Park, Niagara-Fälle vom 18. Mai bis zum 27. Juli 1893. 8. (68 S.) Wien 893. M. Perles. n. 1. —

Pollak, Arnold, kurze Darstellg. d. ordentl. Processganges nach d. neuen Civilprocessordng., s.: Publikationen d. Verbandes z. Förderg. der rechts- u. staatswissenschaftl. Literatur in Prag.

Pollak, B. Wilh., source de Hall en Haute-Autriche, eau minérale iodurée-bromurée. Esquisse médicale. gr. 8. (61 S.) Wien 881. Rospini. n. 1. 75

Pollak, B. Wilh., source de Hall en Haute-Autriche eau minérale iodurée-bromurée. Esquisse médicale. 2. éd. 8. (61 S.) Wien 883. Rospini. n. 1. —

Pollak, Carl, s. Pollak, Karl

[F.] Praktische Anleitung zur gründlichen Erlernung der Vereinfachten deutschen Stenographie. Einiggs-System Stolze-Schrey. Z. Gebr. f. Unterrichtscurse, sowie z. Selbstunterr. Hrsg. v. . . . Egmont **Pollak**, gepr. Lehrer d. Stenographie. *Breslau: Selbstv.; (Erich Peterson, Buchdr.) 1898*. (2 Bl., 29 S.) 1 Bd 8. [98. 9634

Pollak, Egmont, praktische Anleitung zur gründlichen Erlernung d. vereinfacht. deutsch. Stenographie, Einigungs-System Stolze-Schrey. Zum Gebrauche f. Unterrichtskurse, sowie zum Selbstunterricht. 2. durchgeseh. Aufl. gr. 8. (IV, 29 S.) Breslau 900. (J. Max & Co.) n n — 85

Pollak, Emil, französischer Sprachführer. Konversationswörterbuch. (Meyer's Sprachführer.) 4., verb. Aufl. (VI, 641 S.) 16. Leipzig (906). Bibliograph. Institut. Geb. in Leinw. n. 2. 60

Pollak, Emil, kritisch-experimentelle Studien zur Klinik der puerperalen Eklampsie. (VII, 172 S.) gr. 8. Wien 904. F. Deuticke. n. 4. —

Pollak Esther: Ariadne in der deutschen Oper und im Melodrama.
1910 PN 2914 Diss. Wien Univ. 351

Pollak, F. H., der Falschmünzer, Wildbieb, Schmuggler, Räuber u. Mordbrenner Joseph Wuschky u. seine Genossen, od. die Geister d. Hochwaldes. Roman. 1—30. Hft. gr. 8. (S. 1—1200 m. je 1 color. Steintaf.) Neusalza 876. Oeser. à — 30

Pollak, F. H., der Falschmünzer, Wildbieb, Schmuggler u. Räuber Joseph Wuschky u. seine Genossen od. die bösen Geister des Hochwaldes. Roman. 31. (Schluß-) Hft. gr. 8. (S. 1201—1234 mit 1 color. Steintaf.) Neusalza 877. Oeser. — 30 (cplt.: 9. 30)

— Baron Randeck u. sein Sohn, od. die Rache der Entehrten. Criminalerzählung. gr. 8. (1234 S. m. 39 Chromolith.) Ebend. 880. 81. 7. 80

Pollak Felix: Über den Nikotinsaureäthylester und die Überführung desselben in β-Amidopyridin. S. 104. Hb. 73 . . . . vgr.
Separatabdruck

Pollak, Fr., Tabellenbuch d. organisch-chem. Verbindgn. E. Hilfs- u. Nachschlagebuch f. Chemiker, Apotheker, Aerzte etc. qu. Lex.-8. (VII, 501 S.) Karlsruhe 896. Wiesbaden, O. Nemnich. Geb. in Leinw. n. 7. —

Pollak, Franz, Die Evidenzhaltung des Grundbuches, Berg-, Eisenbahnbuches und der Landtafel zum Zwecke der Herstellung und Herhaltung der Uebereinstimmung mit den Grundsteuer-Kataster. Systematische Darstellung der dieselbe beherrschenden Gesetze und Verordnungen des k. k. Justizministeriums, des k. k. Oberlandesgerichts-Präsidiums Wien und des k. k. Oberlandesgerichtes Wien mit Beigabe von praktischen Beispielen u. Formularien. 8. (VI, 97 S.) 1.20
Wien: Manz 1890.

Pollak, Frz., s.: Geschichte d. k. u. k. Infanterie-Regimentes Erzherzog Carl Stephan Nr. 8.

Pollak Franz: Die Willensfreiheit.
1885 PN 395 **Diss.** Wien. Univ 29

Pollak, Franz Xaver

Pollak, Fr. X., Auflösungen der Aufgaben im Lehr- und Uebungsbuche der Elementar-Arithmetik für Latein-, Forst-, Gewerbs- und höhere Feiertagsschulen. gr. 8. (76 S.) Augsburg 854, Rieger'sche Buchh.

Beiträge zu einer mathematisch-physikalischen Topographie von Dilingen. Von Dr. Franz Xaver Pollak, v. P. der M. u. Naturgesch. — 1843. Dilingen, Carl Kranzle. — S. 3—24.
Progr. Dillingen

Pollak: D. Flora v. Dillingen. Dillingen 1863.
Schul-/Univ.-Schrift

Fortsetzung der Beiträge zu einer mathematisch-physikalischen Topographie von Dilingen. Von Dr. Franz X. Pollak, P. der Math. u. Naturgesch. — 1845. Ebend. — S. 3—36. [s. Nr. 339.]
Progr. Dillingen

Pollak, Frz. X., Katechismus der Forstbenutzung. Ein Behelf zur Vorbereitg. auf die Staatsprüfg. f. den Forstschutz- u. techn. Hilfsdienst u. zur Erleichterg. des Studiums. Fragen aus d. Forstbenutzg. u. deren Beantwortg. (122 S. m. 8 Fig.) kl. 8. Wien (907). C. Fromme. Geb. in Leinw. 1.80

— Katechismus des Forstschutzes. Ein Behelf zur Vorbereitg. auf die Staatsprüfg. f. den Forstschutz u. techn. Hilfsdienst u. zur Erleichterg. des Studiums. Fragen aus dem Forstschutze u. deren Beantwortg. (101 S.) kl. 8. Ebd. 909. Geb. in Leinw. 1.80

— Katechismus der elementaren forstlichen Meßkunde. Ein Behelf zur Vorbereitg. auf die Staatsprüfg. f. den Forstschutz- u. techn. Hilfsdienst u. zur Erleichterg. des Studiums. Fragen aus der forstl. Meßkunde u. deren Beantwortg. I. Tl. Die Feldmeßkunde. II. Tl. Die Holzmeßkunde. (134 S. m. 95 Abbildgn.) kl. 8. Ebd. 909. Geb. in Leinw. 2.—

— Katechismus des Waldbaues. Ein Behelf zur Vorbereitg. auf die Staatsprüfg. f. den Forstschutz- u. techn. Hilfsdienst u. zur Erleichterg. des Studiums. Fragen aus der Waldbaukunde u. deren Beantwortg. (115 S.) kl. 8. Ebd. 907. Geb. in Leinw. 1.80

Pollak, Fr. X., Lehr- und Uebungsbuch der Elementar-Arithmetik mit fast 3000 Aufgaben und deren Auflösungen zum Gebrauche der Latein-, Forst- und Gewerbsschule, sowie der höheren Feiertagsschulen. Augsburg 854. Rieger. gr. 8. (VI, 350 S.) n. 20 ngr.

Pollak, Fr. X., Lehr- und Uebungsbuch der Elementar-Arithmetik mit fast 3000 Aufgaben zum Gebrauche der Latein-, Forst-, Gewerbsschule, sowie der höheren Feiertags-Schulen. 2. verm. u. verb. Aufl. Augsburg 862. Rieger. gr. 8. (VIII, 359 S.) n. 20 ngr.;
Auflösungen dazu. 2. Aufl. (76 S.) 7½ ngr.

Pollak, Fr. X., Lehr- u. Uebungsbuch der Elementar-Arithmetik mit fast 3000 Aufgaben u. deren Auflösungen zum Gebrauche der Latein-, Forst-, Gewerbsschule, sowie der höhern Feiertags-Schulen. 3., verm. u. verb. Aufl. Augsburg 865. Rieger'sche Buchh. gr. 8. (VIII, 358 S.) n. 20 ngr.

Pollak, Fr. X., Lehr- und Uebungsbuch der Elementar-Arithmetik mit mehr als 2500 Aufgaben und deren Auflösungen zum Gebrauche der Latein-, Gewerbs- und höhern Feiertags-Schulen. 4., dem neuen Maß- und Gewichts-Systeme angepaßte Aufl. gr. 8. (XII, 383 S.) Augsburg 871. Rieger'sche Buchh. *

—— Auflösungen der Aufgaben im Lehr- und Uebungsbuche der Elementar-Arithmetik. 3. umgearb. Aufl. gr. 8. (72 S.) Ebendas. 871.

Pollak, Fr. X., Lehr- und Uebungsbuch der Elementar-Arithmetik, mit mehr als 2500 Aufgaben und deren Auflösungen zum Gebrauche der Latein-, Gewerbs- und höhern Feiertags-Schulen. 5., dem neuen Münz-, Maß- und Gewichts-Systeme angepaßte Aufl. gr. 8. (XII, 382 S.) Augsburg 876, Rieger'sche Buchh. *

Pollak, Fr. X., Sammlung algebraischer Aufgaben, welche, angepaßt sowohl dem süddeutschen als auch dem norddeutschen Münzsysteme, aus mehr als 1200 Beispielen sammt den Auflösungen besteht, und worunter sich sehr viele Musteraufgaben mit deren ausführl. Auflösungen befinden, für Schulen und zum Selbststudium. Der Sammlung arithmet. und algebr. Aufgaben 1. Abthl., 3., verm. und verb. Aufl. gr. 8. (XIV und 288 S.) Augsburg 852, Rieger'sche Buchh. *

—— dass. — 2. Abthl. 2., verb. Aufl. gr. 8. (X und 247 S.) Ebds. 850. *

—— dass. — 3. Abthl.: Planimetrische Aufgaben. gr. 8. (VIII und 251 S.) Ebds. 847. *

—— dass. — 4. (letzte) Abthl.: Stereometrische und trigonometr. Aufgaben. gr. 8. (IX und 224 S.) Ebds. 852. *

— **Sammlung** algebraischer Aufgaben, welche, angepaßt sowohl dem süddeutschen als auch dem norddeutschen Münzsysteme, aus mehr als 1200 Beispielen sammt den Auflösungen besteht, und worunter sich sehr viele Musteraufgaben mit deren ausführlichen Auflösungen befinden, für Schulen und zum Selbststudium. Der Sammlung arithmet. u. algebr. Aufgaben 2. Abth. 3., verb. Aufl. Ebenb. 857. gr. 8. (XII, 247 S.) n. 25 ngr.

—— **Sammlung** algebraischer Aufgaben, welche, angepaßt sowohl dem süddeutschen als auch dem norddeutschen Münzsysteme, aus mehr als 1200 Beispielen sammt den Auflösungen besteht, und worunter sich sehr viele Musteraufgaben mit deren ausführl. Auflösungen befinden, für Schulen und zum Selbststudium. Der Sammlung arithmet. und algebr. Aufgaben 2. Abthl. 4. verb. und verm. Aufl. gr. 8. (XII, 252 S.) Ebendas. 873. *

Pollack, Fr. X., Sammlung arithmet. u. algebra. Aufgaben. (1.) u. 2. Abthl. gr. 8. Augsburg, Rieger'sche Buchh. [1. (12¾ B.) 840. * ¾ Thlr., 2. (16 B.) 842. * ⅚ Thlr.] Thlr. *
Die 2. Abthl. a. u. d. T.:
Sammlung algebra. Aufgaben, welche aus mehr als 1200 Beispielen sammt d. Auflösungen besteht, u. worunter sich sehr viele Musteraufgaben mit deren ausführl. Auflösungen befinden, f. Schulen u. zum Selbststudium.
Vgl. Polak.

Pollak, Fr. N. X., Samml. arithmetischer u. algebraischer Aufgaben. 1. Abthl. 2., verm. u. verb. Aufl. gr. 8. (19 B.) Augsburg 845, Rieger'sche Buchh. *

— Sammlung arithmetischer u. algebraischer Aufgaben. 1. Abth. 3. verm. u. verb. Aufl. gr. 8. (XIV u. 288 S.) Ebd. 852. n. 2/3 ₰

— Sammlung arithmetischer und algebraischer Aufgaben. 1. Abth. 4. verm. rc. Aufl. Ebend. 857. 8. (XIV, 298 S.) n. 20 ngr

—— dass. — 2. Abthl. 3., verb. Aufl. A. u. d. T.: Sammlung algebraischer Aufgaben, welche, angepaßt sowohl dem süddeutschen als auch dem norddeutschen Münzsysteme, aus mehr als 1200 Beispielen sammt den Auflösungen besteht, und worunter sich sehr viele Musteraufgaben mit deren ausführl. Auflösungen befinden, für Schulen und zum Selbststudium. gr. 8. (XII und 247 S.) Ebendas. 857. *

— Sammlung arithmetischer u. algebraischer Aufgaben. 1. Abthl. 5., verm. u. verb. Aufl. Ebend. 866. gr. 8. (XII, 284 S.) n. 20 ngr

Pollak, Fr. X. Sammlung mathematischer Aufgaben sammt deren Auflösungen. Abtheil. 1 u. 2: arithmet. u. algebraische Aufgaben. Abtheil. 3: planimetr. Aufgaben. Augsburg 1846–47. 3 Bde.

— Sammlung mathematischer Aufgaben sammt deren Auflösungen. 3. Abth. Planimetrische Aufgaben. gr. 8. (VIII u. 251 S.) Ebd. 847. n. 5/6 ₰ — 4. Abth.: Stereometrische u. trigonometrische Aufgaben. gr. 8. (X u. 224 S.) Ebd. 853. n. 2/3 ₰ (cmplt. n. 3 ₰)

Pollak, Friedrich

Pollak, Frdr., Lorenzo Bernini. Eine Studie. (122 S. m. Abbildgn.) 8. Stuttgart 909. J. Hoffmann. 4.—

Pollák, Friedrich, Dr.: Über die Condensation der drei Nitrobenzaldehyde mit Acetylaceton. Budapest 1895: Hauptstädt. Druckerei A. G. — [Dasselbe.] Emmendingen 1895: A. Dölter. Je 48 S., 2 Tab. 8⁰
¶ Ohne S. 47/48 auch als phil. Diss. v. Basel.
Ausg. Emmendingen: Königsberg UB
Karlsruhe, Dipl.-Diss. v. 24. 7. 1895

Pollak, Frdr., österreichische Künstler. Pettenkofen, Hörmann, Daffinger, Amerling, Canon, Makart, G. R. Donner. (VI, 89 S.) 8. Wien 905. L. Weiss. n. 2. 50

Pollak, Frdr., „Liebe ist der Inbegriff". Gedichte. (100 S.) 8. Straßburg 905. J. Singer. n. 2.—

Pollak Fritz: Studien über die synthetische Bildung von Mesoweinsäure und Traubensäure. S. 103. Hb. 425 . . . . vgr.
Separatabdruck

Pollak, Glieb., Unterricht u. Erziehung in den Vereinigten Staaten, s. a. Sammlung gemeinnütziger Vorträge.

Pollak, G., Unterricht und Erziehung in den Vereinigten Staaten. [Sammlung gemeinnütziger Vorträge. Nr. 374.] 8⁰. †
Prag: Calve 1909.

Pollak, Gust., das tote Kätzchen. Roman. 8. (181 S.) Leipzig 898. G. H. Meyer. n. 2. 60; geb. n. 3. 60

(H) Pollak, G., das tote Kätzchen. 898. (KVZ 80.) Jetzt: Berlin, Heilbrunn & Co.

Pollak, H., Geschichte Israels, s.: Wolf, G.

Pollak, Dr. H., Die niederösterreichische Handelskammer und die österreichische Schuhwaaren-Industrie. Als Mscr. gedruckt. gr. 8⁰. Wien, Selbstverl. d. Ver., 1869.

Pollak Hans: Ueber Komposition im Altnordischen.
1908 PN 2436 Diss. Wien, Univ. 253

Pollak Hans Wolfgang, Dr.: 1) 19. Mitteilung der Phonogrammarchivskommission der kais. Akademie der Wissenschaften in Wien. Phonetische Untersuchungen. 1. Zur Schlußkadenz im deutschen Aussagesatz (mit 31 Textabbildungen). S. 164 5 . . . 2.20
— — 1) 21. Bericht über phonographische Aufnahmen in Schweden von Juli bis Oktober 1910. Aus dem Anzeiger der philosophisch-historischen Klasse der kais. Akademie der Wissenschaften in Wien vom 3. Mai (Jahrgang 1911. Nr. XI) separat abgedruckt . . . . vgr.
— — 1) 22. Proben schwedischer Sprache und Mundart. I. S. 176 2 . . . . 2.10
Separatabdruck

Erlebnisse eines Kriegskorrespondenten aus den Jahren 1859, 1866 und 1870. Von P. Heinrich [d. i. Heinrich **Pollak**]. 1. u. 2. Taus. Wien: C. Konegen 1908. (276 S.) 8° los. 1ʳ 0,10

(**Pollack,** Heinrich, Redacteur des Neuen Wiener Tagblattes.) Dreissig Jahre aus dem Leben eines Journalisten. Erinnerungen und Aufzeichnungen von * * * 1. Bd. (1859–1868). 2. Bd. 1868—1873. 3. Bd. 1873—1881. (3 Bde.) 8. Wien **1894**—1898.

Johann, (Ort.) Erzherzog. — **P.(ollack)** Heinrich, Verfasser von: „Dreissig Jahre aus dem Leben eines Journalisten." Ein Charakterbild. Mit Beiträgen zur Geschichte der Begründung der zweiten Dynastie Bulgariens nach authent. Quellen und Briefen des . . . . .
8. Wien 1901.

Pollak Heinrich: Qua ratione Vergilius in epithetis imitatus sit Homerum.
H. 1883 PN 302 Diss. Wien Univ. 1442

Pollak Heinrich: H. Heines Romanfragment „Der Rabbi von Bacherach".
H. 1905 PN 1897 Diss. Wien, Univ. 158

Pollak, Heinrich, Handelslehrer: **Umgestaltungen** im Handel. *Frankfurt a. M. 1902: Kumpf & Reis.* (S. 3—22.) 4°
Frankfurt a. M., R d. isr. Gemeinde Philanthropin (R u. HM), OP 1902 (404)

Pollak, Hermann: Über Phosphorsäure- und Schwefelsäureester von Kohlenhydraten und über die Phosphorylierung von Eiweiss. (Berlin: Springer 1910.) 28 S. 8°
Berlin, Phil. Diss. v. 13. Aug. 1910, Ref. Gabriel
[Geb. 20. März 84 Wiesbaden; Wohnort: Charlottenburg; Staatsangeh.: Preußen; Vorbildung: Realgymn. Wiesbaden Reife M. 02; Studium: München 2, Berlin 8 S.; Rig. 28. Juli 10.] [U 10. 225

Pollak, Hugo, s. Gesangs-Komiker, der.

Pollak, J. J.

Statistik der Fabriks-Etablissements von J. J. Pollak und Söhne in Prag. Prag. 1855 K. K. Hofbuchdruckerei von Gottl Haase Söhne. (12 S. 8.)

Pollak, Jacques

— und Feldscharek H.: Über Alkylwanderung bei der Destillation von Äthersäuren. S. 116. Hb. 1381 . . . . vgr.
Separatabdruck

Pollak Jacques: Über Amidoderivate des Phloroglucins. S. 102. Hb. 441 . . . . vgr.
Separatabdruck

— Einiges über die Äther des Phloroglucins und eine Synthese des Hydrocotoins. S. 106. IIb. 749 . . . . . vgr.
Separatabdruck

— Über das Dithiobenzkatechin. S. 122. IIb. 915 . . . . . vgr.
Separatabdruck

— und Wienerberger A.: Über substituierte Metadimerkaptobenzole. 5. Mitteilung über mehrwertige Merkaptane der Benzolreihe. S. 123. IIb . . . . . vgr.
Separatabdruck

— und Solomonica M.: Über die Nitrosierung des Methylphloroglucindimethyläthers. S. 110. IIb. 83 . . . . . vgr.
Separatabdruck

— und Gans G.: Über die Nitrosierung des Phloroglucinmonomethyläthers. S. 111. IIb. 767 . . . . . vgr.
Separatabdruck

— Notiz über das Cotoin. S. 110. IIb. 88 . . . . . vgr.
Separatabdruck

— und Goldstein J.: Notiz über das Diathoxychinon. S. 116. IIb. 1379 . . . . . vgr.
Separatabdruck

— Über die Sulfurierung der Thiophenoläther. 4. Mitteilung über mehrwertige Merkaptane der Benzolreihe. S. 123. IIb. 943 . . . . . vgr.
Separatabdruck

— und Tucakovic R.: Über symmetrische Trithiophenole. S. 119. IIb. 307 . . . . . vgr.
Separatabdruck

POLLAK, Johannes: De coadiutoribus episcoporum. — (1905) 64 Bl. 4° (Handschr.) Diss: 831
Diss. Wien, Univ.

Pollak, Jos., 30 Jahre ärztlicher Praxis. Ein therapeut. Lexikon f. prakt. Aerzte. gr. 8. (VII, 534 S.) Greifswald 902. J. Abel. n. 6. 50; geb. n. 7. 50

Pollak, Jos., Ischl. Sous le rapport médical, topographique et pittoresque. Nouvelle édit. Avec 1 carte (chromolithogr. in 4.) 8. (VIII und 204 S.) Wien 863, Braumüller. *

— das Kind bis Ende des 14. Lebensjahres. Ein Lesebuch f. Eltern. Auf Grund 30jähr. ärztl. Praxis. gr. 8. (V, 192 S.) Langensalza 908. Schulbuchh. n. 2. —; geb. n. 2. 60

Pollak, Jos., das Kind bis Ende des 14. Lebensjahres. Ein Lesebuch f. Eltern auf Grund 35jähr. ärztl. Praxis. 2. vollständig umgearb., verb. u. verm. Aufl. (III, 192 S.) gr. 8. Langensalza 909. Schulbuchh. 2. —

Pollak, Jos., üb. Kindersterblichkeit in Salzburg. Eine localstatist. Studie. gr. 8. (64 S. m. 4 Curventaf.) Salzburg 883. Dieter. n. 1. 60

Pollack, J., s.: Repetitorium, kurzes, der Kinderheilkunde.

Pollak, J., s.: Winternitz, W., zur Pathologie u. Hydrotherapie der Cholera.

Pollak, Isidor: Zur Geschichte der Philosophie bei den Arabern.
Phil. Diss., Prag 1898/1899

Pollak, Jul., die Börse in ihren Beziehgn. zur Industrie, zum Handel u. zur Landwirthschaft. Vortrag, geh. im niederösterreich. Gewerbe-Vereine in Wien am 8. I. 1897. Nach stenograph. Aufzeichngn. gr. 8. (19 S.) Wien 897. A. Hölder. n. 40

Pollak, K., Neuerungen in d. Chemie d. Kohlenstoffes, s.: Donath, Ed.

Pollak, Kaim, s.: Gebirol's, Salomo, Buch d. Sitten- u. Seelenlehre.

Pollak, Kaim, s.: Nathan's System der Ethik u. Moral.

Pollak, Karl

Pollak, Carl: Ein Fall von primärem Lungensarkom. *Würzburg 1897: P. Scheiner.* (26 S.) 8°
Würzburg, Med. Diss. v. 1897

Pollak, Karl, s.: Universum. Lexikon der Bade- u. Curorte v. Europa.

POLLAK, Leo: Beitrag zur Cellulose-Bestimmung im Holze. - Wien 1906. 30 S., 4 Tab. (Mschr.) - Diss. Techn. Hochsch.

Pollak. Leonh., Eingabe an den Chef-Vorstand der Pester israelit. Cultusgemeinde. Enthaltend Vorschläge zu ritualen Verbesserungen. 8. (44 S.) Pest, Lauffer & Stolp. 1862. 30 kr.

Pollak, Leon, Eingabe an den ehrf. Vorstand der Pester israelit. Kultusgemeinde enth. Vorschläge zu ritualen Verbesserungen. gr. 8. (44 S.) Pest 862, (Gebr. Lauffer.)

Pollak, Leopold [diplom. Chemiker aus Prag]: Gasanalytische Beiträge zur Kenntnis des Acetylens und Stickoxyduls. Prag 1902. 53 S. 8°.
Zürich Phil. Diss. II. S. 1901/1902.

Pollak, Leopold. Gasanalytische Beiträge zur Kenntnis des Acetylens und Stickoxyduls. Diss. Phil. II. Univ. Zürich. [Mit 5 Figuren.] 53 S. 8. Prag, Druck Kohlíček & Sievers; Selbstverlag, 1902.

Pollák, Leop., s. Hervet, Em., Ethnographie Polens.

Pollak, Lev Wenzel: Die Dauer und Intensität des Sonnenscheins auf dem Douneuberge bei Mileschau.
Phil. Diss., Prag 1909/1910

Pollak, Ludw., klassisch-antike Goldschmiedearbeiten im Besitze Sr. Exc. A. J. v. Nelidow, kaiserl. russ. Botschafter in Rom. Beschrieben u. erläutert. Mit 20 Taf. in Farbendr. u. 87 Textillustr. u. Vignetten. (XI, 198 S.) gr. 4. Leipzig 903. K. W. Hiersemann. Geb. in Leinw. n.n. 80. —

— Joseph v. Kopf als Sammler. Beschreibung der v. ihm hinterlassenen Sammlg. (VIII, 107 S. m. 20 Taf.) 4. Rom 905. Loescher & Co. n.n. 12. —

Pollak Ludwig: Zu den Wiener Kraterfragmenten auf Tafel IX der Wiener Vorlegeblätter 1890/91.
H. 1892 PN 756 Diss. Wien, Univ. 2584

Pollak, Ludwig, a. Neustadt a. d. Hardt, gepr. Rechtsprakt. in München: Der Scheck nach dem Scheckgesetze vom 1. Apr. 1908. München 1908: C. A. Seyfried & Co. (VIII, 00 S.) 8°
Erlangen, Jur. Fak., Ref. Sehling, Diss. v. 13. Juli 1908
[Geb. 19. Febr. 82 Neustadt; Wohnort: München; Staatsangeh.: Bayern; Vorbildung: Luitpold-Gymn. München Reife 00; Studium: München 8 S.; Rig. 11. Mai 08.]

Pollak, Ludw., zwei Vasen aus der Werkstatt Hierons. Mit Unterstützg. der Gesellschaft z. Förderg. deutsch. Wissenschaft, Kunst u. Literatur in Böhmen. gr. 4. (34 S. m. 5 Abbildgn. u. 8 Taf.) Leipzig 900. K. W. Hiersemann. Kart. n. 12. —

Pollak, Max, s.: Gesetzentwurf e. ungarischen Civilprocessordnung.

Pollak, Oskar: Johann und Ferdin. Maxim. B r o k o f f s . Ein Beitrag zur Kunstgeschichte der deutschen Barockplastik. Phil. Diss., Prag 1906/1907.

Johann und Ferdinand Maximilian Brokoff. Ein Beitrag z. Geschichte d. österreich. Barockplastik von Oskar **Pollak**. Mit 8 Lichtdrucktaf. u. 47 Abb. Prag: Calve 1910. VIII, 78 S. 2°(4°)
(Forschungen z. Kunstgeschichte Böhmens. 5.) [11. 6669

Studien zur Geschichte der Architektur Prags 1520–1600 von Oskar **Pollak**. Mit 12 Taf. u. 89 Textabb. Wien: Tempsky; Leipzig: Freytag 1910. S. 85–170. 2°(4°)
(Jahrbuch d. kunsthist. Sammlungen d. Allerh. Kaiserhauses. Bd 29, H. 2.) [11. 2369

POLLAK, Otto: Der Föhn der Ostalpen und sein Einfluß auf die geographischen Verhältnisse. — 1908. 73 Bl. Diss Graz Univ.

Pollak, Otto: Der Föhn in Salzburg. S. 3 16, 1 Karte. 8.
Progr. K. k. Staats-Gymn. *Salzburg* 1910.

Einzelgerichtsbarkeit im Zivilprozesse? Eine Reformfrage. Von Prof. Dr. Rudolf **Pollak**. Wien: Manz 1908. (20 S.) 8° [F.]
Aus: Allgem. österr. Gerichts-Zeitung. Jg. 59, No 13–15. [08. 8691

Pollak, Rud., gerichtliches Geständniss im Civilprozesse. gr. 8. (VII, 178 S.) Berlin 893. C. Heymanns Verl. n. 3. 60

(F) **Pollak,** R., Gutachten über die Reform des Konkursrechtes. Gr.-8°. (88, 84, LXVIII S.) K 4.—
Wien: Manz 1908.

Pollak, Rud., Compendium d. österr. Concursrechtes. 2. Thl. gr. 8. (XIII, 469 S.) Berlin 896. 97. C. Heymann's Verl. n. 9. —; geb. n. 10. —

Das Concursrecht. Von Dr. Rudolf **Pollak**, Privatd. an d. Univ. Wien. (In 2 Th.) *Berlin: C. Heymanns 18(96.) 97.* (XIII, 469 S.) 1 Bd 8.
= Compendien d. oesterreichischen Rechtes. [Bd] 12. [98. 2990

Das Concursrecht. Von Dr Rudolf **Pollack**, Privatdoc. an d. Univ. Wien. Th. 1. *Berlin: C. Heymanns 1896.* 8.
= Compendien d. oesterreichischen Rechtes. [Bd] 13. [96. 2355

Pollak, Rud., zur Lehre v. der Stoffsammlung im Erkenntnißverfahren des Civilprocesses. gr. 8. (25 S.) Wien 901. Manz. n. — 60
Sonderabdruck aus: „Allg. öst. Gerichts-Zeitg."

Pollak, Rud., die jüngste Rechtsprechung d. österreichischen Obersten Gerichtshofes auf Grund d. Konkursordnung vom 25. XII. 1868 u. des Anfechtungsgesetzes vom 16. III. 1884 in den J. 1898—1901. (II, 60 S.) gr. 8. Wien 904. (Manz.) n. 1. 20
Sonderabdruck aus: „Jurist. Vierteljahresschr."

System des Österreichischen Zivilprozeßrechtes mit Einschluß des Exekutionsrechtes. Von Dr. Rudolf **Pollack**, Privatd. in Wien. T. 1. *Wien: Manz 1903.* 8° [F.] [03. 6874

— System des österreichischen Zivilprozeßrechtes m. Einschluß des Exekutionsrechtes. 2 Tle. XXIV, 468 u. XIX u. S. 469—963.) gr. 8. Ebd. 903. 906. n. 14. 80; geb. n. 17. —; in 1 Bd. geb. n. 15. 60

— die Verbreitung des Handelsregisters. (25 S.) gr. 8. Wien 905. Administration des österr. Handels-Museums. n. — 60
Sonderabdr. a.: „Jahrb. d. Export-Akad. d. öst. Handels-Mus."

Pollak, Rud. Die Widerklage. gr. 8. (155 S.) Wien 889, Hölder. * 3 20

— die Wiedereinsetzung in den vor. Stand. [Aus: „Allg. österr. Gerichts-Zeitg."] gr. 8. (33 S.) Wien 898. Manz. n. — 80

— Über die Zwangsverpachtung wirtschaftl. Unternehmungen. (29 S.) gr. 8. Wien 907. Manz. — 60
Sonderabdruck aus: „Allg. öst. Gerichts-Zeitg."

POLLAK, Rudolf 347
Die Z w a n g s v e r w a l t u n g wirtschaftlicher Unternehmungen. Von Dr. Rudolf P o l l a k. Sonder-Abdruck aus der Juristischen Vierteljahrsschrift; herausgegeben von den Professoren Dr. D. Ullmann, Dr. Otto Frankl und Dr. August Finger. 31. Bd. (15. Bd.) IV. Heft. W i e n. 1899. Manz. Gr.-8°. 58 S. fl. —.40

Pollak, Siegfr., die Anwendung der Magenwaschungen bei dem akuten inneren Darmverschlusse. [Aus: „Wiener med. Wochenschr."] gr. 8. (31 S.) Wien 893. M. Perles. n. — 80

Pollak. Siegfried [aus Halle a. S.]: Beobachtungen über die elektromagnetische Rotation der Polarisationsebene. Halle a. S. 1903. 40 S. 8°. [27. X. 03.]
Zürich Phil Diss. II. S 1903/1904.

P o l l a k , Siegfried. Beobachtungen über die elektromagnetische Rotation der Polarisationsebene. Diss. Phil. [II.] Univ. Zürich. [Mit Figuren.] 40 S. 8. Halle a. S., R. Paul Nietschmann, 1903.

Pollak Valentin: Béranger in Deutschland.
1894 PN 887 Diss W[illegible] Univ. **68**

Pollack, V[alentin]: Béranger in Deutschland. 33 S. 8.
Progr. K. k. Staatsgymn. im III. Bezirke *Wien* 1908.

Pollak, Valentin, Schillers „Jungfrau v. Orléans" u. ihr Urbild, s.a. Sammlung gemeinnütziger Vorträge.

Schillers 'Jungfrau von Orléans' und ihr Urbild. ⟨Nach e. 1903 im Wiener Schillerverein 'Glocke' geh. Festvortrag.⟩ Von Dr. Valentin **Pollak**. (Prag: Deutsch. Ver. z. Verbreitung gemeinnütz. Kenntn. 1906.) (S. 63–78.) 8° [Kopft. F.]
= Schiller-Vorträge, Drei. No 2.
= **Sammlung** Gemeinnütziger Vorträge. No 331. [07. 8550

Pollak. Valentin: Deutsches L e s e b u c h ....
s. L e s e b u c h . Deutsches.

Polland, Frz., die hellenische Kultur, s.: Baumgarten, Fritz.

Polland. (Georg. Christophorus Godofr.) **Frid.** (geb. Zellwitz in d. Prov. Sachs. 26. 1. 1829): De placenta praevia. Berolini (1853). (27 S.) 8°
Berlin, Med. Diss. v. 10. Aug. 1853

Polland, Georg Christoph Gottfried Friedrich,
s. P o l l a n d . Friedrich

Polland, Otto *Karl Friedrich* [pr. Arzt aus Harzgerode Harz]: Über Embryotomie ... Berlin, Buchdr. v. G. Schade, 45 S., 1 Bl. 8. **1895.**
Berlin, Med. Fak., Inaug.-Diss. v. 11. Juni 1895

Polland, R., die venerischen Erkrankgn., ihre Folgen u. ihre Verhütg. (50 S.) 8. Wien 907. F. Deuticke. — 60

Pollanetz, Joseph, Ministerial-Secretär im k. k. Handelsministerium. Das B e t r i e b s - R e g l e m e n t für die österreichisch-ungarischen Eisenbahnen vom 1. August 1872. In seinem Verhältnisse zur bestehenden Gesetzgebung, zu dem bisherigen österr.-ungar. Betriebs-Reglement vom 1. Juli 1863 und zum Betriebs-Reglement für die Eisenbahnen Deutschlands vom 1. Jänner 1872 erläutert. (Mit 3 Anlagen.) gr. 8. Wien 1872.

Pollanetz, Jos., und Heinr. Ritter v. Wittek, s. a. Sammlung der das österreich. Eisenbahnwesen betr. Gesetze.

Pollanetz, Jos., und Heinr. Ritter v. Wittek, Sammlung der das österreichische Eisenbahnwesen betr. Gesetze etc.
Abthl. 1. 5. Heft (22. Lfg.): Staatsverträge. — Inhaltsverzeichniss der 1. Abthl. *M 1,20.
» 2. 1. Heft (19. Lfg.): Besondere Anordnungen und Constitutiv-Urkunden. I. Staatsbahnen. II. Privat-Eisenbahnen. *M 1,40.
» 2. 2. Heft (20. Lfg.): Fortsetzung des dritten Abschnittes: Besondere Anordnungen und Constitutiv-Urkunden. II. Privat-Eisenbahnen. *M 1,60.
» 2. 3. Heft (23. Lfg.): Fortsetzung des dritten Abschnittes: Besonderere Anordnungen und Constitutiv-Urkunden. II. Privat-Eisenbahnen. *M 2,40.
» 2. 4. und 5. Heft (24. und 25. Lfg.): Fortsetzung des dritten Abschnittes: Besondere Anordnungen und Constitutiv-Urkunden. II. Privat-Eisenbahnen. 4. Heft *M 1,40.; 5. Heft *M 1,80.

Pollanetz, Jos., u. Heinr. Edler v. **Wittek**, Sammlung der das österreichische Eisenbahnwesen betr. Gesetze, Verordnungen, Staatsverträge u. Constitutiv-Urkunden. Allgemeiner Thl. Vorschriften über Concessionirung, den Bau, Betrieb u. Verkehr der Eisenbahnen. 1. Abschn.: Concessionirung u. Bau der Eisenbahnen. Wien 870. k. k. Hof- u. Staatsdruckerei. gr. 8. (IV, 112 S.) n. 12 ngr.

Pollanetz, Jos., u. Heinrich Ritter v. **Wittek**, Sammlung der das österreichische Eisenbahnwesen betreffenden Gesetze, Verordnungen, Staatsverträge u. Constitutiv-Urkunden. Im Auftrage d. k. k. Handelsministeriums zusammengestellt. 14. Hft. 1. Ergänzungsheft. 2. Abschn. 1. Lfg. enth. die vom 1. Aug. 1871 bis Ende Octobr. 1872 erflossenen Nachträge zum besond. Theile. gr. 8. (S. 231—505.) Wien 873. k. k. Hof- u. Staatsdruckerei. n. 2. 80

Pollanetz, Jos., u. Heinr. Ritter v. **Wittek**, Sammlung der das österreichische Eisenbahnwesen betr. Gesetze, Verordnungen, Staatsverträge u. Constitutiv-Urkunden. Im Auftrage des k. k. Handelsministeriums hrsg. 6. [2. Ergänzungs-]Bd., umfassend den Zeitraum vom 1. Juli 1872 bis 30. Juni 1877. 1. u. 2. Abth. gr. 8. (1. Abth. XXVI, 731 u. 2. Abth. XIII, 916 S.) Wien 878. 79. k. k. Hof- u. Staatsdruckerei. n. 16. 60 (cplt.: n. 56. 20)

Pollard, Elise, gestrandet u. gerettet, s.: Sonntagsbibliothek. Nr. 19.

Pollard, Eliza F., for the red rose. Für den Schulgebrauch hrsg. v. K. Münster. (125 S.) 8. Leipzig 907. G. Freytag. — Wien, F. Tempsky. Geb. 1.20; Wörterbuch (42 S.) geb. — 50

Pollard, William [aus Hitchin, Engl.]: Ueber die acidimetrische Bestimmung der Molybdänsäure und das Atomgewicht des Molybdäns ... Tübingen, Druck v. H. Laupp jr, 1895; 27 S. 8.
Tübingen, Naturw. Fak., Inaug.-Diss. v. 1895

Pollaschek, Frz., († 1818.) Moralis christiana. II Tom. 8. Olmütz 803. (Gastl in Brünn). 1 rf 8 gr

Pollaschek, Frz., Predigt-Entwürfe. Hrsg. von Ludw. Tidl. 1. und 2. Jahrg. 2. Aufl. gr. 8. (XVI und 800 S.) Olmütz 848—49, Neugebauer. à Jahrg. 21 Ngr.

Pollaschek, Frz., Predigt-Entwürfe. Hrsg. v. Ludw. Tidl. 1—8. Jahrg. 2. Aufl. gr. 8. 1. Jahrg. (Ueber die Sonn- u. Festtage. XVI u. 384 S.) 2. Jahrg. (Entwürfe über dogmatische Wahrheiten. (416 S.) 3 u. 4. Jahrg. Entwürfe über moralische Wahrheiten. (372 u. 324 S.) 5. Jahrg. Biblisch-geschichtliche Entwürfe. (360 S.) 6. Jahrg. Entwürfe zu Homilien über die sonn- u. festtäglichen Evangelien. (360 S.) 7. Jahrg. Entwürfe zu Homilien üb. die sonn- u. festtäglichen Episteln. (364 S.) 8. Jahrg. Liturgische Predigt-Entwürfe. (398 S.) Olmütz 848—51, Neugebauer. (à 21 ngr) 5 rf 18 ngr

— Regulae pastorales in usum suorum auditorum ad curam animarum finito anno scholastico egressorum. 8. Olmütz. 803.

Poellath, Karl, der Arbeiterschutz, s. a. Volksbücher der Rechts- u. Staatskunde. 1. Bd.

Poellath K, d. Arbeiterschutz. (166 S) (Volksb. d. Rechts- u Staatsk. 1) Stuttgart 1901

Poellath, M. Der 26. Aug. 1796. Ein merkwürdiger Tag für die Stadt Kemnath. Kemnath 1845. 45 S.

Pollatschek, Arnold

Pollatschek, A., der Alkohol in der Diät d. Diabetes mellitus. gr. 8. (20 S.) Wien 889. Perles. n. — 60

— die therapeutischen Leistungen d. J. 1889. Ein Jahrbuch, f. prakt. Ärzte bearb. u. hrsg. gr. 8. (VIII, 158 S.) Neuwied 890. Heuser's Verl. n. 4. 50

Pollatschek, Arn., die therapeutischen Leistungen d. J. 1890. Ein Jahrbuch, f. prakt. Aerzte bearb. u. hrsg. 2. Jahrg. gr. 8. (XVI, 214 S.) Neuwied 891. Heuser's Verl. n. 5. —

— dasselbe d. J. 1891. 3. Jahrg. gr. 8. (XVIII, 234 S.) Wiesbaden 892. J. F. Bergmann. n. 5. —

— dasselbe d. J. 1892. 4. Jahrg. gr. 8. (XXII, 268 S.) Ebd. 893. n. 6. —

— dasselbe d. J. 1893. 5. Jahrg. gr. 8. (XXVIII, 328 S.) Ebd. 894. n. 7. —

Pollatschek, Arnold, die therapeutischen Leistungen d. J. 1894, 1895, 1896 u. 1897. E. Jahrbuch f. prakt. Ärzte. 6.—9. Jahrg. gr. 8. (XXVIII, 300; XXXIII, 317; XXXIV, 316; u. XVI, 340 S.) Wiesbaden 895. J. F. Bergmann. à n. 7. —

Pollatschek, Arnold, die therapeutischen Leistungen d. J. 1898—1901. Ein Jahrbuch f. prakt. Ärzte. 10.—13. Jahrg. gr. 8. Wiesbaden, J. F. Bergmann. n. 31. —
1898. (XXXIII, 350 S.) 899. n. 7. —. — 1899. (XXXIII, 350 S.) 900. n. 8. —. — 1900. (XXXI, 338 S.) 901. n. 8. —. 1901. (XXIX, 320 S.) 902. n. 8. —.

Pollatschek, Arnold, die therapeutischen Leistungen d. J. 1902—1905. Ein Jahrbuch f. prakt. Aerzte. 14. bis 17. Jahrg. (XXXII, 348; XXVIII, 356; XXVIII, 352 u. XXXI, 357 S.) gr. 8. Wiesbaden 903—906. J. F. Bergmann. à n. 8. 60

Pollatschek, Arnold, u. Heinr. **Nadór**, die therapeut. Leistungen d. J. 1906 u. 1907. Ein Jahrbuch f. prakt. Ärzte. 18. u. 19. Jahrg. (XXXI, 342 u. XXIX, 352 S.) gr. 8. Wiesbaden 907. 08. J. F. Bergmann. à 8. 60

— — dasselbe d. J. 1908 u. 1909. Ein Jahrbuch f. prakt. Ärzte. 20. u. 21. Jahrg. (XXXI, 354 u. XXX, 338 S.) gr. 8. Ebd. 909. 10. à 9. 60

Pollatschek, Robert, Das Schuhmachergewerbe in Trebitsch. Schriften d. Vereins f. Socialpol., Bd. 86. gr. 8°. Leipzig 1899.

Pollatschek von Nordwall, Sigmund

Pollatschek, Oberst. Landesbeschreibungs-Arbeiten. I. Theil. (Neun Routen deren Wahl, Anordnung und Beschreibung die Idee einer Operation links der Donau gegen Regensburg zu Grunde liegt.) (Manuskript.) 8. (ohne Ort.) **1871--1872.**

Pollatschek, Hauptmann im Generalstabe. **Materialien zur Verfassung** einer militärisch-geographischen Darstellung Europa's. (1. Band. 2. Abtheilung Hydrographie und Topographie.) 1. Heft. (fehlt.) -- (2. Heft.) 1. Das Gebiet der Rhone. - 2. Zuflüsse der Rhone. (3. Heft.) Das Gebiet des Po. - (4. u. 5. Heft. fehlen.) - (6. Heft.) Das Gebiet des Rhein's von dessen Anfange bis Basel. - (7. Heft.) Hydrographie und Topographie des Rhein-Gebietes von Basel bis Mainz. — (8. Heft. 1. und 2. Hälfte) Hydrographie und Topographie des Donau Gebietes vom Anfange bis Passau. — (9.—17. Heft. fehlen.) (7 Bände als Manuskript mit Korrekturn.) 4. Wien **1859**--1864.

Pollatschek's Militär-Geographie von Mittel-Europa. - (1. Band. Der beschreibende Theil.) 1. Abtheilung. Einleitung. - (2. Abtheilung. Hydrographie und Topographie. — 1. Heft. (fehlt.) — 2. Heft. Das Gebiet des Rhone-Gebietes. -- 3. Heft. Das Gebiet des Po. (gedruckt.) — 4. Heft. Das Gebiet der Etsch. — 5. Heft. (fehlt.) — 6. Heft. Das Gebiet des Rhein's vom Anfange bis Basel (Schweiz und Süd-Deutschland.) - 7. Heft. Das Gebiet des Rhein's von Basel bis Mainz. (Süd-Deutschland.) - 8. Heft. 1. und 2. Hälfte. Das Gebiet der Donau vom Anfange bis zum Durchbruche bei Theben. 9.- 17. Heft. (fehlen.) (7 lithographierte und 1 gedruckter Bd.) 8. Wien **1862—1864.**

Pollatschek's Militär-Geographie von Mittel-Europa. (In 21 Liefgn.) 1. 8. u. 9. Liefg. Wien **868.** Seidel & Sohn. gr. 8. n. 2 ℛ 11 ngr.
1. Einleitung. (43 S.) n. 9 ngr.
8. Tirol (mit Vorarlberg) u. Salzburg's Gebirgsland. (2. Abschn. des 3. Hauptstückes der 1. Abthl.) (VIII, 187 S.) n. 1 ℛ 2 ngr.
9. Schweiz u. Vorarlberg. (3. Abschn. des 3. Hauptstückes der 1. Abthl.) (IV, 175 S.) n. 1 ℛ

Pollatschek, Reflexionen über die zu der Affaire bei Domstadtl (30. Juni 1758) in Beziehung stehenden Ereignisse d. 26., 27., 28., und 30. Juni 1758 Mit 1 Karte. Wien 1876. (Bruchstück einer Reihe von Vorträgen über das preussische Heer unter Friedrich II. im Vergleiche mit dem österreichischen der damaligen Zeit.)

(**Pollatschek** von Nordwall, Sigmund, k. k. General-Major. Eines alten Soldaten (S. P. N.) Römerstudien nach der Natur. I. Bd. Teurnia. II. Bd. Die Strasse Teurnia--Juvavum. von Teurnia bis zur Vereinigung mit der Strasse Virunum—Juvavum. III. Bd. Santicum. (3 Bde.) 8. Wien **1881**—1882.

Pollatschek, militärisch-geographische Studien über die Schweiz. (Bruchstück aus des Verf. Militär-Geographie von Mittel-Europa.) gr. 8. (60 S.) Wien 862, (Hölzl.) *

-- — Militärisch-geogr. Studien auf meinen Wanderungen in Bayern. (Manuskript mit Korrekturn.) 4. **Wien 1871.**

Pollatz, Walter, a. Dresden: Über die quantitative Bestimmbarkeit des Bleis als Bleioxalat. Leipzig 1907: Thalacker & Schöffer. (74 S.) 8°
Leipzig, Phil. Fak., Ref. Le Blanc-Beckmann, Diss. v. 17. Juli 1907
[Geb. 23. Dez. 77 Dresden; Wohnort: Dresden; Staatsangeh.: Sachsen; Vorbildung: Heil. Kreuzgymn. Dresden Reife O. 98; Studium: T.H. Dresden 1, Univ. Leipzig 12 S.; Rig. 16. Mai 07.]

Pollau, Paul Ludwig Friedrich (Aschbach), Intumescentias ventris saepe graviditatem mentientes. Diss. inaug. Präs. Gabriel Heilmann. Würzburg (Fr. E. Nitribitt) 15. V. 1799. 52 S. (5.—) 26987
Gew.: Constantin von Poelnitz.

Pollau, P. L. F., dissert. sistens intumescentias ventris saepe graviditatem mentientes. 4maj. Würzb. 800. (Stein in Nürnb.) 6 gl.

Polle, A., die Nerven-Verbreitung in den weiblichen Genitalien bei Menschen und Säugethieren. Eine gekrönte Preisschrift. gr. 4. (20 S. mit 1 Kpfrt.) Göttingen 865, Rente. *

Polle, A. Zeichnung des Treibwerks im Ernst August-Schachte zu Wildemann. Clausthal **1848.**

Polle, Friedrich

Polle, F., Anleitung zur Vorbereitung auf P. Ovidii Nasonis metamorphoseon delectus Siebelisianus, s.: Schüler-Kommentare zu griech. u. lat. Klassikern im Anschluß an die Teubner'schen Textausgaben.

Polle, Frdr., Anleitg. zur Vorbereitg. auf P. Ovidii Nasonis metamorphoseon, 2. Aufl. von Otto Stange, s.: Schüler-Kommentare zu griech. u. latein. Klassikern.

Polle, Frid., de artis vocabulis quibusdam Lucretianis. Dresden 866. Burdach. gr. 8. (68 S.) n. 12 ngr.

Polle, F., Besserungs- und Erklärungsversuche zu Euripides. S.-A. 1890. 22 S.

Polle, Fr. Briefe von Ernestine Voss an Rudolf Abeken mit erläuternden Anmerkungen herausgegeben. 2 Hälften. 39, 34 SS. **Progr.** Vitzt. *Dresden* 1882. 1883.

Polle, Friedr., Führer durch das Weisseritzthal nach Schmiedeberg und seiner Umgebung. Sekundärbahn Hainsberg-Kipsdorf. 8. (88 S. mit 2 Karten, wovon 1 lithogr. und 1 chromolithogr.) Dresden 883, Huhle. *

Polle, Frdr., Führer durch das Weiseritzthal nach Schmiedeberg u. seiner Umgebung. Sekundärbahn Hainsberg—Kipsdorf. Mit 2 Karten. 2. Aufl. 8. (96 S.) Dresden 885. Huhle. n. 1. —

Polle, Frdr., Führer durch d. Weisseritzthal nach Schmiedeberg u. s. Umgebung. Sekundärbahn Hainsberg-Kipsdorf. 3, verb. u. verm. Aufl. 12. (108 S. m. 2 Karten.) Dresden 895. A. Huhle. n. 1. —

— **Müglitzthalführer.** Mit 1 (chromolith.) Karte v. C. Gräf. 8. (37 S.) Ebend. 886. n. — 70

Polle, Frdr., Müglitzthalführer. Mit 1 Karte v. C. Gräf u. 1 Übersichtskärtchen 2., umgearb. Aufl. 8. (52 S.) Dresden 891. A. Huhle. n. -- 80

— **Müglitzthalführer.** Mit 1 Karte v. C. Gräf u. 1 Übersichtskärtchen. 3. Aufl. 8. (54 S.) Ebd. 898. n. — 80

Polle, Frdr., Pan. Ein lustiges Liederbuch für Gymnasiasten mit den Singweisen zusammengestellt. gr. 16. (XVI, 208 S.) Dresden 877. Schönfeld. n. 1. 50; geb. n.n. 2. —

— Zu Sophokles' Philoktetes. S.-A. 1892. 19 S.

Polle, Friedrich De Sophoclis Oedipo Rege quaestiones criticae. 4 (12 S.).
Gratulationsschrift z. 300jähr. Jubil. des G. Zittau.
Progr. Vitzth. G. *Dresden* 1886.

Polle, Friedrich [Prof. Dr.]: Über den Schulunterricht in der Philosophie. Dresden, Druck v. B. G. Teubner, 1894; 3- 42 S. 4.
Dresden, Vitzthumsches G, OP 1894 (536)

—— s. Siebelis, Johs., Wörterbuch zu Ovid's Metamorphosen.

[F.] Wie bezeichneten die alten Griechen den Witz? Über Luftschlösserbaukunst. Über Nichts. Drei gemeinverständl. Vorträge nebst e. Anh. v. Rätseln. v. Prof. Dr. Friedrich Polle. *Leipzig: B. G. Teubner* 1896. (2 Bl., 58 S.) 1 Bd 8. [96. 5596

[F.] Wie denkt das Volk über die Sprache? Gemeinverständl. Beiträge z. Beantwortung dieser Frage v. Prof. Dr. Friedrich Polle, Gymnasialoberl. a. D. 2. verb. u. stark verm. Aufl. *Leipzig: B. G. Teubner 1898.* (V, 188 S.) 1 Bd 8. [97. 8133

Wie denkt das Volk über die Sprache? Plaudereien über d. Eigenart d. Ausdrucks- u. Anschauungsweise d. Volkes von Prof. Dr. Friedrich Polle. 3., verb. Aufl. von Prof. Dr. Oskar Weise. Leipzig & Berlin: B. G. Teubner 1904. (V, 112 S.) 8° [F.] [05. 7633

Polle R.: Ueber den Einfluss verschieden hohen Wassergehalts, verschiedener Düngung u. Festigkeit d. Bodens auf die Wurzelentwicklung d. Weizens u. d. Gerste im ersten Vegetationsstadium. Diss. Götting. 1910. 71 S. 5 Tvl. 4°.

Pollen, F. P. L., poissons et pêches, s.: Recherches sur la faune de Madagascar.

Pollender: Mikroskopische u. mikrochemische Untersuchung d. Milzbrandblutes, so wie üb. Wesen u. Kur d. Milzbrandes. [1855]. (12) S. (Sertr.). P.

Pollender, Aloys, über das Entstehen u. die Bildung der kreisrunden Oeffnungen in der äusseren Haut des Blütenstaubes nachgewiesen an dem Baue des Blütenstaubes der Cucurbitaceen u. Onagrarien. Bonn 867. Cohen & Sohn. gr. 4. (20 S. mit 2 Steintaff.) n. 20 ngr.

Pollender, A., über das Ent[illegible] und die Bildung der kreisrun[illegible] Oeffnungen in der äusseren Haut des [illegible]. Bonn. 4. 20 p. [illegible] 2 Tab. Tfn.
Schul-/Univ.-Schrift 1869

– neue Untersuchungen über das Entstehen, die Entwickelung, den Bau u. das chemische Verhalten des Blütenstaubes. Mit 4 lith. Taff. Bonn 868. (Berlin, Dümmler's Verlag.) gr. 4. (47 S.) n. 1 ℛ 10 ngr.

– Wem gebührt die Priorität in der Anatomie der Pflanzen, dem Grew oder dem Malpighi? Ein Vortrag gehalten bei der 41. Versammlung deutscher Naturforscher u. Aerzte in Frankfurt a. M. im Septbr. 1867. Ebend. 868. gr. 4. (14 S.) n.n. 7½ ngr.

Franz Anton Aloie Pollender

Franc[iscus] Ant[onius] Aloysius Pollender: De Sanguine coccineo in venis. Bonnae (1824:) Thormann. 22 S. 8°

Bonn, Med. Diss. v. 2. Apr. 1824

Poller, Geo. Thom., Erklärung üb. d. ehrenrühr. Beschuldigungen, welche ihm in einer Schrift, betit.: üb. J. F. Kray's Entsetzung v. seiner Geburtshelferstelle, gemacht worden sind. 8. Sulzb. ... v. Seidel. 6 kr.

— üb. d. Harnblasenstich im Damme. gr. 8. Nürnb. 817. (v. Ebner). 4 kr Schrbp. 6 kr

Poller, G. Th., über d. Harnblasenstich im Damme. gr. 8. Nürnberg, Lechner. 817.
Schreibpap.

Poller, Heinrich [aus Naila]: Ueber a. p-Amidophenyldihydrochinazolin. b. Einige Derivate des Bis-o-nitrobenzylhydroxylamins ... Zirndorf, Buchdr. v. J. Bollmann, 1894; 29 S., 1 Bl. 8.
Erlangen, Phil. Fak., Inaug.-Diss. v. 25. Juli 1894

Poller, Hnr. Ant., die Kunst alle Arten von Zeichnungen, als Blumen, Thiere, Landschaften, Portraits etc. in Glas zu ätzen. Eine Erfindung der neuesten Zeit. Mit 1 lithogr. Tafel. 8. Quedlinburg 833. Basse. 5/12 ℛ

Poller, Leopold [app. Arzt aus Dillingen a./Saar]: Ueber traumatische Hodenatrophie ... München, kgl. Hof- u. Univ.-Buchdr. v. Dr. C. Wolf & Sohn, 1894; 19 S. 8.
München, Med. Fak., Inaug.-Diss. v. 1894

Pöller Mathias: Geschichte des Landsbergerbundes von 1556—1568. Ein Stück Geschichte der bairischen Politik unter Herzog Albrecht.
II. 1906 PN 2061 Diss. Wien, Univ. 934

Pöller, W., Hand- und Adreß-Buch für Nördlingen, s. Hand- und Adreß-Buch.

Pöllerschießen, das, bei festlichen Gelegenheiten u. anderen Anlässen. Kundmachung der k. k. Landesregierung für Kärnten vom 14. III. 1900, Z. 4342. betr. das Pöllerschießen bei festl. Gelegenheiten u. anderen Anlässen. (Redactionelle Beilage des Kärnt. Gemeindeblattes von Anfang April 1900.) gr. 8. (3 S.) Klagenfurt (900). (J. Heyn.) n.n. — 09

Pollert, K. Die 3. Person Pluralis auf *s* bei Shakespeare. Diss. Marburg 1881. 59 S.

„Pollet, Johann", k. k. Ober-Feuerwerker. Der Friedensheld im Freiheitskampfe des Jahres 1848. Wien 1898. V: *Sebéra, Alois.* (EB)

Pollet, Johann, k. k. Ober-Feuerwerker. D. Friedensheld im Freiheitskampfe des J. 1848. Ein Gedenkblatt anläßl. d. 50jähr. Jubelfeier d. 13. III. 1848 v. e. 48er Studenten der Wiener Universität. gr. 8. (16 S. m. 2 Bildn.) Wien 898. (G. Szelinski.) n. — 20

Rede an dem hohen Geburtstage des Allerdurchlauchtigsten Grosmächtigsten [!] Königs und Herrn Gustaf Adolphs der Schweden, Gothen und Wenden Konige in der ger. und vollk. Loge Gustaf Adolph zu den 3 Strahlen [in Stralsund] gehalten von dem gegenwärtigen Meister vom Stuhl [d. i. Joh. Franz v. Pollet]. Stralsund den 1. Nov. 1798. 6 S. 4°
[Umschlagtit.]
Selten. Gelegenheitsworte. Beigefügt ein Lied ohne Noten von H. in B.

Polleyn, Friedr., die Appreturmittel und ihre Verwendung. Darstellung aller in der Appretur verwendeten Hilfsstoffe, ihrer speciellen Eigenschaften der Zubereitung zu Appreturmassen und ihre Verwendung zum Appretiren von leinenen, baumwollenen, seidenen und wollenen Geweben; feuersichere und wasserdichte Appreturen, nebst den hauptsächlichsten maschinellen Vorrichtungen. Ein Hand- und Hilfsbuch für Appreteure, Drucker, Färber, Bleicher, Wäschereien und Textil-Lehranstalten. 8. (X, 376 S. mit 38 Abbild.) Wien 886, Hartleben. *

Polleyn, Frdr., die Appreturmittel u. ihre Verwendg. Darstellg. aller in d. Appretur verwend. Hilfsstoffe, ihrer speciellen Eigenschaften, d. Zubereitg. zu Appreturmassen u. ihre Verwendg. zum Appretiren v. leinenen, baumwollenen, seid. u. woll. Geweben; feuersich. u. wasserdichte Appreturen, nebst d. hauptsächlichsten maschin. Vorrichtgn. E. Hand- u. Hilfsbuch f. Appreteure, Drucker, Färber, Bleicher, Wäschereien u. Textil-Lehranst. 2., vollständig umgearb. Aufl. 8. (XV, 464 S. m. 63 Abb.) Wien 897. A. Hartleben. n. 4. 50; geb. n. 5. 30

Polleyn, Frdr., die Appreturmittel u. ihre Verwendg. Darstellg. aller in der Appretur verwendeten Hilfsstoffe, ihrer speziellen Eigenschaften, der Zubereitg. zu Appreturmassen u. ihre Verwendg. zum Appretieren v. leinenen, baumwollenen, seidenen u. wollenen Geweben; feuersichere u. wasserdichte Appreturen, nebst den hauptsächl. maschinellen Vorrichtgn. 3., vollst. umgearb. Aufl. (XVI, 360 S. m. 60 Abb.) 8. Wien 909. A. Hartleben. 4.50; geb. 5.30

Polleyn, F.: Putzbaumwolle und andere Putzmaterialien sowie verschiedene Reinigungsmethoden. [Chemisch-technische Bibliothek. Bd. 316.] 8°. (ill. VIII, 304 S.) Wien: Hartleben 1909.

Pollhammer, J., die Protestanten von Salzburg. Eine Erzählg. aus der Zeit d. „Salzbundes" 1730—1731. 8. (112 S.) Wien 890. Gerold's Sohn. n. 1. 60; geb. n. 2. 40

Pollhammer, Jos., Columbus. 2. Aufl. 16. (104 S.) Teschen 874. Prochaska. cart. m. Goldschn. n. 2. 60

Pollhammer, Jos., Columbus. Episch-lyr. Dichtg. 3. Aufl. 8. (V, 108 S.) Wien 892. C. Gerold's Sohn. n. 2. —

Pollhammer, Jos., Donaulieder. 3. Aufl. 8. (IV, 52 S.) Wien 902. (C. Gerold's Sohn.) n. 1. —

Pollhammer, Jos., Gedichte. Wien 863. Hartleben. 8. (VII, 232 S.) 1 ₰

Pollhammer, Jos., Gedichte. Neue Folge. 8. (129 S.) Wien 898. (C. Gerold's Sohn.) n. 2. 40; geb. in Leinw. n. 3. 60 (1. u. 2.: n. 4. 40)

Pollhammer, Jos., neue Gedichte. 12. (224 S.) Wien 881. Manz. n. 3. —

— **neue Gedichte.** 2. (Titel-)Aufl. 12. (224 S.) Ebd. (881) 894. n. 2. —

Polli Joh. Siehe: Annalen der Chemie. (126.) 1853.

Polli, Giov., die Gerinnung des Blutes, s. **Handbibliothek des Auslandes.**

Pollicey Ordnung und Konstitution ..., s. Polizei-Ordnung ...

Pollich, Jo. Wilhelm (Schweinfurt/Franken), De Baioaria Francis subiecta. Präs. Jo. Wilh. Janus. Wittenberg (Creusig) 12. I. 1715. (4.75) 26988

Pollich, Jh. Adm., (✝ d. 24. Febr. 1780.) historia plantarum in Palatinatu electorali sponte nascent. III Tom. c. fig. 8maj. Manh. 776—78. Schwan u. G. 4 ₰ 6 ₰

Pollichia; Jahresbericht. Landau, Duerckheim und Neustadt. 1843–68. 27 vols. 8°.

Pollichia, ein Naturw. Verein der Rheinpfalz. Jahresbericht, 1843-74. 8°. Nachtrag. 1872. 8°.

„Pollichia", Festschrift zur 60jährigen Stiftungsfeier der „Pollichia". Dürkheim 1900. 8°.

— **Mittheilungen der —. 56. Jahrg., No. 12, 1898. Dürkheim 1898.** 8°.

Pollicino, il. Una favoletta per fanciulli obbedienti. Con 6 tavole colorate. hoch 4. (6 S.) Leipzig 871. Loewe. 1. 20

Pollien, Dom Franziskus, das beschauliche Leben. Seine apostol. Wirksamkeit. Nach der 4. französ. Aufl. übers. v. Antonius Huperz. 8. (VII, 144 S.) Mülheim a/R. 899. M. Hegner. n. — 95

Polligkeit, Wilh., s.: **Jahrbuch der Fürsorge.**

Polligkeit, Wilhelm, 2. Direktor d. Zentrale f. private Fürsorge zu Frankfurt am Main: Das Recht des Kindes auf Erziehung. Dresden 1908: J. Päßler. (86 S.) 8° [F.] ¶ (Aus: Jahrbuch d. Fürsorge Jg. 2, 1907.)

Gießen, Jur. Fak., Ref. Schmidt, Diss. v. 5. Mai 1908

[Geb. 14. Mai 76 Langenberg (Rheinprovinz); Wohnort: Frankfurt a. M.; Staatsangeh.: Preußen; Vorbildung: Gymn. Trier Reife M. 97; Studium: Berlin 2, Bonn 4 S.; Rig. 20. Dez. 07.]

— **Strafrechtsreform u. Jugendfürsorge, s.a. Beiträge zur Kinderforschung u. Heilerziehung. 12.**

Strafrechtsreform und Jugendfürsorge. Referat von W. **Polligkeit,** Frankfurt a. M. Langensalza: H. Beyer & Söhne 1905. (25 S.) 8°
— **Beiträge** z. Kinderforschung. H. 12. [illegible] 3

Pollin, A., üb. Getreide-Magazinirung u. die Mittel, die so schädl. Getreide-Würmer zu vertreiben. 8. Landsh. 822. (Thomann). 2 ₰

Pollinger, Anton Peter

Pollinger, Ant. Pt., Antonio del Bassiano; e. Trspl. in 5 Aufz. 8. Prag 778.

SIEBENKREUZERLATERNE, Die, zur Beleuchtung der moralischen Betrachtungen des Hrn. F. J. G. Baschand, Doktorn der Vignetten. (Vf.: *Anton Peter Pollinger*, ✝ 28. Mai 1779 in Prag). Gedruckt auf Kosten des Unsinns und zur Steuer der Wahrheit in der philanthropischen Druckerey, im Jahr, da schlecht zu schreiben, und viel versprechen Mode war. (177*?) 8°.
Goedeke VI, 725, 9, 3. — Höchst selten!

POLLINGER, Franz (Eggenfelden): Syphilis, ihre Formen und Heilmethode.- München: Wolf 1855. 27 S. 10.8.1855 - Urk (Titel: De syphilide pulmonali.); F 68
Diss. Ingolst.-Landsh.-Mchn.

Pollinger, J. W., d. Constitutum possessorium nach gemein. u. baierischem Rechte ꝛc. 8. Amberg 827. (Leipz., Magazin f. Ind.) 10 ₰

Pollinger, J. W., das Constitutum possessorium nach gemeinem u. bayerischem Rechte, mit besond. Rücksicht auf das bayer. Hypothekengesetz vom 1. Junius 1822 u. die darauf gebaute Prioritäts-Ordnung. gr. 8. Amberg 834. Klöber. 1/3 ₰

Pollinger, Johann

Pollinger, Jos., 88 Bilder aus der bayrischen u. deutschen Geschichte. Nach der v. der K. Regierg. v. Niederbayern getroffenen Auswahl d. Geschichtsstoffes f. die Hand der Schüler bearb. 8. (47 S. m. Illustr. u. eingedr. Kärtchen.) Landshut 889. Krüll. n. — 35

Pollinger, Joh., 38 Bilder aus der bayer. u. deutschen Geschichte. Nach der v. der k. Regierg. v. Niederbayern getroff. Auswahl d. Geschichtsstoffes f. d. Hand d. Schüler bearb. (2. Aufl.) 8. (47 S. m. Abb. u. 4 eingedr. farb. Karten.) Landshut 895. Ph. Krüll. n. — 35

Pollinger, Joh., aus Landshut u. Umgebung. Ein Beitrag zur Heimat- u. Volkskunde. (VIII, 350 S. m. 19 Abb.) gr. 8. München 908. R. Oldenbourg. 4. —

Pollinger, Joh., Materialien für die schriftlichen Aufsätze an der Mittelklasse der Volksschule. Im Anschlusse an das von mehreren öffentl. Lehrern bearb. Lese- und Sprachbuch für die Mittelklassen kathol. Volksschulen. 8. (VII, 119 S.) München 888, Oldenbourg, Abtheilung für Schulbücher. ** geb. **

— **Präparationen u. Materialien f. den ersten Aufsatzunterricht. Im Anschlusse an das v. mehreren öffentl. Lehrern bearb. Lehr- u. Sprachbuch f. die Unterklassen kathol. Volksschulen. 8. (XIV, 54 S.) Ebd. 890. cart.** n.n. — 75

Pollinger, Jos., s. Pollinger, Johann

Pollinger, Osias, a. Jassy (Rumänien): Über einige ungesättigte Phenoxysäuren. (Berlin-Wilmersdorf: C. Arnold 1907.) (52 S.) 8°
Berlin, Phil. Fak., Ref. Gabriel, Diss. v. 30. Dez. 1907
[Geb. 28. Mai 83 Jassy; Wohnort: Charlottenburg; Staatsangeh.: Österreich; Vorbildung: Lyceum National Jassy Reife Juni 01; Studium: Berlin Techn. Hochsch. 5, Univ. 5 S.; Rig. 5. Dez. 07.]

Bauernregeln aus dem Lateinischen. – Von M. Pöllinger, Stdl. – 1887, Rothenburg o. Tbr., J. P. Peter. – S. 3 – 19.
Progr. Rothenburg ob d. Tauber (Mittelfr.).
Kgl. isolierte Lateinschule

POLLINI, BERNHARDT. Ueber einige Derivate der Ortho- und Para-Toluidinsulfosäure. (Basel) Frankfurt a. M., 1890.

Pollini, Ciro, († d. 1. Febr. 1833.) **Flora Veronensis, quam in prodromum florae Italiae septentrionalis exhibent. Tom. I — III. Cum tab. 8maj. Verona 822 — 24. (Wien, Volke). 10 ℳ 8 𝒦**

Pollio, C. Asinius, Bericht üb. die spanischen Unruhen d. J. 48 v. Chr. [Bellum Alexandrinum 48—64], auf Grund d. codex Ashburnhamensis hrsg. v. G. Landgraf. gr. 8. (32 S.) Leipzig 890. Deichert Nachf. n. 1. —

Pollionis, C. Asini, de bello africo commentarius. Recens., emend., adnotatione illustr. Ed. Wölfflin et A. Miodoński. Adjecta est tabula photolith. codicis Ashburnhamensis. gr. 8. (XL, 264 S.) Leipzig 889. Teubner. n. 6. 80

Pollio, Luc., Betracht. v. ewig. Leben, in Predigt. 8. Lpz. u. Laub. Wirthaem. 738.

Des Marcus Vitruvius Pollio Baukunst. Aus der Römischen Urschrift übersetzt von August Rode. 2 Bde. Leipzig 1796. 4°.

Pollitt, George Paton [aus Blackburn, England; Bachelor of Science of the Victoria University, The Owens College, Manchester]: Über die Kontaktwirkung des Eisenoxyds bei der Umwandlung von Schwefeldioxyd und Sauerstoff in Schwefeltrioxyd. Zürich 1902. 41 S. 8°.
Basel. Phil. Diss. 1901/1902.

Pollitt, George Paton. Über die Kontaktwirkung des Eisenoxyds bei der Umwandlung von Schwefeldioxyd und Sauerstoff in Schwefeltrioxyd. Diss. Phil. Basel. 41 S. 8. Zürich, Zürcher & Furrer, 1902.

Pollitz, Carl, s. Pollitz, Karl

Pollitz, Gustav [aus Frankfurt a. M.]: Das α-Bromchinolin, seine Nitro- und Sulfo-Derivate. . . . Freiburg i. B., Buchdr. v. Chr. Ströcker, 1889; 46 S. + 1 Bl. 8°
Freiburg i. B., Phil. Fak., Inaug.-Diss. v. 1889

Pollitz, Hermann [prakt. Arzt aus Verden (Hannover)]: **Beiträge** zur Differential Diagnose zwischen Typhus abdominalis und acuter Miliartuberculose . . . **Würzburg,** Druck d. A. Memminger'schen Buchdr., [C. Beiler] [sic!], 1887; 21 S. 8°
Würzburg, Med. Fak., Inaug. Diss. v. 1887

Pollitz, Hermann, **Beiträge zur Differential-Diagnose zwischen Typhus abdominalis und acuter Miliartuberkulose. Diss. Würzburg 1887, Stahelsche Univ.-Buchh. 8°. 21 S.**

Pollitz, Johann (Verden), De commodo privato et publico. Diss. jur. natur. Präs. Johann Jakob Lehmann. Jena (Ritter) Mai 1721. 36 S. (4.75) 26990
Gew.: Friedrich Coch, Matthaeus Friedrich Hahneken, Theodor Wolf, Johann Croon, Philipp Otto Pollitz (Vater), Meinhard Christoph Luning, Hermann Lang, Bruno Heinsius, Christoph Heinrich Croon.

— — **De pactis haereditariis et successoriis. Diss. inaug. Präs. Jo. Joachim Hahn. Erfurt (Grosch) 25. IX. 1722. 60 S. (4.50) 26991**

— J. H. [ɔ: Joh. Friedr.], Eidespredigt, gehalten am 2. Osterfeiertage. 1837. Oldenburg. P.

POLLITZ, JOH. FRIEDR., Wahl- und Antrittspredigt. Kiel. 1821. P.

Pollitz, Karl

Pollitz, Das Eisenbahnwesen in den Vereinig. Staaten v. Nord-Amerika. Vortrag. Frankfurt a/M. **885.**

Pollitz, Carl, Reise durch die Vereinigten Staaten v. Nord-Amerika. Das Eisenbahnwesen. Vortrag. gr. 8. (40 S.) Frankfurt a/M. 884. Auffarth. n. 1. 20

Pollitz, Paul [pr. Arzt aus Köln]: Über die Erblichkeit bei Geisteskranken. E. statist. u. klin. Beitr. . . . Greifswald, Druck v. J. Abel, 1893; 47 S. 8.
Greifswald, Med. Fak., Inaug.-Diss. v. 22. Febr. 1893

Pollitz, Paul, die Psychologie des Verbrechers, s. a. Aus Natur u. Geisteswelt.

Die Psychologie des Verbrechers. Kriminalpsychologie. Von Dr. med. Paul **Pollitz**. Mit 5 Diagr. Leipzig: Teubner 1909. 148 S. 8°
(Aus Natur u. Geisteswelt. Bdch. 248.) [09. 2464

— **Strafe u. Verbrechen, s. a. Aus Natur u. Geisteswelt.**

Strafe und Verbrechen. Geschichte u. Organisation d. Gefängniswesens. Von Dr. Paul Pollitz, Strafanstaltsdir. Leipzig: Teubner 1910. VI, 140 S. 8°
(Aus Natur u. Geisteswelt. Bdch. 323.) [10. 13509

Pollitz, Theodor: Die Stürme im südlichen Indischen Ocean, eine Untersuchung ihrer Häufigkeit, Anfangsrichtung, Dauer, Winddrehung und Luftdruckverhältnisse. Berlin [1909]: Mittler. 29 S. 8° ¶(Aus: Annalen d. Hydrogr. u. marit. Meteorol. Bd 37.)

Freiburg i. B., Phil. Diss. v. 1909, Ref. Neumann

[Geb. 12. März 88 Hamburg; Wohnort: Hamburg; Staatsangeh.: Hamburg; Vorbildung: Oberrealsch. vor d. Holstentor Hamburg Reife O. 06; Studium: Gießen 1, Kiel 3, Freiburg i. B. 3 S.; Rig. 29. Okt. 09.] [U 10. 1077

Pollitz, Wilh., uenner de Suldaten. Biller ut de Kriegstid vun 1870 in twee Deel. 1. Deel. Bit tum Utmarsch. 16. (155 S.) Friedrichstadt 878. (Altona, Harder.) n.n. 2. —

Pollitzer, Franz: Ein Beitrag zur Erläuterung des Artikels 91 des allgemeinen Deutschen Handelsgesetzbuches. [Wien 1883.]

(Abdr. a.: Allg. Oesterreich. Gerichts-Zeitung. 1883, Nr 65—68.)

Pollitzer, Franz: Der juristische Charakter der Uebergabe und Annahme von Annoncen zur Inserirung in öffentl. Blätter u. der Vermittlung dieses Geschäftes.

(Gerichtshalle. Jg. 27. Nr 69—72. 1883.)

Pollitzer, Franz: Über das Gleichgewicht der Reaktion $H_2S + 2J = 2HJ + S$ und die Dissoziation des Schwefelwasserstoffs. Hamburg & Leipzig: Voss 1909. 32 S. 8° ¶(Aus: Zeitschrift f. anorgan. Chemie. Bd 64.)

Berlin, Phil. Diss. v. 6. Okt. 1909, Ref. Nernst

[Geb. 14. Nov 85 Gablonz a. N.; Wohnort: Berlin-Halensee; Staatsangeh.: Österreich; Vorbildung: Luisenstadt. Oberrealsch. Berlin Reife O. 04; Studium: Berlin 1, Wien 1, Berlin 9 S.; Rig. 15. Juli 09.] [U 10. 220

Pollitzer, Frz., d. österr. Handelsrecht. Systemat. dargest. E. Leitfaden f. Studier. gr. 8. (X, 771 S.) Wien 895. Manz. n. 10. —

Pollitzer, Frz., das Verhalten d. allgemeinen deutschen Handelsgesetzbuches zum Immobiliarverkehr. gr. 8. (XIII, 143 S.) Leipzig 885. Duncker & Humblot. n. 3. 20

Pollitzer, Joh., die Lage d. Lehrlinge im Kleingewerbe in Wien, s.a. Studien, Wiener staatswissensch. II. 3.

Die Lage der Lehrlinge im Kleingewerbe in Wien. Von Dr. Johann Pollitzer. *Tübingen & Leipzig: J. C. B. Mohr 1900.* (132 S.) 8°
— Studien, Wiener Staatswissenschaftliche. Bd 2, H. 3. [01. 151

Pollitzer, Mor., die Anwendung der Elektricität im Eisenbahn-Betriebsdienste. Auf der Grundlage d. Berichtes f. das Organ f. die Fortschritte d. Eisenbahnwesens üb. die internationale elektr. Ausstellg. in Wien im J. 1883 bearb. u. m. Zusätzen versehen. Mit 7 lith. Fol.-Taf. u. 64 Fig. im Texte. gr. 4. (43 S.) Wiesbaden 884. Kreidel. n. 5. —

Pollitzer, Mor., die Bahnerhaltung. Theoretische und prakt. Anleitung zum Eisenbahn-Erhaltungsdienste. 1. Thl.: Das Oberbaumaterial. Die Herstellung und Erhaltung des Oberbaues. Mit 52 in den Text eingedr. Fig., 4 lithogr. Taf. und vielen für den prakt. Gebrauch sehr nützl. Tab. (in 4. und gr. Fol.). gr. 8. (XVI, 232 S.) Brünn 873, Buschak und Irrgang. *

Pollitzer, Mor., die Bahnerhaltung. Theoretische und prakt. Anleitung zum Eisenbahn-Erhaltungsdienste. 2. Thl.: Die Herstellung und Erhaltung der Kunstgeleise, die Erhaltung des Unterbaues, Hochbaues, der mechan. Einrichtungen, der Einfriedigungen und Absperrungen, der Signale und die Administration. Mit 206 in den Text eingedr. (Holzschn.-)Fig., 2 lithogr. Taf. (in qu. Fol.) und 25 für die Bahnerhaltung sehr brauchbaren Formularen und Tab. (in gr. 8., gr. 4. und Fol.). gr. 8. (XI, 181 S.) Brünn 876, Buschak und Irrgang. *

1. Thl. Ebendas. 1873. * ℳ 12.

Pollitzer, Mor., höhere Eisenbahnkunde. Zum Gebrauche f. ausüb. Eisenbahn-Ingenieure u. alle, die an techn. Hochschulen sich zu solchen heranbilden. 1. Bd. A. u. d. T.: Die Materialien aus Eisen u. Stahl f. Eisenbahnzwecke. Herstellung u. Verwendg. derselben m. Rücksicht auf die Bestimmgn. d. Vereines deutscher Eisenbahn-Verwaltgn. Mit 147 Holzschn. u. 10 Taf. gr. 8. (VII, 159 S.) Wien 887. Spielhagen & Schurich. n. 5. —

— der practische Ingenieur u. Baumeister. Mathematische u. bautechn. Tabellen zum allgemeinen Gebrauch, die Baumechanik nebst dem Wissenswerthesten üb. Wärme, Dampfkessel, Räder, Turbinen etc., ferner Tabellen u. Daten zur vorzügl. Verwendg. bei Verfassg. v. Vorausmassen, Kostenüberschlägen, Preisanalysen, Baurechngn., sowie bei Vermessgn., Tracirgn., Constructions-Arbeiten beim Land-, Wasser-, Strassen- u. Eisenbahnbaue. Mit vielen in den Text eingedr. Holzschn. 2 Hälften. 8. (XXIII, 425 u. XXI, 438 S.) Ebend. 874. geb. à n. 7. —

Pollitzer Otto: Die Syntax der Lamentationes de Matheolus und des Livre de Seesce von Johann Le Fevre.

II. 1906 PN 2029 Diss. Wien. Univ. 2267

Pollitzer, Richard [aus Reichenberg (Böhmen)]: Über die Einwirkung von Schwefelsäuredimethylester auf Azine. Zürich 1900. 44 S. 8°.

Basel. Phil. Diss. 1900 1901.

Pollmächer, Chr. Sal.

— s. Bemerkt. auf einer Reise nach d. Petersberg.

Pollmächer, Chr. Sal., histor., geograph. u. topograph. Beschreib. d. hohen Stifts Naumburg-Zeitz. 8. Leipz. u. Laub. 790. Wirthgen. 5 gl.

– s. Biographie aus dem Leben sächs. Regenten.

– s. Geschichte K. Heinrichs I.

— Geschichte K. Heinrichs I., s. Wittekind.

– s.a. Versuch e. Geographie Kursachsens.

— Versuch einer histor. Geographie Chursachsens u. seiner Beylande rc. 2 Thle. gr. 8. Dresd. Beyer. 788.

Pollmann, A., die Honigbiene u. ihre Zucht, s.a. Bibliothek, landwirthschaftliche.

Pollmann, A: Die Honigbiene und ihre Zucht. Berlin 1875

Pollmann, A., } s.a. Volksbücher, landwirthschaftliche.
— Werth der verschiedenen Bienenracen u. deren Varietäten, }

Pollmann, A., Werth der verschiedenen Bienenracen und deren Varietäten, bestimmt durch Urtheile namhafter Bienenzüchter. Gekrönte Preisschrift. 2., verm. Aufl. 8. (VIII, 100 S.) Leipzig 889. H. Voigt. n. 1. 20

Pollmann, A., Wörterbuch für Bienenzüchter und Bienenfreunde. Alphabet. Zusammenstellung alles Wissenswerten der Bienenzucht, sowohl der Theorie als der Praxis, nebst Pflanzenkunde, Geschichte und biograph. Skizzen der bedeutendsten Bienenzüchter. gr. 8. (III, 224 S.) Weinheim 885, *Ackermann. *

Pollmann, Adam Heinrich (Neustadt, Westph.)
De renunciante jure suo se privante, specimen inaugurale.
Gissae Cal. Mart. 1707: Joh. Reinh. Vulpius. 35 S. 4°
pro gradu jurium doctoratus.

Pollmann, Carl Wilhelm, s. Pollmann, Karl Wilhelm

Pollmann, Franz (Gummersbach): Theses medicae. Gissae 1806. 4°
Dr. med. Giessen 15.11.1806.

Pollmann, H., Packet-Post-Tarif f. das In- u. Ausland. Handbuch f. Export-Geschäfte u. Postbeamte. Tarif zur Berechng. des Portos f. Packete ohne u. m. Werthangabe bis 25 kg. nach dem In- u. Ausland, nebst den f. jedes Land bei der Versendg. in Betracht komm. Zoll-Vorschriften, Einfuhrbeschränkgn. u. Versendungsbedinggn. Nach amtl. Quellen bearb. gr. 8. (VIII, 290 S.) Neustrelitz 894. (Leipzig, R. Streller.) Geb. in Leinw. n. 3. —

Pollmann, H., Tarif zur Berechnung aller durch die Einziehung v. Geldbeträgen mittels Postauftrags im Verkehr m. dem In- u. Auslande entstehenden Gebühren, m. beigefügten Gebühren- u. Umwandelungs-Tabellen. gr. 8. (56 S.) Lindenau 890. (Leipzig, Siegismund & Volkening.) n. 1. —

Pollmann, I., s. Polmann, Johann

Pollmann, Karl Wilhelm

Pollmann, Carolus Wilhelmus: *Num Clemens Romanus libros Novi Testamenti cognitos habuerit. 41 S. 8° (4°)
Halle-Wittenberg. Phil. Diss. v. 27. Jan. 1827
Geb. [Rippicha (Kr. Zeitz) 7. 11. 1802]

Pollmann, Ludwig [cand. med. aus Kronach]: '(Aus d. Krankenhaus links d. Isar, Abteilg d. Hrn Geheimr. Prof. Dr. v. Ziemssen. Ein Beitrag zur Diuretischen Wirkung des Calomels ... München, Buchdr. Kastner & Lossen, 1895; 87 S., 2 Taf. 8.
München, Med. Fak., Inaug.-Diss. v. 1896

Pollmann, Sigm. Rich.: Relatio ex actis ecclesiasticis cum rationibus dubitandi et decidendi semt Beyl. ad causam des Pastoris Hackenbergs wie auch des consistorii u. der Bürger der Bergischen Hauptstadt Lennep contra den vicarium Middendorff wie Peter Moll u. Cons. in puncto der Abschaffung der Privatbeichte u. anderer üblich gewesener Kirchen-Ceremonien. Dortmund 1739. fol.

Geheime Kunst. Lustspiel in 1 Aufz. von Theodor **Pollmann**. Cleve: Selbstverl. 1896. (39 S.) 8° [F.]

Pöllmann, Ansgar, O. S. B., s.: Gottesminne.

— kleine Lieder. Nebst e. Anh. (128 S.) kl. 8. Münster 904. Alphonsus-Buchh. Geb. in Leinw. n. 2. 40

— s.: Bocci, Franz.

Rosegger und sein Glaube. Zeitgemäße Betrachtungen von P. Ansgar Pöllmann, O. S. B. *Münster i. W.: Alphonsus-Buchh. 1903.* (VIII, 127 S.) 8° [F.]

— Rückständigkeiten. Gesammelte Aufsätze. (VIII, 387 S. m. 10 Vollbildern.) 8. Ravensburg 906. F. Alber. n. 3. 50; geb. n. 4. 50

— der lutherische Pastor Theodor Schmidt u. die selige Kreszentia v. Kaufbeuren. Randglossen. (111 S.) gr. 8. Regensburg 903. Verlagsanstalt vorm. G. J. Manz. n. 1. 20

Pöllmann, Ansgar, O. S. B., Sonnenschein. Gedichte. 12. (109 S.) Münster 902. Alphonsus-Buchh. Geb. in Leinw. m. Goldschn. n. 2. 50

— **Sonnenschein.** Gedichte. 2. Aufl. (184 S.) 8. Münster 904. Alphonsus-Buchh. Geb. in Leinw. n. 2. 50

— was ist uns Schiller? Ein Jubiläumsbeitrag. (III, 88 S. m. 1 Bildnis.) gr. 8. Kempten 905. J. Kösel. — 70

— **vom Wesen der hieratischen Kunst. Ein Vorwort zur Ausstellung der Beuroner Kunstschule in der Wiener Sezession. (39 S. m. 1 Bildnis u. 20 Taf.) 8. Beuron 905. Verlag d. Beuroner Kunstschule. n. 1. 70**

Pöllmann, Hans

Pöllmann, H., Beitrag zur ältesten Geschichte d. Kosakentums. Mit 8 Skizzen in Farbendruck. gr. 8. (73 S.) München 888. Oldenbourg. n. 2. 40

Pöllmann, Hans, Leitfaden f. den Unterricht des Kanoniers u. fahrenden Artilleristen der königl. bayerischen Feldartillerie, s.: Merkl.

Pöllmann, Hermann [app. Arzt aus Freckenhorst in Westfalen]: Ueber die Principien bei Schieloperationen. . . . Kiel, Druck v. Schmidt & Klaunig, 1888; 17 + 1 S. + 1 Bl. 8°
Kiel, Med. Fak., Inaug.-Diss. v. 25. Okt. 1888

Pöllmann, H., üb. die Principien bei Schieloperationen. Inaug.-Diss. gr. 8. (17 S.) Kiel 888. (Gnevkow & v. Gellhorn.) n. — 80

Pöllmann, Ludw., Leitfaden f. den Unterricht des Kanoniers u. Fahrers der königl. bayerischen Feldartillerie, s.: Merkl.

Der neue Bürgermeister von Beckum. Lustsp. in 2 Akten von Th. **Pollmanns**. 4. Aufl. *Duisburg: J. Hoffmann 1897.* (64 S.) 8 [F.]
= Vereins-Theater, Katholisches. Bdch. 2.

Das Gartenfest oder: Die Mauscheljuden vor dem Göttergericht. Posse in 2 Acten von Th. **Pollmanns**. 3. Aufl. *Duisburg: J. Hoffmann 1897.* (36 S.) 8° [F.]
= Vereins-Theater, Katholisches. Bdch. 3.

5 Grad westlich von Ferro oder: Der bestrafte Wucher. Posse in 1 Akt von Th. **Pollmanns**. 2. Aufl. *Duisburg: J. Hoffmann 1896.* (39 S.) 8° [F.]
= Vereins-Theater, Katholisches. [Bdch. 4.]

Itzig im Fass. Posse in 1 Akt von Th. **Pollmanns**. 5. Aufl. *Duisburg: J. Hoffmann 1898.* (16 S.) 8° [F.]
= Vereins-Theater, Katholisches. Bdch. 5.

Revanche. Posse in 1 Acte von Th. **Pollmanns**. 2. Aufl. *Duisburg: J. Hoffmann 1892.* (15 S.) 8° [F.]
= Vereins-Theater, Katholisches. Bdch. 6.

Pollmanns, Th., s.: Vereins-Theater, kathol.

Pollmanns-Amere, Scherzgedichte, s.: Vortragsmappe f. Scherz u. Humor.

Pollner, L., die bekanntesten eßbaren Pilze Elsaß-Lothringens. 1 Taf. in Farbendr. gr. Fol. Mit erklär. Text. gr. 8. (20 S.) Straßburg i/E. 890. Straßburger Druckerei u. Verlagsanstalt. n. 2. —

Pollner, L., die bekanntesten giftigen Pilze Elsaß-Lothringens. Farbige Tafel. 64×46 cm. Nebst erklär. Text. 8. (16 S.) Straßburg i/E. 891. Straßburger Druckerei u. Verlagsanstalt. n. 2. —

Pollner, L., u. G. Hammerschmidt, die vorzüglichsten eßbaren Pilze der Prov. Westfalen u. der anstoßenden Gebiete. Mit 18 (lith. u.) kolor. Taf. Im Anh. ihre Zubereitg. gr. 8. (IV, 20 S.) Paderborn 883. F. Schöningh. n. 2. 40

-- Rechenbuch f. Volksschulen, s.: Nigetiet.

— Rechenheft, enth. Aufgaben üb. Invaliditäts- u. Altersrente. Zum Gebrauche an den Volks- u. Mittelschulen, sowie den unteren Klassen der höheren Schulen Elsaß-Lothringens. gr. 8. (III, 16 S.) Freiburg i/B. 892. Herder. n. — 25

— dasselbe. Antworten. gr. 8. (7 S.) Ebd. 892. n. — 20
Wird nur an Lehrer abgegeben.

Pöllner A.: Beitrag zur Kenntnis der Eisenmeteore. 3 Elbogen 78. Progr.

Pöllner, A.: Die Braunkohlen des Falkenau-Elbogen-Karlsbader Reviers. 12 S. u. 1 Tab. – Elbogen, Progr. 1881.

Pollnitz, G. L. von, s. Pöllnitz, Gottlob Ludwig von

Pöllnitz, v., 58 krit. Bemerkungen üb. den Entwurf d. Strafgesetzbuches, (München 822). gr. 8. (4½ B.) Nürnberg 828, Riegel u. Wießner.

v. Poellnitz. Denkwürdigkeiten zur Geschichte der vier letzten Herrscher aus dem Hause Brandenburg. A. d. Französ. 2 Bde. 12. Berlin 1801. 4,50.

Poellnitz, B. v., u. O. Weise. Umgebungskarte v. Weimar. 1:50,000. 6. verb. Aufl. Farbendr. Weim. 892, Geograph. Institut. — 75

Poellnitz, Bernhard von

Poellnitz, B. v., Zentrum u. Deutschtum. Offenes Wort e. deutschen Katholiken. (36 S.) gr. 8. Oldenburg (907). G. Stalling's Verl. — 60

Zentrum und Deutschtum. Offenes Wort e. deutschen Katholiken von B[ernhard] v. Poellnitz. Oldenburg-Leipzig: Stalling [1908]. 36 S. 8° [09. 16306

Poellnitz, Gottlob Heinrich von (Meißn. Adel), Observatione de praescriptione inter liberas gentes ad Hug. Grotii I. B. et P. L. II. C. IIII. § I—IX. Präs. Johann Georg Walther. Wittenberg (Schlomach) 14. XII. 1751. 43 S. (4.50) 26879

Pöllnitz, Gottlob Ludwig von

Kurze Abhandlung über die Theorie der Festigkeit der Materialien. Entworfen von *Gottlob Ludwig von Pöllnitz*. Mit einem Kupfer. Leipzig, bey Adam Friedr. Böhme. gr. 8. 22 S. 1795.

— kurze Abhandl. üb. die Theorie d. Festigkeit d. Materialien. gr. 8. Leipz. 795. (Cnobloch). 3 gr.

- -- Belehrung über die Hornviehseuche. Ebd. 796. Cotta.

v. Pöllnitz, Glo. Ldw., († d. 23. Aug. 1820.) thierärztliche Feldapotheke, od. Noth- u. Hülfsbüchlein f. Offiziere d. Cavallerie. 8. Altenb. 811. Schnuphase. 4 gr.

— Gegenbemerkk. zu d. v. Tenneckerschen Taschenbuche f. Pferdeliebhaber. 12. Freiberg 801. Craz u. G. 4 gr.

Pöllnitz, G. L. v., das Hiebfechten zu Fuß und zu Pferde. gr. 8. Halberstadt, Vogler. 820.

— das Hiebfechten zu Fuß u. Pferde. gr. 8. Halberst. 820. N. A. 825. Brüggemann. 12 gr. 88 S.

v. Pöllnitz, Glo. Ldw., das Hiebfechten zu Fuß und zu Pferde. gr. 8. Leipzig 825. (L. Schreck.) ½ ₰

— das Pferd, od. vollständ. Anleit. z. Erkenntniß alles dessen, was man bei einem Pferde zu wissen unumgänglich nöthig hat, in Hinsicht d. Fütterung, Pflege, Wartung rc. gr. 8. Erfurt u. Gotha 818. Hennings. 16 gr. 157 S. 1 kol. Tvl.

— daß fehlerhafte Pferd, oder Darstellung aller an einem Pferde äußerlich sichtbaren Mängel u. Gebrechen, nebst Beschreibung u. Heilung derselben. Mit 1 Kpfr. 3e Aufl. gr. 8. Halberstadt ... (Leipzig, Melzer.) ¼ ₰

Gottlob Ludwig von Poellnitz

Das fehlerhafte Pferd oder Darstellung aller an einem Pferde äußerlich sichtbaren Mängel und Gebrechen, nebst kurzer Beschreibung und Heilung derselben. Von G[ottlob] L[udwig] von Pöllnitz. Halberstadt: Vogler 1820. 44 S. 8°

— das fehlerhafte Pferd, od. Darstellung aller an einem Pferde äußerlich sichtbaren Mängel u. Gebrechen, nebst kurzer Beschreib. u. Heilung derselben. Mit 1 Kpf. gr. 8. Halberst. 820. N. A. 825. (Reimann in Lpz.); (a. Pustet in Regensb.) 6 gr. 44 S.

v. Pöllnitz, G. L., das fehlerhafte Pferd od. Darstellung aller äußerlichen Mängel u. Gebrechen eines Pferdes nebst Anleitung z. Heilung derselben. Als Anhang die Kunst d. Alter des Pferdes genau z. bestimmen. Mit 1 Zeichnung. gr. 8. Ober-Glogau 846, Handel. 6 ngl

Pöllnitz, G. L. v., das fehlerhafte Pferd oder Darstellung aller äußerlichen Mängel und Gebrechen eines Pferdes nebst Anleitung zur Heilung derselben. Als Anhang die Kunst, das Alter des Pferdes genau zu bestimmen rc. Ein nützliches Hausbüchlein für alle Oekonomen rc. Mit 1 (lith.) Zeichnung (in 4.). 2. von einem prakt. Thierarzte gänzl. umgearb. u. verm. Aufl. Ober-Glogau 856. Handel. 8. (20 S.) 6 ngr.

— Rathgeber f. die, welche rohe Pferde z. Cavalleriedienst zurichten rc. 8. Neustadt 810. Wagner. 12 gr. Hbg. Pr. 6 gr.

— kleine Reitschule z. Selbstbelehrung. 8. Erf. 815. (Henninge in Gotha). 10 gr.

— militär. Reitschule, od. Anweis. alles dessen, was ein Unteroffizier d. Cavallerie wissen muß, um junge Soldaten anzuweisen. gr. 8. Halberstadt 819. N. A. 825. Brüggemann. 12 gl

(—). — Ordinarius senior et reliqui assessores facult. jur. Lipsiensis laudabiliter superatum examen viri **Gottlob Ludwig von Poellnitz** (equitis Misnici) publice testantur. — Insunt Responsor. Jur. LXXI. LXXII. et LXXIII. (Leipzig (Saalbach) Laetare 1797.) 16 S. mit Biogr. v. G. L. von Poellnitz (Bendorf) (M.: A. C. A. Pflug). (4.—) 26880

Pöllnitz, G. L. v., üb. d. Theorie d. Festigkeit d. Materialien. gr. 8. Leipz. Böhme. 795.

Poellnitz, Karl Ludwig (Wilhelm) von

Pöllnitz, Baron v., s. a.: Pöllnitz.

Poellnitz, Charles-Louis de, s.a. Amusemens des eaux de spa.

Amusemens des Eaux de Spa, Oder Vergnügungen und Ergötzlichkeiten bey denen Wassern zu Spa. a. Aus dem Frantzösischen in Teutsche übersetzet von F. G. v. K. Und mit schönen Kupffern gezieret. Franckfurt und Leipzig, 1735.

Pöllnitz, K. L. v., Briefe, welche d. merkw. seiner Reisen, ic. enth. 2 Thle. Frankf. Andreä. 759.

Geschichte Der Hertzogin von Hannover, Gemahlin Georgens Des Ersten, Königes von Groß-Britannien; Oder Beschreibung Derer Begebenheiten dieser unglückseeligen Prinzeßin; Ihres Gefängnüsses auf dem Schlosse zu Ahlen, woselbst sie ihr Leben beschlossen; Ihres geheimen Verständnüsses mit dem deswegen umgebrachten Grafen von Königsmarck, etc. Aus dem Frantzösischen (des *Charles Louis* Baron *de Pöllnitz*) ins Teutsche mit Fleiß übersetzet. (Druckerstock.) Anno MDCCXXXIV. (1734.) 8⁰. (15 Mk. Adolf Weigel, 1906.)

Titel u. 98 S. Ohne alle Vorrede.

Französ. Orig. (in Hannover, Stadtbibl., u. in Carlsruhe, Hof- u. Landesbibl. [Ko 191]): Histoire secrette de la Duchesse d'Hanovre, Epouse de George I., Roi de la Grande Bretagne. Les malheurs de cette infortunée Princesse; sa prison au chateau d'Ahlen ou elle a fini ses jours; ses intelligences secrettes avec le Comte de Königsmark, assassiné a ce sujet. Londres Par la Compagnie des Libraires (Holl. ou Hambourg?), 1732. 12⁰. (In Rostock, Landesbibl.) (10 Kr. Hahn & Goldmann, 1907.) Gay, Bibl. de l'amour II, 576: Ouvrage hardi, que l'auteur n'osa pas faire imprimer pendant la vie de la duchesse.

— Lettres et mémoires. II Tom. 8. Frft. 740.

Lettres saxonnes (par *Charles Louis* Baron *de Pöllnitz*). 2 tom. A Berlin, aux dépens de la Compagnie (Amst.), 1738. pet. in-12⁰.

H. Bukowski, Stockh., Novbr.-Auct. 1884. no. 972; Anon.-Lex. III. p. 53 (nach Meusel). — Rare!

POELLNITZ, Carl Lud. Wilh. Baron v. (1692—1775). — Memoiren des Baron v. Pöllnitz, des Verfassers des „galanten Sachsens". (S. August d. Starke.) Berlin 1853. 8⁰. Color. Umschl. (1 Rthl. Scheible, vor 1875.)

Orig. Mémoires de Charles-Louis baron de Pölnitz [Poellnitz], cont. Les Observations qu'il a faites dans ses voyage, et le caractère des Personnes qui composent les principales Cours de l'Europe. . . . T. I—III. Liège, Jos. Demen. 1734. 12⁰. T. IV. 3me éd. Augm. de deux Vols, & d'une Table des Matières. Amsterdam, Frç. Changuion, 1737. 8⁰. — Nouveaux mémoires du baron Charles Louis de Pölnitz, cont. l'histoire de sa vie, et la relation de ses premiers voyages. 2 tom. Ibid. 1737. 8⁰. 1 frontisp. — Nouv. édition. 2 tom. Francfort, aux dép. de la compagnie. 1738. 8⁰. 1 frontisp. (Sämmtlich in Wolfenbüttel; cfr. Cat. Milchsack.)

— — Dasselbe. Ebd. 1863. 8⁰. (2 Mk. 50 Pfg., Expl. im illustr. Orig.-Umschl., Max Jaeckel, Potsdam, c. 1898.)

PÖLLNITZ, Carl Ludw. Frhr. v. (1692—1775). Memoiren zur Lebens- u. Regierungsgeschichte der vier letzten Regenten des Preussischen Staates mit einem berichtigendem Anhange. Aus d. Französ. (von Friedr. Leop. Brunn). 2 Bde. Berlin 1791. 8⁰. (Antiqu.-Pr. 4 bis 6 Mk.)

Anon.-Lex. III. p. s. 282 (nach Meusel, Kayser, Hitzig). Orig.: Mémoires p. s. à l'hist. des quatre derniers Souverains de la Maison de Brandenbourg. (Publ. p. Frédéric Leop. Brunn.) Berlin 1791. 8⁰.

v. **Pöllnitz**, Frhrr. Karl Ldw., († d. 23. Juni 1775.) Memoiren z. Lebens- u. Regierungsgeschichte d. 4 letzten Regenten d. preuß. Staats. Mit e. bericht. Anh., aus d. Französ. (v. Fr. L. Brunn). 2 Bde. 8. Berl. 791. Voß. 2 rf 16 gl

Pöllnitz, C. L. F. v. Mémoires pour servir à l'histoire des quatre derniers Souverains de la Maison de Brandenbourg. Berlin 1791. H: *Brunn, Friedrich Leopold.* (Hitzig) (Ky) (BrMm)

v. *Pöllnitz*, Frhr. Karl Ldw., mémoires pour servir à l'histoire d. 4 dern. Souverains de la maison de Brandenbourg roys de Prusse, (hrsgg. v. Fr. L. Brunn). II Tom. gr. 12. Berl. 791. Voss. 2 rf 12 gl

— mémoires et lettres, cont. les observat. qu'il a faites dans ses Voyages etc. III Tom. 8. ibid. 738.

— mémoires nouv., cont. l'hist. de sa Vie et la relat. de ses prem. Voyages. II T. 8. Frft. Andreae. 738.

Des Freyherrn von Pöllnitz Neue Nachrichten Welche seine Lebens-Geschichte Und eine Ausführliche Beschreibung Von Seinen ersten Reisen In sich enthalten, wie sie nach der neuesten Auflage aus dem Frantzösischen in das Hoch-Deutsche übersetzet worden. Erster (-Zweyter) Theil. Franckfurt am Mayn, Gedruckt auf Unkosten der Gesellschaft. 1739

— neue Nachricht., welche seine Lebensgeschichte u. s. erst. Reis. enth. 2 Thle. 8. Ebend. (a. Varrentrapp u. W.) 739.

— Nachr. v. s. Reisen. 4 Thle. 8. Frankf. Varrentrapp u. W. 735.

v. Pöllnitz, K. L., Reitschule für Militär- u. Civilpersonen. 2e Aufl. gr. 8. Leipzig 835. Schreck. 1/2 rf

v. Pöllnitz, K. L., Reitschule für Militär- u. Civil-Personen. Enthält das Wissenswürdigste für Cavallerie-Unterofficiere zum Reitunterricht für junge Soldaten u. zum Selbsterlernen der Reitkunst. 3. (Titel-) Aufl. 8. (111 S.) Bautzen (835) 849, Reichel. 1/2 rf

(PÖLLNITZ.) Das galante Sachsen. Neue Auflage mit einigen Zusätzen von dem Baron von Böllnitz vermehret. Offenbach 1735. Neudruck ca. 1912.

— das galante Sachsen. Geheime Chronik des sächsischen Hofs unter d. Churfürsten Johann Georg IV. u. Friedrich August II., König von Polen. Neue Uebersetzung. gr. 12. Stuttgart 837. Erhard. 7/8 rf

-- Das galante Sachsen. Neue Aufl., m. einigen Zusätzen vermehrt. Wozu noch kommet dessen 2. Theil, so die innere Beschaffenheit Sachsen-Landes in sich begreiffet. Offenbach am Mayn, MDCCXXXV. Neudruck. (315 S.) 8. Dresden-Potschappel (910). (Leipzig, W. Heichen.) 3.—

Das galante Sachsen [La Saxe galante]. Neue Aufl. m. einigen Zusätzen von d. Baron [Karl Ludwig] v. Böllnitz [Pöllnitz] verm. Offenbach a. M. 1735. [Facs.-Neudr.] (Magdeburg & Leipzig: Deubach & Lindemann [1910].) 224 S. 8° [11. 7759 3

Pöllnitz, Karl Wilhelm Friedrich Leopold

— neueste Beitrr. z. Staatswirthschaft. Mit Kpf. 8. Schwab. 795. Mizler. (Andreä in Leipz.) 8 gl.

— neueste Beyträge z. Staatswirthsch. m. K. 8. Ebend. (a. Bayer in Leipzig.) 795.

— Beitrr. z. Verbesser. d. Sandfelder. Mit 1 Kpf. 8. Schwab. 791. Mizler. 2 gl.

— Beitrr. z. prakt. Veredl. d. Landwirthschaft. 8. Schwab. 791. Mizler. 2 gl.

— allgem. polit. Bemerkk. üb. Gewerbe, Fabriken u. Manufakturen. 8. Bayreuth 786. Lübecks Erben. 3 gl.

— vermischte Entwürfe für Freunde d. Humanität u. Staatswirthschaft. 8. Schwabach 797.

— wahre Mittel, Staaten reich, blühend u. glücklich zu machen. 8. Ansb. 787. Haueisen. 2 gl.

— üb. die wahren Mittel z. Fruchtbarkeit. 8. Nürnb. 790. Monath u. K. 5 gl.

v. Pöllnitz, Karl Wlh. Fr. Leop., auch ein paar Worte üb. d. Adel Deutschlands. 8. Wesel 795. Röder. 4 gl. 2e Aufl. 8. Nürnb. 797. Felssecker. 5 gl.

v. Pöllnitz, L. R., Katechismus üb. einige Zweige d. philosoph. Wissenschaften. 8. Ansb. 832. (Dollfuß). 18 gl. (7¾ B.)

Poellnitz, Paul von

Poellnitz, P. v., die römische Rheinbrücke bei Mainz. Ihr Ursprung u. ihre Construction. Mit 2 Taf. Abbildgn. gr. 4. (15 S.) Mainz 884. Diemer. n. 1. 80

Poellnitz, Paul v., Stammtafeln der Familie v. Poellnitz, zusammengestellt von P. v. P., ergänzt u. hrsg. v. Bernh. v. Poellnitz u. Max Frhr. v. Pölnitz. qu. Fol. (3 S. Text m. 11 Tab.) Berlin 893. C. Heymanns Verl. Geb. in Leinw. m. Goldschn. n. 10. —

Pöllniz, Ludw. Karl v.: Ludw. Carl v. **Pöllniz** gewürdiget nach seinem Tode von dankbaren Brüdern in der Versammlung am 14. März 1801. Ansbach [1801]: Brügel. 16 S. 8° [Umschlagtit.]

Pollnow [Schlagwort]

Pollnow, s.: Geologische Karten (Preussen).

Pollnow [Verfasser]

Pollnow, H., die Gehörstörungen des Locomotivpersonals u. deren Einfluss auf die Betriebssicherheit der Eisenbahnen, s.: Moos, S.

Pollnow, Herm. (geb. Bernau 28. 8. 1849): Der Hydrops sanguinolentus foetus und sein Verhältniss zur hereditären Syphilis. Berlin (1874). (29 S.) 8°
Berlin, Med. Diss. v. 11. Aug. 1874

Pollnow, Isaak

Pollnow, I. (Friedland/Westpr.), De morbo brightii. Diss. med. Berlin (Friedlaender) 12. IX. 1836. 32 S. mit Biogr. (M.: H. Wolff.) (—.—) 26993
Oppon.: M. B. Lessing, S. Levinstein, M. Litten. — Gew.: M. J. Hanff.

Pollnow, Leo [pr. Arzt]: Beiträge zur chirurgischen endolaryngealen Behandlung der tuberkulösen Epiglottis ... Königsberg i. Pr., Druck v. M. Liedtke, 1895; 2 Bl., 25 S., 1 Bl. 8.
Königsberg, Med. Fak., Inaug.-Diss. v. 7. Mai 1895

Pollnow, Leo, Beiträge zur chirurg. endolaryngealen Behandlung d. tuberkulösen Epiglottis. Diss. gr. 8. (25 S. m. 3 Abb.) Königsberg 895. (W. Koch.) n. — 80

Heisraths Tarsalexcision und Kuhnts Knorpelausschälung in der Granulosebehandlung von Augenarzt Dr. Leo **Pollnow**, Königsberg i. Pr. Leipzig: J. A. Barth 1907. (52 S.) 8° [07. 9525 10

Pollock, Algernon J., s.a. Adventisten, die, vom siebenten Tag.

Die Adventisten vom siebenten Tag (auch Sabbatisten genannt). Ein Wort d. Aufklärung u. Warnung. (Von Algernon J. **Pollock**. (Aus d. Engl.)) 2. Aufl. Bonn: Schergens [1909]. 22 S. 8° [Umschlagt.] [09. 8995

Pollock, Baronet Sir Frederick, kurze Geschichte der Staatslehre, s.a. Universal-Bibliothek.

Kurze Geschichte der Staatslehre. Von Sir Frederick **Pollock**, B[rt], Prof., Oxford. Durch Verf. u. Verl. autor. Übers. von James Brown Scott u. Otto F[rh.] v. Boenigk. Leipzig: Ph. Reclam jun. (1893). (116 S.) 8° [F.]
(Universal-Bibliothek. 3128.) [06. 10439

Pollock, F., das Recht d. Grundbesitzes in England, übers. v. E. Schuster. 8. (X, 280 S.) Berlin 889. Vahlen. n. 5. —

Pollock, Hans, zur Technik der Endoskopie. (3 S. m. 1 Abbildg.) gr. 8. Leipzig 905. Verlag der Monatsschrift f. Harnkrankh. n. — 50
Sonderabdruck aus: „Monatsschr. f. Harnkrankh."

Pollock, Horatio M.: The anatomy of Hydrachna inermis, Piersig. *Leipzig 1898: (Gressner & Schramm).* (52 S. mit Taf.) 8°
Leipzig, Phil. Diss. v. [1. März] 1898

Pollock, Ludwig Hans, approb. Arzt aus Freiburg i. B.: **Über die Behandlung der Sehnenverletzungen nebst Untersuchungen über den Heilungsvorgang.** *Berlin (1898): G. Schade.* (48 S.) 8°
Freiburg i. B., Med. Diss. v. 1898

Licht und Wasser [Light and water]. Eine Studie über Spiegelungen u. Farben in Flüssen, Landseen u. d. Meere von Sir Montagu **Pollock**. (Übers.: W. Merkel.) Autor. u. durch Erl. d. Verf. erw. Uebers. Straßburg: J. H. E. Heitz 1906. (177 S.) 8° [F.] [07. 9310 8

Pollock, Rob., der Lauf der Zeit. Ein Gedicht in 10 Gesängen. (A. d. Engl.) Uebers. v. Wilh. Hey. 8. (32½ B.) Hamburg 830, Fr. Perthes. f. Pap. 1 Thlr. 12 Gr., Vlnp.

Pollok, Karl

Pollok, Carolus *(geb. Brinnitz bei Oppeln 1. 11. 1843)*: Quaestionum de quatuor primi belli sacri historiis, quae sub Tudebodi nomine comprehenduntur, p. 1. Vratislaviae (1872). (36 S.) 8°
Breslau, Phil. Diss. v. 26. Jan. 1872

Pöllot, Wilhelm: Histologischer Bau und Rückbildung des Ductus arteriosus Botalli. Heidelberg 1909: Dörr. 31 S. 8°
Heidelberg, Med. Diss. v. 9. Sept. 1909, Ref. Ernst
[Geb. 1. März 85 Darmstadt; Wohnort: Heidelberg; Staatsangeh.: Hessen; Vorbildung: Ludwig-Georgs-Gymn. Darmstadt Reife O. 03; Studium: Heidelberg 1, München 4, Berlin 1, Heidelberg 4 S.; Coll. 2. März 09; Approb. 1. Aug. 09.] [U 10. 2083

POLLOTINICS, BENEDIKT: Der erneuerte Seraphische Layen-Bruder, der nach Gott geschaffen ist in der Gerechtigkeit, und Warheit (!) der Heiligkeit, ad Eph. 4, 24. Oder: Kurtzer Begriff, wie ein jeglicher Ordens-Mann, sonderlich aber ein Münder-Bruder, und Schwester des H. Vaters Francisci, in Sünden gelebtes Leben durch die h. Regel und Ordens-Schatzungen verneuern könne, durch achttägliche 24 Betrachtungen oder 16 Sitten-Lehren in sich haltende Uebungen vorgetragen. Durch einen Priester reformirter Franciscanern, Marianischer Provinz in Hungarn. Wienerisch-Neustadt 1731. Gedr. bey Sam. Müller. 371 S. - 160 mm

Polluge, K. G., neues Tyrocinium f. Deutsche z. Erlernung d. poln. Sprache nach d. Regeln d. Bandtkeschen Grammatik, mit Beispielen u. Uebungsaufgaben. 8. Brsl. 814. W. G. Korn. 8 gr.

Polluge, Ludwig, Prof. Dr.: Zur Frage der (auf d. Progr.: Über) Klimaänderungen und -schwankungen in historischen Zeiten. *Salzwedel 1903: A. Menzel.* (16 S.) 4°
Salzwedel, k. G, OP 1903 (200)

Polluge, L., Klimaänderungen in historischen Zeiten, s. Sammlung gemeinverständlicher wissenschaftlicher Vorträge.

Polluge L.: Klimaänderungen in historischen Zeiten. Berl. 1880. 40 S. P.
(Sammlung gemeinverst. wiss. Vorträge. H. 359).

Polluge, Ludovicus *(geb. Przyglepki in Pos. 10. 2. 1849)*: De conjunctivi et futuri usu Homerico. Vratislaviae 1874. (62 S.) 8°
Breslau, Phil. Diss. v. 6. Aug. 1874

Pollux, f.: Masseusen-Unwesen, das, in Berlin.

Pollux, Julius Grammaticus. *'Ερμηνεύματα*, interpretamenta, ed. M. Haupt. Pr. 1871. 10 S. 4°. 1.—

— historia physica seu Chronicon ab orig. mundi usq. ad Valentis temp., nunc primum graec. et latin. editum c. lect. var. et notis a Ign. Hardt. 8maj. Münch. 792. J. Lindauer. 1 Rthlr 20 gr

— *Καθημερινῆς ὁμιλίας βιβλίον.* Cottidiani colloquii libellus a M. Hauptio relictus. Pr. 1874. 12 S. 4°. 1.—

Pollux, Onomasticon, s. a. Lexicographie graeci. IX.

Pollucis, Jul., Onomasticon, cum annotationibus interpretum. Cur. Wlh. Dindorfius. V Voll. in VI Ptibus. Mit 1 Kpft. 8maj. Lpz. 824. Kühn. 24 Rthlr Schrbp. 36 Rthlr Velinp. 48 Rthlr

Pollucis, Julii, Onomasticon. Ex recensione Imm. Bekkeri. 8maj. Berolini 846, Nicolai. 3 Rthlr

(Iulii) **Pollucis** Onomasticon e codicibus ab ipso collatis denuo edidit et adnotavit Ericus Bethe. *Lipsiae: B. G. Teubner 1900.* (XIX, 305 S.) 8°
— Lexicographi Graeci. Vol. 9. [co. 1142

— onomasticum gr. et lat. II Vol. Amst. Walther. 706. 1

Pollwein, Markus, der Geschwornendienst. Praktisches Hilfsbüchlein insbesondere f. Geschworne. 8. (VI, 34 S.) Nördlingen 885. Beck. cart. n. — 50

Pollwein, M., bayerisches Gesetz vom 30. März 1850, die Ausübung der Jagd betr., nebst den einschläg. Gesetzen, Verordngn. u. sonst. Bestimmgn., sowie e. Anh., enth. das Gesetz vom 15. Juni 1850, den Ersatz des Wildschadens betr., unter besond. Berücksicht. der Rechtsprechg. der Gerichte und des Verwaltungsgerichtshofes bearb., nebst Einleitg. u. Sachregister hrsg. gr. 16. (VI, 181 S.) Nördlingen 885. München, Beck. cart. n. 1. 50

—— bayerisches Gesetz vom 30. März 1850, die Ausübung der Jagd betr., nebst den einschläg. Gesetzen, Verordnungen und sonst. Bestimmungen, sowie einem Anhang, enthaltend das Gesetz vom 15. Juni 1850, den Ersatz des Wildschadens betr., unter besond. Berücksicht. der Rechtsprechung der Gerichte und des Verwaltungsgerichtshofes bearb., nebst Einleitung und Sachregister hrsg. gr. 16. (VI, 181 S.) Ebendas. 888. cart. *

— bayerisches Gesetz vom 28. Mai 1852, die Benutzung d. Wassers betr., nebst e. Anh., enth. das Gesetz üb. den Uferschutz u. den Schutz gegen Ueberschwemmgn. vom 28. Mai 1852, m. Erläutergn. unter besond. Berücksicht. der Rechtsprechg. d. obersten Landesgerichts u. d. Verwaltungsgerichtshofes, nebst Einleitg. u. Sachregister. 16. (IV, 172 S.) Ebd. 890. cart. n. 1. 80

Pollwein, Markus. Bayerisches Gesetz vom 30. März 1850, die Ausübung der Jagd betr., nebst den einschläg. Gesetzen, Verordngn. und sonst. Bestimmgn., sowie e. Anh., enth. das bayer. Gesetz v. 15. Juni 1850, den Ersatz d. Wildschadens betr., unter besond. Berücksicht. der Rechtsprechg. der Gerichte u. d. Verwaltungsgerichtshofes bearb., nebst Einleitg. u. Sachregister hrsg. 2. umgearb. Aufl. gr. 16. (VI, 193 S.) Münch. 891, Beck. cart. * 1 60

Pollwein, Markus, bayerisches Gesetz vom 30. März 1850, d. Ausübg. d. Jagd betr., nebst d. einschläg. Gesetzen, Verordngn. u. sonst. Bestimmgn., sow. e. Anh., enth. d. bayer. Gesetz v. 15. Juni 1850, d. Ersatz des Wildschadens betr., unt. bes. Berücksicht. d. Rechtsprechg. d. Gerichte u. d. Verwaltungsgerichtshofes bearb., nebst Einleitg. u. Sachregister hrsg. 3., umgearb. Aufl. gr. 16. (VI, 193 S.) München 895. C. H. Beck Kart. n. 1. 60

Pollwein, M, Bayerisches Gesetz vom 30. III. 1850, die Ausübung der Jagd betr., nebst den einschläg. Gesetzen, Verordngn. u. sonst. Bestimmgn., sowie e. Anh., enth. die Gesetze, den Ersatz des Wildschadens betr., nach dem Stande des vom 1. I. 1900 ab gelt. Rechtes u. unter Berücksicht. der Rechtsprechg. der Gerichte u. des Verwaltungsgerichtshofes bearb., nebst Einleitg. u. Sachregister hrsg. 4. Aufl. 12. (VI, 211 S.) München, C. H. Beck. **1900**. Geb. in Leinw. 2. —

Pollwein, Markus, bayerisches Gesetz vom 30. III. 1850, betr. die Ausübung der Jagd, nebst den einschläg. Gesetzen, Verordngn. u. sonst. Bestimmgn., sowie e. Anh., enth. die Gesetze, betr. den Ersatz des Wildschadens, nach dem Stande des neuen Rechtes u. unter Berücksicht. der Rechtsprechg. der Gerichte u. des Verwaltungsgerichtshofes bearb. 5., umgearb. u. ergänzte Aufl. 12. (VII, 276 S.) München 901. C. H. Beck. Geb. in Leinw n. 2. 50
4. Aufl. (VI, 211 S.) 900. Geb. n. 2. —.

Pollwein, Markus, bayerisches Gesetz vom 30. III. 1850, betr. die Ausübung der Jagd u. die Gesetze, betr. den Ersatz d. Wildschadens. 6., neubearb. Aufl. (VIII, 334 S.) kl. 8. München 906. C. H. Beck. Geb. in Leinw. n. 3. —

Pollwein, Mark., bayerisches Gesetz vom 30. III. 1850, betr. die Ausübung der Jagd u. die Gesetze, betr. den Ersatz des Wildschadens, nach dem neuesten Stande, insbesondere m. der Jagdpolizeiverordng. vom 6. VI. 1909. 7., vollständ. neubearb. Aufl. (VIII, 375 S.) kl. 8. München 910. C. H. Beck. Geb. in Leinw. 3. 50

POLLWEIN, Max Josef (Schmidmühlen): Die Duldungsklage unter besonderer Berücksichtigung des § 739 der Zivilprozessordnung.- München: Riesbeck 1911. 68 S.
17.6.1911 - Chr 1910/11,21; U 11.3548
Diss. Ingolst.-Landsh.-Mchn.

Polly, Adrian, russisches Leben. Ernstes u. Heiteres. 1.—3. Taus. (140 S.) 8. Leipzig 907. Teutonia-Verlag. 1.—; kart. 1.20; geb. in Leinw. 2.—

Polly, Adrian, zu Russlands Revolution u. Neugeburt. Selbsterlebtes u. Geschichtliches. 1.—3. Taus. (202 S. m. Abbildgn.) gr. 8. Leipzig 906. Teutonia Verlag. n. 3.—; geb. n. 4.—

Poelmahn, *Heinrich* Zwei Unterrichtsstunden in Tertia. (1. Eine Caesarstunde in Untertertia. 2. Eine deutsche Stunde in Obertertia, Probe einer Erläuterung von Schillers Ballade „die Kraniche des Ibykus".) 4 (S. 1—12). **Progr.** G. *Oldenburg* 1888 (629).

Polmann, Johann

Polmann, J., Breviarium theologicum continens definitiones, descriptiones et explicationes terminorum theologicorum. Wien, 1702.

Polmann, Jh., breviarium theologicum, contin. Principia, Definitiones, Axiomata et Sensa Theologorum. 8maj. Augsb. 776. Rieger. 16 gr.

Pollmann, I., breviarium theolog. 8. Würzb. (M. Rieger. Augsb.) 776.

— — id. lib. 8. Nürnb. Endter.

Polmann, Isaac, Die Deutsche Sprache ist eine Mutter der Griechischen und Lateinischen,
siehe Johann Bödiker,
Neu=vermehrte Grund=Sätze Der Deutschen Sprachen,
Berlin (1701).

Polmans, Herm. Leonard. (geb. Amern bei St. Anton 15. 7. 1838): De catarrho ventriculi acuto. Berolini (1864). (30 S.) 8°
Berlin, Med. Diss. v. 8. Aug. 1864

POLNER, Justus, oder Abentheuer und Besonnenheit. Eine Gespenster- und Rittergeschichte. Altona, Hammerich, 1800. 8°. Selten!

Pölner, Just, od. Abenteuer u. Besonnenheit e. Gespenster- u. Rittergeschichte. 8. Altona, Hammerich. 800.

Polnisch [für Deutsche]. Mit genauer Angabe d. Aussprache. Bonn, Leipzig: C. Georgi [1897]. (32 S.) 8° [Umschlagt.]
= Kuntze. Polyglott. [17.]

Polnisches. Novellen von Marya Konopnicka, (Krysta); Eliza Orzeszko, (Die gute gnädige Frau); und Ostoja [d. i. Józefa Sawicka], (Der Organist). Autor. Uebers. von Helena Majdańska. *Berlin: R. Eckstein Nachf. [1904].* (160 S.) 8°

Polnisch-Livland. [Aus der liv. Gouv.-Zeitung.] Mit (2) lith. Karten, wovon 1 color., in gr. 4. u. gr. Fol.), (2) Originalphotogr., (2) Holzschn.(-Taff. in Tondr.) u. anderen Beilagen. Riga 869. Kymmel. gr. 4. (95 S.) n.n. 1 Thlr 15 ngr.

Pölnitz, G. L. von, s. Pöllnitz, Gottlob Ludwig von

v. **Pölnitz,** Max Frhr. [k. b. Kammerjunker u. Regierungsaccessist]: Das Selbstverwaltungsrecht der Gemeinden und die Staatsaufsicht über dieselben in ihrer Entwickelung nach der Gemeindegesetzgebung des rechtsrheinischen Bayern seit König Maximilian I. Joseph. . . . Bamberg, Buchner'sche Verlagsbuchh., 1890; 2 Bl., 118 S. 8°
Erlangen, Jur. Fak., Inaug.-Diss. v. 1890

Pölnitz, Max Frhr. v. Das Selbstverwaltungsrecht der Gemeinden u. die Staatsaufsicht üb. dieselben in ihrer Entwickelung nach der Gemeindegesetzgebg. d. rechtsrhein. Bayern seit König Maximilian I. Joseph. Diss. gr. 8. (118 S.) Bamb. 890, Buchner Verlag. 3 —

— Stammtafeln der Familie v. Poellnitz, s.: Poellnitz, Paul v.

Polo, di Marco, e degli altri Viaggiatori Veneziani più illustri Dissertaz. del P. Al. D. Placido Zurla con append. sopra le antiche Mappe lavorate in Venezia e con 4 Carte geografiche. 2 Vol. 4. Venezia, 818 et 819.

Polo, Marco, El Libro. Aus dem Vermächtnis des Herm. Knust nach der Madrider Handschrift hrsg. von R. Stuebe. gr. 8. (XXVI, 114 S.) gr. 8. Leipzig 902. Dr. Seele & Co. n. 6.—

Polo, Marco, Reise in d. Orient währ. d. J. 1272—1295, mit e. Comment. v. F. Peregrin. gr. 8. Zwick. 802. Schumann. 1 Thlr

(Polo, Marco): Die Reisen des Venezianers Marco Polo im dreizehnten Jahrhundert. Zum ersten Male vollständig nach den besten Ausgaben. Deutsch mit einem Kommentar von August Bürck. Nebst Zusätzen und Verbesserungen von Karl Friedrich Neumann. 2. Ausgabe. Leipzig 1855. XVI, 631 S. 8°.

Polo, M., s.: **Voyages and travels.**

v. Polochay, Baron Thdr., Gedichte. gr. 8. Pesth 837. Heckenast. 2/3 Thlr

Poloftzoff, W., die Pockenkrankheit der Tabakspflanze, s.: **Iwanowsky, D.**

Poloftzoff, W. Die Pockenkrankheit der Tabakspflanze, s. Mémoires de l'académie impériale des sciences de St. Pétersbourg. VIIme série, tome XXXVII, Nr. 7.

Pologne [Schlagwort]

Pologne — Carte du ci-devant Royaume de — dans son état actuel. Dressée d'après les Cartes de Gilly, Liesganig etc. Par A. P. H. Nordmann, Ingénieur Géographe. Vienne chez Artaria et Compagnie. 1815. 1: 900,000. 9 Bl.

Pologne [Sachliches OW]

Pologne, la. Trilogie politique. gr. 8. (VIII u. 72 S.) Berlin 848, Schneider & Co. Paris, Franck. 1/2 Thlr

Pologne, la, captive et ses trois poètes Mickiewicz, Krasiński, Słowacki. 8. (240 S.) Leipzig 864, (Brockhaus' Sortiment und Antiquarium.) *

Pologne-Russie. Berlin 861. Behr. gr. 8. (10 S.) n. 5 ngr.

Polomsky, Eman. (Ern.) (geb. Preiswitz 26. 3. 1813): De plica Polonica. Berolini (1838). (30 S.) 8°
Berlin, Med. Diss. v. 28. März 1838

Polonceau W.:
Bemerkungen üb. die asiatischen Pflaumziegen v. Cachemire . . . Aus d. Franz. übers. v. J. D. Busch. Marb. 1831. 36 S. 1 Tvl. P.

Polonceau, W., Bemerkk. üb. die asiatischen Pflaumziegen v. Cochemire u. einen ersten Versuch, ihren Pflaum zu vermehren, u. ihm neue Eigenschaften zu verschaffen. Aus dem Französ. übersetzt v. Ritter ec. J. D. Busch. Mit 2 lithogr. Tafeln. gr. 8. Marb. 831. Garthe. 10 gr.

Poloner, J., s.: **Descriptiones terrae sanctae.**

Polonia i Litwania (Pologne et Lituanie)
① Dwutygodnik narodowy, katolicki dla wsi i miast ⑤ 1910 ⑦ toutes les 2 semaines ⑧ Fribourg ⑩ Mieczysław Dukszta ⑬ Zieliński: Bibljografja.

Polonia propria tanquam Regni Polonici Provincia primaria etc. Norimbergae delineata, et in lucem tradita per Homannianos Heredes 1772. 1: 1,450,000. 1 Bl

Polonia Regnum. G. Bouttats fc. Ohne Maßst. 1 Bl.

Poloniae Regnum. 1: 15,000,000 circa 1 Bl.

Polonica nova, de legatis et jure patronatus. 4. Col. Knoch. 728.

Halt! Ein Mahnwort v. Polonius. (1.–5. Taus.) *Berlin: R. Taendler [1896].* (14 S.) 1 Bd 8. [96. 5218

Polonowsky, Max. aus Pruzany (Russland): Die Condensation des Glyoxals mit Malon- und Acetessigester. [Aus: Liebig's Annalen der Chemie. Bd 246, S. 1—32]. Uster-Zür. A. Diggelmann Dr. 1888. 43 S. 8°.
Zürich. Phil. Diss. [v. 16. Juli 1888].

Polonowsky, Natalie. aus Pruzany (Russland): Ueber das Anisamin. — Ueber die Reduction der Oxime der Dibenzylreihe. Uster-Zür. A. Diggelmann Dr. 1888. 43 S. 8°.
Zürich. Phil. Diss. [v. 4. Juni 1888].

v. **Polonski,** Boleslaw (geb. St. Petersburg 18. 3. 1847): Beiträge zur Lehre vom Fieber, insbesondere von den durch inficirte Wunden entstehenden Fiebern. Berlin (1872). (20 S.) 8°
Berlin, Med. Diss. v. 22. Aug. 1872

Polonski, J. P., s. Polonskij, Jakow Petrowitsch

Priester Georgij Gapon. (Der Fuhrer d. russ. Arbeiterschaft.) Von Dr. G[eorgij] **Polonskij.** Halle a. S.: Gebauer-Schwetschke 1905. (48 S.) 8° [05. 11960

Polonskij, Geo., Geschichte der russischen Literatur, s. a. Sammlung Göschen.

Geschichte der russischen Literatur von Dr. Georg **Polonskij.** Leipzig: Göschen 1902. 144 S. 8°
(Sammlung Göschen. 166.) [10. 14910 11

Polonsky, Geo., Gewissen, Ehre u. Verantwortg. Litorar-psycholog. Studien. (Ibsen, Glob Uspenski, Leo Tolstoi.) breit 8. (116 S.) München 898. (H. Lukaschik.) n. 2. —

Polonskij, Jakow Petrowitsch, Gedichte, s.: Universal-Bibliothek.

Polonskij, Jacow Petrowisch, ein ehrlicher Kauz, s.: Universal-Bibliothek.

Polonski, J. P., Turgenjew in seinem Heim, s.: Taschen-Bibliothek, russische.

Polonsky geb. Kroll, **Chana:** Ueber Neurofibromatose. Berlin 1909: Ebering. 34 S. 8°
Berlin, Med. Diss. v. 6. Aug. 1909, Ref. Hildebrand
[Geb. 14. Mai 82 Nieschin; Wohnort: Nieschin; Staatsangeh.: Rußland; Vorbildung: Gymn. Nieschin Reife M. 03; Studium: Berlin 10 S.; Rig. 31. Juli 09.] [U 09. 84

Polonsky, Geo., s. Polonskij, Georg

Polonskij, Jac., e. teure Christbaumfeier, s.: Bibliothek der fremden Zungen.

Leo Polonus, Berliner Wachskerzchen f. wahre Freunde d. Literatur. 1. Halbdutzend. (Gedichte.) Berlin 828, (Hold.)

Polonus, Leopold, (psdn.) Berliner Wachskerzchen f. wahre Freunde der Literatur. 1 halb Dutzend. Berl. 829.

Polonyi, Eugen [cand. med. aus Arad, Ungarn]: Ueber Pseudohypertrophie der Muskeln. . . . München. Buchdr. v. M. Ernst, 1891; 25 S., 1 Bl., 1 Taf. 8°
München, Med. Fak., Inaug.-Diss. v. 1891

Polonyi, Heinrich: Über die Hydrolyse von Neutralsalzen. – 1907.
T. 1. 2.
Diss. Wien, TH.

Polossuchin, Olga, aus Petersburg: Ueber eine besondere Klasse von differentialen Funktionalgleichungen. Zürich 1910. 52 S. 8°. [4. V. 10.]
Zürich Univ. Phil. Diss. II. S. 1909 10.

Polossuchin, Olga. Über eine besondere Klasse von differentialen Funktionalgleichungen. Diss. Phil. [II.] Univ. Zürich. [Mit Figuren.] 52 S. 8. Zürich, Aktien-Buchdr., 1910.

Polotebnoff, A. G.

Polotebnoff, A., Einleitg. in d. Cursus d. Dermatologie. Vortrag, geh. bei d. Eröffng. d. Ambulatoriums f. Syphilis u. Hautkranke bei dem Marien-Krankenhause. gr. 8. (47 S.) Berlin 896. A. Hirschwald. n. 1.20

Polotebnoff, zur Lehre v. den Erythemen, s.: Monatshefte f. prakt. Dermatologie. — Studien, dermatologische.

Polotebnow, A., vorläufige Notiz über den Ursprung u. die Vermehrung der Bacterien. [Aus den Sitzungsber. der k. Akad. der Wiss.] Wien 869. (Gerold's Sohn.) Lex.-8. (2 S.) 1½ *ngr.*

Polotebnoff, A. G. Psoriasis, s. Monatshefte f. praktische Dermatologie. — Studien, dermatologische.

— über den Ursprung u. die Vermehrung der Bacterien. [Aus den Sitzungsber. der k. Akad. der Wiss.] Ebend. 870. Lex.-8. (39 S.) n. 5 *ngr.*

Polotebnow, A., s. Polotebnoff, A. G.

Polowzow, Warwara v.: Experimentelle Untersuchungen über den Reizvorgang bei den Pflanzen auf Grund der Reizbarkeit gegen Gase. Jena: Fischer 1909. 74 S. 8°
(Aus: Polowzow: Untersuchungen üb. Reizerscheinungen bei d. Pflanzen.)
Bonn, Phil. Diss. v. 20. Jan. 1909, Ref. Strasburger
[Geb. 25. Aug. 77 Moskau: Wohnort: Petersburg; Staatsangeh.: Rußland; Vorbildung: Frauen-Staatsgymn. Petersburg Reife Mai 93; Studium: Heidelberg 3. Tübingen 1, Bonn 5 S.; Rig. 23. Dez. 08.] [U 09. 421

Polowzow, Warwara, Untersuchgn. üb. Reizerscheingn. bei den Pflanzen. Mit Berücksicht. der Einwirkg. v. Gasen u. der geotrop. Reizerscheingn. Mit 11 Abb. u. 12 Kurven im Text. (IV, 229 S.) gr. 8. Jena 909. G. Fischer. 6. —

Polowzow, Wera [aus Petersburg]: Ueber kontraktile Fasern in einer Flimmerepithelart und ihre funktionelle Bedeutung. (Mit 1 Tafel.) (S.-A. aus. d. Archiv f. mikroskop. Anatomie. Bd. 63.) Bonn [auf dem Umschlag: Bern, im Juli 1904] 1904. 24 S. 8°. [20. VII. 04.]
Bern. Med. Diss. 1903 1904.

Polowzow, Wera. Ueber kontraktile Fasern in einer Flimmerepithelart und ihre funktionelle Bedeutung. Diss. Med. Bern. (Hierzu eine Tafel. [Sep.-Abdr. aus:] Archiv f. mikroskop. Anatomie. Bd. 63.) II + 24 S. 8. Bern, im Juli 1904 [Bonn, F. Cohen].

Pöls, Karl

Pöls, Carl, die lutherische Gemeinde in Elberfeld. Ein Beitrag zur Elberfelder Stadtgeschichte. Nach archivar. Aktenstücken mit Berücksichtigung aller gedr. Nachrichten. Elberfeld 868. Langewiesche. gr. 8. (VIII, 286 S.) n. 1 ₰; in engl. Einb. n. 1 ₰ 10 ngr.

Pöls, Carl, die lutherische Gemeinde in Elberfeld. Ein Beitrag zur Elberfelder Stadtgeschichte. Nach archivar. Aktenstücken mit Berücksicht. aller gedruckten Nachrichten. 2. Thl. gr. 8. (IV, 83 S.) Elberfeld 878, (Langewiesche's Buchh.) *
1. Thl. Ebendas. 1868. *M. 3.

Pöls, Karl, Kirchhofblüthen. Gedichte. Gütersloh 858. Bertelsmann. 16. (88 S.) 12 ngr.

— Klänge aus der Sonntagsfrühe. Gedichte. Gütersloh 855. Bertelsmann. 12. (201 S.) n. 15 ngr.

— Klänge aus der Vesperzeit. Gedichte. Ebend. 861. 16. (254 S.) n. 25 ngr.

Pöls, Karl, Karl Aug. Döring's Leben und Lieder. Barmen 861. Bertelsmann. 8. (190 S.) n. 24 ngr.

— aus dem Stillleben. Gedichte aus 3 Tönen. Elberfeld 866. Bädeker'sche Buchh. 16. (63 S.) In Convert. n. 10 ngr.

Pöls, Karl, Veilchenblau u. Tannengrün. Gedichte aus älterer u. neuerer Zeit. gr. 16. (VIII, 142 S.) Barmen 876. Klein. n. 2. 25

Polsberw, H. L.

Polsberw, Deutschland. Berlin, C. Heymann. 1845. Color. Fol. (⅙ ₰)

— Leitfaden für den geograph. Unterricht auf Gymnasien u. andern höheren Lehranstalten, in drei Lehrstufen, nebst Fragen u. Aufgaben, zu schriftl. u. mündl. Lösung. 1e Lehrstufe: Topische Geographie. gr. 8. Berlin 838. Mittler. 5/12 ₰

Polsberw, H. L., Leitfaden für den geograph. Unterricht auf Gymnasien u. andern höh. Lehranstalten. 2. umgearb. u. vervollständ. Aufl. gr. 8. (VI u. 234 S.) Berlin 849, Mittler & Sohn. 18 ngr

Polsberw, H. L., Leitfaden für den geographischen Unterricht auf Gymnasien und anderen höheren Lehranstalten. 3. verb. Aufl. Berlin 853. Mittler u. Sohn. gr. 8. (VI, 254 S.) 18 ngr.

Polsberw, H. L., Leitfaden für den geographischen Unterricht auf Gymnasien und andern höheren Lehranstalten. 4., verb. u. verm. Aufl. Berlin 861. Mittler & Sohn. gr. 8. (VI, 298 S.) 18 ngr.

Polsberw, H. L., Leitfaden für den geographischen Unterricht auf Gymnasien u. anderen höheren Lehranstalten. 5., verb. u. verm. Aufl. Berlin 869. Mittler & Sohn. gr. 8. (VI, 323 S.) n. 20 ngr.

Polsberw, H. L. De reb. Chersonesitarum et Callatianorum. 22 S. Berlin, K., Progr. 1838

— de rebus Chersonesitarum et Callatianorum. (Rerum Heracleoticarum spec. IV.) 4maj. Berlin 838. Nauck. n. 1/3 ₰

Polsberw, H. L., de rebus Heracleae Ponti libri VI. Spec. I. 8maj. (5¼ B.) Brandenburgi 833, Wiesike.

Poelschau, Peter Harald

— Rigas evangelische Kirche im 19. Jahrh. 3 Vortr. Riga '10. 65 S. Aus: Mitteil. u. Nachrichten f. d. ev. Kirche in Russl. 1910 Bd. 63.

Polscher, Adf., d. neue französisch-engl. Wortgruppen-Lautschrift ohne phonet. Zeichen. gr. 8. (30 S.) Bonn 898. (C. Georgi.) n. — 50

Polscher, Aug., Aluminium-Pressguss für künstlichen Zahnersatz. [Zahnersatzstücke m. Aluminiumbasis.] Mit Holzschn. gr. 8. (23 S.) Dresden 890. (Weiske.) cart. n. 2. —

— s.: Essig, Ch. J., zahntechn. Metallurgie u. prakt. Darstellung der Anfertigung v. Metallgebissen.

Polscher, Aug., eine Gabe an die deutschen Zahnkünstler. gr. 8. (V, 67 S.) Oppeln 902. G. Maske. n. 1.—

Polscher, Aug., Lehrbuch der zahntechnischen Metallarbeit. Bearb. u. unt. Benutzg. v. Essig's Dental Metallurgy hrsg. v. P. gr. 8. (XIV, 474 S. m. 76 Fig.) Oppeln 896. 98. G. Maske. n. 10.—

Neues und Wahrheit über Plombiergold, Ledergold, Kohäsives Gold. Von Aug. Polscher, Dresden. Oppeln: G. Maske 1902. (19 S.) 8°

Polscher, Aug., Neuheiten in der praktischen Zahntechnik. I. Hft. gr. 8. Oppeln 894. G. Maske. n. — 60
Neuartiger Zahnersatz m. Aluminiumbasis. (20 S. m. 8 Holzschn.)

— Neuheiten in d. prakt. Zahntechnik. 2. Hft. Aluminiumbasis. Neue Stanzen. Reformsaugekammern. Abdruckmasse u. Sonstiges. gr. 8. (22 S. m. 7 Holzschn.) Ebd. 897. n. — 60

— ergebenster Schreibebrief an Hrn. Prof. Dr. Warnekros in Berlin. gr. 8. (14 S.) Ebd. 894. n. — 60

— 2. ergebenster Schreibebrief an Hrn. Prof. Dr. med. Warnekros in Berlin. gr. 8. (17 S. m. 1 Taf.) Ebd. 894. n. — 50

Polscher, August, s. Vierteljahresschrift des Vereins Deutscher Zahnkünstler.

Polscher Heinrich: Die Hochseen der Kreuzeckgruppe.
M. 1908 PN 2501 Diss. Wien, Univ. 2402

223

Polsfus, Andr., poln. Lesebuch f. Anfänger. 8. Fraustadt 792. 2e Aufl. mit e. Sprachlehre u. Wörterbuch. 8. Bresl. 827. J. F. Korn. 12 gr

Polsfuß, A., polnisches Lesebuch f. Anf. 8. Breslau, Korn d. ält. 805.

— Dass. ins Deutsche übers., mit Anmerk. 8. Glogau 805. N. Günter'sche B. 6 gr

Polsfuß, A., polnisches Lesebuch f. Anfänger. 8. Bresl. J. F. Korn. 814.

Polsfus, Andr., Polnisches Lesebuch für Anfänger, mit kurzgefaßter Sprachlehre u. einem Wörterbuche. 6e, verb. u. verm. Aufl. 8. Breslau 837. (W. G.) Korn. 1/2 ₰

Polska (Polen)
① Pismo polityczne-literackie (Politisch-literarische Schrift) ⑤ 1. 4. 1868—10. 11. 1869 ⑦ unregelmäßig ⑧ Paris: Zürich ⑪ Pfarrer Żuliński ⑫ Organ des repräs. Ausschusses der polnischen Emigration ⑬ Zieliński: Bibljografja ⑮ In polnischer Sprache.

— w chwili pogromu. Leipzig 865. Gerhard. gr. 8. (38 S.) n. 10 ngr.

Polska na Parnasie, s. a. Nitschmann, Heinr.

Polska na parnasie. — Ausgewählte Gedichte der Polen. In's Deutsche übers. von Heinr. Nitschmann. Mit beigefügtem Originaltexte. gr. 16. (103 S.) Danzig 860, Bertling. *
geb. *

—— dass. — 2., sehr verm. Aufl. mit Hinweglassung des poln. Originaltextes. 16. (VIII und 118 S.) Ebendas. 861. *
geb. *

Polska w 1863 roku. Leipzig 866. Rhode? 16. (III, 166 S.) geb. n. 1 ₰ 10 ngr.

Polson's Recepte f. Mondamin, s.: Brown.

Polssen [Schlagwort]

Polssen, s.: Geologische Karten. Preussen. 76.

Polster: De stasimo Antigonae Sophocleae altero. 11 S. –Gnesen, Progr. 1868

Polster, A., s.: Fehland's Ingenieur-Kalender.

Polster, A., Quaest. crit. in Ciceronis de divinatione libros. Pr. 1874. 11 S. 4°. 2.—

Geometrie der Ebene (Planimetrie) bis zum Abschlusse der Parallelen Theorie. — Von Friedrich Polster, Stdl. — 1878. Würzburg, ibid. — S. 1—48³ mit einer Figurentafel.
Progr. Würzburg, K. Gymn.

Polster, Frdr., Geometrie der Ebene [Planimetrie] bis zum Abschlusse der Parallelen-Theorie. gr. 8. (48 S. m. 1 Steintaf. in qu. 4.) Würzburg 878. Staudinger. n. — 60

Polster, Joh., s. a. Lesebuch, deutsches, f. Volksschulen.

Polster, J., K. Frühwirth, L. Posch, deutsches Lesebuch f. Volksschulen. 1. Thl. 2. Schulj. 8. (160 S.) Budapest 889. (Leipzig, Haessel.) geb. n.n. — 70

Polster, Ludw., Ines de Castro. Dramatisches Gemälde in 5 Aufzügen. (110 S.) 8. Breslau 903. Berlin, S. Schottlaender's schles. Verlagsanst. n. 1.50; geb. n. 2.50

Polster, Otto, s.: Geschäfts-Bericht des Centralverbandes der Kohlenhändler Deutschlands.

Polster, Otto, zur Geschichte u. Entwickelung des Kohlenhandels, s. a. Veröffentlichungen des Centralverbandes der Kohlenhändler Deutschlands, I.

Zur Geschichte und Entwickelung des Kohlenhandels als Denkschrift im Auftr. d. Vorstandes d. Centralverbandes d. Kohlenhändler Deutschlands anläßl. s. Gründung hrsg. von Otto Polster, Generalsekr. *Berlin: A. Unger [1903].* (24 S.) 8° [F.]
— Veröffentlichungen d. Zentralverbandes d. Kohlenhändler Deutschlands. 1. [04. 8840]

— Jahrbuch f. Ansiedelungen f. Industrie-, Wohn- sowie Erholungs- u. Kurzwecke, Bauländereien, Verkehrs- u Kraftanlagen. Mit Abbildgn., Karton, Tabellen etc. 1. Jahrg. 1906/1907. (VI, 183 S.) Lex.-8. Leipzig 907. H. A. L. Degener. Geb. in Leinw. n. 5. —

— Jahrbuch f. Ansiedelungen f. Industrie-, Wohn- sowie Erholungs- u. Kurzwecke, Bauländereien, Verkehrs- u. Kraftanlagen. 4. Jahrg. 1910. (72 u. 218 S. m. eingedr. Kartenskizzen u. 1 Karte.) Lex. 8. H. A. L. Degener. Geb. in Leinw. 6. —

— Jahrbuch u. Kalender für Kohlen-Handel u. -Industrie (bisher Kalender für Kohleninteressenten). 7. Jahrg. 1907. (VII, 500 S. m. Fig. u. Schreibkalender.) kl. 8. Ebd. Geb. in Leinw. n. 4. —; in Brieftaschenldrbd. n. 6. —

— Jahrbuch u. Kalender 1911 f. Kohlen-Handel u. -Industrie. 11. Jahrg. 2 Tle. (XI, 352 S., Schreibkalender, IV, 172 u. 21 S. m. Fig.) kl. 8. Ebd. Geb. in Leinw. u. geh. 4.— ; in Brieftaschenldrbd. u. geh. 6. —

Polster, O., Kalender für Kohleninteressenten. zugleich Taschenbuch für Kalk- und Zementwerke (früher: „Taschenbuch für die deutsche Kohlenindustrie"). 1.—4. Jg. (1901—1904). Dresden, 1900—1903.

Polster's, Otto, Kalender f. Kohlen-Interessenten, zugl. Taschenbuch für Kalk- u. Cement-Werke. 3. Jahrg. 1903. 12. (X, 416 S. m. Fig. u. Schreibkalender.) Ebd. Geb. in Leinw. n. 4. —; in Brieftaschenldrbd. n. 6. —
Erschien f. 1902 u. d. T.: Kalender f. Kohlen-Interessenten.

— Kalender f. Kohlen-Interessenten. 6. Jahrg. 1906. (X, 528 S. m. Fig. u. Schreibkalender.) kl. 8. Ebd. Geb. in Leinw. n. 4. —; in Brieftaschenldrbd. n. 6. —

Polster, Otto, bacc. iur. a. Niederhermersdorf: Die Prozeßführung des Mannes über das eingebrachte Gut der Frau beim gesetzlichen Güterstande des B.G.B. (B.G.B. § 1380). Borna-Leipzig 1907: R. Noske. (VI, 36 S.) 8°
Leipzig, Jur. Fak., Diss. v. 28. Juni 1907
[Geb. 9. Sept. 82 Niederhermersdorf b. Chemnitz; Wohnort: Niederhermersdorf; Staatsangeh.: Sachsen; Vorbildung: Gymn. Chemnitz Reife O. 03; Studium: Leipzig 7 S.; Rig. 18. Sept. 06.]

Polster, O., Über ungerechte, dem soliden Kohlenhandelsverkehr zuwiderlaufende Submissionsbedingungen. Hamburg, 1906. 20 S.

Polster's Taschenbuch f. die deutsche Kohlenindustrie sowie f. Kalk- u. Cementwerke. 1901. 12. (VII, 248 S. u. Schreibkalender.) Dresden, G. Kühtmann. Geb. in Leinw. n. 3. —; in Brieftaschenldrbd. n. 5. —

Polsterer, Albert Johann

Polsterer, A. J., Chariden. Eine Samml. gehaltvoller Stellen aus latein., italien., engl. u. deutschen Dichtern. Mit den Uebersetzungen der fremden Stellen in die deutsche Sprache. 16. Grätz 827. Miller. 18 gr.

Polsterer, Albe. Joh., Grätz u. seine Umgebungen, histor.-topograph.-statistisch dargest. Ein Versuch. M. 4 lith. Ansichten, 1 Panorama u. 1 Plan v. Grätz. gr. 12. (19 B.) Grätz 828, Damian u. Sorge.

—— Hyères in der Provence; geschildert. 8. (3 B.) Wien 834, Beck.

Polsterer, Jos., **Militaria.** Eine Sammlg. der typ. handschriftl. Literatur des deutsch-österreich. Soldatenstandes, Futilitates. IV.

- Schwänke u. Bauernerzählungen aus Nieder-Österreich, s.: Futilitates. II.

Polstermöbel, mod. (30 farb. Taf.) 63,5×51 cm. Wien (909). (F. Wolfrum & Co.) In Leinw.-Mappe 100. —

Polstorf, Fr. Ludw., († d. 18. Apr. 1824.) Blicke in die letzten Lebenstage unsers Herrn. 8. Hamb. 822. Wohlf. Ausg. 826. Fr. Perthes. 12 gr

— u. H. B. v. Dzierzanowsky, Reden an die Landsturms-Bataillone der Stadt Celle, gehalten am 25. März 1816 in der Stadtkirche daselbst. gr. 8. Celle 826. Schulze. 4 gr

— s. Elegm. Stille.

— christl. Trost- u. Stärkungs-Büchlein; ein religiöser Nachlaß, herausgg. v. Dr. Hoppenstedt u. Dr. Koeler. 8. Hamb. 825. Fr. Perthes. 22 gr W. hlf. Ausg. 8. Ebd. 826. 12 gr

Polstorff, Carl, s. Polstorff, Karl

Polstorff, F., s. Polstorff, J. F. Th.

Polstorff, H[einrich]: [Oberlehrer Dr. Friedrich Hillmann † 14. Juli 1904.] S. 14. 4. **Progr.** Städt. Gymn. *Waren* 1905 (791).

Polstorff, Henricus [Dr.]: In Iuvenalis satiras observationes criticae. Güstrow, Druck d. Ratsbuchdr. v. C. Michaal & A. Schuster, *1896;* 1 Bl., 20 S. 4.
Güstrow, Dom-S, OP 1896 (665)

Polstorff, H(einrich): Lexikalische Studien zu den Satiren Juvenals. Güstrow (1909): Michaal. 17 S. 4°
Güstrow, großh. Dom-S OP 1909 (882) [S 09. 307

Polstorff, J. F. Th.

Polstorff, Evangelien-Predigten f. alle Sonn- u. Festtage des Kirchenjahres. Hrsg. v. F. Polstorff. gr. 8. (V, 598 S.) Güstrow 899. Opitz & Co. Geb. in Halbfrz. n. 6. —

Polstorff, J. F. Th., das Evangelium v. Jesu Christo, dem Sohne Gottes, nach den 4 heil. Evangelisten, in Bibelstunden ausgelegt. I. Einleitung u. Geschichte der Geburt u. Kindheit d. Herrn. gr. 8. (VI, 250 S.) Halle 871. Schwabe. n. 2. 50

— **dasselbe. 2. Bd. A. u. d. T.** Das angenehme Jahr d. Herrn. 1. u. 2. Abth. gr. 8. (439 S.) Gütersloh 873. Bertelsmann. à n. 2. —

Polstorff, J. F. Th., das Evangelium von Jesu Christo, dem Sohne Gottes, nach den 4 heiligen Evangelisten, in Bibelstunden ausgelegt 2. Bd. Das angenehme Jahr des HErrn. 3. Abth.: Die Bergpredigt. gr. 8. (261 S.) Gütersloh 877. Bertelsmann. n. 2. 50 (I—II, 3.: n. 9. —)

Polstorff, Gebet, s. Trauerfeier bei dem Begräbnisse Joh. Bachmann's in Rostock.

Polstorff, J. F. Th., Gedächtniß-Predigt über Johannis 6, 37—40, gehalten am Sonntage Misericordias Domini 1865. [Aus: Neues mecklenburg. Kirchenblatt.] Schwerin 865. (Halle, Schwabe.) gr. 8. (16 S.) n. 2½ ngr

Polstorff, Th., katechetisches Handbüchlein z. mecklenburg. Landeskatechismus. 2., durchgeseh., m. e. Anh. verm. Aufl. 8. (56 S.) Güstrow 897. Opitz & Co. n. — 80

— **dasselbe. Anh. gr. 8. (15 S.) Ebd. 897. n.n. — 15**

— **Predigt vom wahren Frieden gehalten am Buß- u. Bettage in den Fasten.** [Sonntag Reminiscere, den 5. März 1871.] gr. 8. (16 S.) Güstrow 871. Opitz & Co. — 25

— **Predigt, geh. am Gotteskastenfest den IV. p. Tr. 14. Juli 1889, in der Kreuzkirche zu Hamburg. 8. (13 S.) Güstrow 889. (Opitz & Co.) n.n. — 25**

— Predigt über Matth. 11, 16—19 auf der Missionsversammlung u. Pastoralconferenz zu Bützow am 17. Septbr. 1867. Schwerin 868. Stiller. gr. 8. (20 S.) n. 2½ ngr

Polstorff, F., Predigt am 10. Sonntage nach Trinit. [den 28. Aug. 1859] im Dom zu Güstrow gehalten. Güstrow, Opitz & Co. gr. 8. (18 S.) 3 ngr

— u. Kliefoth, Reden beim Eröffnungs-Gottesdienste in der wiederhergestellten Domkirche zu Güstrow. Güstrow 869. (Opitz & Co.) gr. 8. (28 S.) n.n. 3¾ ngr

Polstorff, die Reformation, ihr Recht u. ihre Aussichten. Vortrag. gr. 8. (24 S.) Güstrow 883. Opitz & Co. n. — 40

Polstorff, Fr., der Subjectivismus in der modernen Theologie u. sein Unrecht, in Randbemerkungen. [Aus: „Meckl. Kirchen- u. Zeitbl."] 8. (116 S.) Gütersloh 893. C. Bertelsmann. n. 1. 60

— die Taufen nicht mehr unmündiger, aber doch nicht konfirmationsfähiger Kinder. Referat für die Conferenz der deutschen evangel. Kirchenregiergn. in Eisenach. gr. 8. (27 S.) Stuttgart 888. Grüninger. n. — 60

— **Werth u. Bedeutg. der Bibel f. die Kirche, f. uns. Volk, f. d. Einzelnen. Vortrag, geh. auf d. VIII. allgem. luther. Konferenz in Schwerin. [Aus: „Allgem. ev.-luther. Kirchenzeitg."] gr. 8. (30 S.) Leipzig 895. Dörffling & Franke. n. — 40**

— **das Wiedersehen nach d. Tode. Vortrag, geh. im christl. Männerverein zu Güstrow. gr. 8. (29 S.) Güstrow 895. Opitz & Co. n. — 50**

Polstorff, Karl

Polstorff, Carl, üb. die Einwirkung d. Broms auf Hydrozimmtsäure. Inaugural-Dissertation. gr. 8. (26 S.) Göttingen 874. (Vandenhoeck & Ruprecht's Verl.) n. — 60

Polstorff, Karl, Leitfaden der qualitativen Analyse u. der gerichtlich-chemischen Analyse. gr. 8. (144 S.) Leipzig 901. S. Hirzel. n. 2. —; geb. n. 2. 60

Polstorff, L., üb. die anorgan. Bestandtheile der Pflanzen, s. Wiegmann, A. F.

Polstorff, Th., s. Polstorff, J. F. Th.

Polstorff, Wilh., die ollen Griechen, s.: Daumier, H.

Polt, (J. J.,) die Biene; Merkwürdigkeiten aus d. Länder- u. Völkerkunde. Ein sehr unterhalt. u. belehr. Lesebuch f. alle Klassen von Lesern, welches, wegen seines mannigfaltigen u. pikanten Inhalts, den angenehmsten Zeitvertreib gewährt :c. 8. Prag 824, Enders.

Polt, J. J. — Die fleißige Biene. Bringt das Neueste und Interessanteste aus der Natur-, Länder- und Völkerkunde. Ein unterhaltend-belehrendes Lesebuch für Jung und Alt. Mitgetheilt von — —. Zweites Bändchen. (Für die Jugend auch ein lehrreiches Neujahrs-, Namenstags- und Prüfungsgeschenk.) Prag und Leitmeritz. 1855. Druck und Verlag von C. W. Medau. (122 S. und eine Abbildg. 8.)

ECKSTEIN, Julchen, die schöne Tänzerin. Vom Verfasser Graf Heinrichs von Riesenstein (d. i. *Joh. Jos. Polt*). Prag, bey Joseph Polt. 1812. 8⁰.

221 S. Inh.: 1. Julchen Eckstein. 2. Mandane. Ein persisches Mährchen. 3. Emilie von Klarstein, od. die Verschleyerte. Eine Arabeske. 4. Die Liliengrotte in Dorestschier (sic!). Eine Novelle. 5. Die neue Melusine. Ein Schwank. 6. Geheime Liebe. Eine Novelle. 7. Die Macht der Freundschaft. Eine Novelle. — Einiges etwas frei.

Polt, J. J., neue Fabellese, ein Prämienbuch f. die fleißige Jugend, nebst illum. Kupf. 12. Prag, Enders. 815.

FANTASIEN-GEMÄLDE, oder Sagen aus der Geister- und Zauberwelt (von *Joh. Josef Polt*). Mit Titelkpfr. u. Titelvign. Prag, Polt, 1799. 8⁰.

Anzeige des Verlegers.

(Polt, Johann Josef)

William Gordon, der Korsarenkapitaine. Romantische Geschichte nach dem Engl. bearb. Neue Aufl.

Leipzig: Lit. Central-Comptoir [um 1820]. 216 S. 8⁰

Polt, Jo. Jos., Handbuch d. Geographie von Böhmen. gr. 8. Prag, 813. Calve. 1 ₰

HERBERT und Aline oder Die wunderbare Lampe. Eine Geschichte seltsamen Inhalts (von *Joh. Josef Polt*). Mit Titelkpfr. (unsign. Radirung). London 1799. Auf Kosten des Verfassers. (Leipzig, Joachim.) 8⁰. Zahm.

Gestoch. Tit. u. 205 S. (incl. Nebentit. u. 2 Bll. poet. Widm.: „Der Unbekannten", unter welcher Name d. Vf.). — Vgl. Euphorion III, 548; Anon.-Lex. II. p. 278 (nach Goedeke).

— Kriegslisten d. Krieger aller Zeiten, ein Spiegel z. Nachahmung. 8. Prag 815. Calve. 8 gl.

VETTER Michels Launen. Seitenstück zu Vetter Jacobs Launen von J. J. Jünger. (Vf.: *Johann Joseph Polt.*) Mit freiem Titelkpfr. u. gestoch. Titel. Neuburg, im Reichs-Commissions- und Industrie-Bureau (Leipzig, Joachim), o. J. (1803). 8⁰. Tit. u. 221 S. (incl. 4 Bll. Vorst.). (18 Sgr. Scheible, vor 1875.)

Anon. Lex. III. p. 12 (nach Goedeke).

— sieben leichte u. angenehme Lieder f. eine Singstimme mit Begleit. des Pianoforte. Prag, Enders. 815.

Polt, Jh. Jos., Märchen u. Erzählungen für Jung u. Alt. Ein Geschenk für alle Jene, welche sich in freien Stunden belehren lassen u. angenehm unterhalten wollen. Mit Titelbild. gr. 12. Leitmeritz 835. Medau. 1/4 ₰

NORADIN oder Feen-Helden-Ritter- u. Romanen-Spiegel. Als erster Versuch eines literar. Surrogates (von *Joh. Jos. Polt*). Wien, bey Hrn. Buchhändler Ritter Georg v. Mößle. „Nur für die Vorausbezahler zu haben." 1813. 8⁰. (2 Kr. Hahn & Goldmann, Wien, 1904; 5 Mk. Gust. Fock, Lpz. 1909.)

Wenig bekannt u. rar! Anon.-Lex. III. p. 216 (nach Goedeke).

Polt, Jos. Joh., Numa Pompilius, König von Rom. Operette in 2 Akten. Musik von Jos. Joh. Soukup. Prag 861. Rziwnatz in Comm. 12. (35 S.) n. 8 ngr.

— die Perlenschnur, eine Reihe d. ausgewähltesten moral. Erzählungen, der Jugend bestimmt. Mit 1 Kpf. 8. Brünn 816. Gastl. 18 kr. Hbg. Pr. 8 gl.

RIESENSTEIN, Graf Heinrich v., und sein Sohn, eine Familiengeschichte aus dem Archive der Liebe und des Leichtsinns (zieml. zahmer Roman) vom Verfasser der wunderbaren Lampe (d. i. *Joh. Josef Polt*, geb. 1774 od. 1775 zu Prag. † als Buchhändler das. 3. Juni 1861). Mit Titelkpfr. Prag u. Leipzig, Polt, 1800. 8⁰. (2 Mk. 50 Pfg. Heinr. Lesser, Breslau, 1875; 4 Kr. Halm & Goldmann, Wien, 1907.)

Tit. u. 259 SS. — Anon.-Lex. III. p. 385 (nach Goedeke).

— Sagen u. Geschichten aus der Vorzeit Böhmens. Ein unterhalt. Lesebuch für Jung u. Alt. 1s Bdchn. Mit Titelbild. 8. Leitmeritz 839. Medau. 1/4 ₰

— der fröhliche Sänger, eine Samml. ergötzlicher Lieder, mit Melodien. 1s u. 2s Heft. gr. 8. Wien 826. Kaulfuß u. Krammer. 16 gl.

— Sätze der Weisheit u. Klugheit in Denksprüchen aus d. Gebiete d. Moral, Welt- u. Menschenkenntniß f. Kinder. 18. Prag 815. Buchler. 3 gl.

SCHWANKE, Erzählungen und Anekdoten nach dem Leben (von *Joh. Josef Polt*). Seitenstück (aber Prosa) zu den Gedichten nach dem Leben. Neuburg, Commissions-Bureau (Leipzig, Joachim), o. J. (1803). 8⁰. XII u. 276 S. (In Wien, Stadtbibl.: Secr. A 287.)

Rares Eroticum! Es scheint ein englisches Original zu Grunde zu liegen.

— — Dasselbe mit d. Titel: Schwelgereien der Liebe oder die Kunst, im Genusse der Liebe Meister zu werden. Erotische Schwänke und Erzählungen nach dem Leben. Mit Titelkpfr. Berlin, o. J. 8⁰. XII u. 276 S. (In Wien, Stadtbibl.: Secr. A 97.)

— — Dasselbe. (Enger Neudruck.) Rom und Paris (Stuttgart, J. Scheible?), o. J. (c. 1865). 8⁰.

147 S. (incl. Tit.). 1. Der Triumph des Orpheus, oder die Syrene und der Sohn der Harmonie. 2. Menschliche Unzufriedenheit. 3. Die einheimische Pflanze. 4. Die Ueberraschung. 5. Das Geistercitiren. 6. Anekdote. 7. Polly D—ns Abenteuer u. Liebschaften. 8. Mittel, Wollust zu erregen. 9. Der Ritter F—. 10. Eine wunderbare Nachtscene. 11. Der Abenteurer. 12. Fußzehen auf- und unterwärts. 13. Edwin. 14. Das unglückliche Weib und der wüthende Anbeter. 15. Der artige Räuber. 16. Der Gucker. 17. Anekdoten. 18. Das vollkommenste Weib und der treulose Beschützer. 19. Gekränkter Stolz. 20. Sonderbare Bedingungen. 21. Türkische Bescheidenheit. 22. Der bestrafte Ehemann. 23. Anekdote. 24. Marie Heine. 25. Der Teufel. 26. Das glückliche Versehen. 27. Der geschickte Geburtshelfer und die geängstigte Frau. 28. Naahmah und Abdiel. E. morgenländ. Sage. 29. Ein Christmeßspiegel. 30. Die Macht der Schönheit. 31. Eine Flucht. 32. Der vollkommene Wollüstling. 33. Verstohlene Freuden. 34. Anekdoten. 35. Die zärtliche Amme und der willfährige Stellvertreter. 36. Der wunderbare Becher. 37. Anekdote. — Längst vergriffen u. sehr selten!

Polt, J. J. — Silber-Pappeln. Erzählungen und Geschichten für Geist und Herz. Zur Beherzigung und Nachahmung der lehr- und lernbegierigen Jugend in belehrenden und unterhaltenden Vorträgen. Mitgetheilt von — —. Ein Weihnachts-, Neujahrs-, Namenstags- und Schulprüfungs-Geschenk. Mit 2 Lithographien. Prag und Leitmeritz. 1855. Druck und Verlag von C. W. Medau. (100 S. kl. 8)

Polt, Jh. Jos., romantische Tugendschule in gemüthl. Erzählungen für Jung u. Alt. gr. 12. Leitmeritz 840. Medau. 1/4 ₰

Polt, J. J. *Der Veilchen-Strauß.* Eine Sammlung schöner Geschichten, Märchen und Erzählungen. Herausgegeben von Johann Joseph Polt. Ein Prämienbuch ... Prag 1814. Bei C. W. Enders. Mit Frontispiz (G. Döbler sc.) und gestoch. Titel. 2 Bl. 108 S. Roter Pappbd. d. Z. Interess. Sammlung. — Teilw. leicht gebräunt, Einbd. etwas lädiert. 12.—

Polt, Jh. Jos., der Veilchen-Strauß. Eine Sammlung schöner Geschichten, Märchen und Erzählungen. Ein Prämienbuch für die Jugend z. Beförderung e. angenehmen u. nützl. Lektüre. 2. Aufl. 12. Prag 844. Leitmeritz, Medau. 1/6 ₰

Polt, J. J., der angenehme Zeitvertreiber. Enthält kleine Geschichten u. Erzählungen, Anekdoten, Witzspiele u. komische Albernheiten ꝛc. 12. (119 S.) Prag 848, Medau. n. 1/6 ₰

Pölt, J. August

— Beobachtungen des Barometerstandes in Bozen von 1842—73. 18 S. **Progr.** G. *Bozen* 1880.

Pölt, J. Aug. Über die Temperatur von Bozen. 51 S. u. Taf. **Progr.** G. *Bozen* 1879.

Polte, Fritz, approb. Arzt aus Tangerhütte: Die **Enucleatio bulbi** und ihre Ersatzmethoden. *Göttingen 1901: Dieterich.* (69 S.) 8°
Göttingen, Med. Diss. v. [2. Apr.] 1901

Polte, Fritz, die Enucleatio bulbi u. ihre Ersatzmethoden. Diss. gr. 8. (68 S.) Göttingen 901. (Vandenhoeck & Ruprecht.) n. 1. 60

Polte, H.: Beitrag zur Statistik der früheren Realschule zu Meseritz.– Meseritz, Progr. 1869.

Polte: Das Leben Jesu im Anschluss an d. zweiten Artikel. 24 S.–Ratibor, Progr. 1864.

Polte, Hubert

Polte, H., die erweiterte Ausgestaltung d. Eisenbahn-Gleisanlagen auf d. Strecken: Ruhr-Industriegebiet—Berlin u. Ruhr-Industriegebiet—Hamburg, sowie Verbindungslinie Hamburg-Berlin. Eine eisenbahntechn. Studie aus 20 jähr. Reisepraxis. Mit Anh.: Automatisch wirk. Bremsvorrichtg. an in Fahrt befindl. Güterzügen 1910. Weiterer Index: Die Güterabfuhr bei der Eisenbahn u. die Vereinfachg des Rollfuhrwesens 1907, sowie d. Aufhebg. d. sog. Personenzüge u. die Ergänzg. derselben durch solche Züge, die auf keiner Zwischenstation halten 1904. (35, 16 u. 23 S. m. Fig., 4 Taf. u. 1 Kartenskizze.) 8. Dortmund (910). Koeppen. 1. 20

Polte, H., Vorschläge zur Reform des Unfallversicherungsgesetzes vom 6. Juli 1884 und für die Herabminderung der berufsgenossenschaftlichen Verwaltungskosten. 1.—5. Aufl, gr. 8°. Dortmund, Köppen, 1893.

Polte, Hub., Vorschläge zur Reform des Unfallversicherungs-Gesetzes vom 6. Juli 1884 u. f. die Herabminderung der berufsgenossenschaftlichen Verwaltungskosten. 5. Aufl. gr. 8. (41 S.) Dortmund 893. Köppen. n. 1. 20

Poltéra, Joh(annes) [lic. jur. aus Mühlen, Graubünden]: Zur Lehre vom Rückfall mit besonderer Berücksichtigung des Schweizerischen Strafgesetz-Vorentwurfes. Chur 1904. 112 S. 8°.
Freiburg i. Schw. Jur. Diss. 1903/1904.

Poltéra, Joh., zur Lehre vom Rückfall m. besond. Berücksicht. d. schweizerischen Strafgesetz-Vorentwurfes. Diss. (112 S.) gr. 8. Chur 904. (A. Keel-Gut.) n.n. 2. 50

Polterabend, der, ein Schwank v. K. G. Cramer, m. 2 K. 2 Bde. 8. Rudolstadt, Klüger. 800.

Polter-Abend, der. Neue Hochzeitsgedichte v. Anna Göschke, Clara Gärtner u. A. Wie heilt man Liebesweh? Ein heilloses Theaterstück v. Olga Steiner. 8. (80 S.) Berl. 892, Georgi. * 1 —

Polterabend! Hochzeit! Nebst e. Anh.: Silberne u. goldene Hochzeit, Geburtstag, Taufe u. Einsegng. Heitere u. ernste Orig.-Vorträge f. Groß u. Klein, Alt u. Jung — f. e. u. mehrere Personen. 12. (124 S.) Berlin 893. M. Böhm. 1. —

Polterabend, der fidele, od. kom. Vorträge, Witze, Gedichte u. Belustiggn. 16. (72 S.) Mügeln 876. (Leipzig, Schneider.) n. — 50

Polterabend, der fidele, od. die letzte interessante Brautnacht. Komische Vorträge, Spiele, Witze, Gedichte u. Belustigungen bei Hochzeiten. gr. 16. (72 S.) Mügeln 878. (Leipzig, G. Senf.) — 50

Polterabend, der fidele, od. die letzte interessante Brautnacht. Komische Vorträge, Toaste, Spiele, Witze, Gedichte u. Belustiggn. bei Hochzeiten. gr. 16. (72 S.) Leipzig 886. Vieweg. — 50

Polterabend, der heitere. Neueste Original-Polterabend-Scenen und Gedichte, enthltd.: Kleine Aufführungen, Poesie, Prosa und Gedichte zu Hochzeiten, zu silbernen Hochzeiten und Tafelgesänge. Von unseren berühmtesten Komikern u. Humoristen herausg. Berlin 858. Plahn. 16. (189 S.) n. 10 ngr.

Polterabend u. Hochzeit, s. a. Kinder-Glückwünsche.

— u. **Hochzeit**. Eine Sammlung der besten u. neuesten Vorträge u. Lieder ernster u. heiterer Art für Polterabende u. Hochzeitsfeste. 8. (94 S.) Köln 879. Püttmann. — 60

Polterabend u. Hochzeit. Eine Sammlung der besten u. neuesten Vorträge u. Lieder ernster u. heiterer Art für Polterabende u. Hochzeitsfeste. 10. verm. Aufl. 12. (126 S.) Köln (900). J. Püttmann. — 60

Polterabend u. **Hochzeit**. Eine Sammlung d. besten u. neuesten Vorträge u. Lieder ernster u. heiterer Art f. Polterabende u. Hochzeitfeste. 11. verm. Aufl. *Köln: J. Püttmann [um 1903].* (124 S.) 8° [F.] [c4. 1146

Polterabend u. **Hochzeit.** Eine Sammlg. d. besten u. neuesten Vorträge u. Lieder ernster u. heiterer Art f. Polterabende u. Hochzeitsfeste. 12. verm. Aufl. (128 S.) kl. 8. Leipzig (910). J. Püttmann. — 60

— u. **Hochzeit.** Vorträge u. Aufführgn. 5.—11. Bd. gr. 16. Berlin 894. E. Bloch. à n. 1. 20
5. Jubelreigen. Verschiedenes zu silbernen u. goldenen Hochzeiten, als: Prologe u. Epiloge, Vorträge f. e. od. mehrere Personen, Tafellieder u. Toaste. Humoristisch u. ernst. Hrsg. v. Rob. Linderer. 2. Aufl. (82 S.)
6. Komödien. (74 S.)
7. Hochzeitsreden u. Komödien. (80 S.)
8. Kranz- u. Schleier-Aufführungen. (69 S.)
9. Silber- u. Gold-Hochzeit. (102 S.)
10. Polterabend- u. Hochzeitsscherze v. C. Kindermann u. A. (80 S.)
11. Gespräche u. Aufführungen f. 2 u. 3 Personen. (93 S.)
s.: Jacobsen's, Ed., Polterabendkomödien.

— — Vorträge u. Aufführgn. 12.—22. Bd. 8. Berlin, E. Bloch. à n. 1. 20
12. 13. (108 u. 98 S.) 895. — 14. (96 S.) 896.
15. Polterabend-Gedichte f. eine u. mehrere Personen. Von D. H. Julius. (Neue [Titel-] Ausg. v. J., 3 Kränze, 1. Bd.) (II, 122 S.) (876) 898.
16. Tischlieder, Trinksprüche, Tischreden, Hochzeitszeitungen. Von D. H. Julius. (Neue [Titel-] Ausg. v. J., 3 Kränze. 2. Bd.) (IV, 128 S.) (876) 898.
17. Polterabend-Komödien. (Neue [Titel-] Ausg. v. J., 3 Kränze. 3. Bd.) (III, 135 S.) (876) 898.
18. Gedichte u. Vorträge f. 1 u. 2 Personen. Von Emilie Esser u. P. Kaegler. (96 S.) 898.
19. Gespräche u. Aufführgn., in denen nur Damen mitwirken. (88 S.) 898.
20. Vorträge f. e. Person bei d. Überreichg. v. Geschenken. Von P. Kaegler. (96 S.) 898.
21. Vorträge u. Aufführgn., in denen nur Damen mitwirken. Von P. Kaegler. (104 S.) 898.
22. Hochzeits-Aufführungen u. Komödien für mehr. Personen. (96 S.) 898.

— — Vorträge u. Aufführgn. 9. u. 24. Bd. 8. Berlin, E. Bloch. à n. 1. 20
9. Silber- u. Gold-Myrte. Gedichte, Vorträge u. Aufführgn. z. silbernen u. goldenen Hochzeit. 2. Aufl. (94 S.) (902.)
24. Amors Pfeile. Komische Soloscenen, Gedichte u. Aufführgn. (101 S.) (901.)

— — Vorträge u. Aufführgn. 25. u. 26. Bd. 8. Berlin, E. Bloch. à n. 1. 20
25. Ehestands-Lektionen. Lustige Hochzeitskomödien für 4 bis 8 Personen. (138 S.) (904.)
26. Familiendichter, der. Humoristische Soloszenen u. Aufführgn. (144 S.) (904.)

Polterabend u. Hochzeit. Sammlg. neuer origineller Aufführgn. f. 2 u. mehr Personen. 8. (III, 163 S.) Mühlhausen i/Th. 898. G. Danner. n. 1. 50

Polterabend u. Hochzeit. 1. u. 2. Bd. 8. Mühlhausen i/Th. (905). G. Danner. n. 2. 50
1. Sammlung neuer origineller dramatischer Aufführungen f. zwei u. mehr Personen. 2. Aufl. (167 S.) n. 1. 50
2. Eine Sammlung neuer origineller Vorträge u. Aufführgn. f. e. Person. Von Rob. Hertwig. 2. Aufl. (VI, 130 S.) n. 1. —

Polterabend-Aufführungen. Ernste u. heitere Dichtgn., Scherze, Szenen u. Aufführgn. f. 1, 2 u. mehrere Personen zur Polterabend- u. Hochzeitsfeier. 1. u. 2. Bdchn. 12. (à 92 S.) Mülheim a. d. R. 889. Bagel. à n. — 50

Polterabend-Aufführungen. Ernste u. heitere Dichtgn., Scherze, Szenen u. Aufführgn. f. 1, 2 u. mehr. Personen z. Polterabend- u. Hochzeitsfeier. 1. u. 2. Bdchn. 2. Aufl. 8. (à 80 S.) Mülheim a/R. 896. J. Bagel. à n. — 50

Polterabend-Aufführungen. Ernste u. heitere Dichtungen, Scherze, Szenen u. Aufführgn. f. 1, 2 u. mehrere Personen zur Polterabend- u. Hochzeitsfeier. 1. Bdchn. 3. Aufl. u. 2. Bdchn. 4. Aufl. 8. (à 80 S.) Mülheim a/R. 899. J. Bagel. à n. — 50; erm. Pr. à n. — 40

Polterabend-Buch, das. Ein heiterer Rathgeber für Polterabend-Scherze. Für eine, zwei u. mehrere Personen im Kostüm vorzutragen u. in allen möglichen Dialekten. Herausg. von den beliebtesten Humoristen. Berlin (857.) Verlags-Magazin. gr. 8. (176 S.) n. 12 ngr.

Polterabend-Dichter, neuer. 8. (III, 82 S.) Berlin 888, Steinitz' Verlag. *

Polterabende, e. Taschenbuch f. Freunde des geselligen Vergnügens. Mit Kpf. 12. Berl. 799. W. Oehmigke. 10 gr.

Polterabende. Ein Taschenbuch für Freunde des geselligen Vergnügens. Berlin: Oehmigke 1799. 2 Bl., 145 S., 1 Bl., 1 Titelkupf. 12°
[Kupfert.]

* Polterabende, ein Taschenbuch f. Freunde des gesellig. Vergnügens. Mit K. 8. Berl. Neue Societäts-Verlags-Buchh. 810.

Polter-Abende, fröhliche. Eine Sammlung von Polterabend-Scherzen. 1. und 2. Bdchn. 8. Leipzig 888, Werther. à Bdchn. *
Inhalt:
Bdchn. 1. Hrsg. von Friedr. Roscius. (VII, 147 S.)
" 2. Dichtungen, Vorträge, Aufführungen und Festlieder ernsten und heiteren Inhalts für Polterabend- und Hochzeitfeier. Im Anhang: Vollständiger Entwurf für Hochzeitszeitungen. Hrsg. von Fritz Frenzel. (VI, 151 S.)

Polter-Abende, fröhliche. Eine Sammlg. beliebtester Polterabendscherze, Tafellieder, Festgedichte, Toaste, Kranz- u. Schleiergedichte usw. (192 S.) 8. Neuweißensee (905). E. Bartels. n. 1. 50; geb. 2. —

— lustige. Polterabend-Scherze, Tafellieder u. Polterabend-Gedichte. (32 S.) 8. Ebd. — 25

Polterabend- u. Hochzeitsgedichte, neue, f. Erwachsene u. Kinder. Reichhaltige Sammlg. v. Orig.-Gedichten f. 1 u. mehrere Personen. (88 S.) 8. Bischofswerda (910). H. E. Petzold. 1. 25

Polterabend-Gedichte u. Scherze, die neuesten u. schönsten, f. Kinder. 16. (24 S.) Berl. 891, Gebr. Radetzki. — 10

Polterabend - Lexicon, Eduard Bloch's. Mit Original-Beiträgen von M. Böhm . . . u. A. Berlin [1900—01.] H: *Linderer, Robert.* (Berl)

Polterabend-Probe

HOCHZEITEN. — Sonntag, den 23. October 1842: Zur Vermählungsfeier des Herrn von Diebitsch mit Fräulein Pauline Lubow zum Ersten- und Letztenmale: Die Polterabend-Probe. Schwank in 1 Act. Hochzeitstheaterzettel mit 2 Vignetten. Oblong-Folio. (2 Mk. l. c.)

Polterabend-Salon, s. Linderer, Ed.

Polterabend-Salon. Nr. 1—4. gr. 8. Berlin 875. Kühling. à n. 1. —
1. Des Glückes eigener Schmied. Hochzeitsschwank in 1 Akt v. W. Kläger. (13 S.)
2. Er muß heirathen od.: Sie müssen wollen. Lustspiel in 1 Akt v. C. A. Paul. (22 S.)
3. Junges Reis am alten Stamm. Lustspiel in 1 Akt v. R. Jacob. (12 S.)
4. A. 316. Schwank in 1 Akt v. R. Jacob. (12 S.)

Polterabend-Salon. Nr. 5—14. gr. 8. Berlin 877—80. Kühling. à 1. —
5. Ein Lendemain. Scherz in 1 Akt von R. Hahn. (9 S.)
6. Eine unruhige Hochzeitsnacht. Schwank mit Gesang in 1 Akt von R. Hahn. (16 S.)
7. Ein Hochzeitsgedicht od. vom Dachfenster. Scherz in 1 Akt von R. Hahn. (10 S.)
8. Ein Viertelstündchen vor dem Polterabend. Gelegenheits-Scherz in 1 Akt von C. A. Paul. (10 S.)
9. Ein Kaffeeklatsch. Polterabend-Schwank in 1 Akt von C. A. Paul. (16 S.)
10. Hoch! Braut u. Bräutigam! Genre-Bild in 1 Akt von C. A. Paul. (15 S.)
11. Am Silber-Hochzeitstag. Ein Silberhochzeitsschwank in 1 Akt von Heinr. Klaeger.
12. Das Jahr u. die Jahreszeiten. Polterabend-Festspiel in 1 Aufzug von Edm. Braune. (10 S.)
13. Zigeunerlager. Polterabend-Festspiel mit Gesang u. Tanz in 1 Akt von Edm. Braune. (11 S.)
14. Im Silbermyrthenkranz. Lustspiel in 1 Akt von C. A. Paul. (11 S.)

Polterabend-Salon. Nr. 15. gr. 8. Berlin 887. Kühling & Güttner. 1. —
Elsa's Flitterwochen. Schwank in 1 Akt v. L. Ely. (13 S.)

Polterabend-Salon. Nr. 16 u. 17. gr. 8. Berl. 891, Kühling u. Güttner. à Nr. 1 —
16. Braune, Edm. Ein Wachsfigurenkabinet. Polterabendfestspiel in 1 Aufzug. (16 S.)
17. —— Der Bau des Hauses. Polterabendfestspiel in 1 Aufzug. (10 S.)

Polterabend-Scherze. 1. *Berlin: Tessaro-Verl. [1902].* 8°
= Volksbücher. 7. [03. 13093

Polterabendscherze, die beliebtesten, s. Handbibliothek, populäre.

—— die beliebtesten, sowie Spiele und Gedichte zu Hochzeitsfesten. 4.—8. vollständig umgearb. und verb. Aufl. gr. 16. (IV, 154 S.) Dresden 872—78, Kaufmann's Verlag.

—— dass. — Neue Folge. Neue Polterabend- und Hochzeits-Gedichte von Rob. Kretzschmar. Anhang: Vorträge bei Ehe-jubiläen und Gratulationskarten. 4. Aufl. gr. 16. (134 S.) Ebendas. 878.

— u. Dichtungen zu goldenen u. silbernen Hochzeiten, s.: Original-Dichtungen.

Polterabendscherze u. Fastnachts-Spiele. 3. Aufl. gr. 8. (V, 296 S.) Dresden 871. Kaufmann. n. 1. —

Polterabend-Scherze, ganz funkel-hagel-neue. Zum Vortrage für eine u. mehrere Personen zur köstlichen Unterhaltung u. Belustigung der Polterabend-Gesellschaften. Mit Orig.-Beiträgen der größesten Humoristiker unserer Zeit. Herausg. von Thalia Erato. Einbeck 860. Ehlers. 8. (64 S.) 4½ ngr.

Polterabend-Scherze, ganz funkel-hagel-neue. Zum Vortrage für eine u. mehrere Personen. Zur köstl. Unterhaltung u. Belustigung der Polterabend-Gesellschaften etc. Herausg. von Thalia Erato. 11., verb. u. verm. Aufl. Einbeck 869. Ehlers. 8. (56 S.) 5 ngr.

Polterabend-Scherze u. Gedichte. E. reiche Auswahl v. scherzhaften Aufzügen u. Gedichten. 8. (47 S.) Hainichen 896. G. E. Hoffmann. — 40

— u. Hochzeitsfest-Dichtungen, 100 reizende, enth. Kranz- u. Schleiergedichte, Ansprachen, Thürsprüche, Wünsche zu grünen u. Jubel-Hochzeiten zum Vortragen f. e. u. mehrere Personen. Mit Beiträgen v. Max Heinzel, Ed. Jürgensen, Mokrauer-Mainé u. A. Text-Revision: M. Nestler. 1. u. 2., durchgeseh. u. verb. Aufl. 8. (VIII, 112 S.) Dresden 892. 894. E. Schneider. — 65; geb. — 80

— u. Hochzeitsfest-Dichtungen, 100 reizende, enth. Kranz- u. Schleiergedichte, Ansprachen, Thürsprüche, Wünsche zu grünen u. Jubel-Hochzeiten zum Vortragen f. e. u. mehr. Personen. Mit Beiträgen v. Max Heinzel, Ed. Jürgensen, Mokrauer-Mainé u. A. Text-Revision: M. Nestler. 3., durchgeseh. u. verb. Aufl. 8. (VIII, 112 S.) Kirchberg 898. E. Schneider. — 65; geb. — 80

— u. Hochzeitsfest-Dichtungen, 100 reizende, enth. Kranz- u. Schleiergedichte, Ansprachen, Thürsprüche, Wünsche zu grünen u. Jubel-Hochzeiten, zum Vortragen für 1 oder mehrere Personen. Mit Beiträgen v. Max Heinzel, Ed. Jürgensen, Mokrauer-Mainé u. a. Text-Rev.: M. Nestler. 4. durchgeseh. u. verb. Aufl. 8. (VIII, 112 S.) Kirchberg (902). E. Schneider. — 65; geb. — 80

—— lustige. Original-Sammlung der heitersten Vorträge und Aufführungen bei Polterabenden und Hochzeitfesten. Hrsg. von F. George. 16. (IV und 92 S.) Berlin 851, Janke.

Polterabend-Scherze, lustige und fidele, oder Hochzeitsgedichte und Vorträge, nebst Aufführungen für Ein, Zwei und mehrere Personen in Hochdeutsch und Plattdeutsch. Gesammelt von A. Freudenreich. 8. (IV, 96 S.) Bremen 885, Haake. *

Polterabend-Scherze, neue, gesammelt u. herausg. von Hilarius. Mit 1 Musikbeil. gr. 12. Magdeburg 836 Wagner. ¾ ₰

Polterabendscherze, neue. 24. (160 S.) Tilsit 848, Sommerfeld. 9 ngr.

Polterabendscherze, neue. 3. Aufl. Tilsit 858. (Gräfe u. Unzer.) 16. (VIII, 168 S.) n. 7½ ngr.

— neue. 3. Aufl. 16. (VIII, 168 S.) Tilsit 872. Reyländer & Sohn. — 30

— neue, od.: Was tragen wir vor? 1. Hft. 6., neu durchgeseh. u. verb. Aufl. 16. (112 S.) Neustadt i/Holst. 876. Ehlers. — 45

— neue. Auserwählte Sammlung der besten Hochzeitsgedichte u. Vorträge für Herren u. Damen, nebst Aufführungen für 2 u. mehrere Personen. 16. (64 S.) Bremen 881. Haake. — 50

Polterabendscherze, neue. Zum Vortrag u. zur Aufführg. in Familienkreisen. 16. (48 S.) Styrum 891, Spaarmann. — 20

— neue gemüthliche. Original-Sammlung heiterer Gratulationen, humorist. Vorträge und komischer Scenen für Polterabendfeste. Herausg. von einem Freunde des Frohsinns. 1. Heft. 855. — 2. (Titel-)Aufl. Cöslin 857. Volger. 16. (64 S.) 3¾ ngr.

Polterabend-Scherze, neueste, für Damen. 2. u. 3. Heft. à 31 Vorträge. (48 u. 48 S.) 8. Landsberg 904. 906 Volger & Klein. à n. — 30

Polterabendscherze, neueste, f. Damen u. Herren. 33 Vorträge. 1. Hft. 8. (48 S.) Landsberg (902). Volger & Klein. n. — 30

Neueste Polterabendscherze für Damen und Herren. H. 1. Landsberg a.W.: Volger & Klein [1903]. 8° [F.] [03. 890

Polterabend-Scherze, neueste, f. Damen u. Herren. 4. Heft. (48 S.) 8. Landsberg a/W. (910). Volger & Klein. — 30

—— neueste, ernsten und humoristischen Inhalts. In 2 Sammlungen für eine und mehrere Personen. 8. (136 S.) Elmshorn 882, Groth.

—— zum Vortrage sowohl für einzelne Damen und Herrn, als auch für zwei und mehrere Personen, sowie zur Aufführung größerer Polterabends-Scenen. Nebst Glückwünschen zu silbernen Hochzeiten und Gedichten zu Geburtsfest-Aufführungen. Gesammelt von Alvensleben. 8. (VIII und 172 S.) Quedlinburg 858, Ernst'sche Buchh.
Vgl.: Neujahrs- und Polterabendscherze.

Polterabendspiele. Mit Beitrr. v. Bornemann, Helmina von Chezy, Gubitz, Langbein, Müchler, Schink. Herausg. v. F. W. Jos. v. Kralowsky. 12. Berl. 818. Duncker u. H. 18 K

Polterabend-Szenen

Polterabend-Scenen. Sammlung v. Orig.-Gedichten, Glückwünschen u. scen. Aufführgn. f. 1, 2, 3 u. mehrere Personen an Polterabenden. 3. Bdchn. 8. (IV, 152 S.) Thorn 887. E. Lambeck. 1. — (1—3.: 3. —)

Polterabend-Scenen zur leichten Darstellung im frohen Familienkreise. Leipzig 870. Matthes. 32. (59 S.) geb. n. 5 ngr.

—— zu grünen, silbernen und goldenen Hochzeitsfesten, nebst Tafelliedern. 8. verm. und verb. Aufl. 8. (VIII, 176 S.) Thorn 875, Lambeck.

Polterabend-Scenen zu grünen, silbernen u. goldenen Hochzeiten nebst Tafelliedern. 9. verm. u. verb. Aufl. 8. (VIII, 176 S.) Thorn 877. E. Lambeck. 1. --

Polterabend-Scenen zu grünen, silbernen und goldenen Hochzeitsfesten, nebst Tafelliedern. 10. verm. und verb. Aufl. 8. (VIII, 183 S.) Thorn 881, E. Lambeck.
—— dass. — Sammlung von Orig.-Gedichten, Glückwünschen und Scen. Aufführungen für zwei und mehrere Personen an Polterabenden. 2. Bdchn. 8. (IV, 151 S.) Ebendas. 882.

— zu grünen, silbernen u. goldenen Hochzeitsfesten, nebst Tafelliedern. (1. Thl.) 11., verm. Aufl. 8. (VIII, 183 S.) Ebd. 889. 1. —

Polterabend- und Hochzeits-Vorträge für ein, zwei und mehrere Kinder. *Berlin: E. Bloch [1902].* (61 S.) 8° [F.]
= **Kinder**, Frau Garimènes deklamierende. H. 17. [03. n834

Polterabend-Vorträge ernsten u. heit. Inhalts f. 2—8 Personen. 7. Aufl. 8. (191 S.) Berlin 895. S. Mode's Verl. n. 1. —

Polterabend-Vorträge ernsten u. heiteren Inhalts f. 2 bis 8 Personen. 9. Aufl. (191 S.) 8. Berlin (903.) S. Mode. n. 1. —

Poltergeist, der, im Brühlerwalde. Eine Wundergesch. aus Oesterreichs Vorzeit. 8. Wien, Haas. 820.

.**Poltergeist** von Frankreich. O.O. 1743. V: *Vetter, Johann Friedrich.* (ML)

Polthier, Konrad

Polthier, C[onrad], Professor: Über die persönlichen Beziehungen der Hohenzollern zur Prignitz und insbesondere zur Stadt Wittstock. Festrede, gehalten am 27. Januar 1905. Wittstock 1906: O. Wessoly. (S. 3—13.) 4° [F.]
Wittstock, k. G P 1906 (104)

Polthier, Conrad: Neuer Katalog des Gymnasial-Museums zu Wittstock
s. **Grosser,** Richard, & Polthier, C.: Neuer Katalog ...

Poltis, oder das gerettete Troja. Oper. 8. Leipz. 773. (Altona, Aue). 6 K

Poltis; od. das gerettete Troja. Oper. 8. Lpz. Jacobäer. 773.

Poltnig, v.: Ghon, Karl.

Poltrer, der gutherzige, Lustspiel in 3 Akten von Goldoni, uberf. von A. W. Iffland. 8. Berlin, Braunes. 812. (Rücker.) und der Preis

— Ebendasselbe ist auch bey Sommerbrodt zu haben, Preis

Poltz, Christian Friedrich (Rosslau/Thür.), De consuetudinibus. Diss. philos. Präs. Christian Johann Anton Corvin. Jena (Horn) 3. V. 1738. 30 Seiten. (4.50) 26994
Widm. v.: Christ. Joh. Anton Corvin.

POELTZEL, JOHANN BAPT.: Lieder-Kränzchen für die Jugend der katholischen Volksschule mit einem Anhange von Kerngebetlein. Herausgegeben von Johann Bapt. Poeltzel. Tyrnau 1856. 151 S. - 12°

. Pölzel, Joh. Bapt. — Lieder-Kränzchen für die Jugend der katholischen Volksschule, nebst einem Anhange von Kerngebetlein. Herausgegeben von — —. Tirnau, 1856. Druck von Sigmund Winter. (151 S. 8.)

. Pölzel, Joh. Bapt. Erstes Programm und Einladung zu den öffentlichen Prüfungen der Tirnauer Normal-Hauptschule für das Schuljahr 1856. Mit einer geschichtlichen Skizze dieser Anstalt. Zusammengestellt und veröffentlicht durch — —. Tirnau, 1856. Druck von Sigmund Winter. (18 S. 4.)

POLTZER, AUGUST. Untersuchungen über die Amidoazoverbindungen. (Basel) Zürich, 1891.

Polubinsky, Wladimir: Aus der Universitäts-Frauenklinik zu München. Das Frühaufstehen der Operierten. München 1909: Ernst. 26 S. 8°
München, Med. Diss. v. 4. Febr. 1910, Ref. Döderlein
[Geb. 19. Juli 85 Petersburg; Wohnort: Orenburg; Staatsangeh.: Rußland; Vorbildung: Gymn. Omsk Reife Juni 03; Studium: Petersburg Mil.-med. Akad. 2, Berlin 4, Bern 1, München 3 S.; Rig. 4. Febr. 10.] [U 10. 3563

Polunin, A., Abhandlung über die Cholera vorzüglich auf Beobachtungen gegründet, die in der therapeut. Hospital-Klinik der kaiserl.-russ. Universität zu Moskau in den J. 1847 u. 1848 gemacht wurden. Aus d. Russ. übersetzt. gr. 8. (72 S.) Leipzig 849, Dyk in Comm. n. 1/3 ₰

POLUŠNY, Franciscus: Causae translationis sedis pontificiae Roma Avinionem, translatae succincta historia, nec non translationis illius sequelae. — (1853) 74 S. 4° (Handschr.) Diss. 160
Diss.Wien, Univ.

Polwell, Th., Widerlegung d. schweren Verläumbungen wegen der Gefangenschaft u. des Todes Napoleon Buonaparte's 2c. 8. Leipz. 822. Weygand. 6 K

Poly, Fritz, approb. Arzt aus Lübben: Die Bechterew'schen psychoreflectorischen **Facialisbahnen** unter Zugrundlegung eines Falles von metastatischem Tumor im Bereich des Thalamus opticus. *Würzburg 1900: A. Boegler.* (36 S.) 8°
Würzburg, Med. Diss. v. 1900

† Poly Henrion, s. Kohlenegg, L. Kohl v.

Pólya, Jakob

Geschichte der Entstehung und des (Bd 1: fünfzigjährigen) Bestandes der Pester Ungarischen Commercial-Bank. Übers. aus dem Ungar. Bd 1. 2. Budapest: Selbstverl. 1892—1917. 4°
1. 1841—1892. [Verf.] von Jacob Pólya. 1892.
2. 1892—1917. Verf. von Roland von Hegedüs. 1917.

Polya, Josef

—— Beobachtungen üb. d. Oriental. Cholera, angestellt u. gesamm. in d. Spitälern der Stadt Pesth in Ungarn, v. 23. Juli bis zum 20. Sept. 1831. Mit Abbildn. der Krankheit u. d. numerischen Verhältnisse darstell. Tabellen. (A. d. Latein. übers.) gr. 8. (4¼ B., 3 ill. u. 1 schw. Stnt. qu. Fol.) Meißen 832. [Leipzig, Vetter u. Rostosky.]

Polya, Joseph: Beobachtungen über die Flechte und ihre Verbindungen, nebst einem neuen specifischen Mittel zu deren Heilung, nämlich: dem "Anthrakokali". (Observationes de herpete, ejus complicationibus et remedio novo "Anthrakokali". Dt.) Nach der lateinischen Handschrift des Verfassers übers. von Karl Ludwig Sigmund. 160 S., gbd.

Leipzig: Hartleben 1837

— Beobachtungen über die Flechte und ihre Verbindungen, nebst einem neuen specifischen Mittel zu deren Heilung, nemlich: „dem Anthrakokali." Nach der latein. Handschrift des Verf. übersetzt von Karl Ludw. Sigmund. gr. 8. Pesth 837. Hartleben. 7/8 ß

Polya, Jos., Observationes de Herpete, ejus complicationibus et remedio novo „Anthrakokali." 8maj. Pestini 837. Hartleben. 7/8 ß

Pólya, Jos., et J. Car. Grünhut, Summa observationum, quas de Cholera orientali a die XXIV. Julii usque diem XX. Sept. anni MDCCCXXXI in liberae regiaeque civitatis Pest nosocomiis collectas etc. Cum iconibus morbi, ac relationibus numericis tabellaribus. 8 maj. (4¼ B. u. 4 Stnt. qu. Fol., incl. 3 ill.) Pestini 831, [Heckenast.]

Polyanthea. Ein Taschenbuch f. d. J. . . . . Hg.: K. Reinhard. 1807. XII, 31 u. 212 S. M. 1 Portr., 5 Kpf. u. 2 Bl. Mus. [1812 erschien eine Titelauflage ohne Kalender.] Münster. Goed. IV, 364, e. Goed. VIII, 66, 103.

Polyanthea. Ein Taschenbuch f. d. Jahr . . . Hrsg. v. Karl Reinhard. Mit Kupferstichen u. Musik. Münster: Waldeck 1807. [Gedacht als Forts. von: Poetische Blumenlese u. Romanen-Kalender.]

Polyaenus

— s. J. Kayserer, Kriegslisten der Alten rc.

Polyänus, Kriegslisten v. Seybold, s. Samml. d. neuesten Uebers. d. Griechen.

Polyaenus. Kriegslisten in 8 Büchern a. d. Griech. . . . Frankf. a. M. 1793—94. H: *Seybold, Dav. Chph.* (ErschDL) (Gi) (Ky) (Ebert) (AarK) (Hoff)

Polyaenus. Kriegslisten in 8 Büchern. A. d. Griech. übs. u. mit den nötigsten Anm. begl. Bd 1. Franckfurt 1793. 258 S.

— Kriegslisten; übers. mit Anmerkk. (v. D. C. Seybold). 2 Bde. 8. Frankf. a. M. 793, 94. Hermann. 1 ß Hbg. Pr. 16 gl (Vergl. Samml. d. neuesten Uebersetz. d. Griechen.)

Polyän, Kriegslisten, übers. v. W. H. Blume, s. Prosaiker, griech.

Polyän's Kriegslisten, übersetzt von W. H. Blume. 16 u. 26 Bdchn. 16. Stuttgart 834, 37. Metzler. (à 1/6 ß) 1/3 ß

Polyaen. Kriegslisten, übersetzt von W. H. Blume und C. Fuchs. 2 Bde. Stuttgart 1838—1855. 8°.

— u. S. J. Frontin, Kriegsränke d. berühmt. Feldherren u. einiger Heldinnen; aus d. Griech. u. Latein. mit Anmerkk. v. J. C. Kind. 8. Leipz. 750. Hilscher. 14 gl

Polyaeni strategematum libr. VIII. Recens., Justi Vulteji versionem lat. emendav. et ind. graecum adj. Sam. Mursinna. 8. Berl. 756. Haude u. Sp. 1 ß 16 gl

Polyaeni strategematon libri VIII ex recensione E. Woelfflin. Iterum recensuit, excerpta Polyaeni e codice tacticorum Florentino addidit, Leonis imperatoris strategemata e Rud. Schoellii apographo subiunxit J. Melber. 8. (XXVI, 562 S.) Leipzig 887. Teubner. 7.50

Polyaeni strategicon libri VIII. Recensuit, auctiores edidit, indicibus instruxit Ed. Woelfflin. Leipzig 860. Teubner. 8. (LXXXII, 360 S.) 1 ß 15 ngr.; Velinpap. 2 ß

Polybia; od. die unbelohnte Treue. Trauersp. von Becker. gr. 8. Berl. Birnstiel. 767.

Polybiana. Scripsit F. H. Bothe. 8maj. Leipzig 844, Hinrichs. 5/12 ß

Polybius. Eine Erzählung: Abendztg. 1817, Nr. 43/49 C. B. M. V: *Miltitz, Carl B. v.* Wiederholt in dessen »Ausstellungen in vermischten Erz.«, 1. Bd. Erfurt 1819. — Eine gleichbetitelte anonyme Erz. in: Der Kranz. Prag. 1. Bd., 1. Heft, 1821, S. 38/49. Ob die von Miltitz? (DARP)

Polybii castrorum, s. G. F. Rettig.

Polybius, s. Wielandt, Rudolfus.
Wunderer, Carolus.

Bruchstück aus der griechischen Geschichte vom Jahre 559 nach Roms Erbauung. Aus dem Franz. (18. Buch des Polyb.) Leipzig 1806. 137 S.

— s. a. Chrestomathia Polybiana.

Polybius. Chrestomathia Polybiana. In usum juventutis. Lipsiae 1801. H: *Meinecke, Albert Christian.* (Hoff)

—— historiarum excerpta gnomica in palimpsesto vaticano LXXIII. Ang. Maii curis resignato retractavit Th. Heyse. 4maj. (13 B.) Berolini 846, G. Reimer. *

Polybii historiarum excerpta Vaticana, in titulo de sententiis. Rec. Jac. Geel. Acced. A. Maji annotatio. 8maj. (12 B.) Lugd. Bat. 829, Luchtmans. (Leipzig, Weigel.)

—— et Appiani historiarum excerpta Vaticana, ex collect. Constantini Porphyrogeniti, inventa atque edita ab A Majo, recogn. a J. Fr. Lucht. Acced. A. Maji annotationes. 8maj. (8 B.) Altonae 830, Aue.

Polybii fragmenta, s.: Fragmenta historicorum Graecorum.

Polybios. Geschichte, s. Bibliothek, Langenscheidt'sche.

—— dass. — s. Bibliothek, Langenscheidt'sche, sämmtlicher griechischer und römischer Klassiker.

— Geschichte, s. a. Sammlung griechischer u. römischer Classiker.

Polybios' Geschichte, s. Sammlung, neueste, ausgewählter griechischer und römischer Classiker.

— — s. Prosaiker, griechische.

Polybius. Geschichte, mit den Auslegungen und Anmerkungen des Ritter Folards und des Herrn von Guischart Kriegsgedanken. Bresl. u. Berl. 1755—69. Ü (Bd. 1—5): *Ölsniz, Ant. Leop. v.* (Bd. 6. 7): *Trossel, Carl Stephan von.* (DegG) (Hoff) (ML) (Gi) (ErschDL)

— derselben 2r bis 5r Thl. m. K. gr. 4. Breslau, W. G. Korn. 755–59.

— Geschichte mit Anmerkk. v. Folard, u. Guischardts Kriegsgedanken; aus d. Französ. übers. v. Schmidt u. J. G. Krünitz. 7 Thle. Mit vielen Kpf. gr. 4. Berl. u. Leipz. 755—69. Winter. 19 *ℛ* (Schuphase in Altenb.) 16 *ℛ*

Polybius. Geschichte, mit den Auslegungen und Anmerkungen des Ritters, Herrn von Folard, Französischen Obersten … A. d. Franz. … Wien, Prag u. Triest 1759. Ü: *Bion, Joh. Theobald.* (DegG) »1759-60« (Ky) (Hoff)

— Gesch. m. Anmerk. v. Folard, u. Guichards Kriegsgedank. a. d. Franz. 7 Thle. gr. 4. Wien, Trattner. (Leudler.) 759–60.

Polybius, Geschichte; aus d. Griech. mit Anmerkk. u. Auszügen aus Folard u. Guischardt ec. von D. C. Seybold. 4 Bde. gr. 8. Lemgo 779—83. Meyer. 2 *ℛ* 16 *gℛ*

Polybios, Geschichte. Deutsch v. A. Haakh u. K. Kraz. 1. u. 3. Lfg. 2. Aufl. 8. (1. Bdchn. S. 1—32 u. 129—172.) Berlin 885. Langenscheidt. à n. — 35

Polybios, Geschichte. Übers. v. A. Haakh u. K. Kraz. 1. u. 3. Lfg. 8. Berlin, Langenscheidt. à n. — 35
1. 3. Aufl. (1. Bd. VI u. S. 1—32.) 890.
3. 2. Aufl. (3. Bd. S. 287—336.) 898.

Polybios, des, Geschichte. Deutsch von A. Haakh u. K. Kraz. 2., 4. u. 9.—12. Lfg. 8. Berlin, Langenscheidt. à n — 35
2. 4. 3. Aufl. (1. Bd. S. 33—80 u. 129—172.) (899. 902.)
9—12. 2. Aufl. (3. Bd. S. 337—486 u. 4. Bd. S. 1—48.) (899.)

Polybios, des, Geschichte. Deutsch v. Haakh u. H. Kraz. 1—3. 14. u. 20.—22. Lfg. kl. 8. Berlin-Schöneberg, Langenscheidt's Verl. à n. — 35
1. u. 2. 4. Aufl. (1. Bd. VI u. S. 1—80. (906. 905.)
3. 3. Aufl. (1. Bd. S. 81—128.) (903.)
14. 2. Aufl. (4. Bd. S. 97—132.) (903.)
20.—22. 2. Aufl. (6. Bd. S. 81–177.) (906. 905.)

Polybios' Geschichte. Deutsch v. A. Haakh u. K. Kraz. 3. u. 4. Lfg. 4. Aufl. 6.—13. Lfg. 3. Aufl.; 15.—19. u. 23.—29. Lfg. 2. Aufl. (1. Bd. S. 81—172; 3. Bd. S. 205—486; 4. Bd. S. 1—96; 5. Bd. S. 131—274; 6. Bd. S. 1—80; 7. Bd. S. 179—446 u. 8. Bd. S. 399—488.) kl. 8. Berlin Schöneberg (907—10). Langenscheidt's Verl. à — 35

—— Geschichten, s. Prosaiker, griechische.

Polybios. Geschichten, übersetzt von J. F. C. Campe. 2 Bde. Stuttgart 1861—1863. 8°.

—— Geschichtsbücher, übers. v. L. Storch, s. Uebersetzungs-Bibliothek röm. u. griech. Klass., II. Abthl.

— Geschichtsbücher, übers. v. L. Storch. 1s u. 2s Bdchen. 16. Prenzlau 828. Ragoczy. 12 *gℛ*

— s.a. Hannibal u. Antiochus.

(Polybius.) Hannibal und Antiochus. Ein Bruchstück aus dem XVIII. Buch des Polybius. Nach der zweyten Ausgabe der französischen Uebersetzung des Grafen d'Antraigues bearbeitet. Mit kritischen Anmerkungen. 8. St. Petersburg 1806.

Polybii historia. Edidit Ludov. Dindorfius. 4 Voll. Leipzig 866—68. Teubner. 8. (XCIII, 349 S., XXXVIII, 412 S., XXIV, 520 S., XXIV, 235 S.) 3 *ℛ* 18 *ngr.*

— histor. quidquid superest, Graeca ad cod. MSS. fidem recens., lat. Casauboni version. etc. variet. lect., adnott., indic. illustr. J. Schweighaeuser. VIII Voll. 8maj. Leipz. 789—95. Weidmann. 27 *ℛ* Schrbp. 45 *ℛ* (Vol. VIII. A. u. d. T.: index graecitatis Polybianae, sive Lexicon Polybianum etc. 6 *ℛ*) ad ead. supplem. ed. J. Konr. Orellii. Cum tab. aeri incisa. 8maj. ibid. 818. 1 *ℛ* 16 *gℛ* Schrbp. 2 *ℛ* 12 *gℛ*

Polybii, Megalopol., historiarum libri ex edit. Gronovii, cum praef. et Glossario Polybian. J. A. Ernesti. III Voll. 8maj. Wien u. Leipz. 763, 64. Krauss. 12 *ℛ*

— — Graece. Ad optim. libr. fidem ed. Schäfer. Lips. 816. 4 Vol. 12. 3 rthlr.

— historiae edidit Frieder. Hultsch. Vol. I—III. Berlin 867—70. Weidmann'sche Buchh. gr. 8. [Vol. I. (XI u. S. 1—318.) 27 *ngr.*, Vol. II. (IV u. S. 319—663.) 1 *ℛ*, Vol. III. (IV u. S. 664—1024.) 1 *ℛ*] 2 *ℛ* 27 *ngr.*

Polybii historiae. Ed. Fridr. Hultsch. Vol. IV. gr. 8. (S. 1025—1488.) Berlin 872. Weidmann. 4. 50 (I—IV.: 13. 50)

Πολυβίου Ἱστορίαι. **Polybii Historiae.** Editionem a Ludovico Dindorfio curatam retractavit (4. 5: et instrumentum criticum addidit) Theodorus Büttner-Wobst. *Lipsiae: B. G. Teubner 1882–1904.* 5 Bde 8°
1. 1882. 2. 1889. 3. 1893. 4. 1904.
5. Appendix. Indices et Historiarum conspectum cont. 1904.
(Bibliotheca script. graec. et rom. Teubneriana.) [04. 1362

Polybii historiae. Editionem a Ludov. Dindorfio curatam retractavit Thdr. Büttner-Wobst. Vol. I. 8. (CXXV, 361 S.) Leipzig 882. Teubner. 3. 60

Polybii historiae, rec., apparatu critico instruxit F. Hultsch. Vol. I. Ed. II. gr. 8. (LXXIII, 339 S.) Berlin 888. Weidmann. 4. 50

— historiae. Editionem a Ludw. Dindorfio curatam retractavit Th. Büttner-Wobst. Vol. II. 8. (CXXI, 380 S.) Leipzig 889. Teubner. 3. 60

Polybii historiae. Recensuit, apparatu critico instruxit Frdr. Hultsch. Vol. II. Ed. II. gr. 8. (XVI, 368 S.) Berlin 892. Weidmann. 6. — (I et II.: 10. 50)

Polybii historiae. Editionem a Ludw. Dindorfio curatam retractavit Thdr. Büttner-Wobst. Vol. III. 8. (XXIV, 430 S.) Leipzig 893. B. G. Teubner. n. 3. 60 (I—III.: n. 10. 80)

Polybii historiae. Editionem a Ludov. Dindorfio curatam retractavit et instrumentum criticum addidit Theod. Büttner-Wobst. Vol. I. IV et V. 8. Leipzig, B. G. Teubner. n. 11. 80: geb. 13. 60; (Vollständig n. 18. 20; geb. n. 21. —)
I. Ed. altera (L, 361 S.) 905. n. 4. 40; geb. n. 5. —
IV. (LVI, 552 S.) 904. n. 5 —; geb. n. 5. 60
V. Appendix. Indices et historiarum conspectum continens. (251 S.) 904. n. 2. 40; geb. n. 3. —

— historiarum quae supersunt, (gr.) ad fidem opt. libr. edit. IV Voll. 12. Leipz. 816. Tauchnitz. 3 ℛ Hbg. Pr. 1 ℛ 8 gr, Fein Pap. 4 ℛ 8 gr

Polybii Historiarum quae supersunt, ad fidem opt. libr. edit. IV Tomi. 12. Lipsiae, Tauchnitz. 820. charta script.

Polybii, Historiarum quae supersunt. Ad opt. libror. fid. accurate edita. Accedunt excerpta Vaticana ab Angelo Maio in lucem emissa. Edit. stereot. IV Tl. 16. ($92\frac{1}{4}$ B.) Lipsiae 836, Car. Tauchnitz. à $\frac{5}{12}$ Thlr. $1\frac{1}{3}$ Thlr., f. Pap. à $\frac{2}{3}$ Thlr.

— et Appiani quae supersunt. Graece et latine cum indicibus. II Tomi. Et. s. titulo: *Πολυβίου ἱστοριῶν τὰ σωζόμενα.* Polybii historiarum reliquiae. II Part. gr. Lex.-8. Parisiis 839. Didot (fratres et soc.) n. $5\frac{1}{2}$ ℛ

— historiarum quae supersunt. Ad optimorum librorum fidem accurate edita. Accedunt excerpta Vaticana ab Angelo Majo in lucem emissa. 4 Tomi. Editio ster. C. Tauchnitiana. Nova impressio. Leipzig 866. Holtze. 16. (1466 S.) 1 ℛ 20 ngr.

— Uebers. v. A. Haakh u. A., s. a. Bibliothek, Langenscheidt'sche.

— Übers. v. A. Haakh u. K. Kraz. 5. u. 6. Lfg. 2. Aufl. 12. (2. Bd. S. 173—252.) Berlin 891. Langenscheidt's Verl. à n. — 35

— historiarum quae supersunt. Ad optimorum librorum fidem accurate edita. Accedunt excerpta vaticana ab Angelo Maio in lucem emissa. Ed. ster. C. Tauchnitiana. Tom. I. Nova impressio. 16. (346 S.) Leipzig 892. O. Holtze's Nachf. 1. 60

— römische Historie. Fol. Basel, Thurneysen. 754.

Polybius. Kriegsgeschichte in 5 Büchern, übs. v. F. W. Benicken. Mit 1 Atl. Weimar 1820. 642 S. 8° u. 4°

— — Kriegsgeschichte in 5 Büchern, übersetzt von F. W. Benicken. Mit erläuternden Anmerkungen und 20 Darstellungen in Steindr. gr. 8. Weimar, Industrie-Cpt. 820.

— de militia romana libell. gr. et lat., stud. I. G. Poeschelii, c. fig. 8. Nrnb. Felsecker. 731.

Polybius ex recognitione Imman. Bekkeri. II Tomi. 8 maj. [1. (38 B.) 2. ($38\frac{1}{2}$ B.)] Berolini 844. G. Reimer.

— de Republica Romana sive ex Polybii Megalopolitani sexta historia excerpta. Textum recognitum, summariis indiceque graecitatis instructum in usum scholarum edidit. 8maj. Sulzb. 823. v. Seidel. 9 gr

— traduction d'un fragment du XVIII. livre de, trouvé dans le monastère St. Laure au mont Athos par le comte d'Antraigues. gr. 8. Leipz. 805. Hartknoch. 16 gr

Polybius, Traduction d'un fragment du XVIII. livre de Polybe, trouvé dans le monastère Ste Laure au Mont Athos. 1805. 48 S. 1.—

Polybe, traduction d'un fragment du XVIII Livre de, trouvé dans le monastère St. Laure au mont Athos par le Comte d'Antraigues. gr. 8. Leipz. Hartknoch. 805.

— Dass. aus dem Französ. übersetzt. gr. 8. Leipz. 806. (Wienbrack). 12 gr

Polycarpus, der Märtyrer. 8. Augsb. 831 (Raw in Nürnb.) 1 gr

Polycarpus Episcopus Smyrnaeus

Polycarpi Smyrnaei epistula genuina. In usum scholarum academicarum rec. Gust. Volkmar. gr. 4. (12 S.) Zürich 885. Schröter & Meyer. n. — 80

Polycarpi epistolam a Philipp., s. C. F. *Hornemann.*

Polycarpus, Epistolae, s.: Ignatius.

Polycarpi epistulae, s.: Patrum apostolicorum opera.

Polycarpi Smyrnaei epistulae et martyria, s.: Ignatius Antiochenus.

Polycarpi, S., quae supersunt, s. Clementis S. Romani.

Polycarpus, neue Mährchen, s. Mährchen.

Polycarpus, ..., (...) neue Mährchen f. Kinder reifern Alters 10. Berl. 828. Jonas. 12 gr

Polycheiria. Hg.: B. Korsinsky. (1820). 180 S. M. 1 Portr. Stuttgart. Goed. VIII, 101, 227.

Polycheiria. Hrsg. v. B[ernhard] Korsinsky. Stuttgart: Selbstverl. d. Hrsg. 1822. 8°
N. F. 1: Mit Musik v. . . . . [Johann Christian] L[udwig] Abeille. 1822. VIII, 238 S., 1 Bl., 1 Titelkupf., 1 Notenbl.

Polychorda, e. Zeitschrift, s. Thdr. Fr. A. Bode.

Polydor; od. die unglücklichen Geschwister. 8. Wismar, Bödner. 760.

Polydor, u. Carita; e. Erzähl. a. d. Frz. v. Verf. d. Anacharsis Reisen, Barthelemy, m. K. 8. Prag, Polt. (Joachim in Lpz.) 799.

Polydor, s. a. Herkules, Kronprinz.

POLYDOR (ps.), Kronprinz Herkules, burlesk-komischer Maulheldengesang. Zürich, Schmidt, 1899.
Verboten v. L.-G. Laibach, 19. VI. 1899. § 516. —
Nicht im Pseud.-Lex.

Kronprinz Herkules. Burlesk-komischer Maulheldengesang von Polydor. Zürich: Schmidt 1899. 140 S. 8° [illegible]

Polydora, s. Bouterweck.

POLYDORUS in einem Schau-Spiele vorgestellet. 1726. 8°.
Ohne Ortsangabe bei Gottsched, Vorrath. — Sehr selten!

Polydorus Nemaeus. Carmina varia selecta Latina et Graeca. [Gissae] 1785. V: *Senckenberg, Renatus Leop. Chn Carl Freih. von.* (Ky) (ML)

Polydorus Vergilius, Eigentlicher Bericht der Erfinder aller Ding, nämlich wie alle geistliche u. weltliche Sachen, Künste, Handwerker und Händel etc. vom grössten bis zum kleinsten, vom Anfang der Welt bis auf diese Zeit ihren Ursprung u. Gebrauch haben. Durch Markum Tatium Alpinum treulich verdeutscht. Frankfurt a/M. 8°.

Polydorus, Georg. (geb. Smyrna 4. 1. 1831): De cholera epidemica s. Asiatica. Berolini (1856). (45 S.) 8°
Berlin, Med. Diss. v. 8. Aug. 1856

Polyglott vocabulary, a, english, gorman, canarese, Tulu and Malayalam, containing 1600 of the most usual words of the language classified under practical headings and printed in parallel columns both in the vernacular and in roman letters, with a full alphabetical index in english, a key to the pronunciation etc. Tentative ed. 8. (XVI, 98 S.) Mangalore 880. Basel, Missionsbuchh. cart. n. 2. 40

Polyglotta kralodvorského rukopisu. Text v pôvodním i obnoveném pravopisu; preklad: Ruský, serbský, illyrský, polský, hornolucický, vlaský, anglický, nemecký; ukázky: dolnolucického, maloruského, krajnského, francouzského i bolgarského. Vydání Václeslava Hanky. 12. (X u. 794 S. m. 1 lith. Taf.) Prag 852. (Kronberger.) n. 2¼ ꝶ

Polyglotte, die. Wochenschrift f. Kenner fremder Sprachen. (In deutscher, engl., französ., italien. u. span. Sprache.) Red.: G. Villa, W. Rowland. 1. Jahrg. Juni—Decbr. 1892. 26 Nrn. (à ca. 1½ Bog.) gr. 4. Hamburg, Verlag d. Polyglotte (G. Villa). n. 6.—

— dasselbe. 2. Jahrg 1893. 39 Nrn. gr. 4. Ebd. n. 10 —
Vom Jan.—Juni 26 Nrn. à 20 S.; vom Juli—Decbr. 13 Nrn. à 30 S.

Polyglotte der oriental. Poesie, s. Jolowicz.

*Polyglotten-Bibel zum prakt. Handgebrauch ꝛc. in übersichtl. Nebeneinanderstellung des Urtextes, der Septuaginta, der Vulgata und Luther-Uebersetzung, sowie d. wichtigsten Varianten d. vornehmsten deutschen Uebersetzungen (eines de Wette, Stolz, van Eß, v. Meyer, † Funk ꝛc.) Bearbeitet v. luth. Pfarrer

Polyglotten-Bibel zum prakt. Handgebrauch. Die ganze heil. Schrift A. u. N. Testaments in übersichtl. Nebeneinanderstellung des Urtextes, der Septuaginta, Vulgata u. Luther-Uebersetzung, so wie der wichtigsten Varianten der vornehmsten deutschen Uebersetzungen. Bearb. v. R. Stier u. K. G. W. Theile. (4. Bd.) 8 Hefte. Neues Testament. Lex.-8. Bielefeld 845, 46, Velhagen u. Klasing. (à n. ⅓ ꝶ) n. 2⅔ ꝶ (1.—3. Bd. A. Test. sind noch nicht erschienen.)

— dass. Altes Testament. 1. Bd. Die 5 Bücher Mosis. 1. u. 2. Hft. Lex.-8. (30½ B.) Ebds. 847.

Polyglotten-Bibel zum praktischen Handgebrauch. Die heil. Schrift Alten u. Neuen Testaments in übersichtlicher Nebeneinanderstellung des Urtextes, der Septuaginta, Vulgata u. Luther-Uebersetzung ꝛc. bearb. von R. Stier u. K. G. W. Theile. 1. Bd. 5 Hfte. 2. Bd. 1. Abth. 5 Hfte. 2. Abth. 7 Hfte. (1. Bd.: VIII u. 1013 S. 2. Bd. 1. Abth.: VI u. 877 S. 2. Bd. 2. Abth.: XII u. 1048 S.) Bielefeld 847—52, Velhagen & Klasing. (I. 1—5. II. 1, 1—5. 2, 1—6: à Hft. n. ½ ꝶ II. 2, 7: n. ⅙ ꝶ) n. 8⅙ ꝶ

— dies. 4. Bd.: Neues Testament. — Ἡ καινὴ διαθήκη. 2. verb. Aufl. Lex. 8. (XII u. 1060 S.) Ebd. 849. 2⅔ ꝶ (I. II, I. II, IV.: n. 10⅚ ꝶ)

Polyglotten-Bibel zum praktischen Handgebrauch. Die ganze heilige Schrift Alten und Neuen Testaments in übersichtlicher Nebeneinanderstellung des Urtextes, der Septuaginta, Vulgata und Luther-Uebersetzung, sowie der wichtigsten Varianten der vornehmsten deutschen Uebersetzungen, bearb. von R. Stier und K. G. W. Theile. Altes Testament. 3. (letzter) Bd. 1. u. 2. Abth. Bielefeld 853—55. Velhagen u. Klasing. Lex.-8. n. 4 ꝶ.
1. Abth.: Die poetischen Bücher. In übersichtlicher Nebeneinanderstellung des Urtextes ꝛc. für d. praktischen Handgebrauch bearb. (VII, 734 S.) n. 2 ꝶ. 15 ngr.
2. „ Vermischte Schriften des Alten Testaments. In übersichtlicher Nebeneinanderstellung ꝛc. (VIII, 600 S.) n. 1 ꝶ. 15 ngr.

— 2. Aufl., mit Stereotypen. Ebend. 854. Lex.-8.
1. Bd.: Die fünf Bücher Mosis ꝛc. (VIII, 1013 S.) n. 2 ꝶ. 15 ngr.
2. „ 1 Abth.: Die historischen Bücher des Alten Testaments ꝛc. (VI, 877 S.) n. 2 ꝶ. 15 ngr.
2. „ 2. „ Die prophetischen Bücher mit Ausschluß Daniels. (XII, 1048 S.) n. 3 ꝶ. 15 ngr.

— 4. Bd. Neues Testament. 3. Aufl. mit Stereotypen. A. u. d. T.: Η ΚΑΙΝΗ ΔΙΑΘΗΚΗ. — Das Neue Testament unsres Herrn u. Heilandes Jesu Christi. In übersichtl. Nebeneinanderstellung des Urtextes ꝛc. für den prakt. Handgebrauch bearb. ꝛc. 3. Aufl. Ebend. 854. Lex.-8. (XII, 1060 S.) n. 2 ꝶ. 20 ngr.

Polyglotten-Bibel zum praktischen Handgebrauch. Die heilige Schrift alten u. neuen Testaments in übersichtl. Nebeneinanderstellg. d. Urtextes, der Septuaginta, Vulgata u. Luther-Uebersetzg., so wie der wichtigsten Varianten der vornehmsten deutschen Uebersetzgn. bearb. v. R. Stier u. K. G. W. Theile. 4 Bde. in 6 Abthlgn. Lex.-8. Bielefeld 875. Velhagen & Klasing. n. 46. —
I. Die 5 Bücher Mosis. 4. Aufl. (VIII, 1013 S.) n. 8. 50
II. 1. Die historischen Bücher d. alten Testaments. 4. Aufl. (VII 877 S.) n. 7. 50
II. 2. Die prophetischen Bücher d. alten Testaments. 4. Aufl. (XII, 1048 S.) n. 9. —
III. 1. Die poetischen Bücher d. alten Testaments. 4. Aufl. (VII, 734 S.) n. 7. —
III. 2. Vermischte Schriften d. alten Testaments. 4. Aufl. (VIII, 600 S.) n. 5. —
IV. Das neue Testament. 5. Aufl. (XIV, 1060 u. Anh. IV, 96 S.) n. 9. —

Polyglotten-Bibel zum praktischen Handgebrauch. Die heil. Schrift Alten u. Neuen Testaments, in übersichtl. Nebeneinanderstellg. d. Urtextes, der Septuaginta, Vulgata u. Luther's Uebersetzg., sowie der wichtigsten Varianten der vornehmsten deutschen Uebersetzg., bearb. v. R. Stier u. K. G. W. Theile. III. Bd. 1. Abth. Die poet. Bücher d. Alten Testaments. 5. Aufl. Lex.-8. (VII, 734 S.) Bielefeld 890. Velhagen & Klasing. n. 7.—

Polyglotten-Bibel zum praktischen Handgebrauch. Die heil. Schrift Alten u. Neuen Testaments, in übersichtl. Nebeneinanderstellg. d. Urtextes, der Septuaginta, Vulgata u. Luther-Uebersetzg., so wie der wichtigsten Varianten der vornehmsten deutschen Uebersetzgn. bearb. v. R. Stier u. K. G. W. Theile. 1. Bd. Die fünf Bücher Mosis. 5. Aufl. Lex.-8. (IX, 1013 S.) Bielefeld 891. Velhagen & Klasing. n. 8. 50

— dasselbe. 2. Bd. 2 Abthlgn. 5. Aufl. gr. 8. Ebd. n. 16. 50; geb. n.n. 20. 10
1. Die historischen Bücher des Alten Testaments. (VII, 877 S.) 893. n. 7. 50; geb. n.n. 9. 30
2. Die prophetischen Bücher des Alten Testaments. (XII, 1048 S.) 894. n. 9. —; geb. n.n. 10. 80

— dasselbe. 3. Bd. 2. Abthlg. Vermischte Schriften d. Alten Testaments. 5. Aufl. Lex.-8. (IX, 600 S.) Ebd. 892. n. 5. — (1. u. 2. in 1 Bd. geb. n.n. 13. 80)

Polyglotten-Gespräche. Anleitung zur Erlerng. der Umgangssprache u. zur Führg. der Correspondenz f. Reisende u. Studirende. Englisch-Deutsch. Von Ebeling u. Clifton. 16. (II, 364 S.) Paris 893. Garnier Frères. Kart. 1. 60; geb. 2. —

— dasselbe. Französisch-Deutsch. Von Ebeling. 16. (II, 364 S.) Ebd. 893. Kart. 1. 60; geb. 2. —

— dasselbe. Italienisch-Deutsch. Von Giovanni Vitali u. Ebeling. 16. (II, 364 S.) Ebd. 893. Kart. 1. 60; geb. 2. —

— dasselbe. Russisch-Deutsch v. Monteverde. 16. (II, 364 S.) Ebd. 893. Geb. 2. 40

— dasselbe. Spanisch-Deutsch. Von Bustamente u. Ebeling. 16. (II, 364 S.) Ebd. 893. Kart. 1. 60; geb. 2. —

Polygonometria, od. Anweis. zur Berechnung jeder geradlinigt. Figur, (von J. F. Lempe). 2 Thle. Mit Kpf. 8. Leipz. 783. Hilscher. 9 gr

Polygonometrie, oder Anweisung zur Berechnung jeder gradlinichten Figur. Leipzig 1783—84. V: *Lexell, Andr. Joh.* Ü: *Lempe, Joh. Frdr.* (BrMm) (MGT) (Ky)

Polygonometrie, oder Anweisung zur Berechnung jeder geradlinigten Figur. Leipzig bey Kindervater. I. II. Theil. zusammen 188 Seit. 4 Kpst. 8. 1783.

Polyhistor, Der, eine Wochenschrift. Weissenfels 1753. H: *Messerschmid, Johann Christian.* (ML) »Altenburg« (Ky)

—der, e. Wochenschrift, (v. J. C. Messerschmidt). 8. (Altenb.) 753. Richter. 12 gr

Polyhistor, der, eine Quartalschr., so wissenswerthe u. nützl. Sachen etc. enthält. 1s Quartl. 4. Gotha 802. Ettinger. 12 gr

Polyhistor, Der, eine Wochenschrift für alle Stände. Halberstadt 1806-8. H: *Vogler, Johann Heinrich, Chn Georg Hnr. Nieter, Hnr. Pourroy & Wolfgang Warburg.* (MGT)

— der **kurzweilige**, v. 400 Histor. 8. Erfurt, Ritschel. 727.

Polyhymnia

—e. Samml. drei- u. vierstimm. Gesänge. 4 Bdchn. Freiburg, Herder. 3 ₰ 8 gr

Polyhymnia. Ulm 1767. V: *Schultes, Jacob.* (ML)

Polyhymnia. Leipzig u. Dessau 1783—92. V: *Cramer, Carl Frdr.* (GGr)

— — Polyhymnia. Versuch einer Uebersetzung auserlesener Epigramme der Griechischen Blumenlese von G[ottlieb] L[ukas] F[riedrich] Tafel. — Zürich: Orell, Füßli & Co. 1808. 207 S.

Polyhymnia. Versuch einer Übersetzung auserlesener Epigramme der griech. Blumenlese v. G. L. F. Tafel. Tüb. 809. 8.

Polyhymnia, eine musikalische Zeitschrift. 1s Heft. gr. 4. Stuttgart. (Leipzig, Joachim.) 817.

Polyhymnia. Poetisches Neujahrsgeschenk v. Carl Heidler. Zeitz: Webel 1821.

Polyhymnia. Ein Taschenb. f. Privatbühnen u. Freunde d. Gesanges a. d. J. . . . Hg.: Fr. Kind u. H. Marschner. 1825. (1. einz. Jg.) 168 S. Leipzig. Goed. VIII, 131, 30.

Polyhymnia. Ein Taschenbuch f. Privatbühnen u. Freunde des Gesanges auf d. J. 1826. 1r Jahrgg. gr. 4. Leipz., Hartmann.

—e. Taschenbuch f. Privatbühnen u. Freunde des Gesanges auf d. J. 1826. 1r Jahrg. In Verein mit Fr. Kind hrsgg. v. H. Marschner. Mit Mozarts Portr. qu. 4. Leipz., Lehnhold. 2 ₰

—e. musikal. Anthologie, als Monatsschrift f. d. Pianoforte arrangirt v. H. A. Präger. Mit Portr. 1r—6r Jahrg. 1825—1830. gr. qu. 4. Meißen, Klinkicht. (à Jahrg. 2 ₰) 12 ₰

Polyhymnia. Sammlung auserles. Dichtungen, mit Anleitn. z. richtig. u. schönen mündl. Vortrage. Zum Gebr. f. d. gebild. Jugend, besond. auf Gymnasien, bearb. v. W. Sturm. 8. (14 B.) Halle 830, Kümmel. 12 Gr., Schrbp.

Polyhymnia: Blätter zur Erheiterung und Belehrung. Zweibrücken 1832-1833.

Polyhymnia. Deutschlands bekannteste u. beliebteste Lieder u. Gesänge. Reutlingen 861. Kurtz. 16. (IV, 519 S.) n. 15 ngr

Polyidos. Tragödie. Leipzig 1805. V: *Apel, Johann August.* (Ky) (MGT) (BrMm) (Cat. d. Stadtbibl. Zürich. Zürich 1864—97.)

Polyidos. Tragödie von Apel, m. K. 8. Leipz. Hartknoch. 805.

Polykarp, der hl. Dramatisches Spiel in 5 Aufzügen v. e. kath. Priester. Ohne Frauenrollen. 8. (45 S.) Düren 892, Solinus. * — 50

Polykarpus, der Märtyrer, s. Schriften, kl., z. Beförderung d. christl. Glaubens etc. No. 14.

POLYMERIEN. (Die Vorr. unterz.: *Rausch.*) Cüstrin, bey C. G. Trowitzsch. 1783. 8°. Selten!
W.-v. Maltzahn III. p. 429. no. 780. (an no. 778). — Nicht im Anon.-Lex.

Polymnie, ou choix des poésies, s.a. Nuditäten-Sammlung.

Polymnie, au choix de poësies francoises, recueilliés par Ch. Fischer. 8. Giessen 800. (Fr. Fleischer in Leipz.) $1^1/_3$ ₰

Polymnie ou choix de poësies françoises recueillies (v. Ch. Fischer). 8. Chemnitz. 800. Jetzt Verl. v. Heyse in Bremen u. d. Preis

Polymnie ou choix des poesies françaises, (par Ch. Fischer). 8. Chemnitz 800. (Leipz., Taubert). 1 ₰ (Heyse in Bremen). Hbg. Pr. 4 ₰ — Daſſ. deutsch unt. d. T.: Nuditätensammlung e. verschönerten Pariserin. 8. Gießen 809. Müller. 1 ₰

Polymorphoskop, wodurch man sein eignes Gesicht in zwölf sehr schönen Trachten erblicken kann, um zu sehen ob man sich in diesem od. jenem, männl. od. weibl. Costüme, besser gefalle, welche Farbe u. welcher Putz einem am besten zu Gesichte stehe. Ein unterhaltender Rathgeber f. Herren u. Damen bei Maskeraden, Theatern u. Moden. Wien, (Müller). In Etui mit geschlossenem Spiegel. 2 ₰

Polyn Büchner, H. P., de exanthemate Lupo. Cum III tabulis lith. et color. 4maj. Lugduni-Batav. 839. Gebhard et soc. (Lipsiae, Weidmann; T. O. Weigel.) n. 1 2/3 ₰

Polynesien [Schlagwort]

Polynesien, s.a. Atlanten. Sydow-Habenicht.

Polynesien, s.a. Australien.

Polynesien, s.a. Australien. Diercke. Kiepert.

Polynesien, s.a. Australien. — Schulwandkarten.

Polynesien, s.a. Physikalische Karten.

Polynesien — Karte vom fünften Erdtheil, oder — oder Australien, oder Südindien, entworfen von Friedr. Gottl. Canzler, d. W. Dr. 1795. Nürnberg bey Homanns Erben 1806. 1: 27,000,000 circa. 1 Bl.

Polynesien [Sachliches OW]

Polynesien (Inselwelt) oder der fünfte Welttheil. Verfasst von Herrn F. Daniel Djurberg. Neu herausgegeben von Herrn F. A. 1789. 1: 20,000,000. 1 Bl.

Polyp, der. Organ f. populäre Mittheilgn. aus dem Reiche der Natur. Zeitschrift d. mikroskop. Aquariums zu Berlin. Hrsg. u. red. v. W. Zenker. 1. Jahrg. April—Decbr. 1876. 18 Nrn. (B. m. eingedr. Holzschn.) gr. 4. Berlin 876. (Grieben.) n. 4. —

Polysius, G., Eisengießerei und Maschinenfabrik: Preislisten und Prospekte. 1902 ff. Dessau

Polysius, G: Preisliste über Transmissionen. (Magdeburg) 1893

Polysius, G: Preislisten über Reibungskupplungen usw. Dessau (1893?)

Polysius, G:
[1.] Moderne Cementfabriken und Drehöfen. [Deutsch, Englisch, Französisch.] Dessau (1907)
2. Neuzeitliche Zementfabriken. [Deutsch, Englisch, Französisch.] Dessau (1909?)
[3.] Neuzeitliche Zementfabriken usw. Dessau (1909?) ff.

Polyssadoff, Basile, miséricorde divine pour le pécheur repentant. Six discours prononcés à l'intention des Moldo-Valaques, des Grecs etc. à l'occasion des dévotions de la semaine sainte. Berlin 858. F. Schneider. 8. (XI, 104 S.) n. 20 ngr

— Predigten, gehalten in der griechisch-katholischen Kirche der Colonie Alexandrowka bei Potsdam. Berlin 857. F. Schneider. 8. (VII, 63 S.) n. 15 ngr

Polystrati Epicurei περὶ ἀλόγου καταφρονήσεως libellus. Ed. Carolus Wilke. Acced. tab. 2. Lipsiae: B. G. Teubner 1905. (XIX, 38 S.) 8°
(Bibliotheca script. graec. et rom. Teubneriana.) [06. 1906

Polysu, Georg. A. (geb. Bukarest 19. 4. 1819): De diagnosi morborum graviditatem uterinam simulantium. Berolini (1849). (28 S.) 8°
Berlin, Med. Diss. v. 4. Juli 1849

Polysu, G. A., *Dr. Med.* Romänisch-deutsches Wörterbuch, mit Berücksichtigung der Bedürfnisse des praktischen Lebens. Bereichert und revidirt von *G. Baritz*. Herausgeg. und verl. von *J. G. Johann*, Handelsmann u. Mitgl. der Handels- und Gewerbekammer. *Kronstadt* 1857. Dr. r. *Römer & Kamner* IX, 606 S., 1 Bl. 8°.

Polysu, G. A., romänisch-deutsches Wörterbuch. Bereichert und revid. von G. Baritz. 8. (606 S.) Kronstadt 860. Haberl und Eindel's Buchh.

Polytalpen, Die. [Regensburg] 1792. V: *Klüber, Johann Ludwig.* (NN) (Ky) (MGT)

Polytalpen, die, (v. J. L. Klüber). (Eine Satyre auf das Ahnenwesen). 8. ... 792. (Nachgedr. in Regensburg.)

Polytechniker, der. Zeitschrift f. die gesammten techn. Zweige, m. dem Beiblatt: „Secundäre Verkehrswege". Hrsg. v. G. Ad. Ungár-Szentmiklósy. 4. Jahrg. 1885. 24 Nrn. (2 1/2 B.) Lex.-8. Wien 885. (Perles.) n. 12. —

Polytechnikum. Volkswirtschaftliche Wochenschrift f. die deutschen Techniker in Staatsdienst u. Gewerbe d. In- u. Auslandes. Hrsg.: W. Schaefer. 1. Jahrg. 1888/89. 52 Nrn. (B.) 4. Hannover, Helwing's Verl. n. 10. —

Das **Polytechnikum**. Cöthener Akademische Blätter. Hrsg.: Prof. Dr. [Karl Friedrich] Foehr, Cöthen. Jg. 1. Cöthen: Preuß 1908. 4°

Polytechnikum, das. Cöthener akadem. Blätter. Hrsg. u. Red.: Foehr. 3. Jahrg. Oktbr. 1910—Septbr. 1911. 24 Nrn. (à ca. 12 S. m. Fig.) Cöthen, A. Preuss. (Nur direkt.) nnn 6. —
Nicht im Buchhandel.

Polytechnicum, das Wiener. Glossen zum organischen Statut desselben von A. B. gr. 8. (36 S.) Wien 877. Frick. n. 1. 20

Polytimet. Ein Trauerspiel. Durch Lessings Philotas . . . veranlasset. Zürich 1760. V: *Bodmer, Johann Jacob.* (ML) (Mn) (Ky) (GGr) (BrMm) (Cat. d. Stadtbibl. Zürich. Zürich 1864—97.)

Polytimet. Trauersp. 8. Zürich, Orell. 760.

Polyxena, Trauerspiel von J. v. Collin. gr. 8. Berlin, Unger. 804. (Schade.) 12 Gr. fl. 8.

Polyxena Achillis sponsa . . . [Salisburgi 1768.] V: *Gille, Paris von.* (Hr)

Polz, Amand, O. S. B., Handbuch d. Pastoraltheologie, s.: Schüch.

— Das Verhältnis Christi zu den Dämonen. Auf Grund d. Evangelienbücher. Zugleich auch e. Darstellg. d. christl.-kathol. Lehre üb. die Dämonen. (IV, 144 S.) 8. Innsbruck 907. F. Rauch. 1. 40

Polz, Chr. Fr.

— Abhandl. v. rechtl. Gebrauche u. Mißbrauche d. Glaubensähnlichkeit bei Auslegung d. heil. Schrift. 8. Jena 755. Melchior. 3 gr.

Polz, C. F., einige wicht. Anmerk. a. d. Litergesch., Philos. u. Theologie. 4. Jena, Cröcker. 779. Rthlr.

— disputationes philosophicae logicam et metaphysicam spectantes, una cum exegetica; collectae, auctae et emendatae. 8. Jena 767.

— v. Gebr. d. Glaubensähnlichkeit b. Ausleg. d. heil. Schrift. 8. Jena, Melchior. 755.

— natürl. Gottesgelehrsamkeit. 4. Jena 777. Cröker. 2 ß 8 gr.

Polz, Chr. Fr., († d. 2. Dec. 1782.) fasciculus commentation. metaphysicar., qui contin. historiam, dogmata atque controversias diiudicatas de primis principiis, nimirum de absolute primo, ejusque characteribus, etc. 4. Jena 757. Cröker. 18 gr.

— Samml. einiger geistl. Reden. 8. Jena, Melchior. 746.

Polz, Christian Friedrich [Praes.], s. Meilmer, Johann: De prima parte ethicae principum scilicet de virtutibus intellectualibus futuri principis, Quarum scientiam ad Theoriam refero, ex qua potest intelligi, quomodo Princeps futurus et educari et institui rite debeat.

Polz, Christian Friedrich [Praes.], s. Moeckert, Johann Nikolaus: In qua jus devolutionis imperanti ex jure territoriali conveniens ex principiis juris naturalis deducere conatur.

Polz, Christian Friedrich [Praes.], s. Oemler, Christ. Wilhelm: De natura, discrimine et legibus distinctionum.

Polz, Christian Friedrich [Praes.], s. Oemler, Christ. Wilhelm: De praescientia divina apagogice et ostensive ex ratione demonstrata.

Polz, Christian Friedrich [Praes.], s. Pflugk, Johann Jakob: De prima theoriae parte, cui principis futuri institutio est superstruenda, scilicet de jure naturae principum.

Polz, E., d. Andenken uns. Lieben. s.: Waldeck, Ernst.

Polz, E., Handbuch d. Gesellschafts-Spiele, s.: Alvensleben, Ludw. v.

Polz, E., Inschriften f. Grabdenkmäler, s.: Waldeck, E.

Polz, E., zur Reform d. Religionsunterrichtes in der Volksschule. Eine Entgegng. auf den v. A. H. Braasch auf dem Thüringer Kirchentag zu Weida geh. Vortrag: „Reform d. Religionsunterrichtes in der Volksschule". gr. 8. (27 S.) Weimar 891. (L. Thelemann.) n. — 50

— Sprüche u. Reden f. Maurer u. Poliere, s.: Erlach, H.

— Mustergültige Zimmermanns-Sprüche u. Kranzreden beim Richten neuer Gebäude, namentl. v. bürgerl. Wohn u. Wirtschaftsgebäuden, Landhäusern, Villen u. öffentl. Bauwerken aller Art. 10. verb. u. verm. Aufl. (XII, 278 S.) 8. Leipzig 909. B. F. Voigt. 2.50; geb. 3.25

Polz, Frz., ein Sturz vom Lebensgipfel. Drama in 1 Akt. (51 S.) kl. 8. Straubing (908). (Niederbayr. Anzeiger.) — 80

Polz, Frdr., der moderne Rationalismus u. seine Bestrebungen auf dem Gebiete des Schulunterrichts. gr. 8. (12 S.) Berlin (902). F. Zillessen. n. — 10
Sonderabdruck aus: „Ev. Volksschule".

Polz, Otto [aus Jena]: Über Kraniotomie ... Jena, Frommannsche Buchdr., 1891; 49 S., 1 Tab. 8.
Jena, Med. Fak., Inaug.-Diss. v. [7. Dez.] 1891

v. Pölz, d. bayr. Wassergesetze erläut. Erlangen 880.

Polza, Jos., De dolore capitis. 66 pp. Vienn. 8°. *Eyerel*, Diss. med. 8°. Vienn. 1789, II, 173—207.

Polzer Ant.: Über die Echtheit des Eythydemos. Eine Unters. der Argumente, welche Fr. Ast und neuerdings C. Scharschmidt gegen die Authenticität dieses unter Plat. Namen überlieferten Dialogs vorgebracht hat. 32. Olmütz 74.
Progr.

POLZER, Anton: Die Philosophie und die Philosophen im 2. Jahrhundert n. Chr., aus den Schriften Lukians geschildert. — 1877. 66 S. Diss. Graz, Univ.

Polzer, Ant. Die Philosophen im 2. Jahrhundert nach Chr., vorzugsweise nach Lukian geschildert. 48 S. 8. II. Staatsg. *Graz* 1879.
Progr.

Polzer, Arth. Ritter v., die Heimatgesetznovelle v. 5. XII. 1896, RGBl. Nr. 222 u. deren Rechtsgrundsätze, nach d. einschläg. Judikatur d. k. k. Verwaltungsgerichtshofes. (IV, 209 S.) kl. 8. Wien 907. Manz. 2.30; geb. n 2. 90

Polzer, Aurelius

Polzer, A., Robert Hamerling. Sein Wesen u. Wirken. Dem deutschen Volke geschildert. gr. 8. (IV, 104 S. m. 9 Holzschn.) Hamburg 890. Verlagsanstalt u. Druckerei, A.-G. n. 3. —

— im Harnisch. Trutzgesang aus der bedrängten Ostmark. 12. (X, 180 S.) Ebd. 887. n. 2. —; geb. n. 3. —

Polzer, Aurelius, s.: Südmark-Kalender.

Polzer, Ludw. Ritter v., in Mußestunden. Novellen. Mit e. Vorwort v. Anastasius Grün. gr. 8. (VIII, 281 S.) Wien 874. Gerold's Sohn in Comm. n. 4. 80

Polzhofer, Rudolf

Polzhofer, R., die nothwendige Ergänzung der Wasserversorgung Wiens, m. besond. Berücksicht. der vorhandenen Bezugsquellen. 2. Aufl. gr. 8. (32 S.) Wien 889. Spielhagen & Schurich. n. — 40

Polzien, Fritz: Aus d. physiol. Inst. zu Königsberg i. P. ‹Dir.: Hermann.› Die Ursachen der respiratorischen Blutdruckschwankungen. Königsberg i. P. 1909: Kümmel. 70 S. 8°
Königsberg, Med. Diss. v. 2. Okt. 1909, Ref. Meyer
[Geb. 7. Aug. 84 Königsberg i. P.; Wohnort: Königsberg; Staatsangeh.: Preußen; Vorbildung: Kneiphof. Gymn. Königsberg Reife O. 03; Studium: Königsberg 10 S.; Coll. 17. Sept. 09; Approb. 12. Juni 09.] [U 10. 2582

Polzin [Schlagwort]

Polzin, s.: Geologische Karten. Karte (Preussen).

Polzin [Verfasser]

Polzin, Albert, Dr.: Geschlechtswandel der Substantiva im Deutschen (mit Einschluß der Lehn- und Fremdworte). *Hildesheim 1903: Gebr. Gerstenberg.* (71 S.) 8° [J.]
Hildesheim, k. Andreas-RG m. R, OP 1903 (377)

Polzin, Alb., Studien zur Geschichte des Deminutivums im Deutschen, s.a. Quellen u. Forschungen zur Sprach- u. Culturgeschichte der german. Völker. 88.

Polzin, Albert, aus Salzderhelden: Studien zur Geschichte des Deminutivums im Deutschen. *Strassburg: K. J. Trübner 1901.* (38 S.) 8° ¶ [Erschien vollst. 1901 als: Quellen u. Forsch. zur Sprach- u. Culturgesch. d. german. Völker, H. 88.]
Göttingen, Phil. Diss. v. [5. März] 1901

Polzin, Erich (geb. Grube bei Wilsnack 3. 1. 1860): Klinischer Verlauf, Folgen und Aetiologie des Herpes Zoster. Berlin (1884). (31 S.) 8°
Berlin, Med. Diss. v. 2. Mai 1884

Polzin, Johannes: Die Abtswahlen in den Reichsabteien von 1024—1056. Greifswald 1908: Abel. 50 S. 8°
Greifswald, Phil. Diss. v. 14. Dez. 1908, Ref. Bernheim
[Geb. 12. Juli 85 Schönlanke; Wohnort: Schönlanke; Staatsangeh.: Preußen; Vorbildung: Gymn. Deutsch-Krone Reife O. 05; Studium: Breslau 3, Berlin 1, Greifswald 2 S.; Rig. 1. Aug. 08.] [U 09. 1553
17

Polzin, Reinhold, Referendar: Die gerichtliche **Voruntersuchung.** *Leipzig 1903: J. B. Hirschfeld.* (27 S.) 8° ¶ [Erschien vollst. 1903 in: Archiv f. Kriminalanthropologie und Kriminalistik, Bd 13, H. 1 u. 2.]
Göttingen, Jur. Diss. v. [1. Sept.] 1903

Polzin, Wilhelm, aus Breslau: Das **pignus** nominis und das Pfandrecht an Forderungen. §§ 1280—1290 des B.G.B. *Rostock 1902: H. Winterberg.* (89 S.) 8°
Rostock, Jur. Diss. v. [20. Sept.] 1902

Polzius. Johannes: Sieg des Glaubens . . . [Leichenpredigt auf **Detlev Reventlow**. Geheimten-Conference-Etats- u. Land-Rath. † 4. Nov. 1701. beigesetzt am 2. Jan. 1702.] — Ploen (1702): Schmidt. 48 S. 4° (2°)

Pölzl, Frz. X., kurzgefaßter Commentar zu den vier hl. Evangelien. 4 Bde. gr. 8. Graz, Styria. n. 22. 20
1. Bd. Kurzgefaßter Commentar zum Evangelium des heil. Matthäus m. Ausschluß der Leidensgeschichte. (XXVI, 320 S.) 880. n. 3. 60
2. Bd. 1. Thl. — dasselbe zum Evangelium des heil. Marcus m. Ausschluß der Leidensgeschichte. (XLIII, 350 S.) 893. n. 4. 40
2. Bd. 2. Thl. — dasselbe zum Evangelium des heil. Lucas m. Ausschluß der Leidensgeschichte. (XXIV, 347 S.) 887. n. 4. —
3. Bd. — dasselbe zum Evangelium des heil. Johannes m. Ausschluß der Leidensgeschichte. 2 Thle. (LII, XIII, 430 S.) 882. 885. n. 5. 20
4. Bd. Leidens- u. Verklärungsgeschichte Jesu Christi. (XII, 527 S.) 892. n. 5. —

Pölzl, Frz. X., kurzgef. Commentar zu d. 4 hl. Evangelien. (In 4 Bdn.) 3. Bd. Kurzgef. Commentar z. Evangelium d. hl. Johannes m. Ausschluß d. Leidensgeschichte. 2., vielf. veränd. u. etwas erweit. Aufl. gr. 8. (XL, 444 S.) Graz 897. Styria. n. 6. —

Pölzl, Frz. X., kurzgefaßter Commentar zu den vier hl. Evangelien. (In 4 Bdn.) 1. Bd. Kurzgefaßter Commentar zum Evangelium des hl. Matthäus m. Ausschluß der Leidensgeschichte. 2., völlig umgearb. u. erweit. Aufl. gr. 8. (XXX, 426 S.) Graz 900. Styria. n. 5. 50

Pölzl, F. X., Ueber Karl Lachmann, Begründer der neuen Aera der N. T.-Textkritik n. e. Anh. Gel. 1889. 48 S. —.8

Pölzl, Fr. X., das Matthäusevangelium, s.a. Zeitfragen, biblische. II, 8. 9.

Pölzl, Fr[anz] X[aver]: Das Matthäusevangelium. Von Dr. Franz Xaver Pölzl, Prof. 1. u. 2. Aufl. Münster i. W.: Aschendorff 1909. 58 S. 8°
(Biblische Zeitfragen. Folge 2. H. 8/9.)

Pölzl, Frz. X., der Weltapostel Paulus. Nach seinem Leben u. Wirken geschildert. Beilagen: 3 Kunstblätter, e. geograph. Karte u. mehrere Register. (XXVIII, 664 S.) Lex.-8. Regensburg 905. Verlagsanstalt vorm. G. J. Manz. n. 9. —; geb. in Leinw. n. 11. 40

Pölzl, Georg: Die Beweise der Unsterblichkeit der Seele in Platons Phädon, kritisch beleuchtet von G. P. 8 (S. 3—31).
Progr. K. k. Staats-G. *Marburg* 1897.

Pölzl, Ignatz

Pölzl, J.: Die Bartholomäusnacht. 13 S. 4°
– W.-Neustadt, OR., Progr. 1872.

Pölzl, Ignaz, Compendio di storia, geografia e statistica della monarchia austro-ungherese, s.: Hannak, Eman.

Pölzl Ignaz: Prof. Franz Daurer. †. 5. Wien IV. R. 03.
Progr.

— Laurenz Doublier. †. 5. ibd. 03.
Progr.

Pölzl Ignaz: Das Fremdwort in der deutschen Sprache. (48). Wien IV. R. 92.
Progr.

Pölzl, Ig.: Emmanuel Geibel als Lyriker. Eine literar. Skizze. 18 S. 8°. – Wien OR. Inn. St., Progr. 1866.

(F) **Goethe,** Hermann und Dorothea. Herausg. von Professor J. Pölzl. 4. Aufl. [Hölders Klassikerausgaben f. d. Schulgebrauch. Heft 1.] 8°. (IV, 60 S.) 1907. K —.60

— Grundriß der deutschen Literaturgeschichte, s.: Lampel, Leop.

Pölzl, Ign., Leitfaden f. den deutschen Unterricht an Handelsschulen. 2 Thle. gr. 8. Wien 901. A. Hölder. Kart. n. 2. 24
1. Der Sprachunterricht. (IV, 44 S.) n. — 84
2. Einführung in die Literatur. (IV, 92 S.) n. 1. 40

Pölzl, Ign., Leitfaden für den deutschen Unterricht an Handelsschulen. 2 Tle. 2. Aufl. gr. 8. Wien 904. A. Hölder. Kart. n. 2. —
1. Der Sprachunterricht. (IV, 47 S.) n. — 80
2. Einführung in die Literatur. (IV, 92 S.) n. 1. 20

Pölzl, J., Leitfaden für den deutschen Unterricht an Handelsschulen. I. Teil: Der Sprachunterricht. 3. Auflage. Wien 1907. A. Hölder. Geb. K —.88.

Pölzl Ignaz, Leitfaden für den deutschen Unterricht an Handelsschulen. II. Teil: Einführung in die Literatur. 3. Auflage. Wien 1909. A. Hölder. Geb. K 1.40.

— Leitfaden f. d. deutschen Unterricht an Handelsschulen. 1. Tl.: Der Sprachunterricht. 4. Aufl. Inhaltl. unveränd. Abdr. der 3. Aufl. (IV, 47 S.) 8. Wien 910. A. Hölder. Geb. — 80

— deutsches Lesebuch, s.a. Haymerle.

— Deutsches Lesebuch, s.a. Lampel, Leop.

Pölzl, Ign., deutsches Lesebuch für die oberen Classen österreichischer Realschulen. 1. u. 2. Bd. Für die 5., resp. 7. Classe. gr. 8. (VI, 346 u. IV, 342 S.) Wien 881. 82. Hölder. à n. 2. 50

Pölzl, Ignaz, Prof., Deutsches Lesebuch für die oberen Classen österr. Realschulen II. Bd. Für die sechste Classe. 8. (342 S.) geb. 1 fl. 25 kr.

Pölzl, Ign., deutsches Lesebuch f. die oberen Classen österreichischer Realschulen. 3. Bd. Für die 7. Classe. gr. 8. (IV, 386 S.) Wien 883. Hölder. n. 3. — (1—3.: n. 8. —)

— dasselbe f. kommerzielle Lehranstalten, s.: **Haymerle.**

— mittelhochdeutsches Lesebuch für Oberrealschulen. gr. 8. (VIII, 127 S.) Ebend. 882. n. 1. 40

Pölzl Ign.: Der letzte Meissauer. Ein Stück nied.-österr. Adelsgeschichte. (22.) Wien R. IV. 79.
Progr.

Pölzl, J., siehe: *Schiller, Fr.*

Pölzl J.: Das Schulwesen Wiener Neustadts von den ältesten Zeiten bis zur Gegenwart. 13. Wiener-Neustadt R. 75.
Progr.

— **Oesterreichische Vaterlandskunde s.: Hannak, Eman.**

— Wilhelm Wollanek. †. 4. ibd. 04.
Progr.

Pölzl, Joachim „Der heilige König und Martyrer Oswald, Stadtpatron von Traunstein, in der Geschichte, Sage und Verehrung". pg. 3—46. 8°. Ed. Leopoldseder.
Traunstein, Progr. 1898/99

Poelzl Lotte, Dr.: Ableitung von Hamiltons partieller Differentialgleichung für unfreie Bewegungen aus dem Prinzipe der kleinsten Aktion. S. 123. IIa. 1141 . . . . . —.50
Separatabdruck

Polzner, . . ., Katechisation am Geburtstage des Königs v. Sachsen. 8. Neust. a. d. O. (832.) Wagner. 3 gl

Pomadenbuch, allgem., od. Unterricht, alle Arten wohlriechender rc. Pomaden zu verfertigen. Nach d. Französ. 8. Quedlinb. 825. Basse. 8 gl

PRIAP'S Pomaden-Büchschen für galante Herren und Freunde erotischer Gedichte und Anecdoten. Rom, gedruckt in diesem Jahr (c. 1865). 12°. (In Darmstadt u. in Wien, Stadtbibl.: Secr. A 74, mit Beibd.)
72 SS. (incl. Titel auf graublauem Papier). Als Manuscr. in 30 Exemplaren für Freunde gedruckt. Aeusserst seltene Original-Ausgabe.

— — Dasselbe. Mit *Anhang*. 1. Zwei Nächte in Venedig (Sotad. Erzähl.). 2. Die Glocke von Schiller, travestirt. Ibid. s. a. 12°.
96 SS. (1 1/3 Rthlr. Fischhaber; 5 Mk. Bielefeld.) Bereits sehr selten, wie die folgende vermehrte Ausgabe.

PRIAPS Pomaden-Büchschen für galante Herren und Freunde erotischer Gedichte und Anekdoten. Chicago (fingiert!). Gedruckt auf Kosten guter Freunde. (1875.) 12° breit. 79 S., S. 80: Anzeigen von 15 anderen erotischen Büchern.

— — Dasselbe. Ibid. s. a. (c. 1878). 12°.
112 S. Enthält ausser dem *Anhang* der vorigen Ausgabe noch: Die Brautnacht. — Die Sünde. — Das höfliche Bauernmädchen.

Pomai, Fr., s. Pomey, François

Pomatti, Giovanni, med. pract. [von Castasegna, Kt. Graubünden]: Aus dem pathologischen Institut der Universität Zürich. Über [!] einen Fall von Fettembolie des Gehirns. Zür. Orell Füssli Dr. 1895. 21 S. 8°.
Zürich, Med. Diss. [v. 3. Sept. 1895].

Pomay, Fr., s. Pomey, François

Pomayer, Karl

Pomayer, Carl, aus Regensburg: **Kloake und Phallus der Vögel.** *Leipzig: W. Engelmann 1902.* (43 S.) 8° ¶(Aus: Morphol. Jahrbuch, Bd 30, H. 4.)
Erlangen, Phil. Diss. v. 20. Febr. 1902

Das Zurückhalten der Nachgeburt beim Rind. Von Dr. phil. C[arl] **Pomayer.** Mit 9 Abb. Berlin: R. Schoetz 1908. (64 S.) 8°

v. Pombal, Jose de Cavalho Marquis. Histor. Erzählung, siehe: Bibliothek, Europäische, 796—800. Bd.

Pombal. Leben des Sebastian Joseph v. Carvalho und Melo, Marquis v. . . . . . etc., Staatssecretärs und ersten Ministers des Königs von Portugal Joseph I. Nach der neuesten italienischen Ausgabe übersetzt. (Mit 1 Portrait.) (5 Bde.) 8. Leipzig 1782.

v. Pombal, des Marquis, polit. Testament an seinen Sohn, den Marquis v. Oeyras; aus d. Italien. v. C. J. Jagemann. 8. Dessau 783. Gel.-Handl. 6 gl

— dasselbe, 8. Weißenfels, Graffé. 787.

Pomer, E. S., s. Pommer, E. S.

Pomeran, Theoph., s. Pomeranus, Theophilus

Pomerania. Geschichte und Beschreibung des Pommerlandes, zur Förderung der Pommerschen Landeskunde. 1. Bd. 1.—16. Liefg. Mit 6 Lithogr. gr. 4. Stettin 842, 44, Sanne u. Comp. 1., 2. 1/4 ℛ 3.—16. à n. 4 ngl

Pomerania. Eine pommersche Chronik aus dem 16. Jahrh. Hrsg. v. Geo. Gaebel. 2 Bde. (IV, 394 u. 304 S.) gr. 8. Stettin 908. P. Niekammer. 12.—; geb. 15. —

THEOPHILUS Pomeranus (d. i. *Ulrich Bogislav v. Bonin*). — *Theophili Pomerani* Gott-geheiligter Poesien, auch Freuden- u. Trauer-Gedichte. Erster (einziger) Theil. Mit Titelkpfr. Graitz, 1727. 8°. (12 Mk., Frz., am untern Rande braunfleckig, Jos. Baer & Co., Frkfrt. a. M., 1911.)
Seltene Original-Ausgabe.

Pomeran, Theoph., Gott geheil. Poesien rc. 1r Thl. 8. Grätz. 727.

Pomeranz, Bernard, la Grèce et la Judée dans l'antiquité. Coup d'oeil sur la vie intellectuelle et morale des anciens Grecs et Hébreux. 1. partie. 8. (93 S.) Jaroslaw 891. (Wien, Ch. D. Lippo.) n. 2. 40

Pomeranz, Bernard, la Grèce et la Judée dans l'antiquité. Coup d'oeil sur la vie intellectuelle et morale des anciens Grecs et Hébreux. 1. partie. gr. 8. (93 S.) Paris 891. (Berlin, C. Boas Nachf.) n. 2. —

Pomeranz, K.

— Über das Berzeptin. 1. Mitteilung. S. 100. IIb. 330 . . . . . vgr.
— — 2. Mitteilung. S. 101. IIb. 672 . . . . . vgr.
Separatabdruck

Pomeranz K., Dr.: Über das Cubebin. 1. Mitteilung. S. 96. II. 727 . . . . . vgr.
— — 2. Mitteilung. S. 97. IIb. 286 . . . . . vgr.
Separatabdruck

— Über eine neue Isochinolinsynthese. Vorläufige Mitteilung. S. 102. IIb. 101 . . . vgr.
Separatabdruck

— Zur Kenntnis des Gleichgewichtes zwischen Maltose und Dextrose. S. 111. IIb. 554 . vgr.
Separatabdruck

— Zur Kenntnis des Pinacolins. S. 105. IIb. 579 . . . . . vgr.
Separatabdruck

— und Sperling F.: Über das Lactucon. S. 113. IIb. 421 . . . . . vgr.
Separatabdruck

— Über die Löslichkeit der Salze optisch aktiver einbasischer Säuren. S. 111. IIb. 551 . vgr.
Separatabdruck

— Über das Methysticin. S. 98. IIb. 710 . . . . . vgr.
Separatabdruck

— Notiz über das Methysticin. S. 97. IIb. 824 . . . . . vgr.
Separatabdruck

— Über das Phenol des Sassafrasöls. S. 99. IIb. 124 . . . . . vgr.
Separatabdruck

— Über den Phenyläther des Glykolaldehyds. S. 103. II b. 627 . . . . vgr.
Separatabdruck

— Über die Reaktionsgeschwindigkeit bei der Einwirkung von Natriumhydroxyd auf Benzaldehyd. S. 103. II b. 281 . . . . vgr.
Separatabdruck

— Synthese des Isochinolins und seiner Derivate. 1 Mitteilung. S. 103. II b. 219 . . vgr.
Separatabdruck

— Synthese des Isochinolins und seiner Derivate. 2. Mitteilung. S. 106. II b. 5 . . vgr.
Separatabdruck

Pomeranz, Rosa, im Lande der Noth. 8. (306 S.) Breslau 901. Schles. Buchdruckerei rc. n. 3. —; geb. n. 4. —

Im Lande der Noth. Von **Rosa Pomeranz**. *Breslau: S. Schottlaender; Leipzig: E. F. Steinacker 1901.* (306 S.) 8° [F.] [01. 9174]

Pomeresch, I., tirocinium iuris super institutiones Iustiniani, jam adauct. a Noswiz. 8. Frft. Fleischer. 724.

Pomerhanz, Karl, u. O. Jegerl, die „Herren" Buben, s.: Schreiber's humoristische Bibliothek. Nr. 7.

Pomeroy Journal: Mar. 1879—1885?

Weekly. Independent [Democratic, 1885]. Circulation: 1880, 1008; 1884, 900. Edited & published by Charles Weidt, 1878—84.
Pomeroy, OH

Pomet, Pierre: [Histoire géneral des drogues. Deutsch:] Neu-eröffnetes Materialien- und Naturalien-Magazin, darinnen nicht allein die Materialien, Specereyen u. Handels-Wahren, sondern auch die zur Artzney dienliche Vegetabilia ... ausführlich u. deutlich beschrieben sind ... [Verf.: –.] Leipzig: Weidmann 1727. 902 Sp. 4°

Pomet, Pierre: [Histoire géneral des drogues. Deutsch:] Der aufrichtige Materialist und Specerey-Händler oder Haupt- u. allgemeine Beschreibung derer Specereyen und Materialien, worinnen in 3 Classen, der Kräuter, Thiere u. Materialien ... womit die Physica, Chymia, Pharmacia ... pflegen umzugehen, begriffen u. enth. ist ... in frantz.Sprache ...ausgefertigt von –. Wegen sonderbarer Würdigkeit ins Teutsche übers. Leipzig: Gleditsch & Weidmann 1717. 901 Sp. 4°

Pometta, Daniele, Spitalarzt der Simplon-Unternehmung in Brig: Sanitäre Einrichtungen und ärztliche Erfahrungen beim Bau des Simplontunnels 1898—1906. Nordseite Brig. [Mit 4 Tafeln.] Winterthur 1906. 94 + 2 p. 8°. [7. III. 06.]
Lausanne. Thèse méd. 1905/1906.

Pometta, Daniele. Sanitäre Einrichtungen und ärztliche Erfahrungen beim Bau des Simplontunnels 1898—1906, Nordseite Brig. [Mit 8 Tafeln.] 95 S. 8. Winterthur, Buchdr. W', 1906.
Ausg. A: [Von] Daniele P', Spitalarzt ... in Brig. Diss. Med. Lausanne.
Ausg. B: Von Daniel P', Spitalarzt ... in Brig. [Hrg. von der] Baugesellschaft für den Simplontunnel Brandt, Brandau & Cie.

Pometta, E., siehe: *Monat-Rosen.*

Pometta, Eligio, Geografia illustrata della Svizzera, s.: **Waser, Mauro.**

Pometta, Mansueto. Funicolari aeree e strade agricole per i paesi di montagna. Conferenza per la Società Agricola Leventinese tenuta ... in Faido ... 6 aprile 1902. 2 ed. aumentata. ([Con 4 tavole e 12 articoli di] giornali in appendice.) IV + 39 p. 8. Basilea, Stamperia delle Monatrosen e del Basler Volksblatt, 1902.

(*p. 1—18, testo della conferenza: estratto dalle* Monat-Rosen 1902, *giugno e luglio* = *1ª ed. dell' opuscolo.*)

Pomey, François

Pomey, P. F., nützl. Anweis. z. innerl. Gebet. 12. Wien, Camesina. 763.

Pomay, Fr., „ein sehr artig Büchlein von dem Weydwerck vnd der Falcknerey." [„Traitté fort curieux de la vénerie et de la fauconnerie"] Wortgetreuer Abdr. der Orig.-Ausg. „Lyon 1671". Deutsch und französ. 8. (67 S. mit Holzschn.-Vignetten von Jost Amman.) Stuttgart 886, Scheible. *

— novus candidatus rhetoricae. 12. Basel, Schweighäuser. 748.

— candidatus rhetoricae. 12. Basel. (Pott, Lausanne.) 735.

— Cornu copiae sive magnum dictionarium regium latino-germanicum. Aug. Vind. 785. 2 Vol. 8. 4 rthlr. 8 gr.

Pomey, Franz, Cornu copiae, s. magn. dictionarium regium lat.-german. etc. II Vol. 8 maj. Augsb. Rieger. 794.

Pomai, François, de la comp. de Jesus. Le grand dictionnaire royal françois-latin-allemand et latin-allemand-françois. 7ᵉ édition. (Mit 1 Titelbild.) (2 Bde.) 4. Cologne et Francfort 1740.

— Dictionnaire royale, le grand, en trois lang., franç., lat. et allem. 4. Frft. Varrentrapp et W. 743.

— — I. m. III Tom. gr. 4. Augsb. Rieger. 767.

— flos latinitatis, ex auctorum latinae linguae principum monumentis excerptus, Germanico et Latino in gratiam juvent. studiosae auctus. 8. Augsb. 767. Rieger. 10 gr.

— — id. lib. 8. Budae. Typ. 797.

Pomai, Fr., Fons latinitatis. Dilling. 691. 12. Colon. 717. 12.

Pomey, François. Grundlegung der Lateinischen Sprach . . . Maynz u. Frankf. a. M. 1751. 2. Aufl. 1756. 3. Aufl. 1756. Ü: *Goldhagen, Hermann.* (so)

— Grundlegung d. latein. Sprache in e. kürzern Auszuge f. deutsche Schulen eingerichtet v. H. Goldhagen. 8. Mainz u. Frkf. 756. 2e A. ... 3e A. 763. Varrentrapp. 6 gr.

— idem liber. Ed. nova. 8. Ofen 797. Typograph. 12 gr.

— indiculus univ. lat. gall. graec. et germ. 8. Nrnb. Stein. 709.

— indiculus universalis melius accommodatus Germaniae et Mantissa descriptionum, auct. H. Goldhagen. 8. Mainz u. Frkf. a. M. 755. Varrentrapp. 8 gr.

— nov. lexicon manuale lat. german. gr. 8. Augsb. Rieger. 777.

Pomey, Franciscus. Pantheum mythicum, seu fabulosa deorum historia. Leipzig 1759. 8°.

— Pantheum mythicum s. historia deorum. 8. Leipz. 795. (Chr. Fr. Günther in Glogau). 16 gr.

— les Particules latin. 8. Berl. Lange. 776.

— les particules latines. 8. Berl. 776. Reimer. 10 gr.

— — réduites en une méthode plus facile, que toutes les précédentes. 12. ibid. 755.

—syllabus, s. lexicon latino-gall.-graec. 8maj. Basel 767. Schweighäuser. 1 ℛ 8 gℛ

—großes königl. deutsch-latein. u. lateinisch deutsch. Wörterbuch. 2 Thle. gr. 8. Augsb. 785. M. Rieger. 4 ℛ 8 gℛ

Pomeyer, C., s. Pomayer, Karl

Pomezny, Frz., stilist. Beobachtgn. üb. Beaumarchais' Lustspiele, s.a. Festschrift des deutschen akadem. Philologen-Vereins in Graz.

Pomezny, Dr. Franz, Stilistische Beobachtungen über Beaumarchais' Lustspiele. Gr.-8. (16 S.) Graz: Leuschner & Lubensky 1896. —.40

Pomezny, Frz., Grazie u. Grazien in der deutschen Litteratur des 18. Jahrh., s.a. Beiträge zur Ästhetik.

Grazie und Grazien in der deutschen Litteratur des 18. Jahrhunderts von Dr. Franz **Pomezny**. Hrsg. von Dr. Bernhard Seuffert, Prof., Graz. *Hamburg & Leipzig: L. Voss 1900.* (VI, 247 S.) 8°
= Beiträge z. Ästhetik. 7. [00. 10582

Pomezny, Franz: Vereinschronik. *Graz 1896.*
in: **Festschrift** d. dtsch. akad. Philologen-Vereins in Graz ... z. 20. Stiftgsfeier. [98. 5016

Pomieu, M. A., der Cäsarismus oder die Nothwendigkeit der Säbelherrschaft dargethan durch geschichtliche Beispiele v. den Zeiten der Cäsaren bis auf die Gegenwart. Nach der 2. franz. Originalaufl. gr. 8. (VIII u. 84 S.) Weimar 851, Voigt. 1/2 ℛ

Pomme, Erich, die „Vorstellungstheorie" u. ihre Logik. Drei strafrechtlich-krit. Skizzen. (32 S.) gr. 8. Berlin 908. R. Trenkel. 1.50

Pomme, Georg: Configurationsbestimmung in der Glutakonsäurereihe speciell bei β-Phenylglutakonsäure und α-Methylglutakonsäure. Hamburg 1910: Meyer. 50 S. 8°
Kiel, Phil. Diss. v. 1. Juli 1910, Ref. Harries
[Geb. 16. Sept. 83 Altona a. E.; Wohnort: Altona; Staatsangeh.: Preußen; Vorbildung: Oberrealsch. vor d. Holstentor Hamburg Reife O. 03; Studium: Jena 5, Marburg 1, Kiel 7 S.; Rig. 26. Febr. 10.] [U 10. 2518

Pomme, Pierre

Pomme, ..., Abhandl. von d. Nervenkrankheiten beider Geschlechter, od. von d. Vapeurs ꝛc.; aus d. Französ. v. Jh. Ad. Gladbach. 8. Bresl. 775. (Sosoborsky). 10 gℛ

Pomme, (Pierre): Abhandlung von den Hysterisch- und Hypochondrischen Nerven-Krankheiten beider Geschlechter, oder von den Vapeurs, in welcher man bemühet ist, mit einer gründlichen Theorie eine auf Wahrnehmung gegründete Heilungsart zu verbinden. (Traité des affections vaporeuses des deux sexes; où l'on a tâché de joindre à une théorie solide une pratique sûre, fondée sur des observations. Quatrième édition. Dt.) Übers. von Johann Adolph Gladbach. 530 S., gbd.

Breßlau u. Leipzig: Meyer 1775

Pommée & Ahrens: Preislisten über Dampfkesselbau und geschweißte Arbeiten. Altona-Ottensen 1894

POMMER, Dr. (ps.), Prangender Schind-Anger derer witzigen Geister. O. J. (c. 1750).
Weller, Lex. Ps. p. 456. — S. auch Leipzig.

POMMER, D. (ps.), in Leipzig, Prangender Schind-Anger, derer witzigen Geister, hrsg. von —. Gedruckt in Deutschland, o. J. (Mitte XVIII. Jahrh.)
Ungemein rare Skandalschrift, Satire auf vornehme Leipziger. — Weller, fing. Dr. I. p. 186.

Pommer, C., unsere heutige wirthschaftliche Lage. Neue Gesichtspunkte zu einer richtigen Beurtheilung derselben. gr. 8. (69 S.) Berlin 877, Springer. *

Pommer, C., Nachricht von d. Ulrichsschule in Aurich, nebst e. Rede u. Bemerkk. üb. den öffentl. Unterricht. 8. Aurich 821. Tarvers.

Pommer, C., Ad examinis et actus oratorii anniversarii solemnia, in lyceo Regio. — Insunt nonnulla de ultione divina. Aurich 22. III. 1825. 32 S. (3.75) 26997

— s. Sammlung (150) religiös Lieder ꝛc.

Pommer, Christoph Friedrich von: Beiträge zur näheren Kenntniß des sporadischen Typhus und einiger ihm verwandter Krankheiten, gegründet auf Leichenöffnungen. Von —. Tübingen: Laupp 1821. VIII, 140 S. 8°

Pommer, C. F. v., Beiträge zur Natur- u. Heilkunde. 1. Bd. gr. 8. (38 1/2 B.) Heilbronn 831, Drechsler.

Pommer, Chrstph. Friedr. v., schweizer. Zeitschrift f. Natur- u. Heilkunde ꝛc., s. Zeitschrift.

Pommer, E. S., s. Predigten von Berliner Kanzel-Rednern.

— **Eduard** (Magdeburg), De sarcocele nonnulla. Diss. med.-pathogenet. Berlin (Nietack) 24. III. 1831. 38 S. u. Biogr. (3.50) 26998
Oppon.: A. Bellschmidt, H. Duhm, F. Boeger. — Gew.: J. L. Truestadt.

Pommer, Emil: Beiträge zur Geschichte der Landwirthschaft im Regierungsbezirk Merseburg. Halle a/S. 1884: Hendel. 52 S. 8°
Halle-Wittenberg, Phil. Diss. v. [30. Juli] 1884
Geb. Halle a. d. S. 1. 9. 1856. V.
Der versprochene T. 2 ist nicht ersch.

Pommer, Emil, s.: Jahres-Bericht üb. d. Erfahrgn. u. Fortschritte auf d. Gesammtgebiete d. Landwirthschaft.

Pommer, F. und Rhan, L.: „Hülfstafeln zur Erleichterung bei Rentenberechnung in Regulirungs-, Ablösungs- und Gemeinheitstheilungs-Angelegenheiten; für Oekonomie-Commissarien, Rentbeamte und besonders für Besitzer dienstpflichtiger und berechtigter Güter", Magdeburg 1825 (Heinrichshofen).

Pommer, Frdr., d. Walzerkönig, s.a. Bloch's, Ed., Dilettanten-Bühne, Nr. 244.

Der Walzerkönig. Posse in 1 Akt von Friedrich **Pommer**. *Marienburg: G. Schönsee;* (übergeklebt: *Berlin: E. Bloch 1894*). (18 S.) 8° [F.]
—**Dilettanten-Bühne**, Eduard Blochs. No 244. [94. 9916

Pommer, Frdr., der Walzerkönig, s.a. Vereinsfreund, der.

Pommer, G. G., s. Pommer, Gottfried Rudolph

— Gottfried Rudolph (Leipzig), De jure criminali variante praeprimis circa poenas furti. Diss. jur. Präs. Jo. Paul Kress. Helmstedt (H. D. Hamm) 18. 12. 1721. 38 S. (4.50) 26999
Gew.: August Beier, Christian Friedrich Boerner, Gottfried Graevius. — Widm. v.: Jo. Wilh. Engelbrecht, Augustin Leyser, Jo. Wilhelm Goebel.

— — Dasselbe. 18. XII. 1721. Rec. 1737. 38 Seiten. (4.50) 27000
Widm. v.: Jo. Wilh. Engelbrecht, Augustin Leyser, Jo. Wilhelm Goebel.

— — alias Bugenhagen, De jure criminali variante praeprimis circa poenas furti, Oder: Von Bestraffung der Geryons-Brüder, Helmstedt. Diss. inaug. Nunc ab auctore vitiis irreptis expurgata et maximam partem aucta. Cum censura. Leipzig (A. M. Schede) 19. XII. 1725. 32 S. (4.50) 27001

Pommer, Gf. Rud., alias Bugenhagen, († d. 14. Febr. 1750.) curieuse Samml. e. histor. u. geograph., genealog. u. chronolog. Merkwürdigkeiten. 8. Leipz. 726. Neue Ausg. (v. Abr. Gotthlf. Kästner). 8. Altenb. 751. (Hennings in Neisse). 1 ℳ

Pommer, Gottfried Rudolph. Curieuse Sammlung einiger historischer und geographischer ... Merkwürdigkeiten. Neue Ausg. Altenburg 1751. H: *Kästner, Abraham Gotthelf.* (Ky)

Pommer, Gf. Rud., Samml. einiger Merkwürdigk. a. d. Geogr. u. Genealogie. 8. Leipzig, Martini. 726.

Pommer, G. G., Sammlung histor. u. geograph. Merkwürdigkeiten. 8. Altenb. (Academ. Bchhdl. in Jena.) 751.

Pommer, Gustav

Mikroskopische Befunde bei *Arthritis deformans*. Mit Einbeziehung von Untersuchungen über regressive Knochenveränderungen bei *Arthritis deformans* von Dr. Hans Pogger (mit 17 Taf. und 22 Textfiguren.) D 80. ... 28.—
Separatabdruck

Pommer, Gust., teratologische Mittheilungen aus dem pathologisch-anatomischen Institute der k. k. Universität Innsbruck. Nach e. am 12. März 1889 im naturwissenschaftlich-medizin. Vereine zu Innsbruck gehaltenen Vortrage. [Aus: „Berichte d. naturw.-med. Ver."] gr. 8. (50 S. mit 2 Taf.) Innsbruck 889. (Wagner.) n. — 80

Pommer, Gustav [Referendar]: Die Pflichten und Rechte der Mitglieder einer Gesellschaft mit beschränkter Haftung nach dem Gesetze vom 20. April 1892 ... Göttingen, Druck d. Univ.-Buchdr. v. W. F. Kästner, 1893; 2 Bl., 48 S. 8.
Göttingen, Jur. Fak., Inaug.-Diss. v. [30. Juni] 1893

Pommer, Gust., die Pflichten u. Rechte der Mitglieder e. Gesellschaft m. beschränkter Haftung nach dem Gesetze vom 20. Apr. 1892. Diss. gr. 8. (48 S.) Göttingen 893. (Vandenhoeck & Ruprecht.) n. 1. 20

Pommer, Gust., über die lacunäre Resorption in erkrankten Knochen. [Mit 2 (lith.) Taf.] [Aus: „Sitzungsber. d. k. Akad. d. Wiss."] Lex.-8. (124 S.) Wien 881. (Gerold's Sohn.) n. 2. 80

Pommer, Gustav: Schädel- und Gehirn- Asymmetrie, verursacht durch ein Kephalaematoma internum. Mittheilung aus d. pathol. anat. Inst. zu Innsbruck von Prof. Dr. –.
Mit 1 Lichtdr.-Doppeltaf. Innsbruck: Selbstverl. 1894. 54 S. 8°
Aus: Beiträge z. Anthropologie von Tirol.

Pommer, Gust., Untersuchungen üb. Osteomalacie u. Rachitis, nebst Beiträgen zur Kenntniss der Knochenresorption u. -Apposition in verschiedenen Altersperioden u. der durchbohrenden Gefässe. Mit 7 (6 lith. u. 1 Lichtdr.-) Taf. Lex.-8. (VIII, 506 S.) Leipzig 885. F. C. W. Vogel. n. 20. —

Pommer, Jos.: Zur Abwehr einiger Angriffe auf Kant's Lehre der synthetischen Natur mathematischer Urtheile. 17 S. 8° – Wien, ROG. Mar., Progr. 1873.

Pommer, Jos., Beispiele u. Aufgaben zur Lehre vom kategorischen Syllogismus, nebst Andeutgn. üb. den Unterrichtsgang. gr. 8. (36 S.) Wien 884. Hölder. n. — 80

Pommer, Jos., Beispiele u. Aufgaben zur Lehre v. den „Folgerungen" nebst Andeutungen über den Unterrichtsgang. gr. 8. (XXI S.) Wien 890. Hölder. n. — 80

Pommer, Jos., Jodler u. Juchezer, gesammelt v. J. P. 12. (58 S.) Wien 889. Rebay & Robitschek. n. 1. —

Pommer, Jos., zwanzig echte alte Jodler, s.: Zur Kenntnis u. Pflege des deutschen Volksliedes.

Pommer, Jos., 262 Jodler u. Juchezer. („Jodler u. Juchezer". Neue Folge.) Gesammelt v. J. P. 12. (XII, 212 S.) Wien 893. Rebay & Robitschek. n. 2. 50; geb. in Leinw. n. 3. — (1 u. 2.: n. 3. 50)

444 Jodler und Juchezer aus Steiermark und dem steirisch-österreichischen Grenzgebiete. Gesammelt von Dr. Josef **Pommer**. Melod.-alphab. Anordnung. Wien: Wiener Musik-Verlagshaus 1902. (IX, 386, XIV S.) 8° [J.]
— **Volksmusik** d. deutschen Steiermark. Bd 1. [07. 13286

Pommer, Jos., 222 echte Kärntnerlieder, s.: Neckheim, Hans.

— Liederbuch f. die Deutschen in Oesterreich. 5., verm. u. verb. Aufl. 11.—20. Tauf. Jubiläums-Ausg. (VIII, 408 S.) kl. 8. Wien 905. (A. Pichler's Wwe. & Sohn.) Geb. n.n. 2. —

Pommer, Josef: Liederheft des Deutschen Volksgesang-Vereines. Enth. d. Texte jener Volkslieder, welche von d. Vereine in d. ersten 5 Halbj. s. Bestandes gesungen wurden. Mit Bemerkungen über d. Quellen d. Lieder von Dr. –.
Wien: Deutscher Volksgesang-Verein 1892. 32 S. 8°
(Flugschriften hrsg. von d. Deutschen Volksgesang-Vereine in Wien. 2.)

Pommer, Jos., das neue Maß u. Gewicht. Ein Nachschlagebüchlein, vorzugsweise berechnet f. Hausfrauen u. Gewerbetreibende. 16. (64 S.) Wien 875. Hartleben. — 30

Pommer, Jos., über das älplerische Volkslied, u. wie man es findet, s.: Zur Kenntnis u. Pflege des deutschen Volksliedes. 12.

— s.: Volkslied, das deutsche.

— deutsche Volkslieder f. gemischten Chor, s. a. Zur Kenntnis u. Pflege des deutschen Volksliedes.

Pommer, Josef: ... Deutsche Volkslieder für gemischten Chor. Ausgewählt ... u. mit Bemerkungen über d. Quellen d. Lieder vers. von Dr. –. [Nr 1.] 2. verb. Aufl. Wien: Deutscher Volksgesang-Verein 1896. 8°
(Flugschriften hrsg. von d. Deutschen Volksgesang-Vereine in Wien. 3.)

— Lustige dtsche. Volkslieder älterer u. neuerer Zeit, s.: Zur Kenntnis u. Pflege des deutschen Volksliedes. 14.

Pommer, Jos., Oberschefflenzer Volkslieder, s.: Bender, Augusta.

— 16 Volkslieder aus den deutschen Alpen f. vierstimmigen Männerchor, s.a. Zur Kenntnis u. Pflege des deutschen Volksliedes.

Pommer, Josef: 16 Volkslieder aus den deutschen Alpen im Satze für vierstimmigen Männerchor. Ausgew. u. gesetzt von Dr. –. Partitur-Aus. Wien: Deutscher Volksgesang-Verein 1897. 48 S. 8°
(Flugschriften von d. Deutschen Volksgesang-Vereine in Wien. 6.)

Pommer, Jos., 60 fränkische Volkslieder aus der Sammlg. d. Frhrn. v. Ditfurth ausgew., u. f. 4 Männerstimmen gesetzt. M. 40 Zeichngn. v. Leop. Kainradl. Hrsg. v. d. deutschen Volksgesang-Vereine in Wien. (Partitur.) qu. gr. 8. (VIII, 82 S.) Wien 895. Leipzig, M. Hesse. Geb. in Leinw. n. 3. —

— 27 dtsch. Volkslieder im Satze f. gemischten Chor, s.: Zur Kenntnis u. Pflege des deutschen Volksliedes. 13.

— Volksmusik der deutschen Steiermark. I. 444 Jodler u. Juchezer aus Steiermark u. dem steirisch-österreich. Grenzgebiete. 4 Lfgn. schmal 8. (IX, 386 u. XIV S.) Wien (902). Wiener Musik-Verlagshaus. n. 4. —

— Volksmusik der deutschen Steiermark. 444 Jodler u. Juchezer aus Steiermark u. dem steirisch-österreich. Grenzgebiete. Melodisch-alphabet. Anordnung. (VIII, 386 u. XIV S.) schmal kl. 8. Wien 906. (Leipzig, A. Robitschek.) n. 3. —

— Wegweiser durch die Literatur des deutschen Volksliedes, s.a. Zur Kenntnis u. Pflege des deutschen Volksliedes.

Pommer, Josef: Wegweiser durch die Literatur des deutschen Volksliedes. Von Prof. Dr. –. Wien: Deutscher Volksgesang-Verein 1896. 45 S. 8°
(Flugschriften hrsg. von d. Deutschen Volksgesang-Vereine in Wien. 5.)

Pommer, Jürgen, wat ick hürt heww. Plattdüütsche Geschichten. 12. (84 S.) Anklam 898. H. Wolter, Verl. n. 1. —

Pommer, Louis, Schwimmbuch für Knaben u. Jünglinge. Eine kurzgefaßte Anleitung, das Schwimmen durch einfache theoretische u. practische Mittel nach eigener Methode im Sinne des alten Schwimmvaters Gutsmuths schnell u. gründlich zu erlernen, nebst einer Geschichte der Schwimmkunst u. Angabe sanitärer Verhaltungsmaßregeln vor, während u. nach dem kalten Bade. Mit in den Text gedr. (Holzschn.-)Abbildgn. 8. (XI, 83 S.) Stuttgart 880. Schickhardt & Ebner. n. 1. —

Pommer, Max, Mietwohnung od. Eigenhaus? Beitrag zur Reform der Wohnungsfrage in Sachsen. gr. 8. (10 S.) Leipzig (901). (Roßberger'sche Buchh.) n.n. — 25

Pommer, Otto: Zur Kritik und Würdigung der Ethik Schopenhauers. Eine Untersuchung ihrer Voraussetzungen. S. 3—38. 8.
Progr. K. k. Staats-Gymn. *Triest* 1902.

Pommer-Esche, Flora v., s.: Unter fünf Königen.

Pommer-Esche, Katharina v., die Canarischen Inseln, s.a. Süsserott's Kolonialbibliothek. 11. Bd.

Die Canarischen Inseln von C. v. Pommer-Esche. Berlin: W. Süsserott 1906. (36 S.) 8° [F.]
= **Kolonialbibliothek**, Süsserotts. Bd 11. [06. 10148

Pommer-Esche, Catharina v.: Unter fünf Königen. Erinnerungen an Flora von Pommer-Esche. Nach Tagebüchern u. Familienpapieren hrsg. von ihrer Tochter –. Berlin: Mittler 1910. VIII, 132 S. 8°

Madeira die Wald-Insel. Von Katharina v. Pommer-Esche. Mit 8 Abb. *Berlin: H. Walther 1902.* (42 S.) 8° [F.] [03. 6139

Pommer-Esche, Katharina v., Perlen Andalusiens. Mit 12 Illustr. nach Orig.-Photographien. (104 S.) 8. Berlin 908. Herm. Walther. 2. 50

— Tage in südlicher Sonne. (72 S. m. 6 Abbildgn.) gr. 8. Berlin 903. Herm. Walther. n. 1. 50

Pommer-Esche, Robert v.: Katalog werthvoller u. seltener Kupferstiche, Radirungen, Holzschnitte, Lithographien, Schabkunstblätter und Farbendrucke aus dem Nachlasse des verstorb. Prov.-Steuerdir. Herrn –. Versteigerung zu Berlin ... (Abth. 1.) Berlin: Amsler & Ruthardt (1899). 8°
(Kupferstich-Auction 59 v. Amsler & Ruthardt.)

Pommerehne, Friedrich, aus Hohenassel (Braunschweig): (Aus d. medizin. Poliklinik zu Jena.) Ueber die sogenannte cyklische Albuminurie. *Jena 1899: G. Neuenhahn.* (28 S.) 8°
Jena, Med. Diss. v. (27. Jan.) 1899

Pommerehne, *Heinrich Friedrich* Herbert [Apotheker aus Hohenassel '(Herzgth. Braunschw.)']: Beiträge zur Kenntnis der Alkaloide von Berberis aquifolium ... Marburg, *1895;* 34 S. 8.
Marburg, Phil. Fak., Inaug.-Diss. v. [24. Apr.] 1895

Pommerellen [Schlagwort]

Pommerellen, s.: Preussen. Pawlowski, J. N.

Pommerening, Paul, Referendar am Landgericht in Elbing: Die auswärtigen **Hoheitsrechte** der deutschen Einzelstaaten. *Breslau 1904: Bresl. Genoss.-Buchdr.* (58 S.) 8°
Rostock, Jur. Diss. v. [31. Juli] 1904

Pommeresch, Alfred [aus Pritzwalk, Kreis Ost-Prignitz]: Beiträge zur Behandlung der Erkrankung der Wirbelsäule mittelst Gewichts-Extension. ... Greifswald, Druck v. Julius Abel, 1889: 22 S. 8°
Greifswald, Med. Fak., Inaug.-Diss. v. 1. März 1889

Pommeresche, Hermann von: De ursi longirostris Sceleto. Berolini (1829): Petsch. 20 S. 4°
Berlin, Med. Diss. v. 30. Okt. 1829

Pommeresche, H. de, Commentatio de ursi longirostris selecta. Acced. II tab. aen. 4. (3 B.) Berolini 829, (Hirschwald.)

Pommeret, Léon, conversations françaises de la vie pratique, s.: Lagarde, Louis.

— Französische Gespräche aus d. täglichen Leben, s.: Lagarde, Louis.

— Französische Grammatik f. Postbeamte z. Selbstunterricht. Nach der Methode Pommeret bearb. (IV, 102 S. m. 1 Tab.) Lex. 8. Berlin 907. C. Heymann. Kart. 4. —

— **Langue française.** Méthode élémentaire. Enseignement simultané et rationnel de la grammaire et de la conversation d'après les tableaux artistiques de J. F. Schreiber. (96 S.) 8. Esslingen (907). J. F. Schreiber. Kart. 1. 20

Pommeret, Léon, Méthode Pommeret. Méthode pour l'enseignement direct du Français par la conversation et la grammaire. 1. et 2. partie. 8 Berlin, L. Pommeret. Geb. in Leinw. n. 5. 10
1. (IV, 92 S.) 904. 2. —. — 2. (XVI, 357 S.) 905 3. 10.

— the **Pommeret** method for teaching the English language by conversation and grammar. 1. book. (110 S.) 8. Ebd. (905). Geb. in Leinw. n. 2. —

The Poñeret Method for teaching the English language by conversation and grammar. By Léon **Pommeret**. Dir. Book 1. 2. Berlin: L. Pommeret [1906]. 2 Bde 8°
1. 2. ed. [1906.] 2. [1906.] [07. 228] 11

— s.: Sprachunterricht durch Anschauung. Methode Pernot.

— **Tableau** des verbes irréguliers. Supplément de la méthode Pommeret. 39,5 × 54,5 cm. Ebd. (904). — 10

(v. **Pommereull, F. R. J.**) Feldzug des Gen. Bonaparte in Italien währ. des vierten und fünften Jahres der französ. Republik. 1796—97. A. d. Franz. v. Frey. 8. M. Krt. Leipzig 1798. 6,00.

(**Pommereul.**) Bonaparte's Feldzüge in Italien, aus dem Französischen des Bürgers P., General-Officiers der französischen Armee. Mit Kupfern und einer Karte. 8. Leipzig 1798.

Der kleine **Pommerhanz**. Lustige Geschichten in Bildern. Hrsg. von e. bösen Buben. Neurode: E. Rose [1907]. (48 S.) 8° [F.] [08. 3219

Pommerhanz, der kleine. Lustige Geschichten in Bildern. Hrsg. v. e. bösen Buben. (48 S.) 8. Neurode (908). Rose-Verlag. — 30

Pommerland. — Altes und neues **Pommerland**, oder gesamm. Nachrichten aus versch. zur Pommerischen Geschichte gehörigen Stücken. Hrsg. von Christian Schöttgen. Stargard 1721-1727. 8°

DAS LIEBE POMMERLAND. Monatsschrift zur Hut und Pflege pommerscher Heiligthümer und pommerschen Volksthums. Im Auftrage des Vereins Pommerania herausgegeben von W. QUISTORP.
Jahrg. 1. 1864, mit dem Bildnifs des Herzogs Philipp II. Ducherow und Anclam. Selbstverlag der Pommerania. Comm. bei W. Dietze. 8°.

DAS LIEBE POMMERLAND. Monatsschrift später: Zeitschrift zur Pflege pommerscher Heiligthümer, pommerscher Heimathsliebe und Heimathskunde. Für die Zwecke des Vereins Pomerania herausgegeben von W. QUISTORP.
Jahrg. 2—5. 1865—1868. Mit dem Bildniss Jost von Dewitz (und 1 Tafel). Ducherow. Verlegt durch den Verein Pomerania. In Komm. bei W. Dietze in Anclam.

DAS LIEBE POMMERLAND. Zeitschrift zur Pflege pommerscher Heiligthümer, pommerscher Heimathsliebe und Heimathskunde. Für die Zwecke des Vereins Pomerania herausgegeben von W. QUISTORP.
Jahrg. 6—7.[1]) 1869—1870. Verlegt von dem Verein Pomerania u. zu haben in der Expedition derselben zu Ducherow. In Komm. bei W. Dietze's Buchh. in Anklam. 8°.

[1]) Die Fortsetzung der Zeitschrift hat den Titel: „Die Deutsche Wacht, ein christlich nationales Volksblatt".

Pommern [Sachliches OW]

Pommern — Das Herzogthum — Wie es theils der Cron Schweden, theils Chur Brandenburg zugehörig, an's Licht gegeben durch Sr. Sanson etc. Nürnberg zu finden bey Johann Hoffmann. 1 : 570,000. 2 Bl.

Pommern — Das Herzogthum — etc. Entworfen von F. L. Güssefeld. Nürnberg bey den Homännischen Erben. 1792. 1 : 600,000. 1 Bl.

[F.] Aus **Pommern**. Erzählgn in plattdeutscher Mundart. Bd 1. *Leipzig: O. Lenz (1897).* 8. [97. 2839

Die Provinz **Pommern**. Lfg 1-9. Berlin: Eckstein 1907/11. 2°
(Historisch-biographische Blätter. Industrie. Handel u. Gewerbe.)

Pommern, Westblatt. 1 : 150 000. (No. 71). 1881. 1 Bl. K.

Pommern in Wort und Bild. Im Auftr. d. Pestalozzivereins d. Prov. Pommern hrsg. von F[ritz] Uecker-Stettin. 1. 5. Taus. *Stettin: Pestalozziver. d. Prov. Pommern 1904.* (404 S.) 8° [F.] 04. 12,118

Pommern [Schlagwort]

— s. a. Eisenbahnkarten.

— s. a.: Generalkarten.

— s. a.: Generalkarten. Flemming.

— s. a. Handkarten.

— s. a.: Hand- u. Reisekarten 13.

— s. a. Heimatskärtchen. 31—33.

— s. a. Heimatskarten.

— s. a. Geologische Karten. Keilhack.

— s. a. Ostpreussen. Lohmann, C.

— s. a. Radfahrerkarten.

— s. a. Regenkarten.

— s. a. Seekarten.

— s. a. Verkehrskarten.

— s. a. Verkehrskarten. Ebbecke.

— s. a. Vorpommern.

Pommern, Prov. Bohm, H., u. M. Tosch, Schul-Wandkarte v. Pommern. Nach den Messtischblättern der kgl. preuss. Landesaufnahme gezeichnet u. bearb. 1 : 200,000. 107 × 193,5 cm. Farbdr. Stolp (902). C. Schrader. n. 8. —; auf Leinw. m. Stäben n. 16. —

Pomeraniae — Ducatus — Citerioris et Ulterioris Principatibus etc. Nova et ampla Descriptio geographica. Aere expressa a Alb. Carolo Seuttero etc. Aug. Vind. 1 : 250,000. 6 Bl.

Pomeraniae et rerum in ea memorabilium. Brevis descriptio E. Lubini. 1758? Nicolas Geilkerckius sculpsit. 1 : 250,000. 12 Bl.

— **Eckert, Max, Heimatskarte der Provinz Pommern.** 1 : 1,000,000. 26 × 45,5 cm. Farbdr. Halle (902). H. Schroedel. n.n. — 12

Pommern, Prov. **Gaebler, Eduard, Schul-Wandkarte** der Prov. Pommern. 1 ; 175,000. 6 Blatt à 72×73 cm. Farbdr. Leipzig (908). G. Lang. 13.—; auf Leinw. m. Stäben 18. —

Pommern. Hagenow, Fr. v., Karte v. Neu-Vorpommern u. der Insel Rügen. 1 : 200,000. 17. Aufl. Chromolith. Imp.-Fol. Greifswald 888. Scharff Nachf. n. 4. 50; auf Leinw. in Mappe od. m. Stäben n. 6. —

Pommern. Handtke, F., General-Karte der Prov. Pommern. 1 : 520,000. 15. Aufl. Farbendr. 57 × 77 cm. Glogau 891. C. Flemming. n. 1. —; auf Leinw. in Kaliko-Karton n. 2. 50

Pommern. Handtke, F., General-Karte der Prov. Pommern. 1 : 520,000. 19. u. 20. Aufl. 57 × 77 cm. Farbendr. Glogau 895. C. Flemming. n. 1. —

— Handtke, F., u. L. Franke, Schul-Wandkarte der preuss. Prov. Pommern. 1 : 250,000. 8 Blatt. Chromolith. qu. gr. Fol. Glogau 889. Flemming. n. 4. —; auf Leinw. in Mappe n. 8. 50; mit rohen Holzrollen n. 10. —; m. polirten Holzrollen n. 11. 50

— — u. L. Franke, Schul-Wandkarte der preussischen Prov. Pommern. 1 : 250,000. 3. Aufl. 8 Blatt à 49 × 41 cm. Farbendr. Ebd. (889). n. 4. —; auf Leinw. in Mappe n. 8. 50; m. rohen Stäben n.n. 10.—; m. schwarz polierten Stäben n. 11. 50

— — **Schulwandkarte** der Prov. Pommern. 1 : 300,000 6 Blatt. 6. Aufl. Farbendr. u. kolor. 42×44 cm. Ebd. 891. n. 1. 80; auf Leinw. in Mappe n. 4. 80; m. rohen Holzrollen n. 5. 80; m. polierten Holzrollen n. 6. 80

Pomeraniae — Ducatus — etc. Exhibita a Joh. Bapt. Homann. Noribergae. 1 : 800.000. 1 Bl.

Pommern — Charte von dem Herzogthum — sowohl Schwedisch- als Preussischen Theils, nach den bewährtesten Hülfsmitteln etc. entworfen von F. L. Güssefeld. Nürnberg bey den Homann. Erben. 1 : 380,000. 2 Bl.

Pommern — Karte des Königl. Preuss. Herzogthums Vor und Hinter — nach speciellen Vermessungen entworfen von D. Gilly, Königl. Preuss. geheimen Ober-Baurath. In Kupfer ausgeführt im Jahre 1789 von D. F. Sotzmann, K. Pr. Geh. Kr. Secr. und Geogr. der Acad. der Wissensch. zu Berl. 1 : 175,000. 6 Bl.

Pommern — Karte vom Königl. Preuss. Herzogthum Vor- und Hinter — entworfen 1811, berichtigt, erweitert u. zur Karte der Regier. Bezirke Stettin, Köslin u. Stralsund, umgearbeitet 1821 von F. B. Engelhardt, K. Pr. G. R. Rathe im statist. Bureau, herausgegeben im Jahre 1822 von Sim. Schropp et Comp. in Berlin. Gestochen von J. C. Richter. 1 : 333,333. 3 Bl.

Pommern — Karte von der Provinz —. Entw. u. gez. von Leonh. Freih. v. d. Goltz. Verl. v. D. Reimer, Berlin 1851. 330,000. 2 Bl.

— **Kreiskarte** der Prov. Pommern. Farbendr. 4. Berlin 890. G. W. F. Müller. n.n. — 15

— — der Prov. Pommern. Farbendr. qu. gr. 4. Potsdam 890. Rentel. n. — 10

— **Kreis-Karte** der Prov. Pommern. 1 : 1,235,000. (Neue Ausg. 1900.) 22,5×32 cm. Farbdr. Berlin 900. J. Rentel. n.n. — 10

— Leeder, E., Wandkarte der Prov. Pommern. Für den Schulgebrauch entworfen, gez. u. hrsg. 1 : 300,000. 4 Blatt. 3., verb. Aufl. Chromolith. qu. gr. Fol. Cöslin 890. Schulz. n. 4. —

— Leeder, E., Wandkarte der Prov. Pommern. Für den Schulgebrauch entworfen, gezeichnet u. hrsg. 1 : 300,000. 4. verb. Aufl. 4 Blatt à 41,5×65,5 cm. Farbdr. Köslin 900. A. Hoffmann. n. 5. —; auf Leinw. m. Stäben n. 8. —

— Liebenow, W., Karte der Prov. Pommern u. des Grossherzogth. Mecklenburg-Strelitz, nebst den angrenzenden Ländertheilen als besond. Abdr. aus der Karte v. Mitteleuropa. 1 : 300,000. Neue Ausg. 1893. 2 Blatt. 79,5×124 cm. Lith. Hannover, H. Oppermann. n. 6. —; politisch kolor. m. Landgerichtsgrenzen n. 6. 50; in Karton n. 7. —; auf Leinw. in Karton n. 10. —; m. Stäben u. lackiert n. 12. —

Pommern. Liebenow, W., Karte der Prov. Pommern u. des Grossherzogth. Mecklenburg-Strelitz nebst den angrenzenden Ländertheilen als besond. Abdr. aus der Karte v. Mittel-Europa. 1 : 300,000. 73,5×127 cm. Farbdr. Frankfurt a/M. (903). L. Ravenstein. In Decke n. 6. —; auf Leinw. in Decke n. 9. —

Pomeraniae — Mappa — Anterioris Succiae ac Principatus Rugiae excusa a Joh. Walch. A. V. 1795. (Aug. Vind.) 1 : 240,000. 1 Bl.

— **Mittelbach's neueste Specialkarte** der Prov. Pommern zum Hand- u. Bureaugebrauch. 1 : 300,000. 91×125 cm. Farbdr. Leipzig (904). Mittelbach. n.n. 1. 75

— Ohmann, C. L., Schulwandkarte der Prov. Pommern. 9 Blatt. Berlin, A. Wruck's Verl. 5. 50; auf Leinw. in Mappe od. m. Stäben 14. —

— Richter, Gust., Wandkarte von Pommern für den Schulgebrauch. 1 : 200,000. 6 Blatt à 59,5 × 64,5 cm. Farbendr. Leipzig 895. G. Lang. n. 12. –; auf Leinw. m. Stäben n. 17. —

— Richter, Gust., Wandkarte von Pommern, f. den Schulgebrauch entworfen, gezeichn u. hrsg. 1 : 200,000. 2. Aufl. 6 Blatt à 58,5×65 cm. Farbdr. Leipzig (901). G. Lang. n. 8. —; auf Leinw. m. Stäben n. 12. —

-- **Steinau, Ernst, Karte der Prov. Pommern m. Teilen der angrenzenden Länder u. Provinzen.** 1 : 300,000. Nebst Specialkarten: Stettin, der Dammsche See, die Oder abwärts, Papenwasser bis zum Haff. Die Inseln Usedom u. Wollin. 1 : 100,000. Nach amtl. Quellen gezeichnet u. bis auf die neueste Zeit ergänzt. 83× 118,5 cm. Farbdr. Stettin 899. P. Niekammer. Auf Leinw. 5. —; in Karton n. 7. 50; m. Stäben n. 10.—

Pommern-Lied. O. O. u. J. V (1—3): *Pompe, Adolph.* (4—7): *Schrader, Carl.* (Erman & Horn, Bibliogr. d. dtsch. Universitäten. 2. Leipz. u. Berl. 1904.)

Pommernvereinsblatt. Redigiert von Spiekermann. Berlin: Lindenmann o. J. (ca 1848).

Pommier, Pierre [de Lyou]: Contribution à la connaissance du Musc artificiel. Mulhouse 1897. 35 S. 8°.
Bern. Phil. Diss. 1897/98.

Pommrich, Arno, Lic. theol.: Des Apologeten Theophilus von Antiochia **Gottes-** und **Logoslehre**, dargestellt unter Berücksichtigung der gleichen Lehre des Athenagoras von Athen. *Dresden 1902: B. G. Teubner.* (S. 3—36.) 4°
Dresden-Altstadt, Annen-S (RG), OP 1902 (613)

Pommrich, Arno, Lic. theol., aus Dresden: Des Apologeten Theophilus von Antiochia **Gottes-** und **Logoslehre** dargestellt unter Berücksichtigung der gleichen Lehre des Athenagoras von Athen. *Leipzig 1904: Bär & Hermann.* (61 S.) 8°
Erlangen, Phil. Diss. v. 4. Mai 1904

Pommrich, Arno, die Gottes- u. Logoslehre des Theophilus von Antiochia u. Athenagoras von Athen. (61 S.) gr. 8. Leipzig 904. Dieterich. n. 1. 60

Pommrich, Arno, Kaiser Wilhelms II. sittlich-religiöse Lebensanschauung. Festrede, geh. im konservativen Verein zu Dresden am 25. I. 1908. (12 S.) 8. Dresden 908. v. Zahn & Jaensch. — 50

— Kaiser Wilhelm, der Persönliche, jeder Deutsche eine Persönlichkeit. Festansprache. (7 S.) 8. Dresden 906. C. L. Ungelenk. n. — 20

Pommrich, Ewald, aus Copitz i. S.: Miltons **Verhältnis** zu Torquato Tasso. *Halle a. S. 1902: E. Karras.* (VIII, 79 S.) 8°
Leipzig, Phil. Diss. v. [28. Jan.] 1902

Pommrich, O., methodischer Leitfaden zur Erdkunde von Deutschland, s.: Hanschmann, A. B.

Pommrich, Willibald, appr. Tierarzt: Über die Elastizität der Arterien. Hannover: Schaper 1910. 75 S. 8°
Gießen, Veterinär-Med. Diss. v. 25. April 1910, Ref. Garten
[Geb. 3. März 77 Dresden; Wohnort: Breslau; Staatsangeh.: Preußen; Vorbildung: Annenschule Dresden Reife O. 00; Studium: Dresden Tierärztl. Hochsch. 8 S.; Rig. 23. Juli 09.] [U 10. 1243

Über die Elastizität der Arterien. Von Dr. med. vet. W[illibald] **Pommrich.** Hannover: Schaper 1910. 75 S. 8°
[Ersch. auch als Inaug.Diss. Giessen 1910.] [11. 11247 7

Pomo [Schlagwort]

Pomo, s.: Adriatisches Meer.

Pomologie Française. Recueil des plus beaux fruits cultivés en France. Ouvrage orné de magnifiques gravures avec un texte descriptif et usuel, redigé par A. Poiteau etc. (Livr. 1—8. à mit 1 ill. Kpfrtaf.) gr. in-Fol. Paris et Strasbourg 838, 39. Levrault. à n. 7/12 ₰

Pomona. Oder Aufgesammlete Früchte der Einsamkeit. Nürnb. 1726. V: *Fürer von Haimendorf, Christian.* (RH) (GGr) (MN) (Verz. d. v. Meusebachschen Bibl. Berlin 1855. S. 57.)

Pomona, od. aufgesammelte Fruchte d. Einsamk. v. versch. poet. Gedank. und Erfindungen. 8. Nürnb. Rüdiger. (Sommer in Leipzig.) 726.

Pomona, e. Samml. nach d. Natur gezeichneter u. gemalter Früchte. 1. Hft. 8. Leipzig, 1810. (Nauck.)

Pomona. Taschenbuch f. d. Jugend. s. Heinemann, Dr.,

Pomona. Taschenbuch f .d. Jugend . . . 1820. (= der 2. Jg. von Na-aml. s. d.) Berlin. Goed. VIII, 99, 206 b.

Pomona. Allgemeine deutsche Zeitschrift für den gesammten Obst- u. Weinbau. Als Centralblatt der Pomologie, umfassend die Kenntniß, Erziehung, Pflege u. Benutzung der Obstpflanzen u. ihrer Früchte. Mit den Bildnissen der berühmtesten Pomologen u. Abbildungen der neuesten Obstsorten, nebst Plänen u. Tabellen. Herausg. im Vereine prakt. Pomologen von Frdr. Jak. Dochnahl. 1. Jahrg. 1. Hft. Mit 1 (lith. u.) color. Abbildg. u. 1 Tab. (in gr. Fol.) gr. 8. (160 S.) Regensburg 851, Manz. 7/12 ₰ — 2. Jahrg. Mit dem lith. Portrait des Hrsg. u. 1 Tab. (in qu. Fol.) gr. 8. (236 S.) Würzburg 852, Halm. 1 ₰

Pomona. Allgemeine deutsche Zeitschrift für den gesammten Obst- und Weinbau. Herausg. im Vereine praktischer Pomologen von Friedr. Jak. Dochnahl. 3—7. Jahrg. 1854—58. à 50 Nrn. (25 Doppel-Nrn. à ½ Bgn.) Nürnberg, Schmid in Comm. gr. 8. Jeder Jahrg. n. 1 ₰.

Pomona. Allgemeine deutsche Zeitschrift für den gesammten Obst- u. Weinbau. Herausg. im Vereine praktischer Pomologen von Frdr. Jac. Dochnahl. 8—13. Jahrg. 1859—64. à 50 Nrn. (à ¼ Bgn.) Nürnberg, W. Schmid. gr. 8. Jeder Jahrg. n. 1 ₰

Pomona. Allgemeine deutsche Zeitschrift für den gesammten Obst- u. Weinbau. HerSg. im Vereine prakt. Pomologen von Friedr. Jak. Dochnahl. 14—16. Jahrg. 1865—67. à Jahrg. 50 Nrn. (¼ Bgn.) Nürnberg. (Regensburg, Coppenrath.) gr. 8. Jeder Jahrg. n. 1 ₰

Pomona Austriaca. s. Jh. Kraft.

Pomona Austriaca, ou arbres fruitiers d'Autriche . . . Vienne 1797. V: *Krafft, Joh.* (Ebert)

— bohemica, s. M. Rößler.

Pomona für Teutschlands Töchter. Jg. 1783/84 hrsg. von Sophie La Roche. Speier: Ender. 12 Hfte 8°

Pomorski, J. [Assistenzarzt am pathalogisch [sic!] -anatom. Institut, aus Pleschen, Prov. Posen]: Ein Fall von Rankenneurom der Intercostalnerven, Fibroma molluscum und Neurofibroma .... Greifswald, Druck v. Julius Abel, 1887; 31 S. 8°.
Greifswald, Med. Fak., Inaug.-Diss. v. 30. Jul. 1887.

Pomorski, Maximilian *(geb. Schrimm in Pos. 7. 5. 1851)*: Ueber einige Verbindungen der Thonerde mit Metalloxyden. Breslau [1879]. (27 S.) 8° *[Im Buchhandel 1879 bei Koebner in Breslau.]*
Breslau, Phil. Diss. v. 29. Jan. [1879]

Pomorski, Max., über einige Verbindungen der Thonerde mit Metalloxyden. Chemische Inaugural-Dissertation. gr. 8. (27 S.) Breslau 879. (Koebner.) n. 1. —

Pomp, Hermann, Referandar aus Randerath: Spedition 'mit fixen Spesen'. Aachen 1903: Aachener Verl.- u. Druckerei-Ges. (63 S.) 8°
Münster, Jur. Diss. v. [31. Juli] 1903

Pomp, Peter: Ueber die Anwendung des Chloroforms in der Geburtshülfe. Halle (1868): Plötz. 27 S. 8°
Halle-Wittenberg, Med. Diss. v. 29. Aug. 1868
Geb. Erkelenz (Rheinprov.) 19. 11. 1842. V.

Pompadour, Mme de. Ein Zeitbild. (87 S.) schmal 8. Berlin (901). Norddeutsche Verlagsanstalt L. Hohenstein & Co. n. 1. —

Pompadour, Madame de. Ein Zeitbild. Berlin, o. J. (1902). 8°. (Mk. 1—.)
R. Zinke's Dresdner Febr.-Auct. 1909, no. 544.

— dasselbe. — Lola Montez. (78 u. 80 S.) schmal 8. Ebd. (905). n. 2. —

Pompadour, Jeannette Antonia Poisson Marquise de

Briefe der Frau von Pompadour; aus dem Franz. ... Leipzig 1774. Ü: *Heyde, Traugott Antonia Eleonora.* (MGT)

Pompadour, d. Marquise, Briefe v. d. J. 1746—62; nebst d. darauf erfolgten Antworten u. ihrem Bildn. 8. Leipz. 774. (Aue in Altona). 14 gr.

Pompadour, d. Marquise, Briefe. 8. Leipzig, Jacobäer. 774.

Pompadour, der Marquise v., Briefe. Mit Vorwort, Einleitg. u. Lebensbeschreibg. Hrsg. v. Henry Perl. (XXII, 280 S. m. Bildnis u. 1 Abb.) gr. 8. Leipzig 907. H. Schmidt & C. Günther. 7.50; geb. 10. —

— l'histoire et mémoires. 8. Leipz. 767. Jacobäer. 12 gr.

— lettres. III Prts. 8. Stuttg., v. Cotta. 20 gr.

— — 5 Vol 8. Londr. (Frft. Esslinger.) 772.

— — 5 Tom. 8. Londr. (Leipz. Jacobäer.) 776.

— lettres. 8. (Leipz.) 777. Schwickert; (auch Walther in Dresd.) 12 gr.

Pompadour, Marquise v., s.: Memoiren.

Pompadour, Marquise von, s. Memoiren-Bibliothek.

— mémoires. II Tms. 8. Götting. 766. Dieterich. 16 gr.

— — les mêmes. II Tom. 8. Leipz. Jacobäer.

— oeuvres mêlées. V Prts. 8. Leipz. 776. (Aue in Altona). 1 ß 8 gr.

Pompe, Adf., über Kircheneinrichtung u. Kirchenschmuck, Kirchengeräthe u. Paramente. Ein Conferenz-Vortrag. [Aus: Monatsschrift für die evangelisch-lutherische Kirche Preußens.] Berlin 867. W. Schultze. gr. 8. (61 S.) 6 ngr.

POMPÉ, Charlotte. Die Cancantänzerin aus »Moulin Rouge«. (= Geheimnisvolle Bibliothek, Bd. 11.) Dresden, Dresdener Roman-Verlag (um 1900). 8°.
Verb. d. Ldg. Dresden A. V. 398/02.

— — Feine Damen. Dresden, Dresdener Roman-Verlag (um 1900). 8°.
Verb. d. Ldg. Dresden A. V. 398/02.

— — Das Strumpfband der schönen Cléo! Der Roman einer Tänzerin. (= Geheimnisvolle Bibliothek, Bd. 15.) Dresden, Dresdener Roman-Verlag (um 1900). 8°.
Verb. d. Ldg. Dresden A. V. 398/02.

Pompé, Franz, a. Dresden: Die Laut- und Akzentverhältnisse der Schokauer Mundart. Borna-Leipzig 1907: R. Noske. (VI, 87 S.) 8°

Leipzig, Phil. Fak., Ref. Sievers-Köster, Diss. v. 12. Juni 1907

[Geb. 29. Febr. 84 Dresden; Wohnort: Dresden; Staatsangeh.: Sachsen; Vorbildung: Gymn. Dresden-N. Reife O. 03; Studium: Leipzig 2, Wien 1, Leipzig 4 S.; Rig. 26. Febr. 07.]

Pompe, Gustav: Einige Messungen über thermoelektrische Kräfte bei den Kombinationen.
Diss., Prag 1908/1909

Pompecki, Bernhard

Pompecki, B., die Anfangsbuchstaben in der deutschen Rechtschreibung. Eine Zusammenstellg. v. Wörtern, Wortverbindgn., Redensarten 2c. als Hülfsmittel zum richt. Gebrauch der Anfangsbuchstaben, unter Berücksicht. d. Getrennt- und Zusammenschreibens. gr. 8. (149 S.) Königsberg 887. Hartung. n. 1. —; cart. n. 1. 20

Pompecki, Bernh., Hörnerschall u. Lustgesang. 471 ernste u. heitere Wald-, Jagd- u. Jägerlieder m. leichter Klavierbegleitg. Im Anschluss an J. Burckhardt's Wald- u. Jagdlieder. Lieder- u. Kommersbuch f. Jäger u. Forstmänner. 2. Aufl. Lex.-8. (480 S.) Neudamm (900). J. Neumann. n. 9. —; geb. n. 10. —

— Jagd- u. Waldlieder, s.: Burckhardt, H.

— Jagd- u. Waldhornschule (f. Signalhorn, Parforcehorn, Cornet à piston, Waldhorn), nebst Jagd-Signalbuch. Mit e. geschichtl. Abhandlg. über die Hörner im allgemeinen u. die Jagd- u. Jägerhörner im besonderen, e. kurzen Elementar-Musiklehre, vielen Übgn., Fanfaren, Märschen, Jagd- u. anderen Liedern f. 1—4 Hörner u. den deutschen, althannöv., österreich. u. französ. Jagdsignalen u. den Hauptsignalen der kgl. Parforce-Equipage. Für den Selbstunterricht bearb. u. hrsg. qu. 8. (IV, 218 S. m. Abbildgn.) Ebd. (900). Kart. n. 4. —

— hoch deutsches Lied! Eine Auswahl von 300 Texten allgemein beliebter Männerchöre v. erprobter Wirkung. Zusammengestellt u. den deutschen Sangesbrüdern dargeboten. gr. 16. (XXVII, 177 S.) Quedlinburg (900). Gr.-Lichterfelde, Ch. F. Vieweg. Geb. in Leinw. n. 1. —

— Schul-Schematismus der Provinz Westpreußen. Übersichtl. Zusammenstellung sämtl. Schulen der Provinz Westpreußen mit Angabe der Schulorte, Poststationen, Parochieen, der Zahl der Klassen, Lehrer und Schüler jeder Schule, des Patrons und Lokalschulinspektors, sowie der Lehrer und Lehrerinnen nach Vor- und Zunamen, Konfession, Geburtsdatum, Ort der Vorbildung, Prüfungsjahr pp. 3 Abtlgn. und ein Anhang. gr. 8. (IV, 198 S.) Danzig 887, Kafemann. *

— allgemeines deutsches Schützen-Liederbuch. 12. (VI, 316 S. m. 1 Bildnis.) Schwetz 898. W. Moeser.
In Leinw. kart. n. 1. —

Die heiligen Zeiten oder das katholische Kirchenjahr. Kurze Erklärungen u. leicht faßl. Unterweisungen über d. hl. Feste u. Festzeiten. Zum Gebrauch f. Schule u. Haus dargest. u. hrsg. von Bernhard **Pompecki**. Münster: Regensberg 1908. (VIII, 100 S.) 8° [F.] 08. 5141

Pompecki, Bruno, Ernst Hardt. Versuch e. Würdigg. seiner dichter. Persönlichkeit. (31 S. m. 1 Bildnis.) gr. 8. Leipzig-R. 909. A. Hoffmann. — 60

Pompecki, Bruno, Heine u. Geibel, zwei deutsche Lyriker. Eine litterar. Studie. gr. 8. (78 S.) Paderborn 901. Junfermann. n. 1. —

— Westpreußische Poeten, s.a. Beiträge zur Literaturgeschichte.

Westpreußische Poeten. Eine literar. Umschau von Bruno **Pompecki**. Leipzig: Verl. f. Lit., Kunst u. Musik 1907. (52 S.) 8° [F.]
— Beiträge z. Literaturgeschichte. H. 31. [07. 17036

-- Robert Reinick. s.a. Beiträge zur Literaturgeschichte.

Robert Reinick von Bruno **Pompecki**. Leipzig: Verl. f. Lit., Kunst u. Musik 1906. (44 S.) 8° [F.]
— Beiträge z. Literaturgeschichte. H. 21. [07. 4015

Pompecki, Bruno: Schiller. Prolog zur Schillerfeier des Königl. Gymnasiums zu Neustadt Wpr. am 10. November 1909. Neustadt Wpr. 1910: Brandenburg. 2 Bl. 4°
Neustadt Wpr., k. G OP 1910 (45) [S 10. 342

-- Verklungene Tage. Lyrik u. Prosa. (146 S.) 8. Leipzig(-R.) 909. A. Hoffmann. Geb. in Leinw. 2. 50

Pompecki, Bruno, Weichselrauschen. Lieder e. Westpreußen. (VIII, 127 S.) gr. 8. Stuttgart 905. W. Kohlhammer. n. 2. 50: geb. n. 3. —

Pompeckj, Josef, s. Pompeckj, Josef Felix

Pompeckj, *Josef Felix* [Dr.]: Ueber Ammonoideen mit „anormaler Wohnkammer" ... (Aus: Jahreshefte d. Ver. f. vaterl. Naturk. in Württemb., 1894.) Stuttgart, E. Schweizerbart, 1894; 220—290 S., 1 Taf. 8.
München, Phil. Fak., Hab.-Schr. v. 1894
(Nicht für den Austausch)

Pompeckj, J. F., Beiträge zu e. Revision der Ammoniten des Schwäbischen Jura. 1. Lfg. gr 8. (108 S. m. 7 Lichtdr.-Taf.) Stuttgart 893. E. Schweizerbart. n. 5. —

Pompeckj, J. F., Beiträge zu e. Revision d. Ammoniten d. Schwäbischen Jura. 2. Lfg. gr. 8. (S. 93—178 m. 5 lith. Taf. u. 5 Bl. Erklärgn.) Stuttgart 896. E. Schweizerbart. n. 5. — (1. u. 2. Lfg. n. 10. —)

Pompeckj, J. F., s.: Jahresbericht der geograph. Gesellschaft in München.

Mastodon-Reste aus dem interandinen Hochland von Bolivia. Von J[osef] F[elix] **Pompeckj**. (Mit Taf. 3 u. 4.) Stuttgart: E. Schweizerbart 1905. (S. 17–56.) 4°
= Palaeontographica. Bd 52, Lfg 1, [2.] [05. 6099

Pompeckj, Josef: Die Meere der Vorzeit. Göttingen 1909: Kaestner. 21 S. 8°
Göttingen, Rede am Geburtstage des Kaisers 1909 [U 10. 1487

Pompeckj, Jos. F., die Meere d. Vorzeit. Rede, z. Feier des Geburtstages Sr. Maj. des Kaisers u. Königs am 27. 1. 1909 geh. (21 S.) Lex. 8. Göttingen 910. Vandenhoeck & Ruprecht. — 40

— s.: **Palaeontographica.**

Pompecki. J. F.: Die Trilobiten-Fauna der Ost- und Westpreussischen Diluvialgeschiebe ... Königsberg in Pr., Buchdr. v. R. Leupold, **1890**: 1 Bl. + 97 S. + 1 Bl. 4°
Königsberg. Phil. Fak., Inaug.-Diss. v. 6. Aug. 1890

Pompecki, J. F., die Trilobiten-Fauna der ost- u. westpreussischen Diluvialgeschiebe. Inaug.-Diss. gr. 4. (97 S.) Königsberg i/Pr. 890. (Koch.) n. 3. —

— dasselbe, s.a. Beiträge zur Naturkunde Preussens.

— Palaeontologische Wandtafeln, s.: **Zittel.**

Pompeckj, J[osef] F[elix]: Karl A. v. Zittel †. (Mit Portr. v. Zittels.) *Stuttgart: E. Schweizerbart 1904.* (28 S.) 4°
— Palaeontographica. Bd 50, Lfg 6, [2.] [04. 6637

Pompee, d. kleinen, e. Schooßhundes, Begebenheiten; e. kritische Gesch. a. d. Frz. 8. Hamb. 755.

Pompée, Ch., Cours théorique et pratique comparé de langue espagnole. 2 Part. gr. 8. Bremen 841, [Schünemann's Vrlsbh.]
A. u. d. T.:
Part. 1. Vergleich. theoret.-prakt. Lehrbuch d. span. Sprache. In zwei Sprachen, z. Gebr. f. alle, welche Deutsch od. Französisch verstehen. 1. Thl. Theorie d. Sprache mit e. Anh., enth. Idiotismen, Gespräche u. Sprichwörter. (13½ B. u. 1 Tab.) 18 Gr.
2. Prakt. Lehrbuch d. span. Sprache. 2. Thl., enth. prakt. Uebungen unt. verschied. Formen, als Anecdoten, Auszüge aus d. vorzügl. Prosaikern jeder Art, Theaterstücke, Briefe üb. verschied. Gegenstände d. Privatlebens, d. Handels 2c., nebst e. span.-französ.-deutsch. Lexicon. (24¼ B.) 1 Thlr.

Pompeii. Leipzig 1834—35. V:
Clarke, George. (BrMm)

Pompeji. 1. Bd. (2 Abthln.) u. 2. Bd. 1. Abthl. Enthalt. d. öffentl. Gebäude, Anstalten 2c. gr. 12. Leipzig, Baumgärtner. [1. (13½ B. u. 174 Abbild.) 834. 2 Thlr., 2. 1. (7½ B. u. 91 Abbild.) 835. 1 Thlr. 8 Gr.]

Pompeji. 2 Bde. Enth. d. öffentl. Gebäude, Anstalten 2c. gr. 12. Leipzig, Baumgärtners Buchh. [1. (13½ B. u. 174 Abbild.) 834. 2 Thlr., 2. (13⁷⁄₁₂ B. u. 183 Abbild.) 835. 2⅔ Thlr.] Thlr.

Pompeji. Eine Erzählung für die Jugend. (Neue Titel-Ausg.) Wiesbaden 854. Friedrich. 16. (VIII, 192 S. u. 1 Lithogr.) 20 ngr.

Pompei. (Album. [37 vues et 1 plan.] Reproductions d'après photographies de Frat. Alinari et G. Brogi. Florence.) [IV + 36 p.] 4-obl. (Lucerne, Edition Illustrato, [1904].) [fr. 2. 50]

Pompeiu D.: Einige Sätze über monogene Funktionen. S. 120. II a. 129 . . . . —.20
Separatabdruck

Pompejus d. Große, Roms Stolz u. Opfer. 2 Bde. m. K. (hat a. d. Tit.: histor. romant. Museum 1r 2r.) 8. Prag, Polt. (Joachim in Lpz.)

Pompeius

Pompeji commentum artis Donati, s.a. **Grammatici latini.**

Pompeji Commentum artis Donati et ejusdem in Donati de barbarismis et metaplasmis commentariolus. Utrumque nunc primum edid. et brev. notis instruxit Fried. Lindemann. 8maj. Leipz. 820. W. Vogel. 3 ℳ 12 𝔤 Schrbp. 4 ℳ Velinp. 5 ℳ

Pompeius Trogus

Pompeii Trogi fragmenta, quorum alia in codd. mss. bibliothecae Ossolinianae invenit, alia in operibus, scriptorum maximam partem Polonorum, jam vulgatis primus animadvertit, fragmenta pridem nota adjunxit, ac una cum prologis historiarum Philippicarum et criticis annotationibus ed. Aug. Bielowski. Accedit notitia literaria de Trogo, et index. 8maj. (XXVI und 91 S.) Leopoli 853. (Lipsiae, Wagner.)

Pompeii, Trogi, Historiarum Philippicarum prologi. In us. scholar. de veteris aevi historia suarum emend. edid. Guil. H. Grauert. 8 maj. (3 B.) Monasterii 827, Coppenrath.

Pompen, J., tractatus de dispensationibus et de revalidatione matrimonii. gr. 8. (159 S.) St. Michaels-Gestel 894. (Amsterdam, C. L. van Langenhuyson.) n. 2. —

— dasselbe. Ed. II et recognita. gr. 8. (168 S.) Ebd. n. 2. 25

Pomper, Abr. (geb. Warschau 29. 10. 1852): Beitrag zur Lehre vom Oxyuris vermicularis. Berlin (1878). (29 S.) 8°
Berlin, Med. Diss. v. 16. Apr. 1878

Pompery, Janos. Das Echo von Tihany. Mährchen von . . . übersetzt durch Kertbeny. (Sonderabdruck einer Episode aus der Novelle: „Die Liebe zweier Frauen" von demselben Verfasser) A Tihanyi Visszhang. (In Magyarischer und Deutscher Sprache.) 8. (36 S.) Pesth, Emil Müller 1853.

Pompéry, J., Clarissa. Zwei Frauenherzen, s. Lese-Cabinet, neues, belletristisches.

Pompetzki, Jos., Trebnitz u. seine Umgebung. 16. (21 S.) Breslau 884. Max & Co. — 30

Pompier, le, suisse. Organe de la société des pompiers suisses. Réd.: L. Stein. 1. année. Octbre. 1883 – Decbr. 1883. 3 nrs. (à $^1/_2$ B.) gr. 4. Winterthur, Westfehling. n. — 50

— dasselbe. 2—4. année 1884—1886. à 12 nrs. (à $^1/_2$ —$^3/_4$ B.) gr. 4. Ebend. à Jahrg. n. 2. —

Pompier, le, suisse. Organe de la société des pompiers suisses. Réd.: L. Stein. 5. année 1887. 12 nrs. (à $^1/_2$—$^3/_4$ B.) gr. 4. Winterthur 887. Westfehling. n. 2. —
Erschien nicht weiter.

Pompignan, le Franc de, Théatre. 2 vol. in-18. (Didot) (Leipzig, Fr. Fleischer.)
(papier fin, 1 Thlr. papier vélin, 2 Thlr. format in-12, papier vélin. 2 Thlr. 16 Gr.)

Pompilj, Vittoria Aganoor, Gedichte, frei verdeutscht v. Otto Haendler. (XIV, 113 S. m. Bildnis.) 8. Dresden 910. C. Reißner. 2.50; geb. in Leinw. 3.50

Pomplun, W: Vergleichung von Thermometern in Temperaturen über 50 Grad Berlin 1891 (Mittheil a. d. Physik.-Techn. Reichsanst.)

Pomplun, W., Vergleichung von Thermometern in Temperaturen über 50 Grad. (Sonder-Abdr. aus der Zeitschr. für Instrumentenkunde, 1891.)

Pomponatus, P., tractat. de immortalitate animae, c. Cph. G. Bardili. 8maj. Tüb. 791. v. Cotta. 12 gr. Schbp. 14 gr.

Pomponia. Dramatisches Gedicht von J. R. München 870. L. Finsterlin. 8. (85 S.) n. 10 ngr.

Pomponius Mela

Pomponius, Mela, s. Mela.

Pomponii Melae de chorographia libri tres. Ad librorum manu scriptorum fidem edidit notisque criticis instruxit Gust. Parthey. Berlin 867. Nicolai's Verl. gr. 8. (XXXIII, 247 S. mit 1 Tab. in 4.) n. 1 ₰ 15 ngr.

Pomponii Melae de chorographia libri tres. Recognovit Carl Frick. 8. (XII, 108 S.) Leipzig 880. Teubner. 1. 20

Pomponius Mela: De situ orbis libri 3. Ad splendidissimum A. Gronovii exemplar recusi et indicibus copiosis adornati a H. A. Meisnero. Curiae Variscorum 1738. (14) 87 S., (115) S. Indices.

Pomponii Melae, de situ orbis lib. III. Cum indice rerum et pronunciatione prosodica nominum propriorum in difficilioribus notata. Ad opt. libror. fidem accurate editi. Edit. stereot. 16. (7 B.) Lipsiae 831, Tauchnitz.

Pomponius Sextus

— fragmentum. Fragmenta veteris jurisconsulti, ut quibusdam videtur, Julii Paulli de jure fisci. Acced. fragment. Herennii Modestini. Cura Böcking. 16. Bonn 831. Marcus. 2 gr.

— de origine juris fragmentum cum variet. lect. et notitia litteraria. Ed. L. A. A. Pernice. 8maj. Götting. 822.

Pomponius de origine juris recogn. Frid. Osannus. In usum scholar. academicarum. 8maj. (16 S.) Gissae 847, Ricker.

—— de origine juris fragmentum recogn. et adnotatione crit. instruxit Frdr. Osannus. 8maj. (XXII und 172 S.) Gissae 848. Ricker. *

Pomponii. Sexti, de origine juris et omn. magistrat. et success. prud. fragm. Ex rec. Gebauer ed. Chr. Gli. Haubold. 8maj. Leipz. 792. Barth. 2 gr.

Pomponii, quae in Pandectis reliqua sunt. Colleg. atque dispos. et explic. H. T. Pagenstecher. Lemgov. 723. 4. Ed. auct. Ib. 725. 4.

Pompper, Herm., die vorzüglichsten Character-Pflanzen, -Säugethiere, -Vögel u. -Amphibien der Erdtheile beschrieben u. zugleich als naturgeschichtliches Hülfsbuch zu K. Vogels „neuem Schulatlas" bearb. gr. 8. Leipzig 842, Böhme. $1^3/_4$ ₰

Pompper, Herm., die vorzüglichsten Character-Pflanzen, -Säugethiere, -Vögel u. -Amphibien der Erdtheile beschrieben und zugleich als naturgeschichtl. Hülfsbuch zu Carl Vogels „neuem Schulatlas" bearbeitet. gr. 8. (27 $^1/_4$ B.) Leipzig 842, [Geuther.]

Pompper, Herm., die wichtigsten Formen des Thierreichs nach ihren hauptsächlichsten Merkmalen zergliedert. Ein Handatlas in 24 (lithogr.) Taf. nebst (III S. und 12 Bl.) erklärendem Texte, für höhere Schulen und zur Selbstbelehrung sowie zu jedem Lehrbuche der Zoologie. Fol. Düsseldorf 853, Arnz und Comp. *

Pompper, Herm., die wichtigsten Formen des Thierreichs nach ihren hauptsächlichsten Merkmalen zergliedert. Ein Handatlas in 24 (lithogr.) Taf. nebst erklär. Texte für höhere Schulen und zur Selbstbelehrung, sowie zu jedem Lehrbuche der Zoologie. 2., verb. Aufl. gr. 4. (12 Blatt Text.) Leipzig 863, Kummer. In Couvert.

— die Grundwahrheiten der christlichen Religion für Gebildete dargestellt. Dessau 854. Baumgarten u. Co. gr. 8. (VIII, 326 S.) n. 1 ₰. 10 ngr.

—— geogr.-histor. Handatlas als Leitfaden z. Geschichts-Unterricht f. Bürger- u. Realschulen, Seminarien u. s. w. 1. Abthl. Alte Geschichte in 3 Karten (in qu. $^1/_2$ Fol. u. mit um den Rand gedr. erklär. Text.) gr. 4. Leipzig 846, Barth.

Pompper, Herm., geographisch-historischer Handatlas als Leitfaden zum Geschichtsunterricht für Bürger- und Realschulen, Seminarien, so wie die untern und mittlern Klassen der Gymnasien bearb. 2. Abthl.: Mittlere Geschichte in 5 (lithogr. und ill.) Karten (in qu. Fol.) gr. 4. Leipzig 849, Barth. Thlr.
1. Abthl. Ebendas. 1848. 12 Ngr.

—— Leitfaden d. Naturgesch. f. Mädchenschulen, s. Vogel, Carl.

— Naturgeschichte des Thierreichs in drei Kursen für Bürgerschulen, Seminarien und Selbstunterricht bearb. Leipzig 860. Dedmann. gr. 8. (VI, 258 S.) n. 20 ngr.

— die Säugethiere, Vögel und Amphiblen nach ihrer geograph. Verbreitung tabellarisch zusammengestellt. Imp.-4. Leipzig 841, Hinrichs'sche Buchh. 1 ℛ

Pompper, Herm., die Schule des Gärtners u. Pflanzenfreundes auf dem Gebiete der Botanik, enthltd. die Lehre von der Gestalt, dem Baue u. den Lebensverrichtungen der Pflanze, die wissenschaftl. Anordnung des Pflanzenreichs, ein alphabet. Verzeichniß der meisten latein. Art-Namen mit Angabe der Betonung u. deutscher Uebersetzung, sowie ein Register der latein. Gattungs-Namen. Weimar 866. B. F. Voigt. gr. 8. (XII, 360 S. mit 5 Blatt Erklärungen u. 5 Steintaff. Abbild.) 2 ℛ

Pomrencke, Werner [aus Altona]: Vergleichende Untersuchungen über den Bau des Holzes einiger sympetaler Familien ... (Aus: Arbeiten a. d. Kön. Bot. Garten in Breslau. Bd I. — M. 1 Taf.) Breslau, Druck v. R. Nischkowsky, 1892; 1 Bl., 31 S. 8.
Erlangen, Phil. Fak., Inaug.-Diss. v. 17. Febr. 1891

Pomsel, Eduard, Chronik des Turnvereins Roßwein zum 50jähr. Stiftungsfeste. Roßwein 1898, 26 S., 8°.

Pomsel, Friedrich Erdmann (Bautzen), De gangraena nosocomiali. Diss. med.-chir. Leipzig (W. Staritz) 28. IX. 1847. 23 S. (3.—) 27004

Pomsel, Jo(hann) Benjamin: Prodromum commentationis de Carolinis Boimeiae fontibus 1. Diss., 30 S., gbd.

Vitembergiae: prelo Gerdesiano 1708

Pomsel, L. J. (auch Pomsel, L. T.)

Pomsel, L. T., der vollkommene Decimalrechner für Schule u. Haus, Stadt und Land, oder die Decimalbrüche zur Anwendung auf das Geschäftsleben faßlich dargestellt für jeden, welcher die gewöhnl. Kenntnisse der gemeinen Rechenkunst besitzt, zum Selbstunterricht und als Leitfaden für Lehrer in Volksschulen. gr. 12. Leipzig u. Chemnitz 841, Binder. (Bamberg.) 5/8 ℛ

Pomsel, L. T., der vollkomm. Decimalrechner f. Schule u. Haus, Stadt u. Land, od. d. Decimalbrüche z. Anwend. auf d. Geschäftsleben faßl. dargest. f. jeden, welcher d. gewöhnl. Kenntnisse d. gemeinen Rechenkunst besitzt, z. Selbstunterr. u. als Leitfaden f. Lehrer in Volksschulen. gr. 12. (7½ B.) Leipzig 841, [C. L. Fritsche.]

Pomsel, L. J., Facitbüchlein zu den Rechen-Aufgaben über die Decimalbrüche rc. 8. (2½ B.) Leipzig 845, Bamberg. Thlr.

—— Methodik d. Kopfrechnens, od. ausführl. Anweis., das Kopfrechnen zu lehren, besond. in Volksschulen u. bei starken Klassen. gr. 8. (30¼ B.) Dresden 840. (Leipzig, Fr. Fleischer.) *

Pomsel, L. J., Rechen-Aufgaben über die Decimalbrüche zur Anwendung bei d. neuen sächs. Geld- u. Gewichts-Theilung. Für das Bedürfniß des gewöhnl. Lebens u. f. Anfänger der Rechenkunst, besonders f. Volksschulen. 8. (5 B.) Leipzig 845, Bamberg.

—— das Unentbehrlichste v. d. Decimalrechnung, od. d. Decimalbrüche in enger Verbindung mit d. neuen sächs. Münz- u. Gewichts-Theilung. Für Jedermann z. Selbstunterr. u. besond. f. Volksschulen. 8. (2¾ B.) Leipzig 841, Friese.

Pomsel, Ludw., die Georgine [Dahlia]. Leichtfaßliche Anweisg. üb. Kultur, Ueberwinterg., Vermehrg., Samenzucht rc. Mit zahlreichen (eingedr.) Illustr. gr. 8. (52 S.) Dresden 885. v. Grumbkow. n. 2. —

Pomtow u. Büchmann, Märchenbronnen, s.: Büchmann.

Pomtow, Carl Eduard Lebrecht,
s. Pomtow, Karl Eduard Lebrecht

Pomtow, Gottfried *Robert Otto* [aus Berlin]: Carcinoma uteri prolapsi ... Berlin, Buchdr. v. G. Schade, *1893;* 30 S., 1 Bl. 8.
Berlin, Med. Fak., Inaug.-Diss. v. 11. Aug. 1893

Pomtow, H.

— Ein sicilisches Anathem in Delphi. S.-A. 1895. 12 S.

— Die dreiseitige Basis der Messenier und Naupaktier zu Delphi. S.-A. 1896. 165 S. u. 5 Taf.

Pomtow, H., Beiträge zur Topographie v. Delphi. Mit 14 Plänen u. Taf. gr. 4. (VI, 128 S.) Berlin 889. G. Reimer. cart. n. 16. —

Pomtow, H., Die delphischen Buleuten. S.-A. 1898. 40 S.

Pomtow, H., delphische Chronologie. gr. 8. (III S. u. 118 Sp.) Stuttgart 901. J. B. Metzler. n. 1. 50
Sonderabdruck aus: „Pauly-Wissowas Realencyclopädie der class. Altertumswissenschaft".

— Die Ergebnisse d. delph. Ausgrabungen v. April b. Juni 1894. S.-A. 1894. 27 S.

Pomtow, H., Delphische Inschriften. S.-A. 1899. 25 S. u. 2 Taf.

Pomtow, das Leben d. Epaminondas, sein Charakter u. seine Politik. gr. 4. (130 S.) Berlin 870. Calvary & Co. n. 2. —

Pomtow, H., zum delphischen Wagenlenker. (S. 241—329 m. 5 Taf.) gr. 8. München 907. G. Franz' Verl. 1. 20
Sonderabdruck aus: „Sitzungsberichte der bayer. Akad. d. Wiss."

Pomtow, H., Ein arkadisches Weihgeschenk zu Delphi. S.-A. 1888. 26 S.

Pomtow, Joh., s. Poetae lyrici graeci minores.

Pomtow, Joan. Rud. (geb. Berlin 27. 3. 1859): Quaestionum de oraculis caput selectum. De oraculis quae exstant Graecis trimetro iambico compositis. Berolini 1881. (30 S.) 8°
Berlin, Phil. Diss. v. 16. Juli 1881

Pomtow, Karl Eduard Lebrecht

Pomtow, Carl Eduard Lebrecht. Ueber die Immanenz des Willens in den Dingen und in der Seele. Ein Versuch die Frage: Wie ist das Erkennen möglich? nach Arthur Schopenhauerschen Principien zu lösen. 43 S.
Berlin, Joach. G., Progr. 1854

Pomtow, L.: Das Leben des Epaminondas, sein Charakter und seine Politik. 122 S. 4°.– Berlin Joach. G., Progr. 1870.

Pomtow, Max: Ueber den Einfluss der altrömischen Vorstellungen vom Staat auf die Politik Kaiser Friedrichs I. und die Anschauungen seiner Zeit. Halle 1885: (Frommann in Jena). 97 S. 8°
Halle-Wittenberg, Phil. Diss. v. 19. Juni 1885
Geb. Berlin [18. 3.] 1861. V.

Pomtow, Paul: Wendische und deutsche Dörfer um Sorau. 4 (S. 3—12).
Zur Feier des Gedächtnisses an Ph. Ferd. Ad. Just
Progr. Kgl. G. *Sorau* 1897.
Nicht im Tauschverkehr.

Pomtow, Paul, Lehrbuch der Geschichte, s.: **Schenk, K.**

Pomtow, Paulus [Berolinensis]: De Xantho et Herodoto rerum Lydiarum scriptoribus .... Halis Saxonum, *Jenae typ. Frommanni (H. Pohle),* 1886; 1 Bl. + 60 S. + 1 Bl. 8°.
Halle, Phil. Fak., Inaug.-Diss. v. [21. Okt.] 1886.

Pomtow, Paul, de Xantho et Herodoto rerum Lydiarum scriptoribus. gr. 8. (60 S.) Halis Saxonum 886. (Jena, Pohle.) n. 1. —

Pomtow, Walt., der ostdeutsche Weinbau, seine natürlichen, wirtschaftlichen u. anbautechnischen Grundlagen, s.a. Studien, rechts- u. staatswissenschaftl. 38. Heft.

Pomtow, Walter: Der ostdeutsche Weinbau, seine natürlichen, wirtschaftlichen und anbautechnischen Grundlagen. ⟨Abschnitt 1 u. 2.⟩ (Berlin 1910: Ebering.) S. 19—72. 8° ¶ (Ersch. vollst. als: Rechts- u. sozialwissensch. Studien. H. 38.)
Berlin, Phil. Diss. v. 10. Febr. 1910, Ref. Orth
[Geb. 23. Dez. 85 Berlin; Wohnort: Berlin; Staatsangeh.: Preußen; Vorbildung: Luisen-Gymn. Berlin Reife O. 04; Studium: Berlin 8 S.; Rig. 29. Juli 09.] [U 10. 227

Pomum granatum oder der wahre Kern der deutschen Sprache . . . Agram 1771. V: *Matijević, Joseph Ernst.* (WBL)

Pomysly o harmonii spolecznej napisal Jan z Wygnanczyc Dabrowa. 16. Poznan 845. (Leipzig, Brockhaus et Avenarius.) n. ⅓ ₰

Pona, od. der f. seine Untreue schwer bestrafte Ehemann. Neuerdings nacherzählt v. d. Hrsgeb. d. oberösterreich. u. salzburg. Volkssagen 2c. 8. (5 B.) Linz 837, (Haslinger.)

PONA oder der für seine Untreue schwer bestrafte Ehemann (von *Benedict Pillwein,* 1779—1847). (Neuerdings nacherzählt v. d. Herausgeber d. oberoesterr. u. salzburg. Volkssagen, von den 12 Welten und einer.) Linz bei Huemer 1837. 8°. (1 Mk. 20 Pfg. Friedr. Klüber, 1905.)
Goedeke VI, 582, 104, 25 nennt Verleger, hat aber: (1836).

Poenal-Verordnung, churpfältzische, von den *Zügeuner* (!), *Juden, Jauner, Vagabunden* etc. Mannheim 1722. Fol. Einblattdruck. Cart.
Orig.-Erlass. In § 6 heisst es: „ . . . haben sich die Vaganten, unter welcher Zahl auch die fremde Spiehl-Leut, Porcelahnen-Kramer, Spieler u. Bettel-Juden verstanden seien etc., gleich aus Unseren churpfälts. Landen fortzumachen".

Ponape [Schlagwort]

Ponape, Insel, s.: **Seekarten.**

Ponarth [Schlagwort]

Ponarth, s.: Preussen. Messtischblätter.

Ponath, Joachim Christian (Pommern), Resolutiones casuum in Pomerania ventilatorum. Disput. inaug. Präs. Samuel Strykius. Halle/Magdeburg (J. J. Krebs) Sept. 1706. 44 S. (4.50) 27006
Widm. v.: Heinrich Bodin.

— **Paul** (Rützow/Pommern), Über die Methoden der Radikaloperationen der Hernien. Diss. med.-chir. Berlin (G. Schade) 4. VII. 1890. 30 S. u. Biogr. (2.50) 27007
Oppon.: Paul Schenk, Albert Albu, Arthur Arnstein. — Seinen Eltern gew. (V.: Gottfried Ponath).

Ponati, G. Leop., Harmonie der Sprachen. Braunschw. 713. 8.

Ponce de la Fuente, Constantino, exposicion del primer salmo dividida en seis sermones. 3. ed. gr. 8. (242 S.) Bonn 881. (Weber.) n. 10. —

Ponce de Leon. Lustsp. v. Clemens Brentano. 8. Göttingen, Dieterich. 804.
Schreibv.

Ponce de Leon, Luis, obras poéticas propias. Todas cuantas se podian hallar, recogidas y traducidas en aleman por C. B. Schlueter y W. Storck. A. u. d. T.: Sämmtliche Originalgedichte des Luis Ponce de Leon, gesammelt, durchgesehen und in's Deutsche übertragen. Monnstero 853. Theissing. 16. (XXIV, 315 S.) n. 1 ₰. 10 ngr.

Poncelet, Franz: Aus d. Univ.-Klinik für psychisch- u. Nervenkranke in Bonn. Ueber Huntington'sche Chorea. Bonn 1909: Foppen. 50 S. 8°
Bonn, Med. Diss. v. 4. März 1909, Ref. Westphal
[Geb. 10. Sept. 82 Bonn; Wohnort: Saarbrücken; Staatsangeh.: Preußen; Vorbildung: Kgl. Gymn. Bonn Reife O. 02; Studium: Bonn 10 S.; Coll. 3. März 09; Approb. 18. Juni 08.] [U 09. 359

Poncelet, J. J., Feierklänge. Die christl. Festtage in Dichtungen dargestellt. 8. (VI, 201 S.) Bonn 872, Habicht. *

Poncelet, J. J., Feierklänge. Die christl. Festtage in Dichtgn. dargestellt. 8. (VI, 201 S.) Bonn 872. Mainz, Lesimple. n. 1. 60

— guide dans l'église de St. Apollinaire près de Remagen, augmenté de quelques notes sur la ville et ses environs. Avec les illustrations. 3. éd. revue et augmentée. 16. (23 S. m. 1 Stahlst. u. 1 Holzschntaf.) Ebend. 873. n. — 75

— Kapuziner-Predigten. In Versen gereimt f. alle Stände. gr. 16. (235 S.) Paderborn 874. Bonifacius-Druckerei. 1. 50

Poncelet, J. V., Lehrbuch der Anwendung der Mechanik auf Maschinen. Deutsch hrsg. v. C. H. Schnuse. 1. Bd. u. 2. Bd. 1. Lfg. gr. 8. Darmstadt 845, Leske. [1. (27 B. u. 8 Stnt.) 3 Thlr., 2. (1. Lfg.) (12 B. u. 2 Stnt.) 1 Thlr. 10 Ngr.]

Poncelet, J. V., Lehrbuch der Anwendung der Mechanik auf Maschinen. Deutsch hrsg. von C. H. Schnuse. 2. Bd. 2. (letzte) Lfg. gr. 8. (XV und S. 191—406. mit 1 Stnt.) Darmstadt 849, Leske.
1. und 2. Bd. 1. Lfg. Ebendas. 1845. 4 Thlr. 10 Ngr.

Poncelet, industrielle Mechanik. Nach dess. Cours de mecanique industrielle u dess. Cours de mecanique appliquée aux machines, so wie Tasse Application des principes de mecanique aux machines les plus en usage, deutsch bearb. u. mit Anmerkn. begleitet v. C. G. Kuppler. 1—6. Lfg. (od. 1 B. u. 2. Bd. 1. Lfg.) gr. 8. ($38\frac{3}{4}$ B. u. 19 Kpfrt.) Nürnberg 840—42, Recknagel. à L.
Atlas hierzu, s. Elemente, die, der Maschinen.

— industrielle Mechanik. Deutsch bearb. u. mit Anmerkungen v. C. G. Kuppler. 7—9. Lfg. (od. 2. Bd. 2—4. Lfg.) (Schluß.) gr. 8. (19 B. u. 11 Kpfrt.) Nürnberg 844, 45, Recknagel. à Lfg. * 15 Ngr. *
1—6. Lfg. Ebendas. 1840—42. à Lfg. * 15 Ngr.

— s.a.: Schiffschleuse, über die Girardsche.

—— über die Girardsche Schiffschleuse mit Schwimmer. Aus d. Franz. mit e. Anmerkungen v. A. L. Crelle. gr. 4. (14½ B. u. 2 Figurentaf.) Berlin 846, G. Reimer.
Aus: Crelle, Journal f. die Baukunst. 23. u. 24. Bd. besond. abgedruckt.

— über die Stabilität der Erdbekleidungen und deren Fundamente. Aus d. Französ. übers. u. mit e. Anhange verm. von J. W. Lahmeyer. Mit 6 Figurentafeln. gr. 8. Braunschweig 844, G. C. E. Meyer sen. 1⅚ ℛℬ

Poncelet, M. F. F., s. Controversen, die, d. französ. Civilrechts.

Poncelin, de la Roche Tilhac, philosoph. Beschreib. des Handels, nebst den Besitzungen der Europäer in Asien, s. Raynal.

Poncelin, de la Roche Tilhac, philos. Beschr. des Handels u. d. Besitzung. der Europäer in Asien u. Afrika, a. d. Franz. 2 Bde. 8. Strasb. Acad. Buchhdl. 783–84. Rthlr.

Poncet, H. v., unvereinbar. Erzählg. aus den deutsch. Ostmarken. (118 S.) 8. Lissa 908. O. Eulitz. 1.20

Poncet, J., moral. u. politischer Katechismus, vorzüglich für junge Leute von zwölf bis funfzehn Jahren bestimmt. Ins Deutsche übersetzt. 8. Leipzig, Mag. f. Indust. 817.

Pond, Francis Jones [aus State College, Pa. U. S. A.]: Ueber die Untersuchung einiger Propenyl- und Allyl-Benzolderivate ... Göttingen, Druck d. Univ.-Buchdr. v. E. A. Huth, 1896; 60 S., 1 Bl. 8.
Göttingen, Phil. Fak., Inaug.-Diss. v. [12. März] 1896

Pond, Francis Jones, über die Untersuchg. ein. Propenyl- u. Allyl-Benzolderivate. Diss. gr. 8. (60 S.) Göttingen 896. (Vandenhoeck & Ruprecht.) n. 1.60

Pond, J., Handels-Korrespondenz in englischer u. deutscher Sprache, s.: Noback, F.

Pondaven, B., Grammaire française d'après la méthode intuitive Cours élémentaire. (VI, 132 S. m. Abbildgn.) 8. Riga 904. N. Kymmel's Sort. Kart. n. 2.—

Pondelli, Frz. Joh., Ignatius Martyr, oder die apostolische Kirche in Syrien. Ein Abbild wahrer Christen. Prag 861. Bellmann. 8. (IV, 160 S.) n. 16 ngr.

Pondo, Thomas, ignominiosè gloriosus . . . [Salisburgi 1720.] V: *Hieber, Aemilian von.* (IIr)

v. Pondoie, Claud., († ...) fondament de la langue française. 8. Salzb. 782.

Pondojeff, Gabriel, a. Tiflis: Ueber den Begriff der Debilität mit vorzugsweise ethischem Defekte. Berlin (1907): E. Ebering. (121 S.) 8°
Berlin, Med. Fak., Ref. Ziehen, Diss. v. 13. März 1907
[Geb. 28. Okt. 75 Tiflis, Kaukasus, Rußland; Wohnort: Tiflis; Staatsangeh.: Rußland; Vorbildung: Gymn. Tiflis Reife M. 92; Studium: Berlin 11 S.; Rig. 28. Febr. 07.]

Pondorf, Emil

Pondorf, E., u. F. Biergutz, Grundriß der Verfassungs- u. Bürgerkunde. (106 S.) 8. Breslau 909. F. Hirt. Kart. 1.—

Pondragon

LINGAM-YONI oder Die Mysterien des Geschlechts-Kultus als die Basis der Religion aller Kulturvölker des Altertums und des Marienkultus in der christlichen Kirche sowie Ursprung des Kreuzes und der Crux Ansata.. Von Pondragon. Groß-Lichterfelde—Berlin, Verlag Wilsson, 1906. 8°. 128 S.

Pondrom, Bernard: Erwiederung auf mehrere Antworten, welche die Correspondenz „Ein offenes Wort über den Bau einer Staatsstrasse von Wiltz nach Kautenbach" hervorgerufen hat. [Luxemburg: Peter Brück 1867]. 12 S. 12°

Pondrom, Bernard: Ein offenes Wort über den Bau einer Staatsstrasse von Wiltz nach Kautenbach. [Luxemburg: Peter Brück 1866]. 11 S. 12°

Pondrom, Nicolas: Die praktische Obstbaumzucht mit besonderer Berücksichtigung unserer Verhältnisse. Diekirch: Justin Schroell 1890. 39 S. 8°

Pondrom, Nicolas: Statuten des Luxemburger Sterbekassevereins, gegründet am 8. Februar 1880. Luxemburg: Th. Schroell [1880]. 8 S. 8°

– Dass. Luxemburg: Jos. Beffort 1882. 18 S. 8°

Ponetz, E. Patentirte Schraubenmühlenversicherung. Prag 1873. 4.

Ponetz, Karl, Anfangsgründe des forstlichen Wissens für das Hilfspersonale im ausführenden Dienste. 1—3. Thl. gr. 8. Kolin a/E. 881. 82. (Prag, Rziwnatz.) n. 6. —
1. Der Waldbau. (X, 84 S.) n. 1. 60
2. Der Forstschutz. (IV u. S. 85—163.) n. 1. 60
3. Die Forstbenützung. (VI u. S. 165—288.) n. 2. 80

Ponetz, Karl, Jagdkunde f. alle Freunde u. Liebhaber der Jagd, insbesondere f. Candidaten, welche sich dem Jagddienste widmen wollen. gr. 8. (VIII, 264 S.) Kolin 884. (Prag, Calve.) n. 5. —

Ponfick, Emil

Ponfick, E., Abhandlung, s.: Archiv für patholog. Anatomie, 138. Bd., Spplt.-Hft.

Ponfick, E., die Actinomykose des Menschen, eine neue Infectionskrankheit, auf vergleichend-patholog. und experimenteller Grundlage geschildert. Festschrift, dargebracht zu dem 25jähr. Jubeltage des Eintrittes von Rudolf Virchow in den Lehrkörper der Friedrich-Wilhelms-Universität und in den Wirkungskreis am patholog. Institut und dem Charité-Krankenhause in Berlin. gr. 8. (VII, 132 S. mit 6 Taf., wovon 4 lithogr. und 2 chromolithogr.) Berlin 882, Hirschwald. *

Ponfick, E., pathologische Anatomie, s.: Neisser, Alb., stereoscopischer medicin. Atlas. 36. Lfg.

Topographischer Atlas der medizinisch-chirurgischen Diagnostik von Dr. E[mil] **Ponfick**, Prof. zu Breslau. Topogr. Atlas of medico-surgical diagnosis. Atlas topographique de diagnostic médico-chirurgical. Lfg 1. *Jena: G. Fischer 1901.* 2°
[Text in deutscher, engl. u. franz. Sprache.] [or. 5244

Ponfick, E., topographischer Atlas der medizinisch-chirurgischen Diagnostik. — Topographic atlas of medico-surgical diagnosis. — Atlas topographique de diagnostic médico-chirurgical. 4. u. 5. (Schluss-)Lfg (12 farb. u. 17 schwarze Taf. m. 116 S. Text je in deutscher, engl. u. französ. Sprache.) Imp. 4. Jena 903. 905. G. Fischer. à n. 12.—

— Beitrag zur Lehre v. der Fettgewebe-Nekrose, s.a. Bibliotheca medica. C. 12.

Beitrag zur Lehre von der Fettgewebs-Nekrose. Von Prof. Dr. E[mil] Ponfick in Breslau. Mit 1 Taf. *Stuttgart: E. Nägele 1902.* (7 S.) 4° = Bibliotheca medica. Abth. C, H. 12.

— s.: Bibliotheca medica.

Ponfick, E., Gedächtnißrede auf Julius Cohnheim. Vortrag, gehalten in der medicin. Section der Schles. Gesellschaft für vaterländ. Cultur am 31. Octbr. 1884. gr. 8. (23 S.) Breslau 884, Schletter. *

Ponfick: Über G e f a n g e n e n - u. Entlassenen- P f l e g e. (Gütersloh) [1888].
(S.-A. a.: Monatsschrift f. innere Mission hrsg. von Schäfer.)

— die Krankheiten der Leber, s.: Handbuch der speciellen Pathologie u. Therapie.

Ponfick, E., s.: Neisser, A., stereoscopischer medicinischer Atlas.

— Ueber Recreation d. Leber beim Menschen. Ein Beitrag zur Cellularpathologie. [Aus: „Festschrift f. R. Virchow".] gr. 4. (28 S. m. 1 Taf.) Berlin 891. G. Reimer. n. 2. 80

— s.: Verhandlungen der deutschen pathologischen Gesellschaft.

Ponfick, Emil. Ueber das Wesen der Krankheit u. die Wege der Heilung. Rede, beim Antritt d. Rectorats an der königl. Universität zu Breslau geh. am 15. Octbr. 1892. gr. 8. (28 S.) Berl. 892, Hirschwald. * — 80

Ponfick, Hans, Referendar: Zweifelsfragen aus dem Gebiete der Erbschaftsannahme. Breslau 1907: Breslauer Genossenschafts-Buchdruckerei. (X, 45 S.) 8°
Breslau, Jur. Fak., Ref. Leonhard-Schott, Diss. v. 9. Aug. 1907
[Geb. 24. Aug. 83 Breslau; Wohnort: Breslau; Staatsangeh.: Preußen; Vorbildung: Breslau, Wanckelsche höb. Knabenschule, König-Wilhelms-Gymn. Reife O. 01; Studium: Lausanne 1, Marburg 1, Göttingen 4, Breslau 2 S.; Rig. 31. Juli 05.]

Ponfick, Wilhelm, Arzt aus Frankfurt a. M.: Aus d. Kgl. pathol. Institut zu Breslau. Zur Anatomie der Placenta praevia. *Breslau 1900: (L. Schumacher in Berlin).* (34 S.) 8° ¶ (Aus: Archiv f. Gynäkologie, Bd 60, H. 1.)
Breslau, Med. Diss. v. 1900

Ponfikl, Josef Ed.

— vollständ. Topographie d. Fideikommißherrschaft Petersburg im Saazer Kreise in Böhmen. gr. 8. Prag 821. Haase, Söhne. 10 gr Schrbp. 12 gr

Ponfikl, Joseph Eduard. Vollständiger Umriss einer statischen Topographie des Königreichs Böhmen. Prag 1822—28. H: *Kramer, Wenzel Rodomil.* (BrMm)

Ponfikl, J. Ed., vollständ. Umriß e. statist. Topographie des Königr. Böhmen. 4 Bde. gr. 8. Prag 824—29. Enders. 10 ℛ Schrbp. 12 ℛ 12 gr

Ponfikl, Jos. Ed., vollständ. Umriß e. statist. Topographie d. Königr. Böhmen. 4. Bd. (Der Saazer Kreis. 5. Dpplhfte.). gr. 8. Prag 828, 29, Enders. 3 Thlr. 8 Gr., Schrbp.
1—3. Bd. Ebendas. 1824—27. 6 Thlr. 16 Gr., Schrbp. 8 Thlr. 8 Gr.

Ponge, Jul., cent dialogues allemands et franç. etc. — A. u. d. T.: Hundert Gespräche in französ. u. deutsch. Sprache üb. d. verschiedenart. Verhältnisse d. Geschäfts- u. Gesellschaftslebens; nebst e. Samml. der im gesell. Umgange gebräuchl. Redensarten u. der am häufigsten vorkomm. Gallicismen u. Germanismen; ferner e. Auswahl v. Sprichwörtern u. sprichwörtl. Redensarten. 1. Aufl. (20 B.) 839., 2., verb. u. verm. Aufl. 16. (22 B.) Berlin 840, C. F. Amelang.

Ponge, Jul., cent dialogues Allemands et Français. A. u. d. T.: Hundert Gespräche in französ. u. deutscher Sprache über die verschiedenartigsten Verhältnisse des Geschäfts- u. Gesellschaftslebens; nebst einer Sammlung der im geselligen Umgange gebräuchlichsten Redensarten &c. Zur Beförderung des Erlernens der franz. Sprache u. insbesond. zum Schulgebrauch. 3. verb. u. verm. Aufl. gr. 16. (VIII u. 384 S.) Berlin 847, (Leipzig), Amelang. 5/6 ℛ

Ponge, Jul., 120 französisch-deutsche Gespräche über die verschiedenartigsten Verhältnisse des Geschäfts- und Gesellschaftslebens; nebst einer Sammlung der im geselligen Umgang gebräuchlichsten Redensarten und der am häufigsten vorkommenden Gallicismen und Germanismen; ferner eine Auswahl von Sprichwörtern und sprichwörtl. Redensarten, eines Leitfadens für den Briefwechsel zur Beförderung des Erlernens der französ. Sprache, und insbesondere zum Schulgebrauch. 4., verb. und verm. Aufl. 8. (XII und 352 S.) Leipzig 855(56,) Amelang's Verlag.

Ponge, Jul., 120 französisch-deutsche Gespräche über die verschiedenartigsten Verhältnisse des Geschäfts- und Gesellschaftslebens; nebst einer Sammlung der im geselligen Umgange gebräuchlichsten Redensarten und der am häufigsten vorkommenden Gallicismen und Germanismen; ferner eine Auswahl von Sprichwörtern und sprichwörtlichen Redensarten, eines Leitfadens für den Briefwechsel, zur Beförderung des Erlernens der französ. Sprache, und insbesondere zum Schulgebrauch. 4. verb. &c. Aufl. A. u. d. T.: 120 dialogues français-allemands sur les différents rapports de la vie pratique etc. Leipzig 856. Amelang. 8. (XII, 352 S.) 27 ngr

Ponge, Jul., 120 französisch-deutsche Gespräche über die verschiedenartigsten Verhältnisse des Geschäfts- u. Gesellschaftslebens, nebst einer Sammlung der im gesell. Umgange gebräuchlichsten Redensarten u. der am häufigsten vorkommenden Gallicismen u. Germanismen; ferner eine Auswahl von Sprichwörtern u. sprichwörtl. Redensarten, eines Leitfadens für den Briefwechsel, zur Beförderung des Erlernens der französ. Sprache, u. insbesond. zum Schulgebrauch. 5., verb. u. verm. Aufl. Leipzig 865. Amelang's Verl. 8. (XII, 404 S.) geb. 27 ngr

—— Guide de la conversation franç. etc. — A. u. d. T.: Anleitung z. französ. Conversation, besteh. in e. reichhalt. Samml. v. Redensarten in französ. u. deutsch. Sprache, &c. 16. (25½ B.) Berlin 840, C. F. Amelang.

— dass. Deutsch-französischer Theil. 16. Ebd. 841. 1 ℛ

—— Guide de la conversation franç. etc. — A. u. d. T.: Anleitung z. französ. Conversation, besteh. in e. reichhalt. Samml. v. Redensarten in deutscher u. französ. Sprache, alphabet. geord. nach d. Zeitwörtern. Ein Handb. f. Studirende u. Freunde d. französ. Sprache u. insbesond. f. Schulen. 16. (28½ B.) Berlin 841, C. F. Amelang.

Ponge, Jules, Recueil de Pièces de Lecture amusantes et instructives, tirées des Prosadeurs français modernes les plus distingués. — A. u. d. T.: Sammlung unterhaltender u. belehrender Lesestücke, aus den vorzügl. neueren französ. Prosaikern, nebst e. erklär. Wort- u. Sachregister. 8. Berlin 841, Amelang. 3/4 ℛ

Ponge, Salomon

– s. C a r n o t, Laz. Nikl. Marg. de: Verteidigungsschrift, oder Darstellung seines politischen Betragens seit dem 1. Juli 1814.

– s. Chateaubriand, Franz August von: Über Buonaparte und die Bourbons . . .

– s. Contes moraux pour former le coeur et l'esprit de la jeunesse.

Ponge, Sal., Dialogues franç. et allemands, französ. u. deutsche Gespräche zum Gebr. f. Schulen. 8. Berl. 816. Hayn. 8 gr.

— Exemples françaises à l'usage des ecoles et des particul. qu. 8. Berlin, (Riemann.)

— Gemälde z. franz. Unterhaltung, od. auf d. leichteste Art in kurzer Zeit franz. sprechen zu lernen. 1—3te Liefr. m. K. 4. Ebend. 809. (à 16 gr.)

— Lesebuch f. Deutsche, die französisch lernen wollen. 8. Berl. 808. 6e A. 822. 7e A. 828. Hayn. 3 gr.

Ponge, Sal., Lesebuch f. Deutsche, die Französisch lernen. 8. Berl. Hayn. 815.

Ponge, (Sal.,) Lesebuch f. Deutsche, die Französisch lernen, vorzügl. f. Schulen. 6e Aufl. gr. 8. Berlin 823, Hayn.

Ponge, Sal., Lesebuch f. Deutsche, die Französisch lernen, vorzügl f. Schulen. — Livre de lecture pour les Allemands qui apprennent le François etc. 7. et 8. Edit. (à 4 B.) 8. Berlin 828, 35, Hayn. à Thlr.

— Manuel de la langue française à l'usage des écoles. II Tomes. (Tom. I. cont.: les élémens de la langue française. Tom. II. cont.: récueil de pièces dramatiques.) 8. Berl. 818. Amelang. 1 Th.

— récueil de pièces dramatiques à l'usage de la jeunesse etc. 8. Berl. 808. Hayn. 12 gr.

— die Schwierigkeiten der französ. Sprache in alphabet. Zusammenstellung. Nach den besten neuern Grammatikern bearbeit. u. durch Beispiele erläutert. Nebst 1 Tabelle der unregelmäß. Zeitwörter. 8. Berlin 836. Kuhr. 1/3 Th.

—— kurzgefaßte französ. Sprachlehre f. Anfänger, besond. f. d. mittleren Klassen e. Gymnasiums, u. f. öffentl. u. Privatschulen. 8. (12 B.) Berlin 830, Nauck.

—— der kleine franz. Sprachmeister, od. neues franz. Elementar-Lesebuch systemat. nach allen Redetheilen geord. Ein Buch f. alle Diejen., welchen daran gelegen ist, in kurzer Zeit Fertigkeit im Französisch-Sprechen zu erlangen. Für Schulen u. Privatunterr. 8. (8 B.) Danzig 832, Anhuth.

—— der kleine franzoes. Sprachmeister, od. neues franzoes. Elementar-Lesebuch, systemat. nach allen Redetheilen geord. etc. 2. Aufl. 8. (8 B.) Danzig 838, Anhuth.

— systemat. nach allen Redetheilen geordnete französische, englische u. deutsche Sprechübungen, um schnell in diesen Sprachen eine Fertigkeit im Sprechen zu erlangen. Nach der sehr faßl. Methode d. J. Perrin, L. F. Fain u. Chambaud verbessert. Für Schulen- u. Privatunterricht. breit gr. 12. Danzig 832. (Anhuth). 20 gr.

— deutsche Vorschriften, zum Gebrauch in Schulen u. Privatunterricht. qu. 8. Berl., (Riemann). 12 gr.

— die Zeitwörter der französ. Sprache, nach ihrer regelmäß. u. unregelmäß. Conjugation. 8. Berl. ... 3e A. ... Hayn. 3 gr.

Die unter dem Schutze der symb.·. Grossloge von Ungarn stehende ger.·. und vollk.·. □ Humboldt im Or.·. Budapest 1869—1894. Nach archivarischen Quellen zsgest. und anlässlich des 25-ten Stiftungsfestes in der am 8. Dec. 1894 abgehaltenen Festarbeit vorgetragen von Fil. Ponger. Budapest 1894: Kunosy & S. 104 S. 1 Taf. 8°
Auszug in: O. 20 (1895) S. 20—24.
In Annalenform nebst statistischen Tabellen, zsgest von L. Reich.

Pongrácz, Anna Gräfin, Severin, s.: Novellen-Bibliothek, deutsche, aus Oesterreich, Bd. 8.

Pongrácz, Anna Gräfin, vom Wege. Kleine Erzählgn. gr. 8. (VII, 220 S.) Wien 889. Gerold's Sohn. n. 4.—

Pongrácz, Graf Arnold, der letzte Illyésházy. gr. 8. (46 S. m. 2 Taf.) Wien 884. (Gerold's Sohn.) n. 1. 50

Pongracz, N., künstliche Befruchtung d. vollen Nelken, od. Anweis. aus vollen Nelken-Stöcken Samen künstl. z. erzeugen, u. aus solchen e. Pracht-Nelkenflor z. erziehen. 12. Hof, 1824. (Wien, Leo.) — 8¼

Pongrácz, N., künstl. Befruchtung der vollen Nelken, od. Anweis., aus vollen Nelken-Stöcken Saamen künstl. zu erzeugen. 12. Gran 824. (Wien, Wimmer). 7 gr.

— die Ueberschwemmung im J. 1813. Mit Bezug auf die Liptauer Gespanschaft in Ungarn. 12. Wien 825. (Wimmer). 7 gr.

Turáni Nyelv-és Néptanulmányok. A kunok nyelve. Irta Dr. **Pongrácz Sándor** ... *Budapest: Rózsa K. & neje 1898.* [Turanische Sprach- u. Volkskunde ...] (44 S.) 1 Bd 8.

Pongrácz, Stefan Graf, s. Gedichte aus Ungarn.

Pongracz, Stefan Graf, Gedichte aus Ungarn patriotisch-lyrischen Inhaltes. In die deutsche Sprache übertragen. Min.-Form. (158 S.) Erlau. 1867. 50 kr., Prachtausgabe 1 fl.

Pongratz, Karte von Deutschland in 6 Bl. Wien. Artaria & Co., 1800. (Phil.; Br. Mus.)

Pongratz, Franciscus: De arsibus solutis in dialogorum senariis Aristophanis. P. 1. De tribrachis et dactylis post priorem arsis syllabam incisis. *München 1902: F. Straub.* (37 S.) 8°
München, k. Ludwigs-G, P 1902*

Pongratz, Franz: De arsibus solutis in dialogorum senariis Aristophanis P. II. De tribrachis et dactylis post syllabam incisis. Freising 1905: F. Hämmerlein. (25 S.) 8°
¶[Forts. d. P-Beil. 1902]
Freising, k. human. G P 1905*

De arsibus solutis in dialogorum senariis Aristophanis. — Pars III. De tribrachis et dactylis post thesis syllabam incisis. — Scrips. Franciscus Pongratz, G.-P. — 1905, Freising, Franz Hämmerlein. — P. 1—25.
Progr. Freising, K. Gymn.

De arsibus solutis in dialogorum senariis Aristophanis. — Pars III. De tribrachis et dactylis uno verbo comprehensis. — Scripsit Franciscus Pongratz, G.-P. — 1906, Freising, Franz Hämmerlein. — P. 1—20.
Progr. Freising, K. Gymn.

Pongratz, Geo., allgemeine Statistik über die Taubstummen Bayerns. Zugleich e. Studie üb. das Auftreten der Taubstummheit in Bayern im 19. Jahrh Mit 54 Tab., 8 Kurven, 8 Diagrammen u. 1 Karte. Bearb. im Auftrag des königl. Staatsministeriums des Innern f. Kirchen- u. Schulangelegenheiten auf Grund der bei der Volkszählung vom 1. XII 1900 gepflog. allgem. u. der in den J. 1901/02 u. 1905 vorgenommenen besonderen Erhebgn. üb. die Taubstummen u. unter Zuhilfenahme der neueren ohrenärztl. u. Taubstummen-Statistiken. (V, 143 S.) Lex.-8. München 906. M. Kellerer. n. 6. —

Pongratz, Katharina —. Neuester, leichtfaßlichster Unterricht im Maßnehmen und Verfertigen jeder Art Damenkleider, so wie aller Gattungen Kinder-Anzüge, nach der neuesten und modernsten Façon. Von — —. 8. (18 S.) Wien. Druck von Anton Schweiger. 1854.

Pongratz, N., s. Pongracz

Pongs, Rudolf: Die rechtliche Stellung der Abkömmlinge bei fortgesetzter Gütergemeinschaft. Giessen 1909: v. Münchow. (X, 80 S. 8°

Gießen, Jur. Diss. v. 7. Juni 1909, Ref. Schmidt

[Geb. 17. März 84 Odenkirchen; Wohnort: München-Gladbach; Staatsangeh.: Preußen; Vorbildung: Oberrealsch. Rheydt Reife O. 04; Studium: Heidelberg 3, Berlin 1, Bonn 3 S.; Rig. 1. Apr. 09.] [U 09. 1095

Pongs, W., Entwürfe zu Lektionen üb. die wichtigsten Anwendungen des Galvanismus. Für die Oberklassen der Volksschulen, Mittelschulen und Mädchenschulen. gr. 4. (III, 24 S.) Leipzig 902. Dürr'sche Buchh. n. — 40

Ponheimer, (K.) Landschafts-Studien. 1s Heft. gr. 4. Berlin 825, Müller. Rthlr.

Ponholzer, Bartholom., das Ave Maria. Dramatisches Oratorium mit Deklamation, Chören, Schaubildern in 7 Scenen. Eine Mai-Festgabe. [Aus des Verf. Volksdramen.] (2. Ausg.) Augsburg 870. Kranzfelder. 8. (60 S.) 3 ngr; Ausg. mit 1 Stahlst. 5 ngr.

Ponholzer, Barthol., Judith, die Heldin v. Israel, s. a. Dilettantenbühne, katholische.

Ponholzer, Barth., Judith, die Heldin v. Israel. Biblisches Schauspiel m Gesang in zwei Acten. 8. (55 S.) Augsburg 872. (Schmid.) n. — 40

Ponholzer, B., gemeinsame Kommunion-Gebete. 32. (16 S.) Augsburg 881. Kranzfelder. n.n. — 6

Ponholzer, Barthol., kleines Marianum oder die kleinen Tagzeiten von der unbefleckten Empfängniß der allerseligsten Jungfrau Maria, zusammengestellt und kurz erläutert und mit einer Beigabe von Meß-, Beicht-, Kommuniongebeten rc. vermehrt. 16. (VIII und 224 S. mit 1 Titelkpfr.) Augsburg 863, Schmid's Verlag. *

Ponholzer, Barthol., Pankratius, der heldenmüthige Blutzeuge. Schauspiel aus der ersten Christenheit in 4 Akten m. Gesang. 8. (62 S.) Augsburg 883. Kranzfelder. n. — 50

—— Volksdramen zur Belehrung und Unterhaltung. 8. (XV und 271 S.) Augsburg 862, (Kranzfelder'sche Buchh.) *

—— dass. — 2. Folge. 8. (XI und 303 S.) Ebendas. 865. *

—— dass. — 3. Folge. 8. (IX und 396 S.) Ebendas. 868. *

—— Volksdramen zur Belehrung und Unterhaltung. 1. Folge. 2. Aufl., und 4.—6. Folge. 8. (XIV, 231; XI, 347; XV, 299; XIII, 327 S.) Augsburg 870—74, Kranzfelder'sche Buchh. Buchh. à Folge *M 1,60. *
2. Folge. 1865. *M 1,60.; 3. Folge. 1868. *M 1,80.

Ponholzer, Barthol., Volksdramen zur Belehrung und Unterhaltung. [7. Folge.] 8. (III, 288 S.) Augsburg 877, Kranzfelder'sche Buchh. *
1.—6. Folge. Ebendas. 1865—74. *M 9,80.

—— Volksdramen zur Belehrung und Unterhaltung. 2. Folge. 2. Aufl. 8. (299 S.) Ebendas. 880. *
1. und 3.—7. Folge. Ebendas. 1868—77. *M 9,80.

—— Volkslieder zur geselligen Unterhaltung gesammelt. 32. (31 S.) Ebendas. 869.

— Volkslieder zur geselligen Unterhaltung gesammelt. Ebend. 870. 32. (31 S.) 1 ngr.

Ponholzer, Barthol., Otto v. Wittelsbach, Herzog von Bayern. Vaterländisches Schauspiel in 4 Acten. Mit einem Anh.: Declamationen. 16. (90 S.) Donauwörth 880. Buchh. d. kath. Erziehungsvereins. — 75

Poniatowski, St. A., pamietniki, s. Biblioteka pamietnikow.

Poniatowsky, Joseph von, Lebensschilderung, s. Lebensschilderung.

Ponickau [Schlagwort]

Ponickau, s.: Sachsen. Karte.

Ponickau, s.: Sachsen. Karte. Messtischblätter.

Ponickau [Verfasser]

Ponickau, B., neun Schulentlassungsreden nebst e. Anh., enthltd. Dispositionen zu Schulentlassungsreden. Leipzig 870. Klinkhardt. 8. (VI, 81 S.) n. 8 ngr.

Ponickau, F. J., die Kettenrechnung als leichtes, schnelles u. sicheres Hülfsmittel z. Lösung aller Aufgaben aus jed. Rechnungsart. Zum Selbstunterr. u. z. Gebr. f. Schulen bearb. 2 Thle. 8. (15¼ B.) Leipzig 841, Nauck.

—— Rede bei der nach Verordn. des neuen Schulgesetzes am 1. Oct. 1835 erfolgten feierl. Einführung d. Kinder in die Schule. gr. 8. (½ B.) Leipzig 835, [Berger's Buchh.]

— Rede bei der nach Verordnung des neuen Schulgesetzes am 1. Oct. 1835 erfolgten feierl. Einführung der Kinder in d. Schule. gr. 8. Leipzig 835. Schäfer. 1½ gr.

Ponickau, Frz. Ludw. v., das Aufnehmen mit d. Meßtische u. and. Meßwerkzeugen, nebst d. Situationszeichnen u. e. Anh. üb. d. Croquiren, Höhenmessen u. Nivelliren. Ein Leitfaden beim Unterr. u. Selbststud. zunächst f. k. preuß. Divisionsschulen. 4. (9½ B. u. 17 Stnt.) Erfurt 840, (Keyser'sche Bh.) Thlr. *

Ponickau, Johann George v. Berichts-Erstattung an des Heiligen Römischen Reichs Churfürsten etc., betreffend den Landfriedensbrüchigen Einfall derer Königlich Preussischen Truppen in das Churfürstenthum Sachsen und die immer höher und höher sich anhäuffenden mehr als feindlichen Bedruckungen.
Fol. Regenspurg, den 3. April 1758.

Gründliche Gegen-Beantwortung Sr. Königl. Majestät in Pohlen, auf das Pro Memoria Sr. Königl. Majestät in Preussen. (In fine: Regenspurg den 8ten Octobr. 1756. Johann George von Ponickau.) 4. (4 Bl.)

Ponickau, Johann George v. Pro Memoria, betreffend die Thathandlung, so erst jüngsthin an und in der Residenz-Stadt Dressden, durch den darinnen feindlich befehlenden Königlich Preussischen Generallieut. v. Schmettau, verhänget und ausgeführet worden. Fol. Regensburg, den 24. Novembris 1758.

Ponickau, Johann Heinrich Friedrich von

(—). — Ordinarius senior et reliqui assessores facultatis jur. Lipsiensis examen viri **Johann Heinrich Friedrich von Ponickau** (Meißner Adel, Belgershain) honorifice superatum testantur. — Insunt Respons. Jur. CXL. et CXLI. Interdum nec actionis nec exceptionis sed replicationis probatione opus. Ad aedes assecurandas pendenda minus apte inter onera referuntur. (Leipzig (Saalbach) Jubil. 1803.) 23 S. (3.50) 27015

Ponickau, Richard

— Gedanken zur Methodik des Kampfes gegen den Alkoholismus der Jugend. (59 S.) gr. 8. Dresden 907, O. V. Böhmert. — 60
Sonderabdr. aus: „Die Alkoholfrage".

Ponickau, (Rich.), ein Zyklus v. Alkoholbelehrungen in e. Gymnasial-Untersekunda im Anschluss an die v. Gruber-Kraepelinschen Wandtafeln zur Alkoholfrage. Hrsg. v. deutschen Verein gegen den Missbrauch geist. Getränke. (20 S.) gr. 8. Berlin 909, Mässigkeits-Verlag. — 30
Sonderabdr. aus: „Lehrproben u. Lehrgänge."

Ponickau, Richard Bruno

Ponickau, Ricardus Bruno [Muelsenensis]: De Isocratis Demonicea. . . . Stendalis, typ. Franzenii et Grossii, 1889; 52 S. + 1 Bl. 8° Leipzig, Phil. Fak., Inaug.-Diss. v. 19. März 1890

Ponickau, R. B., de Isocratis demonicoa. Diss. inaug. gr. 8. (52 S.) Stendal 889. (Leipzig, Fock.) n. 1. 20

Ponickau u. Pilgram, Jo. Fabian Gottlob von (Lausitzer Adel), De emolumentis territoriorum imprimis Germaniae ex jure primogeniturae descendentibus. Diss. jur. publ. Präs. Friedrich Carl Voit von Saltzburg. Leipzig (Titian) 5. V. 1718. 126 Seiten. (5.50) 27016
Widm. v.: Friedrich Carl Voit von Saltzburg, Lüder Mencke.

Poenicke, G. A., das Laster der Onanie, seine ungeheure Verbreitung, seine Ursachen, seine entnervenden u. entsittlichenden Folgen, sowie die mögliche Art seiner Bekämpfung. Eine Denkschrift nach actenkund. ärztl. Vorlagen bearb. u. den hohen Regierungen u. allen Wohlfahrtsbehörden zur geneigten Kenntnißnahme unterbreitet. Leipzig 865. Poenicke. gr. 8. (42 S.) 7½ ngr.

Städtische Gartenkunst. Entwürfe f. d. gartenkünstler. Ausgestaltung d. Stadt Delitzsch. Bearb. unter Zugrundelegung d. neuen Bebauungspläne u. mit Berücks. d. lokalen Verhältnisse von Walter **Poenicke.** [Delitzsch: Selbstverl. 1906.] (8 S.) 8° [06. 5643

Ponicki, Boleslaus von: Neue Untersuchungen über die chemische Zusammensetzung der Kuhmilch. Langensalza 1910: Beyer. 83 S. 8°
Breslau, Phil. Diss. v. 10. Juni 1910, Ref. Holdefleiß
[Geb. 2. Nov. 82 Annowo; Wohnort: Posen; Staatsangeh.: Preußen; Vorbildung: Gymn. Rogasen Reife O. 04; Studium: Jura Berlin 2, Phil. Breslau 7 S.; Rig. 1. u. 2. März 10.] [U 10. 632

— **militärische Briefe eines Verstorbenen, s. Briefe.**

(—). — Ordinarius senior caeterique doctores facultatis jur. Lipsiensis de laudabiliter superato examine viri **Christoph Conrad von Ponikau** testantur. — Rhapsodiae Supplementa. Leipzig (Langenheim) (Lätare 1773). 16 S. (3.75) 27019

Ponikau, Jo. Christoph von (Meißner Adel), De juramentorum varietate, eorumqu. in foro usu. Disput. jur. Präs. Jo. Balthasar Wernher. Wittenberg (Chr. Schrödter) Okt. 1701. 136 S. (5.25) 27020
Gew.: Otto Heinrich von Friesen.

— — Dasselbe. Wittenberg (Chr. Schrödter) Okt. 1701. 136 S. (5.25) 27021
Gew.: Otto Heinrich von Friesen. — Widm. v.: Gottfried Strauß, Jo. Balthasar Wernher.

Ponikau, Jo. Georg von [Praes.], s. Dicel, Benedikt Hieronymus: De conditione privata statuum imperii.

— **Jo. Georg von** (Lausitzer Adel), De electoratu Saxoniae Friderico bellicoso jure meritoque collato. Diss. jur. publ. Präs. Jo. Burkhard Mencken. Leipzig (J. S. Fleischer) 14. XI. 1709. 51 S. (4.75) 27022

— — Dasselbe. Leipzig (J. S. Fleischer) 14. XI. 1709. 51 S. (4.75) 27023
Widm. v.: Jo. Burkhard Mencken.

Poniklo, Stanisl., einige Bemerkungen zu dem neuen Strafgesetzentwurfe (V. Hauptstück) v. Standpunkte d. Hygienikers. Unt. Mitwirkg. v. Frz. Buiak. 8. (16 S.) Wien 895. (Manz.) n. — 40

Poniklo, Stanisl., Zakopane in der polnischen Tatra in Galizien als klimatische Höhenstation. br. 8. (24 S. m. 3 Illustr.) Wien 893. (Krakau, Buchh. d. poln. Verlags-Gesellschaft.) n.n. — 50

Poninska, Gräfin. Vide: Arminius.

Poninska, Gräfin v., Deutschlands Ehrendenkmal f. seine gefallenen Helden. s.: Ehrendenkmal.

Poninska, Gräfin v., über Motiv u. Berechtigung einer Paris aufzuerlegenden Steuer von 100 Millionen Thaler, s. Ueber Motiv u. Berechtigung ꝛc.

— Reflexionen über die Kriegsentschädigungsfrage, s. Reflexionen ꝛc.

Poninska, Adelheid Gräfin, Annunciata, die Lilie des Hymalaja u. ihre Mission im deutschen Reiche. Ein Weckruf zur Lösung der brennenden christlich-socialen Aufgaben. 2 Bde. 8. (XIV, 400 u. 227 S.) Bremen 878. Müller. n. 8. —

Poninska, Adelheid Gräfin [geb. Gräfin zu Dohna], Annunciata, die Lilie d. Himalaja, u. ihre Mission im deutschen Reiche. Ein Weckruf zu Lösg. der brenn. christlich-socialen Aufgaben. 2 Bde. 2. Aufl., m. dem (Lichtdr.-)Portr. der Verf. 8. (VII, 400 u. 227 S.) Leipzig 883. Kasprowicz. n. 6. —

Poninska, Adelhaid Gräfin, geb. Gräfin zu Dohna, Grundzüge eines Systems für Regeneration der unteren Volksklassen durch Vermittlung der höheren. 1. Bd. Leipzig 854. O. Wigand. gr. 8. (VIII, 275 S.) 1 Thlr. 15 ngr.

Poninska, Gräfin W., biblische Geschichten. Nach der Schnorr'schen Bilderbibel erzählt für kleine Kinder in Kleinkinderschulen und Familien. gr. 8. (IV, 80 S.) Breslau 880, (Dülfer's Verlag.) * 80 Pf.; geb. *

—— dass. — 2. verb. Aufl. mit 41 (eingedr. Holzschn.-)Illustr. von Jul. Schnorr v. Carolsfeld. 4. (VIII, 128 S.) Leipzig 881, G. Wigand. cart. * M 3.; geb. *

Poninska, Gräfin W., biblische Geschichten. Nach der Schnorrschen Bilderbibel erzählt f. kleine Kinder in Kleinkinderschulen u. Familien. 3., verb. Aufl. m. 42 Illustr. v. Jul. Schnorr v. Carolsfeld. 4. (VIII, 120 S.) Leipzig (899). G. Wigand. Kart. n. 3. —

Poninski, Adf. Graf, über den Verkehr der Geister des Jenseits mit den Menschen. Zwei öffentl. Vorträge in Leipzig. Leipzig 870. Kasprowicz. gr. 8. (85 S.) n. 12½ ngr.

Poninski, Adf. Graf, über den Verkehr der Geister des Jenseits mit den Menschen. Zwei öffentl. Vorträge in Leipzig. 1. Aufl. 1870, und 2. Aufl. gr. 8. (85 S.) Leipzig 872, Kasprowicz. *

Poninski, Alfred von

Poninski-Coseeger, Graf, Erfahrungen auf dem Gebiete der Korbweidenzucht. (Vortrag, geh. zu Stettin am 14. VIII. 1899 in der Sitzg. des Ausschusses der Landwirtschafts-Kammer f. Pommern f. Obstbau, Gartenkulturen u. Korbweidenzucht.) (Nach den neuesten Erfahrgn. rev. u. m. e. Nachtrag versehen.) (16 S.) 8. Berlin 907. P. Parey. n.n — 50

Poninski, Graf Stanisl., Einsamkeit. Aphorismen. (III, 44 S.) 8. Dresden (908). E. Pierson. 1.—; geb. n 2.—

Poninski-Coseeger, s. P o n i n s k i , Alfred von

Poenisch, Richard [aus Micra]: Definitive Bahnbestimmung des Cometen 1877 III .... Kiel, Druck v. C. F. Mohr, 1886; 20 S. 4°.
Leipzig, Phil. Fak., Inaug. Diss. v. 8. Okt. 1886

Poenisch, Richard, definitive Bahnbestimmung des Cometen 1877 III. Diss. Leipzig 1886, Gustav Fock. 4°. 20 S.

Ponisio, Domen., Antologia bilingue ossia Scelta di poesie italiane e tedesche de' migliori autori colla traduzione metrica a fronte. gr. 8. Vienna 841. (Volke.) n. 11/12 Thlr.

Ponisio, Domin., italienische Orthophonie, od. die Kunst gut Italienisch zu lesen u. auszusprechen. Lex.-8. (3 B.) Wien 842, (Volke's Buchh.)

—— Pezzi scelti de' migliori moderni Romanzi italiani: I Promessi Sposi di Aless. Manzoni, Ettore Fieramosca di Mass. d'Azeglio, Marco Visconti di Tom. Grossi, e del racconto: La Madonna d'Imbevera di Ces. Cantù. Coll' aggiunta di brevi cenni citici sui medesimi, e colla traduz. tedesca delle parole e frasi più difficili in calce d'ogni pagina. 8maj. (10⅛ B.) Vienna 838, Volke.

—— Scelta di poesie italiane d'autori antichi e moderni coll' aggiunta della dichiarazione in ordine alfabetico di tutte le voci in esse contenute, che vengono, o esclusivamente, o preferibilmente usate in poesia. gr. 8. (14 B.) Vienna 835, Volke. *

—— die ital. Sprache nach einer ganz neuen, leichtfaßlichen, durch eigne 16jähr. Erfahrung erprobten Methode. 2., verb. u. verm. Aufl. gr. 8. (31⅛ B.) Wien 846, Schaumburg u. Comp.

Pönitentialbücher, die lateinischen, der Angelsachsen, mit geschichtl. Einleitung herausgeg. von Fr. Kunstmann. gr. 8. Mainz 844, Kirchheim, Schott u. Thielmann. 7/8 Thlr.

Pönitz [Schlagwort]

Pönitz, s.: Sachsen. Messtischblätter.

Pönitz [Verfasser]

Pönitz, s.: Mitteilungen der Schulkommission des Verbandes sächsischer Schuhmacher-Innungen.

Pönitz, Alfred, approb. Arzt aus Frankenberg i. S.: Ein Beitrag zur Aetiologie, Pathogenese und Therapie des Pruritus vulvae. *Leipzig 1904: B. Georgi.* (32 S.) 8°
Leipzig, Med. Diss. v. (10. Febr.) 1904

Pönitz, Arthur, a. Zwickau: Byron und die Bibel. Weida i. Th. 1906: Thomas & Hubert. (122 S.) 8°
Leipzig, Phil. Fak., Ref. Wülker u. Birch-Hirschfeld, Diss. v. 6. Okt. 1906
[Geb. 14. Aug. 83 Zwickau; Wohnort: Leipzig; Staatsangeh.: Sachsen; Vorbildung: Realgymn. Leipzig Reife O. 02; Studium: Leipzig 8 S.; Rig. 31. Juli 06.]

Pönitz, C. E., s. P ö n i t z , Karl Eduard

Poenitz, Christoph Heinrich (Dresden), De jureconsulto oeconomo. Mod. Abraham Kaestner. Leipzig (Langenheim) 28. III. 1740. 24 S. (4.75) 26887
Gew.: August Franz von Essen, Jakob Geoffroy Essen. — Widm. v.: Abraham Kaestner.

P ö n i t z : „Diss. de voto oeconomico", Lips. 1740.

Catalonisches Lied G dur komp. von F r a n z **Poenitz**. Op. 40. A. Für Violoncell, Harfe (Klavier) u. Orgel (Harmonium). (Part. u. Stimmen.) *Berlin: C. Simon 1898.* (6 Bl.) 4° [wo. 5414]

Märchen Ges dur. Solostück für Harfe komp. von F r a n z **Poenitz**. Op. 42. *Berlin: C. Simon 1897.* (11 S.) 4° [wo. 5415]

Morgengruss. Hymne f. Tenor oder Sopran mit Harmonium komp. von F r a n z **Poenitz**. Op. 36. (Part. u. Stimme.) *Berlin: C. Simon 1893.* (4 Bl.) 4° [wo. 5416]

Phantasie B moll, für Harfe mit Begl. d. Harmoniums (oder d. Orgel) komp. von F r a n z **Poenitz**. Op. 45. (Part. u. Stimme.) *Berlin: C. Simon 1898.* (17, 11 S.) 4° [wo. 5417]

Kleines Schlummerlied G dur komp. von F r a n z **Poenitz**. Op. 37. Ausg. A. Für Harmonium (Klavier). *Berlin: C. Simon 1894.* (3 S.) 4° [wo. 5408]

Pönitz, Friedrich August (Bearb.), s. A s s a l i n i , Paolo: Untersuchungen über die künstlichen Pupillen.

— **Friedrich August** (Dresden), De animi functionum imbecillitate senili e corpore solo derivanda. Diss. med. Wittenberg (Chr. Ph. Meltzer) 19. IV. 1800. 34 S. (4.—) 26888
Gew.: Johann Ehrenfried Pohl, Johann Gottfried Leonhard.

—· **Jo. Benedikt** (Mügeln/Meißen), Diss. jur. decadem thesium feudalium. Präs. Gebh. Christian Bastineller. Wittenberg (Gaeberdt) 6. VIII. 1729. 24 S. (4.25) 26889

Pönitz, Karl Eduard

Pönitz, C. E., praktische Anleitung zur Recognoszirung und Beschreibung des Terrains, aus dem taktischen Gesichtspunkte, s.a. Anleitung.

(Pönitz, Carl Ed.) Praktische Anleitung zur Recognoscirung und Beschreibung des Terrains aus dem taktischen Gesichtspunkte. Für Officiere aller Grade und Waffen bearbeitet und durch Beispiele erläutert von Pz. 8. Adorf 1840.
— — 2. verm. und verbess. Auflage. 8. Adorf 1855.

—— **Bildung einer deutschen Landwehr, s. Bildung.**

(Pönitz, v.) Militärische Briefe eines Verstorbenen. Samml. 1—4. Adorf 1841—45. 8°.
Dass. 2. Aufl. 1843—45.
Dass. N. Ausg. Bd. 1—3. Stuttgart 1854. (Verm. Jähns.)

(Poenitz, C. E.) Die Eisenbahnen in ihrer Bedeutung als militärische Operationslinien betrachtet und durch Beispiele erläutert. Von Pz. (20¾ B.) 8. M. 1 Krte. Adorf 1842 — 2. Ausg. (287) 8. M. 1 Krte. ib. 1853 5,00.

—— **die Eisenbahnen und ihre Benutzung als militär. Operazionslinien, s.a. Eisenbahnen.**

(Pönitz). Die Eisenbahnen als militairische Operationslinien. Von Pz. Adorf 1842. 8°.
Dass. 2. Aufl. 1853.
Dass. franz. u. d. T.: Essai sur les chemins de fer, von L. A. Unger. Paris 1844.

Pönitz, Karl, Ed., Militairische Eisenbahnkarte für Deutschland, nebst dem von Pönitz entworfenen Eisenbahnsystem. Berlin, Schropp u. Co., 1842. Imp.-Fol. Kpfrst. u. kolor. (¾ ℛ)
Ae : Pönitz, Die Eisenbahnen als milit. Operationslinien betr. . . . . (Br. Mus.; KPA.; D.)

Pönitz, Karl Ed., die Fechtkunst auf den Stoß; nach d. Grundsätzen des Hrn. v. Selmnitz. 8. Dresd. 822. Arnold. 21 gl. N. A. 828. Ebd. 16 gl.

Pönitz, Carl Ed., die Fechtkunst auf den Stoß; nach d. Grundsätzen d. etc. (Ed.) v. Selmnitz u. einiger and. Lehrer dies. Kunst. Neue, wohlf. Ausg. 8. (10¼ B.) Dresden 828, Arnold.

(Pönitz. Karl Eduard), Deutschland's Gegenwart und Zukunft. Eine Prophezeiung im Jahre 1845, enthalten im 75. Briefe der „Militärischen Briefe eines Verstorbenen" etc. Mit einem Anhange. Adorf, Verlags-Bureau. 1848. 22 S. 8°.

(Pönitz.) Ueber Heerverfassungen. Mit besonderer Beziehung auf England und Preußen. (Berlin 1855.) 8°. (Aus: Deutsche Vierteljahrsschrift.) (Verm. Jähns.)

P(önit)z, die deutsche Nationalbewaffnung, s.a. Nationalbewaffnung.

P(önit)z, (Carl Eduard). Die deutsche Nationalbewaffnung. Beitrag zur Lösung einer der wichtigsten Fragen in den Reformbestrebungen des Vaterlandes. (Aus der deutschen Vierteljahresschrift.) Stuttgart und Tübingen 1848. 45 S. 8.

—s.a. Soldat, der, u. seine Pflichten.

(...Pönitz:) d. Soldat u. se. Pflichten; e. Erzähl. v. **Pz.**; als Leseb. in Regimentschulen zu gebrauchen. *Lpz.*, Volckmar. **848.** 12° 12 gl

Pönitz, Carl Ed., Taktik der Infanterie und Cavalerie, s.a. Taktik.

Taktik der Infant. u. Kav. Bearb. von Pz. (Pönitz). Neue Ausg. Bd 1. 2. Adorf 1847.
— — 3. verb. Ausg. Mit Krt. 1852.

(Pönitz, C. Ed.) — Taktik der Infanterie und Cavalerie zum Gebrauche für Offiziere aller Grade und Waffen. Beurb. von Pz. 4. unveraud. Ausg. 2 Bde. Adorf 859. Verlags-Bureau. gr. 8. (XIV, 386; VIII, 426 S. u. 2 lith. Karten in 4.) 3 ℛ 7½ ngr.

— kriegerische u. friedliche Träumereien, s.a. Träumereien.

Kriegerische und friedliche Träumereien über Vergangenes, Gegenwärtiges u. Zukünftiges. Von Pz. (Pönitz.) Leipzig 1857. 407 S.

(Pönitz.) Versuch eines Leitfadens zur taktischen Belehrung für Subaltern-Offiziere der Infanterie und Cavallerie. Adorf 1838. 8°. 605 S.

(Pönitz, C. E.) Die Vertheidigung von Süddeutschland gegen die Franzosen mit Zuziehung der Eisenbahnen unter Berücksichtigung der verschiedenen Spurweite. Von Pz. (3¾ B.) 8. Stuttgart und Tübingen 1844. 0,75.

P(önit)z. Die Verteidigung von Süddeutschland gegen die Franzosen mit Zuziehung der Eisenbahnen. Stuttgart 1844. 8°. (Aus: Deutsche Vierteljahrsschrift.)

Pönitz, Walter, aus Frankenberg in S.: Der deutsche Postzeitungstarif nach dem Gesetz vom 20. Dezember 1890. *Frankenberg i. Sa. 1904: C. G. Roßberg.* (68 S.) 8°
Tübingen, Staatswiss. Diss. v. 1904
(Nicht für den Austausch)

Ponk, Johs., Schrammen-Lehnin. Untersuchgn., ob in d. Schriftchen: „D. sel. Bruders Hermann aus Lehnin Prophezeihung üb. d. Schicksale u. d. Ende der Hohenzollern v. Johannes Schrammen" d. Lehnin'sche Prophezeihung unwiderlegl. als Fälschung nachgewiesen ist. 8. (76 S.) Regensburg 896. Verlagsanstalt vorm. G. J. Manz. n. — 80

Ponlevoy, Armand de. Die Jesuiten und die Internationale. Billige Volksausgabe des Schriftchens: Die Opfer der Insurrektion . . . Regensburg 1872. Ü: *Dosenbach, Stephan.* (Jes)

Ponlevoy, A. de, die Jesuiten u. die Internationale. Eine Thatsache aus dem J. 1871. Nach dem franz. Orig. Billige Volksausg. d. Schriftchens: die Opfer der Insurrektion zu Paris aus der Gesellschaft Jesu im J. 1871. 8. (96 S.) Regensburg 872. Pustet. , — 40

Ponlevoy, A. v., Leben des P. Xaver v. Ravignan, Priesters der Gesellschaft Jesu. Nach der 6. Aufl. aus dem Französ. übers. 2 Bde. 8. (1. Bd. VI und 323 S. mit 1 Titelkpfr.) Köln und Neuß 865, Schwann's Verlag.

Ponlevoy, A. de, 5 Opfer der Pariser Commune od. Gefangenschaft u. Tod der hochwürd. Väter P. Olivaint, L. Ducoudray, J. Caubert, A. Clerc, A. u. A. de Bengy aus der Gesellschaft Jesu. Nach der 10. Aufl. des Originals frei nach dem Franz. übers. v. M. Hoffmann. 8. (VII, 176 S.) Innsbruck 874. F. Rauch. 1. 50

Ponlevoy, Armand de. Die Opfer der Insurrection zu Paris im Jahre 1871 aus der Gesellschaft Jesu. Eine aktenmässige Darstellung der Gefangenschaft und des Todes der hochwürdigen Väter Peter Olivaint, Leo Ducoudray, . . . Nach dem franz. Originale. Regensburg 1871. Ü: *Dosenbach, Stephan.* (Jes)

Ponlevoy, P. A. de: Die Opfer der Insurrection zu Paris im Jahre 1871 aus der Gesellschaft Jesu. Eine aktenmässige Darstellung ... Nach dem französ. Originale. 8⁰. Regensburg, New York u. Cincinnati, Pustet, 1871.

Pönmann, Daniel Friedrich. Vitae virorum ex quavis facultate clarissimorum. Wittenb. 1714. H: *Ludwig, C. G.* (Hauptkat. d. Univ.-Bibl. Tübingen. K. S. 83.)

Ponndorf, G[eorg], a. Magdeburg: Über aci-Dinitroalkohole. Jena 1905: A. Kämpfe. (32 S.) 8°
Jena, Phil. Fak., Ref. Knorr, Diss. v. 5. Febr. 1906
[Geb. 27. März 81 Heiligenstadt; Wohnort: Magdeburg; Staatsangeh.: Preußen; Vorbildung: Realgymn. Magdeburg Reife O. 99; Studium: Freiburg i. B. 4, Leipzig 1, Jena 4 S.; Rig. 27. Nov. 05.]

Ponndorf, Wilhelm [aus Schlossvippach]: Ueber das Myxoedem. . . . Jena, Frommannsche Buchdr. (Hermann Pohle), 1889; 2 Bl. + 42 S. 8⁰
Jena, Med. Fak., Inaug.-Diss. v. [28. Jan.] 1889

Ponndorf, W., üb. das Myxoedem. Inaug.-Diss. gr. 8. (42 S.) Jena 889. (Pohle.) n. 1. —

Ponomareff, J., üb. das Pseudoschwefelcyan u. seine Derivate. Inaugural-Dissertation. gr. 8. (45 S.) Göttingen 875. (Vandenhoeck & Ruprecht's Verl.) n. — 80

Ponor, Emil, s.: Thowrowk de Ponor, Emil.

Ponovilo potrebnih naukov za nedelske šole na kmetih. 8. (IV, 742 S.) U Becu. Natisnil L. Grund. 1854 (Wiederholung der nöthigen Lehren für die Sonntagsschulen auf dem Lande. Gebunden in Leinwandrücken 56 kr. C. M.
Verlag der Schulbücher-Verschleiß-Administration.

Pons, E. P., die Einrichtung der Münzen. 8. Leipzig 837. Günz. (Brandes.) ½ ß

— das Geld. Ansichten in Bezug auf die Krisis der spanischen Papiere. (Aus dem „Märkischen Stadt- u. Land-Freunde" abgedruckt.) 16. Berlin 835. Vereins-Buchh. ⅙ ß (3½ B.)

— ist es vortheilhaft, sein Geld in Actien anzulegen? Für Diejenigen, welche Geld od. Actien haben beantwortet. 8. (6 B.) Berlin 836, Plahn'sche Buchh. *

E. P. Pons: Physik d. Gesellsch., als Einleit. in e. rationelle Staatsökonomie. *Berl.,* Dümmler. 836. gr 8⁰ 1 ß

— die Revolution in ihrer weltgeschichtl. Bedeutung. Ein Beitrag zum Verständniß unserer Zeit u. ihrer Erscheinungen. gr. 8. Leipzig 838. Günz, jetzt Brandes. 1½ ß

— die Revolution in ihrer weltgeschichtl. Bedeutung. Ein Beitr. z. Verständniß uns. Zeit u. ihrer Erscheinungen. gr. 8. (17 B.) Leipzig 838, [O. A. Schulz.]

— die Staats-Oekonomie. 1. Abschn. — A. u. d. T.: Physik d. Gesellschaft, als Einleit. in e. rationelle Staats-Oeconomie. gr. 8. (14½ B.) Berlin 836, Dümmler.

— allgem. Zeitung des Actienwesens. Redacteur Dr. Emil Günz. 1r Jahrg. 1837. August 28 rc. 104 Numm. ... Leipzig, Günz. 2⅔ ß — 2r Jahrg. u. d. Tit.: Allgem. Zeitung des Geld-, Staatspapier-, Wechsel- u. Actien-Wesens. (Banquierblatt.) Redig. von Dr. Emil Günz. Jahrg. 1838. October — December (No. 115 rc.) Fol. Ebd. n. ⅔ ß — Jahrg. 1839. 104 Numm. No. 141 rc. n. 2⅔ ß — Jahrg. 1840. 104 Numm. Nebst Coursblatt. 52 Numm. gr. 4. Grimma, Verlags-Compt. n. 2⅔ ß

— allgem. Zeitung d. Actienwesens. Redact.: Emil Günz. 1. Jahrg. 1837. Aug. 28. — 1838. Sept. (No. 1 — 114. Bog.) Fol. Leipzig, Günz. (?) *
Hieran schließt sich unt. verändertem Ttl.:

— allgem. Zeitung d. Geld-, Staatspapier-, Wechsel- u. Actien-Wesens. Redig. v. Emil Günz. Jahrg. 1838. Oct. — Dec., 1839 u. 40. Leipzig, Günz. (?) [838. Oct. — Dec. (No. 115 — 40.) Fol. * ⅔ Thlr., 39. u. 40. (104 Nrn. Bog. u. 104 Beil.) Fol. u. gr. 4. à * 2⅔ Thlr.] *

Ponsard, François — Die Börse. Zeitgemälde in 5 Akten. Nach dem Französischen des — — von Adalbert Prix. Wien, 1856. Gedr. bei U. Klopf sen. und Alex. Eurich. (50 S. 8.) Als Manuskript gedruckt.

Ponsard, F., la bourse, s. Théâtre français, publié par C. Schütz.

Ponsard, Franç., Charlotte Corday, s.a. Gerhard's französ. Schulausgaben, Nr. 6.

Ponsard, F., Charlotte Corday, s.a. Nouveautés françaises.

Ponsard, F., Charlotte Corday. Tragédie en 5 actes et en vers par F. Ponsard. [Nouveautés Françaises. Nr. 6.] 8. (132 S.) Leipzig 850, Avenarius & Mendelssohn. ⅓ ß

— Charlotte Corday. Trauerspiel in 5 Acten frei (übersetzt.) 8. (IV und 144 S.) Landsberg a. d. W. 851, (Schäffer und Comp.) *

Ponsard, Fr., Galilei. Schauspiel in 3 Aufzügen. Aus dem Franz. übers. v. Fr. Aug. Reitzel. gr. 16. (56 S.) Schopfheim 875. Uehlin. — 60

Ponsard, Franç., Geld und Ehre, s.a. Universal-Bibliothek Nr. 1299.

— Geld und Ehre. Lustspiel in 5 Aufzügen. In deutscher Bearbeitung von Ludw. Braunfels. Frankfurt a. M. 853. Auffarth. 16. (3 Bl., 138 S.) n. 10 ngr.

Ponsard, F., l'homme et l'argent, s.: Théâtre français.

Ponsard, F., l'honneur et l'argent, s.a. Collection d'auteurs français.

Ponsard, F., l'honneur et l'argent, s.a. Théâtre français.

— dass. — Tragédie en 5 actes et en vers. Erklärt von Heinr. Rebrmann. gr. 8. (128 S.) Berlin 879, Weidmann'sche Buchh.

—— l'honneur et l'argent. Comédie en 5 actes et en vers. Erklärt von A. Lundehn. gr. 8. (134 S.) Berlin 881, Weidmann'sche Buchh.

—— Horaz und Lydia. [Eine Ode des Horaz.] Lustspiel in 1 Akt. Im Versmaass des Originals übertr. von Alfr. Friedmann. gr. 8. (VI, 35 S.) [Leipzig 885, Reissner.] Berlin, Rosenbaum und Hart. *

— der verliebte Löwe, s.: Theater, neues Wiener.

—— Lucrèce, s. Élite de classiques français.

Ponsard, Lucrèce, s. Répertoire du Théâtre franç., 2. Série, No. 35.

— Lucrèce, Tragédie, s. Théâtre français par Schütz, VII. Série, No. 5.

— Lucrèce. Tragédie en 5 actes et en vers. Erklärt von Heinr. Rehrmann. gr. 8. (128 S.) Berlin 879. Weidmann. 1. 20

— Lucrecia, übertragen v. Eccius, siehe: Bühnen-Repertoir, Nr. 118.

—— Lucretia, übers. v. Adolf Philippi, s. Lucretia.

— Lucretia, s. a. Universal-Bibliothek.

—— Lucretia. Trauersp. in 5 Akten. Uebersetzt v. Ernst v. Zündt. 12. (3½ B.) München 843, (Fleischmann.) * –

— Lucretia. Tragödie in 5 Aufz. Im Versmaße des Originals verdeutscht von Dr. Stolle. (Als Manuscript gedruckt.) 12. München 843. (Palm's Hofbuchh.) n. ⅓ ₰

—— Lucretia. Tragödie in 5 Abthlgn. Im Versmaße des Originals aus d. Französ. frei in's Deutsche übertragen v. A. R. Rielo (A. Rolein). 8. (6⅛ B.) Düsseldorf 844. [Leipzig, Friedr. Fleischer.] *

— Lucretia. Tragödie in 5 Abthl. Im Versmaße des Originals aus dem Französ. frei in's Deutsche übertragen von A. R. Rielo (A. Rolein). 8. Düsseldorf 844, Schreiner. n. 5/12 ₰

—— Lucretia. Trauersp. Deutsch v. Carl Krause. 8. (8 B.) Chemnitz 845. [Schneeberg,] (Goedsche'sche Buchh.) *

— Lydie et Horace, s.: Répertoire du théâtre Franç., Nr. 363.

— Agnès de Méranie, s.: Théâtre Français publié par Schütz. Série VIII. 5. livr.

—— Odysseus. Lyrisches Drama. Deutsch von Adf. Böttger. 16. (118 S. mit 1 Stahlst.) Leipzig 858, Baumgärtners Buchh.

—— quel che piace alle donne, s. Emporeo drammatico.

Ponsart, N., Voyage pittoresque dans les provinces du Bas-Rhin. Livr. I—III. (9 lithogr. Bl.) Imp.-Fol. Aachen, (Mayer). 3 ₰

Ponschab, Bernh., O. S. B., General-Register, s.: Studien u. Mitteilungen aus dem Benediktiner- u. Cistercienser-Orden.

Ponschab, Bernhard, P., O. S. B.: Geschichte des humanistischen Gymnasiums im Benediktinerstifte Metten. *(Landshut 1901: J. Thomann.)* (71 S.) 8° [F.]
Metten, humanist. G, P 1901 *

[F. u. Ant.] **Ponschab,** Bernhard [P., O. S. B.]: Tatians Rede an die Griechen. Besprochen. *Metten, 1895;* 44 S., 1 Bl. 8.
Metten, humanist. G, P 1895*

— Die seligen Utto u. Gamelbert. Die Geschichte ihrer Verehrg. u. ihres Lebens. (VIII, 108 S. m. 15 Vollbildern.) 8. Metten (910). Regensburg, F. Pustet. 1.20

Ponsens, Leop., der Drechsler-Lehrling, s.: Eisenach, Jos.

Poensgen, E., Mahnung u. Trost am Totenfest. Predigt üb. 2. Korinther 3, 11. 8. (13 S.) Herborn 893. Buchh. des Nass. Colportagevereins. n. — 10

Poensgen, E. Die besten Ratschläge zur Führung e. gesegneten Hausstandes. Predigt üb. Evang. Johannes 2, 1—11. 8°. (15 S.) Herborn 892, Buchh. d. Nassauischen Colportagevereins. * — 10

Poensgen, Erwin, Referendar: Die verwaltungsgerichtliche Anfechtungsklage nach der württembergischen, preußischen, badischen und sächsischen Gesetzgebung. Borna-Leipzig 1910: Noske. VI, 42 S. 8°
Leipzig, Jur. Diss. v. 6. Juli 1910
[Geb. 20. März 82 Freiburg i. B.; Wohnort: Cöln; Staatsangeh.: Preußen; Vorbildung: Gymn. Freiburg Reife Juli 01; Studium: Genf 1, Berlin 2, Freiburg i. B. 1, München 1, Bonn 4 S.; Rig. 14. Juni 06.] [U 10. 2831

Poensgen, Eugen [aus Düsseldorf]: Das subcutane Emphysem nach Continuitätstrennungen des Digestionstractus, insbesondere des Magens. Strassburg, Buchdruckerei von R. Schultz & Comp., Berger-Levrault's Nachfolger, 1879. 8. 72 S. u. Index.

Poensgen, Eug., die motorischen Verrichtungen des menschlichen Magens und ihre Störungen, mit Ausschluss der Lehre vom Erbrechen. Preisschrift, gekrönt von der medicin. Facultät der Universität Strassburg. Mit einem Vorwort von Kussmaul. gr. 8. (XIII, 167 S.) Strassburg 882, Trübner. *

Poensgen, Julius, appr. Arzt a. Bochum: Über Bedeutung des Meconiumabgangs während Schwangerschaft und Geburt. Marburg 1904: J. Trapp, Bonn. (50 S.) 8°
Marburg, Med. Fak., Ref. Ahlfeld, Diss. v. 29. Okt. 1904
[Geb. 3 Apr. 78 Bochum; Wohnort: Bochum; Staatsangeh.: Preußen; Vorbildung: Gymn. Bochum Reife O. 96; Studium: Marburg 4, München 2, Marburg 4 S.; Coll. 19. Mai 04; Approb. 3. Mai 01.]

Poensgen, Ludolf, a. Düsseldorf: Die Vertretungsmacht des Ladenangestellten ⟨§ 56 H.G.B.⟩. Borna-Leipzig 1908: R. Noske. (VI, 35 S.) 8° [F.]
Heidelberg, Jur. Fak., Ref. Schroeder, Diss. v. 1908
[Geb. 5. Jan. 81 Düsseldorf; Wohnort: Düsseldorf; Staatsangeh.: Preußen; Vorbildung: Gymn. Arnsberg Reife O. 02; Studium: Heidelberg 1, Berlin 2, München 1, Bonn 2 S.; Rig. 19. Dez. 07.]

Poensgen, Max, aus Düsseldorf: Geschichte der Theorie der Tragödie von Gottsched bis Lessing. Ein Beitrag zur Geschichte d. deutschen Ästhetik. *Leipzig 1899: Metzger & Wittig.* (146 S.) 8°
Leipzig, Phil. Diss. v. [3. Juni] 1899

König Drosselbart. Märchendichtung von Minta Poensgen. Für Sopran- u. Altsoli, Frauenchor u. Klavierbegleitung komp. von Richard **Schumacher**. Op. 57. Textbuch. Berlin: Sulzbach in Komm. [1901]. 24 S. 8° [11. 11343

Poensgen, Osk., jungliberale Abhandlungen, s.: Dix, Arth.

Poensgen, Osk., s.: Hammacher-Festschrift, Berliner jungliberale.

Poensgen, O., Steuern und Zölle. Leipzig, 1907. 32 S.

— Das Wahlrecht, s.a. Aus Natur u. Geisteswelt.

Das Wahlrecht. Von Dr. Oskar Poensgen. Leipzig: Teubner 1909. VI, 146 S. 8°
(Aus Natur u. Geisteswelt. Bd. 249.) [09. 1405

Poensgen, Oskar: Deutsche Weltpolitik ..., s. Helbeck, Paul

Poensgen, Paul, Referendar: Die Möglichkeit der Anwendung des § 254 B.G.B. beim Vorliegen der Veranlassungshaftung. Berlin 1909: Pilz. 52 S. 8°
Heidelberg, Jur. Diss. v. 30. Aug. 1909, Ref. Wenger
[Geb. 2. April 84 Düsseldorf; Wohnort: Düsseldorf; Staatsangeh.: Preußen; Vorbildung: Gymn. Hagen i. W. Reife O. 04; Studium: Paris 1, Leipzig 1, Heidelberg 1, Berlin 1, Bonn 3 S.; Rig. 5. März 09.] [U 10. 1975

Ponson, A. T., Handbuch des Steinkohlen-Bergbaues, s.a. Hartmann, C.

Ponson, A. T., Handbuch des Steinkohlenbergbaues oder Darstellung des in den bedeutendsten Steinkohlenbergwerken Europas durch Aufsuchung, Gewinnung und Förderung der brennbaren Mineralien angewendeten Verfahrens. Deutsch bearb. von K. Hartmann. Weimar. 1856. 1102 S. mit 56 Taf.

Ponson AT, Handbuch des Stein- und des Braunkohlen-Bergbaues. Deutsch von C Hartmann. 2. Auflage. 4° Nebst Atlas. fol Weimar 1862

Ponson du Terrail, Pierre-Alexis

Ponson du Terrail, la belle Antonia. 2 Vols. (Bibliothèque choisie. Vol. 488 et 489.) 16. (811 S.) Naumburg 862, Pätz.

—— der Ball der Schlachtopfer, s.a. Roman-Bibliothek, neue.

Ponson du Terrail, der Ball der Schlachtopfer, s.a. Romane, moderne, des Auslandes.

PONSON Du Terrail (Le Vicomte de, † 11. Oct. 1870), Der Ball der Schlachtopfer. Aus d. Französ. 6 Bde. Leipzig 1865. 8°.

§ — — Dasselbe. Aus d. Französ. von J. N. Heynrichs. 2 Bde. (Roman-Magazin des Auslandes. Jahrg. II. 1868. Bl. 1—2.) Berlin 1868. 4°.

Ponson du Terrail, der Blutbund, s.a. Lese-Cabinet, neues belletristisches.

Ponson du Terrail, *Vicomte.* Der Blutbund. Scenen aus dem Pariser Leben. Aus d. Franz. v. *Dr. Legné. Pest, Wien u. Leipzig* 1858. *Hartleben's* Verl.-Exp. Druck v. *Leop. Sommer* in Wien. 1.—4. Th. (vollst.) 192, 179, 174, 236 S. 8°.
Auch u. d. Tit.: Neues belletristisches Lesekabinet der besten und interessantesten Romane aller Nationen in sorgfältiger Uebersetzung. Lief. 414—425.

— la bouquetière de Tivoli. 3 Vols. (Bibliothèque choisie. Vol. 857—859.) Naumburg 866. Pätz. 16. (421 S.) 1 ₰

—— i cavalieri del chiaro di luna. Romanzo. 4 Vol. 16. (676 S. mit 4 Holzschntaf.) Triest 862, Coen. *

—— les chevaliers du claire de lune. 5 Vols. (Bibliothèque choisie. Vol. 364—367, 438.) 16. (796 S.) Naumburg 860. 61, Paetz. à Vol. 10 Ngr.

—— la dame au gant noir. 7 Vols. (Bibliothèque choisie. Vol. 535—541.) 16. (1101 S.) Naumburg 863, Pätz.

— Pariser Dramen. 1. Abthl.: Die geheimnißvolle Erbschaft. 3 Bde. in 10 Liefgn. Wien 867. (Martin.) 8. (450 S. mit Holzschntaf.) 1 ₰ 10 ngr.

—— i drammi di Parigi. Romanzo. 4 Vol. gr. 16. (668 S. mit 4 Holzschntaf.) Triest 863, Coen.

— Edelmuth u. Hinterlist, oder: Der untergeschobene Sohn. Aus dem Französ. 2 Bde. Berlin 865. Humburg & Co. 8. (432 S.) 1 ₰

— die Erbschaft des Komödianten, s.a. Sonntags-Bibliothek, illustrirte Wiener.

Ponson du Terrail, Die Erbschaft des Komödianten. Deutsch von J. Kuhne. Mit 8 Illustrationen. 8. (131 S.) Wien, Geitler's Sep. Conto. 1865. 80 kr.

Ponson du Terrail, Erlebnisse in e. Spielhölle, s.a. Collection Figaro.

[F.] Erlebnisse in einer Spielhölle. Von [Pierre Alexis Vte] Ponson du Terrail. A. d. Franz. v. L[udwig] Stöckmann. *Berlin & Leipzig: J. Gnadenfeld & C. [1892].* (156 S.) 1 Bd 8.
= Collection Figaro. [Bd] 100. [96. 354

Ponson du Terrail. Aus dem Extrastübchen eines modernen Restaurants; s.a. Unterhaltungsbibliothek.

Ponson du Terrail, Aus dem Extrastübchen eines modernen Restaurants. Ein Pariser Lebensbild. Aus dem Französischen übersetzt von A. Scarnee. 8. (191 S.) Wien, Markgraf & Gemp. 1862. 80 kr.
—— Dasselbe, s.a. Salon, belletrist. 13. u. 14. Lfg.

— le page Fleur-de-Mai. Suivi de: Les drames invisibles par F. Soulié. 2 vols. Leipzig 857. A. Dürr. 32. (204; 220 S.) 1 ₰.

Ponson du Terrail, das Geheimniß d. Arztes, s.a. Roman-Perlen.

— das Geheimniß des Arztes. Criminal-Roman. Berlin 868. Mecklenburg. 8. (160 S.) 20 ngr.

Das Geheimnis des Arztes [Le secret du docteur Rousselle]. Kriminal-Roman von [Pierre Alexis Vte] Ponson du Terrail. Berlin: Deutsches Dr.- u. Verlagshaus [1904]. (130 S.) 8° [F.]
= Roman-Perlen. [Jg. 1], H. 29, [2]—H. 33, [2.] [05. 11303

— die Geheimnisse der Demi-Monde. Pariser Sittenroman in 3 Abthlgn. Aus dem Französ. von Erwin Steinhaus. Wien 864. Spitzer. 8. n. 1 ₰ 20 ngr.
1. Abthl. Die Paradereiter. (195 S.)
2. " Die Geheimnisse Neu-Babylons. (269 S.)
3. " Die Heiraths-Vermittlerin. (356 S.)

—— das Gespenst der Baronin. Aus dem Französ. von Marie Saphir. 8. (348 S.) Wien 865, Spitzer.

— die Judas-Söhne, s. Frankreich, belletristisches.

— Eine Jugendsünde, s.a. Roman-Perlen.

—— eine Jugendsünde. Roman. Frei bearb. von H. v. Beltheim. gr. 16. (219 S.) Stuttgart 865, Franckh'sche Verlagsh.

Ponson du Terrail, e. Jugendsünde. Roman. 8. (235 S.) Leipzig 887. Greßner & Schramm. n. 3. —

Eine Jugendsünde. Roman von [Pierre Alexis Vte] Ponson du Terrail. Berlin: Deutsches Dr.- u. Verlagshaus [1905]. (235 S.) 8° [F.]
= Roman-Perlen. Jg. 2, H. 18, [3]—H. 25, [2.] [05. 11303

Ponson du Terrail, e. unaufgeklärter Kriminal-Fall, s.: Nachtbilder.

Ponson du Terrail, les mémoires d'un homme du monde. 2 Vols. (Bibliothèque choisie. Vol. 405 et 406.) 16. (336 S.) Naumburg 861, Paetz. Thlr.

— Mémoires d'une veuve. 4 Vols. (Bibliothèque choisie. Vol. 793—796.) Naumburg 865. Pätz. 16. (562 S.) 1 ₰ 10 ngr.

– Das Muttermal, s.a. Roman-Perlen

Ponson du Terrail, das Muttermal. Roman. 3. Aufl. 8. (212 S.) Berlin, Goldschmidt. n. — 50

-- das Muttermal. Roman. Berlin 869. Brigl. 8. (III, 200 S.) n. 10 ngr.

Ponson du Terrail, das Muttermal. Roman. 2. und 3. Aufl. 8. (212 S.) Berlin 880,81, A. Goldschmidt. *

Das Muttermaal. Roman von [Pierre Alexis Vte] Ponson du Terrail. Berlin: Deutsches Dr.- u. Verlagshaus [1904]. (172 S.) 8° [F.] = Roman-Perlen. [Jg. 1], H. 40, [2]–H. 45, [2.]

— die Mysterien der Demi-Monde. 3 Abthlgn. à 2 Bde. Berlin 865. Reichardt & Zander. 8. (XVIII, 1172 S.) 2 ₰

—— Nachtbilder, s. Pitaval, Ernst.

—— die Nächte des Maison Dorée, s. Lese-Cabinet, neuestes belletristisches.

— les nuits du quartier Breda. (Juliette.) 2 Vols. (Bibliothèque choisie. Vol. 848 et 849.) Ebend. 866. 16. (282 S.) 20 ngr.

— les nuits de la Maison Dorée. 2 Vols. 6. édit. (Bibliothèque choisie. Vol. 791 et 792.) Naumburg 865. Pätz. 16. (288 S.) 20 ngr.

— le pacte de sang. Vol. 1. 2. Leipzig 858. A. Dürr. 32. (191; 197 S.) Jeder Bd. 15 ngr.

—— le pacte de sang. 7 Vols. 16. (1344 S.) Leipzig 859, A. Dürr.

—— le revenant. — Une légende fatale. — Une passion romanesque. (Bibliothèque choisie. Vol. 407.) 16. (157 S.) Naumburg 861, Paetz.

Ponson du Terrail, Rocambole. Die Dramen v. Paris. I. Die geheimnisvolle Erbschaft. Roman. (In 100 Hftn.) 1. u. 2. Hft. gr. 8. (S. 1—64 m. je 1 Vollbild.) Prag (900). A. Hynek. à — 20

— die Schwertbrüder. Roman. Frei bearb. nach dem Französ. von S. W. 3 Theile. Wien 861. (Dirnböck.) gr. 4. (98 S.) 12 ngr.

—— les spadassins de l'opéra. 5 Vols. (Bibliothèque choisie. Vol. 494—498.) 16. (634 S.) Naumburg 862, Pätz.

—— le trompette de la Bérésina. (Bibliothèque choisie. Vol. 821.) 16. (147 S.) Naumburg 865, Pätz.

Ponsonby, Emilie, Marie Lindsay oder ohne Prüfung keine Tugend. Aus dem Engl. übers. von Clemence Beuthien. 3 Theile. Leipzig 864. Gerhard. 8. (466 S.) 1 ₰ 24 ngr.

Ponsonby, Lady Emily, Mary Lindsay od. Kampf u. Sieg. gr. 8. (275 S.) Anklam 892. A. Schmidt's Verl. Geb. in Leinw. n. 2. 80

Pont. Le P^t mystérieux du Gouffre de la Tête-Noire = Die geheimnissvolle Brücke des Abgrundes von der T^e-N^e.... Martigny-Bourg 1889 s.a. [Biolay, B].

Pont, le, mystérieux du gouffre de la tête noire. In-12°, 15 p. Fribourg, impr. cathol. suisse. 1884.

Pont, s. Dupont.

Pont-Jest, René de, bis zum Abgrund, s.: Fischer's Roman-Bibliothek. 1. Bd.

— die Campagne v. 1870 in der Nord- u. Ostsee. Aus dem Französ. Mit Berichtiggn. u. Zusätzen v. e. deutschen Seeoffizier. Nebst e. Karte der Jade-, Weser- u. Elbe-Mündg. gr. 8. (III, 76 S. m. 1 Steintaf. in gr. 4.) Ebend. 871. n. 2. 40

Pont-Jest, René de, la campagne de la mer du Nord et de la Baltique. 8 articles du Moniteur universel. 1870—1871. gr. 8. (47 S.) Bremen 871. Heyse. n. 2. —

Pont-Jest, René de, Claudia, s.a. Collection Hartleben.

Collection Hartleben. VI. Jahrgang. IX. Band. Inhalt: René de Pont-Jest, Claudia. Roman in 2 Bänden. I. Band. 8. (176 S.) In Leinwand geb. Wien: Hartleben 1898. -.40

Collection Hartleben. VI. Jahrgang. X. Band. Inhalt: René de Pont-Jest, Claudia. Roman in 2 Bänden. II. Band. 8. (176 S.) In Leinwand geb. Wien: Hartleben 1898. -.40

— eine vornehme Ehe, s.a. Collection Hartleben. 8. Jahrg.

PONT-YEST, René de.
(F) Eine vornehme Ehe. Roman in drei Bänden von René de Pont-Yest. I. Bd. [Collection Hartleben. VIII. Jahrg. I. Bd.] Wien. Pest. Leipzig. [1899.] Hartleben. 8°. 158 S. geb. fl. –.40

— Fürstin Olsdorf, s.: Weber's moderne Bibliothek.

Pontago, e. reichbewegtes Leben. Wahrheitsgetreue Erzählg. der Erlebnisse e. weltbereisten Musikers. 8. (29 S.) Dresden 891. F. G. Seeling. n. — 40

Pontani, Bernhard, approb. Arzt aus Eschwege: Ein Beitrag zur Kenntniss der multiplen Sclerose des Gehirns und Rückenmarks. *Göttingen 1901: Dieterich.* (59 S.) 8° Göttingen, Med. Diss. v. [14. Jan.] 1902

Pontani, Bernh., ein Beitrag zur Kenntniss der multiplen Sclerose des Gehirns u. Rückenmarks. Diss. gr. 8. (59 S.) Göttingen 901. (Vandenhoeck & Ruprecht.) n. 1. 40

Pontani, Bernhard (geb. am 27 Okt. 1845 in Neuss): Über die Leitungsfähigkeit der Salpetersäure und ihrer Gemische mit Schwefelsäure und Zinkvitriol für die Electricität ... Bonn, Druck v. F. Krüger 1868. 2 Bl., 30 S., 1 Bl. 8.
Bonn, Phil. Fak., Diss. v. [7 Aug.] 1868

Pontani, Bernhard Schülerverzeichnis und vergleichende Zusammenstellungen. 8 (S. 101—160).
Festschrift zur fünfzigjährigen Gedenkfeier des Bestehens der Friedrich-Wilhelms-Sch. *Eschwege* 1890.
Nicht im Tauschverkehr.
Progr.

Pontani, Bernhard: Verzeichnis der Bibliothek der Friedrich-Wilhelms-Schule. *Eschwege (1897): A. Rossbach.* (108 S.) 8°
Eschwege, Friedrich-Wilhelms-S ⟨R u. PG⟩, P 1897 (390)

Pontani, Bernhard[Dr.]: Vergleichende Zusammenstellungen über die Schüler der ersten fünfzig Jahre des Bestehens der Anstalt. (Forts. d. Festschr. 1890.) Eschwege, Druck v. A. Rossbachs Buchdr., 1893; 3—19 S. 4.
Eschwege. Friedrich-Wilhelms-S (PG m. RPG bzw. R). OP 1893 (387)

Pontani, Jak., s. P. N. *Ovidii,* Tristium et epistolae Heroidum.

Pontanus, Frater, s.: Märchen u. Balladen.

Pontanus, I. Bapt., tractat. absolut. de spolio. 4. Colon. Schiep. 727.

Pontanus, I. Is., Vita Christiani III. Daniae et Norv. Regis per I. Hubner. 4. Hannov. Foerster. 729.

Pontanus, J. Js. Vita Friderici II., regis Daniae et Norwegiae, Ed. Geo. Krysing. (32, 78) 4. Flensburg 1735.

Pontanus, Ius., Dialogorum. Lib. II. 8. Augsburg, I. Wolf. 752.

— Progymnasmatum latinitatis. Vol. I. 8. ibid. 758.

Pontas, I., dictionarium casuum conscientiae etc. III Tmi. fol. Luxenb. 752.

— Dictionnaire, voy. Dictionnaire de Cas etc.

Ponte, Lorenzo da

Ponte, L. da, Azur, König von Ormus, s.: Mode's, G., Operntextbibliothek.

§ **PONTE,** Lor. da, von Ceneda (ein Freund u. Mitarbeiter W. A. Mozart's, geb. 1749), Denkwürdigkeiten. Aus d. Italien. übers. von Eduard Burckhardt. Gotha, W. Opetz, 1861. 8⁰. IV—348 S. (In München: Biogr. 915 fbd; auch in Marburg, Univbibl.)
Französ.: Mémoires de Lorenzo da Ponte, poëte Vénitien, collaborateur de Mozart, traduits de l'Italien par M. C. D. de la Chavanne. Paris., Pagnerre, 1860. 8⁰. XXVII—356 pp. (In München: Biogr. 915 fb.)

Ponte v. Ceneda, Lorenzo da, Denkwürdigkeiten. Aus dem Italien. übers. von Ed. Burckhardt. 2. (Titel-) Aufl. Gotha (861) 864. (Windaus' Verlag.) 8. (IV, 348 S.) 15 ngr.

— il dissoluto punito o sia il Don Giovanni. Dramma giocoso in 2 atti. Wortgetreuer Abdr. des ersten italien. Textbuches für Prag vom J. 1787 mit den für die Aufführung in Wien im J. 1788 getroff. Abänderungen. Leipzig 865. Breitkopf & Härtel. gr. 8. (56 S.) 10 ngr.

—— die Hochzeit des Figaro, s. Breitkopf und Härtel's Text-Bibliothek Nr. 18;

Ponte, Lorenzoda, die Hochzeit d. Figaro, s.: Mode's Opern-Text-Bibliothek.

Ponte, Lorenzo da, Figaro's Hochzeit, s.: Mozart, W. A.

Ponte, L. da, Figaro's Hochzeit, s.: Universal-Bibliothek.

— Don Juan, s.a. Breitkopf u. Härtel's Textbibliothek.

—— Don Juan, s. Mode's Opern-Text-Bibliothek.

Ponte, Lorenzo da, Don Juan, s.a. Mozart, W. A.

—— Don Juan. Oper in zwei Akten. Musik von W. A. Mozart. Text der Gesänge. 8. (31 S.) Berlin 858, Lassar's Buchh. *

Ponte, Abate Lorenzo da, Don Juan. Oper in 2 Acten. Musik von Mozart. Uebersetzung von C. H. Bitter. gr. 8. (VIII, 60 S.) Berlin 871, W. Müller. *

da Ponte v. Ceneda, Memoiren, s.a. : Ausland, das belletrist., 814—819. Bdchn.

— — Memoiren. (Von ihm selbst in New-York hrsg.) Aus d. Italien. 6 Bdchn. Stuttgart, Frankh., 1847. 12⁰. (4 Mk. Ed. Fischhaber, vor 1885.)
Orig.: Memorie di Lorenzo da Ponte di Ceneda, scritte da esso. Nuov-Yorca 1823—27. IV. 8⁰. — Ibid. 1829. III. 12⁰. Portr.

— — Dasselbe, titulo: Liebes-Abenteuer, Leben und Schicksale des Lorenzo da Ponte von Ceneda, eines Zeitgenossen des Jacob Casanova. 2. Ausgabe. Stuttgart, Eduard Fischhaber, o. J. (1867). 8⁰. 348 S. (1⅓ Rthl.) (4 Mk. Scheible, 1886.)

— so machen es Alle [Cosi fan tutte], s.: Breitkopf & Härtel's Textbibliothek.

— **Weibertreue od. so machen es Alle,** s.: Mode's Opern-Text-Bibliothek.

Ponte, Ludov. de, s.a. Ludovicus de Ponte.

Ponte, Ludw. da, christliche Betrachtungen. In einem bequemen Auszug auf alle Tage des Jahres wie auch auf die Feste der Heiligen, welche im Verlaufe des Jahres besonders verehrt werden, gebracht von Nikol. Frizon. Aus dem Französ. hrsg. von der Marian. Gesellschaft zur Verbreitung guter Schriften. 3 Bde. 12. (XXIV und 1457 S.) Innsbruck 859, (F. Rauch.) *

— **Betracht. d. vornehmst. Geheimnisse uns. Glaubens.** 4. Cölln. (Krüll in Ingolst.) 747.

Ponte, Ludw. de, Betrachtungen üb. d. vorzüglichsten Geheimnisse d. Glaubens. Neu übers. v. Frz. Dirnberger. 1. u. 2. Thl. gr. 8. Regensburg, Manz. [1. (24 B.) 839. 1 1/12 Thlr., 2. (16½ B.) 841. ⅔ Thlr.]
Vgl. Etzinger, A.

Ponte, Ludw. de, Betrachtungen über die vorzüglichsten Geheimnisse des Glaubens. In der neuen Uebersetzung begonnen von Frz. Dirnberger. Fortgesetzt von Mehrern. 3—6. (letzter) Thl. gr. 8. Regensburg, Manz. [3. (VIII und 547 S.) 848. 1 Thlr. 10 Ngr., 4. (VIII und 472 S.) 849. 1 Thlr. 5 Ngr., 5. (382 S.) 850. 27½ Ngr., 6. (VIII und 520 S.) 851. 1 Thlr. 15 Ngr.]
1. und 2. Thl. Ebendas. 1839—41. 1 Thlr. 17½ Ngr.

Ponte, Ludw. de, Betrachtungen über die vorzüglichsten Geheimnisse des Glaubens. Neu übers. von Frz. Dirnberger. 1. Thl. 2. Aufl. Regensburg 867. Manz. gr. 8. (XXXII, 350 S.) 27½ ngr.

Ponte, des ehrw. Ludw. de, Betrachtungen üb. d. öffentliche Leben Jesu. Ins Deutsche übers. v. Gfr. Hacker. (Ascetische Bibliothek.) 12. (XI, 680 S.) Freiburg i/B. 894. Herder. n. 3. 60; geb. in Leinw. n. 4. 60

Ponte, Ludw., Betrachtungen auf alle Tage d. g. J. 2 Thle. 4. Ingolstadt, Krüll. 758.

Ponte, Ludw. da, Betrachtungen üb. die Tugenden u. glorreichen Vorzüge der seligsten Jungfrau. Aus dem Franz. gr. 16. (312 S. m. 1 Stahlst.) Paderborn 875. Junfermann. n. — 80

Ponte, Ludw. de, der vollkommene Christ. Aus dem Lat. übers. v. e. Priester der Erzdiöcese Köln. Mit e. Anh. der gewöhnl. Gebete. I—IV. gr. 16. Regensburg 885. 86. Verlags-Anstalt. à 2. —

I. Das heil. Bußsakrament. (XII, 412 S.)
II. Das heil. Meßopfer. (XV, 411 S.)
III. Das allerheiligste Sakrament d. Altars. (XII, 404 S.)
IV. Das heil. Sakrament der Ehe. (XVI, 414 S.)

— Dux spiritualis. 8. Augsb. Wolf. (et Lentner, München.) 745.

—— der geistliche Führer, od. Unterr. üb. d. Gebet, die Betrachtung u. Beschauung, üb. d. Heimsuchungen Gottes u. d. außerordentl. Gnadenerweisungen, üb. d. Abtödtung u. d. heroischen Tugendübungen, die mit derselben verbunden sind. Uebers. v. Magnus Jocham. 4 Thle. 16. (150 B.) Sulzbach 841, v. Seidel'sche Bh.

— **Goldgrube göttl. Offenbar. u. himml. Legenden d. Heiligen, übers. v. Christell. Fol. Prag. 710.**

—— Leben des Balthasar Alvarez, Priesters der Gesellschaft Jesu. Aus dem Französ. übers. von Geo. Möller. gr. 8. (VIII und 359 S.) Münster 859, Aschendorff'sche Buchh.

—— und A. P. Ramirez, das wundersame Leben der ehrwürd. Jungfrau Marina v. Escobar, s. Sammlung der vorzüglichsten mystischen Schriften.

— s.: Lichtstrahlen aus den Schriften katholischer Mystiker.

— **meditationes. fol. Augsb. Wolf. 734.**

Ponte, Ludov. de, S. J., meditationes de praecipuis fidei nostrae mysteriis, de novo in lucem datae cura Augustini Lehmkuhl, S. J., s. a. Bibliotheca ascetica mystica.

Ponte, L. de, meditationes de praecipuis fidei nostrae mysteriis, s. a. Meditationes selectae.

Ponte, Ludov. de, Meditationes de praecipuis fidei nostrae mysteriis, vitae ac passionis D. n. Jesu Christi et B. V. Mariae, sanctorumque, et evangeliorum toto anno occurrentium, cum orationis mentalis circa eadem praxi. Hispanice editae et in VI partes divisae, interprete Melch. Trevinnio. De novo editae per J. Mart. Düx. Pars I. et II. 8. (VIII und 595 S.) Noerdlingae 856(57,) libr. Beck. [I. * 16 Ngr. II. * 13 Ngr.] *

—— Meditationes de praecipuis fidei nostrae mysteriis, vitae ac passionis D. n. Jesu Christi et B. V. Mariae, sanctorumque et evangeliorum toto anno occurrentium, cum orationis mentalis circa eadem praxi. Hispanice editae et in VI partes divisae interprete Melch. Trevinnio. De novo editae per J. Mart. Düx. Pars III — VI. 8. (1796 S.) Nördlingen 857, Beck'sche Buchh. [Pars III. * 25 Ngr., Pars IV. * 21 Ngr., Pars V. * 16 Ngr., Pars VI. * 25 Ngr.] *

Pars I und II. Ebendas. 1856. * 29 Ngr.

Ponte, L. de, meditationes de praecipuis fidei nostrae mysteriis, de hispanico in latinum translatae a M. Trevinnio, de novo editae cura Augustini Lehmkuhl. 6 partes. 12. Freiburg i/Br. 889. 890. Herder. n. 13. 60; geb. n. 18. 40

1. (XXIV, 370 S.) n. 2. —; geb. n. 2. 80. — 2. (XX, 266 S.) n. 1. 50; geb. n. 2. 30. — 3. (XXXV, 530 S.) n. 2. 80; geb. n. 3. 60. — 4. (XXXI, 464 S.) n. 2. 50; geb. n. 3. 30. 5. (XXV, 372 S.) n. 2. —; geb. n. 2. 80. — 6. (XXXV, 551 S.) n. 2. 80; geb. n. 3. 60.

— meditationes, in compendium redactae et magno meditationum numero de praecipuis sanctorum festis auctae a Nic. Frizon. Quas denuo edi voluit et praefatione commendavit celsissimus et reverendissimus dominus Episcopus et Princeps Simon Aichner. Pars I. II. 8. Brixen, Buchh. d. kath.-polit. Pressvereins. n. 7. 20

I. (IV, 496 S.) 892. n. 4. —. — II. (458 S.) 892. n. 3. 20.

— **de perfectione hominis Christ. IV Tmi. 4. Frft. 738.**

— Christiani hominis perspectiva. IV Tmi. fol. Nrnb. Weber. 737.

— praxis adjuvandi ad bene moriendum. 12. Ofen 760. Typogr. 2 gr.

Ponte, Ludw. de, das allerheiligste Sakrament des Altares. Aus dem Lat. übertr. unter Hinzufügg. e. Anzahl der gebräuchlichsten Gebete v. Schriever. gr. 16. (XII, 402 S.) Lingen 899. R. van Acken. n. 1. 40

— pretiosa sensa et coelestia lumina. 8. Wien 709. Gerold. 6 gr.

— pretiosa sensa, coelestia lumina, meditationes, monita et documenta. Latine reddidit P. Aurel. de Baenst. Ed. in Germania altera, emendata et pluribus appendicibus aucta. 16. (XXXII, 360 S.) Regensburg 873. Manz. n. 1. 70

— heill. **Wahrheiten, z. Erneuer. d. Geistes. 8. Mannheim. (Wolf in Augsb.) 749.**

—— der Weg zur Vollkommenheit für die höheren und höchsten Stände in der Gesellschaft. Hrsg. von Clemens Grafen zu Brandis. 8. (264 S.) Regensburg 860, Manz.

Ponte-Leon, A. J. H., v. Natur u. Wirk. d. Pracht. 8. Wien, Trattner. 778.

v. Pontecoulant, G., populäre Astronomie f. alle, welche ohne mathem. Vorkenntniß üb. die Einrichtung des Weltgebäudes theoretisch u. prakt. vollkommen belehrt sein wollen. Aus d. Französ. v. F. Nork. Mit e. Menge v. Abbild. 4 Thle. mit 6 Taf. Herausgeg. v. d. „Gesellsch. z. Verbreitung guter u. wohlf. Bücher." 16. Stuttgart 846, Scheible, Rieger und Sattler. (à 6 ngr) 24 ngr

Pontécoulant, G. v., Nachricht üb. den Kometen v. Halley u. seine Zurückkunft im J. 1835. Nach e. v. M. A. Bouvard berechneten Ephemeride. A. d. Franz. übers. v. Evander. gr. 12. (6 B. u. 1 Sternkarte.) Heidelberg 835, Groos.

Pontécoulant, G. v., analyt. Theorie d. Weltsystems. Aus d. Franz. v. J. G. Hartmann. 2 Bde. gr. 8. (17½ u. u. 16⅝ B.) Quedlinburg 834, Basse. à 1 Thlr. 16 Gr.

Pontel, J. H. G., historisch-geographischer Wegweiser durch das Gebiet merkwürdiger Oerter u. Begebenheiten, zunächst v. Leipzig, Merseburg, Lützen etc.; für Schule u. Haus bearb. 8. (IV u. 43 S.) Pegau 850. (Gera, Heinsius.) n. ⅙ Thlr

Ponten, Jos., Augenluft. Eine poet. Studie üb. das Erlebnis u. e. Totentanzalphabet. (182 S.) 8. Stuttgart 907. Deutsche Verlags-Anstalt. 2.50; geb. 3.50

Ponten, Jos., Jungfräulichkeit. Ein Roman. 1. u. 2. Aufl. (à 502 S.) 8. Stuttgart 906. Deutsche Verlags-Anstalt. n. 5. —; geb. n. 6. —

— Jungfräulichkeit. Ein Roman. 5. Aufl. (503 S.) 8. Ebd. 910. 5.—; geb. 6. —

— s.: Klassiker der Kunst. (Rethel, Alfr., d. Meisters Werke.

— Siebenquellen. Ein Landschaftsroman. 1.—3. Taus. (372 S.) 8. Stuttgart 909. Deutsche Verlags-Anstalt. 5.—; geb. 6.—

Pontet, Jak., († d. 18. Nov. 1802.) s. Grammatik, französ.

Ponthien, Adèle de, nouvelle historique en vers. 1792. V: *Vesque von Püttlingen, Johann.* (WBL 50/196) (BiblPort)

Ponticelli, P., Illustrazione di un bel musaico Pompejano. Gel. 1884. 20 S. 4°. —.90

Pontifex, M., sa Gedanken, sociale, e. Optimisten.

Pontifex, M., Sociale Gedanken eines Optimisten. gr. 8⁰. Berlin, R. Wrede, 1899.

M. Pontifex. Sociale Gedanken eines Optimisten. *Berlin: R. Wrede 1900.* (48 S.) 8° [Ant. u. F.]

Pontificale romanum, s.a. Ritus der Kirchweihe ...

Pontificale Romanum. 12. maj. Antverp. (Göbhard, Bamberg.) 707.

— id. 12. maj. Venetiis. (Göbhard, Bamberg.) 758.

— id. 8. maj. ibid. 766.

Pontificale Romanum Clementis VIII, ac Urbani VIII. jussu editum, inde vero a Benedicto XIV. recognitum et castigatum. Cum additionibus a sacra rituum congregatione adprobatis. III Partes. 12maj. (Mit schwarzem u. rothem Drucke u. vielen eingedruckten Abbild.) Mechliniae 845. (Moguntiae, Kirchheim, Schott et Thielmann.) n. 6 ℳ

Pontificale Romanum in tres partes distributum Clementis VIII. ac Urbani VIII. auctoritate recognitum nunc primum prolegomenis et commentariis illustratum, in quo varii manuscripti ritus pontificales non modo sparsim in ipsis commentariis sed et integri in appendicibus titulorum referuntur ac notis illustrantur. Auctore Jos. Catalano. Nova editio, recognita et novis commentariis et annotationibus locupletata. III tomi. gr. 4. (XXVIII u. 1801 S.) Parisiis 850—52. (Moguntiae, Kirchheim & Schott.) n. 21 1/3 ℳ

Pontificale romanum Clementis VIII. ac Urbani VIII. jussu editum et a Benedicto XIV. recognitum. Prolegomenis et commentariis illustratum auctore Joseph Catalano. Editio nova concinnata opera et studio Wolfgangi Mühlbauer. Fasc. I. 8. (VII, 207 S.) Augsburg 874. Kranzfelder. 3. —

— idem liber. Fasc. II et III. 8. (460 S.) Freiburg i/Br. 876. Herder. à n. 3. 50

Pontificale romanum summorum pontificum jussu editum, a Benedicto XIV. et Leone XIII. pont. max. recognitum et castigatum. Ed. I. post typicam. [Sine cantu.] gr. 8. (XII, 460 S. m. Abbildgn.) Regensburg 891. F. Pustet. n. 4. 80; geb. in Halbchagrin n.n. 6. 80; in Ldr. m. Goldschn. n.n. 7. 80; in Chagrin m. Goldschn. n.n. 8. 80

Pontificale romanum summorum pontificum jussu ed. a Benedicto XIV. et Leone XIII. pont. max. recognitum et castigatum. Ed. II post typicam. (In Rot- u. Schwarzdr.) (XII, 628 u. IV, 24 S. m. Abbildgn. u. 1 Farbdr.) gr. 8. Regensburg 908. F. Pustet. 8.—; geb. von 10.50 bis 31.—

Pontificalis Romani Clementis VIII. ac Urbani VIII. jussu editi et a Benedicto XIV. recogniti et castigati ritus seu ordines frequentius usitati ad majorem episcoporum dioecesim praesertim visitantium commoditatem in parva volumina apte digesti. 2 Voll. Regensburg 869,70. Pustet. Fol. (25 S. u. IV, 36 S.) 2 ℳ

Pontificum romanorum, qui fuerunt inde ab exeunte saeculo IX. usque ad finem saeculi XIII., vitae ab aequalibus conscriptae, quas ex archivi pontificii, bibliothecae vaticanae aliarumque codicibus, adjectis suis cuique et annalibus et documentis gravioribus edidit I. M. Watterich. Tomus I. et II. Lex.-8. (CXVIII und 1501 S.) Leipzig 862, Engelmann. à Tom. * 4 Thlr. *

Pontifikal, das röm., a. d. Lat. mit archäolog. Einleitn. u. liturg. Bemerkn. v. Mark. Adam Nickel. 3 Thle. gr. 8. (27 1/2, 23 u. 24 B.) Mainz 836—38, Kirchheim, Schott u. Thielmann. à 1 1/6 Thlr.

Pontifikal, das römische. Aus dem Latein. mit archäolog. Einleitungen u. liturg. Bemerkungen v. Mark. Adam Nickel. 3 Thle. 2. (Titel-)Aufl. gr. 8. (1: XX u. 420 S. 2: VI u. 360 S. 3: VIII u. 375 S.) Mainz (836—38) 851, Kirchheim & Schott. In Engl. Einb. 3 ℳ

Pontificatsbilder. Pontifikats-B'. Festgabe der «Schweizerischen Kirchenzeitung» zum Papstjubiläum Leos XIII. Ein Wort an gebildete Christen. [Illustriert.] (Separatausgabe [der] Festnummer der «Schw' K'» «Zum Papstj'», Nr. 9 und 10 vom 1. März 1903.) IV + 84 S. 8. Luzern, Räber & Cie., 1903. [fr. 1.—]
(Broschüren-Sammlung der «Schweizerischen Kirchenzeitung»... Nr. 1.)

Pontifikats-Bilder. Festgabe der „Schweizer. Kirchenzeitg.“ zum Papstjubiläum Leos XIII., s.: Broschüren-Sammlung der „Schweizerischen Kirchenzeitung“. Nr. 1.

Pontig G, photographische Schwierigkeiten und die Kunst, sie zu überwinden. Augenblickl. Lichtbilder u d. Kunst, sie zu erlangen. Deutsch v. P Grimm. Weimar 1863

Pontigiuliamo, oder über Dicht- u. Schauspielkunst ält. u. neuerer Zeit, über Shakespeare u. Sophocles, über Lessing rc. 8. Frkf. a. M. 802. (Joachim in Leipz.) 6 Gr

Pontigiuliamo, od. üb. Dicht- und Schauspielkunst ält. und neuerer Zeit, üb. Shakespeare und Sophokles üb. Lessing rc. 8. Frankf. Korner. 802.

Pontikes, J[oannes] Dem[etrius], Joanninensis: De singulari spasmorum infantium forma, quae vulgo eclampsis dicitur. Tur. typ. Schulthess. 1835. 2 Bl., I–IV, 5–28 S. 8⁰
Zürich, Med. Diss. v. 5. Sept. 1835

Pontin, Magnus v., Bemerkungen üb. Natur, Kunst u. Wissenschaft, auf e. Reise üb. Berlin u. den Harz nach Hamburg zu d. Versammlung d. Naturforscher u. Aerzte im J. 1830, nebst d. Rückreise üb. Copenhagen. A. d. Schwed. übers. v. G. Ericson. gr. 8. (18 B.) Hamburg 832, Meissner.

Pontin, Nikolaus (Ostgote, Schweden), Disput. Histor.-polit., In qua praesumpta mutatio status Germanici post fata Carolingorum examinatur et refutatur. Präs. Nikolai Grubb. Greifswald (D. B. Starck) Juli 1710. 30 S. (4.50) 27026
Gew.: Haquin Spegel.

Ponting, Cadby, photographische Schwierigkeiten und die Kunst, sie zu überwinden. Augenblickliche Lichtbilder und die Kunst, sie zu erlangen. Mit einem alphabet. geordneten Sachregister und einem Anh. über Photo-Zinkographie. In's Deutsche übertragen von Paul Grimm. gr. 8. (IV und 84 S.) Weimar 863, Voigt.

Pontinus, Johann (Österreich), Viro natalium titulique splendore et muneris gravitate summe venerabili Gottfried Benjamin Schael natalem quinquagesimum gratulabatur. Hanau (Ph. C. Muller) 21. IX. 1747. (—.—) 27027

Mitgelitten und Mitgestritten! Erlebnisse e. deutschen Mitkämpfers im Burenkriege. Von Max Pontinus. *Leipzig: H. Seemann Nachf. 1901.* (108 S.) 8° [F.] (01. 6320

Pontis, Der Graf von, oder der von seinem Sohn ermordete Vater. Augsb. 1772. V: *Korn, Christoph Heinrich.* (Ky) (ML)

v. Pontis, der Graf: od. der von seinem Sohne ermordete Vater, e. rührende Erzählung. 8. Augsb. 772. v. Jenisch u. St. 4 gl

Pontis, d. Graf v., od. d. v. seinem Sohne ermordete Vater, 8. Augsb. Stage. 772.

Die Freimaurerherrschaft in Frankreich. Von R. Pontis. Ravensburg: Alber [1907]. 160 S. 8°
(Für Geist u. Herz. 5.)
Will Wesen, Zweck, Moral der Frmrei u. deren Kampf gegen die Kirche darstellen. 358.

Pontis, R., die Freimaurerherrschaft in Frankreich. (V, 160 S.) kl. 8. Ravensburg (909). F. Alber. —75

Pontius, Hadrianus. Historia libri rarioris: Venerabilis Agnetis Blannbeckin vita et revelationes. Francof. et Lipsiae 1735. H: *Hirsch, Carl Chn.* (will)

Pontius Pilatus. Oder die Bibel im Kleinen und der Mensch im Grossen. [Zürich 1782—85.] V: *Lavater, Johann Caspar.* (AarK)

Pontius Pilatus. Zur Beleuchtung d. Cölner Angelegenheiten. gr. 8. (7½ B.) Regensburg 838, Manz.

—— dass. II. Ein Nachtr. zu seinem Vorgänger. Gleichfalls z. Beleuchtung d. Cölner Angelegenheiten. gr. 8. (4 B.) Ebds. 838.

. Discours pour les très respectables frères de la Loge d'Absalon addressé au très cher & très vénérable frère [Gottfr. Jak.] J[a]énisch par le plus humble de tous les membres de la Loge, La Candeur, devenue loge allemande, à Hambourg [d. i. Ludw. Phil. Thom. de la Garde de Pontkal]. o. O. [1773]. 2 Bl. 2° [Kopftit.]
Kl. 923. Üb. das Glück und den Wert der frmrischen Arbeit u. der Torheit derer, die sie bekämpfen. 193.

Pontlevoy, A. de, *S. J.* Krankheit und Tod des hochwürdigen Pater Fr. Xav. v. Ravignan aus der Gesellschaft Jesu. *Wien* 1858. Druck v. *Ludw. Mayer.* 32 S. 8°. 20 kr.
Gest. 26. Febr. 1858.

v. Pontmartin, Graf Armand, Denkwürdigkeiten eines Notars, s.a.: Bibliothek, Europäische, 338—340. Bd.

Pontmartin, Armand de, les deux Erostrates. 4 Vols. (Suivi de: Scènes et recits des Alpes. Par Emile Souvestre.) 16. (640 S.) Paris 856. (Leipzig, Gerhard.)

Pontmartin, Armand de, les deux Erostrates. 4 vols. Leipzig 857. Gerhard. 16. (160; 160; 160; 95 S. und: Scènes et recits des Alpes. L'hospice de Selisberg par Em. Souvestre. S. 97—160.) 1 ℛ. 10 ngr.

Pontolino, der furchtbare Räuberhauptmann, oder die Schrecknisse der Teufelsgrotte. 2 Thle. 8. Quedlinburg, Basse. 817.

Pontolino, der furchtbare Räuberhauptmann od. die Schrecknisse der Teufelsgrotte. 2 Thle. 2e verb. Aufl. 8. Quedlinb. 823, Basse.

Pontolino, der furchtbare Räuberhauptmann; od. d. Schrecknisse d. Teufelsgrotte. 2 Bde. 3. Aufl. 8. (23½ B.) Quedlinburg 839, Basse.

Pontonfahrt. Die Pontonfahrt Thun-Aarau, ausgeführt vom Wasserfahr-Verein Aarau am 15. u. 16. Juni 1902. Spezial-Bericht der «Aargauer Nachrichten.» 32 S. 8. ([Aarau,] Buchdr. der Aargauer Nachrichten, [1902].)

Pontonierfahrverein

Pontonnierfahrverein. Dem P' Zürich zu seiner 25jähr. Gründungsfeier ... s. (Z[uppinger], F[ritz]).

Pontonnierfahrverein, Dem, Zürich tu seiner 25jährigen Gründungsfeier, 3. September 1905. Zürich 1906. V: ***Zuppinger, Fritz.*** (BBullschw 7, S. 279)

Pontonier-Reglement

Preußisches Pontonir-, Mineur- u. Sappeur-Exercir- u. Dienst-Reglement. Berlin 1865—1867.

Pontonir-Reglement. Berlin 1874—1892.

Pontonnier-Reglement. In 8 Abschnitten. (Mit 43 Taf.) (Manuscript.) (2 Bde.) Fol. (1805!)

Pontonir-Reglement. 16. (XVI, 216 S. m. 59 Abbildgn.) Berlin 892. A. Bath. Kart. n. 1. 40; geb. n. 1. 65

Pontonier-Reglement. (P. R.) 12. (X, 154 S. m. Fig.) München 896. (Th. Ackermann. — Literarisch-artist. Anstalt.) Kart. n. 2. 25

Pontonnier-Reglement für die Genie-Truppen der schweizerischen Armee. (Genehmigt vom schweizerischen Bundesrathe den 26. December 1864.) (Mit 23 Taf.) Hiezu Atlas unter dem Titel: Das Kriegs-Brücken-Material. (Genehmigt vom hohen Bundesrathe den 28. November 1872.) (1 Bd. Text in 8. u. 1 Bd. Atlas mit 9 Taf. in Fol.) Bern 1865.

— — 1. Abschn. Detail-Ausbildung der Mannschaft zur Handhabung des Brücken-Materials. Mit 22 Holzschn. 4. Abschn. Der Brückenbau im Felde. 1. Th. Der Brückenbau im Felde mit dem Pontontrain. 2. Th. Der Brückenbau im Felde mit dem leichten Feldbrücken-Train. 5. Abschn. Der Brücken-Dienst. Mit 20 Holzschnitten. 12. Berlin 1870.

Pontonnier-Reglement für das Ingenieur-Corps der königl. hannov. Armee. 12. (XV und 270 S. mit eingedr. Holzschn. und 8 Stnt. in qu. gr. Fol.) Hannover 861, Helwing'sche Hofbuchh. *

Pontonir-Exercir- und Dienst-Reglement, königlich preußisches. 3 Abschnitte. 12. (XVIII und 228 S.) Berlin 865, Bath. [1. Abschn. * 5 Ngr., 2. und 3. Abschn. * 10 Ngr.] cart. *

Pontonir-Exercir- und Dienst-Reglement, königl. preußisches. 1., 4. und 5. Abschnitt. 12. Berlin 870, Bath. [1. Abschn. (VIII, 79 S. mit 22 eingedr. Holzschn.) * 50 Pf.; 4. und 5. Abschn. (XXI, 100 S. mit 20 eingedr. Holzschn.) * ℳ 1.] cart. *

Pontonir-Reglement, königl. preußisches. Mit 62 in den Text gedr. Holzschn. 16. (XVI, 245 S.) Berlin 874. Bath. 1. 50

Pontonir-Reglement, königl. preußisches. Neuabdruck unter Berücksicht. der bis zum 1. Mai 1881 ergangenen Abänderungen. 16. (XVI, 268 S. mit 62 in den Text gedr. Holzschn.) Berlin 881, Bath. cart.

Pontonier-Vorschrift (-Reglement). T. 1. 2. Entw. München 1879. 1880.
— — 1883: Vorschrift u. 1 Auszug.
— — 1894—1906: Vorschrift mit 1 Entw.

Pontonir-Vorschrift. (P. V.) Entwurf. 12. (III, 149 S. m. Abb.) Berlin 902. E. S. Mittler & Sohn. n. 1. —; geb. n. 1. 40

Pontonier-Vorschrift, (Pt. V.) (vom 17. V. 1910). (D. V. E. Nr. 202.) (IX, 214 S. m. 56 Fig.) kl. 8. Berlin 910. E. S. Mittler & Sohn. 1.25; kart. 1.50

Pontonir ..., s. Pontonier...

Pontonnier ..., s. Pontonier...

Pontoppidan, C.: Beschreibung von Finnmarken. (Aus: Finmarkske Magazins Samlinger. Kjobenhaven 1790.)
in: Neue Beiträge zur Völker- und Länderkunde. Th. 13. S. 259–272. Leipzig 1793. 8°.

Pontoppidan, D., Reise tyl Sydamerica. 8. Kjøbenhavn 841, Reitzel, Universitetsbogh. n. 1 1/8 ₰

Pontoppidan, Erich

— Abhandl. v. d. Neuigkeiten der Welt, a. d. Dän. v. Mengel. 8. Kopenh. Proft. (Gräff in Leipzig.) 758.

— Abhandl. v. d. Neuigkeiten d. Welt; aus d. Dän. v. Chr. G. Mengel. 8. Kopenh. 758. Proft. (Wienbrack in Leipz.) 9 ℊ

Erich Pontoppidanus: Abhandlung von den Schicksalen der dänischen Sprache und ihrem sowohl ehemaligen als itzigen Zustande in dem südlichen Cimbrien oder dem Herzogthume Schleswig. Hamburg. (1754.) 8° Ausschnitt aus: Hamburgisches Magazin. Bd. 13.

— schrift- u. vernunftmäß. Abhandl. 1) von d. Unsterblichkeit d. menschl. Seele; 2) von deren Befinden im Tode; 3) von dem Zustande gleich nach d. Tode. gr. 8. Kopenh. 766. (Brummer). 12 ℊ

— Abhandl. v. d. Unsterblichk. d. menschl. Seele. gr. 8. Kopenh. Proft. 766.

Annales Ecclesiae Danicae diplomatici Oder nach Ordnung der Jahre abgefasste und mit Urkunden belegte Kirchen-Historie des Reichs Dännemarck zusammen getragen v. Erich **Pontoppidan.** Th. 3. Kopenhagen. 1747: Th. 4. Bd. 1. ebd. [1751.] 4° k.
Nicht mehr erschienen: Th. 1—2 siehe S. 346.

Pontoppidan, Erich, annales eccles. Danicae. 4. Coph. Pelt. 766.

Anweisung zum [!] Erkentniß der Wahrheit zur Gottseligkeit in einer deutlichen, kurtzen, doch zulänglichen Erklärung über des seligen D. Martin Luthers Kleinen Katechismum . . . aus dem Dänischen ins Deutsche übersetzet u. . . . hrgg. [Verf.: Erik **Pontoppidan.**] 11. Aufl. Altona. 1756. 8°

— Dänischer Atlas, oder Beschreib. v. Dänemark; aus d. Dän. v. J. G. Scheibe. 2 Thle. gr. 8. Kopenh. 765—67. (Brummer). 6 ₰

— dänischer Atlas od. Beschr. v. Dänemark, a. d. Dän. v. Scheibe. 2 Thle. gr. 8. Kopenh. Proft. 765 - 67.

Pontoppidan, Erich, Dr. Dänischer Atlas, oder Beschreibung des Königreichs Dänemark, nach seiner politischen und physikalischen Beschaffenheit. Aus dem Dänischen übersetzt etc. von Johann Adolph Scheiben. (2 Bde.)
4. Kopenhagen und Hamburg 1766–1767.

Pontoppidan, (Erich), Bedenken über die natürl. Ursache d. vielen u. starken Erdbeben; aus d. Dänisch. v. Chr. G. Mengel. 8. Kopenh. 757. (Wienbrack in Leipz.) 2 ℊ

* **ERÖRTERUNG,** Neue, der alten Frage: Ob Tantzen Sünde sey? in einer freundlichen Unterredung zwischen Eusebio und Philocomo. Aus der Dän. Sprache (des *Erich Pontoppidan*) übers. Im Jahr 1740. O. O. Kl. 8°. 3 Bog. (In Berlin: Db 6269.) (30 xr. Alfr. Coppenrath, Regensb., vor 1870; jetzt höher!) Rar!
Anon.-Lex. II. p. 55 (nach Bruun, Bibl. Danica I, 292; Collin, Anonymer. Kiobenh. 1869).

— gesta Danorum extra Daniam. III Tmi. 8. maj. Coph. Pelt. 740.

— heller Glaubensspiegel; (aus d. Dän.) 8. Frkf. u. Lpz. 768. (Pelt in Kopenh.) 12 ℊ

— Hirtenbriefe; aus d. Dän. 8. Rostock 755. Bödner. 5 ℊ

— Kirchenhist. Dänem. 3 Thle. 4. Frankf. Pelt. 741 - 47.

— Kraft d. Wahrheit, d. atheist. u. naturalist. Ungläubigen zu besiegen; aus d. Dän. v. Chr. G. Mengel. 8. Kopenh. 763. Pelt. 12 ℊ

Marmora Danica selectiora sive inscriptionum, quotquot fatorum injuriis per Daniam supersunt, vel aevo, vel elegantia, vel rei momento prae reliquis excellentium fasciculus, in duos tomos distinctus . . . colligente & adornante Erico **Pontoppidano.** T. 1. 2. Hafniae, 1739—41. Fol

Pontoppidan, E., Menoza, s. a. Menoza.

[Carstens, Nik.] — **Pontoppidan,** (Erik). Menoza, Ein Asiatischer Printz, welcher die Welt umher gezogen Christen zu suchen, Besonders in Indien, Hispanien, Italien, Franckreich, Engelland, Holland, Teutschland und Dännemarck, Aber des Gesuchten wenig gefunden. Aus dem Dänischen übersetzt. Tom. I[—III in 1 Bde.] O. O. [Frankfurt a. M.] 1750. 8°. 944 S. Benutzter HPgtbd. d. Z.

Erstausgabe; alles, was von dieser Übersetzung erschien. Dieser — von Holbergs kurz zuvor erschienenem Nikolaus Klim wohl etwas beeinflußte — Roman gibt in Form einer Reisebeschreibung eine ziemlich scharfe Kritik der kirchlichen und religiösen Zustände in den europäischen Ländern. Von Carstens' Übersetzung erschienen nur diese 3 Bände; eine deutsche Fortsetzung des Romans lieferte 1761/62 Johann Andreas Kayser mit weiteren 3 Bdn.; vgl. FdF. 1831a. Namen und einige Motive entlehnte später J. M. Lenz für seine Komödie „Der neue Menoza".

Erich **Pontoppidans** Kurzgefasste Nachrichten, die Naturhistorie in Dännemark betreffend. Aus dem Dänischen übersetzt. Mit Kupfern (Taf. 1 u. 2 fehlen). Kopenhagen und Hamburg. 1765. 4° k. Bei desselben: Theatrum Daniae. Bremen. 1730. 4° k.

— Nachr. über Naturhistorie in Dänemark. Mit Kpf. gr. 4. Kopenh. 765. (Brummer; a. Bonnier). 1 ₰ 6 ℊ

— Nachr. üb. Naturhist. in Dänem. gr. 4. Kopenh. Proft. 765.

— Norwegische Neuigkeiten. 8. Basel, Thurneysen. 786.

Kurtzgefaste Reformations-Historie der dänischen Kirche. Aus bewährten Urkunden . . . von Erico **Pontoppidano.** — Lübeck: J. Schmidt 1734. 408 S. 8°

— Schaubühne des alten u. jetz. Dänemarks, m. K. 4. Bremen, Cramer. 30.

Theatrum Daniae veteris et modernae. Oder: Schau-Bühne des alten und jetzigen Dännemarcks, enthaltend I. Eine ausführliche Chorographische, Antiquarische, Historische und Physicalische Beschreibung dieses uhralten Königreichs, und des demselben angehörigen Fürstenthums Schleswig. II. Eine Politische Beschreibung besagten Königreichs . . . und endlich ein Compendium der Dänischen Historie nach Chronologischer Ordnung bis aufs Jahr 1727. mit nöhtigen Kupfer-Stichen und Carten versehen. Von Erico **Pontoppidano,** Aarhusio-Cimbro. Bremen. 1730. 4° k.

— Vers. e. naturl. Hist. v. Norwegen. 2 Thle. m. K. 8. Kopenh. Korte. 753.

— Versuch e. natürl. Historie v. Norwegen. 2 Thle. Mit Kpf. 8. Kopenh. 753, 54. 1 ₰ 16 ℊ

Pontoppidan, Erich. Versuch einer natürlichen Historie von Norwegen . . . A. d. Dän. . . . Flensb. u. Leipz. 1769. H: *Mumme, Franz Christian.* (Bruun, Bibl. Danica III, 861.) »1754—69« (BrMm)

Pontoppidan, Henrik, der Eisbär. Eine Liebesgeschichte, s. a. Kürschner's, Jos., Bücherschatz.

Der Eisbär. Ein Porträt. Eine Liebesgeschichte. Von Henrik **Pontoppidan.** (Kopenhagen.) Mit Ill. von A. Hug. *Berlin, Eisenach, Leipzig: H. Hillger [1903].* (110 S.) 8° [J.]
= Bücherschatz. Kürschner's. No 338. [04. 563

— die Sandinger Gemeinde. Novelle. Autoris. Uebersetzg aus dem Dän. v. Mathilde Mann. (168 S.) 8. Berlin 905. Hüpeden & Merzyn. n. 2. 50; geb. n. 3. 50

— Hans im Glück. Ein Roman. Aus dem Dän. übertr. v. Mathilde Mann. 2 Bde. (Je 482 S.) 8. Leipzig 906. Insel-Verlag. n. 8. —; geb. in Leinw. n. 10. —

Pontoppidan, Henrik, aus ländlichen Hütten. Dorfbilder. Autoris. Uebersetzg. aus d. Dän. gr. 8. (III, 62 S.) Berlin 896. Buchhdlg. d. Vorwärts. 1. —; geb. n. 1. 50. Erm. Pr. n. — 50; geb. — 80

Pontoppidan, H., ein Kirchenraub, s.: Engelhorn's allgemeine Romanbibliothek.

Pontoppidan, Henrik, das gelobte Land. Roman. Berechtigte (Übersetzg. v. Mathilde Mann). (589 S.) 8. Jena 908. E. Diederichs. 6.—; geb. 7.50

— junge Liebe. — Eine Liebesgeschichte, s.: Bibliothek der fremden Zungen.

— junge Liebe, s.a. Engelhorn's allgemeine Romanbibliothek.

Pontoppidan, Henrik, junge Liebe u. andere Novellen v. Juan Valera, Sándor Bródy. 8. (162 S.) Stuttgart 893. Deutsche Verlags-Anstalt. n. 1. —; geb. n. 1. 50

— Nachtwache. Erzählg. Einzig berecht. Uebersetzg. v. Emmy Drachmann. 8. (192 S.) Dresden-Blasewitz 896. H. Minden. n. 2. —

— Novellen, s.: Barrera, Pedro Maria, soll ich heirathen?

— **Reisebilder aus Dänemark.** gr. 8. (IV, 107 S. m. 19 Abbildgn.) Kopenhagen 890. Höst & Sön. n. 2. —

Rotkäppchen [Lille Rødhætte]. Von Henrik **Pontoppidan.** Autor. Übers. von Mathilde Mann. *Breslau: S. Schottlaender 1901.* (215 S.) 8° [J.] [04. 395

(B) — Rotkäppchen. 901. (KBL 34.) Ladenpr. aufgehoben.

— Der Teufel am Herd. 5 Erzählgn. (400 S.) 8. Jena 910. E. Diederichs. 5.—; geb. 6.20

Pontoppidan, I. L. C., fulminum synagogicor. in sectum Schabtai Zewi trias. 8. Lips., Heinsius. 766. Rtblr.

Pontoppidan, Morten, Briefe üb. Christus. Ein Wort an junge Männer. Berechtigte Uebersetzung aus dem Dän. v. Hulda Prehn. (119 S.) 8. Basel 906. E. Finckh. n. 1. 60; geb. n. 2. 40

Pontoppidan, Morten. Entretiens sur le Christ. Lettres à mon filleul. Traduit du danois par Rik [= Mme Rose-Isabelle Junod, Neuchâtel]. 189 p. 8. Bâle, Ernest Finckh..., [1906]. [fr. 2. —]
Ed. A: Bâle ...; Neuchâtel, Delachaux & Niestlé Soc. anonyme, [1906].
Ed. B: Bâle ...; Paris, Fischbacher, [1906].

Pontoppidan, Morten, Elise Hoskier, s. a. Frauenbilder.

Elise Hoskier. Ein christl. Frauencharakter. Von Morten **Pontoppidan.** Aus d. Dän. übers. von Joh. Gustav Haas. Mit 2 Bild. Freiburg i. Br.: Herder (1910). VIII, 180 S. 8°
(Frauenbilder. [2.]) A 12. 58

— Kraft u. Freude. Berecht. Übersetzg. aus dem Dän. v. Hulda Prehn. 1.—3. Taus. (139 S.) 8. Basel 910. E. Finckh. 1.80; geb. 2.80

Pontoppidan, Morten. Niemals verzagen. Ein Wort der Aufmunterung für Sonn- und Wochentage. Berechtigte Übersetzung aus dem Dänischen von Hulda Prehn. [Mit Vignetten.] IV + 189 S. 8. Basel, Ernst Finckh, 1906. [fr. 2. 25, geb. 3. 50]

— Niemals verzagen. Ein Wort der Aufmunterg. f. Sonn- u. Wochentage. Berechtigte Übersetzg. aus dem Dän. v. Hulda Prehn. 2. Aufl. (3.—5. Taus.) (188 S.) 8. Ebd. 907. 1.80; geb. 2.80

Pontoppidan, Morten. Tapfer und Fröhlich. Berechtigte Übersetzung aus dem Dänischen von Hulda Prehn. Mit Buchschmuck von A[lbin] Schweri. IV + 193 S. 8. Basel, Ernst Finckh, [1907]. [fr. 2.50, geb. 3.50]

Pontresina. Luftkurort & Touristen-Station P', Ober-Engadin, Schweiz. 1803m ü. M. [Illustrierter Prospekt, mit 1 Karte.] II + 16 S. 8. Samaden, S. Tanner, (1902).

Pontresina. Luftkurort und Touristen-Station, 1803 Meter über Meer, Ober-Engadin .... [Mit Illustrationen und 1 Karte.] II + 20 S. 8. Samaden, Engadin Press Co. ..., (1904).

Pontresina. Sommer- und Winter-Luftkurort. Touristenstation und Sportplatz, 1803 Meter über Meer, Oberengadin — Schweiz. [Illustrierter Prospekt, mit 1 Karte.] II + 32 S. 8. Samaden, Engadin Press Co., [1909].

Ritter Pontus. Eine fürtreffliche lustige u. nutzliche Hystory vom Manhaftigen Ritter vnd von der schönen Sidonia etc. Mit vielen Holzschnitten. Gedruckt in diesem Jahr (c. 1750). 8°. (6 Mk. Fidelis Butsch, Augsb., 1877; jetzt theurer!)
Die Holzschnitte gehören dem 16. Jahrhundert an.

Pontus Euxinus seu Mare nigrum et Tartaria Minor — Tabula Geographica qua Pars Russiae Magnae — etc. exhibentur a Joh. Bapt. Homanno. Norimbergae. 1 : 3,200,000. 1 Bl.

Pontus Euxinus, Karte des. Beilage zu Thomas: Der Periplus des Pontus Euxinus. Denkschriften der K. B. Akad. d. Wiss. I. Cl. X. B. I. Abh. [München 1866.] 2?

Pontus und Sidonia. Eine fürtreffliche, lustige u. nützliche Historie. Von dem edeln, ehrenreichen u. mannhaften Ritter Pontus, des Königs Sohn aus Gallizien, u. der schönen Sidonia, Königin von Britannien. Frankf., o. J. (1864). 8°. (1 Mk. Jul. Neumann, Magdeb., 1908.)

Pontus-Expedition, die, s. Conversations-Hefte, illustrirte.

Pontusländer, die, s. Depeschen, illustrirte.

Pontzen, Alfr., der Ausflug des Aachener Gewerbe-Vereins in den Tagen vom 25. VII. bis 3. VIII. 1900 zur Weltausstellung nach Paris. gr. 8. (25 S.) Aachen 900. (A. Jacobi & Co.) n —50

Pontzen, Alfred

— von der Nordsee bis zum Mittelmeer. Eine Ferienreise auf dem Rade. Zugleich prakt. Reisehandbuch f. Radfahrer. 8. (XVI, 288 S.) Leipzig 899. [F. Fleischer, Verl.] Berlin, Berlin. Verlagsanstalt. n. 2. —; geb. in Leinw. n. 2. 80

Pontzen, Alfr., von der Nordsee bis zum Mittelmeer. Eine Ferienreise auf dem Rade. 3. [Titel-]Aufl. (XVI, 288 S.) kl. 8. Düsseldorf [899] (909). W. Deiters. Geb. in Leinw. 2.80

Pontzen, Ernest, üb. hölzerne Brücken unter besond. Hinweise auf amerikanische Gerüst-Brücken [Trestle-Bridges.] Mit 1 lith. Taf. (in qu. gr. Fol.) [Aus: „Zeitschr. d. österr. Ingen.- u. Archit. Vereines."] gr. 8. (25 S.) Wien 876. Lehmann & Wentzel. n. 1. 60

Pontzen, E., das Eisenbahnwesen in den Vereinigten Staaten von Amerika, s. a. Bericht über die Weltausstellung in Philadelphia 1876.

Pontzen, E: Das Eisenbahnwesen in den Vereinigten Staaten von Amerika. (Bericht über die Weltausstellung in Philadelphia 1876) Wien 1877

— Schnee-Schutzvorkehrungen auf amerikanischen u. europäischen Eisenbahnen, sowie deren Nutzanwendg. auf die projectirte Arlberg-Bahn. Im oesterr. Ingenieur- u. Architekten-Vereine am 18. April 1874 gehaltener Vortrag. [Aus: „Zeitschrift d. oesterr. Ingenieur- u. Architekten-Vereins."] gr. 8. (21 S. m. 3 Steintaf. in qu. Fol.) Wien 874. v. Waldheim. n. 1. 50

— der Varrugas-Viaduct m. einigen anderen Viaducten verglichen. [Aus: „Zeitschr. d. österr. Ingen- u. Archit.-Ver."] gr. 8. (28 S. m. 4 Tab. u. 1 Holzschntaf. in qu. gr. Fol.) Wien 875. Lehmann & Wentzel. n. 1. 60

— über die Verbindung zweier, durch e. Gebirgszug getrennten Eisenbahnen. [Aus: „Zeitschr. d. österr. Ingenieur- u. Architecten-Ver."] Imp.-4. (24 S.) Wien 870. v. Waldheim. n. 2. —

—— Vorschläge zur Förderung des Eisenbahnbaues. 4. Ebendas. 871. *
Vorstehende drei Schriften sind aus: Zeitschrift des österreichischen Ingenieur- und Architekten-Vereins, besonders abgedruckt.

Ponty, Diss. de hemicrania. Hal. 4°. 1738

Ponz, s. Puente.

v. Ponzelin, J., Grundsätze üb. Hervorbringung vollständigerer Verbrennung d. Heitzmaterials durch verbesserte Konstruktion der Zimmer-Koch-Oefen u. Kochheerde, u. mittelst Anwendung erhitzter Luft- und Wasserdampf, dann Erzielung größerer Wärme-Ausströmung ꝛc., mit einem Zeugnisse über die erprobte Holzersparung im Gebrauche dieser Oefen. (Mit 7 lith. Taf. Zeichn.) 4. Landshut 841, Attenkofer. (Thomann.) n. 5/8 ₰

v. Ponzelin, (J.), zur Theorie der Kamine u. Beschreibung üb. die Anlage von engen Kaminen aus gebrannten Thonröhren zur größeren Holzersparung u. Feuersicherheit. 2. Aufl. (24 S. m. 4 lith. Taf. in Fol.) Landshut 847, Thomann. 3/8 ₰

Ponzi, J., kurzes Lebensbild des ehrwürd. Diener Gottes Nunzio Sulprizio, e. jungen Handwerkers zu Pesco Sansonesco, e. Dörfchen im Neapolitanischen. Nach d. Ital. bearb. v. e. Mitgliede der marian. Congregation. 12. (32 S. m. Titelbild.) Brixen 896. Buchh. des kath.-polit. Preßvereins. n.n. — 30

Poock, Daniel, theoret.-prakt. Anweisung zur Erziehung, Behandlung u. Benutzung der Privatforsten. gr. 8. (22 B., 2 Stnt. u. 21 Tab.) Dortmund 842. (Mülheim, Rieten.) *

Pool, David de Sola s.a.
Sola Pool. Ing. 13416

Pool, David de Sola, the old Jewish-Aramaic prayer The Kaddish. (XIII, 121 S.) gr. 8. Leipzig 909. R. Haupt. 8.—

Pool, David de Sola: The Kaddish. Leipzig 1909: Drugulin. XIII, 119 S. 8° ¶ (Ersch. auch als Buch b. Haupt, Leipzig, u. d. T.: The old Jewish-Aramaic prayer The Kaddish.)
Heidelberg, Phil. Diss. v. 16. Sept. 1909, Ref. Bezold
[Geb. 16. Mai 85 London; Wohnort: New York; Staatsangeh.: Großbritannien; Vorbildung: University Coll. London B. A. 05; Studium: London University Coll. 6, Berlin 3, Heidelberg 1 S.; Rig. 31. Juli 07.] [U 10. 2158

Pool, Ger. Jac., Chrestomathia Celsiana, s. Chrestomathia.

Pool, J[acobus] F[rédéric] A[médée]. Vergleichend-pharmakochemische Untersuchung der Rinden von Rhamnus-Frangula L. und Rhamnus Purshiana DC. Diss. Phil. Bern. II + 58 S. 8. Haag, F. J. Belinfante..., (1908).

Pool W.: Der praktische Feuer- u. Ofenbaumeister ... Nach d. Engl. bearb. u. ... verm. Quedlinb. u. Leipz. 1831. 206 S. 12 Tvl.

Pool, Wlh., der prakt. Feuer- u. Ofenbaumeister. Nebst Belehrungen üb. die Materialien zum Feuerbau, üb. die Brennmaterialien u. ihre Ersparung, üb. verschied. Heizmethoden, üb. die Mittel, das Rauchen der Schornsteine zu vermindern rc. Nach d. Engl. bearb. u. mit deutschen Zusätzen vermehrt. Mit 143 Abbildb. (auf 6 Bogen in Fol.) 8. Quedlinb. 832. Basse. 1 ℛ 16 gℛ

Pool, Wlh., der praktische Feuer- u. Ofenbaumeister. Ein nützl. Handbuch für Bau- u. Maurermeister, Bauherren rc. Nach d. Engl. bearb. u. mit deutschen Zusätzen vermehrt. 2e, verb. u. verm. Aufl. Mit 377 Abbildb. (auf 15 Bog.) 8. Quedlinburg 834. Basse. 1 5/6 ℛ

Poole, Esq. John, Atonement, or, the God-Daughter, s. Theatre, British modern.

Poole, Esq. John, Patrician and Parvenu, s. Theatre the British, by Burckhardt. No. 3.

Poole, J., Patrician and Parvenu, s.: Theatre, English.

Poole, J., turning the tables, s. Theatre, the modern English comic.

Poole, Paul Pry, der Ueberlästige. Lustsp. in 3 Aufz. Zur Uebung im Englischen, besonders in der engl. Unterhaltungssprache, m. deutscher Uebersetzung, nebst ausführl. sprachl. Erläuterungen u. zahlreichen beigefügt. Uebungsbeispielen, bearb. v. Fr. Gruner. 16. (12 1/2 B.) Stuttgart 842, Schweizerbart'sche Vrlgsh.

Poole, Paul Pry der Ueberlästige, Lustspiel in drei Aufzügen. Zur Uebung im Englischen, besonders der engl. Unterhaltungssprache, mit deutscher Uebersetzung rc. bearb. von Fr. Gruner. 2. (Titel-)Ausg. gr. 16. (IV und 181 S.) Stuttgart 854, Schweizerbart'sche Vrlgsh.

Poole, S. L., the coins of the eastern Khaleefehs in the British Museum, s.: Catalogue of oriental coins in the British Museum.

Poolman, Emil, s. Poolmann.

Poolmann, Emil

Poolmann, E., artilleristische Briefe, s.a Zeit- u. Streitfragen, militär.

Poolman, Emil. Artilleristische Briefe zu der Broschure von Robert Becker: Die Erfolge der preussischen Feldartillerie in der Campagne 1870—71. (Donation Liechtenstein.) 8. Leipzig 1872.

Poolmann, E. (Übers.), s. Du Puy de Podio: Die Brieftauben in der Kriegskunst.

Poor Johann: Der Relativsatz im Französischen. 72. Sternberg R. 01. Progr.

Poor, Cajet., theoria sensuum cum propriis tum probatissimor. nostrae aetatis philosophor. rationibus ac experimentis illustr. et confirm. c. tab. 8. Pesth 781. Eggenberger. 20 gℛ

Poor, P. E., Diss. advers. libert. in applic. ad stud. theolog. 4. Pesth, Eggenberger. 18 gℛ

Essays über Hygiene auf dem Lande. Von George Vivian Poore. 2. Aufl. Aus d. Engl. übers. durch A. v. W. *Wiesbaden: R. Bechtold & Co. (1894).* (XII, 260 S.) 8° [F.] [01. 3145

Poore, George Vivian, Essays üb. Hygiene auf dem Lande. 2. Aufl. Aus dem Engl. übers. durch A. v. W. Die Uebersetzung ist durchgesehen u. verbessert worden durch Phpp. Mittermaier. gr. 8. (XII, 260 S.) Wiesbaden (901). R. Bechtold & Co. n. 3.60

Poore, George Vivian, üb. die Nachtheile einiger neueren sanitären Methoden. Mit Genehmigg. d. Verf. übers. u. m. Anmerkgn. versehen v. Fachmännern. gr. 8. (32 S.) Graz 892. H. Wagner. n. 1.20

Poorten, Arved, tournée artistique dans l'intèrieur de la Russie. 8. (141 S.) Brussel 873. Muquardt. n. 2. —

Poorten, Jul., vierzig Fabeln. Für die Jugend verfaßt. gr. 8. (X u. 60 S. m. eingedr. Holzschn.) Leipzig 851, C. H. Reclam sen. 24 ngℛ

Poorten-Schwartz, J. M. V. van der [wirkl. Name], s. Maartens, Maarten [Pseud.]

Poortmann, C. A., De M. Tullii Ciceronis oratione pro Flacco. Diss. 1885. 149 S.

Poos, Friedrich, aus Stemmer b. Minden i. W.: Ein Beitrag zur Statistik der Diphtherie. *Göttingen 1903: L. Hofer.* (58 S.) 8°
Göttingen, Med. Diss. v. [17. Febr. 1904]

POÓS, REZSŐ: Andenken an Maria-Einsiedel. Budapest 1908. 39 S.

Pooth, Wilhelm [aus Bislich '(Rheinl.)']: Zur pathologischen Histologie des Schrumpfkrebses ... Würzburg, P. Scheiner's Buchdr., 1892; 24 S., 1 Bl. 8.
Würzburg, Med. Fak., Inaug.-Diss. v. 1892

Pop, Ghita, s.a Methode Toussaint-Langenscheidt, rumänisch.

Methode Toussaint-Langenscheidt. Brieflicher Sprach- und Sprech-Unterricht für das Selbststudium der rumänischen Sprache von Prof. Dr. Ghiță Pop unter Mitw. von Prof. Dr. G[ustav] Weigand. (1.) (Berlin-Schöneberg: Langenscheidt [1907].) 4°(8°) [07. 8471

Popa Grama, Geo., Behelf f. die prakt. Schulung in der Feuerleitung. 2. Aufl. Mit 10 Beilagen. (IV, 89 S.) gr. 8. Czernowitz 906. (Wien, L. W. Seidel & Sohn.) n. 3.20

Popa-Grama, Geo., Behelf f. die praktische Schulung in der Feuerleitung. Mit e. Sammlg. prakt. Schiessaufgaben. 4. verb. u. verm. Aufl. (IV, 131 S. m. 10 Taf.) gr. 8. Beneschau bei Prag 908. (Wien, L. W. Seidel & Sohn.) 4. —
3. Aufl. (IV, 89 S.) 907. 3.20.

Poparić Anton: Die inneren Zustände der Municipien Dalmatiens und Istriens vom 6.—12. Jahrhundert. II. 1903 PN 1652 Diss. Wien, Univ. 869

Pope, Alexander, s.a. Röver, Friedrich.

Pope, Alex.; biograph. geschildert. gr. 8. Chemnitz 823. Starke. 8 gℛ

Pope, biogr. geschild., s. Gallerie merkw. Menschen, 5r Bd.

Pope ein Metaphysiker. Danzig 1755. V: *Lessing, Gotthold Ephr.* & *Moses Mendelssohn.* (Syst. Verz. d. Less.-Litt. Wolf. 1889.) (ML) (Ky)

— ein Metaphysiker, (v. Moses Mendelssohn). 8. Danzig 755. Voß in Berl. 4 gr

Pope, Alexander

Pope, A., the adventures of Odysseus, s.: Bibliothek gediegener u. lehrreicher Werke der englischen Litteratur.

— de arte critica, (essay on Criticism.) poëma Angl. carmine lat. reddere tent. Jh. Jak. Collenbusch. 8. Dessau 782. Gel. Handl. 6 gr

Pope, Alexander. Abälards Briefe an Heloisen; a. d. Engl. O. O. 17?? Ü: *Helmolt, Christian Georg von.* (MGT)

— Briefe an e. Lady, s. Museum, brittisch, 1r Thl.

Pope, A. Freundschaftlicher und Litterarischer Briefwechsel; a. d. Engl. Nürnberg 1780. Ü: *Strebel, Georg Carl Siegmund.* (MGT) »1781« (Ky)

— freundschaftl. u. literar. Briefwechsel; aus d. Engl. (v. G. K. S. Strebel). 8. Nürnb. 781. Bauer. (Schmiedmer). 12 gr

Pope, A. Duncias mit historischen Noten ... Zürich 1747. Ü: *Bodmer, Joh. Jac.* (GGr) (ML) (Mn) (Waniek, Gottsched. Leipz. 1897. S. 536.) (Bächtold, Litt. d. Schweiz. Frauenf. 1892. S. 181.)

— Duncias, e. Heldengedicht. 8. Zürich, Orell. 748.

— Eloisa to Abelard, mit Eschenburgs u. Bürgers deutsch. Uebersetzung. 12. Wien 799. Sammer. 8 gr Postp. 10 gr

— Dass. nebst deutsch-prosaischer Uebersetzung v. J. Rothstein. Mit 4 Kpf. gr. 4. Zürich, (Orell). Velinp. 9 ß

— — dasselbe von Rothstein. m. K. Fol. Weimar. Ind. Compt.

— — dasselbe m. deutsch. u. franz. Uebersetzung v. Colardeau. Ebendas.

— — dasselbe m. 2 deutsch. und der franz. Uebersetzung, m. K. Ebend.

Die Kupfer apart

— essay on Criticism, with not., nebst Eschenburgs deutscher Uebersetzung. 12. Wien 800. Sammer. 8 gr

Pope, Alexander. Essai sur L'Homme, Poëme philosophique en cinq langues, savoir; Anglois, Latin, Italien, François & Allemand. Straßburg, A. König, 1762. 8°. *Titelkupfer (Adam in Landschaft, Metzger inv. & sc.)*, 1 Titelvign., 4 Bl., 347 S. Ldbd. d. Z. (berieben).

Lowndes IV, 1918 zitiert eine spätere Ausgabe Straßburg, 1772. Wenige Bücher erlangten in kurzer Zeit eine so rasche internationale Berühmtheit wie Pope's Essay. Die etwas schwerfällige deutsche Übersetzung in Alexandrinern (S. 225—294) hat einen Separattitel: „Der Mensch Ein philosophisches Gedicht ... ins Deutsche übersetzt Von dem Herrn Heinrich Christian Kretsch." Kretsch (1725—1781) stammte aus Gera und war herzogl. Rat in Gotha.

— Essais sur l'Homme, poëme philos. en 5 lang., angl., lat., ital., franç. et allem. 8. Strasb. König. 778.

— essay on Man. 8. Frkf. a. M. 756. Varrentrapp. 5 gr

Pope, A. Essay on Man. Der Mensch, ein philosophisches Gedichte ... Altenburg 1759. Ü: *Kretsch, Heinrich Christian.* (ML)

Pope, Alexander: An Essay on man. To which is added the Universal Prayer. - Versuch über den Menschen. Nebst dessen Allgemeinem Gebethe. (Engl.u.Dt.) The second edition - zweyte Auflage. 139 S., gbd.

Vienna - Wien: Sommer 1798

— essay on Man, a new Edit. corrected. 8. Mainz 815. Kupferberg. 4 gr

— An Essay on Man. Versuch über den Menschen. Metrisch übersetzt von Dr. Zerffi. 12. Grätz 833. Kienreich. 1/2 rf

Pope, Alex., an essay on man. Zum Schulgebrauch eingerichtet v. A. Deetz. 8. (VI, 54 S.) Leipzig 874. E. Fleischer. n. — 60

— a philosophical essay on Man, in IV Epist. to Bolingbroke, mit Bezeichnung der Aussprache rc. v. J. L. Emmert. 8. Erf. (Gotha) 797. Hennings. 10 gr

— moral essays in four epistels, with not, nebst deutsch. Uebersetzung mit Anmerkk. 12. Wien 800. Sammer. 12 gr Postpap. 14 gr

Pope, Alex., Grundsl. d. Moral, od. Vers. üb. d. Menschen, a. d. Ital. 8. Bamberg, Dederich. (Göbhard. 783. Rthlr.

Pope, Alex., Heloise an Abelard. Engl. Urtext mit Uebersetz., hrsg. v. K. Wolf. 8. (3 B.) Fulda 829, Müller.

— comment. de homine poetica in lat. transl. notisq. illustr. p. I. Ioach. Gottl. Am-Ende. 4. Vittebergae, Ahlfeld. 743.

— philosoph. Lehrgedicht vom Menschen; aus d. Engl. v. J. G. E. Schmidt; hrsgg. v. F. G. Freytag. 8. Leipz. 756. Junius. 4 gr (Gleditsch.)

— der Lockenraub, s. Universal-Bibliothek.

Herrn ALEXANDER POPENS Lockenraub, ein scherzhaftes Heldengedicht. Aus dem Englischen in deutsche Verse übersetzt, von Luisen Adelgunden Victorien Gottschedinn. Nebst einem Anhange zwoer freyen Uebersetzungen aus dem Französischen. Leipzig, B. C. Breitkopf, 1744. Gr.8°. (fast Quartformat). 8 Bl. 56 S. *Mit 5 sehr schönen Kupfern von M. Bernigeroth nach A. M. Wernerin und mehreren hübschen Holzschnittornamenten.* Etwas fleck. guter Pgtbd. d. Z.

G. III, 362: 3, 11. FdF. 1788. Rümann, 18. Jh. 366. Originalausgabe. Das Werkchen gehört zu den reizvollsten deutschen Buchschöpfungen des 18. Jahrh. Durch die flüssige Übersetzung in Alexandrinern wurde Popes Gedicht im deutschen Sprachbereich sehr bekannt, und die phantasievollen, mit „liebevoller Hingabe an das Detail" ausgeführten Illustrationen der Wernerin (vgl. dazu die ausführl. Würdigung bei Lanckoronska-Oehler I S. 63/64) trugen viel zu dem verdienten Erfolge des Buches bei. Sie halten in ihrer Art den Vergleich mit den bekannten Bildern Aubrey Beardsleys zum Lockenraub (Ende des 19. Jahrh.) sicher aus.

— — [Dasselbe Werk]. In dieser zweyten Auflage durchaus verbessert, und beynahe ganz umgearbeitet. *Mit Kupfern.* Leipzig, B. Chr. Breitkopf & Sohn, 1772. Gr.8°. XX und 56 S. *Mit 5 Kupfertafeln (1 doppelseitig), A. Wernerin del., Bernigeroth sc.* In losen Bogen, ub. In Umschlag.

G. III, 362, 11. Textlich ziemlich veränderte zweite Auflage dieses reizend illustrierten Buches, das zu den hübschesten Erzeugnissen des deutschen Spätbarocks gehört.

Pope, Alex., d. Lockenraub zc., frei u. metrisch übersetzt v. G. H. Merkel. 8. Leipz. 797. (Brockhaus). 8 gr. Schrbp. 14 gr.

— der Lockenraub. Uebersetzt von F. Freiligrath. Mit Stahlstichen. 8. Stuttgart 840. Hoffmann. 1/2 ₰

— der Lockenraub. Ein komisches Heldengedicht. Aus d. Engl. von F. M. Duttenhofer. Mit 1 Stahlstich. 16. Pforzheim 841, Dennig, Finck u. Co. (Stuttg., Scheible, R. u. S.) 3/8 ₰

—— der Lockenraub. Ein kom. Heldengedicht. A. d. Engl. v. F. M. Duttenhofer. 16. (1 1/2 B. u. 1 Stahlst.) Pforzheim 841. [Stuttgart, Scheible, Rieger u. Sattler.]

Pope, Alex., der Lockenraub. Ein kom. Heldengedicht. Mit 9 Zeichngn. v. A. Beardsley. (Übers. v. Rud. Alex. Schröder.) (IV, 49 S.) Lex. 8. Leipzig 908. Insel-Verlag. In Pappbd. 14.—; Vorzugsausg., auf Japan, geb. in Kalbldr. 40.—

— — Der Lockenraub. Ein komisches Heldengedicht. In deutsche Verse übertragen von Rudolf Alexander Schröder. Mit den 9 Bildern und der Einbandzeichnung von Aubrey Beardsley in der Originalgröße. Leipzig, Insel-Verlag (190*). (800 Exemplare. Nr. 1—100 auf Japanpapier; in Kalbleder, in Seidenfutteral Mk. 40—; Nr. 101—800 auf holländischem Büttenpapier, in Pappband Mk. 14—.)
Sarkowski: 1908

— 's Mensch, e. philosoph. Gedicht, deutsche Uebersetzung mit d. englischen Urschrift. gr. 4. Jena, Akadem. Bchhdl. 759.

— d. Mensch, e. philosoph. Gedicht, deutsche Uebersetzung mit d. engl. Urschrift. gr. 4. Jena 759. (Hennings in Neisse). 1 ℛ 12 gr.

— — frey u. metr. übers. v. A. Merkel. 8. Leipzig. Junius. (Gleditsch.) 797.
Schreibpap.

Pope, (A.,) der Mensch; metrisch bearb. v. C. C. Hohlfeldt. 8. Dresden 822, Hilscher. 1 Rthl. Velinp.

— der Mensch; metrisch bearb. v. C. C. Hohlfeldt. 8. Dresd. 822. (Leske in Darmst.) 1 ₰ Velinp. 1 ₰ 10 gr.

—— der Mensch, Gedicht in 4 Gesängen, übers. v. Ch. Ch. Hohlfeld. Neue, unverand. Ausg. Lex.-8. (10 B.) Darmstadt 834, Leske. 16 Gr., Vlnp.

Pope, A. Der Messias, eine geistliche Ekloge ... a. d. Engl. [Braunschweig? 1784.] Ü: *Tübner, L. W. H.* [?]. (BrMm)

— s. Pensées d'Alex. Pope etc.

— the rape of the lock and other poems, s.: Rauch's english readings.

— saggio sull' uomo. Bern, Typ.

— Schreiben der Heloise an Abälard. Neue metr. Uebersetzung v. K. W. Schade. 8. Leipz. 819. Hinrichs. 6 gr.

— Vers. üb. d. Kritik, übers. v. Müller. 8. Dresden, Walther. 745.

— — dasselbe. 8. Bremen, Heyse.

Pope, A. Versuch über die Kritik, nach d. Engl. Bremen 1807. Ü: *Braubach, Daniel.* (Ky)

— Versuch üb. die Kritik, nach d. Engl. (v. D. Braubach). gr. 8. Bremen 807. Heyse. 4 gr.

— Versuch üb. die Kritik, metrisch übers. v. J. H. M. Dambeck. 8. Prag 807. (Eggenberger). 1 ₰

Pope, A. Versuch vom Menschen, a. d. Engl. nebst einigen andern Uebersetzungen und Gedichten. Hamb. 1740. Ü: *Brockes, Barthold Heinrich.* (JL)

— Versuch vom Menschen, in 4 Briefen an Bolingbroke; aus d. Engl. v. J. J. Harder; herausgg. v. Klotz. gr. 8. Halle 772. Laue in Berl. 5 gr.

Pope, A. Versuch vom Menschen, neu übersetzt. Hamburg 1783. Ü: *Mumssen, Jacob.* (MGT) »1782« (Kordes, Schlesw.-holst. u. eutin. Schriftst. Schleswig 1797.)

POPE, A. Des Ritters Alexander Pope Versuch an dem Menschen, In Vier Sitten-Briefen An Henrich St. Jean, Grafen von Bolingbroke, über Die Natur und den Zustand des Menschen. Zuerst aus dem Englischen in das Frantzösische, durch den Hn. Abt Du Resnel, und nunmehr in das Teutsche übersetzt. Nebst einigen andern Uebersetzungen. Frankfurt a M., F. Varrentrapp, 1741. 8°. 23 Bl. 191 S. Mit Vignette (Verlegermarke) auf dem in rot und schwarz gedruckten Titel und 8 — je zweimal abgedruckten — *hübschen Kupfern im Text von M. Tyroff nach G. A. Koch.* Hübsches Hld. d. Z. mit Rv.

Rumann 870. Französisch-deutscher Paralleltext, auch für die im Anhang abgedruckten Poesien des MARQUIS DE RACAN, des [illegible] und der MME. DESHOULIERES. Die Vorrede des Abbé Du Resnel ist mitübersetzt. Im Vorwort entschuldigt sich der deutsche Übersetzer (= J. J. HARDER?), daß er singe „wie ihm der Schnabel gewachsen" sei und „nicht allerdings nach der reinen Sächsischen Mund-Art geschrieben" habe, auch daß er, wenn er früher von der Brockes'schen Übersetzung des Pope-Essays gewußt hatte, „um nicht für eine heßliche Cammer-Magd bey einer schönen Jungfrau angesehen zu werden, gar zu Hauße geblieben" wäre.

— Versuch üb. d. Menschen, s. a. S. Grynäus, Meisterstücke.

— Versuch üb. den Menschen; aus d. Italien. des Abami, v. B. Pfeuffer. 8. Frankf. u. Leipz. (Bamb.) 783.

— Versuch üb. d. Menschen; neu übers. von J. Mumsen. 8 Hamb. 783. N. A. 809. (Campe). 10 gr. Velinp. 16 gr.

— Versuch über d. Menschen; aus d. Engl. gr. 8. Leipz. 791. Breitkopf u. H. 12 gr.

— Vers. üb. d. Menschen, Engl. u. Deutsch, m. Anm. u. e. Verdeutsch. d. Tyrtäus Kriegslieder v. Bothe. gr. 8. Halle, Curt. 794.

— Versuch üb. d. Menschen; engl. u. deutsch, mit Anmerkk. u. e. Verdeutschung des Tyrtäus Kriegslieder, von Fr. H. Bothe. gr. 8. Halle 794. (Laue in Berl.) 9 gr.

— Versuch üb. d. Menschen; e. genaue Uebersetzung. 8. Wien 794. Schaumburg u. C. 8 gr.

— Versuch üb. d. Menschen, s. a. Th. W. Broxtermann.

Pope, A. Versuch über den Menschen; nebst Warburtons Kommentar ... Osnabrück 1798. Ü: *Broxtermann, Theobald Wilhelm.* (JL) »1799« (Ebert)

— Versuch üb. d. Menschen; nach d. Engl. v. C. Ph. Andersch. 8. Königsb. 802. (Unzer). 6 gr.

Pope, A. Versuch über den Menschen; an Henry S.t John Lord Bolingbroke. Eine genauere Unters. Hamb. 1809. Ü: *Mumssen, Jacob.* (GGr VII, 715)

— Vers. üb. d. Menschen, e. genauere Uebers. 8. Hamb. Hoffmann. 809.
Schreibp.

— Versuch üb. d. Menschen; aus d. Engl. übers. v. Leutbecher. 8. Nürnb. 827. Campe. 12 gr

Pope's, Alexander, poetische Werke. Deutsch von Ad. Böttger u. Thdr. Oelckers. 4 Bde. (Mit 2 Bildn.) 16. Leipzig 842, Fr. Fleischer. n. 2 Rthlr

— sämmtl. Werke, m. Warburtons Commentar u. Anmerk. 13 Bde. 8. Mannheim, Schwan u. G. (a. Löffler.)
(Einzeln sind zu haben: 2r, 4r, 7r, 8r, 9r, 10r, 11r u. 12r Bd. à 9 gr.)

Pope, A. Sämmtliche Werke, mit Wilhelm Warburtons Commentar . . . Altona 1758—64. Ü: *Dusch, Johann Jacob.* (Ky) (ML) (Ebert) (BrMm) (Rotermund, Gel. Hannover. Bremen 1823.)

— sämmtl. Werke mit W. Warburtons Commentar u. Anmerkk. übers. (v. Jh. Jak. Dusch). 5 Bde. gr. 8. Altona 758—64. Iversen. 3 Rthlr 12 gr

— sämmtl. Werke, mit W. Warburtons Commentar u. Anmerkk. 1r Bd. 8. Braunschw. 778. Schulbuchh. 16 gr

— sämmtl. Werke, mit Warburtons Commentar u. Anmerkk. 13 Bde. Manh. 783—85. Schwan u. G.; (a. Löffler). 5 Rthlr 8 gr

Pope, A., works, with his last corrections, additions and improvements, and the commentary and notes by Warburton. 10 vols. Berlin 1762—64. cart. 8. 3. 50

Pope, Al., Works compl., with the Commentary and not. of Warburton, w. beautiful cuts in X Voll. 8. Berl. 764. Nicolai. 8 Rthlr

— Works. IX Vol. gr. 8. Basel, Flick. 803.

— Works. IX Voll. gr. 8. Basel 803. (Turneisen). 10 Rthlr 16 gr

— Works, by J. Warton. IX Vol. 8. Basel. (Walther in Dresden.) 803.

— poetical Works. 8. Frankf. a. M. 788. Varrentrapp. 1 Rthlr 10 gr Schweiz. P. 1 Rthlr 16 gr

— poetical Works, a new Edit. corrected. gr. 8. Ebendas. 815.
Schreibp.

Pope, Alex., poetical Works. With the life of the author. 32. (514 Seit. u. Bildn.) London and Berlin 837, Asher and Comp. Thlr. •

—— select Works, cont. the rape of the lock, moral essays, the temple of fame and pastorals. Mit erklär. Anmerkn. hrsg. v. P. A. Fedor Possart. 8. (7½ B.) Leipzig 831, Kayser.

Pope, A., select poetical works, siehe: Collection of British authors, vol. 152.

Pope, B. A., Dr., Beiträge zur Optik des Auges. (Aus dem Archiv für Ophthalmologie. IX, 1.)

Pope, Charles, the yearly Journal of trade, 1837-8. A sketch of the origin and progress of trade, and miscellaneous information, not to be found in any work besides. Accomp. by a map (in Fol.). Under the special Sanction of Government. 17. edit. gr. 8. London 838. (Hamburgh, Perthes, Besser u. Mauke.) n. 3⅓ Rthlr

Pope, P., Dialogues as an assistance in acquiring the art of speaking the English language, with notes. 8. Copenhagen 834. Gyldendal. 1 Rthlr

(F) **Pope,** P., Sammlung von Rechenaufgaben für österr. Volksschulen. 6. Aufl. 2. Heft. (Für die 3. Klasse.) 8°. (63 S.) Wien: Manz 1907. K —.50

Pope, Paul R(ussel), aus Ann Arbor U. S. A.: Die **Anwendung** der Epitheta im Tristan Gottfrieds von Straßburg. *Halle a. d. S. 1903: E. Karras.* (82 S.) 8°
Leipzig, Phil. Diss. v. 1903

Pope, P. R., Die Anwendung der Epitheta im Tristan *Gottfrieds von Strassburg.* (Diss.) Leipzig 1903. 8°.

Pope, Rev. W. B., die Person Christi. Ein Vortrag nebst der Geschichte d. der Lehre der Person Christi m. Anmerkgn. gr. 8. (XI, 195 S.) Waiblingen 874. Stuttgart, Liesching & Co. in Comm. 1. 80

Popea, Joan, Lehrbuch d. rumän. Sprache, s.: Teutsch, Mich.

Popek, *Anton* Der falsche Demetrius in der Dichtung mit besonderer Berücksichtigung Schillers und seiner Fortsetzer. (Umschlagtitel: . . . Dichtung.) (S. 3—37). Fortsetzung. (Umschlagtitel: . . . Dichtung. (Fortsetzung.)) 8 (S. 3—26). Schluſs (Umschlagtitel: . . . Dichtung. (Schluſs.)) 8 (S. 3—33).
Progr. K. k. Staats-G. *Linz* 1893. 1894. 1895.
Maltitz. Kühne. Gruppe. Laube. Sievers. Zimmermann. Grimm. Bodenstedt. Hebbel. Hardt. Wilhelmi. Mosenthal.

Popel, Ant., Übungsbuch zur Einübung der lateinischen Satzlehre, s.: Strigl, Jos.

Popelin, P., **Necrologium Augiae majoris Brigantinae,** s. Necrologium.

Popelka, Aug. Ritter v., Sammlung der Erkenntnisse des k. k. Verwaltungsgerichtshofes, s.: Budwinski.

Popelka, Frz. Lad., die Mauthbefreiung. Ein systemat. Handbuch, enth. sämmtl., die Befreig. v. den Mauthgebühren betr. Bestimmgn. u. Vorschriften. Mit Erläutergn. aus der Rechtsprechg. 8. (45 S.) Prag 885. Mercy. n. — 80

Popendieker, Max: Die Versorgung Sachsens mit Brotgetreide im Zusammenhang mit der Wirtschaftspolitik seit 1879. Borna-Leipzig 1909: Noske. VIII, 140 S. 8°
Leipzig, Phil. Diss. v. 3. Aug. 1909, Ref. Stieda, Kirchner
[Geb. 22. Aug. 86 Pochra; Wohnort: Pochra; Staatsangeh.: Sachsen; Vorbildung: Gymn. Wurzen Reife O. 05; Studium: Leipzig 2, Halle 1, Leipzig 5 S.; Rig. 22. Juni 09.] [U 09. 3042

Poper, Paul, experimentelle Untersuchungen üb. die Elasticität der Arterienwand bei Insufficienz der Aortenklappen. Diss. gr. 8. (56 S. m. 2 Tab.) Jurjew (Dorpat) 890. (E. J. Karow.) n. 1. 50

Poper, Salomon: De duobus Behmenjari ibn el-Merseban libellis philosophicis.
Halle-Wittenberg, Phil. Diss. v. 20. Okt. 1847
Geb. [Lissa (Posen) ...]
Ms. fehlt.

Popert, Herm., Helmut Harringa. Eine Geschichte aus unserer Zeit, fürs deutsche Volk hrsg. v. Dürerbunde. (VII, 286 S.) 8. Dresden 910. A. Köhler. Geb. 1.80

Popert, Herm. M., Alkohol u. Strafgesetz. Vortrag, geh. auf dem III. deutschen Abstinententage zu Dresden, am 9. IX. 1905. (24 S.) 8. Flensburg 905. Deutschlands Großloge II. n. —25

— Hamburg u. der Alkohol. (89 S.) gr. 4. Hamburg 903. L. Gräfe. n. 2.—

— dasselbe. 2. Aufl. Volksausg. (89 S.) gr. 8. Ebd. 903. n. —50

Popert, Hermann M.: Ein Schritt auf dem Wege zur Macht. Ein Wort an d. deutschen Abstinenten u. d. deutschen Anhängerinnen u. Anhänger d. Frauenstimmrechts. Vortrag. 3. u. 4. Taus. — Jena: G. Fischer 1907. 32 S. 8°

— Was will unsere Zeit v. der deutschen Studentenschaft? Vortrag, geh. in der großen Aula der Universität Kiel, am 7. II. 1908. (31 S.) gr. 8. Ebd. 908. —50

— wir u. das Alkoholkapital. Vortrag, geh. am 30. IX. 1904 im „Velodrom" zu Hamburg-Rotherbaum. (8 S.) 8. Flensburg (904). Deutschlands Großloge II. n.n. — 15

Popescu, Johann, aus Malaesti ⟨Rumänien⟩: Die **Erzählung** oder das Martyrium des Barbaren Christophorus und seiner Genossen. (Syr. Text mit deutscher Übers.) *Leipzig 1903: W. Drugulin.* (VIII, 57 S.) 8°
Straßburg, Phil. Diss. v. 1902

Popescu, Joan, Paedagogia lucrata pe basele psichologicae si etice ale realis mului Herbartian. Ed. II. Edata cu conlucrarea si sub supraveghiarea lui Stefan Velovan. Gr.-S. (388 S.) Hermannstadt: Krafft 1892. 2.—

Popescu, Michail (aus Rumänien): Die Stellung des Papstthums und des christlichen Abendlandes gegenüber der Türkengefahr vom Jahre 1523 bis zur Schlacht bei Mohács (1526) ... Bucarest, Druck v. Carol Göbl, 1887; 1 Bl. + 92 S. + 1 Bl. 8°
Leipzig, Phil. Fak. Inaug.-Diss. v. 25. Nov. 1887

Popescu, Michael, die Stellung des Papstthums und des christlichen Abendlandes gegenüber der Türkengefahr vom Jahre 1523 bis zur Schlacht bei Mohács (1526). Diss. Leipzig 1887, Gustav Fock. 8°. 92 S.

Popescu, Stefan D., aus Rammicu-Sarat ⟨Rumänien⟩: **Beiträge** zur Entstehungsgeschichte des oberen Oltthales. *Leipzig 1902: O. Schmidt.* (94 S.) 8°
Leipzig, Phil. Diss. v. [23. Dez.] 1902

Popescu, Stef. D., wirtschaftsgeographische Studien aus Grossbritannien. (178 S.) gr. 8. Leipzig 903. (H Lorenz.) n. 3.—

Wirtschaftsgeographische Studien aus Grossbritannien. Von Stefan D. Popescu, Prof., Jassy. *Leipzig 1903: O. Schmidt.* (178 S.) 8°

Popich, Jo. Georg (Belgard/Pomm.), De probanda exceptione spolii per delationem juramenti. Diss. Präs. Johann Friedem. Schneider. Halle/Magdeburg (Salfeld) (22.) Jan. 1724. 44 S. (5.—) 27032
Widm. v.: Johann Friedem. Schneider, Jo. Phil. Thoeler, L. E. Caselo (dtsch.).

Popiel, König d. Pohlen; nach Andreas Gryphius, dramat. bearbeit. v. J. F. v. Meyer. 8. Frkft. Körner. 802.

Popiel, L., Anfangsgründe f. Schriftsetzerlehrlinge, 3. Aufl. v. C. Otto Peiter, s. a. Klimsch's graph. Bibliothek.

Popiel, L., Anfangsgründe f. Schriftsetzer-Lehrlinge. 2. Aufl. gr. 8. (V, 55 S.) Frankfurt a/M. 895. Klimsch & Co. Geb. n. 1.20

Popig, Herm., die Stellg. der Südostlausitz im Gebirgsbau Deutschlands, s. a. Forschungen zur deutschen Landes- u. Volkskunde.

Popig, Hermann, aus Löbau: Die **Stellung** der Südostlausitz im Gebirgsbau Deutschlands und ihre individuelle Ausgestaltung in Orographie und Landschaft. [Umschlgt.:] Mit Karte und 1 Tafel Profile. *Stuttgart 1903: Union.* (88 S.) 8° (Aus: Forschungen zur deutsch. Landes- u. Volkskunde Bd. 15, H. 2.)
Leipzig, Phil. Diss. v. 1903

Die Stellung der Südostlausitz im Gebirgsbau Deutschlands und ihre individuelle Ausgestaltung in Orographie und Landschaft. Von Dr. Hermann **Popig** in Löbau. Mit 1 Karte u. 1 Taf. Profile. *Stuttgart: J. Engelhorn 1903.* (S. 152–236.) 8°
= Forschungen z. deutschen Landes- u. Volkskunde. Bd 15, H. 2.

Popitz, F., Militär-Predigten. 2., verb. und wesentlich verm. Aufl. gr. 8. (VII und 87 S.) Dessau 855, Baumgarten und Comp.

—— erste und zweite Sammlung von Missions-Predigten verschied. Verfasser, s. Sammlung.

Popitz, Friedr., Sammlung von Missionspredigten, s. Sammlung.

Popitz, Johannes, Referendar a. Leipzig: Der Parteibegriff im preußischen Verwaltungsstreitverfahren. Berlin: C. Heymann 1907. (VI, 80 S.) 8° [J.]
Halle, Jur. Fak., Ref. Loening, Diss. v. 20. April 1907
[Geb. 2. Dez. 84 Leipzig; Wohnort: Cöln; Staatsangeh.: Preußen; Vorbildung: Friedrichs-Gymn. Dessau Reife O. 03; Studium: Lausanne 2, Leipzig 1, Berlin 1, Halle 2 S.; Rig. 18. März 07.]

Popke, Ludwig: Zur Casuistik und Therapie der inveterirten und habituellen Schulterluxationen. Halle a. S. 1882: Plötz. 28 S., 2 Taf. 8°
Halle-Wittenberg, Med. Diss. v. 12. Aug. 1882
Geb. Dziembowo (Posen) 30. 10. 1858. V.

Popken, (F. A. L.,) historiae epitemiae malignae An. 1826. Jevere observatae. gr. 8. Bremen 827, Kaiser.

Popken, Graff [cand. med. aus Jever]: Der Uterusprolaps und seine Operationsmethoden. ... Würzburg, Becker's Univ.-Buchdr., W. S. 1888/89; 31 S. + 1 Bl. 8°
Würzburg, Med. Fak., Inaug.-Diss. v. 1889

35*

Popken, J. Fibel — Wandfibel, s.: Prüfer, E.

— deutsches Sprachbuch, s.: Büggeln.

— praktische Sprachlehre. 3. Heft der „Praktischen Sprachlehre“ v. Büggeln. 2. Aufl. (176 S.) gr. 8. Vegesack 898. (J. F. Rohr.) Geb. n.n. — 75

Popko, J. Die Kosaken von Ter aus alten Zeiten. I. Das Grebenskieho Vojsko. [Russisch.] (566) 8. Ss Pjetjerburg 1880. 15,60.

Poeplau, P[aul] R., approb. Arzt aus Barkenfelde ⟨Wpr.⟩: **Über Haematocele tunicae testis vaginalis propriae.** *Würzburg 1895 [vielm. 1901/02]: A. Göb & Co.* (75 S.) 8°
Würzburg, Med. Diss. v. 1895

Poplawski, Anton: „Sammlung einiger politischer Materien“, 1774.

Poplawski, Wladislaus. Untersuchung über Indaminfarbstoffe. Diss. Phil. Basel. 44 S. 8. Basel, Friedrich Reinhardt, 1908.

Poplawsky, L., 1. Der Aichkolben zur Prüfung der Kubizirapparate f. Gasmesser. Einrichtung u. Prüfung. 2. Kontrolgasmesser. Anwendung u. Prüfg. Nach den Vorschriften der kaiserl. Normal-Aichungs-Kommission zu Berlin bearb. 8. (II, 18 S. m. 1 Abbildg.) Berlin 900. J. Springer. Kart. n. — 80

Poplawski, die Aichung v. Waagen (m. Ausschluß der Präcisions- u. Registrir-Waagen u. Getreideprober), nach den Vorschriften zusammengestellt. 12. (VI, 59 S.) Breslau 893. (J. Maruß.) n. 1. 20

Poplawsky, die Aichung von Wagen. 2. Aufl. (65 S) Breslau 1895

— der Kubizir-Apparat f. Gasmesser. Einrichtung u. Prüfg. Nach den Vorschriften der kaiserlichen Normal-Aichungs-Kommission zu Berlin bearb. 8. (II, 17 S. m. 2 Abbildgn.) Ebd. 900. Kart. n. — 80

Poplawsky, L., Das Mass- u. Gewichtswesen in Deutschland, im besonderen in Preussen. Kurzer geschichtl. Ueberblick üb. die Entwickelg., den gegenwärt. Stand u. die zukünft. Gestaltg. (30 S.) gr. 8. Cassel (Luisenstr. 4), Selbstverlag. 1904. —. 80.

Poplawsky, Thomas A. von, a. Lysolaje ⟨Russisch-Polen⟩: L'influence d'Ossian sur l'oeuvre de Lamartine. Heidelberg 1905: J. Hörning. (112 S.) 8°
Heidelberg, Phil. Fak., Ref. Neumann, Diss. v. 13. Mai 1905
[Geb. 30. Aug. 78 Lysolaje, Gouv. Lublin; Wohnort: Lysolaje; Staatsangeh.: Rußland; Vorbildung: Gymn. Kielz Reife 96; Studium. Warschau, Heidelberg 5 S.; Rig. 9. Juni 04.]

Poplinski, A., s. Poplinski, Jan

Poplinski, Jan

— s. Auswahl von Mustern deutscher Prosaiker u. Dichter.

Poplinski, A., Elementarbuch der polnischen Sprache für den Schulgebrauch u. zum Selbstunterricht. 9. Aufl. Leipzig 869. Brockhaus. 8. (184 S.) 12½ ngr.

Poplinski, A., Elementarbuch der polnischen Sprache für den Schulgebrauch und zum Selbstunterricht. 10. verb. Aufl. 8. (154 S.) Leipzig 877, Brockhaus.

Poplinski, A., Elementarbuch der polnischen Sprache für den Schulgebrauch und zum Selbstunterricht. 11. verb. Aufl. 8. (154 S.) Leipzig 882, Brockhaus.

Poplinski, A., Elementarbuch der polnischen Sprache f. den Schulgebrauch u. zum Selbstunterricht. 12. verb. Aufl. 8. (154 S.) Leipzig 885. Brockhaus. 1. 25

Poplinski, A., Elementarbuch der polnischen Sprache f. d. Schulgebrauch u. zum Selbstunterricht. 13. Aufl. 8. (154 S.) Leipzig 889. Brockhaus. 1. 25

Poplinski, A., Elementarbuch der polnischen Sprache f. den Schulgebrauch u. zum Selbstunterricht. 14., verb. Aufl. 8. (154 S.) Leipzig 893. F. A. Brockhaus. 1. 25

Poplinski, A., Elementarbuch der polnischen Sprache f. d. Schulgebrauch u. z. Selbstunterricht. 16. Aufl. 8. (154 S.) Leipzig 897. F. A. Brockhaus. n. 1. 25

Poplinski, A., Elementarbuch der polnischen Sprache f. den Schulgebrauch u. zum Selbstunterricht. 19. Aufl. (154 S.) 8. Leipzig 905. F. A. Brockhaus. n. 1. 25; kart. n. 1. 50

Poplinski, A., Elementarbuch der polnischen Sprache f. den Schulgebrauch u. zum Selbstunterricht. 20., verb. u. verm. Aufl. (155 S.) 8. Leipzig 907. F. A. Brockhaus. 1.25; kart. n 1.50

Popliński, A., mniejsza grammatyka łacińska dla klass niższych i średnich gymnazyalnych. 3. poprawione wydanie. Posen 853. (Leipzig, Brockhaus.) gr. 8. (286 S.) n. 20 ngr

Popliński, A., Mniejsza gramatyka łacińska. Wydanie IX. Przerobił i poprawil Łopiński. gr. 8. (IV, 287 S.) Posen 897. J. Jolowicz. n. 2. 25

— Lateinische Grammatik. Für den Gebrauch der Gymnasien. 10. Aufl, umgearb. u. verb. v. A. Drygas. (In poln. Sprache.) (271 S.) 8. Posen 906. J. Jolowicz. Geb. n. 2. 70

Poplinski, J., s. Grammatik d. poln. Sprache.

Poplinski's, J., Grammatik der polnischen Sprache. Neu bearb. von W. Nehring. 7. Aufl. gr. 8. (VIII, 227 S.) Thorn, E. Lambeck. n. 2. 40

(Poplinski, J.,) Grammatik d. Poln. Sprache, nach Kopczynski, Cassius, Bandtke u. Mrozinski. 1. Aufl. 829., u. 2., durchgeseh. Ausg. (à 1⅓ B.) 8. Lissa 830, [Günter.] à

Poplinski, J., Grammatik der Poln. Sprache nach Kopczynski, Cassius, Bandtke u. Mrozinski. 3e Aufl. gr. 8. Lissa 837. E. Günther. n. 7/12 ℛβ — 4e, verm. u. verb. Ausg. gr. 12. Ebd. 840. n. 7/12 ℛβ

Popliński's, J., Grammatik der polnischen Sprache nach Kopczyński, Cassius, Bandtke und Mroziński. 5. Aufl. 8. (198 S.) Lissa 863, Günther's Verlag.

Poplinski's, J., Grammatik der polnischen Sprache nach Kopczynski, Cassius, Bandtke u. Mrozinski. Neu bearb. v. Nehring. 6. Aufl. gr. 8. (201 S.) Thorn 873. E. Lambeck. n. 2. —

—— Grammatik der polnischen Sprache. Neu bearb. von W. Nehring. 7. Aufl. gr. 8. (VIII, 227 S.) Thorn 881, E. Lambeck. *

J[an] **Popliński**'s Grammatik der Polnischen Sprache. Neu bearb. von Dr. W[ladislaus] Nehring, Prof. in Breslau. 8. Aufl. *Thorn: E. Lambeck 1901.* (243 S.) 8° [F. u. Ant.] [01. 660, 10

Poplinski, A., Historya powszechna dla klass niższych szkół realnych i gimnazyalnych na wzór Weltera ułożona. 12. Poznań 844. (Leipzig, Brockhaus et Avenarius.) n. ⅔ ₰

Poplinski, A., Historya powszechna dla klass niższych szkoł realnych i gimnazyalnych na wzor Weltera ułożona. 12. (16¾ B.) Poznań 845. (Leipzig, Brockhaus et Avenarius.) *

— historya powszechna. Tom 1. zawierajacy dzieje starożytne. 3. wydanie. Posen 870. Sussmann & Sohn. br. 8. (VIII, 593 S.) n. 1 ₰ 10 ngr.

— **Leitfaden zum Uebersetzen vom Lateinischen ins Polnische u. vom Polnischen ins Lateinische. I. Tl., enth. die regulären Formen. 7. Ausg. Durchgesehen u. verb. v. A. Drygas. (In poln. Sprache.) (136 S.) 8. Ebd 906. Geb. n.n. 1. 80**

Poplinski Von dem polnischen Münzwesen. 17 S. . . . .
Posen, M., Progr. 1839

— wybór prozy i poezyi polskiej dla trzech klas niższych gimnazyalnych, realnych i wyższych szkół miejskich. 5. wydanie. Leipzig 869. Brockhaus. 8. (IV, 392 S.) 12½ ngr.

Popma, Auson., de differentiis verbor., item de usu antiquae locutionis libri, c. J. C. Messerschmidt. 8. Dresd. 769. Gerlach. 16 ℊℊ

Popmae, Ausonii, Frisii, de differentiis verborum cum additamentis Jo. F. Hekelii, Ad. Dan. Richteri, Jo. Ch. Messerschmidii et Th. Vallavrii qui opus diligentissime recognitum emendavit. Augustae Taurinorum 852. (München, Franz.) 8. (451 S.) nn. 1 ₰. 5 ngr.

Popmae Frisii, Ausonii, de differentiis verborum, cum additamentis Joan. Frid. Hekelii, Adami Dan. Richteri, Joan. Chrn. Messerschmidii et Thom. Vallaurii qui opus diligentissime recognitum emendavit. 8. (451 S.) Augustae Taurinorum 852. (Lipsiae Gerhard.)

Popoff, Demetrius, die Dottersack-Gefässe des Huhnes. Mit 12 lith. Taf. in Farbendr. u. 12 lith. Tafel-Erklärungsblättern. gr. 4. (44 S. m. 12 Bl. Erklärgn.) Wiesbaden 894. C. W. Kreidel. In Mappe. n. 27. —

Popoff, Methodi: Eibildung bei Paludina vivipara und Chromidien bei Paludina und Helix. Mit Anhang: Zu der Frage nach dem Spermatozoendimorphismus bei Paludina vivipara. Hierzu 1 Textfigur. Bonn: F. Cohen 1907. (89 S.) 8° ¶(Aus: Archiv f. mikroskop. Anatomie u. Entwicklungsgeschichte Bd 70. 1907.)
München, Phil. Fak., Ref. Hertwig, Diss. v. 22. Nov. 1906
[Geb. 29. Apr. 81 Schumen, Bulgarien; Wohnort: Sofia; Staatsangeh.: Bulgarien; Vorbildung: Gymn. „Ferdinand 1" Varna, Bulgarien Reife Juni 97; Studium: Sofia 8, München 4 S.; Rig. 22. Nov. 06.]

Popoff, N., üb. die Bildung v. Serumalbumin im Darmkanale. Inaug.-Diss. gr. 8. (26 S.) München 888. (Born, Huber & Co.) n. — 50

Popoff, Theodor, aus Tscherwena-Woda, (Bulgar.): **Die Krankenversicherung** im Deutschen Reiche und ihre Vereinfachung. *Rustschuk 1902: St. I. Rogleff.* (57 S.) 8° ¶(Teil d. eingereichten Arbeit.)
Leipzig, Phil. Diss. v. [28. Febr.] 1902

Popofsky, Arthur

Popofsky, A., die Acantharia der Plankton-Expedition, sa Ergebnisse der Plankton-Expedition der Humboldt-Stiftung.

Die Acantharia der Plankton-Expedition. Von Dr. A[rthur] **Popofsky**. Mit Taf. T. 1. 2. Kiel & Leipzig: Lipsius & Tischer 1904–06. 2 Bde 4°
1. Acanthometra. 1904. 2. Acanthophracta. 1906.
— **Ergebnisse** d. Plankton-Exped. d. Humboldt-Stiftung. Bd 3. L.f. α. β. [07. 4610

Die Radiolarien der Antarktis (m. Ausnahme d. Tripyleen), s.: Südpolar-Expedition, deutsche. 1901–1903. X, 8.

Popofsky, A(rthur), aus Magdeburg, Pr. Sachs.: **System und** Faunistik der Acanthometriden der Planktonexpedition. *Kiel 1904: A. F. Jensen.* (77 S.) 8°
Kiel, Phil. Diss. v. [25. Juni] 1904

Popolano, il, almanacco-strenna per l'anno 1868. 1. Annata. Triest 868. Dase. gr. 8. (48 S.) 6 ngr.

Popoli, die Familie von, nach Cantelmo's Denkwürdigkeiten herausgegeben von Lady M. Hamilton. Aus d. Engl. 4 Thle. 12. Wien, Kaulfuß. 816.

Popolo cristiano
① Benedetto Iseppi al Popolo cristiano di Poschiavo ⑤ Domenica di Pasquale—19. 6. 1853—? ⑥ in-8° ⑦ settimanale ⑧ Poschiavo: Tipografia di Poschiavo ⑩ Benedetto Iseppio. Poschiavo ⑬ BGSZ: 1011—1013; Zendralli: Stampa Grigioni Italiano, no. 6 ⑭ Ch: K ⑮ Pubblicazione del sacerdote don Benedetto Iseppi a sua difesa e a spiegazione della sua «Predica popolare, Il Progresso, tenuta nella chiesa cattolica di Poschiavo il primo giorno dell'anno 1853».

POPOLOGIE, Die. Populärer Vortrag des Herrn Prof. Dr. Warmbruder, gehalten in der Gesellschaft der Freunde zu Klein-Popo. O. O. u. J. (um 1910). 8°.
Verb. d. Ldg. I Berlin 32 J. 646/10.

Poponius, Gottlieb [Pseud.], s. Schulz, Friedrich

[Russ.] E. J. **Popov**. Žizn' i smert' Evdokima Nikitiča Drožžina 1866–1894. S predisloviem L['va] N. Tolstago. *Berlin: F. Gotteiner 1895.* [. . . Leben u. Sterben E. N. Droschins . . . M. e. Vorw. v. L. N. Tolstoj . . .] (2 Bl., XXXIX, 196 S.) 1 Bd 8. [96. 3021

Popova, Maria. Die Bewegung für Einführung des wechselseitigen Unterrichts in England und in den Volksschulen des Kontinents zu Anfang des XIX. Jahrhunderts. Diss. Phil. [I.] Univ. Zürich. 114 S. 8. Zürich, A. Markwalder, 1903.

Popovic, Georg (Red.), s. Morgenstern, Der. 1861.

Popović, Geo., Recht u. Gericht in Montenegro. gr. 8. (91 S.) Agram 877. Hartmán. n. 1. 60

— **Wörterbuch der serbischen und deutschen Sprache. I. Deutsch-serb. Theil. gr. 8. (385 S.) Pančova 879, Brüder Jovanović.**

Popović, Geo., Wörterbuch der serbischen und deutschen Sprache. 2. Thl.: Serbisch-deutsch. gr. 8. (VII, 439 S.) Pančova 881, Jovanović. *
1. Thl. Ebendas. 1879. *ℳ 6.

Popović, Geo., Wörterbuch der serbischen und deutschen Sprache. I. Deutsch-serb. Theil. 2. durchgeseh. und verm. Aufl. gr. 8. (535 S.) Pančova 886, Brüder Jovanović. *
2. Thl. Ebendas. 1881. *ℳ 7.20.

Popović, Geo., Wörterbuch der serb. u. deutschen Sprache. II. Serbisch-deutscher Thl. (2., durchgeseh. u. verm. Aufl.) gr. 8. (VII, 484 S.) Pančsova 895. Brüder Jovanović. n. 8. —

Popović, Ivan Vasin, praktisches deutsch-serbisches Conversationsbuch, sa Kunst, die, der Polyglottie.

POPOVIĆ, Ivan Vasin
Praktisches Deutsch-Serbisches Conversationsbuch. Auf grammatikalischer Grundlage bearbeitet von Ivan Vasin Popović. 2., durchgesehene Auflage. Wien. Pest. Leipzig. Hartleben. [1900.] 8°. VIII, 196 S. Geb. K 2.20

Popović, Michajlo R.: Der Friede von Karlowitz. '(1699.)' Leipzig-R., Druck v. O. Schmidt, 1893; 73 S., 1 Bl. 8.
Leipzig, Phil. Fak., Inaug.-Diss. v. [15. Apr.] 1893

Popović, Sabbas Barcianu

—— **Gramatica germana teoretica-practica pentruusulu tinerimei romane. 2. edit. 8. (V und 248 S.) Hermannstadt 865, Steinhaussen's Buchh.** *

Popović's, S. B., Theoretisch-praktische Grammatik der romanischen Sprache. Zum Schul- u. Selbstgebrauch. 2., verb. Aufl. Hermannstadt 864. Steinhaussen's Buchh. 8. (400 S.) n. 24 ngr.

Popović, Sabbas Barcianu, theoretisch-praktische Grammatik der römischen Sprache. Zum Schul- u. Selbstgebrauche. 3. umgearb. u. verm. Aufl. 8. (VI, 239 S.) Hermannstadt 871. Schmiedicke. 2. 40

Popovici, *Alexandru* P. [aus Bukarest]: Ueber Struktur und Entwickelung eigenartiger Wandverdickungen in Samen und Fruchtschalen ... Bonn, Buchdr. A. Henry, 1893; 31 S., 1 Bl., 2 Taf. 8.
Bonn, Phil. Fak., Inaug.-Diss. v. 17. [nach d. Diplom v. 18.] Juli 1893

Popovici, Aurel C., die vereinigten Staaten v. Gross-Oesterreich. Politische Studien zur Lösg. der nationalen Fragen u. staatsrechtl. Krisen in Oesterreich-Ungarn. Mit e. (farb.) Karte des föderativen Gross-Oesterreich. 1. u. 2. Aufl. (IV, 427 bezw. IV, 424 S.) Lex.-8. Leipzig 906. B. Elischer Nachf. n. 5. —

Popovici, Constantin, s. Popovici, Konstantin

Popovici, Eusebius: Vorträge über das in der gr.or. Bukowinaer Diözese gültige Eherecht Czernowitz: Eckhardt 1864.

— Die Wortbildung im Romänischen, I. T. (55) ibd. 05.
Progr.

Popovici, G., ein Beitrag zur Kenntniss des romänischen Petroleum's (Erdoel). Geografische Verbreitg., geolog. Verhältnisse u. chem. Untersuchgn. (33 S. m. 1 Taf.) 8. Bukarest 904. (Wien, W. Frick.) n. 1. 50

Popovici, Joan, a. Rumänien: Synthese des 8-Brom-3.4-Dimethoxyphenanthrens. (Berlin 1906: G. Schade.) (40 S.) 8°
Berlin, Phil. Fak., Ref. Fischer, Diss. v. 28. Juli 1906
[Geb. 22. Juli 81 Bukarest; Wohnort: Bukarest; Staatsangeh.: Rumänien; Vorbildung: St. Sava Gymn. Bukarest Reife Juni 01; Studium: Berlin 7 S.; Rig. 5 Juli 06.]

Popovici, Jos., dialectele romine. (Rumänische Dialekte.) IX. gr. 8. (Halle, M. Niemeyer.) 4. —
IX. Dialectele romine din Istria. Partea A 2^A. (Texte şi glosar.) (XVII, 168 S. m. 4 Taf.) 909.
I. Ebd. 905. 4.—; II—VIII sind noch nicht erschienen.

Popovici, Jos., Rumänische Dialekte. I. Die Dialekte der Munteni u. Pădureni im Hunyader Komitat. (XI, (168 S.) gr. 8. Halle 905. M. Niemeyer. n. 4. —

Popovici, Konstantin

Popovici, Constantin. Ueber isomere Dinitrodiaethylendiamincobalt-Verbindungen. Diss. Phil. [II.] Univ. Zürich. 40 S. 8. Aarau, Emil Wirz, (1902).

Popovici, Maximilian [aus Ţântari (Siebenburgen)]: Beiträge zur Chemie des Tabaks ... Bucarest. k. Hofbuchdr. F. Göbl's Söhne, 1889; 43 S. + 1 Bl. 8°
Erlangen. Phil. Fak., Inaug.-Diss. v. 15. Jul. 1889

Popovici, Nicolae: Aus d. chem. Inst. d. Univ. Breslau. Ueber die Zusammensetzung des rumänischen Erdöles und die Synthese eines seiner Bestandteile. Breslau: Fleischmann 1909. 47 S. 8°
Breslau, Phil. Diss. v. 2. Juni 1909, Ref. Ladenburg
[Geb. 16. Mai 78 Bukarest; Staatsangeh.: Rumänien; Vorbildung: Gymn. Bukarest Reife M. 99; Studium: Breslau 6, Bukarest 6 S.; Rig. 29. Mai 09.]
[U 09. 618

Popovici-Bàznoşanu, Andrei, a. Bukarest: Beiträge zur Kenntnis des Cirkulationssystems der Insekten. Mit 17 Figuren im Text. Jena: G. Fischer 1905. (33 S.) 8°
¶[Aus: Jenaische Zeitschrift f. Naturwissenschaft Bd 40.]
München, Phil. Fak., Ref. Hertwig, Diss. v. 1. Febr. 1905
[Geb. 24. März 76 Bàznoasa; Wohnort: Botoschani; Staatsangeh.: Rumänien; Vorbildung: Gymn. Botoschani Reife 94; Studium: Bukarest 6, München 3 S.; Rig. 1. Febr. 05.]

Popovici-Lupa, Nicolaus O. [aus Nicoresci (Rumänien)]: Ueber den Anbau des Mais in Rumänien und seine Verwertung. ... Halle a. S., Hofbuchdr. v. C. A. Kaemmerer & Co., 1889; 93 + 1 S. 8°
Halle, Phil. Fak., Inaug.-Diss. v. [17. Aug.] 1889

Popovicin Josef: Einige der Hauptkriterien der ältesten slavischen Lehnwörter im Rumänischen.
II. 1900 PN 1348 **Diss.Wien, Univ.** 2251

Popoviciu, A., das Herkulesbad bei Mehadia in Ungarn. (Braumüller's Bade-Bibliothek, 17.) 8. (III, 67 S.) Wien 885, Braumüller. *

(Popovits,) ГРАМАТІКЪ РОМЪНО-ЦЕРМЪНЪ, сеѸ ѣндрептаре теоретіко-практікъ спре а ѣнвъца лімба цормънъ ѣн скѸртѸ тимпѸ дѸпъ ѸнѸ методѸ ноѸ ші леоне де прінсѸ. КомпѸсъ де Савва Поповічі БарчіанѸ. Hermannstadt 855. Steinhaussen. gr. 8. (260 S.) 20 ngr.

Popovitsch, Iwan B., praktisches deutsch-serbisches Conversationsbuch. Auf grammatikal. Grundlage bearb. 8. (VIII, 319 S.) Wien 880, Hartleben's Verlag.

Popovius

Popovii, ..., Sermo de theoria lunae. 4. St. Petersb. 765. Akad. B. 12 gr.

Popovii Sermo de theoria Lunae. 4. Petersb. (Hartknoch, Lips.) 765.

Popow, A., nouv. solution du probléme des ondes, et suite du mémoire, siehe: Bulletin de la société Imp. des naturalistes de Moscou, tome XXIV, 2. partie; tome XXV, 1. partie.

Popow, A. S: Vorrichtung zum Nachweis und zur Registrirung elektrischer Schwingungen. (St. Petersburg 1895) (Handschr. Übersetzung)

Popow, E. I., Leben u. Sterben Jowdokim Nikitisch Droschins 1866—1894. (In russ. Sprache.) 8. (XXXIX, 196 S.) Berlin 895. F. Gottheiner. n. 4. —

— dasselbe. M. e. Vorwort v. Leo Tolstoi. Ins Deutsche übertr. von A. v. H. gr. 8. (XXXVII, 150 S.) Ebd. 895. n. 2. 50

— dasselbe. M. Genehmigg. d. Verf. aus d. Russ. übers. v. L. A. Hauff. 8. (156 S.) Berlin 895. O. Janke. n. 1. —

Popow, M., kleine slavon. Mythologie. 8. St. Petersb. 793. (Gnobloch in Leipz.) 8 gr.

— petite mythologie slavonne. 8. St. Petersb., (Cnobloch in Leipz.) 8 gr.

Popowicz, Emilian, Ruthenisches Lese- und Sprachbuch. I. Theil. Wien, 1894. K. k. Schulbücher-Verlag. (Min.-Erl. v. 4. August 1894, Z. 1474/C. U. M.) In Halbleinen gebunden 72 h

Popowicz, Emilian, Zweiter Theil des dreitheiligen ruthenischen Lesebuches für die Volksschulen mit ruthenischer Unterrichtssprache in der Bukowina. Wien. K. k. Schulbücher-Verlag. (Min.-Erl. v. 2. Jannar 1895, Z. 20966 ex 1894.) In Halbleinen-Einband 1 K

— — Sprachlehrlicher Text als Anhang zu dem zweiten ruthenischen Lesebuche für die Volksschulen mit ruthenischer Unterrichtssprache in der Bukowina. Wien. K. k. Schulbücher-Verlag. (Min.-Erl. v. 2. Jannar 1895, Z. 22411 ex 1894.) Broschirt 20 h

Popowicz, Emilian, ruthenisches Sprachbuch. 1. Thl. gr. 8. (IV, 168 S.) Czernowitz 898. H. Pardini. Kart. n. 2.—

Popowicz, Emilian, ruthenisches Sprachbuch. 2. Thl. gr. 8. (VIII, 219 u. Wörterbuch 44 S.) Czernowitz 900. H. Pardini. Kart. u. geh. n n. 3.50

Popowicz, Emilian und Sspoynarowski, Sergius, Rutheuisches Sprachbuch. III. Teil (Satzlehre). Wien 1903. K. k. Schulbücher-Verlag. Preis, geheftet 1 K, gebunden 1 K 10 h.

Popowicz Emilian, Ruthenisches Sprachbuch für Mittelschulen. I. Teil. 2., verbesserte Auflage. Wien 1907. Schulbücherverlag. Geb. K 1.20, Geb. K 1.40.

Popowicz, Emilian, Ruthenisch-deutsches Wörterbuch. (XII, 819 S.) Lex.-8. Czernowitz 904. (I. Rechenberg & Co.) n. 5.—; geb. n. 6 —

Popowicz, Eusebius: Offener Brief an den Verfasser der Broschüre „Apologie der ortodoxen griechisch-orientalischen Kirche in der Bukowina Nr. I und II, beleuchtet etc.". Zur Verteidigung des verstorbenen Theologie-Professors Constantin Popowicz. Czernowitz: Erzbischöfl. Druckerei 1891.

Popowitsch. Leben des Kastriota. [Serbisch.] ..... 18..

Popowitsch, Johann Siegmund Valentin

— die nothwend. Anfangsgründe d. deutschen Sprechkunst, zum Gebr. d. Oestreich. Schulen. 8. Wien 754.

— Entwurf e. Abhandl. von deutschen Briefen, zum Gebr. seiner Vorlesungen. gr. 8. Wien 760. Trattner. 2 fl

— s.a. Untersuchungen vom Meere.

Popowitsch, Johann Siegmund Valentin, Untersuchungen // vom // Meere, // die // auf Veranlassung einer Schrift, // DE // COLUMNIS HERCULIS, // welche // der hochberühmte Professor in Altorf, // Herr Christ. Gottl. Schwarz, // herausgegeben, // nebst andern zu derselben gehörigen // Anmerkungen /// von einem // Liebhaber der Naturlehre und der Philologie, // vorgetragen worden. // Frankfurt und Leipzig // 1750. - 8 Blatt (nicht paginiert) Titelblatt und Vorbericht, 432 S. und zwischen Seite 38 und 49 ein Titelblatt und LXXVI Seiten.

B. S. T. 4°.107b/1.

Es folgt:
Schreiben // des Verfassers // vorhergehender Abhandlung // an // Einige vornehme Gelehrten // in // Leipzig. - 12 Blatt (nicht paginiert) und 11 Blatt (nicht paginiert) Register.

B. S. T. 4°.107b/2.

Popowitsch, Johann Siegmund Valentin. Versuch einer Vereinigung der Mundarten von Teutschland... Wien 1780. H: *Lethmüller, Ignaz.* (ErschDL) (Ky) (SO) (Vater) (BrMm)

Popowitsch, Jo. Siegm. Val., († d. 21. Nov. 1774.) Versuch e. Vereinigung d. Mundarten v. Deutschland. Aus dessen hinterlass. Papieren herausgg. (v. Ign. Lethmüller). 8. Wien 780. (Heubner). 1 fl

Popowitsch, J. S. V., Vers. e. Vereinig. d. Mundarten v. Deutschl. 8. Wien, Kurzböck. (Camesina.) 780.

Popowitsch, Kosta, a. Nisch (Serbien): Über den Einfluß der Futtermittel auf die Beschaffenheit des Fleisches und Fettes bei Schweinen. Halle a. S. 1908: C. A. Kaemmerer & Co. (71 S.) 8°

Halle, Phil. Fak., Ref. Wohltmann, Diss. v. 14. Febr. 1908

[Geb. 10. Mai 81 Nisch; Wohnort: Halle a. S.; Staatsangeh.: Serbien; Vorbildung: Gymn. Nisch Reife S.-S. 01; Studium: Techn. Hochsch. Darmstadt 1, Hannover 4, Univ. Halle 7 S.; Rig. 10. Jan. 08.]

Popowitsch, Milorad M., a. Schabatz in Serbien: Experimentaluntersuchungen zur Theorie der Superposition kleiner einfacher Schwingungen. o. O. (1904.) (46 S.) 8°

Breslau, Phil. Fak., Ref. Neumann, Diss. v. 1. Nov. 1904

[Geb. 5. Febr. (n. S.) 76 Schabatz in Serbien; Heimatsort: Schabatz; Staatsangeh.: Serbien; Vorbildung: Gymn. Schabatz Reife M. 94; Studium: Berlin 5, Breslau 4 S.; Rig. 2. August 04.]

Popowitz, Gräfin. Frankfurt u. Leipzig 1783. V: *Peschek, Chn. Fch.* (BGE VI*/254) (Bespr. Realzeitung 1783, Nr. 22, S. 347—348) (Klüber 136/497) (Verlags-Verz. in Lauterer, Strenger Beichtvater) (BiblPort)

Popowitz, Gräfin, eine Gesch. 2 Thle. 8. Frkft. Hörling. 783.

— — dass. 2 Thle. 8. Lpz. Compt. f. Literat. 783.

Kalendar Srbskii — za prestupnu godinu 1856 od D. Popowica. Ukraszen s 30 drworesa. U Beczu. Permeno Ermenskog' Monastira. Troszkom A. A. Wenedikta. (88 S. 8.) (Serbischer Kalender auf das Schaltjahr 1856 von D. Popowitz. Illustrirt mit 30 Holzschnitten. Wien. Druck der Mechitharisten-Kongregation. Verlag von Albert A. Wenedikt.)

Popowitzsch, Johann Siegmund Val., s. Popowitsch.

Popowo [Schlagwort]

Popowo, s.: Preussen. Messtischblätter.

Popowski, Fritz v., Kritik der handschriftlichen Sammlung des Joh. Aurifaber zu der Geschichte des Augsburger Reichstages im J. 1530. Inaugural-Dissertation. gr. 8. (32 S.) Königsberg 880, (Beyer's Verlag.) *

Popowski, Jos., die französisch-russische Allianz. gr. 8. (30 S. m. 1 Karte.) Wien 891. W. Frick. n. 1.—

— Dasselbe, s.a. Hauptziel des österreichisch-russischen Krieges der Zukunft.

Popowski, Jos., Considérations sur la nécessité d'un programme de politique coloniale française. gr. 8. (31 S.) Wien 902. W. Frick. n. 1.—

Popowski, Jos., England u. d. Triple-Alliance. [Aus: „Oesterr.-ung. Revue".] gr. 8. (44 S.) Wien 896. W. Frick. n. 1.—

Popowski, Jos., Entsumpfungs-Arbeiten in dem Polesie. Vortrag. 8. (34 S. m. 1 lith. Karte.) Wien 884. (Seidel & Sohn.) n. 1.—

— zur politischen Lage Europas am Ausgange des 19. Jahrh. [Aus: „Oesterr.-ungar. Revue".] gr. 8. (51 S. m. 1 farb. Karte.) Ebd. 895. n. 1.60

— Nationalität — Race (Slavismus — Panslavismus). gr. 8. (112 S.) Wien 893. W. Frick. n. 2.—

— Dasselbe, s.a. Antagonismus der englischen u. russischen Interessen in Asien.

Popowski, Jos., die politische Weltlage am Anfang des XX. Jahrh. (87 S.) gr. 8. Wien 905. (W. Frick.) n. 1.60 Sonderabdruck aus: „Oest.-ung. Revue".

Popowsky, Nikolaus: Die Tryptophanreaktion und die Halogenverbindungen der Indolaminopropionsäure. Berlin: J. Springer (1907). (30 S.) 8°
Berlin, Med. Fak., Ref. Engelmann, Diss. v. 16. Febr. 1907
[Geb. 9. Mai 83 Charkow, Rußland; Wohnort: Odessa; Staatsangeh.: Rußland; Vorbildung: Gymn. Odessa Reife O. 01; Studium: Odessa 7, Heidelberg 1, Berlin 3 S.; Rig. 8. Febr. 07.]

Popp, das Kastell Dambach. Mit Benutzung der Aufzeichngn. v. Köhl. gr. 4. (22 S. m. Abbildgn. u. 4 Taf.) Heidelberg 901. O. Petters. n. 3.60

Popp, die Schroth'sche Heilmethode im Verbande mit der Prießnitz'schen Wasserkur in allen chronischen auf Säfte-Verderbniß des Organismus beruhenden Krankheiten, als scrophulösen Geschwüren u. Geschwülsten, Krebs, Knochenfraß ɾc. mit sicherem Erfolge angewendet. 12. (21 S. m. 1 Holzschn.) München 851, Lindauer in Comm. n. 4 ngr — Neue Ausg. 12. (21 S. m. 1 Holzschn.) St. Gallen 851, Scheitlin & Zollikofer. 1/8 ℛ

Popp, die Petrefakten des lithographischen Kalkschiefers (Juraschiefers) in Bayern (vorräthig und billigst zu beziehen durch dessen Petrefakten-Comptoir.) gr. 8. (16 S.) Nürnberg 854. (Leipzig, Weber.) *

Popp: Über gerichtliche Photographie. Vortrag. Wien 1901.

Popp (Hrsg.), s. Verhandlungen des Parteitages der österreichischen Sozialdemokratie in Hainfeld.

Popp, A.: Rezepte der Kochschule, s. Dönnig, Margarete

Popp, Adelheid: Die Arbeiterin im Kampf ums Dasein. — Wien: Erste Wiener Volksbuchh. (1895). 32 S. 8°

Popp, Adelh., die Jugendgeschichte e. Arbeiterin, s.: Lebensschicksale. I.

[Popp, Adelheid]: Die Jugendgeschichte einer Arbeiterin, von ihr selbst erzählt. Mit einführenden Worten von August Bebel. — München: Reinhardt 1909. V, 93 S. 8° (Lebensschicksale. Bd. 1.)

— — 3. Aufl. VII, 87 S. 1910.

— Schutz der Mutter u. dem Kinde, s. Lichtstrahlen.

Popp, A., Schutz der Mutter und dem Kinde. (30 S.) kl. 8. Wien, Wiener Volksbuchh. 1910 —. 19.

POPP, Adolf (Regensburg): De observatis vulneribus sclopetariis in nosocomio militare Fürstenfeldense. Notizen über Verwundete im k. Kriegsspital zu Fürstenfeld.- München: Straub 1871. 32 S.
16.3.1869 - Urk; F 72; Chr 1868/69,14
Diss.Ingolst.-Landsh.-Mchn.

Popp, Ant., Anfangsgründe der ungarischen Sprache für die III. Klasse der ungarisch- und deutschsprachigen Volksschulen. 8. verb. Aufl. gr. 8. (68 S.) Preßburg 888, Stampfel. *
geb. *

Popp, Ant., abgedrungene Vertheidigung gegen Dr. Andr. Röschlaubs Avis an das baier. Publikum. 8. Landsh. 803. Thomann. 4 ℊ

POPP, August (Regensburg): Erworbene Zwerchfellhernien bearb. u. mit neuen Fällen vermehrt.- Leipzig: Vogel 1872. 34 S.
20.7.1870 - Urk (Titel: De hernia diaphragmatica traumatica.); F 72; Chr 1870/71,13
Diss. Ingolst.-Landsh.-Mchn.

Flora von Scheyern. Erster Teil. Mit einem Kärtchen. — Von P. Bonifaz Popp. — 1887, Pfaffenhofen an der Ilm, F. X. Herzogs Wwe. — S. III—XII und 2—70.
Progr. Scheyern (Oberbayern), Lateinschule

Flora von Scheyern. Zweiter Teil. — Von P. Bonifaz Popp. — 1889, Pfaffenhofen, ebenda. — S. 81—166.
Progr. Scheyern (Oberbayern), Lateinschule

Flora von Scheyern. Dritter Teil. — Von P. Bonifaz Popp. — 1891, Pfaffenhofen a. Ilm, Herzogs Wwe. — S. 169—217.
Progr. Scheyern, Kgl. Lateinschule

Popp, Dav.

— Abhandl. üb. einige alte Grabhügel, welche bei Amberg entdeckt wurden. Mit 4 Steinabdr. 4. Ingolst. 821. (Riegel u. W. in Nürnb.) 18 ℊ (bei Barth in Leipz.) 21 ℊ

Popp, Dav., Seyfried Schweppermann u. das Geschlecht der Schweppermannen. Mit 4 lithograph. Taf. Denkschrift zur 5ten Säcularfeier d. 28. Sept. 1322. 8. Sulzb. 822. v. Seidel. 12 ℊ

Popp, E. Alphabetischer Leitfaden zu der Dienst-Instruktion für die Gendarmerie-Mannschaft. Ansbach 1882. 48 S.

Popp, E.: Rezepte der Kochschule, s. Dönnig, Margarete.

Popp, Elisabeth, s. Jahresbericht der Ostpreußischen Haushaltungsschule ...

Popp, Ernst

Popp, E., De Ciceronis de officiis librorum cod. Bern. 104 eique cognatis. Diss. 1883. 56 S.

De Ciceronis de officiis librorum codice Palatino 1531. — Scrips. Ernestus Popp. — 1886, Erlangen, Junge & Sohn. — S. 3—39.
Progr. Erlangen, K. Gymn.

Popp, E., de Ciceronis de officiis librorum codice Palatino 1531. gr. 8. (39 S.) Erlangen 886. (Metzer.) n. 1. —

De Ciceronis de officiis librorum codicibus Vossiano Q, 71 et Parisino 6601 — scrips. Ernestus Popp. — 1893, Hof, ebenda. — S. 5—24. (Litterarum universitati Friderico-Alexandrinae Erlangensi annos CL transactos gratulantur et fausta omnia in posterum precantur gymnasii Curiensis rector et collegae).
Progr. Hof, K. Gymn.

Popp, Ernst Friedrich (Guben/Lausitz), Observationes criticae in Thucydidem part. prima. Leipzig (G. Fleischer) 26. VIII. 1815. 68 S. (4.—) 27033
Gew.: Gottfried Hermann.

Popp, Eugen [aus Hardheim in Baden]: Das Phenacetin und seine Anwendung auf der Würzburger medicinischen Klinik ... Freiburg i. B., Univ.-Dr. H. M. Poppen & Sohn, *1895*; 53 S. 8.
Würzburg, Med. Fak., Inaug.-Diss. v. 1895

Popp, Fr., Anmerkk. üb. die sogenannte wahre Geschichtserzählung der nach d. Absterben d. Herzogs Georg in Baiern entstand. Kriege.

— s. Bemerkk. üb. d. neuesten Bewegungen.

— s. Darstell. d. Nürnberger Eigenthums.

Popp, Fr., über Ehescheidung f. gebild. Leser. gr. 8. Sulzb. 800. v. Seidel. 1

— disquisitio inaug. juridica de imperfecta fratrum sororumque ad se invicem alendos obligatione. Altdorf 780.

— s.a. Rechtsfälle, ausgewählte.

(Popp, Fr.): **Auserwählte Rechtsfälle entschieden b. d. Oberappellat. Ger. d. Reichsst. Nürnberg.** *Nürnb. u. Sulzb.*, Seidel. **1r Bd. 1 — 3s Heft. 804 — 5. gr. 8. (18 Gr.)**

— ausgewählte Rechtsfälle. 3 Hefte. gr. 8. Nürnberg, Milbrodt. 805.

POPP, Franz (Bamberg): Über die medicinische Wirkung des Jods.- Bamberg: Humann 1841. 30 S.
14.5.1840 - Urk; F 65
Diss.Ingolst.-Landsh.-Mchn.

Popp, Friedr., Lied vom Kaiser Friedrich Barbarossa und vom Pfalzgrafen Otto v. Wittelsbach. Eine Festgabe zum 700jähr. Wittelsbacher Jubiläum. 12. (VIII, 151 S.) Nördlingen 880, Beck'sche Buchh.

Popp, G. G., s. Pauli Brief an die Epheser.

Popp, G. J., der festliche Gedächtnißtag dem Herrn gefeiert. Eine Predigt bei Anlaß der Säkularfeier der Pfarrkirche in Steinach am 12. Wintermonat 1843 gehalten. gr. 8. St. Gallen 845. (Scheitlin u. Zollikofer.) n. 1/12

Popp, Georg [aus Ludosch '(Siebenbürgen)']: Ueber den Begriff des Dramas in den deutschen Poetiken des 17. Jahrhunderts ... Leipzig, Druck v. A. Pries, 1895; V, 85 S., 1 Bl. 8.
Leipzig, Phil. Fak., Inaug.-Diss. v. [25. Febr.] 1895

Popp, Georg Julius: Kurze Beschreibungen mehrerer Irren-Anstalten Deutschlands, Belgiens, Englands, Schottlands und Frankreichs. 184 S., gbd.

Erlangen: Palm & Enke 1844

— s. Sonntags-Blatt.

POPP, Georg Julius (Bamberg): De transfusione seu chirurgia transfusoria.- Monschil: Jaquet 1835. 20 S.
23.12.1835 - Urk (Titel: De transfusione sanguinis, vel chirurgia transfusoria.); F 62
Diss. Ingolst.-Laºdsh.-Mchn.

Popp, Hermann [aus Hannover]: Beitrag zur Geschichte der neueren Künstler-Ästhetik. (München 1899.) VII, 165 S. 1 Bl. 8°.
Zürich. Phil. Diss. I. S. 1899/1900.

Popp, Herm., Beitrag zur Geschichte der neueren Künstler-Ästhetik. gr. 8. (VII, 165 S.) Karlsruhe 900. A. Bielefeld. **n. 3.—**

Popp, Herm., s.: Führer zur Kunst.

Popp, Herm., der Glaube e. Illusion. gr. 8. (76 S.) Leipzig 891. B. Elischer Nachf. n. 1. —

— Maler-Aesthetik. gr. 8. (VI, 432 S.) Strassburg 902. J. H. E. Heitz. n. 8. —

Popp, J. Vide: **Verhandlungen des Parteitages der österr. Socialdemokratie.**

Popp, I. B. F., selectiora capita de anevrysmatibus. 8 maj. Nürnb. Lechner. 805.

Popp, J. F. W. K., über Kirchenzucht. Ein Vortrag mit besonderer Rücksichtnahme auf die vom königl. protestant. Consistorium zu Bayreuth für 1853 aufgegebene Synodalfrage gehalten am 13. Decbr. 1852 zu Kulmbach in einer Conferenz dreier evangelisch-luther. Diöcesen von Oberfranken in Bayern. Nürnberg 853. Raw. gr. 8. (32 S.) 5 ngr.

Popp, J. F. W. C., über Kirchenzucht. Ein Vortrag mit besonderer Rücksichtnahme auf die von dem königl. protestant. Consistorium zu Bayreuth für 1853 aufgegebene Synodalfrage gehalten am 13. Decbr. 1852 zu Kulmbach in einer Conferenz dreier evangelisch-lutherischer Diöcesen von Oberfranken in Bayern. gr. 8. (32 S.) Nürnberg 853, Raw'sche Buchh. Thlr.

Popp, J. G., Nachhall über die abgehaltenen Missionen zu St. Gallen. In zwei Predigten. gr. 8. (24 S.) St.-Gallen 855, Köppel.

Popp, J. K. Fr., die mehrfachen Verpflichtungen zur thätigen Theilnahme am evangel. Missionswerke. Predigt über das Evang. Joh. 3, 16—21 am 2. Pfingstfeiertage 1843 gehalten. gr. 8. Bayreuth 843. (Hof, Grau.) 1/12

Popp, Ignaz

— Romani Imperii, Austriae, Bohemiae et Moraviae epitome historica. 4. Olmütz 755.

Popp, Ign., († d. 20. Oct. 1765.) historia ecclesiastica pro Candidatis Theologiae. 8. Olmütz 754.

— historia profana pro Candidatis juris civilis. 8. Olm. 753.

— historia Divae Virginis in Regni Bohemiae Monte sancto Vaticano diademate in Germania primum omnium coronatae. 4. Prag 758.

Popp, Jos., s.: Feuerstein, Mart., der hl. Kreuzweg.

— s.: Jahres-Mappe der deutschen Gesellschaft f. christliche Kunst.

Popp, Joseph, aus Hirschau: [1.] Jod, sein Vorkommen und seine Bestimmung in geringen Quantitäten. [2.] Über ein Oxydationsprodukt der Phenylhydrazinsulfosäure und dessen Verwendbarkeit als Indikator. *Erlangen 1903: Junge & Sohn.* (30 S.) 8°
Erlangen, Phil. Diss. v. 2. Juli 1902

Popp, Jos., Adalbert v. Keller. (S. 137—168 m. Abb. u. 12 [4 farb.] Taf.) 36,5×27 cm. München (908). F. Hanfstaengl. 8. —
Sonderabdruck aus: „Die Kunst uns. Zeit".

Popp, Joseph: Martin Knoller 1725—1804. Ein Beitrag zur Kunstgeschichte d. 18. Jhs. *Innsbruck: Selbstverl. 1904.* (35 S.) 8°
München, Phil. Diss. v. 1903

— Martin Knoller. Zur Erinnerg. an den 100. Todestag des Meisters 1725—1804. Ein Beitrag zur Kunstgeschichte des XVIII. Jahrh. (139 S. m. 1 Abbildg. u. 38 Taf.) Lex.-8. Innsbruck 905. Wagner. n. 5. —
Sonderabdruck aus: „Ztschr. d. Ferdinandeums".

— s.: Ratgeber, literarischer, f. die Katholiken Deutschlands.

— Ed. v. Steinle, s. Kultur u. Katholizismus.

E. v. Steinle. Eine Charakteristik s. Persönlichkeit u. Kunst von Josef **Popp**. Mainz & München: Kirchheim [1906]. (95 S.) 8°
= Kultur u. Katholizismus. Bd 3. [06. 15476

— s.: Steinle-Mappe.

Popp, Julius, appr. Arzt a. Schwabach: Über freie Gelenkkörper. Erlangen 1907: E. Th. Jacob. (36 S.) 8°
Erlangen, Med. Fak., Ref. Graser, Diss. v. 2. Aug. 1907
[Geb. 13. Sept. 80 Schwabach; Wohnort: Kirchheimbolanden (Rheinpfalz); Staatsangeh.: Bayern; Vorbildung: Gymn. Erlangen Reife M. 99; Studium: Erlangen 10 S.; Coll. 28. Juli 06; Approb. 13. Juli 04.]

Popp, Julius, appr. Arzt: Zur Melancholiefrage. Freiburg i. B.: Speyer & Kaerner 1909. 48 S. 8°
Freiburg i. B., Med. Diss. v. 1909, Ref. Hoche
[Geb. 29. Juli 78 Regensburg; Wohnort: Valzeina, Graubünden; Staatsangeh.: Bayern; Vorbildung: Gymn. Regensburg Reife Juli 97; Studium: München 8, Würzburg 6 S.; Coll. 4. Dez. 08.] [U 09. 963

Popp, Julius, aus Heidelberg: Die Metrik und Rhythmik Thomas Murners. *Halle a. S. 1898: E. Karras.* (75 S.) 8°
Heidelberg, Phil. Diss. v. [6. Okt.] 1898

Popp, Jul., s.: Protokoll üb. die Verhandlungen des IV. österr. Schuhmacher-Tages der Gehilfen in Wien.

Popp, Just. u. Theod. Bülau, die gothische Architectur, s. Architectur.

Popp, Just., s. Architektur, die, d. Mittelalters.

Popp, Justus u. **Bülau**, Theodor. Die Architectur des Mittelalters in Regensburg. Dargestellt durch den Dom, die Jakobskirche, die alte Pfarre u. einige andere Ueberreste deutscher Baukunst. Regensburg 1834-39. Fol. [3 Ex.]

Popp, Karl, Ref. in Magdeburg: Die Ausstattung und die Aussteuer nach dem Bürgerlichen Gesetzbuche unter besonderer Berücksichtigung ihrer Beziehungen zum ehelichen Güterrechte. Borna-Leipzig 1906: R. Noske. (XI, 90 S.) 8° [F.]
Leipzig, Jur. Fak., Diss. v. 3. Aug. 1906
[Geb. 5. Nov. 76 Ammelgoßwitz; Wohnort: Ammelgoßwitz; Staatsangeh.: Preußen; Vorbildung: Gymn. z. heil. Kreuz Dresden Reife O. 97; Studium: Leipzig 3, Berlin 4, Halle 2 S.; Rig. 3. März 03.]

Popp, Carl, neue Beobachtungen über plötzlichen Tod aus inneren Ursachen aus dem Nachlasse Carl Herrich's bearb. und mit dessen biograph. Skizze eingeleitet. 4. (120 S.) Regensburg 854, Pustet.

— — Bericht über den Stand der Erforschung der alten Befestigungen und Straßen auf bayer. Gebiete. Mit 1 Krt. München 1900. 9 S. 4°

— — Das Kastell Dambach. Mit Taf. Heidelberg 1901. 22 S. 4°

— — Kastell Irnsing. Mit 1 Pl. München 1902. 12 S. 4°

— — Das Segment Irnsing-Weißenburg des Straßenzuges Vindonissa . . . Bojodorum der Peutinger-Tafel. Trier 1903. 7 S.

POPP, Carl (Regensburg): Relationes quaedam de scarlatina anno 1835/36 Ratisbonae epidemica.- Monachii: Giesser 1836. 31 S.
23.8.1834 - Urk; F 61
Diss. Ingolst.-Landsh.-Mchn.

— — Das Römerkastell bei Eining. Mit 1 Pl. München 1901. 15 S. 4°

Popp, K. v. Das Römer-Kastell bei Pfünz. Mit Taf. München 1886. 1888. 17 S. 4°

Popp, K. Rtt. v. Kurzer Rückblick auf das 25jähr. Bestehen der „Militärischen Gesellschaft München". München 1893. 10 S.

— — Schutz- u. Wehrbauten aus alter Zeit in der Umgebung von Landshut. Mit Pl. o. O. 1891. 47 S.

— — u. A. Ullrich. Die alten Straßen im Allgäu, speziell die von Kempten ausgehenden Römerstraßen. Mit 1 Pl. Kempten 1899. 19 S. 4°

Popp, Karl, Untersuchungen üb. die Beschaffenheit d. menschl. Blutes in verschied. Krankheiten. gr. 8. Leipzig 845, O. Wigand. n. 2/3 ₰

— Untersuchungen über die am häufigsten vorkomm. bösart. Fremdbildungen des menschl. Körpers, s. Herrich, Karl.

— — Linearer Verlauf u. Bauart der alten Straßenzüge im Hinterlande des rätischen Limes mit Nutzanwendung für die Anlage der Römerstraßen überhaupt. Mit Taf. Trier 1897. 35 S.

Popp, Karl, Vorlesungen üb. Feldbefestigung. Mit 2 (lith.) Taf. (in qu. 4. u. Fol.) gr. 8. (110 S.) München 873. Liter.-artist. Anstalt. n. 2. 80

— Vorlesungen üb. Festungskrieg. Mit 3 (lith.) Taf. (in qu. gr. 4.) gr. 8. (VIII, 260 S,) Ebend. 874. n. 5. 50

Popp, Karl, Wallburgen, Burgstalle u. Schanzen. 1. [Aus: „Oberbayer. Archiv f. vaterländ. Geschichte".] gr. 8. München 895. (G. Franz' Verl.) n. — 70
Herren-Chiemsee u. Langenbürgner See. D. Specker Turm am Ratzinger Berg. D. Römerkastell bei Grünwald. (Vortrag, geh. im histor. Verein v. Oberbayern am 1. Dezbr. 1894.) (30 S. m Abb.)

Popp, L.

— — Kgl. bayer. Armee-Museum. 27 Abb. München 1902. 4⁰

— — Das k. b. Armee-Museum im ersten Dezennium seines Bestehens. München 1892. 4 Bl. 4⁰

Popp, L. Ein Gedächtniswort zum 12. August (1687). (Autogr.) München 1887. 4 Bl. 4⁰

Popp, L. Die alten bayer. Geschütze des k. b. Armee-Museums vor dem Zeughause auf Oberwiesenfeld. Mit 1 Taf. München 1887. 22 S. 4⁰

Popp, L. Der 6. September, ein Ehrentag der bayer. Heeres-Geschichte (Belgrad). (Autogr.) München 1888. 7 S. 4⁰

Popp, Ludwig [Rechtspraktikant in München]: Betrachtung des Rechtsinstitutes des Verfolgungsrechtes ... München, Druck d. Akad. Buchdr. v. F. Straub, 1892; 33 S. 8.
Erlangen, Jur. Fak., Inaug.-Diss. v. 1892

POPP, Ludwig (München): Die sympathische Ophthalmie.- München: Mühlthaler 1869. 34 S.
24.7.1868 - Urk (Titel: De ophthalmia sympathica.); F 72; Chr 1868/69,13
Diss. Ingolst.-Landsh.-Mchn.

Popp, M. D. Die Petrefacten des lithogr. Kalkschiefers in Bayern. (Verkaufsankündigung.) Nürnberg. 1854. 8.

Popp, Martin: Über die Anwesenheit von nichtanorganischen Substanzen und von Gasen in sächsischen Pechsteinen. Weida i. Th. 1909: Thomas & Hubert. 42 S. 8°
Leipzig, Phil. Diss. v. 14. Mai 1909, Ref. Zirkel, Le Blanc
[Geb. 13. März 83 Cunersdorf b. Kirchberg; Wohnort: Cunersdorf; Staatsangeh.: Sachsen; Vorbildung: Realgymn. Altenburg Reife O. 04; Studium: Jena 3, Leipzig 7 S.; Rig. 3. Febr. 09.] [U 09. 3043

Popp, Maryott, die Schönheitspflege. In ihrer Gesammtheit nach erprobtem Verfahren allgemeinverständlich dargestellt. (40 S.) 8. Leipzig (904). Ficker's Verl. n. 1. —

Popp, Max, aus München-Gladbach: Über die **Bildung** von Indoxyl-Derivaten aus Phenylglycin-o-carbonsäure. *Halle a. S. 1902: Wischan & Wettengel.* (93 S.) 8°
Halle, Phil. Diss. v. 1902

Popp, Max, Julius Verne u. sein Werk. Des großen Romantikers Leben, Werke u. Nachfolger. (VII, 213 S. m. 23 Abbildgn.) gr. 8. Wien 909. A. Hartleben. Geb. in Leinw. 5. —

Popp, Nikl. Chr., († d. 9. Juli 1812.) s. J. A. Schmeller, Wörterbuch.

Popp, Oscar [cand. med. aus Heidelberg]: Drei Fälle von Hydrops der Gallenblase ... Erlangen, Druck d. Univ.-Buchdr. v. E. Th. Jacob, 1894; 43 S. 8.
Erlangen, Med. Fak., Inaug.-Diss. v. 1894

Popp, Otto, über die Ittererde. Inaugural-Dissertation. gr. 8. (IV und 55 S.) Göttingen 864, (Rente.) *

Popp, Robert: Das Ziel des evangelischen Religionsunterrichtes an sächsischen Realschulen, mit besonderer Berücksichtigung des kirchengeschichtlichen Unterrichtsstoffes. *Werdau (1898): J. Booch.* (18 S.) 4° [J.]
Werdau, R, P 1898 (609)

Popp, Th. Dav., Anfang und Verbreitung des Christenthums im südlichen Teutschlande, besonders Errichtung der Diöcese Eichstädt. Denkschrift zur eilften Säcularfeier des Bisthums Eichstädt. gr. 8. (Mit 1 Lithogr.) Ingolstadt 845. (Fromm.) n. 1 ₰

POPP, Wilhelm (Regensburg): Ueber subcutane Osteotomie durch Meisselung.- Regensburg: Demmler 1872. 12 S.
13.7.1872 - Urk (Titel: De osteotomia subcutanea ope scalpri et mallei.); Chr 1871/72,20
Diss. Ingolst.-Landsh.-Mchn.

Popp, Wilhelm: Der große T h e o p h i l . s, B a c h , Ernst

Popp v. Poppenheim, Jos. Aloys, Diss. inaug. medico-practica de colica tam in genere quam in specie. 8. Wien 783.

— opera veterinaria, ex praelectionibus atque opere celeberrimi Viri Doct. atque *Profess.* publici Valstein sedule congesta. pro gente rurali continuo lue pecorum afflicta in idioma Boemicum versa. 8. Brünn (808.) (*Deutsch* u. Böhmisch.)

Poppda. Tragödie in 4 Akten von Buchholz. 8. Hamburg, Vollmer.

Poppe, Elternabende an Volks- u. Bürgerschulen, s.: Trebst.

Poppe, A., Versuch über die Kritik, metrisch übers. v. J. H. M. Dambeck. 8. 807. Ist jetzt Verl. v. Hartmann in Prag.

Poppe, Adolph, Dr., Ueber die Anwendung des elektro-magnetischen Chronoscops zur Ermittelung der Geschwindigkeit von Geschossen, und den Einfluss des Trägheits-Momentes der Fangscheibe sowie der Lage des Stosspunktes auf die Genauigkeit der Resultate. (Jahresbericht des physikalisch. Vereins zu Frankfurt a. M. für das Rechnungsjahr 1852—53. Anhang.)

Poppe, Adph., die Bedeutung u. das Wesen der antiken Telegraphie. Ein kulturgeschichtl. Beitrag. Frankfurt a. M. 867. Auffarth. gr. 8. (32 S.) n. 7½ ngr.

Poppe, A. Beschreibung u. Anleitung zum Gebrauch des Aritmographen. Frankf. 1876.

Poppe, Ad., Grundlehren d. Mechanik u. d. Maschinenwesens mit Beispielen d. Anwendung auf 4 Taf. f. Gewerbsleute u. Techniker, sowie zum Gebrauche an Real- u. Bürgerschulen. gr. 8. Frankfurt a/M. 846, Schmerber'sche Buchh. n. 11/12 ₰

Poppe, Adph., Grundlehren der Mechanik und des Maschinenwesens mit Beispielen der Anwendung auf 5 (lithogr.) Taf. (in gr. Fol. mit Text) für Gewerbsleute und Techniker, sowie zum Gebrauche an Real- und Bürgerschulen. 2., verm. Aufl. Frankfurt a. M. 854, Keller. *

Poppe, Adolf, Referendar: Der Kampf um die Berufung in Strafkammersachen seit Einführung der R.Str.P.O. bis zur Gegenwart. Hannover 1910: Jänecke. VII, 72 S. 8°
Göttingen, Jur. Diss. v. 28. Juni 1910, Ref. v. Hippel
[Geb. 12. Aug. 86 Hannover; Wohnort: Hannover; Staatsangeh.: Preußen; Vorbildung: Kaiser-Wilhelms-Gymn. Hannover Reife O. 05; Studium: Freiburg i. B. 1, Berlin 2, Göttingen 3 S.; Rig. 28. Febr. 10.] [U 10. 1349

Poppe, Adph., Lehrbuch der Elementar-Algebra, in Verbindung mit zahlreichen Uebungsbeispielen und Aufgaben für höhere Gewerbe-, Real- und Bürgerschulen, sowie zum Selbstunterricht bearb. Lex.-8. (VII und 336 S.) Frankfurt a. M. (861)62, Auffarth. *

—— Resultate nebst Andeutungen zur Auflösung der schwierigeren Aufgaben zu dem Lehrbuch der Elementar-Algebra. gr. 8. (48 S.) Frankfurt a. M. 862, Auffarth. *

Poppe, Adph., die Telegraphie von ihrem Ursprunge bis zur neuesten Zeit mit besond. Berücksicht. der ausgeführten telegraph. Systeme. Mit eingedr. Abbildgn. gr. 8. (IV u. 75 S. mit Holzschn.) Frankfurt a. M. 848, Schmerber. n. 1/3 ₰

Poppe, Ad., der Transport auf Eisenbahnen üb. Anhöhen u. Berge, od. ausführl. Darstell. d. mechan. Förderungsmittel, um d. Bahnfrachten üb. ansteigende Flächen zu schaffen. gr. 8. (1 1/2 B. u. 9 Stnt.) Tübingen 837, Osiander'sche Buchh.

—— ebene Trigonometrie in Anwendung auf Distanz- und Höhenmessung. Eine Sammlung prakt. Aufgaben und empirischer Beispiele nebst ihrer Auflösung, zur Belebung des trigonometr. Unterrichts und zur Selbstübung. Mit vielen eingedr. Holzschn. gr. 8. (VI und 128 S.) Frankfurt a. M. 847, Schmerber'sche Buchh. *

—— ebene Trigonometrie in Anwendung auf Distanz und Höhenmessung. Eine Sammlung prakt. Aufgaben und empir. Beispiele nebst ihrer Auflösung, zur Belebung des trigonometrischen Unterrichts und zur Selbstübung. 2., mit Verbesserungen verm. Ausgabe. gr. 8. (VII und 128 S. mit vielen in den Text eingedr. Holzschn.) Frankfurt a. M. 854, Keller. *

Poppe, Adph., alphabetisch-chronologische Uebersicht der Erfindungen, Entdeckungen und Fortschritte auf dem Gebiete der Physik, Chemie, Mechanik und industriellen Technik von den ältesten Zeiten bis auf unsere Tage. 3. neu bearb., verb. und verm. Aufl. gr. 8. (III, 67 S.) Frankfurt a. M. 881, Keller. *

—— chronologische Uebersicht der Erfindungen und Entdeckungen auf dem Gebiete der Physik, Chemie, Astronomie, Mechanik und industriellen Taktik von den ältesten Zeiten bis auf unsere Tage. gr. 8. (68 S.) Frankfurt a. M. 854, Keller. *

— chronologische Uebersicht der Erfindungen und Entdeckungen auf dem Gebiete der Physik, Chemie, Astronomie, Mechanik und industriellen Technik von den ältesten Zeiten bis auf unsere Tage. Ebend. 856. gr. 8. (68 S.) n. 10 ngr.

—— chronologische Uebersicht der Erfindungen und Entdeckungen auf dem Gebiete der Physik, Chemie, Astronomie, Mechanik und industriellen Technik von den ältesten Zeiten bis auf unsere Tage. 2. Aufl. gr. 8. (IV und 74 S.) Frankfurt a. M. 857, Keller. *

Poppe, Bernhard, a. Laer: Alexander Gottlieb Baumgarten. Seine Bedeutung u. Stellung in der Leibniz-Wolffischen Philosophie u. seine Beziehungen zu Kant. Nebst Veröffentlichung einer bisher unbekannten Handschrift der Ästhetik Baumgartens. Borna-Leipzig 1907: R. Noske. (258 S.) 8°

Münster, Phil. Fak., Ref. Busse, Diss. v. 15. Okt. 1907

[Geb. 28. Nov. 80 Laer; Wohnort: Laer; Staatsangeh.: Preußen; Vorbildung: Gymn. Meppen Reife O. 01; Studium: Münster 7 S.; Rig. 13. März 07.]

Poppe C.: Neue Buchführung ... Leipz. (1880). Fol.
[Lehrbuch, Uebungsbuch samt 1 H. m. Skemabl. samlede i en Pakke].

Poppe, Curt, s. Poppe, Kurt

Poppe, E., s.: Landeskunde des Herzogt. S.-Gotha.

Poppe, E., s. „Reichs-Laterne".

Poppe, Ed., Gott ist die Liebe. Katholisches Gebet- und Gesangbuch. 2., verm. Ausg. 8. (XVI und 380 S. mit 1 Stahlst.) Neustadt O/S. 862, Heinisch. *

Poppe's, E., Gott ist die Liebe. Katholisches Gebet- u. Gesangbuch. 3., verm. u. approbirte Aufl., herg. von W. Jüttner. Neustadt O. S. 869. Heinisch. 8. (XVI, 448 S. mit 1 Stahlst.) n. 12 1/2 ngr.

Poppe, Ed., das Licht der heiligen Kirche Jesu im Kampfe mit der Finsterniß unserer Tage. Eine Jahresschluß- und sieben Fastenpredigten. gr. 8. Gleiwitz 845, Landsberger. n. 1/3 ₰

Poppe's, F., Bibliothek f. Kaninchen-Züchter. 1.—9. Bd. 8. Leipzig, Dr. F. Poppe. à n. — 65

Bartels, Adf., das russische Kaninchen. Seine Zucht u. Pflege u. die Erzielg. v. Ausstellungstieren. (52 S. m. Abbildn. u. Bildnis.) (906.) (Bd. 8.)

Barth, Emil, das englische Widder-Kaninchen in Wort u. Bild. Ein Leitfaden zur Zucht u. Pflege schöner Ausstellungstiere. (63 S. m. Bildnis.) (905.) (Bd. 1.)

Grünewald, A., das holländische Kaninchen. Anleitung zur Züchtg. korrekter Ausstellungstiere. (44 S. m. Abbildgn. u. Bildnis.) (905.) (Bd. 2.)

Heintz, J., das belgische Hasen-Kaninchen. Eine ausführl. Beschreibg. nebst Anleitg. zur erfolgreichen Zucht u. Bewertungsform. (32 S. m. Abbildgn.) (905.) (Bd. 4.)

— das belgische Landkaninchen. Ausführliche Beschreibg. e. im westl. Deutschland schon gut eingeführten Kaninchenrasse. (29 S. u. m. Abbildgn.) (905.) (Bd. 5.)

Heintz, J., das englische Schecken-Kaninchen. Ausführliche Beschreibg. der Rasse nebst Zuchtregeln u. Bewertungsformen. Nach engl. Quellen bearb. (31 S. m. Abbildgn. u. Bildnis. (905.) (Bd. 3.)

Köhler, Wilh., das Angorakaninchen. Anleitung zur Zucht u. Pflege. (35 S. m. Abbildgn. u. Bildnis.) (906.) (Bd. 7.)

Rottloff, Rich., das Black and tan-Kaninchen. Anleitung u. Winke zur Aufzucht u. Veredlg. v. reinrass. Tieren. (48 S. m. Abbildgn. u. Bildnis.) (905.) (Bd. 6.)

Starke, Paul, das belgische Riesenkaninchen, seine Zucht u. Pflege. Den Ansprüchen der Neuzeit entsprechend bearb. v. Karl Marpmann. 3. Aufl. (69 S. m. Abbildgn.) (906.) (Bd. 9.)

Poppe's, F., Bibliothek f. Kaninchen-Züchter. 10.—18. Bd. 8. Leipzig, Dr. F. Poppe. à — 65

Behrens, Ed., das Havannakaninchen, seine Zucht u. Pflege. (21 S. m. Abbildgn.) (909.) (Bd. 15.)

— Das Japaner-Kaninchen. Anleitung u. Winke zur Aufzucht u. Veredlg. v. reinrass. Tieren. Illustriert v. A. Kaiser. (25 S. m. 1 Bildnis.) (909.) (Bd. 11.)

— Das französische Widderkaninchen. (40 S. m. Abbildgn.) (907.) (Bd. 10.)

Berthold, M. K., das Silberkaninchen. Anleitung u. Winke zu dessen reinrass. Aufzucht u. nutzbarer Verwendg. 4. verm. Aufl. (51 S. m. Abbildgn.) (909.) (Bd. 16.)

Heintz, J., das rheinische Scheckenkaninchen. Beschreibung u. Anleitg. zur Zucht schöner Ausstellungstiere. (22 S. m. Abbildgn.) (909.) (Bd. 17.)

— Das blaue Wiener Kaninchen. Anleitung zur Aufzucht reinrass. Tiere, unter Benutzg. v. Angaben des Hrn. G. Enzinger. Mit 4 Illustr. (19 S.) (909.) (Bd. 12.)

Lippoldt, Otto, das Hermelinkaninchen. Seine Zucht u. Pflege u. die Erzüchtg. schöner Ausstellungstiere. (30 S. m. Abbildgn.) (909.) (Bd. 14.)

Otto, H., das deutsche Riesen-Scheckenkaninchen. Beschreibung u. Anleitg. zur Zucht schöner Ausstellungstiere. (27 S. m. Abbildgn.) (910.) (Bd. 18.)

Piegsa, Emil, das chamoisfarbige Thüringer Kaninchen. Im Auftrag des Züchterklubs chamoisfarb. Thüringer Kaninchen. (23 S. m. Abbildgn.) (909.) (Bd. 13.)

Poppe, F., s.: Jugendfreund.

Poppe, F., Jugendfreund, s.: Munderloh, H. F.

Poppe, F., s.: Kanarien-Kalender.

Poppe's, F., praktische Kaninchenzucht, s.: Starke.

— s.: Lehrbuch, deutsches.

— deutsches Lesebuch, s. Munderloh, H. F.

Poppe, F., s. Lesebuch, deutsches, für Schule und Haus.

Poppe, F., das Meerschweinchen, s.: Bertaut, René.

Poppe, F. August Eduard (Dippoldiswalde), Collectanea quaedam de vermibus in corpore humano viventibus. Diss. med. Leipzig (Fischer) 21. III. 1831. 53 S. (3.75) 27036
Gew.: Carl David Klebsch, Christian Wilhelm Neumann.

Poppe, F. J. C., Ansichten über die Entstehung u. Ausbildung des edlen Pferdes u. die zur Verbesserung der Pferdezucht anzuwendenden Mittel rc. 2e Aufl. gr. 8. Quedlinb. 840. Ernst. 1 ₰

Poppe, F. M. Pars commentationis de litium assecurationis causa orientium decisione. Gottingiae 1752.

Poppe, (Fr.) W. C., Sammlung von Predigten auf alle Sonntage u. die in d. Königl. Preuß. Landen zu feiernden jährl. Festtage. 4. Cottbus ... Meyer. n. 2 ₰

Poppe, Franz (Hrsg.), s.a. A l b u m Oldenburg. Dichter.

Poppe, Frz., Album oldenburgischer Dichter. gr. 8. (XIII, 313 S.) Oldenburg 883, (Bültmann und Gerriets.) geb. mit Goldschn. *

Poppe, Frz., Album oldenburgischer Dichter. Eine Festgabe. 2., neu bearb. u. ergänzte Aufl. gr. 8. (VIII, 295 S.) Oldenburg 896. Schulze. n. 2. —; geb. n. 3. —

—— meine Erfahrungen an einer Simultanschule in Frankfurt am Main. Ein krit. Beitrag zur Lösung der Simultanschulfrage. 3. Aufl. 8. (32 S.) Frankfurt a. M. 880, Fößer's Nachf. *

Poppe, Frz., kurze Geographie des Großherzogth. Oldenburg. Mit 1 (lith. u. color.) Karte. Oldenburg 869. Schulze. gr. 8. (14 S.) 3 ngr.

—— Heimatkunde. Bilder aus der Geographie und Geschichte Oldenburgs. Für Schulen bearb. Verm. Separat-Abdruck aus dem neuen Oldenburger Volksschullesebuche. Supplement zum alten Oldenburger Lesebuche. gr. 8. (39 S. mit 1 lithogr. und color. Karte.) Ebendas. 869. *

Poppe, Frz., Deutschlands Heldenkampf 1870 u. 1871 in Bildern f. das Volk, das Heer u. die Jugend. Mit vielen Illustr., Initialen, Situationsplänen u. e. Kriegskarte. gr. 8. (IV, 284 S. m. eingedr. Holzschn., 2 Holzschntaf. u. e. lith. Karte in 4.) Oldenburg 872. Schulze. n. 2. 40; cart. n. 3. —

— Jan un Hinnerks gesammelte Werke. Mit Zeichngn. von Bernh. Winter, Hugo Borner, Wilh. Büppelmann, Arnold Schröder † u. a. 1. Bdchn. Vaddersnack twüschen Jan un Hinnerk. Billige Volksausgabe. gr. 8. (VII, 128 S.) Oldenburg (901). G. Stalling's Verl. n. 1. —

Poppe, Frz., Marsch und Geest. Gedichte humorist. und ernsten Inhalts in Oldenburg-niederdeutscher Mundart. Mit dem (phototyp.) Bildnisse des Verf. 16. (XII, 143 S.) Oldenburg 879, Bültmann und Gerriets. geb. mit Goldschn. *

Poppe, Frz., Oldenburg u. seine Umgebung, s.: Städtebilder u. Landschaften aus aller Welt.

— am Zwischenahner See. Lieder. Oldenburg 869. Stalling's Verlag. 16. (VI, 102 S.) n. 10 ngr.; in engl. Einb. mit Goldschn. n. 20 ngr.

— Vorbereitung auf Luthers kleinen Katechismus. Praktische Katechesen f. Religionslehrer. gr. 8. (XII, 206 S.) Leipzig 884. Hinrichs' Verl. cart. n. 2. 50

Poppe, Frz., Jan u. Hinnerks gesammelte Werke. Mit Zeichngn. v. Bernh. Winter, Hugo Börner, Wilh. Büppelmann u. a. 2. u. 3. Bdchn. Billige Volksausg. gr. 8. Oldenburg (903). G. Stalling's Verl. à n. 1. —
2. Geschichten, Döntjes, Komödien rc. (VII, 128 S.)
3. Marsch u. Geest. Gedichte humorist. u. ernsten Inhalts in niederdeutscher Mundart. 2. verm. Aufl. (X, 118 S. m. Bildnis.)

— Wihnachtsbom un Hasselstruk. Oldenburg 867. Schulze'sche Buchh. 8. (16 S.) 3 ngr.

Noorddütsche Wihnachsböm. Plattdütsche Geschichten fär jung un olt. Van Franz **Poppe**. Mit d. Bilde d. Verf. Oldenburg: Schulze (1908). (184 S.) 8° [F.] 08. 18397

Poppe, Frz., noorddütsche Wihnachsböm. Plattdütsche Geschichten fär jung un olt. (VII, 184 S. m. Bildnis.) 8. Oldenburg (909). Schulze. 2. —

Poppe, Frz., Zwischen Ems u. Weser. Land u. Leute in Oldenburg u. Ostfriesland. 3. [Titel-]Aufl. gr. 8. (VII, 472 S. m. Titelbild.) Oldenburg [888.] 902. Schulze. n. 6. —; geb. n. 7. —

Zwischen Ems und Weser. Land u. Leute in Oldenburg u. Ostfriesland. Von Franz **Poppe**. 3. Aufl. Oldenburg & Leipzig: Schulze 1906. (VII, 472 S.) 8° [F.] 07. 11401 9

— **Franciscus Michael** (Hamburg), Commentatio epistolica ad constitutionis criminalis Carolinae art. XL. § Wann einer etc. Göttingen (Hager) (23. VI.) 1750. 24 S. (4.50) 27037
Gratulationsschrift für Jakob Schuback.

Poppe, Friedrich [aus Schlieben]: Über den Echinococcus der Knochen. . . . Berlin, Buchdr. v. Gustav Schade (Otto **Francke**) (1889); 28 S. + 2 Bl. 8°
Berlin, Med. Fak., Inaug.-Diss. v. 1. Aug. 1889

— **Friedrich** (Nürnberg), De imperfecta fratrum sororumque ad se invicem alendos obligatione. Disquis. jur. Altdorf (J. A. Hessel) 18. XII. 1780. 36 S. (4.75) 27034

Poppe, H., Salat-Buch, s.: Stavenow, J. R.

Poppe, Hans, der Freischütz von Karl Maria v. Weber, s. a. Opernführer.

Der Freischütz. Romantische Oper in 3 Akten. Dichtung von Friedrich Kind. Musik von Karl Maria v. Weber. Textlich u. musikalisch erl. von Hans **Poppe**. *Leipzig: H. Seemann Nachf. [1901].* (48 S.) 8° [F.]
— Opernführer. No 38. 03. 3799

Poppe, Hans Jos., Mädchenküsse. Studentenverse. (107 S.) 16. Stuttgart (907). Charlottenburg, A. Juncker Verl. 2. —

Poppe, Heinrich, approb. Arzt aus Itzehoe: Aus d. chirurg. Klinik zu Kiel. Zur **Casuistik** der Bursitis iliaca. *Kiel 1900: H. Fiencke.* (22 S.) 8°
Kiel, Med. Diss. v. [6. Juli] 1900

Poppe, Hugo, Antrittspredigt bei seiner Ordination u. Einführung in das Amt e. Pastors an der Hauptkirche St. Petri in Hamburg, am 18. VIII. 1903 geh. (19 S.) gr. 8. Hamburg 903. L. Gräfe. n. — 30

Poppe, J., kleine Geschichten aus der heiligen Geschichte. Für die Kleinen bearb. (Des Verf. „Vorlagen zum Schreiben und Lesen." 4. Heft.) 8. (72 S.) Schönebeck 856, (Berger.) *

—— die drei ersten Hauptstücke des christlichen Glaubens mit passenden Bibelsprüchen und Versen für die Unter- und Mittelklasse der Volksschulen zusammengestellt. (Vorlagen zum Schreiben und Lesen ꝛc. 3. Heft.) 8. (IV und 32 S.) Schönebeck 852, Berger. *

Poppe, J. Hilfslexikon z. Behütg d. menschl. Lebens vor allen erdenkl. Unglücksfällen. Nürnberg 1811. 2 Bde.

Poppe, J. F. De privatis atque illustriorib. publicis vet. Romanor. bibliothecis earumque fatis narratio. 20 S. . .
Berlin, J., Progr. 1826

Poppe, J. J. C., s. Lesefrüchte v. Felde d. neuest. Literatur.

Poppe, J. W., sechs Blätter englische Cursivschrift [in Familiengruppen] für Schule und practisches Leben. 2. Aufl. 4. (6 Stnt.) Langensalza 869, Klinghammer. *

Poppe, J. W., 16 Blätter deutsche Currentschrift für Schule u. praktisches Leben. [Aus dessen Fibel I.] 1. Heft. Langensalza 870. Klinghammer. qu. 8. (16 Steintaff.) n. 3 ngr.

— thüringisches Liederbuch (für Jung u. Alt). 3. verm. Aufl. Gorsleben 869. (Langensalza, Klinghammer.) 16. (VIII, 161 S.) n. 5 ngr.

— erstes Schreib-, Lese- u. Sprachbüchlein für unsere lieben Kleinen u. zugleich Vorlagen zum Schreiben (in's Schreibebuch) für die Größeren. 1. Abthl. Langensalza 869. Klinghammer. gr.8. (52 S., wovon 16 lith.) n. 3 ngr.

—— erstes Schreib-, Lese- und Sprach-Büchlein für unsere lieben Kleinen und zugleich Vorlagen zum Schreiben [nach Schreib- und Druckschrift in's Schreibebuch] für die Größeren. Neue Aufl. der Schreibschrift. 1. Heft. 8. (36 und 16 lithogr. S.) Ebendas. 870. *

Poppe

— **Jo. Adolph** (Hamburg), De incongrua legum quarundam digestorum, doctrinam de legatis sistentium applicatione. Diss. jur. Gießen (J. J. Braun) 27. II. 1753. 32 S. (4.75) 27038
Widm. v.: Jo. Ernst Hoepfner, Jo. Aug. Hellfeld, Fried. Andreas Gottlieb Gnüge, Johann Jakob Sorber, Franz von Spreckelsen, Johann Winckler.

— **Johann Aenotheus Moritz** (Leipzig), Meditationes de pignore. Diss. jur. Leipzig (Melzer) 19. V. 1831. 26 S. (3.25) 27039

Poppe, Johann Cornelius Maximilian, s. Poppe, Johann Kornelius Maximilian

— **Johann Dietherich** (Butzfleth / Keding / Bremen), Tertulliani testimonium de ΑΠΟΘΕΩΣΕΙ Christo a Tiberio decreta adversus dissentientes inprimis ac Joannem clericum. Präs. Arnold Grevius. Wittenberg (Gerdes) 24. I. 1722. 16 S. (4.75) 27040

Poppe, Johann Friedrich

— s.a. Beispiele d. Tugend.

BEYSPIELE von Tugend und Laster aus der Geschichte der Menschheit (von *Joh. Friedr. Poppe*). 2 Thle. Altenburg, Richter, 1778—79. 8⁰. (19 gr.)
Anzeige des Verlegers; O. M. V. von 1778 u. 1779, S. 405 u. 613.

Poppe, J., kleine Geschichten aus der heiligen Geschichte mit Katechismus u. Spruchbuch für die Kleinen bearb. u. zusammengestellt. 2., mehrfach erweiterte Aufl. Erfurt 862. Körner's Verlag. 8. (IV, 84 S.) n. 5 ngr.

- s. Charakteristik d. asiat. Völker.

-- s. Ciceronis Epist. sel. libri IV.

POPPE, Johann Friedrich 1753 -
Geschichte der Europäischen Staaten. In Verbindung der Erdbeschreibung und Staatskunde von Johann Friedrich Poppe ...
Erster [- Zweyter] Band.
Halle: Gebauer. 1783 [- 1784]. 8⁰.
Stadtbibliothek und Stadtarchiv Soest

POPPE, Johann Friedrich 1753 -
Grundriß der Europäischen Staatengeschichte, in Verbindung der Erdbeschreibung und Staatskunde; zum Gebrauch der Schulen entworfen von Johann Friedrich Poppe ...
Berlin: Hesse. 1782. 4, 272 S. 8⁰.
Universitätsbibliothek München

— Grundr. d. europ. Staatengesch. in Verbind. d. Erdbeschr. u. Staatskunde. gr. 8. Berl. Hesse. (Müller.) 782.

— vita Jo. Bapt. Marini. 4. Halle 771.

Poppe, Johann Heinrich Moritz

— prakt. Abhandl. üb. die Lehre v. der Reibung in Hinsicht auf das Maschinenwesen. 8. Götting. 801. Schröder. (Röwer). 12 gr.

Poppe, Joh. Heinr. Mor., Almanach f. Metallarbeiter, od. die neuest. u. nützlichsten, bis zum J. 1834, im In- u. Auslande gemachten, Entdeckungen u. Erfindungen in der Kunst, die Metalle zu veredeln u. in Waaren umzuschaffen. Mit Abbild. (1 Bl. 4.) — A. m. d. Umschlags-Ttl.: Handbuch z. Beförderung d. Flors d. Metallwaarenfabrikation in Deutschland. gr. 12. (10 B.) Stuttgart 834, Neff.

— ausführl. Anleit. zur allgem. Technologie, nach e. ganz neuer Systeme bearb. Mit 4 Kpfr. gr. 8. Stuttg. 821. v. Cotta. 3 ℛ

– s. Auch, Jak.

Poppe, Johann Heinrich Moritz: Beantwortung der den 1.Jenner 1801...aufgegebenen Preisfragen: "Was für Maschinen und Erfindungen zur Rettung des menschlichen Lebens aus verschiedenen Gefahren sind bekannt? und welche verdienen vor Andern den Vorzug?" 179 S., gbd.

Wien: typ.Schmidt 1804
beigedr.: Fothergill, A(nthony): Versuch Schiffbruchleidende Seefahrer zu erhalten... Übers.(aus dem Englischen). (1804)

Poppe, (J. H. M.,) das Beleuchtungswesen auf d. höchsten Stufe d. Vollkommenheit, oder die Kunst, unsern Talg, Wachs u. Wallrath, leichter auf d. vortheilhafteste zu verfertigen. Mit 7 Steintaf. 8. Tübing. 827, Osiander.

— Beschreib. u. Abbild. d. von Hochstetter erfund. Maschine zur Rettung d. Menschen bei Feuersbrünsten. Mit 2 Steindr. gr. 8. Frkf. a. M. 815. Hermann. 9 gr.

— die Bierbrauerei auf. d. höchste Stufe d. jetz. Vollkommenheit, od. d. Kunst, d. vorzügl. deutschen u. engl. Biere nach d. besten Grundsätzen u. d. neuesten geprüften Erfahrungen zu brauen. Unter Mitwirkung einiger geschickter Braumeister herausgeg. Mit 2 Steintaf. 8. Tüb. 826, Osiander.

—— die Bierbrauerei auf d. höchsten Stufe d. jetzig. Vervollkommnung, od. d. Kunst, die vorzüglichst. deutschen u. engl. Biere nach d. besten Grundsätzen u. d. neuest. geprüften Erfahrungen zu brauen. Unter Mitwirkung einiger geschickt. Braumeister hrsg. M. 2 Stnt. (4.) Neue, verm. Ausg. 8. (19½ B.) Tübingen 834, Osiander. Thlr.

— technolog. Bildergallerie, oder Darstellung der interessant. u. lehrreichsten Manufakturen, Fabriken, Künste u. Handwerke ꝛc. Mit 40 Steintaf. gr. 8. Stuttgart ...; jetzt Mäcken jun. in Reutlingen. 2 ß

Poppe, Johann Heinrich Moritz von: „Technologische Bildergallerie, oder Darstellung der interessantesten und lehrreichsten Manufacturen, Fabriken, Künste und Handwerke in getreuen Bildern und ausführlichen, deutlichen Erklärungen; nach dem jetzigen Zustande der technischen Gewerbe für Jung und Alt, besonders für Lehrer an Schulen", Reutlingen 1830 (Marten).

Poppe, Joh. Heinr. Mor., technolog. Bildergallerie, od. Darstellung d. interessant. u. lehrreichsten Manufakturen, Fabriken, Künste u. Handwerke, in getreuen Bildern u. ausführl. deutlichen Erklärungen. Nach d. jetzig. Zustande d. techn. Gewerbe f. Jung u. Alt, besond. auch f. Lehrer in Schulen bearb. M. 40 Stnt. gr. 8. (24 B.) Stuttgart 830, [Beck u. Fränkel.]

— technolog. Bildergallerie, od. Darstell. der interessantesten u. lehrreichst. Manufakturen, Fabriken, Künste u. Handwerke, in getreuen Bildern u. ausführl. deutl. Erklärungen. Mit 40 Steintaf. gr. 8. Stuttg. 830. Löflund u. S. 2 ß 4 g/

Poppe, J. H. M. [v]: Technologische Bildergallerie oder Darstellung der interessantesten und lehrreichsten Manufakturen, Fabriken, Künste und Handwerke in getreuen Bildern und ausführlichen deutlichen Erklärungen. Stuttgart 1839

— die Branntweinbrennerei u. Essigfabrikation auf d. höchsten Stufe d. jetz. Vollkommenheit, od. d. Kunst, alle Sorten v. Branntwein u. Essig nach d. besten Grundsätzen u. nach d. neuesten Erfindungen u. Entdeckgn zubereiten. Mit 4 Steint. 8. Tüb. 826, Osiander.

—— die Branntweinbrennerey u. Essigfabrikation auf d. höchsten Stufe d. jetzig. Vervollkommnung, od. d. Kunst, alle Sorten v. Branntwein u. Essig nach d. besten Grundsätzen u. nach d. neuesten Erfindungen u. Entdeckn. zu bereiten. M. 4 Stnt. (4.) Neue, verm. Ausg. 8. (21½ B.) Tübingen 834, Osiander.

—— die Artesischen Brunnen, ihre Beschaffenheit, die Art ihrer Verfertig. u. ihre Benutzung, mit allen dazu gehörig. Instrumenten u. Maschinen zum Bohren, Ausfüttern u. gehör. Einrichten dies. Brunnen, als Spring-, Lauf- u. Pumpbrunnen. 1. Aufl. (4½ B. u. 3 Stnt.) 8 Gr., 2., verb. u. verm. A, (5½ B. u. 4 Stnt.) 8. Tübingen 831, Osiander.

v. Poppe, Jh. Hnr. Mor., das Buch der nützlichsten Künste und deren Erfindungen. Für die Jugend u. ihre Freunde in möglichster Reichhaltigkeit u. Kürze geschichtlich u. beschreibend dargestellt. 12. Zürich 844, Schultheß. geb. 1¼ ß

— Deutschland auf der höchst mögl. Stufe seines Kunstfleißes u. seiner Industrie überhaupt. Vorschläge, Wünsche u. Hoffnungen zur Vermehrung des deutschen Wohlstandes. 8. Frkf. a. M. 816. Hermann. 9 g/

— Encyklopädie d. gesammten Maschinenwesens, od. Unterr. in der prakt. Mechanik u. Maschinenlehre. Ein Handbuch f. Mechaniker ꝛc. 8 Thle. Mit 76 Kpfst. gr. 8. Leipz. 800 — 827. (1r—3r Bd. 4e A. 807.) Voß. 25 ß 4 g/

v. Poppe, Jh. Hnr. Mor., die Erd- u. Himmelskunde im Lichte d. neuesten Zeit. Eine gedrängte populäre Darstellung der astronomischen Wissenschaften für Leser aus allen Ständen. Mit 13 Abbild. auf 4 Taf. 2 Liefg. gr. 8. Zürich 844, Schultheß. Subscr.-Pr. à 16¼ ngl

— die Fabrikation des Runkelrübenzuckers, s. oben, dessen: Handwerks- u. Fabrikenschule.

Poppe, Jh. Hnr. Moritz, die Fuhrwerke, ihre verschied. Arten, ihr Bau nach den besten Grundsätzen u. neuest. Erfahrr., nebst mancherlei Einrichtungen derselben zur Kraftersparniß, Sicherheit u. Bequemlichkeit. Mit 4 Kpfst. 8. Stuttg. 828. Hoffmann. 21 g/

— die Fuhrwerke, ihre verschiedenen Arten, ihr Bau nach den besten Grundsätzen u. neuesten Erfindungen; nebst mancherlei Einrichtungen derselben zur Kraftersparniß, Sicherheit u. Bequemlichkeit. 2e bedeutend verm. Aufl. Mit 5 Steintaf. 8. Stuttgart 835. Weise. ¾ ß

— das Ganze des Schornsteinbaues, od. die Kunst, den Rauch in d. Schornsteinen auf die zweckmäß. Art fortzuleiten ꝛc. 8. Hannov. 804. Helwing. 12 g/

— Geist d. engl. Manufakturen. Ein Wort an d. Deutschen. 8. Heidelb. Mohr u. Z. 812.

— Geschichte der Anwendung aller krummen Linien in mechan. Künsten u. in der Architektur, seit d. ältest. Zeiten bis zum Anfange d. 19. Jahrh. gr. 8. Nürnb. 802. Bauer u. R. 16 g/

— Gesch. der Anwendung aller krummen Linien in mechanischen Künsten und in der Architektur ꝛc. gr. 8. Nürnb. Raspe. 802.

Ausführliche Geschichte der theoretisch-praktischen Uhrmacherkunst; seit der ältesten Art den Tag einzutheilen, bis an das Ende des achtzehnten Jahrhunderts. Von *Joh. Heinr. Moritz Poppe.* Leipzig, bey Roch u. Comp. gr. 8. X und 564 Seit. 1801.

— Geschichte der Erfindungen in den Künsten u. Wissenschaften, seit den ältesten bis auf die neueste Zeit. 4 Bdchen. 8. Dresd. 828, 29. Hilscher. 1 ß 12 g/

—— Geschichte d. Erfindungen in d. Künsten u. Wissenschaften, seit d. ältesten bis auf d. neueste Zeit. 4 Bdchn. 8. (33 B.) Dresden 829. [Zittau, Nauwerck.] 1 Thlr. 12 Gr., hrbgs. Pr.

Poppe, Joh. Heinr. Moritz: „Geschichte aller Erfindungen und Entdeckungen im Bereiche der Gewerbe, Künste und Wissenschaften, von der ältesten Zeit bis auf die heutigen Tage", Stuttgart 1836 (Hoffmann). — 2. Aufl. Frankfurt a. M. 1847. — Vorh.: Germ. Nat. Mus. Nürnberg.

— Geschichte aller Erfindungen u. Entdeckungen im Bereiche der Gewerbe, Künste u. Wissenschaften, von der frühesten Zeit bis auf unsere Tage Beschreibend u. in Abbildungen dargestellt. Mit 32 Tafeln. gr. 8. Stuttgart 837. Hoffmann. 1¾ ß

Poppe, Johann Heinrich Moritz: „Geschichte der Erfindungen in den Künsten und Wissenschaften seit den ältesten bis auf die neueste Zeit", 4 Bändchen, Dresden 1828, 1829 (Hilscher). — Vorh.: UB Bonn

—— Geschichte d. Mathematik seit d. ältesten bis auf d. neueste Zeit. gr. 8. (42¼ B.) Tübingen 828, Osiander.

— Geschichte d. Technologie, seit der Wiederherstellung d. Wissenschaften bis an das Ende des 18. Jahrh. 3 Bde. gr. 8. Götting. 807—811. Röwer. 6 ß (A. u. d. T.: Geschichte d. Künste u. Wissenschaften ꝛc. 8e Abtheil.)

— Geschichte d. theoret. u. prakt. Uhrmacherkunst seit der ältest. Art, den Tag einzutheilen, bis an das Ende des 18. Jahrh. gr. 8. Leipz. 800. (Brockhaus). 2 ß 8 g/

— Gesch. der theoret. und prakt. Uhrmacherk. seit der ältest. Art, den Tag einzutheil. ꝛc. gr. 8. Lpz. Hempel. (Gleditsch.) 800.

—— Gewitterbüchlein zum Schutz u. zur Sicherheit gegen d. Gefahren der Gewitter, besond. auch üb. d. Kunst, Blitzableiter auf d. beste Art anzulegen. M. 1 Stnt. (4.) 8. (4½ B.) Tübingen 830, Osiander.

— Handbuch der Erfindungen in den mechanischen und technischen Künsten zum Selbstunterrichte u. zum Gebr. in Lehranstalten. 8. Hannover, Helwing. 817.

— Handbuch d. Experimental-Physik, nach d. neuesten Entdekk. bearb. Mit 6 Kpft. 8. Hannov. 808. 2e, fast durchgeh. umgearb., sehr verb. u. verm. Aufl. Mit 6 Kpft. 8. Ebd. 826. Helwing. 1 ℛ 8 gℛ

Poppe J. H. M.: Handbuch d. Experimental-Physik. Nach den neuesten Entdeckungen bearb. Hann. u. Pyrmont 1809. 394 S. 6 Tvl.

— Handbuch d. Experimental-Physik, nach den neuesten Entdeckungen bearbeitet, 2te, fast durchgehends umgearb., sehr verb. u. verm. Aufl. Mit 6 Kupfert. 8. Hannover 827, Helwing.

—— populäres Handbuch d. Mechanik, in durchaus prakt. Beziehung. Sowohl zum Selbstunterr. f. Gewerbtreibende u. Liebhaber jener Wissenschaft, als auch insbesond. z. Gebr. f. Realschulen rc. M. 10 Stnt. (gr. 4.) gr. 8. (28 B.) Tübingen 829, Laupp.

Poppe, J. H. M: Praktisches Handbuch für Uhrmacher, Uhrenhändler und für Uhrenbesitzer. Neue Ausg. Bd 1. 2. Leipzig 1810

— Handbuch d. Technologie. 1e — 4e Abtheil. 8. Heidelb. 806 —10. Mohr. 3 ℛ 12 gℛ

— Handbuch f. Uhrmacher, Uhrenhändler, s. a Wörterbuch der Uhrmacherkunst.

— Handbuch f. Uhrmacher, Uhrenhändler und Uhrenbesitzer, oder Lexikon und Erklär. der Begr. u. Kunstwörter rc. 2 Bde. m. K. gr. 8. Lpz. Sommer. 810.

— neueste Handwerks- u. Fabrikenschule, od. deutl. Anweis. u. Beschreibung d. vornehmsten techn. Künste in ihrem jetzigen vervollkommten Zustande. 1r Thl. A. u. d. T.: Die Färbekunst auf d. höchsten Stufe d. jetz. Vervollkommung. 8. Tübingen 827, Osiander.

—— neueste Handwerks- u. Fabrikenschule, od. deutliche u. bündige Beschreib. d. vornehmsten techn. Künste in ihrem jetz. vervollkommneten Zustande. 6. Thl. — A. u. d. T.: Die Uhren u. d. Uhrmacherkunst auf d. höchsten Stufe d. jetz. Vervollkommnung, od. d. Kenntniß aller Arten v. Uhren, ihre Verfertigung, Conservirung, Reparatur u. Stellung. M. 12 Stnt. 8. (34 B.) Tübingen 829, Osiander.

—— dass. 7. Thl. — A. u. d. T.: Die Leder-Fabrikation auf d. höchsten Stufe d. jetz. Vervollkommnung. 8. (18½ B.) Ebds. 829.

—— dass. 8. Thl. — A. u. d. T.: Die Weinbereitung nach d. besten Grundsätzen u. Erfahrungen. M. 2 Stnt. 8. (18 B.) Ebds. 830.

—— dass. 9. Thl. — A. u. d. T.: Der Mühlenbau u. d. Mühlenwesen überh., od. Beschreib. aller Arten v. Mühlen, nach d. besten Grundsätzen u. Erfahrungen. Für Müller, Baumeister rc. M. 15 Stnt. (4.) 8. (26½ B.) Ebds. 831.

—— dass. 10. Thl. — A. u. d. T.: Die Flachs- u. Hanf-Verarbeitung im ganzen Umfange; od. d. Veredlung dies. nützl. Produkte bis zu fertig. Garn, Zwirn u. der ganz vollendeten Leinwand. Mit Beschreib. der dazu gehör. neuesten u. besten mechan. u. chem. Vorrichtungen. M. 8 Stnt. (4.) 8. (13 B.) Ebds. 833.
1—5. Bd. Ebendas. 1826, 27. 5 Thlr.

—— neueste Handwerks- u. Fabrikenschule, od. deutl. u. bünd. Beschreib. d. vornehmsten techn. Künste in ihrem jetzigen vervollkommneten Zustande. 11. Thl. — A. u. d. T.: Die Fabrikation d. Runkelrübenzuckers, nebst d. Fabrikation aller übrigen Zuckerarten, mit allen darin bis auf d. neueste Zeit gemachten bewährten Erfindungen. 8. (10 B. u. 4 Stnt.) Tübingen 836, Osiander'sche Buchh.
1—10. Thl. Ebendas. 1826—33. 11 Thlr. 12 Gr.

—— der deutsche Hausfreund, s. Hausfreund.

Poppe, Johann Heinrich Moritz: „Allgemeines ökonomisches Hülfsbuch für den Bürger und Landmann, oder das Gemeinnützigste und Geprüfteste für die Haushaltungs- und Gewerbskunde", Frankfurt a. M. 1820. (Hermann).

– s. Hochheimer, K. F. A.: Haus- und Kunstbuch.

— der astronom. Jugendfreund od. faßl. u. unterhaltende Darstell. d. Sternkunde für die Jugend u. Gebildete beiderlei Geschlechts. 4 Thle. Mit Steintaf. 8. Tübing. 822—23. Osiander. 5 ℛ Schrbp. 6 ℛ 8 gℛ (1r Thl. A. u. d. T.: Die mathemat. Erdbeschreibung rc.)

— der magische Jugendfreund, od. faßl. u. unterhalt. Darstell. der natürl. Zauberkünste u. Taschenspielereien. 3 Bdchn. Mit Kpf. 8. Frkf. a. M. 817. Hermann. 4 ℛ Hbg. Pr. 2 ℛ

Poppe JHM, der mechanische Jugendfreund. 2 Tle Frankfurt a. M. 1818-21

— der physikal. Jugendfreund, od. Darstell. aus d. Naturlehre. 8 Thle. Mit Kpf. 8. Frkf. a. M. 811—20. Fr. Wilmans. 8 ℛ (5r Thl. A. u. d. T.: der chem. Jugendfreund. Mit 3 Kpf. 1 ℛ 6r Thl. A. u. d. T.: der meteorolog. Jugendfreund. Mit 6 Kpf. 1 ℛ 7r u. 8r Thl. A. u. d. T.: der mechan. Jugendfreund. 2 Bde. Mit 13 Kpf. 2 ℛ)

— physikal. Kinderfreund. 2 Thle. Mit Kpf. 8. Lpz. 807. N. A. 824. (W. Nauck). 1 ℛ

— der physikalische Kinderfreund. 2 Bde. m. K. 16. Leipz. Sommer. 812.

—— die Kunst, Geistererscheinungen auf mannigfalt. Art darzustellen; nebst Erklär. d. verschied. geisterartig. Phänomene in d. Natur. M. 2 Stnt. 8. (6 B.) Tübingen 829, Osiander.

—— die Kunst, Leben u. Gesundheit d. Handwerker, Künstler, Fabrikanten u. a. Handarbeiter, soviel wie möglich, vor den Gefahren ihres Lebens zu sichern. Nach d. neuesten Zustande d. Mechanik, Chemie u. Technologie f. Techniker, Aerzte, Polizeibeamte u. alle Menschenfreunde bearb. 8. (7¼ B.) Heilbronn 833, Drechsler.

— die Kunst d. Vergoldens, Versilberns, Plattirens, Verplatinens u. Broncirens im ganzen Umfange. Mit 1 Kpf. 12. Stuttg. 827. Frankh. 21 gℛ 2e Aufl. Mit 1 (4) Steintaf. 12. Ebd. 829. Hoffmann. 21 gℛ

Poppe, Joh. Heinr. Mor., die Kunst d. Vergoldens, Versilberns, Plattirens, Verplatinens u. Bronzirens im ganzen Umfange. M. 1 Stnt. 2. Aufl. 12. (7½ B.) 829. 21 Gr., 3., mit e. Anh. verm. A. 8. (13 B.) Stuttgart 834, Weise. Thlr.

— die Kunst des Vergoldens, Versilberns, Plattirens, Verplatinens u. Bronceirens im ganzen Umfange rc. 3e Ausg. Mit 1 Steintaf. 8. Stuttgart 835. Hoffmann. ⅔ ℛ

— Larunda, od. der Schutzgeist unserer Lieben in so vielen Gefahren des Lebens. Ein Lehr- u. Lesebuch für Aeltern u. Kinder. Mit Kpf. 8. Frankf. a. M. 819. (Gebhard in Grimma). Velinp. 18 gℛ Ohne Kpf. 14 gℛ Hbg. Pr. 12 gℛ u. 9 gℛ

— — Larunda, oder der Schutzgeist unserer Lieben in so vielen Gefahren des Lebens. Ein Lehr- und Lesebuch für Eltern und Kinder. Mit Kpfrn. 8. Frankf. a. M., Wilmans. 819. ohne Kupfr.
Velinpap. mit Kupf.

Poppe JHM, d. Lederfabrikation auf d. Stufe d. Vervollkommnung. Tübingen 1829

— Lehrbegriff d. astronom. Wissenschaften, mit 3 Steindrücken. gr. 8. Frankf. Hermann. 815.

— Lehrbuch d. gesammten Maschinenkunde, ohne Voraussetzung höherer analyt. Kenntnisse nach einem neuen umfassend. Plane rc. Mit 6 Steintaf. gr. 8. Tübing. 821. Osiander. 2 ℛ 16 gℛ

— Lehrbuch d. reinen u. angewandten Mathematik nach e. neuen Plane bearb. 2 Bde. Mit 15 Kpf. gr. 8. Frankf. a. M. 814 u. 15. Hermann. 4 ℛ 14 gℛ (1r Bd. A. u. d. T.: Lehrbuch d. reinen Mathematik. 814. N. A. Mit Steindr. 820. 2 ℛ 2r Bd. A. u. d. T.: Lehrbuch d. angewandten Mathematik. 815. Mit 8 Steindr. 2 ℛ 12 gℛ) Hbg. Pr. beider Bde 3 ℛ

Poppe's, Joh. Heinr. Mor. v., Lehrbuch der Physik in ihrer Anwendung auf alle Gewerbe für Real- und Handwerkerschulen, sowie für den Selbstunterricht. Neu bearb. von H. Fleischhauer. 8. (VIII und 429 S. mit 3 Stnt. in qu. 4.) Langensalza 854, Schulbuchhandlung des thüringer Lehrer-Vereins.

— Lehrbuch d. allgem. Technologie, od. Anleit. zur Kenntniß aller Arbeiten, Mittel u. Werkzeuge, u. Maschinen in d. verschied. Handwerken, Künsten rc. 8. Frkf. a. M. 809. Fr. Wilmans. 20 gGr.

— Lehrbuch d. speciellen Technologie. gr. 8. Stuttg. 819. v. Cotta. 3 Rthlr. 16 gGr.

— Lehrbuch der speciellen Technologie, vornehmlich zum Gebrauch auf Universitäten u. in andern Lehranstalten. 2e, sehr verm. u. verb. Aufl. Mit 6 Steindrucktaf. gr. 8. Stuttgart 838. v. Cotta. 3 1/3 Rthlr.

— technologisches Lehrbuch. gr. 8. Stuttgart, Cotta. 819.

Poppe, (J. H. M.,) die ganze Lehre von Sehen, mit allen dabei vorkomm. Erscheinungen, optischen Täuschungen u. opt. Werkzeugen rc. Mit 9. Steindr. 8. Tübingen 823, Osiander. Rthlr.

— physikal. Lesebuch üb. die wichtigst. Gegenstände d. Naturlehre. 8. Tübing. 823. Osiander. 14 gGr.

— technolog. Lesebuch üb. die wichtigsten u. interessantesten Gegenstände d. Kunst- u. Manufakturlehre. Mit 2 Steintaf. gr. 8. Stuttg. 825, Metzler.

— technolog. Lexicon, od. Beschreib. aller mechanisch. Künste u. Handwerke rc. 5 Bde. Mit Kpf. gr. 8. Stuttg. 816—20. v. Cotta. 16 Rthlr.

—— die Lithographie od. Steindruckerei im ganzen Umfange u. in allen Manieren; nach d. neuesten Erfindungen d. Deutschen, Franzosen, Italiener u. Engländer bearb. M. 4 Stnt. (4.) gr. 12. (9 1/2 B.) Stuttgart 833, Scheible.

– s. Magazin der neuesten Erfindungen und Entdeckungen.

– s. Martin: Encyklopädie.

—— populäre Mathematik, od. d. Arithmetik, d. Geometrie u. d. Mechanik d. festen u. flüss. Körper, in ganz faßl. u. gründl. Vorträge. Für Jedermann z. Selbstunterr., so wie auch z. Gebr. in Schulen, namentl. in Gewerbeschulen bearb. (4 Lfgn.) 2. Ausg. gr. 8. (50 B. u. 16 Stnt.) Stuttgart 838, Metzler'sche Buchh.

— die Mechanik des 18. Jahrh. u. der ersten Jahre des 19. Jahrh., oder genaue Bestimmung d. Wachsthums u. d. Erweiterung der mechan. Wissenschaften rc.; e. gekr. Preisschrift. 8. Hannov. 807. Helwing. 12 gGr.

—— die prakt. Mechanik u. Maschinenlehre unserer Zeit; ein leicht faßlich dargestelltes Lehr-, Lese- u. Hülfsbuch z. Nutzen u. Vergnügen für alle Stände. 4 Lfgn. gr. 8. (30 B. mit 190 Abbild. auf 24 Stnt.) Zürich 843, Schultheß.

Poppe, J. H. M., der Mühlenbau oder das Mühlenwesen überhaupt. Tübingen. 1831. 8.

—— Naturlehre rc., s. Jugendbibliothek, wissensch., 1. Thl.

—— Naturlehre f. d. Jugend. 2 Thle. 12. (19 1/2 B. u. 5 Stnt.) Stuttgart 836, Hoffmann'sche Vrlsbuchh.

v. Poppe, Joh. Hnr. Mor., Naturlehre im Lichte unserer Zeit mit den neuesten Erfindungen u. Entdeckungen in dieser Wissenschaft für die Jugend beiderlei Geschlechts bearbeitet. 2., nach dem jetzigen Zustande der Physik durchaus umgearb. u. sehr bereicherte Aufl. Mit 96 Abbild. 8. (VIII u. 500 S. m. eingedr. Holzschn.) Stuttgart 847, Hoffmann. 7/8 Rthlr.

—— das Neueste u. Bemerkenswertheste aus d. Waarenkunde seit d. letzten 16 Jahren. In alphabet. Ordnung dargestellt. gr. 8. (6 B.) Leipzig 830, Hinrichs.
Auch als Supplem. zu Schedels „Waaren-Lex." 4. Aufl.

— Noth- u. Hülfs-Lexicon z. Behütung d. menschl. Lebens vor allen erdenkl. Unglücksfällen, u. z. Rettung aus d. Gefahren zu Lande u. zu Wasser. 2 Bde. Mit 9 Kpf. gr. 8. Nürnb. 811. Schrag. 3 Rthlr. u. 3r od. Supplement-Bd. gr. 8. Ebd. 815. 1 Rthlr. 6 gGr.

— der Papparbeiter, Papiermachéearbeiter u. Papierkünstler oder die Kunst, aus Pappe, Papierteig u. Papier allerlei nützliche u. schöne Sachen zu verfertigen. Mit Abbildd. (auf 6 Tafeln.) 8. Ulm 840. Ebner. 11/12 Rthlr.

— die Physik, vorzügl. in Anwendung auf Künste, Manufakturen u. a. nützl. Gewerbe. Als Lehrbuch f. Realschulen rc.; aber auch zum Selbstunterricht. Mit 4 Steint. gr. 8. Tübing. 830. Fues. 1 Rthlr. 16 gGr.

— die Physik, in Anwendung auf alle Gewerbe, vorzügl. auf Handwerke, Künste u. Manufakturen. Sowohl als Lehrbuch für Realschulen, Handwerksschulen u. polytechn. Lehranstalten überhaupt, als auch zum Selbstunterricht. 2e verb. u. verm. Aufl. Mit 4 Steintaf. gr. 8. Tübingen 836. Fues. 1 1/3 Rthlr.

—— die Physik in ausführl. populärer Darstellung. Nach dem gegenwärt. Zustande dieser Wissenschaft, mit den bis auf die neueste Zeit darin gemachten Erfindungen u. Entdeckungen, für die Gebildeten beiderlei Geschlechts bearbeitet. Mit 292 Abbildungen. (7 Lfgn.) gr. 8. (60 B. u. 20 Taf.) Zürich 842, Schultheß. (à Lfg. 15 Ngr.)

— der junge Physiker und Techniker, oder leicht anzustellende Experimente u. Kunststücke aus dem Gebiete der Naturlehre u. Technologie. Mit Titelkpfr. u. 4 Abbildd. kl. 8. Stuttgart 838. Balz. 1 Rthlr.

—— der junge Physiker u. Techniker, od. leicht anzustell. Experimente u. Kunststücke aus d. Gebiete d. Naturlehre u. Technologie. Zum Nutzen u. Vergnügen f. d. Jugend. 8. (18 B. u. 5 Stnt.) Stuttgart 838, [Becher's Verl.]

—— neuer Rathgeber in den nützlichsten u. geprüftesten neu erfund. Haushaltungs- u. Gewerbskünsten f. d. gemeine Leben, f. Oekonomen, f. Techniker u. überh. f. alle Stände. 8. (22 B.) Tübingen 829, Osiander.

— Real-Lexikon der Handwerks- u. Fabrikenkunde in allen ihren Zweigen, den Fortschritten der Industrie bis auf die neueste Zeit gemäß. (In 3 Liefg.) 1. Liefg. (A—Glas.) gr. 8. Ebend. 847, (846.) 14 Ngr.

— Real-Lexikon der Handwerks- u. Fabrikenkunde in allen ihren Zweigen, den Fortschritten der Industrie bis auf die neueste Zeit gemäß. 2. u. 3. Lfg. (Glas—Z.) gr. 8. (S. 145—446.) Zürich 847, Schultheß. à 14 Ngr. (cplt. 1 Rthlr. 12 Ngr.)

— der technolog. Reise- u. Jugendfreund, od. populäre Fabrikenkunde. 3 Thle. Mit Steintaf. 8. Tübing. 824—25. Osiander. 5 Rthlr. Schrbp. 6 Rthlr. 12 gGr. 2e verm. Aufl. Mit 39 Steintaf. 8. Ebd. 831. 3 Rthlr. 8 gGr.

—— der technolog. Reise- u. Jugendfreund, od. populäre Fabrikenkunde, sowohl f. Reisende, welche Fabriken u. a. techn. Werkstätte besuchen, als auch f. d. Jugend u. ihre Freunde. 2., verm. Ausg. 3 Thle. M. 39 Stnt. (4.) 8. (102 B.) Tübingen 831, Osiander.

— allgem. Rettungsbuch, od. Anleit. vielerlei Lebensgefahren zu Wasser u. Lande vorzubeugen, u. sich aus d. unausweichl. zu retten. Eine Preisschr., mit Zusätzen v. Verfass. 8. Hannov. 805. Helwing. 1 Rthlr. 6 gGr. 1r Nachtrag hierzu. 8. Pyrmont 808. (Helwing in H.) 9 gGr.

— Schutz u. Wehr gegen Unglücksfälle, oder die Sicherheits- u. Rettungsmittel in den Gefahren des Lebens zu Lande u. zu Wasser. Ein Lesebuch für Schule u. Haus. gr. 8. Stuttgart u. Tübingen 839. Cotta'sche Buchh. 1 1/2 Rthlr.

— die Seifensiederei u. Stärkefabrikation auf d. höchsten Stufe der jetzig. Vollkommenheit. Mit 1 Steintaf. 8. Tübing. 827. Osiander. 14 gGr

Poppe, Jh. Hnr. Moritz, über das Studium d. Technologie u. den Nutzen derselben u. die rechte Würdigung neuer Erfindungen. gr. 8. Tüb. 818. 2e A. 820. 3e A. 823. Osiander. 2 gGr

— Taschenbuch z. Lebenssicherheit u. Lebensrettung, oder Rathgeber u. Helfer f. Schwimmer u. Schwimmlustige, f. Lustfahrende u. Reisende zu Wasser rc. Mit 3 Steintaf. gr. 12. Tübingen 827, Fues.

– s. Taschenbuch für Tabaksraucher.

Johann Heinrich Moritz v.Poppe

Taschenbuch für Uhrenbesitzer... Hrsg. von Jacob Auch [d.i. Johann Heinrich Moritz v.Poppe.] Weimar:Verf.1806. XVI,460 S. 8

— opt. Täuschungen, oder Erklär. verschied. Erscheinungen in der Natur. 8. Göttingen, Schröder. (Deuerlich.) 800.

— optische Täuschungen, od. Erklär. verschied. Erscheinungen in der Natur. 8. Götting. 809. (Deuerlich). 8 gGr

— der neue Tausendkünstler u. Magiker. Die Beschreibung u. Erklärung seiner Künste u. vieler Merkwürdigkeiten der Natur u. Kunst überhaupt, nach richtigen physikal., chemischen u. mechanischen Grundsätzen. Mit 5 Steintaf. gr. 12. Stuttgart 835. Weise. 3/4 Thlr — 2e verb. u. verm. Aufl. Mit 5 Steintaf. 16. Ebd 839. Weise u. Stoppani. 3/4 Thlr

Poppe, D. J. H. M., der neue Tausendkünstler und Magiker. e. f. Stuttg. 837. 12.

— die Technologie, s. a. Volks- und Jugendbibliothek, allgem. deutsche, 4. Section.

—— die Technologie oder Anleitung zur Kenntniß der techn. Gewerbe, namentlich der Handwerke und Fabriken, und der zu ihrer Ausübung erforderlichen Arbeiten, Mittel, Werkzeuge und Maschinen. Ein kurzgefaßtes systemat. Lehrbuch für die Jugend und das Volk. 2. (Titel-)Ausg. 8. (XI und 340 S.) Stuttgart 856, Hallberger'sche Vrlgsh.

—— die Technologie in ihrem ganzen Umfange, od. d. Kenntniß aller Handwerke, Manufakturen, Fabriken u. d. übrigen techn. Künste. Als Lehrb. f. Realschulen, Handwerksschulen u. polytechn. Lehranstalten überh., so wie zum Selbstunterr. gr. 8. (24 B.) Stuttgart 829, [Beck u. Fränkel.]

— die Technologie in ihrem ganzen Umfange, od. die Kenntniß aller Handwerke, Manufakturen, Fabriken u. der übrigen techn. Künste rc. gr. 8. Stuttg. 829. Löflund u. S. 1 Thlr 4 gGr

— die Telegraphen u. Eisenbahnen im ganzen Umfange; ihr Nutzen, ihre verschied. Arten, u. die damit bis auf die neueste Zeit vorgenomm. neuen Einrichtungen u. Verbesserungen. Mit Abbildd. auf 6 Steintaf. gr. 12. Stuttgart 834; jetzt Gaul u. Tonger in Cöln. 3/4 Thlr

—— die Telegraphen u. Eisenbahnen im ganzen Umfange; ihr Nutzen, ihre verschied. Arten, u. die damit bis auf d. neueste Zeit vorgenomm. neuen Einrichtungen u. Verbessern. M. 6 Stnt. (gr. 4.) gr. 12. (7 B.) Stuttgart 834, Scheible.

Poppe, J. H. M: Die englische Uhrmacherkunst oder deutliche Anweisung, dieselbe nach ihrem in England zur höchsten Vollkommenheit gebrachten Zustande auszuüben. Pesth 1819

— technologisches Universal-Handbuch für das gewerbtreibende Deutschland, od. Handwerks- u. Fabrikenkunde mit allen in den verschied. technischen Gewerben vorkomm. Arbeiten rc. u. mit Hunderten von Abbildungen beschrieben rc. In 2 Bdn. oder 6 Abthll. gr. 8. Stuttgart 837,38; jetzt Gaul u. Tonger in Cöln. 4 1/2 Thlr

— dass. 3r Thl. A. u. d. T.: Neuestes Kunst- Manufaktur- u. Industriebuch, oder die nützlichsten neuen Erfindungen u. Vervollkommnungen in den Künsten, Manufakturen, Fabriken, Handwerken u. den technischen Gewerben überhaupt. Mit vielen Abbildd. 8. Stuttgart 840. Scheible's Buchh. 2 1/4 Thlr

— neue physikal. Unterhaltung f. die Jugend. 2 Bdchen. Mit Kpf. 8. Leipz. 803. (W. Rauck). 1 Thlr

— mechan. Unterhaltungen, od. faßl. Unterricht üb. interessante Gegenstände aus d. Bewegungskunst. Ein Lesebuch f. die Jugend. Mit 1 Kpft. 8. Götting. 801. Schröder. (Röwer). 12 gGr

— populärer Unterricht üb. Dampfmaschinen, üb. d. Anwendung derselben zum treiben anderer Maschinen, insbesondere auch üb. Dampfschiffe u. Dampfwagen; nebst einer Geschichte d. gesammten Dampfmaschinenwesens. Mit 4 Steintaf. 8. Tübingen 826, Osiander.

—— populärer Unterricht üb. Dampfmaschinen, üb. d. Anwendung ders. zum Treiben and. Maschinen, insbesond. auch üb. Dampfschiffe u. Dampfwagen; nebst e. Geschichte d. gesammt. Dampfmaschinenwesens. Zur Belehr. f. Jedermann auf das faßlichste dargestellt. Neue, verm. Ausg. M. 5 Stnt. (4.) 8. (18 1/2 B.) Tübingen 834, Osiander.

Poppe, Jh. Hnr. Moritz, comment. de usibus circuli et aliarum curvar. in artibus mechanicis et architectura etc. 4maj. Götting. 800. Dieterich. 6 gGr

— Versuch e. Gesch. d. Entstehung u. Fortschritte d. prakt. Uhrmacherkunst. 8. Götting. 797. Vandenhöck u. R. 5 gGr

— s. a. Volks- u. Jahrbüchlein, gewerbswissenschaftliches.

—— gewerbswissenschaftl. Volks- u. Jahrbüchlein. Ein Magazin aller neuen Erfindungen im Gebiete d. Gewerbe u. Künste. 1. Jahrg. gr. 12. (5 1/2 B. u. 2 Stnt.) Glogau 838, Flemming.

Poppe, Johann Heinrich Moritz: „Ausführliche Volksgewerbslehre, oder allgemeine und specielle Technologie zur Belehrung und zum Nutzen für alle Stände. Nach dem neuesten Zustand der technischen Gewerbe und deren Hülfswissenschaften bearbeitet", 2 Bände, je 3 Lieferungen, Stuttgart 1832 (Hoffmann); 2. Auflage ebenda 1836; 3. Auflage ebenda 1838; 4. verm. Auflage ebenda 1840. — 7. Auflage, nach des Verfassers Tode neu herausgegeben unter Mitwirkung mehrerer Gewerbsmänner von R. Wagner, ebenda 1856; vorh. Bücherei der Industrie- u. Handelskammer Leipzig.

—— ausführl. Volks-Gewerbslehre, od. allgem. u. besond. Technologie, zur Belehr. u. zum Nutzen f. alle Stände. Nach d. neuesten Zustande d. techn. Gewerbe u. deren Hilfswissenschaften bearb. 2 Bde. (6 Lfgn.) 1. Aufl. 833, 34., u. 2. Ausg. (à 65 B. u. 12 Stnt. gr. 4.) gr. 8. Stuttgart 836, Hoffmann'sche Vrlsbuchh. à Aufl.

—— ausführl. Volks-Gewerbslehre, od. allgem. u. besond. Technologie, z. Belehr. u. zum Nutzen f. alle Stände. Nach d. neuesten Zustande d. techn. Gewerbe u. deren Hilfswissenschaften bearb. 4., sehr verm. u. verb. Aufl. in 1 Bde. 839, 40. u. 5. Aufl. in 6 Lfgn. od. 2 Abthln. Lex.-8. (à 46 1/4 B. u. 175 eingedr. Holzsch.) Stuttgart 842, Hoffmann'sche Vrlsbh. à
Abthl. 1. Allgemeine Technologie.
- 2. Die besondere Technologie.

—— ausführliche Volks-Gewerbslehre, oder allgemeine u. besondere Technologie z. Belehrung u. zum Nutzen f. alle Stände. Nach dem neuesten Zustande der technischen Gewerbe u. deren Hilfswissenschaften bearb. 5. Aufl. 2 Abtheil., mit 175 eingedruckten Holzschn. 1. Abthl.: Allgemeine Technologie. 1—3. Lfg. Lex.-8. (23 1/4 B.) Stuttgart 842, Hoffmann. à

— ausführliche Volks-Gewerbslehre, oder allgemeine u. besondere Technologie. Zur Belehrung u. zum Nutzen f. alle Stände. Nach dem neuesten Zustande der techn. Gewerbe u. deren Hülfswissenschaften bearb. 6. verm. Aufl. (In 12 Lfgn.) 1. Lfg. Lex. 8. (S. 1—64 mit eingedr. Holzschn.) Stuttgart 850, Scheitlin & Krais. 1/4 Thlr

—— **Volks-Gewerbslehre**, oder allgemeine und besondere Technologie. Zur Belehrung und zum Nutzen für alle Stände. Nach dem Tode des Verf. neu hrsg. unter Mitwirkung mehrerer Gewerbsmänner von R. Wagner. 7., verm. Aufl. Lex.-8. (774 S. mit eingedr. Holzschn.) Stuttgart 855, Krais und Hoffmann.

— die Volksgrößenlehren, oder die Mathematik in ganz faßl. u. gründl. Vorträge f. Jedermann z. Selbstunterricht 2c. Mit 16 Steintafeln. gr. 8. Stuttg. 827, Metzler.

— neue u. ausführl. Volks-Naturlehre, dem jetzigen Standpunkte d. Physik gemäß bearbeitet. Mit 12 Steintaf. gr. 8. Tübingen 825, Osiander.

—— neue u. ausführl. **Volks-Naturlehre**, dem jetzigen Standpunkte d. Physik gemäß, sowohl zum Selbstunterr. f. denkende Bürger, Landleute u. a. Liebhaber, als auch zum Gebr. in Schulen bearb. (4 Lfgn.) M. 12 Stnt. 2., sehr verb. u. verm. Aufl. gr. 8. (41 B. u. 12 Kpfr. gr. 4.) Tübingen 834, Osiander.

—— neue u. ausführl. **Volks-Naturlehre**, dem jetzigen Standpunkte d. Physik gemäß, sowohl z. Selbstunterr. f. denk. Bürger, Landleute u. a. Liebhaber, als auch z. Gebr. in Schulen bearb. 2 Thle. gr. 8. Tübingen, Osiander'sche Buchh.

A. u. d. Ttln.:

Thl. 1. Neue ausführl. allgem. u. Experimental-Volks-Naturlehre. 3., sehr verb. u. verm. Aufl. (38 B., 12 Stnt. u. P's. Portr.) 837. 2 Thlr.

• 2. Ausführl. phys. Geographie u. Atmosphärologie, od. d. Naturlehre uns. Erde im Ganzen, nebst d. Lehre von d. Lufterscheinungen u. von d. Witterung; f. alle Stände bearb. (24½ B. u. 5 Stnt.) 837, 38. 1 Thlr. 8 Gr.

—— ausführl. **Volkswaarenkunde** f. alle Stände, od. deutl. Beschreib. aller rohen u. verarbeit. Naturprodukte, Kunst-Erzeugnisse u. Handels-Artikel; sowohl z. Privatgebr. f. Kaufleute, Kommissionäre, Mäkler, Handwerker 2c., als auch f. Lehrer u. Schüler in Handels-, Gewerb- u. Realschulen. (9 Lfgn.) gr. 8. (52 B.) Sch. Gmünd 835, 36. [Freudenstadt, Dillenius.]

— ausführl. **Volkswaarenkunde** für alle Stände, oder deutliche Beschreibung aller rohen und verarbeit. Naturprodukte, Kunst-Erzeugnisse u. Handels-Artikel; zum Privat- u. Schulgebrauch. 1e—9e Lfrg. gr. 8. Schw. Gmünd 835, 36. Gebr. Raach. (Leipzig, Franke.) n. $2^2/_3$ ℛ

— die Wand-, Stand- u. Taschenuhren; der Mechanismus, die Erhaltung, Reparatur u. Stellung derselben. Taschenbuch f. Uhrmacher, Uhrenbesitzer u. jeden Liebhaber d. Mechanik. Nebst e. Anhange vom Perpetuum mobile u. von noch einigen andern besond. merkwürdigen Uhren. 2e verm. Aufl. Mit 4 Kupf. 12. Frankf. 822, Sauerländer.

— gemeinnützige Waaren-Encyclopädie, od. allgemeiner Rathgeber beym Waareneinkauf. gr. 8. Ebend. 818.

— was für Maschinen u. Erfindd. zur Rettung d. menschl. Lebens aus verschied. Gefahren sind bekannt? u. welche verdienen vor andern d. Vorzug? Gekr. Preisschrift. 8. Wien 804.

— der Wecker f. Jedermann, sich durch eine Taschenuhr wecken zu lassen. Mit 1 Kpf. 12. Heidelb. 810. 2e A. 811. Mohr. 8 gr

Poppe, Johann Heinrich Moritz: Die Weinbereitung nach den besten Grundsätzen und Erfahrungen oder die Kunst, aus Weintrauben, aus Obst, Beeren und anderen Stoffen die besten und gesündesten Weine von mancherley Art zu verfertigen, sie gut zu erhalten, ... Tübingen: Osiander 1830. VIII, 275 S., 2 Taf. (Poppe: Neueste Handwerks- und Fabrikenschule, oder deutliche und bündige Beschreibung der vornehmsten technischen Künste in ihrem jetzigen vervollkommneten Zustande. Th. [illegible] -- 21*. Frei 100*

—— der **Wetterprophet**, od. Taschenb. d. Luftveränderungs- u. Witterungskunde; f. Jedermann, besond. f. den Bürger u. Landmann, nach d. neuesten Zustande d. Naturwissenschn. bearb. M. 3 Stnt. 8. (10½ B.) Leipzig 832, Hinrichs.

– (Hrsg.), s. Wiegleb: Gesammelte Schriften über natürliche Magie.

— theoret. u. prakt. Wörterbuch der Uhrmacherkunst, in alphabet. Ordnung. 2 Bde. Mit 12 Kpst. gr. 8. Leipz. 799, 800. Alsdann unt. folg. n. Titel: Handbuch f. Uhrmacher, Uhrenhändler u. Uhrenbesitzer 2c. 2 Bde. gr. 8. Ebd. 810. (W. Rauch). 4 ℛ

— Wunder d. Mechanik, od. Beschreibung u. Erklär. d. berühmten Tendlerschen Figuren, d. Vaucansonschen 2c. u. a. merkw. Automate 2c. M. 10 Kpfrt. 8. Tüb. 824, Osiander.

—— **Wunder** der Mechanik. 2. Thl. — A. u. d. T.: Das Perpetuum mobile u. die Kunst zu fliegen, zwei der merkwürdigst. u. schwersten Probleme d. prakt. Mechanik. Für Jedermann faßl dargest. M. 3 Stnt. (4.) 8. (9 B.) Tübingen 832, Osiander.
1. Thl. Ebendas. 1824. 12 Gr.

— Wunder der **Mechanik**, oder Beschreibung u. Erklärung der berühmten Tendlerschen Figuren, der Vaucansonschen, Kempeleschen, Drozschen 2c. u. a. merkwürd. Automaten 2c. 1r Thl. Neue Aufl. Mit 10 Kpfrtaf. 8. Tübingen 836. Osiander. $^5/_{12}$ ℛ illum. $^2/_3$ ℛ

Poppe, Jh. Hnr. Mor., neuer **Wunder-Schauplatz** der Künste u. interessantesten Erscheinungen im Gebiete der Magie, Alchymie, Chemie, Physik, Geheimnisse u. Kräfte der Natur, Magnetismus, Sympathie u. verwandte Wissenschaften. Nach den Aufschlüssen der bekanntesten Forscher von Theophrastus Paracelsus an bis auf die neueste Zeit, volksfaßlich bearb. Mit vielen Abbildd. 1r u. 2r Thl. A. u. d. T.: Joh. Nik. Martius gesammelte Schriften üb. natürl. Magie. Ausgewählt 2c. 1r u. 2r Thl. Mit 15 Steintaf. gr. 12. Stuttg. 839. Scheible. à $^1/_2$ ℛ

— dass. 3r u. 4r Thl. A. u. d. T.: Wieglebs u. Rosenthals gesammelte Schriften über natürl. Magie. 2 Thle. Mit vielen Abbildd. (auf 8 Taf.) gr. 12. Ebd. 839. 1 ℛ

— dass. 5r u. 6r Thl. A. u. d. T.: Philadelphia's, Wiegleb's, Pinetti's u. v. Eckartshausen's gesammelte Schriften über natürliche Magie. 2 Thle. Mit vielen Abbildd. (auf 8 Taf.) gr. 12. Ebd. 839. 1 ℛ

– s. Zauberkabinet, Auserlesenes.

Poppe, Johann Kornelius Maximilian

Poppe, Max., die Baugesetze des Königr. Sachsen. Vollständiges Repertorium aller ältern u. neuern Gesetze u. Verordnungen in Bezug auf das Bauwesen in Sachsen. Nebst doppeltem Register. gr. 8. Leipzig 841, Baumgärtner's B. $^2/_3$ ℛ
Einiges über Baurecht, in Bezug auf Städte wie auf das platte Land, mit besond. Rücksicht auf Sachsen, s. Mittheilungen aus der landwirthschaftlichen Rechtskunde, herausgeg. von H. Graichen, 1. Bd. 6. Heft.

Poppe, Jh. Korn. Max., kurze Darstellung der Einführung der Reformation in Leipzig zum Gedächtniß d. 300jähr. Jubelfeier, nebst dem Wichtigsten aus den Jubeljahren 1639 u. 1739, mit einigen Anmerkungen. gr. 8. Leipzig 839. Serig. $^1/_6$ ℛ

Poppe, Max., s. Hofmann, Fr. Glo., Lebensbeschreibung Tezel's.

Poppe, Max., chronolog. Uebersicht der wichtigsten Begebenheiten aus den Kriegsjahren 1806—1815. Mit besonderer Beziehung auf Leipzigs Völkerschlacht u. Beifügung d. Original-Dokumente. Nebst Anh.: Die deutsche Bundesacte, die geheimen Carlsbader u. Wiener Beschlüsse. 2 Bde. gr. 8. (1. Bd.: 1806—1812: 437 S.; 2. Bd.: 1813—1815: 676 S.) Leipzig 848, Thomas. $4^1/_2$ ℛ

Poppe, Johannes *Vollmar* [aus Schlieben]: Diagnose der seitlichen Gefässverletzung ... Halle a. S., Hofbuchdr. v. C. A. Kaemmerer & C., 1893; 23 S., 2 Bl. 8.
Halle, Med. Fak., Inaug.-Diss. v. 13. Juli 1893

Poppe, Joseph, Referendar: Die öffentliche Form für die Verpflichtung zur Übertragung von Grundeigentum und ihr Anwendungsgebiet. Borna-Leipzig 1907: R. Noske. (XI, 87 S.) 8°
Breslau, Jur. Fak., Ref. Fischer-Meyer, Diss. v. 29. April 1907
[Geb. 5. Juni 82 Oppeln; Wohnort: Oppeln; Staatsangeh.: Preußen; Vorbildung: Kgl. Gymn. Oppeln Reife O. 02; Studium: Math. u. Physik München 1, Berlin 1, Rechtswissensch. Breslau 6 S.; Rig. 7. Dez. 06.]

Poppe, Jul., thüringisches Liederbuch [für Jung und Alt]. 8. verm. Aufl. 16. (VIII, 161 S.) Gorsleben 869. (Langensalza, Klinghammer.) *

Poppe, Karl

Poppe, Carl, Sammlung von Ornamenten u. Fragmenten antiker Architectur, Sculptur, Mosaik u. Toreutik auf einer Reise durch Griechenland, Italien u. Sicilien aufgenommen. 4 Hfte. Roy.-Fol. (20 Stnt. in Farbendruck u. 1½ B. Text.) Berlin 843—45, [Dietr. Reimer.] à * 2 Thlr. *

Poppe, Kurt, Tierarzt aus Leipzig: Aus d. Veterinär-Institute d. Universität Leipzig. Zwei Fälle von Plattenepithelkrebs am dritten Augenlide des Pferdes. *Leipzig 1904: Meisenbach, Riffarth & Co.* (29 S.) 8°
Leipzig, Phil. Diss. v. 1904

Poppe, Kurt, s.: Führer durch Kolberg.

Poppe, Kurt

— Jugendfreund, s.: Munderloh, H. F.

Poppe, Curt [app. Arzt aus Ober-Planitz i. Sa.]: Über die Castration bei Osteomalacie ... Freiburg i. B., Buchdr. H. Epstein, 1895; 70 S. 8.
Freiburg i. B., Med. Fak., Inaug.-Diss. v. 1895

Poppe, Curt, üb. d. Castration bei Osteomalacie. Diss. gr. 8. (70 S.) Freiburg i/B. 895. (Leipzig, Buchhdlg. G. Fock.) n. 1. 20

— am Lebensborn. Gesammelte Gedichte. Auswahl. gr. 8. (VIII, 268 S.) Oldenburg 897. Schulze. n. 3. —; geb. n. 4. —

Poppe, L. O., der Staatsmonopolist oder Ein Beweis für die Unhaltbarkeit unserer Zustände und ein Vorschlag zur schnelleren und friedlicheren Lösung der socialen Frage durch mindere Schädigung einer der bestehenden Gesellschaftsklassen. gr. 8. (28 S.) [Leipzig 880.] Stuttgart, (R. Hahn.) +

Poppe, Ludw., s. König, Friedr., Anlage und Ausführung von Wasserleitungen und Wasserwerken.

Poppe, M: Lehrbuch der Maschinenkunde. Tübingen 1821

Poppe, M. Die Lithographie. Stuttgart. 1833.

Poppe, M. Gewerbswissenschaftliches Volks- und Jahrbüchlein. Jgge. I. II. Glogau. 1838/39.

v. Poppe, M. Ausführliche Volks-Gewerbslehre. Stuttgart. 1842.
dgl. 6. Auflage. Ebend., 1851.

Poppe, M: Wunder der Mechanik. Tübingen
Th. 2. Das Perpetuum mobile und die Kunst zu fliegen. 1832

— Martin (Regensburg), De comperendinatione. Exercit. phil. ex antiquitatibus Rom. forensibus. Publ. erudit. disquis. subjicit Joh. Albert Spies. Leipzig (J. Titius) 4. V. 1728. 52 S. (5.—) 27041

Poppe, Max [aus Bremen]: Ueber Moor und seine landwirthschaftliche Verwerthung ... Bremen, Druck v. H. M. Hauschild, 1886; 68 S. 8°.
Leipzig, Phil. Fak., Inaug.-Diss. v. 20. Sept. 1886.

Poppe, Maximilian, s. Poppe, Johann Kornelius Maximilian

Poppe, Mich. J. G., Bemerk. und Zus. zu Büsch geschichtl. Beurtheil. d. am Ende d. 18ten Jahrh. entst. Handelsverwirrung. 8. Gött. Dieterich. 800.

Poppe, O., die deutsche Buchführung, e. Anleitg., ohne Vorkenntnisse d. Bücher nach e. neuen, einfachen, übersichtl. Methode zu führen, wodurch man zu jeder Minute recht nachweisen kann, wie man steht, bearb. unter bes. Berücksicht. des Kleingewerbes. 4. (32 S.) Saalfeld 895. (Leipzig, F. E. Fischer.) n. 1. 50

— dasselbe. Arbeitsbücher zur Probeführg.: Cassabuch, Einkaufsbuch, Hauptbuch, Inventurbuch u. Verkaufsbuch. 4. (22, 22, 24, 24 u. 22 liniierte S.) Ebd. 895. In Mappe n. 1. 50

Poppe's, O., neue Buchführung. Lehrbuch eines neuen Systems der doppelten Buchführung, bearb. zum Selbsterlernen, sowie für den Unterricht in Handelslehranstalten. gr. 4. (26 S.) Leipzig 878, R. Bachmann. *
—— dass. — unter Anwendung einer neuen Lehrmethode. 2. und 3. umgearb. Aufl. gr. 4. (26 S.) Leipzig 878, Rich. Hahn. *

—— neue Buchführung. Materialien zur Uebung im kaufmänn. Buchhalten nach O. Poppe's neuem System. Systematisch geordnet und bearb. von Herm. Else. 1. Aufgabenthl. qu. Fol. (21 S.) Ebendas. 879. Inclus. Journalpap. *

Poppe's, O., neue Buchführung. Lehrbuch eines neuen Buchführungs-Systems, welches ermöglicht, die momentane Geschäftslage durch ein einfaches, sich selbst controlir. Zahlenspiel zu ersehen. Bearb. zum Selbsterlernen, sowie für den Unterricht in Handelslehranstalten unter Anwendung einer neuen Lehrmethode. 4. umgearb. Aufl. 4. (25 S.) [Leipzig 880.] Stuttgart, R. Hahn. *
—— dass. — 5. umgearb. Aufl. 4. (25 S.) Stuttgart 886, R. Hahn. *
—— dass. — Aufgaben- und Lösungsbuch. 3 Hefte und Anhang. 4. und qu. 4. Ebendas. 880. à *ℳ 1,50. *
Inhalt:
Heft 1. Detailgeschäft. (à 24 S.) 880.
» 2. Baugeschäft mit Ziegelei. (23, 15 S.) 880. — Anhang: Zimmereigeschäft, Sägemühle und Holzhandel. 1. und 2. Aufl. (19 S.) 880, 86.
» 3. Landwirthschaft und Mühle. (22, 23 S.) 880.
Poppe's neue Buchführung mit sämmtlichen Hülfsbüchern und Wachsmuth's Rundschrift-Anleitung (*ℳ 1,50.) zusammenbezogen in Leinw.-Mappe *ℳ 13,50.

Poppe's, O., neue Buchführung. Lehrbuch eines neuen Buchführungs-Systems, mit Ausarbeitung für Zimmerei-Geschäft, Sägemühle und Holzhandel. 1.—3. Aufl. 4. (25 S. mit 15 S. in qu. gr. 4.) Stuttgart 886—88, Hahn's Verlag. In Couvert *

—— dass. — Bearbeitung für Vorschussvereine und Bankgeschäfte. 4. (25 S. mit 18 S. in qu. gr. 4.) Ebendas. 888. In Couvert *

Poppe's, O., neue Buchführung. Lehrbuch eines neuen Buchführungs-Systems, bearb. zum Selbsterlernen, sowie für den Unterricht in Handelsschulen, unter Anwendung einer neuen Lehrmethode. 6. umgearb. Aufl. 4. (25 S.) Stuttgart 888, R. Hahn's Verlag. *

—— neue Buchführung im Buchhandel. Bearb. für Sortimentsgeschäfte, Verlagsgeschäfte, für Sortimentsgeschäfte mit Verlag, für Buchdruckereien, für Buchdruckereien mit Verlags- und Sortimentsgeschäft, zum Gebrauche im Selbstunterricht. qu. Fol. (25 S.) Ebendas. 879. **

Poppe, O., die neue Kontroll-Buchführung, e. Anleitg., ohne Vorkenntnisse die Bücher nach e. neuen, einfachen, übersichtl. Methode zu führen, wodurch man zu jed. Minute recht überzeugend nachweisen kann, wie man steht. (64 S.) gr. 8. Elbingerode (906). O. Poppe. n. 3. —

Poppe, O: Preisliste über moderne allen Anforderungen der Gesundheitspflege, Landwirthschaft und Aesthetik entsprechende Abortanlagen für alle Verhältnisse passend. Kirchberg i. S. 1897

— Schule der Buchführung in 3 Tln., enth. Text u. Anleitung, O. Poppe's neue Buchführg. f. Detail- u. Engrosgeschäfte zu führen. Aufgabenbuch I in 2 Hälften. 3., verm. Aufl. 4. Nebst Lösungsbuch I. qu. Fol. Ebd. 889. n. 2. 50; jede Hälfte n. 1. 50
1. [I. u. II. Tl.] Buchführung für das Detailgeschäft unter Weglassung d. Hauptbuchs [Contocorrentbuchs]. (24 u. Lösungsbuch 23 S.)
2. [III. Tl.] Buchführung für das Engrosgeschäft. (21 u. Lösungsbuch 23 S.)

— die geographische Sprache. Anleitung zur Erlerng., Darstellg. d. Zwecks u. Nutzens der geographischen Sprache. gr. 8. (15 S. m. 1 farb. Karte.) Saalfeld i/Th. 889. Centralverein zur Verbreitg. d. geograph. Sprache. (Leipzig, O. Poppe.) n. 1.20; m. 2 farb. Karten n. 1.50

— Uebungsbuch für O. Poppe's neue Buchführung, enthaltend Text zur Ausarbeitung eines Manufacturwaaren-Detailgeschäfts, nach O. Poppe's neuem System, sowie die Lösungen. Mit Anleitung, Poppe's Journal ohne Hauptbuch [Contocorrentbuch] zu führen. qu. Fol. (19 S. mit 19 S. linirtem Papier.) Ebend. 880. n. 1. 50

Poppe, Oscar [aus Leipzig]: Zur Darstellung der substituierten Malonsäuren. . . . Berlin, Buchdr. v. C. Berg, 1890; 46 S. + 1 Bl. 8°
Berlin, Phil. Fak., Inaug.-Diss. v. 8. März 1890

Poppe, P., s.: Zuchtbuch f. deutsche Schäferhunde.

Poppe, Paul: Bericht über eine Reise in Deutschland. Ein Beitr. z. Mädchenschulreform. Berlin: Weidmann 1909. 28 S. 4°
Berlin, 7. st. HM OP 1909* [S 09. 368

Poppe, Paul. Eine Phantasie im Ratskeller zu Wiesbaden. 12. (38 S.) Wiesb. 890, Bechtold u. Comp. 1 —

Poppe, Paul [aus Berlin]: Über das Speculum humanae salvationis und eine mitteldeutsche Bearbeitung desselben . . . . Berlin, Druck v. Ihring & Fahrenholtz, 1887; 88 S. 8°
Strassburg, Phil. Fak., Inaug.-Diss. v. 1887

Poppe, Paul, über das Speculum humanae salvationis und eine mitteldeutsche Bearbeitung desselben. Inaugural-Dissertation. gr. 8. (88 S.) Berlin 887. (Strassburg, Trübner.) *

Poppe, Paul, die Volksschule, wie sie sein soll, als erstes Mittel zur Hebung aller staatlichen Verhältnisse. Wien 866. Sartori. gr. 8. (32 S.) 4½ ngr.

— Das Mannheimer Volksschulsystem. (40 S. m. 1 farb. Taf.) gr. 8. Breslau 910. F. Hirt. 1.—

Poppe, Richard F.

Poppe, R. F., unsere Farben u. Farbwaaren, deren volksthüml. Benenng. u. Zulässigkeit bei der Herstellg. v. Nahrungs- u. Genussmitteln, Liqueuren, Confituren, Zuckerwaaren, Conserven, Papier u. Buntpapier, Tapeten, Spielwaaren, Seifen, Siegellacken, künstl. Blumen u. Schmuckfedern, sowie in der Lappen-, Leder- u. Pelzfärberei, Malerei u. Lackirerei nach dem Gesetz vom 5. Juli 1887, die Verwendung gesundheitsschädl. Farben betr. 8. (XII, 75 S.) Leipzig 887. Jüstel & Göttel. n. 1. 50

Poppe, Rich. F., s.: Kalender f. d. Kolonial- u. Materialwaaren-Händler.

Poppe, S. Albrecht

Poppe, über eine neue Art der Calaniden-Gattung Temora, Baird, s. Abhandlungen, hrsg. vom naturwissenschaftl. Verein zu Bremen.

Poppe, S. A., die freilebenden Copepoden des Jadebusens, ein neuer Smynthurus aus S.-W.-Afrika, s. Abhandlungen hrsg. vom naturwissenschaftlichen Verein zu Bremen.

—— ein neues Copepoden-Genus aus der Jade, s. Abhandlungen, hrsg. vom naturwissenschaftlichen Verein zu Bremen.

Poppe, S. A., u. A. Mrázek, Entomostraken des naturhistor. Museums in Hamburg. 1. Die v. F. Stuhlmann auf Zanzibar u. d. gegenüberlieg. Festlande gesammelten Süsswasser-Copepoden. — 2. Entomostraken v. Süd-Georgien. — 3. Die v. H. Driesch auf Ceylon gesammelten Süsswasser-Entomostraken. [Aus: „Beiheft z. Jahrb. d. hamburg. wiss. Anstalten XII."] Lex.-8. (20 S. m. 4 Taf.) Hamburg 895. (L. Gräfe & Sillem.) n. 3. —

—— über einen neuen Harpacticiden, s. Abhandlungen, hrsg. vom naturwissenschaftl. Verein zu Bremen.

—— zoologische Literatur über das nordwestliche deutsche Tiefland. s. Abhandlungen, hrsg. vom naturwissenschaftlichen Verein zu Bremen.

Poppe, S. A., über d. Mäuseplage im Gebiet zwischen Ems u. Elbe u. ihre Verhinderung, s. Abhandlungen, separate, d. Vereins f. Naturkunde a. d. Unterweser. I.

SEPARATE ABHANDLUNGEN DES VEREINS FÜR NATURKUNDE AN DER UNTERWESER.
I. S. A. POPPE, Ueber die Mäuseplage im Gebiet zwischen Ems und Elbe und ihre Verhinderung. Auf Grund der Ergebnisse der vom Verein für Naturkunde an der Unterweser im Jahre 1899 angestellten Mäuse-Enquête. Bremerhaven 1902. v. Vangerow'sche Buchhandlung. Georg Schipper. 8°.
SEPARATE SCHRIFTEN DES VEREINS FÜR NATURKUNDE AN DER UNTERWESER.
II. Friedrich Ehrhart, königl. Großbrit. und Kurfürstl. Braunschweig-Lüneburgischer Botaniker. Mitteilungen aus seinem Leben und seinen Schriften. Unter Benutzung von bislang nicht veröffentlichten Urkunden sowie von Briefen Ehrharts und seiner Witwe herausgegeben von FERDINAND ALPERS. Mit den Bildnissen Ehrharts, Andreaes und Usteris. Leipzig 1905. Wilhelm Engelmann. 8°.

—— zur Säugethier-Fauna des nordwestlichen Deutschland, s. Abhandlungen, hrsg. vom naturwissenschaftlichen Verein zu Bremen.

Die von Herrn Dr. F. Stuhlmann auf Zanzibar und dem gegenüberliegenden Festlande gesammelten Süsswasser-Copepoden. Von S. A[lbrecht] Poppe, Vegesack, u. A[lois] Mrázek, Prag. Mit 2 Taf. *Hamburg 1895; (Berlin: D. Reimer 1901).* (12 S.) 4°(8°)
Aus: Beiheft z. Jahrbuch d. Hamburg. Wiss. Anstalten. 12.
— Ergebnisse, Zoolog., einer ... in d. Küstengebiete von Ost-Afrika unternomm. Reise. Bd 2, No 8. [02. 14778

—— Trachysma delicatum s. Abhandlungen, Phil., hrsg. vom naturwissenschaftlichen Verein zu Bremen.

Poppe, Thdr., s.: Auch e Philosophie od. Religion?

Poppe, Thdr., Frankfurt am Main, s.: Bookmann-Führer.

— Friedrich Hebbel, s. Essays, moderne. 28. Hft.

Friedrich Hebbel. Von Theodor Poppe. *Berlin: Gose & Tetzlaff 1903.* (38 S.) 8° [F.]
= Essays, Moderne. H. 28. [04. 4875

Poppe, Thdr., Friedrich Hebbel u. sein Drama s. Palaestra. VIII.

Friedrich Hebbel und sein Drama. Beiträge z. Poetik von Theodor Poppe. *Berlin: Mayer & Müller 1900.* (VIII, 131 S.) 8°
= Palaestra. 8. [00. 4272 10

Poppe, Theodor, aus Frankfurt a. Main: **Studien zur Charakteristik des Hebbelschen Dramas.** *Berlin: Mayer & Müller 1899.* (45 S.) 8° ¶ (Erscheint vollst. in d. Palaestra.)
Berlin, Phil. Diss. v. 3. Juli 1899

— die Tragoedia v. Vincenz Fettmilch. In 5 Aufzügen. (143 S.) 8. München 905. G. Müller. n. 2.—

Poppe, Walter: Die Entwicklung des Börsenzeithandels in Getreide und die Novelle vom 8. Mai 1908. Borna-Leipzig 1909: Noske. VIII, 101 S. 8°
Freiburg i. B., Rechts- u. staatsw. Diss. v. 1910, Ref. v. Schulze-Gävernitz
[Geb. 24. Nov. 79 Erfurt; Wohnort: Berlin; Staatsangeh.: Preußen; Vorbildung: Realgymn. Erfurt Reife O. 98; Studium: Berlin 6, Freiburg i. B. 1 S.; Rig. 5. Mai 09.] [U 10. 944

Poppe, Wilhelm: Vitruvs Quellen im zweiten Buche 'de architectura'. Kiel 1909: Schmidt & Klaunig. 65 S. 8°
Kiel, Phil. Diss. v. 21. Dez. 1909, Ref. Sudhaus
[Geb. 15. Aug. 83 Rethem; Wohnort: Rethem; Staatsangeh.: Preußen; Vorbildung: Gymn. Bremen Reife O. 04; Studium: Heidelberg 1, Berlin 3, Kiel 6 S.; Rig. 6. März 09.] [U 10. 2519

Poppe & Neumann's Hôtel-Adressbuch f. das Deutsche Reich m. Anh.: Hôtels europ. Staaten. Ausg. 1901/1902. gr. 8. (V, 800 S.) Dresden (E. Weise).
Geb. in Leinw. n.n. 20. —

Poppe & Neumann's Hôtel-Adressbuch für's Deutsche Reich m. Anh.: Hôtels des Auslandes u. Bezugsquellen-Verzeichnis. 6. Aufl. Ausg. 1905/1906. (VI, 799 S.) Lex.-8. Dresden, (E. Weise).
Geb. in Leinw. n. 20. —

Poppe & Neumann, das Hôtel-Adressbuch fürsDeutsche Reich, m. Anh.: Hôtels des Auslandes u. Bezugsquellen-Verzeichnis. 8. Aufl. Ausg. 1909/1910. (VI, 832 S.) Lex. 8. Buchholz-Friedewald b/Dresden (909). (E. Weise.) Geb. in Leinw. nn 20. —

Poppée, Rudolphine, Graphologie. Mit zahlreichen in den Text gedr. Schriftproben. (X, 243 S.) kl. 8. Leipzig 908. J. J. Weber. Geb. in Leinw. 4. —

Poppel, Christ., der Brüderbote im Gericht seiner lutherischen Gegner. Offenes Sendschreiben an den ungenannten Verfasser der „2 Gespräche zwischen Hans u. Kunz zur Abwehr chiliastisch-unionist. Einflüsse Pfarrer Clöters. Nürnberg 1873". gr. 8. (34 S.) Erlangen 873. Deichert.
— 50

— lutherisch od. evangelisch? Reformationsfest-Betrachtg. üb. 1. Kor. 1, 10—18. gr. 8. (12 S.) Ebend. 872. n. — 20

Poppel, Johann

Poppel, J., malerische Ansichten aus Nürnberg, nach der Natur gezeichnet u. in Stahl gestochen. Mit kurzem erläut. Texte von Dr. J. Chr. Ernst Lösch u. beigefügter Uebersetz. in die französ. u. engl. Sprache. 4 Hfte. Mit 12 Stahlstich. Fol. Nürnberg 834-41. Schneider u. Weigel (J. Merz). Subscr.-Pr. n. 3[1] ₰

Poppel, Jh., malerische Ansichten aus Nürnberg. Mit kurzem erläut. Texte von J. Chr. Er. Lösch und beigefügter Uebersetzung in die französ. u. englische Sprache. 3. u. 4. (letztes) Heft: Vues de Nuremberg. 3. et 4. Cahier. — Views of Nuremberg. 3. and 4. Number. ½ Fol. (6 Stahlstiche u. Text.) Nürnberg 841, Bauer u. Raspe. Jul. Merz. n. 1⅔ ₰ (1—4: n. 3⅓ ₰)

— und **M. Kurz,** Gallerie europäischer Städte. Salzburg. 8 Liefg. Lex.-8. (Mit 25 Stahlst.) München 845, 46, Poppel u. Kurz. (à n. ¼ ₰) cpl. in engl. Einband n. 2½ ₰

— — dass. 9.—16. Liefg. Venedig. 8 Hfte. Mit 24 Stahlst. Lex.-8. Ebend. 846. (à n. ¼ ₰) In engl. Einbd. n. 2 ₰

— — dass. 17.—20. Liefg. Berlin u. Potsdam. 1.—4. Hft. Mit 12 Stahlst. Lex.-8. Ebend. 846. à n. ¼ ₰

Poppel, J., u. M. Kurz, Gallerie europäischer Städte. 21—24. Lfg. Berlin u. Potsdam. 5—8. Hft. Lex. 8. (S. 33—84 mit 12 Stahlst.) München 847, Poppel u. Kurz. à n. ¼ ₰ (8 Hfte. cmplt. n. 2 ₰)

— — dies. 25—32. Lfg. Neues Gemälde von Neapel. Mit Text von R. Löser. 8 Hfte. Lex. 8. (63 S. mit 24 Stahlst.) Ebd. 847. (à n. ¼ ₰) n. 2 ₰

— — dies. 33—40. Lfg. Schleswig-Holstein. Beschrieben v. H. Biernatzki. 8 Hfte. Lex. 8. (69 S. mit 24 Stahlst.) Ebd. 847. 48. (à n. ¼ ₰) n. 2 ₰

— — dies. Prachttitel zu: Beschreibung Schleswig-Holsteins v. H. Biernatzki. Lex. 8. (1 lithochrom. Bl.) Altona 848, Lehmkuhl. n. ½ ₰

— — dies. 41—48. Lfg. Die freien u. Hansestädte Hamburg u. Lübeck. Geschildert v. Rud. Löser. 8 Hfte. Lex. 8. (69 S. m. 24 Stahlst.) München 848. 49, Poppel & Kurz. (à n. ¼ ₰) n. 2 ₰ In Engl. Einb. n. 2 ₰ 13½ ngr (1—48. Lfg. n. 12 ₰)

Poppel, Joh., das Großherzogthum Hessen ꝛc., s. Hessen.

POPPEL, Johann (München): De monstris cardiacis. (Titel nach der Urkunde) 25.10.1862 - Urk; F 70
Diss.Ingolst.-Landsh.-Mchn.

—s.a. Panorama v. München.

Poppel, Joh. (geb. 1809), Panorama von München, vom Frauenthurm herab gez., gestoch. u. herausg. von — München, in Commiss. bei Mey u. Widmayer, o. J. (c. 1845). 2 Bll. gr. quer-Fol., zusammengeklebt u. in 4° gebdn. Ppb. m. Bändern. Gering papierl., wie die meisten Expl.

— s. Prag u. seine nächsten Umgebungen.

Lange, Ludwig. Der Rhein und die Rheinlande dargestellt in malerischen Original Ansichten von . . . . . und in Stahl gestochen von Johann **Poppel**, Stahlstecher in München, im Vereine mit Deutschlands bekanntesten Stahlstechern. Von einem historisch-topographischen Text begleitet.
8. Darmstadt und Wiesbaden 1845—1850.

Poppel, Johannes [app. Arzt aus Pegnitz]: Ein Fall von primärem Melanosarkoma pericorneale ... München, kgl. Hof- u. Univ.-Buchdr. v. Dr. C. Wolf & Sohn, 1891; 20 S. 8.
München, Med. Fak., Inaug.-Diss. v. [17. Dez.] 1891

Poeppel, Ernst, s.: **Heordbuch,** ostpreussisches.

Pöppel, Ernst: Untersuchungen über den Bau des Strongylus armatus s. Sclerostomum equinum (auctorum). Nebst einem Anhang über die Biologie desselben und das Aneurysma verminosum. M. 2 Taf. *Leipzig 1897: F. M. Geidel.* (57 S. mit Taf.) 8°
Leipzig, Phil. Diss. v. [29. Okt.] 1897

Pöppel, Markus: Haben Geisteskranke andere Schädel als Nicht-Geisteskranke? Würzburg 1908: Staudenraus. 37 S. 8°
Würzburg, Med. Diss. v. 20. Febr. 1909, Ref. Rieger
[Geb. 4. April 82 Vohburg; Wohnort: Würzburg; Staatsangeh.: Bayern; Vorbildung: Gymn. Regensburg Reife Juli 02; Studium: München 2, Erlangen 3, Berlin 2, Würzburg 3 S.; Coll. 11. Nov. 08; Approb. 20. März 08.] [U 09. 4137

Poppelauer, Moritz

[Hebr.] Ki-**Mebō** hat-Talmūd we-hū šalšelet haq-qabbāla šel tōrā še be'a[l] pē mi-jemōt Mōše ... 'ad zemannō šel ... Ba'al hašu[lḥan] 'a[ruk] ašer sidder ... Mōše (**Moritz**) **Poppelauer**. *Berlin: M. Poppelauer 660 l. p. q.* (VI, 46 S.) 8°
[Nebent.:] Die jüdische Tradition. Reihenfolge d. jüdischen Lehrer u. Weisen ... bis 1650 zsgest. von Dr. Moritz Poppelauer. 1900. [01. 8976

Poppelauer, Maur. (geb. Peiskretscham 6. 1. 1826): De partu praematuro artificiali. Berolini (1850). (26 S.) 8°
Berlin, Med. Diss. v. 20. Aug. 1850

Poppelauer's, M., jüdischer Portomonnaie-Kalender f. d J. 5666, 30. IX. 1905—19. IX. 1906. (58 S.) 128. Berlin, M. Poppelauer. — 10

Poppelauer's, M., jüdischer Portemonnaie-Kalender f. d. J. 5668, 9. IX. 1907—25. IX. 1908. (53 S.) 5×3,6 cm. Berlin, M. Poppelauer. — 20

Poppelauer, Mor., die jüdische Tradition. Reihenfolge der jüd. Lehrer u. Weisen vom Urbeginn der jüd. Lehre bis 1650 der gew. Zeitrechng. (In hebr. Sprache.) gr. 8. (VI, 46 S.) Berlin 900. M. Poppelauer. n. 1. —

Poppelauer, Mauritius: •De Henochi patriarchae traditionibus Targumicis, Talmudicis, Rabbinicis Commentatio. Prolegomena ad apocalyptici libri Henochi introductionem. 92 S. 4°
Halle-Wittenberg, Phil. Diss. v. 26. Febr. 1852
Geb. Kalisch (Polen) 24. 1. 1825. V.

Poppelauer, M., s. a. Volkskalender, Berliner, für Israeliten.

Poppelauer's, M., Berliner Volkskalender f. Israeliten auf d. J. 5652 [1892]. Mit literar. Notizen u. e. Gedenkblatt. 16. (71 S.) Berl. 891, Poppelauer. * — 50

Poppelauer's, M., Berliner Volkskalender auf d. J. 5655 (1895). Für Israeliten. Mit literar. Notizen u. 1 Gedenkblatt versehen. gr. 16. (80 S.) Berlin, M. Poppelauer. n. — 50

Poppelauer's, M., Berliner Volkskalender f. Israeliten auf d. J. 5659 (1899). Mit literar. Notizen u. 1 Gedenkblatt vers. 39. Jahrg. gr. 16. (30, 7, 48 u. 6 S.) Berlin, M. Poppelauer. n. — 50; ohne Märkte (30 u. 6 S.) — 30

— Berliner Volkskalender f. Israeliten auf d. J. 5663 (1903). Mit literar. Notizen u. 1 Gedenkblatt versehen. 43. Jahrg. gr. 16. (34, 48 u. 9 S.) Ebd. n. — 50; ohne Märkte (34 u. 9 S.) — 30

— Berliner Volkskalender f. Israeliten auf d. J. 5667 (1907). Mit litterar. Notizen u. 1 Gedenkblatt versehen. 47. Jahrg. (40, 48 u. 12 S.) 16. Ebd. n. — 50; Ausg. ohne Märkte n. — 30

— Berliner Volkskalender f. Israeliten auf d. J. 5671 (1911). Mit literar. Notizen u. 1 Gedenkblatt versehen. 51. Jahrg. (50 u. 40 S.) 16. Ebd. — 30; m. Märkten — 50

Poppelbaum. Octav-Probe der k. u. k. Hof-Schriftgiesserei Wien. Medaillen. 8. Wien (1896).

Poppele, E., Eilwagen-Curse zwischen Frankfurt a. M., Leipzig, Cassel, Stuttgart, München, Karlsruhe, Basel etc. 4 ill. Kärtchen mit Tabellen enth. den Abgang, Ankunft, Aufenthalt u. Personen-Taxe. Frankf. a. M. 831. Fr. Wilmans. Auf Leinwand in Etui 21 gGr. Jedes Kärtchen einzeln. 6 gGr.

Poppele, E., Karte der Eisenbahnen Deutschlands oder Routen-Karte bis Petersburg, Moscau, Odessa, Constantinopel, Neapel, Toulon, Giberaltar, Paris, London, Edinburg etc. Fol. Kpfrst. Leipzig 848, Rocca. 1/4 Rthlr

Poppele, E., Karte der Eisenbahnen Deutschlands oder Routen-Karte bis Petersburg, Moscau, Odessa, Constantinopel, Neapel, Toulon, Gibraltar, Paris, London, Edinburg etc. Leipzig, Rocca, 1850. Fol. Kpf. (1/4 Rthlr)

Poppele, E., s. Manuel des postes pour l'Allemagne.

— s.a. Post-Buch für Deutschland.

— Postbuch für Deutschland und die Hauptrouten durch Europa. 4. Aufl. durchaus umgearb. u. verm. Frankfurt a. M. 1831. . . . . (RPA.)
—, — 5. Aufl. bearb. von Fr. Wilmans. Ebda 1840. . . . . (RPA.)

Poppele, E., und L. Sartorius, Allgemeine Post-, Reise- und Zoll-Karte von Deutschland und den Nachbarstaaten ... 1835. . . . . (Br. Mus.)

Pöppelmann. Brasidas der Lakedaimonier. 4. Siegburg 1863.

Poeppelmann, Christian Wilh. (Dresden), Exercit. inaug. qua non dari servitutem altius tollendi contenditur eademque occasione de ratione aedificiorum Romanorum disseritur. Präs. Gottfr. Ludw. Mencken. Wittenberg (Gerdes) 14. IX. 1724. 36 S. (4.75) 26890

— — Dasselbe. Wittenberg (Gerdes) 14. IX. 1724. 36 S. (4.75) 26891
Widm. v.: Gottfr. Ludw. Mencken.

— — Dasselbe. Wittenberg (Gerdes) 14. IX. 1724. 36 S. (4.75) 26892
Gew.: August Christoph von Wackerbarth, Christoph Heinrich von Wazdorff. — Widm. v.: Gottfr. Ludw. Mencken.

Pöppelmann, Franz Arnold Peter Walther,
s. Pöppelmann, Walter.

Pöppelmann, Ludwig [Dr., Oberl.]: Bemerkungen zu Dillenburgers Horaz-Ausgabe letzter Hand. Tl III. (Forts. d. P-Beil. Münstereifel 1885. 83.) Trier, F. Lintz'sche Buchdr., 1892; 1—28 S. 4.
Trier, k. G, P 1892 (402)

Pöppelmann, Ludw. Zu Dillenburgers Horazausgabe letzter Hand. 12 S. **Progr.** ***Münstereifel*** 1885.

Pöppelmann, Ludw., Johann von Böhmen in Italien. 1330—1333. Ein Beitrag zur Geschichte des 14. Jahrh. [Aus: Archiv für Kunde österreich. Geschichtsquellen.] Wien 866. (Gerold's Sohn.) Lex.-8. (216 S.) n. 1 Rthlr 2 ngr.

Poeppelmann, Ludovicus *(geb. Dinklage in Oldenb. 1835)*: De Italico itinere Johannis Lucimburgensis Bohemiae regis. P. 1. Vratislaviae 1858. (80 S.) 8° *[Vollst. unt. d. T.: „Johann von Böhmen in Italien 1330—33" in: Arch. f. österr. Gesch. Bd 35. 1866.]*
Breslau, Phil. Diss. v. 16. Aug. 1858

Pöppelmann, Otto, a. Osnabrück: Georg Beseler und seine Tätigkeit für die Grundrechte des deutschen Volkes im Jahre 1848. Greifswald 1907: H. Adler. (VIII, 133 S.) 8° [F.]
Greifswald, Phil. Fak., Ref. Ulmann, Diss. v. 22. Nov. 1907
[Geb. 17. Nov. 85 Osnabrück; Wohnort: Osnabrück; Staatsangeh.: Preußen; Vorbildung: Gymn. Osnabrück Reife O. 04; Studium: Münster 2, Greifswald 5 S.; Rig. 23. Okt. 07.]

Pöppelmann, Walter

Pöppelmann, *Franz Arnold Peter* Walther [app. Arzt aus Osnabrück]: Aus d. gynaekolog. Klinik zu Marburg. Die Behandlung des Nabelschnurbruches ... Marburg, Univ.-Buchdr. '(C. L. Pfeil)', 1894; 38 S., 1 Bl. 8.
Marburg, Med. Fak., Inaug.-Diss. v. 17. Apr. 1894

Poppelreuter, Hans: [Bericht über die Übersiedelung in den Neubau und die Einweihungsfeier.] *Oberhausen 1898: R. Kühne.* (11—19 S.) 4° [F.]
Oberhausen-Rheinl., st. RPG, P 1898 (506)

Poppelreuter, Hans: Die **Organisationsfrage** der höheren Schule. *Oberhausen 1898: R. Kühne.* (19—20 S.) 4° [F.]
Oberhausen-Rheinl., st. RPG, P 1898 (506)

Poppelreuter, Hans [Oberl. am kgl. Gymn. zu Saarbrücken]: Zur Psychologie des Aristoteles, Theophrast, Strato ... [= Progr. d. Gymn. Saarbrücken 1891.] Leipzig, Druck v. B. G. Teubner, 1892; 52 S. 8.
Erlangen, Phil. Fak., Inaug.-Diss. v. 1892

Poppelreuter, Hans, deutsche Schulgrammatik, s.: Wilmanns, W.

Poppelreuter, Hans: Schulnachrichten mit dem Bericht über die Einweihungsfeier. 4 : S. 11—19.
Progr. Städt. Rprg. *Oberhausen-Rheinland* 1898

Poppelreuter, Jos., Kritik der Wiener Genesis. Zugleich e. Beitrag zur Geschichte des Untergangs der alten Kunst. (56 S.) gr. 8. Köln (908). M. Du Mont-Schauberg. 2.—

Poppelreuter, Jos., der anonyme Meister des Poliphilo, sa Zur Kunstgeschichte des Auslandes. 20. Hft.

Der anonyme Meister des Poliphilo. Eine Studie z. ital. Buchillustration u. z. Antike in d. Kunst d. Quattrocento. Von Jos. **Poppelreuter.** Mit 25 Abb. *Straßburg: J. H. E. Heitz 1904.* (61 S.) 4°(8°)
— Kunstgeschichte, Zur, d. Auslandes. H. 20. [04. 6391

Poppelreuter, *Mathias* Josephus [Rhenanus]: De comoediae Atticae primordiis particulae duae ... Berolini, typ. Ullsteinii, 1893; 45 S., 1 Bl., 1 Taf. 8.
Berlin, Phil. Fak., Inaug.-Diss. v. 17. Mai 1893

Poppelreuter, Jos., de comoediae atticae primordiis particulae duae. Diss. gr. 8. (45 S.) Berlin 893. (R. Heinrich.) n. 1.20

Poppelreuter, Mathias Josef, s. Poppelreuter, Josef

Poppelreuter, Peter Hubert

Poppelreuter, P. Hub[ert]: [Bericht über seine Einführung als Direktor der Anstalt.] *Düsseldorf 1898: L. Schwann.* (26—27 S.) 4°
Bedburg, Rheinische RAk, P 1898 (446)

Poppelreuter, P[eter] Hub[ert]: [Bericht über die Feier der Firmung von 70 Schülern der Anstalt.] S. 18—19. 4.
Progr. Rhein. Ritterakademie *Bedburg* 1901 (463).

[Ant. u. F.] **Poppelreuter,** P. Hubert [Dr.]: Die Erkenntnislehre der Stoiker Zenon und Kleanthes. Nach d. Quellen dargest. Coblenz, Buchdr. v. H. L. Scheid, 1891; S. 3—20; 4°
Coblenz, st. RG, P 1891 (469)

Poppelrevter, Petrvs Hvbertvs ⟨geb. am 2 Sept. 1858 in Laach bei Altenahr⟩: Qvae ratio intercedat inter Posidonii **Περὶ παθῶν πραγματείας** et Tvscvlanas dispvtationes Ciceronis ... Bonnae, typ. C. Georgi (1883). 40 S. 8.
Bonn, Phil. Fak., Diss. v. 31 Jan. 1883

Poppelreuter, P[eter] Hub[ert], Dir. Dr.: Frh. von **Vittinghoff** genannt Schell †. ([Umschlagt.:] Nachruf, dem ehemaligen Ritterhauptmann Max Frh. von Vittinghoff gen. Schell gewidmet.) *Düsseldorf 1899: L. Schwann.* (S. 3—4.) 4°
Bedburg, Rheinische RAk, P 1899 (451)

Poppelreuter, Walther: Über die scheinbare Gestalt und ihre Beeinflussung durch Nebenreize. Berlin 1909: G. Schade. 31 S. ¶(Stark gekürzt gedr.)
Königsberg, Phil. Diss. v. 16. Juni 1909, Ref. Ach
[Geb. 6. Okt. 86 St. Johann-Saarbrücken; Wohnort: Berlin; Staatsangeh.: Preußen; Vorbildung: Realgymn. Osnabrück Reife O. 05; Studium: Berlin 6 S.; Rig. 21. Juni 08.] [U 09. 2411

Poppen, E., Feuerwehr-Lieder-Sammlung. Freiburg im Br. 863. (Diernfellner.) 32. (128 S.) n. 4 ngr.

Poppen, Jacob Julius Wilhelm v.

Nachrichten über das Geschlecht der v. Poppen. Gesammelt u. zsgest. von Jacob Julius Wilhelm v. **Poppen**, Gen.Major. (Hrsg.: Georg E. [vielm. C(arl)] W(ilhelm) v. Poppen.) *St. Petersburg 1903: 'Herold'.* (60 S.) 4°(8°) [F.] [03. 14298

Poppen, M., 's lahm Christinli. Ein Lebensbild aus dem Breisgau. 16. (74 S.) Freiburg i/Br. 883. (Ragoczy.) — 75

Ausstellung angewandter Kunst unter Leitung von Curt Stoeving u. unter Beteiligung von ... (Verf.: Felix **Poppenberg.**) Berlin: Wasmuth 1908. 96 S. 4°
[Umschlagt.:] Moderne Wohnräume unter Leitung von C. Stoeving, 1908. 3. Ausstellung A. Wertheim.
(Berliner Kunst.)
(Berliner Architekturwelt. Sonderh. 8.) [09. 7385

Poppenberg, Fel., Bibelots. (374 S.) gr. 8. Leipzig 904. J. Zeitler. n. 5.—; geb. n. 6.50

Poppenberg, Fel., Buchkunst, sa Kunst, die.

Buchkunst von Felix **Poppenberg.** Mit zahlr. Vollbild. u. vielen Vignetten u. Zierleisten. Berlin: Marquardt & Co. [1908]. (152 S.) 8°
= Kunst, Die. Bd 57 u. 58. [08. 17364

Das lebendige Kleid. (146 S. m. 10 Taf.) 8. Berlin-Westend (910). Berlin, E. Reiss. 3.50; geb. 4.50

— Maeterlinck, sa Essays, moderne. 30. Hft.

Maeterlinck von Dr. Felix **Poppenberg**. *Berlin: Gose & Tetzlaff 1903.* (47 S.) 8° [F.]
— Essays, Moderne. H. 30. [04. 4877

— Nordische Porträts aus 4 Reichen, sa Literatur, die. 11. Bd.

Nordische Porträts aus vier Reichen ⟨Hermann Bang, Knut Hamsun, Sigbjörn Obstfelder, Gustav af Geyerstam, Juani Aho⟩. Von Felix **Poppenberg**. Mit 15 Vollbild. u. mehreren Vignetten. Berlin: Bard, Marquardt & Co. [1904]. (75 S.) 8°
= Literatur, Die. Bd 11. [05. 2740

— die neue Szene, s.: Flugblätter f. künstlerische Kultur. 8. Hft.

Poppenberg, Fel., Zacharias Werner. Mystik u. Romantik in den „Söhnen des Thals", sa Beiträge, Berliner, zur germanischen u. romanischen Philologie.

Poppenberg, Felix [aus Berlin]: Zacharias Werner und die Romantik. 1. Tl ... (Erscheint vollst. in: Berliner Beitr. zur german. u. roman. Philol.) Berlin, C. Vogt's Buchdr., *1893;* 2 Bl., 48 S., 2 Bl. 8.
Berlin, Phil. Fak., Inaug.-Diss. v. 28. Juni 1893

Poppenberg, Otto, aus Angermünde: Zur **Kenntnis** der Pyridazine. *Berlin (1900): E. Ebering.* (43 S.) 8°
Berlin, Phil. Diss. v. 26. Febr. 1900

Poppenberger, M. (Red.), s. Volksfreund, Österreichischer.

Poppendieck, L. Griechische Syntax. Kursus für Obersekunda. 38 S. Progr. *Wolfenbüttel* 1882.
Vgl. des Verf. Griechische Syntax. Zum Gebrauche für Schulen bearbeitet. (IV, 130 SS.) 8. Wolfenbüttel 1885, Zwissler. 1 Mk. 50 Pf.

Poppendieck, L., griechische Syntax. Zum Gebrauch f. Schulen. gr. 8. (IV, 130 S.) Wolfenbüttel 885. Zwißler. n. 1. 50

Poppendorff, Geo., unsere wichtigsten eßbaren Pilze. E. Anleitg. zur sich. Erkenng. der bekanntesten eßbaren Pilze, nebst Angabe ihrer gebräuchlichsten Zubereitung. [Aus: „Natur u. Haus".] 12. (32 S. m. 12 Abb.) Berlin 895. G. Schmidt. n.n. — 30

Poppenhauer, zuverlässiger Geld-Berechner f. Accord- u. Tagearbeiten zur directen Benutzg. bei Anfertigg. u. Revision v. Lohnlisten, Nachweisgn. ꝛc., m. Anführgn. der 1/4, 1/2 u. 3/4 Bruchtheile von 1/4 bis 100,000 nach dem Münzfuß: 1 Mark = 100 Pfennige bearb. 4. (25 S.) Neudamm 884. Neumann. 1. —

Poppenlauer [Schlagwort]

Poppenlauer, s.: Bayern. Karte.

Popper: Einige W o r t e üb. d. Bedeutung des Religions-Unterr. f. uns. Gemeinde. Berl. 1863.
Schul-/Univ.-Schrift

Popper's, Adf., Adreßbuch Bielitz-Biala u. Umgebung Nach authent. Daten. 1. Jahrg., geschlossen am 1. V. 1904. (IV, 127 S.) Lex.-8. Bielitz (904). (W. Fröhlich.) Geb. in Leinw. n. 6. —

Popper's, Adf., Adreßbuch v. Bielitz-Biala u. Umgebung. Nach authent. Daten. 3. Ausg., geschlossen am 1. V. 1908. Kaiserjubiläums-Ausg. (XVI, 139 S.) Lex. 8. Bielitz (908). (Leipzig, Schulze & Co.) Geb. in Leinw. nn 5. —

Popper, Anton, Die Burgruine Bezděz oder Bösig in Böhmen. Nach historischen Quellen dargestellt. 8. (28 S. mit 1 Grundriss) —.30
Jungbunzlau: Nesnera 1893.

Popper, Ed., gewerbliche Hilfskassen und Arbeiterversicherung. Ein Beitrag zur Gewerbe- und Armen-Gesetzgebung. [Anlässlich der Gewerbegesetz-Beratungen in Oesterreich.] gr. 8. (X, 133 S.) Leipzig 880, Duncker und Humblot. *

Popper, E. Stimmungsbilder aus d. Schweiz. Prag, 1874, Dominicus.
*** Besprochen von A. Moeps in: Allgem. Literat. Correspondenz (1879) Nr. 38.

Popper, Ed., Stimmungsbilder aus der Schweiz. 8. (IV, 128 S.) Prag 878, Dominicus. *

Popper, F., der Vorkonkurs in der Praxis. (23 S.) gr. 8. Wien 905. Manz. n. — 50

Popper, Heinrich

Popper, H., die Fabrikation der nichttrübenden ätherischen Essenzen u. Extracte. Nebst e. Anh.: Die Erzeugg. der in d. Liqueur-Fabrikation zur Anwendg. komm. Farb-Tincturen. Mit 15 Abbildgn. 8. (VIII, 248 S.) Wien 889. Hartleben. n. 3. 25; geb. n. 4. 5

Popper, Heinr., die Fabrikation der nichttrübenden ätherischen Essenzen u. Extrakte. Vollst. Anleitg. zur Darstellg. der sogen. extrastarken, in 60% Sprit. lösl. äther. Oele, sowie der Mischungs-Essenzen, Extrakt- u. Frucht-Essenzen nach verschied. Methoden. Nebst einem Anhange: Die Erzeugg. der in der Likör-Fabrikation zur Anwendg. komm. Farbtinkturen. 2. Aufl. Neu bearb. u. erweitert v. Aug. Gaber. (X, 242 S. m. 16 Abbildgn.) 8. Wien 905. A. Hartleben. n. 3. 25; geb. 4. 05

Popper, Jos., sa Lynkeus.

LYNKEUS (d. i. *Joseph Popper*, in Wien, geb. 22. Febr. 1838 in Kollin), Fantasien eines Realisten. 2. Aufl. Leipzig, Reissner, 1900.)
Privat-Mittheilung eines Bibliographen.
Verboten v. L.-G. Wien, 29. III. 1901. §§ 122a, 303, 516. — Zuerst gedr. 1899; 10. Aufl. 1901. (Kürschner.)

Popper, J., Flugtechnik. 1. Hft. [Aus: „Zeitschr. f. Luftschifffahrt".] Lex.-8. (XII, 120 S.) Berlin 889. Kühl. n. 4. —

Popper, Jos., die technischen Fortschritte nach ihrer ästhetischen und kulturellen Bedeutung. gr. 8. (70 S.) Leipzig 888, Reissner. *

Popper, Jos., die technischen Fortschritte nach ihrer ästhetischen u. kulturellen Bedeutung. 2. [Titel-]Ausg. gr. 8. (70 S.) Dresden [888.] 901. C. Reissner. n. 1. —

Popper, Jos. (Lynkeus), Fundament e. neuen Staatsrechts. (86 S.) gr. 8. Dresden 905. C. Reissner. n. 2. —

Popper, Jos., die physikalischen Grundsätze der elektrischen Kraftübertragung. Eine Einleitg. in das Studium der Elektrotechnik. Mit 1 Fig.-Taf. gr. 8. (55 S.) Wien 884. Hartleben. n. 1. 50

— die Heilquellen u. ihr Werth. Was die Aerzte darüber denken! Ein balneolog. Hand- u. Nachschlage-Buch f. Publicum u. Aerzte. Mit e. Vorworte v. E. Heinr. Kisch. gr. 8. (XIII, 230 S.) Wien 893. (A. W. Künast.) n. 3. —

Popper, J., Carlsbad în Boemia. Efectele fisiologice ale surselori si produsul lori. Topografia și organisațiunea orașului. 8. (VIII, 63 S. m. Ansicht u. Plan.) Wien 894. W. Braumüller. In Leinw. kart. n. 1. 40

— Bad Mondorf das luxemburgische Kreuznach. Eine Beschreibg. des Bades u. e. Führer in die Umgebg. desselben. Nach verschiedenen Quellen bearb. u. hrsg. 8. (52 S. m. 9 Abbildgn. u. 1 Kärtchen.) Trier 893. H. Stephanus' Verl. n. 1. 50

Popper, Jos., üb. die Quellen u. den Betrag der durch Luftballons geleisteten Arbeit. [Mit 1 (lith.) Taf. (in qu. gr. 4.)] [Aus: „Sitzungsber. d. k. Akad. d. Wiss."] Lex.-8. (37 S.) Wien 875. (Gerold's Sohn.) n. — 80

— das Recht zu leben und die Pflicht zu sterben. Socialphilosophische Betrachtungen, anknüpfend an die Bedeutung Voltaire's für die neuere Zeit. 2. unveränd. (Titel-) Aufl. gr. 8. (IV, 138 S.) Leipzig 879, Koschny. *
1. Aufl. vgl.: Recht, das, zu leben.

Popper, Jos., das Recht zu leben u. die Pflicht zu sterben. Socialphilosophische Betrachtungen, anknüpfend an die Bedeutung Voltaire's für die neuere Zeit. 2., unveränd. (Titel-)Aufl. gr. 8. (IV, 138 S.) Heidelberg 879. Weiss' Verl. n. 2. 40

— das Recht zu leben u. die Pflicht zu sterben. Socialphilosophische Betrachtgn. Anknüpfend an die Bedeutg. Voltaire's f. die neuere Zeit. 3. Aufl. (XII, 245 S.) gr. 8. Ebd. 903. n. 3. —; geb. n. 4. —

Popper, J., Theorie der Convergenz unendlicher Reihen und bestimmter Integrale, die keine period. Functionen enthalten. Lex.-8. (34 S. mit 1 Snt. in gr. 4.) Wien 866, (Gerold's Sohn.) *
Aus: Sitzungsberichte der k. Akademie der Wissenschaften, besonders abgedruckt.

Popper, Josef. Voltaire. Eine Charakteranalyse, in Verbindung mit Studien zur Ästhetik, Moral und Politik, von J'P' ⟨Lynkeus⟩. VIII + 391 S. 8. Dresden, Carl Reissner, 1905. [M. 6.—, geb. 7.—]
Darin S. 104/13. 197 f. 245 f. 248 f. 263/5. 271/3. 289/93. 344/69 etc. Jean-Jacques Rousseau *u. a. betr.*

— üb. die Vorausberechnung der Verbrennungs- od. Bildungswärme bei Knallgas u. anderen Gasgemengen. [Aus: „Sitzungsber. d. k. Akad. d. Wiss."] Lex.-8. (16 S.) Wien 890. (Tempsky.) n. — 40

Popper, Jul., der biblische Bericht über die Stiftshütte. Ein Beitrag zur Geschichte der Composition und Diaskeue des Pentateuch. gr. 8. (XVI und 256 S.) Leipzig (861)62, Hunger.

Popper J, Bericht über Gruppe IV, Klasse 33 (Schafwollindustrie) der Weltausstellung in Paris 1878. Brünn 1879

Popper, Jul., und Ludw. Drucker, commercielle Berichte über die im J. 1882 im Auftrage der Handels- und Gewerbe-Kammer in Brünn unternommene Reise nach Südamerika. gr. 8. (79 S.) Brünn 883, (Winkler's Buchh.) *

— — u. Vict. Suchanek Edler v. Hassenau, commercielle Berichte üb. die im J. 1882 im Auftrage der Handels- u. Gewerbe-Kammer in Brünn unternommene Reise nach Südamerika. 2. Aufl. gr. 8. (105 S.) Ebend. 884. n. 3. —

Popper, Julius, Die Heilquellen und ihr Werth. Was die Aerzte darüber denken! Ein balneologisches Hand- und Nachschlagebuch für Publicum und Aerzte. Mit einem Vorworte von Medicinalrath Dr. E. Heinrich Kisch. Gr.-8. (XIII, 230 S) In Comm. 1.50
Wien: Künast 1893.

Popper, Jul., israelitische Schulbibel und Spruchbuch zum Gebrauch beim israelit. Religions-Unterricht nebst einem kurzen Abriß der Geschichte der Juden bis auf die neueste Zeit. 8. (VIII und 411 S.) Dessau 854, [Stange.] *

Popper, Jul., israelitische Schulbibel, den gesammten Lese-, Lern- u. Lehrstoff d. jüd. Religions-Unterrichts umfassend. 2. wesentlich verm. u. überarb. Aufl. 8. (IX, 468 S.) Dessau 873. Reißner. n. 3. —

Popper, J., Theorie der Convergenz unendlicher Reihen u. bestimmter Integrale, die keine period. Functionen enthalten. [Aus den Sitzungsber. der k. Akad. der Wiss.] Wien 866. (Gerold's Sohn.) Lex.-8. (34 S. mit 1 Steintaf. in gr. 4.) n. 8 ngr.

Popper, Jul., der Ursprung des Monotheismus. Eine historische Kritik des hebr. Alterthums, insbesondere der Offenbarungsgeschichte. Kritik der Patriarchengeschichte. gr. 8. (XII, 456 S.) Berlin 879, C. Heymann's Verlag. *

Popper, Leop. M., die Inschriften d. alten Prager Judenfriedhofes, zum erstenmal vollständig entziffert. Culturhistorisch u. historisch bearb. v. Mor. Popper. 1. Hft. gr. 8. (42 S.) Braunschweig 893. (Frankfurt a/M., J. Kauffmann.) n. 2. —

Popper, M., die Bakterien und der Milzbrand, s. Sammlung gemeinnütziger Vorträge.

Popper, Die Bakterien und der Milzbrand. (14 S.) Prag 82. Deutscher Verein. M. —.20

Popper, M., die Choleragefahr, s.: Sammlung gemeinnütziger Vorträge.

Popper M, Handbuch der Arbeiterkrankheiten u Gewerbehygiene. Stuttgart 1882

Popper, M., über Lebensdauer und Beruf, s. Sammlung gemeinnütziger Vorträge.

—— Lehrbuch der Arbeiterkrankheiten und Gewerbehygiene. Zwanzig Vorlesungen, gehalten am deutschen Polytechnikum in Prag. gr. 8. (IV, 396 S.) Stuttgart 882, Enke. *

—— die künftige Wasserversorgung der Stadt Prag. Referat an den Verein deutscher Aerzte. gr. 8. (14 S.) Prag 877, Dominicus. *
Aus: Prager medicinische Wochenschrift, besonders abgedruckt.

Popper Maximilian Zur Kenntnis des Oroselons und Peucedanins. S. 107. Hb. 35 . . . vgr.
Separatabdruck

Popper, Mor., Bahn frei! Ein Wort f. unsere Frauen. gr. 8. (31 S.) Prag 894. J. G. Calve. n. — 80

Popper, Moritz: Kritische Darstellung der Lehren Fechners und Latrés über das Vorstellungsleben und die Genetze.
Phil. Diss., Prag 1889/90.

Popper, Paul. Experimentelle Untersuchungen über die Elasticität der Arterienwand bei Insufficienz der Aortenklappen. Diss. Dorpat. 8°. 56 pp. mit zwei lithographirten Tafeln. 1890.

Popper, Rud., üb. die Wirkungen des Thymus-Extraktes. I. u. II. Mitteilg. gr. 8. Wien (A. Hölder). n. — 55
I. (8 S.) 905. n. — 20. — II. (9 S.) 906. n. — 35.
Sonderabdrucke aus: „Sitzungsber. d. k. Akad. d. Wiss."

Popper, Siegfried [pract. Arzt aus Meiningen]: Operation und Reposition veralteter Luxationen . . . Würzburg, Paul Scheiner's Buchdr., 1888; 38 S. 8°
Würzburg, Med. Fak., Inaug.-Diss. v. 1888

Popper, Siegfried, Operation und Reposition veralteter Luxationen. Diss. Würzburg 1888, Stahelsche Univ.-Buchh. 8°. 38 S.

Popper, Wilma

Popper, W., die Fahne hoch! Ein Buch f. Knaben. 8. (VII, 99 S.) Dresden 902. E. Pierson. Kart. n. 1.20

Popper, W., Fratres sumus. Novellen. (IV, 148 S.) 8. Dresden 903. E. Pierson. n. 2. —; geb n. 3. —

— Fünfe aus e. Hülfe. Novellen. (99 S.) 8. Wien 904. C. W. Stern. n. 2. —

Popper, W., altmodische Leute. Novelletten u. Skizzen. 8. (III, 210 S.) Dresden 895. E. Pierson. n. 3. —

— Märchen u. Geschichten f. große u. kleine Kinder. Mit e. Farbendr.-Bilde aus der Kindergartenlaube u. 7 Initial-Illustr. in Holzschn. nach Originalen v. Fritz Bergen. gr. 8. (V, 143 S.) Leipzig 891. E. Wartig's Verl. Kart. 3. 60

— neue Märchen u. Geschichten. M. Illustr. v. Fritz Bergen. 8. (III, 132 S.) Ebd. 898. Geb. n. 3. —

— Miniaturen. Novelletten. 8. (VII, 248 S.) Ebd. 897. 3. —

— kleine Münze. Skizzen u. Parabeln. (112 S.) 8. Leipzig 906. Modernes Verlagsbureau. n. 1. 50

— Nieten. Novellen. 8 (160 S.) Ebd. 900. n. 2. 50; geb. n. 3. 50

Popper, Wilma, fromme Seelen. Novellen. (VII, 102 S.) 8. Leipzig-Gohlis 909. B. Volger. 1. 50

— Sonderlinge. Novelletten. 8. (III, 246 S.) Ebd. 899. n. 3. —

— gegen den Strom. Novellen. 8. (V, 172 S.) Ebd. 902. n. 2. 50; geb. n. 3. 50

— Wintersonne. Novellen. (111 S.) 8. Leipzig 907. Modernes Verlagsbureau. 1. 50

Wintersonne. Novellen von W[ilma] Popper. Berlin-Leipzig: C. Wigand 1907. (111 S.) 8° [J.] 1908. 3333

Pöpperl, Hugo: Die Bedeutung Freistadts für den oberösterreichischen Handel im frühen Mittelalter.
Diss., Prag 1908/1909.

Pöpperl, Hugo, Geschichte des Niederlagsrechtes v. Freistadt in Oberösterreich während des Mittelalters. (54 S.) gr. 8. Außig 908. A. Grohmann. 1. 50

Poppert, Peter [Dr. Assistenzarzt d. chirurg. Klinik]: Zur Frage der chirurgischen Behandlung des Ileus. (Aus d. chirurg. Klinik zu Giessen.) . . . (Aus: v. Langenbeck's Archiv. Bd. XXXIX. Hf. 1.) Berlin, gedr. bei L. Schumacher, 1889; 1 Bl. ＋ 44 S. 8°
Giessen, Med. Fak., Hab.-Schr. v. 1889

Poppig, Christoph Friedrich (Altenburg/Meißen), De constitutione sive forma judiciorum criminalium solennium Von Hegung derer Nothpeinlichen und Hoch-Nothpeinlichen Halß-Gerichte. Diss. jur. Präs. Johann Friedrich Hertel. Jena (Horn) Juni 1733. 52 S. (5.—) 27042

— — Dasselbe. Jena (Horn) Juni 1733. 52 S. (5.—) 27013
Gew.: Jo. Georg von Geismar.

Poeppig, Edu. (Friedr.), maler. Atlas u. beschreib. Darstellungen aus d. Gebiete d. Erdkunde. 6 Lfgn. Lex.-8. (20 B. u. 18 Stahlst.) Leipzig 838. [Pesth, Hartleben's Verl.-Exped.] à 5/12 Thlr. Thlr.
Nach Vollendung wurde das Ganze unt. folgend. Ttl. ausgegeben: Landschaftl. Ansichten u. erläut. Darstelln. aus d. Gebiete d. Erdkunde. Lex.-8. (19¾ B. u. 18 Stahlst.) 839.

Pöppig, Ed., malerischer Atlas u. beschreibende Darstellungen aus dem Gebiete der Erdkunde. 6 Lfrgg. Mit à 3 Stahlstichen. Lex.-8. Leipzig 838. (Frohberger.) (à n. 5/12 Thlr) 2½ Thlr. Jetzt complet unter folg. Titel ausgegeben: Landschaftl. Ansichten u. erläuternde Darstellungen aus dem Gebiete der Erdkunde. Mit 18 Stahlstichen. Lex.-8. Leipzig 839. Frohberger. 2½ Thlr

Poeppig, Eduard, Fragmentum synopseos plantarum phanerogamarum ab auctore annis 1827 ad 1829 in Chile lectarum. Diss. botan. Leipzig (Elbert) 18. X. 1833. 30 S. (3.25) 26893

Poeppig, Eduard: Nova genera ac species plantarum quas in regno Chilensi Peruviano et in terra Amazonica annis MDCCCXXVII ad MDCCCXXXII legit E.Poeppig et cum Stephan Endlicher descripsit iconibusque illustravit. Vol.1 - 2, gbd., Abb.

Lipsiae: Hofmeister 1835 - 1838

— ead. Cent. III. cont. Icones. Decades I et II. (Mit 20 Kpfrtaf.) Lipsiae 840. Hofmeister. n. 4 Thlr color. n. 8 Thlr

Poeppig, Ed., nova genera ac species plantarum, quas in regno Chilensi, Peruviano, et in Terra Amazonica annis 1827 ad 1832 legit et cum Stephano Endlicher descripsit, illustravit. Tom. III. Mit 100 Tafeln Abbild. Fol. maj. Lipsiae 841—45, Hofmeister. n. 40 Thlr I—III. n. 120 Thlr

Pöppig, Ed., illustrirte Naturgeschichte des Thierreichs. Anatomie, Physiologie u. Geschichte der Säugethiere, der Vögel, der Lurche, der Fische u. der wirbellosen Thiere. Mit 4100 in den Text gedr. Abbildgn. (u. 4 Titelblättern in Holzschn.) 4 Bde. od. 34 Lfgn. [2. verm. Aug.] Fol. (1. Bd. IV u. 312 S. 2. Bd. IV u. 496 S.) Leipzig 851, Weber. (à Lfg. n. 1/3 Thlr) cmplt. in 2 Engl. Einb. baar n. 13⅔ Thlr

—— Reise in Chile, Peru u. auf d. Amazonenstrome währ. d. J. 1827—1832. 2 Bde. gr. 4., nebst 1 Atlas m. 16 Blätt. (Stnt.) Roy.-Fol. Leipzig 835, Fr. Fleischer; Hinrichssche Bh. [1. (60½ B.), 2. (59 B. u. 1 Karte.)] * 13⅓ Thlr., Vlnp. *

—— dass. — 2 Bde. (Wohlf. Ausg. ohne Atlas.) gr. 4. (119 B. u. 1 Karte.) Ebds. 835, 36.

Popping the Question, s. Theatre british, No. 7.
Poppleton, G., u. J. Bettac, Englische Sprachlehre f. Deutsche, mit Beispielen zur Erläuterung u. Uebungen zur Anwendung d. gegebenen Regeln. 7e verb. u. verm. Aufl. 8. Braunschweig 833. Vieweg. ⅔ Thlr

Poppinga, Rud., ein Gang durch das Arbeitsfeld unserer Mission, s.: Missions-Schriften, Bremer. Nr. 24.

— Ein Kranz auf die Gräber unserer Missionare, s.: Missions-Schriften, Bremer: Nr. 27.

Pöppinghaus, Heinrich, aus Buer i. Westf., Referendar am kgl. Landger. zu Duisburg: Die Rechtsstellung des Kommittenten im Konkurse des Kommissionärs nach Handels- und gemeinem Civilrecht. *Duisburg 1899: J. Ewich.* (46 S.) 8°
Erlangen, Jur. Diss. v. 7. Juni 1899

Pöppinghausen, von, Abbild. u. Beschreib. eines sehr einfachen Meßtisches, Copir- u. Reducir-Instruments. gr. 8. Siegen, Müller u. C. 810.

Pöppinghausen, B. v., Abbildung u. Beschreibung ein. sehr einfachen Meßtisches, Copien u. Reductions-Instruments. 8. Leipz. Rein u. Comp. 812.

Poeppinghausen, Jobst Walter von, aus Erfurt, Rechtspraktikant in München: Ueber die **Praemienreserve** bei der Lebensversicherung, insbesondere nach dem R.G. vom 12. Mai 1901. *München 1904: Kastner & Callwey.* (81 S.) 8°
Erlangen, Jur. Diss. v. 1. Dez. 1903

Pöppinghausen, R. v., die Fabrikation der Goldleisten, s. a. Schauplatz, neuer, der Künste u. Handwerke.

Pöppinghausen Rv, Fabrikation der Goldleisten, verzierten Rahmen und Politurleisten. 1. und 2. Auflage. (Schaupl. der Künste und Handwerke 70) Weimar 1872. 82

Pöppinghausen's, R. v., Fabrikation der Goldleisten, der verzierten Rahmen u. der Politurleisten, nebst bewährten Vorschriften zur Anfertigung von Poliment, Goldfirnis, Spiritusglanzlacken ꝛc. 2., verb. Aufl., hrsg. von R. Tormin. Mit einem Atlas von 10 (lith.) Taf. (in 4.), enthaltend 173 Fig. 8. (XIV, 184 S.) Weimar 882. B. F. Voigt. 3. 75

v. Pöppinghausen, Wlh., Abbild. u. Beschreib. e. sehr einfachen Meßtisches, Copir- u. Reducir-Instruments. 4. Siegen 811. gr. 8. Leipz. 812. Rein. 12 gr

Poppitzer, kurzgefaßt. u. erklär. Verdeutschungs-Handwörterbuch, der in unserer Umgangs-, Schrift-, Gerichts- u. Kunstsprache häufig vorkommenden fremden Ausdrücke u. Redensarten. gr. 8. (12 B.) Breslau 832, Schulz u. Comp. Thlr.

Beiträge zur Kenntnis der Anthocoriden von B[ertil] **Poppius**. Helsingfors: Finn. Litt.-Ges. 1909. 41 S. 4°
(Acta Societatis scientiarum Fennicae. T. 37, Nr 9.) [10. 9342 4

Beiträge zur Kenntnis der Lepidopteren-Fauna der Halbinsel Kanin. Von B. **Poppius**. Mit 15 Taf. Helsingfors 1906: (K. Malmström in Kuopio). (11 S.) 8°
= **Acta** Societatis pro fauna et flora Fennica. 28, No 3. [07. 608 9

Weitere Beiträge zur Kenntnis der Coleopteren-Fauna des nordöstlichen europäischen Russlands. Von B[ertil R.] **Poppius**. Helsingfors 1908: Simelii arfv. 30 S. 8°
(Acta Societatis pro fauna et flora Fennica. 31, 6.) [09. 11874 4

Die Coleopterenfauna der Halbinsel Kanin. Von B[ertil R.] **Poppius**. Mit 1 Kt. Helsingfors 1909: Simelii arfv. 58 S. 8°
(Acta Societatis pro fauna et flora Fennica. 31, 8.) [09. 11876 4

Zur Kenntnis der Miriden-Unterfamilie Cylapina Reut. Von B[ertil] **Poppius**. (Mit 1 Taf.) Helsingfors: Finn. Litt.-Ges. 1909. 45 S. 4°
(Acta Societatis scientiarum Fennicae. T. 37, Nr 4.) [10. 9811 4

Zur Kenntnis der Pterostichen-Untergattung Cryobius Chaud. Von B. **Poppius**. Mit 1 Karte. Helsingfors 1906: (K. Malmström in Kuopio). (280 S.) 8°
= **Acta** Societatis pro fauna et flora Fennica. 28, No 5. [07. 610 9

POEPPL, Alois (Griesbach): De opificiorum in hominum sanitatem influxu.- Monachii: Wolf 1832. 15 S. 24.8.1832 - Urk; F 60
Diss. Ingolst.-Landsh.-Mchn.

Pöppl, Xav., Lob Gottes. Gebetbüchlein für kathol. Schulkinder. Zusammengestellt aus dem röm. Missale, dem Münchener Diözesan-Rituale und mehreren Diözesan-Katechismen ꝛc. 1. und 2. Aufl. 16. (84 S. mit eingedr. Holzschn. und 1 Holzschntaf.) München 880, Stahl. geb. **

Poppler Franz: „esse“ mit einem praedicativen Adverbium bei Sallust und Caesar. (31). Bielitz 91.
Progr.

Poppleton, G., Guide pratique à l'art de traduire du français en bon idiome anglais pour le moyen d'une traduction interlinéaire. gr. 8. Hambourg, Villaume, 802.

— u. J. Bettac, engl. Sprachlehre f. Deutsche ꝛc. 8. Altona .., 4e A. 810. Hammerich. 16 gr 6e Aufl. 8. Braunschw. 828. 7e A. ... Vieweg. 16 gr

Poppleton, G. u. J. Bettac, engl. Sprachlehre f. Deutsche, in Beyspielen zur Erläuter. u. Uebungen zur Anwendung der gegebenen Regeln. 5te verb. u. verm. Aufl. 8. Braunschweig, Vieweg. 821.

Poppleton, G., und J. Bettac, engl. Sprachlehre f. Deutsche, mit Beispielen z. Erläuterung u. Uebungen z. Anwendung d. gegeb. Regeln. 6., u. 7., verb. u. verm. Aufl. (à 16½ B.) 8. Braunschweig 828, 33, Vieweg. à

Poppleton, G., und J. Bettac, praktische englische Sprachlehre. Mit Beispielen zur Erläuterung und Uebungen zur Anwendung der gegebenen Regeln. 9., verb. und verm. Aufl. 8. (281 S.) Braunschweig 847, Vieweg und Sohn.

Poppleton, G., u. J. Bettac, prakt. englische Sprachlehre. Mit Beispielen zur Erläuterung u. Uebungen zur Anwendung der gegebenen Regeln. 9. verb. u. verm. Aufl. 8. (284 S.) Braunschweig 849, Vieweg & Sohn. 2/3 ß

Poppleton, G., und **J. Bettac,** praktische englische Sprachlehre. Mit Beispielen zur Erläuterung und Uebungen zur Anwendung der gegebenen Regeln. 9. verb. u. verm. Aufl. Braunschweig 854. Vieweg. 8. (284 S.) 20 ngr.

Poppo, Andeutungen über das Verhältniss des Neugriechischen zum Altgriechischen. Pr. 1824. 18 S. 4°. 1.—

— De Graecorum verbis mediis, passivis, deponentibus recte discernendis ac de deponentium usu. Pr. 1827. 26 S. 4°. 1.—

Poppo, B. F., s. Poppo, Er. Fr.

Poppo, Ernst Friedrich

Poppo, E. Beitrag zur Kunde der Insel Skio und ihrer Geschichte. Leipzig 1822.

Poppo, Ernst Friedr. Die Beschlüsse der Landesschulconferenz nach ihren zu erwartenden Folgen in Hinsicht auf den Unterricht im Griechischen betrachtet. 8. S. . . .
Frankfurt, Progr. 1850

Poppo, (Ern.,) Chrestomathia etc., s. Chrestomathia.

Poppo, Ern., Chrestomathia historica, continens Diodori librum 4 et 5 majorem partem, Pausaniae lib. 4 et seriorem Graeciae historiam ex iisdem scriptoribus contextam. Cum selectis Wesselingii et Facii anim. In usum Gymnas. Francof. 822. 8. 2 rthl.

Ders. Emendanda et supplenda in Matthiaei gramm. graec. §. 490. ad 529. (Hauptſ. üb. d. Modi.) 20 S. . .
Frankfurt, Progr. 1832

Poppo, **E. F., de historia Thucydidea commentatio, s. Bibliotheca graeca.**

Poppo, E. F., de historia Thucydidea commentatio, s. Thucydidis de bello Peloponnes. libri VIII, ed. Poppo.

Poppo, E. F. De latinitate falso aut merito suspecta, sive adnotata ad Krebsii Antibarbarum. 19 S. . . . .
Frankfurt, Progr. 1841

Poppo, E. Fried. De Latinitate falso aut merito suspecta, commentatio altera. 12 S. . . . .
Frankfurt, Progr. 1850

Poppo, Er. Fr., observationes criticae in Thucydidem. 8maj. Leipz. 815. Er. Fleischer. 1 ß 12 gr

Poppo, E. F., Observationes criticae in Thucydidem. Lips. 816. 8. 1 rthlr. 12 gr

Poppo, E. F. Syracusarum obsidionis bello Pelopones. factae P. I., usque ad Demosth. adventum. 14 S. . . . .
Frankfurt, Progr. 1836

Poppo, E. F. Syracusarum obsidionis bello Peloponnesiaco factae pars I. usque ad Demosthenis adventum pertinens. (14) 4. Francofurti ad. Viadr. 1837.

Poppo, Ernst Frdr. Betantii Lexici Thucydidei Supplementum I. 32 S. Supplementum II. 18 S. . . .
Frankfurt, Progr. 1845, 1847

Poppo, Ernst Friedr. Betantii Lexici Thucydidei Suppl. III. 23 S.
Frankfurt, Progr. 1854

Poppo, Er. Fr., s. Thucydidis de bello Peloponnesiaco etc.

— de usu particulae ἂν apud Graecos. Dissertatio Ia. 4. Leipz. 818. Kr. Fleischer. 6 gr

Poppo, E. F., de usu particulae ἂν apud Graecos. Diss. I. Lips. 817. 4. 6 gr.

Poppo, E. F. De Graecor. verbis mediis, pass., deponent. recte discernendis, ac de deponentium usu. 26 S. .
Frankfurt, Progr. 1827

— s. Xenophontis, Cyri disciplina.

Poppo, Franc. Volkmar. Conr. (geb. Naumburg a. Bob. 5. 12. 1834): De aneurysmate. Berolini (1860). (31 S.) 8°
Berlin, Med. Diss. v. 7. Nov. 1860

Poppo, (M.,) auf 30jähr. Erfahrung u. vielfache Versuche gegründ. Anweisung, den Weinstock in den Weinbergen der Mark Brandenburg u. andern Gegenden, der Natur dessel̈ben gemäß, mit Nutzen zu behandeln. 8. Züllichau 825, Darnmann.

Poppo, Fr. W. G., auf 30jähr. Erfahrung u. vielfache Versuche gegründ. Anweis., den Weinstock in den Weinbergen der Mark Brandenburg u. and. Gegenden, der Natur desselben gemäß, mit Nutzen zu behandeln. 8. Züllich. 825. (Hentze in Bresl.) 10 gr

Poppo, Fr. W. G., Samml. von Predigten auf alle Sonntage u. die in d. Königl. Preuß. Landen zu feiernden jährl. Festtage. Zur häusl. u. kirchl. Erbauung nach d. in d. neuen Kirchenagende angeordneten äußern Form über die gewöhnl. Evangelien. 2 Bde. 4. Sorau 830. Verf. (Hentze in Bresl.) 2 ℔

—— Sammlung v. Predigten auf alle Sonntage u. die in Kgl. Preuß. Landen zu feiernden jährl. Festtage. Zur häusl. u. kirchl. Erbauung nach der in d. erneuerten Kirchenagende angeord. äußern Form üb. d. gewöhnl. Evangelien. 2 Abthln. 4. (62¼ B.) Sorau 830. (Guben, Meyer.)

Poppo, Frz. Volkmar Conr., Sammlung v. Predigten auf alle Sonntage u. die in k. preuß. Landen zu feiernden jährl. Festtage. Zur häusl. u. kirchl. Erbau. nach der in d. erneuerten Kirchenagende angeord. äußern Form üb. d. gewöhnl. Evangelien. Mit e. Vorw. v. F. A. Pischon. 2 Abthln. 2. Aufl. gr. 4. (56¼ B.) Cottbus 841, Meyer.

— Predigt. Was kann uns bei der drohenden u. immer näher rückenden Gefahr der furchtbaren Seuche mit Ruhe, Muth u. Hoffnung erfüllen? gr. 8. Guben 831. Hentze in Bresl. 2 gr

Poppo, Frz. V. C., was kann uns bei der drohenden u. immer näher rückenden Gefahr d. furchtbar. Seuche mit Ruhe, Muth u. Hoffnung erfüllen? Eine Predigt. gr. 8. (1 B.) Guben 831, [Meyer.]

Poppo, Volkm. Conr., ordentl. Zusammenh. und kurzgef. Inhalt der ganzen heil. Schrift. 8 Züllichau, Frommann. 745.

Poppo, Rudolph: Über das von Professor Helferich an der chirurgischen Klinik zu Greifswald seit 1892 geübte Operationsverfahren bei Epispadie und Hypospadie. *Greifswald 1898: J. Abel.* (40 S.) 8°
Greifswald, Med. Diss. v. 13. Aug. 1898

Poppović, Alex., Pariser Eindrücke im Frühling 1900. 8. (134 S.) Wien (900). A. Hartleben. n. 2. 25

Poppovicz, H., das Heeres-Verpflegungswesen, s.: Ausstellungsbericht, officieller.

Poppovits, Karl, vollständ. theoret.-prakt. Anweisung zum Selbstunterricht in d. Zuschneidekunst, nebst des v. Prof. Fontaine Pière zu Paris erfundenen Reductions-Schemas. Mit 5 lith. anatom. Fig. u. 75 Patronen (auf 5 Taf.) 8. Kronstadt 844. (Németh.) n. 28 ngr

Poppr, Ant., die Burgruine Bezděz od. Bösig in Böhmen. Nach histor. Quellen dargestellt. gr. 8. (28 S. m. 2 Ansichten u. 1 Grundriss.) Jungbunzlau 893. W. P. Nešnöra. n. — 50

Poepsel, Bernhard [app. Arzt aus Herzfeld i. Westf.]: Aus d. chirurg. Klinik zu Kiel. Über die Tuberculose des Unterkiefers ... Kiel, Druck v. L. Handorff, 1892; 15 S. 8.
Kiel, Med. Fak., Inaug.-Diss. v. [18. Febr.] 1892

Popta, Canna M. L.: Beitrag zur Kenntnis der Hemiasci. München 1899. 40 S. und 2 Taf. 8°.
Bern. Phil. Diss. 1898/99.

van Popta, Ijsbrandus Anneus [Arts aus Ijlst (Holland)]: Etwas über Hirndruck ... Zwolle, W. E. J. Tjeenk Willink, 1895; 2 Bl., 42 S., 1 Bl. 8.
Freiburg i. B., Med. Fak., Inaug.-Diss. v. 1895

POPU, Johannes: Comparatio ethicae catholicae ad ethicam protestanticam rationalisticam illamque Veteris Testamenti. — (1886) 203 S. 8° (Handschr.) Diss 437
Diss. Wien, Univ.

Popularisierung, die, der elektrischen Beleuchtung. Ergebnisse e. Diskussion in der elektrotechn. Zeitschrift. (27 S.) Lex. 8. Berlin 909. J. Springer. 1. 20
Sonderabdruck aus: „Elektrotechn. Ztschr."

Poquelin dit Molière, Jean Baptiste, s. Molière.

Pôquilons Gesch., s. Mond, d. neue.

Poradowska, Marguerite, eine romantische Heirat, s.: Engelhorn's allgemeine Roman-Bibliothek. XXII. 13. 14.

Poradowska, Marguerite, Mischa, s.: Engelhorn's allgemeine Romanbibliothek.

— die Stimme des Blutes (Pour Noëmi), s.: Engelhorn's allgemeine Roman-Bibliothek. XIX. 16.

Poradowska, Marguerite, d. Töchter d. Popen. Deutsch v. M. Pillet. 8. (192 S.) Dresden 896. C. Reißner. n. 2. —

Poraj, v., auf Vorposten, s.: Walter, Ellen.

Porai-Koschitz, Alexander. Zur Kenntnis der Methinammonium-Farbstoffe. Diss. Phil. Basel. 72 S. 8. Wiesbaden, Rud. Bechtold & Comp., 1905.

Porath, P., das tägliche Besteck, s. Besteck.

Porath, P., Das tägliche Besteck. Vollständige Tabellen der veränderten Breite und Abweichung etc. Genau revidirt. Altona [o. J.]

Porath, Rich., die Brennerei in der Praxis. (57 S.) 8. Kyritz 905. (Bunzlau, G. Kreuschmer.) n. 3. —

Poray, s. Madeyski v. Poray.

Poray, Dr. Stanislaus Ritter v. Madeyski, Die deutsche Staatssprache oder Oesterreich ein deutscher Staat. gr. 8. (179 S.) Wien, *Alfred Hölder. 1 fl. 80 kr. 1884

Porazil, Ernst. Versuch einer vergleichenden griechisch-deutschen Phraseologie zu Caesars bell. gall. (comment. I). (Umschlagtitel: Für unsere Quartaner bearbeitet.) 8 (42 S.). (Fortsetzung: comm. II. III). 8 (30 S.). (Fortsetzung: comm. IV. V). 8 (28 S.). **Progr.** Staats-Ober-G. *Wiener-Neustadt* 1888. 1889. 1890.

Porazil, Ernst. Versuch einer vergleichenden griechisch-deutschen Phraseologie zu Caesars bell. gall. (Schluſs: comm. VI. VII.). Für unsere Quartaner bearbeitet. 8 (29 S.). **Progr.** K. k. Staats-Ober-G. *Wiener Neustadt* 1891.

Porazil, E., Die *σύστασις τῶν πραγμάτων* in Sophokles Oidipus König. Pr. 1878. 12 S. 4°. W.-Neustadt OG., Progr. 1.—

Porbeck, Frdr. v., Geschichte der badischen Truppen 1809 im Feldzug der französischen Hauptarmee gegen Österreich, s.: Zech, Karl v.

Porbeck, Heinrich Philipp Reinhard v.

— s. Bellona, neue.

v. Porbeck, Hnr. Ph. Rhrd., († d. 28. Juli 1809.) krit. Geschichte der Operationen, welche die engl.-combinirte Armee zur Vertheidigung von Holland in den J. 1794 u. 95 ausgeführt hat. 2 Thle. Mit Karten u. Plän. 8. Braunschw. u. Hannov. 801—4. Hahn. 6 ß

v. Porbeck. Kritische Geschichte der Operationen, welche die englische u. combinirte Armee zur Vertheidigung von Holland 1794 u. 1795 ausgeführt hat. 2 Bd. 8. M. Krte. u. Pl. Braunschweig u. Hannover 1802—4. 18,00.

(v. Porbeck. H. P.) Instruction zur Abrichtung der Scharfschützen nebst Anmerkungen und vorausgeschickten Winken über die Tendenz der Taktik des Fussvolkes, und die Geschichte der leichten Infanterie seit der Erfindung des Schiesspulvers. 8. Leipzig 1807. — 2. Aufl. [nicht anonym.] 8. ib. 1822.

Porcellan-Manufactur, die Königliche, zu Meißen. Eine geschichtliche Skizze als Festgabe zur 150jährigen Jubelfeier dieser Anstalt am 6. Juni 1860. Meißen 860. Mosche. gr. 8. (29 S. u. 1 Lithogr.) 5 ngr

Porcelli, Untersuchungen über die physiologische u. therapeutische Wirkung des Ichthalbins bei chronischen Darmkatarrhen. (Aus dem Ital. übers. v. Mohr.) (7 S.) 8. Leipzig 903. B. Konegen. n. 1. —
Sonderabdruck aus: „Reichs-Medizinal-Anzeiger".

Porchat, Jean-Jacques, Les deux auberges (l'ours et l'ange), erklärt v. Fr. Strohmeyer, s.: Schulbibliothek, französische u. englische, A. 147. Bd.

Porchat, Jean-Jacques, le berger et le proscrit, hrsg. v. Jos. Heuschen, s.: Schulbibliothek, französ. u. englische. A.

Porchat, Jean-Jacques, le berger et le proscrit, Wörterbuch, s.: Schulbibliothek, französische u. englische.

Porchat, J. J., les colons du rivage, s. Bibliothèque, petite, française.

Porchât, J. J., Leben und Tod der Jungfrau von Orleans, s. Erzählungen, kathol., für die reifere Jugend.

— Trois mois sous la neige, s.a.: Bibliothèque, petite, Française, vol. 11. 12.

Porchat, Jacques, trois mois sous la neige. Journal d'un jeune habitant du Jura suivi des aventures du petit Maurice. Nouv. éd. 8. (192 S.) Leipzig 875. Wilfferodt. n. 1. 20

Porchat, J. J., drei Monate unter dem Schnee. Tagebuch eines Knaben aus dem Jura. Eine von der französ. Akademie gekrönte Preisschrift, in's Deutsche übertr. v. Frdr. Neßler. Bevorwortet v. O. Glaubrecht. 8. (VI u. 125 S.) Erlangen 851, Heyder & Zimmer. 9 ngr

— drei Monate unter dem Schnee. Tagebuch eines Knaben aus dem Jura. Gekrönte Preisschrift. In's Deutsche übertragen von Frdr. Neßler. Bevorwortet von O. Glaubrecht. 2. Aufl. Frankfurt a. M. 861. Heyder & Zimmer. 8. (128 S. u. 1. Holzschntaf.) 9 ngr

Porchat, J. J., drei Monate unter dem Schnee. Tagebuch eines Knaben aus dem Jura. Eine von der französ. Akademie gekrönte Preisschrift. In's Deutsche übertr. von Friedr. Neßler. Bevorwortet von O. Glaubrecht. 3. Aufl. 8. (124 S.) Frankfurt a. M. 875, [Heyder und Zimmer.] Schriften-Niederlage des Evangel. Vereins. cart. *

Porchat, J. J., drei Monate unter dem Schnee. Tagebuch eines Knaben aus dem Jura. Nach einer von der französ. Akademie gekrönten Preisschrift. Bevorwortet von O. Glaubrecht. 4. Aufl. 8. (132 S.) Calw 889, Vereinsbuchhandlung. cart. *

Porchat, J. J., drei Monate unter d. Schnee. Tagebuch e. Knaben aus dem Jura. Nach e. d. französ. Akademie gekrönten Preisschrift. Bevorw. v. O. Glaubrecht. 5. Aufl. 12. (182 S. m. 1 Bild.) Calw u. Stuttgart 896. Vereinsbuchh. Kart. n. 1. —

— Sub la neĝo. Taglibro de juna loganto de la Jura montaro. Esperantigis J. Borel. (VIII, 144 S.) kl. 8. Berlin (908). Esperanto Verlag Möller & Borel. 1. —

Sub la neĝo (Trois Mois sous la neige) Taglibro de juna loĝanto de la Jura montaro de J[ean] J[acques] Porchat. Esperantigis J[ules] Borel. Berlin: Möller & Borel [1908]. VIII, 144 S. 8° [1 m. 16513]

Porchat, J. J., Winkelried, Drama in 5 Akten, metrisch in's Deutsche übertragen v. Fr. Neßler, nebst Halbsuters Lied v. Streit zu Sempach. 12. Genf 846, Keßmann. 1/2 ß

Porchel, François s. Dellion, P. Apollinaire. Dictionnaire .... Fribourg 1884–1902.

Porcher, F., und D. Levy-Elkan, Album deutscher Classiker. 1. Heft. qu. 16. (11 lithogr. Bl.) Cöln 847. (Aachen, Wengler.) *

Porcher, F., u. D. Levy-Elkan, Album deutscher Classiker. 1. Hft. qu. 16. (11 lith. Bl.) Cöln 847. (Leipzig, Wengler.) n. 1/6 ß

Porchester's, Lord, Aufenthalt in Spanien während d. Revolution d. J. 1820. A. d. Engl. übers., mit Bemerkn. üb. d. neuesten Ereignisse in England v. A. W. Rehberg. 8. (8¾ B.) Braunschweig 834, Vieweg.

Porchet, F., s. Statistique des vins vaudois.

Porcia, s. Portia.

PORCINI, Constanze della, oder die schöne Gefangene. Eine romantische Geschichte. 2 Bde. Mit TKpfr. Erfurt 1814. 8°. Zahm. (1 Mk. 50 Pfg., unsaub. Expl., Südd. Ant., München, 1907.)

Porcini, Constanze della, oder die schöne Gefangene. 2 Bde. m. 1 K. 8. Erfurt, Beyer u. M. 815.

della Porcini, Constanze, od. die schöne Gefangene. 2 Thle. 2 Thle. 8. Erfurt 815. Maring. (Otto). 1 ß 16 ₰.

Der Deutsche Porcupein, und Lancäster Anzeigs-Nachrichten: no. 1—104, Jan. 3, 1798—Dec. 25, 1799.
Federalist weekly. Follows NEUE UNPARTHEYISCHE LANCASTER ZEITUNG UND ANZEIGS-NACHRICHTEN. Continued as AMERICANISCHER STAATSBOTHE. Edited & published by Johann Albrecht und Comp. [Jacob Lahn]. Subscription rate: „Für einen Thaler und einen halben des Jahrs."
Lancaster, PA

Pordädschen, J., göttl. Metaphysik, oder durch eigene Erfahrung erlangte Wissenschaft d. unsichtb. und ewig. Dinge. 3 Thle. 8. Frankf. Montag. 715.

Pordädschens, Joh., wahre und wunderbare Oefnung der unsichtbaren Welten, wie solche in Engelland mehr den 20 Personen beynahe 1 Monat lang sowohl bey Tag als Nacht gesehen zc. Leipz. 746. 8.

Pordes-Milo, A. S.

— u. Erich **Urban**, die Dorfkomtesse. Operette in 3 Akten. Musik v. R. Danziger. Vollständiges Textbuch m. Dialog u. Angabe der szen. Bemerkgn. (128 S.) 8. Berlin 909. 10. A. Fürstner. 2.—

Pordes-Milo, (A. S.), der letzte Messias. Tragikomödie in 4 Akten. (III, 87 S.) 8. Berlin 907. H. Bermühler. 1.50; geb. n 2.50

— Visionen u. Passionen. (Phantastisches u. Erotisches.) (III, 206 S.) 8. Ebd. (908). 2.—

— König Zipapet der edle Zwerg, s.: Bernstein-Sawersky, A.

Pordesch, Horst: Zur Kenntnis der Thiodiglycolsäure und Thioglycolsäure. 1909. 57 S. 8°
Dresden, Dr.-Ing.-Diss. v. 21. 12. 1909

Pordon, die Brüder, s. Bergson's Eisenbahnbücher.

Porebowicz Eduard: Die Schicksale des vokalischen Auslautes in den westromanischen Sprachen.
II. 1890 PN 605 **Diss. Wien, Univ.** 2219

Porecky, A., u. R. **Brenner**, anorganische Chemie, siehe. Brenner, R.

Porée, Charles

Porée, C., fabulae dramaticae. 8. Frcf. Varrentrapp et W. 755.

— orationes acad. 8. ibid. 756.

— — didascalicae. 8. ibid. 755.

— — sacrae panegyricae. 8. ibid. 755.

Porée, Charles, Rede von den Schauspielen, verdeutscht durch J. F. May, Leipzig (1734), s.a. Johann Friedrich May.

— Rede von den Schauspielen, ob sie eine Schule guter Sitten sind, oder seyn können? 8. Leipzig, Breitkopf. 734.

Porée, Charles Gabriel

* **MÖNCHE**, Die entlarvten, oder die kurtzweilige Geschichte des D. Ranucio d'Aletes. Von dem Verfasser des spanischen D. Quixotts verfertiget (!!) und seiner Schönheit wegen (aus d. Französ. des *Charles Gabriel Porée*) ins deutsche übersetzt. Erster (einz.) Theil (2 Bücher), mit 4 Kupfern. HAMBURG, zu finden im Wieringischen Laden bey der Börse, im güldnen ABC, bey Johann Conrad Bene. 1748. 8°. 8 Bll. Vorst. (incl. TKpf.) u. 237 S. (In Berlin: Yv 4191) (10 Mk. Hugendubel, München, 1903.)

Vivat Seminaria! Marsch f. Klavier zu 4 Händen comp. von Georg Porepp. *Minden i. W.: C. Marowsky [1895].* (5 S.) 4° [... 1911 8

Georg **Porepp**. Op. 26. Die Weihnachtsfee. Ein Singspiel f. d. liebe Jugend... Op. 26. [Textbuch.] Gr.-Lichterfelde: Reibenstein [1910]. 12 S. 8° [11. 1910

Georg **Porepp**. Op. 26. Die Weihnachtsfee. Ein Singspiel f. d. liebe Jugend... Op. 26. [Textbuch.] Gr.-Lichterfelde: Reibenstein [1910]. 12 S. 8° [11. 1910

Poresch, Bruno Th., u. Rud. Vogel, jedermann in 100 Minuten Erfinder od. Die Methode, durch Erfinden schnell reich zu werden. 1.—5. Taus. (107 S. m. 3 Taf.) 8. Berlin 908. H. Meusser. 3.50

Poretto, Elementina von,. Trauersp. von Wieland. 8. Zürich, Orell. 775.

Porfyrius, s.a. Optatianus Porfyrius.

Porfyrii, Publilii Optatiani, carmina. Rec. et praefatus est Lucianus Mueller. Lex.-8. (XLIV, 76 S.) Leipzig 877. Teubner. n. 3. 60

Porg, Alex., der Basuto-Häuptling oder der Ausgestoßene. Erinnerung aus meinem Tagebuche. 8. (64 S.) Hamburg 879, Kramer.

— am Cap der guten Hoffnung oder der dankbare Griqua. Den Mittheilungen eines engl. Officiers nacherzählt. 8. (64 S.) Ebendas. 878.

Porg. Al.: Am Cap der guten Hoffnung oder der dankbare Griqua. Den Mittheilungen e. engl. Officiers nacherzählt von Capitain Al. Porg. Berlin: A. Weichert [1899]. (64 S.) 8°
= Indianer- u. Volksbibliothek. 80.

Porg, Alex., die beiden Galeerensclaven. Erzählung. 8. (62 S.) Hamburg 880, Kramer.

— aus dem letzten Kreuzzug oder Christ und Muselmann. Einer alten Ueberlieferung nacherzählt. 8. (64 S.) Ebendas. 879.

— Meeba oder die Verschwörung auf Java. Historischen Thatsachen nacherzählt. 8. (63 S.) Ebendas. 879.

— Schicksale eines Spielers. Erzählung. 8. (63 S.) Ebendas. 880.

— Umla, der Galeka-Häuptling. Thatsachen nacherzählt. 8. (64 S.) Ebendas. 879.

Porger, Gust., neueres deutsches Epos, s.: Dürr's deutsche Bibliothek.

— Hilfsbuch f. den evangelischen Religionsunterricht, s.: Halfmann u. Köster.

— u. H. Winter, Lehrgang der Geschichte f. höh. Mädchenschulen u. zugehörige Bildungsanstalten. 4 Bdchn. 8. München, R. Oldenbourg. Geb. 5. 25
1. Lehrgang der alten Geschichte m. Einbeziehung der Sagen- u. Kulturgeschichte. (X, 172 S. m. 32 Abb. u. 7 farb. Karten.) 910. Geb. 1. 60
2. Lehrgang der vaterländischen Geschichte m. Einbeziehung der allgemeinen Kulturgeschichte v. P. I. Tl.: Das Mittelalter. (VIII, 121 S. m. 25 Abb. u. 5 farb. Karten. 910. Geb. 1. 25
3. Lehrgang der vaterländischen Geschichte m. Einbeziehung der allgemeinen Kulturgeschichte v. P. II. Tl. 1. Hälfte. Die neue Zeit bis zur französ. Revolution. (VII, 153 S. m. 25 Abb. u. 6 farb. Karten.) 910. Geb. 1. 40
4. Dasselbe. 2. Hälfte. Von der französ. Revolution bis zur Gegenwart. (VII, 131 S. m. 28 Abb. u. 4 Karten.) 910. Geb. 1. 30

— Leitfaden für den deutschen Sprachunterricht, s.: Engelien, Aug.

u. K. Wolff, deutsches Lesebuch f. Knaben-Mittelschulen in 5 Tln. I. u. II. Tl. gr. 8. Bielefeld 911. Velhagen & Klasing. Geb. 2. 30
I. Klasse 8. (VIII, 152 S. m. Abb.) Geb. 1. —
II. Klasse 7. (X, 194 S. m. Abb.) Geb. 1. 30

— u. Eleonore Lemp, deutsches Lesebuch f. höhere Mädchenschulen. 8 Tle. gr. 8. Bielefeld, Velhagen & Klasing. Geb. 14. 90
1. (VIII, 169 S.) 909. Geb. 1. 20
2. (VIII, 188 S.) 909. Geb. 1. 30
3. (7. Klasse.) (X, 250 S.) 909. Geb. 1. 80
4. (6. Klasse.) (X, 260 S.) 909. Geb. 1. 80
5. (5. Klasse.) (IX, 272 S.) 909. Geb. 2. —
6. (4. Klasse.) (VIII, 280 S.) 909. Geb. 2. —
7. (3. Klasse.) (IX, 272 S.) 909. Geb. 2. —
8. (2. Klasse.) (XII, 368 S.) 909. Geb. 2. 80

— — u. Otto Biastoch, deutsches Lesebuch f. Mädchen-Mittelschulen in 5 Tln. I. Tl. Klasse 8. (VIII, 152 S. m. Abb.) gr. 8. Ebd. 911. Geb. 1. —

— s.: Prosa, deutsche.

Porger, Gustav, aus Wiebelskirchen: Johann Stuve's **Leben und Wirken.** Ein Beitrag zur brandenb. u. braunschw. Schulgeschichte. *Halle a. S. 1901: Wischan & Wettengel.* (71 S.) 8° [F.]
Erlangen, Phil. Diss. v. 6. März 1901

Moderne erzählende Prosa. Ausgew. u. z. Schulgebr. hrsg. von Dr. Gustav **Porger.** Bdch. 1. *Bielefeld & Leipzig: Velhagen & Klasing.* 8° [F.]
= Prosa, Deutsche. T. 3.
= **Sammlung,** Velhagen & Klasings, deutscher Schulausgaben. Lfg 97. [04. 13610

— s. a. Schatz-Kästlein moderner Erzähler.

Schatz-Kästlein moderner Erzähler. Hrsg. von Dr. Gustav **Porger.** 1–3. Mit Portr. *Bielefeld & Leipzig: Velhagen & Klasing 1904.* 3 Bde 8° [F.] [04. 3468

Schatz-Kästlein moderner Erzähler. Hrsg. von Dr. Gustav **Porger.** 2. Aufl. Bd 2. Bielefeld & Leipzig: Velhagen & Klasing 1905. 8° [F.] [05. 2771

Porges, Bibelkunde u. Babelfunde. Eine krit. Besprechg. v. Friedrich Delitzsch's Babel u. Bibel. (108 S.) gr. 8. Leipzig 903. (M. W. Kaufmann). n. 1. 20

Porges: Ueber die Buchung der Geschäftsverbindungen für unsere Rechnung (Conto mio, Conto nostro). 20 S. 8° –Wien H., Progr. 1863

Porges, s.: Hilm, Carl.

Porges, Alex., 1800 Fälle v. Haut- u. Geschlechts-Krankheiten, s.: Pezzoli, Karl.

Porges, Aug., s.: Erbfolge-Krieg, österreichischer.

Porges, Carl, s. Porges, Karl.

Porges, Carl August, s. Porges, Karl August.

Porges, Elsa, s.a. Bernstein, Frau Elsa geb. Porges

Porges, Elsa (Frau Elsa Bernstein), [Ernst Rosmer], Johannes Herkner. Schauspiel in 5 Akten. (155 S.) 8. Berlin 904. S. Fischer, Verl. n. 2. 50; geb. n. n. 3. 50

Porges, Frdr., Licht. Schauspiel in 1 Aufzug. (24 S.) gr. 8. Brünn (910). Verlag der jüd. Volksstimme. — 80

Porges, G., the mineral waters of Carlsbad considered from a homoeopathic point of view for physicians and patients. 8. (VI und 162 S.) Prag 864, (Dominicus.) cart. *

Porges, G., specifische Wirkungsweise und physiologische Analysen der carlsbader Heilquellen. gr. 8. (XII und 268 S.) Dessau 853, Gebr. Katz. *

Porges, Dr. G. — Balneologische Zeitfragen. Von — —. Prag, 1856. Druck von Friedrich Rohlicek. (36 S. 8.)

Porges, Heinr., die Aufführung v. Beethoven's neunter Symphonie unter Rich. Wagner in Bayreuth [22. Mai 1872.] gr. 8. (38 S.) Leipzig 872. Kahnt. n. — 80

Die Aufführung von Beethoven's Neunter Symphonie unter Richard Wagner in Bayreuth ⟨22. Mai 1872⟩ von Heinrich **Porges.** Leipzig: C. F. Kahnt Nachf. 1897. (38 S.) 8° [F.] [07. 13203

Porges, Heinr., das Bühnenfestspiel in Bayreuth. Eine Studie über Richard's Wagner's „Ring der Nibelungen". gr. 8. (48 S.) München 876, Merhoff's Verlag.
— dass. — 2. durchgeseh. Aufl. gr. 8. (64 S.) Ebendas. 877. *

Porges, Heinr., die Bühnenproben zu den Bayreuther Festspielen des J. 1876. I. und II. gr. 8. Chemnitz, Schmeitzner. à * M 1,25. *
Inhalt:
I. Das Rheingold. (42 S.) 881.
II. Die Walküre. (39 S.) 882.

Porges, Heinr., das Bühnenfestspiel in Bayreuth. Eine Studie über Richard Wagner's „Ring der Nibelungen", 2., durchgeseh. Aufl. gr. 8. (64 S.) München 877. Merhoff. n. 1. —

Porges, Heinr., Richard Wagner's Bühnenfestspiel „Der Ring des Nibelungen". Eine Studie. 3. (Titel-)Aufl. (des „Bühnenfestspiels in Bayreuth"). gr. 8. (64 S.) München 894. C. Merhoff. n. 1. —

Die Bühnenproben zu den Bayreuther Festspielen des Jahres 1876. Von Heinrich **Porges.** 1–4. Chemnitz: E. Schmeitzner 1881–96. 4 Bde 8°
1. Das Rheingold. 1881. 2. Die Walküre. 1882.
3. Siegfried. 1896. 4. Götterdämmerung. 1896. [07. 6715

— die Bühnenproben zu den Bayreuther Festspielen des Jahres 1876. I. u. II. gr. 8. Chemnitz 881. 82. Schmeitzner. à n. 1. 25
1. Das Rheingold. (42 S.)
2. Die Walküre. (39 S.)

— d. Bühnenproben zu d. Bayreuther Festspielen d. J. 1876. III u. IV. gr. 8. Leipzig 896. Siegismund & Volkening. n. 2. 25
(kplt. in 1 Bde.: n. 4. —)
III. Siegfried. (40 S.) n. 1. 25
IV. Götterdämmerung. (31 S.) n. 1. —

Porges, Heinr., Tristan u Isolde. Nebst e. Briefe Richard Wagners. Eingeführt von H v. Wolzogen. (VI, 80 S.) 8. Leipzig 906. Breitkopf & Härtel. n. 1 50

Porges, Karl

Porges, Carl, der Arbitrageur. Lehrbuch und Leitfaden der Arbitragerechnung zum Gebrauche für Handelslehranstalten, Nachschlagebuch für prakt. Bankiers, Kaufleute und Börsenmänner. 1. Aufl. (IX, 178 S.) 1868. *ℳ 3,60.; und 2. vielf. verm. Aufl. gr. 8. (IV, 288 S.) Wien 872, Hölder. *

—— Arithmetik des Verkehrs. Vollständiges Lehrbuch des kaufmänn. Rechnens in 3 Bdn. gr. 8. Ebendas. *
Inhalt:
Bd. 1. Die Elemente des kaufmännischen Rechnens. Die Arithmetik des Verkehrs enth. die Zahlenlehre bis zur Gesellschaftsrechnung. (596 S.) 874. *ℳ 4.
» 2. Die kaufmännische Rechenkunst. Die Arithmetik des Verkehrs enth. die wälsche Praktik, Procentrechnung, Facturen etc. (744 S.) 874. *ℳ 10.
» 3. Die kaufmännische Arithmetik des Bank- und Waarenfaches. (IV, 399 S.) 875. *ℳ 5.

—— dass. — *sa* Handels-Bibliothek, Wiener.

— die Berechnung der im Wiener Coursblatt notirten Effekten mit Berücksichtigung der erhöhten Einkommensteuer. Ebend. 868. gr. 8. (26 S.) n. 6 *ngr.*

— — 3., gänzlich umgearb., verm. u. verb. Aufl. Ebend. 870. gr. 8. (III, 64 S.) n. 12 *ngr.*

— — 4., in den Tabb. mit zahlreichen Aenderungen versehene Aufl. Ebend. 870. gr. 8. (66 S.) n. 12 *ngr.*

Porges, Carl, die Berechnung der im Wiener Coursblatte notirten Effekten m. Berücksicht. der erhöhten Einkommensteuer bearb. 5. sehr verm. Aufl. gr. 8. (VII, 64 S.) Wien 871. Hölder. n. 1. 20

— dasselbe. 6. sehr verm. Aufl. gr. 8. (VIII, 99 S.) Ebend. 872. n. 2. 40

Porges, Karl, die Berechnung nach dem neuen Coursblatt. Die Effecten, Devisen u. Valuten nach den Usancen der Börsen von Wien, Prag u. Triest. Fol. (III, 20 S.) Wien 900. M. Perles. n. 1. 60

Porges, Carl, die kaufmännische Buchführung in doppelten Posten, *sa* Handels-Bibliothek, Wiener.

Porges, Carl, die kaufmännische Buchführung mit doppelten Posten im Bank-, Waaren-, Commissions- u. Speditions-Geschäft; bei Banken, Eisenbahnen, Versicherungs-Gesellschaften, Fabriks-Unternehmungen etc. etc. gr. 8. (VIII, 491 S.) Wien 877. Hölder. n. 7. 20

— — Die kaufmännische Buchführung mit doppelten Posten in Bank-, Waaren-, Commissions- und Spedit.-Geschäft, bei Banken, Eisenbahnen, Versicherungsgesellschaften, Fabriks-Unternehmungen &c. Zweiter unveränderter Abdruck. gr. 8. (491 S.) geh. 3 fl.
Wien: Hölder 1882.

—— Geschäftsgang eines Bank-, Waaren-, Commissions- und Speditionshauses. Leitfaden für die Vorträge über Buchführung und Handels-Correspondenz an den Abendkursen der wiener Handels-Akademie. Lex.-8. (37 S.) Wien 860, (Wallishausser'sche Buchh.) *

Porges, Karl, deutsche Handelskorrespondenz, *sa* Bibliothek der Handelswissenschaften. I.

— deutsche Handelskorrespondenz, *sa* Bibliothek der Handelswissenschaften f. den Selbstunterricht.

Porges, K., Deutsche Handelskorrespondenz. 10. Aufl. [Bibliothek der Handelswissenschaften f. d. Selbstunterricht.] Gr.-8°. erscheint in 70 Liefr. à K —.50

Porges, Carl, die Handelscorrespondenz und Comptoirwissenschaft. Zum Selbstunterricht und Schulgebrauch mit besond. Rücksicht aller Geschäftszweige des Bank-, Waaren-Commissions- und Speditions-Geschäftes bearb. 6 Lfgn. gr. 8. (VI und 521 S. mit 24 Stnt. in gr. 8. und hoch 4.) Wien 867, Beck'sche Universitäts-Buchh. à Lfg. * 15 Ngr. *

— — 2. erweit. Aufl. (In 12 Liefgn.) 1. Liefg. mit 2 lith. Beilagen (in hoch 4.). Ebend. 868. gr. 8. (48 S.) n. 8 *ngr.*

— die Handels-Correspondenz u. Comtoir-Wissenschaft. Zum Selbstunterrichte u. Schulgebrauche m. besond. Berücksicht. aller Geschäftszweige d. Bank-, Waaren-, Commissions- u. Speditions-Geschäftes. Mit 27 lith. Taf. 4. verm. u. verb. Aufl. gr. 8. (IX, 686 S.) Wien 874. Hölder. n. 10. 80

— dasselbe, *sa* Handelsbibliothek, Wiener.

Porges, Carl, Comptoir-Handbuch der Münz-, Mass- und Gewichts-Kunde, des Wechsel-Wesens und der Course der wichtigsten Handels- und Börsen-Plätze. gr. 8. (III und 126 S.) Wien 864, Braumüller. *

— Comptoir-Handbuch der Münz-, Mass- u. Gewichts-Kunde des Wechsel-Wesens u. der Curse der wichtigsten Handels- u. Börsen-Plätze. 2., verb. Aufl. gr. 8. (III, 139 S.) Wien 881. Braumüller. n. 2. 40

Porges C, Kontor-Handbuch der Münz-, Mass- und Gewichtskunde, des Wechselwesens und der Kurse der wichtigsten Handels- und Börsenplätze. Wien 1864

— die Kontrolle bei der Manipulation u. Buchführg. in Banken, Kredit-Instituten, Sparkassen, Genossenschaften u. allen öffentl. Unternehmgn. Praktische Anleitung zur Hintanhaltg. u. raschen Ermittlg. von Defraudationen. gr. 8. (VI, 105 S.) Wien 903. L. Weiss. n. 1. 70

— Wiener Cours- u. Börsen-Buch. Zur Kenntniß u. Berechnung der österreich. Staatspapiere, Actien u. Lotterie-Lose. Mit Zinsen-Tabellen zu den sämmtlichen an der Wiener Börse vorkommenden Effekten, u. einer Erläuterung des österreichischen Münzwesens. Nebst Werth-Tabellen über alle Münzsorten u. Coupons-Kalender. Wien 860. Wallishauser'sche Buchhdlg. 4. (IV, 160 S.) n. 1 *th*

Porges, Carl, wiener Cours- und Börsen-Buch. Zur Kenntniß und Berechnung der österreich. Staatspapiere, Actien und Lotterie-Lose. Mit Zinsen-Tabellen zu den sämmtl. an der wiener Börse vorkommenden Effekten, und einer Erläuterung des österreich. Münzwesens. Nebst Werth-Tabellen über alle Münzsorten und Coupons-Kalender. hoch 4. (IV und 160 S.) Wien 861, Wallishausser'sche Buchh. *

—— Wiener Cours- und Börsenbuch. Zur Kenntniß und Berechnung der österreich. Staatspapiere, Actien und Lotterie-Lose. Mit Zinsen-Tabellen zu den sämmtl. an der Wiener Börse vorkomm. Effecten und einer Erläuterung des österreich. Münzwesens. Nebst Coupons-Kalender. 2., bedeutend verm. und verb. Aufl. gr. 8. (VI und 207 S.) Wien 867, Wallishausser'sche Buchh. cart. *

—— Lehrbuch der kaufmännischen Arithmetik. 8. (118 S.) Pest 860, (Osterlamm.)

—— Lehrbuch der kaufmännischen Buchführung in doppelten Posten. Leitfaden für die Vorlesungen am Abendcursus der Wiener Handels-Akademie und zum Selbstunterricht Lex.-8. (IX und 391 S. mit 3 Tab. in gr. 4.) Wien 863. Braumüller. *

—— Lehrbuch der kaufmännischen Buchführung in doppelten Posten. Leitfaden für den Schul- und Selbstunterricht. 2. Aufl. 1871. *ℳ 8., und 3. gänzlich umgearb. Aufl. gr. 8. (VIII, 459 S.) Wien 875, Braumüller. *

—— Lehrbuch der kaufmännischen Buchführung in doppelten Posten. Leitfaden für den Schul- und Selbstunterricht. 3. gänzlich umgearb. und verm. Aufl. gr. 8. (IX, 605 S.) Wien 876, Braumüller. *

Porges, Carl, Lehrbuch d. kaufmänn. Buchführung. Leitfaden f. d. Schul- u. Selbstunterricht. 1. Thl.: Einfache Buchführg. 4., gänzl umgearb. Aufl. gr. 8. (VII, 216 S.) Wien 896. W. Braumüller. n. 3. —

Porges, Carl, Lehrbuch d. französ. Handels-Correspondenz (traité de la correspondence française) f. zweiclassige Handelsschulen. gr. 8. (XII, 346 S.) Wien 893. A. Hölder. Kart. n. 3. 40; Wörterbuch dazu (60 S.) kart. n. 1. —

—— Lehrbuch der einfachen und doppelten Merkantil-Buchhaltung zum Privat- und öffentlichen Unterrichte. 8. (143 S.) Debreczin 860. (Pest, Osterlamm.)

—— Leitfaden der Buchführung in doppelten Posten. Zum Gebrauche für Handels- und Realschulen sowie zum Selbstunterrichte. gr. 8. (114 S. mit 2 Tab. in 4.) Wien 868, Beck'sche Universitäts-Buchh. *

Porges C. Leitfaden der Buchführung in doppelten Posten. 2. A. Wien 1873

— Leitfaden der Buchführung in doppelten Posten. Zum Gebrauche f. Handels- u. Realschulen sowie zum Selbstunterrichte. 2. umgearb. Aufl. gr. 8. (133 S.) Wien 874. Hölder. n. 3. —

— — Leitfaden der Buchführung in doppelten Posten. Zum Gebrauche für Handels- und Realschulen, sowie zum Selbst-Unterrichte. 2. Auflage. Zweiter unveränderter Abdruck. gr. 8. (133 S.) geh. 1 fl. Wien: Hölder 1882.

Porges, Carl, Materialien für ein Muster-Comptoir. Der Geschäftsgang eines Bank-, Waaren-, Commissions- und Speditions-Geschäftes. Zusammengestellt nach prakt. Erfahrungen. gr. 8. (IV, 90 S.) Ebendas. 870. *

— Materialien für den Unterricht in der kaufmännischen Arithmetik. 4. Aufl. (VIII, 195 S.) gr. 8. Wien 903. L. Weiß. n. 4. 20

— Materialien f. den Unterricht in der Buchführung. 5., verm. u. verb. Aufl. gr. 8. (III, 207 S.) Wien 895. W. Braumüller. n. 3. —

— dasselbe in der Handels-Correspondenz. 5., verm. u. verb. Aufl. gr. 8. (III, 110 S.) Ebd. 894. n. 2. —

Porges, Karl August

Porges, C. A.: Ueber eine Inductions-Erscheinung. Mit 1 Holzschn. gr. 8°. (15 S.) Wien: Gerold 1886.

Porges, C. A., üb. e. Inductionserscheinung. [Mit 1 Holzschn.] [Aus: „Sitzungsber. d. k. Akad. d. Wiss."] Lex.-8. (15 S.) Wien 886. (Tempsky.) n.n. — 30

Porges, Carl Aug., üb. die wichtigsten internationalen Mass-Einheiten. [Aus: „Mittheilgn. üb. Gegenstände d. Artillerie- u. Geniewesens".] gr. 8. (72 S. m. Fig.) Wien 892. (C. Holf's Sort.) n. — 60

Porges, Ludw., vollständiges Lehrbuch der Schnell-Rechenkunst nach den neuesten Systemen oder: Theoretisch-prakt. Anleitung, die Arithmetik auf rationellem Wege ohne Hilfe eines Lehrers schnell und gründlich zu erlernen. Mit besond. Rücksicht auf Gewerbe und Handel bearb. gr. 8. (VIII und 147 S.) Pesth 852, Heckenast's Verlag. Thlr.

Porges, Ludwig —. Lehrbuch der allgem. Waarenkunde. Nach den neuesten und verläßlichsten Quellen für commerzielle und technische Lehranstalten, so wie zum Selbstgebrauche für Kaufleute, bearbeitet von — —. Pesth, 1855. Druck von Emil Müller. Verlag von Julius Müller. (240 Seiten, 3 Blätter. 8) geh.

Porges, Nathan

Porges, N., Joseph Bechor Schor, e. nordfranzösischer Bibelerklärer des 12. Jahrh., sa Schriften, hrsg. v. der Gesellschaft zur Förderung der Wissenschaft des Judentums.

Joseph Bechor Schor, ein nordfranz. Bibelerklärer d. XII. Jhs. Von Rabb. Dr. N[athan] Porges. Leipzig: G. Fock 1908. (38 S.) 8
— Schriften hrsg. von d. Gesellschaft z. Förderung d. Wissenschaft d. Judentums. [10, 1.] [08. 12:17]

Porges, N., drei Neujahrs-Predigten, geh. am Neujahrsfeste 5652. gr. 8. (30 S.) Trier 891. S. Mayer. — 50

Porges, Nathan, üb. die Verbalstammbildung in den semitischen Sprachen. [Aus: „Sitzungsber. d. k. Akad. d. Wiss."] Lex.-8. (76 S.) Wien 875. Gerold's Sohn in Comm. n. 1. 20

Porges, Nathan: *Über die semitische Wurzel- und Verbalstammbildung. 111 S. 4°
Halle-Wittenberg, Phil. Diss. v. 1. Juli 1869
Geb. [Proßnitz (Mähren) 21. 12. 1848]

Porges, S., die Rudolfsquelle in Marienbad u. deren besondere Bedeutung für die Behandlung der Krankheiten des Harnsystems. Berlin 868. R. Kühn. br. 8. (VIII, 43 S.) n. 10 Ngr.

Poritzky, J. E., abseits — vom Leben! Skizzen aus d. Anatomie. 12. (174 S. m. Bildnis.) Berlin 896. R. Boll. n. 2. —

— Bolko. Trauerspiel in 5 Aufzgn. 8. (134 S.) Berlin 894. Freund & Jeckel. n. 2. —

— das Bückelchen u. and. Skizzen. 12. (174 S.) Berlin 898. R. Boll. n. 2. —

— s.: Casanova's, Giacomo, Werke.

Poritzky, J. E., die da müde sind ... (III, 187 S.) kl. 8. München (904). [Etzold & Co.] Berlin, Globus Verlag. 1. 50. (Ladenpr. aufgehoben.)

J. E. Poritzky. Die da müde sind. *München: J. Marchlewski & Co. [1904].* (187 S.) 8° [J.] [04. 8163]

— Fern vom Glück. Psycholog. Roman. 8. (184 S.) Berlin 897. C. Duncker. n. 2. —

— d. Geschichte d. span. Inquisition, s*a* Universal-Bibliothek, jüdische.

[F.] Die Geschichte der spanischen Inquisition. Von J. E. Poritzky ... *Prag: J. B. Brandeis [1898?].* (110 S., 1 Bl.) 1 Bd 8.
= Universal-Bibliothek, Jüdische. No 27. [98. 1150

Poritzky, J. E., Peter Brohs Geständnis. Eine Erzählg. (107 S.) 8. München (907). Etzold & Co. 2. —

— Die Glücklichen. Ein lustig Märchenspiel in 3 Akten. (160 S.) 8. Berlin 908. H. Schildberger. 3. —

Poritzky, J. E., Heine, Dostojewski, Gor'kij. Essays. Mit Buchschmuck v. F. O. Behringer. 8. (VIII, 130 S.) Leipzig 902. R. Wöpke. n. 1. 50; geb. n. 2. 50

— — Das Herz der Nacht. Ein Buch zur Kultur der Seele. München und Leipzig, bei Georg Müller, o. J. 8°. VI, 293 S.
Enthält: S. 177—196: Die Erotik der Kleidung. S. 199—220: Die Pfychologie der Zote.

Das Herz der Nacht. Ein Buch zur Kultur d. Seele. (VII, 293 S.) 8. München (909). G. Müller. 4. —; geb. 5. —

— — Das Herz der Nacht Ein Buch zur Kultur der Seele. München u. Leipzig bei Georg Müller (1910). 8°. VI u. 293 S.

— Shakespeares Hexen, s*a* Shakespeare-Bühne, neue. IX.

Poritzky, J. E.: Shakespeares Hexen. Ein literarhist. Kulturbild von —. Berlin: H. Paetel 1909. 56 S. 8°
(Neue Shakespeare-Bühne. 9.)

— Meine Hölle, s*a* Sammlung menschlicher Dokumente.

J. E. **Poritzky**. Meine Hölle. Berlin: Sammlung menschl. Dokumente. 1906. (224 S.) 8°
= **Sammlung** menschlicher Dokumente. [Bd 1.] [07. 16484

PORITZKY, J. E. (in Berlin, geb. zu Lomza, 13. Jan. 1876), Meine Hölle. Berlin 1907. 8°. XII—224 S. (Privatdruck des Verfassers.) (Gebd. Mk. 6—.)
Besprochen (von Dr. Alfr. Kind), in: Blätter f. Bibliophilen. Heft 2, März 1907, S. 106—7: „Dies Buch ist das Werk eines Dichters, wie es nur einmal im Leben geschrieben wird. Es ist selbstmörderisch und lästert und reißt an den klirrenden Ketten des Schicksals, wie Prometheus". etc.

— keinen Kadosch wird man sagen, s*a* Universal-Bibliothek.

[F.] 'Keinen Kadosch wird man sagen ...' Aus d. Tageb. eines Verwaisten v. J. E. Poritzky. *Leipzig: Ph. Reclam jun [1898].* (68 S.) 1 Bd 8.
= Universal-Bibliothek. [No] 3568. [99. 113

Liebesgewalten. Novellen. (152 S.) 8. Berlin 907. C. Freund. 2. —

— Julien Offray de Lamettrie. Sein Leben u. seine Werke. 8. (VII, 356 S.) Berlin 900. F. Dümmler's Verlag. n. 4. —; geb. n. 5. —

— Probleme u. Porträts. Essays. (345 S. m. Bildnis.) 8. Berlin-Friedenau 908. M. Hassenstein. 6. —; geb. 7. 50

— Skizzen. (III, 187 S.) 12. München (903). [Dr. F. Marchlewski & Co] Etzold & Co. n. 1. 50

— die Studentin. (Eine Novelle.) gr. 8. (187 S.) Berlin 901. Herm. Walther. n. 2. —

— Todtgeweihte. Skizzen. M. Illustr. schmal 12. (168 S.) Berlin 897. R. Boll. n. 2. —

— wie sollen wir Heinrich Heine verstehen. — Eine psycholog. Studie. 8. (88 S.) Berlin 890. C. Duncker. n. 1. 50

— Kasimir Wirbo. Moderner Roman aus d. Berliner Kleinleben. 2. [Titel-] Aufl. v. „Fern vom Glück". 8. (184 S.) Berlin (897) 898. C. Duncker. n. 2. —

Poritzky, J. E.: Die Zukunft der höheren Privat-Mädchenschulen in Berlin. Denkschrift. (Berlin 1908: Wangerin.) 23 S. 8°

Porkka's, Volmari, tscheremissische Texte mit Übersetzg. Hrsg. v. Arvid Genetz. [Aus: „Journal de la société finno-ougrienne".] gr. 8. (IX, 140 S.) Helsingfors 895. (Leipzig, O. Harrassowitz.) n.n. 4.80

Pörksen, Emil, ein Besuch im Taubstummen-Institut zu Schleswig. [Mit 2 (phototyp.) Ansichten des Instituts.] 12. (VII, 72 S.) Kiel 880, Lipsius und Tischer. *

Pörksen, Emil, Sturmbraut. Ein Bild vom Strande. 12. (141 S.) Itzehoe 894. (Garding, H. Lühr & Dircks.) n. 2. —

Porm, Adf., und Thdr. Knaute, Realien-Handbuch für Schüler der obersten Schuljahre vier- und fünfklassiger österreichischer Volksschulen. 3 Thle. 8. Wien 877, Klinkhardt. à Thl. * 25 Pf. *
Inhalt:
Thl. 1. Geografie mit besond. Berücksicht. der österreich.-ungar. Monarchie, sammt den Grundzügen der Verfassungslehre. (64 S.)
„ 2. Weltgeschichte mit besond. Berücksicht. der Geschichte Oesterreich-Ungarns. (52 S.)
„ 3. Naturgeschichte und Naturlehre. (48 S.)

Porm, Adf., u. Thdr. **Knaute**, Realien-Handbuch für Schüler der obersten Schuljahre vier- u. fünfklassiger österreichischer Volksschulen. 1—3. Thl. 8. Wien 877. Klinkhardt. à — 25
1. Geografie, mit besonderer Berücksichtigung der österreichisch-ungarischen Monarchie, sammt den Grundzügen der Verfassungslehre. (64 S.)
2. Weltgeschichte mit besonderer Berücksichtigung der Geschichte Oesterreich-Ungarns. (52 S.)
3. Naturgeschichte u. Naturlehre. (48 S.)

Pörner, Chr. Fr., kurze Nachrr. von d. Gesundbrunnen zu Stecknitz. 8. Prag 770. Widtmann. 3 K

Poerner, Georg, appr. Arzt a. Forst: Aus d. Institut f. Unfallverletzte zu Breslau. Die Behandlung der Narbenkontrakturen. Leipzig 1904: B. Georgi. (30 S.) 8°
Leipzig, Med. Fak., Ref. Trendelenburg, Diss. v. 15. Dez. 1904
[Geb. 9. März 76 Forst, Lausitz; Wohnort: Forst; Staatsangeh.: Preußen; Vorbildung: Gymn. Guben Reife M. 95; Studium: Halle 3, Erlangen 2, Halle 1, Leipzig 7 S.; Coll. 22. Dez. 04; Approb. 13. März 03.]

— Johann David (Annaberg/Meißen), De pacto antichretico. Diss jur. Präs. Conrad Wilh. Strecker. Erfurt (Grosch) 2. XII. 1726 16 S. (4.25) **26890**
Gew.: **Christoph Ignatius von Guden.**

Pörner, Karl Wilhelm

— Anleit. z. Färbekunst, vorzügl. Tuch u. andere wollene Zeuge zu färben 2c. gr. 8. Leipz. 785. Weidmann. 1 ℳ 6 ℊ

Pörner, Karl Wilh., († d. 13. April 1786.) Anmerkk. über Beaume's Abhandl. vom Thon ꝛc. gr. 8. Leipz. 771. Weidmann. 12 gl.

— s. Begriff der Chymie.

Poerner, Karl Wilhelm: Delineatio pharmaciae chemico-therapeuticae. 215 S., gbd.

Lipsiae: Hilscher 1764

Poerner, Carl Wilhelm (Leipzig), Experimenta de albuminis ovorum et seri sanguinis convenientia ad declarandam nutritionis rationem. Leipzig (Langenheim) 22. XI. 1754. 43 S. (4.75) 26897

— — Dasselbe. Leipzig (Langenheim) 22. XI. 1754. 43 S. (4.75) 26898
Gew.: Christoph Zschoch, Johann David Poerner (Vater).

Pörner, Karl Wilhelm (Übers.u.Comm.):

s.: (Macquer, Pierre Joseph): Allgemeine Begriffe der Chymie nach alphabetischer Ordnung. (Dictionnaire de chymie. Dt.) Th.1. Leipzig: 1768

— kurze Nachrichten v. d. Gesundbrunnen z. Stecknitz. 8. Prag, Widtmann. 770.

— Nachr. v. d. Mineralwasser zu Stecknitz. 8. Prag, Hochenberg. 770.

— commentatt. II. de officiis medici, quatenus felicitatem ejus promovent. 4. Leipz. 753.

Karl Wilhelm Poerner

Caroli Guilielmi Poerner Selectus materiae medicae in usum praelectionum academicarum. Lipsiae: Hilscher 1767. 356 S. 8°

— chym. Versuche u. Bemerkk. zum Nutzen der Färbekunst. 3 Thle. gr. 8. Leipz. 772, 73. Weidmann. 3 ꝑ 16 gl.

Pornitz, Laura, geb. Hempel, practisches Kochbuch f. die bürgerliche Küche. 16. (95 S.) Chemnitz 871. Hager. — 60

Pornitz, Laura, geb. Hempel, practisches Kochbuch für die bürgerliche Küche. 2.—6. Aufl. 8. (95 S.) Chemnitz 876—84, Hager.

Pornitz, Laura, geb. Hempel, practisches Kochbuch für die bürgerliche Küche. 6. Aufl. 8. (95 S.) Chemnitz 880. Hager. — 65

Pornitz, Laura, geb. Hempel, practisches Kochbuch f. die bürgerliche Küche. 7. Aufl. 12. (96 S.) Chemnitz 894. E. A. Hager. — 65

Porny, Anweisung und Muster zum Briefschreiben, deutsch., engl. und ital. (a. unt. d. Tit. Modèles de lettres etc.) gr. 8. Bas. Schweighäuser. 791.

— — dieselben. gr. 12. Turin. (Rottmann in Berlin.) 788.

Porocin, Ed., croquis historique des armes de guerre. gr. 8. (281 S. mit 12 Lith.) Paris 881. Leipzig, A. Twietmeyer. n. 8. —

Porosz, Moritz, über die Folgen der Onanie. (22 S.) gr. 8. Leipzig 905. Verlag der Monatsschr. f. Harnkrankh. n. 1. —
Sonderabdruck aus: „Monatsschr. f. Harnkrankh."

— sexuelle Wahrheiten. Eine wissenschaftl. Untersuchg. üb. Anatomie, Physiologie, Pathologie u. Therapie der männl. Fortpflanzungsorgane f. Aerzte, Juristen, Eltern u. Erzieher. Mit 5 Fig. auf besonderer Beilage am Schluss des Buches. (XV, 224 S.) 8. Ebd. (906). n. 6. —

Porphyrio, s.: Porfyrio.

Porphyrio, Pomponius

Porphyrionis, Pomponii, commentarii in Horatium Flaccum rec. Gulielmus Meyer. 8. (X, 393 S.) Leipzig 874. Teubner. 4. 20

Porfyrionis, Pomponi, commentum in Horatium Flaccum, s. Scholia antiqua in Q. Horatium Flaccum.

Porphyrius, oder letzte Prüfung und Vertheidigung der christlichen Religion . . . Helmstädt 1793. V: *Paalzow, Christian Ludwig.* (Ky) (MGT)

Porphyrius, oder letzte Prüfung und Vertheid. der christlichen Religion. 2 Thle. gr. 8. Helmst. Fleckeisen (in Comm.) 793.

Porphyrius

Porphyrii de abstinentia, s. Aelianus.

Porphyrii, philosophi de abstinentia ab esu animal. libri IV. c. not. P. Victorii et J. Valentini, et interpret. lat. J. Bern. Filiciani ed. cur. et suas itemque Joa. Jac. Reiskii notas adj. Jac. de Rhoer. 4. Traj. et Rhenum 1767. Abr. a Paddenburg.

— de antro nympharum graece cum lat. L. Holstenii versione. Graeca ad fidem ed. restituit, vers. C. Gesneri, et animadvers. suas adj. R. M. van Goens, traject. Praem. est Diss. Homerica ad Porphyrium 4. ibid. 765. ibid.

— de antro nympharum graece cum lat. L. Holstenii versione. Graeca ad fidem ed. restituit, vers. C. Gesneri, et animadv. suas adj., R. M. van Goens. Praemissa est Diss. Homerica ad Porphyrium. 4. Utrecht 765. Abr. v. Paddenburg. 3 ꝑ 12 gl.

Πορφυρίου ἀφορμαὶ πρὸς τὰ νοητά. **Porphyrii** [Malchi] sententiae ad intelligibilia ducentes. Praefatus rec. testimoniisque instruxit B[runo] Mommert. Lipsiae: B. G. Teubner 1907. (XXXIII, 56 S.) 8°
(Bibliotheca script. graec. et rom. Teubneriana.) 07. 4611 3

Porphyrius' vier Bücher von der Enthaltsamkeit. Ein Sittengemälde aus der röm. Kaiserzeit. Aus dem Griech. mit Einleitung u. Anmerkungen von Ed. Baltzer. Nordhausen 869. Förstemann. gr. 8. (140 S.) n. 20 ngr.

Porphyrius, vier Bücher von der Enthaltsamkeit. Ein Sittengemälde aus der römischen Kaiserzeit. Aus dem Griechischen mit Einleitung u. Anmerkungen von Ed. Baltzer. 2. (Titel-)Aufl. gr. 8. (140 S.) Leipzig (1869) 879. Eichendorf. n. 2. —

Porphyrius, vier Bücher von der Enthaltsamkeit. Ein Sittengemälde aus der röm. Kaiserzeit. Aus dem Griech. mit Einleitung und Anmerkungen von Ed. Baltzer. 2. (Titel-)Aufl. gr. 8. (140 S.) [Leipzig 879, Eichendorf.] Rudolstadt, Hartung und Sohn. *

Porphyrii isagoge et in Aristotelis categorias commentarium, s. a. Commentaria in Aristotelem graeca.

Porphyrii [Malchi] Isagoge et in Aristotelis Categorias commentarium. Consilio et auctor. Acad. litt. Regiae Boruss. ed. Adolfus Busse. Berolini: G. Reimer 1887. LVI, 181 S. 8°
(Commentaria in Aristotelem Graeca. Vol. 4, P. 1.) (10. 8055

Porphyrii Philosophi opus ineditum ad Marcellam conjugem, graece c. lat. Editoris interpretat. et notis ac praefatione. Accedit ejusd. Porphyrii poëticum fragmentum. tum graecum Scholion Theodori ad Basilicorum librum XLV. titulum VI. de Armeniis. Edebat Angel. Majus. 8. Mediolani, 816. Rthlr.
Charta maj.
— vel.

Porphyrii philosophi Platonici opuscula selecta, iterum recognovit Aug. Nauck. 8. (XXIV, 320 S.) Leipzig 886. Teubner. 3. —

—— philosophi Platonici, opuscula tria recognovit August Nauck. 8. (XLIV und 223 S.) Leipzig 860, Teubner. Vlnp.

Porphyrii de philosophia ex oraculis haurienda librorum reliquiae. Edid. Gust. Wolff. Berolini 856. J. Springer. gr. 8. (253 S.) n. 1 *ß*. 26 *ngr*

Porphyrii quaestionum Homericarum ad Iliadem pertinentium reliquias collegit, disposuit, edidit Herm. Schrader. 2 fasc. gr. 8. Leipzig, Teubner. [Fasc. 1. (XI, S. 1—180.) 880. *ℳ 6.; fasc. 2. (S. 181—496.) 882. *ℳ 10.] *

Porphyrii quaestionum homericarum ad Odysseam pertinentium reliquias collegit, disposuit, edidit Herm. Schrader. gr. 8. (X, 217 S.) Lpz. 890, Teubner. * 10 —

Porphyrii sententiae ad intelligibilia ducentes. Praefatus, recensuit testimoniisque instruxit M. Mommert. (XXXIII, 56 S. m. 1 Fig.) kl. 8. Leipzig 907. B. G. Teubner. 1.40; geb. in Leinw. 1.80

Sonate (G moll) von Niccolo Porpora (1686–1766). Bearb. von Alfr.) Moffat. *(Berlin: N. Simrock 1899.)* (11 S.) 4° [Kopft.]
= **Meisterschule** d. alten Zeit. No 15. (00. 210.)

Porpora, Nicola (1686–1766). Trio in D dur für 2 Violinen, Violoncell und Pianoforte. (Sinfonia da camera a tre istrumenti Op. 2., Concerto 4. 1736.) (Bearb. von Hugo Riemann.) (Pianof., Viol. I., II., Violoncell.) Leipzig: Breitkopf & Härtel [1906]. (17, 4, 5, 4 S.) 4°
= **Collegium** musicum. No 23.
(Breitkopf & Härtel's Kammermusik-Bibliothek. No 1863/64.) (07. 9748

Porrath, Otto: Der Kaiser Alexander Severus. Halle a/S. 1876: Karras. 60 S. 8°
Halle-Wittenberg, Phil. Diss. v. 17. Mai 1876
Geb. Stendal 30. 6. 1851. V.

[F. u. Ant.] **Porrath,** *Otto* [Dr.]: Die Züge der Dänenkönige gegen Julin nach Saxo Grammatikus. 1. Tl. Wollin, Druck v. P. Lipski, 1894; 3—17 S. 4.
Wollin i. P., st. RPG u. HT, P 1894**

[F. u. Ant.] **Porrath,** *Otto* [Dr.]: Die Züge der Dänenkönige gegen Julin nach Saxo Grammatikus. 2. Tl. [Forts. d. P-Beil. 1894.] Wollin, Druck v. P. Lipski, 1895; 3—15 S. 4.
Wollin i. P., st. RPG u. HT, P 1895**

Porrentruy. [Transport lithographique d'une partie des feuilles II, III, VII, VIII de la carte Dufour.] Echelle de 1 : 100000. [Publié par le] Service topographique fédéral, Berne. Report sur pierre 1906. 537/766 mm. 1 feuille fol.-obl.
Ed. A: non collée. [fr. 2.—]
Ed. B: collée sur toile, 8; *titre (avec croquis):* Carte topographique de la Suisse. Report sur pierre. Porrentruy. 1:100,000. Berne, Service topographique fédéral, *Aufdruck:* 1906. collée sur toile fr. 3.—

Porrentruy, Louis Antoine de, O. Cap., der hl. Paschalis Baylon, Patron der eucharistischen Vereine. Autoris. Uebersetzg. v. M. Paula, O. S. F. 8. (XX, 456 S. m. Abbildgn.) Regensburg 902. J. Habbel. n. 3. —; geb. in Leinw. n. 4. —

Porret, J. Alfr., ein Wunder im 19. Jahrhundert. Ein Vortrag. Autoris. Uebersetzung. 8. (51 S.) Augsburg 883, Preyß.

Porret, Jean-Pierre. Sous le masque. Roman. 344 p. 8. Neuchâtel, Delachaux & Niestlé S. A., (1910). [fr. 3. 50]

Porro, *Nob.* Cesare *dei Conti* [aus Mailand]: Geognostische Skizze der Umgebung von Finero '(Cannobina-Thal)' ... M. 2 Karten. (Aus: Zeitschr. d. Deutsch. geol. Ges., XLVII. 2.) Berlin, Druck v. J. F. Starcke, 1896; 1 Bl., 377—422 S., 1 Bl., 1 Taf., 1 Kt., 1 Tab. 8.
Strassburg, Math.-naturw. Fak., Inaug.-Diss. v. 1896

Porsch, d. preuss. Gesetz betr. d. Diensteinkommen d. kath. Pfarrer. gr. 8. (88 S.) Mainz 898. F. Kirchheim. n. 1. —

Porsch, C.

— s. Erörterung d. Frage: Welche Strafe ist wirksamer, die Todesstrafe oder &c.; u. ferne hinzu: (v. Chr. Gli. Porsch).

Porsch, C., Geschichte und Charakteristik des Bischofsmörders Rudolph Kühnapfel, dargestellt von seinem Defensor. 8. Braunsberg 841, Model. (Danzig, Gerhard.) n. 1/3 ℛ

Porsch, Chr. Gli., († d. 19. Oct. 1781.) **von den Todesstrafen, wider Beccaria. 8. Königsb. 768.**

Porsch, Christoph

— — Biblische Inscriptiones von einer ingenieusen Feder ans Licht verstellt. O. O. 1725. 8°. (Ebd.)

* — — *Christoph Porschen,* Predigers zur Zeyer, Kayserlichen Edlen Poetens, Geistlicher Kirch-Hof, vorstellende 600 lust- u. lehrreiche Biblische Grab-Schrifften, derer Tugend- und Lasterhafften Mannes- und Weibes-Personen, so wol Altes als Neues Testaments, mit ihren nützl. Anmerckungen. Dantzig, bei Stollen, 1687. 8°. 452 S. (Auch in Breslau, Kgl. u. Univ.-Bibl.) Sehr selten!

— — Dasselbe. Leipzig 1715. 8°. (In Stuttgart.)

Porsch, Felix (Emil Joseph) *(geb. Ratibor 30. 4. 1853)*: Die Bedeutung des Beweises durch Indicien in dem kirchlichen Gerichtsverfahren, insbesondere in dem Strafverfahren. Zugleich ein Beitrag zur Lehre von den Vermuthungen. (Th. II. §§ 10—15, 17, 22.) Breslau 1876. (51 S.) 8° *(Vollständig 1876 bei Aderholz in Breslau.)*
Breslau, Jur. Diss. v. 8. März 1876

Das Preussische Gesetz betreffend das Diensteinkommen der kathol. Pfarrer. Von Justiz- u. Consistorialr. Dr. [Felix] **Porsch,** Mitgl. d. preuss. Abgeordnetenh. *Mainz: F. Kirchheim 1898.* (88 S.) 1 Bd 8. (98. 11067

Porsch, Fel., die Rückgabe der preussischen sog. Sperrgelder. [Gesetz v. 24. Juni 1891 zur Ausführg. d. § 9 d. Gesetzes, betr. die Einstellg. der Leistgn. aus Staatsmitteln f. die römisch-kathol. Bisthümer u. Geistlichen vom 22. Apr. 1875.] [Aus: „Archiv f. kathol. Kirchenrecht".] gr. 8. (104 S.) Mainz 891. F. Kirchheim. n. 1. 20

Porsch, Joh. Karl, der Arme im Wohlstand, od. vortheilhafteste Armenhülfe auf d. Lande durch Armenbeschäftigung. Ein Noth- u. Hülfsbüchl. f. Arme u. Armenpfleger. 8. (10¾ B. incl. 1 Plan, Kpfrst.) Nürnberg 840, Riegel u. Wießner.

—— die Idee d. Sonntagsfeier. Histor., krit. u. kirchl. dargest. gr. 8. (4 B.) Nürnberg 839, Riegel u. Wießner.

Porsch, J. K., kleiner Juden-Spiegel, darinnen man klar und deutlich sehen kann, wie beim Viehhandel der Bauer von den Juden schändlich betrogen wird. Neuer Abdruck der im J. 1848 erschienenen und längst vergriffenen 1. Aufl. 8. (47 S.) Schleusingen 880, Glaser.

—— die Kunst Lebensläufe bei Leichen zu fertigen, od. gründl. Anleit. d. bei öffentl. Leichen gewöhnl. Lebensläufe f. alle Verhältnisse abzufassen ꝛc. 8. (10 B.) Schleusingen 839, Glaser.

——, Skesliod. (Gedichte vermischt. Inh.) 8. (14½ B.) Nürnberg 829, Bauer u. Raspe.

Porsch, Joh. Carl, der englische Sprachmeister oder die Kunst, nach einer ganz neuen und Jedermann verständlichen Lehr- und Lernart in wenigen Wochen englisch zu sprechen, zunächst für deutsche Auswanderer aus dem Bauern- und Gewerbstand. 2. Aufl. 8. (116 S.) Erlangen 853, Palm und Enke. *

—— die Unterhaltung der Mädchen. Enthalt.: Erzählungen, Gedichte, Fabeln, Räthsel u. Lieder. 2. Aufl. M. 4 ill. Kpfr. 8. (11 B.) Nürnberg 831, Bauer u. Raspe.

Porsch, K., der Knaben Unterhaltungsbuch. Enthalt. Mährchen, Gedichte, Fabeln, Räthsel, Lieder u. 60 kleine Kunst- u. Rechenstücke f. brave, fröhliche Jungen gedichtet u. gesungen. Breit 12. (8⅓ B. u. 4 ill. Kpfr.) Nürnberg 833, Campe.

—— der Wunderklee. Eine Erzähl. f. Landleute, die gern wohlhabend werden möchten. gr. 12. (3 B.) Erlangen 837, Ferd. Enke.

Porsch, Otto, die österreichischen Galeopsisarten der Untergattung Tetrahit Reichb., s. a Abhandlungen der k. k. zool.-botan. Gesellschaft in Wien. II. 2.

Die österreichischen Galeopsisarten der Untergattung Tetrahit Reichb. Versuch e. natürl. Systems auf neuer Grundlage von Dr. Otto **Porsch.** Mit 3 Taf. Wien: A. Hölder 1903. (125 S.) 4°(8°)
= **Abhandlungen** d. k. k. zool.-bot. Gesellschaft in Wien. Bd 2, H. 2. [c6. 3300

— **illustr. Handwörterbuch der Botanik, s.: Schneider, C. K.**

(F) **Porsch,** O., Kleine Heimatskunde von Böhmen nach Landschaftsgebieten. 2. Aufl. 8°. (32 S.) K —.40
Prag: Gustav Neugebauer 1905.

Porsch, O., kleine Heimatkunde von Böhmen nach Landschaftsgebieten. Für die häusl. Wiederholg. bearb. 3. Aufl. (34 S.) 8. Prag (906). G. Neugebauer. n. — 40

— **zur Kenntnis des Spaltöffnungsapparates submerser Pflanzenteile. (42 S. m. 3 Doppeltaf.) gr. 8. Wien 903. (A. Hölder.) n. 1. 60**
Sonderabdruck aus: „Sitzungsber. d. k. Akad. d. Wiss."

Porsch, O., die österreichisch-ungarische Monarchie. Für die häusl. Wiederholg. bearb. (55 S.) 8. Prag 908. G. Neugebauer. — 50

— **der Spaltöffnungsapparat im Lichte der Phylogenie. Ein Beitrag zur „phylogenet. Pflanzenhistologie". (XVI. 196 S. m. 4 Abbildgn. u. 4 Taf.) gr. 8. Jena 905. G. Fischer. n. 8. —**

Porsch, Otto, Versuch e. phylogenetischen Erklärung des Embryosackes u. der doppelten Befruchtung der Angiospermen. Vortrag, geh. auf der 79. Versammlg. deutscher Naturforscher u. Ärzte in Dresden am 16. IX. 1907. (V, 49 S. m. 14 Abb.) gr. 8. Jena 907. G. Fischer. 1. 50

Porsch, Rudolf *Otto Karl* [aus Breslau]: Die Beziehungen Friedrichs des Grossen zur Türkei bis zum Beginn und während des siebenjährigen Krieges ... Marburg i. H., O. Ehrhardt's Buchdr., 1897; 84 S., 1 Bl. 8.
Marburg, Phil. Fak., Inaug.-Diss. v. [3. März] 1897

Die Bewegung der städtischen Arbeiter vom Oktober 1896 bis ultimo Dezember 1899. Geschäftsbericht d. Verbandes d. Arbeiter u. Unterangestellten in Gemeindebetrieben. Erstattet vom Verbandssekret. Br. Poorsch. *Berlin: (Selbstverl.) 1900.* (16 S.) 8° [J. u. Ant.] [00. 9257

Poersch, Bruno, woran krankt d. deutsche Gewerkschaftsbewegung? E. zeitgem. Wort m. bes. Berücksicht. d. Arbeitslosen-Unterstützungsfrage. 8. (31 S.) Berlin 897. J. Sassenbach. n. — 15

Porschberger, C., Theocritus scripturam illustrans, s. sententiae ac phrases e poetis graecis coll. 8. Dresd. Heckel. 744.

Porschberger, Chr. Ab., († d. 28. Nov. 1805.) s. **Lehrbuch, christliches.**

Porsche: Von d. Todesstrafen, wid. *Beccaria*, *Königsb.* 778.

Porsche, Emil, das erste Turnjahr der Mädchen. Übungsbeispiele aus dem Gebiete der Frei-, Ordnungs- u. Gerätübungen nebst Spielen. Für Schulen u. Vereine zusammengestellt. (VI, 109 S. m. Abb.) kl. 8. Dresden 908. [A. Köhler.] Meißen, H. W. Schlimpert. Geb. in Leinw. 1. 60

Porsche, E., Das erste Turnjahr der Mädchen, Übungsbeispiele a. d. Gebiete d. Frei-, Ordnungs- u. Gerätübungen n. Spielen, m. Abb., Dresden 1908, 109 S., 8°.

Porsche, Emil, u. A. Hübner, d. 2. u. 3. Turnjahr d. Mädchen. Mittelstufe. Übungsbeispiele aus dem Gebiete der Frei-, Ordnungs- u. Gerätübgn. nebst Spielen. Für Schulen u. Vereine zusammengestellt. (VIII, 181 S. m. 82 Fig., Titelbild u. Musikanh. 24 S.) kl. 8. Meißen 910. H. W. Schlimpert. Geb. in Leinw. nn 2. 50

Porsche, Johann Christoph (Zittau), Exercit. jur. **qua praeter unam immediatam juris** infamiam **nullam existere infamiae speciem.** Präs. Christian **Gottlob Einert. Leipzig (Langenheim) 2. XII. 1777. 24 S. (4.50)** 27045
Widm. v.: Christian Gottlob Einert.

— — Dasselbe. **Leipzig (Langenheim) 2. XII. 1777.** 24 S. (4.50) **27046**
Gew.: Ernst August Rudolph von Kyau, Carl August von Kyau. — Widm. v.: Christian Gottlob Einert.

Porsche, Josef: Die F a u n a der Neocomschichten des Atmoosgrabens bei Kufstein in Nordtirol.
Diss., Prag 1901/1902.

Pörschel, Osk., der Anwalt des deutschen Geschäftsmannes im gerichtlichen Mahn-, Klage-, Zwangsvollstreckungs-, Konkurs- u. Zwangsversteigerungsverfahren m. vielen Beispielen. Gemeinverständlich u. nach dem neuesten Stande der Gesetzgebg. bearb. (80 S.) kl. 8. Meißen 910. (Dresden, H. Hackarath.) Kart. 1. 50

Pörschel, Osk., das deutsche Gerichtskostengesetz, die Gebührenordng. f. Gerichtsvollzieher u. die Gebührenordng. f. Zeugen u. Sachverständige, s. a. Handbibliothek, Leipziger juristische.

Pörschel, Osk., d. deutsche Gerichtskostengesetz, nebst d. Gebührenordnung f. Gerichtsvollzieher u. d. Gebührenordnung f. Zeugen u. Sachverständige, s. a. Meinhold's jurist. Handbibliothek.

Poerschel, Osk., Das deutsche Gerichtskostengesetz. d. Gebührenordnung für Gerichtsvollzieher u. d. Gebührenordnung für Zeugen u. Sachverständige mit d. sämtl. z. Veröffentl. gelangten Entscheid. d. Reichsgerichts u. d. übrigen Gerichte. Nebst Sachreg. u. ausführl. Gebührentaf. 3. Aufl. Leipzig 1910. 8°. *[1. Aufl. 1896.]* (Jurist. Handbibliothek, hrsg. Max *Hellbauer* [u.] W. *Schelcher*. Bd 65)

– Die Gerichtskostengesetze f. d. Deutsche Reich u. d. Königr. Sachsen, s. Meinhold's juristische Handbibliothek.

Pörschel, Osk., der Gerichtsschreiber bei den Amtsgerichten. Ein Handbuch f. den Gerichtsschreiber, e. Lehrbuch zur Vorbereitg. f. den Gerichtsschreiberdienst, e. Wegweiser f. Jeden, der d. Gerichtsschreibers bedarf. 2. Aufl. gr. 8. (XVI, 644, XL u. 101 S.) Meißen 894. C. E. Klinkicht & Sohn. n. 4. 20; geb. n. 4. 80

— der Gerichtsschreiber bei den sächsischen Amtsgerichten. Ein Handbuch f. den Gerichtsschreiber, e. Lehrbuch zur Vorbereitg. für den Gerichtsschreiberdienst, ein Wegweiser f. Jeden, der des Gerichtsschreibers bedarf. 3., verm. Aufl. gr. 8. (XII, 984 S.) Leipzig 902. Roßberg'sche Verlagsbuchh. n. 15. —; geb. n. 17. —
Erschien auch in 10 Lfgn. à n. 1. 50.

Pörschel, Osk., der Gerichtsschreiber bei den sächsischen Amtsgerichten. Ein Handbuch f. den Gerichtsschreiber, e. Lehrbuch zur Vorbereitg. f. den Gerichtsschreiberdienst, e. Wegweiser f. Jeden, der des Gerichtsschreibers bedarf. 3. verm. Aufl. Nachtrag, enth. die durch die neue Geschäftsordnung verursachten Aenderan. (61 S.) gr. 8. Leipzig 904. Roßberg'sche Verlagsbuchh. n. 1. —
Hauptwerk. Ebd. 902. n. 15. —; geb. n. 17. —.

— der Gerichtsschreiber, e. prakt. Rathgeber f. den Geschäftsmann. [Aus: „P., der Gerichtsschreiber bei den Amtsgerichten".] gr. 8. (101 S.) Ebd. 894. n. 1. —

— d. Gerichtsschreiber, e. prakt. Rathgeber f. d. Geschäftsmann. Als Anh. zu „D. Gerichtsschreiber bei d. Amtsgerichten". 2. Aufl. gr. 8. (104 S.) Meißen 894. C. E. Klinkicht & Sohn. n. 1. —

— der sächsische Gerichtsvollzieher. Ein Handbuch f. den Gerichtsvollzieher, e. Lehrbuch zur Vorbereitg. f. den Gerichtsvollzieherdienst. (VIII, 257 S.) gr. 8. Ebd. 904. Geb. in Leinw. n. 7. —

— Das Grundbuchwesen in Sachsen, s.: Bibliothek d. Verwaltungsbeamten.

— Das Kostenfestsetzungsverfahren, s. a. Hilfsbücher f. den gerichtlichen Sekretariats- u. Kassendienst. II.

Das Kostenfestsetzungsverfahren. Nach d. Rechtsprechung d. Reichsgerichts u. d. deutschen Oberlandesgerichte f. d. Praxis dargest. von Oskar **Pörschel**. Königshütte: K. Vater 1907. (122 S.) 8° [J.]
= **Hilfsbücher** f. d. gerichtl. Sekretariats- u. Kassendienst. Bd 2. [07-9841 2

— Leitfaden f. die Ortsgerichtspersonen im Königr. Sachsen, s.: Handbibliothek, juristische.

— das neue Patentgesetz u. das Gebrauchsmusterschutzgesetz m. Beispielen. gr. 8. (25 S.) Ebd. 894. n. — 50

— Die Vorbereitung auf die Aktuar- u. Sekretärprüfung im Geschäftsbereiche des kgl. sächs. Justizministeriums, s.: Handbibliothek, juristische.

Pörschel, Osk., die Vorbereitung auf die Expedientenprüfung im Geschäftsbereiche d. kgl. sächs. Justizministeriums, s. a. Handbibliothek, juristische.

— die Vorbereitung auf die Expedienten-Prüfung im Geschäftsbereiche d. königl. sächs. Justizministeriums. gr. 8. (55 S.) Ebd. 893. n. 1. —

Porschke, August J. Zur Feier d 25. jhr Jubs d Dt-Ev-Luth St Paulus Gmde, Allegheny, Pa . . . 15.-17. Juli 1906. Pittsb, 1906.

Porschke, Ed., Geographie d. Reg.-Bez. Düsseldorf. Für die Unter- u. Mittelstufe mehrklass. Volksschulen methodisch bearb. gr. 8. (19 S.) Elberfeld 883. Löwenstein's Verl. n. — 20

— Geographie der Rheinprovinz. Für die Mittel- u. Oberstufe mehrklass. Volksschulen. gr. 8. (46 S.) Ebend. 883. n. — 40

—— Geographie der Rheinprovinz. Für die Mittel- und Oberstufe mehrklass. Volksschulen. gr. 8. (46 S.) Ebendas. 884. *

Porschke, Ed., kleine Heimatskunde v. Kreise Solingen. gr. 8. (68 S.) Wald-Solingen 895. F. W. Vossen & Söhne. Geb. n. — 50

— Lehrstoff der brandenburgisch-preußischen Geschichte in prosaischer u. poetischer Form f. die Mittel- u. Oberstufe mehrklassiger Volksschulen. Vorbereitungsbuch f. die Hand d. Lehrers. gr. 8. (VI, 225 S.) Ebend. 884. n. 2. 25

Porschke, E., Schulwandkarte der brandenburgisch-preuss. Geschichte. 3. verb. und ergänzte Aufl. 1 : 700000. 4 Blatt. Farbendr. 70×85 cm. Elberfeld, Loewenstein, 1891.

Pörschke, Karl Ldw., († d. 24. Sept. 1812.) anthropolog. Abhandlungen. 8. Königsb. 801. Unzer. 1 ₰ 4 gr

— Briefe üb. die Metaphysik der Natur. gr. 8. Königsb. Nicolovius. 800.

K. L. **Pörschke's** Einleit. in d. Moral. *Libau*, Friedrich. 797. 8° 1 ₰ 12 gr

Pörschke, Karl Ldw., Einleit. in die Moral. gr. 8. Liebau 797. (Rein in Leipz.) 1 ₰ 12 gr

— Gedanken über etliche Gegenstände d. Philosophie d. Schönen. 2 Thle. gr. 8. Liebau, Friedrich. 794. 96. (1r 14 gr. 2r auch unt. d. Tit.: Beyträge zur Theorie der Dichtkunst 10 gr.)

— über Shakespeare's Macbeth. 8. Königsb. 801. (Michelsen in Leipz.) 16 gr

— Rede am Geburtstage J. Majest. Louise rc. Königin v. Preußen, am 10. März 1808. 8. Königsb., Nicolovius. 4 gr

— Vorbereitungen zu e. populär. Naturrechte. gr. 8. Königsb. 795. (Michelsen in Leipz.) 1 ₰ 4 gr

K. L. **Pörschke**'s Vorbereitungen zu e. popul. Naturrecht. *Königsb.*, Nicolovius. 795. 8° 1 ℔ 4 gl

Poerschke, Stephan, Die Entwicklung der Gewerbeaufsicht in Deutschland. 8°. Jena, G. Fischer, 1911. (Abhandlungen d. staatswiss. Seminars zu Jena, Bd. 10, Heft 1.)

Poerschke, Werner: Die Volksdichte im Kreise Dirschau. Mit 1 Volksdichtekarte. Danzig 1910: Kafemann. 56 S. 8°
Königsberg, Phil. Diss. v. 25. Juli 1910, Ref. Hahn
[Geb. 19. April 88 Dirschau; Wohnort: Dirschau; Staatsangeh.: Preußen; Vorbildung: Oberrealsch. Grauden: Reife O. 07; Studium: Jena 4, Königsberg 2 S.; Rig. 25. Mai 10.] [U 10. 2619

Pörschken [Schlagwort]

Pörschken, s.: Preussen. **Messtischblätter.**

Porschnew, Georg. aus St. Petersburg, Russland: Ueber die Existenz des Stickstofftrioxydes im gasförmigen Zustande. [S. A. aus: Zeitschrift für anorgan. Chemie, Bd VII. S. 214–240]. Hambg u. Leipz. L. Voss 1894. 44 S., 1 Bl. 8°.
Zürich, Phil. Diss. [v. 2. Oct. 1894].

Porsild M. P.: Ueber einen neuen doppelgelenkigen Tubushalter. (1902). 4 S. Fig. (Særtr.). P.

Porson, Richard

P o r s o n i, **Ric., Adversaria,** notae et emendationes in poetas Graecos, quas ex Schedis MSS. Porsoni deprompt. et ordin. nec non ind. instruxit J. H. Monk et C. J. Blomfield. Ed. nova emend. et aucta. 8maj. Lips. J. A. G. Weigel. 814.
Schreibn.

Porson, R., Collatio codicis Harleiani 5674 cum Odyssea editionis Ernestinae 1760. 88 S. 4°. 2.—

P o r s o n i, (Ricardi,) notae in Aristophanem, quibus Plutem Commoediam partim ex ejusdem recens. partim e Manuscpt. emendatam et variis lectionibus instr. praem. et collat. Append. adj. P. P. Dobree, exc. Jo. Smith. 8. Cambridge. 820, Deighton.

— s. Photii, Lexicon.

Porst, Ant.: Ueb. Suggestion u. ihre Gefährlichk. im Crim.-Proc. *Landshut*, Thomann. 810. gr. 8. (10 Gr.)

Porst, Joh.: Kurtzer Auszug, aus denen vornehmsten Königlichen Preußischen Edicten und Verordnungen, der Chur-Marck Brandenburg, die etwa einem Inspectori, Prediger . . . zu wissen nöthig. Nebst e. Anh. Berlin 1725.

Porst, J., Auszug a. d. preuß. Consistorial-Edicten rc. 4. Berlin, Lange. 727.

— compend. theologiae viator. et regenitor. pract., oder Ausg. der göttl. Führ. der Seelen u. d. Wachsth. d. Gläub. 8. Halle, Waisenh. 740.

— Fragen u. Antworten über den Katechismus. 12. Jauer 761. (J. F. Korn in Bresl.) 3 gl

Porst's, Joh., göttliche Führung der Seelen u. Wachsthum der Gläubigen, [in einem kurzen Auszug vorgestellt,] darinnen gezeigt wird, wie der Sünder aus der Sicherheit aufgewecket, in die Buße geleitet, zum Glauben u. Genuß aller göttl. Gnadenschätze gebracht wird rc. Nach der 3., zu Halle 1740 erschienenen, Aufl. neu hrsg. u. mit einem kurzem Lebensabrisse des Verf. begleitet v. J. H. Staudt. gr. 8. (718 S.) Stuttgart 850, Belser. 27 ngl

Porst's, Joh., göttl. Führg. d. Seelen. gr. 8. (IV, 560 S.) Berlin 871. Basel, Kober. 1. 80; erm. Pr. — 60

Porst's, Joh., göttliche Führung der Seelen u. Wachsthum der Gläubigen. Ster.-Ausg. gr. 8. (IV, 560 S.) Berlin 871. Wiegandt & Grieben. n. 1. 80

Porst, J., Gesangbuch, s. Lieder, geistliche und liebliche.

Porst, . . ., Gesangbuch. 12. Berl., (Oehmigke). 10 gl besser Pap. 12 gl in 8. ord. Pap. 22 gl fein Pap. 1 ℔ 14 gl. — Neue Lieder als Anh. in 12. ord. Pap. 6 gl besser P. 7 gl fein P. 11 gl in 8. ord. Pap. 8 gl fein P. 14 gl. — Testament, neues, zu Porst's Gesangbuche, in 12. 8 gl

— herrl. Gnaden und Heilsschätze a. d. theologia viatorum. 8. Saalfeld. 738.

— kl. Katechismus Lutheri, wendisch. 8. Bautz. Deinzer. 760.

Porst, J., geistliche und liebliche Lieder, s. Lieder, geistliche rc.

Porst, Johann, Geistliche und Liebliche Lieder, Welche der Geist des Glaubens durch Doct. Martin Luthern, Johann Hermann, Paul Gerhard, und andere seiner Werkzeuge, in den vorigen und jetzigen Zeiten gedichtet, und die bisher in Kirchen und Schulen Der Königl. Preuß. und Churfl. Brandenburgischen Lande bekannt . . . Nebst Einigen Gebeten und einer Vorrede von Johann Porst. Berlin, J. J. Eger für J. D. Schatz, 1797. 12° (Schmalhochformat). *Doppelseit. radiertes Frontispiz (mit den Porträts König Friedrich Wilhelms III. und s. Gemahlin Luise und e. kleinen Ansicht von Berlin)*, Titel in Rot und Schwarz, 12 Bl. 795 S. 14 Bl. 64 S.

Porst, Johann, geistliche und liebliche Lieder, welche den Geist des Glaubens durch Dr. Martin Luther, Johann Heermann, Paul Gerhardt und andere seiner Werkzeuge in den vorigen und jetzigen Zeiten gedichtet, und die bisher in Kirchen und Schulen der Königl. Preuß. und Kurfl. Brandenburg. Lande bekannt und mit Königl. Allergnädigst. Approbation und Freiheit gedruckt und eingeführt worden, nebst einigen Gebeten. [Neuer Abdruck.] kl. 8. (890 S.) Berlin 888, Jonas' Verlagsh. **

—— dass. — Verb. und verm. [Neuer Abdr.] kl. 8. (1000 S.) Ebendas. 888. **

—— dass. — Verb. und verm. [Große Schrift; neuer Abdr.] gr. 8. (1462 S.) Ebendas. 888. **

—— Anhang zum Porst'schen Gesangbuche. [Kleine Schrift; neuer Abdr.] kl. 8. (153 S.) Ebendas. 888. **

—— dass. — [Große Schrift; neuer Abdr.] kl. 8. (209 S.) Ebendas. 888. **

— Nachricht und Prüfung der Inspirirten u. Verhalten der Gläubigen. 12. Berl. Nicolai. 715.

PORST, J. Besondere Predigten. (Gestochene Vignette.) Halle 1727. 4°. Mit gestochenem Frontispiz.

— theologia homiletica in exemplis, od. bes. Predigten b. verschiedenen Gelegenheiten. 4. Halle, Waisenhausbhdl. 735.

— theologia pract. regenitor., od. Wachsthum d. Wiedergebohrn. 4. Ebend. 743.

— theologia viator. pract. oder göttl. Führ. d. Seelen ꝛc. 4. Ebend. 755.

— theologia viator. pract., od. göttl. Führer der Seelen ꝛc. 4. Jauer . . . 5e A. 755. (Waisenhaus-B. in Halle). 1 ℛ 12 ℊ

PORST, Joh., Tractat von der Unkeuschheit. Berlin 1707. 8°.
Bibl. Joh. Lysii. Berol. (1717) p. 8.

Porst, Joh. Dan., u. K. Glob. Stoy, über Wiederherstellung des unter den Protestanten verfall. Cultus. 8. Lpz. Martini. 809.

[Porst, Joh.] — Was von der Kirche, Gemeinschaften u. Sekten zu halten sei od. Von der Versuchung zur Separation (Absonderung) nach Joh. Porst, gestorben 1728. (16 S.) 8. Königsberg 904. (Ev. Buchh. des ostpreuß. Prov.-Vereins f. inn. Mission.) n.n. — 05

PORST, Joh., Der entbrannte Zorn Gottes über die Unkeuschheit wurde Am IX. Trin. 1707 . . . in der Dorotheen-Städt. Kirchen / in einer Predigt / der Christl. Gemeinde fürgestellt. Berlin, Nicolai, 1715. Kl. 8°.
Ein interess. Dokument der damaligen Berliner Kanzelberedsamkeit.

Porsts, Johann, Von Verpflegung der Armen. 12°. Berlin, Nicolai, 1715.

Porstmann, Walter: Karteikunde. Stuttgart 1928

Port, Augusta du, od. Gesch. e. unglückl. v. E. Hildebrand. Gegenstück z. J. G. Müllers Friedrich Brack. 2 Thle. 8. Königsberg, Unzer. 799. (à 18 gr.) Rthlr.

Port, Schweizer, s. Schweizerport.

Port, Chrph. Glieb., Predigt am Sonntage des Pfingstfestes 1860 über Apostelgeschichte 2, 1—14 in der Kirche zu St. Lorenz in Nürnberg gehalten. Nürnberg 860. Zeiser. gr. 8. (15 S.) 2 ngr.

—— Rede bei der Einweihung des neuen St. Johannis-Kirchhofes in Nürnberg am Tage Johannis 1860 gehalten. gr. 8. (8 S.) Nürnberg 860, Raw'sche Buchh.

v. Port, Er., s. Buch der Geheimnisse.

Port, Frieda, Gedichte. 8. (VI, 163 S.) Berlin 888. Hertz. n. 3. 60; geb. m. Goldschn. n. 5. —

Port, Friedrich, appr. Arzt aus Ansbach: Uebersicht über die vom 1. Januar 1895 bis 1. Januar 1903 in der chirurgischen Klinik zu München ausgeführten 247 größeren Amputationen und Exartikulationen. *München 1904: Kastner & Callwey.* (125 S.) 8°
München, Med. Diss. v. 1904

Port, Gottlieb: Beobachtungen über die Verwendbarkeit des Tuberculinum Kochii in curativer und diagnostischer Beziehung ... (Aus d. Münch. Med. Wochenschr.) München, J. F. Lehmann, 1891; 2 Bl., 23 S. 8.
München, Med. Fak., Inaug.-Diss. v. [20. Juni] 1891

Port, G., Chirurgie der Mundhöhle, s.: Kaposi, H.

Port, Glieb., Hygiene der Zähne u. des Mundes, s.: Bibliothek der Gesundheitspflege. 7.

— s: Index der deutschen zahnärztlichen Literatur.

— u. Peckert, über Röntgenphotographie in der Zahnheilkunde, s. Zahnheilkunde, dtsche., in Vorträgen. 11. Heft.

Über die Röntgenphotographie in der Zahnheilkunde von Prof. Dr. [Gottlieb] Port u. Privatd. Dr. [Hermann] Peckert. Mit 18 Textabb. u. 8 Taf. Leipzig: Thieme 1900. 60 S. 4°(8°)
(Deutsche Zahnheilkunde in Vorträgen [N. F.] H. 11.) [09. 12781

Port, Gottlieb [Dr. Assistenzarzt 1. Kl. im k. b. 1. Feld-Art.-Reg.]: Mechanische Veränderungen an den Kiefern und der Zahnstellung infolge von Erkrankungen der benachbarten Organe ... München, kgl. Hof- u. Univ.-Buchdr. v. Dr. C. Wolf & Sohn, 1896; 2 Bl., 71 S., 1 Bl., 2 Taf. 8.
München, Med. Fak., Hab.-Schr. v. 1896
(Nicht für den Austausch)

Port, Glieb., mechan. Verändergn. an d. Kiefern u. d. Zahnstellg. infolge v. Erkrankgn. d. benachbarten Organe. Eine Studie. gr. 8. (III, 72 S. m. 4 Taf.) München 896. Ch. Kaiser. n. 2. —

Port, Heinrich, Gerichtsass.: Rechtliche Natur der Delkrederehaftung im Kommissionsgeschäft. Borna-Leipzig 1909: Noske. 57 S. 8°
Heidelberg, Jur. Diss. v. 13. Dez. 1909, Ref. Schröder
[Geb. 29. Mai 82 Kolmar i. E.; Wohnort: Kolmar; Staatsangeh.: Elsaß-Lothringen; Vorbildung: Lyz. Kolmar Reife Juli 00; Studium: Leipzig 3, Berlin 2, Kiel 1, Straßburg 3 S.; Rig. 3. Nov. 09.] [U 10. 1976

Port, Johann Christoph Gottlieb

Port, J. Chr. G., unsere Pflicht gegen die Heidenwelt. Predigt gehalten am 2. Pfingsttage 1843. gr. 8. Nürnberg 843, Raw. 1/12 ℛ

Port, Joh. Chrph. Glieb., Predigt gehalt. am Dankfeste bei Veranlassung der Königl. Proclamation am 10. März 1848 zu Nürnberg. 8. (16 S.) Nürnberg 848, Stein. n. 2 ngr

Port, J. Ch. G., und Ch. H. Sixt, Predigten, s. Sixt, Ch. H.

Port, Julius

Port, Jul., Anleitg. zu ärztlichen Improvisations-Arbeiten, im Auftrage d. k. bayer. Kriegs-Ministeriums verf. gr. 8. (48 S. m. 41 Textabbildgn.) Stuttgart 892. F. Enke. n. — 80

Port, Jul., Anleitg. zu ärztlichen Improvisations-Arbeiten. Im Auftr. d. k. bayer. Kriegs-Ministeriums verf. 2., verm. Aufl. 8. (83 S. m. 70 Abb.) Stuttgart 898. F. Enke. n. 1. 20

— — Die Ansprüche der überseeischen Kriegführung an den Sanitätsdienst. München 1901. 8 S.

Port, Jul., zur Aetiologie des Abdominaltyphus, s. Zur Aetiologie der Infectionskrankheiten mit besond. Berücksicht. der Pilztheorie.

Port, über epidemiologische Beobachtungen in Casernen, s. Mittheilungen und Auszüge aus dem aerztlichen Intelligenz-Blatt.

— über epidemiologische Beobachtungen in Casernen. Vortrag, gehalten in der militärärztlichen Section der 50. Naturforscher-Versammlung. gr. 8. (30 S.) München 878. J. A. Finsterlin. — 90

— dasselbe. s. Mittheilungen u. Auszüge aus dem aerztlichen Intelligenzblatt.

Port, Jul., **Kriegsverbandschule.** Anleitung zur Selbstherstellung von Apparaten f. den Transport der Schwerverwundeten u. für die Behandlung eiternder Knochenbrüche. Nebst e. Anh. (62 S. m. 28 Abbildgn.) gr. 8. Stuttgart 904. F. Enke. n. 1. 20; kart. n. 1. 60

— d. **Kriegsverwundeten** ihr Recht! E. Mahnruf. gr. 8. (84 S.) Ebd. 896. n. 1. 60

Port, Jul., den Kriegsverwundeten ihr Recht! 2. Mahnruf. gr. 8. (32 S.) Stuttgart 899. F. Enke. n. 1. —

— — Zweiter Mahnruf. 1899. 32 S.

—— über **Morbiditäts-Statistik.** Lex.-8. (14 S.) München 883, Rieger'sche Universitäts-Buchh. *
Aus: Festschrift des ärztlichen Vereins München zur Feier seines 50jährigen Jubiläums, besonders abgedruckt.

— zur **Reform** des **Kriegssanitätswesens.** Mit 5 Abbildgn. im Text u. dem Bildnis des Verf. (82 S.) 8. Ebd. 906. n. 1. —

Port, Studien zur Kriegsverbandlehre. München 867. Franz'sche Buchh. 8. (48 S. mit eingedr. Holzschn.) n. 10 ngr.

— **Taschenbuch** der feldärztlichen Improvisationstechnik. Vom internationalen Comité d. rothen Kreuzes gekrönte Preisschrift. Mit 188 Holzschn. 8. (XI, 304 S.) Stuttgart 884. Enke. n. 5. —; geb. n. 6. —

Port, Konr., üb. die Wirkung d. Tuberculinum Kochii bei Lupus, s. **Abhandlungen**, Münchener medicinische.

Port, Konrad: Ueber die Wirkung des Tuberculinum Kochii bei Lupus nach d. Beobachtgn an d. Münchener chirurg. Klinik ... München, J. F. Lehmann, 1892; 41 S., 1 Taf. 8.
München, Med. Fak., Inaug.-Diss. v. [20. Nov.] 1891

Port, K. Über die Wirkung des Tuberkulinum Kochii bei Lupus. In-8°. 41 S. München, J. F. Lehmann (Depot für die Schweiz: E. Speidel, Oberstrass-Zürich. 1892. 1 35
*** Münchner medizin. Abhandlungen. Heft 23.

Port, Matthäus „Darstellung der Grundzüge der französ. Wortbildungslehre". pg. 3—12. 4°. Cl. Attenkofer.
Straubing, Progr. 1862/63

Port, Matthäus „Ueber Etymologie, Orthographie und Bedeutung verschiedener Eigennamen früherer Zeiten". III. Abtheilung. pg. 3 – 7. 4°. Franz Seraph Lerno.
Straubing, Progr. 1856/57

Port, Matthäus „Ueber Etymologie und Verwandtschaft der Sprachen, insbesondere der deutschen, lateinischen und griechischen". II. Abtheilung. pg. 3—18. 4°. F. S. Lerno.
Straubing, Progr. 1855/56

Port, Matthäus „Fragmente zur Geschichte der ersten Völkerwanderungen und der damaligen Hauptsprache Europa's". I. Abtheilung. pg. 3—9. 4°. F. S. Lerno.
Straubing, Progr. 1854/55

Porta, s. Dellaporta.

Porta, Bianka della. Trauersp. in 5 Akten v. Collin. fl. 8. Berlin, Unger. 808.
gr. 8.

Porta, Bianka della, Trauerspiel in 5 Aufz., von J. von Collin. gr. 8. Ebend. 808. (Ebend.) 16 Gr. fl. 8.

Porta Gloriae Augustissima ... Bresl. 1617. V: *Sagittarius, Thomas.* (Kat d. Druckschr. üb. Breslau. Breslau 1903. S. 4.)

Porta linguarum orientalium sive elementa linguarum I. hebraicae, II. chaldaicae, III. samaritanae, IV. arabicae, V. syriacae, VI. armeniacae, VII. aethiopicae, VIII. persicae. Studiis academicis accommodata. Edd. J. H. Petermann, E. Nestle, S. Landauer e. a. Pars V. E. s. t.: Brevis linguae syriacae grammatica, litteratura, chrestomathia cum glossario. In usum praelectionum et studiorum privatorum scripsit Eberard. Nestle. 8. (VI, 128 S.) Karlsruhe 881. Reuther. n. 5. 40
(I—VI.: n. 20. 40)

Porta linguarum orientalium sive elementa linguarum I. hebraicae, II. chaldaicae, III. samaritanae, IV. arabicae, V. syricae, VI armeniacae, VII. aethiopicae, VIII. persicae, studiis academicis accommodata. Edd. J. H. Petermann, H. L. Strack, E. Nestle, S. Landauer e. a. Pars I. et VII. 8. Karlsruhe, Reuther. n. 8. 70
I. Hebräische Grammatik m. Übungsstücken, Litteratur u. Vokabular. Zum Selbststudium u. f. den Unterricht m. besond. Berücksicht. derer, die das Hebräische erst auf der Universität erlernen, v. Herm. L. Strack. Ed. III. (XV, 163 S.) 883. n. 2. 70
VII. Aethiopische Grammatik m. Paradigmen, Litteratur, Chrestomathie u. Glossar v. F. Praetorius. (X, 164 u. 65 S.) 886. n. 6. —

Porta linguarum orientalium sive elementa linguarum hebraicae, phoeniciae, biblico-aramaicae, targumicae, samaritanae, syriacae, arabicae, aethiopicae, assyriacae, aegyptiacae, copticae, armeniacae, persicae, sanscritae, turcicae, aliarum studiis academicis accommodaverunt J. H. Petermann, H. L. Strack, E. Nestle, A. Socin, F. Prätorius, Ad. Merx, Aug. Müller, Friedr. Delitzsch, C. Salemann, W. Shukowski, Th. Nöldeke, G. Jacob, alii. Pars 1 a—c., 4 a. b., 5 a. b., 7 a. b., 8., 9 a. b., 10. und 11. Bd. 8. Berlin, Reuther's Verlag. *

Inhalt:

Pars 1a. Strack, Herm. L., hebräische Grammatik mit Übungsstücken, Litteratur und Vocabular. 2. wesentlich verm. und verb. Aufl. (XVI, 151, 69 S.) 885. *M 3.—.
» 1b. —— hebrew grammar, with exercises for translation into the hebrew language (XIV, 150; 67 S.) 886. *M 3.60.
» 1c. —— grammaire hébraïque avec paradigmes, exercices de lecture, chrestomathie et indice bibliographique. Traduit de l'allemand par Ant. J. Baumgartner. Édit. revue et augmentée par l'auteur. (XII, 171, 79 S.) 886. *M 3.25.
Vgl.: Strack, Herm. L., Uebungsstücke zur hebräischen Grammatik.
—— Paradigmen zur hebräischen Grammatik.
» 4a. Socin, A., arabische Grammatik. Paradigmen, Litteratur, Chrestomathie und Glossar. (XVI, 105, 194 S.) 885. *M 6.—.
» 4b. —— arabic grammar. Paradigms, litterature, chrestomathy and glossary. (XVI, 102, 191 S.) 885. *M 7.—.
» 5a. Nestle, Eberh., syrische Grammatik mit Litteratur, Chrestomathie und Glossar. 2. verb. und verm. Aufl. der brevis linguae syriacae grammatica. (XIV, 72, 195 S.) 888. *M 7.—.
» 5b. —— syriac grammar with bibliography, chrestomathy and glossary. Translated by R. S. Kennedy. (XVI, 72, 195 S.) 888. *M 8.—.
» 7a. Prätorius, F., äthiopische Grammatik mit Paradigmen, Litteratur, Chrestomathie und Glossar. (X, 164, 65 S.) 888. *M 6.—.
» 7b. —— grammatica aethiopica cum paradigmatibus, literatura, chrestomathia et glossario. (X, 153, 65 S.) 886. *M 6.—.
» 8. Merx, Adb., Chrestomathia targumica, quam collatis libris manu scriptis antiquissimis Tiberiensibus editionibusque impressis celeberrimis e codicibus vocalibus babylonicis instructis ed., adnotatione critica et glossario instruxit A. M. (XVI, 300 S.) 888. *M 7.50.
» 9a. Jacob, G., arabische Bibel-Chrestomathie. Hrsg. und mit einem Glossar versehen. (VII, 54 S.) 888. *M 2.25.
» 9b. —— arabic bible-chrestomathy. With a glossary. (54 S.) 888. *M 2.40.
» 10. Delitzsch, F., assyrische Grammatik. Mit Paradigmen, Uebungsstücken, Glossar und Litteratur. (XVI, 364, 80 S.) 889. *M 12.—.
» 11. Müller, Aug., türkische Grammatik mit Paradigmen, Litteratur, Chrestomathie und Glossar. Unter Mitwirkung von Herm. Gies. (XI, 136, 136 S.) 889. *M 8.—.
2., 3. und 6. Bd. s. XV. Bd. 2. Abthl. S. 289: Petermann, Jul. Heinr. Berlin, [Eichler.] Reuther's Verlag. à *M 4.—.

Porta linguarum orientalium, inchoavit J. H. Petermann, continuavit H. L. Strack. Pars I, Ib, IVa, V, Vb, VIII, IXa, IXb, X, Xb, XI–XIII. 8. Berlin, Reuther. n. 89. 25

I. Hebräische Grammatik m. Übungsbuch von Herm. L. Strack. 3., neu bearb. Aufl. (XVIII, 158 u. 112 S.) 890. n. 3. 60

Ib. Hebrew grammar with reading book, excercises, literature and vocabularies by Herm. L. Strack. Translated from the German by R. S. Kennedy. 2., enlarged ed. (XVI, 150 u. 115 S.) 889. n. 4. 50

IVa. Arabische Grammatik m. Litteratur, Paradigmen, Chrestomathie u. Glossar v. A. Socin. 2., verm. u. verb. Aufl. (XVI, 137 u. 211 S.) 889. n. 6. —

V. Syrische Grammatik m. Litteratur, Chrestomathie u. Glossar v. E. Nestle. 2., verm. u. verb. Aufl. der brevis linguae syriacae grammatica. (XIV, 195 S.) 888. n. 7. —

Vb. Syriac grammar, with bibliography, chrestomathy and glossary by E. Nestle. 2., enlarged and improved ed. of the brevis linguae syriacae grammatica. Translated from the German by R. S. Kennedy. (XVI, 72 u. 195 S.) 889. n. 8. —

VIII. Chrestomathia targumica, quam collatis libris manu scriptis antiquissimis Tiberiensibus editionibusque impressis celeberrimis e codicibus vocalibus babylonicis instructis ed., adnotatione critica et glossario instruxit A. Merx. (XVI, 300 S.) 888. n. 7. 50

IXa. Arabische Bibel-Chrestomathie, hrsg. u. m. e. Glossar versehen v. G. Jacob. (VII, 54 S.) 888. n. 2. 25

IXb. Arabic bible-chrestomathy with a glossary edited by G. Jacob. (VII, 54 S.) 888. n. 2. 40

X. Assyrische Grammatik, m. Paradigmen, Übungsstücken, Glossar u. Litteratur von F. Delitzsch. (XVI, 364 u. 80 S.) 889. n. 12. —

Xb. Assyrian grammar with paradigms, exercises, glossary and bibliography by F. Delitzsch. Translated from the German by R. S. Kennedy. (XVI, 366 u. 80 S.) 889. n. 14. —

XI. Türkische Grammatik m. Paradigmen, Litteratur, Chrestomathie u. Glossar v. A. Müller unter Mitwirkg. v. H. Gies. (XI, 136 u. 136 S.) 889. n. 8. —

XII. Persische Grammatik m. Litteratur, Chrestomathie u. Glossar v. C. Salemann u. V. Shukovski. (XII, 118 u. 140 S.) 889. n. 7. —

XIII. Delectus veterum carminum arabicorum. Carmina selegit et ed. Th. Noeldeke, glossarium confecit A. Mueller. (XV, 240 S.) 890. n. 7. —

Porta linguarum orientalium, inchoavit J. H. Petermann, continuavit Herm. L. Strack. Pars I, IV, XIV–XVI. 8. Berlin, Reuther & Reichard. n. 46. 80; geb. in Leinw. n. 50. 40

1. Hebräische Grammatik m. Übungsbuch v. Herm. L. Strack. 5., verb. Aufl. (XVI, 152 u. 104 S.) 893. n. 4. 60; geb. n. 4. —

IV. Arabische Grammatik. Paradigmen, Litteratur, Übungsstücke u. Glossar. Von A. Socin. 3., verm. u. verb. Aufl. (XV, 170 u. 153 S.) 894. n. 6. —; geb. n.n. 6. 80

XIV. Koptische Grammatik m. Chrestomathie, Wörterverzeichnis u. Litteratur v. Geo. Steindorff. (XVIII, 220 u. 94 S.) 894. n. 13. 20; geb. n.n. 14. —

XV. Ägyptische Grammatik m. Schrifttafel, Litteratur, Lesestücken u. Wörterverzeichnis v. Adf. Erman. (XV, 200 u. 70 S.) 894. n. 16. —; geb. n. 16. 80

XVI. Chrestomathie aus arabischen Prosaschriftstellern, im Anschluss an Socin's arab. Grammatik hrsg. v. R. Brünnow. (IX, 311 S.) 895. n. 8. —; geb. n.n. 8. 80

Porta linguarum orientalium. Elementa linguarum hebraicae, phoeniciae, biblico-aramaicae etc., studiis academicis accommodaverunt J. H. Petermann, Herm. L. Strack, E. Nestle etc. Pars I, IV u. XVIII. 8. Berlin, Reuther & Reichard. Geb. in Leinw. n. 15. 60

I. Hebräische Grammatik mit Übungsbuch v. Herm. L. Strack. 6., vielfach verb. Aufl. (XVI, 152 u. 116 S.) 896. Geb. n. 4. —

IV. Arabic grammar. Paradigms, literature, exercises and glossary by A. Socin. 2. English ed. Translated from the 3. German ed. by R. S. Kennedy. (XVI, 170 u. 159 S.) 895. n. 8. —

XVIII. Kurzgefasste Grammatik d. biblisch-aramäischen Sprache, Litteratur, Paradigmen, krit. bericht. Texte u. Glossar v. Karl Marti. (XIV, 134 u. 90 S.) 896. n. 3. 60; geb. n.n. 4. 40

Der 17. Bd. ist noch nicht erschienen.

Porta linguarum orientalium. Sammlg. v. Lehrbüchern f. das Studium der oriental. Sprachen v. C. Brockelmann, R. Brunnow, Frdr. Delitzsch u. A. IV, V, XV u. XVII. 8. Berlin, Reuther & Reichard. n. 34. 50; geb. in Leinw. n.n. 37. 70

IV. Arabische Grammatik. Paradigmen, Litteratur, Übungsstücke u. Glossar. Von A. Socin. 4. verm. u. verb. Aufl. (XIII, 169 u. 156 S.) 899. n. 6. —; geb. n. 6. 80; Schlüssel dazu (m. deutschem od. engl. Titel.) (à 12 S.) à n. 1. 50

V. Syrische Grammatik m. Litteratur, Chrestomathie u. Glossar. Von Carl Brockelmann. (XIII, 110 u. 190 S.) 899. n. 7. —; geb. n.n. 7. 80

XV. Ägyptische Grammatik m. Schrifttafel, Litteratur, Lesestücken u. Wörterverzeichnis. Von Adf. Erman. 2. gänzlich umgearb. Aufl. (XIV, 238 u. 20 S.) 902. n. 16. —; geb. n. 16. 80

XVII. Vergleichende Grammatik der semitischen Sprachen. Elemente der Laut- u. Formenlehre. Von Heinr. Zimmern. Mit 1 Schrifttaf. v. Jul. Euting. (XI, 194 S.) 898. n. 5. 500 geb. n.n. 6. 3;

Porta linguarum orientalium. Ed. Herm. L. Strack. Elementa linguarum hebraicae, phoeniciae, samaritanae etc., studiis academicis accommodaverunt J. H. Petermann, Herm. L. Strack, E. Nestle etc. Pars I. 8. Berlin [Reuther & Reichard]. München, C. H. Beck. n. 3. 60; geb. in Leinw. n.n. 4. —

Hebräische Grammatik mit Übungsbuch. Von Herm. L. Strack. 7., sorgfältig verb. u. verm. Aufl. (XVI, 150 u. 120 S.) 899.

Porta linguarum orientalium. Sammlung v. Lehrbüchern f. das Studium der orient. Sprachen v. C. Brockelmann, R. Brünnow, Frdr. Delitzsch u. a. I. IV. V. X. XIV. XIX u. XX. 8. Berlin, Reuther & Reichard n. 72. —

I. Hebräische Grammatik mit Paradigmen, Literatur, Uebungsstücken u. Wörterverzeichnis. Von Carl Steuernagel. 2., vielfach verb. Aufl. (XII, 154 u. 142 S.) 905. n. 3. 50; geb. n. 4. —
1. Aufl. (XII, 148 u. 120 S.) 903. 3. 50; geb. 4. —

IV. Arabische Grammatik. Paradigmen, Literatur, Uebungsstücke u. Glossar. Von A. Socin. 5. verb. Aufl., bearb. v. Karl Brockelmann. (XIV, 176 u. 156 S.) 904. n. 7. —; geb. n.n. 7. 80

V. Syrische Grammatik, m. Paradigmen, Literatur, Chrestomathie u. Glossar. Von Carl Brockelmann. 2. verm. u. verb. Aufl. (XVI, 144 u. 128 S.) 905. n. 8. —; geb. n. 8. 80

X. Assyrische Grammatik m. Uebungsstücken u. kurzer Literatur-Uebersicht. Von Frdr. Delitzsch. 2. durchgeseh. Aufl. (X, 374 u. 50 S.) 906. n. 14. —; geb. n. 15. —

XIV. Koptische Grammatik m. Chrestomathie, Wörterverzeichnis u. Literatur. Von Geo. Steindorff. 2. gänzlich umgearb. Aufl. (XX, 242 u. 104 S.) 904. n. 14. —; geb. n.n. 14. 80

XIX. Aegyptische Chrestomathie. Zum Gebrauch auf Universitäten u. zum Selbststudium. Von Adf. Erman. (XXII, 156 u. 78 S.) 904. n. 12. 50; geb. n.n. 13. 30

XX. Aegyptisches Glossar. Die häufigeren Worte der ägypt. Sprache, zusammengestellt. Von Adf. Erman. (VIII, 160 S.) 904. n. 13. —

Porta linguarum orientalium. Sammlg. v. Lehrbüchern f. das Studium der oriental. Sprachen v. C. Brockelmann, R. Brünnow, Frdr. Delitzsch u. a. I, IV u. XXI. 8. Berlin, Reuther & Reichard. 18.50; geb. in Lw. 21. —

Brockelmann, Carl, kurzgefasste vergleichende Grammatik der semitischen Sprachen. Elemente der Laut- u. Formenlehre. (XII, 314 S.) 908. (XXI.) 8. —; geb. n 9. —

Socin's, A., arabische Grammatik. Paradigmen, Literatur, Übungsstücke u. Glossar. 6. Aufl. Neu bearb. v. Karl Brockelmann. (XVI, 200 u. 130 S.) 909. (IV.) 7. —; geb. n 8. —

Steuernagel, Carl, hebräische Grammatik m. Paradigmen, Literatur, Übungsstücken u. Wörterverzeichnis. 3. u. 4. verb. Aufl. (X, 156 u. 139 S.) 909. (I.) 3.50; geb. 4. —

Porta orientale, strenna per l'anno 1857. 16. (192 S.) Triest 857. (Fiume, Rezza.)

— **Paphia, die, od.: E. Thor macht mehrere. Eine Kölner Historie. 8. (5 S.) Köln (894). (J. G. Schmitz.)** n. — 20

Porta. La p' della sontgadat. Mustér... 1863 s. [Birker,] Paul.

Porta-Westphalica. Ein Blatt für Wahrheit, Recht u. Gemeinwohl. Red.: F. Eßmann. Jahrg. 1850. 104 Nrn. 4. (½ B.) Minden, Eßmann. n. 2 ₰

[Porta, Andreas Rosius a.] Reflexiuns cristianas sopra l'incendi da Ftan arriva la not del $\frac{26}{16}$ Avril 1794.... 4. *s. l.* 1795.

Porta, Bonif. a: Die Erdkunde als Grundlage der Himmelskunde. 17 S. 4°.– Meran OG., Progr. 1871.

Porta: Skizzirte Gedanken über Schulsachen. 14 S. 4° –Meran OG., Progr. 1870.

Porta, C. de la, Herbst-Zeitlosen, außer Deutschlands Gränzen entsprossen. Nebst e. Anh. Kriegslieder f. Rußlands Krieger — deutscher Junge, z. Zeit ihres jüngsten Feldzuges gegen d. Türken. gr. 12. (13 B.) München 831, [Jaquet.]

Porta, Conr., s. Porta, Konrad

Porta, Jo. Bapt.
— — Haus-Kunst oder Wunderbuch durch Gr. Peganium sonst Rautner. Nürnb. 680. 8. ebd. 713—14. II. Bde. 8.

PORTA, J. B., Magia naturalis oder Hauss-Kunst- und Wunder-Buch. Herausg. durch Chr. Peganium, sonst Rautner genannt. Mit 21 Kpfrn. Nürnberg 1713. 4°. (9 Kr. Halm & Goldmann, Wien, 1907:)

Porta, J. Bapt., magia naturnl., oder Haus- Kunst- und Wunderbuch. 2 Thle. mit Kupf. 4. Nürnberg, Zieger. 715.

Porta, J. Bapt. della, charakt. Parallelköpfe, worin die Aehnlichkeit von Menschen mit gewissen Thieren dargestellt wird, herausgegeben von Ephraim Benson. m. 11 K. gr. 8. Leipz. Joachim. 804.

Porta, Konrad

Porta, Conr., pastorale Lutheri, oder Unterr. in den vorn. Stücken des heil. Ministerii, n. Not. von J. C. Cramer. 8. Jena, Meyer. 729.

Porta, Conr., Pastorale Lutheri, das ist: Nützlicher u. nöthiger Unterricht von den vornehmsten Stücken zum heil. Ministerium gehörig, u. richtige Antwort auf mancherlei wichtige Fragen von schweren u. gefährl. Fällen, so in demselben vorfallen mögen. Für anfangende Prediger und Kirchendiener. Auf's Neue herausgeg. mit e. Vorworte. gr. 8. Nördlingen 842, Beck'sche Buchh. 1½ ßf

Porta, M. Conr., Pastorallehren aus Luthers Werken, s.: **Reuter's theolog. Klassikerbibliothek.**

Porta, **Luigi, die Blasenstein-Zertrümmerung. Deutsche, durch neue Orig.-Beiträge des Verf. vervollständ. und durch vielfache Zusätze des Uebersetzers verm. Ausg. von Herm. Demme. Lex.-8. (XVIII und 226 S. mit 9 Kpfrt. in qu. Fol.) Leipzig 864, Engelmann.** *

Porta, Nott da. Chronica Rhetica oder L'historia dal'Origine, guerras, Allcanzas & auters evenimaints da nossa chiara Patria, la Rhetia, our da divers Authurs componüda da N' da P'.... 8. Scuol 1742.

Porta, Nott da. La Spartida In pasch, dils Serviaints da Dieu, Oder Christiana Preidgia Funerala... in Sent Anno. 1749. d. 19. jun. pro la Sepultüra dil... Sigr. Iohan Salvio, Salvada tras N' da P'.... 4. Scuol 1750.

Porta, **Pet. Do. Rosius de, hist. reformation. ecclesiar. Raeticar. ex genuin. fontib. III Tmi. 4. maj. Cur. et Lipsiae, Breitkopf. 771–74.**

Porta, Petrus Dominicus Rosius a. Historia Reformationis Ecclesiarum Raeticarum, ex genuinis fontibus... deducta... nunc primum in lucem edita a Petro Dominico Rosio de P'.... 2 Tomi. 4. Curiae Raetorum et Lindaviae 1772–1776.

Porta, Petrus Dominicus Rosius a. Historia Reformationis Ecclesiarum Raeticarum, ex gfnuinis (* *Tomus 2:* gen') fontibus... deducta... nunc primum in lucem edita a Petro Dominico Rosio de P'.... 2 Tomi. 4. Curiae Raetorum et Lindaviae 1772–1777.
Mit 1 Doppeltafel.

Porta, Petrus Dominicus Rosius a *s.* Juvalta, Fortunat von. Kurze Anzeigung der Herkunft und Adels des uralten... Stammes von Juvalta.... Chur 1777.

Porta, Petrus Dom[inicus] Rosius a. La præsenzia dell succuors divin in accidaints da fatalitæt our dell' pled divin... demonstreda; in una Christiana Predgia Funeræla, alla justa memoria, dell honorat... Ser. Jann Perin Vedrosi. da Schianff, il quæl... fütt Ao. 1767. die 16. Junii... dell turbid torrent... tratt aint e mno via...; Salveda, da Petro Dom. Rosio de P'.... 4. Coira.

Porta, Petrus Dominicus Rosius a. Il premi dells venschaduors Combattents suot la Bandèra da Jesu Christi.... Exponieu in üna christiana predgia funeræla all ultim Honore dell' Illustrissimo... Junker Paullus de Perini... in Schianff, anno 1774. die 31. Januarii.... Salvæda da Petro Dominico Rosio de P'.... 8. Scanff 1774.

(Porta, Petrus Dominicus Rosius a.) Dissertatio historico-ecclesiastica de ecclesiæ Vettonii in inferiori Oengadina, Reformatione, ministerio. & fatis, ex documentis authenticis deducta. 4. *s. l.* 1785.

Porta, Stephan a, [aus Fetan. Kt. Graubünden]: Die Haftung des Verkäufers einer fremden Sache nach gemeinem Recht verglichen mit dem schweizerischen Obligationenrecht und dem Entwurf eines bürgerlichen Gesetzbuches für das deutsche Reich. Oberstrass Gebr. Frick Dr. 1890. 76 S., 2 Bl. 8°.
[Zürich]. Jur. Diss. [v. 1. März 1890].

Porta, W. de, die Devisen und Motto der Habsburger. 8. (III, 70 S.) Wien 887, Hölder. *ℳ 1.80.; geb. **

Porta, W. de, geistlicher Humor in Wort, Drama u. Bild. 8. (IV, 140 S.) Münster 886. Russell. n. 1.50

— weltlicher Humor in Geschichte, Recht u. Gesetzgebung. 8. (III, 380 S.) Paderborn 887. F. Schöningh. n. 3.—

Porta, W. de, weltlicher Humor in Geschichte, Recht u. Gesetzgebung. Neue (Titel-)Ausg. 8. (III, 380 S.) Paderborn (887) 895. F. Schöningh. n. 2.—

— die Wahlsprüche u. Motto's der Hohenzollern. gr. 8. (36 S. m. chromolith. Titel.) Münster 884. Aschendorff. n. 1.—

Portafoglio italiano, ossia collezione de' migliori autori Italiani. No. 1—8. 8. (46¾ B.) Grimma 844, Verlags-Comptoir. à Lfg. * 2½ Ngr. *
Inhalt: Niccolò de' Lapi ovvero i Palleschi e i Piagnoni di Massimo d'Azeglio.

Portal zu Remagen. Programm zu F. G. Welcker's 50jährigem Jubelfeste... Bonn 1859. V: *Braun, Joh. Wilh. Jos.* (Bücher-Samml. d. hist. Ver. v. u. f. Oberbayern. Münch. 1867.) (zuwzür)

Portal, A.

Portal, A., Anleit. zur Einimpfung der Blattern. Auszug aus dessen Vorlesungen; übers. u. mit Anmerkk. versehen v. C. W. Wallich. 8. Frankf. a. M. 800. Guilhaumann. 20 gl

— Bemerkk. üb. die Natur u. Heilung der Wuth vom Bisse toller Thiere; aus d. Französ. 8. Lpz. 782. (Brockhaus). 6 gl

— Bemerk. über die Natur und Heilung der Wuth v. Bisse toller Thiere, a. d. Franz. 8. Leipz. Heinsius. (Gleditsch.) 782.

Portal, Beobachtungen üb. d. Epilepsie, s. Bibliothek d. ausländ. Literat. f. prakt. Medicin, 7. Bd.

Portal: Beobachtungen über die Natur und Behandlung der Epilepsie. Leipzig. 1828.

Portal, Antoine (Baron): Beobachtungen über die Natur und Behandlung der Lungenschwindsucht. (Observations sur la nature et le traitement de la phthisie pulmonaire. Dt.) Übers.mit Anmerkungen von Georg Friedr(ich) Mühry. Bd 1, 330 S., gbd.

Hannover: Hahn 1799

Portal, Antoine (Baron): Beobachtungen über die Natur und Behandlung der Lungenschwindsucht. (Observations sur la nature et le traitement de la phthisie pulmonaire. Dt.) Übers.mit Anmerkungen von Georg Friedrich Mühry. Th.1 - 2, 407 S., gbd.

Wien: typ.v.Ghelen 1804

— Beobachtt. über die Natur u. Behandl. der Lungensucht; aus d. Französ. mit Anmerkk. von G. F. Mühry. 2 Thle. gr. 8. Hannov. 789—802. Hahn. 1 ♂ 12 g.

Portal, A., Beobacht. über die Natur und Behandlung der Lungensucht, aus dem Franz. 2 Thle. gr. 8. Hannov. Hahn. 799—802. (1r 22 gr. 2r 14 gr.) Rthlr.

Antoine Portal

(Observations sur la nature et sur le traitement du rachitisme. [Deutsch:]) Beobachtungen über die Natur und die Behandlungsart der Rachitis, oder der Krümmungen des Rückgrathes, der obern u. untern Extremitäten. Von Anton Portal. Aus d. Franz. übers. u. m. Anm. u. e. Sachreg. vers. von e. ausübenden deutschen Arzte in Paris. Weißenfels & Leipzig: Severin 1798. XVI, 232 S. 8

— Beobachtt. üb. die Natur u. die Behandlungsart d. Rachitis, oder d. Krümmung des Rückgrates; aus d. Französ, gr. 8. Weißenf. 798. (Baumgärtner in Leipz.) 16 g.

— Lehrbegriff der prakt. Wundarzneykunst, a. d. Franz. mit Anmerk. 2 Bde. gr. 8. Leipz. Fritsch. 792. 93. (à 1 Rthlr.)

— Lehrbegriff der prakt. Wundarzneikunst; aus d. Französ. mit Anmerkk. 2 Bde. gr. 8. Leipz. 792, 93. (Hahn). 2 ♂

Portal, Antoine (Baron) (Comm.):

s.: Lieutaud, Joseph: Historia anatomico-medica... Recudi iam nunc curavit, correxit...Johann Christ(ian) Traugott Schlegel. Vol.1, 3, gbd. Longosalissae, Gothae et Amstelodami: 1786 - 1802

—— über d. Natur u. Behandlung d. Epilepsie. A. d. Franz. v. J. A. L. Hermes. gr. 8. (24 B.) Stendal 829, Franzen u. Grosse.

Portal, Ant., Obs. sur la nature et le traitement de la rage, suivies d'un précis historique et critique des divers remèdes qui ont été employés jusqu'ici contre cette maladie. 130 pp. Yverdon, 1779. Alencon 1780. Ins Deutsche. 206 S. Lpz. 1782. 12°.

— Unterr. üb. die Behandlungsart der Erstickten etc. a. d. Frz. Wien, Camesina. 793.

— Unterricht üb. die Behandlungsart der Erstickten, Ertrunkenen, des Scheintodes bei Neugebornen etc.; aus d. Französ. mit Zusätzen v. D. Humpel. 8. Wien 793. (Heubner). 8 gr.

Portal, H., Bericht über die mephyt. Dämpfe, u. vorzügl. den Kohlendampf. 8. Frankft. (Benj. Fleischer in Leipzig.) 778.

Portal, Rud., moderne Liebe. Familien-Drama in 2 Akten (Original). 8. (34 S.) Dresden 901. E. Pierson. n. 1.—

Portale und Gitterwerke vom 15. bis 18. Jahrh. in Frankfurt am Main. Hrsg. von Friedr. Sauerwein. Nach photogr. Aufnahmen in Lichtdr. ausgeführt von Vestner und Theobald in Rödelheim. 4 Lfgn. gr. Fol. (à Lfg. 5 Bl.) Frankfurt a. M. 880, Keller. à Lfg. *ℳ 5. *

Portale v. Wiener Profanbauten des XVII. u. XVIII. Jahrh. 60 Lichtdr. nach photograph. Aufnahmen. Mit Text v. Alb. Ilg. 3 Serien. gr. Fol. (18 S. u. 2 Bl. Text.) Wien 894. A. Schroll & Co. In Mappe. à n. 20.— (kplt.: n. 60.—)

Portale von Schloß Tirol und Zenoburg. Meran 1867. V: *Seydel, Rudolph.* (Russell XII, 2, 1418)

Portall, L. v., die Fürsten von Hohencammern. — Besiegt! 2 Novellen. (184 S.) 8. Braunschweig 903. Leipzig, R. Sattler. n. 2.—

Portarea de buna cuvenentia intre omeni. Tradusa de Tim. Cipariu. 12. (35 S.) Blasiu 855. (Wien, Sintenis.) **

Port Arthur. Deutsche v. russ. Kriegsministerium ... autor. Ausg. d. russ Generalstabswerkes von [Eberhard] Frh. v. Tettau, Oberstl. a. D. T. 1. Berlin: Mittler 1910. 8°
(Der russisch-japanische Krieg. Bd 5, T. 1.) (10. 13492 4

Port Arthur-Prozess, der, nach Berichten des „Russischen Invaliden" ins Deutsche übertr. von Ritter v. Ursyn-Pruszyński. 1. u. 2. Aufl. (III, 256 S.) gr. 8. Teschen 908. K. Prochaska. 3.50

Portaszewicz, Walther, Referendar am Kgl. Amtsgericht in Leipzig: Die civilrechtliche Haftung des Vorstandes der Aktiengesellschaft. Borna-Leipzig 1905: R. Noske. (VIII, 30 S.) 8° [F.]
Leipzig, Jur. Fak., Diss. v. 17. Jan. 1905
[Geb. 12. März 81 Leipzig; Wohnort: Leipzig; Staatsangeh.: Sachsen; Vorbildung: König Albert-Gymn. Leipzig Reife O. 00; Studium: Leipzig 7 S.; Rig. 6. Febr. 04.]

de la Porte, s. a. de Laporte, auch Duteil.

Porte, de la, Einleitung zur doppelten Buchhaltung. 2 Theile. gr. 4. Wien, Trattner. (Tendler.) 762—764.

— — dass. 3r Th. s. Einleit. zum Cameralrechnungsfuße.

Porte, de la, vornehmsten Kammerdieners Ludwigs XIV., Gesch. 8. Copenh. Rothe. 766.

— Reisen eines Franzosen, oder Beschreib. der vornehmsten Reisen in der Welt, a. d. Franz. 36 Bde. 8. Lpz. Breitkopf u. Härtel. 768—91. (einz. à 8 gr.)

— la science des négocians et teneurs de livres etc. gr. 8. Paris. (Sommer, Lpz.) 798.

— la science des jeunes négocians et teneurs de livres etc. II Vol. 4. Lpz. Hinrichs.

Porte, Jacq. Andr. Sermon funèbre sur Frédéric, roi de Suède, landgrave de Hesse. 4. Frankfurt 1751.

Porte, Wilh., Judas Ischarioth in der bildenden Kunst. Inaugural-Dissertation. gr. 8. (118 S.) Berlin 883, Calvary und Comp. *

Porte, Wilh., die Mäcenatin. Ein Künstler-Roman. Mit dem Bildnis des Verf. v. Art. Volkmann u. e. Vorwort von Waldem. v. Wasielewski. (XII, 313 S.) 8. München 909. R. Piper & Co. 3.50; geb. in Leinw. 5. —

Portefaix, Ant. Lud., De singultu. Bas. 4°. 1739

Portefée, Heinr., Heimat. Plattdütsche Gedichte in sleswig-holsteensche Mundort. (IV, 208 S.) kl. 8. Charlottenburg 902. (Wesselburen, R. Schulz.) n. 1. —

Heimat. Plattdütsche Gedichte in Sleswig-Holsteensche Mundort von Heinrich Portefée. *Charlottenburg: Selbstverl.* 1902. (IV, 207 S.) 8° [δ]

Portefeuille, Das, ein Lustspiel in einem Act; a. d. Franz. Hann. 1789. Ü: *Meyer, Frdr. Albert Anton.* (schr) (GGr) (Ky)

Portefeuille, das; Lstspl. (v. Fr. Albr. Ant. Meyer). 8. Hannov. 789. Hahn. 3 gr

— allgem. der Kochkunst, s. a. Unterr. f. Frauenzimmer 2r Th.

— allgem., der Kochkunst u. Oekonomie. 3 Thle. 8. Danz. Bruckner. 796.

Portefeuille des artistes. II Vols. s. a. Blätter, artistische.

Portefeuille des artistes. II Vol. ou 8 Cah. 4. Leipz. Leo. 805. (à 4 Rthlr.)

Portefeuille f. Damen. Enthält: Strick- u. Stickmuster u. mehrere Reihen Perlen. Stuttg., Schulz.

Portefeuille, le, diplomatique et politique, Blue Book européen, Recueil de documents internationaux et des principaux travaux parus dans la presse périodique européenne. Rédact.: J. E. Delannoy. 1re année. ca. 45 livrs. (à $1\frac{1}{2}$ Bog.) gr. 8. Wien 877, Gresser. *
Einzelne Lfgn. à *
Nicht weiter erschienen.

— des enfans. gr. 4. Weimar 793. Ind.-Compt. 12 gr

Porte-feuille, aus England. 1822 s. [Lerber, Franz von].

— d'un Exempt de Police. gr. 8. Leipz. Sommer.

— f. Freundinnen der eleganten Strickkunst ic. 2 Hfte. m. K. Pirna, Friese. 811. (à 1 Rthlr.)
mit ill. K.

— für Gegenstände d. Chemie u. Pharmacie. 16 Hft. 8. Hamb. 784. (Campe). 8 gr

— für Gegenst. der Chemie und Pharmacie. 16 Heft. 8. Hamb. Hoffmann. 784.

Portefeuille von Gelegenheits-Gedichten. 2e verm. Aufl. 8. Magdeburg 836; Rubach in Berlin. $\frac{5}{12}$ rf

Portefeuille von Gelegenheitsreden — in Bandformat auf couleurtes Papier gedruckt — versiegelt. Magdeburg, Rubach. 820.

— gemeinnütziges. 2 Stück. 8. Lingen, Jülicher. 789.

— de Gotha, s. a. Goth. Hof-Kalender.

— de Gotha pour les années 1778—1810, avec fig. 12. Gotha, Ettinger. Bis 1800 à 16 gr 1801—10 à 1 rf Auch u. d. T.: Gothaer Hof-Kalender.

Porte-Feuille de Gotha pour l'année . . . .
Die mit „Porte-Feuille" bezeichnete Ausgabe enthält kein Titelkupfer u. Kalendarium, im Uebrigen stimmt sie inhaltlich mit dem „Almanac" überein.

Portefeuille, Historisches, zur Kenntniss der gegenwärtigen und vergangenen Zeit. Wien, Breslau, Leipzig, Berlin, Hamburg [Frankf. a. d. O.] 1782—88. V: *Hausen, Carl Renatus* (GGr) (später *Joh. Reinhold Forster, Matthias Chn Sprengel & Jul. Aug. Remer*). (MS) V: *Hausen, C. R. & Aug. Frdr. Lüder.* (Ky) (MGT)

— histor., zur Kenntn. der gegenwärt. u. vergang. Zeit. 7 Jahrgänge zu 12 Stck. 8. Erf. Kunze. (Akadem. Buchhdl.) 782—88. (der Jahrg. à 4 Rthlr.)

Portefeuille, homöopatisches — Enthaltend die am häufigsten vorkommenden Krankheiten. Zum verläßlichsten Selbstgebrauche für diejenigen, die auf dem Lande, auf isolirten Landgütern, vom Arzte entfernter leben, oder auf Reisen von einem Uebel überrascht werden. Prag, 1856. Druck der k. k. Hofbuchdruckerei von Gottlieb Haase Söhne. (32 S. 8.)

Portefeuille für Ingenieure, enthaltend 90 Tafeln, nebst einer Anleitung zum Gebrauche derselben. Zweite, vielfach vermehrte und verbesserte Auflage. Taschenformat in engl. Leinwd. gebunden. Brünn. Buschak & Irrgang's Verlagsbuchh. 1862. 3 fl.

— kleines, schlichter Hausmanns-Vernunft für junge Weltbürger. 8. Berlin, Litfas. (Bruder in Leipzig in Commission.)

Portefeuille, kleines, schlichter Hausmanns-Vernunft oder einer gesunden Lebens-Philosophie für junge Weltbürger. 8. ... (Halle, Schwetschke'sche Buchh.) $\frac{1}{3}$ rf

— für Künstler u. Kunstfreunde. Eine Sammlung der neuesten französ. u. engl. Croquis nach Adam, Deveria, H. Vernet, P. Potter ic. 1 u. 2s Hft. (à 6 lithogr. Blätt.) qu. gr. 8. Aachen 835. Hensen u. Comp. (à 7 gr) $\frac{7}{12}$ rf

Portefeuille für Musikliebhaber. Charakteristik von 20 Componisten . . . [Bern] 1792. V: *Junker, Carl Ludwig.* (BrMm)

— f. Musikliebhaber. (Ist neuer Titel zu: K. L. Junker 20 Componisten, dessen Pflicht e. Capellmeisters u. dessen Betrachtt. über die Tonkunst). 8. Bern 792. Typ. Societ. 16 gr (Vergl. Junker.)

Portefeuille, neuestes, f. Freundinnen weibl. Kunstarbeiten. 4 Pirna, Friese. 815.

Portefeuille politique, nouveau. Nr. 1.: Protocole des conférences de Vienne relatives à la question d'Orient. Communiqué par le gouvernement au parlement anglais le 10 Mai 1855. gr. 8. (67 S.) Leipzig 855. Gerhard. *

—— le même. — Nr. 2 et 3. gr. 8. (S. 69 — 228.) Le même 855. à Nr. 10 Ngr.

—— Le même. — Nr. 4. et 5. Recueil de pièces diplomatiques à l'égard de la question d'Orient. I. gr. 8. (S. 229 —366.) Le même 856. à Nr. 10 Ngr.

Portefeuille, Oekonomisches, zur Ausbreitung der Kenntnisse aus allen Theilen der Ökonomie. Lübeck 1786 —89. H: *Pratje, Johann Heinrich.* (Ky) (EngOec) (ML) (WÖ) (Roterm)

— ökonom., zur Ausbreitung d. Kenntniß auf alle Theile der Oekonomie, (v. Jh. H. Pratje II.) 3 Bde zu 3 Stcken u. 4n Bdes 1s Stck. 8. Lübeck 786—89. Donatius. 1 ℛ 16 gr

— ökonom., zur Ausbreit. d. Kenntn. a. all. Theile d. Oekonomie. 3 Bde zu 3 St. und 4n Bds 1s. 8. Lubeck, Donatius (Niemann u. R.) 786—89.

Portefeuille, Le, Perdu d'un Prince qui en avoit grand besoin. Par l'Auteur de la Description du Palais d'Auersperg. A Vienne 1784. V: *Traunpaur Chevalier d'Orphanie, Alphons Hch. von.* (Wienerblättchen 30/8, 1784, S. 282a) (BiblPort)

Portefeuille perdu d'un Prince, qui en avoit grand besoin. 8. Prag, Schönfeld. 784.

— poëtique d'un émigré. 8. Berne, Soc. Typograph. 794.

Porteleuille, Poetisches. Hg.: J. M. Armbruster. (1784).
St. Gallen. Goed. IV, 368, 22.

Portefeuille für Reisende durch Schlesien . . . Berlin 1794. V: *Lehndorf-Bandels, August Adolph Leopold Graf von.* (MGT) (LVS) (Ky) (BrMm) (Nent)

— für Reisende durch Schlesien, (v. Graf A. A. L. v. Lehndorf). gr. 8. Berl. 794. Franke. 22 gr Schrbp. 1 ℛ 4 gr

— — des Schönschreibens der deutschen, engl. u. franz. Schrift. 4. Leipzig, Central-Compt. 817.

— neuer etymologischer Sprachtabellen f. Reisende und Sprachfreunde der latein., französ., engl. und ital. Sprache. Halle, Hendel. 804.

Portele, K., Handbuch d. Weinbaues u. d. Kellerwirtschaft, s.: Babo, A. Frhr. v.

Portele, K., Studien üb. die Entwicklung der Traubenbeere u. den Einfluss d. Lichtes auf die Reife der Trauben. Mittheilungen aus dem Laboratorium der landwirthschaftl. Landes-Anstalt in S. Michele [Tirol]. Hrsg. v. der Direction der Anstalt. Lex.-8. (39 S.) Wien 883. (Frick.) n. 1. 60

Portele, K.: Studien über die Entwicklung der Traubenbeere und den Einfluss des Lichtes auf die Reife der Trauben. Wien: Selbstverl der Anst. 1883. 54 S. (Mitteilungen aus dem Laboratorium der Landwirthschaftlichen Landes-Anstalt in S. Michele (Tirol).) -- ÖNB*

Portelli, Jac., Ergänzungs-Wörterbuch der italienischen Sprache. Alphabetisch geordnete Erklärung der in Schrift und Aussprache nur wenig von einander abweichenden italien. Ausdrücke verschiedener Bedeutung; nebst alphabet. Anhange jener italien. Wörter, welche bei ganz gleicher Ortographie, aber bei verschiedener Betonung eine abweichende Bedeutung annehmen. 2. Ausg. gr. 8. (IX und 131 S.) Wien 852, [Wallishausser's Hoftheater-Druckerei.]

— theoretisch-praktische italienische Sprachlehre, in welcher sowohl der theoret. als der prakt. Theil auf eine besonders faßl. Art, um diese Sprache in kurzer Zeit leicht, gründlich u. angenehm zu erlernen, dargestellt sind. 2. umgearb. u. verm. Orig.-Aufl. gr. 8. (IV u. 342 S.) Ebd. 846. 1 1/3 ℛ

—— theoretisch-praktische italienische Sprachlehre, in welcher sowohl der theoret. als der prakt. Theil auf eine besonders faßliche Art, um diese Sprache in kurzer Zeit leicht, gründlich und angenehm zu erlernen, dargestellt sind. 2., umgearb. und verm. Orig.-Aufl. gr. 8. (IV und 342 S.) Wien 853, [Wallishausser's Hoftheater-Druckerei.]

Portelli, Giac., Vocabolario ortografico italiano etc. — A. u. d. T.: Orthograph.-alphabet. Handbuch der in Schrift u. Aussprache nur wenig von einander abweich. ital. Ausdrücke divergir. Bedeutung, mit italien. Erklärn. u. den adäquaten deutschen Wörtern; nebst e. Anh. jener ital. Ausdrücke, welche bei ganz gleicher Orthographie aber bei verschied. Betonung e. abweich. Bedeutung annehmen. gr. 8. (8 3/4 B.) Wien 836, (Klang.)

Portemonnaie, das größte, hat Labewig, s. Gerichts-Scenen, komische.

Portemonnaie-Almanach für 1869—1875. 128. (10 S.) Dresden, Meinhold und Söhne. geb. à Jahrg.

Portemonnaie-Almanach für 1876—1880. 64. (à Jahrg. 10 S.) Dresden, Meinhold und Söhne. geb. à Jahrg.

Portemonnaie-Almanach für 1881—1885. 64. (à Jahrg. 10 S.) Dresden, Meinhold und Söhne. geb. à Jahrg.

Portemonnaie-Almanach. 128. (10 S.) Dresden 894. C. C. Meinhold & Söhne. In Leinw. kart. — 25

Portemonnaie-Almanach. 1899. 128. (10 S.) Dresden, C. C. Meinhold & Söhne. In Leinw. kart. — 25

Portemonnaie-Almanach. 1903. 128. (10 S.) Dresden, C. C. Meinhold & Söhne. In Leinw. kart. — 25

Portemonnaie-Almanach. 1907. (10 S.) 128. Dresden, C. C. Meinhold & Söhne. In Leinw. kart. — 25

Portemonnaie-Almanach. 1911. (10 S.) 5,8×4,5 cm. Dresden, C. C. Meinhold & Söhne. Geb. in Leinw. — 25

Portemonnaie-Eisenbahn-Fahrordnung der steierischen Bahnen, nebst directen Zugs-Verbindgn. u. Verzeichnis der Fahrpreise. Sommer 1894. 128. (162 S.) Graz, H. Wagner. n. — 20

Portemonnaie-Eisenbahn-Fahrplan. Ausg. Leipzig. Sommer 1897. Giltig vom 1. V. bis 30. IX. schmal gr. 4. (4 S.) Leipzig (P. Ehrlich). — 10

Portemonnaie-Eisenbahn-Kursbuch für Mittel- und West-Deutschland. Winter 1876/77. 128. (192 S.) Kassel 876, Grobel. *
Erschien früher u. d. T.: Cassel in der Westentasche.

Portemonnaie-Fahrplan, neuester, der königl. bayer. Eisenbahnen, nebst sämmtl. Anschlussbahnen und vollständ. Fahr-Preis-Verzeichniss. Winterdienst 1878/79. 128. (128 S. mit 1 lithogr. Kärtchen.) Nürnberg 878, [Daiber.] Hermann und Satlow. *

Portemonnaie-Fahrplanbuch. 1877—1880. à Jahrg. ca. 6 Nrn. 128. (à Nr. ca. 140 S. mit 1 lithogr. Karte.) Hannover, Schmorl und v. Seefeld. à Nr.

Porte-Monnaie-Fahrplanbuch. 1881—1885. à Jahrg. ca. 6 Nrn. 128. (à Nr. ca. 150 S. mit 1 lithogr. Karte.) Hannover, Schmorl und v. Seefeld. à Nr.

Portemonnaie-Fahrplanbuch. 1886. ca. 6 Nrn. 32. (à Nr. ca. 100 S. mit 1 Karte.) Hannover, Schmorl und v. Seefeld. à Nr.
—— dass. — 1887 und 1888. à Jahrg. ca. 6 Nrn. 32. (à Nr. ca. 120 S. mit 1 Karte.) Ebendas. à Nr. *

Portemonnaie-Fahrplanbuch. 1890. ca. 6 Nrn. 32. (Nr. 1: 120 S. m. 1 Karte.) Hannover, Schmorl & v. Seefeld Nachf. à Nr. n. — 40

Portemonnaie-Fahrplanbuch. 1894. ca. 6 Nrn. 32. (Nr. 1. 192 S. m. 1 Karte.) Hannover. Schmorl & v. Seefeld Nachf. à Nr. n. — 40

Portemonnaie-Fahrplanbuch. 1897. 4 Nrn. 16. (à Nr. ca. 224 S. m. 1 Karte.) Hannover, Schmorl & v. Seefeld Nachf. à Nr. n. — 40

— dasselbe, Fortsetzg., s.: Fahrplanbuch.

Portemonnaie-Hülfs-Kalender für Techniker und Laien pro 1884. 128. (40 S.) Darmstadt, Wittich'sche Hofbuchdruckerei.

Portemonnaie-Hülfs-Kalender f. Techniker u. Laien pro 1885. 128. (44 S.) Darmstadt, Wittich'sche Hofbuchdr. — 30

Porte-monnaie-Kalender für das Jahr 1854 und 1856. 128. (29 S.) Berlin 853—55, Stuhr'sche Buchh. **

—— dass. — für das J. 1857. 128. Ebds. 856. **

—— für die J. 1859—61. 128. (à Jahrg. ca. 29 S.) Berlin, A. Abelsdorff. à Jahrg. **

—— für die J. 1859—62. 128. (à Jahrg. 31 S.) Berlin, Trowitzsch und Sohn. à Jahrg.

Porte-Monnaie-Kalender 1861. 128. (31 S.) Breslau, E. Trewendt. *

—— dass. — Für das J. 1862. 128. (26 S.) Ebendas. *

—— für das J. 1862. 128. (29 S.) Meiningen 861, Brückner und Renner.

—— für 1862—68. 128. (à Jahrg. 32 S.) Breslau, Trewendt. à Jahrg. *

Porte-monnaie-Kalender auf die J. 1863—68. 128. (à Jahrg. ca. 28 S. mit 1 Photogr.) Berlin, A. Abelsdorff. à Jahrg.

—— für die J. 1863—68. 128. (à Jahrg. 31 S.) Berlin, Trowitzsch und Sohn. geb. und mit Goldschn. Jahrg. 1863 1864—68. à Jahrg.

—— für die J. 1863—68. 128. (à Jahrg. 29 S.) Meiningen, Brückner und Renner. à Jahrg.

—— für 1863—68. 128. (à Jahrg. 37 S.) Stuttgart, Metzler's Verlag. à Jahrg. *
In Goldbronce-Metallbd. mit Goldschn. à Jahrg. *

Portemonnaie-Kalender für 1865. Miniat.-Format. (32 S.) Wien, Tendler & Comp. (C. Fromme.) eleg. mit Goldschn. 20 kr.
In Metall-Prachteinband 35 kr.

Porte-monnaie-Kalender auf die J. 1866—71. Berlin, A. Abelsdorff. 128. (à Jahrg. ca. 28 S. mit 1 Photogr.) Jeder Jahrg. 3 ngr.

— für die J. 1866—71. Berlin, Trowitzsch & Sohn. 128. (à Jahrg. 31 S.) geb. u. mit Goldschn. Jeder Jahrg. 3 ngr.

— für 1866—71. Breslau, Trewendt. 128. (à Jahrg. 32 S.) Jeder Jahrg. n. 3 ngr.

— für die J. 1866—68. Coburg, Sendelbach. 128. (à Jahrg. 32 S.) Jeder Jahrg. 2 ngr.

—— für 1866. 128. (32 S.) Elberfeld, Friderichs.

— für die J. 1866—68. Meiningen, Brückner & Renner. 128. (à Jahrg. 29 S.) Jeder Jahrg. 2 ngr.

— für 1866—68. Stuttgart, Metzler's Verlag. 128. (à Jahrg. 37 S.) Jeder Jahrg. n. 2 ngr.; In Goldbronce-Metallbd. mit Goldschn. jeder Jahrg. n. 5 ngr.

Portemonnaie-Kalender für 1866. 2. Jahrg. Miniatur-Format. Mit 1 Photographie. (32 S.) Wien, Tendler & Comp. (Carl Fromme.) eleg. in Goldschnitt 20 kr.
In Metall-Prachteinband 35 kr.

—— für 1867. 128. (64 S.) Hannover. (Celle, Schulze'sche Buchh. *

— für 1868—71. Dresden, Weiske. 128. (à Jahrg. 30 S.) Jeder Jahrg. n. 2 ngr.

— für die J. 1869—71. Dresden, Meinhold & Söhne. 128. (à Jahrg. 10 S.) geb. Jeder Jahrg. 2½ ngr.

— für die J. 1869 u. 1870. Elberfeld, Lucas. 128. Jeder Jahrg. n. 2½ ngr.

— für das J. 1869. Lahr, Schauenburg. 128. (24 S.) n. 2 ngr.

— für das J. 1870. Hildburghausen, Gadow & Sohn. 128. (28 S.) 2 ngr.

— für 1871. 128. (32 S.) Hannover 871. (Celle, Schulze'sche Buchh.) n. — 30

Portemonnaie-Kalender für 1871. Kleinstes Format. Wien, lit.-art. Anstalt. (C. Dittmarsch.) 20 kr.

— für 1874. 128. (28 S.) Hildburghausen, Gadow & Sohn. — 20

Portemonnaie-Kalender f. 1875. 128. (32 S.) Berlin 874. A. Abelsdorff. — 20

— für 1875. 128. (31 S.) Leipzig, Stehmann. pro Dutz. n. 1. 25

—— für 1875. 128. (48 S.) Würzburg, Stahel'sche Buchh. *

—— für 1876—1880. 128. (à Jahrg. ca. 31—35 S.) Berlin, Haack. geb. à Jahrg. *

—— für die J. 1876—1880. 128. (à Jahrg. 35 S.) Berlin, Trowitzsch und Sohn. à Jahrg. geb. à Jahrg. von 50 Pf. bis

—— für 1876—1880. 128. (à Jahrg. 29 S.) Breslau, Trewendt. à Jahrg. *

—— 1876—1880. 128. (à Jahrg. 29 S.) Dresden, Weiske. geh. mit Goldschn. à Jahrg. * geb. à Jahrg. *

—— für das Schaltj. 1876. 128. (37 S.) Harburg, Elkan. Nicht weiter erschienen.

—— für 1876—1879. 128. (à Jahrg. ca. 35 S.) Lahr, Geiger. geh. mit Goldschn. à Jahrg. * durchschossen à Jahrg. 20 Pf.; geb. à Jahrg. 25 Pf. bis

—— auf die J. 1876—1880. 1.—5. Jahrg. 128. (à Jahrg. ca. 30 S.) Leipzig, Stauffer. geb. à Jahrg.

Portemonnaie-Kalender für das J. 1876. 128. (50 S.) Neisse, Bretschneider. Nicht weiter erschienen.

—— für die J. 1876—1879. 128. (à Jahrg. 32 S.) Potsdam, Rentel's Buchh. à Jahrg. * geb. à Jahrg. von 15 Pf. bis

—— für 1876—1880. 128. (à Jahrg. 48 S.) Würzburg, Stahel'sche Buchh. à Jahrg. *

—— für 1877 und 1878. 128. (à Jahrg. 33 S.) Elberfeld, Lucas. à Jahrg. Mit Goldschn. à Jahrg.

— für 1877. 128. (30 S.) Lahr, Schauenburg.

Portemonnaie-Kalender für 1877—1879. 128. (à Jahrg. ca. 40 S.) Stuttgart, Metzler'sche Buchh. à Jahrg. * In Metalldeckel à Jahrg. *

—— dass. — auf das J. 1879. Hrsg. von Arno Trachbrodt. 128. (52 lithogr. S. mit lithogr. Portr. Gabelsberger's.) Leipzig, Baldamus. geb. **

—— für 1879—1885. 128. (à Jahrg. 33 S.) Elberfeld, Lucas. à Jahrg. 12 Pf.; mit Goldschn.

—— für die J. 1879 und 1880. 128. (36; 32 S.) Würzburg, Etlinger'sche Buchh. geb. à Jahrg. *

—— dass. — auf das J. 1880. Hrsg. von Arno Trachbrodt. 128. (40 autogr. S. mit lithogr. Portr. Gabelsberger's.) Dresden. (Leipzig, Baldamus.) geb. **

—— für 1880. 128. (32 S.) Esslingen, Langguth's Buchdruckerei. * In Metallbd.

—— für 1880. 128. (32 S.) Lahr, Schauenburg. geh. mit Goldschn. * durchschossen 20 Pf.; geb. 25 Pf. bis

—— für 1880. 128. (32 S.) Meißen, Schlimpert.

—— für 1880—1885. 128. (à Jahrg. ca. 30 S.) Potsdam, Rentel's Buchh. à Jahrg. geb. mit Goldschn. à Jahrg.

—— für 1880—1885. 128. (à Jahrg. 40 S.) Stuttgart, Metzler'sche Buchh. à Jahrg. 12 Pf.; geb. in Lbr. * In Goldbronce-Metallbd. à Jahrg.

Portemonnaie-Kalender f. 1881. 128. (31 S.) Aachen. Barth. geb. m. Goldschn. — 50

—— für 1881—1885. 128. (à Jahrg. 34 S.) Berlin, Haack. geb. in Lbr. mit Goldschn. à Jahrg.

—— für die J. 1881—1885. 128. (à Jahrg. ca. 40 S.) Berlin, Trowitzsch und Sohn. Auf buntem Papier à Jahrg. Feine Ausg. geb. à Jahrg. * 50 Pf.; 75 Pf.; * ℳ 1,25. *

—— für 1881—1885. 128. (à Jahrg. ca. 20 S.) Breslau, Trewendt. à Jahrg. * Luxusausg. à Jahrg.

—— 1881—1885. 128. (à Jahrg. ca. 30 S.) Dresden, Weiske. Mit Goldschn. à Jahrg. 15 Pf.; geb.

Portemonnaie-Kalender für 1881—1885. 128. (à Jahrg. 44 S.) Düsseldorf, F. Bagel. geb. in Lbr. à Jahrg.

—— für 1881—1885. 128. (à Jahrg. 32 S.) Esslingen, Langguth's Buchh. à Jahrg. * In Metallbd. à Jahrg. *

—— für die J. 1881—1885. 128. (à Jahrg. 27 S.) Hildburghausen, Gadow und Sohn. à Jahrg.

—— pro 1881—1885. 128. (à Jahrg. 32 S.) Crefeld, Klein's Buchh. à Jahrg. 10 Pf.; mit Goldschn. geb. in Lbr. à Jahrg.

—— für die J. 1881—1885. 6.—10. Jahrg. 128. (à Jahrg. ca. 50 S.) Leipzig, Stauffer. geb. à Jahrg.

—— für 1881—1885. 128. (à Jahrg. ca. 46 S.) Meißen, Schlimpert. à Jahrg.

—— für 1881—1885. 128. (à Jahrg. 48 S.) Stuttgart, Rupfer. à Jahrg. 10 Pf.; mit Goldschn. geb. in Leinw. mit Goldschn.

—— für 1881—1885. 128. (à Jahrg. 32 S.) Würzburg, Etlinger'sche Buchh. geb. à Jahrg. *

—— für 1881—1885. 128. (à Jahrg. 72 S.) Würzburg, Stahel'sche Universitäts-Buchh. à Jahrg. *

— für 1882. 128. (32 S.) Köln, Bachem. — 15

— für 1882. 128. (47 S.) Meissen, Schlimpert. — 10

Portemonnaie-Kalender. Ungar. Ausg. f. 1882. 9 Jahrg.
Ausg. A. Eleg. in ganz neuartigem Umschlage broch. mit zwei Photographien 20 kr.
„ B. In englischem Einband 30 kr.
„ C. 1. Eleg. geb. in fein ausgeführtem Metalldeckel 36 kr.
2. Eleg. geb. mit Email 40 kr.
„ D. 1. In fein ausgeführtem Platinadeckel 36 kr.
2. dto. mit Email 40 kr.
„ E. In Juchten- oder Chagrinleder eleg. geb. 40 kr.
„ F. In Seide od. Jockey-Einband eleg. geb. 40 kr.
„ G. In Holzeinband 40 kr.
„ H. 1. In Kork oder Leinwand mit Malerei 40 kr.
2. Feine Ausgabe 60 kr.
„ I. Elfenbeinähnlich 40 kr.
„ K. In Celloid (ganz neu und effectvoll!!) 45 kr.
Wien: Moritz Perles 1881.

— pro 1883. 128. (31 S.) Krefeld, Klein. — 10; mit Goldschn. — 15; geb. in Callico — 25; in Kalbleder — 35

— für das Jahr 1883. 8. Jahrg. 128. (30 S.) Leipzig, Stauffer. geb. — 15

— für 1883. 128. (40 S.) Stuttgart, Metzler's Verlag. n. — 12; geb. in Ldr. n. — 20; in Goldbronce-Metall n. — 27

— für 1883. 128. (48 S.) Stuttgart, Rupfer. — 10; m. Goldschn. — 20; geb. in Leinw. mit Goldschn. — 25

— für das Jahr 1883. 128. (32 S.) Würzburg, Etlinger. geb. n. — 25

— für 1883. 128. (44 S.) Würzburg, Stahel. n. — 20

— für 1884. 128. (30 S.) Stuttgart, Rupfer. — 10; m. Goldschn. — 20; in Goldbdecke — 25

— 1884. 128. (29 S.) Dresden, Weiske. geh. m. Goldschn. — 15; geb. — 25

— für d. J. 1885. 10. Jahrg. 128. (54 S.) Leipzig, Stauffer. geb. — 15

— für 1885. 128. (40 S.) Stuttgart, Metzler's Verl. — 12; geb. in Ldr. n. — 20; in Goldbronce-Metallbd. — 30

—— für 1886—1888. 128. (à Jahrg. ca. 35 S.) Berlin, Haack. geb. mit Messingecken und Goldschn. à Jahrg.

—— auf die J. 1886—1889. 128. (à Jahrg. 35—38 S.) Berlin, Trowitzsch und Sohn. à Jahrg. geb. à Jahrg. * 50 Pf. und

Portemonnaie-Kalender 1886—1889. 128. (à Jahrg. 31 S.) Breslau, Trewendt. à Jahrg.

—— 1886—1889. 128. (à Jahrg. ca. 50 S.) Dresden, Weiske. à Jahrg. * 15 Pf.; geb. *

Portemonnaie-Kalender für 1886—1889. 128. (à Jahrg. 40—44 S.) Düsseldorf, F. Bagel. geb. in Leder à Jahrg.

—— für die J. 1886—1889. 128. (à Jahrg. 27 S.) Hildburghausen, Gadow und Sohn. à Jahrg. *

—— für 1886—1889. 128. (à Jahrg. 40 S.) Stuttgart, Metzler's Verlag. à Jahrg. 12 Pf.; geb. in Leinw. * geb. in Goldbronce-Metallbd. à Jahrg.

—— für die J. 1886—1889. 128. (à Jahrg. 32 S.) Würzburg, Etlinger. geb. à Jahrg. *

—— für 1886—1889. 128. (à Jahrg. 72 S.) Würzburg, Stahel'sche Universitäts-Buchh. à Jahrg. *

—— für 1887. Mit einem Anhang: Der Samariter. 128. (108 S.) Bonn, Herschel. geb.

— für 1887. 128. (40 S.) Düsseldorf, F. Bagel. geb. in Ldr. — 40

— für d. J. 1887. 128. (32 S.) Düsseldorf, Voß & Co. cart. — 40

— für d. J. 1887. 128. (27 S.) Hildburghausen, Gadow & Sohn. — 10

— für d. J. 1887. 128. (32 S.) Würzburg, Etlinger. geb. n. — 24

— für 1887. 128. (72 S.) Würzburg, Stahel. n. — 20

—— für 1889. 128. (35 S.) Ebendas. geb. in Leder mit Goldschn. und Messingecken

— für 1889. 128. (40 S.) Stuttgart, Metzler's Verl. — 12; geb. in Leinw. n. — 20; in Goldbronce-Metallband — 30

Portemonnaie-Kalender für 1890. 128. (24 S.) Aachen, Schweitzer. — 10

— für 1890. 128. (35 S.) Berlin, Haack. geb. in Ldr. m. Goldschn. u. Messingecken. — 30

— für 1890. 128. (38 S.) Berlin, Trowitzsch & Sohn. — 15; cart. n. — 20; geb. in Leinw. n. — 60; in Ldr. m. Metalldecken n. — 50; m. Blumenmalerei. — 75

— für 1890. 128. (70 S.) Würzburg, Stahel. n. — 20

— 1891. 128. (28 S.) Breslau, Trewendt. — 10

— 1891. 24. Jahrg. 128. (52 S. m. 1 Tab.) Dresden, Weiske. geb. n. — 25

— für 1891. 128. (44 S.) Düsseldorf, F. Bagel. — 12; in Ldr. geb. — 40

— für d. J. 1891. 128. (32 S.) Würzburg, Etlinger. geb. n. — 25

Portemonnaie-Kalender (böhmisch) pro 1892:
A. Eleg. in Umschlag broch. mit zwei Photographien --.20
B. in Englischem Einband --.30
C. 1. Eleg. geb. in fein ausgeführtem Metalldeckel —.36
2. Eleg. geb. in Email --.40
D. 1. Eleg. geb. in fein ausgeführtem Platinadeckel --.36
2. Eleg. geb. in Email ---.40
E. 1. Eleg. geb. in Juchten (mit Pressung 1892, Tarokkarten, Bicycle, Billard, Kegel-Emblemen etc. etc. —.40
2. Eleg. geb. Elfenbeinähnlich .40

Portemonnaie-Kalender (böhmisch) pro 1892:
F. 1. Eleg. geb. in Metall mit Lithographie —.50
2. Eleg. geb. in Kalbleder mit Anker und Bicycle —.50
3. Eleg. geb in Elfenbein oder Schildkrot mit Nickelbeschlag —.50
4. Eleg geb. in Schweinsleder-Imitation —.50
5. Eleg. geb. in Leder mit Blumen —.50
6. Eleg. geb. in div. moderne Einbände (mehr als 20 versch. Muster) —.50
G. 1. Eleg. geb. in feinem Kalbleder mit Pressung: „Na zdar!" —.65
2. Eleg. geb. in feinem Kalbleder mit Medaillonbild, altrömischer Münze, altägyptischen Figuren etc. etc. —.65
H. 1. Eleg. geb. in Leder mit feingeschliffenem Spiegel —.75
2. Eleg. geb. in feinem Schwarzleder mit gemalten Blumen —.75
I. 1. Eleg. geb. in feinem, schwarzem Kalbleder mit Spiegel, Brieftasche darstellend (2 Ausgaben) 1.—
2. Eleg. geb. in Plüsch mit Defregger-Bildern etc., colorirt und Leder mit Metallblumen colorirt 1.—
Wien: Perles.

Portemonnaie-Kalender f. 1893. 128. (36 S.) Aachen, I. Schweitzer. n. — 10

— für 1895. 128. (31 S.) Breslau, E. Trewendt --10

— für 1895. 128. (44 S.) Düsseldorf, A. Bagel. — 12; in Leinw. geb. — 40

— für 1895. 128. (41 S.) Elberfeld, S. Lucas. — 5; durchsch. — 10

— für 1895. 128. (40 S.) Stuttgart, J. B. Metzler's Verl. — 10; geb. in Leinw. m Goldschn. — 25; in Metall — 30

— für 1896. 128. (41 S.) Elberfeld, S. Lucas. — 05; durchsch. - 10

Portemonnaie-Kalender f. 1898. 64. (56 S.) Aachen, I. Schweitzer. — 10

— 1899. 128. (32 S.) Breslau, E. Trewendt. — 10

— für 1899. 128. (44 S.) Düsseldorf, A. Bagel. — 10; geb. in Ldr. — 40

— für d. J. 1899. 128. (25 S.) Schliersee, A. Finsterlin. — 05; — 15; kart. — 30; geb. in Ldr. — 50; in Metall — 50

— für 1899. 128. (40 S.) Stuttgart, J. B. Metzler's Verl. M. Goldschn. — 10; geb. in Leinw. m. Goldschn. — 25; in Bronze m. Goldschn. — 30

Portemonnaie-Kalender f. 1903. 128. (26 Bl.) Aachen, I. Schweitzer. — 10; geb. in Leinw. — 20

— 1903. 128. (30 S.) Breslau. Berlin, E. Trewendt. — 05

— für 1903. 128. (44 S.) Düsseldorf, A. Bagel. — 10; geb. in Ldr. — 40

— für 1903. 128. (40 S.) Stuttgart, J. B. Metzler. Mit Goldschn. — 10; geb. in Leinw. m. Goldschn. — 25

Portemonnaie-Kalender f. 1906. (61 S.) 128. Aachen, I. Schweitzer. — 10; geb. in Leinw. — 20

— 1907. (31 S.) 128. Breslau, J. U. Kern. — 05

— für 1907. (44 S.) 128. Düsseldorf, A. Bagel. — 10; geb. in Ldr. — 40

— für 1907. (40 S.) 128. Stuttgart, J. B. Metzler. Mit Goldschn. — 10; geb. in Leinw. m. Goldschn. — 20

- für die elegante Welt 1907. (64 S. m. 2 Photogr.) 128. Wien, M. Perles. Mit Goldschn. n. — 30; geb. von n. -- 50 bis n. 2. —

— 1909. (31 S.) 4,9×3,5 cm. Breslau, J. U. Kern. — 05

Portemonnaie-Kalender f. 1911. (63 S.) 5×3,5 cm. Aachen, I. Schweitzer. -- 10; geb. in Leinw. - - 20

— 1911. (44 S.) 4,7×3,3 cm. Düsseldorf, A. Bagel. — 10; geb. in Ldr. — 40

— für 1911. (40 S.) 3,8×3,1 cm. Stuttgart, J. B. Metzler. Mit Goldschn. — 10; geb. in Leinw. m. Goldschn. — 20

Portemonnaie-Kalender

—— altdeutscher, für das J. 1887. 128. (52 S.) München, Knorr und Hirth. * 30 Pf.; in altdeutschem Einbd. *
Nicht weiter erschienen.

—— für die k. k. Armee 1881—1885. 1.—5. Jahrg. 64. (80; 80; 90; 88; 90 S.) Iglau, Lehmann'sche Buchh. geb. à Jahrg. *

— für die k. u. k. Armee. 1893. 13. Jahrg. 128. (III, 163 S.) Iglau, P. Bäuerle. Geb. in Leinw. m. Goldschn. n. 1. 80; in Ldr. m. Goldschn. n. 1. 60

— Bäuerle's, f. alle Stände. 1893. 1. Jahrg. 128. (III, 74 S.) Iglau, P. Bäuerle. Geb. in Leinw. m. Goldschn. — 90; in Ldr. m. Goldschn. 1. 20

Portemonnaie-Kalender, Fromme's Wiener, s. Portemonnaie-Kalender, Wiener.

—— Grazer, 1879 und 1880. (1. und 2. Jahrg.) 128. (à Jahrg. 58 S.) Graz, Verlag Leykam-Josefsthal. à Jahrg. * 40 Pf.; geb. in Metalldecke ** geb. in Leder à Jahrg. **

—— Grazer, 1881—1885. 128. (à Jahrg. 64 S. mit 1 Photogr.) Graz, Verlagsh. „Leykam". à Jahrg. * geb. à Jahrg. * 72 Pf. und *

—— hannoverscher, 1877—1880. 128. (à Jahrg. 30 S.) Hannover, Schmorl und v. Seefeld. à Jahrg. geb. mit Goldschn. à Jahrg. *

—— Klagenfurter, 1881—1885. 128. (à Jahrg. 64 S. mit 1 Photogr.) Klagenfurt, Liegel. à Jahrg. * In Bronzebd. à Jahrg. * 72 Pf.; in Ldrbd. *

— Leipziger, f. 1898. 21. Jahrg. 128. (32 S.) Leipzig, W. Wigand's Buchdr. In Leinw. kart. — 12

— Leipziger, f. 1902. 25. Jahrg. 128. (32 S.) Leipzig, W. Wigand's Buchdr. In Leinw. kart. — 12
Fortsetzung s.: Portemonnaie-Kalender, Leipziger.

— Leipziger, f. 1903. 26. Jahrg. 128. (32 S.) Leipzig, W. Wigand's Buchdr. In Leinw. kart. — 12

— Leipziger, f. 1906. 29. Jahrg. (32 S.) 128. Leipzig, W. Wigand's Buchdr. In Leinw kart. — 12

Portemonnaie-Kalender, Leykam's, für 1893.
Broschirt, mit Goldschnitt Graz: Leykam. — 20
— — Geb. in Leder, mit Goldschnitt —.40
— — In Metall, mit Goldschnitt —.36

Portemonnaie-Kalender, Leykam's pro 1894.
Brosch. mit Goldschnitt Graz: Leykam. —.20
Geb. in Leder mit Goldschnitt —.40
Metalleinband —.36

Portemonnaie-Kalender, Leykam's, für 1895.
Brosch., mit Goldschnitt Graz: Leykam. —.20
— — Geb. in Leder, mit Goldschnitt —.40
— — Metalleinband —.36

Portemonnaie-Kalender, Leykam's für 1896.
Brosch., mit Goldschnitt Graz: Leykam.
— — Geb. in Leder, mit Goldschnitt
— — Metalleinband

Portemonnaie-Kalender, Leykam's für 1897.
Broschirt mit Goldschnitt Graz: Leykam. —.20
— — Geb. in Leder, mit Goldschnitt —.40
— — In Metall, mit Goldschnitt —.36

Portemonnaie-Kalender, Leykam's pro 1898.
Mit Goldschnitt —.20, in Metalleinband —.36
Geb. in Leder mit Goldschnitt —.40
Graz: Leykam.

Portemonnaie-Kalender, Leykam's, pro 1899.
Broschirt, mit Goldschnitt —.20
— — Metall, mit Goldschnitt —.36
— — Geb. in Leder, mit Goldschnitt —.40
Graz: Leykam.

—— Münchener, für die J. 1879 und 1880. 128. (38; 62 S.) München, J. A. Finsterlin. à Jahrg. * geb. à Jahrg. von 30 Pf. bis

—— Münchener, für die J. 1881—1885. 128. (à Jahrg. 32 S.) München, J. A. Finsterlin. à Jahrg. geb. à Jahrg. 15 Pf.; 30 Pf. und *

—— Münchener, für die J. 1886—1889. 128. (à Jahrg. 32 S.) München, J. A. Finsterlin. à Jahrg. ** geb. à Jahrg. 15 Pf.; 30 und *

— Münchener, f. d. J. 1891. 128. (32 S.) München, J. A. Finsterlin. — 10; geb. — 15; — 30 u. n. — 40

— Münchener, f. d. J. 1895. 128. (32 S.) Fischbach-Schliersee, A. Finsterlin. — 5; geh. — 10; geb. — 15; — 30 u. — 50

— Münchener, f. d. J. 1896. 128. (32 S.) Fischbach-Schliersee, A. Finsterlin. — 05; geh. — 10; geb. — 15; — 30 u. — 50

Portemonnaie- und Notiz- Kalender

—— —— für 1876—1885. 128. (à Jahrg. 32 S.) Meißen, Schlimpert. à Jahrg.

Portemonnaie- u. Notiz-Kalender f. d. J. 1885. 128. (36 S.) Dresden, A. Köhler. — 10; geb. — 25

— f. 1885. 128. (32 S.) Meißen, Schlimpert. — 10

—— und Notiz-Kalender für 1886—1889. 128. (à Jahrg. 32 S.) Meißen, Schlimpert. à Jahrg.

Portemonnaie- u. Notiz-Kalender f. 1899. 128. (36 S.) Meißen, H. W. Schlimpert. — 10

—— sächsischer, 1876—1880. 128. (à Jahrg. ca. 30 S.) Dresden, Weiske. à Jahrg. 15 Pf.; geb.

Schweiz. Portmonai-Kalender 1876 In farbigem Glace-Umschlag geheftet mit Goldschnitt.
Brugg, Fisch, Wild & Co. —. 25
— — gbdn. in engl. Lwd. mit Goldschn. —. 40

Portemonnaie-Kalender, schweizerischer, für 1880. In-128°. Brugg, Fisch, Wild & Cie.
In Glacé-Umschlag — 25
In Englisch Leinen — 50

— für Gabelsberger-Stenographen, s.: Marnet, Wilh.

—— stenographischer, für 1878. 128. (47 lithogr. S.) Dresden, G. Dietze. **

—— stenografischer, für 1881. Hrsg. von Arno Trachbrodt. 128. (39 autogr. S. mit lithogr. Portr. Gabelsberger's.) Leipzig, Baldamus. geb. **
Nicht weiter erschienen.

— stenografischer, f. 1881. Hrsg. v. Arno Trachbrodt. 128. (39 autogr. S. m. lith. Portr. Gabelsberger's.) Leipzig, Uhlig. geb. n.n. — 30

— stenographischer, auf d. J. 1886. 124. (48 S. m. Portr.) Dresden. (Stuttgart, Hugendubel.) geb. n. — 40

— stenographischer, auf d. J. 1889. 128. (64 S. m. Gabelsberger's Bild.) Dresden. (Stuttgart, Hugendubel.) In Leinw. cart. n. — 40

— stenographischer, auf d. J. 1895. 128. (64 S. m. 1 Bild.) Dresden, Druckerei Glöss. In Leinw. kart. n.n. — 25

— stenographischer, auf d. J. 1896. 128. (64 S. m. 1 Bild.) Dresden, Druckerei Glöss. In Leinw. kart. n.n. — 25

—— für die elegante Welt. 1872—1875. Mit einem Auszug der Metermassberechnung. 128. (à 38 mit 1 Photogr.) Wien, Perles. à Jahrg. * 40 Pf.; in Metalleinbd. à Jahrg. * Mit Email oder in Juchten à Jahrg. *

—— für die elegante Welt, 1876—1880. Mit einem Auszug der Metermassberechnung. 128. (à Jahrg. ca. 38 S. mit 1 Photogr.) Wien, Perles.
Jahrg. 1876, 1877 und 1880 à *
Jahrg. 1878 und 1879 à à
geb. à Jahrg. 60 Pf. bis

— für die elegante Welt 1877. Mit e. Auszug der Metermassberechng. 128. (40 S. m. 1 Photogr.) Wien, Perles. n. — 40; in Metalleinb. n. — 70; m. Email n. — 80; in Platina-Einb. n. — 70; in Juchten- od. Chagrinldr. n. — 80; in Seide od. Moviré n. — 80

Portemonnaie-Kalender für die elegante Welt. 1881—1885. 128. (à Jahrg. 40 S. mit Photogr.) Wien, Perles. à Jahrg. * 40 Pf.; geb. à Jahrg. von * 60 Pf. bis *

—— für die elegante Welt 1886—1889. 128. (à Jahrg. 64 S. mit je 2 Photogr.) Wien, Perles. à Jahrg. * geb. à Jahrg. von * 60 Pf. bis *

Portemonnaie-Kalender für die elegante Welt pro 1890. XIX. Jahrgang:
A) 1. Eleg. in Umschlag broch. mit zwei Photographien .20
2. Eleg. in Buchdruck Umschlag mit einer Photographie .20
B) In englischem Einband —.30
C) 1. Eleg. geb. in fein ausgeführtem Metalldeckel —.36
2. Eleg. geb. in Email —.40
D) 1. Eleg. geb. in fein ausgeführtem Platinadeckel —.36
2. Eleg. geb. in Email —.40
E) 1. Eleg. geb. in Juchten (mit Pressung 1890, Tarokkarten, Bicycle, Billard, Kegel-Emblemen ꝛc. ꝛc.) —.40
2. Eleg. geb. Elfenbeinähnlich, in Seide oder modernem Einband —.40
F) 1. Eleg. geb. in Leder mit Pressung „Brieftaube" —.50
2. Eleg. geb. in Leder mit Landschaft —.50
3. Eleg. geb. in Elfenbein oder Schildkrot mit Nickelbeschlag —.50
4. Eleg. geb. in Schweinsleder-Imitation —.50
5. Eleg. geb. in Atlas mit Blumen —.50
6. Eleg. geb. in Kalbleder mit Wiener Stadtwappen —.50
7. Eleg. geb. in diverse moderne Einbände (mehr als 20 verschiedene Muster) .50
G) 1. Eleg. geb. in feinem Kalbleder mit Pressung: „Glück auf!", „Prosit Neujahr!" „Viel Glück!" —.65
2. Eleg. geb. in Plüsch mit Defregger-Bildern u. Genrebildchen in Celluloidpressung ꝛc. —.65
H) Eleg. geb. in Leder mit feingeschliffenem Spiegel —.75
I) 1. Eleg. geb. in feinem Kalbleder, Brieftasche darstellend 1.—
2. Eleg. geb. in Plüsch mit Defregger-Bildern, colorirt 1.—
Wien: Perles.

— für die elegante Welt 1891. 128. (64 S. m. 2 Photogr.) Wien, Perles. n. — 40; geb. von n. — 60 bis n. 2. —

Portemonnaie-Kalender für die elegante Welt. 1892:
A. 1 Eleg. in Umschlag broch. mit zwei Photographien —.20
2. Eleg. in Buchdruck-Umschlag mit einer Photographie —.20
B. in Englischem Einband —.30
C. 1. Eleg. geb. in fein ausgeführtem Metalldeckel —.36
2. Eleg. geb. in Email —.40
D. 1. Eleg. geb. in fein ausgeführtem Platinadeckel —.36
2. Eleg. geb. in Email —.40
E. 1. Eleg. geb. in Juchten (mit Pressung 1892, Tarokkarten, Bicycle, Billard, Kegel-Emblemen etc. etc. —.40
2. Eleg. geb. Elfenbeinähnlich .40
F. 1. Eleg. geb. in Metall mit Lithographie —.50
2. Eleg. geb. in Kalbleder mit Anker und Bicycle —.50
3. Eleg. geb in Elfenbein oder Schildkrot mit Nickelbeschlag —.50
4. Eleg geb. in Schweinsleder-Imitation —.50
5. Eleg. geb. in Leder mit Blumen —.50
6. Eleg. geb. in Kalbleder mit Wiener Stadtwappen —.50
7. Eleg. geb. in div. moderne Einbände (mehr als 20 versch. Muster) —.50
G. 1. Eleg. geb. in feinem Kalbleder mit Pressung: „Glück auf!", „Prosit Neujahr!", „Viel Glück!" —.65
2. Eleg. geb. in feinem Kalbleder mit Medaillonbild, altrömischer Münze, altägyptischen Figuren etc. etc. —.65
Wien: Perles.

Portemonnaie-Kalender für die elegante Welt pro 1893:

A. 1. Elegant in Umschlag brochirt mit zwei Photographien .20
2. Eleg. in Buchdruck-Umschlag mit einer Photographie .20

B. In Englischem Einband —.30

C. 1. Eleg. geb. in fein ausgeführtem Metalldeckel .36
2. Eleg. geb. in Email —.40

D. 1. Eleg. geb. in fein ausgeführtem Platinadeckel —.36
2 Eleg. geb. in Email .40

E. 1. Eleg. geb in Juchten (mit Pressung 1893, Tarokkarten, Bicycle, Billard, Kegel-Emblemen etc. etc.) .40
2. Eleg. geb. Elfenbeinähnlich —.40

F. 1. Eleg. geb. i. Metall m. Lithographie —.50
2. Eleg. geb. in Kalbleder mit Anker und Bicycle —.50
3. Eleg. geb. in Elfenbein oder Schildkrot mit Nickelbeschlag —.50
4. Eleg. geb. i Schweinsleder-Imitation —.50
5. Eleg. geb. in Leder mit Blumen —.50
6. Eleg. geb. in Kalbleder mit Wiener Stadtwappen .50
7. Eleg. geb. in diverse moderne Einbände (mehr als 20 verschiedene Muster) —.50

G. 1. Eleg. geb. in feinem Kalbleder mit Pressung „Glück auf!" – „Prosit Neujahr!" — „Viel Glück!" —.65
2. Eleg. geb. in feinem Kalbleder mit Medaillonbild altrömischer Münze, altägyptischen Figuren etc. —.65

H. Eleg. geb. in Leder mit feingeschliffenem Spiegel —.75

I. 1. Eleg. geb. in feinem, schwarzem Kalbleder, mit Spiegel, Brieftasche darstellend (2 Ausgaben) 1.—
2. Eleg. geb in Plüsch mit Defregger-Bildern etc., colorirt 1.—

H. 1. Eleg. geb. in Leder mit feingeschliffenem Spiegel —.75
2. Eleg. geb. in feinem Schwarzleder mit gemalten Blumen —.75

I. 1. Eleg. geb. in feinem, schwarzem Kalbleder mit Spiegel, Brieftasche darstellend (2 Ausgaben) 1.—
2. Eleg. geb. in Plüsch mit Defregger-Bildern etc, colorirt und Leder mit Metallblumen c o l o r i r t 1.—

Wien: Perles.

— **für die elegante Welt. 1895. 128. (62 S. m. 2 Photogr.) Wien, M. Perles. Mit Silberschn. n. — 40; geb. von n. — 60 bis n. 2. —**

Portemonnaie-Kalender für die elegante Welt pro 1896:

A. 1. Elegant in Umschlag broschirt mit zwei Photographien —.20
2. Eleg. in Buchdruck-Umschlag mit einer Photographie —.20

B. Eleg. in englischem Einband —.30

C. 1. Eleg. geb. in fein ausgeführtem Metalldeckel —.36
2. Eleg. gebunden in Email —.40

D. 1. Eleg. geb. in fein ausgeführtem Platinadeckel —.36
2. Eleg. geb. in Email —.40

E. 1. Eleg. geb. in Juchten (mit Pressung 1896, Tarockkarten-, Bicycle-, Billard-, Kegel- und Schützen-Emblemen etc.) —.40
2. Eleg. geb. Elfenbeinähnlich —.40

F. 1. Eleg. geb. Kaiser-Ausgabe in schw.-g. Seide m. Adler —.50
2. Eleg. gebunden in gepresstem Leder mit Bronce-Auflagen —.50
3. Eleg. geb. in Elfenbein oder Schildkrot mit Nickelbeschlag —.50
4. Eleg. geb. mit Scytogen und Bildern sortirt —.50
5. Eleg. geb. in Leder mit Blumen und Malerei —.50
6. Eleg. geb. in lichtem Leder mit Bronce-Auflagen —.50

Wien: Perles.

7. Elegant gebunden in Safian-Leder mit Sprüchen —.50
8. Eleg. geb. in Leder-Einbänden (in mehr als 20 versch. Ausg.) —.50

G. 1. Eleg. gebunden in feinem Kalbleder mit Pressung „Na zdar!" „Glück auf!" „Prosit Neujahr!" „Viel Glück!" —.65
2. Eleg. geb. in Plüsch mit diversen Auflagen —.65

H. 1. Eleg. geb. in Leder mit feingeschliffenem Spiegel —.75
2. Eleg. geb. in Chagrin-Täschchen mit Juchten-Kalender —.75

I. Eleg. geb. in feinem schwarz. Kalbleder mit Spiegel, Brieftasche darst. (2 Ausgaben) 1.—

Wien: Perles.

Portemonnaie-Kalender für die elegante Welt pro 1897:

A. 1. Elegant in Umschlag broschirt mit zwei Photographien —.20
2. Elegant in Buchdruck-Umschlag mit einer Photographie —.20

B. Eleg in englischem Einband —.30

C. 1. Elegant gebunden in fein ausgeführtem Metalldeckel —.36
2. Eleg. geb. in Email —.40

D. 1. Elegant gebunden in fein ausgeführtem Platinadeckel —.36
2. Eleg. geb. in Email —.40

E. 1. Eleg. geb in Juchten (mit Pressung 1897, Tarokkarten-, Bicycle-, Billard-, Kegel- und Schützen-Emblemen etc.) —.40
2. Eleg. geb. Elfenbeinähnlich —.40

F. 1. Elegant geb. Kaiser-Ausgabe in schwarzgelber Seide mit Adler —.50
2. Elegant geb. in gepresstem Leder mit Bronze-Auflagen —.50
3. Elegant geb. in Elfenbein od. Schildkrot mit Nickelbeschlag —.50
4. Elegant geb. in Scylogen mit Bildern, sortirt —.50
5. Elegant geb. in Leder mit Blumen und Malerei —.50

6. Elegant gebunden in Echtem Leder mit Bronze-Auflagen —.50
7. Elegant gebunden in rothem Safianleder mit deutschen Sprüchen —.50
8. Eleg. geb. in Leder-Einbänden (in mehr als 20 verschiedenen Ausgaben) —.50
G. 1. Elegant geb. in feinem Kalbleder mit Pressung „Boldog ug évet!“ „Glück auf!“ „Prosit Neujahr“ —.65
2. Elegant gebunden in Plüsch mit diversen Auflagen —.65
H. 1. Elegant gebunden in Leder mit feingeschliffenem Spiegel —.75
2. Elegant gebund. in Chagrin-Täschchen mit Juchten-Kalender —.75
I. 1. Elegant geb. in feinem, schwarzen Kalbleder mit Spiegel, Brieftasche darstellend. (Zwei Ausgaben) 1.

Wien: Perles

Portemonnaie-Kalender für die elegante Welt pro 1898:
A. 1. Elegant in Umschlag broschirt mit zwei Photographien —.20
2. Elegant in Buchdruck-Umschlag mit einer Photographie —.20
B. Eleg. in englischem Einband —.30
C. 1. Elegant gebunden in fein ausgeführtem Metalldeckel —.36
2. Eleg. geb. in Email —.40
D. 1. Elegant gebunden in fein ausgeführtem Platinadeckel —.36
2. Eleg. geb. in Email —.40
E. 1. Eleg. geb. in Juchten (mit Pressung 1898, Tarokkarten-, Bicycle-, Billard-, Kegel- und Schützen-Emblemen etc.) —.40
2. Eleg. geb. Elfenbeinähnlich —.40
F. 1. Elegant geb. Kaiser-Ausgabe in schwarzgelber Seide mit Adler und in Leder mit Kaiserportrait —.50
2. Elegant geb. in gepresstem Leder mit Bronze-Auflagen —.50
3. Elegant geb. in Elfenbein od. Schildkrot mit Nickelbeschlag —.50
4. Elegant geb. in Leder mit Blumen und Malerei —.50
5. Elegant gebunden in lichtem Leder mit Bronze-Auflagen —.50
6. Elegant gebunden in rothem Safianleder mit deutschen Sprüchen —.50
7. Eleg. geb. in Leder-Einbänden (in mehr als 20 verschiedenen Ausgaben) —.50
G. 1. Elegant geb. in feinem Kalbleder mit Pressung „Boldog uj évet!“ „Glück auf!“ „Prosit Neujahr“ —.65
2. Elegant gebunden in Plüsch mit diversen Auflagen —.65
H. 1. Elegant gebunden in Leder mit feingeschliffenem Spiegel —.75
2. Elegant gebund. in Chagrin-Täschchen mit Juchten-Leder —.75
I. Elegant geb. in feinem, schwarzem Kalbleder mit Spiegel, Brieftasche darstellend. (Zwei Ausgaben) 1.

Wien: Perles.

— f. d. elegante Welt 1899. 128. (64 S. m. 2 Photogr.) Wien, M. Perles. Mit Goldschn. n. —40; geb. von n. — 60 bis n. 2. —

— für die elegante Welt 1903. 128. (64 S. m. 2 Photogr.) Wien, M. Perles. Mit Goldschn. n. —30; geb. von n. — 50 bis n. 2. —

— für die elegante Welt 1911. (64 S. m. 2 Photogr.) 4,8×7,3 cm. Wien, M. Perles. —30; geb. v. —50 bis 2. —

—— Wiener, für 1866—68. 128. (à Jahrg. 32 S. mit 1 Photogr.) Wien, Fromme. à Jahrg. *
In Goldbronce-Metallbd. mit Goldschn. à Jahrg. *

Portemonnaie-Kalender, Wiener, für 1869—1875. 5.—11. Jahrg. 128. (à 32 S. mit 1 Photogr.) Wien, Fromme. à Jahrg. *
à Jahrg. in Metall-Einb. * 60 Pf.; geb. in Juchten *
geb. in Golddeckel mit 1 Photogr. à Jahrg. *
Mit 4 Photogr. à Jahrg. *

—— Wiener, für 1870. 64. (32 S.) Wien, Literarisch-artist. Anstalt. *

—— **Wiener, 1876—1880. 12.—16. Jahrg. 128. (à 40 S. mit 1 Photogr.) Wien, Fromme. à Jahrg. ***
geb. à Jahrg. von 60 Pf. bis

—— Fromme's Wiener, für 1881—1885. 17.—21. Jahrg. 128. (à Jahrg. 64 S. mit 1 Photogr.) Wien, Fromme. à Jahrg. 40 Pf.; geb. à Jahrg. von 60 Pf. bis

—— **Fromme's Wiener, 1886—1889. 22. Jahrg. 128. (à Jahrg. 64 S. mit 1 Photogr.) Wien, Fromme. à Jahrg.**
geb. à Jahrg. von 60 Pf. bis

— Frommo's Wiener, 1887. 23. Jahrg. 128. (64 S. m. 1 Photogr.) Wien, Fromme. —40; geb. von —60 bis 1. 60

Portemonnaie-Kalender, Fromme's **Wiener**. 21. Jahrgang. Wien, Fromme. Broschirte Ausgabe fl. —.20, Leinwand-Ausgabe mit Goldschnitt fl. —.30, Leinwand-Ausgabe. Grün Leinwand mit Vignette in Goldpressung, Gemskopf oder Auerhahn fl. —.40, Bronze-Ausgabe. Eleg. Bronze-Einband fl. —.36, Email-Ausg. Emaillirter Bronze-Einband fl. —.40, Leder-Ausg. Elegant verschiedenfarbiger Leder-Einband, Titel mit Goldpressung fl. —.40, Schweinsleder mit Titelpressung fl. —.40, Elfenbein-Ausgabe, eleg. Invoirit-Einband fl. —.50, Beschlags-Ausg., altdeutscher Gold-, Cuivrepoli- und Oxyd-Beschlag mit Atlas oder Celluloid unterlegt. Beschlags-Ausgabe fl. —.50, mit Seidensammt unterlegt. fl. —.60, Spruch-Ausgabe. Echt vergoldeter Metall-Einbd. fl. —.60. Kaiser-Ausgabe mit 4 Photographien. Echt vergold. Metall-Einband fl. —.80 1887

Portemonnaie-Kalender, Wiener.
Leder-Ausgabe. Blumen und Vögel in Farben und Gold —.50
Saffian-Ausgabe. Schwalben „Wir kommen wieder" —.50
Leder-Ausgabe mit Golddruck u. Plüsch-Einsatz —.50
Leder-Ausgabe. Heraldische Muster in Gold und Farben —.50
Saffian-Ausgabe mit Sprüchen —.50
Pergament mit Malerei —.50
Elfenbein-Ausg. Eleg. Ivoirit-Einb. —.50
Beschlags-Ausgabe. Altdeutscher Gold-, Cuivrepoli- und Oxyd-Beschlag, mit Atlas oder Celluloid unterlegt —.50
Dieselbe m. Seidensammt unterlegt —.60
Spruch-Ausgabe. Echt vergoldeter Metall-Einband —.60
Kaiser-Ausgabe mit 4 Photographien des allerh. Kaiserhauses. Echt vergoldeter Metall-Einband —.80
Wien: Fromme 1890.

Portemonnaie-Kalender, Fromme's Wiener. 26. Jahrg. 1890. Broschirte Ausgabe Wien: Fromme.
Leinwand-Ausgabe mit Goldschnitt .30
Leinwand-Ausgabe. Grüne Leinw. mit Vignette in Goldpressung, Gemskopf oder Auerhahn .30
Bronze-Ausgabe. Eleg. Bronze-Einband .36
Email-Ausgabe. Emaillirter Bronze-Einband .40
Leder-Ausgabe. Eleg. verschiedenfarb. Leder-Einband. Titel mit Goldpressung .40
Schweinsleder mit Titelpressung .40
Leder-Ausgabe. Das österreichische Wappen in Hochpressung .40
Leder-Ausgabe. Liebhaberband in gekörntem Leder, Gold und Schwarzdruck mit Phantasie-Vorsätzen .50
Leder-Ausgabe. Krokodil-Leder .50
Leder-Ausgabe. Mit Blumen- und Schmetterlingpressung in Gold und Farben .50
Leder-Ausgabe. Marguerite-Pressung in Gold und Farben .50
Leder-Ausgabe. Blumen und Vögel in Farben und Gold .50
Leder-Ausgabe. Ritter St. Georg in Gold und Schwarz-Hochpressung .50
Saffian-Ausgabe. Schwalben „Wir kommen wieder" .50
Leder-Ausgabe mit Golddruck u. Plüscheinsatz —.50
Leder-Ausg. Herald. Muster in Gold u. Farben —.50
Saffian-Ausgabe mit Sprüchen —.50
Japan-Ausgabe. Imitirter Japan-Lackeinband mit Blumen —.40
Elfenbein-Ausgabe. Eleg. Ivoirit-Einband —.50
Beschlags-Ausgabe. Altdeutsche Gold-, Cuivre poli- und Oxyd-Beschläge mit Atlas oder Celluloide unterlegt —.50
Dieselbe mit Seidensammt unterlegt —.60
Spruch-Ausgabe. Echt vergold. Metall-Einbd. —.60
Kaiser-Ausgabe m. 4 Photographien des a.-h. Kaiserhauses. Echt vergoldeter Metall-Einband —.80

— Fromme's Wiener, 1891. 64. (62 S. m. 1 Bild.) Wien, Fromme. — 40; in verschiedenen Liebhaber-Einbdn. — 60 bis 1. 60

Portemonnaie-Kalender, Fromme's Wiener, pro 1892. 28. Jahrg. Wien: Fromme.
Mit vorsichtig gewählten Photographien —.20
Leinwand-Ausgabe mit Goldschnitt —.30
Leinwand-Ausgabe. Grüne Leinw. m. Vignette in Goldpressung, Gemskopf od. Auerhahn —.30
Bronze-Ausg. Eleg. Bronze-Einband —.36
Email-Ausgabe. Emaillirter Bronze-Einb. —.40
Leder-Ausgabe. Eleg. verschiedenfarbiger Leder-Einband. Titel mit Goldpressung —.40
Schweinsleder mit Titelpressung —.40
Leder-Ausgabe. Das österreichische Wappen in Hochpressung —.40
Elfenbein-Ausgabe. Eleg. Ivoirit-Einband —.50
Beschlag-Ausgabe. Altdeutscher Gold-, Cuivre poli- und Oxyd-Beschlag, mit Atlas oder Celluloid unterlegt —.50
Dieselbe, mit Seidensammt unterlegt —.60
Spruch-Ausg. Echt vergold. Metall-Einb. —.60
Kaiser-Ausgabe, mit 4 Photographien des allerhöchsten Kaiserhauses. Echt vergoldeter Metall-Einband —.80
Leder-Ausgabe. Krokodil-Leder —.50
Leder-Ausgabe. Mit Blumen- u. Schmetterlingpressung in Gold und Farben —.50
Leder-Ausgabe. Margueritepressung in Gold und Farben —.50
Leder-Ausgabe. Blumen und Vögel in Farben und Gold —.50
Saffian-Ausgabe. Schwalben: „Wir kommen wieder" —.50
Saffian-Ausgabe: „Wien bleibt Wien" —.50
Saffian-Ausgabe: „Mein goldenes Wien" —.50
Saffian-Ausgabe, mit Sprüchen —.50
Saffian-Ausgabe, mit Vögeln und Blumen —.50
Saffian-Ausgabe, mit Vergissmeinnicht und Schmetterling —.50
Saffian-Ausgabe, mit Alpenblume —.50
Krebsroth-Saffian m. Goldlinien; englisch —.50
Pergament-Ausgabe —.50
Weisses Leder mit gemalter Rose u. Vergissmeinnicht —.65

Portemonnaie-Kalender, Fromme's Wiener. 29. Jahrg. 1893. Broschirte Ausgabe. Mit vorsichtig gewählten Photographien und Lichtdrucken Wien: Fromme .20
Leinwand-Ausgabe mit Goldschnitt —.30
Leinwand-Ausgabe. Grüne Leinw m. Vignette i. Goldpressung, Gemskopf od. Auerhahn —.30
Bronze-Ausgabe. Eleg. Bronze-Einband —.36
Email-Ausgabe. Emaillirter Bronze-Einb. —.40
Leder-Ausgabe Eleg. verschiedenfarb. Leder-Einband. Titel mit Goldpressung —.40
Schweinsleder mit Titelpressung —.40
Leder-Ausgabe. Das österreichische Wappen in Hochpressung —.40
Leder-Ausgabe. Krokodil-Leder —.50
Leder-Ausgabe Mit Blumen- und Schmetterling-Pressung in Gold und Farben —.50
Leder-Ausgabe. Margueriten-Pressung in Gold und Farben —.59
Leder-Ausgabe. Blumen und Vögel in Farben und Gold —.50
Saffian-Ausgabe. Schwalben: „Wir kommen wieder" —.50

Saffian-Ausgabe. „Wien bleibt Wien" —.50
Saffian-Ausgabe. „Mein goldenes Wien" —.50
Saffian-Ausgabe, mit Sprüchen —.50
Saffian-Ausgabe, mit Vögeln und Blumen .50
Saffian-Ausgabe, mit Vergissmeinnicht und Schmetterling —.50
Saffian-Ausgabe, mit Alpenblume —.50
Saffian-Ausgabe, mit Storch und Vogel —.50
Saffian-Ausg., grün, m. Kleebl. u. „Dein" —.50
Krebsroth-Saffian m. Goldlinien; englisch —.50
Elfenbein-Ausgabe. Eleg. Ivoirit-Einband —.50
Beschlag-Ausgabe. Altdeutscher Gold-, Cuivre poli- und Oxyd-Beschlag, mit Atlas oder Celluloid unterlegt —.50
Dieselbe mit Seiden-Sammt unterlegt —.60
Spruch-Ausgabe. Echt vergoldeter Metall-Einband —.60
Weisses Leder mit gemalter Rose und Vergissmeinnicht —.65
Kaiser-Ausgabe mit vier Photographien des Allerhöchsten Kaiserhauses. Echt vergoldeter Metall-Einband —.80

Portemonnaie-Kalender, Wiener Fromme's. 1894. 30. Jahrg. Wien: Fromme

Broschirte Ausgabe. Mit vorsichtig gewählten Photographien und Lichtdrucken —.20
Ausgabe in feinem lithographirten Umschlag. Blumen —.30
Ausg. in fein. lithogr. Umschlag, Thiere —.30
Ausg. in feinem lithogr. Umschlag, Rococo-Figuren —.30
Ausgabe in feinem lithographirten Umschlag. Landschaften —.30
Leinwand-Ausgabe mit Goldschnitt —.30
Leinwand-Ausgabe. Grüne Leinw. m. Vignette in Goldpressung, Gemskopf o. Auerhahn —.30
Bronze-Ausg. Eleg. Bronze-Einband —.36
Email-Ausg. Emaillirter Bronze-Einband —.40
Leder-Ausg. Eleg. verschiedenfarbiger Leder-Einband. Titel mit Goldpressung —.40
Schweinsleder mit Titelpressung .40
Leder-Ausg. Das österreichische Wappen in Hochpressung —.40
Saffian-Ausg., mit zwei Glücksschweinchen und 1 Kronenstück, in Gold —.50
Saffian-Ausgabe. Schwalben „Wir kommen wieder" —.50
Saffian-Ausg. „Wien bleibt Wien" —.50
Saffian-Ausg. „Mein goldenes Wien" —.50
Saffian-Ausg. Mit Sprüchen —.50
Saffian-Ausg. Mit Herz, Schloss und Schlüssel, in Gold —.50
Saffian-Ausgabe. Mit Vergissmeinnicht und Schmetterling —.50
Saffian-Ausgabe. Mit Herz und Schlüssel, in Gold —.50
Saffian-Ausgabe. Mit drei vierblättrigen Kleeblättern, in Gold —.50

Saffian-Ausgabe. Mit 5 Glücksschweinchen, in Gold —.50
Krebsroth-Saffian m. Goldlinien; englisch —.50
Elfenbein-Ausg. Eleg. Ivoirit-Einband —.50
Beschlag-Ausg. Altdeutscher Gold-, Cuivre poli- und Oxyd-Beschlag mit Atlas oder Celluloid unterlegt —.50
Dieselbe mit Seidensammt unterlegt —.60
Spruch-Ausgabe. Echt vergoldeter Metall-Einband —.60
Rohleder-Ausg. Mit gemalt. Maßliebchen —.65
Rohleder-Ausg. Mit gemalten Veilchen —.65
Kaiser-Ausgabe. Mit vier Photographien des a.-h. Kaiserhauses. Echt vergoldeter Metall-Einband —.60

— Fromme's Wienor, 1895. 128. (64 S. m. 1 Lichtdr.) Wien, C. Fromme. Mit Goldschn. n. —40; kart. od. geb. von n. — 60 bis n. 1. 60

Portemonnaie-Kalender, Wiener, Fromme's, 32. Jahrg., 1896. Broschirte Ausgabe. Mit vorsichtig gewählten Photographien Wien: Fromme
Ausgabe in feinem lithograph. Umschlag, Blumen —.20
Ausgabe in feinem lithogragh. Umschlag, Thiere —.20
Ausgabe in feinem lithograph. Umschlag, Rococo-Figuren. —.20
Ausgabe in feinem lithograph. Umschlag, Landschaften —.20
Leinwand-Ausgabe mit Goldschnitt —.30
Leinwand-Ausgabe. Grüne Leinwd. m. Vignette in Goldpressg., Gemskopf oder Auerhahn —.30
Bronce-Ausgabe. Eleg. Bronce-Einband —.36
Email-Ausgabe. Emailirter Bronce-Einbd. —.40
Leder-Ausgabe. Eleg. verschiedenfarbiger Leder-Einband. Titel mit Goldpressung —.40
Schweinsleder mit Titelpressung —.40
Leder-Ausgabe. Das österreichische Wappen in Hochpressung —.40
Saffian-Ausgabe mit Schwalbe und Herz, und „Der Frühling zieht in dein Herz hinein" in Goldpressung —.50
Saffian-Ausgabe. Schwalben. „Wir kommen wieder" —.50
Saffian-Ausgabe, Schwalben mit vierblättrigem Kleeblatt im Schnabel —.50
Saffian-Ausgabe, „Wien bleibt Wien" —.50
Saffian-Ausgabe, mit Schwalbe und „Grüss Gott" in Goldpressung —.50
Saffian-Ausgabe, „Mein goldenes Wien" —.50
Saffian-Ausgabe, mit Sprüchen —.50
Saffian-Ausgabe, mit Vergissmeinnicht und Schmetterling —.50
Saffian-Ausgabe mit 3 vierblättrigen Kleeblättern, in Gold —.50
Krebsroth-Saffian mit Goldlinien; englisch —.50
Elfenbein-Ausgabe. Eleg. Ivoirit-Einband —.50
Beschlag-Ausgabe. Altdeutsch. Gold-, Cuivre poli- und Oxyd-Beschlag mit Atlas oder Celluloid unterlegt —.50
Spruchausgabe, echt vergoldet, Metalleinbd. —.60
Dieselbe mit Seidensammt unterlegt —.60
Rehleder-Ausg., m. gemaltem Massliebchen —.65
Rehleder-Ausgabe, mit gemalten Veilchen —.65

Celluloid-Ausgabe, mit gemalter Rose —.65
Kaiser-Ausgabe mit 4 Photographien des a. h. Kaiserhauses. Echt vergoldeter Metall-Einband —.80

Portemonnaie-Kalender, Fromme's Wiener, 33. Jahrgang. Broschirte Ausgabe. Mit vorsichtig gewählten Photographien Wien: Fromme
Ausgabe in fein. lithogr. Umschlag. Blumen, Thiere, Rococo-Figuren u. Landschaften —.20
Leinwand-Ausgabe mit Goldschnitt —.30
Leinwd.-Ausgabe. Grüne Leinw. m. Vignette in Goldpressung, Gemskopf oder Auerhahn —.30
Bronce-Ausgabe. Eleg. Bronce-Einband * —.36
Email-Ausg. Emaillirter Bronce-Einbd. * —.40
Leder-Ausgabe. Eleg. verschiedenfarbiger Leder-Einband. Titel mit Goldpressung * —.40
Schweinsleder mit Titelpressung * —.40
Leder-Ausgabe. Das österreichische Wappen in Hochpressung * —.40
Saffian-Ausgabe, mit Schwalbe und Herz, und „Der Frühling zieht in dein Herz hinein" in Goldpressung * —.50
Saffian-Ausgabe, Schwalben, „Wir kommen wieder" * —.50
Saffian-Ausgabe. Schwalbe mit vierblättrigem Kleeblatt im Schnabel * —.50
Saffian-Ausgabe. „Wien bleibt Wien" * —.50
Saffian-Ausgabe, mit Schwalbe und „Grüss Gott" in Goldpressung * —.50
Saffian-Ausgabe. „Mein goldenes Wien" * —.50
Saffian-Ausgabe, m. 2 Glücksschweinchen * —.50
Saffian-Ausgabe, mit Hasen * —.50
Saffian-Ausgabe, mit vierblättrigem Kleeblatte in Goldpressung * —.50
Krebsrots-Saffian m. Goldlinien, englisch * —.50
Elfenbein-Ausgabe. Eleg. Ivoirit-Einbd * —.50
Beschlag-Ausgabe. Altdeutsch. Gold-, Cuivre poli- und Oxyd-Beschlag, mit Atlas oder Celluloid unterlegt * —.50
Dieselbe mit Seidensammt unterlegt * —.60
Spruch-Ausgabe. Echt vergoldet. Metall-Einband * —.60
Krokodilleder, grün, mit emaillirtem Massliebchen * —.65
Krokodilleder, grün, mit Frauenkäferl * —.65
Celluloid-Ausgabe, mit gemalter Rose * —.65
Kaiser-Ausgabe mit 4 Photographien des a. h. Kaiserhauses. Echt vergoldeter Metall-Einband * —.80

Portemonnai-Kalender, Fromme's Wiener. 1898. 34. Jahrgang. Broschirte Ausgabe. Mit vorsichtig gewählten Photographien Wien: Fromme
Ausgabe in feinem lithogr. Umschlag, Blumen, Thiere, Rococo-Figuren u. Landschaften —.20
Leinwand-Ausgabe mit Goldschnitt —.30
Leinwand-Ausgabe. Grüne Leinwand mit Vignette in Goldpressung, Gemskopf oder Auerhahn —.30
Bronze-Ausgabe. Eleg. Bronze-Einband —.36
Email-Ausgabe. Emaillirter Bronze-Einb. —.40
Leder-Ausgabe. Elegant. verschiedenfarbiger Leder-Einband. Titel m. Goldpressung —.40
Schweinsleder mit Titelpressung —.40
Leder-Ausgabe. Das österreichische Wappen in Hochpressung —.40
Saffian-Ausgabe, mit „Gott schütze Dich" —.50
Saffian-Ausgabe, Schwalben „Wir kommen wieder" —.50
Saffian-Ausgabe, Schwalbe mit vierblättrigem Kleeblatt im Schnabel —.50
Saffian-Ausgabe, „Wien bleibt Wien" —.50
Saffian-Ausgabe, mit Schwalbe und „Grüss Gott" in Goldpressung —.50
Saffian-Ausgabe, „Mein goldenes Wien" —.50
Saffian-Ausgabe, mit 2 Glücksschweinchen —.50
Saffian Ausgabe, mit „Gott zum Gruss" —.50
Saffian-Ausgabe, mit vierblätterigem Kleeblatt, in Goldpressung —.50
Krebsroth-Saffian m. Goldlinien, englisch —.50
Schweinsleder mit Fliege —.50
Saffian-Leder, Kaiser Jubiläumsausgabe mit Büste —.50
Elfenbein-Ausgabe. Eleg. Ivoirit-Einband —.50
Beschlag-Ausgabe. Altdeutsch. Gold-, Cuivre poli- und Oxyd-Beschlag mit Atlas oder Celluloid unterlegt —.50
Dieselbe mit Seidensammt unterlegt —.60
Spruch-Ausgabe. Echt vergoldet. Metall-Einband —.60
Krokodilleder, grün, mit Frauenkäferl —.65
Ecrasé-Leder mit Email-Ecken —.65
Kaiser-Ausgabe mit 4 Photographien des a. h. Kaiserhauses. Echt vergoldeter Metall-Einband —.80

— Fromme's Wiener. 1899. 128. (56 S. m. 1 Lichtdr.) Wien, C. Fromme. Mit Goldschn. n. — 40; geb. von n. — 60 bis n. 1. 60

— Fromme's Wiener 1901. 128. (61 S. m. 1 Lichtdr.) Wien, C. Fromme. Mit Goldschn. n. — 30
Fortsetzung s.: Fromme.

— Würzburger, 1877. 128. (32 S.) Würzburg, Etlinger. — 20

— für 1877. 128. (48 S.) Würzburg, Stahel. n. — 20

—— Würzburger, 1877—1880. 128. (32 S.) Würzburg, Etlinger'sche Buchh. à Jahrg. * 20 Pf.; geb. à Jahrg.

—— Würzburger, 1881—1885. 128. (à Jahrg. 32 S.) Würzburg, Etlinger'sche Buchh. geb. à Jahrg.

Portemonnaie-Liederbüchlein, s.: Westentaschen-Liederbuch.

Portemonnaie-Notizkalender 1882—1885. 128. (à Jahrg. 48 S.) Frankfurt a. M., Gebr. Knauer. à Jahrg.

Portemonnaie-Verband-Almanach. 1.—5. Jahrg. 1876—1880. 128. (à Jahrg. 4 S. mit 4 Bl. Salicylsäure-Klebtaffet.) Leipzig, Paulcke. à Jahrg. *

Portemonnaie-Verband-Almanach 1881—1885. 6.—10. Jahrg. 128. (à Jahrg. 16 S. mit 4 Bl. Salicylsäure-Klebtaffet.) Leipzig, Paulcke. à Jahrg. ·

Porten, Adam Maria, Novellen u. Anderes. (III, 180 S.) 8. Dresden 904. E. Pierson. n. 2. —; geb. n. 3. —

Porten, Ernst von der: Erfolge der Credé'schen Prophylaxe an der Heidelberger Frauenklinik. Heidelberg 1908: Dörr. 20 S. 8°

Heidelberg, Med. Diss. v. 20. Sept. 1909, Ref. Menge

[Geb. 10. Mai 84 Hamburg; Wohnort: Hamburg; Staatsangeh.: Hamburg; Vorbildung: Realgymn. d. Johanneums Hamburg Reife O. 03; Studium: Freiburg i. B. 5, München 1, Heidelberg 4 S.; Coll. 26. Juni 08; Approb. 15. Sept. 09.] [U 10. 2084

Porten, J. M., friedliche Gespräche zwischen Katholiken u. Protestanten üb. kathol. Lehren u. Einrichtgn. gr. 8. (IV, 76 S.) Trier 896. (Löwenberg.) n. — 50

Porten, J. M., um was handelt es sich? Randbemerkungen zur Endres'schen Schrift über das „Bantusseminar" mit steter Berücksicht. der Scheuffgen-Lager'schen Gegenschrift. gr. 8. (50 S.) Trier 890. Paulinus-Druckerei. n. — 40

Porten, Max v. d., Entstehen u. Empfindung u. Bewusstsein. Versuch einer neuen Erkenntnistheorie. (63 S.) gr. 8. Leipzig 910. Akadem. Verlagsgesellschaft. 1. 60

Porten, Max v. der, Geschichte u. Ziele der studentischen Reformpartei. Vortrag gehalten im Heidelberger Studentenverein am 7. Decbr. 1870. 3. unveränd. Aufl. gr. 8. (35 S.) Heidelberg 871. Bangel & Schmitt. — 75

— Der Monismus u. die platonischen Ideen, s.a. Flugschriften des deutschen Monistenbundes.

Der Monismus und die platonischen Ideen. 2 Vorträge geh. 1908 von Dr. M[aximilian] von der **Porten**. Hamburg: Deutscher Monistenbund, Ortsgruppe Hamburg 1908. 40 S. 8°
(Deutscher Monistenbund. Flugschriften d. Ortsgruppe Hamburg. 5/6.)
(Flugschriften des Deutschen Monistenbundes. [15/16.]) [10. 10440

— Das Problem der Urzeugung, s.a. Flugschriften des deutschen Monistenbundes.

Das Problem der Urzeugung. Vortrag des Herrn Dr. [Maximilian] v. d. **Porten** geh. 1907 in d. Ortsgruppe Hamburg. Brackwede i. W.: W. Breitenbach 1907. (19 S.) 8° [F.]
= Deutscher Monistenbund. **Flugschrift** d. Ortsgruppe Hamburg. 1. [07. 6975

Das Problem der Urzeugung. Vortrag des Herrn Dr. M[aximilian] v. der **Porten** geh. 1907 in d. Ortsgruppe Hamburg. 2. Aufl. Hamburg: Ortsgruppe 1908. 15 S. 8°
(Deutscher Monistenbund. Flugschrift d. Ortsgruppe Hamburg. 1.) A 12.12.43

Das Problem der Urzeugung. Vortrag d. Herrn Dr. M[aximilian] v. der **Porten**, geh. 1907 in Hamburg. 2. Aufl. Hamburg: Deutscher Monistenbund, Ortsgruppe Hamburg 1908. 15 S. 8°
(Deutscher Monistenbund. Flugschrift d. Ortsgruppe Hamburg. 1.)
(Flugschriften d. Deutschen Monistenbundes. H. 9.) [10. 10435

— Der Sieg des Monismus in der modernen Tragödie, — s.a. Flugschriften des deutschen Monistenbundes.

Der Sieg des Monismus in der modernen Tragödie. Von Dr. [Maximilian] von der **Porten**. Brackwede i. W.: Breitenbach in Komm. [übergekl.: Berlin: Deutscher Monistenbund] 1908. 29 S. 8°
(Deutscher Monistenbund. Flugschrift d. Ortsgruppe Hamburg. 2.)
(Flugschriften d. Deutschen Monistenbundes. [10.]) [10. 10436

von der Porten, Max (geb. Hamburg 26. 3. 1850): Untersuchungen über Teratome der Gans. Berlin (1873). (32 S.) 8°

Berlin, Med. Diss. v. 2. Aug. 1873

— Was enthüllt uns der Dr. Wehnert'sche Anti-Monismus, s.a. Flugschriften des deutschen Monistenbundes.

Was enthüllt uns der Dr. Wehnert'sche Antimonismus? Vortrag, geh. 1909 von Dr. M[aximilian] von der **Porten**, Hamburg. Berlin & Leipzig: Deutscher Monistenbund 1909. 16 S. 8°
(Deutscher Monistenbund. Flugschrift d. Ortsgruppe Hamburg. 9.)
(Flugschriften des Deutschen Monistenbundes. Nr 20.) [10. 10444

Porten, Paul Maximilian von der, appr. Arzt a. Hamburg: Beitrag zur Differentialdiagnose der multiplen Sklerose. Rostock 1906: Adler. (24 S.) 8°

Rostock, Med. Fak., Ref. Martius, Diss. v. 20. Juli 1906

[Geb. 28. Mai 79 Hamburg; Wohnort: Zawadzki O.-S.; Staatsangeh.: Preußen; Vorbildung: Wilh.-Gymn. Hamburg Reife O. 00; Studium: München 4, Freiburg i. B. 2, Leipzig 3 S.; Coll. 6. März 06; Approb. 28. April 05.]

Porten, S[ally] von der: De cataractae extractione adjecta nova extrahendi ratione. Addita est tabula lithographica. Halis [1842]: Ploetz. 36 S., 1 Taf. 8°

Halle-Wittenberg, Med. Diss., nachgeliefert von dem am [30. Nov. 1841] auf Thesen promovierten Verf.

Geb. Hamburg [14. 5. 1819].

Porten, S[ally] von der: Theses controversae. Halae (1841): Ploetz. 2 Bl. 8°

Halle-Wittenberg, Med. Thesen v. 30. Nov. 1841

Portenschlag, J. C. v., s. Portenschlag-Ledermayer, Joseph v.

de Portenschlag-Ledermayer, Frz., († d. 7. Nov. 1822.) enumeratio plantarum in Dalmatia lectarum. Zum Andenken des Verewigten, von seinen Freunden. gr. 8. Wien 824. Härter. (Mayer u. C.) 12 gr.

Portenschlag-Ledermayer, Joseph von

v. Portenschlag, J. C. jun., s. Annalen der Kuhpockenimpfung.

Portenschlag(-Ledermayer junior), Joseph von (Übers.):

s.: Carro, Jean de: Beobachtungen und Erfahrungen über die Impfung der Kuhpocke. (Observations et expériences sur l'inoculation de la vaccine. Dt.) Wien: 1801

— s. Sammler, der, e. Unterhaltungsschrift.

Portenschlag-Ledermayer senior, Joseph von: Über den Wasserkopf. Ein Beytrag zu einer Monographie dieser Krankheit. Nebst einem Anhang, verschiedene Anmerkungen, einige Leichenöffnungen, und einen Aufsatz über die Kuhpocke enthaltend. 591 S., gbd.

Wien: Strauß 1812

v. Portenschlag-Ledermayer, Jos., üb. d. Wasserkopf. Ein Beitr. zu e. Monographie dieser Krankheit. gr. 8. Wien 812. Strauß. (Schaumburg u. C.) 2 ℛ

v. Porter, ..., s. S. v. Ricci, Leben.

Porter, Anna Maria, s. Porter, Jane

Porter, D., s. Porter, James

Porter, Hobart Charles [aus Philadelphia Pa.]: **Abhängigkeit der Breitling- und Unterwarnow-Flora vom Wechsel des Salzgehaltes ... (Aus d. Arch. d. Ver. d. Freunde d. Naturgesch. in Mecklenb.) Güstrow i. M., Ratsbuchdr. v. C. Michaal & A. Schuster, 1894; 29 S., 1 Taf., 1 Kt. 8.**

Rostock, Phil. Fak., Inaug.-Diss. v. [19. Jan.] 1894

Porter, Hobart Charles, Abhängigkeit der Breitling- u. Unterwarnow - Flora vom Wechsel des Salzgehaltes. [Aus: „Archiv d. Ver. d. Freunde der Naturgesch. in Mecklenburg".] Diss. gr. 8. (80 S. m. 2 z. Tl. farb. Taf.) Güstrow 894. (Opitz & Co.) n. 1. —

Porter, J. M. Rede über die Aufhebung der Freibriefe von Corporationen. Nazareth 1838.

Porter, J. H., kriegschirurgisches Taschenbuch. Preisgekrönt von J. Maj. der deutschen Kaiserin und Königin von Preussen. Aus dem Engl. für den Sanitätsdienst nach der 2. Aufl. bearb. von Ernst Schill. 12. (XX, 347 S. mit 152 eingedr. Holzschn.-Abbild.) Leipzig 882, F. C. W. Vogel. geb. *

Porter, James. Anmerkungen über die Religion ... und Sitten der Türken; a. d. Engl. Leipzig 1768. Ü: *Garve, Chn.* (EngG) (Ky) (JL)

Porter, Jak., Anmerkk. üb. die Religion, Regierungsform u. Sitten d. Türken; aus d. Engl. (von Chr. Garve). 8. Leipz. 768. Junius. 6 ℊ

Porter, D., Anmerk. üb. die Türken, a. d. Engl. 8. Leipz. Junius. 768.

Porter, Jane

Porter, Miß Anna, Ritter Ademar v. Bourbon; aus d. Engl. v. W. v. Gersdorf. 2 Thle. 8. Leipz., Lauffer. 2 ℛ (A. u. d. T.: W. v. Gersdorf, Erzählungen. 5r u. 6r Thl.)

Porter, (Miß J.) Herzog Christian v. Braunschweig-Lüneburg. Eine Sage vom Harz. Nach den Engl. v. G. Lotz. 2 Bde. Mit Vign. 8. Hamb. 825, Herold.

— Herzog Christian v. Lüneburg, oder die Sage vom Harz. Frei nach den Engl. v. Constantia v. B. 3 Thle. 8. Berlin 826, Mathisson.

— (u. Anne Marie), Erzähll. beim Kaminfeuer; aus d. Engl. von Aug. K. 2 Bde. 8. Quedlinb. 827. Basse. 2 ℛ 16 ℊ

Porter, Maria Anna, kunstlose Erzählungen, n. Beddors Geschichte d. Js. Jenkins, aus dem Engl. 8. Halle, Dienger. 795.

— das Feld der vierzig Fußtapfen; aus d. Engl. von J. Sporschil. 2 Thle. 8. Leipz. 829. (Lehnhold). 2 ℛ 8 ℊ

Porter, Miß Joha., die Vierzig Fußtapfen. Ein Roman. A. d. Engl. v. J. Sporschil. 2 Thle. 8. (34 B.) Leipzig 829, [Lehnhold.]

Porter, (Miß Anna,) des Pfarrers Heimath; ein romant. Gemälde nach den Engl. von Constantin von B. 2 Thle. 8. Berl. 822, Stuhr.

— d. Kreuzritter; aus d. Engl. von W. v. Gersdorf. 2 Thle. 8. Leipz. 821. Lauffer. 2 ℛ 12 ℊ

Porter, J., der Herzog von Ripperda, s. Bibliothek, europäische.

— Graf Sobiesky. Histor. Roman v. G. Lotz. 2 Bände. 8. Braunschw. 825, Meyer.

— Thaddäus Constantin, Graf v. Sobieski. Novelle. Deutsch bearb. v. Constantia v. B. 2 Thle. 8. Dresd. 825. (Grimmer). 2 ℛ Hbg. Pr. 18 ℊ

— Thaddäus Constantin, Graf v. Sobieski. Novelle. Deutsch bearb. v. Constantia v. B. 2 Thle. 8. Dresd. 825, Hilscher. à 1 Rthl.

——, Thaddäus Constantin, Graf v. Sobieski. Poln. Novelle. 2 Thle. (Wohlf. Ausg.) 8. (25 B.) Dresden 831, [Grimmer.] 1 Thlr. 8 Gr., hrbgs. Pr.

Porter, Maria Anna, s. Porter, Jane

Porter, R., Auf und Nieder. Eine Lebensgeschichte im Gewande der Dichtung. Aus dem Amerikan. Autoris. Uebersetzung von Marie Morgenstern. 8. (256 S.) Leipzig 880, Böhme. ℳ 2,70.; geb. *

Porter, Robert Ker

Porter, Ker, s. Ker Porter.

— — Der Russische Feldzug im Jahr 1812. Aus dem Englischen übersetzt von D. Paul Ludolph Kritz. 8. Leipzig und Altenburg 1815.

Porter, Rosa, Sommerreiser zum Winterfeuer. Autorisirte Uebersetzung aus dem Engl. von Marie Morgenstern. 8. (288 S.) Basel 877, Schneider. *

Porter, Wilh. Heinr., Beobachtungen üb. d. chirurg. Krankheiten d. Kehlkopfs u. d. Luftröhre, besond. in Rücksicht auf diesen. Leiden dieser Organe, welche d. Operation d. Bronchotomie erfordern; mit Einschluss v. Bemerkn. üb. Croup, Cynanche laryngea, Verletzungen durch Verschlucken von Säuren u. kochend. Wasser, fremde Körper in d. Luftwegen, Asphyxia, Wunden etc. N. d. 2. Aufl. a. d. Engl. übers. v. Runge. gr. 8. (26½ B.) Bremen 838, [Schünemann's Vrlsbuchh.]

Porterbrauer, der deutsche, oder Anweisung ein dem engl. Porter gleichkommendes Bier zu brauen, mit besond. Hinsicht auf die Porterbierbrauerei des Herrn Nathusius zu Althaldensleben v. e. ehemal. Vorsteher derselben. 2e durchgeh. u. mit e. Abhandl üb. d. Fabrik des engl. Ale verm. Aufl. 8. Berlin 824, Petri.

Porterbrauer, der deutsche, od. Anweis., e. dem engl. Porter gleichkomm. Bier zu brauen ꝛc. Nebst e. Abhandl. üb. d. Fabrikat. d. engl. Ale. Von e. ehemal. Vorsteher. 4., durchges. Aufl. 8. (4½ B.) Berlin 836. (Leipzig, Steinacker.)

Porterbrauer, der engl., od. Anweisung, ein dem engl. Porter gleich kommendes Bier zu brauen ꝛc. Nebst e. Abhandl. üb. d. Fabrikation d. engl. Ale. 3. Ausg. 8. (5 B.) Berlin 829, Petri.

Portery, Matth., Geschichte des Ablasses für gebildete Katholiken und Akatholiken. 12. (IV und 48 S.) Trier 853, Gall'sche Brlgsh.

Portes, (Guillaume) de, et Monod, Henri. Correspondance entre la colonel de P' de Crassier et le citoyen H' M'.... 8. Berne 1805.

Porteus, Bailby

Porteus, D. D. Beilby, die vorzügl. Beweise der Wahrheit u. des göttl. Ursprungs der christl. Religion, vorzügl. für die Jugend; aus d. Engl. übersetzt. 8. Königsb. 816. (Universitäts-Buchh.) 12 ℊ

— heureux effets du christianisme sur la félicité temporelle du genre humain etc. 8. Leipz., Joachim. 1 ℛ

Porteus, Bailby. Drei Reden über die Unsterblichkeit der Seele; a. d. Engl. Leipzig 1792. Ü: *Schehl, D.* (Ky)

—drei Reden üb. die Unsterblichkeit der Seele; aus d. Engl. (v. D. Schehl). 8. Leipz. 792. (Brockhaus). 5 gr

Porteus, Bischof, drey Reden über die Unsterblichkeit der Seele. 8. Leipz. Gleditsch. 792. Rthlr.

Porteus, Belby, Vorlesungen über das Evangelium Matthäus, gehalten in d. J. 1798—1801 zu St. James. 2 Thle. Berlin 806, jetzt Logier.

— Vorlesungen über Matheus, Markus rc. 2 Bde. 8. Berlin, Späth. (Böhme in Leipzig, in Comm.) 806.

Portfolio, le, ou Collection de Documens politiques relatifs a l'histoire contemporaine. Trad. de l'Anglais Nr. 1 à 41. (Mit 3 Kärtchen.) gr. in-8. Hambourg 836, 37. A. Campe. (Leipzig, Brockhaus.) 10 ngr

Portfolio. Actenstücke zur Geschichte u. Charakteristik unserer Zeit. 1. Bd. 1—3. Hft. — Le Portefeuille. Collection de documents pour servir à l'histoire contemporaine. Tome I. Livr. 1—3. gr. 8. (268 S.) Leipzig 848, Brockhaus. (à n. 1/2 ngr) n. 1 1/2 ngr

Portfolio, the british, a new collection of the most recent and best novels and romances of the most eminent modern british authors. No. 1—8. Marston; or, the memoirs of a statesman. — The Pirates of Segna. A tale of Venice and the Adriatic. 1. Liefg. 8. Grimma 844, 45, Verlags-Comptoir. à n. 1/12 ngr

Portfolio John Cockerill's. Zeichnung und Beschreibung aller hauptsächl. in den Werkstätten „Cockerill" von deren Begründung an bis zur Gegenwart ausgeführten Maschinen, Werkzeuge und techn. Anlagen vorzüglich von Förder- und Pumpmaschinen für Bergwerke, Dampfschiff-Maschinen, Locomotiven etc. unter Benutzung der von den Ingenieuren der Anstalten „Cockerill" veröffentlichten Zeichnungen und mit ausdrücklicher Genehmigung der Gesellschaft „Cockerill" hrsg. von M. M. v. Weber. 1—21. Lfg. qu. Fol. (à Lfg. 2 Stnt. und 1 Bog. Text in gr. 4.) Brüssel 855—56, Kiessling und Comp. à Lfg. * 20 Ngr. *

Portfolio John Cockerill's. Zeichnung und Beschreibung aller hauptsächlich in den Werkstätten „Cockerill" von deren Begründung an bis zur Gegenwart ausgeführten Maschinen, Werkzeuge und techn. Anlagen etc. Hrsg. von M. M. Frhrn. v. Weber. 22—81. Lfg. qu. Fol. (110 Stnt. in qu. Fol. und qu. Imp.-Fol. und 57 1/2 Bog. Text in gr. 4.) Brüssel 857—62, Schnée und Comp. Subscr.-Pr. à Lfg. * 20 Ngr. *

Portfolio John Cockerill's. Zeichnung und Beschreibung aller hauptsächl. in den Werkstätten „Cockerill" von deren Begründung an bis zur Gegenwart ausgeführten Maschinen, Werkzeuge und techn. Anlagen etc. Hrsg. von M. M. Frhr. v. Weber. Fortgesetzt von K. R. Bornemann. 82.—96. Lfg. qu. Fol. (28 Stnt. in qu. Fol. und Imp.-Fol. und 17 Bog. Text in gr. 4.) Brüssel 863,64, Schnée. à Lfg. * 20 Ngr. *

1.—81. Lfg. Ebendas. 1856—62. * 54 Thlr. — (1.—96. Lfg. Leipzig, Brockhaus' Sortiment und Antiquarium. * 51 Thlr. 6 Ngr.)

—— des Fortschritts. Eine Sammlung polit. auf die Gegenwart Bezug habender Schriften. Hrsg. von Ernst Lionell. 5 Thle. gr. 16. Leipzig 848, Schäfer. à Thl. 6 Ngr.

Inhalt:

Thl. 1. Die Reform der Arbeit. Von Louis Blanc. (112 S.)
" 2. Die Menschenrechte. Von Ernst Lienell. (84 S.)
" 3. Das deutsche Parlament. Von Ernst Lienell. (60 S.) Auf dem Umschlag ist C. T. Heyne als Verf. genannt.)
" 4. Der Kurs des 19. Jahrhunderts. Von Ernst Lienell. (80 S.)
" 5. Organisation der Arbeit und Industrie von A. Andiganne. (71 S.)

—— von Erich Gothenburg. 1. Aufl. (25 1/2 B.), 836., 2., mit wicht. Documenten verm. Aufl. 8. (27 B.) Hamburg 838, Erie.

Portfolio, Hannoverisches. Sammlung von Actenstücken zur Geschichte des Hannoverschen Verfassungskampfes. Stuttg. 1839—41. H: *Detmold, Joh. Herm.* (Loewe, Bibliogr. der Hann. u. Braunschw. Gesch. Hann. 1908. S. 149.)

—— hannoversches, Sammlung v. Actenstücken z. Gesch. d. hannover. Verfassungskampfes. 1—3. Bd. gr. 8. Stuttgart, Krabbe. à 1 1/3 Thlr.

Bd. 1. A. u. d. T.: Vorstellungen an d. Bundestag, betreff. die hannover. Verfassungsangelegenheit. I. Vorstellung d. Magistrats u. der Alterleute d. Stadt Osnabrück. II. u. III. Vorstellung e. Anzahl Deputirter zweiter Kammer v. 29. Juni 1838 u. v. 22. März 1839. (17 3/4 B. u. 2 1/2 B. Tab.) 839.
" 2. Die bedeutendsten der in d. Monaten Juni bis Sept. 1839 d. Bundestage übergeb. Vorstelln. u. Erklärn. (24 1/8 B.) 839.
" 3. Die Verhandlungen d. Bundestages u. d. neuesten demselben übergeb. Vorstelln. (22 B.) 840.

—— holsteinisches. I.: Die „holsteinische" Frage und der jüngste Act in derselben. Mit Actenstücken. Zur Orientirung ein politisch-staatsrechtl. Resumé mit geschichtl. Rückblicken von einem Publicisten a. D. gr. 8. (158 S.) Harburg 860, Elkan. *

Portfolio eines deutschen Journalisten. I. Theil. Darmstadt 1836. V: *Singer, in Mainz* (?). (K. Gutzkow, Lewald's Europa. III, 611.) (GGr IX, 244)

—— eines deutschen Journalisten. 1. Thl. gr. 12. (20 1/2 B.) Darmstadt 836, Leske.

— Italienisches, d. i. Bibliothek der neuesten und besten italien. Schriftsteller d. Gegenwart in deutscher Uebersetzung. 1.—10. Liefg. Niccolò de' Lapi, oder die letzten Tage eines Volkes. Von M. d' Azeglio. Deutsch von A. Küster. 8. Ebend. 844, 45. à n. 1/12 ngr

—— für Länder- und Völkerkunde. Mittheilungen des Neuesten und Interessantesten aus dem Gebiete der Geographie, Statistik, Ethnographie, Naturgeschichte und überhaupt aus dem Völker- und Naturleben; zur Belehrung und Unterhaltung. Unter Benutzung der zuverlässigsten Quellen hrsg. von (F. H.) Ungewitter. Mit bildl. Ausstattungen. 1—3. Lfg. Lex.-8. (IV und S. 1—388 mit 3 Lithochrom.) Wien 853—54, Hartleben's Vrlgsexped. à Lfg. 27 Ngr.

— krolowej Maryi Ludwiki. Wydane przez Hr. Edw. Raczynskiego. 2 Tomy. 8. (Mit 1 Lithogr.) Poznan 844. (Leipzig, Brockhaus et Avenarius.) n. 3 ngr

—— das neue. Eine Sammlung wichtiger Dokumente und Aktenstücke zur Zeitgeschichte. 1. und 2. Heft. gr. 8. (63 S.) Berlin 859. 60, Asher und Comp. à Heft * 20 Ngr. *

— neuestes. Sammlung politischer, auf die Geschichte der Gegenwart Bezug habender Documente. Aus d. Engl. 1.—3. Liefg. gr. 8. Braunschweig 844, 45. (Leipzig, Berger's Buchh.) 1. n. 5/6 ngr 2. 3. à n. 1/2 ngr

—— neuestes. Sammlung politischer, auf die Geschichte der Gegenwart Bezug habender Documente. Aus d. Engl. 1—3. Lfg. gr. 8. (28 1/2 B.) Braunschweig 845. (Leipzig, Thomas.) *

Portfolio le nouveau. Question d'Orient. Documents. — Neues Portfolio. Aktenstücke in der orientalischen Frage. gr. 8. (117 S.) Berlin 854, [Schneider.] Thlr. *

—— eines Oesterreichers. 2 Bde. 8. Leipzig 844, Phil. Reclam jun. [1. (16 B.) 2. (14 B.) à 1 Thlr. 15 Ngr.]

—— schleswig-holstein'sches. Hrsg. von A. Rauch. I. Bd. 1. u. 2. Hft. gr. 8. (8 B.) Ingolstadt 846, Fromm. à

— Skandinavisches. Nr. 1. A. u. d. T.: Ein Beitrag z. Schleswig-Holsteinischen Frage v. Andr. Frdr. Krieger. gr. 8. (43 S.) Leipzig 848, Lorck. 6 ngr

— dass. Nr. 2. A. u. d. T.: Preußen u. der deutsche Bund gegen Dänemark. gr. 8. (XVI u. 79 S.) Ebd. 848. n. 1/3 Thlr

— dass. Nr. 3. A. u. d. T.: Ueber die Verhältnisse der Herzogthümer Schleswig u. Holstein zu Dänemark u. zum deutschen Bunde, u. über die darauf bezügl. Gegenverpflichtungen der europäischen Mächte nach Travers Twiß. gr. 8. (IV u. 175 S.) Ebd. 848. 18 ngr

— dass. Nr. 4. A. u. d. T.: Die sprachl. u. staatl. Verhältnisse des Herzogth. Schleswig in 4 Abhandlungen nach Allen, Paulsen, Werlauff u. Ostwald. Allen, die Sprache in Schleswig. Paulsen, die Verbindung Schleswig mit Dänemark. Werlauff, Constitutio Waldemari. Ostwald, die Erbansprüche der augustenburg. Linie. gr. 8. (VI u. 68 S.) Ebd. 848. 1/3 Thlr (1—4: 1 Thlr 24 ngr)

Porth, Emil, Briefe über allgemeine Naturkunde an Gebildete. Mit (eingedr.) Holzschn. 1. Lfg. gr. 13. (VIII u. 104 S.) Prag 852, Neureutter. n. 14 ngr

Porth, Emil. Briefe über allgemeine Naturkunde an Gebildete. 8., 2. Liefg., (S. 109—248. Mit Holzschnitten). Prag, J. G. Calve, 1853.

Porth, Emil, Briefe über allgemeine Naturkunde an Gebildete. Mit Holzschn. (im Text.) 2. Liefg. Prag 853. Tempsky. 12. (S. 105—248.) n. 14 ngr

Porth, Max, der Sohn der Liebe, s.: Unterhaltungsbibliothek, moderne. Nr. 7.

Porth, Wenzel, Betrachtgn. üb. den Einfluss d. rauchschwachen Pulvers auf Taktik, Ausbildg. u. Erziehg. gr. 8. (67 S.) Wien 892. (L. W. Seidel & Sohn.) n. 1. 60

Porth, Wenzel, Denkwürdigkeiten aus dem Leben d. k. u. k. Feldmarschall-Lieutenant Ludwig Freiherr v. Kudriaffsky. gr. 8. (IV, 204 S. m. Bildn.) Wien 895. (L. W. Seidel & Sohn.) n. 5. —

Porth, W., freimüthige Friedensmanöver-Gedanken. gr. 8. (75 S.) Wien 901. L. W. Seidel & Sohn. n. 1. 60

Porth, W. Edler v., durch den russisch-japanischen Krieg angeregte Gedanken. (5 S.) gr. 8. Wien 906. C. W. Stern. — 50
Sonderabdruck aus: „Die militär. Welt".

— schroffe Gegensätze. Annexions-Appetit u. Friedensmanifest. Mißtrauen zum Weltfrieden u. Abrüstg. Schlagfertigkeit u. Friedenskreuzzug. Miliz, Söldnerei u. Volksheer. Wuchtige Schläge u. Schwächg. der Kampfmittel. Zerstörungs-Maschinen u. Friedensschalmeien. — Wann werden die Kriege aufhören?! gr. 8. (45 S.) Berlin 899. Militär-Verlag R. Felix. n. 1. —

Porth, Wenzel, k. k. Major des Inf. Rgts. Nr. 68. Die Kämpfe des Feldzuges 1805 in Tirol. Nach Archivalien und anderen authentischen Quellen bearbeitet. (Sonderabdruck aus: „Organ der milit. wissenschaftl. Vereine". XXIII. Bd. 1881.) 8. (Wien 1881.)

— Illustriertes Militär-Lexikon, s. Scheibert, J.

Porth, Wenzel, k. k. Hauptm. des 32. Feld-Jäger-Bataillons, zugetheilt dem Kriegs-Archiv. Die Schlacht bei Neerwinden den 18. März 1793. Nach den Feld-Acten des k. k. Kriegs-Archivs und anderen authentischen Quellen bearbeitet. (Separat-Abdruck aus den „Mittheilungen des k. k. Kriegs-Archivs".) Mit 1 Uebersichtskarte, 1 Schlachtenplan und 5 Beilagen. 8. Wien 1877.

Portheim, Frdr., üb. den dekorativen Stil in der altchristlichen Kunst. gr. 8. (43 S.) Stuttgart 886. Spemann. n. 1. 20

Portheim Friedrich Edler von: Der Triumph Julius Caesars von Andrea Mantegna.
H. 1885 PN 385 Diss. Wien, Univ 1856

Portheim, Leop. Ritter v., üb. den Einfluss der Schwerkraft auf die Richtung der Blüten. (10 S. m. 1 Fig. u. 3 Taf.) gr. 8. Wien 904. (A. Hölder.) n. — 80
Sonderabdruck aus: „Sitzungsber. d. k. Akad. d. Wiss."

Portheim, Leop. Ritter v., über Formveränderungen durch Ernährungsstörungen bei Keimlingen m. Bezug auf das Etiolement. (I. Mitteilg.) (78 S. m. 3 Fig.) gr. 8. Wien 907. A. Hölder. 2. 20
Sonderabdruck aus: „Sitzungsber. d. k. Akad. d. Wiss."

— s.: Naturgeschichtsunterricht, der moderne.

Portheim, Leop. Ritter v., über die Nothwendigkeit des Kalkes f. Keimlinge, insbesondere bei höherer Temperatur. gr. 8. (45 S.) Wien 901. (C. Gerold's Sohn.) n. — 90
Sonderabdruck aus: „Sitzungsber. d. k. Akad. d. Wiss."

— Untersuchungen üb. die Rolle des Kalkes in der Pflanze, s.: Grafe, Vikt.

— Wiesner u. seine Schule, s.: Linsbauer, Karl.

Portheim, Paul v., Silentium pro P. v. P.! geb. 1858, gest. 1883. Hrsg. v. der „Deutschen Hochschule" in Prag. 8. (IX, 116 S.) Dresden 884. Minden. n. 2. —; geb. n. 3. —

Portheim, Rud. v., aus d. Papieren d. Großvaters. 8. (III, 174 S.) Dresden-Blasewitz 896. H. Minden. n. 2. —

Port Huron Herold: 1885—1907?
Weekly. Democratic, 1888—99; Independent, 1900—07. For Sunday edition, see Der Sonntags-Bote. Circulation: 1890, 1200; 1900, 1200; 1905, 1300. Edited & published by Charles Laesch & Co., 1885—87; by F. H. Krause, 1888—91; by L. Schairer, 1892; by Hoesl & Bauer, 1893—99; by Presprich & Rinner, 1900—01; by E. J. Buchrer, 1902—04; by German Herold Publishing Co., 1905; by John P. Eisenhauer, 1906—07.
Port Huron, MI

Porti, M. Aemilii, Dictionarium Ionicum graeco-latinum quod indicem in omnes Herodoti libros continet. Editio nova. 8maj. Oxonii. (Lipsiae, Friedr. Fleischer.) 817.

— — s.a. Porto

Portia, s.: Collection of British authors.

Portia, Graf Bartholomäus v., s.: Nuntiaturberichte aus Deutschland, 3. Abth., 3. Bd.

v. Portia, Graf Nicola, Beitrr. zur erschien. Schrift „über Staatsverwaltung," als Nachtrag zur Abfertig. der in der Jenaischen Literaturzeitg. v. H. v. W. rc. gr. 8. Landsh. 817. Krüll. 4 gr

— — Salztransport von Traunstein über Landshut nach Regensburg durch Landfrohnen u. einige Ideen über Wassertransporte, mit einer Uebersicht der Gegend, wo Carl d. Große d. Verbind. der Donau mit dem Rhein beabsichtigte. 8. Landshut, Weber. 819.

– s. Umgestaltung, Über die erwünschte, der bestehenden Hofspitäler ...

– s. Verbindung der Elbe und der Oder mit der Donau.

— — über die Verminderung des Vermögens von den Spitalfonds zu Pattendorf, wenn die dortige Oekonomie dem Verkaufe unterworfen würde. gr. 8. Landshut, Krüll. 817.

— eine Wasserstraße von München nach Tyrol u. an den Bodensee könnte allein bei fallendem Preise dem baier. Getreide e. dauernden Absatz sichern, auch in Jahr u. Tag vollendet seyn. 8. Münch. 807.

Portig u. **Burggraf**, Reden am Reformationsfeste den 4. Novbr. 1894 bei d. Einweihg. d. neuen Orgel geh. in d. Ansgarikirche zu Bremen. gr. 8. (14 S.) Bremen (894). G. A. v. Halem. — 30

Portig, A., Abschiedspredigt. Geh. am 5. IV. 1908. (16 S.) kl. 8. Bremen (908). E. Hampe. — 40

— ändert eure Geselligkeit! Ein Mahnruf ins deutsche Volk hinein. 8. (32 S.) Bremen 889. v. Halem. n. — 50

Portig, A., evangelische Bewegungen in der katholischen Kirche im 18. u. im Anfange d. 19. Jahrh. Ein Wort zur Beschämung f. die Gegenwart, zur Hoffnung f. die Zukunft. (Nach e. Vortrag im Brem. Protestantenvereine, 6. Febr. 1890.) gr. 8. (36 S.) Bremen 890. Rößler. n. — 60

Portig, A., zur Erinnerung an die Feier des 2. Septbr. 1872. Predigt über Psalm 118, 14—29 gehalten in der Brüderkirche in Altenburg. 8. (16 S.) Altenburg 872, Schnuphase'sche Hofbuchh. — 30

—— Gastpredigt in der Bartholomäikirche zu Altenburg am 13. Febr. 1870 gehalten. gr. 8. (16 S.) Altenburg 870, Pierer. * — 25

— Konfirmationsrede a. 22. III. 1908 in d. Ansgarii-Kirche. (9 S.) kl. 8. Ebd. (908). — 30

Portig, A., Richard Wagners Musik-Dramen. Ihre Aufführg. in Bayreuth u. ihr Verhältnis zum Christentum. gr. 8. (46 S.) Bremen 899. G. A. v. Halem. n. — 80

—— Predigt über Joh. VI, 1—15 am Sonntage Lätare 1870 zu Altenburg gehalten. 8. (15 S.) Altenburg 870, Schnuphase'sche Hofbuchh. — 30

—— Predigt über Corinther 9, 24—26 am 24. Aug. 1869 vor der Haupt-Conferenz der Lehrer der Ephorie Oschatz gehalten. 8. (16 S.) Oschatz 868, (Oldecop's Erben.) * — 20

— Predigt über 1. Corinther 9, 24—26 am 24. Aug. 1869 vor der Haupt-Conferenz der Lehrer der Ephorie Oschatz gehalten. (Oschatz 869. Oldecop's Erben.) 8. (16 S.) n. 2 ngr

—— Predigt über Matth. XVI, 24 und 25 am 8. Sonntage nach Trin. in der Brüderkirche zu Altenburg gehalten. gr. 8. (14 S.) Ebendas. 870. * — 40

Rede zum Andenken des in den ewigen Osten eingegangenen Meisters vom Stuhl der Loge Friedrich Wilhelm zur Eintracht Br. Friedrich Scholz gehalten von A[dalbert] Portig am 14. Mai 1907. Bremen [1907]: Guthe. 11 S. 8°.

Scholz, Friedr.: Rede am Sarge des Herrn Friedrich Scholz, gehalten am 29. April 1907 von A[dalbert] **Portig** im Krematorium des Riensberger Friedhofes. Bremen [1907]: Guthe. 10 S. 8°.

Monismus und Freimaurerei: Monistische und dualistische Weltanschauung. Vortrag, gehalten in den Logen „Friedrich Wilhelm z. E[intracht]" in Bremen und „Hercynia zum Flammenden Stern" in Goslar von A[dalb.] **Portig.** Salzgitter o. J.: Witt. 15 S. 8°

Portig, Gustav

Portig, Gust., angewandte Aesthetik in kunstgeschichtlichen und ästhetischen Essays. 2 Bde. gr. 8. (VII, 314; 348 S.) Hamburg 887, [J. F. Richter.] Verlags-Anstalt und Druckerei. A.-G. * M 8.—.; geb. * 10 —

Portig, Gust., die nationale Bedeutung d. Kunstgewerbes, s. a. Zeit- u. Streit-Fragen, deutsche.

Portig G. die nationale Bedeutung d. Kunstgewerbes. (Z.- u Streitfr. 177) Berlin 1883

— das Christusideal in der Tonkunst. 8. (78 S.) Heilbronn 883. Henninger. n. 1. 20

— Text, s.: Crell, R., malerische Verherrlichung v. Frauen-Namen.

— die Darstellung d. Schmerzes in der Plastik, s.: Sammlung v. Vorträgen.

Portig, Gust., zur Erinnerung an die Feier d. 2. Septbr. 1872. Predigt üb. Psalm 118, 14—29 geh. in der Brüderkirche in Altenburg 8. (16 S.) Altenburg 872. Schnuphase. — 30

— zur Geschichte d. Gottesideals in der bildenden Kunst. gr. 8. (VI, 140 S.) Hamburg 887. J. F. Richter. n. 3. —

Portig, Gust., die Grundzüge der monistischen u. dualistischen Weltanschauung unter Berücksicht. des neuesten Standes d. Naturwissenschaft. 1.—3. Taus. (IX, 105 S.) gr. 8. Stuttgart 904. M. Kielmann. n. 2. —; geb. n. 3. —

Sonderabdruck aus:
Portig: Das Weltgesetz des kleinsten Kraftaufwandes ...

Portig, Gust., Martin Luther, s. a. Spamer's, Otto, neue Volksbücher.

Portig, Gustav, Martin Luther. Zur Erinnerg. an den größten deutschen Volksmann u. zur Feier seines 400= jähr. Geburtstages. Mit 35 Text=Illustr. u. e. Titelbild. 8. (VIII, 142 S.) Leipzig 883. Spamer. n. 2. —; geb. n. 3. —; Volks=Ausg. n. 1. 25; cart. n. 1. 50

—— die Sixtinische Madonna von Raphael und die Campo=santo=Kartons von P. v. Cornelius. 8. (63 S.) Leipzig 882, Drescher. * 1 20

— religiöse Reden üb. die Grundwahrheiten d. Christen= thums. Zur Lehre u. Erbaug. gr. 8. (VIII, 216 S.) Go= tha 876. F. A. Perthes. n. 4. —

—— Religion und Kunst in ihrem gegenseitigen Verhältniß. 2 Thle. gr. 8. (VII, 478; IV, 440 S.) Iserlohn 879,80, Bädeker. à Thl. * M 8. * geb. à Thl. * M 10. *

—— Richard Wagner's „Ring der Nibelungen" und „Parsifal", s. Zeitfragen des christlichen Volkslebens.

— Schiller in seinem Verhältnis zur Freundschaft u. Liebe, sowie in seinem inneren Verhältnis zu Goethe. gr. 8. (XVI, 775 S.) Hamburg 894. L. Voss. n. 16. —; geb. n. 18. —

—— der Maler Rudolf Suhrlandt. gr. 8. (35 S.) Leipzig 885, Seemann. * 1 —

—— antike und christliche Weltanschauung in der Tonkunst, s. Sammlung von Vorträgen.

—— das Weltgericht in der bildenden Kunst, s. Zeitfragen des christlichen Volkslebens.

Portig, Gust., das Weltgesetz des kleinsten Kraftaufwandes in den Reichen der Natur u. des Geistes. 1. Bd.: In der Mathematik, Physik u. Chemie. gr. 8. (XII, 332 S.) Stuttgart 903. M. Kielmann. n. 8. —

— das Weltgesetz des kleinsten Kraftaufwandes in den Reichen der Natur u. des Geistes. 2. Bd.: In der Astronomie u Biologie. (XII, 552 S.) gr. 8. Stuttgart 904. M. Kielmann. n. 10. —; geb. 12. —
Bd. 1. Ebd. 903. n. 8. —; geb. n. 10. —.

Portig, Paul: Ueber Collargol. Leipzig 1909: Lehmann. 37 S. 8°
Leipzig, Med. Diss. v. 25. Okt. 1909, Ref. Böhm
[Geb. 8. Nov. 80 Leipzig; Wohnort: Radeberg; Staatsangeh.: Sachsen; Vorbildung: Realgymn. Borna Reife O. 02; Studium: Stuttgart Techn. Hochsch. 1, Jena 6, Leipzig 5 S.; Coll. 30. Okt. 09; Approb. 20. Sept. 09.] [U 10. 3042

Portion!, 8 Kr. die halbe, od. d. gerechte Entrüstung u. Krawall d. Schoppenkunden geg. d. weise Gesetzgebung u. d. Complott d. Gastwirthe. Eine Lokal=Posse in ein. Einzigen Akt u. Auftritt! 16. (1¼ B.) Darmstadt 837, (Lange.)

Portion, eine, Wahrh. z. Glückseligkeit, s. Bibliothek von Oberau.

Portionen-, Beköstigungs- und Gebühren-Tarif

— — (M—4.) über Montur, Rüstung, Feldgeräthe und Cavallerie-Reitzeug der k. und k. Truppen und Heeresanstalten. 1. Th. Portionenwert und Normaltragdauer der Bekleidungs- und Ausrüstungsgegenstände. (N.-V.-Bl. f. d. k. und k. Heer 44. Stück ex 1891.) Beigeb.: 1. Nachtrag. 8. Wien 1891.

Portionenbeköstigungs- und Gebühren-Tarif über Montur, Rüstung, Feldgeräthe u. Cavallerie= Reitzeug der k. u. k. Truppen und Heeresanstalten. I. Theil. 8. (31 S.) —.06
Wien: Hof- u. Staatsdruckerei 1892.

Nachtrag

1., Zum Portionen-, Beköstigungs- u. Gebüren-Tarif über Montur, Rüstung, Feldgeräthe und Cavallerie=Reitzeug der k. und k. Truppen- und Heeresanstalten. I. Thl. 8. (4 S.) —.01
Wien: Hof- u. Staatsdruckerei 1893.

Portionen-, Beköstigungs- und Gebühren-Tarif über Montur, Rüstung und Feldgeräthe der Truppen und Heeres-Anstalten, dann über das Reitzeug der Cavallerie. (Giltig vom 1. Jänner 1871 an bis auf weitere Anordnung.) Circular-Verordnung Abth. 13, Nr. 3436, vom Jahre 1870. 4. Wien 1871.
— — Giltig vom 1. Jänner 1874 bis auf weitere Anordnung. Ad Circular-Verordnung Abth. 13, Nr. 1020 vom Jahre 1874. kl. 8. Wien 1874.
— — Giltig vom 1. Jänner 1884 bis auf weitere Anordnung. (N.-V.-Bl. 62. Stück.) Beigeb.: Nachtrag I. 1886. kl. 8. Wien 1883—1886.

Portionen, Beköstigungs- und Gebühren-Tarif über Montur, Rüstung u. Feldgeräthe d. Truppen u. Heeres-Anstalten, dann über das Reitzeug d. Cavallerie, giltig vom 1. Jänner 1884 bis auf weitere Anordnung. 8. (161 S.) Wien, Hof- u. Staatsdr. 1884. 30 kr.

Portionen=Beköstigungs= und Gebüren=Tarif über Montur, Rüstung, Reitzeug und Feldgeräthe der k. k. Landwehr. 8. (90 S.) Wien 885, Hof= und Staatsdruckerei. * 1 20

Portis, A., les Chéloniens de la molasse vaudoise conservés dans le musée géologique de Lausanne. gr. 4. (78 S. mit 29 Lichtdr.) Genève 882. (Basel, Georg. — Berlin, Friedländer und Sohn.) * 20 —
Aus: Abhandlungen der schweizerischen palaontologischen Gesellschaft, besonders abgedruckt.

Portis, Al.: Über die Osteologie von Rhinoceros Merckii Jäg. 1880? 4°

Portitor, Hnr., petit Traité des gallicismes et germanismes, dans les quels ces deux langues sont les plus opposées l'une et l'autre. 8. Salzb. 788.

PORTIUNCULA oder Gnaden-Schatz der seraphischen Andacht Francisci, mit beigesetzten Ablaß-Gebethern, und Litaney. Preßburg 1804. Gedr. bey Georg Alois Belnay. 12 S. - 150 mm

Portiunkula u. d. **Portiunkula-Ablaß.** Nebst e. Anleitg., denselben zu gewinnen. Von e. Priester d. pennsilvan. Kapuziner-Provinz. 16. (107 S.) Innsbruck 896. F. Rauch. n. — 30

Portiunkula-Ablass, Der, mit Gebeten ... nach dem Geiste des P. Martin Cochem von P. Sp. L. Bregenz [1882]. 2. Aufl. [1897]. [3. Aufl. 1908.] V: *Leitner, Spiridion.* (margr)

Portiunkula=Ablaß, der große. Erklärung u. Gebete zur Gewinnung desselben. Von e. Priester d. seraph. Ordens. 16. (48 S.) Mainz 886. Frey. — 15

Portiunkula-Ablaß, der große. Erklärung u. Gebete zur Gewinnung desselben. Von e. Priester d. seraph. Ordens. 1.—5. Tausend. 16. (48 S.) Mainz 886. Frey. n. — 20

— dasselbe. Von Bonifacius v. Mainz. 10.—12. Tausend. 16. (48 S.) Ebd. 887. — 15

Portiuncula-Ablass, Der grosse. Erklärung u. Gebete zur Gewinnung desselben. Innsbruck: S. Rauch 1887. 48 S. 24°

Portiunkula=Andacht. Mit Approbation des hochw. fürsterzbischöflichen Konsistoriums in Wien. St. Pölten, 1856. Gedr. bei A. Pichlers Witwe & Sohn. (8 S. 8.)

Portiunkula-Büchel mit trostreichen Gebeten zu der Mutter Gottes Maria und dem heiligen Vater Franziskus. kl. 8. (36 S.) Znaim. Gedruckt bei Martin Hofmann. 1854.

Portiunkula-Büchlein. Kurze Belehrg. üb. den Portiunkula-Ablaß, nebst den notwend. Ablaßgebeten. 12. (16 S.) Paderborn 894. Bonifacius-Druckerei. — 6

Portiunkula-Büchlein. Hrsg. v. den Franziskaner-Patres zu Metz. (130 S. m. 1 Bildnis.) 16. Metz 910. (Verlag des „Sendboten".) Geb. in Leinw. — 50

Portiuncula-Büchlein, kleines, m. e. Belehrg. üb. d. Portiuncula-Ablaß, drei Ablaßgebeten u. e. Litanei z. Ehren d. hl. Franciscus. 12. (23 S.) Linz 897. Verlag des kathol. Preßvereines. n. — 15

(F) Kleines Portiunkula-Büchlein, 2. Aufl. 16°. (24 S.) Linz: Verlagsbuchhandlung Pressverein 1906. K —.16

Portiunkula-Fest, das, u. der große Ablaß, den man dabei gewinnen kann. Von e. geistl. Mitgliede des III. Ordens des hl. Vaters Franziskus. (III, 82 S.) gr. 16. Würzburg (903). F. X. Bucher. n. — 20

Portius, Carl ..., s. Portius, Karl ...

Portius, K. Wilh., die Entdeckung der Grundelemente des Weltalles, ein naturwissenschaftl. Vortrag. Leipzig 866. Brauns. gr. 8. (163 S.) n. 20 ngr.

—— die Grundelemente des Weltalls. gr. 8. (XII und 115 S.) Taucha 863. (Leipzig, Brauns.)

Portius, K. Wilh., die drei Grundelemente d. Weltalles. 4., verm. Aufl. 8. (VII, 99 S.) Leipzig 883. Brauns. n. 2. —

Portius, K. Wilh., die drei Grundelemente d. Weltalles. 5., m. e. Anh. verm. Ausg. 8. (VIII, 120 S.) Leipzig 887. (Moltke.) n. 2. —

— die deutsche Reichsverfassung wie sie der Würde der Fürsten u. den gerechten Anforderungen der Völker auf das Ehrenvollste entspricht. Leipzig 862. Brauns in Comm. gr. 8. (47 S.) 12 ngr.

Portius, K. Wilh., über den Ursprung der Begriffe. Ein neues Lehrgebäude der ersten Grundelemente einer jeden Wissenschaft insbesond. der Mathematik, Logik, Philosophie, Theologie, allgem. Sprachlehre, Staats- u. Rechtswissenschaft. 8. (XVI u. 114 S.) Leipzig 848, Brauns. n. 1 rf.

—— das Wesen der Sinne und der Seele vom naturwissenschaftlichen Standpunkte. gr. 8. (XX und 47 S.) Leipzig 864, (Weber.) *

Portius, Karl

(Portius, Carl,) Beschreibung des Psychometers. gr. 8. (1¼ B.) Leipzig 834, (Barth.)

—— Grundsätze e. gesegneten Schul-Disciplin, in ein. Gedichte bei d. Stiftungsfeier d. Volksschullehrervereins d. Ephorie Leipzig, d. 10. Sept. 1834, vorgetr. gr. 4. (1 B.) Leipzig, [Berger's Vrlsh.]

Portius, Carl Jul. Simon, illustrirte Heimathkunde für Leipzig's Kinder. 16. (VIII und 46 S. mit eingedr. Holzschn.) Leipzig 857, (Serig'sche Buchh.) *

Portius, K. J. S., Katechismus der Schachspielkunst, s. Weber's, J. J., illustrirte Katechismen.

Portius, C. J. S., Katechismus der Schachspielkunst. 8. (XVI und 176 S. mit eingedr. Holzschn.) Leipzig 854, Weber. *

Portius, K. J. S., Katechismus der Schachspielkunst. 7., verm. u. verb. Aufl. 8. (XX, 224 S. m. eingedr. Diagrammen.) Leipzig 877. Weber. n. 1. 60

— dasselbe. 8. u. 9., verm. u. verb. Aufl. 8. (XX, 224 S. m. eingedr. Diagrammen.) Ebend. 879. 82. geb. n. 2. —

Portius, K. J. S., Katechismus der Schachspielkunst. 10., verm. Aufl. 16. (XX, 224 S.) Leipzig 889. J. J. Weber. geb. n. 2. —

Portius, K. J. S., Katechismus d. Schachspielkunst. 11., verb. Aufl. 12. (VIII, 239 S. m. Diagrammen.) Leipzig 895. J. J. Weber. Geb. in Leinw. n. 2. —

Portius, K. J. S. Schachspielkunst, s. Weber's, J. J., illustr. Katechismen Nr. 20.

Portland American: 1904 - Oct. 10, 1917. Portland, OR
1904 June 30, 1917 as Oregon Deutsche Zeitung. In German and English.

Portland-Cement, der, u. seine Anwendungen im Bauwesen. Bearb. im Auftrage d. Vereins deutscher Portland-Cement-Fabrikanten. gr. 8. (IV, 310 S. m. Fig.) Berl. 892, (Toeche). * 4 — geb. " " 5 —

Portland-Cement, Der, und seine Anwendungen im Bauwesen. 2. Aufl. von F. W. Büsing und C. Schumann. Berlin 1899

Portland-Cement, Der, und seine Anwendungen im Bauwesen. 3. Aufl. von F. W. Büsing und C. Schumann. Berlin 1905

Portlandzement aus dem Bonner Bergwerks- und Hüttenverein. Bonn 1863

Portland-Cement aus der Fabrik des Bonner Bergwerks- u. Hütten-Vereins. Bonn 1863. Mit Attesten.

— der, u s. Verwend. i. Bauwesen. Bearb. i. Auft. d. Ver. dtsch. Portlandzem.-Fabr. Berlin 1892

Portland-Cementfabrik Hemmoor: Erzcement, ein im Meerwasser, Grubenwässern und sonstigen, schwefelsaure Salze enthaltenden Flüssigkeiten widerstandsfähiger Cement. D. R. P. Nr 143 604. H. 1 mit Anh. Hamburg 1905

Portland-Cement- u. Beton-Industrie, deutsche, auf der Düsseldorfer Ausstellung 1902. Hrsg. vom „Verein deutscher Portland-Cement-Fabrikanten" u. dem „Deutschen Beton-Verein". (211 S. m. Abbildgn.) 8. Berlin (902). Tonindustrie-Zeitg. 3. —

Portlandzementwerk, Württ., zu Lauffen a. N. (Prospekt und Musterbuch) (mit 75 T) (Heilbronn 1903)

Portland-Zementwerke Heidelberg u Mannheim A.G. 1000-1910. (122 3 1 T) qu 4° Heidelberg 1910

Portlock, Nathanael: Reise an die Nordwest-Küste von Amerika und um die Welt. [Aus dem Tagebuch des Reisenden ausgezogen und in das Deutsche übersetzt von Georg Forster.]
in: Forster: Geschichte der Reisen an der Nordwest-Küste Amerikas seit Cook. Th. 2. S. 229–432. Berlin 1792. 204 S., 1 Tf. 8°.

— u. Dixon's Reise um die Welt, besonders nach d. nordwestl. Küste von Amerika in d. J. 1785—88 in den Schiffen King u. Queen Charlotte; aus d. Engl. mit Anmerkk. von J. R. Forster. 8. Berl. 789. Voß. 12 gr. — Dass. mit Kpf. u. 1 Karte. gr. 4. Ebd. 3 rf 12 gr.

Nathaniel Portlocks und Georg Mortimers Reisen an die Nordwestküste von Amerika; nebst den Reisen eines Amerikanischen Dolmetschers und Pelzhändlers, welche eine Beschreibung der Sitten und Gebräuche der Nordamerikanischen Wilden enthalten, herausgegeben von John Long.
Aus dem Englischen übersetzt, und mit einer vorläufigen Schilderung des Nordens von Amerika begleitet von Georg Forster.
Mit einer Karte, zwei Planen und fünf Kupfern.
Berlin: Voss. 1796. VIII, 74, 384 S. 8°.
John Carter Brown Library Providence, R. I.
Vgl. G. Forster, Geschichte der Reisen, Bd. 3, Berlin 1791.
Sabin 64394. Baginsky 1310. Palmer.
Georg Forster, 1754-1794
Darin enthalten:
John LONG, Reisen eines Amerikanischen Dolmetschers und Pelzhändlers, welche eine Beschreibung der Sitten und Gebräuche der Nordamerikanischen Eingebornen, und einige Nachricht von den Posten am St. Lorenz-Flusse, dem See Ontario u. s. w. enthalten [auf S. 225-368].
Frühere Ausg. 1791 u. 1792.

Portmann, A., Liebstadt im 19. Jahrh. Mit 1 Lichtdr.-Bild: Liebstadt von Süd-West aus. gr. 8. (IV, 96 S.) Altenburg 900. Liebstadt (Sachsen), Pfr. Portmann. 2.—

Portmann, A[nton]. (Musikdirektor) Gustav Arnold, 1831–1900. [Necrolog. Mit Porträt-Tafel.] ⟨SA.⟩ 8. Luzern 1900.

(Portmann, Anton.) † Gustav Arnold. (Nekrolog.) 4.

[*Ex. 1*] *in:* Jahresbericht über die Höhere Lehranstalt zu Luzern für das Schuljahr 1900/1901. Beilagen: ... II. Nekrolog über Gustav Arnold von Prof. Ant(on) Portmann. Luzern, J. Schill, 1901. *Beilagen* S. 91—94.

[*Ex. 2*] *in:* Reinhard, Raphael. Topographisch-historische Studien.... (*Umschlag:* Beilage zum Jahresbericht über die höhere Lehranstalt in Luzern — — 1900/1901.) Luzern, J. Schill, 1901. S. 91—94.

Portmann, Anton. Gedenkschrift zum 25-jährigen Bestande des Handwerker- und Gewerbe-Vereins Uri. Verfasst von A' P'.... [Mit 1 Vignette und 1 Tafel.] II + 12 S. 8. Altdorf, Huber, 1910.)

Portmann, A., Katechismus, s. a. Thomas v. Aquin.

Portmann u. Kunz. Katechismus des hl. Thomas von Aquin oder Erklärung des apostol. Glaubensbekenntnisses, des Vaterunser, Ave Maria u. der zehn Gebote Gottes. 8°. 455 S. Luzern, Räber & Co. 1899. 4 40

Portmann, A., üb. Kirchenbauten u. Renovationen. [Aus: Kathol. Schweizer-Blätter".] gr. 8. (42 S.) Luzern 892. Gebr. Räber & Co. n. — 50

Portmann, A., die Kirchenmusikfrage. Principien zu ihrer Lösg. Den Chören d. luzern. kantonalen Cäcilien-Vereins gewidmet v. dessen Präsidenten A. P. gr. 8. (66 S.) Luzern 887. Gebr. Räber. n. 1.—

(Portmann, A[nton].) † Professor Franz Rohrer (1832–1882). [Necrolog. A.] 4. (Luzern 1883.)

Portmann, A., siehe: *Schweizer-Blätter*.

Portmann, A. Das System der theologischen Summe des hl. Thomas von Aquin. Beilage zum Jahresbericht über die Kantonsschule und der Theologie zu Luzern für das Schuljahr 1884/85. In-4°, 79 S. Luzern, Gebr. Räber. 1885. 1 50

— das System der theologischen Summe d. hl. Thomas v. Aquin oder übersichtl. u. zusammenhäng. Abriß der Summa theologica m. Anmerkgn. u. Erklärg. der termini technici. gr. 8. (25, XIV, 422 S.) Ebd. 894. n. 4.—

Portmann, A., das System der theologischen Summe des hl. Thomas v. Aquin. 2. Aufl. Mit Anmerkgn. u. Erklärg. der scholast. Ausdrücke u. e. Anh. üb.: „Die Prinzipien der thomist. Philosophie". (24, 470 S.) 8. Luzern 903. Räber & Co. n. 4.—; geb. n. 5.80

Portmann, A., siehe: *Thomas v. Aquin*.

Portmann, Beat [von Escholzmatt '(Luzern)']: Untersuchung über Derivate des Isoeugenols ... Stuttgart, Druck v. Grill & Knufinke, 1897; 46 S. 8.
Rostock, Phil. Fak., Inaug.-Diss. v. [29. Juli] 1896

Portmann, Bernhard, approb. Arzt aus Frankfurt a. M.: Ueber die Prognose der Tympania uteri nebst 9 Krankengeschichten der Erlanger Frauenklinik. *Erlangen 1901: E. Th. Jacob.* (51 S.) 8°
Erlangen, Med. Diss. v. 26. Jan. 1901

Portmann, C., Beschreib. der Städte Jesu, als Bethlehem, Nazareth und Capernaum. 8. Schweidnitz. 732.

Portmann, F[ranz] J[oseph]. Der Bauern-Krieg und Christian Schybi. [Illustriert.] 16 S. 8. Escholzmatt, A. Arnold-Steffen, (1902). [fr. —.50]

Portmann, Fridolin, prakt. Arzt von Escholzmatt (Luzern): Ueber Behandlung der Placentarpolypen nach rechtzeitigen und frühzeitigen Geburten. ⟨Aus der gynäkologischen Klinik in Basel. Professor v. Herff.⟩ Sarnen 1910. 31 S. 8°.
Basel. Med. Diss. 1909/10

Portmann, Fridolin. Ueber Behandlung der Placentarpolypen nach rechtzeitigen und frühzeitigen Geburten. Aus der gynäkologischen Klinik in Basel.... Diss. Med. Basel. II + 31 S. 8. Sarnen, Louis Ehrli, 1910.

Portmann, H., Frankfurter Effectenbuch. Berechnung der an der Frankfurter Börse gehandelten Effecten nebst Notizen f. die Arbitrage. gr. 8. (VIII, 86 S.) Frankfurt a. M. 873. Zimmer. n. 2. 40

Portmann, H.: Untersuchungen über die Cardioide als polare Curve. 1869. 4°
Diss. Rostock

Portmann, Hans, praktischer Arzt von Escholzmatt (Luzern): Aus der medizinischen Klinik in Zürich. Direktor: Professor. Dr. H. Eichhorst. Ueber Meningitis tuberculosa nach Beobachtungen der medizinischen Klinik in Zürich. Luzern 1905. 82 S. 8°. [12. VII. 05.]
Zürich. Med. Diss. 1904/1905.

Portmann, Hans. Ueber Meningitis tuberculosa, nach Beobachtungen der medizinischen Klinik in Zürich. Diss. Med. Univ. Zürich. *Kopftitel:* Aus der medizinischen Klinik in Zürich. Direktor: Professor Dr. H[ermann] Eichhorst. 82 S. 8. Luzern, J. Schill, 1905.

Portmann, [Heinrich], Prof. Dr.: Direktor Dr. Mendel Hirsch, (gest. am 28. März 1900). *Frankfurt a. M. 1900: L. Golde.* (S. 3.) 4°
Frankfurt a. M., R d. Isr. Religions-Ges., P 1900 (444)

Portmann, Jak., Theorie und Praxis der Bienen-Zucht nach dem gegenwärtigen Standpunkt der Wissenschaft oder: kurze und populäre Anleitung zur nützl. und dauerhaften Bienen-Zucht. Bearb. für den Landmann und Anfänger. gr. 8. (VIII und 75 S. mit 19 in den Text gedr. Holzschn.) Luzern 864, Gebr. Räber.

Portmann, Jo. Jeremias (Oberlichtenau/Meißen), **De usuraria pravitate tam vera et palliata, quam putativa sive imaginaria. Diss. jur. Präs. Tob. Jac. Reinharth. Erfurt (Grosch) 3. V. 1727. 32 Seiten. (5.—)** 27050
Gew.: Christoph Ignatius von Guden.

Portmann, Johann Gottlieb (Hrsg.), s. Choralbuch, Neues Hessen-Darmstädtisches.

Portmann, Jh. Gli., († d. 27. Sept. 1798.) die neuesten u. wichtigsten Entdeckungen in der Harmonie, Melodie u. doppelt. Contrapunkte. 8. Gießen 798. Heyer. 2 ₰ 8 gr.

Portmann, Johann Gottlieb. Leichtes Lehrbuch der Harmonie, Composition und des Generalbasses. Darmstadt 1789.

— leichtes Lehrbuch d. Harmonie, Composition u. des Generalbasses. 4. Gießen 798. N. A. 799. Heyer. 1 ₰ 8 gr.

— kurzer musikal. Unterricht f. Anfänger u. Liebhaber d. Musik; mit 28 Platten Beispielen. 4. Darmst. 785.

Portmann, (L.,) Vorlegeblätter beim Elementarunterricht d. Zeichenkunst. 15 Heft. in 10 Blättern. Auf Schreib- u. Velinpap. gr. 4. Frankf. 822, Jägersche B.

Portmans, A. M., O. Praed., das heiligste Herz Jesu u. d. hl. Rosenkranz. Betrachtgn. u. Andachtsübgn. zu Ehren d. hl. Herzens Jesu nach d. Geheimnissen des Rosenkranzes. Nach d. 4. französ. Aufl. übers. v. e. Mitgliede desselben Ordens. 16. (XVI, 272 S. m. 1 Farbdr.) Dülmen 898. A. Laumann. Geb. in Leinw. n. — 75

Portmans, Fr. A. M., Hilfe den armen Seelen durch den Rosenkranz. Betrachtgn. nebst Gebetbuch. Aus dem Franz. v. S. P. gr. 16. (XII, 216 S.) Paderborn 894. F. Schöningh. n. — 90; geb. n. 1. 40

Portner, Eduard [aus Warschau]: Über die Hydrazide und Azide der meta- und para-Brombenzoësäure ... Kiel, Druck v. Schmidt & Klaunig, 1896; 37 S., 1 Bl. 8.
Kiel, Phil. Fak., Inaug.-Diss. v. [22. Juli] 1896

Portner, Ernst: ‹Aus der königl. Universitäts-Frauenklinik zu Berlin. Direktor: Geh. Med. Rat Prof. Dr. Olshausen.› Kyphose und Kaiserschnitt. *Berlin (1897): E. Ebering.* (29 S.) 8°
Berlin, Med. Diss. v. 14. Dez. 1897

Portner, Ernst, therapeutisches Taschenbuch der Harnkrankheiten, s.a. Fischer's therapeut. Taschenbücher. 8. Bd.

Therapeutisches Taschenbuch der Harnkrankheiten einschl. der Erkrankungen beim Weibe u. Kinde. Von Dr. Ernst **Portner**. Mit 32 Abb. Berlin: Fischer's Med. Buchh. 1910. V, 234 S. 8°
(Fischer's Therapeutische Taschenbücher. 8.) [11. 14229

Portner, Jh. Geo., s. Abbildungen der königl. bayerischen Majestäts-Wappen ɔc.

Portner, Max. Jos., das kgl. bayer. Majestaets-Wappen etc., s. Abbildungen.

Pörtner, B.

— der gute Kamerad. Ein Wegweiser f. die Militärdienstzeit. 16. (VI, 72 S.) Mainz 900. F. Kirchheim. n.n. — 25

— der gute Kamerad. Ein Wegweiser f. die Militärdienstzeit 5. Aufl. (IV, 72 S.) 16. Mainz 905. Kirchheim & Co. n. — 25

— das biblische Paradies. Eine exeget. Studie. gr. 8. (36 S. m. Abbildgn.) Ebd. 901. n. — 70
Sonderabdruck aus: „Der Katholik".

[J. u. Ant.] **Poertner**, *Balthasar:* Die Autorität der deuterocanonischen Bücher des alten Testamentes, nachgewiesen aus d. Anschauungen d. palästin. u. hellenist. Judentums. Münster i. W., Aschendorff, 1893; 1 Bl., 67 S., 2 Bl. 8.
Münster, Kath.-theol. Fak., Inaug.-Diss. v. [2. Jan.] 1893

Pörtner, B., ägyptische Grabreliefs, s.: Wiedemann, A.

Pörtner, B., Aegyptische Grabsteine u. Denksteine aus Athen u. Konstantinopel. Mit 39 Abbildgn. auf 13 Lichtdr.-Taf. (IV S. u. 27 S. in Autogr.) 32×24,5 cm. Strassburg 908. Schlesier & Schweikhardt. Kart. 14. —

Pörtner, B., ägyptische Grabsteine u. Denksteine. Jetzt: Leipzig, J. C. Hinrichs' Verl.

Pörtner, B., s.: Grabsteine u. Denksteine, ägypt., aus süddeutschen Sammlungen.

Pörtner, Herm. Dtr., († ...) Passions- u. Festpredigten; herausgg. v. J. G. Zollikofer. gr. 8. Leipz. 771. Weidmann. 1 ₰ 12 ℊ

Pörtner, Hermann Dietrich. Auserlesene Predigten. Leipzig 1765—71. H: *Zollikofer, Georg Joach.* (JL)

— auserles. Predigten; hrsgg. v. J. G. Zollikofer. 3 Thle. gr. 8. Leipz. 765—67. Weidmann. 4 ₰ 4 ℊ

— Predigten von Erdbeben. 8. Frankf. a. M. 756. Eßlinger. (Schäfer). 6 ℊ

— Predigten vermischten Inhalts; hrsgg. von J. G. Zollikofer. gr. 8. Leipz. 769. Weidmann. 1 ₰ 12 ℊ

Pörtner, Ludw., Rundschrift. (24 S.) 8. Frankfurt a/M. (908). J. Branor-Hub. — 25

— Schreibübungen z. Gebrauch in kaufmännischen Fortbildungsschulen u. verwandten Anstalten sowie zum Selbstunterricht. (24 S. u. Schreibpap.) Lex. 8. Ebd. (907). — 40

Porto, das neue, in Mark u. Pfennigen vom J. 1875 ab gültig im „deutschen Reichspostgebiet." [In Tallellenform.] Nach Lüdemann's Reichs- Post- u. Telegraphen-Kalender pro 1875 umgerechnet. Nach der neuen Postordng. vom 18. Dcbr. 1874 zusammengestellt. Imp.-Fol. Berlin 875. Luckhardt. — 30

Porto, das neue, für Packete und Geldbriefe vom 1. Januar 1874 ab. In Tabellenform auf alle Entfernungen und bis 100 Pfd. = 50 Kilogr., sowie bis zum declarirten Werth von 1,000,000 Thlr. (in Groschenwährung) berechnet, nebst vergleichenden Uebersichten der Unterschiede zwischen dem jetz. und künft. Porto. gr. Fol. Leipzig und Berlin 873, Luckhardt'sche Verlagsh. * — 25
Aus: Lüdemann's deutschem Reichs-Post- und Telegraphen-Kalender für 1874, besonders abgedruckt.

Porto, Aemilii, *Λεξικὸν Ἰωνικὸν ἑλληνορωμαϊκόν*, hoc est Dictionarium Jonicum graeco-latinum, quod indicem in omnes Herodoti libros continet etc. Ed. nova. 8maj. London 825. (Leipz., Fr. Fleischer). 3 ₰ 8 ℊ

— — s.a. Porti

Porto, Luigi da, Geschichte d. Liebe u. d. Todes v. Romeo u. Julie. A. d. Italien. v. R. Motherby. 8. (4½ B.) Königsberg 828, Unzer.

Porto Maurizio, Leonhard v., s. a. Leonhard von Porto Maurizio.

Portu-Maurizio, Leonh. v., Weg zum Himmel, od. Betrachtungen u. Andachtsübungen ɔc. Uebers. v. Jos. Stark. 8. Augsb. Doll. 816.

Portofolio krolowej Maryi Ludwiki. Wydane przez Hr. Edw. Raczynskiego. 2 Tomy. 8. (46¼ B. u. 1 Stnt.) Poznan 844. (Leipzig, Brockhaus et Avenarius.) *

Portokar, Moritz Graf von. Das Leben eines Geistersehers. Meissen 1799. V: *Bornschein, Joh. Ernst Dan.* (NN) (BGE VI², 257)

Portokar, Moritz Graf von, zwei Jahre aus dem Leben eines' Geistersehers . . . Meissen 1800—1. V: *Bornschein, Johann Ernst Daniel.* (GGr) (Ky) »1799« (MGT)

Moritz Graf von Portokar, zwei Jahre aus dem Leben eines Geistersehers. Aus den Papieren seines Freundes, nebst dessen Jugendgeschichte. Vom Verf. der Abentheuer des Herrn von Lümmel auf Lümmelsdorf. 2 Thle. Ebd. 1800—1. 8°. (5 Mk. 20 Pfg., geles. Expl., Taussig, 1907.)
Anon.-Lex. III. p. 287 (nach Goedeke u. Kayser); Meusel hat „1799".

Portokar, Moritz, Graf v., 2 Jahre aus d. Leben e. Geistersehers ɔc. v. Verf. d. Hrn. v. Lümmel ɔc. (E. Bornschein.) 2 Thle. 8. Meißen, Erbstein. (Gödsche.) 800. 801.

Portomauritius, L. a., de administratione Poenitentiae et Confessione generali opusc. duo. 8. Augsburg, I. Wolf. 769.

Portora, im Dienste v. Downing Street. Aus der Aktenmappe e. polit. Geheimagenten. Einleitung, getreue Übersetzg. engl. polit. Geheimberichte, wortgetreue Wiedergabe amtl. Geheimkorrespondenz, m. Illustr. (101 S.) 8. Paris (908). Ch. Eitel. 5. —; geb. n 6. 50

Portorico [Schlagwort]

Portorico, s.: Amerika, Handtke.

Portosätze, die neuen, f. die Correspondenz nach dem Auslande, auf Grund d. 1874 in Bern abgeschlossenen Weltpostvertrags, giltig vom 1. Juli 1875 an. Nebst ausführl. Bestimmgn. üb. den Postanweisungsverkehr, sowie üb. die Packet u. Geldsendgn. nach fremden Postgebieten. Nach amtl. Vorlagen bearb. gr. 8. (IV, 37 S.) Leipzig 875. Ruhl. n. — 60

Porto-Tarif für Berlin vom 18. Dezember 1824. Nebst Erläuterungen. 1825.

Porto-Tarif für Briefe, Kreuzbandsendungen, Waarenproben, ordinäre Packete, Geldbriefe &c. auf alle Entfernungen des norddeutschen Bundes, Süddeutschlands, Oesterreichs &c. Imp.-Fol. Berlin 868, C. Heymann's Verlag. * — 25

—— dass. — gr. Fol. Dresden 868, Meinhold und Söhne. — 25

—— dass. — 8. (8 S.) Köln 868. (Neuwied, Heuser's Verlag.) * — 20

—— neuester, in Reichswährung für Briefe, Drucksachen, Waarenproben etc. für das deutsche Reich und die fremden Länder, revid. auf Grund des amtl. Materials der kaiserl. Oberpostdirection zu Frankfurt a. M. 1.—5. verb. und verm. Aufl. gr. 8. (4 S.) Frankfurt a. M. 875, Rommel. — 25

Porto-Taxe für jede Art von Post-Sendungen zwischen Berlin u. allen Preussischen u. den zum Deutsch-Oesterreich. Postvereins-Gebiete gehörigen, in Deutschland belegenen Post-Anstalten, sowie für Briefpost-Gegenstände zwischen Berlin u. allen übrigen europ. u. aussereurop. Ländern, nebst den bei Verpackung, Adressirung etc. zu beobachtenden Regeln. 2 Thle. gr. 4. 1. Thl.: Preussen. (19 S.) 2. Thl.: Ausland. (35 S.) Berlin 852, Brandis. (1: n. 1/6 ℛ 2: n. 5/12 ℛ) n. 7/12 ℛ

Porto-Taxe für jede Art von Postsendungen zwischen Berlin und allen preussischen und den zum deutsch - österreich. Postvereins - Gebiete gehörigen, in Deutschland belegenen Post-Anstalten, sowie für Briefpost-Gegenstände zwischen Berlin und allen übrigen europ. und aussereurop. Ländern, nebst den bei Verpackung, Adressirung etc. zu beobachtenden Regeln. I. Thl.: Preussen. gr. 4. (19 S.) Berlin 852, [Falckenberg und Comp.] *

—— dass. — 2. Thl.: Ausland. gr. 4. (35 S.) Ebds. 852. * -

Porto-Taxe für Briefe, für Pakete ohne Werths-Declaration und für Geld- und Werth-Sendungen aus Berlin nach preussischen Post-Orten et v. v. 8. (30 S.) Berlin 865, v. Decker'sche geheime Ober-Hofbuchdruckerei.

—— für Briefpost-Gegenstände aus Hamburg nach deutschen, fremden und überseeischen Ländern. Hrsg. nach amtl. Mittheilungen des Hamburger Staatspostamts. Lex.-8. (III und 43 S.) Hamburg 868, J. F. Richter. *

— von Dresden nach den am häufigsten vorkommenden Postanstalten im norddeutschen Postgebiete, sowie in den Postgebieten von Oesterreich, Bayern, Württemberg u. Baden. Zusammengestellt von einem Postbeamten. Dresden 868. Höckner. 8. (28 S. mit 1 Tab. in gr. 4.) n. 3 ngr.
Dieselbe erschien auch für Chemnitz u. Leipzig zu gleichem Preise.

—— für die Correspondenz sämmtlicher königl. preuss. Post-Anstalten nach allen Ländern der Erde. (Von Falinsky.) Zum Gebrauch für Beamte, Kaufleute, Comptoiristen etc. In 3 Tab. (in Imp.-Fol.), welche zu einem Blatte oder zu einem Buche formirt werden können. Königsberg 855, Schubert und Seidel. *

Porto-Taxe für die Correspondenz sämmtlicher königl. Preussischen Post-Anstalten . . . Königsb. [1856]. V: *Falinsky.* (KY)

Porto-Taxe für die Correspondenz sammtlicher königl. Preuss. Post-Anstalten nach allen Ländern der Erde. (Von Falinsky.) Zum Gebrauche für Beamte, Kaufleute etc. In 3 Tabellen (in gr. Fol.). Königsberg i. Pr. (856.) Schubert u. Seidel. n. 15 ngr.

Portotaxe für ... ⟨Taxquadrat Nr. ...⟩. Anlage. Orte mit mehreren durch Zahlen unterschiedenen Postanstalten, Bahnpostämter ... Deutsche Postanstalten in d. Schutzgebieten u. im Auslande. *Berlin 1902: Reichsdr.* (297 S.) 4°(8°) [02. 4205]

Portotaxe für ... ⟨Taxquadrat No⟩. Anl. ⟨S. 347⟩ Orte mit mehreren durch Zahlen unterschied. Postanstalten; Bahnpostämter ... Berlin 1908: Reichsdr. (370 S.) 4°(8°) [08. 6643]

Portotaxe f. Packete u. f. Briefe m. Werthangabe u. Postnachnahme-Briefe nach Orten innerhalb d. deutschen Reichspostgebietes, sowie nach Bayern u. Württemberg, nebst Anh. eine Zonen-Tabelle f. Rostock i. M. — Schwerin i. M. — Wismar — Güstrow — Ludwigslust, Grabow i. M. — Parchim. gr. 8. (34 S.) Wismar 878. Hinstorff's Verl. n. — 60

Portrait (dt.), s. Porträt

Portrait

— ou éloge critique de M. de Mirabeau. 8. Berl. 789. Schöne. 6 ℊℊ

Portrait de S. M. Cathérine II Impératrice de toutes les Russies. Dresde 1797. V: *Ligne, Charl. Jos. Prince de.* (Des Fürsten von Ligne Erinnerungen u. Briefe a. d. Franz. übers. u. hgbn. von Victor von Klarwill. Wien 1920. S. 396) (KY 3/555) (L. Rosenthal 54/134) (WBL 3/217) (M. H. de Baker, Bibliographie des oeuvres de Prince de Ligne. Bruxelles 1915. S. 60) (BIBLPORT)

Portrait historique de la vie de l'Imperatrice Richenza, mère de l'auguste maison de Bronsvic-Lunebourg. Traduit de l'Allemand . . . A Helmstadt 1779. Ü: *Schirach, Gottlob Benedict von.* (KY) (MGT) (OL) (Kordes, Schlesw.-holst. u. eutin. Schrifst. Schleswig 1797.)

— de Philippe II., roi d'Espagne. gr. 8. Basel 785. (Neukirch). 20 ℊℊ

Portrait d'un monstreux Serin de Canarie . . . Traduit de l'Allemand. Hambourg [1780]. V: *Schultz, Ernst Christoph.* (BrMm)

Portrait, Son. Altona 1906. V: *Lörchner, Wilh.* (Börsenbl. f. d. Deutschen Buchhandel 1906. No. 64 S. 2869.)

— du Comte de Vergennes, av. fig. gr. 8. Leipz. Sommer.

— et vie privée de Frédéric II. II Vol. 8. Berne, Haller. 795.

Portraits (dt.), s. Porträts

Portraits --- , PORTRAITS // DE // LA COUR // DE FRANCE, // Das ist: // Abbildungen /// der vornehmsten Perso= //nen / aus welchen ietzt der // Frantzösische Hoff // bestehet /// Aus dem Frantzösischen ins Teutsche // übersetzet. - 48 Seiten.
Das Schriftchen ist vom Jahre 17o2, vgl. Seite 7: "Dieser Hertzog ist verwichenen Jahrs Todes verblichen"; gemeint ist Philipp I. von Orleans und Valois, + 9. Juni 17o1.
B. S. I. 8°.43.

Portraits de la cour de Pologne. Cologne 1704. V: *Wolframmsdorf*, *Johann Friedrich von.* (Der neue Pitaval, v. Hitzig u. Häring. Neue Serie 3. S. 129 u. 146.)

— et déscript. d'un Serin monstrueux de Canarie cornu, av. fig. 4. Hamb. 780. Reuss. 12 gr.

Portraits par un Diplomate. Paris (?) 1883. V: *Dumreicher*, *Alois Baron von.* (Hdschr. Mitth. Exz. Josef von Rodakowski-Meran.)

Portraits des Généraux français, faisant suite aux victoires et conquêtes des français 1 à 16 Cah. et 2e Collection Livr. 1 à 7. in 8. Paris, 820. à 1 Thlr.

— et hist. de q. Pers. illustr. dans la Révol. franç. No. I. gr. 8. Lpz. Wolf. 796.

— hist. de la vie de l'impératrice Richenza, trad. de l'Allem. (par G. B. de Schirach). gr. 8. Helmst. 779. Kühnlin. 3 gr.

Portraits des hommes illustr., av. leurs vies. 8. Berne, Typ. 791.

Porträt

Portrait, das; Lstspl. 8. Leipz. 778. Schneider. 3 gr.

Portrait, das,. Lustsp. 8. Lpz. Schneider. (a. Linke.) 788.

PORTRAIT, Ein. Denkwürdigkeiten eines öffentlichen Mädchens. Altona, Verlags-Bureau, 1865. Kl. 8°.
225 SS. Ziemlich zahm. Mit illustr. Umschlag. — Auch m. d. Tit.: Dunkle Existenzen. Bdchn. 2 (1/3 Rthlr. Fischhaber &c.; jetzt theurer!)

— — Dasselbe. Hamburg, o. J. 8°. 226 S. (1 Mk. 50 Pfg. Gust. Klötzsch, Lpz., 1885.)

Porträt, das. Hrsg. von Hugo v. Tschudi. (In 20 Lfgn.) 1. Lfg. gr. Fol. Berlin 906. J. Bard & B. Cassirer (Auslieferung durch B. Cassirer). Subskr.-Pr. n. 3. 50; Einzelpr. n. 4. —
Das englische Porträt im XVIII. Jahrh. Gainsborough—Romeny—Raeburn. Von Cornel. Gurlitt. Mit 5 Kpfrdr.-Taf. u. 5 Abbildgn. im Text. (7 S.)

Porträt, das. Hrsg. von Hugo v. Tschudi. 2.—4. Lfg. 46.5×37 cm. Berlin, J. Bard u. B. Cassirer (Auslieferung durch B. Cassirer). Subskr.-Pr. à 3. 50; Einzelpr. à 4. —
Bie, Osc., das bürgerliche Porträt des 19. Jahrh. in Deutschland. Chodowiecki — Graff — Krüger — Runge — Oldach. (II, 4 S. m. Abbildgn. u. 5 Taf.) 907. (3. Lfg.)
Gurlitt, Cornel., das englische Porträt im XVIII. Jahrh. Reynolds — Hoppner — Lawrence. Mit 5 Kpfrdr.-Taf. u. 5 Abbildgn. im Text. (S. 7—12.) 906. (2. Lfg.)
Schaeffer, Emil, das Porträt der italienischen Hochrenaissance. Eine Umriss-Zeichng. (II, 8 S. m. Abb. u. 5 Taf.) (907.) (4. Lfg.)

Porträt, Cervantes. Ein Lustspiel in drei Aufzügen, nach d. Franz. Leipzig 1804. V: *Schmidt*, *Friedrich Ludw.* (Ky)

Portrait, charakteristisches, eines der würdigsten österreichischen Staatsmänner, von ihm selbst. 4. Wien, Pichler. 801.

Porträt eines wahren Christen. A. d. Franz. von einem Benedictiner von Kremsmünster. Wels 1792. Ü: *Doberschitz*, *Laurenz.* (Guppenberger, Bibliogr. d. Clerus der Dioecese Linz. Linz 1893. S. 31.)

Porträt d. Buchhändlers Theod. Demuth. Wien: Moritz Perles 1885. 8°

Porträt, Das, des Dichters. [Berlin 1825.] V: *Bernstein*, *Caroline.* (GGr)

PORTRAIT, Epigrammatisches, der berühmtesten itztlebenden hohen Häupter u. merkwürdigsten Staaten in der Welt, nebst e. Anhang einiger Grabschriften. O. O. 1726. 4°. Rar!
Cat. der Waisenhausbuchhdlg. in Züllichau (c. 1745).

Porträt v. Europa. Gezeichnet v. e. alten Staatsmann außer Diensten, u. hrsg. v. (W. T.) Krug. gr. 8. (9 B.) Leipzig 831, Kollmann.
1. u. 2. Nachtrag, vgl. Politik. — Papstthum.

Das **Portrait** eines ächten Freymaurers. [Wien] 1786.
Abgedr. in: Sammlung aller aus Gelegenheit d. k. k. Verordn. v. 16. Dez 1785 z. Vorschein gekommenen Schriften d. Frmr. betr. 8 (1786) S. 63—72.
Selten. Gedicht.
[Abafi, L.: Gesch. d. Frmrei in Österreich-Ungarn. 4 (1893) S. 179.]

PORTRAIT, Curieuxes, der Jungfrau-Liebe. Franckfurt u. Leipzig 1723. 4°. Aeusserst selten!
Bratring's Büch. Samml. Berlin 1832. S. 17.

Porträt, Das lebendige, des römischen Papstes Pius IX. in interessanten historischen Zügen dargestellt . . . Wien 1863. V: *Hummel*, *Ferdinand J.* (EB)

Porträt, Das, der Mutter, oder die Privatkomödie. Lustspiel in vier Acten. Berlin 1790. V: *Schröder*, *Friedrich Ulrich Ludwig.* (BrMm)

— das, der Mutter. Schausp. v. Schröder. 8. Berl. Mottmann. 790.

—— Napoleons d. Helden u. Schöpfers d. französ. Nationalgeistes, im Abglanze d. glorreich. Julitage v. 1830. Mit N's. Brustbilde. 12. (12 B. u. 6 Tab.) Ilmenau 830, [Weimar,] Voigt.

— des Professor Richters in Göttingen. 8. Salzburg, Mayr.

Portrait des sel. Hrn. Oberst Siber-Gysi. Farbendruck. gr.-4. Zürich, Lithographen-Genossenschaft. 1872. 5. —

Portrait-Album literarhistorischer deutscher Frauen 1740—1840. 16. (25 Photogr.) München 864, Bruckmann. In Couvert. * Einzelne Blatt

Portrait-Album aus dem deutsch-französischen Kriege 1870—1871. Fol. (20 Holzschntaf.) Stuttgart 871. G. Weise. geb. 3. —; color. Ausg. 3. 75

Porträt-Bilder zürcherischer Parlamentarier. Separatabdruck aus der Schweizerischen Wochen-Zeitung. [Jahrg. 1907—1909.] 226 S. 8. Zürich, Druck und Verlag von Jean Frey. Komm. Albert Müller, 1909. [fr. 2.—]

Porträt-Bilder zürcherischer Parlamentarier. (226 S.) Zürich 910. A. Müller's Verl. 1. 60
Sonderabdruck aus: „Schweiz. Wochen-Ztg."

Porträte. Zwei Theile. Leipz. 1779—81. V: *Westphal, Georg Christian Erhard.* (Ky) (EE)

Portraite. 2 Thle. 8. Leipzig, Weygand. 779-81. (à 20 gr.)

Porträte. Leipzig 1789. V: *Schulz, Johann Gottlob.* (Ky) (MGT)

Porträte, Die beiden. [Berlin 1826.] V: *Bernstein, Caroline.* (GGr)

PORTRATE einiger (28) noch lebenden Damen des französischen Hofs. Nach dem Leben gezeichnet. (Aus d. Französ.) Riga, im Hartknochschen Verlag, 1791. (Auch unter dem Titel: Memoiren, historische, u. galante Romane. 1ter Theil.) 8°. (18 Sgr. Scheible; 5 Mk. Max Harrwitz, Berlin, 1911.)
6 Bll. Vorst., 1 Bl. Druckf., 224 S.

Portraite einiger lebend. Damen am französ. Hofe, nach d. Leben gezeichnet. 8. Riga 792. Hartknoch in Leipz. 12 gr.

Porträte einiger noch lebenden Damen an deutschen Höfen. [Giessen] 1791. V: *Seidel, Carl August.* (Kat. d. Bibl. Dr. Franz Schnitzer. München 1902. S. 67.)

— einiger noch lebenden Damen an deutschen Höfen. 2 Thle. 8. Gießen u. (Cassel) 792. Krieger. 16 gr.

— einig. noch lebend. Damen an deutsch. Höfen. 2 Thle. 8. Marb. Krieger. 792.

— der berühmt. Geographen, Seefahrer, Reisebeschreiber u. and. um d. Erd- u. Länderkunde verdienter Männer, mit kurz. geograph. Notizen v. ihnen. 1e u. 2e Decade. gr. 8. Weim. 808. Ind.-Compt. 2 Rthlr.

— berühmt. Männer aus d. französ. Revolutionsgeschichte, mit Biographien, No. 1. gr. 8. Leipz. 796. (Schmidt). 1 Rthlr. — Dass. französ. 1 Rthlr.

— ber. Männer a. d. franz. Revolutionsgesch. mit Biograph. Nr. 1. gr. 8. Lpz. Wolf. 796.

Porträte, Die zwei, oder Geschichte meines Landaufenthalts. Coburg u. Leipzig 1799. V: *Facius, Johann Friedrich.* (Ky) (MGT)

Porträte, d. zwey, od. Gesch. meines Landaufenthalts. 8. Coburg, Sinner. 799.

Porträten-Gallerie berühmter Ärzte und Naturforscher ... Wien 1837-38. H: *Gräffer, Franz.* (WBL)

Porträten-Gallerie der berühmtesten Aerzte und Naturforscher des österreich. Kaiserthumes (der verstorbenen wie der lebenden). Neues vaterländ. Bildnißwerk (sich der österr. National-Encyklopädie anschließend). Herausg. von der Redaction der österr. National-Encyklopädie. 36 lithogr. Bildnisse u. Text. gr. 4. Wien 837, 38. (Beck.) 4½ Rthlr.

Porträtgalerie

Porträtgallerie des steiermärkischen Adels aus der Hälfte des 18. Jahrhunderts. Hrsg. von Jos. Hammer Purgstall. 1—6. Lfg. gr. Fol. (à Lfg. 4 lithogr. Bl.) Wien 855(55,) (Gerold's Sohn.) à Lfg. *

Hammer-Purgstall, Freiherr Joseph —. Porträtgallerie des steiermärkischen Adels aus der Hälfte des 17. Jahrhunderts. Herausgegeben von — —. 1. Lieferung. Wien. 1855. J. Rauh's lith. Kunstanstalt. In Kommission bei Karl Gerold und Sohn. (4 Porträte Fol.)
Porträte von: Graf Kajetan Thurn, Oberst-Wachtmeister. — Graf Wenzel Purgstall I. — Graf Inzagi, Abt zu Nikolsburg. — Peter Paul Althaimb, Probst zu Legatur. — (Die Sammlung von Bauer aus München lithographirt erscheint in 12 monatlichen Lieferungen, das Heft zu 4 fl. C. M.)

Hammer-Purgstall, Freih. Joseph —. Porträtgallerie des steiermärkischen Adels aus der Hälfte des 18. Jahrhunderts. Herausgegeben von — —. 2.—5. Lieferung. Wien. 1855. J. Rauh's lith. Kunstanstalt. In Kommission bei Karl Gerold u. Sohn. (16 Porträte. Fol.)

Hammer-Purgstall, Freih. Joseph —. Porträtgallerie des steiermärkisch. Adels aus der Hälfte des 18. Jahrhunderts. Herausgegeben von — —. 6. 7. Lieferung. Wien. 1855. Artistische Kunstanstalt von Reiffenstein und Rösch. In Kommission bei Karl Gerold und Sohn. (8 Porträte Fol.)

Hammer-Purgstall, Freiherr Joseph —. Porträtgallerie des steiermärkischen Adels aus der Hälfte des XVIII. Jahrhunderts. Herausgegeben von — —. 8. und 9. Lieferung. Wien, 1855. Gedruckt bei Reiffenstein und Rösch. In Kommission bei Karl Gerold's Sohn. (Jedes Heft enthält 4.

Hammer-Purgstall, Freiherr Josef — Porträtgallerie des Steiermärkischen Adels aus der Hälfte des XVIII. Jahrhunderts. Herausgegeben von — —. 10—12. Lieferung. Wien, 1855. Gedr. bei Reiffenstein & Rösch. In Kommission bei Karl Gerolds Sohn. (Jedes Heft enthält 4 Porträte. Beigelegt 20 S. Text. Fol. (Schluß.)

Portrait-Galerie der regierenden Fürsten u. Fürstinnen Deutschlands. Hrsgbr. f. den künstler. Theil: C. F. v. Schlichtegroll, f. den literar. Theil: E. v. Zoller. 36 Portraits u. 36 Widmungsblätter m. Zwischenbeilagen aus Seide m. Jacquardweberei.) Fürsten-Ausg. Blattgr. 37 : 46 cm. Plattengr. 26 : 33 cm. [Stuttgart 890. 891. K. F. Glaesser.] Berlin, Karl Siegismund. n. 900. — : geb. in Ldr.-Einbd. n. 1000. —

— dasselbe. Schrift-Ausg. Blattgr. 37 : 46 cm. Plattengr. 26 : 33 cm. Ebd 890. 891. n. 144. —

— der regierenden Fürsten u. Fürstinnen Europas. Hrsgbr. f. den künstler. Theil: C. F. v. Schlichtegroll, f. den literar. Theil: E. v. Zoller. Fürsten-Ausg. Lfg. 1—26. (à 2 Portr. m. Widmungsblättern u. Zwischenlagen aus Seide m. Jacquardweberei.) Blattgrösse 37 : 46 cm. Plattengr. 26 : 33 cm. Ebd. 889—892. à n. 50. —
Wird nur direkt an regier. Fürsten geliefert.

— dasselbe. Luxus-Ausg. Lfg. 1—26. (à 2 Portr. m. Widmungsblättern u. Zwischenlagen aus Seide m. Jacquardweberei.) Blattgr. 37:46 cm. Plattengr. 26:33 cm. Ebd. 889—892. à n. 35. —

— dasselbe. Salon-Ausg. Lfg. 1—26. (à 2 Portr. m. Widmungsblättern ohne Seidenzwischenlagen.) Blattgr. 37 : 46 cm. Plattengr. 26 : 33 cm. Ebd. 889 — 892. à n. 16. —

— dasselbe. Schrift-Ausg. Lfg. 1—26. (à 2 Portr.) Blattgrösse 37 : 46 cm. Plattengr. 26 : 33 cm. Ebd. 889—892. à n. 8.

Einzelne Portraits à n. 12. —:

A. Deutsche Fürsten u. Fürstinnen.

Adolf Georg, Fürst zu Schaumburg-Lippe. Radirg. v. H. Lüdeke.
Agnes, Herzogin v. Sachsen-Altenburg. Radirg. v. M. Horte.
Albert, König v. Sachsen. Radirg. v. Ludw. Kühn.
Alexandrine, Herzogin v. Sachsen-Coburg u. Gotha. Radirg. v. M. Horte.
Anastasia, Grossherzogin v. Mecklenburg-Schwerin. Radirg. v. F. Böttcher.
Antoinette, Herzogin v. Anhalt. Radirg. v. G. Holch.
Auguste Caroline, Grossherzogin v. Mecklenburg-Strelitz. Radirg. v. P. Schramm.
Auguste Victoria, Kaiserin u. Königin v. Preussen. Radirg. v. Joh. Lindner.
Carl Alexander, Grossherzog v. Sachsen-Weimar. Radirg. v. G. Holch.
Carl Günther, Fürst v. Schwarzburg-Sondershausen. Radirg. v. M. Hentschel.
Carola, Königin v. Sachsen. Radirg. v. H. Winckelmann.
Elisabeth, Grossherzogin v. Oldenburg. Radirg. v. L. Otto.
Ernst, Herzog v. Sachsen-Altenburg. Radirg. v. G. Holch.
Ernst II., Herzog v. Sachsen-Coburg u. Gotha. Radirg. v. O. Reim.
Friedrich, Herzog v. Anhalt. Radirg. v. Joh. Plato.
Friedrich, Grossherzog v. Baden. Radirg. v. Joh. Lindner.
Friedrich Franz III., Grossherzog v. Mecklenburg-Schwerin. Radirg. v. F. Böttcher.
Friedrich Wilhelm, Grossherzog v. Mecklenburg-Strelitz. Radirg. v. Th. Hrnčíř.
Georg II., Herzog v. Sachsen-Meiningen. Radirg. v. H. Winckelmann.
Georg Victor, Fürst zu Waldeck u. Pyrmont. Radirg. v. G. Holch.
Günther, Fürst zu Schwarzburg-Rudolstadt. Radirg. v. G. Holch.
Heinrich XIV., Fürst v. Reuss jüng. Linie. Radirg. v. H. Winckelmann.
Heinrich XXII., Fürst v. Reuss ält. Linie. Radirg. v. J. Kuttner.
Hermine, Fürstin zu Schaumburg-Lippe. Radirg. v. O. Reim.
Ida, Fürstin v. Reuss ält. Linie. Radirg. v. G. Holch.
Karl I., König v. Württemberg. Radirg. v. H. Lüdeke.
Ludwig IV., Grossherzog v. Hessen u. bei Rhein. Radirg. v. H. Lüdeke.
Luise, Grossherzogin v. Baden. Radirg. v. Ludw. Kühn.
Luitpold, Prinz-Regent v. Bayern. Radirg. v. H. Lüdeke.
Marie, Fürstin v. Schwarzburg-Sondershausen. Radirg. v. H. Lüdeke.
Olga, Königin v. Württemberg. Radirg. v. M. Hentschel.
Peter, Grossherzog v. Oldenburg. Radirg. v. Joh. Plato.
Sophie, Fürstin zur Lippe. Radirg. v. P. Brockmüller.
Sophie, Grossherzogin v. Sachsen-Weimar. Radirg. v. M. Hentschel.
Waldemar, Fürst zur Lippe. Radirg. v. H. Lüdeke.
Wilhelm II., Deutscher Kaiser u. König v. Preussen. Radirg. v. M. Hentschel.

B. Ausserdeutsche Fürsten u. Fürstinnen.

Adolf, Grossherzog v. Luxemburg. Radirg. v. H. Winckelmann.
Alexander III., Kaiser v. Russland. Radirg. v. O. Reim.
Carol, König v. Rumänien. Radirg. v. H. Winckelmann.
Christian, König v. Dänemark. Radirg. v. P. Schramm.
Elisabeth, Königin v. Rumänien. Radirg. v. H. Winckelmann.
Ferdinand, Fürst v. Bulgarien. Radirg. v. P. Schramm.
Franz Josef, Kaiser v. Oesterreich. Radirg. v. W. Hecht.
Georg, König v. Griechenland. Radirg. v. J. Kuttner.
Leopold, König der Belgier. Radirg. v. O. Reim.
Luise, Königin v. Dänemark. Radirg. v. P. Schramm.
Maria Feodorowna, Kaiserin v. Russland. Radirg. v. H. Lüdeke.
Marie Henriette, Königin der Belgier. Radirg. v. Max Horte.
Milena, Fürstin v. Montenegro. Radirg. v. P. Schramm.
Nicolaus, Fürst v. Montenegro. Radirg. v. P. Schramm.
Olga, Königin v. Griechenland. Radirg. v. H. Lüdeke.
Oscar, König v. Schweden. Radirg. v. G. Holch.
Sophie, Königin v. Schweden. Radirg. v. M. Hentschel.

Portrait-Gallerie der regierenden Fürsten u. Fürstinnen Europas. Hrsg. von C. F. v. Schlichtegroll u. E. v. Zoller. Ausg. m. der Schrift. 1.—4. Lfg. Fol. (à 2 Taf. in Radirg. m. 2 Blatt Text.) Stuttgart 889. Glaeßer. à n. 8. —

— dasselbe. Französ. Ausg. 1. Lfg. Fol. (2 Taf. m. 2 Blatt Text.) Ebd. 889. n. 8. —

Porträtgalerie aus Lamprechts deutscher Geschichte, s.: Universal-Bibliothek.

Porträt-Gallerie zu Macaulay's Geschichte von England in mehr als 200 historisch denkwürdigen Bildnissen (in Holzschn.) mit Randzeichnungen. Nach den besten Originalen. (In 25 Liefgn.) Braunschweig 862. Westermann. 8. (Mit 6 Bl. Text.) Jede Liefg. 3 ngr.; Ausg. in gr. 8. à n. 3½ ngr.

Porträt-Gallerie zu Macaulay's Geschichte von England in 200 historisch denkwürdigen Bildnissen und Randzeichnungen. Nach den besten Orig. 25 Lfgn. 8. (IV und 7 S. mit 200 Holzschntaf.) Braunschweig 863, Westermann. à Lfg. 3 Ngr. Ausg. in gr. 8. à Lfg. * 3½ Ngr. *

—— s.a. Universal-Portrait-Gallerie.

Portrait- u. Costüm-Gallerie aus der badisch-pfälzischen Revolution v. 1849. 1. u. 2. Lfg. 4. (12 color. Lith.) Karlsruhe 849, Nöldeke. (à n. 1 ₰) n. 2 ₰

Portrait-Galerie der akademischen Lehrkörper Deutschlands, Österreichs u. der Schweiz. Mit ergänz. biograph. Text. In feinster Gravuremanier ausgeführt nach Orig.-Vorlagen. Gesamt-Ausg. 1.—11. Lfg. gr. 4. (à 2 Bl.) Leipzig 893. K. F. Pfau. à n.n. 1. —

Porträt-Galerie der akademischen Lehrkörper Deutschlands, Österreichs u. d. Schweiz. M. ergänz. biograph. Text. In feinster Gravuremanier ausgeführt nach Orig.-Vorlagen. Gesamt-Ausg. 12.—54. Lfg. gr. 4. (à 2 Bl.) Leipzig 895. A. Warnecke. à Lfg. n. 1. —

Portraitgallerie. Schweizerische P'-G' (*Spezialband: Porträt-G'). 6 Bände (72 Hefte) u. [Spezialband:] Simplon-Album.... 8. Zürich, Illustration, Druck und Verlag: Art. Institut Orell Füssli (*Heft 1–25, resp. Bd. 1 u. 2: O' F' & Co.), (1888—1907). [pro Heft, à 8 Tafeln, fr. 1.—; pro Halbband, à 6 Hefte, 6.—; pro Band, à 12 Hefte, geb. 15.—; Spezialband cart. 10.—]

Band 1. (Heft 1—12.) IV S. + Tafeln N° 1—96. (1888—1889.)
Band 2. (Heft 13—24.) IV S. + Tafeln N° 97—192. (1889—1890.)
Band 3. (Heft 25—36.) IV S. + Tafeln N° 193—288. (1891.)
Band 4. (Heft 37—48.) IV S. + Tafeln N° 289—384. (1892.)
Band 5. (Heft 49—60.) IV S. + Tafeln N° 385—480 (1893—1895.)
Band 6. (Heft 61—72.) IV S. + Tafeln N° 481—576. (1896—1907.)

— [Heft 62:] Festnummer der Landesausstellung. (1896); Heft 69. 1902; Heft 70. 1905; Heft 71 u. 72 [Schluss des Werkes]. 1907.

[Spezialband:] Simplon-Album. Hrg. anlässlich der Eröffnung des Simplon-Tunnels 1906. [11 Bl. +] 55 Tafeln.

— schweizerische. 1.—25. Hft. gr. 8. (à 8 Taf.) Zürich 888—890. Orell Füssli Verl. à n. 1.— (Bd. I u. II cplt. geb.: à n. 15.—)

Portrait-Galerie, schweizerische. 26.—58. Hft. gr. 8. (à 8 Taf.) Zürich 891—894. Art. Institut Orell Füssli, Verl. à n. 1.—; in Halbbdn. à n. 6.—

Portrait-Gallerie, schweizerische. 59.—66. Hft. gr. 8. (à 8 Taf.) Zürich 895—898. Art. Institut Orell Füssli, Verl. à Lfg. n. 1.—; (5. Bd. kplt. geb. in Leinw.: n. 15.—)

— dasselbe, Volksausg., s.: Orell Füssli's Portrait-Mappe.

Portrait-Gallerie, schweizerische. 67.—69 Hft. gr. 8. (à 8 Taf.) Zürich 899—902. Art. Institut Orell Füssli. à n. 1.—

Portraitgallerie. Schweizerische P'-G'. 1905 Heft 70. IV S. + Tafeln N° 553—560. 8. Zürich, Orell Füssli. [fr. 1.—]

Porträtgallerie. Schweizerische P'-G'. [Spezialband:] Simplon-Album, Hrg. anlässlich der Eröffnung des Simplon-Tunnels 1906. [11 Bl. +] 55 Tafeln. 8. Zürich, Orell Füssli. [cart. fr. 10.—]

Portrait-Gallerie, schweizerische. 71. u. 72. (Schluss-) Heft. (à 8 Taf.) gr. 8. Zürich (907). Art. Institut Orell Füssli. 1.—; auch in 12 Halbbdn. à 6.— u. in 6 geb. Vollbdn. à 15.—

Portrait-Katalog, s. Harrwitz, Max.

Portrait-Katalog zur Geschichte des Theaters u. der Musik. 10,000 Portraits berühmter Musiker, dramat. Künstler, Schauspieler etc. 1. Thl.: A—L. gr. 8. (125 S.) München 894. J. Halle. — 75

Portraits, (von G. C. C. Westphal). 2 Thle. 8. Leipz. 779—81. Weygand. 1 ℳ 16 𝔤

— (von Jh. Gto. Schulz). 8. (Leipz.) 789.

Porträts, antike, aus hellenist. Zeit. (Hrsg. v. Thdr. Graf.) hoch 4. (35 Heliogr.) Wien (1, Spiegelg. 3) 891. Thdr. Graf. In Leinw.-Mappe n. 30.—

Porträts, Berliner. [Berlin 1905.] V: *Heilbut, Emil.* (stadtBiblBerlin XIII, S. 71)

Porträts, griechische u. römische. Nach Auswahl u. Anordng. v. Heinr. Brunn u. Paul Arndt hrsg. v. Frdr. Bruckmann. 1.—21. Lfg. gr. Fol. (à 10 Lichtdruck-Taf.) München 891—894. Verlagsanstalt f. Kunst u. Wissenschaft. à n.n. 20.—

— griechische u. römische. Nach Auswahl u. Anordng. v. Heinr. Brunn u. Paul Arndt hrsg. v. Frdr. Bruckmann. 22.—43. Lfg. gr. Fol. (à 10 Lichtdr.-Taf.) München 895—898. Verlagsanstalt F. Bruckmann. à Lfg. n.n. 20.—

Porträts, griechische u. römische. Nach Auswahl u. Anordnung v. Heinr. Brunn u. Paul Arndt hrsg. v. Frdr. Bruckmann. 44.—57. Lfg. gr. Fol. (à 10 Taf. in Phototyp.) München 899—902. Verlagsanstalt F. Bruckmann. à Lfg. n.n. 20.—

Porträts, griechische u. römische. Nach Auswahl u. Anordng. v. Heinr. Brunn u. Paul Arndt hrsg. v. Frdr. Bruckmann. 58.—75. Lfg. (à 10 Taf. in Phototyp.) gr. Fol. München 903—906. Verlagsanstalt F. Bruckmann. à n n. 20.—

Porträts, griechische u. römische. Nach Auswahl u. Anordng. v. Heinr. Brunn u. Paul Arndt hrsg. v. Frdr. Bruckmann. 76. Lfg. (10 Taf. in Phototyp.) 50×39,5 cm. München 906. Verlagsanst. F. Bruckmann. nn 20.—

— dasselbe. Nach Auswahl u. Anordng. v. Paul Arndt. 77.—84. Lfg. (80 Taf. in Phototyp.) 50×39,5 cm. Mit Register zu Taf. 1—760. (VII, 53 S.) Lex. 8. Ebd. 909. 10. à Lfg. nn 20.—; Register allein 2.—

Portraits u. Scenen, historische, aus den Memoiren des Herzogs v. Saint-Simon. Von L. Starklof. 2 Bde. 8. Leipzig (846,) 847, Vereins-Verlagsbuchh. C. Wigand. 2½ ℳ

— aller röm. u. griech. Kaiser von Jul. Cäsar bis Franz II, nach den besten Originalien gezeichnet u. gestochen von Quirin Mark, 181 Blatt auf Schweizer Velinp. gr. 4. Wien 814. Bauer. 15 ℳ

— Dass. Prachtexemplare f. Bibliotheken od. Kunst-Kabinette. gr. Fol. in Maroquin geb. 60 ℳ

Portraits Düsseldorfer Künstler, nach dem Leben gez. u. radirt von Fr. Meyer. I u. II Hft. (: Köhler, Deger, Plüddemann, Lessing.— Bendemann, Sonderland, Reinick, Ehrhardt.) gr. 4. Düsseldorf 840. Buddeus. à Hft. n. 1½ ℳ

Porträts nach dem Leben gezeichnet. Erster [einz.] Band. Berlin und Leipzig [Delitzsch, Schmidt] 1789. V: *Schulze, Joh. Gottlob.* (BGE IV, 120/121)

—— berühmter Naturforscher. 48 (photozinkotyp.) Bilder m. biograph. Text (v. G. Siebert). Fol. (IV, 24 S.) Wien 892, Pichler's Wwe. u. Sohn. In Mappe * 15—; einzelne Bilder à * — 40

Arago. Berthelot. Berzelius. Blumenbach. Buch. Buffon. Bunsen. Cuvier. Darwin. De Candolle. Du Bois-Reymond. Dumas. Eichler. Faraday. Galilei. Gegenbaur. Gessner. Haeckel. Haller. Helmholtz. Herschel. Hofmann. Humboldt. Kekulé. Kepler. Kirchhoff. Kopernikus. Laplace. Lavoisier. Leuckart. Liebig. Linné. Lockyer. Ludwig. Lyell. Mädler. Newton. Pasteur. Quenstedt. Schiaparelli. Schleiden. Thomson. Tycho de Brahe. Tyndall. Virchow. Volta. Wiedemann. Wislicenus.

PORTRAITS BERÜHMTER NATURFORSCHER. 48 Bilder mit biographischen Texte von 24 seiten. Wien, 1894. Folio.

Contains the following portraits: Arago, Berthelot, Berzelius, Blumenbach, Brahe, Buch, Buffon, Bunsen, Cuvier, Darwin, De Candolle, Du Bois-Reymond, Dumas, Eichler, Faraday, Galilei, Gegenbaur, Gessner, Haeckel, Haller, Helmholtz, Herschel, Hofmann, Humboldt, Kekulé, Kepler, Kirchhoff, Kopernicus, Laplace, Lavoisier, Leuckart, Liebig, Linné, Lockyer, Ludwig, Lyell, Mädler, Newton, Pasteur, Quenstedt, Schiapareili, Schleiden, Thomson, Tyndall, Virchow, Volta, Wiedemann, Wislicenus.

— berühmter Österreicher. gr. Fol. (20 Bl.) Wien 898. A. Pichler's Wwe. & Sohn. In Mappe n. 8.—

Portraits berühmter Pädagogen. [Comenius, Diesterweg, Herbart, Kehr, Fröbel, Pestalozzi, Lüben, Jahn.] Fol. (8 Chemigr.) Wien 885, Pichler's Wwe. und Sohn.
In Mappe *M 4.40.; einzeln à Bild * — 50

Porträts berühmter Pädagogen. 2. verm. Aufl. Fol. (16 Bl. auf Velinpap.) Wien 892, Pichler's Wwe. u. Sohn.
* 6 —; einzelne Blatt à * — 50
Joach. Heinr. Campe. Joh. Amos Comenius. Adf. Diesterweg. Joh. Glieb. Fichte. Aug. Herm. Francke. Friedr. Fröbel. Joh. Friedr. Herbart. Friedr. Ludw. Jahn. Imman. Kant. Karl Kehr. Aug. Lüben. Mart. Luther. Phpp. Melanchthon. Joh. Heinr. Pestalozzi. Jean Jacques Rousseau. Chrn. Ghilf. Salzmann.

— der. Personen. 1s Heft. 8. Hamb. Vollmer. 804. (enth. 6 Stck. à 4 gr.)

Porträts von Zweiundzwanzig Professoren der Kieler Universität am Ende des vorigen Jahrhunderts. Kiel 1892. V: *Karsten, Gustav.* (Erman & Horn, Bibliogr. d. dtsch. Univ. 2. Leipz. u. Berl. 1904.) (Berl)

Porträts württembergischer Regenten. (16 Bl kolorierte Lithograph.) 4° Stuttgart

Portraits u. Scenen aus d. J. 1848. 2 Bde. Mit R. Blum's Bildniß in Stahlst. 8. 1. Ludwig Kossuth als Staatsmann u. Redner. (47 S.) Der Krieg in Ungarn. Von Oskar Födäl. (95 S.) Die Republik Oesterreich. Vom Gr. v. S. (16 S.) Die Wiener October-Revolution. Von Adolf Buchheim u. Oskar Falke. (56 S.) Geschichte der Aula. Von Aug. Silberstein. (86 S.) — 2. Der Kampf der Demokratie u. des Absolutismus in der Preuß. constituir. Versammlung 1848. Von Carl D'Ester. (72 S.) Preußen, Berlin u. die Revolution. 2 Hfte. (95 S.) Robert Blum. Von Arthur Frey. 7. Aufl. (47 S.) Ludwig Napoleon Bonaparte. (61 S.) Mannheim 849, Grohe. 3/4 ₰

Portraitsammler, enth. 180 Bildnisse gelehrter Männer aus d. 15. u. 16. Jahrh., nebst d. Lebensbeschreibungen. 18 Hfte. 8. Augsb., Bürglen. 18 ₰

Portrait-Sammlung berühmter Componisten etc., s.a. Maltitz, G. A. Frh. v., Biographieen etc.
[Ist nur ein veränderter Titel des a. a. O. bereits näher bezeichneten Werkes.]

Portrait-Sammlung berühmter Componisten u. Virtuosen. Nach Antiken, Originalgemälden rc. 1e Liefer. 3 Hefte. 4. Hamb. u. Itzehoe 831. Schubarth u. N. 1 ₰ (Vergl. G. A. v. **Maltitz**, Biographien rc.)

Portraits-Catalog. Verzeichniss aller Portraits welche in Deutschland bis Ende des J. 1857 erschienen und noch vom Verleger zu beziehen sind. Mit Einschluss einer grossen Anzahl ausländ. Portraits und mit Angabe der Verleger und Ladenpreise. Bearb. von Joh. Heitzmann. Lex.-8. (IV und 432 S.) München 858, Mey und Widmayer. Thlr. *

Porträtwerk, allgemeines historisches. Eine Sammlg. v. 600 Porträts der berühmtesten Personen aller Völker u. Stände seit 1300 m. biograph. Daten. Photographien nach gleichzeit. Originalen. (In 12 Serien à 10 Lfgn.) 1. u. 2. Serie: Fürsten u. Päpste. 1.—20. Lfg. Fol. (à 5 Bl. m. 5 Bl. Text.) München 883. 84. Bruckmann. à n. 2. — (1. u. 2. Serie in 1 Bd. geb. n. 45. —)

— dasselbe. [3. Serie: Staatsmänner u. Feldherrn.] 21.—40. Lfg. Fol. (à 5 Bl. m. 5 Bl. Text.) Ebend. 884—86. à n. 2. —

— dasselbe. [5. Serie: Dichter, Schriftsteller, Verleger.] 41. u. 42. Lfg. Fol. (à 5 Bl. m. je 5 Bl. Text.) Ebend. 886. à n. 2. —

Porträtwerk, allgemeines historisches. Eine Sammlung von 600 Porträts der berühmtesten Personen aller Völker und Stände seit 1300 mit biograph. Daten. Unter Leitung von Wold. v. Seidlitz. Phototypien nach den besten gleichzeit. Orig. 1.—20. Lfg. 1. und 2. Serie: Fürsten und Päpste. Fol. (à Lfg. 5 Bl. mit je 5 Bl. und XVI S. Text.) München 883,84, Verlagsanstalt für Kunst und Wissenschaft.
à Lfg. *M 2.; geb. in 1 Bd. * 45 —

Porträtwerk, allgemeines historisches. Eine Sammlung von 600 Porträts der berühmtesten Personen aller Völker und Stände seit 1300 mit biograph. Daten. Unter Leitung von Wold. v. Seidlitz. Phototypien nach den besten gleichzeit. Orig. 21.—40. Lfg. 3. Serie: Staatsmänner und Feldherren. 20 Lfgn. Fol. (à Lfg. 5 Bl. mit 5 Bl. Text.) Ebendas. 884,85. à Lfg. *M 2.; geb. in 1 Bd. * 45 —

Porträtwerk, allgemeines historisches. Eine Sammlung von über 600 Porträts der berühmtesten Personen aller Nationen von ca. 1300 bis ca. 1840. Mit biograph. Daten von H. Tillmann und H. A. Lier. Nach Auswahl von Wold. v. Seidlitz. Phototypien nach den besten gleichzeit. Orig. 41.—70. Lfg. [V.—VII. Serie: Dichter und Schriftsteller.] Fol. (à Lfg. 5 Bl. mit 5 Bl. Text.) München 886,87, Verlagsanstalt für Kunst und Wissenschaft. à Lfg. *M 2.—. *

— dasselbe. [8. u. 9. Serie: Künstler u. Musiker.] 71.—90. Lfg. Fol. (à 5 Bl. m. 5 Bl. Text.) Ebd. 887. 888. à Lfg. n. 2. —

— dasselbe. [10. u. 11. Serie: Gelehrte u. Männer der Kirche.] 91.—110. Lfg. Fol. (à 5 Bl. m. 5 Bl. Text.) Ebd. 888. 889. à Lfg. n. 2. —

— dasselbe. [12. Serie: Berühmte Frauen — Verschiedene.] 111.—120. (Schluss-)Lfg. Fol. (à 5 Bl. m. 5 Bl. Text u. 13 Bl. Register.) Ebd. 890. à n. 2. — (cplt. in 6 Bde. geb.: n. 300. —)

—— dass. — Mit biograph. Daten v. H. Tillmann u. H. A. Lier. Neue Ausg. 5 Abtlgn. à 12 Lfgn. Fol. (à Lfg. 10 Bl. m. 10 Bl. Text.) Ebd. 892. à Lfg. * 4 —; à Abtl. * 48 —; * 240 —
1. Das Zeitalter d. Humanismus u. der Reformation. (1300—1600.)
2. Das Zeitalter d. 30jährigen Krieges. (1600—1670.)
3. Das Zeitalter der Vorherrschaft Frankreichs.) (1670—1760.
4. Das Zeitalter der französischen Revolution. (1760—1810.)
5. Das Zeitalter der Befreiungskriege. (1810—1848.)

Porträtwerk, allgemeines historisches. Neue Ausg., nach Zeitaltern geordnet. Eine Sammlg. v. üb. 600 Porträts der berühmtesten Personen aller Nationen von etwa 1300 bis etwa 1840, nach Auswahl von Wold. v. Seidlitz, m. biograph. Daten v. H. A. Lier u. H. Tillmann. Phototypien nach den besten gleichzeit. Originalen. I. Abtlg.: Das Zeitalter d. Humanismus u. der Reformation (1300—1600). 12 Lfgn. Fol. (à 10 Taf. m. 10 Bl. Text.) München 893. Verlagsanstalt f. Kunst u. Wissenschaft. à Lfg. n. 4. —; 1. Abtlg. kplt. geb. in Halbkalbldr.: n. 60. —

— dasselbe. 13.—19. Lfg. II. Abtlg.: Das Zeitalter des 30jähr. Krieges (1600—1670). Fol. (à 10 Taf. m. je 10 Bl. Text.) Ebd. 894. à Lfg. n. 4. —
Erscheint in 5 Abtlgn. à 12 Lfgn. (à Lfg. 10 Bl. m. 10 Bl. Text): 1. Das Zeitalter d. Humanismus u. der Reformation (1300—1600). — 2. Das Zeitalter d. 30jährigen Krieges (1600—1670). — 3. Das Zeitalter der Vorherrschaft Frankreichs (1670—1760). — 4. Das Zeitalter der französischen Revolution (1760—1810). — 5. Das Zeitalter der Befreiungskriege (1810—1848).

Porträtwerk, allgemeines historisches. Neue Ausg., nach Zeitaltern geordnet. E. Sammlg. v. üb. 600 Porträts d. berühmtesten Personen aller Nationen von etwa 1300 bis etwa 1840, nach Auswahl von Wold. v. Seidlitz, m. biogr. Daten v. H. A. Lier u. H. Tillmann. Phototypien nach d. besten gleichzeit. Originalen. 26.—60. (Schluss-) Lfg. III. Abtlg.: D. Zeitalter d. Vorherrschaft Frankreichs (1670–1760). — IV. Abtlg.: D. Zeitalter d. französ. Revolution (1760—1810). — V. Abtlg.: D. Zeitalter d. Befreiungskriege (1810—1845). Fol. (362 Taf. m. 362 Bl. u. XXVIII S. Text.) München 895—897. Verlagsanstalt F. Bruckmann. à Lfg. n. 4. —; à Abtlg. geb. in Halbfrz. n. 60. —

Port-royal und Clairvaux, oder christliche Freiheit in Lehre und Leben. Von einem Priester des Cisterzienser-Stiftes Rein. gr. 8. (208 S.) Gratz 865, (Leuschner und Lubensky.) *

Pörtschach und Krumpendorf, Curbad am Wörthersee. Mit zahlreichen Illustrationen nach Photographien und Zeichnungen. 8. (57 S.) Klagenfurt: A. Raunecker 1895. --.30

Kurbad Pörtschach am Wörthersee in Kärnten. Klgft., Lankus (typ. Muhr in Villach), (1895). 38 S. (Verf.: Alfred Leopold.)

Portsmouth, der Herzogin von, Geschichte, oder geheime Liebschaften Carls des Zweyten, Königs von England, mit 1 Kupf. 8. Leipzig, 795. Rein. 15 sgl.

Portsmouth Correspondent: Oct. 28, 1857--1913?

Independent weekly; supported Tilden. Published in English and German, 1910—13. Circulation: 1870, 980 (est.); 1880, 1137; 1890, 1100; 1900, 1530; 1905, 2150; 1910, 2350. Edited & published by Eduard Wilhelm Raine [with A. Kauffmann, 1868—70], 1867—75; by Julius Bock, 1876; by John T. Miller, 1877—81; by J. G. Feuchtinger, 1882--83; edited by Karl Huber, & published by Karl Huber & Georg Kuh, 1884—1907?; edited & published by Louis F. Korth, 1908—14.
Portsmouth, OH

Portu, Enrico de, aus Smyrna: Galileis Begriff der Wissenschaft. Marburg: (Dürr in Leipzig) 1904. (54 S.) 8°
Erscheint vollst. u. d. T.: 'Der Anteil der Philosophie an Galileis Begründung der Physik,' bei Dürr in Leipzig.)
Marburg, Phil. Diss. v. [4. März] 1904

Portu-Maurizio, s. Porto Maurizio

Portugal [Sachliches OW]

— ein geograph. Spiel, mit ein. Reisebeschreib. zur Uebersicht der vornehmsten Merkwürdigkeiten, mit illum. Charte. Leipz. W. Fleischer.

Portugal, nach Murphy bearbeitet. O. O. [ca. 1800]. V: *Volckmann, Johann Wilhelm.* (MGT)

Portugal. Erinnerungen aus dem Jahre 1842. Mainz 1843. V: *Lichnowsky, Felix Maria Vinc. Andr. Fürst von.* (CBH) (Cat. d. Stadtbibl. Zürich. Zürich 1864—97.)

Portugal, Erinnerungen aus dem Jahre 1842. (Vom Fürsten Felix Lichnowsky). gr. 8. Mainz 843, v. Zabern. n. 2⅓ ß

Portugal nach der neuen Landesaufnahme von C. Vogel. 1,500,000. G. M. 1871.

Portugal, das Königr. u. seine Colonien; e. Skizze mit 1 Karte. 8. Berl. 808. Maurers B. 10 gr.

Portugal u. d. Portugiesen rc. s. a. Welt- u. Menschenkunde 1r Thl.

Portugal u. d. Portugiesen, e. Gemälde d. Landes u. der Nation (a. unt. dem Tit.: allgemeine Welt- und Menschenkunde rc. 1s Bdch.) n. e. Charte. gr. 8. Berlin, Braunes. 809. Rthlr.

Portugal und die Portugiesen. Berlin 1810. V: *Bratring, Friedrich Wilh. Aug.* (Ky)

— und Spanien durchreist. 4 Theile. 8. Bauzen, Arnold. 797. (Neuer Tit. von Engelhard Reisen.)

Portugal [Schlagwort]

Portugal, s. a. Europa. Kiepert, R. — Hand- u. Reisekarten. 41. — Spanien.

Portugal, s. a. Hand- u. Reisekarten. 41. — Pyrenäen-Halbinsel.

Portugal — Spanien und — etc. nach Lopez bearb. von C. F. Davidos. Wien bej T. Mollo 1820. S. g. g. G. K. von Spanien. 1: 950,000.

Portugal — Charte von — Nach W. Fadens Charte (Aug. 1797) etc. berichtigt. Weimar im Verlage des Geogr. Instituts 1804. 1: 900,000. 1 Bl.

Portugalliae et Algarbiae cum finitimis etc. qua simul littora Brasiliae, Portug. Majestatis dominio subjecta etc. nova methodo exhibentur a Johanne Bapt. Homanno etc. Norimberg. 1: 1,500,000. Für Brasilien 1: 16,000,000

Portugalliae — Regnum — Divisum in quinque Provincias etc. cum Regno Algarbiae exhibitum. Per Joh. Bapt. Homannum. Edita primum per J. B. Nolin nunc recusa per. H. H. 1736 et ad Meridianum primum per Ins. Ferro reducta. 1 : 1,100.000. 1 Bl.

Portugal — Carte de l'Espagne et du — d'aprés Lopez. Vienne 1807 chez Artaria. S. g. g. G. K. von Spanien 1: 950,000.

Portugalliae — Nov. et acc. Regnorum Hispaniae et — etc. Cura et sumptibus Matth. Seutteri. Aug. Vind. S. g. g. G. K. von Spanien. 1 : 2,400,000. 1 Bl.

Portugal — Neueste Generalkarte von — und Spanien. Nach den astr. Beob. und Karten des Herrn Thomas Lopez etc. Verfasst von Herrn Michael Votesky. Herausgegeben von Herrn (Schrämbl) 1790. Wien zu finden im eigenen Verlage. 1: 950,000. 6 Bl.

Portugal [Verfasser]

(de **Portugal,** Mme.) Uebungen für den ersten Schreib- und Leseunterricht in der deutschen Sprache. 92 Stn. 8. Genf. (H. Georg.) 1. 50
1873.

Portugall, Adele v., Fr. Fröbel, s.a. Aus Natur u. Geisteswelt.

Friedrich Fröbel, s. Leben u. Wirken. Von Adele v. **Portugall**. Mit 5 Taf. Leipzig: Teubner 1905. 154 S. 8°
(Aus Natur u. Geisteswelt. Bdch. 82.) [11. 18386 II

Portugiese, der beredte. Eine Anleitg., in sehr kurzer Zeit, ohne Hülfe e. Lehrers, leicht u. richtig portugiesisch lesen, schreiben u. sprechen zu lernen. 12. (160 S.) Bern 890. Heuberger's Verl. n. 1. —

Portugiesen, Die, in Indien. Ein histor.-romantisches Gemälde. Hof 1793.
V: *Vulpius, Christian August.* (KY) (EE)

Portugiesen, die, in Indien, ein historisch-romantisches Gemählde, von dem Verf. der romantischen Geschichten der Vorzeit, (Vulpius) 2 Theile, mit 1 Kupf. 8. Hof, 793. Grau. 1 Rthl. 20 sgl.

O **Portuguéz** na Allemanha. Methodo para fallar o Allemão rapidamente sem mestre, por meio d'uma pronuuciação figurada. Bonn: C. Georgi [1900]. (33 S.) 8° [Umschlagt.]
= **Kuntzé**, Méthode Polyglotte. [22.] [05. 193

O **Portuguéz** na Hespanha. Methodo para fallar o Hespanhol rapidamente sem mestre, por meio d'uma pronuuciação figurada. Bonn: C. Georgi [1900]. (32 S.) 8° [Umschlagt.]
= **Kuntzé**, Méthode Polyglotte. [23.] [05. 194

Portus Pulchri in Isthmo Panamensi siti accurata Ichnographia ex prototypo Londinensi desumta prostat in Officina Homanniana 1740. (Eroberung von Porto-bello durch Vice-Admiral Edward Vernon am 22. 9ber 1739.) 1 : 22,000. 1 Bl.

Portz, Heinrich Joseph (Niederembt bei Cöln/Rhein). De prima tuberculorum formatione et sede; historia tuberculorum peritonaei adjecta. Diss. pathol. Berlin (Nietack) 20. VIII. 1836. 37 S. mit Biogr. (M.: A. Hocken.) (3.25) 27051
Oppon.: H. Cueppers, J. V. Schoeller, H. Luettge.

Portzehl, Otto: Die Lehre vom Bedeutungswandel in der Schule. T. 1. Königsberg Pr. 1907: Hartung. (64 S.) 8°
Königsberg Pr., Hufen-G OP 1907 (10)

Portzen, Arnold von der (Kleve/Rheinpreußen), De usu practico distinctionis hominum in ingenuos et libertinos. Diss. inaug. Präs. Christian Thomasius. Halle/Magdeburg (Salfeld) 1. X. 1711. 44 S. (4.75) 27052

— — Dasselbe. Halle/Magdeburg (Salfeld) 1. X. 1711. 42 S. (4.75) 27053
Gew.: Arnold Hermann von d. Portzen (Vater).

— — Dasselbe. Halle/Magdeburg (Salfeld) 1. X. 1711. 44 S. (4.75) 27054
Gew.: Arnold Hermann von d. Portzen (Vater).

— **Fried. Wilh. von der** (Kleve/Rheinpr.), De usu practico distinctionis hominum in liberos et servos. Diss. inaug. Präs. Christian Thomasius. Halle Magdeburg (Salfeld) 30. IX. 1711. 50 S. (4.75) 27055

— — Dasselbe. Halle / Magdeburg (Salfeld) 30. IX. 1711. 50 S. (4.75) 27056
Gew.: Arnold Hermann von d. Portzen (Vater).

— — Dasselbe. Halle / Magdeburg (Salfeld) 30. IX. 1711. 50 S. (4.75) 27057
Widm. v.: Christian Thomasius.

— — **De usu practico distinctionis hominum in liberos et servos, Vom Rechts-Gebrauche wie man Freye und Leibeigene unterscheiden soll.** Diss. inaug. Präs. Christ. Thomasius. Halle/Magdeburg (Chr. L. Sympher) 30. IX. 1711. Rec. 1740. 56 S. (4.75) 27058

Pörtzgen, Peter Josef Maria

Pörtzgen, P. J. M., Besuchungen des allerhlst. Altarssakramentes, s.: Liguori, Alphons. v.

Poertzgen, P. J. M., das Herz d. Gottmenschen im Weltenplan. Für Freund u. Feind. gr. 8. (296 S. m. 1 Titelbild in Farbendr.) Trier 890. Paulinus-Druckerei. n. 2. 80; geb. n. 4. —

Pörtzgen, P. J. M., d. Herz d. Gottmenschen im Weltenplane. Für Freund u. Feind. 2., vielfach erweit. Aufl. gr. 8. (IV, 280 S.) Trier 895. Paulinus-Druckerei. n. 2. — ; geb. n. 2. 80

— das Herz des Gottmenschen im Weltenplane. Für Freund u. Feind. 3., mehrfach erweit. Aufl. (IV, 300 S. m. 1 Farbdr.) 8. Trier 904. Paulinus-Druckerei n. 2. —; geb. n. 2. 80

Portzig, Zachar., Wahrh. zur Gottseligkeit a. den Evang., nach Ordn. des Dresdn. Katechism. 8. Dresden, Gerlach. 745.

Portzigs, Zachar., triumphirende Wahrheit: unumstößlicher Beweis, daß der Höllen-Pein unendlich sey contra Petersen. Altenb. 722. 8.

Poruba, J, Wien. Die Photographie im Dienste der objektiven Darstellung oder Projektionsmethode. Mit besonderer Rücksicht auf ihre Anwendung beim geographischen Unterricht. Wien 1891.

Poruba, Joh. Bapt., Bericht üb. den I. internationalen Lehrercongress in Havre. [6. bis 10. Septbr. 1885.] gr. 8. (IV, 60 S.) Wien 886. (Sallmeyer.) n. 1. 20

Porubsky, Franz

— u. Herm. **Mittelmann**, Heiteres u. Ernstes aus der Bukowina. (IX, 283 S.) 8. Czernowitz 906. (R. Schally.) n.n. 3. —

Porubsky, Frz., rund um den Rathausturm u. den Pruth. (VII, 189 S. m. Bildnis) 8. Czernowitz 906. (H. Pardini. n. 2. —

Porubsky, Franz: Czernowitzer Skizzen. Czernowitz: Schally 1910.

Porubsky, Gustav, s. Porubszky

Porubszky, D., Ungarns Nationalitäten u. Politik. Bauern, Handwerker u. Arbeiter. gr. 8. (20 S.) Preßburg 896. (G. Heckenast's Nachf.) n. — 40

Porubszky, Dav., Gewerbe u. Gewerbefreiheit, Gesellschaft u. Socialdemokratie. Den Vertretern des Volkes ehrfurchtsvoll gewidmet. Allen Gewerbetreibenden als solidar. Forderg. bestens empfohlen. (26 S.) gr. 8. Pozsony (Pressburg) 906. (G. Heckenast's Nachf.) n. — 60

PORUBSZKY, Geysa: Influxus christianismi in urbem Romam usque ad Constantinum Magnum. — (1910) VI, 193 Bl. 4° (Handschr.) Diss. 889
Diss.Wien, Univ.

Porubszky, Gust., Fastenandacht über das Leiden und Sterben Jesu Christi in Gebeten und freien Betrachtungen. gr. 8. (V und 151 S.) Wien 854, Braumüller. *

Porubszky, Gustav —. Fastenandacht über das Leiden und Sterben Jesu Christi in Gebeten und freien Betrachtungen. 8. (152 S.) Wien. W. Braumüller. Gedruckt bei A. Pichler's Witwe und Sohn. 1854.

Porubszky, Gust., Jakobus der Zeuge vom lebendigen Glauben. Eine Reihenfolge von Predigten über den ganzen Brief Jakobi in seinem inneren Zusammenhange. Wien 861. Braumüller. gr. 8. (IV, 436 S.) 2 ℔

—— evangelische Kanzelvorträge. gr. 8. (IV und 329 S.) Wien 853, Braumüller. *

Porubszky, Gust., ausgewählte Predigten. 2 Bde. gr. 8. (VIII, 302 u. IV, 302 S.) Wien 877. Braumüller. n. 8. —

Porubsky, Gust., die Rechte der Protestanten in Österreich. Sammlung der wichtigsten Gesetze und Verordnungen über protestant. Kirchen- und Schulangelegenheiten in den deutsch-slav. Kronländern Österreichs in systemat. Reihenfolge. gr. 8. (XXIV und 352 S.) Wien 867, Braumüller. *

—— die Synode soll den Tempel Gottes bauen. Festpredigt vor Eröffnung der evangel. Generalsynode A. C. in Wien am 22. Mai 1864 in der Gumpendorfer Kirche abgehalten. gr. 8. (15 S.) Wien 864, Tendler und Comp.

Porubßky, Gustav — Unser evangelisches Verhalten den nichtevangelischen Christen gegenüber. Predigt am Reformationsfeste den 28. Oktober 1855 in der Gumpendorfer evangel. Filialkirche gesprochen von — —. Wien. Aus J. B. Wallishaussers k. k. Hoftheater-Druckerei. (14 S. 8.)

Porubszky, Josephus —. Jus ecclesiasticum Catholicorum. Scripsit — —. 8. (XX. S. 173 bis 582.) Pestini. Typis Aemilii Müller. 1853.

Schwetz, Joann. — Institutiones theologicae concinnatae a — —. Pars I. Theologia generalis seu fundamentalis, cui praemittitur brevis introductio in Theologiam universam concinnata a — — Editio altera. 8. (XVI, 678 S.) Viennae. Typis Congregationis Mechitaristicae. 1854.

Porubszky, Jos., Jus ecclesiasticum catholicorum. Lex.-8. (XX und 584 S.) Pestini 853, (Pfeifer.) *

Poruck, Johs., die Religion der Zukunft. Eine Studie zur Prüfg. der Ideen des Grafen Leo Tolstoi u. Friedrich Nietzsche's. gr. 8. (24 S.) Berlin 894. F. Gottheiner. n. 1. —

Porum, A. D., die Thräne. Humoreske. In stenotachygraph. Schrift übertr. v. Ant. Neumer. 12. (20 S.) Teplitz 899. Stenotachygraphen-Verein. n. — 25

Porumbescu, Iraclie: Zur administrativen Organisierung der gr.or. Kirche in der Bukowina. Czernowitz: Mehr. Silvester 1891.

Porumbescu, Iraclie: Kloster Putna in der Bukowina. Czernowitz: Pardini 1895.

Porz, H. A., Lese- und Schreibebüchlein f. Landschulen, zur Erlernung nützlicher Kenntnisse a. d. Religion, Naturlehre, Geschichte und Geographie. in 8 Tafeln. 8. Leipzig, Joachim.

Das **Porzellan** als **Isolier- und Konstruktionsmaterial** in der Elektrotechnik ⟨mit besond. Berücks. d. Leitungsbaues⟩. Im Auftr. d. Porzellanfabrik Hermsdorf-Klosterlausnitz unter Mitw. … hrsg, von Rob. M. Friese. *Hermsdorf-Klosterlausnitz S. A.: Porzellanfabrik 1904.* (VII, 273 S.) 8° [04. 14269

Porzellanfabrik Hermsdorf: Hochspannungs-Isolatoren-Katalog. Hermsdorf (Sachsen-Altenburg) 1905

Porzellan- u. Glashandlung, die. Organ f. die Interessenten des Handels m. Glas, Prozellan, Steingut, Haus- u. Küchengeräten, Beleuchtungsartikeln, Metall-, Luxus- u. Kurzwaren. Offizielles Organ folg. Verbände u. Einkaufsgenossenschaften: Verband deutscher Porzellan-, Steingut u. Glaswaren-Händler, Grossisten u. Detaillisten usw. Hrsg.: Ernst Jaffé. Red.: Walt. Marschall. 8. Jahrg. 1908. 52 Nrn. (à ca. 24 S. m. Abbildgn.) 33,5×24 cm. Berlin, Porzellan- u. Glashandlg. 6. —
Nicht mehr im Buchhandel.

Porzellan-Malereien im Rauchsalon S. M. Y. Hohenzollern. Ausgeführt in der königl. Porzellan-Manufactur Berlin. Fol. (10 Taf. in Farbenlichtdr.) Berlin 894. A. Frisch. In Mappe. n. 25. —

Porzellan-Malereien im Rauchsalon S. M. Y. Hohenzollern. Fol. (10 Taf.) Berlin 894. [A. Frisch.] Schöneberg (G. Minuth). In Mappe n. 25. —; erm. Pr. n. 18. —

Porzellan-Manufaktur, Die Königliche, Berlin (1910)

Porzellan-Manufactur, Königlich Sächsische, in Meißen. (Meißen 1896)

Porzellanmanufaktur. Königlich sächsische, Meissen. Gegründet 1710. Text englisch. (128 S 44 T) qu 8° (Meissen 1900)

Porzellan-Marken, Meissner, — Vieux Saxe — von 1704—1870, sowie die berühmtesten Marken anderer alten Fabriken Europas. (Von Kratze.) (18 S. m. Fig.) kl. 8 Dresden (905). (P. Alicke.) Geb. n. 2. —

Die **Porzellan-Schliff-Füllung.** Neue Methoden z. Füllen centraler u. nicht centraler Cavitäten mit Porzellan unter Anwendung selbstgefertigter konischer Porzellan-Schliffe nach Alfred Guttmann, Hofzahnarzt in Potsdam. *Berlin: [C. Ash & Sons 1903].* (96 S.) 8° [03. 10459 11

Porzelt, Paul *Maria* [aus Köln]: Aus d. Krankenhaus d. barmherzigen Brüder zu Bonn. Ueber Compressionsfracturen am Kniegelenk … Bonn, Buch- u. Steindr. J. Bach Wwe 1897; 32 S., 1 Bl. 8.
Bonn, Med. Fak., Inaug.-Diss. v. [17. März] 1897

Porzer, M., des Lebens Quodlibet, od. die Dinge scheinen, die Menschen meinen. Eine Neujahrsbetrachtung. (Gedicht.) gr. 4. (2 B.) Landshut 829, (Thomann.) Thlr.

Porzer, Max, Eumenes. Trauersp. in 5 Akt. 1. Aufl. Landshut 838, Palm. ⅝ Thlr., neue Ausg. gr. 8. (à 7½ B.) Augsburg 840, Lampart u. Comp.

Einleitung in die Sprachwissenschaft [Vvedenie v jazykovědênie]. Von Dr. Viktor [Karlović] Porzeziński [Poržezinskij]. Prof. Autor. Übers. aus d. Russ. von Dr. Erich Boehme, Lektor in Berlin. Leipzig & Berlin: Teubner 1910. 229 S. 8° [10. 13775

Porzia, J., Graf, s.: Purliliarum comitis, J.

Porzig, Bruno [Assistenzarzt am Krankenhause zu Augsburg]: Ein Fall von Facialislähmung nach Herpes zoster cervico-occipitalis .... München, Buchdr. Gebr. Haertl, 1888; 24 S. 8°
München, Med. Fak., Inaug.-Diss. v. 1888

Porzig, Bruno, ein Fall von Facialislähmung nach Herpes zoster cervico-occipitalis. Diss. München 1888, A. Buchholz. 8°. 24 S.

Porzig, Max [Referendar]: Über das Rechtsverhältniss der in eine Erwerbsgesellschaft gemachten Einlagen nach römischem Rechte... Altenburg, Druck v. Oskar Bonde, 1890; 4 Bl. + 36 S. 8°
Göttingen, Jur. Fak., Inaug.-Diss. v. 14. März 1890

Porzig, M., üb. das Rechtsverhältniss der in e. Erwerbsgesellschaft gemachten Einlagen nach römischem Rechte. Inaug.-Diss. gr. 8. (36 S.) Altenburg 890. (Göttingen, Vandenhoeck & Ruprecht's Verl.) n. 1. —

Porzig, Rich., ältester treuester Führer durch die sächsisch-böhmische Schweiz, s.: Täubert, Gust.

Porzsolt, Koloman v., Sport u. Liebe. Heitere Geschichten aus der Sportwelt. Nach dem Ung. übers. u. frei bearb. v. Adph. Kohut. Einzig berecht. Uebersetzg. Mit 9 Orig.-Illustr. 8. (V, 98 S.) Berlin 891. [S. Frankl.] Neufeld & Henius. n. 1. —

Pós, Ludw., Karl Frühwirth u. Wilh. Kund, Fibel f. d. Schreib-Lesenunterr. 2. Aufl. 8. (112 S. m. Bild.) Budapest 893. Franklin-Verein. Geb. n. — 60

Pós, Ludw., s.: Lesebuch, Deutsches, f. Volksschulen.

Posa, Trauerspiel in 5 Aufzügen von G. Döring. gr. 8. Frankfurt a. M., Hermann. 821.

[F.] Graf **Posadowsky** und die Koalitionsfreiheit vor dem Reichstag. Verhandlgn d. Deutschen Reichstags üb. d. Erlass d. Staatssekretärs d. Innern v. 11. Dez. 1897 gegen angebl. Missbrauch d. Koalitionsfreiheit. Nach d. offiziellen stenogr. Bericht. *Berlin: Vorwärts 1898.* (112 S.) 1 Bd 8. [98. 1654

Posadowsky, Graf, u. die Koalitionsfreiheit vor d. Reichstag, Verhandlgn. d. deutschen Reichstags üb. d. Erlaß d. Staatssekretärs d. Innern v. 11. XII. 1898 gegen angebl. Mißbrauch d. Koalitionsfreiheit. Nach d. offiz. stenograph. Bericht. gr. 8. (112 S.) Berlin 898. Buchh. Vorwärts. n. — 20

Posadowsky, Graf v., das Hypotheken-Wesen d. Großhrzgth. Posen; in seinen Eigenthümlichkeiten dargest. gr. 8. (13¼ B.) Glogau 835, [Berlin,] Heymann.

Geistliche Gedichte der etc. Fräulein Augusta Elisabeth von Posadowsky, geb. Freyin von Postelwitz etc. herausgegeben von Joh. Adam Steinmetz. Magd. u. Leipz. 1751. 8o.

Posadowsky, Augusta Elisa v., geistl. Gedichte. 8. Frankf. Garbe. (Gebhardt u. K.) 786.

v. Posadowsky, Augusta Elisa, geistl. Gedichte. Mit e. Vorrede hrsgg. v. J. A. Steinmetz. 8. (Frkf. a. M.) 786. 2 Thle. 2e Aufl. 8. Elberf. 787. (Gebhardt u. K.) 1 4/

[Arthur] Graf [v.] **Posadowsky**[-Wehner] als Finanz-, Sozial- und Handelspolitiker, an d. Hand seiner Reden dargest. von Johannes Penzler (3. 4: von Hermann Ehrenberg). Bd 1–4. Leipzig: J. J. Weber 1907–11. 4°(8°)
1. 1882–98. 1907. 2. 1898–1902. 1908. 3. 1902–04. 1911. 4. 1904–10 u. Nachtr. 1911. [11. 15899

Posadowsky-Wehner, Graf, über die Altersversorgung der Arbeiter. Vortrag, gehalten im landwirthschaftl. Haupt-Verein der Kreise Kosten, Fraustadt und Kröben. gr. 8. (22 S.) Rawitsch 883, Frank'sche Buchh. * — 40

Posadowsky-Wehner, Graf A. v., Exz., Ansprache auf der 26. Jahresversammlung des deutschen Vereins gegen den Mißbrauch geistiger Getränke (E. V.) in Nürnberg am 15. IX. 1909. (4 S.) gr. 8. Berlin (909). Mäßigkeits-Verlag. 100 Stück nu 1. 20
Sonderabdruck aus: „Bericht üb. d. 26. Jahresvers."

Posadowsky-Wehner, Arth. Adf. Graf. Geschichte d. schlesischen uradligen Geschlechtes der Grafen Posadowsky-Wehner Freiherrn v. Postelwitz nebst e. Anh., enth. Nachrichten üb. das Breslauer Patrizier-Geschlecht v. Wehner. Auf Grund d. urkundl. Materials dargestellt. 4. (123 S. m. Wappen u. 14 Stammtaf.) Bresl. 891. (Berl., Stargardt.) * 20 —

Posadowsky-Wehner, Arthurus (Adolfus) Comes de *(geb. Glogau 3. 6. 1845)*: De duobus universalis monarchiae gladiis. Secundum fontes medii aevi. Vratislaviae (1867). (63 S.) 8°
Breslau, Jur. Diss. v. 8. [vielmehr 10.] Juli 1867

D. Dr. Graf A[rthur] **Posadowsky-Wehner**, Staatsminister. Luxus und Sparsamkeit. Ein Vortrag. Göttingen: Vandenhoeck & Ruprecht 1909. 24 S. 8° [09. 10158

Posadowsky, Graf, Reden, s.: Penzler, Johs., Graf Posadowsky als Finanz-, Sozial- u. Handelspolitiker.

— Die Wohnungsfrage als Kulturproblem. Vortrag, geh. in München am 5. I. 1910 in e. öffentl. Versammlg. des bayer. Landesverbandes f. Wohnungsförderg. (32 S.) 8. München 910. E. Reinhardt. — 50

Posadowsky-Wehner, Silvius Graf von: Die widerrechtliche Aneignung von Wild in zivil- und strafrechtlicher Bedeutung. Borna-Leipzig 1909: Noske. IX, 57 S. 8°
Breslau, Jur. Diss. v. 27. Mai 1909. Ref. Dahn-Gretener
[Geb. 14. Dez. 81 Gr.-Pluschnitz; Wohnort: Breslau; Staatsangeh.: Preußen; Vorbildung: Gymn. Kreuzburg (O.-S.) Reife M. 02; Studium: Lausanne 1, Bonn 4, Breslau 3, Bonn 1 S.; Rig. 10. Dez. 07.] [U 09. 512

Posadsky, S.
Praktische Modification der Pettenkofer-Nagorsky'schen Methode zur Bestimmung des Kohlensäuregehalts der Luft. Mit Tabellen: I. Der Bestimmung des Kohlensäure-Volumens der Luft nach Abnahme der alkalischen Reaction der Barytlösung, und II: Zur Reduction eines Gas-Volumens auf 0° Temperatur und auf 760mm Luftdruck. St. Petersburg, 1886. 8vo.

Posadsky, S., practische Modification der Pettenkofer-Nagorsky'schen Methode zur Bestimmung d. Kohlensäuregehalts der Luft. Mit Tabellen: 1. der Bestimmg. d. Kohlensäure-Volumens der Luft nach Abnahme der alkal. Reaction der Barytlösg., u. 2. zur Reduction e. Gasvolumens auf 0° Temp. u. auf 700 mm. Luftdruck. gr. 8. (41 S.) St. Petersburg 886. (Leipzig, Voss' Sort.) n. 1. 50

Posadzy, Ludwig, a. Szymborze (Prov. Posen): Der entwicklungsgeschichtliche Gedanke bei Herder. Posen 1906: St. Adalbert-Druckerei. (108 S.) 8°
Münster, Phil. Fak., Ref. Spicker, Diss. v. 12. Mai 1906
[Geb. 3. Aug. 78 Szymborze; Wohnort: Posen; Staatsangeh.: Preußen; Vorbildung: Gymn. Hohensalza Reife O. 99; Studium: Berlin 13 S.; Rig. 1. März 06.]

Posamenten f. Möbel u. Dekorationen alter u. neuer Stile. — Passementeries de style pour ameublement. — Upholstrytrimmings. Jahrg. 1908. 4 Lfgn. (à 10 Lichtdr.-Taf.) 49×32 cm. Dresden, E. Tretbar. à 6. —; f. das Ausland à 7. 50

Posamentier, der. Centralblatt f. Mode-, Kurz- u. Weißwaaren-Handel. Red.: J. Stitzkowski. 1. Jahrg. 1876/77. 52 Nrn. (B.) gr. 4. Berlin, Stitzkowski. n. 10. —

Posaune. – Die Posaune. –
Leipzig, sp. [ab 1838] Hannover. –
2.X.1831 – 31.XII.1844.
Fortges. u.d.T.: Hannoversche Morgenzeitung.

Posaune, die, Ueberlieferungen aus d. Vaterlande u. d. Auslande. Ein Tagblatt f. Leser aller Stände. Redig. u. hrsg. v. G. Harrys. 1—3. Jahrg. 1831, 32 u. 34. gr. 4. Hannover. (Leipzig, Literar. Museum.) [831. (26 Nrn. Bog.) 20 Gr., 32. (104 Nrn. B.) 3 Thlr. 8 Gr., 34. (156 Nrn. B.) 4 Thlr. 16 Gr.]

Posaune, die, redigirt v. Georg Harrys. 3r–9r Jahrg. 1833–1840. à 156 Numm. Mit Titelvign. gr. 4. Hannover 834–840. Helwingsche B.; Leipzig, literar. Museum. à n. 4⅔ ℛ

—— die, (norddeutsche Blätter f. Literatur, Kunst u. Leben.) Hrsg. v. H. Harrys. 4–9. Jahrg. 1835–40. à 156 Nrn. (½ Bog.) gr. 4. Hannover, Helwing'sche Hofbuchh. à J. *

Posaune, die, hannoversche Morgen-Zeitung. Hrsg. v. H. Harrys. 10–13. Jahrg. 1841–44. à 156 Nrn. (½ B.) gr. 4. Hannover, (Helwingsche Hofbuchh.) à J. *

POSAUNE, Die. Postbüchel f. d. Jahr 1866.
Verboten vom L.-G. Linz, Jänner 1866. § 516.

Posaune Deutschlands, die, gerichtet an alles deutsche Volk von dem Einsiedler am Berge. 1. u. 2. Jahrg. 1861 u. 62. à 10 Nrn. (à 1 Bgn.) Berlin, Wiegandt & Grieben. gr. 8. Jeder Jahrg. n. 15 ngr.

— — 3. u. 4. Jahrg. 1863 u. 64. à 12 Nrn. (à 1 Bgn.) Ebend. gr. 8. Jeder Jahrg. n. 20 ngr.

Evangelische Posaune: Jahrgang 1–48?, 1894–1942?
Weekly. German edition of THE GOSPEL TRUMPET. Sub-title: Herausgegeben im Interesse der Gemeinde Gottes (The Church of God). Place of publication varies: Rome City, Indiana; Anderson, Indiana; York, Nebr., –1942. Quarto, each issue 8–12 pages. Circulation: 1920, 2908. Edited by Enoch Edwin Byrum, 1911? –?; by a Publication Committee (Ludwig Besler, Karl Arbeiter & Gottlieb Arbeiter), ?–1942. Published by Gospel Trumpet Co., 1894–?; by Christian Unity Press, ?–1942.
Anderson, IN

Posaune, Die, des jüngsten Gerichts über Hegel ...,
s.a. Bauer, Bruno

Posaune, Die, des jüngsten Gerichts über Hegel den Atheisten und Antichristen . . . Leipzig 1841. V: *Bauer, Bruno.* (ADB 46, 236) (BrMm) (ErGr)

Posaune, die, des jüngsten Gerichts üb. Hegel d. Atheisten u. Antichristen. Ein Ultimatum. gr. 8. (10½ B.) Leipzig 841, Otto Wigand.

— des Herrn, die. Ein Wort an unsere Zeit. Potschappel 859. (Dresden, Breyer.) 16. (12 S.) 1 ngr.

Posaune, die himmlische, oder: Alle guten Geister loben Gott den Herrn. Neuestes Gebetbuch für das Haus u. die Kirche. Ausg. mit großem Druck. St. Gallen 867. Altwegg-Weber. gr. 8. (717 S. mit dem Bilde unsers Erlösers in Stahlst.) 1 ℛ 12 ngr.
geb. in Halblwd. 1 ℛ 20 ngr.; eleg. geb. 1 ℛ 24 ngr.

— die, des 19. Jahrh., vom Verfasser der dreierlei Wirkungen. 1r Jahrg. 8. Hamb. 801. Mevn u. M. 3 ℛ

Posaune, die, d. hl. Kreuzes. Organ der Wächter d. hl. Grabes in Jerusalem. Red. v. Frz. Sal. Angeli. 1. Jahrg. 1890/91. 6 Hfte. gr. 8. (1. Hft. 36 S.) Wien 890. (Kirsch.) n. 2.—

Posaune, die, d. hl. Kreuzes. Organ der Wächter des hl. Grabes in Jerusalem. Red. v. Frz. Sal. Angeli. 2.–4. Jahrg. Juli 1891 – Juni 1894. à 6 Hfte. (à ca. 1½ Bog.) gr. 8. Wien, (H. Kirsch). à Jahrg. n. 2.60

Posaune, die, d. hl. Kreuzes. Organ d. Wächter d. hl. Grabes in Jerusalem. Red. v. Frz. Sal. Angeli. 5.–7. Jahrg. Juni 1895–Mai 1898. à 6 Hfte. (à ca. 100 S.) gr. 8. Wien (H. Kirsch). à Jahrg. n. 2.60

Posaune, die, des hl. Kreuzes. Organ der Wächter des hl. Grabes in Jerusalem u. der Palästina-Pilgervereine der Diöcesen Wien u. Brixen. Red. v. Frz. Sal. Angeli. 8.–10. Jahrg. 1899–1901. à 6 Hfte. gr. 8. (à ca. 40 S. m. Abbildgn.) Wien (H. Kirsch). à Jahrg. n. 2.60
Erscheint nicht mehr.

Posaune, Die, des heiligen Kriegs aus dem Munde Mohammed Sohns Abdallah des Propheten . . . Leipzig 1806. V: *Muhji ad dîn Abû'l 'Abbâs Ahmad b. Ibrâhîm an Nahhâs ad Dimaškijj.* (EB)

— die, des heil. Kriegs, aus d. Munde Mohammeds, Sohn Abdallahs, d. Propheten. Mit e. Vorrede hrsgg. von Jh. Müller l. gr. 8. Leipz. 806. (Brockhaus). 12 gℛ Schrbp. 18 gℛ

Posaune, die, 1) über den Landsturm; 2) über Hierarchie u. Despotie. 8. Nürnb. 798. (Stein). 6 gℛ

Posaune, Die letzte, oder das Ende der Welt . . . Neu-Stettin 1853. V: *Lettow, G. v.* (Ky)

Posaune, die letzte, oder das Ende der Welt und die Wiederkunft des Herrn im J. 1857 (von G. v. Lettow). gr. 8. (348 S.) Neu-Stettin 853. (Berlin, Geelhaar.) *

Posaune, neue, d. Zeit. Eine historisch-politische Zeitschrift. 6 Hefte. Neue wohlfeile Auflage. Leipzig, Joachim. 815.

—— die preußische, ihre Gesetze und Verordnungen. gr. 16. (112 S.) Posen 853, Merzbach. *

Die Posaune in Zion und Zeuge des vollen Heils: 1891?–1895.
Monthly. Organ of Deutsche Methodistenkirche. Quarto, each 8 pages. Edited & published by G. C. Schuh.
Ravenswood, IL

Posaunen, die, v. Medingen, s.a. Missionsschriften, neue.

Posaunen, Die, von Medingen. Berlin [1903]. V: *Petrich, Hermann.* (Berl)

Posaunen oder Wehen, Die sieben letzten, wann sie anfangen und aufhören und von den 70 danielischen Wochen und 44 prophetischen Monaten . . . Germanien 1814. V: *Armbruster, Christian.* (MGT)

Posaunenbuch, Hermannsburger. E. Auswahl von Chorälen, Liedern, Motetten u. Märschen aus d. Hallelujah u. d. Kuhloschen Posaunenbuche zum Gebrauche auf Posaunen- u. Missionsfesten. 8. (IV, 92 S.) Hermannsburg 898. Missionshandlg. n. 1.—; geb. n. 1.40

Posaunenbuch f. Jünglings-Vereine. (Von E. Kuhlo.) 4. Aufl. (Hrsg. v. Joh. Kuhlo.) 2 Tle. 12. (VIII, 488 S.) Bielefeld 891. (Schriftenniederlage der Anstalt Bethel.) Geb. in Leinw. n.n. 2.—; in 1 Bd. geb. n.n. 1.70

— f. Jünglings-Vereine. (Von E. Kuhlo.) 5. Aufl. (Hrsg. v. Joh. Kuhlo.) 12. (VIII, 488 S.) Bielefeld 893. Buchhandlung d. Anstalt Bethel. n.n. 1.40; geb. in Leinw. n.n. 1.70; in 2 Leinwbdn. n.n. 2.—

— dasselbe. Anh. A. Ueb. Einrichtg. u. Einübg. v. Posaunenchören. Von J. Kuhlo. 2., verb. u. verm. Aufl. 12. (II, 96 S.) Ebd. (894). n.n. — 50

Posaunenbuch der Minden-Ravensberger Posaunenchöre. 2 Tle. 2. Aufl. 8. (S. 1—200; S. 201—424.) Herford 885. [Gütersloh, Bertelsmann.] Bielefeld, Schriften-Niederlage Bethel. geb. à Tl. **
geb. beide Tle. in 1 Bd. **

—— dass. — Anhang A und B. 12. Ebendas. 886. **

Inhalt:

Anhang A. Über Einrichtung und Einübung von Posaunenchören. (S. 1—72.) ** ℳ 1.20.

" B. Sammlung von Duetten und Terzetten. (S. 73—112.) ** 60 Pf.

Posaunenheft f. Jünglings-Vereine. (Von E. Kuhlo.) 4. Aufl. (Hrsg. v. Joh. Kuhlo.) 12. (VIII, 80 S.) Ebd. 891. n.n. — 20

Posaunenschall, Erster, an das Volk Gottes. Schaffhausen 1817. V: *Krüdener, Barbara Juliane von.* (R-N)

Posaunen-Schall, himmlischer, od. Anweis. zu e. gottsel. Lebenswandel, u. zu e. glückseI. Tode. Ein christkathol. Gebet-, Haus- u. Erbauungsb. f. Familien u. jeden kathol. Christen ꝛc. 8. (15 B. u. Ttlkpfr.) Augsburg 838. (Regensburg, Manz.)

Die hochdeutsche Bearbeitung des Reincke Fuchs aus dem Jahre 1650. Von Dr. Ernst **Posca**. Berlin: Trenkel 1910. 77 S. 8° (11. 6935

Posch, (Andr.,) Gedichte ꝛc. 2e Aufl. Wien 822, Bauer.

Posch, J.: Die Entwicklung des Turnunterrichtes an den städt. Volks- u. Bürgerschulen Wiens, in der Zeit von 1862—1889. Wien 1890. 8 S. Sonderdr. aus: Niederösterreich. Schulzeitung. 1890.

Posch, Karl

Posch, K., Beschreibung e. neuen sehr bequemen Fußbettes zu Heilung des Schienbeinbruches. 8. Wien, Kurzböck. (Camesina) 774.

Posch, Karl, Beschreib. e. neuen sehr bequemen Maschine, das Fußbette genannt, zur Heilung des Schienbeinbruches. 8. Wien 774. (Heubner). 5 gl.

Posch, Karl: Beschreibung einer neuen, sehr bequemen Maschine, das Fußbette genannt, zur Heilung des Schienbeinbruches. 49 S., gbd.

Wien: Kurzböck 1774

Posch, [Karl]: Darstellung des Post-, Telegraphen-, Telefon- und Sparkassenverkehrs für die Bukowina in den Jahren 1890, 1897, 1898 und 1899. Czernowitz 1899.

Posch, Lor., Geschichte u. System der Breitengrad-Messungen. Eine Inaugural-Dissertation. Freysing 860. Datterer. gr. 8. (95 S. mit Holzschn.) 15 ngr.

Posch, Ludwig

—— Karl Frühwirth u. Wilh. Kund. Fibel f. den Schreib-Leseunterricht. 8. (112 S.) Budap. 889. (Lpz., Haessel.) geb. ** — 50

Posch, Ludw. Deutsches Lesebuch, s. Polster, Joh.

Posch, Ludw., s.: **Lesebuch, deutsches**, f. Volksschulen.

Poschacher, A., Architektur und öffentliche Bauten, s. Bericht über die Weltausstellung in Philadelphia 1876.

Poschacher, S., s. E. Young, Elementar-Gymnastik.

Poscharsky, Chr. Fr., der Blumengärtner, od. vollständ. u. deutl. Anweisung zur Kenntniß, Behandlung u. Wartung der vorzügl. fremden u. einheim. Blumen, Gewächse u. Ziersträucher, welche sowohl in offenen Gärten als in Treibhäusern erzogen werden können. 8. Pirna 811. Friese. 1 ₰ 2e verb. A. A. u. d. T.: das Ganze der Blumenzucht, od. der vollständ. belehr. Blumengärtner. Für Blumenliebhaber. 8. Ebd. 832. 1 ₰

Poscharsky, Chr. Fr., der Blumen-, Obst- u. Küchengärtner in allen seinen monatl. Verrichtungen ꝛc. A. u. d. T.: Der Monats-Gärtner. 2., verb. Aufl. 8. (12 B.) Pirna 831, [Leipzig,] Friese.

—— das Ganze d. Blumenzucht, od. der vollständig belehr. Blumengärtner. Für Blumenliebhaber. 2., verb. Aufl. 8. (17½ B.) Pirna 832, [Leipzig,] Friese.

— der kleine Gärtner, od. Gartenbeschäftigungen f. Kinder ꝛc. Mit 2 Kpf. Taschenf. Pirna 810. Friese. 12 gl.

— d. kleinen Gärtner, od. Gartenbeschäftigungen f. Kinder, enth.: e. deutl. Unterricht, wie Kinder e. kleinen Garten anlegen, behandeln u. abwarten können, ohne dabei e. Gärtner z. Hülfe z. nehmen. Mit 2 Kpf. 12. Ebend. 1810. (— 15) — 10

— d. Küchengärtner, od. Anleit. z. Bestellung, Wartung u. Behandl. e. Küchengartens f. diejen., d. ihren Garten ohne Hülfe e. gelernten Gärtners selbst bestellen wollen. 8. Ebend. 1811. (— 25) — 15

— der Monatsgärtner, od. vollständ. u. deutl. Anweis. zu allen monatl. Verrichtungen im Blumen-, Obst- u. Küchengarten. 8. Pirna 808. Friese. 16 gl. 2e Aufl. A. u. d. T.: der Blumen-, Obst- u. Küchengärtner ꝛc. 8. Ebd. 831. 16 gl.

— die Obstorangerie, od. Anweisung, Obstbäume vieler Art in Scherben zu ziehen ꝛc. 8. Pirna 813. Friese. 12 gl.

— d. Obstorangerie; od. Anweis. Obstbäumchen vieler Art in Scherben z. erziehen: mit e. Unterricht üb. Baumschulen. 8. Dresden, 1814. Leipzig, 1823. Ebend. — 15

— d. Stubengärtner, od. deutl. Anweis. zur Kenntniß, Behandlung u. Wartung derjen. Blumen ꝛc., welche in Töpfen ꝛc. erzogen u. gehalten werden können. 8. Pirna 808. 2e A. 810. Friese. 12 gl.

Poscharsky, Chr. Fr., d. Stubengärtner, od. deutl. Anweis. z. Kenntniss, Behandlung u. Wartung derjen. Blumen u. Ziersträucher, welche in Töpfen vor Fenstern u. in Zimmern erzogen u. gehalten werden können. 8. Ebend. 1808. 2. Aufl. 1810. — 15

— Unterricht über die Kultur der vorzügl. u. schönsten Blumenzwiebeln. 8. Pirna 814. Friese. 12 gl.

— Unterricht üb. d. Cultur d. vorzügl. u. schönsten Blumenzwiebeln u. Knollengewächse. 8. Ebend. 1814. (fehlt.) — 15

Pösche, Hermann

Pösche, Herm., die Ball- u. Turn-Spiele Friedrich Fröbels. Für Haus, Kindergarten u. Schule bearb. Mit 4 (lith.) Zeichngn. in Tondr. nach Originalen von W. Schäfer. Neu-Ruppin 869 Leipzig, Oehmigke. br. 8. (XVI, 140 S. mit eingedr. Holzschn.) 22½ ngr.

Pösche, Herm., die Ball- u. Turn-Spiele Friedrich Fröbel's. Für Haus, Kindergarten u. Schule bearb. Neue (Titel-)Ausg. 8. (XVI, 140 S. m. eingedr. Holzschn. u. e. Tondr.-Taf.) Leipzig 875. Oehmigke. n. 2. —

Pösche, Herm., unsere lieben Hausfreunde in Heimat u. Fremde, was sie uns nützen u. womit sie uns erfreuen. In Charakterzügen, Schildergn. u. Anekdoten aus der Thierwelt f. die Jugend. 2. verb. Aufl. Wohlf. [Titel-] Ausg. 2 Bde. gr. 8. Leipzig (899). O. Spamer. à n. 2. — ; geb. in Leinw. à n. 2.50
1. Mit 125 Text-Abbildgn., 3 Ton- u. 1 bunten Titelbilde. (X, 234 S.) [879.]
2. Mit 120 Text-Abbildgn. u. 1 bunten Titelbilde. (VIII, 288 S.) [881.]

Pösche, Herm., unsere Haustiere. Charakterzüge, Schildergn. u. Anekdoten aus der Tierwelt f. die Jugend. 2 Bde. 3. verb. u. verm. Aufl. (III, 242 S. m. 102 Abbildgn. u. III, 278 S. m. 102 Abbildgn.) 8. Leipzig 906. O. Spamer. à n. 3.20; geb. in Leinw. à n. 4. —

Pösche, Herm., unsere Haustiere. Charakterzüge, Schildergn. u. Anekdoten aus der Tierwelt f. die Jugend. 2 Bde. 4. [Titel-]Aufl. (III, 242 S. m. 102 Abbildg. u. III, 278 S. m. 102 Abbildgn.) 8. Leipzig [906] (910). O. Spamer. Geb. in Leinw. à 4. —

Pösche jun., Herm., der Kreislauf des Jahres in Gedichten aus Natur u. Leben. (VII, 181 S.) 8. Dresden 910. E. Pierson. 2.50; geb. n 3.50

—— das Leben der Hausthiere und ihre Stellung zur Familie, Staat und Landwirthschaft. Ein Familienbuch. 1—5. Lfg. gr. 8. (S. 1—312 mit eingedr. Holzschn. und 13 Holzschnt. in Tondr.) Frankfurt a. M. 859—62. [Glogau, Flemming's Verlag.] à Lfg. * 15 Ngr.

—— das Leben der Hausthiere und ihre Stellung zur Familie, Staat und Landwirthschaft. Ein Familienbuch. 6.—9. (Schluß-) Lfg. gr. 8. (VIII und S. 313—591 mit eingedr. Holzschn. und 6 Holzschntaf. in Tondr.) Glogau 864, Flemming. à Lfg. 15 Ngr.
1.—5. Lfg. [Ebendas.] 1859—62. 2 Thlr. 15 Ngr.

— das Leben der Natur im Kreislaufe des Jahres. Seine heimischen Erscheinungen im harmonischen Zusammenhange dargestellt. Braunschweig 860. Westermann. 8. (VIII, 388 S. u. 1 Holzschntaf.) 1 ₰

Pösche, Herm., Friedr. Fröbel's entwickelnd-erziehende Menschenbildung. I.: Die sprachliche Entwickelung und der sprachliche Unterricht des Kindes im Kindergarten und in der Elementarschule. Mit Zusätzen aus den Werken Fr. Fröbel's zusammengestellt. 8. (VII und 106 S.) Hamburg 859, Hoffmann und Campe.

—— dass. — II.: Friedr. Fröbel im Lichte der neuern geschichtspädagogischen Entwicklung. 8. (V und 107 S.) Ebendas. 860.

Pösche, Herm., Friedrich Fröbel's entwickelnd-erziehende Menschenbildung (Kindergarten-Pädagogik) als System. Eine umfassende, wortgetreue Zusammenstellung. 8. (XXIV und 449 S.) Hamburg 862, Hoffmann und Campe.

Pötsche, H., Thiergeschichten für die Jugend, s. Jugend- und Hausbibliothek, illustrirte.

— **Thiergeschichten f. die Jugend.** s. a. **Kosmos** f. die Jugend.

Pösche, Herm., Thiergeschichten für die Jugend. Unsere lieben Hausfreunde in Heimat und Fremde; was sie uns nützen und womit sie uns erfreuen. In Charakterzügen, Schilderungen und Anekdoten aus der Thierwelt für die Jugend. 1. Bd.: Pferd und Esel. Schwein. Reh und Hirsch. Renthier. Rind- und Rindviehrassen. 2. durchgeseh. Aufl. gr. 8. (X, 234 S. mit 125 Text-Abbild., 3 Ton- und 1 bunten Titelbilde.) Leipzig 879, Spamer. * ℳ 2,50.; cart. *

Pösche, Herm., Thiergeschichten für die Jugend. Unsere lieben Hausfreunde in Heimat und Fremde; was sie uns nützen und womit sie uns erfreuen. In Charakterzügen, Schilderungen und Anekdoten aus der Thierwelt für die Jugend. II. Hunde und Katzen, Ziegen und Schafe. Hausthiere der Fremde. Unser Federvieh: Taube. Hühner. Enten und Gänse. Truthühner. Pfau. Schwan und Storch. 2. verb. Aufl. gr. 8. (VIII, 288 S. mit 120 Text-Abbild. und 1 bunten Titelbilde.) Leipzig 881, Spamer. * ℳ 2,50.; geb. * 3 —

Poesche, Thdr., die Arier. Ein Beitrag zur histor. Anthropologie. gr. 8. (VIII, 238 S.) Jena 878, Costenoble. *

Pöschek, Eduard, zur Frage der Marschküchen. Ein Beitrag. (44 S. m. 1 Taf.) Lex. 8. Wien 908. L. W. Seidel & Sohn. 2.70
Sonderabdruck aus: „Streffleurs milit. Ztschr."

Pöschek, Karl, der Dienst bei der Unterabtheilung in ökonomisch-administrativer Beziehung. gr. 8. (XII, 128 S. m. 1 Tab.) Josefstadt 893. (Wien, L. W. Seidel & Sohn.) n. 2. —

Poeschel, Carl, s. Poeschel, Karl

Poeschel, Edwin: Spülungen der Bauchhöhle bei Laparatomien. München: Steinicke 1909. 12 S. 8°
München, Med. Diss. v. 10. Nov. 1909, Ref. Döderlein
[Geb. 19. Febr. 82 Schillingsfürst; Wohnort: Kasendorf; Staatsangeh.: Bayern; Vorbildung: Gymn. Aschaffenburg Reife Juli 01; Studium: Ev. Theol. Tübingen u. Erlangen zus. 3, Med. Erlangen 4, München 6 S.; Coll. 10. Nov. 09; Approb. 30. Juni 09.] [U 10. 3562

Poeschel, Felix Johannes, s. Poeschel, Johannes

Poeschel, Fritz, Referendar: Der § 455 des Bürgerlichen Gesetzbuches. Leipzig 1910: Poeschel & Trepte. 44 S. 8°
Leipzig, Jur. Diss. v. 18. Jan. 1910
[Geb. 13. Jan. 84 Grimma; Wohnort: Meißen; Staatsangeh.: Sachsen; Vorbildung: Fürstensch. Grimma Reife O. 04; Studium: Freiburg i. B. 1, Leipzig 6 S.; Rig. 29. Juni 08.] [U 10. 2832

Poeschel, Hans, Referendar am Kgl. Amtsgericht Stollberg: § 952 des Bürgerlichen Gesetzbuchs. Leipzig: Veit & Co. 1907. (VIII, 48 S.) 8°
Leipzig, Jur. Fak., Diss. v. 21. Sept. 1907
[Geb. 20. Sept. 81 Grimma; Wohnort: Stollberg (Sachsen); Staatsangeh.: Sachsen; Vorbildung: Fürsten- u. Landessch. Grimma Reife O. 01; Studium: Leipzig 2, Freiburg i. B. 2, Berlin 2, Leipzig 4 S.; Rig. 16. Jan. 06.]

Poeschel, Hans, a. Kitzingen: Typen aus der Anthologia Palatina und den Epigrammen Martials. München 1905: Kastner & Callwey. (46 S.) 8° ¶ (Teil d. eingereichten Arbeit; — soll vollst. erscheinen.)
München, Phil. Fak., Ref. Crusius, Diss. v. 20. März 1905
[Geb. 8. März 82 Kitzingen a. M.; Wohnort: Kempten; Staatsangeh.: Bayern; Vorbildung: Gymn. Kempten Reife Juli 00; Studium: München 8 S.; Rig. 15. Febr. 05.]

Pöschel, Heinr. Ernst, Geranopygmaiomachia, od. Kampf d. Kraniche mit d. Pygmäen. Kom. Gedicht in 5 Gesängen. 8. (8½ B.) Pesth 837, [Hartleben's Verls.-Expedit.]

Poeschel, J., Complotorium. Zum Gebrauche bei feierl. Aufführg. desselben zusammengest. u. hrsg. Lex.-8. (12 S.) Warendorf 894. J. Schnell. n. — 50

Poeschel, J. Das Märchen vom Schlaraffenlande. Diss. Leipzig 1878. 43 S.

[F.] Der Messediener. E. Leitf. f. Priester z. Ausbildg u. Leitg d. Messediener v. J. Poeschel, Priester d. Diöc. Münster ... *Dülmen i. W.: A. Laumann 1897.* (66 S.) 1 Bd 8. [98. 2487

Poeschel, Joh. Christoph (Heilsbronn/Franken), De variis perjuriorum poenis. Diss. circul. Präs. Joh. Georg Fichtner. Altdorf (D. Meyer) März 1722. 30 S. (4.75) 26900

— — De ratione computandi paschatos exemplo a. 1724 illustrata. Exercit. acad. Präs Jo. Heinrich Muller. Altdorf (J. W. Kohle) 6. II. 1723. 20 S. (4.25) 26901

Pöschel, Joh. Frdr., die Erwartungen, welche durch die Vorgänge unserer gegenwärt. Zeit erregt werden. Predigt am Sonnt. Lätare 1848. gr. 8. (15 S.) Hof 848, Grau. n. 2 ngr.

Pöschel, Joh. Frdr., Predigt über 2. Tim. 3, 15—17 gehalten am 11. Septbr. 1867 bei dem Gottesdienste der Diöcesan-Synode zu Kirchenlamitz. Hof 868. (Grau & Co.) 8. (14 S.) n. 2 ngr.

Poeschel, Johannes: [Ansprache bei Entlassung der Abiturienten.] S. 20—22. 4. Fürsten- u. Landesschule St. Afra in *Meißen* 1906 (679). **Progr.**

: [Ansprache bei Entlassung der Abiturienten.] S. 21—25. 4. **Progr.** Fürsten- u. Landesschule St. Afra in *Meißen* 1908 (714).

: [Ansprache bei Entlassung der Abiturienten.] S. 19—22. 4. **Progr.** Fürsten- u. Landesschule St. Afra in *Meißen* 1909 (738).

Poeschel, Johannes: [Ansprache bei der Übernahme des Rektorates der Anstalt.] S. 29—33. 4. **Progr.** Fürsten- und Landesschule St. Afra in *Meißen* 1905 (652).

Poeschel, Johs., e. erzgebirgische Gelehrtenfamilie. Beitrag zur Kulturgeschichte d. 17. Jahrh. 8. (XII, 180 S.) Leipzig 884. Grunow. n. 2. 50; geb. n. 3. 25

Poeschel, Johannes [Dr.]: Die sogenannte Inversion nach und Anregung zu e. sprachgeschichtl. Untersuchung. (Th. I.) Leipzig, Druck v. O. Leiner, 1891; S. 71—83; 4°
Grimma, Fürsten- u. Landes-S, Festschr. 1891 (531)

Poeschel, Johs., die sogenannte Inversion nach und Anregung zu e. sprachgeschichtl. Untersuchg. [Aus: „Einladungsschrift z. Einweihg. d. neuen Gebäudes d. Fürsten- u. Landesschule zu Grimma".] gr. 4. (13 S.) Grimma 891. (G. Gensel.) n. — 75

Poeschel, Johannes: Das Kollegium der Fürsten- und Landesschule Grimma von 1849—1900. V, 103 S., 3 S. ungez. 1 Tab. 8.
Stiftungsurkunde für die Paul-Gerhardt-Stiftung ehemaliger Grimmenser. S. 23—24. 4.
Progr. Fürsten- und Landesschule *Grimma* 1901 (585).

Poeschel, Johannes: Das **Kollegium** der Fürsten- und **Landesschule** Grimma von 1849—1900. (Umschlagt.: ... zur Feier des 350jährigen Bestehens der Anstalt, 1900.) *Grimma 1901: F. Bode.* (V, 103 S.) 8° ¶ (Ergänzung u. Fortführung d. P-Beil. 1849 von Chrn Gottlob Lorenz: Series praeceptorum illustris apud Grimam Moldani.)
Grimma, Fürsten- u. Landes-S, OP 1901 (585)

Poeschel, *Johannes* Über M. Christian Lehmanns Kriegschronik (Handschrift der Königlichen öffentlichen Bibliothek zu Dresden) und einige wiederaufgefundene andere Lehmannsche Manuskripte. [Collectanea. Chronik von Scheibenberg. Apologia.] 4 (IV, 48 S.). **Progr.** Fürsten- u. Landessch. *Grimma* 1889 (512)

Poeschel [Oberl. Prof.]: A. Über Mag. Chr. Lehmanns Kriegschronik und eine teilweise Herausgabe der Handschrift. B. Mitteilungen über neuaufgefundene Lehmannsche Manuskripte. Grimma, Druck v. F. Bode (1889); IV, S. 1—48; 4°
Grimma, Fürsten- u. Landes-S, OP 1889 (512)

— — Ueber Mag. Christian Lehmanns Kriegschronik [Handschrift der königl. öffentl. Bibliothek zu Dresden] u. einige wieder aufgefundene andere Lehmannsche Manuskripte. gr. 4. (48 S.) Grimma 889. (Lpz., Fock.) * 1 50

Poeschel, Johannes: [Kurzer Lebensabriß des vom Amte zurücktretenden Rektors Dr. Hermann Peter.] S. 27—29. 4.
Progr. Fürsten- u. Landesschule St. Afra in *Meißen* 1905 (652).

Poeschel, Johs., Luftreisen. Mit 44 Bildern u. 2 Karten sowie 4 Fahrtkurven u. 3 Karten im Text. (VII, 239 S.) gr. 8. Leipzig 908. F. W. Grunow. 5 —; geb. 6. —

Pöschel, Johs., Taschenbuch der deutschen Rechtschreibung. Nach den f. Deutschland, Österreich u. die Schweiz gült. amtl. Regeln bearb. f. Amt, Haus u. Schule. 24×8 cm. (VI. 168 S.) Leipzig 902. C. E. Pöschel. Geb. in Leinw. n. 1.—

Poeschel, Karl

Poeschel, Carl, approb. Tierarzt aus Berneck (Oberfranken): Aus der Klinik für grosse Haustiere der kgl. tierärztlichen Hochschule zu Dresden (Med.-Rat Prof. Dr. Roeder). Ueber die Anwendung der Inhalation bei den Haustieren. [Mit 4 Tafeln.] Nürnberg 1905. 83 S. 8°. [24. II. 05.]
Bern Vet.-med. Diss 1904, 1905.

Poeschel, Carl. **Ueber die Anwendung der Inhalation bei den Haustieren. Diss. Vet.-Med. Bern ... von K' P'....** [Mit 5 Tafeln.] *Kopftitel:* Aus der Klinik für grosse Haustiere der Kgl. tierärztlichen Hochschule zu Dresden ⟨Med.-Rat Prof. Dr. [Gustav Wilhelm Oscar] Roeder⟩. IV + 83 S. 8. Nürnberg, J. L. Stich, 1905.

Pöschel, Carl, Führer f. Malmedy u. Umgebung, m. 2 Karten u. vielen Orig.-Aufnahmen aus Malmedy u. dem Warchetal. Hrsg. v. dem Verschönerungsverein (Ortsgruppe des Eifelvereins). (31 S.) kl. 8. Aachen (907). J. Kessels. — 50

— Wanderungen durch die Eifel, s.: Lennartz, Jos.

Pöschel, C., s.: Wanderungen durch die Eifel.

Poeschel, Carl Ernst, zeitgemässe Buchdruckkunst. (79 S.) 8. Leipzig 904. Poeschel & Trepte. Kart. n. 1. 40

Poeschel, Ottmar, aus Bühl, Assistenzarzt an d. Kreisirrenanst. München: Ein Fall von Verschluß der Vena cava superior. Erlangen 1903: Junge & Sohn. (32 S.) 8°
Erlangen, Med. Diss. v. 27. Juli 1903

Pöschel, Phil. Friedr.

—das Bild einer christl. Kirchengemeinde. Friedenspredigt 1818 gehalten. gr. 8. Augsb., (Wolff). 2 gr.

Pöschel, Phil. Friedr., das Bild e. christl. Kirchen-Gemeinde. Eine Predigt, geh. am hohen Friedensfeste 1828. gr. 8. (1 B.) Augsburg 829, Wolff. (Kollmann.)

Pöschel, Ph. Fr., Erhebungen des Herzens in Predigten auf alle Sonn-, Fest- u. Feiertage d. Jahres f. christl. Familien, welche noch Stunden häusl. Andacht feiern. 2 Bde. gr. 8. Augsb. 825, 26. 2e A. 832. v. Jenisch u. St. 3 fl 12 gr.

Pöschel, (Ph. Fr.) Erhebungen d. Herzens in Predigten auf alle Sonn-, Fest- u. Feiertage d. Jahres f. christl. Familien, welche noch Stunden häusl. Andacht feiern. 2 Bde. gr. 8. Augsb. 825, 826. (Nürnb., Riegel u. W.) Rthlr.

—— Erhebungen d. Herzens in Predigten auf alle Sonn-, Fest- u. Feiertage d. Jahres, f. christl. Familien, welche noch Stunden häusl. Andacht feiern. 2 Bde. 2., verb. u. verm. Aufl. gr. 8. (64 B.) Augsburg 833, v. Jenisch u. Stage'sche Buchh.

Pöschel, Ph. Fr., Erhebungen des Herzens, in Predigten auf alle Sonn-, Fest- u. Feiertage des Jahres, für christl. Familien, welche noch Stunden der Andacht feiern. 2 Thle. 2e verb. u. verm. Aufl. gr. 8. Augsburg 833 (835). v. Jenisch u. Stage. 3½ ß

— das große Friedensfest, oder das neue Zeitalter. 8. Nürnb. 814. Riegel u. W. 6 gl

— freimüth. Gedanken zur Beantwortung d. Frage: Wie kann einzig u. allein der gesunkenen Achtung der Religion u. ihrer Lehrer aufgeholfen werden? 8. Nürnb. 803. Monath u. K. 16 gl

Ph. F. Pöschel's Ideen üb. Staat u. Kirche, Cultus, Kirchenzucht u. Geistlichkeit; e. Beitr. z. Verbess. d. protest. Kirchenwes. *Nürnb.*, Riegel u. Wiessner. 816. 8° 10 gl

Pöschel, P. F., Ideen über Staat u. Kirche, Kultus, Kirchenzucht u. Geistlichkeit. 8. Nürnb., Riegel u. W. 817.

— meine Mußestunden, od. Resultat meines Nachdenkens üb. Gegenstände der Religionswissenschaft. 8. Nürnb. 804. Schneider u. W. 12 gl

— noch ein Wort über die Einführung d. Kirchenvorstände zur beurt. u. bessern Verständigung üb. das, was dies Instrument seyn soll u. seyn will. gr. 8. Augsb., Wolff. 4 gl

— Predigt am Dank- u. Freudenfeste beim Abschluß des Friedens zwischen Östreich u. Frankreich. gr. 8. Nürnb. 809. Monath u. K. 3 gl

—— Predigten auf alle Feste d. Jahres, mit Predigten am Geburtstage des Regenten, nebst e. Anh., 16 Grabreden enth. gr. 8. (23½ B.) Augsburg 829, [v. Jenisch u. Stage'sche Vrlshandl.]

Poeschel, Ph. Fr., zwey Predigten am dritten Säkularfeste d. Ref. gehalten. gr. 8. Nürnberg, Riegel u. W. 817.

— zwei Predigten am 3n Säcularfeste der Reformation am 31. Octbr. 1817. gr. 8. Nürnb. 818. Riegel u. W. 4 gl

Pöschel, Ph. Fr., die Stimmen d. Zeit aus ihren neuest. Ereignissen. 8. Nürnb. 815. Riegel u. W. 4 gl

— was besond. in unsern Tagen Noth thut? Eine Bußtagspredigt. gr. 8. Nürnb. 821. Riegel u. W. 2 gl

— Wir sind frei! 8. Nürnb. 814. Riegel u. W. 3 gl

Pöschel, Robert, s.a. Pöschl

Pöschel, Rob., s.a. Bilderbuch, Gößnitzer.

Gößnitzer Bilderbuch ohne Bilder. Humorist. Blätter aus d. Erinnerungen e. alten Gößnitzers. [Verf.: Robert Pöschel.] Flöha i. Sa.: A. Peitz & Sohn 1905. (143 S.) 8° [F.] 1906. 11677

Poschen, die, . Lustsp. von Schöpfel. 8. Ansbach, Haueisen. (Gassert.)

Poschen, Peter [aus Brühl]: Aus d. chirurg. Klinik zu Bonn. Die Ranula und ihre Therapie ... Köln, Druck v. P. Brandts, 1892; 47 S. 8.
Bonn, Med. Fak., Inaug.-Diss. v. [15. März] 1892

Die platonischen Dialoge in ihrem Verhältnisse zu den hippokratischen Schriften. — Von Franz Poschenrieder, G. Ass. — 1882, Landshut, ibid. — S. 3—70".
Progr. Metten. Benediktiner-Gymn.

Die naturwissenschaftlichen Schriften des Aristoteles in ihrem Verhältnis zu den Büchern der Hippokratischen Sammlung. — Von Franz Poschenrieder, Stdl. 1887, Bamberg, ebenda. — S. 3—67.
Progr. Bamberg, K. Gymnasium

Poschenrieder, P., Bau u. Instandhaltung der Oberleitungen elektrischer Bahnen. (VII, 200 S. m. 226 Abb. u. 6 Taf.) gr. 8. München 904. R. Oldenbourg. n. 9.—

Poscher, Hans, Wahl- u. Sängersprüche, Sängergrüße, Fest- u. Trinksprüche. Gesammelt u. hrsg. qu. 12. (X, 176 S.) Linz 888. (Mareis.) Geb. n. 1.—

Poscher Robert: Andrew Marvells poetische Werke. D: Wiener Beiträge, Bd. XXVIII. 1908.
1907 PN 2323 Diss. Wien Univ. 1975

Poscher, Rob., Andrew Marvells poetische Werke. s.a. Beiträge, Wiener, zur englischen Philologie. 28. Bd.

Andrew Marvells poetische Werke. Von Robert Poscher, Dr. phil. Wien & Leipzig: W. Braumüller 1908. (XII, 157 S.) 8°
= Beiträge, Wiener, z. engl. Philologie. Bd 28. [02. 16493]

Pöscher, H., kleine bibl. Geschichte. Auszug aus dem größern Schmidtischen Werke. Mit 30 bibl. Darstellungen. 8. Gmünd, Ritter. 821.

Poschiavo, an der grossartigen Bernina-Route gelegen, Kanton Graubünden, Schweiz. [Illustrierter Prospect.] [8 S.] quer-8. [Samaden,] E[ngadin] P[ress] C°, [1905].

Poschinger, Der kleine. Bismarck in Frankfurt. Leipz. 1885. V: *Robolsky, Herm.* (Kat. d. ständ. Bibl. Stuttg. 1907 S. 570.)

von Poschinger, Albert Ritter [cand. med.]: Über Verletzungen des Herzens durch Nadeln ... München, *Druck d. Verl.-Anst. vorm. G. J. Manz*, 1892; 26 S., 1 Bl., 1 Taf. 8.
München, Med. Fak., Inaug.-Diss. v. 1893

Poschinger, G. v., Industrie der Stein-, Thon- u. Glaswaaren, s.: Bericht, amtlicher, üb. die Wiener Weltausstellung 1873.

Poschinger, Heinrich von

Poschinger, H. v., ein Achtundvierziger. Lothar Bucher's Leben u. Werke. 1. Bd., 1. u. 2. Aufl., u. 2. Bd. (VIII, 308 u. III, 302 S.) Berlin 890. 891. C. Heymann's Verl. à n. 2.50; geb. à n. 3.—

Poschinger, Heinr. Ritter v., e. Achtundvierziger. Lothar Buchers Leben u. Werke. 3. Bd. 8. (III, 397 S.) Berlin 894. C. Heymanns Verl. n. 3. —; geb. n.n. 3. 60 (kplt.: n. 8. —; geb. n.n. 9. 60)

– Aktenstücke zur Wirthschaftspolitik d. Fürsten Bismarck, s.a. Dokumente zur Geschichte der Wirthschaftspolitik.

v. **Poschinger,** H. Aktenstücke zur Wirthschaftspolitik des Fürsten Bismarck. 2 Bände. Berlin 1890/91.

Poschinger, Heinr. v., also sprach Bismarck. 1. Bd. 1846—1870. (XXII, 366 S.) gr. 8. Wien 910, C. Konegen. 6. 50; geb. 8. —

Poschinger, Heinr. v., die Banken im Deutschen Reiche, Oesterreich u. der Schweiz. Mit besond. Rücksicht auf die Geschichte u. Statistik derselben. Ein Handbuch d. Bankwesens. 1. Bd. A. u. d. T.: Bankgeschichte d. Königr. Bayern. Nach amtl. Quellen bearb. 1—4. Lfg. gr. 8. Erlangen 874—76. Besold. n. 16. —

1. Die Banken u. Bankprojecte d. Mutterlandes von J. 1664—1806. (VIII, 113 S.) n. 6. —
2. Bankgeschichte der Reichstadt Nürnberg. (VI, 316 S.) n. 6. —
3. Bankgeschichte d. Markgrafenth. Ansbach-Bayreuth, die k. preuss. Banco in Franken, die gräfl. Castell'sche Creditcasse, Projekt e. Commercialbanco d. Ritters Hauptm. v. Rüdt uom J. 1763, Bankgeschichte Bayerns vom J. 1806—1834. (IV, 111 S.) n. 2. —
4. Die Bankentwicklung vom J. 1834 bis 1876. (68 S.) n. 2. —

—— dass. — 2. Bd.: Das Königr. Sachsen. gr. 8. (VII, 153 S.) Jena 877, [Dufft.] Fischer. *

Poschinger, Heinr. v., Bankgeschichte des Königr. Bayern. Nach amtl. Quellen bearb. 1. und 2. Lfg. gr. 8. Erlangen, Deichert. *

Inhalt:

Lfg. 1. Die Banken und Bankprojecte des Mutterlandes vom J. 1664—1806. (VIII, 113 S.) 874. *M 6.
» 2. Bankgeschichte der Reichstadt Nürnberg. (VI, 316 S.) 875. *M 6.

—— dass. — 3. Lfg.: Bankgeschichte des Markgrafenth. Ansbach-Bayreuth, die k. preuss. Banco in Franken, die gräfl. Castell'sche Creditcassse, Projekt eines Commercialbanco des Ritters Hauptmann v. Rüdt vom J. 1763, Bankgeschichte Bayerns vom J. 1806—1834. gr. 8. (IV, 111 S.) Erlangen 875, Besold. *

—— Bankwesen und Bankpolitik in Preussen. Nach amtl. Quellen bearb. 3 Bde. gr. 8. Berlin, Springer. *

Inhalt:

Bd. 1. Von der ältesten Zeit bis zum J. 1846. (XI, 359 S.) 878. *M 8.
» 2. Die J. 1846 bis 1857. (VIII, 411 S.) 879. *M 8.
» 3. Die J. 1858 bis 1870. [Nebst Personen- und Sachregister für das ganze Werk.] (VIII, 264 S.) 879. *M 6.

Poschinger, Heinr. v., Bausteine zur Bismarck-Pyramide. Neue Briefe u. Konversationen des Fürsten Otto v. Bismarck. (IV, 236 S.) gr. 8. Berlin 904. G. Stilke. n. 3. —; geb. n. 4. —

— Beitrag zur Geschichte der Inhaberpapiere in Deutschland. gr. 8. (V, 41 S.) Erlangen 875. Deichert. n. 1. —

Be Fürst Bismarck. Schauspiel in 1 Akt von Heinrich v. **Poschinger** u. Fritz Schik. Berlin: E. Trewendt 1905. (32 S.) 8° [F.] [05. 11961

Be Fürst Bismarck. Schauspiel in 1 Akt von Heinrich v. **Poschinger** u. Fritz Schik. (4. Taus.) Berlin: E. Trewendt 1905. (32 S.) 8° [F.] [07 13776

— siehe Bismarck's Ansprachen.

Poschinger, Heinr. v., Fürst Bismarck u. d. Bundesrat. In 4 Bdn. gr. 8. Stuttgart, Deutsche Verlags-Anstalt. à Bd. n. 8. —; geb. in Halbfrz. à Bd. n. 10. —

1. D. Bundesrat d. Norddeutschen Bundes (1867—1870). (XII, 351 S.) 897.
2. D. Bundesrat d. Zollvereins (1868—1870) u. d. Bundesrat d. Deutschen Reiches (1871—1874). (X, 427 S.) 897.
3. D. Bundesrat d. Deutschen Reiches (1874—1878.) (X, 486 S.) 898.
4. Dasselbe. (1878—1881.) 2., verb. u. verm. Aufl. (X, 417 S.) 898.

D. 1. Aufl. d. 4. Bandes wurde aus d. Handel gezogen.

Poschinger, Heinr. v., Fürst Bismarck u. der Bundesrat. 5. (Schluß-)Bd. Der Bundesrat des Deutschen Reichs (1881—1900.) gr. 8. (XI, 384 S.) Stuttgart 901. Deutsche Verlags-Anstalt. n. 8. —; geb. in Halbfrz. n. 10. —

— **Bismarck u. der Bundestag.** Neue Berichte Bismarcks aus Frankfurt a. M. 1851 bis 1859. (XX, 284 S.) 8. Berlin 906. E. Trewendt. n. 4. 50; geb. n. 5. 50

— Fürst Bismarck u. die Diplomaten. 1852—1890. gr. 8. (IX, 460 S.) Hamburg 900. Verlagsanstalt u. Druckerei. n. 12. —; geb. in Halbfrz. n. 14. —

— Fürst Bismarck u. seine Hamburger Freunde. gr. 8. (VI, 260 S.) Ebd. 903. n. 5 —; geb. in Leinw. n. 6. —

— Graf Herbert v. Bismarck 1849—1890, s.: Bismarck, des Grafen Herb. v., politische Reden.

— Bismarck u. Jhering. Aufzeichnungen u. Briefe. Hrsg. von v. P. (40 S. m. 1 Beilage.) 8. Berlin 908. Gebr. Paetel. 1. 20

— **Fürst Bismarck u. die Parlamentarier.** 1. u. 2. Bd. gr. 8. Breslau, E. Trewendt. à n. 7. 50; geb. in Leinw. à n. 9. —

1. Die Tischgespräche d. Reichskanzlers. (IV, 330 S.) 894 2., verm. Aufl. (V, 371 S.) 894.
2. 1847—1879. (VI, 362 S.) 895.

— Fürst Bismarck u. d. Parlamentarier. 3. Bd. 1879—1890. gr. 8. (VI, 332 S.) Breslau 896. E. Trewendt. n. 7. 50; geb. in Leinw. n. 9. —

— s.a. Bismarck, Fürst, neue Tischgespräche.

Fürst Bismarck. Neue Tischgespräche u. Interviews. Hrsg. von Heinrich v. **Poschinger.** [1.] 2. Stuttgart, Leipzig [usw.]: Deutsche Verl.-Anst. 1895–99. 8° [11. 13556 4

– Fürst Bismarck als Volkswirth, s.a. Dokumente zur Geschichte der Wirthschaftspolitik in Preußen u. im Deutschen Reich.

Poschinger. Heinr. v.: Fürst Bismarck als Volkswirth. 3 Bde. [Nebst] Aktenstücke zur Wirthschaftspolitik des Fürsten Bismarck. 2 Bde. Berlin 1889–91.

— Bismarck-Portefeuille. gr. 8. (VII, 201 S.) Stuttgart 898. Deutsche Verlags-Anstalt. n. 3. —; geb. n.n. 4. —

— dasselbe. 2. u. 3. Bd. gr. 8. (198 u. 188 S.) Ebd. 898. à n. 3. —; geb. à n.n. 4. —

— Bismarck-Portefeuille. 4. u. 5. Bd. gr. 8. (209 u. 180 S.) Stuttgart 899. 900. Deutsche Verlags-Anstalt. à n. 3. —; geb. à n.n. 4. —

— Conversations with Prince Bismarck, s.a. Collection of British authors.

Conversations with Prince Bismarck. Coll. by Heinrich von **Poschinger.** English ed. ed., with an introd., by Sidney Whitman. Copyright ed. Leipzig: Tauchnitz 1900. 302 S. 8°
(Collection of British authors. Tauchnitz Ed. Vol. 3452.) Jn. 8347

Poschinger H v, Dokumente zur Geschichte der Wirtschaftpolitik in Preussen und im Deutschen Reich. 1847-90. 5 Bde Berlin 1889-91

Poschinger, Heinr. v.: Dokumente zur Geschichte der Wirthschaftspolitik in Preußen und dem deutschen Reich. Berlin. 5 Bde
Bd [1.] 3. 5. Fürst Bismarck als Volkswirth. Bd 1—3. 1889—91.
„ [2.] 4. Aktenstücke zur Wirthschaftspolitik des Fürsten Bismarck. Bd 1. 2. 1890. 91.

Poschinger, Heinr. v., das **Eigenthum** am Kirchenvermögen m. Einschluss der heiligen u. geweihten Sachen, dargestellt auf Grund der Geschichte d. Kirchenguts u. d. kathol. u. protestant. Kirchenrechts Eine v. der Münchener Juristenfakultät gekrönte Preisschrift. Anh.: Ein Rechtsgutachten üb. die Ansprüche der Altkatholiken auf Kirchen u. Kirchengut. gr. 8. (VII, 359 S.) München 871. Oldenbourg n. 6. —

Poschinger, Heinr. v., das Eigenthum am Kirchenvermögen mit Einschluss der heiligen und geweihten Sachen, dargestellt auf Grund der Geschichte des Kirchenguts und des kathol. und protestant. Kirchenrechts. Eine von der Münchener Juristenfakultät gekrönte Preisschrift. Anhang: Ein Rechtsgutachten über die Aussprüche der Altkatholiken auf Kirchen und Kirchengut. gr. 8. (VII, 359 S.) München 881, Oldenbourg. * 6 —

POSCHINGER, Heinrich von (München; Oberfrauenau): Der Eigenthümer des Kirchenvermögens von Christus bis auf Justinian.- München: Schurich 1869. 2 Bl., 35 S.
30.1.1869 - Urk (Titel: De dominio rerum ecclesiasticarum ex temporibus Christi usque ad Justiniani imperatoris imperium.); F 49
Diss. Ingolst.-Landsh.-Mchn.

— unter Friedrich Wilhelm IV., s.: Manteuffel, Otto Frhr. v.

Poschinger, Heinrich v[on]. Geheimblätter über die österreichische Politik. gr.-8.
In: Österreichische Rundschau. Hrg. von Dr. Alfred Freiherrn v[on] Berger, Leopold Fr' v[on] Chlumecky, Dr. Karl Glossy. Band 12, Heft 2. 15. Juli 1907. Brünn, Wien, Leipzig, Friedr. Irrgang. (M. 1.—.) S. 79—84.

Poschinger, Heinrich v(on). Gottfried Kinkels sechsmonatliche Haft im Zuchthause zu Naugard. 77 S. 8. Hamburg, Verlagsanstalt & Druckerei A.-G. (vormals J. F. Richter), 1901. [M. 1.50]

— bei Robert v. Keudell. Ein Bismarck-Interview. Mit e. Bildniß Keudells. 8. (35 S.) Berlin 902. B. Paul. n. — 50

—— die Lehre von der Befugniß zur Ausstellung von Inhaber-Papieren. Rechtsgeschichtlich, gemeinrechtlich und mit besond. Berücksicht. der deutschen Partikularrechte, der österreich. und ausländ. Gesetzgebungen unter Benützung sämmtl. zu den einschläg. Gesetzen erschienenen Motive, Referate und Kammerverhandlungen dargestellt. gr. 8. (VIII, 270 S.) München 870, Lindauer'sche Buchh. *

— s.: Manteuffel, Otto Frhr. v., unter Friedrich Wilhelm IV.

Poschinger, H. v, Preussens **auswärtige** Politik 1850 bis 1858. **Unveröffentlichte** Dokumente aus dem Nachlasse des **Ministerpräsidenten** O. **Frhrn.** v. **Manteuffel.** 1. Bd gr. 8. Berlin, F. S. **Mittler** & Sohn. 1902.
10. —; geb. 12. 50.
1. Von Olmütz bis zur Errichtung des zweiten französischen Kaiserreichs. Vom 1. XI. 1850 bis zum 2. XII. 1852. (XIX, 474 S.)

Poschinger, H. von, Preussens **auswärtige** Politik 1850 bis 1858. Unveröffentlichte Dokumente aus dem Nachlasse des Ministerpräsidenten Otto Frhrn. v. Manteuffel. 2 Bd gr. 8. Berlin, E S. Mittler & Sohn 12. 50; geb. 15. —
2. Die orientalische Frage bis zum Beginn des Krimkrieges. Vom 2. XII. 1852 bis zum 14. XII. 1854. (XIX, 591 S.) 1902.

Preussens auswärtige Politik 1850 bis 1858. Unveröffentlichte Dokumente aus dem Nachlasse des Ministerpräsidenten Otto Frhrn. von Manteuffel. Hrgg. v. Heinrich von **Poschinger.** Bd. 3: 1854 bis 1858. Berlin. 1902. 8° Mit dem Nebentitel:
Von der Beendigung der orientalischen Krisis bis zum Beginn der neuen Aera. Vom 15. Dez. 1854 bis zum 6. Nov. 1858.

—— Preußen im Bundestag 1851—1859, s.a. Publicationen aus den k. preußischen Staatsarchiven.

Preussen im Bundestag 1851—1859. Documente der Königlich Preussischen Bundestags-Gesandtschaft hrgg. v. H. Ritter von **Poschinger.**
Th. 1: (1851—1854.) 2. Aufl. Leipzig. 1882.
Th. 2: (1854—1856.) ebd. 1882. Th. 3: (1856—1859.) ebd. 1882.
Th. 4: (1851—1858.) ebd. 1884.
= Publicationen aus den K. Preussischen Staatsarchiven. Bd. 12, 14, 15, 23. 8°.

Poschinger, Dr. Ritter v, *Preussen im Bundestag von 1851—1859.* Documente der K. Preuss. Bundestags-Gesandtschaft, hrsg. von —. 4 Thle. (in 3 Bdn.). 2. Aufl. (Auch m. d. Tit.: Publicationen aus den K. Preussischen Staatsarchiven. Bd. 12, 14, 15, 23.) Leipzig, S. Hirzel, 1882—84. Gr. 8°. Eleg. Hschwsldrbde.
1: XII—396 S. 2: XVII—355 S. 3: XXII—541 S. 4: XXI—336 S.

— s.: Preußens auswärtige Politik 1850—1858.

— s.: Scharlach, koloniale u. politische Aufsätze u. Reden.

— Stunden bei Bismarck. (XXI, 319 S.) gr. 8. Wien 910. C. Konegen. 4.50; geb. 6. —

Poschinger. Kaiser Friedrich's Tagebücher über die Kriege 1866 und 1870 71 sowie über seine Reisen etc.
Berlin u. Jena 1901.

— s.: Unruh, Hans Vikt. v., Erinnerungen.

— die wirthschaftlichen Verträge Deutschlands. I.—III. Bd. gr. 8. Berlin, v. Decker. n. 9. 60
I. Die deutschen Konsular-Verträge. Die vom Deutschen Reich, vom früheren Norddeutschen Bund, vom früheren Deutschen Zoll- u. Handelsverein u. d. einzelnen deutschen Bundesstaaten m. auswärtigen Staaten üb. die Befugnisse der Konsuln abgeschlossenen, zur Zeit in Kraft besteh. Vereinbargn. (VIII, 214 S.) 892. n. 3. —
II. Die deutschen Handels- u. Schiffahrts-Verträge. Abdruck der vom Deutschen Reich, vom früheren Norddeutschen Bund u. vom früheren Deutschen Zoll- u. Handelsverein mit auswärt. Staaten üb. Handels- u. Schiffahrtsverhältnisse abgeschlossenen, zur Zeit in Kraft besteh. Vereinbargn. (XVIII, 485 S.) 892. n. 5. —
III. Die Verträge üb. das geist. Eigenthum. Abdruck der vom Deutschen Reich, vom Norddeutschen Bund u. vom Deutschen Zoll- u. Handelsverein m. auswärt. Staaten darüber abgeschlossenen, zur Zeit in Kraft besteh. Vereinbargn. (IX, 70 S.) 893. 1. 60

— auf dem Wege zur Künstlerin. (88 S.) 8. Leipzig (905). G. Müller-Mann. n. 1. —

Poschinger, Heinr. v., aus allen Welten. Diplomatische Streiflichter, Interviews u. Erinnerungen. (199 S.) 8. Berlin (904). Verlag Continent. n. 3. —; geb. n. 4. —

— aus großer Zeit. Erinnerungen an den Fürsten Bismarck. (VIII, 192 S.) 8. Berlin 905. E. Trewendt.
n. 3. 60; geb. n. 4. 60

Poschinger, Heriberta v. (Heinz Osser), Lieder der Waldfrau. 8. (VIII, 198 S. m. Titelbild.) München 893. Dr. E. Albert & Co., Sep.-Cto. Geb. in Leinw. m. Goldschn. n. 6. —

Poschinger, Margareta v., ebenbürtig, s.a. Schatzkästlein, literarisches.

Ebenbürtig. E. Erzählg aus d. Gegenwart. Von Margareta v. Poschinger. *Stuttgart. Leipzig, Berlin, Wien: Deutsche Verl.-Anst. [1894].* (2 Bl., 98 S.) 1 Bd 8.
= Schatzkästlein, Literarisches. Bd III. [96. 1493

Poschinger, Margaretha v., Kaiser Friedrich. In neuer quellenmäß. Darstellg. 1. Bd. 1831—1862. gr. 8. (VI, 430 S. m. 1 Bildn.) Berlin 899. R. Schröder. n. 10. —; geb. in Halbfrz. n.n. 12. 50

Poschinger, Margaretha v., Kaiser Friedrich. In neuer quellenmäß. Darstellg. 2. u. 3. (Schluß-)Bd. gr. 8. Berlin, R. Schröder. à n. 10. —; geb. in Halbfrz. à n.n. 12. 50; Liebhaberausg. geb. à n. 15. —
2. 1862—1870. (VIII, 431 S.) 899.
3. 1870—1888. (VIII, 473 S.) 900.

— s.: Friedrich's, Kaiser, Tagebücher.

— life of the Emperor Frederick, s.a. Whitman, Sidnoy.

Life of the Emperor Frederick (Kaiser Friedrich) based upon the German of **Margaretha** von **Poschinger** with an introd. by Sidney Whitman. With a portr. Copyright ed. In 2 vol. Vol. 1. 2. Leipzig: Tauchnitz 1901. 8°
(Collection of British authors. Tauchnitz Ed. Vol. 3483/0.) [01. 8369

— wie Künstler lieben, s.a. Schatzkästlein, literarisches.

Wie Künstler lieben. Novelle v. Margareta v. Poschinger. *Stuttgart, Leipzig, Berlin, Wien: Deutsche Verl.-Anst. [1896].* (2 Bl., 142 S.) 1 Bd 8.
= Schatzkästlein, Literarisches. Bd V. [97. 3462

Poeschko: Auflösungsmethoden unbestimmter Gleichungen. 38 S. 8° – St. Pölten, Progr. 1869

Wiener-Neustadt L.-OR.: Die nied-österr. L.-OR. und die Fachschule für Maschinenwesen in W.-N. v. J. 1863—88 v. A. Pöschko. 36. 1888. **Progr.**

Pöschko, A. Der Zweck der gewerblichen Mittelschulen. Wiener-Neustadt, R., 1875. 4 S.

Pöschl, R., Sammlung deutsch-weltsprachlicher Wörter u. Gespräche, s.: Obhlidal, M.

Pöschl, Arnold, Bischofsgut u. Mensa episcopalis. Ein Beitrag zur Geschichte des kirchl. Vermögensrechtes. 1. u. 2. Tl. gr. 8. Bonn, P. Hanstein. 16. —
1. Die Grundlagen. Zugleich e. Untersuchg. zum Lebensproblem. (XIII, 182 S.) 908. 6. —
2. Die Güterteilgn. zwischen Prälaten u. Kapiteln in karoling. Zeit. (VII, 310 S.) 909. 10. —

Pöschl, Gust. Ad., d. Kurzschrift im Postbetriebe. gr. 8. (III, 80 S.) Wien 894. (Bermann & Altmann.) n.n. . 20

Pöschl, H.E.: Behandlung des griechischen Accents an den österreichischen Gymnasien. 6 S. – Czernowitz, Progr. 1851.

Die Praxis des Gesetzes zur Bekämpfung des unlauteren Wettbewerbes. Dargest. auf Grund von 310 Entscheidungen nebst Vorschlägen z. Abänderung d. Gesetzes. Im Auftr. d. Bundes d. Handel- u. Gewerbetreibenden bearb. von Heinrich **Poeschl**. (Vorr.: Hugo Lissauer.) *Berlin: O. Liebmann 1903.* (X, 246 S.) 8° [F.] [03. 9517

Rechte und Pflichten des Vermiethers und Miethers nach dem Bürgerlichen Gesetzbuche. Volksthüml. dargest. von Heinrich **Poeschl**. Mit e. Anh. ... *Berlin: Grundbesitzer-Zeitung 1900.* (32 S.) 8° [F.]
(Gratisbeilage zur Grundbesitzer-Zeitung.) [00. 2453

Pöschl, Jos., nur vier Bitten eines Oberösterreichers, s. Bitten.

—— Gedanken und Vorschläge zur Verhinderung jeder künft. Getreide-Theurung, zur Hebung der Zustände des Proletariats, der verwahrlosten Leinen-Industrie, des Verkehrs und Handels überhaupt. Nebst einem höchst freisinnigen Mittel, die Juden ohne Beeinträchtigung der Christen zu emancipiren, deren Reichthümer dem Wucher zu entziehen, und für das Gemeinbeste productiv zu machen. gr. 8. (IV und 34 S.) Linz 848, Eurich und Sohn.

Pöschl, Peter. Bericht über die fünfclassige Knaben-Volksschule zu Klgft. Klgft., Bertschinger, 1894. 46 S.

Pöschl, R., Sammlung deutsch-weltsprachlicher Wörter und Gespräche, s. Obhlidal, M.

Pöschl, Rob., Aufgaben üb. alle Theile d. kaufmännischen Rechnens m. Anwendg. der europäischen Geldwährgn., Münzen, Mass- u. Gewichtseintheilgn. u. m. Angabe der Gleichwerthe nach österreich. Verhältnissen. gr. 8. (IV, 208 S.) Wien 871. Braumüller. n. 4. —

Pöschl, Robert, Aufgaben über alle Theile des kaufmännischen Rechnens mit Anwendung der europäischen und nordamerikanischen Geldwährungen, Münzen, Mass- und Gewichtseintheilungen und mit Angabe der Gleichwerthe derselben nach österreichischen Verhältnissen. 1871. gr. 8. (XII u. 208 S.) Wien, Braumüller. 2 fl.

Pöschl, Rob., s. Geyer-Pazelt's Lehrbuch der einfachen und doppelten Buchhaltung.

Poeschl, Rob., Lehrbuch der einfachen u. doppelten Buchhaltung. [Auszug aus dem größeren Werke d. Verf.] qu. gr. 8. (238 S.) Wien 884. Gerold's Sohn. n. 5. 20

Pöschl, Rob., Lehrbuch der einfachen u. doppelten Buchhaltung für Handels- u. Gewerbeschulen, sowie zum Selbstunterrichte mit 600 theoret. u. prakt. Aufgaben. Wien 870. Braumüller. gr. 8. (XII, 435 S.) n. 2 Rthlr 10 ngr.

— Lehrbuch der einfachen u. doppelten Buchhaltung f. Handels- u. Gewerbeschulen, sowie zum Selbstunterricht m. 600 theoret. u. prakt. Aufgaben. 2. verb. Aufl. gr. 8. (XIV, 412 S.) Wien 873. Braumüller. n. 7. —

Pöschl, Rob., Lehrbuch der einfachen Buchhaltung für kaufmännisch oder gewerblich betriebene Geschäfte. Zum Selbstunterrichte, sowie speciell zum Gebrauche an weibl. Handelsschulen, Arbeits- und Fortbildungsschulen. gr. 8. (III, 172 S.) Wien 880, Gerold's Sohn. * 4 —

— Lehrbuch der kaufmännischen Correspondenz,
— Leitfaden der kaufmännischen Correspondenz,
s.: Gautsch, J. v.

—— das Muster-Comptoir. Der Geschäfts-Praxis entsprechend durchgeführte und mit theoret. Erläuterungen verseh. Ausarbeitung einer dreimonatl. Gebarung mit einem Compagnie-Geschäfte [en gros] mit Auflösung der Gesellschaft und Liquidation. Mit einem Anh., enth. den Schlüssel zur Beantwortung der 600 theoret. Fragen und prakt. Aufgaben in dem Lehrbuche der einfachen und doppelten Buchhaltung von demselben Verf. gr. 8. Wien 871, Braumüller. *

— — das Muster-Comptoir. Der Geschäfts-Praxis entsprechend durchgeführte und mit theoretischen Erläuterungen versehene Ausarbeitung einer dreimonatlichen Gebahrung in einem Compagniegeschäfte (en gros) mit Auflösung der Gesellschaft und Liquidation. Mit einem Anhange, enthaltend den Schlüssel zur Beantwortung der 600 theoretischen Fragen und praktischen Aufgaben in dem Lehrbuche der einfachen und doppelten Buchhaltung von demselben Verfasser. 1871. gr. 8. (II u. 269 S.) Ebd. 2 fl. 50 kr.

Pöschel, Rob., 3380 Original-Aufgaben über das Rechnen mit unbenannten und benannten Zahlen und über die wichtigsten Partien des kaufmännischen Rechnens, sammt Berechnungsformeln, mit Angabe der Geldwährungen, Münzen, Mass- und Gewichts-Eintheilungen sämmtl. europ. und der wichtigsten aussereurop. Länder unter Beisetzung der Gleichwerthe in österreich. Gelde, Masse und Gewichte. gr. 8. (III, 267 S.) Wien 878, Gerold's Sohn. *

—— und Hanns Swoboda, Sammlung von Rechnungs-Aufgaben über Edelmetalle, Münzen, Wechsel, Effecten und Waren, mit einem Anhang, enthaltend Cursblätter und Usanzen im Münzen-, Wechsel- und Effecten-Handel. gr. 8. (VIII, 146 S.) Wien 883, Gerold's Sohn. * 3 —

Pöschl, Robert u. Hans Swoboda, Sammlung von Rechnungs-Aufgaben über unbenannte u. benannte Zahlen, Verhältnisse, Proportionen, Procent- u. Zinsen-Rechnung mit einem Anhange enthaltend das metrische Maß- u. Gewichts-System, Goldwährungen, Maße u Gewichte der sämmtlichen europäischen und der für den österr. Handel wichtigsten außereuropäischen Länder, mit Angabe der Paritäten nach österreichischen Verhältnissen. gr. 8. (120 S.) geh. 1 fl. 20 kr. Wien: Gerold 1882.

—— praktisches Uebungs-Comptoir. Angewendet auf den viermonatl. Betrieb eines Compagnie-En-gros-Geschäftes, nebst Liquidirung desselben. gr. 8. (III, 272 S.) Ebendas. 878. *

— praktische Winke für die Reise nach Paris, für den Besuch der Ausstellung, aller Unterhaltungsorte u. Sehenswürdigkeiten u. für die Rückreise über Köln, Mainz, Frankfurt a. M. rc. Mit einer genauen Angabe aller diesfäll. Fahrt- u. sonstigen Preise, Entrées rc. Wien 867. (Gerold's Sohn.) gr. 8. (VIII, 101 S.) n. 10 ngr.

Pöschl, Thdr., Beitrag zur graphischen Dynamik zweier gelenkig verbundener ebener Systeme. (25 S. m. 3 Fig.) gr. 8. Wien 909. A. Hölder. — 90
Sonderabdruck aus: „Sitzungsber. d. k. Akad. d. Wiss."

Pöschl Theodor [illegible] Beitrag zur graphischen Dynamik zweier gelenkig verbundener ebener Systeme [illegible] 3 Textfiguren [illegible] . . . . —.90
Separatabdruck

Poeschl, Theodor: Beitrag zur Kinetik des starren ebenen Systems. – 1907. 50 Bl., 7 Taf.
Diss. Graz, TH

Die Berechnung der Spannungsverteilung in zylindrischen Behälterwanden mit veränderlichem Querschnitt (mit 3 Textfiguren) S. 121 [illegible] . . . . . . 1.—
Separatabdruck

Pöschl, Viktor

Pöschl, Vikt., Einführung in die Kolloidchemie. Ein Abriss der Kolloidchemie f. Studierende, Lehrer u. Fabriksleiter. 2., verm. Aufl. (69 S.) 8. Dresden 910. Th. Steinkopff. 1.80
1. Aufl. (48 S.) 908. 1.50.

Pöschl, Vikt., die Härte der festen Körper u. ihre physikalisch-chemische Bedeutung. (85 S. m. 4 Fig. u. 1 Taf.) 8. Dresden 909. Th. Steinkopff. 2.50

POESCHL, Viktor: Experimentelle Untersuchungen an isomorphen Silikaten. — 1907. 56 Bl. Diss. Graz, Univ.

Poschmann, Adolf: Die Siedlungen in den Kreisen Braunsberg und Heilsberg. Braunsberg Ostpr. 1910: Ermländ. Zeitungs- u. Verlagsdr. 64 S. 8° ¶(Ersch. vollst. in: Zeitschrift f. d. Gesch. u. Altertumsk. Ermlands. Bd 17. 18.)
Königsberg, Phil. Diss. v. 8. März 1910, Ref. Hahn
[Geb. 2. Jan. 85 Neuendorf, Kr. Heilsberg; Wohnort: Königsberg i. P.; Staatsangeh.: Preußen; Vorbildung: Gymn. Braunsberg Reife O. 05; Studium: Innsbruck 1, Berlin 1, München 1, Königsberg 7 S.; Rig. 20. Nov. 09.]
[U 10. 2620

Poschmann, Bernhard, Priester d. Diöz. Ermland: Die Sichtbarkeit der Kirche nach der Lehre des heiligen Cyprian. Eine dogmengeschichtliche Untersuchung. Breslau 1907: Buchdr. d. Schlesischen Volkszeitung. (69 S.) 8° ¶(Erscheint als: „Forschungen z. altchristlichen Literatur- u. Dogmengeschichte" Bd 8 H. 1.)*
Breslau, Kath.-theol. Fak., Ref. Pohle, Diss. v. 8. Juli 1907
[Geb. 1. Sept. 78 Heinrikau, Ostpr.; Wohnort: Breslau; Staatsangeh.: Preußen; Vorbildung: Kgl. Gymn. Braunsberg Reife O. 00; Studium: Braunsberg 6, Breslau 4 S.; Rig. 25. Juni 07.]

= Thl.I, 395 el [8,3]

Poschmann, Bernh., die Sichtbarkeit der Kirche nach der Lehre des hl. Cyprian, s.a. Forschungen zur christlichen Literatur- u. Dogmengeschichte. VIII, 3.

Die Sichtbarkeit der Kirche nach der Lehre des hl. Cyprian. Eine dogmengeschichtl. Untersuchung von Dr. Bernhard Poschmann. Paderborn: F. Schöningh 1908. (X, 191 S.) 8°
[Ein T. erschien als Inaug.-Diss. Breslau 1907.]
= Forschungen z. christl. Literatur- u. Dogmengeschichte. Bd 8, H. 3. (08.16792

Poschmann, [illegible]
[illegible]
Berlin, Med. [illegible] Febr. [illegible]

Poschmann, Joh., das königl. Schullehrerseminar zu Hildesheim. Festschrift zur Feier des 60jähr. Bestehens der Anstalt. (96 S. m. Abbildgn.) gr. 8. Hildesheim 905. (F. Borgmeyer.) n.n. 1.60

Poschmann, Maximilian *Conrad Adalbert* [aus Guttstadt, Kr. Heilsberg (Ostpr.)]: Sarcoma uteri, nach Beobachtgn d. Hallenser Frauenklinik ... Halle a. S., Hofbuchdr. v. C. A. Kaemmerer & C., 1897; 31 S., 2 Bl. 8.
Halle, Med. Fak., Inaug.-Diss. v. 21. Mai 1897

Pöschmann, Carl ..., s. Pöschmann, Karl ...

Pöschmann, F., s. Pöschmann, Georg Friedrich von

Pöschmann, Georg Friedrich von, s. Beispiele vom Glückswechsel.

Pöschmann, Geo. Fr., († d. 17. März 1812.) histor. Bemerkk. in Beziehung auf das Schulwesen in den Ostsee-Provinzen. 8. Dorpat 805. (Leipz., Kummer). 3 gl. 2s Hft. Schulprogr. (enth.: Nachrr. über den Zustand d. Schulen in Finnland). 8. Ebd. 806.

— über den Einfluß der abendländ. Kultur auf Rußland. gr. 4. Dorpat 802. (Leipz., Kummer). 12 gl.

— Einleit. in die allgem. Menschengeschichte. Ein Leitf. 1r Bd. 8. Riga, Hartmann. 802.

Pöschmann, G. F., s.a. Freuden u. Leiden im menschl. Leben.

Freuden
— — und Leiden im menschlichen Leben, oder Geschichte der Familie Hochberg (von *Georg Friedr. v. Pöschmann*). Riga 1798. 8°.
Neue Allg. dtsch. Bibl. 42, 25. (Goedeke V, 529, 50 5.)
Anon.-Lex. II. p. 123 (nach Kayser u. Recke-Napiersky).

Pöschmann, G. F., über die zweckm. Führung d. Akadem. ebend. Ein Leitfaden zu Vorles. 8. Riga, Hartmann. 805.

— einige Gedanken zur Vergleichung d. ältern u. neuern Erziehung. Progr. 8. Dorpat 808.

— Gedichte. 8. Leipz. 796. Linke. 20 ℊ

(Übers.), s. G e s c h i c h t e von Spanien ...

— Leitfaden zu e. Einleit. in die allgem. Menschengeschichte. 1r Bd. 8. Riga 802. (Gerig in Leipz.) 16 ℊ

MARCHEN u n d E r z ä h l u n g e n, N e u e (von *Georg Friedr. Pöschmann*). Riga 1796.
Anon.-Lex. III. p. 101 (nach Kayser).

– s.a. N a c h l a ß meiner Mutter ...

NACHLASS m e i n e r M u t t e r G a n s u n d m e i n e r A m m e G o l d m u n d (von *Georg Friedr. v. Pöschmann*, 1768—1812). Mit Titelkpfr. (gest. v. J. J. W a g n e r) und gestoch. Titelbl. (von P e t e r m a n n). 4 Thle. Riga 1795—97. 8⁰. (9 Mk., etwas stockfl. Emil Hirsch, München 1907:)
Das Anon.-Lex. III. p. 175 hat „Riga 1795—98" (nach Kayser u. Recke-Napiersky).

– s.a. S a g e n, Mährchen und Anekdoten aus dem Morgenlande.

SAGEN, M ä h r c h e n u n d A n e k d o t e n a u s d e m M o r g e n l a n d e (,) oder M o r a l i s c h e E r z ä h l u n g e n (von *Georg Friedr. v. Pöschmann*). Riga und Leipzig, bey Wilhelm Christian Andreas Müller. 1798. Kl. 8⁰.
VIII—312 S. 1. Der glückliche Tag, oder der gebesserte Geitzige. 2. Der reiche Bettler. 3. Die Macht des Glückes. 4. Der Philosoph, e. chinesische Geschichte. 5. Würdigung des menschlichen Lebens. 6. Gleichheit gehört zur Freundschaft. 7. Die Absicht des Lebens. 8. Sadi, oder die Würde des Dichters. 9. Barmherzigkeit. 10. Die Freundschaftsprobe. — Sämmtlich zahm. Anon.-Lex. IV. p. 5 (nach Kayser, Recke-Napiersky, Meusel); Goedeke V, 528, 50, 4: Vgl. Neue Allg. dtsch. Bibl. 55, 304.

– (Übers.), s. S i d d o n s, Wilhelm Wallace oder der Held aus dem Hochlande.

– (Übers.), s. T h o m s o n, G.: Geist der allgemeinen Geschichte.

Pöschmann, G[erhard], Tierarzt in Neukirchen: Ueber den Magenmechanismus. Eine geschichtliche Studie. (Aus dem physiologischen Institut der Königl. Tierärztlichen Hochschule zu Dresden. Prof. Ellenberger.) Dresden 1910. 76 S. 8⁰. [9. V. 10.]
Zürich Univ. Vet.-med. Diss. 1909/10.

P ö s c h m a n n, G[erhard]. Ueber den Magenmechanismus. Eine geschichtliche Studie. Aus dem Physiologischen Institut der Königl. Tierärztlichen Hochschule zu Dresden.... Diss. Vet.-Med. Univ. Zürich. 76 S. 8. Dresden, Otto Franke, 1910.

Pöschmann, J.

Pöschmann, Dr., der Schloßbrunnen zu Karlsbad, literar., geschichtl., physikal., chemisch u. medicin. dargestellt. 1r Thl. Mit 2 Kpf. 8. Prag 825. Enders. 1 ℛ 8 ℊ

Pöschmann (J.). Der Schlossbrunnen zu Karlsbad, literarisch, geschichtlich, physikalisch, chemisch und medizinisch dargestellt, nebst vielen, auch andere wichtige Gegenstände dieses Heilortes betreffenden Bemerkungen. Theil 1. Mit 2 Kupf. Prag 1826. 8.

Pöschmann, Dr., Wieder-Erscheinung des Schlossbrunnens in Karlsbad, den 24. Octbr. 1823.

P ö s c h m a n n, J. Chr., Gottes weise Führungen, s. G o t t e s weise Führungen.

(Pöschmann.) Gottes weise Führungen, dargestellt aus dem Leben des Adjunkt u. Pfr. J. Chr. P ö s c h m a n n zu Hainspitz u. Rauschwitz im Herzogthum Altenburg, von ihm selbst aufgezeichnet im J. 1857 bei Gelegenheit seiner 50jährigen Amtsjubelfeier. Eisenberg 857. Schöne in Comm. 8. (IV, 54 S.) n. 6 ngr.

Pöschmann, Karl August

P ö s c h m a n n, K. A.: „Handbuch für Handelsleute . . .", 2 Teile, Görlitz 1799; Neuauflage ebenda 1808.

P ö s c h m a n n, K. A., H a n d b u c h f. Kauf- u. Handelsleute, bes. so zu Leipzig in Geld- Ein- und Verwechselung Verrichtung haben. 1r Th. 8. Görlitz, Anton. 799.

Pöschmann, K. A., nützl. u. bequemes Handbuch f. Kaufleute, besond. zum Gebr. derjenigen, so die Leipziger Messe besuchen. 2 Thle. 8. Görlitz 799, 808. Verfass. (Leipz., Engelmann). 1 ℛ 18 ℊ

— nützliches und bequemes H a n d b u c h f. Kaufleute, bes. zum Gebrauch derj., so die Leipz. Messe besuchen. 2 Thle. 8. Görlitz, Verf. (Anton in Commiss.) 808. (1r 2 Rthlr. 4 gr. 2r 1 Rthlr. 18 gr.)

P ö s c h m a n n, Carl August: „Nützlich und bequemes Hand-Buch für Kauf- und Handelsleute. Besonders aber zum Gebrauch derjenigen, so die Leipziger Messen besuchen und daselbst in Geld Ein- und Verwechselungen Verrichtungen haben", Zittau 1799. — Vorh.: Bücherei der Industrie- und Handelskammer Leipzig.

Pöschmann, Karl Magnus, D u p l i k in der sächsischen Civilgesetzbuchfrage gegen die Repliken der DD. Danz, Unger, Arndts. Leipzig 861. Roßberg. gr. 8. (16 S.) 3 ngr.

—— die G e g n e r des revidirten Entwurfs eines bürgerlichen Gesetzbuchs für das Königr. Sachsen. Ein Wort für den Entwurf und insbesond. gegen Dr. J. Unger's krit. Besprechung desselben. (Extraheft zum 3. Bde. der Annalen des k. sächs. Oberappellationsgerichts zu Dresden.) gr. 8. (52 S.) Leipzig 861, Roßberg'sche Buchh. *

P ö s c h m a n n, K. M., Commentar zu dem bürgerlichen Gesetzbuche für das Königreich Sachsen, s. S i e b e n h a a r, E.

— über die N a t u r des sogenannten qualificirten Geständnisses im Civilprozesse u. dessen Einfluß auf die Beweislast. Mit einem Anhang erläuternder Beispiele aus der neueren Spruchpraxis des Oberappellationsgerichts zu Dresden. Ebend. 863. gr. 8. (VIII, 75 S.) 15 ngr.

P ö s c h m a n n, K. M., das Recht der Forderungen, s. S i e b e n h a a r, E.

—— S t u d i e n zu Gaius. 1. Heft. gr. 8. (32 S.) Leipzig 854, (Roßberg'sche Buchh.)
—— dass. — 2. Heft. gr. 8. (30 S.) Ebendas. 860.
—— dass. — 3. Heft. gr. 8. (16 S.) Ebendas. 862.

Poeschmann, Car. Magnus, observationum ad jus Antejustinianeum et Justinianeum triga. Lipsiae 857. (Dürr'sche Buchhdlg.) gr. 8. (3 Bl., 33 S.) 15 ngr.

Poeschmann, K(arl) Moritz, Pfarrer in Niederkrossen S.-A.: Das Wertproblem bei Fries. Ein Beitrag zur Geschichte der Lehre vom Wert und Werturteil. Altenburg: H. A. Pierer 1905. (41 S.) 8° [F.]
Jena, Phil. Fak., Ref. Eucken, Diss. v. 20. April 1905
[Geb. 15. Mai 71 Eisenberg; Wohnort: Eisenberg; Staatsangeh.: Sachsen-Altenburg; Vorbildung: Gymn. Eisenberg Reife O. 92; Studium: Tübingen 1, Halle 1, Erlangen 1, Jena 1, Leipzig 2 S.; Rig. 5. Nov. 04.]

Poschner, Gottfr. Gegenreformatorische Bestrebungen in Bistritz im 18. Jahrhundert. 51 S. Progr. *Bistritz:* 1884.

Poscholan, Magnus Christoph, s. Gedanken eines Wahrheitsliebenden von der Wahrheit der christlichen Religion.

Poscholan, Magn. Cph., vier Zeugnisse der Wahrheit von Christo; in 3 Predigten. 8. Minden 767. Sauer. 4 gr

[F.] Ihre Kreutzersonate. Aus d. Tagebuche d. Mme. **Posdnischew.** 3., 4. u. 5. Aufl. (Der Kreutzer-Sonate 2. Tl.) *Berlin: H. Steinitz (1896).* (124 S.) 1 Bd 8. [96. 7385

v. Poseck, Fr., Denkschrift über die zunehmende Nahrungslosigkeit und Mittel zu deren Abhülfe. Ein Wort zu seiner Zeit. Nebst 1 Abbild. der Niederländ. Colonie zu Fredericsoord. gr. 8. Essen 841, Bädeker. 1/4 Thlr

Posedel Josef: Die Deduktion der Kantschen Kategorientafel quellenmäßig dargestellt und kritisch gewürdigt. II. 1890 PN 616 **Diss.** Wien, Univ. 43

Posel z Budče. Časopis pro učitele, vychovavatele a vůbec přátele mládeže. Vydávaný od porad učitelských v Praze, redigovaný od Jos. Frant. Šumavského. 2. Roční běh svazek 1. gr. 8. (420 S. m. 2 lith. Taf. u. 1 Stahlst.) Prag 849, Hess. 1 Thlr 8 ngr

Posel z Morawy, aneb domácj, měsstanský a rolnický Kalendář pro Čechy, Morawu a Slézko, na rok obyčegný 1847. 4. (64 S. und 1 Stahlst.) Brünn, [Hauptmann.] *

— z Morawy, aneb domácj, měsstanský a rolnický Kalendář pro Čechy, Morawu a Slézko, na rok obyčegný 1847. 4. (64 S. mit 1 Stahlst.) Brünn, Wimmer. n. 6 ngr

Posel z Prahy. Spis užitečny, zábavně poučný pro město i ves. Red.: **Vojtěch Belák.** Díl I—III. (Jahrg.) 1856—58. à 10 svazek (à 4—5 Bgn. mit lith. Abbildgn.). (Prag, Dominicus.) gr. 8. Jeder Jahrg. n. 1 Thlr. 20 ngr.

Posel z Prahy. Kaleudář zábavný a poučný na rok 1862—65. Ročník I—IV. Část hvezdářsko-církevní od K. Boehma. 8 vyobrazeními v textu. Prag, Kober. gr. 4. Jeder Jahrg. (à ca. 140 S.) n. 18 ngr.

Pösel, Frz. Josef, s.a. Pössl

Pösel, F. J.: Die Bienenzucht. München 1807.

* **Pösel,** J., die Bienenzucht, od. gründl. u. überaus lehrreiche Art, wie man in kurzer Zeit die ganze Behandlung d. Bienen erlernen rc. mit 3 K. 2te verb. Auflage. 8. Münch. Fleischmann. 810.

F. Jos. Pösel, Gründlich und vollständiger Unterricht sowohl für die Wald- als Gartenbienenzucht.
Ver. „Churfürstlich bayerischer Bienenmeister". Gelobt bei F. v. P. Schrank (Nr. 1102, S. 26). Pösel gründete und unterhielt für die Baiersche Bienengesellschaft ein Musterbienenhaus in Allach bei München.
München 1784.

PÖSEL, Josef: Gründlich und vollständiger Unterricht, sowohl für die Wald- als Gartenbienenzucht in den churpfälzischen bayerischen Ländern. - München 1784. 288 S., m. Taf.

Poselger, F. T., Aristoteles' mechanische Probleme [Quaestiones mechanicae]. Mit einem Vorworte von Mor. Rühlmann. gr. 8. (43 S. mit eingedr. Fig.) Hannover 881, Schmorl und v. Seefeld. * — 80

Poselger, Friedrich Theodor

Poselger, Fr. Th., Anleitung zu Rechnungen d. Geodäsie. 4. (8 B.) Berlin 831, Dümmler.

— Statices elementa. 4. Berl. 818. Th. Enslin. 12 gr

Poselger, Friedr. Theod., Dr., Ueber die Figur der Erde. Berlin 1830.

Poselger, Fr. Th., allgem. Grundsätze vom Gleichgewicht u. Bewegung. Mit 1 Steindr. gr. 8. Berl. 824. Th. Enslin. 18 gr

— üb. d. Indult. 8. Halle 815. (Waisenhaus-B.) 16 gr

Poselger, Stadtrath, über den Indult. 8. Halle, Waisenhaus. 816.

Poselger, Friedrich Theodor, Der farbige Rand eines durch ein biconvexes Glas entstehenden Bildes, untersucht mit Bezug auf Herrn von Göthe's Werk: Zur Farbenlehre, von —. (Aus: Gilb. N. Ann. der Physik, 7. B., 2. H.)

Hundert Jahre der St. Johannis-Loge zum Widder von 1777 bis 1877. Zur Erinnerung an die Säcular-Festfeier am 3. Febr. 1877 vom Br. [Heinr.] **Poselger.** (Mit Genehmigung der Gr. Landes-L. gedr.) Berlin 1877: Berg & v. Holten. 62 S. 8°
[Umschlagtit.:] Gedenkblatt zur Säcular-Feier der St. Johannis-Loge „Zum Widder" am 3. Febr. 1877.
S. 35—63: Verzeichn. der Beamten u. Mitgl. von 1777—1877.

Nemitz: Trauerrede auf den am 25. Nov. 1874 in d. e. O. e. Br. Nemitz gehalten am 5. Dez. 1874 von [Heinr.] **Poselger.**

Posemann, Otto, pract. Arzt aus Berlin: Über den recidivierenden **Herpes** digitalis und facialis und seine Beziehungen zum Zoster. *Berlin 1902: W. Röwer.* (48 S.) 8°
Leipzig, Med. Diss. v. (30. Juni) 1902

Posen [Sachliches OW]

POSEN. Carricaturen, eine Monatsschrift von S. Sigismund. I. (einz.?). Posen 1844. 8°. (Bibl. d. histor. Gesellsch. in Posen.)

Posen, das Grossherzogthum. 4. Aufl. gr. 4. Lithochrom. Breslau 848, Kern. 1/12 Thlr — 2. Aufl. Nach den Bevölkerungs-Verhaltnissen. gr. 4. Lithochrom. Ebd. 848. 3 ngr

Posen, Das Grossherzogthum, und die Polen gegenüber dem Nationalitätsprincip und dessen neuesten Regungen. Berlin 1861. V: *Olberg, von.* (Kat. d. Bibl. d. k. Preuss. gr. Generalstabes. Berlin 1878.)

Posen, das Großherzogthum, u. die Polen gegenüber dem Nationalitäts-Princip u. dessen neuesten Regungen. Von einem früheren Abgeordneten der Provinz Posen. Nebst einem Anhang enthaltend die Denkschrift des Hrn. Ober-Präsidenten Flottwell: „Ueber die Verwaltung des Großherzogthums Posen vom Jahre 1830 bis zum Beginn des Jahres 1841." Berlin 861. Mittler & Sohn. gr. 8. (IV, 159 S.) n. 20 ngr.

Posen, die Provinz, in geschichtl., statist. u. geograph. Hinsicht. Ein Handb. f. Schule u. Haus, nach d. neuesten Quellen bearb. 8. (4 1/4 B.) Rawicz 838, Magazin f. Buchhandel ꝛc. (?) •

Posen, die Provinz, in 1 Provinz- und 2 Regierungsbezirks-karten. Lith. u. col. Mit Randtext. Erfurt 845, Müller-sche Buchh. 1/2 ₰

Posen [Schlagwort]

– s.a. Deutschland. Übersichtskarte. – Eisenbahnkarten. – Europa. Liebenow. – Europa. Übersichtskarte. – Forstkarten. – Generalkarten. Flemming. – Geologische Karten. Preussen. 88. – Handkarten. – Hand- u. Reisekarten. 12. – Heimatskärtchen. 34. – Heimatskarten. – Kreiskarten. – Nationalitätskarte. – Ostpreussen. – Posen, Reg.-Bez. – Radfahrerkarten. Junghans. Ravenstein. Universal-Automobilkarte. – Regenkarten. – Verkehrskarten. – Ebbecke. – Westpreussen.

Posen-Berlin, s.: Automobilkarten. Automobil-Tourenkarte. Mittelbach. Pharus-Auto-Strecke.

Posen-Breslau, s.: Automobilkarten. Automobil-Tourenkarte.

Posen-Danzig, s.: Automobilkarten. Automobil-Tourenkarte.

Posen-Kempen, s.: Automobilkarten. Automobil-Tourenkarte.

Posen-Kolberg, s.: Automobilkarten. Automobil-Tourenkarte.

Posen-Thorn, s.: Automobilkarten. Automobil-Tourenkarte.

Posen-Warschau, s.: Automobilkarten. Automobil-Tourenkarte.

Posen — Topographischer Atlas der Provinz —. Vom K. Generalstabe. 100,000. Erschienen mit Ausnahme der nördl. Grenzblätter. 41 Bl.

Posen, Stadt. Baron, Paul, Karte d. Kreise Posen-Stadt-Kreis, Posen-Ost u. Posen-West, entworfen nach den Generalstabskarten der königl. preuss. Landes-Aufnahme. 1 : 50,000. 96,5×119 cm. Farbdr. Lissa (905). O. Eulitz. n. 12. —; auf Leinw. m. Stäben n. 15. —

Posen, Kreis. Baron, Paul, Special-Karte der Kreise Posen-West u. Ost u. Stadtkreis Posen. Neueste Ausg. rev. vom königl. Katasteramt in Posen. 1 : 150,000. 34×31,5 cm. Farbdr. Lissa (899). F. Ebbecke. n. — 50

— — Spezial-Karte des Kreises Posen-Ost. Neueste Ausg., rev. von den zuständ. Behörden. 1 : 125,000. 32×36 cm. Farbdr. Ebd. (901). n. — 50

— — Spezial-Karte des Kreises Posen-Ost in 5fachem Farbendr. Rev. v. den zuständ. Behörden. 1 : 125,000. 2. Aufl. 29×33 cm. Ebd. (905). n. — 50; auf Leinw. in Taschenformat n. 1. —

— — Wandkarte des Kreises Posen-Ost, entworfen nach den neuesten Hilfsquellen. 1 : 40,000. 2 Blatt à 90,5×52,5 cm. Farbdr. Ebd. (901). n. 12. —; auf Leinw. m. Stäben n. 15. —

— Behrens, Frdr., Umgebungskarte v. Posen. (Stadtkreis Posen u. Kreise Posen-Ost u. -West.) Neueste Ausg. 1 : 100,000. 46×57,5 cm. Farbdr. Ebd. (904). n. 1. —; auf Leinw. in Taschenformat n. 1. 80

Posen, Stadt. Behrens, Frdr., Umgebungskarte von Posen (Stadtkreis Posen u. Kreise Posen-Ost u. -West). 1 : 100,000. 2. Aufl. 46×57,5 cm. Farbdr. Lissa (909). O. Eulitz. 1.—; auf Leinw. in Etui 1. 50

Posen, Reg.-Bez. Entfernungs- u. Reisekarte, amtliche, des Reg.-Bez. Posen. Nach amtl. Ermittelungen u. unter Benutzg. der Messtischblätter der Landesaufnahme bearb. im J. 1904 durch die Katasterverwaltg. der königl. Regierg. zu Posen. Hrsg. v. R. Mittelbach. Ungefährer Massstab 1 : 75,000. Farbdr. Leipzig (905. 906). Mittelbach.

Kreise: Adelnau u. Ostrowo. 51,5×71 cm. 2. —. — Birnbaum. 45×53,5 cm. 1. 50. — Bomst 60×70 cm. 2. —. — Fraustadt u. Lissa. 45×80 cm. 2. —. — Kempen u. Schildberg. 79×47 cm. 2. —. — Meserits. 60×73 cm. 2. —. — Neutomischel u. Grätz. 55,5×68 cm. 1. 50. — Obornik. 66,5×72 cm. 2. —. — Samter. 76,6×76 cm. 2. —. — Schmiegel u. Kosten. 60,5×76 cm. 2. —. — Schwerin. 40,5×55 cm. 1. 50.

Posen, Reg.-Bez. Entfernungs- u. Reisekarte, amtliche, des Reg.-Bez. Posen. Nach amtl. Ermittelgn. u. unter Benutzg. der Messtischblätter der Landesaufnahme bearb. im J. 1904 durch die Katasterverwaltg. der königl. Regierg. zu Posen. Ungefährer Massstab: 1 : 75,000. Farbdr. Leipzig, Mittelbach.

Kreise:

Gostyn u. Rawitsch. 67×54 cm. (909.) 2.— — Jarotschin. 45×56 cm. (909.) 1.50. — Koschmin u. Krotoschin. 54×64 cm. (909.) 2.—. — Pleschen. 55×50 cm. (909.) 1.50 — Posen. 62×82 cm. (908.) 2.—. — Schrimm. 70×58 cm. (909.) 2.—. — Schroda. 59×50 cm. (908.) 1.50. — Wreschen. 46×51 cm. (909.) 1.50.

Posen, Stadt. Evert, E., Plan der Stadt Posen, berichtigt u. bis auf die Gegenwart ergänzt v. A. Hinz. 36 × 48,5 cm. Lith. Posen 898. J. Jolowicz. n. — 50

— — dasselbe. 1 : 5000. 66,5 × 88,5 cm. Lith. Ebd. 896. n. 5. —; aufgez. n. 7. 50

Posen, Prov. Gaebler, Eduard, Heimatskarte der Prov. Posen. 1 : 1,000,000. 31,5×24 cm. Farbdr. Lissa (904). O. Eulitz. n.n. — 15; auf Pappe m. Oese n.n. — 25

Posen, Prov. Gaebler, Eduard, Wandkarte der Prov. Posen. 1 : 150,000. 6 Blatt à 59×82 cm. Farbdr. Lissa (902). F. Ebbecke. n. 12.—; auf Leinw. m. Stäben n. 20.—

— — Wandkarte der Prov. Posen. 2., v. Fr. Behrens durchgeseh. u. ergänzte Aufl. 1 : 150,000. 6 Blatt à 62×82 cm. Farbdr. Ebd. (905). n. 14. —; auf Leinw. m. Stäben n. 20. —

Posen, Prov. Gaebler, Eduard, Wandkarte der Prov. Posen. 3. v. Behrens durchgeseh. u. ergänzte Aufl. 1 : 150,000. 6 Blatt à 62×82 cm. Farbdr. Lissa (908). O. Eulitz. 14.—; auf Leinw. m. Stäben 20. —

Posen — Grundriss der Stadt — 1856. Aufg. u. gez. von F. Corvinus, Oberfeuerw. Berlin bei Mittler. 1 Bl.

Posen, Prov. Handtke, F., General-Karte der Prov. Posen. 1 : 500,000. Nach den neuesten Materialien rev. u. ergänzt im kartograph. Institut der Verlagshandlg. 25. Aufl. Chromolith. Imp.-Fol. Glogau 890. Flemming. n. 1. —

Posen. Handtke, F., General-Karte der Prov. Posen. 1 : 500,000. 29. Aufl. Farbendr. 69,5×55,5 cm. Glogau 892. C. Flemming. n. 1. —

Posen, Provinz. Handtke, F., General-Karte der Prov. Posen. 1 : 500,000. 31. u. 32. Aufl. 69,5× 55,5 cm. Farbendr. Glogau 894. 95. C. Flemming. n. 1. —

— — Schulwandkarte der Prov. Posen. 1 : 240,000. 6 Blatt. 7. Aufl. Farbendr. u. kolor. 41,5×50 cm. Ebd. 891. n. 2. 50; auf Leinw. in Mappe n. 5. 50; m. rohen Holzrollen n. 6. 50; m. polierten Holzrollen n. 7. 50

— — Schul-Wandkarte der preussischen Prov. Posen. 1 : 240,000. 7. Aufl. 6 Blatt à 41,5 × 50 cm. Farbendr. Ebd. (890). n. 2. 50; auf Leinw. in Mappe n. 7. 40; m. rohen Stäben n. 8. 40; m. schwarz polierten Stäben n. 9. 40

Posen — Karte des Grossherzogthums — in physischer, topographischer u. administrativer Hinsicht etc. in 2 Blättern bearb. von v. Münchow. Posen L. Merzbach 1849. 400.000.

Posen, Prov. Karte der Prov. Posen. 1 : 1,197,000. 25,5×20 cm. Farbdr. Leipzig (903). Dürr'sche Buchh. n.n. — 06

— Karte des Reg.-Bez. Posen (Prov. Posen) u. der angrenzenden Gebiete. 1 : 300,000. 67×75 cm. Farbdr. Berlin (908). C. Flemming. 1. 50

— Langhans, Paul, Karte der Provv. Posen u. Westpreussen unter besond. Berücksicht. d. Ansiedelungsgüter u. Ansiedelungen, Staatsdomänen u. Staatsforsten nach dem Stand v. 1. I. 1907. (Nationalitäten- u. Ansiedlungskarte v. Westpreussen u. Posen. [Tätigkeit der kgl. Ansiedlungs-Kommission 1886—1906].) Auf Grund amtl. Angaben entworfen. Auf Vogels Karte des Deutschen Reiches in 1 : 500,000. [Aus: „Deutsche Erde".] 9. (erweit.) Aufl. 84×62,5 cm. Farbdr. Gotha (907). J. Perthes. 2. —

— Leeder, F., Wandkarte der Prov. Posen. Für den Schulgebrauch entworfen, gez. u. hrsg. 1 : 210,000. 2. Aufl., rev. v. M. Leeder. 6 Blatt. Chromolith. u. color. qu. gr. Fol. Essen 888. Baedeker. n. 4. —; auf Leinw. in Mappe n. 10. 50; m. Stäben n. 12. —

— Liebenow, W., Karte der Prov. Posen, als besond. Abdruck aus der Karte v. Mittel-Europa. Mit neuer Kreiseintheilg. 1 : 300,000. Lith. Imp.-Fol. Hannover 887. Oppermann. n. 4. 50; politisch color. m. Landgerichtsgrenzen n. 5. —; in Carton n. 5. 50; Ausg. m. Terrain n. 5. 50; color. n. 6. —; in Carton n. 6. 50; auf Leinw. in Carton n. 8. —; m. Stäben n. 10. —

— Liebenow, W., Karte der Prov. Posen als besond. Abdr. aus der Karte v. Mittel-Europa. Ausg. 1896. 1 : 300,000. 101,5 × 72,5 cm. Lith. Hannover 896. H. Oppermann. n. 5. 50; politisch kolor. mit Landgerichtsgrenzen n. 6. —; kolor. in Karton n. 6. 50; auf Leinw. in Karton n. 9. —; u. lackiert, m. Stäben n. 11. —; ohne Terrain n. 4. 50; kolor. n. 5. —; in Karton n. 5. 50

— Liebenow, W., Karte der Prov. Posen, als besond. Abdr. aus d. Karte v. Mittel-Europa. 1 : 300,000. 88×72,5 cm. Farbdr. Frankfurt a/M. (902). L. Ravenstein. In Decke n. 6. —; auf Leinw. in Decke n. 9. —; m. Stäben n. 10. —

— Liebenow, W., Specialkarte des Reg.-Bez. Posen, f. Reise, Bureau u. Verkehr. [Aus: „L., Karte von Mittel-Europa".] 1 : 300,000. 64×73 cm. Farbdruck. Frankfurt a/M. (903). L. Ravenstein. In Decke n. 3. —; auf Leinw. in Decke n. 4. 50

— — dasselbe. 1 : 300,000. (Volksausg.) 64×72,5 cm. Farbdr. Ebd. (904). n. 1. 50

— Liebenow's, W., Spezialkarte von Posen u. der weiteren Umgegend. 1 : 300,000. 37,5×28,5 cm. Farbdruck. Posen (910). F. Ebbecke. — 75

— Mittelbach's, R., neueste Specialkarte der Prov. Posen zum Hand- u. Bureaugebrauch. 1 : 300,000. 91×83,5 cm. Farbdr. Leipzig (909). Mittelbach. 1. 50

— Ohmann, C. L., Schulwandkarte der Prov. Posen. 9 Blatt. Berlin, A. Wruck's Verl. 5. 50; auf Leinw. in Mappe od. m. Stäben 14. —

— Pharus-Plan Posen. 1 : 10,000. 75,5×50 cm. Farbdr. Mit Strassenverzeichnis usw. (4 S.) 8. Ebd. (907). 1. —

— Plan

— — neuester, u. Fremdenführer v. Posen. Mit alphabet. Verzeichniss der Strassen, öffentl. Gebäude etc. u. den wichtigsten Nachweisgn. für Fremde. 5., verb. Aufl. gr. 8. (12 S. m. 1 Abbildg. u. farb. Plan.) Ebd. 890. n. 1. —

— Plan, neuester, der Prov.-Hauptstadt Posen. 1 : 7,500. 39×43 cm. Autogr. Posen 905. (J. Jolowicz.) n. — 20

Posen, Stadt. Plan der Stadt u. Umgebung v. Posen, entworfen u. gezeichnet von v. K. 1 : 25,000. Lith. Imp.-Fol. Posen 888. Rehfeld. n. 3. 50; auf Leinw. n. 5. 50; color. n. 5. 50; auf Leinw. 7. 50

— Richter, Gust., Wandkarte der Prov. Posen. 1 : 150,000. 6 Blatt à 68×86,5 cm. Farbdr. Essen (906). G. D. Baedeker. n. 12. —; auf Leinw. n. 20. —

— Spezialkarte des Kreises Posen-Ost. Rev. von den zuständ. Behörden. 1 : 100,000. 3. Aufl. 42,5× 42,5 cm. Farbdr. Lissa (910). O. Eulitz. — 50; auf Leinw. in Etui 1. —

— — des Kreises Posen-West. Rev. von den zuständ. Behörden. 1 : 100,000. 2. Aufl. 48,5×34 cm. Farbdr. Ebd. (910). — 50; auf Leinw. in Etui 1. —

— Wandkarte der Prov. Posen. 1 : 200,000. 2., wesentlich verb. Aufl. 4 Blatt. Chromolith. Imp.-Fol. Posen 887. Türk. n. 6. —; auf Leinw. m. Stäben n. 13. 50

— Wandkarte der Prov. Posen. 4., vollständig neu bearb. Aufl. 1 : 200,000. 4 Blatt à 71,5×61 cm. Farbdr. Posen 902. L. Türk. n. 8. —; auf Leinw. m. Stäben n. 15. —

Posen [Verfasser]

Posen, Eduard [aus Offenbach a/M.]: Ueber aromatische Glycocolle. Strassburg, Universitäts-Buchdruckerei von Johann Heinrich Eduard Heitz, 1880. 8. 35 S.

Posen, L. Der gewandte Führer durch die Musikliteratur, mit besonderer Berücksichtigung der Klaviermusik. Offenbach a. M.

Позенъ, М. П., бумаги по крестьянскому дѣлу. (Posen, Materialien zur Bauernfrage.) gr. 8. (XXI und 331 S.) Dresden 864, Wienecke. [Leipzig, Fries.] *

Wien, 1906. Posendeiner, H., und J. Dobry, Führer durch die Ausstellung für die Härtetechnik [in Wien 1906]. Wien, 1906. 38 S. mit Abb.

Posener: Die Stenographie als Schriftsprache. 23 S. —Graz OR., Progr. 1862

Posener, Heinr., die Stenografie als Schriftsprache. gr. 8. (44 S. mit 1 stenograf. lithogr. Tab.) Wien 863, Rospini. *

Johann Paul Posener

Anweisung zum Gebrauche des neuverbesserten Berechnungs-Apparats zur Berechnung und Vertheilung geometrischer Aufnahmen, nach jedem beliebigen Maßstabe insbesondere zum Gebrauche der Mappen-Berechnung bey der k.k.östreichischen Catastral-Aufnahme... Verf.u.ausgef.von Johann Paul Posener. Wien: Heubner 1823. VI S.,S.8-44, 8°

Posener, J. P., Anweis. z. Gebrauch d. neu verbess. Berechnungs-Apparats z. Berechn. u. Vertheilung geometr. Aufnahmen, nach jedem beliebigen Maaßstabe rc. Mit 3 Steindr. 8. Wien 824. Heubner. 16 ℊ

Posener, Jh. Paul, Bau-Rechnungs-Tafeln, zum Gebrauche bey der Berechnung der Bau-Kostenüberschläge; berechnet von 1 Zoll bis 1000 Klafter Current- 1 Flächen- u. Körpermaß, für den Einheitspreis von 1 Kreuzer bis 60 Gulden. 2e Aufl. gr. 4. Grätz 836. Ludewig. 1/3 ℔

Posener, Jh. Paul, Bau-Rechnungs-Tafeln zum Gebrauche bei der Berechnung d. Bau-Kostenüberschläge; berechnet von 1 Zoll bis 1000 Klafter Current-, Flächen- und Körpermaß, u. auch für die verschied. Bau-Materialien, für den Einheits-Preis von 1 Kreuzer bis 60 Gulden. 3. verm. u. verb. Aufl. gr. 4. Grätz 841, Ludewig. (Leipzig, Hunger.) 1/3 ℔

— Bau-Rechnungs-Tafeln der Toisir-Rechnung, zum Gebrauche bei der Berechnung der Vorausmaße für Bau-Ueberschläge; für die Einheit von 1 Zoll bis 60 Klafter berechnet von 1 Zoll bis 1000 Klafter für Längen-, Flächen- u. Körpermaße; nebst einer leichtfaßl. Belehrung über das Wesen der Toisir-Rechnung u. der darin vorkomm. Riemen- u. Schachtmaße. gr. 4. Grätz 838. Ludewig. (Leipzig, Hunger.) 1/2 ℔

—— Bau-Rechnungs-Tafeln d. Toisir-Rechn., z. Gebr. bei d. Berechn. d. Vorausmaße f. Bau-Ueberschläge; f. d. Einheit v. 1 Zoll bis 60 Klafter berechnet v. 1 Zoll bis 1000 Klafter f. Längen-, Flächen- u. Körpermaße; nebst e. leichtfaßl. Belehr. üb. d. Wesen d. Toisir-Rechn. u. der darin vorkomm. Riemen- u. Schachtmaße. Als Fortsetz. seiner Bau-Rechnungs-Tafeln f. Bau(Kosten-) Ueberschläge. gr. 4. (4 B.) Grätz 838, Ludewig.

Posener, Joh. Paul, Bau-Rechnungstafeln der Toisir-Rechnung, zum Gebrauche bei der Berechnung der Vorausmaße für Bau-Ueberschläge; für die Einheit von 1 Zoll bis 60 Klafter berechnet von 1 Zoll bis 1000 Klafter für Längen-, Flächen- und Körpermaße; nebst einer leicht faßl. Belehrung über das Wesen der Toisir-Rechnung und der darin vorkommenden Riemen- und Schachtmaße. Als Fortsetzung seiner Bau-Rechnungstafeln für Bau-Ueberschläge. 2., verb. Aufl. gr. 4. (31 S.) Grätz 854. (Leipzig, Hübner.) *

Posener, Joh. Paul, Bau-Rechnungs-Tafeln der Toisir-Rechnung, zum Gebrauche bei der Berechnung der Vorausmaße für Bau-Ueberschläge; für die Einheit von 1 Zoll bis 60 Klafter berechnet von 1 Zoll bis 1000 Klafter für Längen-, Flächen- und Körpermaße; nebst einer leicht faßlichen Belehrung über das Wesen der Toisir-Rechnung und der darin vorkommenden Riemen- und Schachtmaße. Als Fortsetzung seiner Bau-Rechnungs-Tafeln für Bau-Ueberschläge. 2. verb. Aufl. Gratz 854. Ludwig. gr. 4. (31 S.) n. 15 ngr.

Posener, Joh. Paul, Berechnungs-Tabellen für die Grundentlastung. hoch 4. (IV u. 91 S.) Gratz 850, Ferstl in Comm. 1 1/3 ℔

— größere Hülfs-Tabellen zur Berechnung der Vorausmaße für Baukosten-Ueberschläge, in welchen jedes Product aus 2 beliebigen Dimensionen gleich in einer Colonne vollständig gefunden wird, sobald nur Eine der Dimensionen die Größe von 10 Klaftern nicht übersteigt rc. zum Gebrauch für Längen-, Flächen- u. Körpermaße. 4. Grätz 842, Klenreich. 1 1/2 ℔

Posener, L., Dibhre Libhi. Herzensworte z. Belehr. u. Erbau., in 4 Reden. 8. (4 1/4 B.) Paderborn 836, Winkler. *

Posener, Ludw. (geb. Frankfurt a. O. 1815): De hydrophobo. Berolini (1841). (32 S.) 8°
Berlin, Med. Diss. v. 24. Juli 1841

Posener, Paul: Bundesrecht und Landesrecht. Eine geschichtl. Darstellung ihres Verhältnisses zu einander. *Breslau: M. & H. Marcus 1900.* (38 S.) 8° ¶(Erschien vollst. 1900 u. d. T.: Das deutsche Reichsrecht im Verhältnisse zum Landesrecht ... als: Abhandlungen aus d. Staats- u. Verwaltungsrecht, H. 3.)
Breslau, Jur. Diss. v. 1901

Posener, Paul, Bundesstaat u. Staatenbund, s.: Le Fur, Louis.

— Corpus-iuris-Exegese. gr. 8. (IV, 79 S.) Berlin 902. [J. J. Heine.] J. Guttentag. Geb. in Halbleinw. n. 2.—

Paul **Posener**. Einführung in die Rechtswissenschaft. 1. u. 2. Aufl. Berlin: Guttentag 1909. VIII, 28 S. 8°
(Posener: Grundriß d. gesamten deutschen Rechtes. Bd 29.) 09. 17763

Einführung in die Rechtswissenschaft und Rechtsgeschichte. Von Paul **Posener**. 2. Aufl. Berlin: E. Weber 1909. 708 S. 8°
(Posener: Kleines Handbuch d. gesamten Rechtes. Bd 1.) 09. 11361

— Examensfragen f. Rechtskandidaten. 1. Hft. u. II. Abt. 1. u. 2. Hft. 12. Breslau 902. W. Koebner. à n. — 80
I. 1. Bürgerliches Recht u. Rechtsgeschichte. (III, 53 S.)
II. 1. Prozeßrecht u. Strafrecht. (III, 52 S.)
2. Staatsrecht, Verwaltungsrecht, Völkerrecht, Kirchenrecht. (III, 54 S.)

Posener, Paul, das Familienrecht, s. a. Hillger's illustrierte Volksbücher. 60. Bd.

Das Familienrecht. Von Dr. P[aul] **Posener**. Berlin, Leipzig: H. Hillger [1906]. (77 S.) 8° [F.]
= **Volksbücher**, Hillgers illustrierte. Bd 60. 07. 16111

Posener, Paul, Grundriß des gesamten deutschen Rechts in Einzelausgaben. 20 Bde. 8. Berlin 900. 901. [J. J. Heine.] J. Guttentag. Kart. u. durchsch. à n. — 90
1. Allgemeiner Teil des bürgerl. Gesetzbuches. (IV, 33 S.) — 2. Recht der Schuldverhältnisse des bürgerl. Gesetzbuches. (IV, 26 S.) — 3. Sachenrecht des bürgerl. Gesetzbuches. VI, 28 S.) — 4. Familienrecht des bürgerl. Gesetzbuches. (IV, 27 S.) — 5. Erbrecht des bürgerl. Gesetzbuches. (IV, 29 S.) — 6. Handelsrecht. (VI, 33 S.) — 7. Wechselrecht. Seerecht. (IV, 31 S.) — 8. Gerichtsverfassung. (IV, 40 S.) — 9. Zivilprozeß. (IV, 30 S.) — 10. Zwangsvollstreckung. Konkurs. Freiwillige Gerichtsbarkeit. (IV, 32 S.) — 11. Staatsrecht. Verfassungsrecht. (IV, 35 S.) — 12. Verwaltungsrecht. (IV, 33 S.) — 13. Völkerrecht. Internationales Recht. (IV, 33 S.) — 14. Kirchenrecht. (IV, 34 S.) — 15. Strafrecht. (IV, 36 S.) — 16. Strafprozeß. (IV, 27 S.) — 17. Militärrecht. (IV, 31 S.) — 18. Römische Rechtsgeschichte. (IV, 31 S.) — 19. Deutsche Rechtsgeschichte. (IV, 31 S.) — 20. Brandenburg-preuß. Rechtsgeschichte. (IV, 26 S.)

— Grundriß des gesamten deutschen Rechts in Einzelausgaben. 1.—5. 8. 9. u. 21.—27. Bd. 8. Berlin, J. Guttentag. Kart. u. m. Schreibpap. durchsch. à n. — 90
1. Bürgerliches Recht. (Allgemeiner Tl.) 2. Aufl. (IV, 58 S.) 905. — 2. Bürgerliches Recht (Schuldverhältnisse). 2. Aufl. (IV, 62 S.) 905. — 3. Bürgerliches Recht (Sachenrecht). 2 Aufl. (VI, 47 S.) 905. — 4. Bürgerliches Recht (Familienrecht) 2. Aufl. (VI, 32 S.) 905. — 5. Bürgerliches Recht (Erbrecht). 2. Aufl. (VI, 39 S.) 905. — 8. Römischer Zivilprozeß. Gerichtsverfassung. 2. Aufl. (IV, 49 S.) 905. — 9. Reichszivilprozeß. 2. Aufl. (IV, 35 S.) 905. — 21. Preußisches Privatrecht. (48 S.) 903. — 22. Landwirtschaftsrecht. (32 S.) 904. — 23. Wasserrecht. (28 S.) 904. — 24. Eisenbahnrecht. (32 S.) 904. — 25. Allgemeine Volkswirtschaftslehre. (37 S.) 903. — 26. Besondere Volkswirtschaftslehre. (35 S.) 904. — 27. Finanzwissenschaft. (27 S.) 904.

Posener, P., Grundriss des gesamten deutschen Rechtes in Einzelausgaben. 6. Bd. Handelsrecht. 2. Aufl. (IV, 55 S.) 8. Berlin, J. Guttentag. 1908. Kart. u. durchsch. —. 90.

Posener, Paul, Grundriß des gesamten deutschen Rechtes in Einzelausgaben. 1. 3.—7. 9.—16. 18. 19. 28. u. 29. Bd. 8. Berlin, J. Guttentag. Kart. u. durchsch. 21. —
1. Bürgerliches Recht (Allgemeiner Tl.). 3. Aufl. (V, 30 S.) 908. Kart. u. durchsch. nn — 90
3. Bürgerliches Recht (Sachenrecht). 3. u. 4. Aufl. (VIII, 33 S.) 909. Kart. u. durchsch. 1. 20
4. Bürgerliches Recht (Familienrecht). 3. u. 4. Aufl. (VIII, 30 S.) 909. Kart. u. durchsch. 1. 20
5. Bürgerliches Recht (Erbrecht). 3. u. 4. Aufl. (VIII, 31 S.) 909. Kart. u. durchsch. 1. 20
6. Handelsrecht. 3. u. 4. Aufl. (VIII, 63 S.) 910. Kart. u. durchsch. 1. 20
7. Wertpapier-, Wechsel- u. Scheckrecht, Seerecht, handelsrechtliche Nebengesetze. 2. u. 3. Aufl. (VI, 36 S.) 909. Kart. u. durchsch. 1. 20
9. Reichszivilprozeß. 3. u. 4. Aufl. (VIII, 49 S.) 910. Kart. u. durchsch. 1. 20
10. Zwangsvollstreckung. Konkurs. Freiwillige Gerichtsbarkeit. 3. Aufl. (VII, 37 S.) 908. Kart. u. durchsch. nn — 90
11. Staatsrecht. 2. u. 3. Aufl. (VIII, 32 S.) 909. Kart. u. durchsch. 1. 20
12. Verwaltungsrecht. 2. u. 3. Aufl. (VIII, 33 S.) 909. Kart. u. durchsch. 1. 20
13. Völkerrecht. Internationalrecht. 2. u. 3. Aufl. (VIII, 30 S.) 909. Kart. u. durchsch. 1. 20
14. Kirchenrecht. 2. u. 3. Aufl. (VIII, 34 S.) 909. Kart. u. durchsch. 1. 20
15. Strafrecht. 2. u. 3. Aufl. (VIII, 36 S.) 909. Kart. u. durchsch. 1. 20
16. Strafprozeß. 2. u. 3. Aufl. (VIII, 25 S.) 909. Kart. u. durchsch. 1. 20
18. Römisches Recht. 2. u. 3. Aufl. (VIII, 73 S.) 909. Kart. u. durchsch. 1. 20
19. Deutsche Rechtsgeschichte. 2. u. 3. Aufl. (VIII, 33 S.) 909. Kart. u. durchsch. 1. 20
28. Urheber-, Erfinder- u. Gewerberecht. 1. u. 2. Aufl. (VIII, 32 S.) 910. Kart. u. durchsch. 1. 20
29. Einführung in die Rechtswissenschaft. 1. u. 2. Aufl. (VIII, 28 S.) 909. Kart. u. durchsch. 1. 20

— Kleines Handbuch des gesamten Rechtes. Ein systemat. Lehrbuch in 4 Bdn. f. Studierende u. Kandidaten. gr. 8. Berlin, E. Weber. 41.—; geb. 45. —
1. Einführung in die Rechtswissenschaft u. Rechtsgeschichte. (V, 706 S.) 908. 11.50; geb. 12. 50
2. Bürgerliches Recht. (V, 744 S.) 908. 12.50; geb. 13. 50
3. Prozeß- u. Strafrecht. (V, 581 S.) 908. 9.—; geb. 10. —
4. Staats- u. Staatenrecht. Volkswirtschaft. (V, 384 u. Nachtrag 36 S.) 908. 8.—; geb. 9. —

Kleines Handbuch des gesamten Rechtes. Ein systemat. Lehrbuch in 4 Bden f. Studierende u. Kandidaten. Von Paul **Posener**. (2. Aufl.) Bd 1–4. Berlin: E. Weber 1909. 8°
1. Posener: Einführung in d. Rechtswissensch. u. Rechtsgeschichte.
2. Posener: Bürgerl. Recht. 3. Posener: Prozeß- u. Strafrecht.
4. Posener: Staats- u. Staatenrecht. Volkswirtschaft. [09. 11360

— Das Handelsrecht, s.a. Hillger's, Herm, illustr. Volksbücher.

Das Handelsrecht von Dr. jur. P[aul] **Posener**. Berlin, Leipzig: H. Hillger [1907]. (80 S.) 8° [F.]
— **Volksbücher**, Hillgers illustrierte. Bd 77. [07. 16128

— der junge Jurist. Eine Anleitg. zu wissenschaftl. Arbeiten unter Erörterg. der Grundlagen des Vorbildungswesens, des Rechtsstudiums u. der Prüfungsordng. Für angeh. Juristen, deren Eltern u. Berater. (VIII, 239 S.) 8. Breslau 904. J. U. Kern. Kart. n. 3. —

— Der junge Jurist. Eine Anleitg. zu wissenschaftl. Arbeiten unter Erörterg. der Grundlagen des Vorbildungswesens, d. Rechtsstudiums u. d. Prüfungsordng. Für angeh. Juristen, deren Eltern u. Berater. 2. Aufl. (IV, 286 S.) 8. Breslau 909. J. U. Kern. Geb. 4. —

— s.: Juristenwelt.

Paul Posener. Kirchenrecht. 2. u. 3. Aufl. Berlin: Guttentag 1909. VIII, 34 S. 8°
(Posener: Grundriß d. gesamten deutschen Rechtes. Bd. 14.)

Posener, Paul: Militärrecht. (Posener, Grundriß des gesamten deutschen Rechts in Einzelausgaben. 17. Bd.) Berl. 1900.
Enthält nur Militärstrafrecht und -strafprozeß.

Prozeß- und Strafrecht. Von Paul **Posener**. 2. Aufl. Berlin: E. Weber 1909. 581 S. 8°
(Posener: Kleines Handbuch d. gesamten Rechtes. Bd 3.) [09. 11363

Paul **Posener**. Bürgerliches Recht ⟨Allgemeiner Teil⟩. 3. Aufl. Berlin: Guttentag 1908. 308 S. 8°
(Posener: Grundriß d. gesamten deutschen Rechtes. Bd 1.) [10. 494

Bürgerliches Recht ⟨Familienrecht⟩. Von Paul **Posener**. 3. u. 4. Aufl. Berlin: Guttentag 1909. VIII, 30 S. 8°
(Posener: Grundriß d. gesamten deutschen Rechtes. Bd 4.) [09. 13279

Bürgerliches Recht ⟨Erbrecht⟩. Von Paul **Posener**. 3. u. 4. Aufl. Berlin: Guttentag 1909. VIII, 31 S. 8°
(Posener: Grundriß d. gesamten deutschen Rechtes. Bd 5.) [09. 13280

Paul **Posener**. Bürgerliches Recht ⟨Sachenrecht⟩. 3. u. 4. Aufl. Berlin: Guttentag 1909. VIII, 32 S. 8°
(Posener: Grundriß d. gesamten deutschen Rechtes. Bd 3.) [09. 13[illegible]

Paul **Posener**. Bürgerliches Recht ⟨Schuldverhältnisse⟩. 3. u. 4. Aufl. Berlin: Guttentag 1909. VI, 52 S. 8°
(Posener: Grundriß d. gesamten deutschen Rechtes. Bd 2.) [10. 495

Bürgerliches Recht. Von Paul **Posener**. 2. Aufl. Berlin: E. Weber 1909. 714 S. 8°
(Posener: Kleines Handbuch d. gesamten Rechtes. Bd 2.) [09. 11362

Paul Posener. Römisches Recht. 2. u. 3. Aufl. Berlin: Guttentag 1909. VIII, 73 S. 8°
(Posener: Grundriß d. gesamten deutschen Rechtes. Bd. 18.)

— s.: Rechtseinheit, die.

Paul Posener. Deutsche Rechtsgeschichte. 2. u. 3. Aufl. Berlin: Guttentag 1909. VIII, 33 S. 8°
(Posener: Grundriß d. gesamten deutschen Rechtes. Bd. 19.)

— Rechtslexikon. Handwörterbuch der Rechts- u. Staatswissenschaften. Mit Unterstützg. durch zahlreiche Mitarbeiter hrsg. 2 Bde. (IV, 990 u. 1085 S.) Lex. 8. Berlin 909. Erich Weber. 43.—; geb. 48. —

— das deutsche Reichsrecht im Verhältnisse zum Landesrechte, s.a. Abhandlungen aus dem Staats- u. Verwaltungsrecht. 3. Hft.

Das Deutsche **Reichsrecht** im Verhältnisse zum Landesrechte. Eine geschichtl. u. dogmat. Entwickelung des Grundsatzes, dass 'die Reichsgesetze den Landesgesetzen vorgehn' ⟨R.-V. a. 2⟩, unter eingehender Berücks. d. modernen bürgerl. Gesetzgebung von Paul **Posener**. *Breslau: M. & H. Marcus 1900.* (X, 165 S.) 8°
= **Abhandlungen** aus d. Staats- u. Verwaltungsrecht. 3. [00. 4173 3

Reichszivilprozeß. Von Paul Posener. 3. u. 4. Aufl. Berlin: Guttentag 1909. VIII, 49 S. 8°
(Posener: Grundriß d. gesamten deutschen Rechtes. Bd. 9.)

— der deutsche Staatsbürger u. sein Recht, s.a. Hillger's illustr. Volksbücher. 43. Bd.

Der deutsche Staatsbürger und sein Recht. Zugleich e. Einführung in d. Grundbegriffe d. Rechtes u. s. Geschichte von Dr. Paul Posener. Berlin. Leipzig: H. Hillger [1900]. (94 S.) 8° [J.]
= Volksbücher, Hillgers illustrierte. Bd 43. 07. 16094

Paul Posener. Staatsrecht. 2. u. 3. Aufl. Berlin: Guttentag 1909. VIII, 32 S. 8°
(Posener: Grundriß d. gesamten deutschen Rechtes. Bd. 11.)

Staats- und Staatenrecht. Volkswirtschaft. Von Paul Posener. 2. Aufl. Berlin: E. Weber 1909. 384, 36 S. 8°
(Posener: Kleines Handbuch d. gesamten Rechtes. Bd. 4.)

— s.a. Staatsverfassungen, die, des Erdballs.

Posener, Paul. Die Staatsverfassungen des Erdballs. Unter Mitwirk. von Gelehrten u. Staatsmännern hrsg. Charlottenburg 1904. 4°.

Paul Posener. Strafprozeß. 2. u. 3. Aufl. Berlin: Guttentag 1909. VIII, 25 S. 8°
(Posener: Grundriß d. gesamten deutschen Rechtes. Bd. 16.)

Paul Posener. Strafrecht. 2. u. 3. Aufl. Berlin: Guttentag 1909. VII, 36 S. 8°
(Posener: Grundriß d. gesamten deutschen Rechtes. Bd. 15.)

— die Verfassung d. Deutschen Reiches, s.a. Handbibliothek, juristische.

Die Verfassung des Deutschen Reiches. Kommentar von Paul Posener. Leipzig: Roßberg 1903. VI, 176 S. 8°
(Juristische Handbibliothek. Bd. 157.)

Paul Posener. Verwaltungsrecht. 2. u. 3. Aufl. Berlin: Guttentag 1909. VIII. 33 S. 8°
(Posener: Grundriß d. gesamten deutschen Rechtes. Bd. 12.)

Paul Posener. Völkerrecht. Internationalrecht. 2. u. 3. Aufl. Berlin: Guttentag 1909. VIII, 30 S. 8°
(Posener: Grundriß d. gesamten deutschen Rechtes. Bd. 13.)

Paul Posener. Wertpapier-, Wechsel- und Scheckrecht, Seerecht, handelsrechtliche Nebengesetze. 2. u. 3. Aufl. Berlin: Guttentag 1909. VI, 36 S. 8°
(Posener: Grundriß d. gesamten deutschen Rechtes. Bd. 7.)

Paul Posener. Zwangsvollstreckung. Konkurs. Freiwillige Gerichtsbarkeit. 2. Aufl. Berlin: Guttentag 1908. VI, 37 S. 8°
(Posener: Grundriß d. gesamten deutschen Rechtes. Bd. 10.)

Pošepný, F., s.: Archiv f. pract. Geologie.

Pošepný, F., der Bergbaudistrict v. Mies [Stříbro] in Böhmen. Mit besond. Berücksicht. der vereinigten Johann Baptista u. einst königl. Prokopi-Zeche. Mit e. Vorwort von Const. Frhrn. v. Beust. Hrsg.: Jos. Graf. gr. 8. (42 S. m. 1 chromolith. Karte in gr. Fol.) Wien 874. (Perles.) n. 6. —

Pošepný, F.: Der Bergbaudistrict von Mies (Stříbro) in Böhmen. Mit bes. Berücks. der vereinigten Johann Baptista- und einst königl. Prokopi-Zeche. Mit e. Vorworte von Constantin Freiherrn von Beust. Hrsg.: Josef Graf. — Wien: Selbstverl. d. Hrsg. 1874. 42 S., 1 Kt.

Pošepný, F. Erläuterungen zur Uebersichts-Karte der Mineral-Lagerstätten, der darauf basirten Bergbau-Industrie u. der Mineralquellen Böhmens, ausgestellt in der Jubiläums-Ausstellg. zu Prag 1891. 12. (37 S.) Prag 891, (Calve). * — 80

— über d. Genesis der Erzlagerstätten. Vorgelegt beim internat. Ingenieur-Congress zu Chicago im Aug. 1893. [Aus: „Berg- u. hüttenmänn. Jahrb."] gr. 8. (226 S. m. 4 Taf.) Wien 895. (Freiberg, Craz & Gerlach.) n. 6. —

Pošepný, F., zur Genesis der Salzablagerungen, besonders jener im nordamerikanischen Westen. Lex.-8. (34 S.) Wien 877, (Gerold's Sohn.) **
Aus: Sitzungsberichte der k. Akademie der Wissenschaften, besonders abgedruckt.

— Zur Genesis der Salzablagerungen, besonders jener im nordamerikanischen Westen. S. 76. L. 879 . . . vgr.
Separatabdruck

Pošepný, F., über concentrisch-schalige Mineralbildungen. [Mit 2 (lith.) Taff. (wovon 1 in Buntdr.)] [Aus den Sitzungsber. der k. Akad. der Wiss.] Wien 868. (Gerold's Sohn.) Lex.-8. (18 S.) n.n. 9 ngr.

Pošepny F.: Über konzentrisch-schalige Mineralbildungen (mit 2 Taf.) S. 57. L. 84 . . . — 90
Separatabdruck

— geologisch-montanistische Studie der Erzlagerstätten v. Rézbánya in S. O.-Ungarn. Mit 3 Farbendr.- u. 2 lith. Taf. Hrsg. v. der ungar. geolog. Gesellschaft 1874. Lex.-8. (198 S.) Budapest 874. (Berlin, Friedländer & Sohn.) n. 9. —

— die Wasserfälle d. Niagara u. ihre geologische Bedeutung. Vortrag, geh. im Vereine zur Verbreitung naturwissenschaftl. Kenntnisse in Wien am 26. Febr. 1879. 8. (37 S.) Wien 879. Hölder. n. — 80

Poser, von, Gedanken über die Schrift: die Brodnoth, oder, was sind die Folgen unsrer Handlungen? 8. Glogau, Günter d. j. 804.

Poser, M. von: „Die Schrift des Herrn Merkel über die Zulässigkeit der Dismembration adlicher Güter in Schlesien, nach dem Geschäftsleben und den Verhältnissen betrachtet, in welchen wir uns einmal befinden", Glogau 1803 (Günther).

— Sendschreiben an d. Prediger Härtel, sein Lob u. Tadel der schlesisch. Gutsbesitzer betreff. 8. Bresl., Buchhdlr. 3 gr.

Poser, Maj. von: „Vorschlag zur Ausführung der in der Schrift Keine Erbunterthänigkeit! enthaltenen Meinungen", Glogau 1809 (Neue Günther-Buchh.).

— Vorschläge zu Ausführung d. in der Schrift: Keine Erbunterthänigkeit rc. enthaltenen Meinungen. 8. Glogau 809. N. Güntersche B. 6 gr.

Poser, Major v., Widerlegung der Merkelschen Schrift: Ueber die Zuverlässigkeit der gänzlichen Dismembration adlicher Güter in Schlesien. 8°. Glogau, N. Güntersche B., 1804.

— Zusammenstellung der Härtel'schen Schreiben, sein Lob u. Tadel d. schlesisch. Gutsbesitzer betreffend. 8. Bresl., Buchhdlr. 4 gr.

Poser, C. E., das deutsche Lustspiel bis auf Gott. Eph. Lessing, den Reformator desselben. Ein Vortrag, geh. im vokalisch-dramatischen Verein zu Amsterdam. Nebst Anh., enth. zur Vergleichg. Ayrenhoff's „Postzug". gr. 8. (90 S.) Amsterdam 899. J. F. Sikken. n.n. 1. 30

Poser, C. E., phonetisch-orthoepische Sprech- u. Lese-Uebungen f. Sänger u. Redner, s.: Zanten, Cornelie van, Leitfaden zum Kunstgesang.

Poser, Eduard, holländisch-deutsches u. deutsch-holländisches Taschenwörterbuch. 2 Tle. Nach der neuen amtl. Rechtschreibg. (VIII, 439 u. IV, 476 S.) kl. 8. Leipzig 907. O. Holtze's Nachf. Geb. in Leinw. à 2.40; in 1 Bd. geb. 4.—; in 1 Halbfrzbd. 4. 75

Poser, F., Polstermöbel u. Portièren zur praktischen Verwerthung, ausgeführt in dauernd mustergilt. Stofffarben. I. Serie. gr. 4. (16 Chromolith.) Stuttgart 889. (Wittwer.) In Mappe. n. 15. —

v. **Poser**, (Fr.) der Burggeist auf Rodenstein od. das wilde Heer im Odenwalde; romant. Volksmährchen der Pfälzer mit Arien u. Gesängen, in 3 Abtheilungen. 8. Manh. 822, Schwan u. G.

Poser, G., des Jahres Runde im Kindermunde. Gesänge m. Clavierbegleitg. Nebst Textbuch. gr. 8. (32 u. 16 S.) Meißen 895. H. W. Schlimpert. 1. 50

Poser, Jo. Christian (Schönau/Meißen), Decadem observationum forensium varii argumenti. Präs. Gebhard Christian Bastineller. Wittenberg (Creusig) April 1724. 41 S. (4.75) 27059

v. **Poser**, Karl Fr., († ...) Samml. genealog. Nachrr. von Schlesisch. Geschlechte derer von Poser, nebst e. dergl. Anh. von d. Geschlechtern derer v. Reinhaben, v. Greifenstern, von Schönborn u. v. Jonau. Fol. Jauer 767.

Poser, M. v., Dienst-Unterricht des Infanterie-Gemeinen, s.: Weißhun.

Poser, Oscar, appr. Arzt a. Niederpöllnitz: Aus der chirurgischen Klinik zu Jena. Ueber Metastasenbildung gutartiger Kröpfe. Jena 1906: Frommann. (52 S.) 8°
Jena, Med. Fak., Ref. Riedel, Diss. v. 13. Mai 1906
[Geb. 7. Juli 79 Niederpöllnitz; Wohnort: Niederpöllnitz; Staatsangeh.: Sachsen-Weimar; Vorbildung: Gymn. Gera Reife O. 00; Studium: Freiburg i. B. 1, Jena 4, München 1, Jena 3 S.; Coll. 21. März 06; Approb. 23. März 06.]

Poser u. **Groß-Nädlitz**, v., kurzer Abriß der Geschichte des Grenadier-Regiments König Friedrich Wilhelm II. (1. schles.) Nr. 10. Im Auftrage des Regiments zur Hundertjahrfeier zusammengestellt. (36 S. m. 1 Taf.) 8. Schweidnitz (908). L. Heege. nn — 30

— Erinnerungsbilder aus großer Zeit. Ein Festspiel. (14 S.) 8. Ebd. (909). — 60

Poser und Groß-Naedlitz, Victor von, Referendar: Die rechtliche Stellung der deutschen Schutzgebiete. *Breslau: M. & H. Marcus 1903.* (36 S.) 8° ¶ [Erschien vollst. 1903 als: Abhandl. aus d. Staats- u. Verwaltungsrecht, H. 8.]
Breslau, Jur. Diss. v. 22. Mai 1903

Poser u. Gross-Naedlitz, Vict. v., die rechtliche Stellung der deutschen Schutzgebiete, s.a. Abhandlungen aus dem Staats- u. Verwaltungsrecht. 8. Hft.

Die rechtliche Stellung der deutschen Schutzgebiete von Dr. Victor v. **Poser** u. Groß-Naedlitz. *Breslau: M. & H. Marcus 1903.* (VI, 75 S.) 8°
= Abhandlungen aus d. Staats- u. Verwaltungsrecht. H. 8. [03. 9914 3

Posern, Bauführung u. Baurecht, s.: Krüger.

— Resultate der reinen Mathematik, s.: Handbuch der Baukunde.

Posern-Klett, K. Fr. v., s.: Codex diplomaticus Saxoniae regiae.

Posern Klett, Carl Frdr. v., zur Geschichte der Verfassung der Markgrafschaft Meißen im 13. Jahrh. Vorstudien zu einer sächsischen Landes- u. Rechtsgeschichte. (Abdruck aus den Mittheilungen der deutschen Gesellschaft zu Leipzig. 2. Bd.) Leipzig 863. T. O. Weigel. gr. 8. (VIII, 128 S.) n. 24 *ngr.*

v. **Posern-Klett**, Karl Fr., Sachsens Münzen im Mittelalter. 1. Thl. Münzstätten u. Münzen der Städte und geistlichen Stifter. Mit 46 lith. Taf. gr. 4. Lpz. 846, Vogel. n. 10 2/3 ß

Urkundenb. v. Dresd. u. Pirna. Hrsg. v. **Posern-Klett**. Leipz. 875.

Posern-Klett, K. F. v., Urkundenbuch von Leipzig, s. Gersdorf, E. G., Codex diplomaticus Saxoniae regiae.

Urkundenbuch d. Stadt Leipzig. Hrsg. v. **Posern-Klett** u. **Förstemann**. Bd. III. Leipzig 894
(Bd. I–III. Leipzig 868–94. 60.—)

Posern-Klett, C. F. v., Aus der Vergangenheit der deutschen Stämme. Geschichte und Sage. Schimpf u. Ernst. Manuscr. f. Freunde. Leipzig 1861.

Posert, F. von

Posert, v., 72 Kartenspiele, s.a. Kartenspiele.

Posert, v., 72 deutsche, französische und englische Kartenspiele, als Skat, L'Hombre, Whist, Préférence 2c. nach den allgemeinen Regeln und Gesetzen leicht und richtig spielen zu lernen. Nebst Karten-Kunststücken, Karten-Orakel und Karten-Deutungen. 2., verb. Aufl. 8. (VIII und 216 S.) Quedlinburg 864, Ernst'sche Buchh.

Posert, v., 72 deutsche, fränzösische u. engliche Kartenspiele, als: Skat, L'Hombre, Whist, Prófórence, Boston 2c. nach den allgemeinen Regeln u. Gesetzen leicht u. richtig spielen zu lernen. Nebst Karten-Kunststücken, Karten-Orakel u. Karten-Deutgn. 4. verb. Aufl. 8. (VIII, 200 S.) Quedlinburg 875. Ernst. 1. 50

Posert, v., 72 deutsche, französische und englische Kartenspiele, als: Skat, L'Hombre, Whist, Préference 2c. nach den allgemeinen Regeln und Gesetzen leicht und richtig spielen zu lernen. Nebst Kartenkunststücken, Karten-Orakel und Karten-Deutungen. 5. verb. Aufl. 8. (VIII, 216 S.) Quedlinburg 878, Ernst'sche Buchh.

Posert, v., 72 deutsche, französische und englische Kartenspiele, als: Skat, L'Hombre, Whist, Préférence, Boston, Piquet 2c., nach den allgemeinen Regeln und Gesetzen leicht und richtig spielen zu lernen. Nebst Kartenkunststücken, Karten-Orakel und Karten-Deutungen. 6. verb. Aufl. 8. (VIII, 216 S.) Quedlinburg 882, Ernst'sche Buchh.

Posert, v., 72 deutsche, französische u. englische Kartenspiele, als: Skat, L'Hombre, Whist, Préférence, Boston, Piquet, Ecartó, Sechsundsechzig, Mariage, Solo, Schafkopf, Impérial, Casino, Robouge, Patience in vielen Arten, Pharao, Commerce, Süßmilch, Dreiblatt, Sequenz 2c., nach den allgemeinen Regeln u. Gesetzen leicht u. richtig spielen zu lernen. Nebst Kartenkunststückchen, Karten-Orakel u. Karten-Deutgn. 7. verb. Aufl. 8. (VIII, 216 S.) Quedlinburg 886. Ernst. 1. 50

Posert, v. 72 deutsche, französische u. englische Kartenspiele. 8. Aufl. 8. (VII, 216 S.) Halberst. 892. Ernst. * 1 50

Posert, v., deutsche, französische u. englische Kartenspiele, als: Skat, L'Hombre, Whist, Préférence, Boston, Piquet, Ecarté, Sechsundsechzig, Mariage, Solo, Schafkopf, Impérial, Casino, Rabouge, Patience in vielen Arten, Pharao, Commerce, Süßmilch, Dreiblatt, Sequenz ꝛc., nach den allgemeinen Regeln u. Gesetzen leicht u. richtig spielen zu lernen. Nebst Kartenkunststücken, Karten-Orakel u. Karten-Deutgn. 8., verb. Aufl. 8. (VIII, 216 S.) Halberstadt 893. Ernst. 1. 50

Posert, F. v., deutsche, französische u. englische Kartenspiele. Skat, l'Hombre, Whist, Boston, Piquet, Sechsundsechzig, Mariage, Solo, Schafkopf, Rabouge, Patience, Commerce, Dreiblatt, Casino ꝛc. 9. verb. Aufl. 8. (III, 173 S. m. Fig.) Leipzig (901). Ernst. 1. 50

Posewitz, Johann Friedrich Sigismund

— Bestimmung des durch die Gefäße u. Nervenporen entweichenden flüchtigen Stoffes. Mit 1 Kpft. 8. Gießen 802. Müller. 12 gr (Heyer). Hbg. Pr. 6 gr

— Bestimmung des durch die Gefäße u. Nervenporen entweich. flücht. Stoffes. 8. Gießen, Müller. 803.

— Bestimmungen des durch die Gefäß- u. Nervenporen entweichenden flüchtigen Stoffes. Gießen, jetzt Heyer sen.

Posewitz, Jh. Fr. Siegm., († d. 23. März 1805.) Entwurf zu Anlegung e. Bade- u. Baderettungs-Anstalt f. Städte an Flüssen. 8. Gießen 804. Tasché. 3 gr

— ätiolog. u. semiol. Journal, s. a. Journal f. Medicin u. Chirurgie.

— ätiolog. und semiol. Journal f. Mediciner, Chirurg. und Geburtshelfer. 1stes und 2tes Heft. 8. Gießen, Heyer. 803.

— neues Journal f. Medicin, Chirurg. u. Geburtsh., vorz. mit Rücksicht auf Aetiologie u. Semiotik. 1n Bds 1s und 2s Stck. 8. Ebend. 802.

— Physiologie d. Pulsadern d. menschl. Körpers. 1r Thl. gr. 8. Leipz. 795. (Brockhaus). 20 gr

Johann Friedrich Sigismund Posewitz

Johann Friedrich Siegismund Posewitz, Physiologie der Pulsadern des menschlichen Körpers. Nebst e. vorausgeschickten Beschreibung des Herzens (Ueber das Herz), u. e. tabellarischen Uebersicht der beyden arteriösen Systeme. Th.1. Leipzig: Feind 1795. 8°

Th.1: 1795.

— Physiologie der Pulsadern des menschl. Körpers. 1r gr. 8. Lpz. Junius. (Gleditsch) 795.

Posewitz, Johann Friedrich Siegesmund (Dahmen). Semiologiam aphtharum acute idiopathicarum et symptomaticarum. Wittenberg (A. Chr. Charisius) 7. IX. 1790. 24 S. (4.25) 27060

— synopt. Tafeln üb. die Osteologie d. menschl. Körpers. Fol. Gießen 804. (Ferber). 16 gr

– Synopt. T a f e l n über die Osteologie d. menschl. Körpers. Gießen: Müller 1804. Fol.

Posewitz, Joh. Heinr., wahres Christenthum. 8. Leipz. Lankisch. 745.

Posewitz, Dr. Th. Karte der Alluvial-Bildungen in Bancka. 1 : 1 400 000. Gotha 1886. 1 Bl. c. A. Fl.

Posewitz, Theodor

Posewitz, Th., Borneo. Entdeckungsreisen u. Untersuchgn. Gegenwärtiger Stand der geolog. Kenntnisse. Verbreitung der nutzbaren Mineralien. Mit 4 Karten u. 29 Profilen u. Abbildgn. im Text. Lex.-8. (XXVII, 385 S.) Berlin 889. Friedländer & Sohn. n. 15. —

Posewitz, Thdr., Erläuterungen zur geologischen Specialkarte der Umgebungen v. Kőrösmező u. Bogdán, Blätter $\frac{\text{Zone 12 u. 13}}{\text{Col. XXXI.}}$ (1 : 75,000) der geologischen Specialkarte der Länder der ungarischen Krone. Geologisch aufgenommen u. erläutert v. Th. P. Lex.-8. (18 S.) Budapest 893. (F. Kilián.) n. 1. 20

Posewitz, Thdr., Erläuterungen zur geologischen Specialkarte der Umgebgn. v. Marmaros—Sziget. Blatt Col. XXX, Zone 14, d. geolog. Specialkarte d. Länder d. ungar. Krone. 1 : 75,000. Geologisch aufgenommen v. Carl Hofmann u. Th. P. Lex.-8. (32 S. m. Profilen.) Budapest 894. (F. Kilián Nachf.) n. 1. 50

Posewitz, Thdr., das Goldvorkommen in Borneo. gr. 8. (16 S.) Budapest 883, (Berlin, Friedländer und Sohn.) *

Posewitz, Thdr., das Goldvorkommen in Borneo. gr. 8. (16 S.) Budapest 888. (Kilian.) n. — 50

— unsere geologischen Kenntnisse v. Borneo. Mit e. geolog. (lith. u. color.) Karte. gr. 8. (31 S.) Budapest 882. (Berlin, Friedländer & Sohn.) n. 1. 20

—— geologische Mittheilungen über Borneo. I. Das Kohlenvorkommen in Borneo. II. Geologische Notizen aus Central-Borneo. Lex.-8. (34 S.) (Ebendas.) 884. *
Vorstehende drei Schriften sind aus: Mittheilungen aus dem Jahrbuche der k. ungar. geolog. Anstalt, besonders abgedruckt.

— geologische Mittheilungen üb. Borneo. I. Das Kohlenvorkommen in Borneo. II. Geologische Notizen aus Central-Borneo. Lex.-8. (34 S.) Budapest 884. (Kilian.) n. 1. —

Posewitz, Thdr.: P e t r o l e u m u. Asphalt in Ungarn, s. M i t t e i l u n g e n aus dem Jahrbuche der königl. ungarischen geologischen Anstalt. XV, 4.

— das Petroleumgebiet von Kőrösmező (Marmaros), s.: Mitteilungen aus dem Jahrbuche der kgl. ungar. geolog. Anstalt, XI, 6.

— Reisehandbuch durch Zipsen, Hohe Tátra u. Zipser Mittelgebirge. Gipfelbesteiggn. von Frz. Dénes. 12. (XVI, 336 S. m. Abb., 12 farb. Karten, 1 Plan, 1 Panorama u. 1 Tab.) Budapest 898. Franklin-Verein. Geb. in Leinw. n. 4. —

Posewitz, Thdr., Reisehandbuch durch Zipsen, Hohe Tátra u. Zipser Mittelgebirge. Gipfelbesteigungen von Frz. Dénes. 12. (XVI, 336 S. m. Abbildgn., 10 Karten, 1 Panorama u. 1 Tab.) Budapest 898. Franklin-Verlag. Geb. n. 3. —

Posewitz, Dr. Theodor, Umgebungen von Körösmező und Bogdán. Blätter Zone 12 u, 13./Col. XXXI. 1 : 75.000. Lex.-8. (18 S.)
Budapest: Kilián 1893. —.60

Posewitz, Thdr., die Zinninseln im indischen Oceane. I. und II. gr. 8. Budapest, (Kilian.) *
Inhalt:
I. Geologie von Bangka. Als Anhang: Das Diamantvorkommen in Borneo. (40 S. mit 2 lithogr. Taf.) 885. *M 2.—.
II. Das Zinnerzvorkommen und die Zinngewinnung in Bangka. (52 S. mit 1 lithogr. Taf.) 886. *M 1.50.
Aus: Mittheilungen aus dem Jahrbuche der königl. ungarischen geologischen Anstalt, besonders abgedruckt.

Posga, der verlorene Sohn. Novelle aus d. Gebiete d. Kunst u. d. Lebens. 16. (11½ B.) Iserlohn 833, Langewiesche.

Posgaru [Pseud.], s.a. Suckow, Karl Adolph

— s. Byron, Manfred.

†**Posgaru**, (G. Fr. Wilh. Suckow,) Germanos. Novelle. gr. 16. (16 B.) Breslau 830, Max u. Komp.

—— die Liebesgeschichten. Novelle. 8. (20 B.) Breslau 829, Max u. Komp.

—— Novellen. 3 Bdchn. 2., verb. Aufl. M. 3 Stahlst. 8. (48 B.) Breslau 833, Max u. Komp.
A. u. d. Titn.:
Bdchn. 1., 2. Die Liebesgeschichten. 2 Bdchn.
" 3. Germanos.
Sind einzeln nicht verkäuflich.

Posharsky, Dmitrj Michailowitsch, Fürst. Schreiben an den Römischen Kaiser Mathias. St. Petersburg 1840. Ü: *Adelung, Friedrich.* (Ky)

Posharsky, des Fürsten Dmitrj Michailowitsch, Schreiben an d. röm. Kaiser Mathias d. d. Jaroslawl d. 20. Juni 1612. Zum ersten Male aus d. deutschen Uebersetz. bekannt gemacht (von Friedr. Adelung). gr. 8. (2½ B.) St. Petersburg 840, (Eggers u. Comp.) •

Posidonii, *Reliquiae.* Colleg. atque illustr. Jan. Bake. Acc. Wyttenbachii adnotatt. Lugd. B. et Duisb. 810. 8. 1 rthl. 1 ggr.

Posidonii, Reliquiae doctrinae. Collegit atq. illustr. Jan. Bake; acced. D. Wyttenbachii annotatio. 8. Leyd. 810. Haake. 1 ℛ 12 gℛ

Posilge [Schlagwort]

Posilge, s.: **Preussen. Messtischblätter.**

POSILOVIĆ, Georgius: S. patris Augustini merita quoad studium biblicum in genere exponantur; in specie autem ejus libri 4 de consensu evangelistarum exegeticis et hermeneuticis observationibus illustrentur. — (1861) 70 S. 8° (Handschr.) Diss. 204
Diss. Wien, Univ.

Posilović, Stefan

Posilović, Stef., das Immobiliar-Recht in Bosnien u. Hercegovina. Systematisch dargestellt. gr. 8. (XII, 248 S.) Agram 894. (F. Suppan.) n.n. 3.60

Püsinger Alois: Kremsmünster und Passau. 777 bis 1325.
1905 PN 1890 Diss. Wien. Univ. 911

Pösinger, Rud., Kanzelvorträge, gehalten in der Kirche zum heil. Hieronymus in Wien. 1.—6. Bd. gr. 8. Wien, Braumüller. *
Inhalt:
Bd. 1. Zwölf Kanzelvorträge. Die christliche Familie. Sechs Kanzel-Vorträge in der Fastenzeit 1867. — Die christliche Welt lucus a non lucendo und das subjective praktische Christenthum. Sechs Kanzelvorträge, gehalten in der Fastenzeit 1871—1872. (III, 359 S.) 872. *M 3.60.
" 2. Zehn Kanzelvorträge. Die göttliche Vorsehung und Schöpfermacht. Sechs Vorträge. — Am Tage aller Seelen. — In Festo Assumtae B. Mariae V. — Am Sylvesterabend. — Am Neujahrstage. (VII, 392 S.) 873. *M 4.
" 4. Vierzehn Kanzelvorträge nach den sonntäglichen Evangelien. Vom ersten Advent-Sonntage bis zum Osterfest. (372 S.) 873. *M 4.
" 4. Sechzehn Kanzelvorträge nach den sonntäglichen Evangelien. Vom ersten Sonntage nach Ostern bis zum neunten Sonntage nach Pfingsten. (437 S.) 873. *M 4.
" 5. Sieben Kanzelvorträge nach den sonntäglichen Evangelien vom zehnten bis sechszehnten Sonntag nach Pfingsten. (464 S.) 875. *M 4,40.
" 6. Acht Kanzelvorträge nach den sonntäglichen Evangelien vom siebzehnten bis letzten Sonntag nach Pfingsten. In 2 Thln. (780 S.) 875. *M 7.

Pösinger, Rud., Kanzelvorträge. 7.—12. (Schluß-)Bd. 8. Wien, Braumüller. à Bd. *M 4. * 24 —
Inhalt:
Bd. 7— 9. Frische Hefe unter drei Maß Mehl. Die moral., natürliche und geistige Schöpfung vom gemeinsamen Standpunkt. Sechs Vorträge, gehalten in der Kirche zum heil. Hieronymus in Wien. 3 Thle. (XII, 508; 503; 480 S.) 876.
" 10—12. Wahrheit, Geist und Leben. Kanzelvorträge nach dem sonntägl. Evangelium, gehalten in der Kirche zum heil. Hieronymus in Wien. 3 Thle. (512; 508; 519 S.) 878,79.
1.—6. Bd. Ebendas. 1872—75. *M 27.

Positionen der unter dem unmittelbaren Befehl Sr. Majestät des Königs von Preussen im Jahre 1778 sich befundenen Armee in Schlesien und Böhmen, nebst einer kurzen Geschichte solches Feldzuges. Mit neunzehn Plans. Altenburg 1784. 4.

Positiones der unter Befehl des Königs v. Preussen, Friedrichs II., 1778 sich befindenden Armee in Schlesien. (16.) 4. M. 19 Pl. Altenburg, Jena 1784. 9,00.

Positiones der unter d. Befehl d. Königs von Preußen, Friedrichs II., im J. 1778. sich befindenden Armee in Schlesien, mit 19 Plans. gr. 4. Altenb. 784. (Akadem. Buchhandl. in Jena). 3 ℛ

Positiones der, unter dem unmittelbaren Befehl Seiner Majestät des Königs von Preussen, im Jahre 1778, sich befundenen Armee in Schlesien und Böhmen nebst einer kurzen Geschichte solches Feldzugs. Mit 19 Plänen. 4. Altenburg 1784.

Positiones centum et una de famoso illo conventu gallicano anni 1682 & opposito illi conventu Cleri Hungarici 1789. O. O. 1789. V: *Szeitz, Leo Maria.* (PK 3/126) (Petzek S. 145) (WBL 42/8) (BiblPort)

— Cl. de famoso illo Conventu gallicano 1682, et opposito illi Conventu V. Cleri Hungarici. 8. Augsb. 789. Doll. 2 gℛ

Positiones de iure conferendi beneficia Regularia ex jure voluto. S. l. 1794. V: *Mayer, Andreas.* (MGT)

Positiones ex vario Jure. Augustae Trev. 1782. V: *Aldringen, Georg Heinrich.* (MGT)

— juridico-historicae, de systemate imperii Rom.-Germ. ad usum collegiorum publicor. II Tom. 8maj. Wien 769. 14 gℛ (Barth in Leipz.) 21 gℛ II Tom. in 4. Wien. Gerold. 1 ℛ

Positiones philosophicae, quas defendebat D. Liber Baro Alexander de Warsberg. Aug. Trevir. 1784. V: *Haubs, Franz Anton.* (MGT)

Positiones physicae experimentalis in usus academicos conscriptae. Francof. 1752. V: *Bergen, Carl August von.* (Ky) (ML)

Positiones de summo Pontifice seu Episcopo Romano . . . Friburgi 1803. V: *Sauter, Joseph Ant.* (Ky) (MGT)

— de summo Pontifice seu Episcopo Romano, ejusque curia et legatis in usum auditorum juris ecclesiastici (a Jos. A. Sauter). 8. Freiburg 803.

Positiones theologicae in usum praelectionum dogmaticarum ad Canc. Jaegeri compendium conscriptae. Tubingae [1764]. V: *Sartorius, Chph Frdr.* (Hauptkat. d. Univ.-Bibl. Tübingen. G. S. 251.)

Positiones theologico-critico-morales ex tractatu de specioso sacramento academico in specie quod dicitur doctoratus . . . S. l. 1765. V: *Sailer, Sebastian.* (CLZür Forts. III)

Positiones Theorico-practicae ex Mathesi universali selectae . . . [Dilingae] 1760. V: *Amman, Caesar.* (Jes)

Positiones de vocatione ministrorum Ecclesiae . . . [Tubingae] 1729. V: *Cans, Israel Gottlieb.* (Adel) (ML)

— de vocatione ministror. eccles. 8. Stuttgart, Metzler. 729.

Positions moyennes de 3542 étoiles déterminés à l'aide du cercle méridien de Poulkova dans les années 1840—1869 et réduites à l'époque 1855. 0. Imp.-4. (III, 91 S.) St.-Petersbourg 886. (Leipzig, Voss' Sortiment.) *
Aus: Observations de Poulkova, vol. VIII, besonders abgedruckt.

Positionskarte vom Königr. Bayern. Bearb. im topograph. Bureau des k. bayer. Generalstabes. 1 : 25,000. Nr. 389—892, 895, 414—418, 420, 440—443, 467—469, 471, 496—498, 500, 529—531, 557, 558, 561, 594, 625—628, 654—656, 680—683. Photolithogr. Imp.-Fol. München 878,79, (Mey und Widmayer.) à Nr. *

Inhalt:

389. Dinkelsbühl. — 290. Weitlingen. — 391. Wassertrüdingen. — 392. Gnotzheim. — 395. Wülzburg. — 414. Fremdingen. — 415. Oettingen. — 416. Heidenheim. — 417. Berolsheim. — 418. Treuchtlingen. — 420. Tittingen. — 440. 441. Nördlingen. — 442. Wemding. — 443. Otting. — 467. Ederheim. — 468. Möttingen. — 469. Harburg. — 471. Tagmersheim. — 496. Amerdingen. — 497. Bissingen. — 498. Ebermergen. — 500. Rain. — 529. Holzheim. — 530. Ebekirchen. — 531. Langenmoosen. — 557. Biberbach. — 558. Thierhaupten. — 561. Au. — 594. Attenkirchen. — 625. Wartenberg. — 626. Hofstarring. — 628. Eberspoint. — 654. Taufkirchen. — 655. Dorfen. — 656. Buchbach. — 680. — Hörlkofen. — 681. Isen. — 682. Schönbrunn. — 683. Weidenbach.

Positions-Karte vom Königr. Bayern. Bearb. im topograph. Bureau d. k. b. Generalstabes. 1 : 25,000. Nr. 546, 547, 551, 552, 575, 576, 580, 605—608, 634—636, 653, 662, 663, 674, 675, 684—688, 698, 699, 708—711, 730—733, 742, 743, 753—757, 777—781, 801—803, 805, 822—827, 850—855, 862. Photolithogr. gr. Fol. Münch., (Literarisch-artist. Anstalt). à Nr. ** 1 05

575. Altenbach. 889.
753. Altenmarkt. 891.
684. Ampfing. 890.
743. Andechs. 892.
852. Bayrischzell (Ost). 890.
851. —— (West). 890.
802. Bergen. 889.
605. Birnbach. 889.
854. Blindau. 891.
824. Brannenburg (Ost). 890.
698. Bruck. 892.
711. Burghausen. 889.
710. Burgkirchen. 889.
742. Diessen. 892.
607. Eholfingen. 889.
730. Emertsham. 890.
709. Engelsberg. 890.
653. Erding. 890.
663. Ering. 889.
823. Fischbachau (West). 890.
777. Frauen-Chiemsee. 891.
756. Friedolfing. 891.
699. Germering. 892.
580. 606. Griesbach. 889.
803. Inzell. 889.
634. Köstlarn. 889.
757. Laufen. 891.
675. Maisach. 892.
687. Marktl. 889.
685. Muhldorf. 890.
674. Nannhofen. 892.
686. Neuöttiug. 889.
853. Oberaudorf. 890.
779. Ober-Teisendorf. 890.
576. Ortenburg. 889.
546. Pleinting. 889.
636. Pocking. 889.
635. Rotthalmunster. 889.
825. Sachrang. 890.
781. Salzburghofen. 892.
862. Scheffau. 891.
826. Schleching. 890.
822. Schliersee. 889.
688. Seibersdorf 889.
662. Simbach. 889.
708. Taufkirchen. 890.
780. Teisendorf. 892.
733. Tittmoning. 890.
778. Traunstein. 890.
754. Traunwalchen. 891.
731. Trostberg. 890.
732. Tyrlaching. 890.
801. Uebersee. 891.
805. Ulrichshogl. 891.
827. Unter-Wessen. 891.
850. Valepp. 891.
547. Vilshofen. 889.
608. Vornbach. 889.
755. Waging. 891.
552. Wegscheid (Ost). 889.
551. —— (West). 889.
855. Winkelmoos-Alpe. 891.

—— dass. — Nr. 833, 860, 861. 2 Blatt. Photolithogr. gr. Fol. (Ebd.) 890. à Blatt ** 1 50
833. Ober-Reitnau; nebst Nordhälfte v. Lindau (West) 860.
861. Lindau (Ost), nebst Südhälfte von Lindau (West) 860.

—— dass. — Nr. 804, 828, 830, 876 u. 890. Ebd. 892. à Blatt ** 1 50
804. Höglwörth. — 828. Dürnbach Horn. — 830. Reichenhall. — 876. Dürnberg. — 890. Karwendelspitz.

—— dass. — Nr. 856. Melleck. Ebd. 892. ** — 50

Positionskarte der Umgebung von München. 1 : 25,000. Photolithographisch vergrössert aus dem grossen topogr. Atlas von Bayern und hrsg. von dem topogr. Bureau des k. b. Generalquartiermeisterstabes. 6 Bl. 4. München 868, Mey und Widmayer. In Carton *

Positions-Verzeichniß aus der topographischen Aufnahme vom Kurfürstenth. Hessen. 1857. Fol. (VIII und 81 S.) Cassel 864, (Freyschmidt.) *

Das **Positive** der Königlichen Kunst. Vortrag, gehalten zum 147. Stiftungsfest der Grossloge zur Sonne in Bayreuth von C[arl] K[olb] am 22. Jan. 1888. Ms. f. Brr. Bayreuth 1888: Mühl. 10 S. 8° [Umschlagtit.]
Abgedr. in: SL. 8 (1888) S. 151—155.

Esperantista **Poŝkalendaro**. [1.] Berlin: Möller & Borel 1908. 8° [illegible]

Poŝkalendaro, esperantista, 1910. Redaktita de Siegfr. Lederer. (VIII, 156 S. m. 1 Bildnis.) kl. 8. Berlin, Esperanto Verlag Möller & Borel. Geb. in Leinw. — 80

Poske, F., Hauptsätze der Arithmetik, s.: Bork, Heinr.

Poske, F., Richard Wagner u. die deutsche Kultur. Ein Bekenntniß, e. Entgegng. u. e. Ausblick. [Aus: „Deutsches Wochenblatt".] gr. 8. (31 S.) Berlin 888. Walther & Apolant, Verl. n. — 50

Poske, Fr. Der empirische Ursprung des Beharrungsgesetzes. Berlin, 1887.

Poske, Frdr., s.: Abhandlungen zur Didaktik u. Philosophie der Naturwissenschaft.

Poske, Frdr., s. Handbücher, Didaktische, f. den realist. Unterricht an höheren Schulen.

— **Hilfsbuch zur Naturlehre,**
— **Hilfsbuch zur Physik,** } **s.: Höfler, Alois.**
— **Naturlehre,**

— Über die Notwendigkeit der Errichtung e. Zentralanstalt f. den naturwissenschaftlichen Unterricht, s.a. Schriften des deutschen Ausschusses f. den mathematischen u. naturwissenschaftlichen Unterricht. 5. Heft.

Poske, F[riedr.], Über die Notwendigkeit der Errichtung einer Zentralanstalt für den naturwissenschaftlichen Unterricht. Leipzig u. Berlin 1910. 8°.
(Schriften d. Deutsch. Ausschusses f. d. mathemat. u. naturwiss. Unterricht. H. 5.)

Über die Notwendigkeiten der Errichtung einer Zentralanstalt für den naturwissenschaftlichen Unterricht. Von Dr. F[riedrich] **Poske,** Prof. Leipzig & Berlin: Teubner 1910. 20 S. 8°
(Schriften d. Deutschen Ausschusses f. d. math. u. naturwiss. Unterricht. H. 5.)
(10. 7550

— **Oberstufe der Naturlehre (Physik nebst Astronomie u. mathematischer Geographie). Nach A. Höflers Naturlehre f. die oberen Klassen der österreich. Mittelschulen f. höh. Lehranstalten des Deutschen Reiches bearb. Mit 442 z. Tl. farb. Abbildgn. u. 3 Taf. (XI, 338 S.) gr. 8. Braunschweig 907. F. Vieweg & Sohn.** Geb. n. 4. —

— **Physik, s.: Höfler, Alois.**

— Bernhard Schwalbe. Gedächtnisrede. Nebst dem Bildnis Schwalbes in Heliograv. u. e. Verzeichnis seiner Veröffentlichgn. gr. 8. (36 S.) Berlin 901. J. Springer. n. 1. —

— **Heinrich v. Stein u. seine Weltanschauung, s.: Chamberlain, Houston Stewart.**

— Unterstufe der Naturlehre (Physik nebst Astronomie u. Chemie). Nach A. Höflers Naturlehre f. die unteren Klassen der österreich. Mittelschulen f. höh. Lehranstalten des deutschen Reiches bearb. Mit 305 eingedr. Abbildgn., 1 Sterntaf. u. e. Anh. v. 130 Denkaufgaben. (X, 246 S.) gr. 8. Braunschweig 905. F. Vieweg & Sohn. n. 2. 40; geb. n. 2. 80

— Unterstufe der Naturlehre (Physik u. Astronomie). Nach A. Höflers Naturlehre f. die unteren Klassen der österreich. Mittelschulen f. höhere Lehranstalten des Deutschen Reiches bearb. Ausg. B. (ohne Chemie). Mit 280 eingedr. Abbildgn., e. Sterntaf. u. e. Anh. v. 123 Denkaufgaben. (IX, 199 S.) gr. 8. Braunschweig 907. F. Vieweg & Sohn. Geb. 2. 40

Poske, F., s.: Zeitschrift f. den physikal. u. chem. Unterricht.

— Die Zentrifugalkraft, s.a. Abhandlungen zur Didaktik u. Philosophie der Naturwissenschaft. II, 3.

Die Zentrifugalkraft. Ein Beitrag z. Revision d. Newtonschen Bewegungsgesetze. Von Dr. Friedrich **Poske.** Prof. (Berlin: Springer 1909.) 80 S. 4°(8°)
(Abhandlungen z. Didaktik u. Philos. d. Naturwissenschaft. Bd 2, H. 3.)
(Sonderhefte d. Zeitschrift f. d. physikal. u. chem. Unterricht. Bd 2, H. 3.) (09. 17913

Pösl, Friedrich

— s. Amelotte, P., Leben der Schwester Margaretha.

Pösl, Fr. (Bearb.), s. Assisi, Aegydius v., des sel. Leben u. goldene Sprüche.

— s. Blätter zur Belehrung und Erbauung für katholische Christen.

Pösl, Friedrich. Clemens Maria Hoffbauer ... Nebst 2 Gesängen ... Regensb. 1844. V (Gesänge): *Werner, Franz Ludwig Zacharias.* (Th)

—— **Clemens Maria Hoffbauer, der erste deutsche Redemtorist, in seinem Leben u. Wirken. Nebst zwei Gesängen v. F. L. Zacharias Werner. 8. (11 B. u. 1 Stahlst.) Regensburg 844, Manz.**

PÖSL, Friedrich (Landshut): Ist Pabst Liberius in eine Häresie verfallen?- Landshut: Thomann 1829. 56 S.
Aug.1828 - F 43
Diss. Ingolst.-Landsh.-Mchn.

—— Leben des seligen Aegydius v. Assisi, s. Aegydius.

— Leben des heil. Johannes Columbini aus Sinai, Stifters d. Jesuaten. Nach den Bollandisten bearb. 8. Regensburg 846, Pustet. 1/3 ℛ

Pösl, Friedr., Leben des sel. Hermann Joseph, Prämonstratenser im Kloster zu Steinfeld in der Erzdiözese Köln. gr. 16. (96 S. mit 1 Stahlst.) Regensburg 862, Manz.

Pösl, Friedr., Leben d. heil. Katharina v. Siena, Jungfrau, aus d. dritten Orden d. heil. Dominikus, bearb. nach d. Lebensbeschreib. ihres Beichtvaters, Raimund de Capua, General d. Dominikanerordens. gr. 8. (14½ B.) Paßau 841, [Ambrosi's Curatel.] Thlr. ¹

—— Leben der heil. Katharina v. Siena. Bearb. nach der Lebensbeschreibung ihres Beichtvaters Raimund v. Capua. 2., verb. Aufl. 8. (19½ B.) Passau 846, Ambrosi's Buchh.

Pösl, Frdr., das Leben des heil. Philippus Neri, Stifters der Congregation des Oratoriums in Italien. gr. 12. (XII u. 431 S.) Regensburg 847, Pustet. 21 ngl

Pösl, Friedr., das Leben des heiligen Philippus Neri, Stifters der Congregation des Oratoriums in Italien. Mit dem Bilde des heil. Philippus in Holzschn. 2. verb. Aufl. Regensburg 857. Pustet. 12. (XII, 432 S.) 21 ngr.

Pösl, Fr., Leben u. goldene Sprüche des sel. Aegidius v. Assisi. Nach den Bollandisten bearb. 2. verb. Aufl. 8. Passau 846, Ambrosi. 6 ngl Vergl. v. Assisi, A.

— **Leben der heil. Theresia v. Jesu Stifterin des Barfüßer Carmeliten-Ordens. Mit dem Bildn. der Heiligen. gr. 8. (VIII u. 532 S.) Regensburg 847, Manz. 1½ ℛ**

Pösl, Friedr., **Leben der heil. Theresia von Jesu, Stifterin des Barfüßer-Carmeliten-Ordens. 2., verb. Aufl. gr. 8. (XVI und 560 S. mit dem Bildnisse der Heiligen in Stahlst.) Regensburg 856, Manz.**

—— **Leben des heil. Thomas von Villanova, Erzbischofs von Valencia, genannt der Almosengeber. gr. 8. (XIV und 306 S. mit dem lithogr. Bildnisse des Heiligen.) Münster 860, Aschendorff'sche Buchh.**

—— Legende von den vierzehn Nothhelfern. 8. (316 S.) Regensburg 850, Manz.

Pösl, Frdr., Legende v. den heiligen vierzehn Nothhelfern. 2., durchgeseh. u. verb. Aufl., besorgt v. e. Priester derselben Congregation. 8. (IV, 339 S. m. 1 Stahlst.) Regensburg 891. Nationale Verlags-Anstalt. 2. —

— die reine, leidende u. barmherzige Liebe, dargestellt in dem Leben des seligen Hermann Joseph aus Köln, der seligen Lidwina von Schiedam u. des heiligen Johannes des Almosengebers, Patriarchen von Alexandrien in Aegypten. Mit 1 Stahlst. Regensburg 862. Manz. gr. 8. (XV, 252 S.) 27 ngr

— Maria-Hilf, ein Gebetbüchlein für fromme Christen aller Stande, insbesond. für Verehrer Mariens, unseren mächtigen Helferin bei Gott. 16. (VI u. 332 S. mit 1 Stahlst.) Vilsbiburg 848. (Passau, Ambrosi.) geb. mit Goldschn. 18 ngr

—— über den Nutzen d. Kirchengeschichte. gr. 4. (1¼ B.) Passau 833, Pustet.

– s.a. Synopsis juris ecclesiastici.

(Pösl, Friedr.): Synopsis jur. ecclesiastici ad normam Maur. Schenkl. In us. auditor. *Passavii*, Pustet. 834. 8maj. (10 Gr.)

Posnanski, Adolf

Posnanski, Adf., Schiloh. Ein Beitrag zur Geschichte der Messiaslehre. 1. Tl. Die Auslegg v. Genesis 49,10 im Altertume bis zu Ende des Mittelalters. (XXXIII, 512 u. LXXVI S.) gr. 8. Leipzig 904. J. C. Hinrichs' Verl. n. 16. —; geb. n. 16. —

Posnanski, Dav. (geb. Kalisch 1819): De aetiologia intermittentium. Berolini (1845). (31 S.) 8°
Berlin, Med. Diss. v. 27. Jan. 1845

Posnanski, Sam., s.: Geiger, Abraham.

Posnansky, Hermannus (Silesius): De Nemeseos monumentis .... Vratislaviae, typ. G. Hoyeri & Soc. (1888); 30 S. + 1 Bl. 8°
Breslau, Phil. Fak., Inaug.-Diss. v. 26. Jul. 1888

Posnansky, H., de Nemeseos monumentis. Diss. inaug. archaeol. gr. 8. (30 S.) Breslau 888. (Köhler.) n. 1.—

— **Nemesis u. Adrasteia**, s.: Abhandlungen, Breslauer philologische.

Posnansky, (Hermann), Dr.: Die **Volksbibliothek** in Oberschlesien. *Myslowitz O.-S. (1901): T. Khmatz.* (S. 3—10.) 4°
Myslowitz O.-S., st. PG i. E., P 1901 (211)

Posner, August Siegismund, der treue Zeuge Gottes, weil. Pastor an der K. Strafanstalt zu Sagan. Von einem Freunde des Verstorbenen. 2. Aufl. 12. (64 S.) Schreiberhau 851. (Breslau, Dülfer & Geiser.) 3 ngr

Posner's illustrirter Führer durch die Ausstellung u. Budapest. 16. (179 S. m. Illustr., 1 Chromolith. u. 1 chromolith. Plan.) Budapest 885. (Wien, Perles.) geb. n. — 80

Posner's Repertorium. Ein alphabet. geordnetes Memorial für das tägl. Leben zur Aufnahme von interessanten Erinnerungen und Begebenheiten, welche man selbst erlebt oder gelesen hat, um solche zu jeder beliebigen Zeit dem Geiste vergegenwärtigen zu können. 2. Aufl. 4. Wien 866, (Wallishausser'sche Buchh). cart. * 24 Ngr.; geb. *

— Wochenvormerk-Kalender pro 1893 —.75
Wien: Perles 1892.

Posner, A. S., s. Gerhard's, Jh., Uebungen der Gottseligkeit.

Posner, A. S., eilf Predigten über das Heilige Vater Unser, gehalten in der evangel. Kirche zu Grünberg. gr. 8. Grünberg 837. Levysohn u. Siebert. ½ rf

Posner, Carl, s. Posner, Karl

Posner, Christian Francisc. (Jena), De bonis solidorum Brunsvicensium et Luneburgensium eorumque essentialibus et naturalibus nec non de differentiis bonorum emphyteuticorum, censiticorum, contractus libellarii, bonorum lassorum actionibusque realibus et personalibus. Diss. jur. feudal. Präs. Jo. Christian Waitz. Jena (J. B. Heller) April 1736. 30 S. (4.75) 27061

Posner, Eduard Wilhelm

Posner, Ed. Wilh., kurzer Abriß d. Seelendiätetik. Nach Grundsätzen der Erfahrung u. den besten Quellen bearb. 8. (6½ B.) Grünberg 845, Levysohn.

Posner, Ed. Wilh., Belehrungen über das Verhalten bei den wichtigsten ansteckenden Krankheiten [besonders der Kinder] f. Deutschlands Bürger- u. Landfrauen entworfen. gr. 8. (36 S.) Breslau 849, G. P. Aderholz. 8 ngr

Posner, Ed. Wilh., über Gemüths- und Nerven-Krankheiten und ihre Behandlung. Erster Bericht über das Heil- und Pflege-Institut für Gemüths-, Krampf- und Nervenkranke (Potsdamerstr. Nr. 64.) seit seinem dreijähr. Bestehen. gr. 8. (58 S.) Berlin 852, A. Hirschwald. *

—— der ärztliche Hausfreund, eine gründliche Anweisung f. Jedermann, seine Gesundheit zu bewahren u. sich bei vorkommender Krankheit Heilung zu verschaffen. 8. (9½ B.) Grünberg 845, Levysohn.

— Leben des S. A. Posner, s.: Sonntags-Bibliothek. 4. Bd. 3. Hft.

— Medicina pastoralis et ruralis. Ein Hand- u. Hülfsbuch für Seelsorger, Aerzte, Lehrer u. Menschenfreunde. Nach dem neuesten Standpunkte der Wissenschaft u. Erfahrung u. nach den besten Quellen bearb. gr. 8. (46 B.) Glogau 844, Flemming.

MEMOIREN (zahme) eines deutschen Arztes. Von ihm selbst erzählt. (Verfasst von *Ed. Wilh. Posner.*) Bd. 1. (einz.). Breslau 1846. 8°. (4 Mk., geles. Expl., Max Jaeckel, Potsdam, 1909.)
Fehlt im Anon.-Lex.

— das Seelenleben der Thiere mit Berücksicht. der Menschenseele u. des Menschengeistes. Durch Erzählungen erläutert u. für Lehrer, Naturfreunde, wie für die Jugend bearb. 8. (XVI u. 400 S.) Görlitz 851, Heinze & Co. n. 1⅓ rf

Posner, Ed. W., Das Seelenleben der Tiere mit Berücksichtigung der Menschenseele und des Menschengeistes. (XV., 400 S.) Görlitz 51. (Schletter, Breslau.) M. 4.—

— das Weib u. das Kind in allen ihren Lebensverhältnissen, in Gesundheit wie in Krankheit, in leibl. wie in geistiger Beziehung. Ein belehr. u. unterhalt. Hilfs- u. Handbuch für Jungfrauen, Frauen u. Mütter. 8. (VI u. 376 S.) Glogau 847, Flemming. 27 ngr

— die Wiedereinführung der Bordelle in Berlin vom medicin. u. sanitätspolizeil., wie vom sittl. u. christl. Standpunkte aus beleuchtet. gr. 8. (52 S.) Berlin 851, Plahn'sche Buchhandlung. n. ⅓ rf 1. Aufl. 1887.

Posner, F., de citatione reali. 4. Lipsiae, Helwing. 704.

— eloquentia academ. 8. Ien. Bielke. 718.

Posner, Franz, Rechenkästchen, Anleitg., s.: **Langer, Adam.**

Posner, Gustav Leopold, Rechtskandidat a. Greifenhagen: Die rechtliche Natur der Auflassung. Berlin 1908: Mesch & Lichtenfeld. (X, 96 S.) 8°
Leipzig, Jur. Fak., Diss. v. 11. Juli 1908
[Geb. 13. März 85 Greifenhagen (Pommern); Wohnort: Charlottenburg; Staatsangeh.: Preußen; Vorbildung: Schiller-Realgymn. Stettin Reife O. 04; Studium: Berlin 7 S.; Rig. 4. Juni 08.]

Posner, Hans L., a. Berlin, Assistenzarzt im 4. Lothring. Inf.-Reg. No. 136 ⟨Straßburg i. E.⟩: Beiträge zur Kenntnis der Azoospermie. Berlin 1908: L. Schumacher. (32 S.) 8°
Berlin, Med. Fak., Ref. Hildebrand, Diss. v. 7. März 1908
[Geb. 4. Juli 83 Berlin; Wohnort: Berlin; Staatsangeh.: Preußen; Vorbildung: Friedrich-Wilhelms-Gymn. Berlin Reife M. 01; Studium: Berlin 10 S.; Coll. 5. März 08; Approb. 11. Dez. 07.]

Posner, I. Casp., de stili lat. cultura comment. 8. Jenae 731.

— **Jo. Caspar** (Jena), Prolusio De phoenice qua Orationem auspicalem et Publicas praelectiones indicit. Jena (Nise) 1700. 16 S. (3.75) 27064

Posner, Karl

Posner, C. Die Aufgaben der internen Therapie bei Erkrankungen der Harnwege, s. **Klinik**, Berliner.

Posner, Carl, u. Philipp M. **Blumenthal,** die klinische Ausbildung der Aerzte in Russland. II. Die militärmedizin. Akademie zu St. Petersburg. (42 S.) gr. 8. Jena 904. G. Fischer. n. 1.60
Sonderabdruck aus: „Klin. Jahrb." — Vom I. Tl. ist ein Sonderabdruck nicht erschienen.

— **Diagnostik der Harnkrankheiten.** 10 Vorlesgn. zur Einführg. in die Pathologie der Harnwege. Mit 42 Abbildgn. u. e. symptomatolog. Anh. gr. 8. (XII, 160 S.) Berlin 894. A. Hirschwald. n. 4. —

Posner, C., Diagnostik d. Harnkrankheiten. 10 Vorlesgn. zur Einführg. in d. Pathologie der Harnwege. 2., verb. Aufl. M. 44 Abb. u. e. symptomatolog. Anh. gr. 8. (XII, 166 S.) Berlin 896. A. Hirschwald. n. 4. —

Posner, C., Diagnostik der Harnkrankheiten 10 Vorlesgn. zur Einführg. in die Pathologie der Harnwege 3. Aufl. Mit 54 Abbildgn. u. e. symptomatolog. Anh. gr. 8. (XII, 182 S.) Berlin 902. A. Hirschwald. n. 4.—

Posner, Carl, s.: **Jahresbericht** üb. die Leistungen u. Fortschritte in der Anatomie u. Physiologie.

— s.: **Jahresbericht** üb. die Leistungen u. Fortschritte in der gesammten Medicin.

— Infection u. Selbstinfection, s.: **Klinik,** Berliner.

— s.: **Medizin,** deutsche, im 19. Jahrh.

Posner, C[arl]. & Frank, Ernst R[ich.] W[ilh.]: Casuistische Mittheilungen. *Berlin 1896.*
in: Beiträge z. Dermatologie u. Syphilis. Festschr. gewidm. G. Lewin z. Feier s. 50j. Doctorjubil. [96. 1867]

— über **Pyurie,** s.: **Klinik, Berliner.**

— Therapie der Harnkrankheiten. 10 Vorlesgn. f. Ärzte u. Studirende. 2., verb. Aufl. gr. 8. (VII, 162 S. m. 15 Abb.) Berlin 898. A. Hirschwald. n. 4. —

— **Therapie der Harnkrankheiten.** Vorlesungen f. Aerzte u. Studierende. 3., neu bearb. Aufl. (VIII, 213 S. m. 19 Abbildgn.) gr. 8. Berlin 904. A. Hirschwald. n. 4. —

— Vorlesungen üb. Harnkrankheiten f. Ärzte u. Studierende. (VIII, 355 S.) gr. 8. Berlin 911. A. Hirschwald. 9.

— s.: **Wochenschrift,** Berliner klinische.

Posner, Carl Ludw., einfache Buchhaltung durch deren Hülfe Jedermann befähigt wird seine Geschäfts-Bücher auch ohne alle Vorkenntnisse ordnungs- und gesetzmäßig zu führen. In rein praktischer u. neuer Methode bearb. 2., verb. u. verm. Aufl. Pest 858. Röth. qu. gr. 8. (81, 13 S.) n. 15 *ngr.*

— — 4., verb. ꝛc. Aufl. Bereichert durch den Abdruck der Gremial-Statuten und einer möglichst vereinfachten Buchführung für Kleinhändler, Krämer u. Gewerbsleute. Pest 858. Osterlamm. qu. gr. 8. (4 Bl., 107 S.) n. 18 *ngr.*

Posner, Louis (Übers.), s. Ancell, Henry: Vorlesungen über die Physiologie ...

Posner, Louis, Briefe über Bad Elster im sächsischen Voigtlande. Berlin 864. Hirschwald. 16. (IV, 104 S.) n. 15 *ngr.*

– Übers.), s. Carmichael, Richard: Klinische Vorlesungen ...

Posner, L(ouis) (Übers.u.Bearb.):

s.: Hall, Marshall: Beobachtungen und Vorschläge aus dem Gebiete der practischen Medicin. (Practical Observations and suggestions in medicine. Dt.) Leipzig: 1846 - 1847

— Handbuch der klinischen Arzneimittellehre. gr. 8. (XX und 799 S.) Berlin 866, A. Hirschwald. *

Posner, Louis, u. Carl Ed. **Simon,** Handbuch der allgemeinen u. speciellen Arzneiverordnungs-Lehre. Mit besonderer Berucksichtigung der neuesten Arzneimittel sowie der 7. Ausgabe der preuss., der 5. der österreich. u. der neuesten Bearbeitungen der bayerischen u. hannoverschen Pharmakopoe bearb. 3. Aufl. 859. (XI, 564 S.) n. 3 *Thlr* 10 *ngr.* — 4. Aufl. 862. (XIII, 602 S.) n. 3 *Thlr* 20 *ngr.* — 5. vollständig umgearb. Aufl. Ebend. 864. gr. 8. (X, 704 S.) n. 1 *Thlr* 10 *ngr.*

— und Carl Ed. **Simon,** Handbuch der allgemeinen und speciellen Arzneiverordnungs-Lehre. Mit besond. Berücksichtigung der neuesten Arzneimittel, sowie der 7. Ausg. der preuss. und der neuesten Bearbeitungen sämmtl. deutschen und fremden Pharmakopöen. 5. Aufl. 1864. und 6., verm. Aufl. gr. 8. (XI und 710 S.) Berlin 867, A. Hirschwald. *

— und Carl Ed. **Simon,** Handbuch der speciellen Arznei-Verordnungslehre. Mit besonderer Berücksichtigung der neuesten Arzneimittel sowie der 6. Ausg. der preuss. u. der 5. der österreich. Pharmakopoe. 855. — 2. unveränd. Aufl. Berlin 856. A. Hirschwald. Lex.-8. (VIII, 496 S.) n. 3 *Thlr.*

— und Carl Ed. Simon, Handbuch der speciellen Arznei-Verordnungslehre. Mit besond. Berücksicht. der neuesten Arzneimittel sowie der 6. Ausg. der preuss., der 5. der österreich. und der neusten Bearbeitungen der bayer. und hannöv. Pharmacopoe bearb. 3. Aufl. 1859. * 3 Thlr. 10 Ngr. und 4., stark verm. Aufl. Lex.-8. (XIII und 602 S.) Berlin (861)62, A. Hirschwald. *

Posner, Louis: Handbuch der speciellen Arzneiverordnungslehre. Aufl. 10ff.
s. **Ewald**, Karl Anton: Handbuch der allgemeinen u. speziellen Arzneiverordnungslehre. [11. 163?2

Posner, Louis, encyclopadisches Handbuch der Brunnen- und Baderkunde. 2 Thle. Berlin 853. Hayn. gr. 8. 3 ℛ. 10 *ngr.*
1. Thl.: Lexikographische Darstellung der wichtigsten Kurorte Europa's. (VII, 600 S.) 2 ℛ. 15 *ngr.*
2. Thl.: Grundriss der allgemeinen Balneologie und Kur-Methodik (mit Einschluss der Seebader, Molken-, Wasser-, Traubenkuren etc.). (3 Bl., 169 S.) 25 *ngr.*

Posner, L., Handbuch der spec. Pathologie u. Therapie, siehe: Encyclopädie der medicin. Wissenschaften, 2. Abthl.

—— die preussische Pharmakopöe in ihrer 7. Ausg. Zur schnellen Orientirung über alle in derselben enthalt. Abänderungen und Zusätze und als Suppl. zur 6. Ausg. gr. 8. (V und 66 S.) Berlin 863, A. Hirschwald. *

Posner, Louis, Skizzen aus Bad Oeynhausen. (Rehme.) 8. (38 S.) Berlin 858, A. Hirschwald.
Vgl.: Sachs' (J. J.) medicinischer Almanach.

Posner, L(ouis) (Übers.u.Comm.):

s.: Williams, Charles J(ames) B(lasius): Allgemeine Pathologie und Therapie. (Principles of medicine. Dt.) Berlin: 1844

Posner, Louis (Hrsg.):

s.: Zentralzeitung, Berliner medicinische, vom Neuesten und Wissenswerthen aus der gesammten Heilkunde des In- und Auslandes. Jg. 18, 20-22. Berlin: 1849-53.

Posner, Maximilianvs (geb. am 8 Nov. 1850 in Berlin): Qvibvs avctoribvs in bello Hannibalico enarrando vsvs sit Dio Cassivs. Symbola ad cognoscendam rationem, qvae inter Livivm et Polybivm hvivs belli scriptores intercedat ... Bonnae, form. C. Georgi (1874). 2 Bl., 81 S., 1 Bl. 8. ¶ Erschien zugleich selbständig bei Weber in Bonn.
Bonn, Phil. Fak., Diss. v. 1 Aug. 1874

Posner, Maxim., quibus auctoribus in bello Hannibalico enarrando usus sit Dio Cassius. Symbola ad cognoscendam rationem, quae inter Livium et Polybium hujus belli scriptores intercedat. gr. 8. (82 S.) Bonn 874. Weber's Verl. n 1 20

Posner, Max, Zur literarischen Thätigkeit Friedrichs des Grossen. Erörterungen und Actenstücke. (Berlin 1878.) 8.

Karlsbad:
40 Jahre „Munificentia". Festschrift zur Feier des 40. Stiftungstages der „Munificentia" in Karlsbad. [Von Oskar **Posner** und Heinr. Glücksmann.] Karlsbad: Posner o. J. 71 S. 8°.

Neue Pflichten. Schlusssteine einer Johannisrede, gehalten in der Munificentia, Karlsbad, am 19. Juni 1910. Von Oskar **Posner**. o. O. [1910]. 6 S. 8°. [Kopftit.]

Geschichte der Juden in Cottbus. Nach hs. Material zsgest. ... von Rabb. Dr. [Salomon] **Posner**. Cottbus: Heine [1908]. 39 S. 8° [10. 4636

Posner, Salomon, aus Kippenheim in Baden: Das Targum Rischon zu dem biblischen Buche Esther. Breslau Th. Schatzky Dr. 1896. 2 Bl., 78 S., 1 Bl. 8°.
Zürich. Phil. Diss. v. 16. Juli 1896].

Posner, Sigmund, a. Straßburg i. Elsaß: Abriß der Philosophie Eugen Dührings. Breslau 1906: H. Fleischmann. (57 S.) 8°
Erlangen, Phil. Fak., Ref. Falckenberg, Diss. v. 26. Juli 1906
[Geb. 26. Aug. 82 Straßburg i. E.; Wohnort: Karlsruhe; Staatsangeh.: Baden; Vorbildung: Gymn. Karlsruhe Reife 02; Studium: Breslau 5, Erlangen 1 S.; Rig. 24. Juli 05.]

Posner, T., das optische Drehungsvermögen organ. Substanzen, s.: Landolt, H.

Posner, Theodor [aus Berlin]: Zur Kenntnis der ungesättigten Amine ... Berlin, A. W. Schade's Buchdr., 1893; 38 S., 1 Bl. 8.
Berlin, Phil. Fak., Inaug.-Diss. v. 7. Juni 1893

Posner, Thdr., Lehrbuch der synthet. Methoden der organ. Chemie. Für Studium u. Praxis. (XXXII, 436 S.) gr. 8. Leipzig 903. Veit & Co. Geb. in Leinw. n. 10.—

Posner, Guilelmus (*geb. Breslau 24. I. 1815*): De spongia officinali in vaginam applicanda. Vratislaviae (1838). (17 S., 1 Taf.) 4°
Breslau, Med. Diss. v. 30. Nov. 1838

Pösner, Jo. Christoph (Görlitz/Lausitz), **De cessione privilegii fiscalis ad L. ult. C. de privileg. fisc.** Diss. Präs. Jo. Heinrich Berger. Wittenberg (Gerdes) 9. VIII. (1702?) 40 S. (4.75) 26902
Gew.: Abraham Friedrich Nicius. — Widm. v.: Jo. Heinrich Berger.

— **Johann Christoph** (Görlitz/Lausitz), **De errore communi, circa venditiones quae in scriptis conficiuntur sive Offentlichen Kauff-Brieffen. ad pr. Inst. d. contr. ah. emtione.** Diss. jur. Präs. Heinrich Bodin. Halle/Magdeburg (J. J. Keebst) 25. XI. 1707. 17 S. (4.—) 26903

— — Dasselbe. Präs. Heinrich von Boden. Halle/Magdeburg (J. Chr. Hendel) 25. XI. 1707. Correcta et rec. 1718. 19 S. (4.—) 26904

Posnjak, Georg: Das Metastyrol und die beiden Distyrole. Weida i. Th. 1910: Thomas & Hubert. 52 S. 8°
Leipzig, Phil. Diss. v. 19. April 1910, Ref. Hantzsch, Beckmann
[Geb. 18./30. März 82 Mohilew; Wohnort: Leipzig: Staatsangeb.: Rußland; Vorbildung: Gymn. Nischni-Nowgorod Reife O. 02; Studium: Berlin 2, Moskau 3, Leipzig 9 S.; Rig. 1 Febr. 10.] [U 10. 3210

Posol katholski. Cyrkwinski czasopis, wudawany wot towarstwa S. S. Cyrilla a Methoda w Budyschinje. Redact.: Mich. Hórnik. Lětnik 1–4. à 12 Čislo. (à ½—1 Bgn.) Bautzen 863—66. (Leipzig, Schmaler & Pech.) Lex.-8. à Lětnik n. 15 *ngr.*

—— dass. — Lětnik 5. 24 Cislo. (à ½—1 Bog.) Lex.-8. (Ebendas.) 867. *

— — Lětnik 6 i 7. à 24 Čislo. (à ½—1 B.) Ebend. à Lětnik n. 15 *ngr.*

Autographen-Sammlung Alexander **Posonyi** in Wien. 1–6. *Bonn: C. Georgi 1900–01.* 6 Bde 8° [Umschlagt.]
1. Deutsche Dichter, Schriftsteller u. Philosophen d. klass. Periode. 1900.
2. Musiker. 1900. 3. Deutsche Dichter u. Schriftsteller seit Goethe's Tod. 1900.
4. I. Bildende Künstler. II. Bücher über Kunst u. Archäologie, ältere u. neuere ill. Werke. Kunstblätter. 1901.
5. Fürsten. Kriegs- u. Staatsmänner. Reformation. Dreissigjähr. Krieg. Urkunden. Ms. 1901.
6. Ausländ. Dichter u. Schriftsteller. Gelehrte. 1901.
(Katalog 97–99. 101. 104. 105. Friedrich Cohen, Antiquariat in Bonn.) [01. 10643

Posonyi, Edm. Die Werke der Kleinmeister u. Goldschmiede des 16. Jahrhunderts. München 1872. 8.

Pospelow, Joh., e. Antwort auf das offene Sendschreiben d. Pastor H. Dalton an den Oberprocureur d. russ. Synods Hrn. wirkl. Geheimr. Konstantin Pobedonoszeff. Deutsche Übersetzg. gr. 8. (87 S.) Erlangen 891. F. Junge. n. — 80

Pospichal, Eduard

Pospichal, E., Flora d. Flussgebietes der Cidlina u. Mrdlina. s.a. Archiv der naturwissenschaftlichen Landesdurchforschung v. Böhmen.

Pospichal, Eduard, Flora des Flussgebietes der Cidlina und Mrdlina. (Archiv d. naturw. Landesdurchforschung von Böhmen. IV. Bd. Nr. 5. Botan. Abth.) gr. 8. (103 S.) geh. 1 fl.
Prag: Franz Rziwnatz 1881.

Pospichal, Ed., Flora d. österreichischen Küstenlandes. 1. Bd. gr. 8. (XLIII, 576 S. m. 24 Tab.) Wien 897. F. Deuticke. n. 8. —; geb. in Halbfrz. n. 10. —

— dasselbe. 2. Bd. 1. Hälfte. gr. 8. (S. 1—528 m. 1 farb. Karte.) Ebd. 898. n. 8. —

Pospichal, Ed., Flora d. österreichischen Küstenlandes. 2. Bd. 2. Hälfte. gr. 8. (S. 529—946 m. 11 Tab.) Wien 899. F. Deuticke. n. 8. — ; (kplt. n. 24. —)

Pospichal, Ed., deutsches Lesebuch für Mittelschulen mit böhmischer Unterrichtssprache. 1. Bd.: Für Tertia und Quarta der Gymnasien und analoge Jahrgänge anderer Anstalten. gr. 8. (XVIII, 558 S.) Prag 876, [Mouref.] Bellmann's Verlag. * 5 20

Pospichal Eduard, Deutsches Lesebuch für Mittelschulen mit böhmischer Unterrichtssprache. II. Band, 2. unveränderte Auflage. Prag 1881. C. Bellmann. Preis 2 fl. 60 kr.

Pospiech A.: Das Congestum Arnonis, dessen Bedeutung und Wert für die älteste Salzburger und österr. Geschichte. 20. Trautenau R. 79.
Progr.

Pospielow, Alexander (Petrowitsch), a. Tula ⟨Rußland⟩: Über die Emissionsspektra des negativen Glimmlichtes und der positiven Säule bei Metalldämpfen von Cd und Zn. Erlangen 1907: Junge & Sohn. (28 S.) 8°
Erlangen, Phil. Fak., Ref. Wiedemann, Diss. v. 27. Juli 1907
[Geb. 1. Okt. 75 Tula; Wohnort: Erlangen; Staatsangeh.: Rußland; Vorbildung: Geistl. Schule u. Geistl. Seminar Tula Reife Mai 96; Studium: Warschau 8, Leipzig 1, Erlangen 3 S.; Rig. 24. Juli 07.]

Amtsgericht. Das Prozeßverfahren nach d. Gesetzesnovellen v. 1. Juni 1909 im Allgemeinen, sowie in besonderen Rechtsstreitigkeiten. Hrsg. ... von J. **Pospieszynski**, Bureauvorst. in Lissa i. P. (Lissa i. P.: [Selbstverl.]) 1910. x, 292 S. 8° [10. 11310

Pospischil, Heinr. Vinc., die Heimstätte m. besond. Rücksicht auf die Verhältnisse d. bäuerlichen Grundbesitzes in Oesterreich. [Archiv f. Landwirthsch., hrsg. v. H. H. Hitschmann, V.] gr. 8. (VII, 141 S.) Wien 884. (Gerold's Sohn.) n. 3. —

– Dass., s.a. Pospischill

Pospischil, Jh., s. Böhmens Blüthen.

Pospischil, Julius: Über die im „Fitzwilliam Virginal Book" bearbeiteten englischen Volksliedweisen.
Diss., Prag 1908/1909

Pospischil, Karl, Katechismus über die Kunst d. Branntweinbrennens. Nebst einer Anmerk. üb. d. Vereinigung d. Branntweinhäuser mit Brauhäusern. 8. Prag 816. (K. Haas in Wien); (a. Haase u. Söhne in Prag). 4 gl.

Pospischil, Carl, Katechismus über die Kunst d. Branntweinbrennens. Nebst einer Anmerkung über die Vereinigung der Branntweinhäuser mit Bräuhäusern. 8. (Prag, Krauß in Comm.) 816.

Pospischil, M., Erläuterungen zu Goethes Faust. 1. u. 2. Tl. gr. 16. (80 u. 78 S.) Hamburg 900. C. Kloss. à n. — 30

Pospischil, Maria, volkstümliche Erklärung v. Goethes Faust. 1. u. 2. Tl. (266 S.) kl. 8. Hamburg (Alterwall 70) 902. E. Hirt. n. 1. 75

Pospischill, Dionys, u. Fritz Weiss, über Scharlach (der Scharlacherkrankung 2. Tl.). Aus dem Kaiser Franz Josef-Regierungs-Jubiläums-Kinderspitale der Gemeinde Wien. [Infektionsabteilg. f. Kinder im k. k. Wilhelminenspitale.] (147 S. m. 14 Kurven.) Lex. 8. Berlin 911. S. Karger. 5. —

Pospischill, Heinr. Vinc., Die Heimstätte mit besonderer Rücksicht auf die Verhältnisse des bäuerl. Grundbesitzes in Oesterreich. (Archiv f. Landwirthschaft, hrsg. von H. H. Hitschmann, V.) gr. 8°. Wien, Gerold, 1884.

– Dass., s.a. Pospischil

Pospischill, Karl Theodor [aus Leipzig]: Ueber die beiden stereoisomeren 1,3-Pentamethylendicarbonsäuren ... Leipzig, Druck v. Giesecke & Devrient, 1896; 26 S., 1 Bl. 8.
Leipzig, Phil. Fak., Inaug.-Diss. v. [10. Jan.] 1897

Pospisil, B., Chrám dorsky s obrazami. Pr. 1887. 30 S.

POSPISIL, Josephus: De voluntate Dei salvifica. — (1872) 176 S. 8° (Handschr.) Diss. 274
Diss. Wien, Univ.

Pospišil O.: Die Osmanen zur Zeit des Wachsthums und der Blüte ihrer Macht in ihren Beziehungen zu den Ländern der jetzigen österr.-ungar. Monarchie. 89. Braunau 79.
Progr.

Possaner, Gabriele Baronin, med. pract. aus Wien (Österreich): Über die Lebensdauer nach dem Auftreten von Retinitis albuminurica. [S.A. aus: Beiträge z. prakt. Augenheilkunde — Deutschmann. Heft 15. S. 22—41]. Hambg L. Voss 1894. 1 Bl., 19 S. 8°.
Zürich. Med. Diss. [v. 12. Juli 1894].

Possauer, Gabriele Baronin, üb. die Lebensdauer nach dem Auftreten v. Retinitis albuminurica. Diss. gr. 8. (19 S.) Hamburg 894. L. Voss. n. 1. —

Possanner, Benno Freiherr v. Systematische Darstellung des österreichischen Staatscassen- und Verrechnungswesens. gr. 8°. Wien, Hölder, 1901.

Possanner, Benno Frhr. v., systematische Darstellung des österreichischen Staatscassen- u. Verrechnungswesens. Nach amtl. Quellen zusammengestellt. gr. 8. (XV, 354 S.) Wien 902. A. Hölder. n. 4. 80

Die Pensionen und Provisionen der k. k. österr. Civilstaatsbediensteten und Staatsarbeiter sowie die Versorgungsgenüsse ihrer Hinterbliebenen. Nebst d. einschläg. administrativen Vorschriften nach amtl. Quellen zsgest. v. Dr. Benno Frh. v. **Possanner**. Wien: Manz 1898–1911. 8°

[Nebst] Erg.Bd 1. 2. Normalienreg. u. Gen.Index.
Erg.Bd 1 1904. 2 1910. Normalienreg. u. Gen.Index 1911.

Au 77

Possanner, Benno Frhr. v., die Pensionen u. Provisionen der k. k. österr. Civilstaatsbediensteten u. Staatsarbeiter, sow. d. Versorgungsgenüsse ihrer Hinterblieb. Nebst d. einschläg. administrativen Vorschriften nach amtl. Quellen zusammengest. gr. 8. (XLIV, 966 S.) Wien 898. Manz. n. 18. 80; geb. in Halbfrz. n. 21. 20
Erschien auch in 12 Hftn.

Possanner, Benno Frhr. v., die Pensionen u. Provisionen der k. k. österreich. Zivilstaatsbediensteten u. Staatsarbeiter sowie die Versorgungsgenüsse ihrer Hinterbliebenen. 1. Ergänzungsbd. Nach amtl. Quellen zusammengestellt. (IV u. S. 967—1242.) gr. 8 Wien 904. Manz. n. 5. 40; geb. in Leinw. n. 6. 60; in Halbfrz. n. 7. 40
Hauptwerk Ebd. 898. n. 18. 80; geb. n. 21. 20.

Possanner, Benno Frhr. v., die Pensionen u. Provisionen der k. k. österreich. Zivilstaatsbediensteten u. Staatsarbeiter sowie die Versorgungsgenüsse ihrer Hinterbliebenen. 2. Ergänzungsbd. Nach amtl. Quellen zusammengestellt. (III u. S. 1243—2594.) gr. 8. Wien 909. 10. Manz. 26.20; geb. in Halbfrz. n 28. 90
Hauptwerk u. 1. Erg.-Bd. Ebd. 898. 904. 24.20; geb. 28.60.

Possanner, B. v., alkoholometrische Reductions-Tabellen. Von der k. k. Normal-Aichungs-Commission m. den amtl. Taf. übereinstimmend befunden u. hrsg. Lex.-8. (373 S.) Wien 890. Hof- u. Staatsdruckerei. n. 4. —

— Sachregister, s.: Gesetze u. Verordnungen, österreichische, Handausg., Hft. 94a.

— das Tabakverschleisswesen in Österreich. gr. 8. (VIII, 244 S.) Wien 901. Manz. n. 4. 40

Possanner, Benno Frhr. v., chemische Technologie der landwirtschaftlichen Gewerbe, nebst e. kurzen Abhandlg. üb. Mineralöle etc. (I. Die Bierbrauerei. II. Die Zuckerfabrikation. III. Die Spiritusfabrikation, Essigerzeugg., Weinbereitg. etc. IV. Die Industrie der Mineralöle etc.) Mit 949 in den Text gedr. Holzschn., 38 Taf., 17 Farbendr.-Bildern u. 5 grossen photolith. Orig.-Dispositionsplänen. gr. 4. (XVIII, 768 S.) Wien 893. Hof- u. Staatsdruckerei. n. 10. —

—Technologie der landwirthschaftlichen Gewerbe, nebst einer Abhandlung über Mineralöle. Vierte Auflage. Wien, 1893–95. 4 vols., 4to. III.
Vol. I: Wasser und Wärme. Stärkefabrikation. Bierbrauerei.
Vol. II: Zuckerfabrikation.
Vol. III: Spiritusfabrikation, Essigerzeugung, Weinbereitung, etc.
Vol. IV: Die Industrie der Mineralöle und Fossilien.

— Technologie der landwirtschaftlichen Gewerbe, nebst e. kurzen Abhandlg. üb. Mineralöle etc. Mit gegen 2000 in den Text gedr. Holzschn., ca. 70 Taf., 17 Farbendr.-Bildern, 12 grossen photolith. Orig.-Dispositionsplänen. 4., auf das Doppelte verm. u. verb. Aufl. 4 Bde. gr. 4. Ebd. 894. n. 36. —
I. Das Wasser u. die Wärme. Die Stärkefabrikation. Die Bierbrauerei. (XI, 390 S.) n. 10. —
II. Die Zuckerfabrikation. (XI, 342 S.) n. 10. —
III. Die Spiritusfabrikation, Essigerzeugung, Weinbereitung etc. (XI, 455 S.) n. 12. —
IV. Die Industrie der Mineralöle u. Fossilien. (X, 76 S.) n. 4. --

Possanner, E. v., Baron G'nackerl. Eine Wiener Geschichte aus d. XIX. Jahrh. 2 Bde. 8. (327 u. 343 S.) Wien 898. C. Konegen. n. 6. 50

Possanner von Ehrenthal Bruno: Über das Chlorhydrin und Oxyd des Pentan-1, 4-diols. S. 112. Hb. 18 . . . . vgr.
Separatabdruck

Possanner-Ehrenthal Marie Freiin von: Das sentimentale Theater der Franzosen im 18. Jahrhundert und seine italienischen Nachahmer.
1908 PN 2475 Diss. Wien, Univ. 2284

Possart, A., Amor u. Hymen od.: Eheglück u. Liebesfreuden f. Verlobte u. Neuvereheligte. Mit Titelkpfr. u. Schwangerschafts-Kalender. 5. Aufl. 16. (59 S.) Leipzig 871. Fr. Voigt. n. — 50

Possart, A., Amor u. Hymen od. Eheglück u. Liebesfreuden f. Verlobte u. Neuvereheligte. Mit Titelkupfer u. Schwangerschafts-Kalender. 15. Aufl. 12. (59 S.) Leipzig 890. Wilh. Radestock. — 50

Possart, A., homöopathische Arzneimittellehre aller in den J. 1850—57 geprüften Mittel. gr. 8. (IV und 256 S.) Nordhausen 858, Büchting.

Possart, A., homöopathische Arzneimittellehre. 2. u. 3. Theil. Nordhausen 860, 64. Büchting. gr. 8. Jeder Theil 1 ₰ 15 ngr.
2. Theil: Homöopathische Arzneimittellehre aller in den Jahren 1858 u. 1859 geprüften Mittel. Nebst Nachtragen aus früheren Jahren. (263 S.)
3. Theil: Homöopathische Arzneimittellehre aller in den Jahren 1860—62 geprüften Mittel. Von G. O. Kleinert. (VI, 238 S.)

Possart, A., Charakteristik der homöopathischen Arzneien. Ein Handbuch der Hauptanzeigen für die richtige Wahl der homöopath. Heilmittel in ihren Erst- und Heilwirkungen nach den bisher. Erfahrungen am Krankenbette, nebst einem alphabet. Repertorium zum schnellen und sichern Auffinden der für jeden einzelnen Fall passenden Mittel. (In 3 Thln.) 1. Thl.: Aconitum bis Lycopodium. gr. 8. (VIII und 381 S.) Sondershausen 851, Eupel.

—— dass. — 2. Thl.: Magnesia carbonica bis Zingiber. gr. 8. (XV und 385—706 S.) Ebds. 851.

—— dass. — 3. Thl. A. u. d. T.: Alphabetisches Repertorium zur Charakteristik der homöopath. Arzneien. Ein Handbuch zum schnellen und sichern Auffinden der für jeden einzelnen Fall passenden Arzneimittel, nach Prüfungen an Gesunden und nach den bisher. Erfahrungen am Krankenbette. 1. und 2. Heft. gr. 8. (S. 1—255.) Ebds. 852.

Possart, A., Charakteristik der homöopathischen Arzneien. Ein Handbuch der Hauptanzeigen für die richtige Wahl der homöopath. Heilmittel rc. 3. Thl. A. u. d. T.: Alphabetisches Repertorium zur Charakteristik der homöopath. Arzneien. Ein Handbuch zum schnellen und sichern Auffinden der für jeden einzelnen Fall passenden Arzneimittel, nach Prüfungen an Gesunden und nach den bisherigen Erfahrungen am Krankenbette. 3 — 5. (letztes) Heft. gr. 8. (V S. und S. 257 — 736.) Sondershausen 853, Eupel's Verlag. à Heft 20 Ngr.
1—3. Thl. 1. und 2. Heft. Ebendas. 1851—52. 4 Thlr. 10 Ngr.

Possart, A., der homöopathische Haus-Doctor, oder Anweisung f. Laien, sich selbst in vielen Fällen homöopathisch zu behandeln, mit Hinweisung auf Weiß Handbuch der Wasserheilkunde. gr. 8. (15 ⅛ B.) Jüterbog 845, Colditz.

Possart, Ernst, üb. d. Gesammtaufführg. d. Goethe'schen Faust an d. Münch. Hofbühne. 8. (38 S.) München 895. A. Bruckmann. — 30

Possart, Ernst v., die **Kunst des Sprechens.** Ein Lehrbuch der Tonbildg. u. der regelrechten Aussprache deutscher Wörter. Mit e. Verzeichnis der gebräuchlichsten deutschen Wörter m. Angabe ihrer Aussprache u. Betong. Zugleich Vorstufe zu dem Werke: „Technik der Schauspielkunst". 1. u. 2. Taus. Mit 3 Taf. in Farbendr. (XI, 114 S.) gr. 8. Berlin 907. 09. E. S. Mittler & Sohn. 3.50; geb. n 4.75

Der Lehrgang des Schauspielers, von Ernst v. Possart. (Berlin &) Stuttgart: W. Spemann (1901). (82 S.) 8⁰
Aus: Spemann's Goldenes Buch d. Theaters.

— Der Lehrgang des Schauspielers. 2. Aufl. (83 S. m. Bildnis.) 8. Stuttgart (910). W. Spemann. 3. —
Sonderabdruck aus: „Spemanns gold. Buch d. Theaters."

— Hermann Levi. Erinnerungen. Mit e. Bildnis nach Frz. v. Lenbach. 8. (53 S.) München 901. C. H. Beck. n. 1.50

— üb. d. Neueinstudierg. u. Neuszenierg. d. Mozart'schen Don Giovanni (Don Juan) auf d. kgl. Residenztheater zu München. 8. (36 S.) Ebd. 896. — 30

Das Recht des Herzens. Schauspiel in 2 Aufz. von Ernst v. Possart. *Berlin, Köln, Leipzig: A. Ahn [1900].* (48 S.) 8⁰ [F.]

Possart, Ernst v., Schiller u. das Theater. Festrede zur Mannheimer Gedächtnisfeier v. Schillers 100. Todestage (8. V. 1905). (35 S.) gr. 8. Köln (905). A. Ahn. n. 80

Die Separat-Vorstellungen vor König Ludwig II. Erinnerungen von Ernst v. Possart. *München: C. H. Beck 1901.* (65 S.) 8⁰ [F.]

— die Separat-Vorstellungen vor König Ludwig II. Erinnerungen. 8. (65 S.) Ebd. 901. n. 1.20
2 Sonderabdrucke aus: „Allg. Zeitung".

— welches System der Scenerie ist am besten geeignet f. die Darstellung verwandlungsreicher klassischer Dramen, insbesondere der Shakespeare'schen? Festvortrag, geh. bei der Tagg. der deutschen Shakespeare-Gesellschaft zu Weimar am 23. IV. 1901. 8. (40 S.) Ebd. 901. n. 1.20

Possart, F., französische Grammatik für Gymnasien nebst praktischen Uebungen. 1. Thl.: Formenlehre. gr. 8. (VI und 138 S.) Dessau 855, Neubürger.

Possart, Fedor

—— Rußland, s. Stein, Chr. Gottfr. Dan., und Ferd. Hörschelmann, Handbuch der Geographie.

— anhaltische Vaterlandskunde. 1. Abth. A. u. d. T.: Geographie und Statistik des Herzogthums Anhalt-Bernburg. Bernburg 858. Gröning. gr. 8. (XIII, 163 S.) n. 1 ₰.

Possart, Fedor, anhaltische Vaterlandskunde. 1. Abthl. A. u. d. T.: Geographie und Statistik des Herzogth. Anhalt-Bernburg. gr. 8. (XIII und 163 S.) Bernburg 858, [Reiter.] *

Ausgewählte Abhandlungen und Vorträge über den Lehrinhalt der drei Johannis-Grade der Grossen Landesloge der Freimaurer von Deutschland von Fel. **Possart.** Als Hs. f. BBr-Mstr hrsg. bei der Feier des 125jährigen Bestehens der Johannis-Loge [„Zur Beständigkeit" in Berlin]. 12. Okt. 1900. Mit 5 Taf. in Steindr. Berlin 1900: Mittler & S. 290 S. 3 Taf. 8⁰
Recens: BZC. 29 (1900) S. 463.
Taf. 3 u. 5 konnten nicht beigegeben werden.
Enth. fast alle in der Berliner Zirkelkorrespondenz von 1873—1900 veröffentlichten Possartschen Arbeiten.

Zum neuen Jahr. [Unterz.:] F[el.] **Possart.** [Berlin 1879: Mittler & S.] 8 S. 8⁰ [Kopftit.]
Abgedr. in: BZC. 9 (1880) S. 1—8.
In der Rückkehr zu den gemeinsamen Quellen der heutigen Frmrei u. in dem aus diesen zu erkennenden Zweck u. den der Frmrei eigentüml. Mitteln liegt Möglichkeit u. Hoffnung auf eine künftige nationale deutsche Grloge.

— Instructionen für den St. Johannis-Gesellen, s. Widmann, Adolf

— Instructionen für den St. Johannis-Meister, s. Widmann, Adolf

Die Legende der Johannismaurerei. Von F[el.] **Possart.** [Berlin 1877.] 32 S. 8⁰ [Kopftit.]
Aus: BZC. 6 (1877) S. 127—159.
Abgedr. in: Possart, F.: Ausgewählte Abhandlungen. 1900 S. 183—222.
Üb. Adoniram in geschichtlicher u. frmrischwissenschaftlicher Beziehung.

Die St. Johannis-Loge zur Beständigkeit in Berlin von 1775 bis 1875. Zum 12. Okt. 1875 von Fel. **Possart.** Ms. f. Brr. Berlin 1875: Mittler & S. 48 S. 1 Taf. 8⁰
Nebst Verzeichn. der Beamten von 1775—1875.

[Erw. 2. Ausg. u. d. Tit.:]

Die St. Johannis-Loge zur Beständigkeit in Berlin von 1775 bis 1900. Zum 125jährigen Stiftungsfeste von Fel. Possart. [Hrsg. von Fel. Seckt.] Hs. f. Brr. Berlin 1900: Mittler & S. IV, 58 S. 1 Taf. 8⁰
Recens: L. 23 (1900) S. 208; BZC. 29 (1900) S. 519—520.
Nebst Verzeichn. der Beamten von 1775—1900.

Zu den Thesen des **Brs** [Rob.] Fischer von Felix **Possart.** [Berlin 1897.] 2 Bl. 8° [Kopftit.]
Abgedr. in: Bbl. 11 (1897) S. 613—614; Bh. 40 (1897) S. 390—391; FZ. 51 (1897) S. 389 bis 390; L. 20 (1897) S. 201—202; BrL. 15 (1897 bis 1898) S. 46—47; ML. 26 (1897—1898) S. 87 bis 88; S. 4 (1897) S. 126—127; Bk. 17 (1898) No 55.
Betr. d. Gleichberechtigung u. Gleichachtung der verschiedenen frmrischen Systeme in Deutschland.

Was den deutschen Freimaurern noth thut. Vortrag, gehalten in der St. Johannis-Loge „Zur Beständigkeit" in Berlin am 12. Oct. 1888 von Fel. **Possart.** Als Hs. f. Brr gedruckt. Berlin 1888: Mittler & S. 8 S. 8° [Umschlagtit.]
cf. BrL. 6 (1888—1889) S. 47—48; ML. 17 (1888—1889) S. 111—113 (O. Henckel); 114 bis 117 (K. Kahle); 121—124 (O. Henckel); 141—143 (R. Weise); 143—145 (Röckner); 188—190 (W. Boecker); L. 12 (1889) S. 15 bis 16.
Aufforderung, ausserhalb des Logentempels in Wort u. Tat Frmr zu werden u. längs der Grenzen im Osten u. Westen des deutschen Reiches schon während des Friedens Lazarette zu errichten.

Die gemeinsame Werkthätigkeit der deutschen Freimaurer. Stenographischer Bericht über die vertrauliche Besprechung in Berlin am 8. Juni 1889 erstattet von Fel. **Possart.** Als Hs. gedruckt. Berlin 1889: Mittler & S. 34 S. 8°
cf. Al. 15 (1889) S. 342—345; SL. 9 (1889) S. 140 bis 141.
Betr. Errichtung von Lazaretten für Kriegs- u. Pestzeiten.

Widmann, Adolf: Christian Adolf Friedr. Widmann. Blätter der Erinnerung. Hrsg. von F[el.] **Possart.** Ms. f. Brr. Berlin 1878: Mittler & S. 68 S. 1 Bildn. 8°
Enth. eine Gedächtnisrede von F. Possart u. 3 Reden Widmanns. Die Gedächtnisrede auch abgedr. in: BZC. 7 (1878) S. 165—186. — Üb. Widmann s. Allgem. Deutsche Biographie Bd 42 1897 S. 352 bis 354 (Lier).

Kronprinz Friedrich Wilhelm als Freimaurer. Von Fel. **Possart.** Berlin: Mittler & S. 1888. 17 S. 8°
Aus: BZC. 17 (1888) S. 1—17.
Abgedr. in: FZ. 42 (1888) S. 113—116, 121—125.

Possart, Hugo: Des Kaisers Traum. Festgedicht zum Geburtstage Sr. Majestät des Kaisers und Königs Wilhelms II., verfaßt und gesprochen von dem Oberprimaner H. P. 4 (S. 28 d. Schuln.) **Progr.** Kgl. Wilhelms-G. *Krotoschin* 1899

Possart, Hugo, Oberprimaner: Des Kaisers **Traum.** Festgedicht zum Geburtst. S. M. d. Kaisers. *Krotoschin (1899): Kosmäl.* (1 S.) 4°
Krotoschin, k. Wilhelms-G, OP 1899 (166)

Possart, J. G., über d. Anlage preuß. Eisenbahnen durch d. Staat. gr. 8. (1½ B.) Berlin 839, Mittler, Brlsh.

—— die Wäsche d. Wolle u. ihr Interesse f. Woll-Producenten, Fabrikanten u. Händler. Eine vergleich. Zustammenstell. d. verschied. bei dieser wicht. Operation in Anwend. gebrachten Methoden. gr. 8. (11½ B.) Berlin 835, Mittler, Brlsh.

Possart, M., synchronist. Tabellen d. Geschichte, Litteratur, Kunst u. Paedagogik v. Deutschland, England, Frankreich u. Italien m. bes. Berücksicht. der brandenburg.-preuss. Geschichte. gr. 8. (III, 40 S.) Berlin 896. M. Schildberger. n. —80

Possart, P., die Reform des landwirthschaftlichen Vereinswesens. Vortrag gehalten im Verein der Landwirthe am 30. Novbr. 1868. Berlin 869. (Schroeder.) gr. 8. (19 S.) n. 5 *ngr.*

Possart, P., die Verwerthung d. Abfallwassers aus den Tuchfabriken, Spinnereien u. Woll-Wäschereien. gr. 8. (15 S.) Berlin 879. H. Peters. n. 1. —

Possart, Paul Ant. Fed. Konst., Antologia italiana, od. italien. Lesebuch, vorzügl. z. Kenntniss d. neuern italien. Literatur. Zum Schul- u. Privatgebr. hrsg. u. mit Anmerkn. versehen. gr. 16. (27¼ B.) Stuttgart 838, Köhler.

—— Biblioteca castellana, s. Biblioteca.

— s. Cervantes Novelas ejemplares.

– s. Choix du théâtre français.

Possart, P. A. Fedor, italien. Chrestomathie, od. Auswahl klass. Stücke d. italien. Literatur von Bilani bis auf uns. Zeiten; nebst e. Anh., enthalt. e. vollständ. Verzeichniß sämmtl. unregelmäß. Zeitwörter d. italien. Sprache. gr. 8. (26 B.) Leipzig 828, [Lehnhold.]

— italienische Chrestomathie ic. 2e wohlf. Ausg. gr. 8. Leipzig 839. Lehnhold. 2/3 ß

—— Coleccion de Piezas, en prosa y en versos, od. Handb. gehaltvoller Stücke aus d. span. Literatur. Nach d. neuest. Orthographie v. J. 1823. gr. 8. (24¼ B.) Leipzig 829, [Lehnhold.]

Possart, Paul Ant. Fedor Const., Europa, allgemein verständl. Darstellung der Länder und Völker dieses Welttheils, in geograph.-statist. und anderer Beziehung. Ein Handbuch für Freunde der Erdkunde, mit besond. Rücksicht auf Ethnographie und Topographie, nach den vorzügl. Originalquellen bearb. 1. Bd.: Die Schweiz. gr. 8. (352 S.) Potsdam 848, [Rolle.] *

Possart, P. A. F. K., Europa, allgemein verständl. Darstellung der Länder u. Völker dieses Welttheils, in geograph.-statist. u. anderer Beziehung. Ein Handbuch für Freunde der Erdkunde, mit besond. Rücksicht auf Ethnographie u. Topographie, nach den vorzügl. Originalquellen bearb. 1. Bd.: Die Schweiz. 1—5. Hft. gr. 8. (S. 1—352.) Potsdam 848, Stuhr. (à n. 1/6 ß) n. 5/6 ß

– s. Goldsmith, Oliver: The vicar of Wakefield.

Possart, Paul Ant. Fed. Konst., kleine lappländische Grammatik, mit kurz. Vergleichung d. finnischen Mundarten. gr. 8. Stuttgart 840. Cast. 3/8 ß

—— neugriechische Grammatik, nebst e. kurzen Chrestomathie mit e. Wörterbuch, f. d. Schul- u. Privatgebr. — A. u. d. T.: *Γραμματικη ρομαικὴ καὶ Χρηστομάθεια εἰς χρῆσιν τῶν ἐν τῇ γερμανίᾳ σχολείων.* gr. 8. (22½ B.) Leipzig 834, Gebr. Reichenbach.

—— Grammatik d. italien. Sprache, z. Schul- u. Privatgebr. 16. (18 B.) Stuttgart 837, [Liesching u. Comp.]

— **Grammatik der persischen Sprache, nebst vergleichender Berücksichtigung der mit dem Persischen verwandten Sprachen, namentlich des Sanskrit und der Slavischen rc. gr. 8. Leipzig 831, (Künzel.) 1¾ ℛ**

— تعليم طوطى زبان فارسى oder Grammatik d. persischen Sprache, nebst vergleich. Berücksichtig. der mit dem Persischen verwandten Sprachen, namentl. des Sanskrit u. d. Slawischen, u. e. Anh. zum Uebersetzen, sowohl aus d. Deutschen ins Persische als auch aus d. Pers. ins Deutsche. Ein Lehrb. f. academ. Vorlesungen. gr. 8. (16 B.) Leipzig 831, Schumann.

—— Grammatik d. span. Sprache. Zum Schul- u. Privatgebr. 16. (8 B.) Stuttgart 836, [Liesching u. Comp.]

—— Handbuch f. Reisende in Schweden, enth. Schilderungen d. verschied. Provinzen u. deren Eigenheiten in geograph. u. ökonom. Hinsicht, nebst Beschreib. d. Kanäle, Städte, Gesundbrunnen, Bergwerke, Gruben, adel. Güter u. Merkwürdigkeiten, u. e. ausführl. Wegweiser. Nach d. besten Originalquellen bearb. 8. (28½ B.) Pforzheim 811. [Stuttgart, Scheible, Rieger u. Sattler.]

— die russischen Ostsee-Provinzen Kurland, Livland u. Esthland, nach ihren geograph. statist. u. übrigen Verhältnissen dargestellt. 1. Thl. A. u. d. T.: Statistik und Geographie des Gouvernements Kurland. gr. 8. Stuttgart 843, J. F. Steinkopf. 1½ ℛ

— dass. 2. Theil. A. u. d. T.: Statistik und Geographie des Gouvernements Esthland. gr. 8. Ebend. 846. 1½ ℛ

Possart, P. A. Das Leben des Fürsten Milosch und seine Kriege. (6½ B.) 8. M. 1 Karte. Stuttgart 1838. 3,75.

—— span. Lesebuch z. Schul- u. Privatgebr. 16. (17 B.) Stuttgart 839, [Liesching u. Comp.]

— praktischer Nothhelfer, auf Reisen in Deutschland, Frankreich, Italien und Griechenland, enthaltend die gebräuchl. Ausdrücke, mit denen man sich vor, bei und nach der Reise in genannte Länder bekannt zu machen hat. Mit Angabe der Aussprache im Neugriechischen und Italienischen. 12. München 834. Jaquet. ½ ℛ — 2e Aufl. 834. ⅚ ℛ

—— das Königr. Polen u. d. Freistaat Krakau, s. a. Hoffmann, K. F. W., Europa, 8. Bd. 3. Abthl.

Possart, P. A. F. K., Joseph **Lukaszewicz** und Adolph **Mulkowski**: Das Königreich Polen und der Freistaat Krakau. Stuttgart 1840. 192 S. 8°.

– (Hrsg.), s. Pope, Al.: Select works.

– Das Kaiserthum Rußland, s. Hoffmann, K. F. V.: Europa. 8. Bd. 2. Abt.

– s. Saint-Pièrre, Bernardin J. B. H. de: La chaumière Indienne.

– Das Königreich Schweden und Norwegen, s. a. Hoffmann, K. F. V.: Europa. 8. Bd. 1. Abt.

— die Königreiche Schweden und Norwegen, das Kaiserthum Rußland, das Königreich Polen u. der Freistaat Krakau. In 3 Abthll. I. Die Königr. Schweden u. Norwegen. gr. 8. Stuttgart 839. Literatur-Comptoir. 3⅜ ℛ — II. 1. 2. Das Kaiserthum Rußland. 1r Thl. Statistik. 2r Thl. Topographie. gr. 8. Ebd. 840. 7 ℛ — III. Das Königr. Polen u. d. Freistaat Krakau (v Possart, A. Mulkowsky u. Lukaszewicz). gr. 8. Ebd. 840. 1¼ ℛ Vgl. K. F. W. Hoffmann, Europa. 8r Bd.

—— das Fürstenth. Serbien, seine Bewohner, deren Sitten u. Gebräuche. I. Abthl. Historisches u. Geographisches. gr. 12. (12¼ B. u. Titvign.) Darmstadt 837, Leske.

—— dass. — 2. Abthl. — A. u. d. T.: Das Leben d. Fürsten Milosch u. seine Kriege. Nach serb. Originalquellen bearb. gr. 12. (6½ B., M's. Bildn. u. 1 Karte.) Stuttgart 838, Hallberger'sche Vrlsh.

—— der kleine Spanier, od. Samml. d. z. Sprechen nöthigsten Wörter u. Redensarten, span. u. deutsch, namentl. f. Auswanderer, u. z. Privatgebr. 16. (5½ B.) Stuttgart 838, [Liesching u. Comp.]

– (Hrsg.), s. Swift a tale of a tub ...

– (Hrsg.), s. Tasso, Torq.: Aminta ...

Possart, P. A. F. K.: Wegweiser für Fremde in St. Petersburg oder ausführliches Gemälde dieser Hauptstadt und ihrer Umgebung. Nebst Plan von St. Petersburg und 6 Ansichten von Hauptgebäuden und Plätzen in Stahl geätzt. Heidelberg 1842. 294 S. 8°.

—— Wegweiser für Fremde in St. Petersburg, oder ausführl. Gemälde dieser Hauptstadt u. ihrer Umgebung. Nebst Plan v. St. Petersburg u. 6 Ansi. von Hauptgebäuden u. Plätzen, in Stahl geätzt. gr. 12. (12⅔ B.) Heidelberg 842. [Frankfurt a. M., Jos. Baer.]

— Wegweiser für Fremde in St. Petersburg, oder ausführliches Gemälde dieser Hauptstadt u. ihrer Umgebung. Nebst Plan von St. Petersburg u. 6 Ansichten von Hauptgebäuden u. Plätzen, in Stahl geätzt. gr. 12. Heidelberg 842, Engelmann. (Leipzig, Barth.) 2 ℛ

Possart, Ph., die Reform des landwirthschaftlichen Vereinswesens. Vortrag gehalten im Verein der Landwirthe am 30. Novbr. 1868. gr. 8. (19 S.) Berlin 869, (Schroeder.) *

Possart, Ph., das Wollwasch-Verfahren, Vliesswäsche d. im Schmutz geschorenen Schafes auf dem Gute selbst. Mit e. Einleitg. üb. Wollwäsche u. Wollhandel. gr. 8. (20 S.) Berlin 872. Grieben in Comm. n.n. 1. 50

POSSE, Adolph: Maas- und Gewichts-Tafeln zur Vergleichung der Längen-, Land-, Holz- und Frucht-Maasse und Handelsgewichte deutscher Zollvereins- und angrenzender Länder, für Land- und Forstwirthe .... - Eisenach 1841. 18 S.

Posse, Ad., Maß- und Gewichts-Tafeln zur Vergleichung der Längen-, Land-, Holz- u. Frucht-Maße u. Handelsgewichte deutscher Zollvereins- u. angrenz. Länder für Land- u. Forstwirthe u. a. Techniker. — Zusammengestellt auf Veranlassung des landwirthschaftl. Vereins zu Eisenach. 16. Eisenach 841, Bärecke. n. ⅙ ℛ

Posse, Ad. Fel. Heinr., Abhandl. einiger vorzügl. Gegenstände d. deutschen Staats- u. Privatrechts. 1s u. 2s Heft. 8. Rost. 802—5. Stiller. 1 ℛ 10 gr.

Posse, Ad. Fel. Heinr.: Abhandlungen einiger vorzügl. Gegenstände d. deutschen Staats- u. Privatrechts. 2 Hfte. *Rostock*, Stiller. 802. 4. 8. (1 Thl. 10 Gr.)

— über d. Einwilligungsrecht deutscher Unterthanen in Landes-Veräußerungen. 8. Jena, Akadem. Buchhandl. 786.

— üb. das Einwilligungsrecht deutscher Unterthanen in Landes-Veräußerungen. 8. Jena 786. (Hennings in Neisse). 4 gl

Eb.: Die Erbfolge in Lehn- u. Stammgüter, ohne dem Unterschied zwischen Erbfolgerecht u. Erbfolgeordn.; e. nicht unwicht. Berichtig. d. *Böhmer* Lehre v. d. gesetzl. Erbfolge in Lehen. *Rost.*, Stiller. 800. 8. (5 Gr.)

— üb. Grundherrschaft u. Wahlcapitulation d. deutschen Domkapitel. gr. 8. Hannover 787. Helwing. 10 gl

Posse: Prüfung des Unterschieds zwischen Erbfolgerecht und Erbfolgeordnung in Hins. auf die neuesten reichsständischen Erbfolgestreitigkeiten nebst einer Entwickelung des Begriffs vom Stamm- und Fideicommißgut. Rostock u. Leipzig 1796.

Posse, (Adf. Fel. H.): Prüf. d. Unterschiedes zwischen Erbfolgerecht u. Erbfolgeordn., in Hins. auf d. neuesten reichsständ. Erbfolge-Streitigkk.; nebst e. Entwickel. d. Begriffs v. Stamm- u. Fideicommissgut. *Rost.* u. *Lpz.*, Stiller. 796. 8. (12 Gr.)

— Prüfung d. Unterschiedes zwischen Erbfolgerett u. Erbfolgeordnung in Hinsicht auf die neuesten reichsständ. Erbfolgestreitigkeiten. 8. Rostock 797. Stiller. 12 gl Schrbp. 14 gl

Posse, Ad. F. Heinr.: „Ueber die Rechte des deutschen Adels, in vorzüglicher Rücksicht auf die Eintellung derselben in persönliche und dingliche", Rostock und Leipzig 1802. — Vorh.: Bibl. des Kammergerichts Berlin — Ea. 95.

Posse, A. F. H.: Ueber die Rechtsbeständigkeit der Wahlcapitulation kathol. deutscher Fürsten, in Bezug auf die Landeshoheit im Weltlichen. *Gölting.*, Vandenhöck u. Ruprecht. 784. 4. (8 Gr.) — 2e umg. Aufl. u. d. T.:

— üb. die Rechtsbeständigkeit d. Wahlkapitulation. 4. Götting. 785. Vandenhöck u. R. 8 gl

Posse, Ad. Fel. Heinr.: Ueber die Sonderung reichsständ. Staats- und Privatverlassenschaft. *Göttingen*, Dieterich. 790. gr. 8. (14 Gr.)

Posse, Ad. Fel. Heinr.: Ueber das Staatseigenthum in den deutschen Reichslanden und das Staatsrepräsentationsrecht der deutschen Landstände. Rostock u. Leipzig 1794.

Posse, Ado. Fel. H.: Ueber d. Staatseigenth. in d. deutschen Reichslanden u. d. Staatsrepräsentationsrecht der deutschen Landstände. *Rost.* u. *Leipz.*, Stiller. 794. gr. 8. (18 Gr.)

Posse, Adf. Fel. H.: D. Succession d. Kinder in alte Lehne u. Stammgüter ist keine gemeinrechtl., sond. e. diesen Gütern eigenthüml. Erbfolge. *Rost.* u. *Lpz.*, Stiller. (805.) 806. 8. (12 Gr.)

— die Succession d. Kinder in alte Lehne u. Stammgüter. 8. Rostock ... 2e verb. Aufl. 806. Stiller. 12 gl

Posse, Adolph Felix Heinrich (Sondershausen(Schwarzburg)), De transmissione voti in comitiis S. R. I. competentis. Diss. Göttingen (J. H. Schulz) 6. IV. 1785. 48 S. (4.75) 27067

— — Dasselbe. Göttingen (J. H. Schulz) 6. IV. 1785. 48 S. (4.75) 27068
Widm. v.: Christ. Wilh. Mitscherlich.

— v. der Verbindlichkeit d. Vasallen zu Ehrendiensten. 8. Rost. 797. Stiller. 4 gl

— — (Rostock), Von der Verbindlichkeit der Vasallen zu Ehrendiensten, vorzüglich bey Vermählungsfeierlichkeiten. Rostock (Stiller) 1797. 24 S. (4.75) 27069

Posse, Adf. Fel. H.: Von d. Verbindlichk. d. Vasallen z. Ehrendiensten, vorzügl. bei Vermählungsfeyerlichkk. *Rost.*, Stiller. 798. gr. 4. (4 Gr.)

Posse, Hans, s. a. Gemäldegalerie, die, des Kaiser-Friedrich-Museums.

Kgl. Museen zu Berlin. Die Gemäldegalerie des Kaiser-Friedrich-Museums. Vollst. beschreibender Katalog mit Abb. sämtl. Gemälde. Im Auftrag d. Generalverwaltung d. Kgl. Museen bearb. von Hans Posse. Abt. 1. Berlin: Bard 1909. 4°

— s.: Gemälde-Galerie, die, der königl. Museen zu Berlin.

Posse Hans: Andrea Sacchi. Ein Beitrag zur Geschichte der römischen Malerei im 17. Jahrhundert. D: Erschien unter dem Titel „Der römische Maler Andrea Sacchi". (Forschungen des Kunsthist. Inst. in Florenz, Leipzig 1915).
1903 PN 1640 Diss. Wien, Univ. 1884

Posse, Otto, Analecta Vaticana. gr. 8. (X, 219 S.) Innsbruck 878, Wagner'sche Universitäts-Buchh. * 4 80

Posse, Otto, s.: Codex diplomaticus Saxoniae regiae.

— die Reinhardtsbrunner Geschichtsbücher, e. verlorene Quellenschrift. Zur Kritik der späteren thüring. Geschichtsschreibg. gr. 8. (63 S.) Leipzig 872. Duncker & Humblot. n. 1. 20

Handschriften-Konservirung. Nach den Verhandl. d. St. Galiener Internat. Konferenz z. Erhalt. u. Ausbesserung alter Handschriften v. 1898 sowie d. Dresdener Konferenz Deutscher Archivare v. 1898 bearb. von Dr. Otto Posse, Kgl. Sächs. Oberreg.R. Mit 4 photogr. Kupferdrucktaf. *Dresden: F. Hoffmann 1899.* (52 S.) 8° [illegible]

— **Handschriften-Konservirung.** Nach den Verhandlgn. der St. Gallener internationalen Konferenz zur Erhaltg. u. Ausbesserg. alter Handschriften von 1898, sowie der Dresdener Konferenz deutscher Archivare v. 1899 bearb. Mit 4 photograph. Kpfrdr.-Taf. gr. 8. (52 S.) Dresden 899. Verl. d. „Apollo" n. 2.—

Posse, O., die Hausgesetze der Wettiner bis zum J. 1486. Festgabe der Redaction d. Codex diplomaticus Saxoniae regiae zum 800jähr. Regierungs-Jubiläum d. Hauses Wettin. Mit 109 Taf. in Lichtdr., nach den photograph. Aufnahmen d. Verf. ausgeführt v. Stengel & Markert in Dresden. Fol. (VIII, 58 S.) Leipzig 889. Verlag der Literar. Gesellschaft, Nachf. geb. n. 160.—

— die Lehre v. den Privaturkunden. Mit 40 Taf., nach den photograph. Aufnahmen d. Verf. in Lichtdr. ausgeführt. gr. 4. (VIII, 242 S.) Leipzig 887. Veit & Co. cart. n. 36.—

Posse, Otto, die Markgrafen von Meissen und das Haus Wettin bis zu Konrad dem Grossen. gr. 8. (XV, 464 S. mit 4 Stammtaf. und 8 chromolithogr. Karten.) Leipzig 881, Giesecke und Devrient. *

Posse, Otto, die Siegel des Adels der Wettiner Lande bis zum J. 1500. Im Auftrage der königl. sächs. Staatsregierg. hrsg. I. Bd. Grafen v. Kaiernburg-Schwarzburg. — Vögte v. Weida, Plauen u. Gera. — Adel Buchstabe A, (VII, 65 S. m. 50 Taf.) gr. 4. Dresden 903. Verlag des Apollo. n. 20. —

— Die Siegel des Adels der Wettiner Lande bis zum J. 1500. Im Auftrage der kgl. sächs. Staatsregierg. hrsg. II. u. III. Bd. 32,5×24,5 cm. Dresden, W. Baensch. Subskr.-Pr. à 15.—; erh. Pr. à 25. —
II. Buchstaben B u. C. (IX, 128 S. m. 62 Taf.) 906.
III. Buchstaben D bis Hen. (IX, 141 S. m. 1 Karte u. 53 Taf.) 908.

— Die Siegel der deutschen Kaiser u. Könige von 751—1806. I. u. II. Bd. 38,5×30 cm. Ebd. 909. à 60.—
I. 751—1347. Von Pippin bis Ludwig den Bayern. (53 Taf. m. 37 S. Text.) 909.
II. 1347—1493. Von Karl IV. bis Friedrich III. Mittelalterliche Fälschgn. Landfriedenssiegel. (63 Taf. m. 29 S. Text.) 910.

— die Siegel der Wettiner bis 1324 u. der Landgrafen v. Thüringen bis 1247. Nach den photograph. Aufnahmen d. Herausgebers in Lichtdr. ausgeführt. Fol. (15 Taf. m. 20 S. Text.) Leipzig 888. Giesecke & Devrient. In Mappe. n.n. 24. —; geb. n.n. 30. —

Posse, Otto, die Siegel der Wettiner u. der Landgrafen v. Thüringen. 2. Thl. Die Siegel der Wettiner von 1324—1486 u. der Herzöge v. Sachsen-Wittenberg u. Kurfürsten v. Sachsen aus askan. Geschlecht, nebst e. Abhandlg. üb. Heraldik u. Sphragistik der Wettiner. Nach den photograph. Aufnahmen des Herausgebers in Lichtdr. ausgeführt. Fol. (18 Taf. m. X S. u. 74 Sp. Text.) Leipzig 893. Giesecke & Devrient. In Mappe. n.n. 40. —; geb. n.n. 47. 50 (kplt.: In Mappe n.n. 60. —; geb. n.n. 72. —)

— s.: Urkunden d. Markgrafen v. Meissen.

Posse, O., Urkunden der Markgrafen v. Meissen u. Landgrafen v. Thüringen 1100—1195, s.: Codex diplomaticus Saxoniae regiae.

— die Wettiner. Genealogie d. Gesammthauses Wettin Ernestin. u. Albertin. Linie m. Einschluss d. regier. Häuser v. Grossbritannien, Belgien, Portugal u. Bulgarien. Im Auftrage d. Gesammthauses hrsg. gr. 4. (XV, 136 S.) Leipzig 897. Giesecke & Devrient. n.n. 20. —

Posse, Wladimir [aus Nowgorod in Russl.]: Über Hysterie bei organischen Erkrankungen des Centralnervensystems ... Freiburg i. B., Univ.-Buchdr. v. Ch. Lehmann, 1894; 66 S., 1 Bl. 8.
Freiburg i. B., Med. Fak., Inaug.-Diss. v. 1894

Posehl, E. Ueber die Nothwendigkeit u. den Nutzen d. Elbe-Trave-Canals f. Lübeck. Vortrag, geh. am 9. März 1892 in der General-Versammlg. d. Lübecker Zweigvereins d. „Centralvereins zur Hebg. der deutschen Fluß-Canalschiffahrt". (21 S. u. 1 Karte der deutschen Wasserstraßen.) gr. 8. Lübeck 892, (Schmersahl). * — 50

Possehl's Kohlenhof in Hamburg-Altona. Hrsg. von L. Possehl & Co. Hamburg-A., 1897. 2 S. mit 11 Taf.

Possehl, Willi, a. Finkenthal: William Cowpers Stellung zur Religion. Gr.-Lichterfelde 1907: J. Unverdorben u. Co. (52 S.) 8°
Rostock, Phil. Fak., Ref. Lindner, Diss. v. 7. März 1907
[Geb. 13. Aug. 72 Finkenthal i. M.; Wohnort: Gr.-Lichterfelde; Staatsangeh.: Mecklenburg; Vorbildung: Realgymn. Schwerin Reife O. 94; Studium: Greifswald 3, Berlin 2, Rostock 2 S.; Rig. 4. März 07.]

Possehl, Willi: William Cowpers Stellung zur Religion. (Groß-Lichterfelde 1908: Unverdorben.) 52 S. 8°
Groß-Lichterfelde, OR OP 1908 (166) [S 08. 354

Possel, I., Epistolae et Evang. gr. lat. 8. Lps. Junius. (Gleditsch.) 718.

Posselii, Syntaxis graeca. Viteb. 602. 8. Lips. 692. 8. Ib. et Francof. 725. 8. 10 gr. Lips. 735. 8. 10 gr.

— Syntaxis graeca. 8. Lps. Groell. 735.

Poeßel, A., die Lehrerpersönlichkeit in der Erziehung, s.a. Abhandlungen, pädagogische.

Die Lehrerpersönlichkeit in der Erziehung. Von A. Poessel. *Bielefeld: A. Helmich [1901].* (14 S.) 8° [F.]
= Abhandlungen, Pädagogische. H. 54. [01. 5840

Pößel, P., Vater Goßner, s.: Für Feste u. Freunde der inneren Mission.

Pößel, Paul, der Gustav-Adolf-Verein e. Wegbereiter des Herrn. Festrede zum Gustav-Adolf-Feste des Zweigvereins der Ephorie Weißenfels, geh. in Leißling. (12 S.) 8 Weißenfels 904. M. Lehmstedt. n. — 25

Posseldt, die neue Gerichtsorganisation u. die neue Civil- u. Straf-Prozeßordnung. Gemeinfaßlich dargestellt. 2., durch einen Anh.: „Organisationsplan f. das königl. Land- u. Amts-Gericht Berlin I." verm. Aufl. 12. (180 S.) Berlin 879. Th. Hofmann. cart. n. 1. —

—— die preußische Vormundschafts-Ordnung im Geltungsbereiche des Allgemeinen Landrechts. Für den prakt. Gebrauch, namentl. der Vormünder, bearb. und mit Formularen versehen. 8. (XVI, 155 S.) Berlin 881, Kortkampf. cart. *

Posseldt, H.

— das preußische Gesinde-Recht im Geltungsbereiche d. Allgemeinen Landrechts, gemeinfaßlich dargestellt, an Beispielen erläutert u. durch eine Darstellung über die neue Verwaltungs- u. Gerichts-Organisation [Anlage I.] ergänzt. 8. (XII, 129 S.) Berlin 882. H. W. Müller. cart. n. 1. 50

Posseldt, H., das preußische Gesinde-Recht im Geltungsbereiche d. Allgemeinen Landrechts, gemeinfaßlich dargestellt, an Beispielen erläutert u. durch e. Darstellg. üb. die neue Verwaltungs- u. Gerichts-Organisation ergänzt. 2. Aufl. Bearb. v. C. Lindenberg. 8. (XVI, 128 S.) Berlin 886. H. W. Müller. cart. n. 1. 50

Posseldt, H., das preußische Gesinde-Recht im Geltungsbereiche d. Allgemeinen Landrechts, gemeinfaßlich dargestellt, an Beispielen erläutert u. durch e. Darstellg. üb. die neue Verwaltungs- u. Gerichts-Organisation ergänzt. 3. Aufl. Bearb. v. C. Lindenberg. 8. (XVI, 144 S.) Berlin 889. H. W. Müller. cart. n. 1. 50

Posseldt, H., das preußische Gesinde-Recht im Geltungsbereiche des allgemeinen Landrechts, gemeinfaßlich dargestellt u. an Beispielen erläutert. 4. Aufl. Bearb. v. C. Lindenberg. 8. (XII, 130 S.) Berlin 894. H. W. Müller. Kart. n. 1. 50

Posseldt, das preuß. Gesinderecht, 6. Aufl., s.: Lindenberg, C.

Posseldt, Vict., s.a. Lasset uns Gutes thun u. nicht müde werden!

[J.] Lasset uns Gutes thun und nicht müde werden! Festspiel z. Feier d. fünfundsiebzigjähr. Besteh. d. Civil-Waisenhauses zu Potsdam. Nebst mehreren die Gesch. des Civil-Waisenh. betr. Beil. Vf. v. e. ehemal. Zöglinge (Victor Posseldt) ... *Potsdam: E. Stein 1897.* (100 S.) 1 Bd 8. 95. 1921

Posseldt, Vict., quae Asiae minoris orae occidentalis sub Dareo, Hystaspis filio, fuerit conditio. Dissertatio inauguralis historica. gr. 8. (96 S.) Königsberg 879, (Hartung'sche Verlagsdruckerei.) 2 —

Posseldt, Vict., quae Asiae minoris orae occidentalis sub Dareo, Hystaspis filio, fuerit condicio. Dissertatio inauguralis historica. gr. 8. (96 S.) Königsberg 879. (Berlin, Mayer & Müller.) n. 1. 20

Posselius, J., familiarium colloquiorum libellus, graece et latine. 8. Bresl. 755. W. G. Korn. 10 gl

Posselt, ..., (Kirchenrath,) Beitr. z. prakt. Christenthum, in kurzen Betrachtt. üb. einzelne Gegenstände d. Religion, Moral u. Natur; herausgg. v. J. F. Christmann. 2 Thle. 8. Ludwigsburg 800, 801.

Posselt, ..., Beschreib. e. Friedens-Instruments, s. Abbildung.

Posselt, Versuche m. Methylviolett (Pyoctanin) bei Gonorrhoe. [Aus: „Annalen d. städt. allg. Krankenhäuser in München".] Lex.-8. (14 S.) München 893. J. F. Lehmann's Verl. n. 1. —

Posselt, Adf.: Die klinische Diagnose der Pulmonalarteriensklerose. s.a. Sammlung klinischer Vorträge.

Die klinische Diagnose der Pulmonalarteriensklerose von Privatd. Dr. Adolf **Posselt.** Leipzig: J. A. Barth 1908. (114 S.) 8° [Umschlagt.] = **Sammlung** klinischer Vorträge. N. F. No 504/507. 08. 1689

Posselt, Adf., der Echinococcus multilocularis in Tirol. [Aus: „Deutsches Archiv f. klin. Med."] gr. 8. (78 S. m. 1 Abb.) Leipzig 897. F. C. W. Vogel. n. 1. 50

Posselt, Adf., die geographische Verbreitg. des Blasenwurmleidens insbesondere des Alveolarechinococcus der Leber u. dessen Casuistik seit 1886. gr. 8. (334 S.) Stuttgart 900. F. Enke. n. 12. —

Posselt, C. H. F., romant. Erzähll. u. vermischte Gedichte. Nach seinem Tode gesammelt u. hrsgg. v. D. C. F. Kretschmar. 8. Chemnitz 824. Kretschmar. 1 ß 12 gl

[POSSELT, CHR. FR.], Für junge Christen aus gebildeten Familien zur Vorbereitung auf die erste Abendmahl. Zum Druck befördert nach dem Tode des Verfassers durch G[EORG] P[T.] PETERSEN. Altona. 1824. P.

Posselt, Chr. Heur. Wilh., de pleurae ossificatione. Dissert. med. 4maj. (5½ B. u. 1 Stnt.) Heidelbergae 839, (C. Winter.) *

Posselt, D. E. L., chronolog. Register der fränkischen Revolution; von Eröffnung der ersten Versammlung der Notablen, bis zur Einführung der Consular-Regierung, 22. Febr. 1787—15. Dec. 1799. Bedeutend verm. u. fortges. v. Carl Jochmus. 4. Bd. (Schluß.) gr. 8. (45 B.) Stuttgart 844, Cotta'sche Bh. 1—3. Bd. Ebendas. 1818—20. 7 Thlr. 25 Ngr.

Posselt, E., die österreichische Gewerbe-Ordnung, s.: Seltsam, F.

Posselt, Ernst Ludw., europ. Annalen f. die J. 1795 bis mit 1806. gr. 8. Tübingen, Cotta. (d. Jahrg. von 12 St. à 4 Rthlr. 8 gr.)

Posselt, E. L. Europäische Annalen f. d. J. 1795—1806. 12 Bd. 8. Tübingen 1796—1807. à 13,00. — Fortsetzung 1807—11. 5 Bd. 8. ib. 1808—12. à 13,00.

— — Forts. dess. s. Annalen, europ.

– s.a. Archiv für ältere und neuere Geschichte.

Posselt, Er. L. (Herausgeber): „Archiv für ältere und neuere, vorzüglich deutsche Geschichte, Staatsklugheit und Erdkunde" 2 Bände, Memming. 1791, 1792 (Seyler). 8°

Posselt, Er. Ldw., bellum populi Gallici adv. Hungar. et Boruss. reges 1792. 8maj. Götting. 793. Vandenhöck u. R. 12 gl

— comment., utrum ad vota communia, per quae fit discessio in partes etc. 8, maj. Francf. (Benj. Fleischer, Lips.) 783.

— comment., utrum ad vota communia, per quae fit discessio in partes etc. 8maj. Kehl 783. (Fr. Fleischer in Leipz.) 6 gl

– (Übers.), s. Condorcet de: Entwurf eines historischen Gemäldes ...

— Friedrich d. Große; e. Rede d. 17. Aug. 1787 gehalten. 8. Karlsr. 787.

Dr. Ernst Ludwig Posselt. De Virgilii Georgicis praefatus illustris Gymnasii anno MDLXXXVI. Durlaci instaurati nunc Carolsruhae florentis memoriam saecularem die XXI. Novembr. MDCCLXXXVI. hora antemerid. IX. in palatio Principis celebrandam nomine illustris Gymnasii indicit D. Ern. Ludov. Posselt Sereniss. Marchioni Badensi ab epistolis secretioribus iuris ac eloquentiae professor. P. O. Durlaci. Typis Müllerianis. 1786. 38 S. Karlsruhe, P 1786

Posselt, Dr. Ernst Ludwig. Geschichte der Teutschen für alle Stände. Fortgesetzt und bearbeitet von Carl Heinrich Ludwig Pölitz. (4 Bde.) 8. Leipzig 1789—1819.

— Gesch. der Deutschen, für alle Stände. 3 Bde. gr. 8. Lpz. Jacobäer. 789.

— Geschichte d. Deutschen, f. alle Stände. 4 Bde. (3r u. 4r Thl.) fortges. u. beendigt von K. H. L. Pölitz. gr. 8. Leipz. 789—805. Neue unveränd. Ausg. gr. 8. Ebd. 820, 21. Gnobloch. 6 ß 8 gl) 4r Bd. A. u. d. T.: Pölitz, die neuere u. neueste Geschichte der Deutschen, seit d. Westphälischen Frieden bis auf unsere Tage. 821. 3 ß) Vergl. Pölitz.

Posselt, Ernst Ludewig, Geschichte d. Deutschen f. alle Stände. 4r Band. Fortgesetzt v. Häller. gr. 8. Wien, Bauer. 813.

— Geschichte d. deutschen Fürstenvereine. gr. 8. Leipz. 787.

— Geschichte Gustavs III. 8. Karlsr. 792. (Körner in Frankf. a. M.) 1 ß 12 gl Schrbp. 2 ß 4 gl

— — Gustavs III. 8. Carlsr. Schneider. (Körner in Frankf.) 792.

Posselt, E. L. Geschichte Gustafs III., Königs der Schweden. (424) 8. Carlsruhe 1793. — 8. Strasburg 1793.

— Geschichte Karls XII. Königs v. Schweden, nach Voltaire. 8. Karlsr. 791. Schmieder. 1 ß 8 gl — Dass. 8. Marb. 804. Krieger. 1 ß

— — des Kriegs der Franken gegen die wider sie verbündeten Mächte. 1792. aus d. Latein. gr. 8. Regensb. Montag u. W. 793.

— — — dies. in e. and. Uebers. 8. Göttingen, Vandenhök. 793.

— — — ders. Jahrgang 1793. 1s Bdch. 8. Leipz. Jacobäer. 794.

Posselt, E. L. Geschichte des Krieges der Neufranken gegen den Kaiser, den König v. Preussen u. deren Bundesgenossen. 1792—94. 8. 1793—96.

— — des peinl. Processes gegen Ludwig XVI. 2 Thle. m. K. 8. Straßb. Akadem. Buchh. (Hinrichs in Leipz. in Commiss.) 793.

Posselt, Ernst Ludwig. Unparteyische, vollständige und actenmäsige Geschichte des peinlichen Prozesses gegen Ludwig XVI. König von Frankreich. Mit einem Kupfer [Tafel]. 2 Theile. 8. Basel 1793.

— unpartheiische, vollständ. u. aktenmäßige Geschichte d. peinl. Processes gegen Ludwig XVI. 2 Thle. Mit 1 Kpf. 8. Basel 793. (Hinrichs in Leipz.) 1 ₰ 12 gl

– (Hrsg.), s. Günderode, Hektor Wilhelm: Sämmtliche Werke ...

— Ewald Friedrich Graf von Herzberg. 8. Tübing. 797. b. Cotta. 14 gl

— Ewald Friedrich Graf von Herzberg. 8. Tübing. Cotta. 798.

— histoire de la guerre des Français contre la coalition de l'Europe. Tom. I. conten. 1790—93. gr. 8. Zwickau 808. Schumann 1 ₰ 16 gl

— üb. Mirabeau's hist. secrette de Berlin. 8. Karlsr. 790. Kummer. 10 gl

MIRABEAU. — Posselt, Dr. E. L., Ueber Mirabeau's Histoire secrète de la Cour de Berlin, aus authentischen Quellen. Mit Titelvign. Carlsruhe 1789. 8°. VIII Bll. u. 188 S. (4 Mk. 50 Pfg. E. Frensdorff, 1907.)

Posselt, Ern. Lud.: Historia Corporis Evangelicorum. [Gymn.-Festschrift.] Kehl 1784.

Posselt, Ernst Lud., Historia corporis evangelicorum. Kehl (J. G. Müller) 1784. 55 S. (4.75) 27070

— Hist. corporis evangelicor. 8. maj. Offenbach. Brede. 784.

Dr. Ernst Ludwig Posselt. Über teutsche Historiographie, eine Rede bey der Jubelfeier des Karlsruher akademischen Gymnasii den 21 November 1786 in Gegenwart des Hochfürstlichen Hauses gehalten von Dr. Ernst Ludwig Posselt, Markgräflich-Badischem würklichem Geheimen-Secretär, auch Professor des Rechts und der Beredsamkeit. Durlach bei J. G. Müller, älterem Hochf. Markg. Badischem Hof- und Canzlei-Buchdrucker. 1786. 22 S. Karlsruhe, P 1786

Posselt, Ernst Ludwig. Krieg der Franken gegen die wider sie verbündeten Mächte. Jahrgang 1792. Aus dem Lateinischen. 8. Frankfurt und Leipzig 1794.

— Krieg d. Franken gegen die wider sie verbündeten Mächte. 1r Bd. od. Jahrg. 1793. 8. Leipz. 794. (Aue in Alt.) 12 gl

— Dies. in e. andern Uebersetz. 8. Götting. 793. Vandenhöck u. R. 10 gl

— Lebensbeschreibung, s. Oehres Chronik.

— Lexicon d. Französ. Revolution. 1r Bd. gr. 8. Nürnb. 802. Bauer. (Enobloch in Leipz.) 1 ₰ — Die Fortsetzung s. Posselt: chronolog. Register.

— Lexikon der franz. Revolut. 1r Bd. gr. 8. Nrnb. Bauer. (Schmidtner.) 802.

— wissenschaftl. Magazin f. Aufklärung. 3 Bde à 6 Stcke. gr. 8. Leipz. 785—88. (Aue in Alt.) 6 ₰

— wissenschaftl. Magazin f. Aufklär. 3 Jahrg. zu 4 Stck. gr. 8. Lpz. Jacobäer. 786. (à 2 Rthlr.)

— — dass. 3ter Jahrgang in 6 Stück. gr. 8. Ebendas. 787.

— Marche et resultat de la guerre soutenue par la France contre la coalition depuis son commencement jusqu'à la paix Continentale. Du 20. Avril 1792 au 17. Oct. 1797. gr. Fol. Strassb. 798. König. 6 gl

Posselt, Ern. Lud.: Omnibus in caussis in partes eundi ius an civili prudentiae et publicae Germaniae saluti conveniat? Carolsruhae 1786.

– (Übers.), s. Ovidius Naso, Publius: Lieder der Liebe.

— Prozeß gegen den letzt. König v. Frankr. gr. 8. Nürnberg, Bauer. (Schmidmer.) 802.

— der Proceß gegen Ludwig XVI. König v. Frankreich. gr. 8. Nürnb. 802. (Campe). (Enobloch in Leipz.) 1 ₰ 12 gl

Posselt, Ern. Lud.: Epistola de optima studii iuris, antequam ad litterarum universitatis eatur, in gymnasiis academicis colendi ratione. Kehl 1784.

Posselt, E. L., Über die Reden grofser Männer in den Werken ihrer Geschichtschreiber. Kehl 786. 8. (39 S.)

— üb. die Reden großer Redner in d. Werken ihrer Geschichtschreiber. 8. Kehl 786.

— chronolog. Register d. fränkischen Revolution v. Eröffnung d. ersten Versamml. d. Notablen bis z. Einführung d. Consular-Regierung 22. Febr. 1787 bis 15. Dec. 1799, vermehrt u. fortges. von Karl Fr. Jochmus. 3 Bde. gr. 8. Tübing. 808—820. b. Cotta. 9 ₰ 20 gl

Posselt, Dr. E. L. Die Schlacht zu Hohenlinden in Baiern, i. J. 1800, den 3. Dez. Auch der Übergang über die Salza, Einzug in Salzburg vom 13. bis 14. Dez. o. O. 1801. 128 S.

— kleine Schriften. 8. Nürnb. 795. (Campe); (auch Enobloch in Leipz.) 16 gl

— kleine Schriften. 8. Nürnberg, Bauer. (Schmidmer.) 795.

— Staatsgeschichte Europa's, s. a. Staatsgeschichte.

Posselt, Dr. Ernst Ludw. Staats-Geschichte Europas. Als Taschenbuch. Mit Karten und Kupfern. (7 Bde. und 1 Bd. Tabellen.) 16. Tübingen 1805—1816.

Lj.: Systema jurium Corporis Evangel. *Strasb.*, akad. B. (*Leipzig*, Hinrichs.) 786. gr. 8. (12 Gr.)

— systema iurium cosporis evang. 8. maj. Strasb. Koenig. (Hinrichs in Lips. in Comm.) 786.

Posselt, E. L., Taschenbuch . . . s. u.: Taschenbuch f. d. neueste Geschichte . . .

— Taschenbuch f. die neueste Geschichte. 9 Jahrg. v. 1794—1803. mit Kupf. 8. Nürnberg, Bauer. (Schmidtmer.) (I. 18 gr. II. 1 Rthlr. III—IX à 1 Rthlr. 8 gr.)

— Taschenbuch f. die neueste Geschichte. 9 Jahrgg. v. 1794—1804. (letzteres v. einem andern Verf. vollendet). Mit Kpf. 8. Nürnb., (Winter). (Englboch in Leipz.) 11 Rthlr. 2 gr.

— dem Vaterlandstod d. vier hundert Bürger v. Pforzheim; e. Rede. 8. Karlsr. 788.

— neueste Weltkunde, s. Weltkunde.

Posselt, Er. Ldw., († d. 11. Juni 1804.) sämmtl. Werke mit Anmerkk. u. Zusätzen hrsgg. v. W. Weick. 1r—4r Thl. A. u. d. T.: Geschichte d. Deutschen f. alle Stände. 4 Thle. 12. Stuttg. 828. Brodhag 1 Rthlr. 12 gr. 5r u. 6r Thl. A. u. d. T.: Geschichte Karls XII. nach Voltaire. 1e u. 2e Abthl. Ebd. 828. 18 gr.

Dr. Ern. Ludov. Posselt. Praelectiones in illustri Gymnasio Carolsruhensi per semestre aestivum ann. MDCCLXXXX. habendas indicit Dr. Ern. Ludov. Posselt. Abh.: Über den Werth wissenschaftlicher Bildung. Mit dem Lektionsverzeichnis 12 S. Karlsruhe. P 1790

Posselt, Fr., Gedichte (vermischten Inh.). 8. (4 B.) Karlsruhe 829, (Groos.)

Posselt, Frz., s. Apodemik.

Der Silberschatz der Kirchen, Gilden und Zünfte in der Stadt Schleswig. Ein Beitrag zur Kunstgeschichte Schleswig-Holsteins v. Friedrich Posselt. Mit Originalzeichnungen v. Emil Terno. Schleswig. 1908. 8°

Posselt, F., der Silberschatz der Kirchen, Gilden u. Zünfte in der Stadt Schleswig. Ein Beitrag zur Kunstgeschichte Schleswig-Holsteins. Mit Orig.-Zeichngn. v. E. Terno. (VII, 47 S. m. 9 Taf.) gr. 8. Schleswig 908. J. Bergas Verl. 1.50

— **Gottfried** (Turch. / Lausitz), Biga quaestionum pneumaticarum, quae spectant ad recentiores controversias tam generaliores de spiritibus, quam specialiores de Dev. Präs. Caspar Julius Wunderlich. Wittenberg (Gerdes) 11. VII. 1714. (4.75) 27071

Posselt, Jh. Fr., Diss. analytica de functionibus quibusdam symmetricis. 4maj. Götting. 818. (Vandenhöck u. R.) 12 gr.

Posselt, Josef, aus Reichenberg, Böhmen: Untersuchungen über fettsaure Salze des Chroms. Zürich 1909. 57 S. 8°. [6. X. 09.]
Zürich. Univ. Phil. Diss. 11. 8. 1909/10.

Posselt, Josef. Untersuchungen über fettsaure Salze des Chroms. Diss. Phil. [II.] Univ. Zürich. 57 S. 8. Zürich — Druck von Gebrüder Stiepel, Reichenberg, Böhmen—1909.

Posselt, Josef M. (Hrsg.), s. Stenographen-Blatt, Wiener.

Posselt, Kaj.: Über Regelung der Lektüre bei Studierenden. 9 S.– B.Leipa, Progr. 1853.

POSSELT, Carl (München): Die chirurgische Abtheilung und Klinik des Hrn. Professor v. Rothmund im allgemeinen Krankenhause München 1.d.J. Etatsjahr 1860/61.- Berlin: Reimer 1863. 1 Bl., 64 S.
30.10.1861 - Urk (Titel: De clinica et statione chirurgica publici nosocomii Monacensis a 1860/61 dirigente Prof. de Rothmund.); F 70
Diss.Ingolst.-Landsh.-Mchn.

Posselt, Karl Fr., († d. 2. Dec. 1804.) Beitrr. z. Anatomie d. Insekten. 1s Heft. mit Kpf. gr. 4. Tübing. 803. v. Cotta. 1 Rthlr. 4 gr.

— Diss. inaug. Tentamina circa anatomiam forficulae.

— üb. d. grönländ. Wallfischfang, herausg. v. A. Niemann. 8. Kiel 796. (Kaven in Altona). 3 gr.

Posselt, L., die analytische Chemie tabellarisch dargestellt. Fol. ($14\frac{1}{2}$ B.) Heidelberg 846. C. F. Winter. *

Posselt, L., tabellarische Uebersicht d. qualitativen chemischen Analyse. Zum Gebrauche bei dem prakt. Arbeiten im Laboratorium. In 3 Taf. qu. 8. Heidelb. 845, C. F. Winter. 1/4 Rthlr.

Posselt's, Louis, Kreuz- und Querzüge durch Mexiko und die Vereinigten Staaten von Nord-Amerika. Nach Tagebuchaufzeichnungen bearb. von Felix Maurer. gr. 8. (IX, 253 S.) Heidelberg 882, C. Winter's Universitäts-Buchh. *
geb. *

Posselt's, L., Kreuz- u. Querzüge durch Mexiko u. die Vereinigten Staaten v. Nord-Amerika. Nach Tagebuchaufzeichngn. bearb. v. F. Maurer. 2. (Titel-)Ausg. 8. (IX, 253 S.) Heidelberg 888. C. Winter. n. 2. —;
geb. n. 3. —

Posselt, M., Handbuch d. Geschichte d. Philosophie. 1. Abthl. gr. 8. ($13\frac{1}{2}$ B.) Dorpat 839. [Moskau, Severin's Vrlsb.] *

Actenmassiger Bericht über die Receptionen der Schleswig Holsteinischen Ritterschaft mit Anlagen A und B v. [Marcus] Posselt. Itzehoe, 22. April 1898. 8°.

Denkschrift für die Besitzer der Schleswig-Holsteinischen adeligen Güter, betr. die Grundsteuer-Entschädigung. Der fortwährenden Deputation der Schleswig-Holsteinischen Prälaten und Ritterschaft überreicht v. [Marcus] Posselt. Itzehoe. 1877. Fol.

Betrifft das Indigenat der in die Schleswig-Holsteinischen Klöster Aufzunehmenden. Von [Marcus] Posselt. Itzehoe, den 19. Dec. 1884. Fol. Hektographiert. Bei desselben: Denkschrift etc. Itzehoe. 1877. Fol.

Die Schleswig-Holsteinischen Klöster nach der Reformation. Den Herren Prälaten vorgelegt v. [Marcus] Posselt. [Itzehoe. 1894.] 8°

Betrifft die Verzögerung der Grundsteuer-Entschädigung der adeligen Güter und Klöster. Von [Marcus] Posselt. Itzehoe, den 8. Sept. 1885. Fol. Bei desselben: Denkschrift etc. Itzehoe. 1877. Fol.

Posselt, Max, aus Dittelsdorf: Das Seelenleben des Weisen nach späteren Stoikern. *Erlangen 1899: F. Junge.* (99 S.) 8°
Erlangen, Phil. Diss. v. 20. Juli 1899

Posselt, Mor. E., Peter der Große u. Leibnitz. gr. 8. Dorpat u. Moscau 843, Severin. 1 1/2 ₰

Posselt, Moritz [aus Itzehoe in Holstein]: Beiträge zur Kenntniss der Oxychinolinsulfonsäuren und einiger ihrer Derivate. . . . Freiburg i. B., Buchdr. v. Chr. Ströcker, 1889; 63 + 1 S. 8°
Freiburg i. B., Phil. Fak., Inaug.-Diss. v. 1889

Posselt, Mor., der General u. Admiral Franz Lefort. Sein Leben u. seine Zeit. Ein Beitrag zur Geschichte Peter's des Grossen. 2 Bde. Frankfurt a. M. 866. J. Baer, Sotheran & Co. Lex.-8. (XLV, 1186 S. mit 2 chromolith. Portr., 4 lith. Abbild., wovon 1 in Buntdr. u. 2 lith. Facs.) n. 6 ₰ 20 ngr.

Posselt, Sam. Val.: Diss. phys. de Causis lucis borealis ..., s. Cilano, Georg Chrn. Mat. von (Präs.)

Posselt, Wenzel, der Verfasser der Eliu-Reden (Iob Kap. 32–37), s.a. Studien, biblische. XIV, 3.

Der Verfasser der Eliu-Reden (Job, Kap. 32-37). Eine krit. Untersuchung von Dr. Wenzel Posselt. Freiburg im Br.: Herder 1909. XI, 111 S. 8°
(Biblische Studien. Bd. 14, H. 3.)

Posselt, Wilhelm, der Kaffernmissionär. Ein Lebensbild aus der südafrikan. Mission, v. dem Missionar selbst beschrieben u. nach seinen Jahresberichten ergänzt, fortgeführt u. hrsg. v. E. Pfister u. Wangemann. 8. (IV, 227 S. m. Bildern.) Berlin 888. [Wohlgemuth.] Buchhandlung der Berliner evangel. Missionsgesellschaft. n. 2. 25; geb. in Callico n. 3. —; in Halbfrz. n. 3. 40

Posselt, Wilhelm, der Kaffernmissionär. Ein Lebensbild aus der südafrikan. Mission, v. dem Missionar selbst beschrieben u. nach seinen Jahresberichten ergänzt, fortgeführt u. hrsg. v. E. Pfister u. Wangemann. 2. Aufl. 8. (210 S. m. 20 Bildern.) Berlin 891. Buchh. der Berliner evangel. Missionsgesellschaft. n. 1. 75; geb. in Leinw. n. 2. 25

[F.] Wilhelm Posselt, der Kaffern-Missionar. E. Lebensbild aus d. südafrikan. Miss., v. d. Missionar selbst beschrieben u. nach s. Berichten ergänzt, fortgeführt u. hrsg. v. E[mil] Pfitzner, Konsistorialr. in Stolberg a. H., u. D. [Theodor] Wangemann, weil. Missionsdir. in Berlin. M. zahlr. Abb. 3. Aufl. (Hrsg.: [Alexander] Merensky.) *Berlin: Buchh. d. Berl. ev. Missionsges. [1895].* (208 S.) 1 Bd 8. [illegible]

Wilhelm Posselt, der Kaffern-Missionar. Ein Lebensbild aus d. südafrik. Mission, von d. Missionar selbst beschrieben u. nach s. Jahresberichten erg. u. fortgeführt. Hrsg. von E[mil] Pfitzner, Konsist.R., u. weil. D. [Theodor] Wangemann in Berlin. Mit 20 Abb. 4. Aufl. Berlin: Evang. Missionsgesellsch. [1905]. (209 S.) 8° [F.] [07. 5553]

Posselt, Wilhelm Heinrich

Posselt, Wlh. Hnr., († 1803.) üb. Voigt- u. Rügengerüchte in allgem. Hinsicht auf die jetzigen Zeitumstände rc. 8. Leipz. 801. Leo. 18 gr

Posselt, Wlh. Hnr., Nachtrag zu seiner Abhandl. üb. Voigt- u. Rügegerichte. 8. Leipz. 801. Leo. 3 gr

Posselt-Csorich, A., Sebastian Perfeller, der Einsiedler von Fürth. Ein Lebensbild aus dem Pinzgau. 8. (32 S.) Salzburg 879, (Dieter.) * — 60
Aus: Salzburger Zeitung, besonders abgedruckt.

Posselt-Csorich, Ant. v., Normal-Erlässe der k. k. Statthalterei f. Tirol u. Vorarlberg, betr. das Wasserrecht u. die Wasserverwaltung. (XXV, 297 S.) gr. 8. Innsbruck 910. Wagner. 7. —

Possoltus, G., Biga quaestionum pneumaticarum, quae spectant ad recentiores controversias tam generaliores de spirit quam speciatiores de deo. 7 l. Vitemb. 4°.
1714

Possen. Simplicitas miserabilis-Iuvenalis. Im Taschenformate. Wird gratis ausgegeben. Leipzig 1754. V: *Schoenaich, Christoph Otto Frhr. von.* (EB) S. a. III, 9378.

Possen, Calumniator Miserabilior, Experientia im Taschenformate. Vierte Aufl. . . . Berlin u. Frankf. 1760. V: *Schönaich, Christoph Otto Freih. v.* (Waniek, Gottsched. Leipz. 1897. S. 596.) Dagegen: (Ladendorf, Schönaich. Leipz. 1897. S. 62.)

POSSEN. (Freie Gedichte.) Frankfurt, Hechtel, 1767. 8°. 16 S. (1 Mk., etwas beschäd., Lehmann & Lutz, Frf. a. M., 1884.) Selten!

POSSEN, oder Sammlung lustiger (frivoler) Erzählungen. Kassel, Griesbach, 1800. 8°. Sehr rar!

Possen, od. Samml. lustiger Erzähll. 8. Cassel 800. (Luckhardt); (a. Joachim in Leipz.) 16 gr

Possen; eine Samml. lustiger Erzählungen. 8. Cassel 800. (Luckhardt). 16 gr

Possen; die Zeit beachtend. Seitenst. zu Flußgott Niemen. 8. Leipz. 814. Joachim. 3 gr

§ POSSEN, Anakreontische. Gestohlen von *X.* (Freie Gedichte.) Mit Titelvignette (oben in einer Bandschrift als Motto „Variatio delectat", gestoch. von Philippin, geborne Sysangin) u. vielen Vignetten. Franckfurt (Lübeck in Bayreuth), 1761. 8°. Titel u. 62 S. (In München ex bibl. erot. Krenneriana.) Selten! (4 Mk. 50 Pfg. G. Priewe, Heringsdorf, c. 1898.)

— anakreontische. 8. Bayreuth 781. Lübecks Erb. 3 gr

Possen, Dramatische, für gesellige Vereine. Von einem Freunde derselben. Freiburg i. Br. 1883. V: *Weickum, Carl.* (Kat. Herder 1801—95.)

Possen, dramatische, f. gesellige Vereine. Von e. Freunde derselben. 8. (VII, 118 S. m. 1 Musikbeilage v. J. Schweitzer.) Freiburg i/Br. 883. Herder. n. 1. 40; Musikbeilage ap. n. — 30

Possen und Lustspiele für die deutsche Bühne, meine Stiefkinder, v. H. L. Ritter. 1s Bändchen. 8. Coblenz, Hölscher. 818.

Possen, seltsame, des Till Eulenspiegel, s.: Richter's illustr. Jugend- u. Volksbücher.

Possen im Taschenformate. Frankfurt 1754. V: *Schönaich, Christoph Otto Freih. von.* (LESS 72)

— im Taschenformat. 12. Leipz. 761. Junius. (Knobloch). 3 gr

POSSEN-Blödsinn, Der höhere Berliner. Witz-Blumenlese aus neuen und alten Possen. Herausgegeben von Kalauer und Meidinger, Possen-Enthusiasten. Berlin, o. J. (c. 186*). 8°. IV u. 115 S. (1 Mk. 50 Pfg. E. Frensdorff.)
Mit (zahmen) Beiträgen v. L. Angely, Castelli, Cohnfeld, Dohm, Th. Gaßmann, C. A. Görner, C. Helmerding, A. Hopf, E. Jacobson, C. v. Holtei, D. Kalisch, A. v. Kotzebue, Rob. Linderer, F. Raimund, H. Salingré, Louis Schneider u. A.

Possen-Blödsinn, der höhere Berliner. Witz-Blumenlese aus neuen u. alten Possen. Herausg. von Kalauer u. Meidinger, Possen-Enthusiasten. Berlin 864. Lassar. 8. (X, 115 S.) 10 ngr.

Possenhofen, Walter

Possenhofen, Walt., Universal-Kosten-Tabelle zur Berechnung u. Nachprüfung v. Gebühren der Rechtsanwälte u. Notare, Gerichtskosten u. Stempelsteuer. Unter Berücksicht. der betr. Gesetze erläutert u. zusammengestellt. (61 S.) Lex.-8. Dortmund 906. Sekretär Possenhofen. n. 2. —

Possenreich, Jak. Hil., Bosco's enthülltes u. aufgeschloss. Zauberkabinet rc. 2., stark verb. u. verm. Aufl. 16. (...) Kaschau 836. [Pesth, Heckenast.]

Possenreich, Jukund. Hilar., (psdn.) Scharfblicke in d. Gebiet d. natürl. Magie, od. Bosko's aufgeschlossenes Zauberkabinet. Nebst einigen damit verbund. Original-Anekdoten. 12. Halberst. 830. Brüggemann. 10 gr.

Possenreich, Jukund. Hilar., Scharfblicke in d. Gebiet d. Magie, od. Bosco's aufgeschlossenes Zauberkabinet. Nebst einigen damit verbund. Orig.-Anekdoten rc. 16. . . . Pesth 830, [Heckenast.]

Possenreich, Jukundus Hil., Bosco's enthülltes und aufgeschlossenes Zauberkabinet, oder Scharfblicke in das Gebiet der natürlichen Magie. Erklärung der geheimnißvollsten Kunststücke aller berühmten Taschenspieler, und deutliche Anweisung neue, höchst überraschende physikalische, mechanische u. Kartenkunststücke auf eine leichte Art selbst auszuführen. 2e stark verb. u. verm. Aufl. 16. Kaschau 836. Heckenast in Pesth. 1/4 rℓ

Possen-Reißer, der, od. Couplets, Lieder, drollige Erzählgn. u. laun. Declamationen. 16. (72 S.) Mügeln 873. (Leipzig, G. Senf.) — 50

POSSENREISSER, Der, giebt Mittel an die Hand, alle Grillen zu verscheuchen. O. O. u. J. (c. 1780). 8°. 4 Bll. (3 Mk. O. Rauthe, 1908:)
„Erotisch u. drastisch."

Possenreisser, Die, der drey Nationen auf dem Carneval von München. O. O. u. J. 8°. Aeusserst selten!

Possenreißer, der Witzbold ohne Gleichen, s.: Fröhlich, Ottok.

POSSENREISSER, Hans (ps.), Fort mit Schaden! Humoristische und witzige Recepte zum Vertreiben der Langweile etc. 1866.
Weller, Lex. Ps. p. 457.

Possenspiele, v. Hans Helldunkel, (Fr. Laun.) (enth. I. d. Schicksal, Marionetten-Trauerspiel. II. die Namensvetter. Lustsp. III. d. Hrn. v. Wallfisch. Lustsp.) 8. Lpz. Tauchnitz. 808.

Possenspiele von Hans Helldunkel. Leipzig 1811. V: *Schulze, Friedrich August.* (MGT)

Possen- und Marionettenspiele, zur Erheiterung in trüben Stunden, von Jul. v. Voß. 8. Berl. Schüppel. 816.

Jüdisches Possen-Theater. Deklamationen und Parodien in jüdischer Mundart. Berlin: E. Bloch (1898). (44 S.) 8°
(Spezialitäten-Theater. No 7.)

Possessio im Geiste und Sinne der Pandekten. Krakau 1879. V: *Rogalski, Bruno.* (EB)

Possessor, Bonae fidei, fructus suos facit. Auszug aus dem Werke von Prof. N. Kremlow: Separation als Eigenthumserwerbsart des gutgläubigen Besitzers. Berlin 1894. V: *Nikonov, Sergej Pavlovic.* (Berl 1904, S. 128)

Posset, Leonh., gerichtliche Entscheidungen in Wechsel- u. Mercantilsachen nach dem bayerischen Wechsel- u. Mercantilrechte u. Processe u. der augsburger Wechselordnung. Aus den Akten des k. Wechsel- u. Mercantilgerichts München gesammelt. gr. 8. (32 B.) München 844, Franz.

Possevin, S. J., ausgew. pädagog. Schriften, s.: Perpiñá.

Possevin, Anton. Livoniae Commentarius Gregorio XIII. P. M. scriptus . . . Rigae 1852. H: *Napiersky, Carl Eduard v.* (R-N)

Possevinus, Ant., Livoniae commentarius, Gregorio XIII. P. M. scriptus, nunc primum editus e codice bibliothecae Vaticanae, addito prooemio et adspersis nonnullis annotationibus. Accedunt: Ejusdem litterae ad nominatum episcopum Vendensem, abbatem Trzemesnensem, et regis Stephani Bathorei instructio, Geo. Radzivilio, totius Livoniae praefecto, ad provinciae hujus regimen data etc. Riga 852. (Leipzig, Gerhard.) gr. 4. (XIV, 37 S.) n. 20 ngr.

Possevinus, Ant., Livoniae commentarius, Gregorio XIII. P. M. scriptus, nunc primum editus e codice bibliothecae vaticanae, addito prooemio et adspersis nonnullis annotationibus. Accedunt: Ejusdem litterae ad nominatum episcopum Vendensem, abbatem Trzemesnensem, et regis Stephani Bathorei instructio, Geo. Radzivilio, totius Livoniae praefecto, ad provinciae hujus regimen data etc. gr. 4. (XIV und 37 S.) Riga 852(59.) (Leipzig, Gerhard.) *

Possick, geistr. Gebetbuch. gr. 8. Prag, Schönfeld. 786.

Possinus, P. — S. Jesu. Leben der seligen Martyrer Ignatius de Azevedo und seiner 39 Gefährten aus der Gesellschaft Jesu. Nach dem Lateinischen des — —. Preßburg, 1855. Druck und Verlag von Alois Schreiber. (120 S. 8) (Geb. in Oporto 1527, getödtet am 15. Juli 1570.)

Pössl, Frz. Josef, s.a. Pösel

Pößl, Frz. Jos., († 1807 od. 1808.) prakt. Bienenkatechismus f. d. Landmann. Mit 2 Kpf. 8. Münch. 787. Lentner. 4 gr. Mit n. Tit. 810. Fleischmann. 8 gr.

— die Bienenzucht, od. gründl. u. überaus lehrreiche Art, wie man in kurzer Zeit die ganze Behandl. d. Bienen erlernen u. mit geringen Kosten die reichlichsten Wachs- u. Honig-Ernten erlangen kann rc. Mit 3 Kpf. 8. Münch. 807. 2e verb. Aufl. 810. Fleischmann. 8 gr.

—gründl. u. vollständ. Unterricht in d. Wald= u. Garten=Bienenzucht. Mit Kpf. 8. Münch. 784. (Fleischmann). 20 gr.

— Unterr. in d. Wald= und Garten= Bienenzucht. m. K. 8. München, Strobl. (Fleischmann.) (Gräff in Leipzig.) 784.

Poessl's, Max, neuester Führer durch München, zu Ausflügen m. der Isarthalbahn, zu Ausflügen an den Starnberger See. 5., verm. u. verb. Aufl. 12. (XXI, 56 S. m. Abb., 1 Plan u. 2 illustr. Tab.) München 895. Münchner Handelsdruckerei & Verlagsanstalt M. Poessl. — 50

PÖSSL, W.: Derbholzgehalte geschichteter Hölzer nebst Schlüssel zur Reducirung der Raum- auf Festmetermaße nach in den hochfürstlich Johann von und zu Liechtenstein'schen Forsten ermittelten Reductionszahlen. Erhoben und berechnet durch die fürstliche Wäldermappierung in Mährisch-Aussee. - Wien, Olmütz 1876. 56 S.

Pössl, Wilh., Holz-Kubirungs-Tafeln nach Metermass. gr. 8. (125 S.) Wien 876. Hölzel. n. 2. —

— dasselbe. 2. verm. Aufl. gr. 16. (VIII, 133 S.) Ebend. 876. geb. n. 3. —

PÖSSL, Wilh.: Holz-Kubirungs-Tafeln nach Metermaß. - Wien, Olmütz 1876. 125 S.

Pössl, Wilh., Tafeln zur sicheren Schätzung des Holzgehaltes stehender Waldbäume nach Metermaas nebst Tafel der 1—9fachen Kreisflächenzahlen für Decimal-Durchmesser 1—120. gr. 16. (VIII, 240 S.) Wien 874, Hölzel. geb. *

Pössneck-Arnstadt [Schlagwort]

Pössneck-Arnstadt, s.: Thüringen. Mittelbach.

Pössnecker, W., die einheitliche Ursache aller Kräfte-Erscheinungen im Universum. Nachgewiesen an den uns bekannten Naturerscheinungen und Gesetzen. Lex.-8. (VII und 88 S.) München 863, Gummi.

Poessnecker, W., die Welt als unsere Erscheinungswelt u. unsere Gedankenwelt. Die Bewegg. des Sauerstoffs. gr. 8. (VI, 200 S.) Berlin 886. Fischer's medicin. Buchh. n. 4. —

Poßner, Katechisation am Geburtstage d. Königs v. Sachsen, 8. ... Neustadt a. d. O. (832), Wagner.

Poßner, Adolf

Poßner, Ad., im Vorhof. Ein Jahrgang alttestamentl. Predigten über die v. der Eisenacher Konferenz deutscher evangel. Kirchenregiergn. festgestellten Perikopen. (XV, 448 S.) 8. Halle 906. E. Strien. n. 5. —; geb. in Leinw. n. 6. —

Possner, Ed. Wilh., vier Fragen der Zeit über Materie und Geist, Sünde, Krankheit und Heilung, so wie über die gegenwärtige Weltstellung. Mit besond. Rücksicht auf Gemüthskrankheiten beantwortet. Gleichzeitig Bericht und Rechenschaftsbericht von 1851 bis ultimo 1858 über das Vereins-Asyl für mittellose Gemüths- und Nervenkranke aus den gebildeten Ständen zu Schloß Steinbeck. gr. 8. (IV und 135 S.) Berlin 859, (W. Schultze.) *

Poßner, Ed. Wilh., Skizze über Nerven- u. Krampf-Krankheiten in ihren Einflüssen auf das gewöhnliche Leben. Gleichzeitig 4. Bericht über das a. 51 zu Berlin gegründete, a. 56 nach Schloß Steinbeck bei Freienwalde a. d. O. übersiedelte Asyl für unbemittelte Nerven- u. Krampfkranke aus den gebildeten Ständen von 1859 bis Ende März 1865. Berlin 865. (E. Beck.) gr. 8. (48 S.) n. 7½ ngr.

Possner, Paul [app. Arzt aus Zeitz '(Pr. Sachsen)']: Über die physikalischen Erfolge der Heissluft-Atmung ... Würzburg, Becker's Univ.-Buchdr., 1893; 19 S. 8.
Würzburg, Med. Fak., Inaug.-Diss. v. 1893

Post: Die Post
③ Aargauer Volks-Bote ④ Aargauer Volks-Bote ⑤ 3. 1. 1841—22. 8. 1841 ⑦ wöchentlich 2× ⑧ Zurzach: Birrcher & Cie. ⑩ der Drucker ⑪ freisinnige Dichter-Politiker ⑫ freisinnig.

Post, die. Fachorgan für das österreichisch-ungarische Post- und Telegraphenwesen und dessen Beziehungen zu Communicationen und Eisenbahnen, Handel, Industrie, Finanz- und Volkswirthschaft. [Organ des Vereins der Postmeister Böhmens" und des gesammten postalischen Vereinswesens.] Hrsgbr.: Joh. Kiebeck. Redact.: Geo. Schmidt. 12.—15. Jahrg. 1875—1878. à Jahrg. 52 Nrn. (Bog.) Fol. Wien, Administration. à Jahrg. *

Post, die. Fachorgan f. das österreichisch-ungarische Post- u. Telegraphenwesen u. dessen Beziehungen zu Communicationen u. Eisenbahnen, Handel, Industrie, Finanz- u. Volkswirthschaft. [Organ d. „Vereins der Postmeister Böhmens" u. d. gesammten postal. Vereinswesens.] Hrsg.: Joh. Kiebeck. Red.: Geo Schmid u. Math. Kisch. 16—19. Jahrg. 1879—1882. à 52 Nrn. (B.) Fol. Wien. (Steckler.) à Jahrg. n. 12. —

—— dass. — Hrsgbr.: Joh. Kiebeck. Redact.: Ed. Heinr. Matzenauer. 20. Jahrg. 1883. 52 Nrn. (Bog.) Fol. (Ebendas.) *

—— dass. — Hrsgbr.: Joh. Kiebeck. Redact.: Frz. de Linz. 21. Jahrg. 1884. 52 Nrn. (Bog.) Fol. (Ebendas.) *

Post, die. Fachorgan für das österreichisch-ungarische Post- und Telegraphenwesen und dessen Beziehungen zu Communicationen und Eisenbahnen, Handel, Industrie, Finanz- und Volkswirthschaft. [Organ des Vereins der Postmeister Böhmens ꝛc., sowie des gesammten postal. Vereinswesens.] Hrsgbr.: Joh. Kiebeck. Redact.: Frz. de Linz. 22. Jahrg. 1885. 52 Nrn. (Bog.) Fol. Wien, (Edm. Schmid.) *

Post. – Die Post. –
Berlin. – 1.VIII.1866 – 30.VI.1921.

— die. Wochenblatt f. Gabelsberger Stenographen. Hrsg. u. Red.: Otto Autenrieth. 1. Jahrg. 1877/78. 52 Nrn. (autogr. B.) gr. 4. Kassel. Hühn. n. 8. —

Die Post : 1888 ? Atlanta, GA
Jacst reports this paper as a daily in 1888, no further information.

Die Post : 1892 - -1896
Democratic weekly. Edited by Louis A. Meyer, 1892--94; by C. W. Determann, 1895--96; published by Post Printing & Publishing Co., 1892 -96.
Vincennes, IN

Die Post : 1893 - 1896 Chicago, IL
Independent weekly. Edited & published by Frank Lehmann.

Post, die. Universal-Anzeiger f. Briefmarken-Sammler. Zugleich illustr. Nachtrags-Blatt zum Universal-Briefmarken-Album. 1. Jahrg. 1894. 24 Nrn. (à ca. 1 Bog.) 4. Leipzig, Vereinigte Dampfbuchbindereien, Baumbach & Co. n. 3. 75; ohne Nachtragsblatt — 75

Post, die. Universal-Anzeiger f. Briefmarken-Sammler. Zugleich illustr. Nachtrags-Blatt zum Universal-Briefmarken-Album. 2. Jahrg. 1895. 24 Nrn. (à ca. 10 S.) 4. Leipzig, Verlag d. Univers.-Briefm.-Album F. Reinboth. — 75

— dasselbe. 3.—5. Jahrg. 1896—1898. à 24 Nrn. (à ca. 2 Bog). 4. Ebd. à Jahrg. n. 4. —; ohne Nachtragsbl. 1. —

Post, die. Universal-Anzeiger f. Briefmarken-Sammler. Zugleich illustr. Nachtrags-Blatt zum Universal-Briefmarken-Album. Red.: Paul Lietzow. 6.—9. Jahrg. 1899—1902. à 12 Nrn. 4. (à Jahrg. ca. 384 S.) Leipzig, Verlag des Universal-Briefmarken-Albums.
à Jahrg. n. 4. — ; ohne Nachtragsblatt 1. — ; Nachtragsblatt allein n. 3. —

Post, die. Universal-Anzeiger f. Briefmarken-Sammler. Zugleich illustr. Nachtrags-Blatt zum Universal-Briefmarken-Album. Red.: Paul Lietzow. 10. Jahrg. 1903. 12 Nrn. (à ca. 16 u. 32 S.) 4. Leipzig, Leipziger Export- u. Verlagsgesellschaft. n. 4. —; Nachtragsbl. allein n. 3. —

— dasselbe. 11. u. 12. Jahrg. 1904 u. 1905. à 12 Nrn. (à ca. 16 u. 24 S.) 4. Ebd. à Jhrg. 1. 25
Das Nachtragsblatt erscheint nicht mehr.

— dasselbe. Red.: Arth. Wülbern. 13. Jahrg. 1906. 12 Nrn. (à ca. 16 u. 32 S.) 4. Ebd. n. 1. 50

Post, die. Universal-Anzeiger f. Briefmarken-Sammler. Red.: Arth. Wülbern. 14.—17. Jahrg. 1907—1910. à 12 Nrn. (à Jahrg. IV, 192 S.) gr. 8. Bischweiler, Verlag v. „Die Post". à Jahrg. 1. 50
Die Jahrgge. 14—17 erschienen noch in Leipzig.

Die Post: Jahrgang 1–2, whole no. 1–104, Jan. 23, 1896–Feb. 5, 1898
Weekly. Sub-title: Organ der Kolonie. Llanquihue' Wochenblatt. Edited by Juan Leyderup, Jan. 23, 1896–Apr. 10, 1897, then by B. Ellwanger. „Abschiedswort" published in no. 104.
Puerto Monti

Die Post: 1897?–1905?
Weekly. For Sunday edition, see DIE SONNTAGS-POST. Circulation: 1900, 1200.
Peoria, IL

Die Post: June 6, 1899–1903? Bowling Green OH
Weekly.

Die Post: 1900? Edwardsville, IL
Non-political weekly. Published by Edwardsville Post Co.

Post. – A a c h e n e r Post. –
1.XII.1890 – 31.XII.1935.

Aargauer Post
① Neue aargauische Zeitung. Hauptanzeigeblatt vom Suhren- und Ruedertal
③ Anzeiger von Schöftland ④ Aargauer Volksfreund ⑤ 1910—1. 10. 1918 ⑦ wöchentlich 3 × (1910—1914), wöchentlich 2 × (1914 ff.) ⑧ Schöftland: Buchdruckerei Schöftland, August Baumann; Menziken: August Baumann ⑩ August Baumann ⑫ neutral ⑮ Von 1911 an wurde die Zeitung in Menziken gedruckt als Kopfblatt des Wynentaler-Blatts. Das Verlagsrecht blieb aber in Schöftland. Am 1. 10. 1918 wurde die Zeitung vom Aargauer Tagblatt aufgekauft und ging im Aargauischen Volksfreund auf.

Post, die amerikanische. Organ für Verbreitung zuverläßlicher Kenntniß über amerikanische Kultur u. volkswirthschaftl. Verhältnisse u. Wegweiser für Reisende u. Auswanderer nach den Ver. Staaten. Hersg.: Geo. Degen. Neue Folge. 1. Jahrg. 1870. Nr. 1. New-York. Leipzig, Friese. Imp.-Fol. (2 Bgn.) 3 ngr.

Post. – B a d i s c h e Post. –
Karlsruhe. – 1.IV.1901 – 30.VI.(?)1907.

B a y e r i s c h e Post. München: Expedition 1900–(1902). 8°
[Red.: Karl Schirmer.]

Belleviller Post und Zeitung: 1884–1919. Aug. 27, 1884–Jan. 17, 1893, as BELLEVILLER-POST.
Daily, evening except Sunday. Suspended daily with Dec. 13, 1884 issue, but with intention of resuming. Republican. For weekly edition, see WÖCHENTLICHE BELLEVILLER POST. United with BELLEVILLER ZEITUNG, to form BELLEVILLER POST UND ZEITUNG. Sub-title: Tägliche Ausgabe. Circulation: 1886, 600; 1890, 486. Edited & published by Georg Semmelroth & Co. (also as: Belleville Publishing Co.).
Belleville, IL

Berner Post und Tagblatt der Stadt Bern
① Der Untertitel führt die wöchentliche belletristische Beilage an und setzt bis 20. 12. 1884 die Zählung der Berner Zeitung (IV) fort ③ Berner Tagespost (v. sub 15) ④ Berner Zeitung (VI) (v. sub 15) ⑤ 2. 1. 1879—30. 11. 1885 ⑥ 2° ⑦ wöchentlich 6× ⑧ Bern: A. Lang & Co., Suter & Lierow (ab 2. 5. 1882) ⑨ Der Hausfreund. Schweizer Blätter zur Unterhaltung und Belehrung für das Volk. Früher Beilage der vorangegangenen Berner Tagespost; Beilage der Allgemeinen Zeitung für Dorf und Stadt ⑩ die Buchdrucker ⑪ Albert Steck (ab 4. 6. 1879), Paul Brandt (ab 2. 1. 1882), Arnold Lang (ab 2. 1. 1882) ⑫ freisinnig ⑬ BGSZ: 545. 973 ⑭ Be: L. S. St ⑮ Das Blatt entsteht zufolge Zerwürfnis seines Herausgebers Arnold Lang mit der unter Oberleitung des »Liberalen Pressvereins« stehenden »Berner Tagespost«. Zu diesem Konflikt v. »Berner Tagespost« Nr. 309, 21. 12. 1878 u. a., ferner »Berner Post und Tagblatt der Stadt Bern« Nr. 2, 3. 1. 1879. — Lt. Nr. 283, 30. 11. 1885 fusionieren »Berner Post und Tagblatt der Stadt Bern« und »Berner Nachrichten« (II) und bilden ein neues Blatt, die »Berner Zeitung« (VI).

Post, Bremer. Herausg. von Friedr. Mallet. 1—3. Jahrg. 1856—58. à 12 Hefte (à 2½—3 Bgn.). Bremen 857. Strack. 8. Jeder Jahrg. n. 1 ℛ. 15 ngr.

Post, bremer. Hrsg. von Friedr. Mallet. 1—4. Bd. (Jahrg. 1857—60.) à Jahrg. 12 Hefte. 8. (à Heft ca. 40 S.) Bremen, Strack. à Jahrg. *
Ist nicht fortgesetzt worden.

Bündner Post
① Publikationsorgan für die Gemeinden des Hinterrheintales - Amtsblatt der Gemeinden Thusis und Sils i. D. ③ Bündner Landbote ⑤ 25. 12. 1889 (cont.) ⑥ 2° ⑦ wöchentlich 3×, wöchentlich 2× (seit 1. 7. 1891) ⑧ Thusis: Karl Klein, Klein & Knecht (seit 23. 2. 1890); Chur: Chr. Senti (seit 12. 3. 1890); Thusis: M. Thöny (seit 4. 5. 1890), Buchdruckerei Thusis (Roth) (18. 11. 1893), Buchdruckerei Roth & Co. (cont.) ⑨ Unterhaltungsblatt (wöchentlich) und Bienenzeitung (monatlich); Heimatklänge ⑩ M. Thöny ⑪ M. Thöny, H. Roth ⑬ BGSZ: 212 ⑭ Ch: K.

Post und Demokrat: 1884?–1885?
Democratic weekly. Edited & published by Louis P. Laulhaber.
Lincoln, NE

—— **die deutsche.** Blätter über Verkehrswesen für Jedermann. Redact.: Emil König. 4.—6. Jahrg. 1872—1874. à Jahrg. 52 Nrn. (à 1—1½ Bog.) gr. 4. Ebendas.
1872 und 1873 à *
1874 *
Vorh. u.d.T.: Norddeutsche Post. Jg. 1–3. 1869–1871.

—— **deutsche.** Blätter über Verkehrswesen für Jedermann. Redact.: Th. Haberlandt. 7. und 8. Jahrg. 1875 und 1876. à Jahrg. 52 Nrn. (Bog.) gr. 4. Berlin, (Kortkampf.)
Jahrg. 1875 *
Jahrg. 1876 *
—— dass. — 9. Jahrg. 1877. 52 Nrn. (Bog.) gr. 4. Berlin, Haberlandt. *
—— dass. — Redact.: W. Koch. 10. und 11. Jahrg. 1878 und 1879. à Jahrg. 52 Nrn. (Bog.) gr. 4. Ebendas. à Jahrg. *

Deutsche Post: Jahrgang 1, Dec. 18, 1880–Jahrgang 46, Oct. 2, 1928.
Weekly, then MWL. Wöchentliche Beilagen: Unterm südlichen Kreuz, oder: Gemeinnütziger Ratgeber, Für Herz und Haus, Aus Kirche und Schule.
Sao Leopoldo

Deutsche Post: 1881–1885?
Tri-weekly, 1881–82; daily, evening except Sunday, 1882–83; weekly, 1884–85. For weekly edition, see WÖCHENTLICHE DEUTSCHE POST. Edited & published by Charles P. B. Medlenka, 1881–85. His curious Bohemian German made the paper famous. Died with him because his German was unique.
Houston, TX

Deutsche Post: 1883–? Chicago, IL
Weekly. Published by De Clerque.

—— **deutsche.** Illustrirte Halbmonatsschrift für die Deutschen aller Länder, hrsg. von R. v. Mosch und J. E. Frhr. v. Grotthuß. 1. Jahrg. 1887. 24 Hefte. (à Heft 3½ Bog.) gr. 4. Berlin, Verlag der „Deutschen Post". *

—— **dass.** — Vereinsblatt des Allgemeinen Deutschen Schulvereins zur Erhaltung des Deutschthums im Auslande hrsg. von R. v. Mosch und J. E. Frhr. v. Grotthuß. 2. Jahrg. 1888. 24 Hefte. (à Heft 3¼ Bog.) gr. 4. Berlin, [R. Kühn.] Verlag der „Deutschen Post". *

— **dasselbe.** Illustrirte Wochenschrift f. die Deutschen aller Länder. Schriftleiter: O. Lohr. 3. Jahrg. 1889. 52 Nrn. (2 B.) gr. 4. Ebd. n. 14. —

— dasselbe. 4. Jahrg. 1890. 52 Nrn. (2 B.) gr. 4. Ebd. n. 16. —

— deutsche. Illustrirte Wochenschrift f. die Deutschen aller Länder. Chefred.: J. E. Frhr. v. Grotthuß. Red.: Otto Lohr. 5. Jahrg. 1891. 52 Nrn. (2 Bog.) gr. 4. Berlin, Richter & Ernst. n. 12. —

Deutsche Post : 1889? –1908?
Democratic tri-weekly. Circulation: 1905, 1750. Edited by J. Loos, 1889–1901; by L. H. Habercom, 1902; by John Sander, 1903; published by Julius Stoll, 1889–1903; edited & published by Charles F. Lemberger, 1904; by Julius Stoll, 1905–08.
Syracuse, NY

Die Deutsche Post : 1895? –1899?
Sunday edition of POST UND PRESSE. Circulation: 1899, 5300.
Cleveland, OH

Deutsche Post : 1895? –Sept. 26, 1896.
Independent weekly. See ANZEIGER UND POST. Manchester, NH

Deutsche Post : 1895? –1907?
Independent weekly. Circulation: 1900, 1000; 1905, 1125. Edited & published by F. H. Jahr, 1895–99, by William F. Dreher, 1900–07.
Spirit Lake, IA

Die Deutsche Post : Jahrgang I, Heft 1–30, June 10, 1899–Jan. 6, 1900.
Weekly. Sub-title on front cover: Eine Wochenschrift für Politik, Volkswirthschaft und Litteratur, with sub-title on heading: Den Interessen der Deutsch Amerikaner gewidmet. Large quarto, each issue 16 pages. Edited by Eugen v. Seyfried & published by Deutsche Post Publishing Co.
New York, NY

Deutsche Post: 1902–?
Independent weekly. Circulation: 1907, 1050; 1916, 1250. Edited and published by Peter Christiansen, and later by his son, I. B. Christiansen. Place of publication varies: Arnprior, Ontario.
Pembroke, Ont.

Deutsche Post: August 30, 1902 – November 5, 1903
Published Tuesday, Thursday and Saturday. Editor: Albert Hoerll. Sub-title: Unabhängige Stimme des Deutschtums in Südchile
Valdivia

— deutsche. Offizielles Organ der Bez.-Vereine Berlin, Braunschweig, Bremen usw. Red. i. V.: Otto George. 6. Jahrg. 1906. 52 Nrn. (à ca. 24 S.) 4. Berlin, H. Klokow. n. 3 20

Deutsche Post. Jahrgang I, no. 1, Aug. 15, 1908–?
Semi-weekly edition of the Deutsche Post (Sao Leopoldo), with „Geleit" signed: Sao Joao da Reserva, in 1912–1913, weekly. Sub-title: Ausgabe für die Kolonie Sao Lourenco — Organ des „Kolonie-Vereins" with date-lines: S. Joao da Reserva, Aug. 15, 1908 through 1911'; date line, 1912–1913: Kolonie S. Lourenco. Has Beilage: 1) Gemeinnütziger Ratgeber für Stadt und Land, 2) Unterm Südlichen Kreuz, 3) and other occasional Beilage. Edited by Gustav Reisseg, Aug. 15, 1908 – Dec. 31, 1909; Otto Reinhold, Jan. 11, 1910 – Jan. 27, 1911; Hermann Koppelmann, Jan. 30, 1911 – May 1913. Printed by W. Rotermund, Sao Leopoldo.
Sao Lourenco dó Sul

Post, die, u. die Eisenbahnen im Königr. Württemberg. Entgegnung auf die Druckschrift: Ueber das Verhältniß der Thurn u. Taxis'schen Postverwaltung zu den Eisenbahnen. gr. 8. (1¾ B.) Stuttgart 844, Beck u. Fränkel. *

Post, die, u. die Eisenbahnen im Königr. Württemberg. Entgegnung auf die Druckschrift: Ueber d. Verhältniß d. Thurn u. Taxis'schen Postverwaltung zu den Eisenbahnen. gr. 8. Stuttgart 845, Beck u. Fränkel. n. 1/6 ℛ

Engadiner Post (b)
s.a. Posta d'Engiadina.

Engadiner Post (a)
① heute: Amtliches Publikationsorgan für die Gemeinde St. Moritz – Generalanzeiger für das Ober- u. Unter-Engadin ② Engadiner Post und Anzeige-Blatt für das Ober- und Unter-Engadin (? 1902—?). Engadiner Post ⑤ 29. 9. 1893 (cont.) ⑥ 2° ⑦ Wochenblatt, wöchentlich 2× (seit 2. 10. 1912), wöchentlich 3× (seit 7. 12. 1922) ⑧ St. Moritz: Manatschal, Ebner & Cie. Filiale St. Moritz, Walter Gammeter (seit 21. 11. 1936) ⑨ die Drucker ⑪ Christian Michel, Celerina. Albert v. Planta (seit 1945) ⑭ Ch: K.

Post festum. Ex literis Guelfo-Gibellinis edid. civis Hannoveranus. Wien 869. Braumüller. gr. 8. (39 S.) 8 ngr.

— für Fremdenverkehr. Fachzeitschrift f. die Verkehrs-u. Verwaltungs-Angelegenheiten der Bäder, Luftkurorte, Sommerfrischen, Fremdenplätze, Sehenswürdigkeiten, Aussichtspunkte, Ausflugsorte, Gartenlokale, Heilanstalten, Kurhäuser, Hotels u. Pensionen. 1. Jahrg. April—Dezbr. 1903. 18 Nrn. (à ca. 12 S.) gr. 4. Leipzig, E. Stegelmann. 6. —

POST, Die geplünderte, das ist eine Reihe von Briefen verschiedenen Inhalts. 3 Theile. Halle J. C. Hendel, 1781—83. 8°. Rar! (In Warmbrunn.)

Halbwöchentliche Westliche Post : 1899–1903?
Semi-weekly edition of WESTLICHE POST. Circulation: 1900, 33,400. Published LANDWIRTHSCHAFTLICHEN BEILAGE.
St. Louis, MO

— in Halle (Saale). gr. 8. (III, 73 S. m. 9 Lichtdr.-Taf. u. 2 Plänen.) Halle 898. C. A. Kaemmerer & Co. n. 3. —

Post. – Hannoversche Post. –
1879 – 31.XII.1899.

Harzer Post. Unabhängiges demokratisches Organ.
München: Expedition 1884–1885. 8°
[Red.: Louis Viereck und Bruno Schoenlank.]

Post. – Hessische Post. –
Kassel. – 1.XI.1889 – 11.(?)I.1923.
Fortges. u.d.T.: Kasseler Post.

Post. – Hofer Post. –
1.I.1879 – 30.VI.(?)1886.
Fortges. u.d.T.: Hofer Tageblatt.

Die Idische Post : April 28, 1903–July 2, 1909. Pittsburgh, PA
Yiddish weekly.

— die, reisender Kaufleute Deutschlands. Alleiniges Organ des Verbandes reis. Kaufleute Deutschlands. Schriftleitung: Herm. Pilz. 2.—4. Jahrg. 1892—1894. à 52 Nrn. (à ca. 2½ Bog.) Fol. Leipzig, Verband reis. Kaufleute à Jahrg. n. 6. 40

Post, die, reisender Kaufleute Deutschlands. Alleiniges Organ d. Verbandes reis. Kaufleute Deutschlands. Schriftleitg.: Herm. Pilz. 5.—8. Jahrg. 1895—1898. à 52 Nrn. (à ca. 4 Bog.) Fol. Leipzig (F. E. Fischer). à Jahrg. n. 6. 40
Kann auch vierteljährlich bezogen werden.

— die, reisender Kaufleute Deutschlands. Alleiniges Organ des Verbandes reisender Kaufleute Deutschlands. Schriftleitung: Herm. Pilz. 10.—12. Jahrg. 1900—1902. à 52 Nrn. Fol. (à ca. 16 S.) Leipzig (F. E. Fischer.) à Jahrg. n. 6. 40

— die, reisender Kaufleute Deutschlands. Alleiniges Organ des Verbandes reis. Kaufleute Deutschlands. Schriftleitung: Herm. Pilz. 13.—16. Jahrg. 1903—1906. à 52 Nrn. (à ca. 16 S.) Fol. Leipzig (F. E. Fischer). à Jhrg. n. 6. 40

— die, reisender Kaufleute Deutschlands. Alleiniges Organ des Verbandes reis. Kaufleute Deutschlands mit der jährl. einmal. Beilage „Jahrbuch". Schriftleitung: Herm. Pilz. 17. Jahrg. 1907. 52 Nrn. (à ca. 20 S.) 38×26 cm. Leipzig, (F. E. Fischer). 10. —

Post, Kaufmännische, Fachzeitschrift für die Interessen des österreichischen Handelsstandes. Officielles Organ des vom 2. österr. Kaufmannstage eingesetzten ständigen Comités, sowie kaufmänn. Gremien, Vereinen etc. Herausg. Otto Maass. Red. Ludwig Conrad Hess. 7. Jahrg. 1892. 24 Nrn. (Ca. 1—1½ Bgn.) Fol. * 4.—, pro Sem. * 2.—
Wien: Maass 1892.

Kaukasische Post. [Wochenzeitung.] Einzige dt. Zeitung des Kaukasus: Insertionsorgan für Cis- und Transkaukasien, Transkaspien, Süd-Rußland und Persien. Jg 1—[6]. [Mehr nicht ermitt.] — Tiflis: Büttner 1906—[1914]. 4°

Kleine Post : 1886 ? Sheboyganc, WI
Beilage zum NATIONAL DEMOKRAT.

—— die, in Köln. Leitfaden für das Publicum im Verkehre mit den kaiserl. Post-Anstalten in Köln. Bearb. nach amtl. Materialien. Ausg. 1872 und Ausg. 1874. gr. 8. (44; IV, 101 S.) Köln, Strehlke und Comp. *

— f. häusliches Kunstgewerbe. Officiell. Organ des unt. d. Protektorat Ihr. königl. Hoh. d. Frau Prinzessin Friedrich Leopold steh. Vereins „Bienenkorb", Verein f. erwerbsuch. Damen auf d. Gebiete d. kunstgewerbl. Arbeit. 3. Jahrg. Apr. 1895—März 1896. 12 Nrn. (à ca. 4 S.) gr. 4. Berlin (N., Wörtherstr. 26), B. Silchmüller. n. 2.—

— dasselbe, Fortsetzg., s.: Bienenkorb.

Luxemburger Post : 1897 1903?
Independent weekly, published in English and German. Edited & published by Huss & Knaff, 1897 99; by John P. Kieffer, 1900 03.
Chicago, IL

— medicinische. Anh.: Curorte-Revue. Centralblatt f. die gesammte prakt. Heilkunde, sowie f. die Gesammtinteressen der Curorte. Chef-Red.: Siegm. Fried. Hrsg.: Siegm. Fried u. D. Berger. 2. Jahrg. 1894. 24 Nrn. (2 Bog.) gr. 4. Wien, (M. Breitenstein). n.n. 10.—

Post. – Münchener Post. –
1887 – 9.III.1933.

Neu Braunfelser Post : Aug. 1883 1885?
Independent weekly. Circulation 1885, 1050. Edited & published by M. Haxthausen, 1883–84; by Ernst König, 1885.
New Braunfels, TX

— neue. W. Unterhaltungsblatt „Fürs deutsche Haus". Red.: H. Albrecht. 1. Jahrg. Oktbr.—Dezbr. 1898. 13 Nrn. (à ca. 1 Bog. u. Bog. m. Abb.) gr. 4. Berlin, C. Heymann's Verl. n. — 80

— neue. Mit Unterhaltungsblatt „Fürs deutsche Haus". Red.: H. Albrecht. 2.—5. Jahrg. 1899—1902. à 52 Nrn. gr. 4. (à ca. 12 u. 8 S. m. Abbildgn.) Berlin, C. Heymann. à Jahrg. n. 3. 20

— neue. Wochenblatt f. die Interessen der Reichs-Post- u. Telegraphen-Unterbeamten, zugleich Vereinsorgan d. Post- u. Telegraphen-Unterbeamten im Ober-Postdirektionsbez. Cassel. Red.: Frdr. Heil. Mit Unterhaltungsblatt „Fürs deutsche Haus". Red.: Ulrich Meyer. 6.—9. Jahrg. 1903—1906. à 52 Nrn. (VI, 690; VI, 744; VIII, 744 u. VIII, 644 S. m. Abbildgn.) 4. Berlin, C. Heymann. à Jhrg. n. 3. 20

— neue. Wochenblatt f. die Interessen der Reichs-Post- u. Telegraphen-Unterbeamten, zugleich Vereinsorgan der Post- u. Telegraphen-Unterbeamten im Ober-Postdirektionsbez. Cassel. Red.: Frdr. Heil. 10.—13. Jahrg. 1907—1910. à 52 Nrn. (1910. VI, 640 S.) 33,5×24 cm. Mit Unterhaltungsblatt „Fürs deutsche Haus". Red.: Karl Schaumburg, u. Blätter f. Mode u. Handarbeit. Illustrierte Frauenzeitg. (à ca. 4 S. m. Abbild.) 32,5×23 cm. Berlin, C. Heymann. à Jahrg. 3. 20

Newarker Post : Oct. 1874– May 1875.
Daily, morning except Sunday. Radical in character. For Sunday edition, see DER BEOBACHTER. Edited by Charles Hermann Boppe, & published by Kaufmann & Korn. Taken over by German-English Printing Association Dec. 7, 1874.
Newark, NJ

New Yorker Plattdütsche Post : 1883? 1930?
Weekly. Circulation: 1890, 10,850; 1900, 14,151; 1905, 16,734; 1908, 17,500. Edited & published by Max Mansfeld, 1883– 86?; by Isaac Goldmann, 1887–1901; by Max Mansfeld, 1902–03; by Alexander & Goldmann, 1904 –06; edited by Theodor Zimpel, & published by P. J. Tjarks & Associates, 1907 08; edited & published by Max Mansfeld, 1909.
New York, NY

—— norddeutsche. Blätter über Verkehrswesen für Jedermann, insbesond. für die Post-, Telegraphen- und Eisenbahn-Beamten, sowie für Freunde der Volkswirthschaft. Im Verein mit gediegenen Beamten, namhaften Volkswirthen und Journalisten hrsg. von Emil König. 1. Jahrg. 1869. 36 Nrn. und 2. Jahrg. 1870. 52 Nrn. (à 2 Bog.) gr. 4. Berlin, Kortkampf. à Jahrg. *

Post, [nord-]deutsche. Blätter üb. Verkehrswesen f. Jedermann. Red.: Emil König. 3—5. Jahrg. 1871—1873 à 52 Nrn. (à 1—1½ B.) gr. 4. Berlin, Kortkampf. à Jahrg. n. 6. —

— dasselbe. 6. Jahrg. 1874. 52 Nrn. (à 1—1½ B.) gr. 4. Ebend. n. 8. —

— dasselbe. Red: Th. Haberlandt. 7. Jahrg. 1875. 52 Nrn. (B.) gr. 4. Ebend. n. 6. —

— dasselbe. 8. Jahrg. 1876. 52 Nrn. (B.) gr. 4. Ebend. n. 8. —

Nordwestliche Post : no. 1 –?, Nov. 13, 1818—Aug. 24, 1827.
Weekly. Sub-title: Dem Bauern und Landmann von Union, Columbia und Northampton County gewidmet von J. G. Jungman, Nov. 13, 1818 Oct. 25, 1821. Follows DER REPUBLICANER. Large quarto, each issue 4 pages. Edited & published by John G. Jungman, 1818–27.
Sunbury, PA

Nordwestliche Post : July 1875 1876? Freeport, IL
Weekly. For Hayes. Edited & published by Heinrich Krumme.

Nordwestliche Post : 1875?– 1878?.
Weekly. Dated also at Wabasha, Minn. Circulation: 1877, 500. Edited & published by H. Krumme, 1877 78.
Lake City, MN

Nordwestliche Post : 1888? 1889? Marquette, MI
Non-political weekly. Edited & published by Leopold Grieninger, 1888–89.

Nordwestliche Post : Jahrgang 1 –6, Dec. 1891– May 1897?
Sunday edition of MILWAUKEE ABEND-POST. Issued in two sections in 1896. Sub-title: Wochenblatt der Milwaukee'r Abendpost. Follows SONNTAGSBLATT DER FREIEN PRESSE.
Milwaukee, WI

Oberländer Post
① Unabhängiges Organ für Jedermann: später Interlakner Zeitung, freisinnig-demokratisches Organ für das Berner Oberland ⑤ 1897—1911 ⑥ 2° ⑦ wöchentlich 3× ⑧ Interlaken: Joh. Eggler-Feuz, H. Balmer ⑨ Sonntagsblatt (später: Illustriertes Sonntagsblatt) ⑩ die Buchdrucker ⑪ die Buchdrucker ⑬ BGSZ: 973 ⑭ Be: St.

Ostdeutsche Post, Verlag und Druck C. Gerold und Sohn, gr. Fol. 3spaltig. Erscheint täglich excl. Montag. 12 fl. jährlich. 1853.

Oſt-Deutſche Poſt. (Mit Abendbeilage.) Eigenthümer Ignaz Kuranda und Moritz Gerold. Redakteur Georg Millinger. Druck und Verlag von K. Gerold und Sohn. Fol. 3ſpaltig. Täglich excl. Montag. 3 fl. und 4 fl. vierteljährig.
Wien 1854.

Oſt-Deutſche Poſt. (8. Jahrgang.) Eigenthümer: Ignaz Kuranda, Moriz Gerold. Verantwortlicher Redakteur: Geo. Millinger. Druck und Verlag von C. Gerold und Sohn. gr. Fol. 3ſpalt. Täglich. 12 und 16 fl. jährlich.
Wien 1855.

Oſtdeutſche Poſt. Abendliche Beilage. Verantwortl. Redakteur: Georg Millinger. Druck und Verlag von Karl Gerold's Sohn. Fol. 2ſpaltig. Erſcheint zum Hauptblatte.
Wien 1856.

Oſtdeutſche Poſt. Eigenthümer: Ignaz Kuranda, Moritz Gerold. Verantw. Redakteur: Georg Millinger. Druck und Verlag von K. Gerold's Sohn. gr. Fol. 3ſpaltig. Erſcheint täglich mit Ausnahme der auf Sonn- und Feiertage folgenden Tage.
Wien 1856.

Oſt-Deutſche-Poſt. Redakteur: Georg Millinger. Eigenthümer: Ignaz Kuranda. Druck und Verlag A. Dorfmeiſter. Erſcheint täglich gr. Fol. 3ſpaltig. 1857.

Ost-Deutsche Post. X. Jahrg. Eigenth. *Ign. Kuranda*. Verantw. Red. *Georg Millinger*. Druck u. Verl. v. *U. Klopf s. u. Alex. Eurich*.
Erscheint in **Wien,** tägl. mit Ausn. der auf Sonn- und Feiertage folgenden Tage, 1 Bog. gr. Fol. 3-spaltig. Pränum.-Pr. $^1/_4$-jähr. 3 fl. 30 kr.; pr. Post 4 fl. 30 kr. Einz. Blätter 4 kr. Insertionsgeb.: Die 6-spaltige Petitzeile 4 kr., für Sprechsal: Die 1-spalt. Petitzeile 8 kr.

— oeſterreichiſch-ungariſche. Vereinsorgan sämmtl. Poſtmeiſtervereine Cisleithaniens. Vom k. k. Miniſterium d. Innern anerkanntes Fachblatt f. Poſt, Telegraph, Eiſenbahn, Verſicherg. u. Finanzweſen. Hrsg. u. Red.: Alex. Schmitz. 3. Jahrg. 1873. 52 Nrn. (2 B.) Fol. Wien 873. (Martin.) n. 18. —

Peſther Poſt. Red. Sigm. Saphir. Druck Landerer und Heckenaſt. Folio. 3ſpaltig. Erſcheint täglich excl. Montag; 5 fl. 30 kr. halbj. 1853.

Peſther Poſt. Eigenthümer und Redakteur Dr. Sigm. Saphir. Dampfpreſſendruck und Verlag von L. Lukács und Komp. Fol. 2ſpaltig. Täglich. 2 fl. 30 kr. und 3 fl. 20 kr. vierteljährig.
1854.

Post. – Pfälzische Post. –
Kaiserslautern. – 1.IV.1871 – 31.XII.1885(?).

Post. – Pfälzische Post. –
Ludwigshafen. – 1895 – 10.(?)III.1933.
[NA bis 1904 von: Volksstimme, Mannheim (1890)]

— pharmaceutische. Zeitschrift für die Gesammtinteressen der Pharmacie. Hersg. u. Red.: Alois Phil. Helmann. 1—3. Jahrg. 1868—1870. Jeder Jahrg. 24 Nrn. (à 1—1½ Bgn. mit eingedr. Holzschn.) Wien, Klemm in Comm. Lex.-8. Jeder Jahrg. n. 3 ℛ 10 ngr.

— pharmaceutische. Zeitschrift f. die Gesammtinteressen der Pharmacie. Hrsg. u. Red.: Alois Phil. Hellmann. 4. u. 5. Jahrg. 1871 u. 1872 à 24 Nrn. (à 1—1½ B. m. eingedr. Holzschn.) Lex.-8. Wien, Klemm in Comm. à Jahrg. n.n. 10. —

— dasselbe. 6—9. Jahrg. 1873—1876 à 24 Nrn. (à 1—1½ B.) gr. 8. Ebend. à Jahrg. n. 12. —

— pharmaceutische. Zeitschrift f. die Gesammtinteressen der Pharmacie. Hrsg. u. Red.: Alois Phpp. Hellmann. 10—15. Jahrg. 1877—1882. à 24 Nrn. (à 1—1½ B.) gr. 8. Wien, Steckler. à Jahrg. n. 12. —

Post, pharmaceutische. Zeitschrift für die Gesammtinteressen der Pharmacie. Hrsgbr. und Redact.: Alois Phpp. Hellmann und Hans Heger. 16. und 17. Jahrg. 1883 und 1884. à Jahrg. 52 Nrn. (à Nr. 1—1½ Bog.) gr. 8. Wien, (Perles.) Jahrg. 1883 **
Jahrg. 1884 **

—— pharmaceutische. Wochenschrift für die Gesammtinterinteressen der Pharmacie. Gegründet von Alois Phpp. Hellmann. Hrsg. und redig. von Hans Heger. 18. und 19. Jahrg. 1885 und 1886. à Jahrg. 52 Nrn. (à Nr. 1—1½ Bog.) gr. 8. Wien, (Perles.) à Jahrg. **

—— dass. — 20. und 21. Jahrg. 1887 und 1888. à Jahrg. 52 Nrn. (à Nr. 1—1½ Bog.) gr. 8. (Ebendas.) à Jahrg. **
Mit Beiblatt: Zeitschrift für Nahrungsmittel-Untersuchung à Jahrg. **

—— pharmaceutische. Wochenschrift f. die Gesammtinteressen der Pharmacie. Gegründet 1868 v. Alois Phpp. Hellmann. Hrsgbr. u. Haupt-Schriftleiter: Hans Heger. Schriftleiter: Arth. Leo Brestowski, Eman. Hecker, Jul. Neusser. 22.—25. Jahrg. 1889—1892. à Jahrg. 52 Nrn. (à Nr. 2—5 Bog.) gr. 8. Wien, (Perles).
à Jahrg. ** 14 —; m. Beiblatt: Zeitschrift f. Nahrungsmittel-Untersuchung 22.—24. Jahrg. à ** 16 —; 25. Jahrg. ** 22 —

— dasselbe. Hrsg. u. Haupt-Schriftleiter: Hans Heger. 26. Jahrg. 1893. 52 Nrn. (à ca. 3 Bog.) Fol. Ebd. n.n. 14. —; m. Beiblatt: Zeitschrift f. Nahrungsmittel-Untersuchung n.n. 22. —

Poſt, Pharmaceutiſche. Wochenſchrift für die Geſammtintereſſen der Pharmacie. Gegründet von Dr. Alois Philipp Hellmann. Herausgegeben u. redigirt von Dr. Hans Heger. 27. Jahrg. 1894. 52 Nummern. (à 1—1½ Bogen.) Gr.-8. Pro viertes Quartal * 1.75
Wien: Perles 1894.

— **pharmaceutische.** Wochenschrift f. d. Gesammtinteressen d. Pharmacie. Gegründet 1868 von Alois Phpp. Hellmann. Hrsg. u. Haupt-Schriftleiter: Hans Heger. 28.—31. Jahrg. 1895—1898. à 52 Nrn. (à ca. 16 S. m. Abb.) Fol. Wien (M. Perles).
à Jahrg. n.n. 14. —; m. Beiblatt: Zeitschr. f. Nahrungsmittel-Untersuchung, 12 Nrn., à Jahrg. n.n. 22. —
Kann auch halbjährlich bezogen werden.

— **pharmaceutische.** Wochenschrift f. die Gesammtinteressen der Pharmacie. Gegründet 1868 von Alois Phpp. Hellmann. Hrsg. u. Haupt-Schriftleiter: Hans Heger. 32.—35. Jahrg. 1899—1902. à 52 Nrn. gr. 4. (à ca. 16 S. m. Abbildgn.) Wien (M. Perles.)
à Jahrg. n.n. 14. —; m. Beiblatt: Österreichische Chemiker-Zeitung n.n. 24. —;

Post, pharmazeutische. Wochenschrift f. die Gesamtinteressen d. Pharmazie. Offizielles Organ der „Oesterreich. pharmazeut. Gesellschaft". Gegründet 1868 v. Alois Philipp Hellmann. Hrsg. u. Haupt-Schriftleiter: Hans Heger. 36.—39. Jahrg. 1903—1906. à 52 Nrn. (à ca. 16 S.) gr. 4. Wien (M. Perles). à Jhrg. n.n. 14.—

— pharmazeutische. Wochenschrift f. die Gesamtinteressen der Pharmazie. Offizielles Organ der „Oesterreich. pharmazeut. Gesellschaft". Gegründet 1868 v. Alois Philipp Hellmann. Eigentümer, Hrsg. u. Haupt-Schriftleiter: Hans Heger. 40. Jahrg. 1907. 52 Nrn. (à ca. 24 S. m. Abbild.) 32,5×24,5 cm. Wien, (M. Perles.) nn 14. —

— dasselbe. Zentral-Organ f. die Gesamtinteressen der Pharmazie. Offizielles Organ der „Oesterreich. pharmazeut. Gesellschaft" u. der „Reichs-Organisation d. Apotheker Oesterreichs". Gegründet 1868 v. Alois Hellmann. Hrsg. u. Red.: Hans Heger. 41.—43. Jahrg. 1908--1910. à 104 Nrn. (à ca. 12 S.) 33×24,5 cm. Ebd. à Jahrg. nn 24. —

Post, die Preußische, ihre Gesetze u. Verordnungen. Posen 853. Merzbach. 16. (112 S.) n. 4 ngr.

Post. – Rheinisch-Westfälische Post. – Wuppertal. – 14.II.1876 – 31.III.1885. Fortges. u.d.T.: Westdeutsche Zeitung.

St. Galler Post (I)
Ⓢ Bei der Gündung der Ostschweizerischen Arbeiterzeitung (1905) standen auch die folgenden Zeitungstitel zur Diskussion: Zukunft, Zeitgeist, Menschentum, Ostwacht, Volksstimme, Tagwacht, St. Galler Zeitung, St. Galler Post. v. Festschrift «50 Jahre Volksstimme» (St. Gallen, 1954), p. 22.

Die Schleswig-Holsteinische Post 1848–1852 und deren Postschillinge. Hrgg. v. Albinus **Rosenkranz.** Mit 10 Tafeln und 10 Abbildungen. Kiel, Leipzig. 1891. 8°.

Seguiner Post: 1893–1895? Seguin, TX
Weekly. Edited & published by L. H. & Richard Waltersdorf.

Post, die, sonst und jetzt. Historisch-panegyr. Verse von Jocosus postalicus. 12. (44 S.) Insterburg 881, (Rodbewig's Buchh.)

— die, sonst u. jetzt. Historisch-panegyr. Verse v. Jocosus Postalicus. Neue verm. u. verb. Aufl. 8. (48 S.) Leipzig (899). Luckhardt's Buchh. f. Verkehrswesen. n. —50

— **stenographische** (früher Vorwärts). Zeitschrift f. d. Schüler- u. Stadtvereine d. „Vereinf. Stenographie" (System Schrey-Johnen-Socin). Red. v. C. Kümpel, G. Nanninga. 6. Jahrg. 1896. 12 Nrn. (à ca. 1 Bog.) gr. 8. Hildburghausen (Kesselring). n.n. 2. —
Vorh. u.d.T.: Vorwärts. Jg. 1–6. 1891–1895.

— dasselbe, Fortsetzg., s.: Schülerwarte.

— **stenographische.** Organ f. d. „deutsche Volksstenographie". Red. unt. Mitwirkg. von Otto Homel v. Paul Liese. 1. Jahrg. Mai—Dezbr. 1897. 12 Nrn. gr. 8. (96 S.) Schwerte, Paul Liese. 2. —

— **stenographische.** Monatsblatt für Scheithauer's Stenographie. Organ d. rheinisch-westfäl. Verbandes Scheithauer'scher Stenographen. Red. unt. Mitwirkg. hervorrag. Systemgenossen v. Paul Liese. 2. Jahrg. 1898. 12 Nrn. (à ca. 16 S.) gr. 8. Ebd. 2. –
Erschien bis Nr. 3 noch unter dem alten Titel.

— **stenographische.** Monatsblatt für Scheithauer's Stenographie. Organ des rheinisch-westfäl. Verbandes Scheithauer'scher Stenographen. Red. unter Mitwirkg. hervorrag. Systemgenossen v. Paul Liese. 3. Jahrg. 1899. Nebst Beilage: Der Postillon. 12 Nrn. gr. 8. (à ca. 12 u. 8 S.) Schwerte i/W., P. Liese. n. 2. —

Post. – Stolper Post. – 1.I.1877 – 31.III.1931. Vorh. u.d.T.: Intelligenz-Blatt.

Post, Süddeutsche. Villach, Hoffmann, Rösner, Weiler, 1867—1894. Folio. 27 Jgg. (Von 1884 an: Kärntner Allgemeine Zeitung; von 1886 an: Deutsche Allgemeine Zeitung.)

Post. – Süddeutsche Post. – München. – 1.IV.1869 – 17.V.1884.

Post, Süddeutsche. Herausgegeben und redigirt von F. Obermann. 1894. 52 Nrn. 4. 5.— Halbjährig 2.50
Wien: Eisenstein 1894.

Sud Californische Post: 1874–? Los Angeles, CA
Editor Conrad Jacoby. Weekly.

Die Südliche Post: Oct. 1, 1869–1870?
Daily, then weekly. Circulation: 1870, 500. Edited & published by Julius A. Bonitz.
Goldsboro, NC

Die Südliche Post: 1872?
Weekly. Circulation: 1872, 816 (est.). Edited & published by Otto Palmer.
Chattanooga, TN

Die Südliche Post: 1877?–1878? Louisville, KY
Independent weekly. Edited & published by Theodor Trauernicht.

Südliche Post: 1907?–1911?
Democratic weekly. Circulation: 1910, 1000 (est.). Edited & published by Henry Jensen.
Jacksonville, FL

Post und Telegraph. Organ für Post- und Telegraphie der Eisenbahn und Schiffahrt sowie des gesamten Speditions- und Verkehrswesens. Jg. 1–25. Wien: Administration 1881–1906. 8°
[Hrsg.: G. A. Ungár-Szentmiklósy.]

Post u. Telegraph, Zeitschr. f. d. gesammte Post- u. Telegraphen-Wesen unt. Mitwirk. anerkannter Fachleute. Herausg. Dr. G. Ad. Ungár-Szentmiklósy. IV. Jahrg. 1885. 52 Nrn. gr. 8. Wien, G. Ad. Ungár & Cie. 6 fl., mit Fachbl. „Elektrotechn." pro anno 9 fl.

— **u. Telegraph.** Fach-Organ f. d. Post- u. Telegraphen-, d. Eisenbahn- u. Schiffahrts-, sow. d. ges. Speditions- u. Verkehrswesen. Hrsg.: G. Ad. Ungár-Szentmiklósy. 17. Jahrg. 1898. 24 Nrn. (Bog. m. Fig.) Lex.-8. Wien (IV, Heugasse 62), Administration. n. 12. —
Kann auch vierteljährlich bezogen werden.

— **u. Telegraph.** Fach-Organ für das Post- u. Telegraphen-, das Eisenbahn- u. Schiffahrts-, sowie das gesammte Speditions- u. Verkehrswesen. Hrsg.: G. Ad. Ungár-Szentmiklósy. Red.: Laurenz Jecho. 18.—21. Jahrg. 1899—1902. à 26 Nrn. Lex.-8. (à ca. 16 S. m. Fig.) Wien (IV, Heugasse 62), Administration. à Jahrg. n. 12. —

— u. Telegraph. Fach-Organ f. das Post- u. Telegraphen-, das Eisenbahn- u. Schiffahrts-, sowie das gesammte Speditions- u. Verkehrswesen. Hrsg.: G. Ad. Ungár-Szentmiklósy. Red.: Laurenz Jecho. 22.—25. Jahrg. 1903—1906. à 26 Nrn. (à ca. 16 S.) Lex.-8. Wien (IV, Heugasse 62), Administration. à Jhrg. n. 12. —

Post und Telegraphie, Die, in Baden-Baden. Denkschrift zur Einweihung des neuen Reichs-Post- und Telegraphen-Gebäudes ... Baden-Baden 1892. V: *Hess, J. F.* (BaBb) (Hof- u. Landesbibl. Carlsruhe. Zugangsverz. 1892.)

— u. Telegraphie in Frankfurt a/M. Denkschrift zur Einweihg. d. neuen Reichs-Post- u. Telegraphengebäudes an der Zeil u. des v. Frankfurter Handelsstande f. dasselbe gestift. Denkmals Kaiser Wilhelms I. am 18. Oktbr. 1895. Bearb. bei der kaiserl. Ober-Postdirection. Lex.-8. (VI, 95 S. m. Abb. u. 16 Taf.) Frankfurt a/M. 895. A. Osterrieth. n. 6. —

Post und Telegraphie in Halle '(Saale)'. Halle '(Saale)': C. A. Kaemmerer & C. 1898. (2 Bl., 73 S., 11 Taf.) 1 Bd 8.

— tenebras lux! — Im Anschluß an „Videant consulos ne quid respublica detrimenti capiat" u. „Cedant arma togae". gr. 8. (24 S.) Cassel 890. Kay. n. — 40

Thurgauer Post
① und Arboner Tagblatt: Sozialdemokratisches Tagblatt (1910) ④ Thurgauische Arbeiterzeitung ⑤ 1. 1. 1909—31. 12. 1911 ⑥ 2° ⑦ wöchentlich 6× ⑧ Winterthur-Töß: Walter & Gremminger; Winterthur: Sozialdemokratische Unionsdruckerei (1. 1. 1910) ⑪ Franz Pechota ⑫ sozialdemokratisch ⑬ BGSZ: 1068 ⑭ W: S. Ff K.

Post. – Thüringer Post. –
Erfurt. – 1.II.1880 – 31.III.1889.
Vorh. u.d.T.: Neue Erfurter Zeitung.

Post und Tribüne : Dec.? 1858—Apr. 1897.

Weekly, 1858–67; semi-weekly, 1867—68; daily, evening except Sunday, 1868—97. Republican, 1858?—1889; Independent, 1890–92; Independent Democratic, 1893—97. Title and place of publication vary as follows: MISSOURI POST (Kansas City), 1858—1861?; KANSAS POST (Wyandotte, Kans.), May?—Dec. 1861?; KANSAS CITY POST (Kansas City), Jan. 1862?—1871?; KANSAS CITY POST UND TRIBÜNE (Kansas City), 1871?—1886?; POST UND TRIBÜNE (Kansas City), 1886—97. Absorbed KANSAS CITY TRIBÜNE, 1871; absorbed WESTLICHE VOLKSZEITUNG. Merged with KANSAS CITY PRESSE, Apr. 1897. For weekly edition, see WÖCHENTLICHE KANSAS CITY POST. For Sunday edition, see DER NEUE WESTEN; also KANSAS CITY OMNIBUS. Circulation: 1870, 1000 (est.); 1880, 500; 1890, 4270; 1895, 4100; 1896, 3800.
Edited & published by August Würz, 1858—68; by Weismann, 1868—70?; by Ed. Harrin, 1870?—1871?; by August Würz, 1871—Dec. 1881; by Hugo & Moritz Würz, Jan. 1882—1897?
Kansas City, MO

Ungarische Post. (1. Jahrg.) Verantw. Redakt. Dr. Otto von Müller. Eigenthum und Verlag von Gustav Emich. gr. Fol. 3spaltig. Erscheint täglich.
Pesth 1855.

Die Washingtoner Post : Nov. 1869—1910? **Washinton, DC**

Die Washingtoner Post : Nov. 1869—1910?

Republican weekly. Sub-title: Ein Wochenblatt für Franklin County, Nov. 1869—June 1873; A Weekly Paper for Franklin County, July 1873—1910. Has "Beilage" for at least 1890—96, at slight addition to subscription rate. Circulation: 1872, 450; 1880, 450; 1890, 750; 1895, 800; 1900, 850; 1910, 750. Edited & published by Otto Brix, 1868—80; by Otto Brix & Son, 1881—84; by William Brix, 1885–88; by Brix Krog, 1889—98; by William Brix, 1899—1910.
Washington, MO

Post. – Westfälische Post. –
Hagen. – 11.III.1881 – 9.III.1894.
Vorh. u.d.T.: Hagener Volkszeitung.
Fortges. u.d.T.: Westfälisches Tageblatt.

Westliche Post : Jg. 1–81, No. 15, Sept. 27, 1857—June 7, 1938.

Daily, morning except Sunday. Independent, 1857–59?; Republican, 1860–65; Independent Republican, 1866–1938; The influence of the WESTLICHE POST on American public life then was tremendous. Absorbed the following papers: DIE NEUE ZEIT; TAGEBLATT; TRIBÜNE; ABEND-ANZEIGER. For Country edition, see WESTLICHE POST: LANDAUSGABE. For evening edition, see WESTLICHE POST: Abendblatt. For weekly edition, see WÖCHENTLICHE WESTLICHE POST. For Sunday edition, see MISSISSIPPI BLÄTTER. For semi-weekly edition, see HALBWÖCHENTLICHE WESTLICHE POST. Circulation: 1867, 15,000; 1870, 10,000 (est.); 1880, 8000; 1895, 10,000; 1900, 32,450; 1905, 34,180; 1910, 30,000; 1917, 28,951; 1920, 21,590 [for both editions: P. O. Statement]; 1930, 17,825; 1935, 14,415.

Edited by Karl Dänzer & Friedrich Wenzel, Sept. 27, 1857–Oct. 1858; by Karl Dänzer & Daniel Hertle, Oct. 7, 1858–?; by Theodor Olshausen, June 17, 1860–1863; by Emil Preetorius, 1863–Nov. 1905; by Eduard L. Preetorius, Nov. 1905–Oct. 1915; by Hans Hackel, 1915–Oct. 1924; by Richard Einsiedel, Nov. 1924–1930?; by Otto Sendler, 1931–37; by J. Otto Pfeiffer, 1938. Associate editors: Curt Thiersch, Nov. 1905–May 1907, August Diez, 1888–1913; Johann Rittig, Nov. 1872–1873?; Joseph Pulitzer [Reporter, Summer 1868–71?], 1871–73; Gustavus A. Binder, Nov. 1905–?; Johann Schroers, ?–Aug. 1, 1908, Rudolf Majorewsky; Louis Willich, 1868?–?; Carl L. Schurz, 1915–?; Heinrich Binder, W. von Schrach; Udo Brachvogel, 1887–?; Eduard Todt, Sept. 1872–?; Friedrich Schnake; Georg Hillgärtner, 1860–?; Edward F. Leyh; Karl Gundlach, 1898–1904? Published by Theodor Olshausen & Co. Fischer, June 17, 1860–1863?; by Plate, Olshausen & Co., 1869–80 [Joseph Pulitzer, part-owner, 1871?–1873?; Carl Schurz, owner of half interest, May 1867–1881?]; by Westliche Post Association, 1881–98; by German-American Press Association, 1899–1919; by Westliche Post Publishing Co. [employees as stockholders, Feb. 1, 1933–1938], 1930–37, by Superior Press, 1938.
St. Louis, MO

Westliche Post : Abend-Blatt : 1897?–1898? St. Louis, MO

Evening edition, except Sunday, of WESTLICHE POST.

Westliche Post : Landausgabe : 1904?–1938?

Daily country edition, morning except Sunday, of WESTLICHE POST. Circulation: 1905, 42,860; 1920, 21,590 [for both editions: P. O. Statement]. See *Ayer, 1904–32*, advertised in 1938 issues of City edition.
St. Louis, MO

Die **Post** von Wien. Wien 1784.
Vorh. u.d.T.: Der aufrichtige Postkläppererboth in Wien. Wien 1783f.

Die Wöchentliche Post : 1879–1882?

Democratic weekly. Dated also at Newburgh, N.Y. Circulation: 1880, 650. Edited & published by William Wolff.
Poughkeepsie, NY

Wöchentliche Belleviller Post : Aug. 1893–Jan. 1893, 1893–1923? BELLEVILLER POST UND ZEITUNG.

Weekly edition of BELLEVILLER POST. Circulation: 1890, 2201.
Belleville, IL

Wochentliche Deutsche Post : 1882?–1884? **Houston, TX**

Weekly edition of DEUTSCHE POST.

Wochentliche Westliche Post : 1857–1898?

Weekly edition of WESTLICHE POST. Circulation: 1870, 8000 (est.); 1880, 10,000; 1890, 12,000, 1895, 15,000.
St. Louis, MO

Zofinger Post
v. Zofinger Tagespost.

Zofinger Post und Wiggerthaler Anzeiger
③ Zofinger Tagespost ⑤ 2. 4. 1892—30. 6. 1894 ⑥ 2° ⑦ wöchentlich 3× ⑧ Zofingen: Francke & Cie. ⑨ Kleine Gartenlaube ⑩ Francke & Cie. ⑪ S. Schmidlin ⑫ freisinnig ⑬ Be: L (1893 Nr. 91).

Züricher Post

① Handelszeitung und Züricher Tagblatt (25. 12. 1890—28. 8. 1891), mit Handelszeitung und Tagesanzeiger (1. 3. 1891—29. 12. 1895), mit Handelszeitung und Stadtchronik (1. 1. 1896—7. 12. 1913), und Handelszeitung (9. 12. 1913—31. 12. 1931), Tageszeitung und Handelsblatt (2. 1 1932—14. 9. 1934). Demokratische Tageszeitung (15. 9. 1934—31. 12. 1936) ② Zürcher Post (2. 1. 1932—31. 12. 1936) ④ Der Landbote und Tagblatt der Stadt Winterthur (Fusion) ⑤ 29. 3. 1879—31. 12. 1936 ⑥ 2° (Vergrößerung: 25. 12. 1890. 2. 1. 1934. Verkleinerung: 18. 12. 1906) ⑦ Tagblatt; täglich 2× (1. 3. 1915—5. 6. 1920) ⑧ Zürich: J. Schabelitz (29. 3. 1879—30. 6. 1899). J. Leemann vorm. J. Schabelitz (1. 7. 1899—16. 12. 1926). Genossenschaft Züricher Post (18. 12. 1926—7. 2. 1931), Genossenschaft zur Alten Universität (9. 2. 1931—30. 12. 1933); Winterthur: Geschwister Ziegler & Co. (2. 1. 1934—31. 12. 1936) ⑨ Stadt-Chronik der »Züricher Post« (17. 12. 1895—24. 12. 1903—?: 2°; wöchentlich 2×: 17. 12. 1895—28. 12. 1902; Wochenblatt: 2. 1. 1901—24. 12. 1903—?); Montagsblatt der »Züricher Post« und Stadtchronik (7. 1. 1901—29. 12. 1902—?; 2°; Wochenblatt). Sonntagspost (20. 11. 1910—1914: 2°; Wochenbeilage). Frauenzeitung der Züricher Post (7. 3. 1920—18. 2. 1922: 2°; Wochenbeilage). Das Blatt der Familie. Frauenzeitung (seit 1931 ohne Untertitel: 25. 2. 1922—Dezember 1933: 2°; Wochenbeilage). Das interessante Blatt (31. 10. 1923—Dezember 1933. September 1934—1936: 2°; Wochenbeilage). Roman-Beilage der Züricher Post (11. 12. 1926—1929; 2°; wöchentlich 2×). Roman-Zeitung (1930—1936: 2°; wöchentlich 2×). Die Sportwoche der Z. P. (1930—1933: 2°: Wochenbeilage: Red.: Heinz Klemm). Das Sportblatt (1934—August 1936: 2°; Wochenbeilage: Red.: Heinz Klemm. Eugen Laux). Sonntagsblatt (2. 1. 1934—31. 12. 1936: 2°). Sportseite (September 1936—Ende 1936: 2°: Wochenbeilage: Red.: Eugen Laux) ⑩ Theodor Curti und Reinhold Rüegg mit dem finanziellen Beistand von Gesinnungsgenossen (29. 3. 1879—November 1890). Genossenschaft Züricher Post (November 1890—7. 2. 1931). Genossenschaft zur »Alten Universität« (9. 2. 1931—30. 12. 1933). Geschwister Ziegler & Co., Winterthur (2. 1. 1934—31. 12. 1936) ⑪ Theodor Curti (29. 3. 1879—1. 7. 1894), Reinhold Rüegg (29. 3. 1879—25. 5. 1915). Emil Kollbrunner (1. 1. 1891—30. 8. 1893), Dr. Heinrich Rüegg (1. 1. 1892—30. 12. 1895). Dr. Oscar Wettstein (2. 7. 1895—13. 9. 1914). Jakob Schurter (2. 7. 1895—14. 9. 1925), Dr. Willy Bolza (1. 4. 1924—11. 8. 1926). Max Schoop (Handelsteil) (18. 12. 1906—28. 2. 1911, 25. 9. 1914—5. 8. 1924). Jakob Horner (1. 5. 1912—11. 8. 1930). Rudolf Brun (1. 5. 1915—18. 4. 1920). Dr. Hugo Kramer (1. 5. 1915—18. 4. 1920). Dr. S. D. Steinberg (1. 1. 1916—31. 12. 1921). Paul Altheer (19. 4. 1920—31. 1. 1922). Dr. O. G. Baumgartner (6. 5. 1922—14. 1. 1926). Dr. Hans Mettler (24. 4. 1926—1. 11. 1931). Rudolf Vetter (24. 6. 1926—29. 12. 1926). Jakob Bader (1. 7. 1931—16. 7. 1934). Dr. A. Haas (2. 11. 1931—31. 7. 1933). Dr. Ernst Moser (2. 1. 1933—30. 3. 1934). Dr. Hans Graf (17. 7. 1934—14. 9. 1935). O. Hürsch (15. 9. 1935—31. 12. 1936). O. Wirth (15. 9. 1935—31. 12. 1936). Dr. V. Jent (2. 3. 1936—31. 12. 1936) ⑫ demokratisch ⑬ BGSZ: 70 (p. 465). 496, 581, (p. 150—158), 676, 815, 111 (p. 495—497) ⑭ Zh: Z: Be: L ⑮ Seit 1934 Kopfblatt der Zeitung »Der Landbote und Tagblatt der Stadt Winterthur«.

Post, Alb. Herm., die **Anfänge** des Staats- u. Rechtslebens. Ein Beitrag zu einer allgemeinen vergleich. Staats- u. Rechtsgeschichte. gr. 8. (XVI, 306 S.) Oldenburg 878. Schulze. n. 4. 80

Post, Alb. Herm., üb. die **Aufgaben** e. allgemeinen Rechtswissenschaft. gr. 8. (VII, 214 S.) Oldenburg 891. Schulze. n. 3. —

— **Bausteine** f. eine allgemeine Rechtswissenschaft auf vergleichend-ethnologischer Basis. 2 Bde. gr. 8. (VIII, 352 u. VIII, 264 S.) Ebend. 880. 81. n. 9. 40

Post, Alb. Herm., **Einleitung** in e. Naturwissenschaft d. Rechts. gr. 8. (VI, 80 S.) Oldenburg 872. Schulze. n. 1. 60

Post, Alb. Herm., **Einleitung** in das Studium der ethnologischen Jurisprudenz. gr. 8. (53 S.) Oldenburg 886. Schulze. n. 1. 20

Post, Alb. Herm., **Entwurf** eines gemeinen deutschen u. hansestadtbremischen Privatrechts auf Grundlage der modernen Volkswirthschaft. 1. u. 2. Bd. Bremen. Halle, Gesenius. gr. 8. n. 5 ₰ 6 ngr.
1. Bd. Die Elemente. (XXIV, 264 S.) 866. n. 1 ₰ 24 ngr.
2. Bd. Das gemeine deutsche u. hansestadtbremische universelle Vermögensrecht. 1. Abth. (XIII, 225 S.) 868. n. 1 ₰ 18 ngr.
2. Bd. — 2. Abth. (VIII, 308 S.) 870. n. 1 ₰ 24 ngr.

— **Entwurf** e. gemeinen deutschen u. hansestadtbremischen Privatrechts auf Grundlage der modernen Volkswirthschaft. 3. (Schluß-)Bd. Das gemeine deutsche u. hansestadtbrem. Immobiliarrecht u. Familienrecht. gr. 8. (XI, 236 S.) Halle 871. Gesenius. n. 4. 80 (cplt.: n. 20. 40)

Post, A. H., **Entwurf** e. gemeinen deutschen u. hansestadtbremischen Privatrechts auf Grundlage der modernen Volkswirthschaft. 4. Bd. Ergänzung zu den früheren Bänden. gr. 8. (XII, 180 S.) Halle 887. Gesenius. n. 5. — (cplt.: n. 26. —)

— die **Geschlechtsgenossenschaft** der Urzeit u. die Entstehg. der Ehe. Ein Beitrag zu e. allgemeinen vergleich. Staats- u. Rechtswissenschaft. gr. 8. (VIII, 182 S.) Oldenburg 875. Schulze. n. 3. —

— die **Grundlagen** d. Rechts u. die Grundzüge seiner Entwickelungsgeschichte. Leitgedanken f. den Aufbau e. allgemeinen Rechtswissenschaft auf sociolog. Basis. gr. 8. (XIX, 492 S.) Ebend. 884. n. 7. 40

— **Grundriss** der ethnologischen Jurisprudenz. 2 Bde. gr. 8. Oldenburg, Schulze. n. 16. —
1. Allgemeiner Tl. (XII, 473 S.) 894. n. 6. —
2. Spezieller Tl. (XV, 744 S.) 895. n. 10. —

v. Post, Alb. Herm., üb. die allgem. ehel. Gütergemeinschaft in Hinsicht auf Theilung u. Todesfall. Nach Bremischen Stadtgesetzen. 8. Hannov. 802. Hahn. 4 gr.

— **afrikanische Jurisprudenz**. Ethnologisch-jurist. Beiträge zur Kenntniss der einheim. Rechte Afrikas. Mit Völker-, Länder- u. Sach-Register. 2 Thle. in 1 Bde. gr. 8. (XV, 480 u. 222 S.) Oldenburg 887. Schulze. n. 10. —

— **Kirchenglaube und Wissenschaft**. Ein Beitrag zur Klärung der religiösen Streitfragen der Gegenwart für gebildete Leser. gr. 8. (36 S.) Bremen [Halle] 868, Gesenius. (* 50 Pf.)

— das **Naturgesetz** des Rechts. Einleitung in eine Philosophie des Rechts auf Grundlage der modernen empir. Wissenschaft. Ebend. 867. gr. 8. (V, 65 S.) n. 12 ngr.

— **Realregister** z. Hanseatischen Büllctin. gr. 8. Bremen 812. Heyse. 18 gr.

— das **Samtgut**. Systematische Darstellung des pract. brem. ehel. Güter- und Erbrechtes. gr. 8. (VIII und 156 S.) Bremen 864, Gesenius. *

Post, Alb. Herm., das **Samtgut**. Systematische Darstellung des prakt. brem. ehel. Güter- und Erbrechts. 2. verm. und verb. Aufl. gr. 8. (VIII, 134 S.) Halle 879, Gesenius' Verlag. *

— **Sind befestigte Verzierungen eines Hauses Pertinenzen desselben?** Untersucht nach d. Vorschriften d. röm. Rechts u. d. Code Napoleon. Bremen 812. Heyse. 4 gr.

— **Studien** zur Entwicklungsgeschichte d. Familienrechts. Ein Beitrag zu e. allgem. vergleich. Rechtswissenschaft auf ethnolog. Basis. 8. (XVI, 568 S.) Ebd. 889. n. 6. —

— die **Unsterblichkeitsfrage** und die Naturwissenschaft unserer Tage. gr. 8. (37 S.) Oldenburg 872, Schulze'sche Buchh.

— **Untersuchungen** über den Zusammenhang der christlichen Glaubenslehre mit dem antiken Religionswesen nach der Methode vergleichender Religionswissenschaft. gr. 8. (96 S.) Bremen [Halle] 869, Gesenius. *

— der **Ursprung** des Rechts. Prolegomena zu einer allgemeinen vergleichenden Rechtswissenschaft. gr. 8. (145 S.) Oldenburg 876, Schulze'sche Hofbuchh. *

— **Wismund**. Ein Mysterium in acht Scenen. 8. (46 S.) Oldenburg 873, Schulze'sche Buchh. *

— die **Wohnungsmiethe** nach Stadt-Bremischem Rechte auf Grund der Praxis der bremischen Gerichte zum Gebrauche für Jedermann dargestellt. 1. Aufl. 1871, und 2. Aufl. gr. 16. (29 S.) Halle 874, Gesenius. *

Post, Augustin, haben wir von Menschen oder v. Christus unser Heil zu erwarten? Predigt, gehalten am 30. Aug. 1845 vor den christkath. Gemeinden v. Posen u. Schwersenz. 8. (1 B.) Posen, (Heine.) Thlr. *

— Ronge, Theiner, Czerski in Rawicz. 8. Posen 846, Gebr. Scherf. n. 1/12 ℳ

Post, Bernhard

Post, B., über das Fodrum. Beitrag zur Geschichte des italien. und des Reichssteuerwesens im Mittelalter. gr. 8. (53 S.) Strassburg 880, Trübner. *

Post, Geschichte der Stadt Mülhausen, s.: Städte u. Burgen in Elsass-Lothringen, 8. Hft.

Post, [Bernhard]. Geschichte der Stadt Mülhausen. ⟨Separatabdruck aus: Das Reichsland Elsass-Lothringen.⟩ IV + 35 S. 8. Strassburg, J. H. Ed. Heitz, 1905. (M. —. 25)
(Städte und Burgen in Elsass-Lothringen. № 8.)

Post, C. W. H. van der, Piet Uijs. Leiden u. Kämpfe d. Ansiedler in Natal. (Die Besitzergreifg. Natals durch die Buren.) Eine Erzählg. Ins Deutsche übertr. von W. Helmbold. 8. (XI, 215 S. m. Abbildgn.) Hamburg 900. Verlagsanstalt u. Druckerei. n. 3.—; geb. in Leinw. n. 4.—

Post, E., pequeno vocabulario portuguez. Kleines Vokabelbuch u. erste Anleitg. zum portugiesisch Sprechen, nebst einer kurzgefassten Grammatik. 8. (VIII, 103 S.) Berlin 889. Behr's Verl. cart. 1. 50

Post, Kisso, Specimen medicum inaugurale, exhibens nonnulla de formulas concinnandi arte generatim deque dosibus medicamentorum speciatim. 8maj. (3¼ B.) Groningae 843. (Leer, Praetorius et Seyde.) *

Post, Ernst, Musterbuch f. Gesuche, s.: Postbücherei, deutsche. 1. Bd.

Musterbuch für Gesuche. 50 Beispiele z. Abfassung von Gesuchen. Hrsg. von Ernst Post. Berlin: Kamossa & Remmers [1906]. (62 S.) 8° [F.]
= Postbücherei, Deutsche. Bd 1. [07. 3013]

Post, Georges E., Plantae postianae, s.: Mémoires de l'herbier Boissier. Nr. 18.

Post, H., Reform des protestant. Kirchengemeindegesanges in Deutschland. (27 S.) Nebst: Rhythmische Neugestaltg. der protestant. Choräle. (12 S.) 4. Berlin 904. Schuster & Loeffler. n. 1.—

de Post, H. G., de cura ampliss. S. B. circa rem nauticam 4. Götting. 784. Bossiegel. 10 ℊ

Post, Hermann (Bremen), De Caroli VI. Invictissimi Romanorum Imperatoris Hisp. Hung. Bohem. Regis, Archiducis Austriae etc. Diss. jur. publ. Präs. Caspar von Rheden. Bremen (H. Brauer) 29. VI. 1713. (?) 42 S. (5.—) 27072
Gew.: Heinrich Meier, Theodor Hasaeus, David Dwerhagen, Andreas Weitsel, Simon Post (Vater). — Widm. v.: J. G. M. (dtsch.), Wilhelm Snabel, Samuel Willett, J. P. Tileman, d. Schenck (dtsch.).

(v. Post, Hm.:) Histor. Nachr. v. d. Regimentsverfass. n. d. Rathe d. Reichsst. Bremen; m. Anmerkk. u. Anh. v. J. Ph. Cassel. *Bremen*, Cramer. 768. 4. (10 Gr.)

Post, Hermann [cand. med.]: Über normale und pathologische Pigmentierung der Oberhautgebilde ... Königsberg i. Pr., Druck v. M. Liedtke, 1893; 2 Bl., 51 S., 2 Bl. 8.
Königsberg, Med. Fak., Inaug.-Diss. v. 27. Juli 1893

Post, Herm., üb. normale u. pathologische Pigmentierung der Oberhautgebilde. Diss. gr. 8. (51 S.) Königsberg 893. (W. Koch.) n. 1. 20

— — De divinis imperatorum titulis, eorumque origine. Diss. jur. Erfurt (J. H. Grosch) 20. X. 1716. 32 S. (4.50) 27073

Post, Julius

Post, Jul. (I.), chemisch-technische Analyse. Handbuch der analyt. Untersuchungen zur Beaufsichtigung des chem. Grossbetriebes. Unter Mitwirkung von L. Aubry, W. Avenarius, C. Deite etc. hrsg. Mit in den Text eingedr. Holzst. 2 Abthlgn. gr. 8. Braunschweig 881, Vieweg und Sohn. [1. Abthl. (I—VIII, S. 1—528.) * ℳ 12.; 2. Abthl. (IX—XL, S. 529—1093.) * ℳ 14.] *

Post, Jul., chemisch-technische Analyse. Handbuch der analytischen Untersuchungen zur Beaufsichtigung des chemischen Grossbetriebes und zum Unterrichte. Unter Mitwirkung von L. Aubry, E. Borgmann, C. Deite, H. Drehschmidt, C. Engler, C. Heintzel, Chr. Heinzerling, A. Jena, A. Ledebur, M. Liebig, C. J. Lintner, S. Marasse, F. Muck, M. Müller, E. Noelting, W. Olschewsky, B. Rathke, O. Reinke, A. Schertel, H. Schwarz, C. Stünkel, P. Wagner, E. Weingärtner, A. Weinhold. 2. verm. und verb. Aufl. Mit zahlreichen Holzst. (In 2 Bdn.) 1.—3. Lfg. gr. 8. Braunschweig 888, Vieweg und Sohn. *
Inhalt:
Lfg. 1. Wasser und Wärme. (S. 1—132.) * ℳ 3.50.
» 2. Industrie der Kohlenwasserstoffe der Methanreihe und Fette. (S. 133—396.) * ℳ 7.50.
» 3. Metalle und Metallsalze. (S. 397—672.) * ℳ 6.50.

Post, Jul. Chemisch-technische Analyse. Handbuch der analyt. Untersuchgn. zur Beaufsichtigg. d. chem. Grossbetriebes u. zum Unterrichte. Unter Mitwirkg. v. L. Aubry, E. Borgmann, C. Deite u. And. hrsg. 2. verm. u. verb. Aufl. 1. Bd. 4. Lfg. u. 2. Bd. 3 Lfgn. Mit zahlr. eingedr. Holzst. gr. 8. Braunschw., Vieweg u. Sohn. * 26 50
1. Bd. 4. Lfg. Chemische Grossindustrie: Anorganische Säuren, Alkalisalze u. Chlorkalk, Kunstdünger. (XXXIII, S. 673—870.) 889. * 5 50.
2. Bd. 1. Lfg. Kalk, Cement, Gyps, Thonwaaren, Glas. (S. 1—102.) 890. * 3 —. —
2. Lfg. Stärke, Dextrin, Zucker, Gährungsgewerbe. (S. 103—476.) 890. * 9 —. —
3. (Schluss-) Lfg. Farbstoffe, Färberei, Gerberei, Leim, Explosiv- u. Zündstoffe. (XL, S. 477—788.) 891. * 9 —.
1. Bd. 1.—3. Lfg. Ebd. 1888. * 17 50.

Post's chemisch-technische Analyse. Handbuch der analyt. Untersuchgn. zur Beaufsichtigg. chem. Betriebe, f. Handel u. Unterricht. Unter Mitwirkg. v. J. Becker, H. Benedict, C. Bleisch u. a. in 3. verm. u. verb. Aufl. hrsg. v. Bernh. Neumann. I. Bd. I. Heft u. II. Bd. 1. Heft. gr. 8. Braunschweig, F. Vieweg & Sohn. n. 10. 30
I,1. (100 S. m. Abbildgn.) 906. n. 4. 80
II,1. (208 S. m. Abbildgn.) 906. n. 5. 50

Post's chemisch-technische Analyse. Handbuch der analyt. Untersuchgn. zur Beaufsicht. chem. Betriebe, f. Handel u. Unterricht. Unter Mitwirkg. v. J. Becker, H. Benedict, C. Bleisch u. a. in 3. verm. u. verb. Aufl. hrsg. v. Bernh. Neumann. I. Bd. 2.—4. Heft u. II. Bd. 2.—4. Heft. gr. 8. Braunschweig, F. Vieweg & Sohn. 50. 70
I, 2. (S. 181—488 m. Abb.) 907. 7. 50
3. (S. 489—814 m. Abb.) 907. 7. —
4. (XXIX u. S. 815—974.) 908. 4.20 (I. Bd. kplt. 23.50; geb. 25. —)
II, 2. (S. 209—658 m. Abb.) 907. 10. —
3. (S. 659—1048 m. Abb.) 908. 10. —
4. (XIV u. S. 1049—1516 m. Abb.) 909. 12. —
(II. Bd. kplt. 37.50; geb. 40. —)

Post, Jul., Arbeit statt Almosen. Beitrag zur Social-Technik. gr. 8. (22 S.) Bremen 883. Roussell. n. 1.—

— patriarchalische Beziehungen in der Grossindustrie. Fünf Briefe an e. Arbeitgeber. [Aus: „Musterstätten persönlicher Fürsorge v. Arbeitgebern f. ihre Geschäftsangehörigen", 1. Bd.] gr. 8. (III, 86 S.) Berlin 889. Oppenheim. n. 1. 50

POST, JULIUS. Ueber drei isomere Bromsulfonsäuren aus krystallisirtem Bromtoluol und diesen entsprechende Sulfhydrate. Göttingen, 1870.

Post, Jul., s.: Concordia.

Post, Jul., ein chemischer Experimentalvortrag vor Arbeitern. Mit einem social-polit. Vorwort. 8. (IV, 40 S. mit 15 eingedr. Holzschn.-Fig.) Bremen 879, Nordwestdeutscher Volksschriften-Verlag. *

—— Grundriss der chemischen Technologie. 2 Hälften. gr. 8. Berlin, Oppenheim. *

Inhalt:

Hälfte 1. Fabrikation der Rohproducte. (XII, 467 S. mit 41 dem Text eingefügten Holzschn., 46 Uebersichtstab., 1 Holzschn.-Taf. und 2 Stnt. in qu. 4.) 877. * M. 11.

" 2. Fabrication der Endproducte. (VIII, 709 S. mit 44 dem Texte eingefügten Holzschn., 4 Uebersichtstab., 8 Holzschn.-Taf. und 2 Stnt.) 879. * M. 14.

Post, Dr. J., Handbuch der analytischen Untersuchungen zur Beaufsichtigung des chemischen Grossbetriebes. Mit Holzschn. im Text. Braunschweig 1881. 8°.

—— Musterstätten persönlicher Fürsorge v. Arbeitgebern f. ihre Geschäftsangehörigen. 2 Bde. gr. 8. Berl., Oppenheim. * 34 — geb. * 37 50

1. Die Kinder u. jugendl. Arbeiter. Mit 44 Abbildgn. (IX, 380 S.) 889. * 10 —; geb. * 11 50.
2. Die erwachsenen Arbeiter. (VI, 172, 745, 12, 8 S. m. 145 Abbildgn.) 893. * 24 —; geb. * 26 —.

Der 2. Bd. ist in Gemeinschaft mit H. Albrecht verfasst.
Aus dem 1. Bde. ist besonders abgedruckt:

—— Reductions-Tabellen für das Gewicht aller Papier-Formate auf Gramm pr. □Meter und umgekehrt, hrsg. von der Papier-Central-Agentur [Jul. Post], Hamburg. gr. 4. (III, 26 S.) Hamburg 881, Hoffmann und Campe. cart. *

— neuere Richtungen auf dem Gebiete der Wohlfahrtspflege. Vortrag, geh. in der Gehe-Stiftg. zu Dresden am 14. I. 1899. gr. 8. (31 S.) Dresden 899. v. Zahn & Jaensch. n. 1.—

— u. Jos. **Landgraf,** Rückblick auf die Fortschritte der chemischen Grossindustrie im Jahre 1876. [Aus: „Zeitschr. f. das chemische Grossgewerbe".] gr. 8. (40 S.) Berlin 877. Oppenheim. — 75

Post, J. (Hrsg.), s. Zeitschrift für das chemische Grossgewerbe.

Post, Jul., s.: Zeitschrift d. Centralstelle f. Arbeiter-Wohlfahrtseinrichtgn.

Post, Karl, Johannes Müllers philosoph. Anschauungen, s.a. Abhandlungen zur Philosophie u. ihrer Geschichte. 21. Hft.

Post, Karl, a. Bonn: Johannes Müller's philosophische Anschauungen. Halle a. d. S. 1905: E. Karras. (42 S.) 8°
¶ (Ersch. vollst. als: Abhandl. z. Philos. u. ihrer Gesch., H. 21.)
Bonn, Phil. Fak., Ref. Erdmann, Diss. v. 8. Aug. 1905
[Geb. 9. Mai 75 Solingen; Wohnort: Bonn; Staatsangeh.: Preußen; Vorbildung: Gymn. Moers Reife O. 95; Studium: Erlangen 3, Berlin 1, Halle 2, Bonn 9 S.; Rig. 15. Febr. 05.]

Post, L., u. C. **Sandfort,** Bezugsquellen-Nachweiser f. sämtl. Fabrikate der Eisen-, Stahl- u. Messingwaren-Branche, neue Bearbeitg., s.: Beucker, J., u. M. Louvet, westfälisch-rheinisch-thüring. Bezugsquellen f. Maschinen u. sämtl. Erzeugnisse d. Eisen- u. Metallwaren-Industrie.

Post, L., und C. Sandfort, s.a. Fabrikanten-Adressbuch.

Post, L., & C. **Sandfort:** Fabrikanten-Adreßbuch. Düsseldorf u. Hagen i. W. (1880)

Post, Nikol., die Eisenbahnen Brasiliens, s.a. Berichte, kommerzielle. Nr. 8.

Die Eisenbahnen Brasiliens. Bericht d. K. u. K. Österr.-Ungar. Konsulats in Rio de Janeiro, erstattet v. K. u. K. Konsul Nikolaus **Post**. Wien: Manz in Komm. 1908. (17 S.) 4°(8°)
— **Berichte,** Kommerzielle, hrsg. v. K. K. Österr. Handelsmuseum. No 8.
[08. 5503

— Handels- u. Geschäftsverhältnisse in China. (72 S.) gr. 8. Wien 907, k. k. österreich. Handelsmuseum. 1.—
Sonderabdr. a.: „Jahrb. d. Exportakad. d. öst. Handelsmuseums."

Post, Paul. Die französisch-niederländische Männertracht einschließlich der Ritterrüstung im Zeitalter der Spätgotik 1350—1475 ... Berlin 1910. H. S. Hermann.
XVI — 112 S. 8°.
Halle, Phil. Diss. 1910.

— **Simon Hermann** (Bremen), De utilis rei vindicationis speciebus earumque usu in concursu creditorum. Diss. jur. Moder. Jo. Conrad Sigismund Topp. Helmstedt (P. D. Schnorr) 21. III. 1750. 40 S. (4.75) 27074

— — Dasselbe. Helmstedt (P. D. Schnorr) 21. III. 1750. 40 S. (4.75) 27075
Widm. v.: A. J. Voigts, F. Carstens, G. A. Topp (dtsch.).

Post, Sowjatn. Khrystußowe czerpenje, we wschjech dnjach pôstneho czaßa ßkhjerluschemi, wopomnenemi a modlitwami swězene. Na ßerbßki pschełożene wot M. Domaschki. gr. 8. (39 S.) Bautzen 865, (Schmaler und Pech.) geb.

Post, Tom v., Lexicon generum phanerogamarum inde ab anno MDCCXXXVII cum nomenclatura legitima internationali et systemate inter recentia medio. Opus revisum et auctum ab Otto Kuntze. (XLVIII, 714 S. u. 8 Bl.) gr. 8. Stuttgart 904. Deutsche Verlags-anstalt. Geb. in Leinw. n. 10.—

Posta: La Posta d'Engiadina (Engadiner Post)
(5) 17. 6. 1871 (Probe-Nummer)—19. 6. 1872 (6) 4° (7) Wochenblatt (8) Cuoira (Chur): Senti & Casanova (10) Andrea Bezzola (späterer Bundesrichter), Zernez (11) Andrea Bezzola, Zernez (12) liberal (13) BGSZ: 1002, 1019 (14) Ch: K; Be: L.

Pósta, Béla, archaeolog. Studien auf russ. Boden, s.a. Forschungsreise, 3. asiatische, des Grafen Eugen Zichy. Bd. 3. 4.

Archaeologische Studien auf russischem Boden. Von Béla **Pósta**. Mit 340 Abb. Th. 1. 2. Budapest: V. Hornyánzsky; Leipzig: K. W. Hiersemann 1905. 2 Bde 4°
[Nebent.:] Régészeti tanulmányok az Orosuföldön. Irta Pósta Béla.
= Forschungsreise. Dritte asiatische. d. Grafen E. Zichy. Bd 3. 4.

Pósta, Béla de, s.: Zichy, Comte Eug. de, voyages au Caucase.

Post-Adressbuch, Neues, für Liefland. Riga 1820. H: *Heydenreich, Glob Heinrich.* (R-N) (MGT)

Postadressbuch, Neues, für Liefland und Oesel. Riga 1820. H: *Heydenreich, G. H.* (Winkelmann, Bibliotheca Livoniae historica. 1211.)

Postagent, der. Zeitschrift f. die Interessen der Postagenten. Organ d. Verbandes deutscher Postagenten, Sitz Breslau. Red.: Geo. Förster. 4. Jahrg. 1910. 24 Nrn. (à 16 u. 8 S.) Lex. 8. Breslau, P. Förster. 2. 40

Postage Stamp Album. Lex.-8. (IV, 79 S. mit 161 eingedr. Holzschn.) Leipzig 879, L. Senf. geb.

Postage stamp album, illustrated. 8vo ed. Empellished with 400 engravings of postage stamps. gr. 8. (64 S.) Leipzig 886. Heitmann. geb. n. — 50

Postage Stamp Album. Newest ed. Illustrated by about 1800 engravings of Stamps, and giving geographical-statistical notices. gr. 4. (126 S.) Leipzig 887. Heitmann. geb. in Halbleinw. 2. —; in Ganzleinw. 2. 50

Postage stamp album, illustrated. This album contains over 11 800 spaces, 3800 engravings, 66 watermarks, 114 arms, also 41 portraits of the rulers of every nation, together with valuable statistical information regarding their size, population, capitals etc. gr. 4. (XII, 413 S.) Leipzig 893. Vereinigte Dampfbuchbindereien, Baumbach & Co. Geb. 5. —

— dasselbe. This album contains over 10 000 spaces, 3000 engravings, 68 watermarks, 90 arms, also 35 portraits of the rulers of every nation, together with valuable statistical information regarding their size, population, capitals etc. gr. 4. (III, 286 S.) Ebd. 894. Geb. in Halbleinw. (Nr. 251) 4. —; (Nr. 252) 4. —

— dasselbe. This album contains over 7000 spaces, 3000 engravings, 68 watermarks, 90 arms, also 45 portraits of the rulers of every nation, together with valuable statistical information regarding their size, population, capitals etc. gr. 4. (III, 158 S.) Leipzig 894. Vereinigte Dampfbuchbindereien, Baumbach & Co. Geb. in Halbleinw. (Nr. 254) 3. —; (Nr. 255) 3. —

—— dass. — the international. 8th edit., containing spaces for all varieties of postage stamps ever issued in any country in the world, and giving date of issue, value and colour of each stamp. Illustrated with about 2500 engravings of stamps and 100 of arms, and also giving geographical, statistical and historical notes upon every country. By H. Schwaneberger. gr. 4. (III, 735 S.) Ebendas. 888. geb.

Postage stamp album, the international, containing 16 126 spaces for all varieties of postage stamps ever issued in any country in the world, and giving date of issue, value and colour of each stamp. Illustrated with 5594 engravings of stamps, 155 of arms, 703 watermarks, 73 portraits of regents, 4776 quotations of rare stamps, and also giving geographical, statistical and historical notes upon every country. 14. ed. in 2 parts: Part I: containing the stamps issued from 1840 to 1890. Part II: those since 1891. gr. 4. (III, 955 u. 291 S. m. 1 Farbontaf. u. 1 Karte.) Leipzig 893. E. Heitmann. Geb. in Halbleinw. n. 14. —; in 2 Bde. n. 18. —; in Leinw. 15. —; in 2 Bde. n. 19. —; m. Goldschn. u. Schloss n. 22. —; ohne Schloss 20. —; in Halbfrz.-Imitation in 2 Bdn. 25. —

— dasselbe. Containing 3532 spaces for all varieties of postage stamps ever issued in any country in the world, and giving date of issue, value and colour of each stamp. Illustrated with 5684 engravings of stamps, 157 of arms, 711 watermarks, 72 portraits of regents, 3400 quotions of rare stamps, and also giving geographical, statistical and historical notes upon every country. 15. ed. in 2 parts: Part I: containing the stamps issued from 1840 to 1890. Part II: those since 1891. gr. 4. (VIII, 576 u. II, 156 S.) Ebd. 894. In 1 Halbleinwbd. 8. —; in 1 Leinwbd. 9. —; m. gepolsterter Decke 10. —

— the international illustrated. Providing for 4200 postage stamps, cards, envelopes etc. Illustrated with 2750 engravings, 155 watermarks, 80 arms, 53 portraits and 30 mints. qu. 4. (120 S. m. Weltkarte.) Ebd. 893. Geb. in Halbleinw. 1. 50

— dasselbe. Published in 3 languages. Providing for 10 600 postage stamps, cards, envelopes etc. Illustrated with 4300 engravings, 431 watermarks, 146 arms and 68 portraits With map of the Universal Postal Union. gr. 4. (IV, 359 S.) Ebd. 893. Geb in Halbleinw. 3. 50

Postakönyv. Postbüchel für das Jahr 1856. Ujévi üdvözlet 1856-ik évre. T. CZ. párt-fogóknak ajálva a pesti cs. k. fő-posta levélhordók által. (Neujahrs-Wunsch für das Jahr 1856. Ihren hochgeehrten Gönnern ehrfurchtsvoll dargebracht von sämmtlichen k. k. Ober-Postamts-Briefträgern in Pesth. Pesth. Druck und Verlag von Alois Bucsánszky. (24 S. 8.) Ungarisch und Deutsch zugleich.)

Post-Album auf das Jahr 1856 Lemberg, 1855. Gedr bei Kornel Piller. (44 S. 2 Bl. 8.)

Post-Album auf das Jahr 1856. Lemberg, 1856. Druck von Kornel Piller. (44 S. kl. 8.)

Postalbum. Gotthard-Route. (12 farb. Bl.) 12,5×20 cm. Leipzig-Gautzsch (907). Wanderer-Verl. 1. —

— dasselbe. Vierwaldstätter-See. (12 farb. Bl.) 12,5×20 cm. Ebd. (907). 1. —

Post-Almanach. Mit Benützg amtl. Qellen bearb. v. Wilhelm Krauss.
Wien: Krauss
Jg. 25. 1894.
36. 2:560

Post-Almanach. Jahrbuch des Verbandes deutscher Post- u. Telegraphen-Assistenten f. 1900. Hrsg. im Auftrage des Verbandsvorstandes u. unter Mitwirkg. Anderer v. W. Ruhnstruck. Des Kalenders VI. Jahrg. 8. (VIII, 212 S.) Nebst Anh. 12. (70 S.) Berlin (R. F. Funcke). Geb. in Leinw. u. kart. n.n. 1. 75
Fortsetzung s.: Post-Kalender, deutscher.

Postalmanach, Deutscher. Hg.: W. Görges.
1842—1852. M. 89 Tfln. u. 30 Holzschn.
Braunschweig.

Post-Almanach, deutscher, f. das J. 1842. Hrsg. von Wilh. Görges. 1. Jahrg. 16. (18 B. u. 8 lith. Bild. inclus. 2 ill.) Braunschweig 841. (Wolfenbüttel, Holle'sche Buchh.) *

—— dass. 2—5. Jahrg. 1843—46. Hrsg. v. Wilh. Görges. 16. Braunschweig, (Vieweg u. Sohn.) [2. u. 3. (à 18 B. u. 8 Stnt.) à * 1 Thlr., 4. (19 B. 8 Stnt. u. 1 Karte) * 1 Thlr. 10 Ngr., 5. (20 B. u. 8 Stahlst.) * 1 Thlr.] *

Postamtsblatt, schweizerisches. Jahrg. 1881 94. Bern 4.

Postamts-Zeitung zu Köln. –
30.XI.1795 – 18.VII.1798.
Vorh. u.d.T.: Ober-Postamts-Zeitung zu Köln.
Fortges. u.d.T.: Kölner Zeitung.

Post-Anstalten, über, nach ihrem Finanz-Prinzip u. üb. die herrsch. Maximen d. Post-Regieen. gr. 8. Halle, Hemmerde u. S. 817.

— — Nachtrag zu Obigem: Bitten, Winke, Ansichten üb. d. Postwesen. gr. 8. Ebend. 820.

Post-Anstalten, über, nach ihrem Finanzprincip u. über die herrschenden Maximen der Post-Regieen. gr. 8. Halle 817. Schwetschke u. S. 1 ₰ Nachtrag zu Obigem: Bitten, Winke, Ansichten üb. d. Postwesen. gr. 8. Ebd. 820. 10 ₰

Postanstalten, die fremden, in der Türkei. Von H. A. gr. 8. (36 S.) Merseburg 901. (F. Stollberg.) n. 1.—

Postanstalten, d., d. Kreises Waldshut u. deren Bestell- u. Grenzgebiete m. e. Brieftariftabelle f. gewöhnliche u. eingeschriebene Briefsendungen. Hrsg. v. e. Postbeamten. 8. (72S.) Waldshut(902). H. Zimmermann. —50

Postarchiv. Deutsches. Beihefte zum Amtsblatt der Deutschen Reichs-Post-Verwaltung. Jhg. 1—3. Berlin 1873—75. gr. 8. (Später: Archiv für Post. ...) . . . . (D.; LHK.)

Postassistent u. Postadjunkt, der. Vorbereitung auf d. Postassistenten- u. Postadjunktenprüfg. Methode Rustin. Selbst-Unterrichts-Briefe, hrsg. vom Rustinschen Lehrinstitut. Red. v. C. Jlzig. Bearb. v. Gust. Behrendt, Max Baumann, Frz. Büßler u. v. a. 1.—80. Lfg. Lex.-8. (2761 S. m. Abbildgn, 1 Tabelle, 12 farb. Karten u. 38 farb. Kartenf. in gr. 4.) Potsdam (900—902). Bonneß & Hachfeld. Subskr.-Pr. à n. — 90; Einzelpr. à n. 1. 25

Postassistent u. Postadjunkt, der. Vorbereitung auf die Postassistenten- u. Postadjunktenprüfg. Methode Rustin. Selbst-Unterrichtsbriefe in Verbindg. m. eingeh. Fernunterricht. Hrsg. vom Rustinschen Lehrinstitut f. briefl. Unterricht. Bearb. v. Gust. Behrendt, Max Baumann, Frz. Büßler u. v. a. 81.—142. Lfg. (1996 S. m. Abb. u. 7 farb. Karten.) Lex.-8. Potsdam (903—906). Bonneß & Hachfeld. Subskr.-Pr. à n. — 90; Einzelpr. à n. 1. 25

Postassistent u. Postadjunkt, der. Vorbereitung auf die Postassistenten- u. Postadjunktenprüfung. Methode Rustin. Selbst-Unterrichts-Briefe in Verbindg. m. eingeh. Fernunterricht. Hrsg. vom Rustinschen Lehrinstitut f. briefl. Unterricht. Bearb. v. Gust. Behrendt, Max Baumann, Bauer u. v. a. 143.—147. Lfg. (174 S. m. 4 farb. Karten u. 5 Tab.) Lex. 8. Potsdam (907. 08). Bonneß & Hachfeld. Subskr.-Pr. à —90; Einzelpr. à 1. 25

— dasselbe. Suppl.-Heft. 1.—6. Lfg. (96 Bl. m. Abb.) Lex. 8. Ebd. (909). Subskr.-Pr. à —90; Einzelpr. à 1. 25

Allgemeiner Postatlas von der ganzen Welt, in so ferne Posten darauf bestehen, aus vierzig Lateinisch und deutsch beschriebenen Landkarten zusammengesetzt, nach den neuesten in den verschiedenen Staaten im Postwesen gemachten Verordnungen und Einrichtungen ausgearbeitet und mit einem vollständigen Register versehen, wodurch man auf was immer für einer Karte jeden Ort in wenig Augenblicken auffindet.
Herausgegeben von Franz Joh. Jos. von Reilly. Wien 1799 im geographischen Verschleiss-Comptoir. 47 Bl. (Hievon fehlt Nro. 4. Blatt Bayern.)

Post-Atlas des Russischen Reichs. Nach Gouvernements, mit Beifügung statistischer Tabellen, zusammengestellt im Kaiserlichen Post-Cours-Bureau. St. Petersburg 1852. 1 Bd. mit 52 Karten c. Hz.

Postauskunftsbuch nebst vollständigem Zonenverzeichnis für Essen-Ruhr, Mülheim (Ruhr), Steele, Bergeborbeck, Borbeck, Kettwig, Werden (Ruhr) und die übrigen im Taxquadrat 1364 liegenden Postorte. Barmen, 1906. 148 S.

Postave al sa popadno reslo-henje, teh Postav, te ognenske, al Svetga Florjana bratovshne, katera je gor' postavlena, u teh treh deshelah, na Stajarskim, Kranskim ino Koroshkim. V' Zelovzu, Leon, 1831. 23 S.

Postave — šolske, za ljudske šole po c. k. Austrijanskih derzavah. Fol. (1 Bl.) Natisnil L. Grund. (Schulgesetze für die Volksschulen im Kaiserthume Oesterreich.)
Verlag der Schulbücher-Verschleiß-Administration 1855.

Postbauten d. Deutschen Reichs. Mit hoher Genehmigg. u. wohlwoll. Unterstützg. d. Reichspostamts. In Lichtdr.-Bildern nach photograph. Aufnahmen m. begleit. Text. 10 Lfgn. qu. Fol. (à 8 Taf. m. 8 Bl. Text.) Leipzig 887. Karl Fr. Pfau. à n. 2. — (cplt. in Leinw.-Mappe: n. 30. —)

Postbeamten! (An die „unteren"). Leidensgenossen. Flugblatt, gedruckt in der sozialdemokrat. Genoss.-Buchdr. der „Freiheit" in London.

Die Post- und Telegraphenbeamtin. Forderungen, Leistungen, Aussichten in diesem Berufe. — Leipzig: Bange [1904]. 31 S. 8° (Frauenberufe. 11.)

Postbericht für Berlin. Berlin. 1842. 4.; Desgl. 1825, 1826 bis 1828. Berlin. 2 Bde.

Post- und Eisenbahn-Bericht, s. Domann, C. G.

Post- u. Eisenbahn-Bericht. Uebersicht der Eisenbahn-, Post- u. Dampfschiff-Fahrten Mittel-Deutschlands u. speciell Sachsens. Nach offiziellen Quellen bearb. v. C. G. Domann. Im Anh. Geschäfts-Anzeiger. 17. Jahrg. Winter 172/73. Nr. 5. 16. (IV, 842 S. m. e. lith. Karte in qu. Fol.) Pirna 873. Domann. n. — 60; ohne Karte n. — 55

Der **Postbetriebsbeamte**. Prakt. Lehr- u. Nachschlagebuch f. d. erweit. Dienst d. Oberpostschaffner u. Ober-Briefträger. Verf. von höh. Beamten d. Reichs-Post- u. Telegraphenverwaltung. Berlin: Kamossa & Remmers [1908]. (VIII, 398 S.) 8° [F.] 08. 11. 9

Postbetriebsbestimmungen. Behandlung der rekommandierten Briefsendgn., der Briefe m. Wertangabe u. der Pakete im inländ. Verkehre. Aufl. 1908. Hrsg. vom k. k. Handelsministerium. (VI, 146 S.) gr. 8. Wien 908. (Manz.) 1. 20

Post- und Reiseblatt, erstes, d. Routen durch Deutschland. gr. Fol. Leipzig, Schwickert. 788.

Post-Blatt zum deutschen Reichs-Anzeiger u. königl. preuss. Staats-Anzeiger. 1—3. Jahrg. 1874—1876. à 12 Nrn. (B.) Fol. Berlin, C. Heymann's Verl. à Jahrg. n. 3. —

Post-Blatt zum deutschen Reichs-Anzeiger u. königl. preussischen Staats-Anzeiger. 4—6. Jahrg. 1877—1879. à 4 Nrn. (B.) Fol. Berlin, (C. Heymann's Verl.). à Jahrg. n. 1. —

Post-Blatt zum deutschen Reichs-Anzeiger und königl. preuss. Staats-Anzeiger. 7.—11. Jahrg. 1880—1884. à Jahrg. 12 Nrn. (Bog.) Fol. Berlin, Expedition des deutschen Reichs-Anzeigers. à Jahrg. **

Post-Blatt zum deutschen Reichs-Anzeiger und kgl. preuss. Staats-Anzeiger. 12.—16. Jahrg. 1885—1889. à Jahrg. 4 Nrn. (Bog.) Fol. Berlin, Exped. des deutschen Reichs-Anzeigers. à Jahrg. *

Postbote, der. Illustrirte belletristische Monatschrift. Jahrg. 1867. 12 Hefte (à 2 Bgn. mit eingedr. Holzschn.). München, Neuburger jun. gr. 4. Jedes Heft n. 3 ngr.

Post-Bote: 1880?—1881?

Weekly. Circulation: 1880, 300. Edited & published by Walter C. Lempke.
Ste. Genevieve, MO

Postbote

① Organ schweizerischer Post-, Telegraphen- und Zollangestellter ③ Posthorn ⑤ 1894—? ⑧ Zürich: Juchli & Beck ⑪ J. Gaberell ⑫ Konkurrenzblatt des sozialistischen Blattes «Posthorn» ⑮ W. Ingold: Ein Abschied nach 35 Jahren. «Schweizerische Post-, Telephon- und Telegraphen-Union» ⑯ Die Angaben in BGSZ 12, p. 213, widersprechen den oben angeführten von Ingold.

Postbote, deutscher. Zeitschrift f. d. Berufsinteressen d. deutschen Post- u. Telegraphen-Unterbeamten. 1. u. 2. Jahrg. 1895 u. 1896. à 24 Nrn. (Bog.) gr. 4. Berlin, E. Remmers. à Jahrg. n. 4.—

— dasselbe. 3. Jahrg. 1897. 46 Nrn. (à ca. 2 Bog.) gr. 4. Berlin (Leipzig, G. Schnurpfeil Nachf.). n. 4.—
Das 1. Quartal hatte 8, die übrigen je 13 Nrn.

— dasselbe. 4. Jahrg. 1898. 52 Nrn. (à ca. 12 S.) gr. 4. Ebd. n. 4.—
Kann auch vierteljährlich bezogen werden.

Postbote, deutscher. Schriftleitung: E. Remmers. 5.—8. Jahrg. 1899—1902. à 52 Nrn. gr. 4. (à ca. 10 S.) Berlin (Leipzig, G. Schnurpfeil.) à Jahrg. n. 4.—

Postbote, deutscher. Schriftleitung: E. Remmers. 9. u. 10. Jahrg. 1903 u. 1904. à 12 Nrn. (à ca. 8 S.) 4. Berlin (Leipzig, G. Schnurpfeil). à Jhrg. 2.40

Postbote, der, aus Franken. Ein nützl. u. unterhalt. Zeitblatt, hrsgg. v. C. G. Scharold. 4 Jahrgg. 1827—30. 4. Würzb., (Strecker). 14 fl 16 gr

Der Readinger Postbothe und Berks, Schuylkill und Montgomery Caunties Adverteiser: Band I - 8?, Aug. 3, 1816 - 1823?

Weekly. Federalist [established in opposition to Reading Adler], supported Andrew Jackson. Prospectus appeared late in 1815. Title-page, separately printed, issued for each volume. Edited & published by Carl A. Bruckman [sic in paper itself].
Reading, PA

Postboten-Kalender, 2. Jahrg., s.: Reichs-Postkalender, deutscher.

Postbuch. Kleines Post- u. Telegraphen-Lexikon zum Gebrauch f. Jedermann. Ausg. f. 1883. schmal 12. (28 S.) Weimar 883. Weissbach. —30
Nicht weiter erschienen.

— allgem. v. Deutschland und einig. angrenz. Ländern. 8. Frankfurt, Streng. 796. (eine neue Aufl. v. d. Posttab.) 796.

Postbuch, allgem., von Deutschland u. dessen angrenzenden Ländern. 7e (der „Posttabellen,") nach d. neuesten Abänderungen verb. Aufl. Mit 1 Karte. 8. Frankf. a. M. 819. Streng. 1 fl 3 gr 8e Aufl. unt. dem T.: Post- u. Reisebuch durch Deutschland u. dessen angrenzende Länder. Mit 1 neuen Route-Karte (in Fol. lith. u. zweifarbig gedruckt.) Notizen f. Reisende mit Eilwagen u. Extrapost, auf Dampfschiffen u Packetboten rc. Vermehrt u. bis auf die neueste Zeit berichtigt von G. Bauerkeller sen. A. u. d. T.: Itinéraire portatif, ou livre de poste de l'Allemagne et des pays limitrophes. 8. Ebd. 832. Velinp. in Leinwand 1 fl 18 gr

Post- und Reisebuch, allgemeines. 12. Wien, Rötzl. (Kaulfuß.) 805.

Postbuch f. Augsburg, s.: Verzeichnis der Postanstalten des Deutschen Reiches.

— f. das Grossherzogth. Baden, den hessischen Amtsgerichtsbez. Wimpfen u. die Hohenzollernschen Lande. Hrsg. im Auftrage der kaiserl. Ober-Postdirektion zu Karlsruhe (Baden). 10. Ausg. Mai 1900. 8. (111 S.) Karlsruhe, Ch. F. Müller. n. —70

Postbuch f. das Grossherzogt. Baden, den hessischen Amtsgerichtsbez. Wimpfen u. die hohenzollernschen Lande. Hrsg. im Auftrage der kaiserl. Ober-Postdirektion zu Karlsruhe (Baden). 11. Ausg. Novbr. 1903. (112 S.) 8. Karlsruhe 903. Ch. F. Müller. n. —70

Postbuch f. das Grossherzogt. Baden, den hessischen Amtsgerichtsbez. Wimpfen u. die hohenzollernschen Lande. Hrsg. im Auftrage der kaiserl. Ober-Postdirektion zu Karlsruhe (Baden). 12. Ausg. Novbr. 1907. (124 S.) kl. 8. Karlsruhe, C. F. Müller. —75

Postbuch für Berlin und Umgegend. Herausgegeben von der Kaiserlichen Ober-Postdirektion in Berlin. 1904. 1906. 1907. 1908. 1910. 1911.

— Breslauer. Zusammenstellung der wesentlichsten, auf die Breslauer Post-, Telegraphen- u. Fernsprech-Einrichtgn., sowie auf den allgemeinen Post- u. Telegraphenverkehr bezügl. Bestimmgn. u. Tarife. Nach amtl. Materialien bearb. Mit e. lith. Plane. 16. (VIII, 260 S.) Breslau 883. Morgenstern's Verl. n. 1. 25; f. Käufer d. Adreßbuches n. —75

Post-Buch f. Deutschland u. d. Hauptrouten durch Europa. Mit gemeinnütz. Reise-Notizen f. Extrapost, Eilwagen, Dampfschifffahrt etc. Nebst e. Reise-Charte u. e. Register üb. mehr als 2500 Reise-Routen. 4. Aufl., durchaus umgearb. u. verm. v. E. Poppele. Schmal 4. (28½ B.) Frankfurt a. M. 831, Wilmans.

—— dass. in französ. Sprache, s. Manuel des Postes etc.

—— für Deutschland u. d. Hauptrouten durch Europa. Mit gemeinnütz. Reise-Notizen f. Extrapost, Eilwagen, Dampfschifffahrt, Eisenbahnen, Münzreductionen etc. 5. Aufl., durchaus umgearb. u. verm. v. E. Poppele. gr. 8. (18⅛ B. u. 1 Karte, Fol.) Frankfurt a. M. 840. [Leipzig, Gebhardt u. Reisland.] Thlr. *

— für Deutschland und die Hauptrouten durch Europa. Mit gemeinnützigen Reise-Notizen für Extrapost, Eilwagen, Dampfschifffahrt, Eisenbahnen, Münzreductionen rc. Nebst 1 Reise-Karte u. e. Register üb. mehr als 2500 Reise-Routen. 5e Aufl., durchaus umgearb. u. verm. von E. Poppele. gr. 8. Frankfurt a M. 840. Fr. Wilmans. n. 1⅔ fl — dass. Franz. 1⅔ fl

Postbuch von Deutschland und etl. and. Ländern. gr. 8. Braunschweig, Schröder. 798.

— f. Frankfurt a. M., s.: Verzeichnis der Postanstalten d. Deutschen Reiches.

— geographisches, s. Olearius.

—— für Hamburg zum Gebrauch für das Publikum. Sommer-Ausg. 1880. Nach amtl. Quellen bearb. 8. (126 S.) Hamburg, Nestler und Melle. **

—— dass. — Winter-Ausg. 1881/82. Nach amtl. Quellen bearb. 8. (VII, 66 S. mit Tab.) Ebendas. *

—— dass. — Sommer-Ausg. 1882. Nach amtl. Quellen bearb. 8. (VIII, 71 S. mit 1 Tab.) Ebendas. *
Nicht weiter erschienen.

Postbuch zum Gebrauche f. Correspondenten, insbesondere f. Geschäftsleute, Beamte etc., enth. die wichtigsten Bestimmgn. üb. die Benutzg. der deutschen Reichs-Posten zur Versendg. von Postgegenständen etc., nebst Portotarifen. Bearb. nach amtl. Materialien. Ausgegeben im April 1873. gr. 8. (VII, 116 S.) Berlin 873. v Decker. n. 1. —

— dasselbe, m. besond. Nachrichten f. d. Geschäftsverkehr m. den Postanstalten in Berlin. gr. 8. (VIII, 164 S.) Ebend. 873. n.n. 1. 50

Post- u. Reisebuch

— neues, deutsch-französ., nach d. in- u. ausländischen Staaten. Livre itinéraire des Postes pour les pays héréditaires etc. 8. Wien 803. N. A. 815. v. Mösle. 1 ₰

— neuestes, durch Europa, nach d. neuesten Distanzausmaaße d. Posten. 16. Wien 821. Mayer u. C. 16. ⅔

Postbuch, preußisches, für das correspondirende Publikum. Eine Zusammenstellung u. Erläuterung der Bestimmungen über Brief- [incl. Kreuzband- u. Waarenproben-], Geld- u. Packetsendungen nach dem In- u. Auslande, nebst ausführlichen Porto-Taxen u. einer Tabelle über die Art u. Weise der Versendung von Fahrpostgegenständen nach dem Auslande. Nach amtlichen Quellen. Potsdam 859. (Berlin,) Schlesier. 8. (48 S. u. 1 Tab. in Fol.) n. 7½ ngr.

— zum Gebrauch f. das Publikum. Nach amtl. Quellen bearb. Hrsg. im April 1900. gr. 8. (IV, 158 S.) Hannover, Berenberg'sche Buchdr. n. 1. —

Postbuch zum Gebrauch für das Publikum in Berlin. Ausg. im Juli 1875. gr. 16. (VII, 144 S.) Berlin, v. Decker's Verlag. **
—— dass. — Ausg. im Febr. 1876. gr. 16. (VII, 155 S.) Ebendas. **
—— dass. — Ausg. im Mai 1877. 8. (VIII, 179 S.) Ebendas. **
Fortsetzung nur von der Post zu beziehen.

Postbuch zum Gebrauch f. das Publikum in Breslau. Mit e. Lageplan d. neuen Haupt-Postgebäudes. Nach amtl. Materialien bearb. gr. 8. (68 S.) Breslau 890. Morgenstern's Verl. n. — 40

Postbuch zum Gebrauch f. das Publikum in Dresden u. den Vororten Blasewitz, Cotta, Gruna, Laubegast, Löbtau, Loschwitz, Pieschen, Plauen, Trachau, Trachenberge u. Weißer Hirsch. Hrsg. im Auftrage der kaiserl. Ober-Postdirection zu Dresden. Ausg. Octbr. 1894. 12. (V, 78 u. 60 S.) Dresden, W. Baensch. n. — 70

—— desgl. — in Dresden m. den Vororten Blasewitz, Gruna, Löbtau, Pieschen u. Plauen. Hrsg. im Auftrage der kaiserl. Ober-Postdirection zu Dresden. Ausg. Octbr. 1892. 12. (IV, 50, 60 S. m. 1 Plan.) Dresd., Baensch. * — 65

Postbuch zum Gebrauch f. das Publikum in Dresden u. d. Vororten Blasewitz, Löbtau u. Plauen, sowie in den Nachbarorten Cotta, Gruna, Laubegast, Loschwitz, Trachau u. Weißer Hirsch. Hrsg. im Auftr. der kaiserl. Ober-Postdirection zu Dresden. Ausg. Octbr. 1897. 12. (V, 80 u. 61 S.) Dresden, W. Baensch. n. — 70

— zum Gebrauch f. das Publikum in Dresden u. den Vororten: Blasewitz, Strehlen, Striesen, Pieschen, Plauen, Löbtau, Cotta, Laubegast, Loschwitz u. Trachenberge. Hrsg. im Auftrage der kaiserl. Ober-Postdirektion zu Dresden. Ausg. im Octbr. 1888. 8. (172 S.) Dresden 888. Baensch. n.n. 1. —

— dasselbe in Hamburg u. den Vororten, Altona (Elbe), Altona-Ottensen, Harburg (Elbe) u. Wandsbek. Hrsg. im Auftrage der kaiserl. Ober-Postdirection in Hamburg. 2 Thle. 8. Hamburg 892. Verlagsanstalt u. Druckerei, A.-G. n. 2. 50
1. (VI, 214 S.) Kart. n. 1. . . — 2. Verzeichniss der Postanstalten in Deutschland u. Oesterreich-Ungarn m. Angabe der Zonen (Entfernungsstufen) zur Berechnung des Portos f. Packet- u. Werthsendungen von u. nach Hamburg u. den Vororten, Altona (Elbe), Altona-Ottensen, Harburg (Elbe), Wandsbek, Ahrensburg, Alt-Rahlstedt, Poppenbüttel u. Volksdorf. (S. 215—426.) n. 1. 50.

—— für das correspondirende Publikum in Berlin. Bearb. nach amtl. Materialien. Ausg. Ende April 1874 und im Jan. 1875. gr. 16. (VII, 144 S.) Ebendas. 874. à Nr. **

—— desgl. — in Leipzig. Hrsg. im Auftrage der kaiserl. Ober-Postdirection zu Leipzig. Ausg. Octbr. 1892. 12. (IV, 72, 60 S.) Dresd., Baensch. * — 65

— dasselbe f. Leipzig u. Leipzig-Anger-Crottendorf, Connewitz, Eutritzsch, Gohlis, Kleinzschocher, Lindenau, Neuschönefeld, Plagwitz, Reudnitz, Thonberg, Volkmarsdorf, sowie Schönefeld u. Stötteritz. Hrsg. im Auftr. d. kaiserl. Ober-Postdirection zu Leipzig. Ausg. Octbr. 1897. 12. (IV, 86 u. 61 S.) Ebd. n. — 70

— dasselbe f. Leipzig u. Leipzig-Connewitz, Eutritzsch, Gohlis, Kleinzschocher, Lindenau, Neuschönefeld, Plagwitz, Reudnitz, Thonberg, Volkmarsdorf, sowie Schönefeld u. Stötteritz. Hrsg. im Auftrage der kaiserl. Ober-Postdirection zu Leipzig. Ausg. Octbr. 1894. 12 (IV, 82 u. 60 S.) Dresden, W. Baensch. n. — 70

—— zum Gebrauch für das Publikum in Leipzig und den Vororten von Leipzig. Hrsg. im Auftrage der kaiserl. Ober-Postdirection in Leipzig. 8. (IV, 179 S.) Leipzig 886, (Dürselen.) **

— zum Gebrauch f. d. Publikum in Württemberg f. d. J. 1898. Hrsg. im Auftr. d. Generaldirektion d. kgl. württemberg. Posten u. Telegraphen. Ausg. im Dezbr. 1897. hoch 4. (98 u. XIX S.) Tübingen 898. R. Hahn. n. 1. 20

— zum Gebrauch f. das Publikum in Württemberg f. d. J. 1901. Hrsg. im Auftrag der Generaldirektion der königl. württemberg. Posten u. Telegraphen. Ausg. im Juni 1901. hoch 4. (130 u. XVIII S. m. 1 Karte.) Stuttgart, Greiner & Pfeiffer. 2. —; geb. 2. 50; m. Registerzungen 3. —; geb. 4. —; Sonderausg. für Stuttgart (132 u. XVIII S.) zu gleichen Preisen.

Post- u. Reisebuch durch Deutschland u. dess. angrenz. Länder. Mit e. neuen Routen-Karte (Fol., lith. u. zweifarb. gedr.); Notizen f. Reisende mit Eilwagen u. Extrapost, auf Dampfschiffen u. Packetbooten; Angabe d. Sehenswürdigkeiten in bedeut. Städten u. Bädern, u. e. vollständ. Register d. Reise-Routen z. bequem. Nachschlagen. 8. Aufl., verm. u. bis auf d. neueste Zeit berichtigt v. G. Bauerkeller sen. — A. u. d. T.: Itinéraire portatif, ou livre de poste de l'Allemagne et des pays limitrophes. 8. (24¼ B.) Frankfurt a. M. 832, Streng.

Post- und Reisebuch von Deutschland und einigen angrenzenden Ländern, Allgemeines. Frankfurt 1796. 8.

— f. Württemberg. Hrsg. m. Genehmigg. der Generaldirektion der königl. württemb. Posten u. Telegraphen. XIII. Jahrg. 1905/6. (158 u. XVI S. m. 1 Karte u. 1 Pause.) Lex.-8. Stuttgart, Greiner & Pfeiffer. n. 2. —

— f. Württemberg. Mit Genehmigg. der Generaldirektion der kgl. württ. Posten u. Telegraphen hrsg. v. Staudenmaier (früher v. Hettler). XV. Jahrg. 1909/10. (145 u. XVI S. m. 1 Karte u. 1 Pause.) Lex. 8. Stuttgart, Greiner & Pfeiffer. 2. —

Post-Buch f. Central-Europa. Enth.: Die Postrouten durch Deutschland u. d. Hauptstrassenzüge durch Europa. Die wichtigsten Bemerkn. f. Extrapostreisende. Notizen üb. d. Dampfschifffahrten u. Eisenbahn-Verbindn. etc. 8. (20¼ B. u. 1 col. Karte.) Frankfurt a. M. 840, Jügel. *

Postbüchel f. das deutsche Frühlingsfest 1889. Hrsg. v. der Frühlingsfest-Post-Direction. 8. (24 S.) Prag 889. (Dominicus.) n.n. — 50

Postbüchel zum neuen Jahr 1856. Dargebracht von Josef Ružicka. Leitomischl, 1856. Gedr. bei Anton Augusta. (15 S. 8.)

Postbüchel auf das Jahr 1856 den verehrungswürdigen Gönnern in Unterthänigkeit dargebracht von den Briefträgern des k. k. Postamtes in Lemberg. Lemberg, 1855. Gedruckt bei Cornel Piller. (22 S. 1 Bl. 16.)

Postbüchel, Das — zum Neujahr 1856 als Gratulations-Stellvertreter. Prag, 1856. Druck bei M. Landau. (24 S. 8.)

Postbüchel für das Jahr 1857, den verehrungswürdigen Gönnern in Unterthänigkeit dargebracht von den Briefträgern des k. k. Postamtes in Lemberg. Lemberg, 1856. Gedruckt bei Kornel Piller. (24 S. 8.)

Postbuchel, auf das Jahr 1857. In tiefster Ehrfurcht dargebracht von sämmtlichen Briefträgern des k. k. Postamtes in Linz. Linz. Druck von Huemer's Witwe & Danner. (15 S. 8.)

Postbücherei, deutsche. 1.—5. Bd. 8. Berlin, Buchverlag Deutsche Post. 4. 50
Haaß, Fr., die Geschichte des Postwesens vom Altertum bis in die Neuzeit. Volkstümlich dargestellt. Mit 7 Abbildgn. (VIII, 192 S.) (906). (2.—4. Bd.) 2. —
Post, Ernst, Musterbuch f. Gesuche. 50 Beispiele zur Abfassg. v. Gesuchen. (59 S.) (906.) (1. Bd.) — 50
Runze, Hilfsbuch zur Ausbildung im Rechnen zur Vorbereitg. auf die Prüfungen zum Telegraphisten, Betriebsbeamten, Leiter des Bäckereidienstes sowie f. Gehobene. Hrsg. v. E. Remmers. (IV, 147 S.) (907.) (5. Bd.) 2.

Deutsche Postbücherei. Bd 1. Berlin: Kamossa & Remmers [1906]. 8°
[S.] [07. 3018

Post-Calender, s. Post-Kalender

Post-Carriere, die. Ein Notschrei aus den Reihen der Postassistenten. Von e. Postbeamten. 8. (III, 100 S.) Leipzig 887. Ronge. n. 1. —

Postcharte, s. Postkarte

Postcheckverkehr. Postcheck- und Giroverkehr. Anleitung für die Rechnungsinhaber. Hrg. von der Schweizerischen Oberpostdirektion. 9. Aufl. 3. Juli 1909. II + 24 S. 8. ([Bern,] R[ösch] & S[chatzmann])

Post-Codex, preußischer, s. Weinhagen.

Post-Codex, preußischer, Handbuch für das correspondirende, versendende und reisende Publikum und für Postbeamte. Unter Benutzung amtl. Quellen hrsg. von R. Weinhagen. gr. 8. (VII und 126 S.) Cöln 853, Weinhagen. *

Postcolloquium, des Doctors, Edelmans, Burgers, Bauren, über C. Mantzen Neuen Newpfältzischen Cantzlers Epistolam ad fict. Amicum ... O. O. u. J. V: *Pflaumern, Joh. Hnr. v.* (Bücher-Samml. d. hist. Ver. v. u. f. Oberbayern. Münch. 1867.)

Postc(o)urs ..., s. Postkurs ...

Postdampfschifflinien. Uebersichtskarte der überseeischen Postdampfschifflinien im Weltpostverkehr. 1 : 47,000,000. Bearb. im Kursbureau d. Reichspostamts 1892. Farbendr. 69×97 cm. Nebst Verzeichniss der Postdampfschifflinien. Lex.-8. (16 S.) Berlin, (J. Springer). n.n. 1. 50

Postdampfschiffslinien. Uebersichts-Karte der überseeischen Postdampfschiffslinien im Weltpostverkehr, unter Berücksicht. der Postverbindungen nach den aussereuropäischen deutschen Konsulatsorten. Bearb. im Kursbureau d. deutschen Reichspostamts. Febr. 1889. Chromolith. qu. gr. Fol. Nebst Verzeichniss der Postdampfschiffslinien. gr. 8. (12 S.) Berlin, Springer. n. 1. —

Postdampfschiffverbindungen Europa's nach den übrigen Erdtheilen. 1887 II. Halbjahr und 1888. I. Halbjahr. Mit Angabe der anschließenden Eisenbahnzüge von Wien, Prag etc. an die aus den betr. Häfen abgehenden Schiffe, nebst Instradirungs-Anweisung für die Briefpostsendungen nach den überseeischen Ländern. Bearb. im Postcoursbureau des k. k. Handelsministeriums. gr. 4. (à Halbjahr 35 S.) Wien, Hof- und Staatsdruckerei. à Halbjahr *

Postdampfschiff-Verbindungen Europas nach den übrigen Erdtheilen. 1888. (2. Halbjahr.) Mit Angabe der anschließenden Eisenbahnzüge von Wien, Prag etc. an die aus den betreffenden Häfen abgehenden Schiffe nebst Instradirungs-Anweisung für Briefpost-Sendungen nach den überseeischen Ländern. Bearbeitet im Postcours-Bureau des k. k. Handels-Ministeriums. Lex.-8. (37 S.) —.40
Wien: Hof- u. Staatsdruckerei 1889.

Postdampfschiffverbindungen Europas nach den übrigen Erdtheilen 1889. (I. Halbjahr.) Mit Angabe der anschließenden Eisenbahnzüge von Wien, Prag etc. an die aus den betreffenden Häfen abgehenden Schiffe nebst Instradirungs-Anweisung für die Briefpostsendungen nach den überseeischen Ländern bearbeitet im Postcours-Bureau des k. k. Handelsministeriums. 4. (37 S.) —.40
Wien: Hof- u. Staatsdruckerei 1889.

Postdampfschiff-Verbindungen Europas nach den übrigen Erdtheilen, 1890. (I. Halbjahr.) Mit Angabe der anschließenden Eisenbahnzüge von Wien, Prag &c. an die aus den betreffenden Häfen abgehenden Schiffe, nebst Instradirungs-Anweisung für Briefpostsendungen nach den überseeischen Ländern. Bearbeitet im Post-Cours-Bureau des k k. Handels-Ministeriums. 4. (43 S.) —.40
Wien: Hof- u. Staatsdruckerei 1890.

Postdampfschiffverbindungen Europa's nach den übrigen Erdteilen. 1890. [II. Halbjahr.] Mit Angabe der anschließ. Eisenbahnzüge von Wien, Prag u. s. w. an die aus den betreff. Häfen abgeh. Schiffe, nebst Instradirungs-Anweisg. f. die Briefpostsendgn. nach den überseeischen Ländern. Bearb. im Postcoursbureau d. k. k. Handelsministeriums. hoch 4. (43 S.) Wien 890. Hof- u. Staatsdruckerei. n. — 80

Postdampfschiffverbindungen Europas nach den übrigen Erdtheilen. 1891. (I. Halbjahr) Mit Angabe der anschließenden Eisenbahnzüge von Wien, Prag &c. an die aus den betreffenden Häfen abgehenden Schiffe, nebst Instradirungs-Anweisung für die Briefpostsendungen nach den überseeischen Ländern. Bearbeitet im Postcours-Bureau des k. k. Handelsministeriums. Lex.-8. (43 S.) —.40
Wien: Hof- u. Staatsdruckerei 1891.

Postdampfschiffverbindungen Europas nach den übrigen Erdtheilen. 1891. (II. Halbjahr.) Zusammengestellt im Post-Curs-Bureau d. k. k. Handels-Ministeriums. Lex.-8. (47 S.) —.40
Wien: Hof- u. Staatsdruckerei 1891.

Postdampfschiffverbindungen E u r o p a ' s nach den übrigen Welttheilen. 1879. Mit Angabe der anschliessenden Eisenbahnzüge von Wien, Prag, Innsbruck und Triest an die aus den betreffenden Häfen abgehenden Schiffe nebst Instradirungs-Anweisung für die Briefpostsendungen nach den überseeischen Ländern. Bearbeitet im Postcoursbureau des k.k. Handelsministeriums. Wien 1879. 4°

Postdampfschiffverbindungen nach außereuropäischen Ländern. 1.—4. Ausg. 1892. [1. bis Ende März; 2. bis Mitte Mai; 3. bis Anfang Juli; 4. bis Anfang Octbr.] gr. 4. (à Ausg. ca. 28 S.) Wien 892, (Hof- u. Staatsdruckerei). à Ausg. * — 40
Erschien früher jährlich in 2 Ausgaben.

Postdampfschiff-Verbindungen nach außer-europäischen Ländern. 5. Ausgabe. 4. (30 S.) —.40
Wien: Hof- u. Staatsdruckerei.1892.

Postdampfschiffverbindungen nach außereuropäischen Ländern. 1. Ausg. 1893. Kl.-4. (30 S.) —.40
Wien: Hof- u. Staatsdruckerei 1893.

Postdampfschiffverbindungen nach außereuropäischen Ländern. 2. Ausgabe. 1893 Kl.-4. (30 S.) —.20
Wien: Hof- u. Staatsdruckerei 1893.

Postdampfschiff-Verbindungen nach außereuropäischen Ländern. 3. Ausg. 1893. 4. (30 S.) —.20
Wien: Hof- u. Staatsdruckerei 1893.

Postdampfschiffverbindungen nach außereuropäischen Ländern. 5. Ausgabe 1893. 4. (32 S.) —.20
Wien: Hof- u. Staatsdruckerei 1893.

Postdampfschiffverbindungen nach außereuropäischen Ländern. 1894. I. 4. (33 S.) —.20
Wien: Hof- u. Staatsdruckerei 1894.

Postdampfschiff-Verbindungen nach außereuropäischen Ländern. 2. Ausgabe. 1894. 4. (33 S.) —.10
Wien: Hof- u. Staatsdruckerei 1894.

Postdampfschiffverbindungen nach außereuropäischen Ländern. Beilage zum Post- u. Telegraphen-Verordnungsblatt. 4. u. 5. Ausg. 1894. 4. (à 33 S.) Wien, (Hof- u Staatsdruckerei). à n. — 20

Postdampfschiff-Verbindungen nach außereuropäischen Ländern. 1895. I. Ausgabe. Kl.-4. (33 S.) —.10
Wien: Hof- u. Staatsdruckerei 1895.

Postdampfschiffverbindungen nach außereuropäischen Ländern. 2. Ausgabe. 1895. 4. (33 S.) —.10
Wien: Hof- u. Staatsdruckerei 1895.

Postdampfschiff-Verbindungen nach außer-europäischen Ländern. 1895. Fünfte Ausgabe. Kl.-4. (33 S.) —.10
Wien: Hof- u. Staatsdruckerei 1895.

Postdampfschiff-Verbindungen nach außereuropäischen Ländern. 1896. I. Ausgabe. Kl.-4. (33 S.) —.10
Wien: Hof- u. Staatsdruckerei 1896.

Postdampfschiff-Verbindungen nach außer-europäischen Ländern. 1896. Vierte Ausgabe. Kl.-4. (34 S.) —.10
Wien: Hof- u. Staatsdruckerei 1896.

Postdampfschiff-Verbindungen nach außereuropäischen Ländern. 1896. 5. Ausgabe. Kl.-4. (34 S.) —.10
Wien: Hof- u. Staatsdruckerei 1896.

Postdampfschiff-Verbindungen nach außereuropäischen Ländern. 1897. 4. Ausgabe. Kl.-4. 34 S.) —.10
Wien: Hof- u. Staatsdruckerei 1897.

Postdampfschiff-Verbindungen nach außer-europäischen Ländern. 5. Ausg. 1897. 4. (34 S.) —.10
Wien: Hof- u. Staatsdruckerei 1897.

Postdampfschiffverbindungen nach außereuropäischen Ländern. I. Ausgabe 1898. Lex.-8. (34 S.) —.10
Wien: Hof- u. Staatsdruckerei 1898.

Post-Dampfschiff-Verbindungen nach außereuropäischen Ländern. 2. Ausgabe. 1898. Lex. 8 (34 S.) —.10
Wien: Hof- u. Staatsdruckerei 1898.

Postdampfschiffverbindungen nach außereuropäischen Ländern. 3. Ausg. 1898. 4. (34 S.) —.10
Wien: Hof- u. Staatsdruckerei 1898.

Postdampfschiffverbindungen nach außereuropäischen Ländern. 4. Ausg. 1898. 4. (34 S.) —.10
Wien: Hof- u. Staatsdruckerei 1898.

Postdampfschiffverbindungen nach außereuropäischen Ländern. 5. Ausgabe. 1898. Lex.-8. (34 S.) —.10 no.
Wien: Hof- u. Staatsdruckerei 1898.

(F) Postdampfschiffverbindungen nach aussereuropäischen Ländern. Beilage zum Post- und Telegraphen-Verordnungsblatt. 1899. Wien. 1899. Hof- und Staatsdruckerei. 4°. erscheint 6mal jährlich à fl. —.10

(F) Postdampfschiffverbindungen nach aussereuropäischen Ländern. Beilage zum Post- und Telegraphen-Verordnungsblatt. 1900. Wien. 1900. Hof- und Staatsdruckerei. 4°. erscheint 6mal jährlich. à K —.20

(F) Postdampfschiffverbindungen nach aussereuropäischen Ländern (Beilage zum Post- und Telegraphen-Verordnungsblatt.) 1901. [Wien. 1901. Hof- u. Staatsdruckerei.] Lex.-8°. erscheint 6mal jährlich à K —.20 netto

Postdampfschiffverbindungen nach außereuropäischen Ländern. (Beilage zum Post- u. Telegraphen-Verordnungsblatt.) 4. Ausg. 1902. gr. 4. (40 S.) (Wien, Hof- u. Staatsdruckerei.) n. —20

Postdampfschiffverbindungen nach aussereuropäischen Ländern. 4°. erscheint sechsmal jährlich. Wien: Hof- u. Staatsdruckerei 1903.

Postdampfschiffverbindungen nach außereuropäischen Ländern. 4°. erscheint sechsmal jährlich. Wien: Hof- u. Staatsdruckerei 1904.

Postdampfschiffverbindungen nach außereuropäischen Ländern. (Beilage zum Post- u. Telegraphen-Verordnungsblatt.) 1906. 5 Nrn. (2. Ausg. 43 S.) Lex.-8. Wien (Hof- u. Staatsdruckerei). à n. —30

(F) Postdampfschiffverbindungen nach außereuropäischen Ländern. 5. Ausgabe. 1908. Lex.-8°. (43 S.) K —.20
Wien: Hof- u. Staatsdr. 1908.

Postdampfschiffverbindungen nach außereuropäischen Ländern. 4. Ausg. 1910. (44 S.) Lex. 8. Wien (910). (Hof u. Staatsdruckerei.) —20

Post-Dienst-Instruction, s. Sachregister.

Postdienst-Instruction. Text und Formulare. Bd 1—3. Berlin 1854. 3 Bde
— 2. Ausg. 1863. 3 Bde
— 3. Ausg. 1867. 3 Bde

Post-Dienst-Instruction. In 2 Bdn. Text u. 1 Bd. Formulare. 1854. 2. Ausg. Decker 1863. 4. (25 1/2 B.)

POSTEIK, GEORG S. J.: Heilmittel gegen Seelenkrankheiten. Kaschau 1757. 12°

POSTEIK, GEORG S. J.: Die Wahrheit des christkatholischen Glaubens. Kaschau 1752. 8°

Postel, Christian Heinrich

Die listige Juno. Wie solche von dem groszen Homer im 14. Buche der Ilias abgebildet etc. in Teutschen Versen vorgestellet und mit Anmärkungen erkläret durch Chr. H. Postel. Hamburg. 1700. 8o.

Postel, C. H., listige Juno, in Vers. 8. Hamb. (Hertel, Leipzig.) 700.

— poet. Nebenwerke. 8. Ebend. 707.

Postel, Christian Heinrich, Der // grosse // Wittekind // in // einem // Helden-Gedichte // von // Christian Henrich Postel, // weyland // beyder Rechten Licentiaten. // Mit einer Vorrede von Dessen Leben // und Schriften, auch zwey Registern der in // diesem Wercke enthaltenen Beschreibungen // und Gleichnisse // von // C. F. Weichmann. // Hamburg, // bey Johann Christoph Kißner, 1724. - 20 Blatt (nicht paginiert) Titelblatt, Widmung und Vorrede. - 292 S. und noch 5 Blatt (nicht paginiert) Register.
S. S. T. 8°.537.

— groß. Wittekind in e. Heldenged. von Weichmann. 8. Ebend. 725.

Postel, Emil, Aufgaben zum Rechnen mit Decimalbrüchen und nach dem neuen Maße und Gewichte nebst Wiederholungs-Aufgaben aus den vier Species in ganzen Zahlen und gemeinen Brüchen. Für die Oberklassen der Volksschulen, Schulamts-Präparanden und für Fortbildungsschulen zusammengestellt. 1.—3. Aufl. 8. (16 S.) Langensalza 869,70, Schulbuchh. von Greßler.

Postel, Emil, Bibelkunde. Ein Hülfsbuch für Schullehrer insbesondere bei dem Präparanden-Unterrichte sowie zur Präparation auf die öffentl. Lehrstunden in der bibl. Geschichte und im Bibellesen. 8. unveränd. Aufl. (XVI, 558 S.) 1877; 9. unveränd. Aufl. 8. (X, 558 S.) Langensalza 879, Schulbuchh. von Greßler.

Postel, Emil, Bibelkunde. Ein Hilfsbuch für Schullehrer, insbesondere bei dem Präparanden-Unterricht, sowie zur Präparation auf die öffentl. Lehrstunden in der bibl. Geschichte und im Bibellesen. 10. unveränd. Aufl. 8. (XII, 560 S.) Langensalza 881, Schulbuchh. von Greßler.

Postel, Emil, Bibelkunde. Ein Hilfsbuch f. Schullehrer insbesondere bei dem Präparanden-Unterrichte, sowie zur Präparation auf die öffentl. Lehrstunden in der bibl. Geschichte u. im Bibellesen. 11. Aufl. 8. (XII, 560 S.) Langensalza. 885. Schulbuchh. 3.75

Postel, E., Bibelkunde. Ein Hilfsbuch f. Schullehrer, insbes. bei dem Präparanden-Unterrichte, sowie zur Präparation auf die öffentl. Lehrstunden in der bibl. Geschichte u. im Bibellesen. 12., unveränd. Aufl. 8. (XII, 560 S.) Langensalza 889. Schulbuchhandlg. 3.75

Postel, Emil, Bibelkunde. Ein Hilfsbuch f. Schullehrer, insbesondere bei dem Präparanden-Unterrichte, sowie zur Präparation auf die öffentl. Lehrstunden in der bibl. Geschichte u. im Bibellesen. 13. unveränd. Aufl. 8. (XII, 560 S.) Langensalza 894. Schulbuchh. 3. 75

Postel, Emil, Bibelkunde. Ein Hilfsbuch f. Lehrer u. Lehrerbildungsanstalten sowie f. Freunde des Bibellesens. Neu bearb. von Ed. Clausnitzer. Mit 1 Titelbilde u. 8 Blatt Karten u. Plänen. 14. Aufl. 8. (XXIV, 488 S.) Langensalza 900. Schulbuchh. 3.75; geb. in Leinw. n. 4.50

Postel, Emil, Bibelkunde. Ein Hilfsbuch f. Lehrer u. Lehrerbildungsanstalten sowie f. Freunde des Bibellesens. Neu bearb. v. Eduard Clausnitzer. Mit 1 Titelbilde u. 8 Blatt Karten u. Plänen. 15. Aufl. (2. verb. Aufl. der Neubearbeitung.) (XXIV, 507 S.) 8. Langensalza 903. Schulbuchh. n. 4. 50; geb. n. 5. 25

Postel, Emil, kleine Chemie insbesondere für Seminaristen so wie für angehende Landwirthe u. Gewerbtreibende bearb. Langensalza 860. Greßler. 8. (VIII, 94 S. mit Holzschn.) 9 ngr.

Postel, Emil, kleine Chemie insbesond. für Seminaristen so wie für angehende Landwirthe und Gewerbtreibende bearb. 2. Aufl. 1865. und 3. Aufl. 8. (VIII und 108 S. mit in den Text gedr. Holzschn.) Langensalza 868, Schulbuchh. von Greßler.

—— kleine Chemie insbesondere für Seminaristen so wie für angehende Landwirthe und Gewerbtreibende. 4.—6., nach den Anschauungen der modernen Chemie umgearb. Aufl. 8. (VIII, 134 S. mit in den Text gedr. Holzschn.) Ebendas. 872—75. *

—— kleine Chemie insbesondere für Seminaristen, so wie für angehende Landwirthe und Gewerbtreibende. Mit in den Text gedr. Holzschn. 7. unveränd. Aufl. (VIII, 134 S.) 1876; 8. Aufl. 8. (VIII, 136 S.) Ebendas. 879. *

— kleine Chemie, insbesondere f. Seminaristen, sowie f. angeh. Landwirte u. Gewerbtreibende nach den Anschaugn. der modernen Chemie bearb. 9. Aufl. Mit in den Text gedr. Holzschn. 8. (VIII, 136 S.) Ebend. 883. n. 1 —

— kleine Chemie, insbes. f. Seminaristen, sowie f. angeh. Landwirte u. Gewerbetreibende, nach den Anschaugn. der modernen Chemie bearb. 10. Aufl. 8. (VIII, 136 S. m. eingedr. Holzschn.) Ebd. 888. n. 1. —

Postel, Emil, Entwurf neuer Statuten f. die allgemeine Unterstützungs-Anstalt evangel. Schullehrer-Wittwen u. -Waisen in der Provinz Schlesien. Den Mitgliedern dieses Instituts zur Vorberathung für die bevorsteh. General-Versammlung dargeboten. gr. 8. (22 S.) Breslau 848, Scholz. 2 ngr.

Postel, Emil, die Feste des christlichen Kirchenjahres in der evangelischen Volksschule, nebst anderen Gedenktagen. gr. 8. (VIII und 175 S.) Erfurt 855, Körner's Verlag. *

— der Führer in die Pflanzenwelt. Hülfsbuch zur Auffindung und Bestimmung der in Deutschland wildwachsenden Pflanzen. Mit zahlreichen in den Text gedr. Abbildgn. (Holzschn.) (5 Hefte.) Langensalza (856—58.) Schulbuchhandlung. gr. 8. (752 S.) 2 ₰. 24 ngr.

— — 2. Aufl. Ebend. 858. gr. 8. (752 S. u. 4 lith. Taf. in Farbendr.) 2 ₰. 20 ngr.

— der Führer in die Pflanzenwelt. Hülfsbuch zur Auffindung u. Bestimmung der wichtigsten in Deutschland wild wachsenden Pflanzen. 3. Aufl. Mit zahlreichen in den Text gedr. Abbildgn. (Holzschn.) Ebend. 861. gr. 8. (752 S. u. 5 lith. Taf. in Farbendr.) 2 ₰ 24 ngr.

Postel, Emil, Führer in die Pflanzenwelt. Hülfsbuch zur Auffindung u. Bestimmung der wichtigsten in Deutschland wild wachs. Pflanzen. 4. Aufl. Langensalza 866. Greßler. gr. 8. (791 S. mit 5 Chromolith. u. zahlreichen in den Text gedr. Abbildgn. in Holzschn.) 2 ₰ 24 ngr.

—— der Führer in die Pflanzenwelt. Hülfsbuch zur Auffindung und Bestimmung der wichtigsten in Deutschland wild wachsenden Pflanzen. 5. Aufl. (850 S.) 1871. ℳ 8,40., und 6. Aufl. gr. 8. (866 S. mit 14 Chromolithogr. und mehr als 600 in den Text gedr. Abbild. in Holzschn.) Ebendas. 875.

—— der Führer in die Pflanzenwelt. Hülfsbuch zur Auffindung und Bestimmung der wichtigsten in Deutschland wild wachsenden Pflanzen. 7. Aufl. gr. 8. (866 S. mit 744 in den Text gedr. Holzschn.-Abbild.) Ebendas. 876.

—— der Führer in die Pflanzenwelt. Hülfsbuch zur Auffindung und Bestimmung der wichtigsten in Deutschland wild wachsenden Pflanzen. 8. Aufl. gr. 8. (866 S. mit 744 in den Text gedr. Holzschn.-Abbild.) Ebendas. 881.

— der Führer in die Pflanzenwelt. Hilfsbuch zur Auffindg. u. Bestimmg. der wichtigsten in Deutschland wild wachs. Pflanzen. Mit 744 in den Text gedr. Abbildgn. 9 Aufl. gr. 8. (816 S.) Ebd. 894. 9. —

Postel, Emil, kleine Geographie für Mittel- und gehobene Volksschulen, Präparanden-Anstalten, Privat-Unterricht und häusl. Fleiß unter Berücksichtigung der neuesten Gestaltung der polit. Verhältnisse. 8. (VIII und 240 S.) Langensalza 867, Schulbuchh. von Greßler.

—— Geographie für reifere Schüler, insbesondere für Präparanden. 3. Aufl. Neu bearb. von A. Zinck. gr. 8. (IV, 528 S.) Ebendas. 876.

—— s. Greßler's, F. G. L., Rechenbuch.

—— Grundzüge der electrischen Telegraphie. Für angehende Telegraphen-Beamte und für gebildete Leser aus allen Ständen, insbesond. auch für Lehrer und reifere Schüler bearb. 8. (VII, 191 S. mit eingedr. Holzschn.) Langensalza 868, Schulbuchh. von Greßler.

— Handbuch für Lehrer bei dem Unterrichte im Rechnen mit Decimalbrüchen u. nach dem neuen Maße u. Gewichte als Commentar zu dem betr. Aufgabenhefte. Ebend. 869. gr. 8. (VIII, 216 S.) 15 ngr.

Postel, Emil, Hülfsbücher für Schullehrer, insbesond. bei dem Präparanden-Unterrichte. 1—3. Thl. 8. Langensalza, Schulbuchhandlung von Greßler. Thlr. 2

Inhalt:

Thl. 1. Bibelkunde. Ein Hülfsbuch für Schullehrer insbesondere bei dem Präparanden-Unterrichte, sowie zur Präparation auf die öffentlichen Lehrstunden in der biblischen Geschichte und im Bibellesen. 1. Aufl. 1860. und 2. Aufl. (XV und 440 S.) 861. 1 Thlr. 7½ Ngr.

" 2. Die Sprachlehre in Volksschulen und bei dem Präparanden-Unterrichte. A. Für die Hand des Lehrers. (XVI und 320 S.) 861. 24 Ngr.

" 3. Stoffe und Aufgaben zu deutschen Aufsätzen für reifere Schüler, insbesondere für Präparanden. (X und 299 S.) 861. 18 Ngr.

—— Hülfsbücher für Schullehrer, insbesond. bei dem Präparandenunterrichte. I.—VI. (Thl.) 8. Langensalza, Schulbuchh. von Greßler.

Inhalt:

Thl. 1. Bibelkunde. Ein Hülfsbuch für Schullehrer insbesond. bei dem Präparanden-Unterrichte sowie zur Präparation auf die öffentl. Lehrstunden in der bibl. Geschichte und im Bibellesen. 3. Aufl. 1864. und 4. Aufl. (XV und 451 S.) 866. * 1 Thlr. 7½ Ngr.

" 2. Die Sprachlehre. A. Für die Hand des Lehrers. 2. Aufl. (XVI und 320 S.) 863. 24 Ngr.

- 3. Stoffe und Aufgaben zu deutschen Aufsätzen für reifere Schüler, insbesond. für Präparanden. 2. Aufl. (XII und 283 S.) 865. 18 Ngr.
- 4. Naturlehre. Ein Hülfsbuch für Schullehrer bei dem Unterrichte reiferer Schüler, insbesondere der Präparanden. 1. und 2. Aufl. 1863,64. 1 Thlr. 3 Ngr. und 3. Aufl. (XVI und 592 S. mit eingedr. Holzschn.) 868. 1 Thlr. 10 Ngr.
- 5. Geographie für reifere Schüler, insbesond. für Präparanden. (VIII und 502 S.) 863. 1 Thlr. 7½ Ngr.
- 6. Bdchn. 1. Naturgeschichte. Methodischer Lehrgang für den Gebrauch der Präparandenbildner, Schul- und Hauslehrer, sowie zum Selbststudium. 1. Bdchn. Frühling. 1. Aufl. 1864. und 2. Aufl. (XVIII und 230 S. mit zahlreichen Illustr. in eingedr. Holzschn.) 867. 24 Ngr.
- 6. - 2. —— dass. — 2. Bdchn. Sommer. (XII und 232 S. mit zahlreichen Illustr. in eingedr. Holzschn.) 866. 27 Ngr.
- 6. - 3. —— dass. — 3. Bdchn. Herbst. (XVI und 216 S. mit zahlreichen Illustr. in eingedr. Holzschn.) 867. 27 Ngr.
- 6. - 4. —— dass. — 4. Bdchn. Winter. (XII und 274 S. mit zahlreichen Illustr. in eingedr. Holzschn.) 867. 27 Ngr.

—— Hülfsbücher für Schullehrer insbesondere bei dem Präparanden-Unterrichte. I., IV.—VI. gr. 8. Ebendas.

Inhalt:

I. Bibelkunde. Ein Hülfsbuch für Schullehrer insbesond. bei dem Präparanden-Unterrichte sowie zur Präparation auf die öffentl. Lehrstunden in der bibl. Geschichte und im Bibellesen, 5.—7. Aufl. (XVI, 558 S.) 872—74. M 3,75.

IV. Naturlehre. Ein Hülfsbuch für Schullehrer bei dem Unterrichte reiferer Schüler, insbesond. der Präparanden. 4. Aufl. (XVI, 615 S.) 1871. M 4., und 5. Aufl. (XVI, 671 S. mit eingedr. Holzschn.) 873. M 4,50.

V. Geographie für reifere Schüler, insbesond. für Präparanden. 2. Bearbeitung mit Berücksicht. der neuesten politischen Verhältnisse. (X, 600 S.) 870. M 4,50.

VI. Naturgeschichte. Methodischer Lehrgang für den Gebrauch der Präparandenbildner, Schul- und Hauslehrer so wie zum Selbststudium bearb. 1. Bdchn.: Frühling. 3.—5. Aufl. (XVI, 268 S. mit zahlreichen Illustr. in eingedr. Holzschn.) 869—75. M 2,40.

— Hülfsbücher f. Schullehrer insbesondere bei dem Präparanden-Unterrichte. I. IV u. VI. 1. Thl. gr. 8. Ebend. 874—76. 10. 65

I. Bibelkunde. Ein Hülfsbuch f. Schullehrer insbesondere bei dem Präparanden-Unterrichte sowie zur Präparation auf die öffentl. Lehrstunden in der bibl. Geschichte u. Bibellesen. 7. Aufl. (XVI, 558 S.) 3. 75

IV. Naturlehre. Ein Hülfsbuch f. Schullehrer bei dem Unterrichte reiferer Schüler, insbesondere der Präparanden. 6. Aufl. (XVI, 672 S.) 4. 50

VI. Naturgeschichte. Methodischer Lehrgang f. den Gebrauch der Präparandenbildner, Schul- u. Hauslehrer, sowie zum Selbststudium. Mit zahlreichen (eingedr. Holzschn.-)Illustr. 1. Bdchn. Der Frühling. 6. Aufl. (XVI, 268 S.)

— Hülfsbücher für Schullehrer, insbesondere bei dem Präparanden-Unterrichte 1. Bd. 8. Ebend. 877. 3. 75
Bibelkunde. Ein Hülfsbuch für Schullehrer, insbesondere bei dem Präparanden-Unterrichte, sowie zur Präparation auf die öffentl. Lehrstunden in der bibl. Geschichte u. im Bibellesen. 8., unveränd. Aufl. (XVI, 558 S.)

— Laien-Chemie oder leichtfaßliche, an einfache Versuche geknüpfte Darstellung der Hauptlehren der Chemie für Gebildete aller Stände insbesondere für Lehrer, Oeconomen u. Gewerbtreibende. Mit in den Text gedr. Holzschn. Ebend. 857. gr. 8. (XVI, 316 S.) 24 ngr.

Postel, Emil, Laien-Chemie oder leichtfaßliche, an einfache Versuche geknüpfte Darstellung der Hauptlehren der Chemie für Gebildete aller Stände insbesondere für Lehrer, Oeconomen u. Gewerbtreibende. 2., verb. Aufl. Mit in den Text gedr. Holzschn. Langensalza 860. Greßler. gr. 8. (XVI, 327 S.) 1 rℓ

—— Laien-Chemie oder leichtfaßl., an einfache Versuche geknüpfte Darstellung der Hauptlehren der Chemie für Gebildete aller Stände, insbesond. für Lehrer, Oeconomen und Gewerbtreibende. 3., verb. Aufl. gr. 8. (XVI und 356 S. mit in den Text gedr. Holzschn.) Langensalza 866, Schulbuchh. von Greßler.

—— Laien-Chemie oder leichtfaßl. an einfache Versuche geknüpfte Darstellung der Hauptlehren der Chemie für Gebildete aller Stände insbesond. für Lehrer, Oekonomen und Gewerbtreibende, 4. Aufl. 1871. M 3,30., und 5. nach den Anschauungen der modernen Chemie bearb. Aufl. gr. 8. (XVI, 452 S. mit in den Text gedr. Abbild. in Holzschn.) Ebendas. 874.

— Laien-Chemie od. leichtfaßl., an einfache Versuche geknüpfte Darstellg. der Hauptlehren der Chemie f. Gebildete aller Stände, insbesandere f. Lehrer, Oekonomen, u. Gewerbtreibende. 6., nach den Anschaugn. der modernen Chemie bearb. Aufl. Mit in den Text gedr. Holzschn. gr. 8. (XVI, 452 S.) Ebend. 876. 3. 75

— Laien-Chemie oder leichtfaßl., an einfache Versuche geknüpfte Darstellung der Hauptlehren der Chemie für Gebildete aller Stände, insbesondere für Lehrer, Oekonomen u. Gewerbtreibende. 7., nach den Anschauungen der modernen Chemie bearb. Aufl. Mit in den Text gedr. Holzschn. gr. 8. (XVI, 456 S.) Ebend. 879. 3. 75

—— s. Lehrer-Kalender, deutscher.

— deutscher Lehrer-Kalender f. 1877. Red. v. Jul. Herold. Mit dem (Holzschn.-)Portr. v. Herm. Schulze-Delitzsch u. e. (lith.) Eisenbahnkarte v. Mitteleuropa (in qu. Fol.) 2 Thle. 16. (209 u. 160 S.) Breslau, Morgenstern. geb. u. geh. n. 1. 20; in 1 Bd. geb. n. 1. 20

—— deutscher Lehrer-Kalender für 1881. Redig. von Jul. Herold. Mit dem (Holzschn.-)Portr. von Aug. Köhler und 1 (lithogr.) Eisenbahnkarte von Mittel-Europa. 8. Jahrg. 2 Thle. 16. (233; 120 S.) Breslau, Morgenstern. geb. und geh. *
geb. in 1 Bd. *

—— dass. — Für 1882—1883 [1. Jan. 1882 bis Ostern 1883]. Mit dem (Holzschn.-)Portr. des Ob.-Konsist.-R. Dr. Wichern und 1 (lithogr.) Eisenbahnkarte von Mittel-Europa. 9. Jahrg. 2 Thle. 16. (245; 118 S.) Ebendas. geb. und geh. *
geb. in 1 Bd. *

—— dass. — Für 1883—1884 [1. Jan. 1883 bis Ostern 1884]. Mit dem (Holzschn.-)Portr. von Gust. Freytag und 1 (lithogr.) Eisenbahnkarte von Mittel-Europa. 10. Jahrg. 2 Tle. 16. (253; 104 S.) Ebendas. geb. und geh. *
geb. in 1 Bd. *

—— dass. — Für 1884—1885 [1. Jan. 1884 bis Ostern 1885]. Mit dem (Holzschn.-)Portr. von Rich. Wagner und 1 (lithogr.) Eisenbahnkarte von Mittel-Europa. 11. Jahrg. 2 Tle. 16. (253; 124 S.) Ebendas. geb. und geh. *
geb. in 1 Bd. *

—— dass. — Für 1885/86 [1. Jan. 1885 bis Ostern 1886]. Mit dem (Holzschn.-)Portr. von Ludw. Erk und 1 (lithogr.) Eisenbahnkarte von Mittel-Europa. 12. Jahrg. 2 Tle. 16. (253; 136 S.) Ebendas. geb. und broch. *
geb. in 1 Bd. *

—— deutscher Lehrer-Kalender für 1886/87. [1. Jan. 1886 bis Ostern 1887.] Redig. von Jul. Herold. 2 Tle. 16. (253; 76 S. mit dem Portr. von Jac. Grimm und 1 Eisenbahn-Karte von Mittel-Europa.) Breslau, Morgenstern's Verlag. geb. und geh. *

—— dass. — für 1887/88. [1. Jan. 1887 bis Ostern 1888.] Redig. von Jul. Herold. 2 Tle. 16. (253; 74 S. mit dem Portr. von Eman. Geibel und 1 Eisenbahn-Karte von Mittel-Europa.) Ebendas. geb. und geh. *

—— dass. — für 1888/89. [1. Jan. 1888 bis Ostern 1889.] Redig. von Jul. Herold. 2 Tle. 16. (253; 84 S. mit dem Portr. von Frz. Liszt und 1 Eisenbahn-Karte von Mittel-Europa.) Ebendas. geb. und geh. *

—— dass. — für 1889/90. [1. Jan. 1889 bis Ostern 1890.] Redig. von Jul. Herold. 2 Tle. 16. (261; 88 S. mit dem Portr. von Leop. v. Ranke und 1 Eisenbahn-Karte von Mittel-Europa.) Ebendas. geb. und geh. *

—— Deutscher Lehrerkalender f. 1890—1892. Ausg. A. Vom 1. Jan. bis 31. Dezbr. u. Ausg. B. Von Ostern bis Ostern. à Ausg. 2 Tle. 16. (à Ausg. ca. 220, 100 S. m. 1 Portr. u. 1 Karte.) Bresl., Morgenstern Verlag. geb. u. geh. à Ausg. * 1 20

—— dass. — f. 1893. XX. Jahrg. Redig. v. Rud. Hantke. 2. Tle. 16. (237; 120 S. m. 1 Bildn. u. 1 Karte.) Bresl., F. Hirt. geb. u. geh. * 1 20

— deutscher Lehrerkalender f. 1895. Für Schulinspektoren, Rektoren, Lehrer u. Seminaristen hrsg. v. Rud. Hantke. XXII. Jahrg. 16. (256 S. m. 1 Bildnis.) Breslau, F. Hirt. Geb. in Leinw. n. 1. —

Postel's, Emil, deutscher Lehrerkalender f. d. J. 1899. Für Schulinspektoren, Rektoren, Lehrer u. Seminaristen hrsg. v. Rud. Hantke. XXVI. Jahrg. 2 Tle. 16. (240 u. 80 S. m. 1 Bildn.) Breslau, F. Hirt. Geb. in Leinw. u. geh. n. 1. —

— deutscher Lehrerkalender f. d. J. 1903. Für Schulinspektoren, Rektoren, Lehrer u. Seminaristen hrsg. v. Rud. Hantke. 30. Jahrg. 2 Thle. gr. 16. (240 u. 80 S. m. 1 Bildnis.) Breslau, F. Hirt. Geb. in Leinw. u. geh. n. 1. —

— deutscher Lehrerkalender f. d. J. 1907. Für Schulinspektoren, Rektoren, Lehrer u. Seminaristen hrsg. v. Rud. Hantke. 34. Jahrg. 2 Tle. (256 u. 84 S. m. 1 Taf.) 16. Breslau, F. Hirt. Geb. in Leinw. u. geh. n. 1. —

Postel's, Emil, deutscher Lehrerkalender f. d. J. 1911. Für Schulinspektoren, Rektoren, Lehrer u. Seminaristen hrsg. v. Johs. Herold. 38. Jahrg. 2 Tle. (256 u. 79 S. m. 1 Bildnis.) 16. Breslau, F. Hirt. Geb. in Leinw. u. geh. 1. —

—— Naturgeschichte. Methodischer Lehrgang für den Gebrauch der Präparandenbildner, Schul- und Hauslehrer so wie zum Selbststudium bearb. Mit zahlreichen Illustr. in eingedr. Holzschn. 4 Bdchn. 6. Aufl. gr. 8. Ebendas.

Inhalt:

Bdchn. 1. Frühling. (XVI, 268 S.) 876. M. 2,40.
„ 2. Sommer. (VIII, 280 S.) 878. M. 2.70.
„ 3. Herbst. (XII, 248 S.) 879. M. 2,70.
„ 4. Winter. (VIII, 292 S.) 877. M. 2.70.

— Naturgeschichte. Methodischer Lehrgang für den Gebrauch der Präparandenbildner, Schul- u. Hauslehrer, so wie zum Selbststudium. Mit zahlreichen (eingedr. Holzschn.-)Illustr. 4 Bdchn. gr. 8. Ebend. 877—80. 10. 50
1. Frühling. 7. Aufl. (XVI, 268 S.) 2. 40. — 2. Sommer. (VIII, 280 S.) 2. 70. — 3. Herbst. (XII, 248 S.) 2. 70. — 4. Winter. (VIII, 292 S.) 2. 70

Postel E. Naturlehre. 4. Auflage. Langensalza 1872

—— Naturlehre. Ein Hülfsbuch für Schullehrer bei dem Unterrichte reiferer Schüler, insbesondere der Präparanden. 6. Aufl. gr. 8. (XVI, 672 S. mit eingedr. Holzschn.) Ebendas. 876. *

— Orgel, Pianoforte, Violine. Kurze Belehrg. üb. den Bau u. die Behandlg. dieser u. der übrigen musikal. Instrumente. gr. 8. (80 S.) Langensalza 873. Schulbuchhandlung. n. 1. —

—— Vademecum für Freunde der Pflanzenwelt. Taschenbuch zum Gebrauche bei botan. Excursionen behufs der möglichst leichten Bestimmung aller in diesem Gebiete wildwachsenden oder häufig angebauten Gefäß-Pflanzen. gr. 16. (VIII und 736 S. mit zahlreichen eingedr. Holzschn.) Langensalza 860, Schulbuchhandlung von Greßler.

—— Vorschule der musikalischen Composition. Mit steter Bezugnahme auf den Choral, insbesondere für den Unterricht der Schulamts-Präparanden bearb. Mit vielen in den Text gedr. Notenbeispielen und einer Beilage von 100 Chorälen. gr. 8. (XIV und 229 und 32 lithogr. S.) Langensalza 856, Schulbuchh. des thüringer Lehrer-Vereins.

—— Vorschule der musikalischen Composition. Mit steter Bezugnahme auf den Choral, insbesond. für den Unterricht der Schulamts-Präparanden bearb. 2. Aufl. 1858. und 3. Aufl. gr. 8. (XVI und 332 S. mit vielen in den Text gedr. Notenbeispielen, einer mit Illustr. in eingedr. Holzschn. verseh. Abhandlung über die Orgel und einer Beilage von 100 Chorälen.) Langensalza 861, Schulbuchhandlung von Greßler.

—— Vorschule der musikalischen Composition. Mit steter Bezugnahme auf den Choral insbesond. für den Unterricht der Schulamts-Präparanden bearb. 4. Aufl. 1863. und 5. Aufl. gr. 8. (XVI und 336 S. mit vielen in den Text gedr. Noten-Beispielen, eine mit Illustr. in eingedr. Holzschn. verseh. Abhandlung über die Orgel und eine Beilage von 100 Chorälen.) Langensalza 866, Schulbuchh. von Greßler.

— — 6. Aufl. Ebend. 870. gr. 8. (XX, 379 S.) 1 ℛ 3 ngr.

— Vorschule der musikalischen Composition. Mit steter Bezugnahme auf den Choral insbesondere f. den Unterricht evangel. u. kathol. Schulamts-Präparanden bearb. Mit vielen in den Text gedr. Notenbeispielen, e. m. Illustr. (eingedr. Holzschn.) versehenen Abhandlg. üb. die Orgel, das Pianoforte, die Violine u. die übrigen musikal. Instrumente u. e. Beilage v. 140 Chorälen. 7. verm. Aufl. gr. 8. (XX, 411 S.) Ebend. 873. 3. 75

— Vorschule der musikalischen Composition. Mit steter Bezugnahme auf den Choral, insbesondere für den Unterricht evangel. u. kathol. Schulamts-Präparanden. Mit vielen in den Text gedr. Notenbeispielen, einer m. Illustr. versehenen Abhandlung über die Orgel, das Pianoforte, die Violine u. die übrigen musikal. Instrumente u. einem Anhang von 140 Chorälen. 8. Aufl. gr. 8. (XX, 411 S.) Ebend. 878. 3. 75

—— Wiederholungs- und Aufgabenbuch zu dem Lehrgange für den Unterricht in der deutschen Sprachlehre. B. Für die Hand des Schülers. 8. (III und 122 S.) Langensalza 861, Schulbuchhandlung von Greßler.

Der Bergmann von Falun. Eine Bergmannsmär v. Georg von der Halde [d.i.: Georg **Postel**]. Kiel 1902. 8°

Aus dem Tornister. Launige Erinnerungen v. Georg von der Halde [d.i.: Georg **Postel**]. Kiel [1902.] 8°

POSTEL, H[EINR.], Nonnulla de febri hydrocephalica. Commentatio inaug. Kiliæ. 1824. 4. P.

Postel, L., u. A. **Straubel**, Reductions-Tafeln zur Verwandlung preussischer [rheinl.] Flächen- u. Längenmasse in Metermaass. 2. Aufl. gr. 8. (55 S.) Erfurt 871. (Villaret.) n. 2. —

Postel, Otto, Palästina, Land u. Volk. Dargestellt nach bibl. Studien. Langensalza 866. Schulbuchh. von Greßler. gr. 8. (VIII, 224 S. mit 1 lith. Karte in gr. Fol.) 24 ngr.

Postel, Otto, Palästina, Land u. Volk. Dargestellt nach bibl. Studien. 2. Aufl. besorgt vom Vater d. Entschlafenen. Mit e. (lith.) Karte d. heil. Landes. (in gr. Fol.) gr. 8. (VIII, 224 S.) Langensalza 871. Schulbuchh. 2. 40

Postel, R., Angebinde. Eine Samml. moral. Erzähln. u. Fabeln. M. 6 ill. Kpfr. gr. 16. (12½ B.) Leipzig 830, Magazin f. Industrie.

—— Blumenknospen, od. d. freundl. Lehrer. Eine Reihe angenehm. Erzähln. f. folgsame Kinder. 2., verm. Aufl. M. 7 ill. Kpfr. gr. 12. (3 B.) Leipzig 831, Magazin f. Indust.

Postel, R., der Deklamator f. d. Jugend. Eine Samml. erzähl. Gedichte. Wohlf. Ausg. 8. (13 B.) Leipzig 840, Hunger.

—— der Declamator in Schulen. Eine nach den bei Schuldeclamationen nöthig. Rücksichten gewählte u. geord. Samml. erzähl. Gedichte. 8. (13½ B.) Leipzig 828, Magazin f. Industrie.

— Robinson im Morgenlande, od. Schicksale ein. jungen Holländers in d. asiat. Wüste. Ein vielfach belehr. Unterhaltungsb. f. Kinder. 8. (13½ B. u. 4 ill. Kpfr.) Berlin 829, Natorff u. Comp.

Postelberg, Emil, u. **Max Modern,** das reformirte österreichische Heimatrecht. Eine theoret. u. prakt. Darstellg. unter Berücksicht. der stritt. Fragen, nebst e. Formulariensammlg. 8. (VII, 80 S.) Wien 901. M. Perles. n. 1. —; geb. n. 1. 80

Postelmann, Alfred: Zur Reform des mathematischen und naturwissenschaftlichen Unterrichts auf dem Gymnasium. Bartenstein 1910: Neumann. 28 S. 4°
Bartenstein, k. G OP 1910 (2) [S 10. 343

Postelmayer, Stephan

Postelmayer, Leben u. Thaten der Heiligen Gottes, f. d. christkathol. Volk. 3 Bde. 2. Aufl. gr. 8. (77¼ B.) Augsburg 834, 36, Schlosser's Buchh.

— Lebensgeschichte der heil. Nothburga. Mit 15 Kpfr. 8. Ebd. 836. ⅛ Thlr — Lebensgeschichte des heil. Josephs. Mit 12 Kpfr. Ebd. ⅛ Thlr — Lebensgeschichte d. heil. Mutter Anna. Mit 12 Kpfr. Ebd. ⅛ Thlr — Lebensgeschichte des Salve Regina. Mit 7 Kpfr 8. Ebd. 836. ⅛ Thlr — die 7 leibl. Werke der Barmherzigkeit. Mit 7 Kpfr. 8. Ebd. 836. ⅛ Thlr — die heil. 10 Gebote Gottes. Mit 10 Kpfr. 8. Ebd. 836. ⅛ Thlr

Postelmayer, Steph., Legende der Heiligen auf alle Tage des Jahres für das christkathol. Volk in Schule u. Haus. 4 Thle. 4. Aufl. gr. 16. (1267 S. m. 1 Kpfr.) Augsburg 848, Schlosser. 1 Thlr Mit 12 Lith. in Gold- u. Farbendr. 1½ Thlr — 5. Aufl. 8. (... S. mit 1 Stahlst.) Ebd. 851. 1⅙ Thlr Mit 12 Lith. in Gold- u. Farbendr. 1½ Thlr

Postels, A.: Bemerkungen über die Vulkane der Halbinsel Kamtschatka. (Aus d. Mém. des Sav. étrang. de l'Acad.) Petersbourg. 1851. 4°

Postels, Alex., et Franc. Ruprecht, Illustrationes Algarum, in itinere circa orbem annis 1826 – 29 executo in oceano pacifico, inprimis septemtrionali ad littora Rossica asiatico-americana collectarum. Imp.-Fol. (41 Stnt. u. 37 B. Text.) Petropoli 840. (Lipsiae 844, Voss.) * 33 Thlr. 10 Ngr. Ill. *

Postelt, Alois

Postelt, A., die Bereitung süßer Silage v. Grünfutter, insbesondere Grünmais. [Mit 6 Abbildgn.] [Archiv f. Landwirthschaft hrsg. von Hugo H. Hitschmann, VIII.] gr. 8. (35 S.) Wien 888. (Gerold's Sohn.) n. 1. 20

Postelt, Alois, die Bereitung süßer Silage v. Grünfutter, insbesondere Grünmais. 2., verm. Aufl. [Archiv f. Landwirthschaft. (Beilage zur „Wiener landwirthschaftl. Zeitg.") Hrsg. v. Hugo H. Hitschmann. VIII.] gr. 8. (VII, 64 S.) Wien 893. (C. Gerold's Sohn.) n. 1. 60

— **welche Erfahrungen wurden mit Süsspressfutter [Ensilage] gemacht?** (Internationaler land- u. forstwirthschaftl. Congress zu Wien 1890, 60. Hft.) gr. 8. (16 S.) Wien 890. (Frick.) n. — 60

Posten und Postzwang (Ueber) in dem auf dem linken Rheinufer belegenen Theile der preuss. Rheinprovinz, nach der gegenwärtig bestehenden Gesetzgebung. Berlin 1840.

Posten, der vierjährige, Singspiel in 1 Aufzuge von Th. Körner. 8. Wien, Wallishauser. 813.

Posten, zwey; ein kom. Singsp. in 3 Aufz. Frey nach Dubarty v. G. F. Treitschke. gr. 8. Wien, Wallishausser. 805.

Posten, K. württ. Verfüg. d. K. Ministeriums v. 19. Dezember 1866. 4° Stuttgart (1867)

Postentfernungen von München u. Augsburg nach den grösseren u. bedeut. Städten des Königr. Bayern u. einigen unmittelbar angränz. Städten der Nachbarstaaten. (Nebst e. Berechnung der Extra-Posttaxen, der Postillions-Trinkgelder u. der Chaisen-Gelder.) gr. 8. (2½ B.) München 842, (Finsterlin.) *

Postenzeiger für das Königreich Hannover. Post- u. Eisenbahn-Cours-Buch. Vierteljährl. Uebersicht über den Gang der Posten u. Eisenbahnzüge so wie über die Telegraphen-Verbindungen. Mit 2 (lith.) Post- u. Eisenbahn-Karten (in Fol.). Unter Benutzung von officiellen Quellen bearb. von J. G. E. Moeller. Jahrg. 1858. 4 Nrn. (à 56 S.) Hannover. (Schmorl u. v. Seefeld.) 16. n. 15 ngr; einzelne Nrn. à n. 5 ngr

Postenzeiger für das Königr. Hannover. Post- und Eisenbahn-Cours-Buch. Vierteljährl. Uebersicht über den Gang der Posten und Eisenbahnzüge so wie über die Telegraphen-Verbindungen. Mit 2 (lithogr.) Post- und Eisenbahn-Karten (in Fol.) Unter Benutzung von officiellen Quellen bearb. von J. G. E. Moeller. Nr. 21 — 40. (Jahrg. 1858 — 62. à 4 Nrn.) 16. (à Nr. 60 — 80 S.) Hannover 858 — 62, (Schmorl und v. Seefeld.) à Jahrg. * Einzelne Nrn. *

Postęp. Red. i nakładca J. Osiecki. (Der Fortschritt. Redig. und verlegt von J. Osiecki.) Rok 1—3. 1860—62. à Jahrg. 12 Hefte. (à 2 Bog. mit eingedr. Holzschn.) gr. 4. Wiedeń. (Leipzig, Brockhaus' Sortiment und Antiquarium.) à Jahrg. *

Postep. Red. i nakładca J. Osiecki. Rok I. 1860. 12 Hefte. (à 2 Bgn. mit Holzschn.) Wiedeń. (Leipzig, Librairie étrangère.) gr. 4. n. 4 Thlr

Posteriora, A. P. T. B. S. J., pejora prioribus. Je länger, je schlechter, dass ist Ausguss der Lutherischen Gall . . ! gedemmet. Amberg 1733. V: *Binner, Thomas.* (Jes)

Postes de Russie ou itinéraire des grandes et principales routes de l'empire à l'usage des étrangers. 12. Riga 805. Hartmann. 8 gr

Post-Formularbuch, Illustriertes. Leipzig 1882

Postformularbuch, kleines. Anleitung f. das Publikum, die im Postverkehr vorkomm. Formulare richtig auszufüllen, enth. 22 vorschriftsmässig ausgefüllte Formularmuster, nebst Portotarif u. a. m. 8. (36 S.) Stuttgart (902). Hobbing & Büchle. n.n. – 25
Sonderabdruck aus: „E. Fleischer's deutsches Post-ABC".

Postformular-Heft f. d. Schulgebr., enth. 22 im Postverkehr vorkommend. Formulare z. Ausfüllen. qu. schmal gr. 8. (32 S.) Stuttgart (902). Hobbing & Büchle. n.n. — 25

Postformularheft „Stephan" f. den Schulunterricht. (24 S. m. 1 Frachtbrief.) 4. Bochum 904. (F. Endemann.) n.n. — 20

Postfreund, der preussische, für Norddeutschland. Ein Wegweiser für das gesammte correspondirende Publikum. Gegründet u. unter Mitwirkung mehrerer Post-Beamten herausg. u. redig. von Gust. Lüdemann. Jahrg. 1867. Juli bis Decbr. 12 Nrn. (Bgn.) Dessau, Neubürger. Fol. 15 ngr

— — 2. Jahrg. 1868. 24 Nrn. (Bgn.). Ebend. Fol. 12½ ngr.

Postgate, Johs. Percival, s.: Corpus poetarum latinorum.

Postgate. J P., The future infinitive active in latin. S.-A. s. a. 7 S.

Postgeheimnisse oder die nothwendigsten Regeln, welche man befolgen muss, um beym Reisen und Versenden mit der Post Verlust und Verdruss zu vermeiden. Braunschweig 1803. V: *Raabe, Heinrich August.* (Ky) (MGT)

Postgeheimnisse, od. Regeln, welche man befolgen muß, um bei Reisen u. Versendungen mit der Post Verlust u. Verdruß zu vermeiden, (v. H. A. Raabe). 8. Braunschweig 803. Vieweg 8 gr

Post- und Reisegeographie von Sachs. und angrenz. Ländern. gr. 8. Leipzig, Schladebach. 797.

Postgeographie-Atlas [Schlagwort]

Postgeographie-Atlas, s.: Atlanten.

Postgeschichte, hochinteressante Munderfinger, aus den J. 1870, 1872, 1878, 1894, 1895, 1896. Authentisch dargest. im Zusammenhang m. d. dort. Gemeindepolitik. Auch enthalt. sehr pikante Streiflichter. gr. 8. (III, 74 S.) Stuttgart 896. (Strecker & Schröder.) n. — 36

Post-Gesetz, das Königl. Hannoversche, nebst Post-Taxe vom 9. Aug. 1850. gr. 12. (27 S.) Celle 850, Schulze. ⅟₁₂ ℛ

Postgesetz vom 7. Juni 1859, nebst Postordnung zu Ausführung des Postgesetzes vom 7. Juni 1859 von demselben Tage und Nachtrags-Verordnungen zur Postordnung. gr. 8. (90 S.) Dresden 861, (Meinhold und Söhne.)

Postgesetz, das neue, s. Saro, B.

Postgesetz, Das neue eidgenössische; in Kraft vom 1. Jan 1911 an. Kurze Darstellung aller wesentlichen Neuerungen ... Zürich 1910. V: *Breny, Conrad.* (zuwzür 1911) (BBullschw 11, S. 96)

Westphälisches Postgesetz vom 30. September 1810. Deutsch und französisch. 1810.

Postgesetze. (Volksausgabe norddeutscher Bundesgesetze) 12° Berlin 1868

Postgiroverkehr. Übereinkommen zwischen Deutschland, Österreich, Ungarn und Schweiz, betreffend den Postgiroverkehr, vom 1. Februar 1910, nebst Ausführungsbestimmungen. (Amtsblatt des Reichs-Postamts, 1910. Nr. 7.)

Posth, Herm., s. Th. Ph. Cassel, Nachr. v. d. Regimentsverfassung.

Posth, Lud., tractatus mandati de manutenendo. fol. Genev. (Andreä, Francf.) 715.

— tract. de subhastationib., c. decisionib. noviss. auct. II Tmi. fol. Genev. Cramer. 733.

Posth, Wilhelm [aus Mülheim a. Rh.]: Über das Alantolacton '(Helenin)' ... Bonn, Univ.-Buchdr. v. C. Georgi, 1892; 50 S., 2 Bl., 1 Taf. 8.
Bonn, Phil. Fak., Inaug.-Diss. v. 4. März 1892

Posthalter, der preußische. Zusammenstellung sämmtl. in das Gebiet des Postfuhrwesens fallender gesetzl. Bestimmungen nebst Formularen zu postal. Contracten, Berechnungen, Zeugnissen rc. br. 8. (VIII und 176 S.) Halle 852, Schmidt. *

Posthandbuch. (Sammlung der auf das Postwesen des Deutschen Reichs bezügl. Gesetze und Reglements etc.) Berlin 1872.

Posthandbuch. Sammlung der auf das Postwesen d. deutschen Reichs bezügl. Gesetze, der Postordng. rc. gr. 8. (150 S.) Berlin 875. v. Decker. n. 1. —

Post-Handbuch. Redig. im k. k. Handels-Ministerium. 4. Wien 875, v. Waldheim. *

Post-Handbuch. Gebühren-Tarife u. Bestimmungen bezüglich der Versendung von Brief- u. Fahrpostgegenständen, sowie von Telegrammen innerhalb Deutschlands u. nach dem Ausland, zusammengestellt zum Gebrauch für das Publikum auf Grund amtl. Unterlagen. Ausg.: 1. Oktbr. 1879. 8. (86 S.) Dresden 879. Bleyl & Kaemmerer. — 50

Posthandbuch. Der kleine Stephan. 1. Bd. 8. Dresden, G. Kühtmann. n. — 75; kart. n. 1. 25
Post- u. Telegraphen-Handbuch, illustriertes deutsches, f. den gesamten In- u. Auslands-Verkehr, nebst e. Verzeichnis der Nachbarpostorte, Bestimmgn. über den Fernsprechverkehr u. postal. Strassen-Verzeichnis von Berlin. 14. Aufl. (abgeschlossen am 15. III. 1906). Nach den amtl. Veröffentlichgn. der Reichspostverwaltg. besorgt v. Lipski. Ausg. f. 1906/1907. Von Frühjahr zu Frühjahr. (XIX, 239 S.) Bisher u. d. T.: Stephan, der kleine.

— „Der kleine Stephan". Ein unentbehrl. Hilfsbuch f. das Publikum, e. tägl. Ratgeber f. jeden Geschäftsmann. Handbuch f. den gesamten In- u. Auslands-Verkehr, nebst e. Verzeichnis der Nachbarpostorte, den Bestimmgn. üb. den Fernsprechverkehr u. e. postal. Strassen-Verzeichnis v. Berlin. 17. Aufl. (abgeschlossen Jan. 1910). Nach den amtl. Veröffentlichgn. der Reichspostverwaltg. besorgt von Fritz Vilich. Ausg. f. 1910. (XX, 265 S.) 8. Dresden, G. Kühtmann. 2.50; geb. in Leinw. 3. —

Post- und Reise-Handbuch, Allgemeines, für Deutschland, Frankreich, die Schweiz ... Nürnberg 1805. V: *Bischof, Jacob.* (EngG) (MGT) (Ky)

Post- u. Reise-Handbuch, allgem., f. Deutschland, Frankreich, Spanien, die nordischen Reiche u. einige andere Länder, (v. J. Bischof). 8. Nürnb. 805. 2e Aufl. 810. 3e durchaus umgearb. u. verm. Aufl. Mit 1 Postkarte. 8. Nürnb. 816. Stein. 4e A. 827. 1 ℛ 12 gr Die Postkarte allein in Futteral. 12 gr Dieselbe auf Mousselin 1 ℛ 12 gr

— mit Nachr. üb. Volksmenge, Sehenswürdigkeiten, Gasthäuser u. sonst d. Reisenden interessirende Sachen. Mit 1 Reisekarte. gr. 8. Leipz. 805. Leo 1 ℛ

Posthandbuch, ausführliches, enth.: Postwesen, Telegraphie u. Localverkehr. Nebst Straßenverzeichniß v. Berlin u. Zonen-Verzeichniß sämmtl. Postorte der 1. bis 3. Zone, sowie der wichtigeren der 4. bis 6. Zone v. Deutschland u. Oesterreich-Ungarn. Unter Berücksicht. der neuesten Bestimmgn. u. Taxen zusammengestellt v. e. Postbeamten. gr. 8. (58 S.) Königsberg 893. Hartung. n. — 60

Posthandbuch f. das Königreich Baiern. 8. Landshut, Krüll. 812.

Post-, Telegraphen- und Eisenbahn-Handbuch, bayerisches, für das Publikum. Nach amtl. Quellen bearb. 1880. 2 Hefte. gr. 16. (à Heft ca. 100 S.) Neu-Ulm, Helb'sche Verlagsh. à Heft *ℳ 1. *

Post-Handbuch f. Berlin, od. Darstellung d. Post-Verbindungen zwischen Berlin u. sämmtl. Preuss. Städten u. Post-Anstalten, so wie zwischen Berlin u. d. bedeutendsten ausländ. Orten auf d. J. 1832. Bearb. im Cours-Bureau d. Kgl. General-Post-Amts. (2 Thle.) gr. 8. (24 B., 1 Tab. u. 1 Karte, gr. Fol.) Berlin, (Plahn.)

Post-Handbuch f. Berlin, od. Darstellung d. Post-Verbindungen zwischen Berlin u. sämmtl. preuss. Städten u. Post-Anstalten, so wie zwischen Berlin u. den bedeutendsten Orten auf d. J. 1836. Bearb. im Cours-Bureau d. k. General-Post-Amts. (2 Thle.) gr. 8. (29¾ B., 1 Tab. u. 1 ill. Karte, gr. Fol.) Berlin 836, Hayn. *

—— Breslauer. Zusammenstellung der wichtigsten Bestimmungen über die Benutzung der Posten nebst Porto-Tarifen und besond. Nachrichten über den Verkehr mit den Postanstalten in Breslau. Nach amtl. Materialien bearb. gr. 8. (IV, 52 S.) Breslau 868, Morgenstern. *

— für Geschäftsleute, Beamte u. Correspondenten. Porto-Taxe für Brief- u. Fahrpost-Gegenstände. Genau berechnet nach allen Orten des ganzen deutschen Postgebietes u. nach fremden überseeischen Ländern für das Taxquadrat 569 [Hamburg, Altona, Harburg] nebst den wichtigsten Bestimmungen über die Benutzung der Posten zur Versendung von WerthGegenständen. Hersg. nach amtlichen Mittheilungen. Hamburg 868. J. F. Richter. Lex.-8. (199 S.) n. 24 ngr.

Post-Hand-Buch f. die Geschäftswelt, enth. die Post- u. Telegraphengebühren, Zoll- u. Versandtvorschriften etc. f. den gesamten Inland- u. Ausland-Verkehr. Zum Gebrauch im Reichspostgebiete, in Bayern u. Württemberg. Bearb. v. Herm. Hettler. 1. Jahrg. Ausg. Novbr. 1890 u. Ausg. Frühjahr 1891; 2. Jahrg. 1891/92; 3. Jahrg. 1892/93. gr. 4. (à Jahrg. ca. 90 S. m. 1 Zonenkarte.) Stuttg., R. Hahn. à Jahrg., bezw. à Ausg. * 1 20

— f. die Geschäftswelt. Zum Gebrauch im Reichspostgebiete, in Bayern u. Württemberg f. den gesamten Inland- u. Ausland-Verkehr. Unter Benützg. amtl. Quellen bearb. v. Herm. Hettler. (Für Württemberg hrsg. im Auftrag der Generaldirektion der kgl. württ. Posten u. Telegraphen.) 4. Jahrg. 1894. gr. 4. (96 u. VIII S.) Stuttgart, R. Hahn. n. 1. 20

Post-Hand-Buch f. die Geschäftswelt, f. d. ges. Inland- u. Ausland-Verkehr. Unter Benützg. amtl. Quellen bearb. v. Herm. Hettler. Ausg. f. das Reichspostgebiet. 8. Jahrg. 1898. hoch 4. (98 u. VIII S.) Tübingen, R. Hahn. n. 1. 20

— dasselbe. Ausg. f. Bayern. Hrsg. v. Geo. Jäger. 8. Jahrg. 1898. hoch 4. (98 u. XII S.) Ebd. 898. n. 1. 20

Post-Hand-Buch f. die Geschäftswelt f. den gesamten Inland- u. Ausland-Verkehr. Unter Benützg. amtl. Quellen bearb. v. Herm. Hettler. Ausg. f. d. Reichspostgebiet. XI. Jahrg. 1901. hoch 4. (132 u. V S. m. 1 Karte.) Stuttgart, Greiner & Pfeiffer. 2.—; geb. 2.50; Ausg. m. Registerzungen 3. —; geb. 4. —; Sonderausg. f. Berlin u. Köln zu gleichen Preisen.

— dasselbe. Ausg. f. Bayern. Hrsg. v. Geo. Jäger. XI. Jahrg. 1901. hoch 4. (132 u. XV S. m. 1 Karte.) Ebd. 2. —; geb. 2. 50; Ausg. m. Registerzungen 3. —; geb. 4. —; Sonderausg. f. München u. Nürnberg zu gleich. Preisen.

— f. die Geschäftswelt f. den gesamten Inland- u. Ausland-Verkehr. Unter Benützung amtl. Quellen bearb. v. Herm. Hettler. Ausg. f. das Reichspostgebiet. XIII. Jahrg. 1905/6. (133 u. V S. m. 1 Karte u. 1 Pause.) Lex.-8. Stuttgart, Greiner & Pfeiffer. n. 2. —

— dasselbe. Ausg. f. Bayern. Hrsg. von Geo. Jäger. XIII. Jahrg. 1905/6. (133 u. XVI S. m. 1 Karte u. 1 Pause.) Lex.-8. Ebd. n. 2. —

Post-Hand-Buch f. die Geschäftswelt f. den gesamten Inland- u. Ausland-Verkehr. Unter Benützg. amtl. Quellen v. Eug. Staudenmaier, früher v. Hettler bearb. Ausg. f. das Reichspostgebiet. XV. Jahrg. 1909/10. (145 u. VI S. m. 1 Karte u. 1 Pause.) Lex. 8. Stuttgart, Greiner & Pfeiffer. 2. -

— dasselbe. Ausg. f. Bayern. Hrsg. v. Geo. Jäger. XV. Jahrg. 1909/10. (145 u. XVI S. m. 1 Karte u. 1 Pause.) Lex. 8. Ebd. 2. --

Post-Handbuch zum Gebrauche für Correspondenten, insbesond. für Geschäftsleute, Beamte etc., enthltd. die wichtigsten Bestimmungen über die Benutzung der Posten zur Versendung von Post-Gegenständen etc. nebst besond. Nachrichten u. Porto-Tarifen für den Geschäfts-Verkehr mit den Post-Anstalten in Berlin. Bearb. nach amtl. Materialien. 1. Ausg. 1866, 2. Ausg. 1867, u. 3. Ausg. Berlin 868. v. Decker. (VII, 111 S.) n. 10 ngr.; Ausg. f. Berlin (VIII, 148 S.) n. 14 ngr.

— Leipziger. Zusammenstellung der wichtigsten Bestimmungen über die Benutzung der Posten nebst Porto-Tarifen u. besond. Nachrichten über den Verkehr mit den Postanstalten in Leipzig. Nach amtl. Materialien bearb. Leipzig 868. Quandt & Händel. Lex.-8. (IV, 75 S.) n. 10 ngr.

Post-Handbuch, neues. Enthaltend: das Gesetz über das Postwesen vom 5. Juni 1852. Nebst dem dazu gehörigen Reglement und einer Zusammenstellung über die Porto-Tax-Bestimmungen, mit Bezugnahme auf die bis zur neuesten Zeit erlassenen Verordnungen. 1. Ausg. (88 S.) 1852. * 5 Ngr. und 2., verm. Ausg. gr. 8. (VI und 104 S.) Kreuznach 853, Voigtländer.

Post- u. Telegraphen-Handbuch, neues vollständiges, enthltd. die wichtigsten Post- u. Telegraphen-Bestimmungen sammt den in- u. ausländischen Tarifen für Postbeförderungen u. telegraphische Depeschen. Wien 864. Geitler. 8. (46 S. mit 1 Tab.) n. 7 ngr.

—— zum Gebrauche für das correspondirende Publikum von Iserlohn und Umgegend. Auf Anregung der Kaiserl. Ober-Post-Direction in Arnsberg zusammengestellt von D. Baltin und C. Greve. 8. (23 S.) Elberfeld 874, Bädeker'sche Buchh. *

Post- u. Reise-Handbuch durch Deutschland u. d. angrenz. Länder, nebst d. Hauptrouten durch Europa, mit gemeinnütz. Reisenotizen üb. d. Preise d. Extraposten, Eilwagen, Dampfschiffe u. Eisenbahnen, so wie e. Briefportotaxe v. Frankfurt etc. gr. 8. (31 B., 5 Tab. u. 1 Karte, Imp.-Fol.) Hanau 811, Edler'sche Buchh. *

Post- u. Reise-Handbuch f. die in- u. ausländ. Staaten, besond. durch d. österr. Monarchie. Nach d. besten Quellen verfaßt. gr. 8. (7¼ B.) Wien 831. (Leipzig, Liebeskind.)

—— für d. Königr. Sachsen. Enth.: Die allgem. Post-Taxordnung, d. Postcours- u. d. Post-Stations-Meilenzeiger, d. Dresdner u. Leipziger Local-Porto-Tarif, die Postcharte v. Sachsen, sowie allgem. Bestimmn. u. Nachrichten f. d. correspondir. u. reis. Publikum. 8. (7 B.) Leipzig 841, (Hinrichssche Buchh.) *

s.a. **Postbuch**, Allgemeines, von Deutschland und dessen angrenzenden Ländern.

Post-Handbuch f. die Schweiz. Hrsg. v. der schweizerischen Oberpostdirektion. Juli 1883. 8. (X, 210 S.) Bern, (Jenni). cart. n.n. 1. 50

Post- und Telegraphen-Handbuch für den Verkehr innerhalb des norddeutschen Bundes. Als Anlagen: Ein Verzeichniß aller Postorte Deutschlands und Oesterreichs [ca. 11,000] mit genauen Notizen über die geograph. Lage dieser Orte ꝛc. sowie eine Telegraphen-Zonen-Karte zum Gebrauche für Beamte, Kaufleute, Spediteure ꝛc. Von Fachmännern nach amtl. Quellen bearb. 2. Aufl. Lex.-8. (147 S. mit 1 Stnt. in qu. Fol.) Düsseldorf 868, Mischel.

— für den Verkehr mit dem Auslande. Tarif für das Ausland, enthltd. die Vorschriften über die Behandlung u. Taxirung sämmtlicher Post-Gegenstände u. der telegraph. Correspondenz nach u. aus allen Ländern der Welt, die Garantie-Bestimmungen u. Zoll-Vorschriften, die Speditionswege u. Beförderungsfristen ꝛc., als Anlage e. Ortschafts-Verzeichniß, enthltd. die Namen der wichtigsten fremdländischen Handels- u. Hafenplätze, die Namen der fremden Länder, Staaten u. Inseln, zum Gebrauche für Beamte, Kaufleute, Spediteure ꝛc. Als Fortsetzung des Post- u. Telegraphen-Handbuchs für den Verkehr innerhalb Deutschlands. Düsseldorf 869. J. P. Mischel. Lex.-8. (111 S.) n. 17½ ngr.

— für den Verkehr im norddeutschen Bunde, enthltd. sämmtl. Gesetze u. Reglements ꝛc. über das Postwesen u. ein ausführl. alphabet. General-Register. Zum prakt. Gebrauch für Jedermann. Elberfeld 868. Bädeker. 8. (112 S.) 7½ ngr.

— für den Verkehr innerhalb d. deutschen Reiches, sowie f. den Wechselverkehr zwischen dem Deutschen Reiche einerseits u. Oesterreich-Ungarn u. Luxemburg andererseits, enth. die Vorschriften üb. die Behandlg. u. Taxirg. sämmtl. Postgegenstände, die Bestimmgn. üb. den Post-Zeitungs-Debit, die Personen-, Extrapost-, Curir-, Estafetten-Beförderg., Tabellen m. den ausgerechneten Taxen f. Päckerei- u. Geldsendgn. f. alle Gewichts-, Werth- u. Entfernungsstufen, das alphabet. Verzeichniß der Straßen u. Plätze Berlin's m. Angabe der Postbezirke u. e. Verzeichniß der Postorte d. Deutschen Reichs u. Oesterreich-Ungarns m. dem Nachweis der Entferng. aller Orte untereinander [Entfernungsmesser] nach e. neuen höchst einfachen Methode f. das correspondir. Publikum, insbesondere f. den Handelsstand. Von Fachmännern nach amtl. Quellen. 3. Ausg. gr. 8. (141 S.) Düsseldorf 874. Mischel. 2. —

Post-Handbuch für den Verkehr innerhalb des Deutschen Reiches, sowie für den Wechselverkehr zwischen dem Deutschen Reiche einerseits und Oesterreich-Ungarn und Luxemburg anderseits. Verzeichniß sämmtl. Postorte von Deutschland und Oesterreich-Ungarn mit dem Nachweis der Entfernung der Orte unter einander, Entfernungsmesser nach einer höchst einfachen Methode. Von Fachmännern nach amtl. Quellen. gr. 8. (162 S.) Düsseldorf 882, Mischel. cart.

Das neue Posthaus auf Helgoland. Eröffnung im September 1895.
[o. O. u. J.]

Postheft f. die Gewerbeschule. Fol. (6 Bl.) Karlsruhe 895. Macklot. n. — 60

Postheiri
s.a. Schweizerische Freie Volks-Zeitung.

Postheiri: Der Postheiri (I)
① Blätter für Gegenwart, Öffentlichkeit und Gefühl. Illustrirte Blätter für Gegenwart, Öffentlichkeit und Gefühl (ab 1847) ⑤ Juli 1845 (Nr. 1 undatiert)—25. 12. 1875 ⑥ 8° (Jahrgänge 1—4); 4° (Jg. 5 ff.) ⑦ Wochenblatt ⑧ Solothurn: Franz Xaver Zepfel (1845), Josef Gaßmann, Sohn (ab 1846) ⑩ Jent & Gaßmann (1847—1875) ⑪ Alfred Hartmann, Volksschriftsteller; Georg Schlatter, Rektor ⑫ politisch-satirisches Blatt ⑬ Walter v. Arx: Alfred Hartmann; Leo Altermatt: Buchdruckerei Gaßmann ⑭ So: Z; Lu: Z; Be: L ⑮ Der «Postheiri» erschien zuerst als Beilage zum «Wochenblatt für Freunde der schönen Literatur und vaterländischen Geschichte».

Postheiri, der. Illustrirte Blätter für Gegenwart, Oeffentlichkeit u. Gefühl. 1—5. Bd. Jahrg. 1845—1849. à 26 Nrn. hoch 4. 6. Bd. Jahrg. 1850. 24 Nrn. hoch 4. 7 u. 8. Bd. Jahrg. 1851 u. 1852. à 32 Nrn. hoch 4. (à ½ Bog.) Solothurn, Jent & Gaßmann. 1—4. Bd. à n. 18 ngr. 5. Bd. n. ⅔ rthl. 6. Bd. n. 24 ngr. 7 u. 8. Bd. à 1 rthl. 2 ngr.

Postheiri: Der Postheiri (II)
① Illustrierte Blätter für Gegenwart, Öffentlichkeit und Gefühl ⑤ 1887 (mit 3 Probe-Nummern v. 1886), Nr. 1—39 (ohne Datum) ⑥ 4° ⑦ Wochenblatt ⑧ Solothurn: Zepfelsche Buchdruckerei ⑩ Komitee des «Postheiri», bestehend aus den Redaktoren ⑪ Wilhelm Rust, Stadtbibliothekar; Bernhard Wyß, Lehrer; Walter von Arx, Professor ⑫ politisch-satirisches Wochenblatt ⑭ So: Z; Lu: Z ⑮ Der «Postheiri» (II) wollte den Geist des «Postheiri» (I) weiterführen.

Posthen, Phil. Andr., gegr. Wahrh. heil. Schr. v. Jesu Christo. 4. Jena, Crocker. 730.

Post- und Telegraphen-Hilfsbuch, allgemeines, für das correspondirende Publikum. Zusammenstellung der Bestimmungen und Tarife für die Versendung von Briefen, Postkarten, Drucksachen etc. innerhalb Deutschlands und nach sämmtl. fremden Postgebieten. Nebst neuestem Telegraphen-Tarif für Europa und den wichtigsten Bestimmungen bei Versendung von Telegrammen. Nach amtl. Vorlagen bearb. 2 halbjähr. Hefte. Mit einem Anhang: Alphabetisches Verzeichniss sämmtl. Strassen und Plätze Berlins mit Angabe der Lage nach den Himmelsrichtungen. gr. 8. (56; 55 S.) Leipzig 877, Ruhl. à Heft — 75 Pf. *

Posthorn
① 1. Untertitel: Organ des Vereins schweiz. Post-, Telegraphen- & Zollbediensteter (um 1893—Juni 1898); heute: Organ der Union Schweiz. Post-, Telephon- und Telegraphenbeamter. Erscheint jeden Freitag ② Union (Juli 1898—26. 12. 1924). Schweizerische Post-, Telephon- und Telegraphen-Union (2. 1. 1925—28. 12. 1928; bleibt weiterhin als Titel am oberen Rande der Seiten erhalten). PTT-Union (4. 1. 1929 cont.) ④ Postbote (abgespalten 1894) ⑤ 23. 12. 1891 (cont.) ⑥ 2° ⑦ Wochenblatt (1892—um 1893, 3. 1. 1894 cont.); alle 14 Tage (um 1893) ⑧ Zürich: Juchli & Beck (23. 12. 1891—1893), Steiger & Tschopp (3. 1. 1894—31. 12. 1904), A. Tschopp (7. 1. 1905—29. 12. 1917), Tschopp & Cie. (5. 1. 1918—28. 12. 1928); Luzern: Unionsdruckerei Luzern (4. 1. 1929 cont.) ⑨ Die Arbeit (Juli 1933—Januar 1938). Stimme der Arbeit (Februar 1938 cont.) ⑩ Verein schweiz. Post-, Telegraphen- & Zollbediensteter (23. 12. 1891—um Juni 1898). Generalverband eidgen. Beamter und Angestellter (um 1899—1904). Verband eidgen. Post-, Telegraphen- und Zollangestellter (1905—1919). Verband eidgenössischer Postangestellter (1905—1924). Verband Schweizerischer Post- und Telegraphen-Angestellter (1925—1927). Verband Schweizerischer Post-, Telephon- und Telegraphen-Angestellter (1928—1951) Verband schweiz. Post-, Telephon- und Telegraphenbeamter (?) (1952 cont.) ⑪ 1. Redaktor: Ulrich Farner, Zürich; heute: Charles Rüegg, Bern (17. 5. 1946—31. 5. 1946, 11. 4. 1952 cont.) ⑫ Gewerkschaftsorgan, sozialdemokratisch ⑬ Fr. Rohner: Zum Abschied. «Union», Nr. 52, 26. 12. 1924; W. Ingold: Ein Abschied nach 35 Jahren. «Schweizerische Post-, Telephon- u. Telegraphen-Union» Nr. 52 v. 28. 12. 1928 ⑭ Bs: WA (1919 cont.); Be: L (18. 1. 1893, 11. 6. 1898, 1899 cont.) ⑮ Französische Ausgabe: Le Cor du Postillon.

Das **Posthorn**. O r g a n der k. k. Post- und Telegraphen-Bediensteten. Wien: Bizo 1894. 8°
[Red.: A. Bizo.]

Posthorn, das. Illustrirtes Jahrbuch f. Postbeamte, f. d. J. 1901. Hrsg. v. Anselm Kohl. gr. 8. (205 S. m. Abbildgn.) Breslau. [Schles. Buchdruckerei ꝛc.] Leipzig, O. Dege. Kart. n. 1. —

Posthorn, das. Illustrierte Zeitschrift zur Belehrung u. Unterhaltung. Blätter f. Beruf u. Haus. Red.: W. Kuhaupt; f. den Frauenteil: Frau E. Krickeberg. 1.–5. Jahrg. 1902—1906. à 24 Hefte. (à Jhrg. ca. 500 S.) gr. 4. Berlin. O. Elsner. à Jhrg. n. 6. —

Posthorn, das. Illustr. Zeitschrift zur Belehrg. u. Unterhaltg. Blätter f. Beruf u. Haus. Red.: W. Kuhaupt. 9. Jahrg. 1910. 24 Hefte. (à ca. 24 S.) 31×23,5 cm. Berlin, P. Quack. 4. —

Posthorn. – S c h i f f b e k e r Posthorn. – Schiffbeck, sp. [ab 1731] Hamburg. – 1710 – 21.VI.1712. Fortges. u.d.T.: Aviso: Der Hollsteinische unpartheyische Correspondente.

Posthörnchen: Das Posthörnchen
④ Aarauer Kurier ⑤ 5. 1. 1838—29. 4. 1845 ⑥ 4° ⑦ Wochenblatt, dann wöchentlich 2× ⑧ Aarau: Salomon Landolt ⑨ Das Alpenhorn (Mai 1838) [Nachdem das Posthörnchen im Mai 1838 selbständig geworden war, wurde «Das Alpenhorn» sein literarisches Beiblatt] ⑩ Salomon Landolt ⑪ Salomon Landolt ⑫ freisinnig, antiklerikal ⑬ BGSZ: 722, 940, 941 ⑭ Be: L; Aa: K ⑮ Das «Posthörnchen» ging ein, weil Landolt am Freischarenzug gegen Luzern teilnahm und dabei mehrere Wochen in Gefangenschaft geriet. Nach seiner Rückkehr gab er den «Aarauer Kurier» heraus. Diese Zeitung übernimmt die Numerierung des «Posthörnchens» und beginnt mit Nr. 32. Die Nummer vom 26. 3. 1845 zeigt Zensurlücken.

Posthornklänge für das chromatische Horn gesammelt von Herzog Maximilian in Bayern. Mit Reisebildern v. Carl Stieler. München 870. Braun & Schneider. gr. 8. (VII, 53 S. mit eingedr. Holzschn.) cart. n. 1 ₰

Posthuma, Jobus, de intestini coeci ejusq. processus vermicularis pathologia. Dissert. med. inaug. 8maj. (8½ B.) Groningae 835. Smit. (Bremae, Kaiser.) *

Posthumus, d., des römischen Dichter Martial rc.18. Meißen, Gödsche. 798.

Posthumus, der, d. röm. Dichters Martial; eine Antike, gefunden nebst andern u. mit Erklärr. begleit. von J. G. K. Klotzsch. 8. Meißen 799. Gödsche 4 g.

Posthumus, Henderikus, aus Zuidhorn ⟨Holland⟩: Ein **Fall** von Fibroma nervorum. *Groningen: P. Noordhoff 1900.* (100 S.) 8°
Freiburg i. B., Med. Diss. v. 1900

Posthumus, Theod., Friedrich d. Gr. Jugendjahre. Ein Beitr. z. Gedächtnißfeier d. Helden. gr. 8. (15½ B.) Berlin 810, Plahn'sche Buchh. *

Postilla aneb wýklady a rozgjmánj na ewangelia nedělnj a swátečnj celého roku, gakož i umučenj Pána nasseho Gežjsse Krista; ku poučenj a wzdělánj katolických křesťanů sepsaná od Innoc. Ant. Frencla. Dil 1. i 2. gr. Lex.-8. (X und 1572 S.) Prag 854(55,) (Credner.) [1. Thl. * 1 Thlr. 12 Ngr.; 2. Thl. * 2 Thlr.] *

Postille, Kleine, über die Episteln des Kirchenjahres nach dem sächsischen Kirchenbuche ... Leipzig 1865—67. V: *Kühle, August Hermann.* (Haan S. 294) (Zeitschr. f. Büch. N. F. 15, 1923, S. 119)

Postille, kleine, über die Episteln des Kirchenjahrs nach dem sächsischen Kirchenbuche. Zum Vorlesen in Betstunden u. Hausandachten. Leipzig 865—67. J. Naumann. gr. 8. (IV, 336 S.) n. 1 ₰ 6 ngr.

POSTILLEN-Reuter, Der vertheidigte. Mit TKupf. Dressden, bey Johann Christoph Miethen, 1703. 8°. 70 S. (3 Mk. 50 Pfg., etwas beschäd., Adolf Weigel, 1908:)
„Launige Uebersicht der Predigtliteratur des XVII. Jahrhunderts."

Postillion, s. Postillon

Postillon, Der. O. O. 1784. V: *Kühl, Gottlob Timotheus Michael.* (schr) (MGT)

Postillion. Zittau 1791–93. [Hrsg.: Gottlob Erharth.]

Postillon, der. 1—4. Jahrg. 1852—55. à Jahrg. 104 Nrn. (Bog. mit eingedr. Holzschn.) gr. Fol. Altona, Sievers. à Jahrg.

Der Postillion: 1885—? Chicago, IL
Weekly. Edited by E. Rummel.

Postillon, der. Unterhaltungsblatt für Scheithauer'sche Stenographen. 1. Jahrg. 1899. 12 Nrn. gr. 8. (à ca. 8 autogr. S.) Schwerte i/W., P. Liese. 1. 20

Postillon, der. Red.: A. Rettelbusch. 29. Jahrg. Jan.-Juni. 1910. 13 Nrn. (à ca. 8 S. m. z. Tl. farb. Abb.) 32×23,5 cm. Stuttgart, P. Singer. 1. 30
Eingegangen. — Erschien früher u. d. T.:

Postillon d'Amour, der. Ein Briefsteller für Liebende beiderlei Geschlechts. Enthltd. Musterbriefe in allen möglichen Herzensangelegenheiten. Herausg. von Dr. Amant. 4. sehr verb. rc. Aufl. Hamburg 855. Berendsohn. 16. (2 Bl., XVI, 132 S.) 7½ ngr.

Postillon d'Amour, der. Ein Briefsteller für Liebende beiderlei Geschlechts. Von Dr. Amant. 5. sehr verb. u. verm. Aufl. Hamburg 860. B. S. Berendsohn. 32. (XX, 123 S.) 7½ ngr.

Postillon, Chemnitzer. Haus- und Familien-Kalender für 1882. 12. (IX, 138 S.) Chemnitz, Hoffmann.
Nicht weiter erschienen.

Postillon. – Deutscher Postillon. – Mannheim. – 3.VII.1839 – 31.XII.1840(?).
Vorh. u.d.T.: Rheinischer Postillon.

Der Europaeische **Postillon.** Augsburg: Andreas Maschenbauer 1723–31. 8°

Der freie Linzer **Postillon.** Politisch-satyrische Zeitung aus dem Volke und für das Volk. Jg. 1848–49. Linz: Schmid 1848–49. Jg. 1848 u.d.T.: Der Linzer Postillon als Humorist.

Postillon, litterarischer. 1. Jahrg. ca. 60 Bdchn. (à ca. 64 S. m. 1 Bild.) 12. Dresden 896. R. H. Dietrich. à — 15

Der musikalische **Postillon.** Zur Belehrung und Unterhaltung für Musiker und Musikfreunde, Instrumentenmacher, Lesezirkel, Museen etc., besonders auch für Chorregenten in kleinen Städten und auf dem Lande. Hrsg. von Donat Müller. Augsburg: Lampart & Comp. Jahrgang 1. 1841.

Postillon: Der Neue Postillon
① Humoristisch-satirisches Monatsblatt der schweizerischen Arbeiterschaft (Juli 1900—Dezember 1906). Humoristisch-satirisches Halbmonatsblatt (6. 7. 1913—24. 7. 1914) ② Neuer Postillon (6. 7. 1913—24. 7. 1914) ⑤ 24. 2. 1895—24. 7. 1914 ⑥ 4° ⑦ Monatsblatt (1895—1912): monatlich 2× (1913—1914) ⑧ Zürich: Buchdruckerei des Schweiz. Grütlivereins ⑩ Genossenschaft «Neuer Postillon» ⑪ erste Redaktionskommission: O. Lang, A. Huber, E. Hug ⑫ sozialistisch ⑬ BGSZ: 52, p. 30 ⑭ Be: L; Lu: Z; Zh: Z.

Der plauderhafte **Postillon.** Eine Wochenschrift. Wandsbeck 1755. 4°

Postillon, Rheinische, der. 1r Jahrg. 1838. ... — 2r Jahrg. 1839. 4. Mannheim, Hof. n. 2 ₰
Fortges. u.d.T.: Deutscher Postillon.

— süd-deutscher. Red.: Ed. Fuchs. 14. Jahrg. 1895. 52 Nrn. (à ca. 8 S. m. Abb.) gr. 4. München, M. Ernst. à Nr. — 10

— dasselbe. Politisch-satyr. Arbeiterblatt. Red.: Ed. Fuchs. 15.—17. Jahrg. 1896—1898. à 26 Nrn. (Bog. m. z. Tl. farb. Abb.) gr. 4. Ebd. à Nr. — 10

— süddeutscher. 18.–21. Jahrg. 1899—1902. à 26 Nrn. gr. 4. (à ca. 8. S. m. z. Tl. farb. Abbildgn.) München, M. Ernst. à Jahrg. 2. 60
18. Jahrg. v. A. Kiefer; 19. u. 20. v. E. Fuchs redigiert.

Postillon, süddeutscher. 22.—25. Jahrg. 1903—1906. à 26 Nrn. (IV, 208; IV, 208; IV, 212 u. IV, 208 S. m. z. Tl. farb. Abbildgn.) gr. 4. München, M. Ernst. à Jhrg. 2. 60

— süddeutscher. 26.—28. Jahrg. 1907—1909. à 26 Nrn. (à ca. 8 S. m. z. Tl. farb. Abb.) 34,5×25,5 cm. München, [M. Ernst]. P. Singer. à Jahrg. 2. 60

Der Wiener Postillon. [Red.: Ritter.] Wien 1848.

Postillionsstiefel, der lebendige, in 2 A. 8. Wien 810. Wallishausser. 2 ℛ

Postina, Alois, Sankt Arbogast, Bischof v. Straßburg u. Schutzpatron des Bistums. (38 S. m. 4 Lichtdr.-Taf.) gr. 8. Straßburg 910. (F. X. Le Roux & Co.) 1. 20

Postina, Alois, der Karmelit Eberhard Billick, s. a. Erläuterungen u. Ergänzungen zu Janssens Geschichte des deutschen Volkes. 11. 2. 3.

Postina, Alois, Dr.: Der Karmelit Eberhard **Billick.** Ein Lebensbild aus d. 16. Jahrhundert. *Freiburg i. B.: Herder 1901.* (XII, 244 S.) 8° [F.] ¶ (= Erläuterungen u. Ergänzungen zu Janssens Geschichte d. deutschen Volkes. Bd 2. H. 2 u. 3.)
München, Theol. Diss. v. 1901
(Nur in beschränkter Zahl für den Austausch)

Pöstion, Auguste, ich möcht' e. Lied dir singen! Gedichte. (128 S.) kl. 8. Graz 907. Styria. n. 1. 40; geb. n. 2. —

Poestion, Josef Calasanz

Poestion, J. C., isländische Dichter d. Neuzeit in Charakteristiken u. übersetzten Proben ihrer Dichtg. M. e. Uebersicht d. Geisteslebens auf Island seit der Reformation. gr. 8. (496 S.) Leipzig 897. G. H. Meyer. n. 28. —
Erschien auch in 5 Lfgn. zum Subskr.-Pr. à n. 4. —.

Poestion, J. C., isländische Dichter der Neuzeit in Charakteristiken u. übersetzten Proben ihrer Dichtg. Mit e. Uebersicht des Geisteslebens auf Island seit der Reformation. (2. [Titel-]Ausg.) (VII, 528 S.) gr. 8. München [897] 905. G. Müller. n. 20. —; geb n. 23.—

— Eislandblüten. Ein Sammelbuch neu-isländ. Lyrik. Mit e. kultur- u. literarhistor. Einleitung u. erläut. Glossen. (XLIV, 229 S.) 8. Ebd. 904. n. 5. —; geb. n. 6. —

— Zur Geschichte des isländischen Dramas u. Theaterwesens, s.: Vorträge u. Abhandlungen, hrsg. v. der Leo-Gesellschaft. 20. Hft.

Poestion, J. C., Island. Das Land u. seine Bewohner nach d. neuest. Quellen. 8. (VIII u. 460 S. m. 1 Karte) Wien, Brockhausen & Bräuer. 6 fl. 1885.

Poestion, J. C. Island. gr. 8. Wien 885, M. Stern. [* 10 —]

Poestion, J. C. Die Kunst, die dänische Sprache schnell zu erlernen. Kurzgefasste theoretisch-praktische Anleitung, die dänische Sprache in kürzester Zeit durch Selbstunterricht sich anzueignen. Mit zahlreichen Beispielen unter den Regeln, dänischen Lesestücken und den gebräuchlichsten allgemeinen Redensarten. (Aus: „Die Kunst der Polyglottie". 16. Th.) 8. Wien. Pest. Leipzig **1889.**

Poestion, J. C.: Lehrbuch d. dänischen Sprache, s.a. Kunst, Die, d. Polyglottie 16. Thl.

Lehrbuch der dänischen Sprache für den Selbstunterricht. Mit zahlr. Beispielen u. Lesestücken. Nach d. neuesten u. besten Quellen bearb. von J[osef] C[alasanz] **Poestion.** 2. verb. Aufl. Wien, Pest, Leipzig: Hartleben [1898]. VIII, 182 S. 8°
[Bildert.:] Die Kunst schnell Dänisch zu lernen. 2. verb. Aufl.
(Die Kunst d. Polyglottie. T. 16.)
(Bibliothek d. Sprachenkunde. T. 16.)

Poestion, J. C., Lehrbuch der norweg. Sprache, s. a. Kunst, die, der Polyglottie.

Poestion, J. C., Lehrbuch der norwegischen Sprache für den Selbstunterricht. Mit zahlreichen Beispielen unter den Regeln, den gebräuchlichsten Redensarten, sowie Lesestücken. 8. (183 S.) Geb. [Bibliothek der Sprachenkunde. 28. Theil] 1.10
Wien: Hartleben 1890.

POESTION, J. C.
Lehrbuch der norwegischen Sprache **für den Selbstunterricht. Nach den neuesten und besten Quellen bearbeitet von J. C. Poestion. 2. vermehrte Auflage. Wien. Pest. Leipzig. [1900.]** Hartleben. **8°. XII, 178 S. Geb. K 2.20**

Lehrbuch der Norwegischen Sprache für den Selbstunterricht. Nach d. neuesten u. besten Quellen bearb. v. J[osef] C[alasanz] **Poestion.** 2., verm. Aufl. Wien, Pest, Leipzig: A. Hartleben [1908]. (XII, 178 S.) 8° [F.]
= **Kunst,** Die, d. Polyglottie. T. 28.
(A. Hartleben's Bibliothek d. Sprachenkunde.) [08. 11249

— Lehrbuch der schwed. Sprache, s. a. Kunst, die, der Polyglottie. 19.

Poestion, J. C., Lehrbuch der schwedischen Sprache für den Selbstunterricht. Mit zahlreichen Beispielen unter den Regeln, Lesestücken und einem Wörterverzeichnisse. Nach den neuesten und besten Quellen bearbeitet. 2. verbesserte und vermehrte Auflage. (Bibliothek der Sprachenkunde, 19. Thl. 2. Aufl.) 8. (XII, 179 S.) Geb. 1.10
Wien: Hartleben 1897.

Poestion, J. C., Lehrbuch der schwedischen Sprache für den Selbstunterricht. 3. Aufl. [Bibliothek der Sprachenkunde. 19. Teil.] 8°. (VIII, 180 S.) geb. K 2.20
Wien: Hartleben 1906.

Lehrbuch der schwedischen Sprache für den Selbstunterricht. Mit zahlr. Beispielen, Lesestücken u. e. Wörterverz. Nach d. neuesten u. besten Quellen bearb. von J[osef] C[alasanz] **Poestion.** 3., verb. u. verm. Aufl. Wien & Leipzig: Hartleben [1909?]. VIII, 180 S. 8°
(Bibliothek d. Sprachenkunde. T. 19.)

— **norweg. Lesebuch,** s. a. Kunst, die, der Polyglottie.

Poestion, J. C., Norwegisches Lesebuch. Lesestücke in der norwegischen Reichssprache. [Die Kunst der Polyglottie. 74. Theil.] 8°. (VIII, 184 S) geb. K 2.20
Wien: Hartleben 1902.

Poestion, Jos. Cal., Isländ. Märchen. Aus den Originalquellen übertragen. gr. 8. (XXIII u. 303 S.) Wien, Carl Gerold's Sohn. 3 fl 40 kr. 1883

Poestion, J. C., Lappländische Märchen, Volkssagen, Räthsel u. Sprichwörter. Mit Beiträgen v. Felix Liebrecht. 8. (X u. 274 S. Ebds. 8 fl., geb. 4 fl. 1885.

Südliches Post-Journal: 1875–1912?
Independent weekly. Title varies: MEMPHIS POST, 1880—83. Absorbed MEMPHIS JOURNAL. Circulation: 1880, 1550 (est.); 1890, 2500; 1900, 2400 (est.); 1910, 1750. Edited & published by Zimmermann, & Bro., 1880—84; edited by Louis G. Fritz, 1885—87; by Otto Zimmermann, 1888—97; by F. Zimmermann, 1898; by Otto Klus, 1899—1900; by D. B. Zimmermann, 1901—08; published by Zimmermann & Bro., 1885—1908; edited & published by Louis G. Fritz, 1909—12.
Memphis, TN

Postirungs-Campement in Hungarn, wie solche den 3. Junii 1716 in 9 Läger gestanden. (4.) 4. s. l. & a.

Postirungs-Charto der am Rhein stehenden Kayserl. und Reichs-Armee, anno 1735. [Mainz?] 1735. . . . . (Br. Mus.)

Postius, J. St., Eva's u. Christi Versuch. als wahre Geschichte. Zweibr. 1791. 8.

Postius, K[arl] Theodor: Untersuchungen in der Yttergruppe. 1902. 29 S. 4° München, Dr.-Ing.-Diss. v. 8. 3. 1902

Post-Kalender pro 1861, herausgeg. v. Georg Isanevics, Postadministrator. 8. (103 S.) Baja. 1860. 80 kr.

Post-Kalender, deutscher. Jahrbuch des Verbandes deutscher Post- u. Telegraphen-Assistenten für 1903. Im Auftr. des Verbandsvorstandes hrsg. v. E. Fleischer. IX. Jahrg. 12. (289 S.) Berlin, Verband deutscher Post- u. Telegraphen-Assistenten. Geb. in Leinw. n. 1. —
Vergl.: Post-Almanach.

Post-Kalender, deutscher. Jahrbuch des Verbandes deutscher Post- u. Telegraphen-Assistenten f. 1907. XIII. Jahrg. (306 S.) kl. 8. Berlin, Verband deutscher Post- u. Telegraphen-Assistenten. Geb. in Leinw. n. 1. —

Post-Kalender, deutscher. Jahrbuch des Verbandes mittlerer Reichs-Post- u. Telegraphen-Beamten f. 1910. 16. Jahrg. (317 S.) kl. 8. Berlin, Deutscher Postverband. Geb. in Leinw. 1. —

Post-, Telegraphen- u. Telephon-Kalender, Fromme's österreichischer, f. d. J. 1896. Red. v. Ed. Maria Schranka. 1. Jahrg. gr. 16. (VIII, 87 S. u. Notizkal.) Wien, C. Fromme. Geb. in Leinw. n. 3. 20

Post-Calender, Genealogischer Schreib- u., a. J. . . . . Hg. m. Approbation d. Kgl. Preuss. Academie d. Wissenschaften. Forts. s. u.: Calender, Genealogischer.
1737—1765. M. Kpf.

Berlin.

Hallescher **Postkalender.** Hrsg. von Fritz Dietz. Jg. [1.] Halle a. S. 1910: Thiele. 8° [11. 5845 3

— neuer, f. d. J. 1903. 3. Jahrg. 12. (VI S., Schreibkalender u. 188 S. m. Titelbild.) Berlin, C. Heymann. Geb. in Leinw. n. — 80

— neuer, f. das J. 1907. 7. Jahrg. (X S., Schreibkalender u. 215 S. m. 1 Bildnis.) kl. 8. Berlin, C. Heymann. Geb. in Leinw. n. — 80

— neuer, f. d. J. 1909. 9. Jahrg. (VIII S., Schreibkalender u. 183 S. m. 1 Bildnis.) kl. 8. Berlin, C. Heymann. Geb. in Leinw. 80
Erscheint nicht weiter.

Post-Kalender, neuester, 1868—1869. Vollständige Anleitg. für Geschäftsleute u. Private bei Versendungen durch die Postanstalten innerhalb Oesterreich's u. Ungarn's nach dem norddeutschen Bunde, Baiern, Württemberg u. Baden nebst Briefporto-Tarif nach allen europäischen Ländern. Nach amtl. Quellen von Laur. Dvořák. Wien 868. Fromme. 8. (28 S.) n. 4 ngr.

Post-, Hilfs- und Notiz-Kalender, oesterreichisch-ungarischer, für das Schaltj. 1872. Zur Benützung für Postämter, Banken, Creditinstitute etc. hrsg. von Frz. Strahalm. 1. Jahrg. 8. (242 S.) Wien, Perles. *M. 2.; geb. *

—— —— für 1873 zur Benutzung für Postämter, Postbeamte, Bureaux jeder Art und das correspondirende Publikum hrsg. von Emanuel Astl. 2. Jahrg. 16. (216 S.) Ebendas. *
geb. *

Post-, Hilfs- u. Notizkalender, oesterreichisch-ungarischer, f. 1874 zur Benutzg. f. Postämter, Postbeamte, Bureaux jeder Art u. das correspondir. u. speditir. Publikum hrsg. v. Franz Strahalm. 3. Jahrg. 16. (XVI, 193 S.) Wien, Perles. n. 2. —; geb. n. 2. 40

Post- u. Telegraphen-Kalender f. d. J. 1886. Hrsg. v. Adb. Kästner. 20. Jahrg. 8. (IV, 140 S.) Wien, Fromme. 1. 60

Postkarte, die. Fach-Organ f. Papier-Verarbeitungs-Industrie, Papier- u. Schreibwarenhandel, sowie für alle verwandten Geschäftszweige. Red.: Emil Abigt, 1. u. 2. Jahrg. 1905 u. 1906. à 52 Nrn. (à ca. 20 S. m. Abbildgn.) gr. 8. Leipzig-Stötteritz. G. Jährig. à Jhrg. n. 4. —

Postkarte, die, Fortsetzg., s.: Papier-Zeitung, neue deutsche.

Allgemeine Post- und Strassen-Karte des Russischen Reichs in Europa. Wien. 12 Bl. c. K. Ff.

Post-Charte des Grossherzogthums Baden. Nach dem Stand am 1 Juni 1830. 1 Bl. c. Hz.

Postkarte des Königreichs Baiern mit den Umgebungen der angränzenden Staaten. München 1823 und 1831. Je 1 Bl. c. K. Ff.

Postkarte des Königreichs Böhmen. Verfasst im Post-Coursbureau des k. k. Handelsministeriums. Wien 1872. 1 Bl. L.

Post-Karte v. Dännemark u. den angrenzenden Ländern. Kiel 1831. 1 Kt. 35 × 48 cm. (paa Pap).

Post-Karte von Daenemark etc. und den angrenzenden Ländern. Kiel bei J. A. Cetti. 1842. Kupferstich und Farbendruck. 1 Bl. Fol. ca. 47 : 35 cm. A. Karton gez.

—— Revidirt von F. H. J. Geerz. Kiel. 1842. Kupferstich. Auf Leinwand gedruckt, schwarz. 1 Bl. Fol., ca. 48 : 36 cm.

Postkarte von Deutschland. Augsburg. Walch, 1843. Imp.-Fol. 1⅙ ℛ

Postkarte durch ganz Deutschland . . . Augsburg, J. Walch, 1795. Fol. Kupf. u. kolor.

Postkarte durch ganz Deutschland und durch die angrenzenden Theile der benachbarten Länder. M. 1 : 1 500 000. Nürnberg, Homanns Erben, 1809. Imp.-Fol. Kupferst.

Postkarte von Deutschland und den angränzenden Ländern. Mit Angabe der Eisenbahnen und Dampfbootcourse. Augsburg, Walch, 1844. Roy.-Fol. 4 Bll. Kupfrst. u. kolor. 3¼ ℛ

Post- u. Eisenbahn-Karte von Deutschland u. den anliegenden Ländern. Hrsg. v. F. M. Diez, u. unter dessen Leitung entworfen u. gezeichn. v. J. C. Bär. gr. Fol. Kpfrst. u. color. Gotha 848. 849. 850. 851. 852, J. Perthes. Auf Leinw. in 8. Carton. 1½ ℛ

Post- und Eisenbahnkarte von Deutschland und den angrenzenden Ländern. M. 1 : 3 600 000. Berlin, Wilhelmi, 1880. Imp.-Fol. Lith.

Post- und Eisenbahn-Karte von Deutschland und den angrenzenden Ländern, mit Aufsuch-Register für die deutschen, oesterreich. und schweizer. Bahnen. 1 : 2,000,000. Fol. Stuttgart 874, Serth.

—— —— dass. — mit Angabe der Entfernungen in Kilometer. Fol. Ebendas. 875.

Post- und Eisenbahn-Karte von Deutschland, den Niederlanden, Belgien u. der Schweiz, bis Calais und Paris, Rügen und Königsberg, Krakau u. Pesth, Venedig u. Grenoble, bearbeitet nach L. Friedrich's Post-, Eisenbahn- und Reise-Karte von Mittel-Europa. M. 1:1 800 000. Neue Ausg. Gotha, J. Perthes, 1855. Imp.-Fol. Lith. u. kolor. ($1/2$ Rt.)
—— Gotha, J. Perthes, 1856. Imp.-Fol. Lithochrom. ($1/2$ Rt.)
—— M. 1:1 800 000. Ebenda 1857. Chromolith.
—— Neue Ausg. Ebenda 1863. Imp.-Fol. Lith. u. kolor.
—— Neue Ausg. Ebenda 1865. Imp.-Fol.
—— Ebenda 1868—75.

Post- und Eisenbahnkarte von Deutschland, den Niederlanden, Belgien u. der Schweiz, bearb. nach L. Friedrich's Post-, Eisenbahn- und Reisekarte von Mittel-Europa. Red. von C. Vogel. 1:1 800 000. Ausg. 1876—1888. Gotha, J. Perthes. Imp.-Fol. Lith. u. kolor.

Post- und Eisenbahn-Karte vom Elsass und Deutsch-Lothringen. Bearbeitet im Coursbureau des General-Postamts. 1:420 000. 1. und 2. Augabe. Berlin 1871. Je 1 Bl. c. L.

Post-, Eisenbahn- und Marschkarte von Deutschland und einem Theile der angrenzenden Länder nebst genauer Bezeichnung aller bis jetzt eröffneten Eisenbahnen. Nach den besten Hülfsquellen neu bearb. für das J. 1869. Mit Hinzufügung statist. Tab. über Einwohner, Land- und See-Streitkräfte aller europäischen Staaten. Fol. Potsdam 869, E. Stechert. In Carton

Post- und Eisenbahn-Karte der Oesterreichisch-Ungarischen Monarchie. Hrsg. vom Post-Cours-Büreau des k. k. Handels-Ministeriums. 1:576 000. Wien 1876 und 1884. Je 16 Bl. c. L.

Post- und Eisenbahn-Karte von Preussen, Nord-Deutschland und angrenzenden Ländern. Erfurt, Müller, 1845. Fol. Lith. 4 ngr.

—— —— des deutschen Reiches in 12 Blättern. 1 : 600,000. Bearb. im Cours-Bureau des Kaiserl. General-Postamts. Fol. Berlin 873—75, Neumann. à Bl. * M. 2. *

Post- u. Eisenbahnkarte d. Deutschen Reichs, bearb. im Kursbureau d. Reichspostamts. (In 20 Blatt.) 1 : 450,000. Sect. 1, 2, 5, 6, 7, 8, 10—13, 15—20. Chromolithogr. Imp.-Fol. Berl. 887—90, Berliner Lithograph. Institut, à Blatt * 2 25; uncolorirt à * 2 —
Sect. 3, 4, 9, 14. Ebd. 1887, zu gleichen Preisen, — Compl.: * 40 —; uncolorirt * 35 —; auf Leinw. in Mappe oder m. Stäben * 60 —; uncolorirt * 55 —.

Desgl. Ausgabe von 1884 und 1895. 1:450 000. Je 20 Bl. c. L.

Post- und Eisenbahnkarte der Schweiz. 1876. 88 Centim. Länge und 53 Ctm. Höhe. Bern, J. Körber. In karton. Umschlag 1. 50

Post- und Eisenbahnkarte von dem preussischen Staate und den angränzenden Ländern in 9 Blättern. Bearb. im Cours-Bureau des königl. preuss. General-Postamtes. M. 1 : 800000. Berlin, Neumann, 1865. Imp.-Fol. Kupferst. u. kolor. (6 Rt.)
—— Gr. Ausg. 1868—75. Gotha, J. Perthes.
—— Berlin 1868. gr. Fol.
—— Bearb. im Cours-Bureau des General-Postamts des Norddeutschen Bundes. Berlin 1870. gr. Fol. 9 Bll. lith. kol. . . . . (RPA.)

Post- u. Eisenbahn-Reise-Karte von Deutschland, der Schweiz u. dem nordlichen Italien, mit Berücksichtigung des grossen Zoll-Verbandes. gr. Fol. Lith. u. color. Magdeburg 847, Fabricius & Schaefer. n. $2/3$ ß

Postkarte saemtlicher K. K. teutsch und hungarischer Erblaender. Wien 1798. 1 Bl. c. K.

Post-Karte des Königreiches Galizien und Lodomerien mit dem Grossherzogthum Krakau (Bezirk der k. k. Post-Direction in Lemberg) und des Herzogthumes Bukowina (Bezirk der k. k. Postdirection in Czernowitz). Verfasst im Post-Cours-Büreau des k. k. Handels-Ministeriums. Wien 1875. 4 Bl. L.

Post-Karte des Oesterreichisch-Illyrischen Küstenlandes, begreifend die gefürstete Grafschaft Görz und Gradisca, die Markgrafschaft Istrien und die reichsunmittelbare Stadt Triest mit ihrem Gebiete und des Herzogthums Krain. (Bezirk der k. k. Postdirection in Triest). Verfasst im Post-Cours-Büreau des k. k. Handelsministeriums. Wien 1874. 1 Bl. L.

Post- u. Marschkarte von Italien nebst Theilen angrenzender Länder. *Herausgeg v. k. k. geogr. Inst. zu Mailand im J. 1820. 2 Bl., 26" H.. 14" Br. Massstab: 1 Wr. Zoll = 25,833 Wr. Klftr. Verhältn. 1:859,976.* Nach den besten Quellen zusammengesetzt. Ist zwar veraltet, war aber seiner Zeit sehr gesucht.

Post- und Marsch Karte für die Oesterreich. und die fremden Italienischen Provinzen. Gezeichnet etc. vom g.g. milit. Institut zu Mailand. S. Adm. K. des Lomb. Venet. Königr. 1: 2,000.000.

Post- und Marschkarte für die Oesterreichischen, und die fremden Italienischen Provinzen nebst Theilen der angränzenden Länder. Gezeichnet und gestochen unter der Leitung des K.K. General Q. M. Stabs, vom geogr. Militär Institute zu Mailand herausgegeben im Jahre 1820. 1: 1,860,000. 2 Bl.

Postkarte von Mittel-Europa enth.: Deutschland, die Niederlande, Belgien, die Schweiz u. einen grossen Theil von Frankreich, England, Dänemark, Polen, Ungarn u. Ober-Italien. Mit Bezeichnung aller Eisenbahnen u. Dampfschiffs-Course. Fol. 2 Bl. Kpfrst. u. color. Wien 847, Artaria & Co. 1 $1/3$ ß

Postkarte von Mittel-Europa ... mit Bezeichnung aller Eisenbahnen und Dampfschiff-Course. Wien, Artaria & Co., 1859. 2 Bll. . . . . (Br. Mus.)
——, —— Ebda. 1868. . . . . (Br. Mus.)

Postkarte der kais. königl. Oesterreichischen Monarchie. Bearbeitet im Cours-Büreau der kais. königl. General-Direction für Communicationen von Alex. Mayer. 1 : 864000. Wien 1853 und 1867. Je 6 Bl. c. L.

Post- und Reisekarte

— neue, von Deutschland u. einem Theile der angrenzenden Länder nebst genauer Bezeichnung aller bis jetzt eröffneten Eisenbahnen. Nach den besten Hülfsmitteln neu bearb. Imp. Fol. (Lith. u. color.) Mit einem Handbuch für Eisenbahn-Reisende (v. T. König). 32. (IV u. 96 S.) Wesel 848, Bagel. $1/2$ ß — Die Karte allein. (Neue Ausg.) Imp. Fol. Lithochrom. Ebd. 851. $1/6$ ß

Post- und Reise-Karte — Neue — durch ganz Europa, von Moskau, St. Petersburg, Stockholm, Edinburg und Dublin bis Lissabon, Palermo, Corfu und Constantinopel. Nach den bessten und zuverlässigsten Hülfsmitteln auf IX. Blätter. Bearbeitet von J. G. Siegmeyer. Berlin in der Schüppel'schen Buchhandlung 1831 1 : 2,200,000. 9 Bl.

Postkarte, Neue und vollkommene, durch ganz Teutschland, ... Wien, Artaria. 1788. gr. qu.-Fol. Kupf. u. kol. . . . . (D.)

Postkarte, Neue und vollkommene, durch ganz Teutschland nach Italien, Frankreich, Niederland, Preussen, ... Wien, Artaria u. Co., 1792. gr. qu.-Fol. Kupf. u. kol. (RPA.; D.)

Postkarte, Neue und vollständige, durch ganz Deutschland und durch die angränzenden Theile der benachbarten Länder. Herausg. von den Homannischen Erben. Nürnberg 1786. Kupf. u. kol. (PBH.; RPA.)

Postkarte — Neueste allgemeine — durch alle Europäische Staaten. Entworfen von Joh. Pongratz, Lieutenant des k. k. 2ten Feld-Artillerie-Regiments. Wien bei Tranquillo Mollo 1805. Gestochen von Hieron. Benedicti. 1 : 2,000,000. 9 Bl.

Neueste Postkarte von Deutschland nebst den Angrenzungen von Frankreich, der Schweiz, Italien, Ungarn und Preussen. Augsburg 1816. 1 Bl. K.

Postkarte, Neueste, von Deutschland, Frankreich u. Italien, nebst den angränzenden Ländern, in 7 Blättern. Nach den neuesten und vorzüglichsten Hülfsmitteln entworfen u. bearbeitet. (Freiburg, Herder, 1837.) Lith. u. kolor. gr. Fol. ($3/4$ Rt.)

(Postkarte) Postcharte von Deutschland und den angrenzenden Ländern, neueste, auch in seine Bundesstaaten eingetheilt zufolge der Bestimmungen des Wiener Congresses, des Pariser Friedens vom 21. Nov. 1815 u. den neuesten Begrenzungen, in 4 Bll. entw. Augsburg, Walch, 1820. . . . . (Br. Mus.)

Postkarte, Neueste, von Deutschland für Reisende, nach den neuesten Materialien und officiellen Mittheilungen bearb. u. herausg. von einem Post-Beamten. Frankfurt, Jäger, 1830. Imp.-Fol. (2/3 ℛ)

Post- u. Eisenbahnkarte, Neueste, von Deutschland u. den angränzenden Ländern für Extraposten, Couriere, Diligencen und Eilwägen mit Benutzung der besten Materialien gezeichnet. Nürnberg, Riegel u. Wiessner, 1845. Imp.-Fol. (1/2 ℛ)

Post- u. Eisenbahn-Karte, Neueste, von Deutschland und den angrenzenden Ländern. Nürnberg, Bauer u. Raspe, 1846. Imp.-Fol. Kupf. u. kolor. (1/2 ℛ)

— neueste, von Deutschland u. den angrenz. Staaten nebst Angabe der Dampfbootfahrten. gr. Fol. Lith. u. color. Neuhaldensleben 849, Eyraud. n. 1/3 ß

Post-, Reise- und Eisenbahn-Karte, Neueste, von Deutschland und den angrenzenden Ländern. 6. Aufl. Erfurt, Bartholomäus, 1856. Fol. Lith.
—, — 7. Aufl. Ebenda 1857. Fol. Lith.

Post-, Reise- u. Eisenbahn-Karte, neueste, von Deutschland u. einem Theile der angrenzenden Länder. 5. neu gez. u. bis auf die Gegenwart bericht. Aufl. Fol. Lith. Erfurt 852, Müller's Sortiments-Buchhandlung. 1/6 ß

Post-Karte des Erz-Herzogthums Oesterreich unter der Enns. Verfasst im Post-Cours-Büreau des k. k. Handelsministeriums. Wien 1874. 2 Bl. L.

Post- u. Reise-Karte von Deutschland u. den angrenz. Ländern. Fol. Lith. Berlin 852, Grobe. n. 6 ngr

— des Landes Oesterreich ob der Enns, mit angehängter Specialkarte u. einer perspectiv. Ansicht des Salzkammergutes sammt den Benennungen der Gebirge desselben. Fol. Kpfrst. Linz 850, Fink. Leipzig, Hübner. n. 2/3 ß — (Neue Aufl.) Ebd. 851. 18 ngr

Post- und Reise-Karte der wichtigsten und besuchtesten Theile Europas ... [Mit einer Broschüre] Die befahrenen Eisenbahnen Deutschlands.... 1845. . . (Br. Mus.)

— von Tyrol u. Theilen der angrenzenden Länder. Imp. 4. Kpfrst. u. color. Nürnberg 850, Serz & Co. 8 ngr

Post-Karte von dem Königreiche Sachsen, den Herzoglich Sächsischen Ländern und einem Theile der übrigen angränzenden Staaten. Leipzig 182. 1 Bl. c. K.

— der Schweiz, reducirt nach derjen. d. eidgenöss. Postdepartements von 1 : 300000 auf 1 : 600000, verm. durch Angabe der schweiz. Zollkreise u. sämtl. Haupt- u. Nebenzollstätten u. der projectirten Linien des eidgenöss. Eisenbahnnetzes. Beilagen: Schweizerischer Taxentarif, Hauptpoststrassen der Schweiz mit den Entfernungen der Stationen, Stundenzeiger nach der kürzesten Poststrasse berechnet u. einer Zeichenerklärung (auf 1 lith. Taf. in Fol.) gr. Fol. Lith. u. color. Winterthur 851, Steiner. n. 12 ngr

Post-Karte vom Preussischen Staate und den angrenzenden Ländern; nach den neuesten und besten Hilfsmitteln bearbeitet. Herausg. von dem Königlichen lithographischen Institut des grossen Generalstabes. Berlin (Held) 1829. qu.-Fol. Kolor. (1/1 ℛ) . . . . (BPA.)

Post-Karte von dem **Preussischen Staate** und den angränzenden Ländern in 9 Blättern. Bearbeitet im Cours-Bureau des Königlich Preussischen General-Postamtes. Gez. v. Arends. 1 : 800 000. Berlin. 1845. Berichtigt bis 1. April 1846. Kupferstich. Section 1 u. 2. 2 Bl. Fol., 55 76,5 cm; zusammengeklebt.
Enthält Schleswig-Holstein, die Dänischen Inseln u. s. w.

— von dem Preussischen Staate u. den angränz. Ländern in 9 Bl. Bearb. im Cours-Bureau des Königl. General-Post-Amts. Gez. v. Arends. Imp. Fol. Kpfrst. u. color. Berlin 852, Schropp & Co. n. n. 6 ß

Post- und Straßenkarte des Königreiches Böhmen nach der neuesten politischen Eintheilung. Prag, bei Marco Berra. 1854. (4 Bl. 15" hoch, 7" breit, mit dem Situationsplane, der Beschreibung und Eintheilung und dem Wapen der Hauptstadt Prag, einer geographisch-statistisch-politischen Uebersicht und der politisch-gerichtlichen Eintheilung. Lith. von F. Andel.)

Post- und Strassen-Karte der Oesterreichischen Monarchie nebst allen angrenzenden Ländern. Hrsg. von der K. K. Obersten Hof-Post-Verwaltung. Wien 1844. 4 Bl. c. L.

Postkarte von Südwest-Deutschland. Gestochen von F. Pfeiffer. München, Mey u. Widmayer, 1839. gr. Fol. (5/6 ℛ)

Postkarten [Sachl. OW]

Postkarten ... An das Schweizerische Familien-Wochenblatt, Zürich.... (Beiträge in Poesie und Prosa im Umfang einer Schweizerischen Postkarte [eingesandt gemäss]) Preis-Ausschreiben [vom] 31. VIII. 01. IV + 32 S. quer-8. Zürich, Th. Schröter, 24. XII. [19]01. [fr. —.50]

Postkarten. (Malbuch). Hänsel u. Gretel u. Rotkäppchen, gez. v. Rich. Scholz.) (4 farb. u. 4 schwarze Bl.) Lex.-8. Mainz (905). J. Scholz. — 50

Postkarten [Schlagwort]

Postkarten, s.: Eisenbahnkarten.

Postkarten, s.: Eisenbahn- u. Postkarten.

Postkarten-Dichter, der, in der Westentasche. qu. 64. (64 S.) Reutlingen (901). Enßlin & Laiblin. — 10

Postkartengrüße. 140 poet. Orig.-Hilfsverse bei allen Gelegenheiten f. Jedermann. 1.—3. Aufl. 12. (à 33 S.) Meldorf 898. M. Hansen. — 30
s.a. Postkartenverse

— 140. Poetische Orig.-Hilfsverse bei allen Gelegenheiten f. Jedermann. 4. Aufl. 12. (32 S.) Meldorf 899. Glückstadt, M. Hansen. — 30

— 120 Orig.-Texte in Reimen zur Abfassg. v. Ansichts-Postkarten. 12. (30 S.) Straubing 898. Volks- u. Jugendschriften-Verlag. — 40

Postkarten-Grüsse, allerlei humoristische. 100 Orig.-Verse zur Abfassg. v. humorist. Ansichts-Postkarten. 12. (30 S.) Chemnitz (899). A. Seyffert. — 40

Postkartengrüsse. 101 lustige Grüsse aus Berg und Thal für fröhliche Postkartenschreiber. Kl. 8°. 31 S. Zürich, Th. Schröter. 1899 — 50

— u. Glückwünsche, neueste. Eine Sammlg. v. Reimen u. Gedichten f. Ansichtspostkarten zu allen Veranlassungen. Mit e. Anh. prakt. Glückwünsche f. Telegramme und kurzer Gedichte f. Gelegenheitsgeschenke. Neue Ster.-Ausg. 8. (96 S.) Reutlingen 899. Enßlin & Laiblin. — 60

— aus dem Schwarzwald. Eingelaufen in Folge unseres Preis-Ausschreibens. gr. 16. (46 S.) Freiburg i/B. 898. Lorenz & Waetzel. n. — 60

Postkartengrüsse. 200 gereimte P'-G' aus der Ferne. 72 S. 8. Grenchen, A. Niederhäuser, 1901. [fr. —. 50]

Postkartenhumor. (Malbuch.) [Aus: „Das deut. Malbuch".] (8 [4 farb.] perforierte Bl.) Lex. 8. Mainz (909). J. Scholz. — 50

Postkarten-Malbuch. (4 farb. u. 4 schwarze Bl.) qu. schmal Fol. Nürnberg (902). Th. Stroefer. — 75

Postkarten-Malbuch. (Je 8 [4 farb.] Blätt.) gr. 8. Ravensberg (910). O. Maier. à — 50

Ansichten, schweizer. — Flotte, die deutsche. — Landschaften, einfache, f. kleine Kinder. — Malerei, leichte, f. kleine Kinder. 2 Hefte. — Seelandschaften. — Tierbilder, lustige.

Postkarten-Malbuch, drolliges. (16 [8 farb.] zweimal geschnittene Bl.) schmal Lex.-8. Nürnberg (905). Th. Stroefer. n. 1. —

— grosses. (12 [6 farb.] perfor. Bl.) 4. Mainz (906). J. Scholz. 1. 20

— für die Jugend. (10 farb. u. 10 schwarze Bl.) schmal Fol. Ebd. (902). 1. 50

— für kleine Künstler. (6 farb. u. 6 schwarze Bl.) schmal Fol. Ebd. (902). 1. —

— mein. (12 [6 farb.] perforierte Bl.) Lex. 8. Nürnberg (908). Th. Stroefer. 1. —

Postkartenmaler. (4 farb. u. 4 schwarze Bl.) Lex.-8. Ebd. (905). — 50

Postkarten-Maler, der kleine. (8 farb. Bl. m. eingedr. Text.) gr. 8. Duisburg (902). J. A. Steinkamp. Kart. — 50

Postkarten-Markt, der. Neueste Nachrichten f. den Buch-, Kunst- u. Papierhandel aus der Ansichts- u. Künstler-Postkarten-Industrie. Fachblatt f. den Postkartenhandel u. die Postkarten-Industrie. Organ des Schutzverbandes f. die Postkarten-Industrie, Sitz Berlin. Red.: Alb. Linzen. 3. Jahrg. 1906. 12 Nrn. (364 S.) 4. Cassel, Hess. Verlagsanstalt. 3. —

Postkarten-Markt, der. Neueste Nachrichten f. den Buch-, Kunst- u. Papierhandel aus der Ansichts- u. Künstler-Postkarten-Industrie. Fachblatt f. den Postkartenhandel u. die Postkarten-Industrie. Mitteilgn. des Schutzverbandes f. die Postkarten-Industrie, Sitz Berlin. Red.: Alb. Linzen. 4. u. 5. Jahrg. 1907 u. 1908. à 24 Nrn. (à ca. 16 S.) 32×24 cm. Cassel, Hess. Verlagsanstalt. à Jahrg. 3. —

— dasselbe. 6. Jahrg. Jan.—März. 1909. 6 Nrn. (96 S.) 32×24 cm. Ebd. — 75

Fortsetzg., s.: Papier- u. Schreibwaren-Markt.

Postkarten-Sammler, der. Organ des „Centralverbandes f. Ansichtskarten-Sammler". 1. u. 2 Jahrg. Apr. 1896—März 1898. à 12 Nrn. (Bog. m. Abb.) hoch 4. Leipzig, E. Heitmann. à Jahrg. n. 1. 50

— dasselbe. April 1898—März 1899. 24 Nrn. (à ca. 12 S. m. Abb.) hoch 4. Ebd. n. 2. —

Kann auch halbjährlich bezogen werden.

Postkarten-Sammler, der. Central-Organ f. Ansichtskarten-Sammler. 4. u. 5. Jahrg. April 1899—März 1901. à 24 Nrn. hoch 4. (à ca. 8 S.) Leipzig, E. Heitmann. à Jahrg. n. 2. —

Postkarten-Verse. Heitere Dichtgn. f. Reise u. Haus v. Sch . . . . . . n. qu. gr. 16. (80 S.) Zittau 897. J. Kloß. n. — 50

Postkarten-Verse. Heitere Dichtgn. f. Haus u. Reise v. Sch. (32 S.) 16. Reutlingen (904). R. Bardtenschlager. — 10

Postkartenverse, 140. Poetische Orig.-Hilfsverse bei allen Gelegenheiten f. Jedermann. 5. Aufl. 12. (32 S.) Meldorf (899). Glückstadt, M. Hansen. — 30

s.a. Postkartengrüße

Postkarten-Verse, 120, s.: Grüße, 120 gereimte, zum Gebrauche f. Ansichtspostkarten.

Postkarten-Zeitung, internationale. Monatsschrift für Ansichtskarten-Sammler. Offizielles Organ des Weltverbandes „Kosmopolit" etc. Red.: Marquard Reingruber. 2. u. 3. Jahrg. 1899 u. 1900. à 12 Nrn. gr. 4. (à ca. 8 S.) Nürnberg (Ob. Feldgasse 5). Verlag der internationalen Postkarten-Zeitung. à Jahrg. n. 2. 40

Postkarten-Zeitung, internationale. Monatsschrift für Ansichtskarten-Sammler. Offizielles Organ des Weltverbandes „Kosmopolit" etc. Red.: Marquard Reingruber. 4. Jahrg. 1901. 12 Nrn. gr. 4. (à ca. 16 S.) Nürnberg (Ob. Feldgasse 5). Verlag der internationalen Postkarten-Zeitung. n. 2. —

— dasselbe. 5. Jahrg. 1902. 12 Nrn. gr. 8. (à ca. 16 S.) Nürnberg, F. Schiller. n. 3. —

Postkarten-Zeitung, schweizer. Organ des Schweizer. Verein für Ansichtskarten-Sammler. Hrsg.: *F. Oesch.* II. Jahrg. 1899. 12 Nrn. 4°. Nr. 1. 8 S. Saanen, F. Oesch.
Jährlich 2 —; Ausland 2 50

POSTKLAPPERBOTH, Der aufrichtige. Vom 19. Dezbr. 1783 bis 6. Febr. 1784. in Wien. Wien 1783—84. 8°. (In Wien, Stadtbibl.)

45 Stücke citirt Karajan's Bibl. II. no. 5289. — Sehr rar!

Postkursbuch

Post- und Dampfschiff-Cours-Buch, s. Eisenbahn-, Post- und Dampfschiff-Cours-Buch.

Post-Cours- und Eisenbahnbuch, s. Eisenbahn- und Post-Coursbuch.

Post-Cours-Buch, Oldenburgisches, u. Wissenswerthes aus dem Post- u. Telegraphenwesen. Oldenburg 866. Schulze'sche Buchh. 8. (16 S.) n.n. $2^1/_2$ *ngr.*

Postcursbuch. Postkursbuch der Schweiz. Hrg. von der schweiz. Oberpostdirektion. — Indicateur postal de la Suisse. Publié par la Direction générale des postes suisses. — Indicatore postale della Svizzera.... [*Je* mit 1 Karte.] 8. Bern, Stämpfli & Cie. *je* fr. 1. 50

Winterfahrtordnung — Horaire d'hiver — Orario invernale 1900/1901. (*zus.* 574 S.) X. 1900.
Sommerfahrtordnung — Horaire d'été — Orario estivo 1901. (*zus.* 613 S.) VI. 1901.
Winterfahrtordnung... 1901/1902. (*zus.* 604 S.) X. 1901.
Sommerfahrtordnung... 1902. (*zus.* 696 S.) V. 1902.

Postcursbuch. Postkursbuch der Schweiz. Hrg. von der schweiz. Oberpostdirektion. — Indicateur postal de la Suisse.... — Indicatore postale della Svizzera.... Winterfahrtordnung ... 1902/1903. [Mit 1 Karte.] (*zus.* 704 S.) 8. Bern, Stämpfli & Cie., X. 1902. fr. 1. 50

Postcursbuch. Postkursbuch der Schweiz. Hrg. von der schweiz. Oberpostdirektion = Indicateur postal de la Suisse ... = Indicatore postale della Svizzera.... Sommerfahrtordnung... 1903. [Mit 1 Karte.] (*zus.* 786 S.) 8. Bern, Stämpfli & Cie., V. 1903. fr. 1.50

Postcursbuch. Postkursbuch der Schweiz. Hrg. von der schweiz. Oberpostdirektion = Indicateur postal de la Suisse ... = Indicatore postale della Svizzera.... Winterfahrtordnung... 1903/1904. [Mit 4 Karten, wovon 1 Tafel.] (*zus.* 820 S.) 8. Bern, Stämpfli & Cie., X. 1903. fr. 1.50

Postcursbuch Postkursbuch der Schweiz. Hrg. von der schweiz. Oberpostdirektion = Indicateur postal de la Suisse... = Indicatore postale della Svizzera.... Sommerfahrtordnung... 1904. [Mit 1 Karte.] (*zus.* 834 S.) 8. Bern, Stämpfli & Cie., V. 1904. fr. 1.50

Postcursbuch. Postkursbuch der Schweiz. Hrg. von der schweiz. Oberpostdirektion = Indicateur postal de la Suisse ... = Indicatore postale della Svizzera.... Winterfahrtordnung... 1904/1905. [Mit 4 Karten, wovon 1 Tafel.] (*zus.* 840 S.) 8. Bern, Stämpfli & Cie., X. 1904. fr. 1.50

Postcursbuch. Postk' der Schweiz. Hrg. von der schweiz. Oberpostdirektion = Indicateur postal de la Suisse ... = Indicatore postale della Svizzera.... Sommerfahrtordnung... 1905. [Mit 1 Karte.] (*zus.* 850 S.) 8. Bern, Stämpfli & Cie., V. 1905. fr. 1.50

Post-Course. Redigirt im Post-Cours-Bureau des k. k. Handelsministeriums. I. Wien und Umgebung und Oesterreich unter der Enns. Mit Postcourskarte. Preis (mit franco Postversendung) 25 kr. Oe. W. II. Oesterreich ob der Enns und Salzburg. Mit Postcourskarte. Preis (mit franco Postversendung) 20 kr. Oe. W. III. Tirol und Vorarlberg. Mit Postcourskarte. Preis (mit franco Postversendung) 20 kr. Oe. W. IV. Steiermark und Kärnten. Mit Postcourskarte. Preis (mit franco Postversendung) 20 kr. Oe. W. V. Krain und Küstenland. Mit Postcourskarte. Preis (mit franco Postversendung) 20 kr. Oe. W. VI. Dalmatien Mit Postcourskarte. Preis (mit franco Postversendung) 15 kr. Oe. W. VII. Böhmen. Mit Postcourskarte. Preis (mit franco Postversendung) 35 kr. Oe. W. VIII. Mähren und Schlesien. Mit Postcourskarte. Preis (mit franco Postversendung) 25 kr. Oe. W. IX/X Galizien und Bukowina. Mit 2 Postcourskarten. Preis (mit franco Postversendung) 35. kr. Oe. W.

Wien: Waldheim 1882.

Post-Course. 8. Redig. im Post-Cours-Bureau des k. k Handels-Ministeriums. Wien, R. v. Waldheim. I Oesterreich unter der Enns (46 S.) 25 kr. II. Oesterreich ob der Enns und Salzburg. (24 S.) 20 kr. III Tirol u. Vorarlberg. (20 S.) 20 kr. IV. Steiermark u. Kärnten. (26 S.) 20 kr. V. Krain u. Küstenland. (15 S.) 20 kr. VI. Dalmatien. (17 S.) 15 kr VII. Böhmen. (81 S.) 35 kr. VIII. Mähren u. Schlesien. 25 kr. IX—X. Galizien u. die Bukowina. (33 S.) 35 kr. Sämmtlich mit Post-Cours-Karte und N. b.

1883.

Post-Course. 8. Je mit 1 Postkarte. Wien, R. v. Waldheim. I. Oesterreich unter d. Enns. Redig. im Post-Cours-Bureau des k. k. Handels-Ministeriums. 8. (46 S.) 25 kr. II. Oesterreich ob d. Enns und Salzburg. (24 S.) 20 kr. III. Tirol und Vorarlberg. (20 S.) 20 kr. IV. Steiermark u. Kärnten. (26 S.) 20 kr. V. Krain und Küstenland. (15 S.) 20 kr. VI. Dalmatien. (17 S.) 15 kr. VII. Böhmen. (81 S.) 35 kr. VIII. Mähren u. Schlesien. (35 S.) 25 kr. IX—X. Galizien u. d. Bukowina (32 S.) 34 kr. Durchaus n. b.

1884.

Post-Course, Redig. im Post-Cours-Bureau d. k. k. Handels-Minist. 8. Wien, R. v. Waldheim. I. Oesterr. unter d. Enns. (46 S.) 25 kr. II. Oesterr. ob der Enns u. Salzburg. (24 S.) 20 kr. III. Tirol u. Vorarlberg. (20 S.) 20 kr. IV. Steiermark u. Kärnten. (26 S.) 20 kr. V. Krain und Küstenland. (15 S.) 20 kr. VI. Dalmatien. (17 S.) 15 kr. VII. Böhmen. (81 S.) 35 kr. VIII. Mähren und Schlesien. (34 S.) 25 kr. IX. u. X. Galizien u. d. Bukowina. (32 S.) 35 kr. Jedes Heft mit e. Post-Cours-Karte u. nur baar.

1885.

Post-Curse. I. Oesterreich unter d. Enns. Mit einer Post-Curskarte und einem Tableau über die Local-Postkurse von Wien. Redig. im Posteurs-Bureau des k.k. Handels-Ministeriums. Ausgegeben am 26. Nov. 1886. 8°. (46 S.) Wien, Waldheim.

– II. Oesterreich ob der Enns u. Salzburg. Mit einer Post-Curskarte. Ausgegeben am 22. October 1886. 8°. (24 S.) Ebd.

– III. Tirol und Vorarlberg und Fürstenthum Liechtenstein. Mit einer Post-Curskarte. Ausgegeben am 25. October 1886. 8°. (20 S.) Ebd.

– IV. Steiermark u. Kärnten. Mit einer Post-Curskarte. Ausgegeben am 16. October 1886. 8°. (27 S.) Ebd.

– V. Krain und Küstenland. Mit 1 Post-Curskarte. Ausgegeben am 16. October 1886. 8°. (18 S.) Ebd.

– VI. Dalmatien und Militär-Post-Curse in Bosnien, der Herzegowina und dem Limgebiete. Mit einer Post-Curskarte. Ausgegeben am 27. October 1886. 8°. (19 S.) Ebd.

– VII. Böhmen. Mit einer Post-Curskarte. Ausgegeben am 16. Nov. 1886. 8°. (81 S.) Ebd.

– VIII. Mähren und Schlesien. Mit einer Post-Curskarte. Ausgegeben am 13. November 1886. 8°. (34 S.) Ebd.

– IX.–X. Galizien und die Bukowina. Mit zwei Post-Curskarten. Ausgegeben am 30. October 1886. 8°. (35 S.) Ebd.

Post-Curse. I. Oesterreich unter der Enns. Mit einer Post-Curskarte und einem Tableau über die Local-Postcurse von Wien. Red. im Postcurs-Bureau des k.k. Handels-Ministeriums. Ausgegeben am 25. Juli 1887. 8°. (47 S.) Wien, Waldheim.

– II. Oesterreich ob der Enns und Salzburg. Mit einer Post-Curskarte. Ausgegeben am 25. Juni 1887. 8°. (25 S.) Ebd.

– III. Tirol und Vorarlberg und Fürstenthum Liechtenstein. Mit einer Post-Curskarte. Ausgegeben am 5. Juli 1887. 8°. (21 S.) Ebd.

– IV. Steiermark und Kärnten. Mit einer Post-Curskarte. Ausgegeben am 18. Juni 1887. 8°. (27 S.) Ebd.

– V. Krain u. Küstenland. Mit einer Post-Curskarte. Ausgegeben am 13. Juni 1887. 8°. (18 S.) Ebd.

– VI. Dalmatien u. Militär-Post-Curse in Bosnien, der Herzegowina und dem Limgebiete. Mit einer Post-Curskarte. Ausgegeben am 10. Juni 1887. 8°. (19 S.) Ebd.

– VII. Böhmen. Mit einer Post-Curskarte. Ausgegeben am 24. Juni 1887. 8°. (81 S.) Ebd.

– VIII. Mähren und Schlesien. Mit einer Post-Curskarte. Ausgegeben am 28. Juni 1887. 8°. (34 S.) Ebd.

– IX.–X. Galizien u. die Bukowina. Mit zwei Post-Curskarten. Ausgegeben am 11. Juli 1887. 8°. (36 S.) Ebd.

Post-Course I. Oesterreich unter der Enns. Mit einer Post-Cours-Karte und einem Tableau über die Localpostcourse von Wien. Redigirt im Post-Cours-Bureau des k. k. Handels-Ministeriums. Ausgegeben am 27. Juli. 8. (47 S.) * –.25

— **II.** Oesterreich ob der Enns und Salzburg. Mit einer Post-Cours-Karte. 8. (25 S.) * —.20

Wien: Waldheim 1889.

Post-Course, III. Tirol und Voralberg und im Fürstenthume Lichtenstein. Mit einer Post-Cours-Karte. Redigirt im Post-Cours-Bureau des k. k. Handels-Ministerium. Ausgegeben am 7. Juni 1889. 8. (21 S.) —.20

Wien: Waldheim 1889.

Post-Course V. Krain und Küstenland. Mit einer Post-Cours-Karte. Redig. im Post-Cours-Bureau des k. k. Handels-Ministeriums. Ausgegeben am 28. Juni 1889. 8. (24 S.) —.15

Wien: Waldheim 1889.

— VII. Böhmen. Mit einer Post-Cours-Karte. 8. (81 S.) —.35

Wien: Waldheim 1889.

— — VIII. Mähren und Schlesien. Mit einer Post-Cours-Karte. Ausgegeben am 15. Juni 1889. 8. (37 S.) —.25
Wien: Waldheim 1889.

Post-Course. Red. im Post-Cours-Bureau d. k. k. Handelsministeriums. Nr. I—X. 8. Wien 890. v. Waldheim. n. 4. 30
I. Oesterreich unter der Enns. (70 S. m. 1 Karte u. 1 Tableau.) n. — 50
II. Oesterreich ob der Enns u. Salzburg. (27 S. m. 1 Karte.) n. — 40
III. Tirol u. Vorarlberg u. Fürstenth. Liechtenstein. (22 S. m. 1 Karte.) n. — 40
IV. Steiermark u. Kärnten (32 S. m. 1 Karte.) n. — 40
V. Krain u. Küstenland. (26 S. m. 1 Karte.) n. — 40
VI. Dalmatien u. Militär-Post-Course in Bosnien, der Herzegovina u. dem Limgebiete. (27 S. m. 1 Karte.) n. — 30
VII. Böhmen. (81 S. m. 1 Karte.) n. — 70
VIII. Mähren u. Schlesien. (38 S. m. 1 Karte.) n. — 50
IX. X. Galizien u. die Bukowina. (38 S. m. 2 Karten.) n. — 70

Post-Curse. I. Oesterreich unter der Enns. Mit einer Post-Curskarte und einem Tableau über die Local-Postcurse von Wien. Redigirt im Postcurs-Bureau des k. k. Handels-Ministeriums. Ausgegeben am 4. August 1891. 8. (69 S.) * —.25
Wien: Waldheim 1891.

Post-Curse. I. Oesterreich unter der Enns. Mit einer Post-Curskarte und einem Tableau über die Local-Post-Curse von Wien. Redigirt im Post-Curs-Bureau des k. k. Handel-Ministeriums. Ausgegeben am 4. December 1891. 8. (70 S.) * —.25
Wien: Waldheim 1891.

— — II. Oesterreich ob der Enns und Salzburg. Mit einer Post-Curskarte. Ausgegeben am 19. Juli 1891. 8. (28 S.) * —.20
Wien: Waldheim 1891.

— — II. Oesterreich ob der Enns u. Salzburg. Mit einer Post-Curskarte. Ausgegeben am 20. October 1891. 8. (28 S.) * —.20
Wien: Waldheim 1891.

— — III. Tirol und Vorarlberg und Fürstenthum Liechtenstein. Mit einer Post-Curskarte. Ausgegeben am 7. Juli 1891. 8. (23 S.) * —.20
Wien: Waldheim 1891.

— — III. Tirol und Vorarlberg und Fürstenthum Liechtenstein. Mit einer Post-Curskarte. Ausgegeben am 10. October 1891. 8. (23 S.) * —.20
Wien: Waldheim 1891.

— — IV. Steiermark und Kärnten. Mit einer Post-Curskarte. Ausgegeben am 13. Juli 1891. 8. (34 S.) * —.20
Wien: Waldheim 1891.

— — IV. Steiermark und Kärnten. Mit einer Post-Curskarte. Ausgegeben am 12. November 1891. 8. (34 S) * —.20
Wien: Waldheim 1891.

— — V. Krain und Küstenland. Mit einer Post-Curskarte. Ausgegeben am 25. Juni 1891. 8. (28 S.) * —.20
Wien: Waldheim 1891.

— — V. Krain und Küstenland. Mit einer Post-Curskarte. Ausgegeben am 6. November 1891 8. (28 S.) * —.20
Wien: Waldheim 1891.

— — VI. Dalmatien und Militär-Post-Curse in Bosnien, der Herzegovina und dem Limgebiete. Mit einer Post-Curskarte. Ausgegeben am 23. Juni 1891. 8. (29 S) * —.15
Wien: Waldheim 1891.

— — VI. Dalmatien und Militär-Post-Curse in Bosnien, der Herzegovina und dem Limgebiete. Mit einer Post-Curskarte. Ausgegeben am 31. October 1891. 8. (29 S.) * —.15
Wien: Waldheim 1891.

— — VII. Böhmen. Mit einer Post-Curskarte. Ausgegeben am 13. Juli 1891. 8. (81 S.) * —.35
Wien: Waldheim 1891.

— VII. Böhmen. Mit einer Post-Curskarte. Ausgegeben am 16. October 1891. 8. (81 S) * —.35
Wien: Waldheim 1891.

— — VIII Mähren und Schlesien. Mit einer Post-Curskarte. Ausgegeben am 30. Juni 1891. 8. (39 S.) * —.25
Wien: Waldheim 1891.

— — VIII. Mähren und Schlesien. Mit einer Post-Curskarte. Ausgegeben am 30. October 1891. 8. (39 S.) * —.25
Wien: Waldheim 1891.

— — IX.—X. Galizien und die Bukowina. Mit zwei Post-Curskarten. Ausgegeben am 19. Juli 1891. 8. (40 S.) * —.35
Wien: Waldheim 1891.

— — IX.—X. Galizien und die Bukowina. Mit zwei Post-Curskarten. Ausgegeben am 21. November 1891. 8. (40 S.) * —.35
Wien: Waldheim 1891.

Post-Course. Redig. im Post-Cours-Bureau d. k. k. Handelsministeriums. Nr. I—X. 8. Wien 892, R. v. Waldheim. * 4 24
I. Oesterreich unter der Enns. (L, 47 S. m. 1 Karte u. 1 Tableau.) * — 50.
II. Oesterreich ob der Enns u. Salzburg. (30 S. m. 1 Karte.) * — 40.
III. Tirol u. Vorarlberg u. Fürstenth. Lichtenstein. (24 S. m. 1 Karte.) * — 40.
IV. Steiermark u. Kärnten. (34 S. m. 1 Karte.) * — 40.
V. Krain u. Küstenland. (27 S. m. 1 Karte.) * — 40.
VI. Dalmatien u. Militär-Post-Course in Bosnien, der Herzegovina u. dem Limgebiete. (29 S. m. 1 Karte.) * — 24.
VII. Böhmen. (82 S. m. 1 Karte.) * — 70.
VIII. Mähren u. Schlesien. (39 S. m. 1 Karte.) * — 50.
IX. X. Galizien u. die Bukowina. (40 S. m. 2 Karten.) * — 70.
Erscheint jährlich zweimal: Sommerdienst u. Winterdienst.

Post-Course, 8. Je mit 1 Postkarte. I. Oesterreich unter der Enns. Redig. im Post-Cours-Bureau des k. k. Handels-Ministeriums. (LII u. 48 S.) 25 kr. II. Oesterreich ob der Enns und Salzburg. (30 S. Mit 2 Karten) 20 kr. III. Tirol und Vorarlberg. (20 S.) 20 kr. IV. Steiermark und Kärnten (36 S.) 20 kr. V. Krain und Küstenland. (27 S.) 20 kr. VI. Dalmatien. (27 S.) 15 kr. VII. Böhmen. (82 S.) 35 kr. VIII. Mähren und Schlesien. (40 S.) 25 kr. IX. bis X. Galizien und der Bukowina. (40 S.) * 35 kr. Durchaus N. b.
Wien: Waldheim 1893.

Post-Course. Red. im Post-Cours-Bureau des k. k. Handelsministeriums. Nr. I—X. 8. Wien 894. R. v. Waldheim. n. 4. 80
I. **Oesterreich unter der Enns.** (LIII, 49 S. m. 1 Karte u. 1 Tableau.) n. — 50
II. **Oesterreich ob der Enns u. Salzburg.** (31 S. m. 1 Karte.) n. — 40
III. **Tirol u. Vorarlberg u. Fürstenth. Lichtenstein.** (25 S. m. 1 Karte.) n. — 40
IV. **Steiermark u. Kärnten.** (39 S. m. 1 Karte.) n. — 40
V. **Krain u. Küstenland.** (31 S. m. 1 Karte.) n. — 40
VI. **Dalmatien, nebst den nationalen Linien des österr. Lloyd u. den zum Posttransporte benutzten Schiffscoursen im Adriat. Meere, m. e. Anh., enth. die Militär-Post-Course in Bosnien, der Hercegovina u. dem Limgebiete.** (26 S. m. 1 Karte.) n. — 30
VII. **Böhmen.** (84 S. m. 1 Karte.) n. — 70
VIII. **Mähren u. Schlesien.** (40 S. m. 1 Karte.) n. — 50
IX. X. **Galizien u. die Bukowina.** (44 S. m. 2 Karten.) n. — 70

Post-Course. I. Oesterreich unter der Enns. *A.* Wiener Local-Post-Course, mit einem Tableau. *B.* Land-Post-Course. Redigirt im Post-Cours-Bureau des k. k. Handels-Ministeriums. Ausgegeben am 19. October 1896. 8. (LVI, 54 S.) * —.25
Wien: Waldheim 1896.

II. Oesterreich ob der Enns u. Salzburg. Mit einer Post-Cours-Karte. Ausgegeben am 7. November 1896. 8. (32 S.) * —.20
Wien: Waldheim 1896.

IV. Steiermark und Kärnten. Mit einer Post-Cours-Karte. Ausgeg. am 12. November 1896. 8. (40 S.) * —.20
Wien: Waldheim 1896.

V. Krain und Küstenland. Mit einer Post-Cours-Karte. Ausgeg. am 19. November 1896. 8. (32 S.) * —.20
Wien: Waldheim 1896.

VI. Dalmatien und Militär-Post-Course in Bosnien, der Herzegowina und dem Lim-Gebiete. Mit einer Post-Cours-Karte. Ausgegeben am 10. Nov. 1896. 8. (31 S.) * —.15
Wien: Waldheim 1896.

VII. Böhmen. Mit einer Post-Cours-Karte. Ausgegeben am 28. October 1896. 8. (84 S.) * —.35
Wien: Waldheim 1896.

VIII. Mähren und Schlesien. Mit einer Post-Cours-Karte. Ausgegeben am 28. October 1896. 8. (47 S.) * —.25
Wien: Waldheim 1896.

IX.—X. Galizien und die Bukowina. Mit zwei Post-Cours-Karten. Ausgegeben am 18. December 1896. 8. (44 S.) * —.35
Wien: Waldheim 1896.

Post-Course. I. Oesterreich unter der Enns *A.* Wiener Local-Post-Course, mit einem Tableau. *B.* Land-Post-Course. Redigirt im Post-Cours-Bureau des k. k. Handels-Ministeriums. Ausgegeben am 7. Juli 1897. 8. (LVI, 54 S.) * —.25
Wien: Waldheim 1897.

II. Oesterreich ob der Enns u. Salzburg. Mit einer Post-Cours-Karte. Ausgegeben am 13. Juli 1897. 8. (33 S.) * —.20
Wien: Waldheim 1897.

III. Tirol und Vorarlberg und Fürstenthum Liechtenstein. Mit einer Post-Cours-Karte. Ausgegeben am 10. Juli 1897. 8. (28 S.) * —.20
Wien: Waldheim 1897.

Post-Course. III, Tirol und Vorarlberg und Fürstenthum Lichtenstein. Mit einer Post-Cours-Karte. Ausgegeben am 20. November 1896. 8. (28 S.) * —,20
Wien: Waldheim 1897.

IV. Steiermark und Kärnten. Mit einer Post-Cours-Karte. Ausgegeben am 25. Juni 1897. 8. (41 S.) * —.20
Wien: Waldheim 1897.

V. Krain und Küstenland. Mit einer Post-Cours-Karte. Ausgegeben am 7. Juli 1897. 8. (31 S.) * —.20
Wien: Waldheim 1897.

VI. Dalmatien und Militär-Post-Course in Bosnien, der Herzegowina und dem Lim-Gebiete. Mit einer Post-Cours-Karte. Ausgegeben am 8. Juli 1897. 8. (31 S.) * —.15
Wien: Waldheim 1897.

VII. Böhmen. Mit einer Post-Cours-Karte. Ausgegeben am 14. Juni 1897. 8. (85 S.) * —.35
Wien: Waldheim 1897.

VIII. Mähren und Schlesien. Mit einer Post-Cours-Karte. Ausgegeben am 29. Mai 1897. 8. (47 S.) * —.25
Wien: Waldheim 1897.

IX—X. Galizien und die Bukowina. Mit zwei Post-Cours-Karten. Ausgegeben am 24. Juni 1897. 8. (47 S.) * —.35
Wien: Waldheim 1897.

Post-Course. Red. im Post-Cours-Bureau d. k. k. Handelsministeriums. Nr. I—X. 8. Wien 898. R. v. Waldheim. n. 4. 30
I. Oesterreich unter d. Enns. A. Wiener Local-Post-Course. B. Land-Post-Course, nebst d. Postämtern d. Wiener Local-Rayons, welche Influenz zu den in denselben einbezog. Eisenbahn-Stationen bezw. Tramway-Haltestellen haben. (LXIII, 55 S. m. 1 Karte u. 1 Tableau.) n. — 50
II. Oesterreich ob d. Enns u. Salzburg. (35 S. m. 1 Karte.) n. — 40
III. Tirol u. Vorarlberg u. Fürstenth. Lichtenstein. (28 S. m. 1 Karte.) n. — 40
IV. Steiermark u Kärnten. (41 S. m. 1 Karte.) n. — 40
V. Krain u. Küstenland, nebst e. Anh., enth. d. Linien d. österreich. Lloyd u. d. zum Posttransporte benützten Schiffs-Course im adriat. Meere. (33 S. m. 1 Karte.) n. — 40
VI. Dalmatien, nebst d. Linien d. österreich. Lloyd u. d. zum Posttransporte benützten Schiffs-Coursen im adriatischen Meere, m. e. Anh., enth. d. Militär-Post-Course in Bosnien, d. Hercegovina u. d. Limgebiete. (35 S. m. 1 Karte.) n. — 30
VII. Böhmen. (86 S. m. 1 Karte.) n. — 70
VIII. Mähren u. Schlesien. (48 S. m. 1 Karte.) n. — 50
IX. X. Galizien u. d. Bukowina. (51 S. m. 2 Karten.) n. — 70

Post-Course. Winter-Ausgabe 1899—1900. Redigirt im Post-Cours-Bureau des k. k. Handels-Ministeriums. 10 Hefte. Wien. [1899.] v. Waldheim. 8°. LXVII, 55. 35, 29, 42, 34, 35, 105, 48, 52 S. Heft 1, 8 à fl. —.25, Heft 2, 3, 4, 5 à fl. —.20, Heft 6 fl. —.15, Heft 7, 9, 10 à fl. —.35.

Post-Course. Winter-Ausgabe 1900/1901. Redigirt im Post-Cours-Bureau des k. k. Handelsministeriums. 10 Hefte. Wien. [1900.] Waldheim. 8°. LXVII, 57, 36, 34, 44, 85. 35, 107, 49, 56 S. Heft 1, 8 à K —.50, Heft 2, 3, 4, 5 à K —.40, Heft 6 K —.30, Heft 7, 9, 10 à K —.70

Post-Course. Sommer-Ausgabe 1901. Redigirt im Post-Cours-Bureau des k. k. Handels-Ministeriums. 10 Hefte. Wien. [1901.] v. Waldheim. 8°. LXVII, 58, 40, 38, 45, 36. 37, 108, 57, 58 S. Heft 1, 8 à K —.50, Heft 2, 3, 4, 5 à K —.40, Heft 6 K —.30, Heft 7, 9, 10 à K —.70.

Post-Course. Red. im Post-Cours-Bureau des k. k. Handelsministeriums. Sommer-Ausg. 1902. Nr. I—X. 8. Wien, R. v. Waldheim. n. 4. 30
I. Oesterreich unter der Enns. A. Wiener Local-Post-Course einschl. der Wiener Stadtbahn. B. Land-Post-Course, nebst den Postämtern des Wiener Local-Rayons, welche Influenz zu den in denselben einbezogenen Eisenbahn-Stationen bezw. Tramway-Haltestellen haben. (LXXVI, 63 S. m. 1 Karte u. 1 Tableau.) n. — 50
II. Oesterreich ob der Enns u. Salzburg. (48 S. m. 1 Karte.) n. — 40
III. Tirol u. Vorarlberg u. Fürstenth. Liechtenstein. (41 S. m. 1 Karte.) n. — 40
IV. Steiermark u. Kärnten. (49 S. m. 1 Karte.) n. — 40
V. Krain u. Küstenland, nebst e. Anh., enth. die Linien des österreichisch. Lloyd u. die zum Posttransporte benützten Schiffs-Course im adriat. Meere. (39 S. m. 1 Karte.) n. — 40
VI Dalmatien, nebst den Linien des österr. Lloyd u. den zum Posttransporte benützten Schiffscoursen im Adriat. Meere m. e. Anh., enth. die Militär-Post-Course in Bosnien, der Hercegovina u. d. Limgebiete. (36 S. m. 1 Karte.) n. — 30
VII. Böhmen. (114 S. m. 1 Karte.) n. — 70
VIII. Mähren u. Schlesien. (59 S. m. 1 Karte.) n. — 50
IX. X. Galizien u. die Bukowina. (64 S. m. 2 Karten.) n. — 70

Post-Course. Sommer-Ausgabe 1903. 8°. 10 Hefte. (64 41, 46, 52, 43, 38, 119. 66, 62, 12 S.) 1. u. 8. Heft à K —.50; 2., 3., 4. u. 5. Heft à K —.40; 6. Heft K —.30; 7., 9. u. 10. Heft à K —.70.
Wien: Waldheim 1903.

Post-Course. Winterausgabe 1903/04. 10 Hefte. 8°. (LXXVII, 68, 46, 46, 52, 41, 38, 127, 66, 64, 12 S.) 1, 8. und 9. Heft à K —.50; 2, 3, 4. und 5. Heft à K —.40; 6. Heft K —.30; 7. Heft K —.70; 10. Heft K —.20.
Wien: Waldheim 1903.

Postkurse. Sommerausgabe 1904. 10 Hefte. 8°. 1., 8., 9. Heft à K —.50, 2., 3., 4., 5. Heft à K —.40, 6. Heft K —.30, 7. Heft K —.70, 10. Heft K —.20
Wien: Waldheim 1904.

Postkurse. Winterausgabe 1904—1905. 10. Hefte. 8°. (LXVII, 70, 46, 51, 55, 44, 38, 131, 67, 64, 12 S.) 1., 8. und 9. Heft à K —.50; 2., 3., 4. und 5. Heft à K —.40; 6. Heft K —.30; 7. Heft K —.70; 10. Heft K —.20
Wien: Waldheim 1904.

Postkurse. Sommerausgabe 1905. 8°. 10 Hefte. (71, 45, 51, 55, 44, 38, 131, 68, 64, 12 S.) 1., 8. und 9. Heft à K —.50; 2., 3., 4. und 5. Heft à K —.40; 6. Heft K —.30; 7. Heft K —.70; 10. Heft
Wien: Waldheim 1905.

Post-Kurse. Red. im Post-Kursbureau d. k. k. Handelsministeriums. Winter-Ausgabe 1906/1907. Nr. I—X. 8. Wien, Druckerei- u. Verlagsaktiengesellschaft vorm. R. v. Waldheim. 4. 30
I. Oesterreich unt. der Enns. A. Wiener Lokal-Post-Kurse einschliessl. der Wiener Stadtbahn. B. Land-Post-Kurse, nebst den Postämtern des Wiener Lokalrayons, welche Influenz zu den in denselben einbezogenen Eisenbahnstationen bezw. Tramwayhaltestellen haben. (LXX, 71 S. m. 1 Karte.) — 50
II. Oesterreich ob der Enns u. Salzburg. (45 S. m. 1 Karte.) — 40
III. Tirol u. Vorarlberg u. Fürstent. Liechtenstein. (51 S. m. 1 Karte.) — 40
IV. Steiermark u. Kärnten. (55 S. m. 1 Karte.) — 40
V. Krain u. Küstenland, nebst e. Anh., enth. die Linien des österreich. Lloyd u. die zum Posttransporte benützten Schiffs-Kurse im Adriat. Meere. (46 S. m. 1 Karte.) — 40
VI. Dalmatien, nebst den Linien des österreich. Lloyd u. den zum Posttransporte benützten Schiffskursen im Adriat. Meere m. e. Anh., enth. die Militär-Post-Kurse in Bosnien, der Hercegovina u. dem Limgebiete. (38 S. m. 1 Karte.) — 30
VII. Böhmen. (134 S. m. 1 Karte.) — 70
VIII. Mähren u. Schlesien. (70 S. m. 1 Karte.) — 50
IX. Galizien. (68 S. m. 2 Karten.) — 50
X. Bukowina. (12 S. m. 1 Karte.) — 20

Postkurse in Österreich unter der Enns. Sommerausgabe 1907. 10 Hefte. Heft 1, 8, 9 à K —.50; Heft 2, 3, 4, 5 à K —.40; Heft 6 K —.30; Heft 7 K —.70; Heft 10 K —.20
Wien: Waldheim 1907.

Postkurse. Winterausgabe 1907—1908. 8°. 10 Hefte. 1., 8., 9. Heft à K —.50; 2., 3., 4., 5. Heft à K —.40; 6. Heft K —.30; 7. Heft K —.70; 10. Heft K —.20
Wien: Waldheim 1907.

Postkurse. Sommerausgabe 1908. 8°. 10 Hefte. Heft 1, 8, 9 à K —.50; Heft 2, 3, 4, 5 à K —.40; Heft 6 K —.30; Heft 7 K —.70; Heft 10 K —.20.
Wien: Waldheim 1908.

Postkurse. Winterausgabe 1908/09. 8°. Heft I. Niederösterreich. Heft II. Oberösterreich. Heft III. Tirol und Vorarlberg. Heft IV. Steiermark und Kärnten. Heft V. Krain und Küstenland. Heft VI. Dalmatien. Heft VII. Böhmen. Heft VIII. Mähren und Schlesien. Heft IX. Galizien. Heft X. Bukowina. Heft 1, 8 und 9 à K —.50, Heft 2, 3, 4 und 5 à K —.40, Heft 6 K —.30, Heft 7 K —.70, Heft 10 K —.20.
Wien: Waldheim 1908.

Postkurse. Sommerausgabe 1909. 8°. Heft 1, 8, 9 à K —.50, Heft 2, 3, 4, 5 à K —.40, Heft 6 K —.30, Heft 7 K —.70, Heft 10 K —.20
Wien: Waldheim 1909.

Postkurse. Winterausgabe 1909/10. 8°. Erscheinen in 10 Heften. 1., 8. und 9. Heft à K —.50; 2., 3., 4. und 5. Heft à K —.30; 6. Heft K —.30; 7. Heft K —.70; 10. Heft K —.20
Wien: Waldheim 1909.

Post-Kurse. Red. im Post-Kursbureau des k. k. Handelsministeriums. Winter 1910/11. Nr. I—X. 8. Wien, Druckerei- u. Verlags-Aktiengesellschaft vorm. R. v. Waldheim. 4. 30

I. Österreich unter der Enns. A. Wiener Lokal-Post-Kurse einschl. der Wiener Stadtbahn. B. Land-Post-Kurse. (LXXI, 78 S. m. 1 Karte.) — 50
II. Österreich ob der Enns u. Salzburg. (44 S. m. 1 Karte.) — 40
III. Tirol u. Vorarlberg u. Fürstent. Lichtenstein. (62 S. m. 1 Karte.) — 40
IV. Steiermark u. Kärnten. (63 S. m. 1 Karte.) — 40
V. Krain u. Küstenland u. die zum Posttransporte benutzten Schiffs-Kurse im Adriatischen Meere. (45 S. m. 1 Karte.) - 40
VI. Dalmatien u. die zum Posttransporte benützten Schiffskurse im Adriatischen Meere, ferner die Militär-Post-Kurse in Bosnien u. in der Hercegovina. (58 S. m. 1 Karte.) — 30
VII. Böhmen. (160 S. m. 1 Karte.) — 70
VIII. Mähren u. Schlesien. (79 S. m. 1 Karte.) — 50
IX. Galizien. (71 S. m. 2 Karten.) — 50
X. Bukowina. (15 S. m. 1 Karte.) — 20

Post-Course in Dalmatien. Red. im Post-Cours-Bureau d. k. k. Handels-Ministeriums. Ausgegeben im Mai 1875. 8. (8 S.) Wien, v. Waldheim. n. — 20

Post-Course im Herzogthum Holstein. Kiel. 1864. 8°.

Post-Course in den Preussischen Staaten und zwar fahrende und reitende Posten . . . Berlin 1819. V: *Matthias, Wilhelm Heinrich.* (Hitzig)

Post-Cours-Karte vom Schleswig-Holsteinischen Postbezirke gez. v. H. Brandt. Geschlossen d. 10. September 1865. Kiel. 1865. Lithogr. 1 Bl. Imp.-Fol., 63,5 50 cm. (Beilage zum Coursbuch der Post-, Eisenbahn- und Dampfschiffs-Routen im Schleswig-Holsteinischen Postbezirke etc. v. N. Wichmann. Jg. 9. (1865.) Heft Nr. 2.)

Postkutsche, d., od. Schwärmereyen menschl. Leidenschaften; e. satyrisch komisch. Roman. 8. Weißenfels, Severin. (Baumgärtner in Lpz.) 798.

Postkutsche, die, od. Schwärmereien menschl. Leidenschaften. 8. Weißenf. 799. (Leipz., Baumgärtner). 1 ß

Postkutsche, Die, und Bocksdorf; ein Lustspiel in fünf Akten, nach d. Franz. [des L. E. Picard]. Leipzig 1808. V: *Reinhold, Carl.* (Ky)

Postl, die Schutzmauer gegen das Zündnadelgewehr u. die Zukunft der Kriegführung mit im Text erläut. Abbild. (in Holzschn.) München 866. L. Finsterlin. gr. 8. (22 S.) n. 4 *ngr.*

Postl, Aug., Verzeichniss der anatomisch-pathologischen Präparate, s. a. Verzeichniss.

Postl, Aug., Verzeichniss der anatomisch-pathologischen Präparate, welche sich in dem Museum der K. B. Central-Thierarznei-Schule zu München befinden. 3. verm. Aufl. München 857. (Literar.-artist. Anstalt.) 8. (VIII, 128 S.) n. 10 *ngr.*

Postl, Karl, s.: Sealsfield, Charles.

Postl von Leopoldsky, Jh. Bapt., Anleit. zur Industrie nach Anlage d. Genie. 8. Lemb. 791.

Postleitkarte, s. a. Eisenbahnkarten. Deutschland.

Postleitkarte, bearb. im Kursbureau des Reichs-Postamts. 1 : 450000. (In 10 Bll.) Ausg. 1888, 92. Berlin. Berl. lit. Inst. gr. Fol. Chromolith. (à Bl. M. 1.)
1. Ober-Post-Directions-Bezirke Königsberg u. Gumbinnen. — 2. Coslin, Danzig, Bromberg. [Posen.] — 3. Breslau, Oppeln. [Posen, Liegnitz.] — 4. Berlin, Stettin. [Schwerin i. M., Potsdam, Frankfurt a. O. — 5. Leipzig, Dresden. [Halle (Saale), Frankfurt (Oder), Liegnitz.] — 6. Kiel, Hamburg, Bremen [Hannover, Schwerin-Meckl.]. — 7. Minden [Westf.], Braunschweig, Magdeburg, Cassel, Erfurt. [Hannover, Halle (Saale).] — 8. Oldenburg, Munster, Dusseldorf. [Arnsberg, Minden.] — 9. Aachen, Coln [Rhein], Coblenz, Frankfurt [Main], (Arnsberg, Trier, Darmstadt). — 10. Metz, Strassburg [Elsass], Karlsruhe [Baden], Konstanz [Trier, Darmstadt].

Postleitkarte, bearb. im Kursbureau d. Reichs-Postamts. 1 : 450,000. Neue Ausg. 1890. 10 Blatt. Chromolith. gr. Fol. Berlin 890. Berliner Lithogr. Institut. à — 60
1. Ober-Post-Directions-Bezirke Königsberg u. Gumbinnen. — 2. Cöslin, Danzig, Bromberg. [Posen.] — 3. Breslau. Oppeln. [Posen, Liegnitz.] — 4. Stettin, Potsdam, Berlin. [Schwerin i/Meckl., Frankfurt a/O.] — 5. Leipzig, Dresden. [Halle a S., Frankfurt a O., Liegnitz.] — 6. Kiel, Hamburg, Bremen. [Hannover, Schwerin i Meckl.] — 7. Minden i W., Braunschweig, Magdeburg, Cassel, Erfurt. [Hannover, Halle a S.] — 8. Oldenburg, Münster, Düsseldorf. [Arnsberg, Minden.] — 9. Aachen, Cöln a/Rh., Coblenz, Frankfurt a M. [Arnsberg, Trier, Darmstadt.] — 10. Metz, Strassburg i/E., Karlsruhe i Baden, Konstanz. [Trier, Darmstadt.]

Postleitkarte, bearb. im Kursbureau d. Reichs-Postamts. 1:450,000. 10 Blatt. Ausg. im Mai 1892. Farbendr. 70×56,5 cm. Berl., Berliner Lithograph. Institut. à Blatt — 60
1. Königsberg, Gumbinnen.
2. Cöslin, Danzig, Bromberg. [Posen.]
3. Breslau, Oppeln. [Posen, Liegnitz.]
4. Berlin, Stettin, Potsdam. (Schwerin, Frankfurt [Oder].)
5. Dresden, Leipzig. [Frankfurt (Oder), Halle, Liegnitz.]
6. Kiel, Hamburg, Bremen. [Hannover, Schwerin.]
7. Minden, Braunschweig, Magdeburg, Cassel, Erfurt. [Hannover, Halle.]
8. Oldenburg, Münster, Düsseldorf. [Arnsberg, Minden.]
9. Aachen, Cöln, Coblenz, Frankfurt [Main]. (Arnsberg, Trier, Darmstadt.)
10. Metz, Strassburg, Karlsruhe, Konstanz. [Darmstadt, Trier.]
Erscheint seit 1889 alljährlich.

Postleitkarte. M. 1 : 450 000. Ausg. 1895.

Postler, Curt. s. Postler, Kurt

Postler, Elisabeth, s.a. Linden, E.

Postler, Elisab. (E. Linden), Ernstes u. Heiteres zum Hochzeitsfeste. gr. 8. (XIII, 184 S.) Erfurt (900). F. Bartholomäus. n. 1. 80

Postler, Elisab., Kinderfeste m. lebenden Bildern. Zusammengestellt u. m. verbind. Dichtg. versehen. 1. „Gute Freundschaft" m. Bildern v. Osk. Pletsch. (29 S.) gr. 8. Leipzig (907). A. Strauch. 1. —

Postler, s.: Materne's erster Religionsunterricht.

— um e. Pflaume, s.: Blumen u. Sterne. 5.

— Schwester Martha Postler. Ein Frauenleben im Dienste der deutschen Blindenmission in China, geschildert v. ihrer Schwester. 1. u. 2. Aufl. 1.—6. Taus. (190 S. m. Abbildgn. u. Titelbild.) 8. Hamburg 907. 09. Agentur des Rauhen Hauses. Kart. 1.75; Geschenkausg., geb. 2. 50

Postler, Elisab., ein Volksliederabend m. lebenden Bildern, s.: Handreichungen f. Volks- u. Familien-Abende. 2. Hft.

— Das Walten der Frau, s.: Festblüten. 3. Heft.

— In alle Welt. Missionsspiel. (23 S.) 8. Berlin 909. Buchh. der Berliner ev. Missionsgesellschaft. — 30

Postler, Elise, s.: Linden, E.

Postler, Kurt

Postler, Curt, pract. Arzt in Frauenbreitungen: Ein Beitrag zur Lehre vom rhachitischen Becken mit Wirbelsäulenverkrümmungen. *Leipzig 1900: B. Georgi.* (27 S.) 8°
Leipzig, Med. Diss. v. (30. Juni) 1900

Post-Lexicon. Ein Verzeichniss der wichtigeren Verkehrs-Orte m. besond. Berücksicht. der — ausser der Orts-Bezeichng. in der Landessprache — erfahrungsmässig öfter vorkomm. Benenngn. in anderen Sprachen. Bearb. nach amtl. Materialien. gr. 8. (180 S.) Berlin 875. v. Decker. n. 1. —

— allgemeines, der im Reichsrate vertretenen Königreiche u. Länder u. des Fürstent. Liechtenstein. Hrsg. vom k. k. Handelsministerium. (V, 1568 S.) Lex.-8. Wien 906. (Hof- u. Staatsdruckerei.)
Geb. in Halbfrz. n.n. 25. —

— für das Königr. Bayern. Nach amtl. Quellen der General-Direktion der k. bayer. Verkehrs-Anstalten. Lex.-8. (VII, 512 S.) München 874. (Th. Ackermann.) n. 6. —

Postlexikon, f. das Königr. Bayern. Hrsg. von der Generaldirektion der k. bayer. Posten u. Telegraphen. (1003 S. u. Berichtggn. 8 u. 22 S. in gr. 8.) Lex.-8. München 905. 906. (Piloty & Loehle.)
Geb. in Leinw. n.n. 6. —

—— Geographisches; enthält die Post-Orte der Staaten des deutsch-oesterreichisch und oesterreichisch-italienischen Postvereins. Wien 1852. 4. . . . . (RFA)

Post- und Reise-Lexicon, Kleines geographisches, für die Besitzer des täglichen Taschenbuchs ... Gotha 1804. V: *Richter, Johann Christian Gottlieb.* (Ky) (MGT)

Post- u. Reise-Lexicon, kl. geograph., für die Besitzer d. tägl. Taschenbuchs ꝛc. (v. Jh. Chr. Gli. Richter). Mit e. Vorrede v. Galletti. 8. Gotha 804. Ettinger. 1 ./'

Postlexikon der Schweiz. Hrg. von der schweizerischen Oberpostdirektion = Dictionnaire postal de la Suisse. Publié par la Direction générale des postes suisses = Dizionario postale della Svizzera. Pubblicato dalla Direzione generale delle poste svizzere. 4. Bern 1896.

Post-Lexikon, Topographisches. 2. Abtheilung. Die Kronländer Böhmen, Mähren und Schlesien umfassend. Bearbeitet im Cours-Bureau des k.k. Ministeriums, für Handel, Gewerbe und öffentliche Bauten. 4. Wien 1855.

Post-Lexicon, topographisches, enthaltend das Königr. Galizien und Lodomerien mit dem Grossherzogth. Krakau und dem Herzogth. Auschwitz und Zator, dann das Herzogth. Bukowina. Bearb. im Post-Coursbureau des k. k. Handels-Ministeriums. gr. 8. (XVI, 571; VI, 42 S.) Wien 881, Hof- und Staatsdruckerei. cart. *

Post-Lexikon, Topographisches, des österreichisch-illyrischen Küstenlandes, begreifend: die gefürstete Grafschaft Görz und Gradisca, die Markgrafschaft Istrien und die reichsunmittelbare Stadt Triest mit ihrem Gebiete. Bearbeitet im Post-Coursbureau des k.k. Ministeriums für Handel und Volkswirthschaft. 8. Wien 1866.

Post-Lexikon, topographisches, der Markgrafsch. Mähren u. d. Herzogth. Ober- u. Nieder-Schlesien. Bearb. im Post-Cours-Bureau d. k. k. Handels-Ministeriums. gr. 8. (XIII, 261 S.) Wien 892. Hof- u. Staatsdruckerei. Kart. n. 2. 80

Post-Lexikon, Topographisches, der k.k. Militär-Grenze. Bearbeitet im Post-Coursbureau des k.k. Handelsministeriums. 8. Wien 1869.

Post-Lexikon, topographisches, d. Erzherzogth. Oesterreich unter der Enns. Bearb. im Post-Cours-Bureau d. k. k. Handelsministeriums. gr. 8. (XII, 451 S.) Wien 885. Hof- u. Staatsdruckerei. n. 4. 40; cart. n. 5. —

Post-Lexicon, topographisches, d. Erzherzogth. Oesterreich ob der Enns u. d. Herzogth. Salzburg. Bearb. im Post-Coursbureau d. k. k. Handels-Ministeriums. Lex.-8. (XI, 765 S.) Wien 889. Hof- u. Staatsdruckerei. cart. n. 6. —

Post-Lexikon, Topographisches, des Kronlandes Oesterreich unter der Enns. Bearbeitet im Cours-Bureau der k. k. General Direction für Communicationen. Beigeb.: Oesterreich unter der Enns. Supplement. 4. Wien 1851—1855.

— topographisches, der gefürsteten Grafsch. Tirol m. dem Lande Vorarlberg u. d. Fürstenth. Liechtenstein. Bearb. im Post-Coursbureau d. k. k. Handels-Ministeriums. Lex.-8. (XI, 714 S.) Ebend. 883. n. 6. —

Postma, A., deutsches Lesebuch f. höhere Lehranstalten. (304 S.) gr. 8. Amsterdam (Tweede Oosterparkstraat 223) 906. 26. Versluys. Geb. nn 3. 20

Postmann, T., Feldpostdienstordnung u. Ausführungsbestimmungen sowie die Feldpostvorschriften f. den Postbetriebsdienst in gedrängter Darstellung, nebst e. Anh.: Repetitorium in Frage u. Antwort. Bearb. nach amtl. Quellen. (59 S.) gr. 8. Frankfurt a/M. 910. H. Ehrentraut. 1. 50

Post-Marken-Album. — Album pour des timbres poste. — Album for postage stamps. 16—40. verb. Aufl. Berlin 867, 70. Grieben. gr. 16. (XXVIII, 56 S.) geb. 7½ ngr.
In Leinen geb. 10 ngr., in Leder geb. 18 ngr.
In Leder geb. mit Goldschn. 1 ℛ 5 ngr. u.
1 ℛ 12½ ngr.

Post-Marken-Album. Album pour des timbres poste. Album for postage stamps. gr. 16. (84 S. m. eingedr. Holzschn.) (Berlin 872. Grieben.) geb. — 90; in Calico. geb. 1. 20; in Leder geb. n. 1. 80

Post-Marken-Album. Album pour des timbres poste. Album for postage stamps. 42. Aufl. gr. 16. (84 S. mit eingedr. Holzschn.) Berlin 875, Grieben. Papphd.
Mit Golddeckel
geb. in Lnwd. 90 Pf.; mit Golddeckel
geb. in Leder ℳ 1,50.; mit Goldeckel
mit Goldschn.

Post-Meilenzeiger der Ober-Post-Directions-Bezirke Königsberg u. Gumbinnen. Zusammengestellt v. der kaiserl. Ober-Post-Direction in Königsberg. 16. (39 S.) Königsberg i. P. 872. Braun & Weber. n. — 60

Postmeister, der, Lustsp. v. Bonin. 8. Duisburg, Helwing. (Bädecker.) 792.

Postmeister-Kalender, oesterreich-ungarischer f. 1874. 2. Jahrg. Hrsg. v. Alex. Schmitz. 16. (360 S.) Wien, Fromme. geb. n. 3. —

Postmeister-Kalender, oesterreichisch-ungarischer, für 1877 und 1878. 5. und 6. Jahrg. Hrsg. von Alex. Schmitz. 16. (220, 128; 254 S.) Wien, Perles. geb. à Jahrg. *
Die Fortsetzung erschien im Selbstverlage des Herausgebers.

Postmeisterstöchter, die drey, von Fr. Laun. 8. Leipzig, Tauchnitz. 817.

Postmeister-Vereins-Kalender f. 1873. Hrsg.: Alex. Schmitz. 16. (IV, 301 S. m. 4 Tab. in 16., qu. 4., Fol. u. qu. Fol.) Wien, (Martin.) geb. n. 2. 40

Allgemeine Postmeister-Zeitung. Wien: Bondi 1888–(1902). 8⁰ [Red.: Rudolf Bondi.]

Postmichel, der, v. Eßlingen od. das Steinkreuz auf der Eßlinger Steige bei Stuttgart. Aus der Hauschronik d. Hans Marchtaler in Eßlingen † 1595. gr. 16. (46 S.) Reutlingen 874. Enßlin & Laiblin. n. — 20

Postner, s.: Priesters, des, Würde u. Bürde.

Postnicken [Schlagwort]

Postnicken (West), s.: **Preussen. Messtischblätter.**

Postnotizen (Ueber), Einleitung eines grossen Werkes über Postwesen. gr. 8⁰. Bayreuth, Lübecks Erb., 1806.

Postolacca, Achilles, synopsis numorum veterum, qui in museo numismatico Athenarum publico adservantur. gr. 4. (204 S.) Athen 878. Wilberg. n.n. 12. —

Postolka, Aug, Die Entwicklung der Tierheilkunde von J. Ruffus bis auf die Jetztzeit. (286 S.) Wien 86. Perles. M. 6. -

Postolka, August, Tierarzt, a. o. Professor und städt. Veterinäramts-Inspektor in Wien: Fragmentatio musculorum. [Mit vier Abbildungen im Text.] Wien 1910. 12 S. 8⁰. S.-A. aus der Zeitschrift „Tierärztliches Centralblatt". [22. IV. 10.]
Bern. Vet.-med. Diss. 1909 10.

Postolka, August. Fragmentatio musculorum. Diss. Vet.-Med. Bern. [Mit Figuren.] Separatabdruck aus der Zeitschrift »Tierärztliches Zentralblatt« [hrg. vom Vereine der Tierärzte in Österreich. Jahrg. 1910, Nr. 18]. 12 S. gr.-8. Wien [I. Kohlmarkt 5]. 1910.

Postolka. August, Thierarzt, Geschichte d. Periode d. europäischen Thierheilkunde. gr. 8. (VI u. 112 S.) Wien, Friedr. Beck's Verlag. 60 kr. 1884.

Postolka, Aug., Geschichte der Thierheilkunde von ihren Anfängen bis auf die Jetztzeit. 2. verm. u. erweit. Aufl. gr. 8. (X, 398 S.) Wien 887. Perles. n. 8. —

Postolka, A., Handbuch der Thierseuchen-Gesetzgebung, s.: **Toscano, A.**

Postolka, Aug., s.: **Kalender,** Fromme's österr. f. Thierärzte.

Postolka, Aug., s.: **Kalender,** österr. f. Thierärzte.

Postolka, Aug., Lehrbuch der allgem. Fleischhygiene, nebst e. Sammlung einschläg. Normalien, f. Beamte der polit. Behörden, der Gemeinden u. für Richter. (XII, 544 S. m. 42 Abbildgn.) gr. 8. Wien 903. W. Braumüller. n. 12. —; geb. in Halbfrz. n. 14. —

Postolka, Aug., u. Ant. Toscano, die animalischen Nahrungs- u. Genussmittel d. Menschen. Mit Berücksicht. der österreich. u. deutschen Gesetzgebg. zum Gebrauche f. Thierärzte, Sanitätsbeamte u. Physicatscandidaten. gr. 8. (XIII, 437 S. m. 33 Abbildgn.) Wien 893. M. Perles. n. 9. —

Post-Ordnung, die, f. das Königreich Bayern vom 1. Mai 1889. 8. (91 S.) Kempten 889. Kösel. n. — 80

Postordnung vom 18. Decbr. 1874. 32. (206 S.) Kempten 875. Kösel. — 60

— die vom 18. Decbr. 1874 in ihren wichtigeren Bestimmungen üb. Postsendungen. 16. (24 S.) Berlin 875. Staude. n.n. — 25

Erneuerte und erweiterte allgemeine Postordnung für sämmtliche Königl. Provinzen. Berlin 1782. Fol. — Dieselbe befindet sich auch in Joh. Beckmann's Samml. auserlesener Landesgesetze. 6 Thle. Frankf. u. Leipz., 1786—88.

Postordnung für die churfürstl. Sächs. Lande. Fol. Dresd. Walther. 731.

— — dies. 12. Ebend. 731.

— die neue, f. das Deutsche Reich, geltend vom 1. Juli 1892 u. Zusammenstellung der auf den Versendungsverkehr bezügl. Bestimmgn. desselben, sowie der wichtigsten, durch den Wiener Weltpostvertrag am 1. Juli 1892 zur Einführg. gelangten Neuergn. im Weltpostverkehr. 8. (IV, 41 S.) Lpz. 892, M. Ruhl. * — 60

Königl. Preuß. Postordnung vom 18. Juni 1712. Cölln an der Spree. 1712. 4.

Postordnung für das deutsche Reich. Vom 18. Dezbr. 1874. [Aus: „Centralblatt f. das deutsche Reich."] gr. 4. (48 S.) Berlin 875. C. Heymann's Verl. n. 1. —

Postordnung f. das Deutsche Reich vom 11. Juni 1892. (Amtliche Ausg.) gr. 4. (56 S.) Berlin, (R. v. Decker). n. — 70

— dasselbe. 4. (73 S.) Neustrelitz, (R. Jacoby). n. — 60

— dasselbe. 8. (IV, 41 S.) Leipzig, M. Ruhl. n. — 60

— dasselbe, s. a **Gareis, C.,** deutsche Reichsgesetze in Einzel-Abdrucken.

Postordnung f. das Deutsche Reich v. 20. III. 1900. gr. 4. (69 S.) Berlin (900). C. Heymann. n. 1. —

— dasselbe. gr. 8. (64 S.) Neustadt a/H. 900. W. Rocholl. — 80

Post-Orte, die, d. deutschen Reiches u. der oesterreichisch-ungarischen Monarchie, m. Bezeichng. der Länder, Provinzen etc., in denen dieselben gelegen sind. Ein Hilfs- u. Nachschlagebuch f. den geschäftl. Verkehr. Nach amtl. Vorlagen bearb. gr. 8. (79 S.) Leipzig 874. Ruhl. n. 1. 20

Postpacket-Bilderbuch. (Ausg. 1.) Fol. (12 farb. Taf. auf Pappe m. 1 Blatt Text.) Stuttgart 893. G. Weise. In Karton. 3. —

— dasselbe. (Ausg. 2.) (Gust. Weise's Naturgeschichte in Bildern. Das Tierreich.) Fol. (24 farb. Taf. auf Pappe m. 1 Blatt Text.) Ebd. 893. In Karton. 5. —

Post-Paquet: Das eröffnete Post-Paquet (etc.)
v. Historischer und Politischer Mercurius, Das ist, Kurze Monatliche Erzehlung (etc.).

POST-Paquet, Neu-ausgepacktes, voll Briefe, und Seltsamer Waare, das bey Neu-eingetretenen Jahre, der Gönnerschaft zu Diensten stehet.
Von einem, welcher fruh und spat
Vieles Lauffens, und viel Affern (= Affairen) hat,
An vielen Thüren klopft und fraget:
Viel Trauriges bringt, viel lustiges traget
Und wann ers richtig eingebracht
Beym Abschied seinen Servus macht.
(Holzschnitt: Extrapost, darüber großes Posthorn.) Gedruck (!) zu dieser Zeit im Jahr, da besser Fahren als zu lauffen war (ca. 1720). 8°.
Seltene Jahrmarktsschrift, an der leider der Schluß fehlte. Vorhanden 12 Bll., ohne Seitenzahlen. Bl. B 3b ff.: „Ein kleiner Anhang, bestehend in einem merkwürdigen Frauenzimmer-Spiegel, und einige Scherz-Fragen oder Räzel zur Belustigung des Lesers." (Cplt. 1/2 Rthl. Scheible; jetzt theurer!)

Postporto. Porto-Taxe und Porto-Freithum, Zeitungs-Preis-Courant. Porto-Taxen der Preuß. Post-Anstalten. Berlin, 1712. Fol.

Post-Porto-Tarif für Berlin. Nachrichten zur Benutzung der Posten für Correspondenten in Berlin und der nächsten Umgegend. br. 8. (20 S.) Berlin 855, Decker'sche geheime Ober-Hofbuchdruckerei.

Postportotarif für Leipzig und die zum Leipziger Postamtsbezirk gehörigen Ortschaften. Enth. ein Verzeichniss sämmtl. Postanstalten der Deutschen und der Oesterreichisch-Ungar. Staaten, unter Bezeichnung der Länder, Provinzen etc., in denen dieselben gelegen sind, sowie der Zonen zur Berechnung des Fahrpostportos von Leipzig ab. Mit Tabellen ausgerechneter Beträge an Porto, bez. Versicherungsgebühr für Packete und Briefe mit Werthangabe, Postvorschusssendungen, sowie an Ueberfrachtporto für Passagiergepäck. Nach amtl. Vorlagen bearb. 2. Aufl. gr. 8. (VI, 91 S.) Leipzig 878, Ruhl. *

— dasselbe. Nachtrag. Enth. ein Verzeichniss der in den J. 1878–1880 neuerrichteten Postanstalten d. Deutschen Reiches u. der Oesterreichisch-Ungar. Staaten, unter Bezeichnung der Länder, Provinzen etc., in denen dieselben gelegen sind, sowie der Zonen zur Berechnung d. Fahrpostportos v. Leipzig ab. Nach amtl. Vorlagen bearb. gr. 8. (8 S.) Ebend. 880. n. — 20

Postportotarif f. Leipzig u. die zum Leipziger Postamtsbezirk gehörigen Ortschaften. Mit e. Verzeichniss sämmtl. Postorte d. Deutschen Reiches u. der Oesterreichisch-Ungar. Staaten, unter Bezeichng. der Länder, Provinzen etc., in denen dieselben gelegen sind, sowie der Zonen- u. Taxquadraten-Nummern zur Berechng. d. Packetpostportos v. Leipzig ab. 3. Aufl. Nebst e. Beigabe m. den Versendungsbedingngn. etc. über: 1. Gewöhnliche Briefsendgn., 2. Briefe m. Werthangabe, 3. Postaufträge, 4. Postanweisgn., 5. Packetsendgn. innerhalb Deutschlands u. nach Oesterreich-Ungarn, 6. Packetsendgn. nach dem Auslande, 7. Tarif f. Telegramme u. e. graph. Darstellg. der Taxquadratur-Eintheilg. d. Deutschen Reiches u. Oesterreich-Ungarns. gr. 8. (XIV, 147 S.) Leipzig 884. Ruhl. n. 2. 50; geb. 3. —

Post-Porto-Tarif nebst Nachrichten für das mit der Post verkehrende Publikum in Berlin und der nächsten Umgegend. Neue, nach dem Reglement v. 21. Dezbr. 1860 berich. Ausg. Berlin, Decker, 1862. (3 B.) Mit 1 Grundriß.

—— neuer, für Packete, Werthsendungen und Postanweisungen innerhalb Oesterreich-Ungarn, sowie im Verkehr zwischen Oesterreich-Ungarn, Deutschland und Belgien. Giltig vom 1. Novbr. 1878 an. 1.–5. Aufl. Imp.-Fol. Klagenfurt 878,79, Bertschinger und Heyn.

Postportotarif, neuester, f. Leipzig u. die umliegenden Ortschaften. Enth. e. Verzeichniss sämmtl. Postanstalten d. deutschen Reiches u. der oesterreichisch-ungar. Monarchie, unter Bezeichnng. der Länder, Provinzen etc. in denen dieselben gelegen sind, sowie der Zonen zur Berechng. d. Fahrpostportos v. Leipzig ab. Mit Tabellen ausgerechneter Beträge an Porto, bez. Versicherungsgebühr f. Packete u. Briefe m. Werthangabe, Postvorschusssendgn., sowie an Ueberfrachtsporto f. Passagiergepäck. Nach amtl. Vorlagen bearb. gr. 8. (79 S.) Leipzig 874. Ruhl. n. 1. 20

Postraub, D.; e. Reihe Briefe interess. Inhalts, v. C. Th. Cranz. 3 Thle. 8. Halle, Hendel. 791.

Postraub, Der, von Cranz, eine Sammlung auffallender Begebenheiten, 3 Theile, 8. Das. 1795.

Postrecht, Das deutsche, nach seiner staatsrechtlichen Beschaffenheit. Giessen 1858. V: *Linde, Justinus Timotheus Balthasar Freih. v.* (Kat. d. Bibl. d. dtsch. Reichstages. Berl. 1882.)

Postrecht, das deutsche, nach der bundesgesetzlichen Bestimmung, s. Archiv für das öffentliche Recht des deutschen Bundes.

Postrecht, Das deutsche, nach der bundesgesetzlichen Bestimmung unter Garantie acht europäischer Mächte, Giessen 1857. V: *Linde, Justinus Timotheus Balthasar Freih. v.* (Kat. d. Bibl. d. dtsch. Reichstages. Berl. 1882.)

Postrecht, norddeutsches, s. Handbuch.

Postreform, über. Von G. S...t. kl. 8. Berlin 843, Hermes. n. 1/3 ₰

Postreform (Zur deutschen). Ein Beitrag zur Darlegung der wesentlichsten Mängel und der nothwendigsten Reformen des deutschen Postwesens. Nebst einem Anhange betreffend die Nothwendigkeit der Beseitigung der Taxisschen Postwirthschaft. (Aus „Bremer Handelsblatt".) gr. 8°. Bremen 1865. (Halle, Gesenius.)

Post-Regal und Post-Gesetz (Promemoria über den Entwurf des neuen Postgesetzes). Berlin, 1811.

Ueber Post-Regal und Postzwang in dem auf dem linken Rheinufer belegenen Theile der Preuß. Rheinprovinz nach der gegenwärtigen bestehenden Gesetzgebung. Berlin, 1840.

Postreglement, allgemeines, f. d. königl. Westphäl. Länder. Halle, Schimmelpfennig.

Postreisebuch, neuestes, durch Europa, nach dem neuesten Distanzausmaaße d. Posten. 16. Wien, Meyer u. C. 821.

Post-Reisebuch, neuestes, durch Europa, s. a. Viertha-ler, A.

Post-Reisebuch, Neuestes, durch Europa, mit besonderer Rücksicht auf die Handelsplätze und Badeörter . . . Wien 1838. V: *Vierthaler, A.* (EngG) (Ky)

Post-Reise-Karte von Deutschland mit spezieller Angabe der Eisenbahn- u. Dampfschifffahrt-Verbindungen unter der Leitung der Generaladministration der K. Bayer. Posten nach amtlichen Mittheilungen bearb. 3' hoch u. 4' breit. Kupferst. u. color. München 847, Piloty & Loehle. Auf Leinw. gezogen n. 3 1/3 ℞

Post-Reise-Karte durch Deutschland und die angrenzenden Länder. Wien, Mollo u. Witzendorf. Fol. 4 Bll. (1 ℛ.)

Post-Reise-Karte von Deutschland und den angrenzenden Ländern. Berlin, Grobe, 1852. Fol. Lith. (6 ngr.)

Post-Reise-Karte von Deutschland und dessen Nachbarstaaten. München, Lindauer, 1855. Roy.-Fol. Lithogr. (1 1/6 ℛ.)
Aus v. Schaden's Post- u. Reisebuch.

Post-Reise-Karte vom südwestlichen Deutschland, der Schweiz und einem Theil von Ober-Italien, mit besonderer Rücksicht auf Bayern, Tyrol u. Salzburg. München, Mey u. Widmayer, 1845. Roy.-Fol. Lith. (27 ngr.)

Post-Reise-Karte von Deutschland und einem Theile der Nachbarstaaten; bis London, Kopenhagen, Warschau, Bologna u. Paris; nach zuverlässigen Quellen bearbeitet von einigen praktischen Postbeamten. Frankfurt a. M., Fr. Wilmans, 1835. (Grimma, Gebhardt.) Roy.-Fol. (2/3 ℛ.)
Auch zu Engelmann's u. Reichard's Reise-Taschenbuch gehörig.

Post-Reise-Karte, Neue, von Deutschland und einem Theile der angrenzenden Länder nebst genauer Bezeichnung aller bis jetzt eröffneten Eisenbahnen. Nach den besten Hülfsmitteln neu bearbeitet. Wesel, Bagel, 1851. Imp-Fol. Lithochrom. (1 1/3 ℛ.)

Post-Reise-Karte Neueste, von Deutschland nebst den angrenzenden Ländern, mit Angabe der Eilwagen- u. Eisenbahnen-Course. (Mit Angabe der Entfernung der wichtigsten Städte von Leipzig und Frankfurt a. M.) Hanau, Edler, 1844. Fol. (1/6 ℛ.)

Post-Reiter, Poetischer. Leipzig o. J. V: *Neubert, Johann Gottfried.* (Erman & Horn, Bibliogr. d. dtsch. Universitäten. 1. Leipz. u. Berl. 1904.)

Post-Relation, Vorläuffige, von der am 17. Sept. jetztlauffenden Jahres . . . vollbrachten . . . Einweihung der . . . Universität zu Göttingen. [Göttingen 1737]. V: *Köhler, Johann David.* (Erman & Horn, Bibliogr. d. dtsch. Universitäten. 2. Leipz. u. Berl. 1904.)

Post-Routen durch Deutschland und die angränzenden Länder. 1821
s. Taschenbuch für Reisende durch Deutschland und die angränzenden Länder.

Post-Routen durch Deutschland u. die angränzenden Länder. Nebst Notizen f. Reisende u. einem Anhange üb. die bis jetzt in Deutschland bestehenden Eilwagen. 8. Frankf. 821. 3e durchaus verb. Aufl. 826. Fr. Wilmans. 16 gr. 4e Aufl. unt. d. T.: Postbuch f. Deutschland, s. Postbuch.

Post- und Eisenbahn-Routen dann Dampfschifffahrt und Telegraphen mit 2 (lith.) Uebersichtskarten (in Roy.-Fol.). Verfasst im Coursbureau der k. k. Generaldirection für Communicationen. Monat Juni 1853. Wien 853. (Sintenis.) 8. (190 S.) nn. 15 ngr.

Post- u. Reiserouten durch Deutschland insb. sondere durch Ostfriesland, Oldenburg, Münster u. Osnabrück ꝛc. bis in die Niederlande. Fol. Leipz. 788. Schwickert 8 gr.

Post- und Reiserouten von Dresden nach den vorzüglichsten Städten in Teutschland . . . Dresden 1803. V: *Carlson, Johann, Carl (= Ferd. Renner).* (MGT) (Ky)

— von Dresden nach d. vorzügl. Städten in Deutschland u. einigen Ländern u. Provinzen in Europa (v. Ferd. Renner). Pirna u. Dresd. 803. (Weygand in Leipz.) 8 gr. Hbg. Pr. 6 ß

Post- und Reiserouten von Dresden n. d. vorzüglichsten Städten Deutschlands ꝛc. 12. Dresden, Beger. 810.

— von Leipzig nach d. vorzüglichsten Städten Deutschlands u. einigen Ländern u. Provinzen Europas. 12. Pirna 810. Friese. 8 gr.

— von Leipzig nach d. vorzügl. Städten in Europa. 8. Leipz. 802. Herzog. 8 gr. (Aus d. Taschenbuche f. Fremde in Leipzig besonders abgedr.)

— von Leipzig nach den vorzüglichsten Städten in Europa. Leipzig 1808. 8.
Sep.-Abdr. a. d. Taschenbuch f. Fremde in Leipzig.

— nach d. meisten u. bekanntesten Städten u. Ländern in Europa, v. d. Standpunkte Stuttgart angenommen. gr. 8. Stuttgart 823. Sattler. 10 gr.

Postrzeżenia, praktyczne, niektórych lekarzy zebrane przez A. F. Adamowicza III. IV. gr. 8. Warszawa 851. 52. (Wilna, Zawadzki.) n. 1 5/6 ℞

Postscenium, Coronidis, septenis plausibus . . . [Helmestadii 1737]. V: *Hardt, Hermann von der.* (Erman & Horn, Bibliogr. d. dtsch. Universitäten. 2. Leipz. u. Berl. 1904.)

Am **Postschalter**. Wegweiser für den Verkehr mit der deutschen Reichspost. Jg. 1–6. Dresden: Kubel (sp. Büchler und Büttner, sp. Kämmerer) 1874–1880. 2°
[Red.: Otto Kubel.]

Am **Postschalter**. Blätter für die Interessen des Postverkehrs. Jg. 1. (Mehr nicht erschienen.) Leipzig: Minde 1884. 8°

Postscheckordnung. Dem Reichstage vorgelegt am 21.XI.1908. (7 S.) 31,5×22,5 cm. Berlin 908. (C. Heymann.) — 20

— vom 6. XI. 1908 m. Ausführungsbestimmungen. (III, 20 S.) Lex. 8. Berlin 909. R. v. Decker. — 20; geb. in Leinw. n — 65

— dasselbe. — Dienstanweisung f. die Postanstalten üb. den Post-Überweisungs- u. Scheckverkehr. (III, 22 u. IV, 23 S.) Lex. 8. Ebd. 908. Geb. in Leinw. 1. —

— die württembergische. Vom 17. XI. 1908. Textausg. m. Einleitg., Verweisgn., Formularen, Postscheckämterverzeichnis u. Sachregister. (Württemb. Gesetzessammlg.) (XIX, 43 S.) kl. 8. Stuttgart 909. W. Kohlhammer. — 50; geb. — 80

Postschiff, d., ein Wochenblatt, s. F. A. Riesch.

Postschiff, das, ein Wochenblatt v. F. A. Riesch. Halle, Dietlein. à Quart. 9 gr.

Postscripta zu den unter dem Titel חרב בציון erschienenen Briefen eines jüdischen Gelehrten und Rabbinen über d. Werk: „חורב“ Von dem Verfasser des חורב. (Nebst 2 Beilagen.) gr. 8. Altona 840. Hammerich. 1⁄3 ß

– s.a. Postscripte...

Postscripta der 50 versöhnlichsten Briefe. Von Philalethes II. 1. u. 2. Nachschrift. Paderborn 865. Junfermann'sche Buchh. 8. [1. Nachschrift. (40 S.) 3 *ngr*, 2. Nachschrift. (157 S.) 15 *ngr*] 18 *ngr*

Postscripte, Die, oder das epigrammatische Gastmahl des Herrn v. Kotzebue. Ein Gedicht in zwei Gesängen. Penig 1803. V: *Merkel, Salomon Friedrich.* (GGr V, 280, 66) (Zeitschr. f. Büch. N. F. 15, 1923, S. 119)

Postscripte, die, oder die epigrammat. Gastmal d. Herrn v. Kotzebue; ein Gedicht in 2 Gesängen. 8. Penig 803. Dienemann. 12 gl

Postscripte, Acht, zu den Trostbriefen für Hannover. Von einem Alt-Hannoveraner. Hamburg 1866. V: *Oppermann, Heinrich Albert.* (PROVBHANN 272)

Postscripte, acht, zu den Trostbriefen von Hannover. Von einem Alt-Hannoveraner. gr. 8. (33 S.) Hamburg 866, O. Meißner.*

Postscripte zu den ... Briefen eines jüdischen Gelehrten und Rabbinen über das Werk »Choreb« ... Altona 1840. V: *Hirsch, Samson Raphael.* (schr) (Sulamith VIII, Bd. 2, S. 115.)

– s.a. Postscripta ...

Postscriptum oder Ausguss des Lutherischen Jubel-Festes ... Augspurg 1731. V: *Binner, Thomas.* (Jes) (SO)

Post-Scriptum, Gantz dienliches, und Anfang zu dem geziemenden Memoriali der Chur-Braunschweigischen Gesandschafft ... O. O. [1716]. V: *Wrissberg, Frdr. v.* (Bruun, Bibl. Danica III, 829.)

POST-SCRIPTUM derer Hochzeit-Reimen, auf Veranlassung und Begehren zweyer Verlobten. Mit vielen nöthigen und nützlichen Anmerkungen erläutert. O. O. 1738. 8⁰.

10½ Bogen. In Versen. -- Cat. Meissner III. p. 532.

--- Dasselbe. Frankfurt, b. Joh. Fr. Fleischer. 8⁰. O. M. V. 1749, G 2b.

Postscriptum, Philalethii Andertes, oder wolmeinende Erinnerung an Christl. Rezendorf, dass ist an beyde Zobel von Altdorf ... Augsburg 1733. V: *Binner, Thomas.* (SO)

Postsekretär, der. Vorbereitg. zur Ablegg. der Postsekretärprüfung. Methode Rustin. Selbst-Unterrichts-Briefe in Verbindg. m. eingeh. Fernunterricht. Hrsg. vom Rustinschen Lehrinstitut f. briefl. Unterricht. Bearb. v. Gust. Behrendt, Max Baumann, Fr. Bußler u. v. a. 1. bis 131. Lfg. (4343 S. m. Abbildgn.) Lex.-8. Potsdam (903—906). Bonneß & Hachfeld. Subskr.-Pr. à n. — 90; Einzelpr. à n. 1. 25

Postsekretär, der. Vorbereitg. zur Ablegg. der Postsekretärprüfg. Methode Rustin. Selbst-Unterrichts-Briefe in Verbindg. m. eingeh. Fernunterricht. Hrsg. vom Rustinschen Lehrinstitut f. briefl. Unterricht. Bearb. v. Gust. Behrend, Max Baumann, Frz. Bußler u. v. a. 132. u. 133. Lfg. (68 S.) Lex. 8. Potsdam (908). Bonneß & Hachfeld. Subskr.-Pr. à — 90; Einzelpr. à 1. 25

Fünfundzwanzig Jahre **Postsparkasse,** (Wien). (1883—1908.) [Mit Abb.] Wien: Selbstverl. 1908. 36 S. 4°

Postsparkassen, die, in England, Belgien, Holland u. Frankreich mit Hinblick auf Oesterreich. Lex.-8. (364 S.) Wien 882. Hof- u. Staatsdruckerei. n. 6. —

— die, im Königr. Italien. gr. 8. (94 S.) Wien 882. Waldheim. n. 1. 50

Postspiel

— — das allgemein beliebte, in einer neuen verschönerten Gestalt. Berlin, Amelang. 818.

Post- u. Reisespiel, neuestes, mit einem ganz neu gezeichneten Spielplan, color. Leipzig, Mag. f. Industrie u. Liter. 817.

Post- u. Reisespiel, das, in neuer verschönerter Form. — Le Voyage en Poste. Jeu de Société en nouvelle forme et embelli. Roy.-Fol. Wien 841, Bermann u. Sohn. Illum. u. auf Pappe ⅔ ß

— - u. Reisespiel, sehr unterhaltendes, f. die Jugend. Ulm, Jakob Ebner.

Poststammbuch. Eine Sammlung von Liedern und Gedichten, Aufsätzen und Schilderungen, gewidmet den Angehörigen und Freunden der Post. gr. 8. (VIII, 160 S.) Berlin 875, v. Decker'sche Geh. Ober-Hofbuchdr. *

Poststammbuch. Eine Sammlg. v. Liedern u. Gedichten, Aufsätzen u. Schildergn., gewidmet den Angehörigen u. Freunden der Post. 2. unveränd. Abdr. gr. 8. (VIII, 160 S.) Berlin 876. v. Decker. n. 1. 35

Poststammbuch. Eine Sammlung von Liedern u. Gedichten, Aufsätzen u. Schilderungen, gewidmet den Angehörigen u. Freunden der Post. 8., verm. u. m. (eingedr. Holzschn.-) Abbildgn. verseh. Aufl. gr. 8. (XIX, 248 S.) Berlin 877. v. Decker. n. 12. —; geb. n. 14. —; m. Goldschn. n. 16. —

Poststation, Die, oder der Aufenthalt im Gasthofe. Eine Kölnische Fastnachtsposse in 1 Akt. Köln 1818. V: *Wallraf, Ferdinand Franz.* (GGr III, 1247) (Zeitschr. f. Büch. N. F. 15, 1923, S. 119) V: *Noel, Matthias Joseph de.* (StBKöln II, 33)

Poststation, die, oder der Aufenthalt im Gasthofe, eine Cöllnische Fastnachtsposse in 1 Akt. gr. 8. Cölln, Du Mont Schauberg. 818.

Poststationen, zwey, Posse in 3 Aufzügen, nach d. Franz. von L. F. Huber. N. Ausg. 8. Frankfurt a. M., Sauerländer. 819.

Post- und Telegraphen-Statistik, schweizerische, 1869—95. fol.

Poststatistik. Schweizerische Post- und Telegraphen-Statistik. 1900. Statistique des Postes et Télégraphes suisses. II + 74 S. fol. Stäfa am Zürichsee, E. Gull, [1901]. [cart. fr. 2.50]

Poststatistik. Schweizerische Post- und Telegraphen-Statistik. 1901. Statistique des Postes et Télégraphes suisses. II + 76 S. fol. Stäfa, Buchdr. Stäfa A.-G., [1902]. [cart. fr. 2.50]

Poststatistik. Schweizerische Post- und Telegraphen-Statistik = Statistique des Postes et Télégraphes suisses. 1902. II + 82 S. fol. Stäfa, Buchdr. Stäfa A.-G., [1903]. [cart. fr. 2.50]

Poststatistik. Schweizerische Post- und Telegraphen-Statistik. = Statistique des Postes et Télégraphes suisses. 1903. II + 84 S. fol. Stäfa, Buchdr. Stäfa A.-G., [1904]. [cart. fr. 2.50]

Poststatistik. Schweizerische Post- und Telegraphen-Statistik = Statistique des Postes et Télégraphes suisses. 1904. II + 84 S. fol. Stäfa, Buchdr. Stäfa A.-G., [1905]. [cart. fr. 2.50]

Poststatistik. Schweizerische Post- und Telegraphen-Statistik = Statistique des Postes et Télégraphes suisses. 1905. II + 84 S. fol. [Stäfa,] Buchdr. Stäfa A.-G., [1906]. [cart. fr. 2.50]

Poststatistik. Schweizerische Post- und Telegraphen-Statistik = Statistique des Postes et Télégraphes suisses. 1906. II + 84 S. fol. [Stäfa,] Buchdr. Stäfa A.-G., [1907]. [cart. fr. 2.50]

Poststatistik. Schweizerische Post- und Telegraphen-Statistik = Statistique des Postes et Télégraphes suisses. 1907. II + 84 S. fol. [Stäfa,] Buchdr. Stäfa A.-G., (V. [19]08). [cart. fr. 2.50]

Poststatistik. Schweizerische Post- und Telegraphen-Statistik = Statistique des Postes et Télégraphes suisses. 1908. II + 84 S. fol. [Stäfa,] Buchdr. Stäfa A.-G., (V. [19]09). [cart. fr. 2.50]

Poststatistik. Schweizerische Post-, Telegraphen- und Telephon-Statistik = Statistique des Postes, Télégraphes et Téléphones suisses. 1909. II + 85 S. fol. [Stäfa,] Buchdr. Stäfa A.-G., (V. [19]10). [cart. fr. 2.50]

Post- u. Handelsstraße, neue, durch die südöstliche Schweiz, als kürzester Verbindungsweg zwischen Deutschland u. Italien. Herausgg. v. d. Direction d. Extraposten u. d. Diligencen d. schweizer. Kantons Graubünden. 2 Hefte. 8. Chur 824, 25. (Leipz., Barth). 6 gr.

Post-Tabelle, enthaltend die Posttaxen, die Ankunft- und Abgang-, sowie die Annahme- und Ausgabe-Zeiten u. s. w. der Brief-, Fracht- und Personen-Posten bei dem Schles.-Holst. Ober-Post-Amt in Hamburg. Kiel. o. J. 1 Bl. Fol.

Post-Tabelle, Stuttgarter, nebst einer Eisenbahn- u. Dampfboot-Karte. Verfaßt und gezeichnet von J. Bester. gr. Fol. Stuttgart 845, Sonnewald. n. 2/3 ℔

Posttabellen, oder Verzeichniß d. Poststraßen v. Deutschland 8. Frankf. a. M. 786. Streng. 9 gr. Neue Aufl. s. oben: **Postbuch.**

Posthandbücher. Post-Tabellen von den vornehmsten Städten, darinnen das Abgehen und Ankommen der Posten, nebst den Meilen und Porto für Briefe, Waaren und Gold, wie auch die Postcourse. Berlin 1752.

Post-Tarif, neuer, allgemeiner, sowohl f. das Inland als auch für den Wechsel-Verkehr von Oesterreich-Ungarn m. Deutschland. Giltig vom 1. Novbr. 1878. In vollständ. geordneter Zusammenstellung sämmtl., für den gesammten Geschäftsverkehr besteh. Vorschriften über Brief- u. Fahrpost-Sendungen. gr. 16. (12 S.) Salzburg 878. Glonner. -- 60

Post-Tarif für frankirte Packete bis 3 bzw. 5 Kilogramm nach dem Ausland, nebst Angabe der Versendungs-Bestimmungen und derjenigen für Bücherpostsendungen mit Postaufträgen. 12. (8 S.) Leipzig 882, Leiner. *

Post-Tarif f. frankirte Packete bis 3 bzw. 5 Kilogr. nach dem Ausland, nebst Angabe der Versendungs-Bedinggn. 8. (8 S.) Leipzig 884. Leiner. n — 35

Posttarif (Der reformirte), oder die Kreuzerpost. Von einem praktischen Postbeamten. 8°. Wien, C. Gerold u. Sohn, 1849.

Post- und Telegraphentarif. 10. Jahrg. 1904. Gr. -8°. (29 S.) Prag: Neugebauer 1904.

Post-, Telegraphen- und Telephontarif. 1907. 8°. 33 S.) Wien: Lechner 1907.

Kallina's Post-Tarife. Allgemeine Post-Bestimmungen und Leitfaden zur schnellen Taxirung der Brief- und Fahrpostsendungen nach dem In- und Auslande, dann allgemeine Telegraphen-Bestimmungen und Tarife nach allen europäischen und aussereuropäischen Ländern, sowie die Bestimmungen über die Benützung des Staatstelephons nebst einem Anhang und zwei Beilagen. Gegründet von weil. Leopold Kallina. Redigirt von Leopold Kallina. XXX. Jahrgang. 1899. Wien. 1899 Waldheim. 4°. erscheint in 4 Heften. compl. * fl. 4.—

Kallinas **Posttarife.** XXXIX. Jahrg. 1908. Gr. -8°. Wien: Druckerei- u. Verlagsaktiengesellschaft Waldheim Eberle u. Co. 1908.

Die neuen **Posttarife** giltig vom 1. Jänner 1900. Brünn. 1900. Winiker. 16°. 1 Blatt. K —.10

Posttarife, die neuen, giltig vom 16. I. 1907. (4 S.) 16. Brünn 907. C. Winiker. -- 10

— die wichtigsten, nach den neuen Taxvorschriften. Bearb. v. e. Fachmanne. (1 Bl.) 42,5×34,5 cm. Innsbruck (907). Vereinsbuchh. & Buchdr. -- 20

Post-, Telegraphen- u. Telephon-„Tarif-Fix". 2. verb. Aufl. (4 S. auf Karton.) Lex.-8. Jena (906). F. Haft. — 25

Post- und Reisetaschenbuch, neues, v. E. A. Becker. 18. Jena, Stahl. 803.

Post-Taxen. Gottorff. den 30. Dec. 1848. 1 Bl. Fol.

Posttaxen vom 1. Januar an gültig. hoch 4. (2 S. auf Carton.) München 876. (Franz.) — 15

Posttaxen vom 1. Jan. an gültig. 2. vollständig neubearb. Aufl. Lex. 8. (116 S.) München 881, (Franz'sche Buchh.) *

Post-Taxen, die, aller europäischer Staaten. 1. Heft. Lex.-8. (1 B.) Frankfurt a. M. 844. (Leipzig, Kummer.) *

Hannover'sches Post-Tax-Gesetz vom 8. August 1862. Hannover. 4.

Posttaxordnung, die neue österreichische, s.: Wagner's Gesetz-Ausgaben. Nr. 4.

Posttransport-Ordnung f. das Königr. Bayern vom 28. Januar 1872. Mit e. Zusammenstellg. der Tarifbestimmg. f. den inneren bayer. Verkehr, u. f. den Verkehr m. den übr. Staaten d. deutschen Reiches. Lex.-8. (VIII, 138 S.) München 873. Franz. n. 1. 35

Post-Transportordnung, Königl. württemberg. v. 1858 u. 61. 4°. Stuttgart 1858. 61.

Postüberweisungs- u. Scheckverkehr, der deutsche, nebst e. Anh.: Der Scheckverkehr m. Banken. Für Handels- u. Fortbildungsschulen bearb. v. e. prakt. Schulmann. 7. Aufl. Mit Hinzufügung der neuesten Formulare. Ausg. A: Anweisg. m. doppelten Formularen u. Musterausfüllg. (8 S. m. 9 Formularen.) 11,5×29 cm. Meißen 910. H. W. Schlimpert. — 30; Formulare allein — 12

— — dasselbe. Ausg. B: Anweisg. m. einfachen Formularen. 7. Aufl. (8 S. m. 5 Formularen.) 11,5×29,5 cm. Ebd. 911. — 20; Formulare allein — 12

Postulat, Ein, der Gegenwart. Aus der Sphäre des Feldherrn, betreffend die Potenzirung am Tage der Schlacht... Cassel 1861. V: *Dörr, J.* (Priv.-Bibl. König v. Hannover. Hann. 1863.)

Postulat vom 13./29. Juni 1898 betreffend die Ausdehnung der Bundesunterstützung auf die andern Kunstzweige als die bildenden Künste. Bericht des Bundesrates. ⟨Vom 4. Dezember 1902.⟩ 23 S. 8. [Bern, Stämpfli & Cie.,] 1902.

Postulat des 13/29 juin 1898, tendant à étendre à d'autres branches artistiques l'appui donné par la Confédération aux arts plastiques. Message du Conseil fédéral. ⟨Du 4 décembre 1902.⟩ 25 p. 8. [Berne, C.-J. Wyss,] 1902.

Postulate der Delegirten-Synode der aarg. Lehrerschaft betr. Revision des Schulgesetzes. In-8°, 8 S., broch. Aarau, ebendas. 1888

Postulate des Grossen Rates [des Kantons Schaffhausen] zu den Verwaltungsberichten 1894—1902. kl.-fol. [Schaffhausen, H. Meier & Cie.]

Ausg. A: P'... 1894—1901 (*d. i.* — 1902. [Mit] Register). 15 S. [1904.] *Ausg. B u. d. T.:* Postulatensammlung. ⟨1894—1902⟩. Vorlage des Regierungsrates an den hohen Grossen Rat. ⟨Vom 16. November 1904⟩. 13 S.

Postulate des Grossen Rates [des Kantons Schaffhausen] zu den Verwaltungsberichten 1894—1905. 18 S. fol. [Schaffhausen, H. Meier & Cie., 1907.]

Ausg. A. — *Ausg. B s. als Anhang zum* Verwaltungs Bericht des Regierungsrates des Kantons Schaffhausen ... über das Amtsjahr 1906.... S.

Postulate betreffend die Revision des eidgenössischen Fabrikgesetzes. Kurzes Memorandum, eingereicht den hohen eidgenössischen Behörden vom Zentralkomitee der schweizerischen Gesellschaft für Sonntagsfeier.... (Januar 1906.) 8 S. 8. (Basel, Froese & Co.)

Postulate-Sammlung. Neue Folge, beginnend mit Annahme der neuen Bundesverfassung, 29. Mai 1874. 4 Hefte. 4. Bern, Gebhardt, Rösch & Schatzmann (**Heft 1:* Rieder & Simmen), [1882—1902].

[Heft 1:] (29. Mai 1874—31. Januar 1882 ⟨Nr. 1—269⟩.)
Heft 2: Frühjahrsession 1882 bis 24. September 1890 ⟨Nr. 270—440⟩. ([Mit Gesammt-]Register....)
Heft 3: 26. September 1890 bis 24. Juni 1896. ⟨Nr. 441—534⟩. ([Mit Gesammt-]Register....) ⟨15. und 16. Legislaturperiode.⟩
Heft 4 ⟨Schluss-Heft⟩: 23. Dezember 1896 bis Ende 1901. Nr. 535—591. ⟨17. und 18. Legislaturperiode.⟩ II + 21 + V S. [1902.]

Postumus, C., s. Postumus, Karl

Postumus, Karl

Postumus, C., aus schwarzem Blut. Roman. 2 Thle. in 1 Bde. 8. (188 u. 199 S.) Berlin 890. Janke. n. 5. —

Postumus, Carl, Braunebel. Roman. 2 Tle. in 1 Bde. 8. (222 u. 236 S.) Berlin 892. O. Janke. n. 6. —

—— Unter dem Danebrog. Schleswig-Holsteinischer Roman. 2 Thle. in 1 Bde. 8. (183; 208 S.) Ebd. 889. * 5 —; Wohlf. Ausg. * 2 —

— in deutscher Hand. Roman. 2 Tle. in 1 Bd. 8. (185 u. 179 S.) Ebd. 893. n. 5. —

Postumus, Carl, kirchliche Ostergebräuche. E. Handbuch f. Romreisende. (Führer f. d. Osterbräuche d. kathol. Kirche in Rom.) 8. (28 S.) Breslau 895. E. Trewendt. Geb. n. 1. —

Post(-Union): Schweizerische Post-, Telephon- und Telegraphen-Union v. Posthorn.

Postuvanschitz, Fritz: Analytische Auswertung der Elastizitätsellipse in ihrer Anwendung auf die Bogenträger. (Nebst) Anhang. — 1905. 113 Bl., 10 Taf.
Diss. Graz, TH

Postuvanschitz, Fritz, die Berechnung der Tragwerke aus Beton-Eisen od. Stampfbeton, s.: Haberkalt, Karl.

— Rechnerische Bestimmung u. Auswertung der Elastizitätsellipse in ihrer Anwendung auf die Bogenträger, s.a. Fortschritte der Ingenieurwissenschaften. 22. Heft.

Rechnerische Bestimmung und Auswertung der Elastizitätsellipse in ihrer Anwendung auf die Bogenträger. Von Dr. techn. Fritz **Postuvanschitz**, Baurat. Mit 72 Textfig. u. 3 Taf. Leipzig: W. Engelmann 1910. IV, 94 S. 4°(8°)
(Fortschritte d. Ingenieurwissenschaften. Gruppe 2, H. 22.) [10. 17171

Post- u. Reisevademecum, drolliges, aus d. berühmten v. Münchhausen Brieftasche. 3 Stcke. Mit Kpf. Berl. 797, 98. (L. Oehmigke). 21 gl.

Postverband, Der Deutsche. Ein Versuch zur Vertiefung seiner Aufgaben... Berlin-Schöneberg 1901. V: *Falkenberg, A.* (Berl)

Postvereins-Vertrag, allgemeiner, nebst Ausführungs-Uebereinkunft vom 9. Octbr. 1874. gr. 4. (85 S.) Berlin 875, v. Decker'sche Geh. Ober-Hofbuchdr. *

Postvereins-Vertrag, deutsch-österreichischer giltig vom 1. Janr. 1868 an. 2. Abthl. Tarif zur leichten u. schnellen Berechnung des Porto's für Packet- u. Werthsendungen innerhalb Bayerns u. im Wechselverkehre nach dem norddeutschen Postgebiete, nach Oesterreich ꝛc. Nebst Reductionstab. in Gulden u. Thaler. Würzburg 868. Stahel. 8. (17 S.) 3 ngr.
1. Abthl.: s. Postvertrag.

— — 3. Abth. Entfernungs-Tabelle zur Portoberechnung von Fahrpostsendungen sowie Porto für einfache u. frankirte Briefe, Waarenproben ꝛc. nach dem Auslande. Nach dem Stande vom 15. April 1868. Würzburg 868. Stahel. Imp.-Fol. 2 ngr.

Postvereins-Verträge, Gesetze, Verordnungen u. s. w. 4—8. Abth. Würzburg 868—70. Stahel. 8. (S. 83—386.) 25½ ngr.

Post-Verkehr, der. Nothwendiges Handbuch f. das correspondirende u. reisende Publikum insbesondere f. Postbeamte, Geschäftsleute, Verwaltungsbehörden ꝛc. enth. sämmtl. das Interesse des Publikums berührende postalische Bestimmungen sowie vollständ. u. ausführl. Porto-Taxen nach allen europ. u. außereurop. Ländern. Nebst einem Anh., das Telegraphen- u. Eisenbahn-Wesen betreff. u. 1 (lith.) Telegraphen-Karte (in Fol.) gr. 8. (XIV u. 185 S.) Halle 851, Schmidt. n. 2/3 ₰

— Nothwendiges Handbuch f. Postbeamte, Geschäftsleute, Verwaltungsbehörden ꝛc. enth. sämmtl. Postal. Bestimmgn. f. den Verkehr mit dem Publikum, sowie vollständ. u. ausführl. Porto-Taxen nach allen europ. u. außereurop. Ländern. Nebst einem Anh., das Telegraphen- u. Eisenbahn-Wesen betreffend u. einer (lith.) Telegraphen-Karte (in gr. Fol.) 2. verb. u. verm. Aufl. gr. 8. (XII u. 234 S.) Ebd. 852. n. 5/6 ₰

Post- und Telegraphen-Verkehr. Tarife. [1.] 1905. Cassel: G. Dufayel (1905). 4° [F.] [05. 10259 4

Post- und Telegraphenverkehr im Deutschen Reich und mit dem Auslande. Bearb. nach den Materialien des Kais. General-Post-Amts und des Kais. General-Telegraphen-Amts in Berlin. Mit 1 Karte des Weltpostvereins und dem Gebühren-Tarif für Telegramme. Berlin u. Leipzig 1877. 8.
A. u. d. T.: Verkehrs-Handbuch ... Th. 1. . . . . (I.IIk.)

Post-Verordnungsblatt für das Verwaltungsgebiet des k. k. Handels-Ministeriums. Redigirt im Handels-Ministerium 1872—1879. (8 Bde.) 4. Wien 1872—1879.

Postvertrag zwischen Bayern, dem norddeutschen Bunde, Würtemberg u. Baden u. zwischen diesen Staaten u. Oesterreich vom 23. Novbr. 1867. Nebst Reglement u. Vollzugsinstruktion, den amtl. Erörterungen u. dem neuesten Portotarif für Correspondenzen nach den verein. Staaten von Nordamerika, für den Handgebrauch hersg. von einem praktischen Postbeamten. Würzburg 868. Stahel. 8. (64 S.) 5 ngr.

Postverträge, die neuen, nach amtl. Quellen bearb., mit alphabet. Sachregister. br. 8. (VIII, 76 S.) Freiburg i. Br. 868, G. Mayer. *

Postverwaltung. Einnahmen i. d. J. 1870 u. 1871. 2 Stn. 8. Eidgenossenschaft 1872.

Thurn- und Taxis'sche Postverwaltung (Die) und ihr Verhältniss zu den Eisenbahnen. 8°. Frankfurt a. M. 1845. (Manuscript.)

Post-, Telegraphen-, Eisenbahn- u. Schiffahrtsstations-Verzeichnis d. Deutschen Reichs. (Titel-Ausg. v. Meyers deutschem Verkehrslexikon.) Nach amtl. Quellen. 8. (XX, 197 S.) Leipzig (896) 896. Bibliographisches Institut. Kart. n. — 80

Postwagen, der, 2 Stationen. 8. Augsb. 780. (Hinrichs in Leipz.) 14 gl.

Postwertzeichen, das. Organ für die gesamte Briefmarkenkunde, hrsg. vom „Bayerischen Philatelisten-Verein" als Fortsetzung seiner Vereinsmitteilungen. 1. Jahrg. 1888. Nebst Beilage: Allgem. Briefmarken-Anzeiger. Vereinigte Erdball und Merkur. 12 Nrn. (à ca. 3 B.) 4. München, Larisch. n. 3. —
s.: Briefmarken-Anzeiger, allgemeiner.
Fortges. u.d.Titel: Die Postwertkunde. Jg. 1894ff.

Postwertzeichen-Kunde, die, u. verein. Erdball-Mercur, hrsg. v. A. Larisch. Jahrg. 1895—1897. à 12 Nrn. (à ca. 1 Bog.) München, A. Larisch. à Jahrg. n. 3. —
Vorh. u.d.Titel: Das Postwertzeichen. Jg. 1888–1894.

Postwesen

— **Einleitung** e. gr. Werk. über, s. Postnotizen.

Postwesen, Das deutsche. Patriotische Wünsche und Bemerkungen. Wiesbaden 1836. V: *Kipp, B.* (CBH)

Postwesen, das deutsche, patriot. Wünsche u. Bemerkungen. 8. (8 B.) Wiesbaden 836, Ritter'sche Buchh.

Post- und Telegraphenwesen, das österreichische, in den im Reichsrathe vertretenen Königreichen und Ländern mit Schluß des Jahres 1868. Lex. 8. (IV u. 86 S.) Wien, k. k. Hof & Staatsdruckerei. 80 kr.

Postwesen, das preußische. Eine Darstellung seines gegenwärt. Zustandes, seiner innern Einrichtung und der Rechte und Anforderungen des Publikums an dasselbe, von einem Sachverständigen. gr. 8. (IV und 176 S.) Elberfeld 847. [Iserlohn,] Bädeker. *

Postwesen, das, des Deutschen Reichs. Das Posttaxwesen. (Gareis, Reichsgesetze 284-85) Giessen 1900

Postwesen, über das gemeine Reichs- u. Fürstl. Tarische, gegen Pütter in Göttingen. gr. 8. Hildburgh. 793. (Er. Fleischer in Leipz.); (a. Taubert). 4 gl.

Postwesen, üb., d. gem. Reichs- od. Fürstl. Tax. ctra Pütter. gr. 8. Hildburghausen, Hanisch. 793.

Post- u. Telegraphenwesen, s.a. Bibliographie der schweizer. Landeskunde. V, 9.

Postwesen. Post- und Telegraphenwesen: Postwesen. ⟨Nachtrag.⟩ Zusammengestellt von der Schweizerischen Oberpostdirektion. VIII + 74 S. 8. Bern, K. J. Wyss, 1903. [fr. 1.20]
Ausg. A mit deutschen Titeln. — Bibliographie der Schweizerischen Landeskunde.... Fascikel V 9 g γ.
Ausg. B mit französ. Titeln: Service des postes et télégraphes: Postes. ⟨Supplément.⟩ Rédigé par la Direction générale des postes suisses. Berne... 1903. — Bibliographie nationale suisse.... Fasciculo V 9 g γ.

Postwesen. Post- und Telegraphenwesen. Telegraphen- ⟨und Telephon-⟩wesen. ⟨Nachtrag.⟩ Zusammengestellt von der Schweizerischen Telegraphen-Direktion. VIII + 19 S. 8. Bern, K. J. Wyss, 1906. [fr. —.60]
Ausg. A mit deutschen Titeln. — Bibliographie der Schweizerischen Landeskunde.... Fascikel V 9 g γ.

Postwesen, das, unserer Zeit. Abhandlungen und Mittheilungen über alles Wissenswerthe in den Einrichtungen und Reformen des Postwesens aller Länder, des Post-Zeitungsbetriebs und aller dahin einschlagenden Zweige. Hrsg. von (F. W. Heidemann und) G. F. Hüttner. 1—12. Heft. oder 1—3. Bd. gr. 8. Leipzig, Geibel. [Bd. 1. (XII und 308 S.) 854., 2. (IV und 316 S.) 855., 3. (IV und 320 S.) 856. à Heft * 12 Ngr.] Thlr. *

Postwesen, das, unserer Zeit. Abhandlungen und Mittheilungen über alles Wissenswerthe in den Einrichtungen und Reformen des Postwesens aller Länder etc. Hrsg. unter Mitwirkung mehrerer Postbeamten von C. F. Hüttner. 13—20. (Schluss-)Heft. (IV. Bd. 4 Hefte und V. [Schluss-]Bd. 4 Hefte.) gr. 8. Leipzig 857—60, Geibel. [4. Bd. (340 S.) 5. (322 S.)] à Heft * 12 Ngr.
1—3. Bd. Ebendas. 1854—56. * 4 Thlr. 24 Ngr.

Post-Zeitschrift, schweizerische. Centralorgan der schweizer. Postbeamtenwelt. Vierteljahresschrift für die Interessen der Postanstalt. Herausg. von Friedr. Aug. Stocker. 1. Jahrg. 1855. 4 Hefte (à 6—8 Bgn.). Frick. (Basel, Schabelitz.) gr. 8. Jedes Heft n. 15 ngr.

Post-Zeitung, s. a. Ordinari-Post-Zeitung.

Post-Zeitung. Fachblatt für das gesammte Post- und Telegraphenwesen. Specielles Organ der Postbediensteten von Kroatien und Slavonien und der beiden ungarländischen postalischen Vereine. Redact.: Ludw. Toborfy. 6.—10. Jahrg. 1880—1884. à Jahrg. 36 Nrn. (Bog.) gr. 4. Budapest, Administration. à Jahrg. **

Post-Zeitung. Fachblatt für das gesammte Post- und Telegraphenwesen. Specielles Organ der Postbedientesten von Kroatien und Slavonien und der beiden ungarländ. postal. Vereine. Redact.: Ludw. Tobarfy. 11.—15. Jahrg. 1885—1889. à Jahrg. 36 Nrn. (Bog.) gr. 8. Budapest, Administration. à Jahrg. **

Post-Zeitung: 1898?—1918?
Independent weekly. Formed by union of SAGINAW POST, and SAGINAW ZEITUNG. Circulation 1900, 4500; 1905, *4969*; 1910, 4500; 1917, *4172*. Edited & published by F. & C. Reitter, 1898—1914; by Seemann & Peters, 1915—16; edited by Hans Dabis, & published by Seemann & Peters, 1917—18.
Saginaw, MI

Postzeitung. – A u g s b u r g e r Postzeitung. –
1.I.1833 – 31.X.1934.
Vorh. u.d.T.: Augsburger Ordinari-Postzeitung.
Fortges. u.d.T.: Postzeitung.

Postzeitung, Augsburger: *Fest-Nummer* zu ihrem 200jähr. Jubiläum, am 1. Jan. 1886. Augsb., literar. Inst. v. Dr. M. Huttler. Imp.-Fol. Cart.
6 S. à 2 Col. Tit. roth u. schwarz m. Bordüre. Enth.: „Zur Geschichte der „Augsburger Postzeitung". Von Joh Geo. Füssenecker." Im Text Reproduktion alten Druckes, alter Kopftitel, Kopfleisten u. Schlussvign., aus Nrn. seit 1729.

Post Zeitung. – A u g s p u r g e r Ordinari Post Zeitung. –
I.(?)1687 – 1702(?)
Fortges. u.d.T.: Augspurgische Ordinari Post-Zeitung.

Post-Zeitung. – A u g s p u r g i s c h e Ordinari Post-Zeitung. –
1706 – 31.XII.(?)1722.
Vorh. u.d.T.: Wochentlich-Ordinari-Post-Zeitung.
Fortges. u.d.T.: Augspurger Ordinari-Zeitung.
Titellos: 1714 u. 1718.

Post-Zeitung. – A u g s p u r g i s c h e Ordinari Post-Zeitung. –
(„Moy'sche Zeitung"). –
1.I.1767 – 31.XII.1796.
Vorh. u.d.T.: Augspurgische Ordinari-Post-Zeitung.
Fortges. u.d.T.: Augsburgische Ordinari-Post-Zeitung.

Postzeitung. – A u g s b u r g i s c h e Ordinari Postzeitung. –
3.I.1797 – 6.V.1827.
Vorh. u.d.T.: Augsburgische Ordinari-Post-Zeitung.
Fortges. u.d.T.: Augsburger Ordinari-Postzeitung.

Postzeitung. – B r a u n s c h w e i g i s c h e Postzeitung. –
22.X.1721 – 2.XI.1742.
Fortges. u.d.T.: Braunschweigische Zeitung.

Postzeitung, deutsche. Organ des Verbandes deutscher Post- u. Telegraphen-Assistenten. Schriftleitung: F. Funk. 4. Jahrg. 1898. 24 Nrn. (à ca. 2 Bog.) gr. 4. Berlin, (Funcke & Naeter). n. 6. —
Früher u. d. T.: Zeitschrift des Verbandes deutscher Post- u. Telegraphen-Assistenten.

Postzeitung, deutsche. Organ des Verbandes deutscher Post- u. Telegraphen-Assistenten. Schriftleitung: L. Hubrich. 6.—8. Jahrg. 1895—1897. à 24 Nrn (à ca. 16 S.) gr. 4. Berlin (R. F. Funcke). à Jahrg. n. 6. —

— dasselbe. 9. Jahrg. 1898. 24 Nrn. (à ca. 4 Bog.) gr. 4. Ebd. n. 8. —

Postzeitung, deutsche. Organ des Verbandes deutscher Post- u. Telegraphen-Assistenten. Red.: L. Hubrich. 10.—13. Jahrg. 1899—1902. à 24 Nrn. gr. 4. (à ca. 32 S.) Berlin (R. F. Funcke). à Jahrg. n. 8. —

Postzeitung, deutsche. Organ des Verbandes deutscher Post- u. Telegraphen-Assistenten. Red.: L. Hubrich. 14.—17. Jahrg. 1903—1906. à 52 Nrn. (à ca. 32 S.) gr. 4. Berlin, Verlag des Verbandes deutscher Post- u. Telegraphen-Assistenten. à Jhrg. n. 8. —

Postzeitung, deutsche. Organ des Verbandes mittlerer Reichs-Post- u. Telegraphen-Beamten. Red.: Alb. Falkenberg. 18.—21. Jahrg. 1907—1910. à 52 Nrn. (XII, 1576; XVI, 1786; XVI, 1756 u. XIV, 1788 S.) 31,5×23,5 cm. Berlin, Deutscher Postverband. à Jahrg. n. 8. —

Post-Zeitung. – D i n g s t ä g i g e Post-Zeitung. –
Bremen. – 27.II.1694 – 1742(?).
Fortges. u.d.T.: Bremer Zeitung.

Postzeitung. – F r a n k f u r t e r Postzeitung. –
Frankfurt/Main. – 1.IV.1852 – 17.VII.1866.
Vorh. u.d.T.: Frankfurter Oberpostamts-Zeitung.

Post(-Zeitung): Post und Ordinari Mittwochs-Zeitung — Post und Ordinari Samstags-Zeitung
① Seit 1752 feststellbares Motto: «Ich schließe auf, ich schließe zu», als Spruchband über einem Janustempel, neben dem auf der einen Seite Mars sitzt und auf der andern Seite die Göttin Irene - Freyheit, Gleichheit - Eintracht, Zutrauen (28. 3. 1798—?) ② Post- und Ordinari Schaffhauser Mittwochs-Zeitung, resp. Post- und Ordinari Schaffhauser Samstags-Zeitung (feststellbar seit 1759—29. 12. 1802). Post- und Ordinaire Schaffhauser Mittwochs- und Samstags-Zeitung (1. 1. 1803—28. 12. 1822). Erneuerte Schaffhauser Zeitung (1. 1. 1823—28. 12. 1838) ③ Neue Ordinari Wochen-Zeitung (?) ④ projektiert: Eidgenössischer Volksbote ⑤ vor dem 14. 3. 1711—28. 12. 1838 ⑥ 8° ⑦ wöchentlich 2× ⑧ Schaffhausen: Ziegler'sche Druckerei, seit den 80er Jahren des 18. Jahrhunderts Druckerei zum Kessel genannt; sie wurde im 19. Jahrhundert von Franz Hurter, 1826 von Murbach und Gelzer gekauft ⑨ Beilagen unter verschiedenen Titeln, wie Anhang zu der Mittwochs-Zeitung (resp. Samstags-Zeitung) (1759, 1760). Beylage (1779) ⑩ die Drucker ⑬ BGSZ: 1052—1055 ⑭ Sh: S, St; Be: S (unvollständig); Lu: Z (1759, 1760, 1777—1798 und 1 Nr. v. 1734 in J 588.8) ⑮ BGSZ: 1052, p. 858: «Bei der Bürgerschaft kannte man die Post- und Ordinari Schaffhauser Zeitung unter dem Namen ‚Rößlizeitung', weil sie als Titelbild einen reitenden Postillon führte, der recht wacker ins Horn blies.»

Post(-Zeitung): Post- und Ordinari Schaffhauser Mittwochs- [resp. Samstags-] Zeitung
v. Post und Ordinari Mittwochs- und Samstags-Zeitung.

Post-Zeitung. – O r d i n a r i e Kayserl. Freyer Reichs-Stadt Aachische Post-Zeitung. –
1.IX.(?)1729 – 13.XII.1753.
Fortges. u.d.T.: Ordinarie Kayserl. Freyer Reichs Stadt Aachische Zeitung.

Post(-Zeitung): Schweiz. Post-, Zoll- und Telegraphenzeitung — Journal suisse des Postes, Télégraphes et Douanes — Giornale svizzero delle Poste, Telegrafi e Dogane
v. Echo.

Post-Zeitung. – S t e t t i n i s c h e Ordinaire Post-Zeitung. –
1708 – XII.1719.
Vorh. u.d.T.: Stettinischer Relations-Postilion.
Fortges. u.d.T.: Stettinische Ordinaire Zeitung.

Post-Zeitung. – W o c h e n t l i c h e Ordinari Post-Zeitung. –
Nürnberg. – 1679 – 1747(?).
Fortges. u.d.T.: Mehrtägiger . . . Friedens- und Kriegs-Courier.

Post-Zeitung. – W o c h e n t l i c h Ordinari Post-Zeitung. –
Konstanz. – VIII.1745(?) – 1.I.1775.
Vorh. u.d.T.: Wochentliche Ord. Reichs-Post-Zeitungen.
Fortges. u.d.T.: Constanzisches Wochenblatt.

Post(-Zeitung): Post-, Zoll- und Telegraphenzeitung — Journal des Postes, Télégraphes et Douanes — Giornale delle Poste, Telegrafi e Dogane

Post-Zeitungen: Extraordinari Post-Zeitungen
③ Wochentliche Ordinari-Post-Zeitung ⑤ belegt für 1669, 1673, 1681 ⑥ 8° ⑦ Wochenblatt ⑧ Luzern: Gottfried Hautt ⑮ Der auf der Weltkugel schwebende Merkur (Vignette p. 1) trägt in der Linken eine Tafel mit der Inschrift «D. Hautt». Da aber zur gleichen Zeit in Konstanz ebenfalls eine Hautt-Zeitung (Hautt David, Vater, dann Hautt David, Sohn) belegt ist (Extraordinari Post-Zeitungen), kann diese zweite Zeitung nur in Luzern erschienen sein, wo Gottfried Hautt als Nachfolger seines Vaters tätig war.

Post-Zeitungen. – L e i p z i g e r Post-Zeitungen. –
1.(?)I.1711 – 11.VII.1734.
Fortges. u.d.T.: Leipziger Zeitungen.

Post-Zeitungen. – Ordentliche münchnerische Post-Zeitungen. –
13.V.1745 – 31.XII.1759.
Vorh. u.d.T.: Münchner-Zeitungen.
Fortges. u.d.T.: Ordinari Münchner-Zeitungen.

Post-Zeitungen. – Ordentliche Wochentliche Post-Zeitungen. –
Frankfurt/M. – 1661 – 1706(?).
Fortges. u.d.T.: Ordentliche Wochentliche Kayserliche (Reichs-) Post-Zeitungen.

Post-Zeitungen. – Ordentliche Wochentliche Kayserliche Post-Zeitungen, s. Reichs-Post-Zeitungen...

Postzeitungen. – Ordinari Lippstädtische Postzeitungen. –
1738 – 30.VI.1832.
Vorh. u.d.T.: Wochentliche Postzeitungen.
Fortges. u.d.T.: Wochen-Blatt.

Postzeitungen. – Wochentliche Postzeitungen. –
Lippstadt. – 1717 – 1738.
Vorh. u.d.T.: Ordinari Lippstädter Zeitung.
Fortges. u.d.T.: Ordinari Lippstädtische Postzeitungen.

Wöchentliche **Post-Zeitungen** von gelehrten Neuigkeiten.
Leipzig 1717–19. 4°

Osterreichische Postzeitungsliste I (Interner Dienst) für das Jahr 1905, enthaltend die im Inlande erscheinenden Zeitungen und Zeitschriften, deren Bestellung durch Vermittlung der Post erfolgen kann. Lex.-8°. (74 S.) K —.60
Wien: Waldheim.

Post-Zeitungsliste II (internationaler Dienst) für das Jahr 1905, enthaltend die in der österr.-ungar. Monarchie und im Auslande erscheinenden Zeitungen und Zeitschriften. Fol. (VII, 320 S.) K 2.40
Wien: Waldheim.

Post-Zeitungsliste I u. II, österreichische, f. das J. 1906. Bearb. im k. k. Post-Zeitungsamte I in Wien. Lex.-8. Wien, Druckerei- u. Verlagsakt.-Gesellschaft vorm. R. v. Waldheim. n. 3.—
I. (Interner Dienst) enth. die im Inlande erschein. Zeitgn. u. Zeitschriften, deren Bestellg. durch Vermittlg. der Postämter erfolgen kann, nebst einem Verzeichnisse der Sammelwerke u. Geschäftspublikationen, welche mit Zeitungsfrankomarken versendet werden können. (120 S.) n. — 60
II. (Internationaler Dienst) enth. die in der österreichisch-ungar. Monarchie u. im Auslande erschein. Zeitgn. u. Zeitschriften. (VII, 323 S.) n. 2.40

Osterreichische Postzeitungsliste I (interner Dienst) für das Jahr 1907. Enthaltend die im Inlande erscheinenden Zeitungen und Zeitschriften. 4°. (138 S.) K —.60
Wien: Waldheim 1907.

Postzeitungsliste II (internationaler Dienst) für das Jahr 1907. Fol. (VII, 319 S.) K 2.40
Wien: Waldheim 1907.

Österreichische Postzeitungsliste I (Interner Dienst) für das Jahr 1908, enthaltend die im Inlande erscheinenden Zeitungen und Zeitschriften. Lex.-8°. (144 S.) K —.60
Wien: Waldheim 1908.

Postzeitungsliste II (internationaler Dienst) für das Jahr 1908. Fol. (VIII, 323 S.) K 2.40
Wien: Waldheim 1908.

Postzeitungsliste II (internationaler Dienst) für das Jahr 1909, enthaltend die in der österr.-ungar. Monarchie und im Auslande erscheinenden Zeitungen und Zeitschriften. 4°. (XIII, 831 S.) K 2.40
Wien: Waldheim 1909.

Post-Zeitungsliste, österreichische, I (interner Dienst) f. d. J. 1910, enth. die im Inlande erschein. Zeitgn. u. Zeitschriften, deren Bestellg. durch Vermittlg. der Postämter erfolgen kann, nebst e. Verzeichnisse der Sammelwerke u. Geschäftspublikationen, welche m. Zeitungsfrankomarken versendet werden können. Bearb. im k. k. Post-Zeitungsamte I in Wien. (155 S.) Lex. 8. Wien, Druckerei- u. Verlags-Aktiengesellschaft vorm. R. v. Waldheim. 60

— dasselbe. 1.—3. Nachtrag. (11, 8 u. 7 S.) Lex. 8. Ebd. à — 10

— II (internationaler Dienst) f. d. J. 1910, enth. die in der österreichisch-ungar. Monarchie u. im Auslande erschein. Zeitgn. u. Zeitschriften. Bearb. vom k. k. Post-Zeitungs-Amte I in Wien. (VIII, 343 S.) 31,5×21,5 cm. Ebd. 2.40

— dasselbe. 1.—11. Nachtrag. (13, 9, 8, 12, 7, 6, 9, 6, 4, 7 u. 4 S.) 32×21,5 cm. Ebd. à — 20

Postzoll-Ordnung. (10 S.) Lex. 8. Berlin (909). C. Heymann. — 40

— Hrsg. vom Reichsschatzamte. (20 S.) 8. Berlin 909. (R. v. Decker.) — 20

— nebst Erläuternde Bemerkungen zum Entwurf e. Post Zollordng. (25 S.) Lex. 8. Berlin 909. C. Heymann. — 60

Post-Zollordnung vom 28. Januar 1909 nebst Ausführungsbestimmungen. (Berlin 1909: Reichsdruckerei.) 48 S. 4°
(Amtsblatt d. Reichspostamts. [1909, Beil.])

Post-Zollregulativ vom 5. Juli 1888. gr. 4. (12 S.) Berlin 888. C. Heymann's Verl. n. — 20

Post-Zonenverzeichniß f. Aachen (Burtscheid), Barmen (Elberfeld), Berlin (Charlottenburg), Bielefeld (Herford), Bochum (Wattenscheid, Hattingen), Braunschweig, Breslau, Cassel, Chemnitz, Cöln [Rhein] (Deutz, Elberfeld, Nippes), Crefeld, Danzig, Dortmund, Duisburg (Hochfeld, Ruhrort), Düsseldorf (Rattingen), Essen [Ruhr], Gera, Glogau [Bz. Liegnitz], Görlitz, Göttingen. schmal Fol. (39 S.) Düsseldorf 884. F. Bagel. n. — 40

Postzug, Der, oder die noblen Passionen. Ein Lustspiel in zween Aufzügen. Wien 1769. O. O. 1770. 3. verb. Aufl. Frankfurt u. Leipzig 1771. 4. verb. Aufl. Frankfurt u. Leipzig 1772. V: *Ayrenhoff, Cornelius Hermann von.* (W. Montag: Kornelius v. Ayrenhoff, S. 132) (BIBLPORT) (GGR IV/75, Nr. 15/2; IV[3]/143, Nr. 16/2) S. a. III, 9403.

Postzug; od. die noblen Passionen. Lustsp. 8. Bresl. Gutsch. (a. Matzdorf in Berl.) 773.

— — dass. 8. Berl. Himburg. 796.

— dass. (von K. H. v. Ayrenhoff). 8. Wien 803. Pichler. 4 K
s. auch Unterhaltungen, dramat., e. Offiziers.

Pošusta, Wenzel, Základy silozpytu pro nižši třidy středních škol. Ausgabe für Gymnasien. 2. umgearbeitete Auflage, mit 270 Abbildungen. Prag und Wien 1894. F. Tempsky. (Min.-Erl. v. 24. April 1894, Z. 7887) —.75, geb. 1.—

Pošusta, Wenzel, Základy silozpytu pro nižši třidy středních škol. Ausgabe für Realschulen. 2. umgearbeitete Auflage. Prag und Wien 1898. F. Tempsky. Geh. —.75, geb 1.—

Posvečenje tretjega reda božjemu srcu Jezusovemu. V Celovcu, St. Hermagoras-Druck., 1897. 8 S.

Als Ms. gedr. Es ist die höchste Zeit! Rede gehalten am Sommer-Johannisfeste den 11. Juli 1875 in der Loge zur „Verbrüderung" im Or. Oedenburg. von Gust. **Poszvék.** Wien 1875: Ullrich & S. 10 S. 8⁰ [Umschlagtit.]
Abgedr. in: FZ. 29 (1875) S. 330—332; HL. 9 (1876) S. 649—651.
Tt. 2152. Mahnung zur Einigkeit u. zum Vorwärtsstreben. Beigefügt ein Kettenspruch von Poszvék.

Rede, gehalten am Sommer-Johannisfeste den 5. Juli 1874 in der □ zur Verbrüderung im Or. Oedenburg von Gust. **Poszvék.** Raab 1874: Czéh. 8 S. 8⁰ [Umschlagtit.]
Üb. die mrische Arbeit.

Rede zum Winterjohannisfest den 18. Dez. 1869 in der □ „Zur Verbrüderung" in Oedenburg gehalten vom Br. Redner [d. i. Gust. **Poszvék**]. Oedenburg [1870]: Romwalter. 8 S. 8⁰ [Umschlagtit.]
Abgedr. in: FZ. 24 (1870) S. 68—70.
Tt. 2173. Thema: Durch Nacht zum Licht, durch den Tod zum Leben, aber nur durch ernstes Ringen u. treue Bruderliebe.

Rede, gehalten am Winter-Johannisfeste den 22. Dez. 1872 in der ger.·. und vollk.·. St.·. Joh.·. Loge „Zur Verbrüderung" Or.·. Oedenburg von Gust. **Poszvék.** Wien: Selbstverl. 1873. 8 S. 8⁰ [Umschlagtit.]
Abgedr. in: HL. 6 (1873) S. 418—420.
Thema: Gott vor Augen, Liebe im Herzen, Wahrheit auf den Lippen.

Rede, gehalten den 28. Dez. 1873 zum Winter-Johannisfest der Loge zur Verbrüderung im Or. Oedenburg von Gust. Poszvék. [Oedenburg 1873.] 6 S. 8 [Kopftit.]
Tt. 2150. Gedächtnis der verstorbenen Brr.

Als Ms. gedr. Rede gehalten zum Winter-Johannisfeste der □ zur Verbrüderung im Or. Oedenburg den 19. Dez. 1875. von Gust. **Poszvék.** Wien 1876: Ullrich & S. 12 S. 8⁰ [Umschlagtit.]
Tt. 2153. Gedächtnis der Verstorbenen. Üb. die Mahnungen des Winter-Joh.festes: Memento mori! Wirke, solange es Tag ist! Liebe deine Nächsten!

Der Ruf des scheidenden Jahres. Rede, gehalten am Winter-Johannisfeste den 27. Dez. 1874 in der □ zur Verbrüderung, im Or. Oedenburg von Gust. **Poszvék.** Wien 1875: Ullrich & S. 8 S. 8⁰ [Umschlagtit.]
Abgedr. in: HL. 8 (1875) S. 609—611.
Tt. 2151. Mahnung mit alter Treue, altem Glauben, in Liebe u. Hoffnung weiterzustreben.

Poszvek, Gust., Weson u. Aufgabe der Freimaurerei m. besond. Rücksicht auf Oesterreich-Ungarn. Briefe an einen Freund. gr. 8. (24 S.) Oedenburg 877. (Leipzig, Findel.) — 60

Wesen und Aufgabe der Freimaurerei mit besonderer Rücksicht auf Oesterreich-Ungarn. Briefe an einen Freund von Gust. Poszvék. Preisgekr. von der Loge „Zur Verbrüderung" in Oedenburg. Oedenburg: Selbstverl. d. Loge „Zur Verbrüderung" 1877. 24 S. 8⁰

[Dasselbe.] Hamburg 1882: Rademacher. 24 S. 8⁰
Abdr. von Brief 1—11 in: Führer. 24 (1896 bis 1897) No 46—48, 50—52 [Schluss fehlt]. cf. Hn. 4 (1877) S. 44 (Lucian); Z. 7 (1877) S. 62 (E).
Tt. 1736.

[Dasselbe u. d. Tit.:]
Wesen und Aufgabe der Frm.·.ei von Gust. Poszvék. Preisgekr. Werkchen zur Belehrung für Profane, hrsg. von der Loge „Verbrüderung", Or.·. Oedenburg. Oedenburg: Selbstverl. 1885. 8⁰
[O. 11 (1885) S. 48.]

Pot, Božja, sv. Križa na Peravi pri Beljaku na Koroškem. V Beljaku, St. Hermagoras-Druck. in Klgft., 1903. 40 S.

Pot, le, de chambre cassé, Tragédie pour rire, ou Comédie pour pleurer. 8. Frcft. 750.

Pot, Philipp, od. D. Ritter uns. lieben Frau, s.: Legenden u. Erzählungen, burgund., Lfg. 2.

Le Pot aux Roses oder geheime und vertraute Korrespondenz des ehrbaren Thomas Boot, Hofschuhmachers, mit Sr. Maiestät Georg dem Dritten, König von Grosbritanien, und dessen Ministern, den Lords Stormont, Sandwich, Germaine und North. Ueber die gegenwärtigen Begebenheiten in Europa. Aus dem Französischen.
o. O. 1782. 244 S. 8°.
Stadt- und Universitätsbibliothek Frankfurt am Main
Fingierter Titel.
Andere Ausg., s. nachfolgende Nr.
Diese oder die folgende Ausg.: Leipzig: Weidmanns Erben und Reich, H. Merkus [Frankfurt-Leipziger Meßkatalog, Ostermesse 1782, S. 367]? Konnte nicht gefunden werden.

Le Pot aux Roses oder geheime und vertraute Korrespondenz des ehrbaren Thomas Boot, Hofschuhmachers, mit Sr. Maiestät Georg dem Dritten, König von Grosbritanien, und dessen Ministern, den Lords Stormont, Sandwich, Germaine und North. Ueber die gegenwärtigen Begebenheiten in Europa. Aus dem Französischen.
o. O. 1782. 245 S. 8°.
John Carter Brown Library Providence, R. I.
Abweichender Druck v. d. 244-S. Ausg., s. voraufgehende Nr.
Ausg. London-Basel: C. A. Serini, 1782 [Frankfurt-Leipziger Meßkatalog, Ostermesse 1782, S. 367] konnte nicht gefunden werden.

Pot, Sveta Krishova, Gospuda nashega Jesusa Kristusa. V' Zelouzi, (Schotter). 1793.

Pot, Sveti Krishov, Gospoda nashiga Jesusa Christusa. V' Zelovzi, Leon, 1804. 31 S.

Pot, Sveti križev, in litanije od terplenja ino smerti Jezusa Kristusa. V Celovcu, Leon, (vor 1854). 24 S. (Verf.: Anton Martin Slomšek.)

Post, Rudolf, Referendar in Hamburg: Aufrechnung, Zurückbehaltung, Einbehaltung, Verwirkung bei Lohnforderungen. Hamburg 1905: Berngruber & Henning. (VIII, 92 S.) 8°
Leipzig, Jur. Fak., Diss. v. 10. Aug. 1905
[Geb. 15. Nov. 82 Hamburg; Wohnort: Hamburg; Staatsangeh.: Hamburg; Vorbildung: Wilhelms-Gymn. Hamburg Reife M. 01; Studium: Freiburg i. B. 3, München 1, Göttingen 2 S.; Rig. 4. Febr. 05.]

Potain u. Huchard, Herzleiden u. ihre diätetisch-physikalische Behandlung, s.: Bücherei, freie hygienische. Nr. 8.

Potamianos, Nicolaos G. (geb. Berlad in Rumänien [12. 1. 1852]): Beiträge zum Situs viscerum inversus. Berlin (1879). (47 S.) 8°
Berlin, Med. Diss. v. 15. Nov. 1879

Potanin, G. N. Flora tangutica, s. Resultate, wissenschaftl., der Reisen nach Central-Asien.

Potápenko, Ignatij Nikolaevič

Potápenko, J. N., Alt u. Jung, s.: Universal-Bibl.

Vater Ambrosius. Die Erde. 2 Erzählungen von I[gnatij] N[ikolaevič] Potápenko. Aus d. Russ. übertr. von Helene Schütky. Mit Ill. von W. Roegge. *Berlin, Eisenach, Leipzig: H. Hillger [1903].* (111 S.) 8° [F.]
= Bücherschatz, Kürschners. No 387. [04. 11640]

Potápenko, J. N., Vater Ambrosius. Die Erde, s. a. Kürschner's, Jos., Bücherschatz.

[F.] Gesunde Ansichten. Memoiren eines vernünftigen Menschen. Roman v. I[gnatij] N. Potápenko. M. Ill. v. W. Roegge. *Berlin, Eisenach, Leipzig: H. Hillger (1898).* (128 S.) 1 Bd 8.
= Bücherschatz, Kürschners. No 120. [99. 574]

— gesunde Ansichten, s. a. Kürschner's, Jos., Bücherschatz.

Potapenko, J. N., e. Auserwählter. Roman. 8. (252 S.) Stuttgart 893. Deutsche Verlags-Anstalt. n. 3. —; geb. n.n. 4. —

— ein Auserwählter. Roman. (Neue [Titel-]Ausg.) 8. (252 S.) Stuttgart [893]. (902). Deutsche Verlags-Anstalt. n. 1. —; geb. n. 1. 25

Potapenko, J. N., Erzählgn. u. Skizzen, s.: Universal-Bibliothek.

Aus den Erzählungen eines alten Studenten von I(gnatij) N(ikolaevič) Potapenko. Aus d. Russ. übers. von Dr. H[ermann] Röhl. Leipzig: Ph. Reclam jun. [1907]. (211 S.) 8° [F.]
(Universal-Bibliothek. 4964. 4965.) [08. 4793]

Potápenko, J. N., aus den Erzählungen e. alten Studenten, s. a. Universal-Bibliothek.

— eine Familiengeschichte. Aus dem Russ. (v. Wilh. Henkel). 8. (217 S.) Dresden 896. C. Reißner. n. 2. 50

Eine Familiengeschichte [Semejnaja istorija]. Roman von I[gnatij] N[ikolaevič] Potápenko. Aus d. Russ. übertr. von Helene Schütky. Mit Ill. von W. Roegge. *Berlin, Eisenach, Leipzig: H. Hillger [1902].* (126 S.) 8° [F.]
— Bücherschatz, Kürschners. No 296. [03. 734]

— eine Familiengeschichte, s. a. Kürschner's, Jos., Bücherschatz.

Eine Familiengeschichte. Von I(gnatij) N[ikolaevič] Potapenko. Deutsch von Theo[phil] Kroczek. Mit e. Vorw. d. Übers. Halle a. S.: Hendel [1908]. IV, 128 S. 8°
(Bibliothek d. Gesamtliteratur d. In- u. Auslandes Nr 2093. 2094.) [09. 7757]

— Eine Familiengeschichte, s. a. Bibliothek der Gesamt-Literatur.

— s. a. Garschin, W., e. kleines Gespräch.

I[gnatij] N. Potapenko. Die Generalstochter. Freie Uebertragg a. d. Russ. v. M[ax] Folticineano. *Breslau: S. Schottlaender 1896.* (273 S.) 1 Bd 8. [97. 1173]

I[gnatij] N[ikolaevič] Potapenko. Die Geschichte einer Kommune. Aus d. Erinnerungen e. alten Soldaten. Aus d. Russ. übers. von Adele Dieckhoff (mit 1 Portr.). Berlin: F. Ledermann 1907. (97 S.) 8° [F.]
= 'Zungen, Aus fremden'. Bibliothek. Bd 3. [08. 4833]

— Die Geschichte e. Kommune, s. a. „Aus fremden Zungen" Bibliothek.

— kein Held, s.: Universal-Bibliothek.

— ein Kampf auf Tod u. Leben. Aus dem Russ. in verkürzter Form ins Deutsche übers. v. Herm. Paul. Und Anderes. (96 S.) 8. Neuweißensee (905). E. Bartels. 2. —

[F.] Dämon Kunst. Novelle v. I[gnatij] Potapenko. *Berlin: Romanwelt 1898.* (118 S.) 1 Bd 8. [97. 8675]

— Dämon Kunst. Novelle. 8. (118 S.) Berlin 898. Vita, Deutsches Verlagshaus. n. 1. —

Potapenko, J. N., praktische Lebensweisheit. Roman. 8. (302 S.) Stuttgart 894. Deutsche Verlags-Anstalt. n. 3. —; geb. n.n. 4. —

Potápenko, J. N., der Pfarrer zu Lugowoje. Eine Erzählung aus dem russ. Priesterleben. Deutsch von B. Haaß. (214 S.) 8. Leipzig 906. F. Jansa. Geb. n. 2. —

— ein socialer Pfarrer. Aus d. russ. Priesterleben. Deutsch v. Hans Loquitz. gr. 8. (186 S.) Leipzig 896. Hannover-Münden, R. Werther. n. 1. 60

— das Recht auf Glück. — Kluge Berechng. 2 Erzählgn. Aus dem Russ. v. L. A. Hauff. (74 S.) 8. Berlin (904). O. Janke. n. — 50

Eine Scheinehe und ihre Folgen. Roman von I[gnatij] N[ikolaevič] **Potapenko**. *Berlin: J. Räde [1902]*. (288 S.) 8° [F.] [04. 6649

Ein unüberlegter Schritt. Nach dem Russ. d. I[gnatij Nikolaevič] **Potaponko** von Adolf Garbell. *Berlin: Vita [1900]*. (107 S.) 8° [F.] [00. 5891

Sie schämen sich. Zu spät. Erzählungen von I[gnatij] N[ikolaevič] **Potapenko**. Aus d. Russ. von L. A[lbert] Hauff. Berlin: O. Janke [1904]. (69 S.) 8° [F.]
(Kollektion Otto Janke.)

— ein Stern, s.: Malcomes' internationale russische Unterhaltungs-Bibliothek.

— e. Stern. Roman. 2 Bdchn. (In russ. Sprache.) 12. (171 S.) Stuttgart 895. C. Malcomes. à n. — 50

— ein Stern. Roman. (127 S.) 8. Berlin 904. R. Taendler. n. 2. —; geb. n. 3. —

Die Tochter des Kuriers. Roman von I[gnatij] N[ikolaevič] **Potapenko**. Deutsch von F. Helmy. Essen (Ruhr): Fredebeul & Koenen [1900]. (236 S.) 8° [F.] [08. 16862

Zwei Wege. Eine Episode aus unseren Tagen. Von I[gnatij] N[ikolaevič] **Potápenko**. Aus d. Russ. übers. von C. Elben. Mit Ill. von Braune. *Berlin, Eisenach, Leipzig: H. Hillger [1902]*. (125 S.) 8° [F.]
= **Bücherschatz, Kürschners.** No 279. [03. 35

— zwei Wege, s. d. Kürschner's, Jos., Bücherschatz.

Potebnia, A., Beiträge zur Micromycetenflora Mittel-Russlands (Gouv. Kursk u. Charkow). (S. 42—93 m. Abbildg.) gr. 8. Berlin 910. R. Friedländer & Sohn. nn 3. —
Sonderabdr. aus: „Annales mycologici".

Potel, Seelsorge u. Unterricht bei den Jugendlichen. [Aus: „Jahrb. d. Gefängnis-Gesellsch. f. d. Prov. Sachsen u. d. Herzogt. Anhalt".] gr. 8. (28 S.) Halle 894. (A. Kegel.) n. — 25

Potel, Walther, Fest-Predigt zum 400jährigen Lutherjubiläum der deutschen St. Gertrud-Gemeinde in Stockholm, geh. am 10. Novbr. 1883. gr. 8. (16 S.) Naumburg 884. Schirmer. — 30

Potemkin, ein Beytr. z. Regierungsgesch. Catharina II. 8. Dresden, Arnold. 803.

Potemkin. Ein interessanter Beitrag zur Regierungsgeschichte Katharinas der Zweyten. Halle und Leipzig 1804. V: *Helbig, Georg Adolph Wilhelm von.* (BGE VI[3], 263)

Potemkin. Ein Beitr. z. Regierungsgeschichte Katharina II. 8. Dresd. 804. Arnold. 1 ₰

Potemkin's, Fürst G. A., Lebensbeschreibung, s. St. Jean.

Potempa, August (Breslau), De oleo iecoris aselli. Diss. med. Leipzig (Staritz) 31. III. 1837. 40 S. (3.75) 27078
Gew.: Ludwig Geyer.

Potempa, Aug., de oleo jecoris aselli. Dissert. inaug. med. 8maj. Lipsiae 837. (Goethe.) n. 1/6 ₰

Potempa, Aug., de oleo iecoris aselli. Dissert. inaug. med. 8maj. (2½ B.) Lipsiae 837, (T. O. Weigel.) *

Georg Frh. v. Baring, Kgl. Hannoverscher Generallieut. 1773–1848. Ein Lebensbild auf Grund von Aufzeichn. d. Verstorb. u. von Mittheilungen d. Familie entw. durch B[ernhard] **Poten**, Oberst a. D. *Berlin: E. S. Mittler & Sohn 1898*. (78 S.) 8° [F.]
= **Militär-Wochenblatt** 1898. Beiheft 1. [00. 11271

Poten, B., Georg Freiherr v. Baring, kgl. hannoverscher Generallieutenant, s. a. Beiheft z. Militär-Wochenblatt 1898, Hft. 1. 2.

Poten, B., militärischer Dienst-Unterricht f. die Kavallerie d. deutschen Reichsheeres. Zunächst f. einjährig Freiwillige, Offizier-Aspiranten u. jüngern Offiziere d. Beurlaubtenstandes bearb. gr. 8. (XIV, 270 S.) Berlin 875. Mittler & Sohn. n. 4. —

Poten, B., militärischer Dienst-Unterricht f. die Kavallerie des deutschen Reichsheeres. Zunächst für einjährig Freiwillige, Offizier-Aspiranten u. jüngere Offiziere des Beurlaubtenstandes bearb. 2., unveränd. Aufl. gr. 8. (XIII, 303 S.) Berlin 878. Mittler & Sohn. n. 4. —

Poten, B., militärischer Dienst-Unterricht f. die Kavallerie d. deutschen Reichsheeres. Zunächst f. einjährig Freiwillige, Offizier-Aspiranten u. jüngere Offiziere d. Beurlaubtenstandes bearb. 4., durch die Aufnahme der Bestimmgn. d. „Exerzier-Reglements f. die Kavallerie" vom 10. Apr. 1885 veränd. Aufl. gr. 8. (XIV, 337 S.) Berlin 884. Mittler & Sohn. n. 4. —; geb. n. 4. 60

Poten, B., militärischer Dienst-Unterricht für die Kavallerie des deutschen Reichsheeres. Zunächst für einjährig Freiwillige, Offizier-Aspiranten und jüngere Offiziere des Beurlaubtenstandes bearb. 4. durch die Aufnahme der Bestimmungen des „Exerzier-Reglements für die Kavallerie" vom 10. April 1886 veränd. Aufl. gr. 8. (XIV, 337 S.) Berlin 886, Mittler und Sohn. *M 4.—.; geb. *

—— dass. — 5. auf Grund der neuesten Vorschriften bearb. Aufl. gr. 8. (XII, 344 S.) Ebendas. 888. *
geb. *

Daraus besonders abgedruckt:
—— Kommandobuch zum Exerzir-Reglement für die Kavallerie vom 10. April 1886. gr. 8. (64 S.) Ebendas. 886. * 80 Pf.

Poten, B., militärischer Dienst-Unterricht f. die Kavallerie d. deutschen Reichsheeres. Zunächst f. einjährig Freiwillige, Offizier-Aspiranten u. jüngere Offiziere d. Beurlaubtenstandes bearb. 6., auf Grund der neuesten Vorschriften bearb. Aufl. gr. 8. (XII, 349 S. m. Abbildgn.) Berlin 892. E. S. Mittler & Sohn. n. 4. —; geb. n.n. 4. 60

— militär. Dienst-Unterricht f. d. Kavallerie d. deutschen Reichsheeres, 8. Aufl., s.: Glasenapp, v., Handbuch f. d. Einjährig-Freiwilligen, sow. f. d. Reserve- u. Landwehr-Offizier d. Kavallerie.

Poten, B. v., militärischer Dienstunterricht f. die Kavallerie, 10. Aufl., s.: Malzahn, Frhr. v.

Die Generale der Königlich Hannoverschen Armee und ihrer Stammtruppen. Von B[ernhard] v. **Poten**, Oberst z. D. *Berlin: E. S. Mittler & Sohn 1903*. (S. 243–334.) 8°
= **Militär-Wochenblatt**. 1903, Beih. 6. 7.

Geschichte des Militär-Erziehungs- und Bildungswesens in den Landen deutscher Zunge. Von B[ernhard] **Poten**, Kgl. preuss. Oberst ... Bd 1—5. *Berlin: A. Hofmann & C. 1889–97*. 5 Bde. 8.
1. Allgem. Übers., Baden, Bayern, Braunschweig, Colmar. 1889. (VIII, 368 S.)
2. Hannover, Hessen-Cassel, Hessen-Darmstadt, Hessen-Hanau, Mecklenburg-Schwerin, Münster, Nassau, Oldenburg. 1891. (VII, 416 S.)
3. Österreich. 1893. (3 Bl., 480 S.)
4. Preussen. 1896. (1 Bl., IV S., 1 Bl., 542 S.)
5. Sachsen — Schaumburg-Lippe — Schleswig-Holstein — Schweiz — Königr. Westfalen — Württemberg. 1897. (1 Bl., VI, 403 S.)
= **Monumenta Germaniae Paedagogica.** 10. 11. 15. 17. 18. [98. 4864

— Namen- und Sachregister zur Geschichte des Militär-Erziehungs- u. Bildungswesens in den Landen deutscher Zunge. (Monumenta Germaniae paedagogica Bd. X, XI, XV, XVII, XVIII.) gr. 8. (V, 116 S.) Berlin 900. A. Hofmann & Co. n. 2.—

— dasselbe in Sachsen. [Aus: „P., Geschichte des Militär-Erziehungs- u. Bildungswesens in d. Landen deutscher Zunge".] gr. 8. (VI, 232 S.) Berlin 1897. A. Hofmann & Co. n. 6.—

— dasselbe in d. Schweiz. [Aus: „P., Geschichte des Militär-Erziehungs- u. Bildungswesens in d. Landen deutscher Zunge".] gr. 8. (V, 23 S.) Ebd. 897. n. 1.—

— dasselbe in Württemberg. [Aus: „P., Geschichte d. Militär-Erziehungs- u. Bildungswesens in d. Landen deutscher Zunge".] gr. 8. (VI, 84 S.) Ebd. 897. n. 3.—

Poten, B. v., Handbuch f. den Einjährig-Freiwilligen usw. der Kavallerie, s.: Glasenapp, v.

Poten, B. v., Handbuch f. den Einjährig-Freiwilligen usw. der Kavallerie, s.: Maltzahn, Frhr. v.

Poten, Handwörterbuch d. gesammten Militärwissenschaften. M. Abbildgn. u. Porträts. 9 Bde. Bielef. 876–80.

Poten, B., Oberstlieut. à la suite des 1. schles. Hus.-Reg. Nr. 4. Adjutant der General-Inspection des Militär-Erziehungs- und Bildungswesens in Berlin. Handwörterbuch der gesammten Militärwissenschaften mit erläuternden Abbildungen. Herausgegeben unter Mitwirkung hervorragender Autoritäten auf allen Gebieten des militärischen Wissens. 1.—9. Bd. (Mit 33 Portraits.) (9 Bde.) gr. 8. Bielefeld und Leipzig 1877—1880.

—— s. Handwörterbuch der gesammten Militärwissenschaften.

Poten, Bernhard von: Das Preussische Heer vor hundert Jahren. Auf Grund d. geltenden Vorschriften u. zeitgenössischer Quellen dargest. Berlin: E. S. Mittler & Sohn (1900). (61 S.) 8°
= Beihefte z. Militär-Wochenblatt. 1900. H. 1.

Poten, B., braune Husaren in Frankreich. Dem 1. schlesischen Husaren-Reg. Nr. 4 gewidmet. gr. 8. (86 S.) Breslau 872, Mälzer. * 1 —

—— braune Husaren in Frankreich. Dem 1. schles. Husaren-Regiment Nr. 4. zur Erinnerung an den Feldzug 1870—71 gewidmet. 2. (Titel-)Aufl. gr. 8. (88 S.) Gera (872)76, Reisewitz. *

— Kommandobuch zum Exerzir-Reglement f. die Kavallerie vom 10. Apr. 1886. gr. 8. (64 S.) Ebend. 886. n. — 80
Aus: Poten: Militär. Dienstunterricht ...

Des Königs Deutsche Legion 1803 bis 1816. Darstellung ihrer inneren Verhältnisse durch B[ernhard] v. Poten, Oberst z. D. Berlin: E. S. Mittler & Sohn 1905. (S. 397–459.) 8° [F.]
— Militär-Wochenblatt. 1905, H. 11. [05. 13185

Das Mißlingen des Zuges der Hannoverschen Armee nach Süden im Juni 1866. Von B[ernhard] v. Poten, Oberst z. D. *Berlin: E. S. Mittler & Sohn 1904.* (S. 401–424.) 8° [F.]
— Militär-Wochenblatt. 1904, Beih. 9, [2]. [04. 15211

Ein Reiteroffizier vor hundert Jahren. Von B[ernhard] v. Poten, Oberst z. D. Mit Kartenskizze. Berlin: E. S. Mittler & Sohn 1907. (S. 327–346.) 8° [Umschlagt. F.]
— Militär-Wochenblatt. 1907, Beih. 8/9, [2.] [07. 12034

Poten. Die althannoverichen überlieferungen des Inf.-Reg. v. Voigts-Rhetz <3. Hannov.> Nr. 79. Mit Skz. u. Abb. Berlin 1903. 74 S.

Poths-Wegner, F., Kreuz- u. Querfahrten. I. Korsika. 8. (158 S.) Berlin 897. P. Hüttig. n. 2.—

Poths-Wegner, Kreuz- u. Querfahrten. 3 Bde. 8. Berlin 901. [P. Scheller]. Leipzig, P. List. n. 5.—; erhöht. Pr. n. 7.—
I. Korsika. 2. [Titel-]Ausg. (158 S.) [897.] n. 1.50; erh. Pr. n. 2.—
II. Capri. — Benedig. (Neue [Titel-]Ausg.) (134 S.) [898.] n. 1.50; erh. Pr. n. 2.—
III. Dalmatien, Montenegro u. Albanien. (Neue [Titel-]Ausg.) (VI, 256 S.) [899.] n. 2.—; erh. Pr. n. 3.—

Poths-Wegner, F., die eiserne Maske. Zeitroman. 8. (319 S.) Stuttgart 893. Deutsche Verlags-Anstalt. n. 3.—

— die eiserne Maske. Zeitroman. (Neue wohlf. [Titel-]Ausg.) 8. (319 S.) Stuttgart (893) 898. Deutsche Verlags-Anstalt. n. 1.50; geb. n. 1.75

— Lola Montez. Historischer Roman. 8. (224 S.) Leipzig (902). P. List. n. 3.—; geb. 4.—

— Neu-Hellas. Roman. 8. (338 S.) Ebd. (901). n. 3.—; geb. 4.—

— u. R. v. Seydlitz, deutsche Schützenchronik. Festgabe zum 16. deutschen Bundesschießen zu München, unter der Hohen Protektion Sr. Königl. Hoh. des Prinzen Ludwig v. Bayern, Juli 1906. Illustriert v. R. B. Wille-mann. (196 S.) 8. München 906. G. Schuh & Co. n. 1.—

Spekulation. Drama in 4 Akten von [Friedrich] Poths-Wegner. Wiesbaden: R. Bechtold & Ko. 1900. (104 S.) 8° [F.] [08. 11252

— Ein Teufelsweib. Roman. (302 S.) 8. Dresden 908. E. Pierson. 3.—; geb. n 4.—

Potjan, Heinr., Leitfaden f. Samariterinnen. (VII, 194 S.) 12. München 904. Seitz & Schauer. n. 1.50; geb. in Leinw. n. 2.—

(B) Potjan, H., Leitfaden f. Samariterinnen. 904. (KVL 34.) Jetzt: Heidelberg, J. Horning.

Potjan, Jean Theod. (geb. Eversael im Rheinl. 25. 3. 1825): De metrorrhagia inter puerperium recentissimum. Berolini (1855). (26 S.) 8°
Berlin, Med. Diss. v. 31. März 1855

Potjans, Heinrich (geb. am 10 Mai 1853 in Eversael Kr. Mörs): Ueber Knochenneubildung im menschlichen Auge ... Nebst 1 Taf. Bonn, Univ.-Buchdr. v. C. Georgi 1879. 22 S., 1 Bl., 1 Taf. 8.
Bonn, Med. Fak., Diss. v. 26 März 1879

Potjěchin, N., die Schlinge des Schicksals, s. Universal-Bibliothek Nr. 2235.

Potier, Ch., et G. de Montheau, où passerai-je mes soirées? Comédie-Vaudeville en un acte. 16. (III und 30 S.) Berlin 858, Lassar's Buchh. *

Potier, M., l'Application de la Géomètrie descriptive à l'art du dessin, avec fig. gr. 8. Brnschw. 817. Pluchart. 16 gr.

— Traité de Géomètrie descriptive, à l'usage des Eléves de l'institut des Voyes de communication, avec grav. I Vol. gr. 8. le même 817. 1 th 8 gr.

Potier, Othmar Baron. Führer durch die Rüstkammer der Stadt Emden bearbeitet von Othmar Baron Potier ... Emden. Druck von Conr. Zorn ... 1903. XXIV + 98 S. m. 12 Abb.; 7 Taf. 8°.

Inventar der Rüstkammer der Stadt Emden. Aufgenommen u. bearb. im J. 1901 von Dr. Othmar Bⁿ **Potier** (Vorr.: [L.] Fürbringer, Oberbürgermeister.) *Emden: Selbstverl. d. Magistr. 1903.* (X, 118 S.) 4°(8°) [03. 11336

Potier des Echelles, Rudolf Baron, k. k. Hauptm. im 72. Reg., commandirt beim Generalstabe. Heerwesen und Kurzwaaren-Industrie (Knöpfe). Vortrag, gehalten am 7. April 1876 im niederösterreichischen Gewerbevereine. 8. Wien 1876.

Potier des Echelles, R. Baron v., das Heerwesen auf der Weltausstellung 1873 in seinen Beziehungen zu Gewerbe u. Industrie, s. a. Ausstellungs-Bericht, officieller.

Potier des Echelles, Rudolf Baron, Hauptm. des 72. Inft.-Reg., commandirt im Generalstabe. Das Heerwesen auf der Weltausstellung 1873 in seinen Beziehungen zu Gewerbe und Industrie. Vorgetragen am 30. Jänner und 6. Februar 1874 im grossen Saale des nieder-österreichischen Gewerbe-Vereines. 8. Wien 1874.

Potier des Echelles, Rudolf Baron, Hauptm. im 72. Inft.-Regt., commandirt beim Generalstabe. Die Industrie, speciell die österreichische, als Hilfsmittel des Krieges. Vortrag, gehalten im Niederösterreichischen Gewerbe-Verein. Separat-Abdruck aus der „Wochenschrift des Niederösterreichischen Gewerbe-Vereines". 8. Wien 1878.

Potier des Echelles, Rud. Baron, die Productions-Verhältnisse in Bosnien u. der Herzegowina. Vorträge, geh. im niederösterr. Gewerbe-Vereine u. im oriental. Museum. [Aus: „Wochenschr. des niederösterr. Gewerbe-Vereines".] gr. 8. (58 S. m. 1 chromolith. Karte.) Wien 879. Seidel & Sohn. n. 1. 20

— die Textil-Industrie, deren Entwickelg. u. gegenwärt. Beziehgn. zur Heeres-Bekleidg. Vortrag, gesprochen im großen Saale d. niederösterreich. Gewerbe-Vereines zu Wien am 15. Febr. 1875. [Aus: „Wochenschr. d. niederösterr. Gewerbevereines."] gr. 8. (47 S. m. 2 Tab. in qu. gr. 4. u. qu. Fol.) Wien 875. Seidel & Sohn in Comm. n. 1. —

Potier, R. B., das neue Wehrgesetz f. die österr.-ungar. Monarchie vom 11. Apr. 1889. Gemeinfaßlich erläutert auf Grund aller einschläg. Gesetze, Vorschriften, Instructionen u. Protokolle. Mit e. Anh. u. e. alphabet. Sachregister. 1.—4. Aufl. 8. (104 S.) Wien 889. Hartleben. n. — 60

Potinecke, R., s.: Abhandlungen, beigegeben dem Jahresberichte d. naturwissenschaftlichen Vereins in Magdeburg.

Potinecke, Richard [aus Magdeburg]: Zur Kritik des Baerschen Gesetzes und seine Anwendbarkeit auf den Flusslauf der Bode. . . . Halle a. S., *A. Meyer, Magdeburg,* 1891; 32 S., 1 Bl., 3 Taf. 8°
Halle, Phil. Fak., Inaug.-Diss. v. 11. Aug.] 1891

POTIPHAR, Madame. Berlin, Reinhold Klinger (ca. 1905). (75 Pfg.)
„Voll köstlichen Humors! Lacherfolg garantiert." (Anpreisung d. Verlegers.)

Pötker, Johann Meno (Wismar), De differentiis juris communis et Lubecensis circa crimina ea, quae in vitam hominis tendunt. Diss. inaug. Halle/Magdeburg (J. Chr. Hilliger) 21. III. 1744. 38 S. (4.75) 26905

Pottaniczky, A., freymüth. Unters. üb. d. Krönung in Ungarn. gr. 8. Presburg, Löwe. 790.
Vgl. Potkonitzky, A.

Neue **Sammlung** glaubwürdiger aber guten Theils ungedruckter mecklenburgischer Schriften und Urkunden, welche zur Kenntniß dortiger Landes-Geschichte und Rechte einigermaßen dienen können. Mit nöthigen Anm. hrsg. von Johann Meno Pötker. Stck. 1—5/6. — Dantzig: Rüdiger 1744—46. 8° (4°)

Potkoff, Ossip D(emetrius), aus Tiflis: Johann Friedrich Löwen ⟨1727—1771⟩ mit näherer Berücksichtigung seiner dramaturgischen Tätigkeit. *Heidelberg: C. Winter 1904.* (VIII, 152 S.) 8°
Heidelberg, Phil. Diss. v. 1904

Potkoff, Ossip D., Johann Friedrich Löwen, der erste Direktor e. deutschen Nationaltheaters. Sein Leben, seine literar. u. dramat. Tätigkeit. (VII, 152 S.) gr. 8. Heidelberg 904. C. Winter, Verl. n. 3. —

Potkonitzky, A., freimüthige Untersuchung üb. die Krönung in Ungarn u. andere damit verknüpfte Gegenstände. gr. 8. Preßb. 790. Löwe. (Wigand).
Vgl. Potkaniczky, A.

Potler, J. C., Repertorium üb. d. Bambergische Verordnung. 4. Bamb. Lachmüller. 797.
Vgl. Pottler, J. C.

Potocka, Gräfin, s.: Bildkunst.

Potocka, Gräfin, s.: Meisterbilder 151. Bl.

Potocka, Anna, Gräfin

Potocka, der Gräfin, Memoiren. 1794—1820. Veröffentlicht v. Casimir Stryienski. Nach der 6. französ. Aufl. bearb. von Osk. Marschall v. Bieberstein. Mit prachtvollen Illustr. und dem Portr. der Verf. v. Angelica Kauffmann. gr. 8. (IX, 261 S.) Leipzig 899. H. Schmidt & C. Günther. n. 7. 60; geb. n. 10. —

— dasselbe, 2. Thl. (Schlußbd.) Reise der Gräfin Potocka-Wonsowicz nach Italien 1826—27. Hrsg. v. Casimir Stryienski. Mit noch bisher unveröffentlichten Briefen der Königin Caroline v. Neapel, der Königin Katharina v. Westphalen u. A. Uebertragen von Osk. Marschall v. Bieberstein. Mit Anh.: Das Tagebuch der Gräfin Krasinska 1759—1762. Veröffentlicht v. Olymp Chodzko. Nach der französ. Uebersetzg. bearb. v. Konr. Fischer. gr. 8. (XI, 184 S. m. Abb.) Ebd. 900. n. 4. 60; geb. n. 5. 60

— Memoiren. 1794—1820. Veröffentlicht von Casimir Stryienski. Nach der 6. französ. Aufl. bearb. von Osk. Marschall v. Bieberstein. Mit prachtvollen Illustr. u. dem Portr. der Verf. v. Angelica Kauffmann. 4.—6. Taus. (VIII, 260 S.) gr. 8. Leipzig 904. H. Schmidt & C. Günther. n. 7. 50

— dasselbe, s.: Napoleon I.

Potocki, Comte B., voyage dans une partie de l'Italie. gr. 8. Posen 825. (Munck). 1 ₰ 8 gr

Potocki, Fr. A., Mówisz pan po polsku? [Sprechen Sie polnisch?] Handbuch der nützlichsten und nothwendigsten polnisch-deutschen Gespräche, Redensarten und Wörtersammlungen, wie sie im Umgange, im Geschäftsverkehr und auf Reisen gebraucht werden, nebst einer kurzgefaßten Grammatik der poln. Sprache. Mit beigesetzter richtiger poln. Aussprache in deutschen Buchstaben. 8. (VI, 242 S.) Leipzig 882, C. A. Koch's Verlagsh.

Potocki, Fr. A., mówisz pan po polsku? [Sprechen Sie Polnisch?] Handbuch der nützlichsten u. nothwendigsten polnisch-deutschen Gespräche, Redensarten u. Wörtersammlungen, wie sie im Umgange, im Geschäftsverkehr u. auf Reisen gebraucht werden, nebst e. kurzgefaßten Grammatik der polnischen Sprache. Mit beigesetzter richt. poln. Aussprache in deutschen Buchstaben. 2., verm. Aufl. 8. (VIII, 240 S.) Leipzig 891. C. A. Koch. 2. –

Potocki, Fr. A., mówisz pan po polsku? (Sprechen Sie polnisch?), neu bearb. v. M. Elsner, s.: Koch's Sprachführer. 12,

Potocki, Fr. A., Słownik polskiego i rossyjskiego języka opracowany podług najnowszych i najlepszych źródeł. Część pierwsza: Polsko-rossyjska. gr. 8. (49 Bog.) Leipzig 873, Holtze. 10 50

Potocki, Fr. A., Słownik polskiego i rossyjskiego języka. Opracowany podług najnowszych i najlepszych źródeł. (Polnisch-russisches und russisch-polnisches Wörterbuch.) 2 Bde. Lex.-8. Leipzig, Holtze. à Bd. M 10,50.

Inhalt:
Bd. 1. Polnisch-russischer Theil. 1. Aufl. (779 S.) 876; 2. Aufl. (VI, 777 S.) 877.
» 2. Russisch-polnischer Theil. (754 S.) 876.

— Wörterbuch der polnischen u. russischen Sprache. 1. Thl. Polnisch-russisch. 2. Aufl. gr. 8. (VI, 777 S.) Leipzig 877. Holtze. 10. 50

— kurzgefaßtes Wörterbuch der russischen u. deutschen Sprache. Nach J. A. E. Schmidt's russ. Taschenwörterbuch bearb. 8. (VI, 460 u. 328 S.) Ebend. 876. 4. 80

—— kurzgefaßtes Wörterbuch der russischen und deutschen Sprache. Nach J. A. E. Schmidt's russ. Taschenwörterbuch bearb. 2 Thle. in 1 Bd. 2. Aufl. 12. (460; 330 S.) Leipzig 881, Holtze.

Potocki, Fr. A., kurzgefaßtes Wörterbuch der russischen u. deutschen Sprache. Nach J. A. E. Schmidt's russ. Taschenwörterbuch bearb. 2 Tle. in 1 Bd. 3. Aufl. 12. (VI, 460 u. 328 S.) Leipzig 897. O. Holtze's Nachf. 4. 80

Potocki, Hr. Jana, Rękopis znaleziony w Saragossie romans wydany posmiertnie. Wydanie J. N. Bobrowicza. 6 tomów. 8. (1234 S.) Lipsk 847, Librairie étrangère. 6 ℛ

Potocki, Hr. Jan, Rękopis znaleziony w Saragossie, romans wydany posmiertnie. 6 Tomy. Wydanie 2., pomnożone zyciorysem autora. 8. (XXXIII und 1234 S.) Leipzig 856(57,) Librairie étrangère.

Potocki, Hr. Jan, rękopis znaleziony w Saragossie, romans wydany pośmiertnie. 6 tomy. Wydanie 2. J. N. Bobrowicza pomnożone życiorysem autora. Lipsk 857. Librairie étrangère. 8. (220; 232; 200; 186; 232; 164 S.) 4 ℛ.

Potocki, Jan, Graf

Potocki, J., Essai sur l'Histoire univers. et Recherches sur celle de la Sarmatie. 4. Bresl. W. G. Korn. 789.

— fragments historiques et géographiques sur la Scytie, la Sarmatie et les Slaves. IV Vols. 4. Braunschw. 796. Vieweg. 12 ℛ

— mémoire sur un nouv. Péryple du Pont Euxin. gr. 4. Vien. (Schulbuch. Braunschw.) 797.

— mémoire sur un nouveau Périple du Pont Euxin. gr. 8. Wien 797. (Vieweg in Braunschw.) 1 ℛ

Potocki, Comte, Voyage dans quelques parties de la basse Saxe pour la recherche des antiquités des Slaves ou Wendes. Hamb. 795. 4.

— voyage dans la Basse-Saxe, av. fig. gr. 4. Hamb. 795. Schniebes. 4 ℛ

Potocki, Prot Szreniawa, ein Wort zur Vertheidigung des poln. Volks. Aus d. Franz. gr. 8. ($2\frac{1}{2}$ B.) Leipzig 846, Schreck. *

Potocki, Rodericus comes (geb. am 27 Aug. 1834 in Reisen Prov. Posen): De lege Iulia et Papia Poppaea partes selectae. I De origine legis. II De poenis caelibatus et orbitatis ... Bonnae, form. I. F. Carthaus (1855). VI S., 1 Bl., 53 S. 8.
Bonn, Jur. Fak., Diss. v. 11 Aug. 1855

Potocki, Rud., die Wasserheilmethode in Anwendung auf die Krankheiten der Brustorgane für Aerzte und zur Selbstbelehrung bearb. gr. 8. (47 S.) Breslau 854, Kern.

Potocki, St., schnell polnisch. Leichteste Anleitg., die poln. Umgangssprache in einigen Wochen zu erlernen. gr. 16. (144 S.) Brünn 885. Karafiat's Verl. — 90

Potocki, Stanislaw Kostka, Graf

Potocki, St Graf, Rede, geh. am Grabe d. Fürsten Joseph Poniatowski, oberst. Feldherrn d. pohln. Heeres, Großmarschalls d. franz. Reichs. A. d. Pohln. ins Deutsche übers. v. J. S. Richter. 4. ($5\frac{1}{2}$ B.) Oppeln 826. (Breslau, [Hentze.])

Aus dem Lande der Rechtlosigkeit und Demoralisation. Schmachvolle Justizzustände in Kroatien. Ein Kulturbild aus d. österr.-ungar. Monarchie von Dr. Franko Potočnjak. Fiume 1905: Riječka Dionička Tiskara. (29 S.) 8°
[08. 6331

Potočnjak, Franko, aus dem Lande der Rechtslosigkeit u. Demoralisation od. der Statthalter des Königs — e. gemeiner Betrüger. gr. 8. (28 S.) Laibach 902. (I. v. Kleinmayr u. F. Bamberg) n.n. — 40

Potočnik Blasius. Grammatik der slovenischen Sprache. Verfasst und herausgegeben von Blasius Potočnik. Zweite verbesserte Aufl. *Laibach* 1858. Gedruckt bei *J. Blasník*. 182S. 8°. 40 kr. CM.

Potočnik, Blas., das Officium in nativitate Domini u. hebdomadae sanctae et resurrectionis Domini, in Choralnoten gesetzt. Mit vorausgeschickter theoretischer u. praktischer Anleitung zum gregorianischen Choral-Gesange. Für Geistliche u. Cantoren. Laibach 859. (v. Kleinmayr & Bamberg.) Fol. (76 S.) n. 1 ℛ 20 ngr.

Potočnik, Blas., svete pesmi. Popravljene, pomnožene, ene bukvice iz dvojih, četertiga natisa. gr. 16. (208 S.) Laibach 859, Giontini. geb.

Potočnik, *Engelbert* Zur Methodik des deutschen Sprachunterrichtes an biglotten Untergymnasien. 8 (S. 3—17). Staats-G. *Cilli* 1887.
Progr.

Potočnik, Frz., Denkschrift über den Laibacher Morast. Lex.-8. (102 S.) Laibach 875, [Lercher.] v. Kleinmayr und Bamberg.

— an den hohen österreichischen Reichsrath. Betrachtungen üb. die Projecte e. Eisenbahn v. Laak nach Triest od. v. Tarvis üb. den Predil nach Görz. gr. 8. (45 S.) Wien 872. Lehmann & Wentzel. n. 1. —

Potočnik Matthäus: Bemerkungen zum Leben des Themistokles.
II. 1901 PN 1411 Diss.Wien, Univ.

Potonié, Henry

Potonié, H., Abbildungen u. Beschreibungen fossiler Pflanzen-Reste der palaeozoischen u. mesozoischen Formationen. 1. u. 2. Lfg. Hrsg. v. der königl. preuss. geolog. Landesanstalt. Lex.-8. Berlin (S. Schropp). In Mappe à n.n. 3. 50
1. (IV, 5; 2 m. 1 Taf., 2, 3, 2, 5, 2, 3, 1, 6, 3, 3, 6, 2, 2 m. 1 Taf., 4, 4, 10, 6, 8 S.) 903. — 2. (8 m. 1 Taf., 6, 3, 4, 5, 6, 2, 2 m. 1 Taf., 5, 5, 12, 2, 2, 2, 16, 4, 13, 15, 2 u. 4 S.) 904.

Potonié, Henry, Abbildungen u. Beschreibungen fossiler Pflanzen-Reste der palaeozoischen u. mesozoischen Formationen. 3.—5. Lfg. Hrsg. v. der königl. preuss. geolog. Landesanstalt. Lex. 8. Berlin (N. 4, Invalidenstr. 44), Vertriebsstelle der königl. geolog. Landesanstalt. In Mappe à nn 3. 50
3. (9, 12, 9, 10, 4, 5, 5, 11, 5, 25 m. 1 Taf., 6, 23, 3, 6, 13, 4, 13, 10, 6 u. 4 S.) 905.
4. (2, 9, 2, 2 m. 1 Taf., 3, 3, 3, 11 m. 1 Taf., 49, 21, 4, 3, 4, 8, 5, 2, 3, 2, 2 u. 5 S.) 906.
5. (2, 4, 5 m. 1 Taf., 6, 18, 4, 4 m. 1 Taf., 3, 2, 2, 3, 4, 2, 4, 2, 4, 1, 3, 6, 10 u. 15 S.) 907.

Potonié, H., aus der Anatomie lebender Pteridophyten u. v. Cycas revoluta, s.: Abhandlungen zur geologischen Specialkarte v. Preussen u. den Thüringischen Staaten.

— die pflanzengeographische Anlage im kgl. botanischen Garten zu Berlin, s.a. Abhandlungen, allgemeinverständliche naturwissenschaftliche.

——— Die pflanzengeographische Anlage im Königlichen botanischen Garten zu Berlin. Berlin 1890. 8. (S. A. a. d. Naturw. Wochenschrift.)

Ein **Blick** in die Geschichte der botanischen Morphologie und die Pericaulom-Theorie. Von Dr. H[einrich] **Potonié**, Prof. zu Berlin. Mit 9 Abb. ⟨in 6 Fig.⟩. *Jena: G. Fischer 1903.* (45 S.) 8°
Erw. SA. aus: Naturw. Wochenschr. N. F. Bd 2. [03. 7734

Potonié (H.), Die von den fossilen Pflanzen gebotenen Daten für die Annahme einer allmählichen Entwicklung vom Einfacheren zum Verwickelteren.
Berlin, Hab.-Schr. v. 1901
Aus: Naturwiss. Wochenschr. N. F. Bd 1, H. 1.

—— Elemente der Botanik. gr. 8. (VII, 323 S. mit 539 in den Text gedr. Abbild.) Berlin 888, [M. Boas.] Springer. * geb. *

Potonié, H., Elemente der Botanik. Mit 539 in den Text gedr. Abbildgn. 1. u. 2. Ausg. gr. 8. (VII, 323 S.) Berlin 888. 889. Springer. n. 2. 80; geb. n. 3. 60

Potonié, H, Elemente der Botanik. 3., wesentlich verb. u. verm. Aufl. gr. 8. (VII, 343 S. m. 507 Abbildgn.) Berlin 894. J. Springer. n. 4. —; geb. in Leinw. n. 5. —

Potonié. H., Entstehung und Klassifikation der Tertiärkohlen. Halle a. S., 1907. 15 S. mit 7 Abb.

Potonié, H., Die Entstehung der Steinkohle und verwandter Bildungen einschließlich des Petroleums. [Deutsch und französisch.] [1. Aufl.] Berlin, 1905. 47 S. mit Abb.
Dasselbe. [Deutsch.] 4. Aufl. Ebd., 1907. 47 S. mit 29 Abb.

Die Entstehung der Steinkohle und verwandter Bildungen einschliesslich des Petroleums von H[enry] **Potonié**, Prof. 4. verb. u. erw. Aufl. Berlin: Gebr. Borntraeger 1907. (47 S.) 8° [08. 14373

— Die Entstehung der Steinkohle u. der Kaustobiolithe überhaupt (wie des Torfs, der Braunkohle, des Petroleums usw.). Nach Vorlesgn., geh. auf der kgl. Bergakademie u. der Universität zu Berlin. 5., sehr stark erweit. Aufl. des Heftes „Die Entstehg. d. Steinkohle u. verwandter Bildgn. einschl. des Petroleums". (XI, 225 S.) Lex. 8. Berlin 910. Gebr. Borntraeger. 7.80
4. Aufl. (47 S. m. Abb.) 907. 4.—.

Potonié H.: Ueber den Ersatz erfrorener Frühlingstriebe durch accessorische u. andere Sprosse. 1880. [Rostr. Saml.].

Potonié, H., über die fossilen Filicales im Allgemeinen u. die Reste derselben zweifelhafter Verwandtschaft; Sphenophyllales; Calamariales; Lepidophytineae; Cycadofilices u. Reste besonders zweifelhafter Stellung. s.: Engler, A., und K. Prantl, die natürlichen Pflanzenfamilien. I. 4.

—— illustrirte Flora von Nord- und Mittel-Deutschland, mit einer Einführung in die Botanik. 10 Lfgn. gr. 8. (IV, 420 S.) Berlin 885, Boas. à Lfg. * 50 Pf. *

Potonié, H., illustrierte Flora v. Nord- u. Mittel-Deutschland m. e. Einführung in die Botanik. 2. Aufl. gr. 8. (VIII, 427 S.) Berlin 886. Brachvogel & Boas. geb. n. 6. —

—— dass. — 3. wesentlich verm. und verb. Aufl. gr. 8. (VIII, 511 S.) Berlin 887, [Boas.] Springer. * geb. *

Potonié, H. Illustrierte Flora v. Nord- u. Mittel-Deutschland m. e. Einführung in die Botanik. 4. wesentlich verm. u. verb. Aufl. Mit 598 Abbildgn. gr. 8. (VIII, 598 S.) Berl. 889, Springer. * 6 —; geb. * 7 —

— Illustr. Flora v. Nord- u. Mitteldeutschland. 5. Aufl. 2 Bde. Text. (VI, 551 S. m. 150 Abb. u. Atlas.) Mit Abb. v. fast 1500 Arten u. Varietäten. (IV, 364 S.) 8. Jena 910. G. Fischer. 6.—; geb. 7.—

— die Flora des Rothliegenden v. Thüringen, s.: Abhandlungen der königl. preussischen geologischen Landesanstalt.

Flore Dévonienne de l'étage H de Barrande publié par Prof. Dr H[einrich] **Potonié** ⟨Berlin⟩ et Dr Ch. Bernard ⟨Genève⟩. Avec 156 fig. Leipzig: R. Gerhard in Komm. (1903). (68 S.) 4°
= **Barrande**, Joachim: Système silurien du centre de la Bohême. Suite. [06. 15143 10

— die Geheimnisse der Blumen, s.: Kirchner, O.

— Zur Genesis der Braunkohlenlager der südl. Prov. Sachsen. (S. 539—550 m. 3 Taf.) Lex. 8. Berlin 908. (N. 4, Invalidenstr. 44), Vertriebsstelle der kgl. geol. Landesanstalt. b nn — 50
Sonderabdr. aus: „Jahrb. d. kgl. preuss. geolog. Landesanstalt".

Potonié (H.), Die floristische Gliederung des deutschen Carbon und Perm. 4°
Aus: Glückauf. Jg. 32, No 7. 1896.
[Ausführl. behand. in: Abhandlungen zur geol. Spezialkarte von Preussen ... N. F. H. 21.]

Die floristische Gliederung des deutschen Carbon und Perm. Von H[enry] **Potonié**. M. 48 Abb. im Text. Hrsg. v. d. Kgl. Preuss. geol. Landesanstalt. *Berlin: S. Schropp 1896.* (2 Bl., II, 58 S.) 1 Bd 4.(8.)
= Abhandlungen d. Kgl. Preuss. geol. Landesanstalt. N. F. H. 21. [98. 1714

— dio morpholog. Herkunft des pflanzlichen Blattes u. der Blattarten, s.: Abhandlungen, allgemein-verständliche naturwissenschaftliche. 21.

—— Die versteinerten Hölzer in den palaeolithischen Formationen, s. Abhandlungen, allgemein-verständl. naturwissensch.

— Üb. rezente allochthone Humusbildungen. (10 S.) Lex. 8. Berlin 908. (G. Reimer.) — 50
Sonderabdr. a.: „Sitzungsber. d. preuss. Akad. d. Wiss."

Potonié: Humuserden sind zu scheiden in.... s. Albert

Potonié, H[enry]: Die rezenten Kaustobiolithe und ihre Lagerstätten. 2., sehr stark erw. Aufl. von desselben Verf. Klassifikation u. Terminologie d. rezenten brennbaren Biolithe u. ihrer Lagerstätten. (1906). Bd 1. Berlin: Geol. Landesanst. 1908. 4°(8°)
(Abhandlungen d. Kgl. Preuß. Geol. Landesanst. N. F. H. 55.)

— Die rezenten Kaustobiolithe u. ihre Lagerstätten, s.a. Abhandlungen d. kgl. preuss. geolog. Landesanst. 55. Heft.

— Eine Klassifikation der Kaustobiolithe. (12 S.) Lex. 8. Berlin 908. G. Reimer. — 50
Sonderabdr. a.: „Sitzungsber. d. preuss. Akad. d. Wiss."

Klassifikation und Terminologie der rezenten brennbaren Biolithe und ihrer Lagerstätten. Im Auftr. d. Kgl. Preuß. Geol. Landesanst. zsgest. von H[enry] Potonié. Hrsg. von d. Kgl. Preuß. Geol. Landesanst. Berlin: Geol. Landesanst. 1906. (94 S.) 4°(8°)
= Abhandlungen d. Kgl. Preuß. Geol. Landesanstalt. N. F. H. 49. [06. 13866

— — 2., sehr stark erweit. Aufl. (m. Tit.: Die rezenten Kaustobiolithe u. ihre Lagerstätten). 3 Bd. Sst. Fig. 4°.
(1. Die Sapropelite. 1908. (15) 251 S. — 2. Die Humus-Bildungen. (1. Teil). 1911. 326 S. — 3. Die Humus-Bildungen (2. Teil) u. die Liptobiolithe. 1912. 322 S. 4 kol. Tvl.). (= Abhandlungen d. Konigl.-preussischen geologischen Landesanstalt. Neue Folge. H. 55, 1—3).

— Kultureinflüsse auf Sumpf u. Moor, s.: Wahnschaffe, F., P. Graebner, Fr. Dahl, der Grunewald bei Berlin.

— eine Landschaft der Steinkohlen-Zeit. Erläuterung zu der Wandtafel, bearb. u. hrsg. im Auftrage der Direction der königl. preuss. geolog. Landesanstalt u. Bergakademie zu Berlin. gr. 8. (40 S. m. Abbildgn. u. 1 Taf.) Berlin 899. Gebr. Borntraeger. n. 4. -

— die Lebewesen im Denken des 19. Jahrh., s.: Abhandlungen, allgemein-verständliche naturwiss. 25.

— Lehrbuch der Pflanzenpalaeontologie m. bes. Rücksicht auf d. Bedürfnisse d. Geologen. 1.—3. Lfg. gr. 8. (VII u. S. 1—288 m. Abb.) Berlin 897. 98. F. Dümmler's Verl. à Lfg. n. 2. —

— Lehrbuch der Pflanzenpalaeontologie m. besond. Rücksicht auf die Bedürfnisse der Geologen. Mit 3 Taf. und fast 700 Einzelbildern in 355 Text-Fig. Schluss. gr. 8. (VIII u. S. 289—402.) Berlin 899. F. Dümmler's Verl. n. 2. —; (kpl. n. 8. - ; geb. n. 9. 60)

Die Metamorphose der Pflanzen im Lichte palaeontologischer Thatsachen. Nach e. Vortrag geh. in Berlin ... 1897 vor d. cultus-ministeriellen vii. naturwiss. Feriencursus f. Lehrer an höh. Schulen v. H[enry] Potonié ... M. 14 Fig. *Berlin: F. Dümmler 1898.* (29 S.) 1 Bd 8. [96. 6119

Potonié (H.), Das Königl. botanische Museum zu Berlin. Mit 3 Tafeln. (Sep.-Abdr. a. d. Naturw. Wochenschr.) Berlin 1891. 8.

Pflanze und Tier. Von Prof. Dr. Henry Potonié. Berlin & Leipzig: Deutscher Monistenbund [1910]. 23 S. 8°
(Die Einheit in d. Natur. 3.)
(Deutscher Monistenbund. Flugschrift der Ortsgruppe Groß-Berlin. 5.)
(Flugschriften d. Deutschen Monistenbundes. Nr 25.) [10. 10450

— Pflanze u. Tier, s.a. Flugschriften d. deutschen Monistenbundes.

Potonié, H. Das grösste carbonische Pflanzenfossil des Europäischen Continents. Berlin. 1892.

Potonié, Henry: Pflanzen-Vorwesenkunde im Dienste des Steinkohlen-Bergbaues Nach einem Vortrage, gehalten im Gebäude der Kgl. Bergwerksdirektion Saarbrücken am 21. Okt 1898. (S.-A.) „Bergmannsfreund". Zeitung zur Unterhaltung und Belehrung für Bergleute.) St. Johann 1899. 31 S. 8°.

— die Pflanzenwelt Norddeutschlands in den verschiedenen Zeitepochen, besonders seit der Eiszeit, s.a. Sammlung gemeinverständlicher wissenschaftlicher Vorträge.

Potonié, H., Die Pflanzenwelt Norddeutschlands in den verschiedenen Zeitepochen, besonders der Eiszeit. Hamburg 1886. 8.
Ist: Samml. gem.-verst. wiss. Vortr. N. F. Ser. 1. Nr. 11. . . . . (HC.)

—— Naturwissenschaftliche Repetitorien. 1.—3. Heft. 8. Berl., Fischer's medicin. Buchh. * 12 —
1. Heft. Koerber, Felix u. Paul Spiess. Physik. (IV, 207 S. m. 133 Abbildgn.) 893. * 4 —.
2. Heft. Fischer, R. Chemie. (IV, 172 S.) 891. * 3 —.
3. Heft. Müller, Carl, u. H. Potonié. Botanik. (IV, 323 S. m. 43 Abbildgn.) 893. * 5 —.

Die Silur- und die Culm-Flora des Harzes und des Magdeburgischen. Mit Ausblicken auf die anderen altpalaozoischen Pflanzenfundstellen des Variscischen Gebirgs-Systems. Von H[enry] Potonié. *Berlin: S. Schropp 1901.* (183 S.) 8°
= Abhandlungen d. K. Preuss. geol. Landesanstalt. N. F. H. 36. [01. 13..

Potonié, H., das Skelet der Pflanzen, s.a. Sammlung gemeinverständlicher wissenschaftlicher Vorträge.

Potonié H. das Skelett der Pflanzen. (Slg wissensch. Vortr. 382) Berlin 1882

— u. W. Gothan, Vegetationsbilder der Jetzt- u. Vorzeit. Nach Orig. v. Hugo Wolff-Maage. 3 Taf. Je 85×113 cm. Farbdr. Esslingen 907. J. F. Schreiber. à 4.50; auf Leinw. m. Stäben à 6.50; u. lackiert à 7.—; erklärender Text. (6 S. m. Abb.) Lex. 8. — 30
I. Laubwald m. Unterflora. — II. Verlandungsvegetation. — III. Moorlandschaft der Steinkohlenzeit.

— naturwissenschaftl. Volksbücher, s.: Bernstein, A.

— s.: Wochenschrift, naturwissenschaftl.

— die systematische Zugehörigkeit der versteinerten Hölzer [vom Typus Araucarioxylon] in den palaeolithischen Formationen, s.: Abhandlungen, allgemein-verständliche naturwissenschaftliche.

POTOTSCHNIK, Philipp: De relatione inter Novum et Vetus Foedus intercedente. — um 1909. 49 S. Diss. Graz, Univ.

— u. Chr. Speier, unser Volk in Waffen! Das deutsche Heer in Wort u. Bild. (In ca. 30 Hftn.) 1—20. Hft. Fol. (S. 1—244 m. Illustr. u. Taf.) Stuttgart 885. 86. Spemann. à n. 1. 50

— u. Chr. Speier, unser Volk in Waffen. Das deutsche Heer in Wort u. Bild. 21.—33. (Schluß-)Hft. Fol. (XI u. S. 245—385 m. eingedr. Illustr. u. Taf.) Stuttgart 887. [Spemann.] Union. à n. 1. 50 (cplt. geb.: n. 70. —)

Poten, Wilh., d. chirurgische Asepsis d. Hände. gr. 8. (47 S.) Berlin 897. S. Karger. n. 1. —

Poten, W[ilhelm] A[nton] R[ufo]: Hebammen-Unterricht und Hebammenwesen. — Berlin: Hirschwald 1895. 32 S. 8°

Poten, Wilh., experimentelle Untersuchungen über Lungenschwindsucht und Tuberculose. Inaugural-Dissertation. gr. 8. (51 S.) Helmstedt 885. (Göttingen, Vandenhoeck und Ruprecht's Verlag.) * 1 20

Europäisches Potentaten-Gespräch über die von Frankreich geführten Kriege. 4. s. l. 1700.

Potente, Chr., prakt. Handbuch der Brückenbaukunde in ihrem ganzen Umfange, besonders der geraden u. verschobenen Brückenbögen, sowie Darstellung des Steinschnitts, Tragfähigkeit der Materialien, welche von der Natur gebildet oder künstlich erzeugt sind, nebst den sonst zu beobachtenden Gleichgewichtsverhältnissen. gr. 8. (15 B. u. 19 Taf. Abbild.) Kassel 814, Luckhardtsche Buchh. *

Potente, Chr., prakt. Handb. d. Eisenbahn- u. Dampfmaschienenkunde, besond. d. mechan. Theils m. Benutzung d. Erfahrngn. zur Vergleichung der Dampf- m. der Wasser- u. wirkl. Pferdekraft, nebst d. sonst bei der Anlage der Eisenbahnen zu beobachtenden Gleichgewichts-Verhältnisse. Mit 3 lith. Taf. (in Fol.) gr. 8. (158 S. mit 2 Tab. in gr. 4.) Kassel 847, Fischer. n. 2⅔ ₰

—— praktisches Handbuch der Thalüberbrückungen bis zu 280 Fuß größter Höhe, sowie Darstellung des Steinschnitts, Tragfähigkeit der Materialien, welche von der Natur gebildet od. künstlich erzeugt sind, nebst den sonst zu beobachtenden Gleichgewichtsverhältnissen. Als Anh. zum prakt. Handbuche d. Brückenbaukunde. gr. 8. (1½ B. u. 5 Taf. Abbild.) Kassel 846, Bohné. *

Potenti de Pistoia, C., Carte itinéraire, historique et statistique des chemins de fer et des autres voies de communication à vapeur de l'Europe centrale. Publiée en 1846 par l'établissement géographique de Bruxelles fondée par Ph. van der Maelen. Imp.-Fol. (Nebst Text.) 846. (Leipzig, Michelsen.) n. 2⅔ ₰

Potentialtheismus, e. neuer Weg zur Lösg. d. „Welträtsel", v. Candidus. (III, 51 S.) 8. München 908. Th. Ackermann. 1.50

Potenzir-Tabelle, auf Grund der Pharmacopoea homoeopathica polyglotta v. Willm. Schwabe, homöopath. Central-Apotheke, Leipzig. (16 S.) 8. Leipzig (898). Dr. W. Schwabe. —75

Poteritis! Ein Mahnruf an den katholischen Klerus von einem Katholiken. [Wr.-Neustadt 1907.] V: *Schalk, Carl.* (EB)

Poterius, Petr., Medicina consultatoria, worinnen über schwere Casus ausgebreitete Consilia auch responsa facultatis medicae enthalten in fünf Decurien abgetheilt. Erster Theil Hal. 1721. 4°. *Haller,* Bibl. med. pr. III, 524.

Poterius, Petr., Medicina systematica T. II, quo philosophia corporis humani morbosi et vera pathologiae fundamenta et praeservatio a morbis exponuntur. Hal. 1720. 4°. *Haller,* Bibl. med. pr. III, 539.

Poterius, Petr., De morbis infantum praecipuis l. posthumus. Hal. 4°. *Haller,* Bibl. med. pr. III, 548.

Poterlet, H., stylisirte u. naturalistische Blumen-Ornamente. Kleine Compositionen im Style Louis XV. u. XVI. Für Musterzeichner der Textilindustrie, Ciseleure, Graveure, Porzellan- u. Glasmaler, Kunststicker etc. Fol. (36 Radirgn.) Berlin 891. Hessling & Spielmeyer. In Mappe. n. 15.—

Potestas ecclesiastica brevicompendi sed methodo novo exposita. V: *Curald, Robert.* (S. Brunner, Der Humor in der Diplomatie 2/189) (BiblPort)

Potestas summi pontificis in tollendis regularium ordinibus defensa adversus amicam defensionem Sociatatis Iesu etc. Auctore H. Braun. 4. Ulm, Wohler. 775.

Potestate, de, ecclesiast. et temporali, s. declaratio cleri gallicani 1682 etc. 8maj. Wien 770. Ghelen. 1 ₰ 4 ₰

Potestatis, Fel., Examen ecclesiast. 4. Colon. (Wolf, Augsb.) 744.

Potevin, P. L., kurzer Abriss der Grundbegriffe des graphischen Defilements. Aus dem Französ. übers. Mit 6 (lith.) Taf. Darmstadt 856. Jonghaus. 8. (34 S.) 12 ngr.

Pötevin, s. *Poetevin.*

Potgeter, H., die Taufe und der Baptismus. Ein Wort zur Belehrung und Berichtigung. 2. verb. und verm. Aufl. 8. (28 S.) Leer 888. Leenderts. *

Potgieser, Joach., De conditione et statu servorum apud Germanos tam veteri, quam novo libri 3, ex priscis Germanorum legibus, ... concinnati. Coloniae Agr. 1707. 8. (BRG.; D.)

— Commentarior. iuris germ., de statu Servorum veteri perinde atq. novo libri quinque etc. 4. Lemgo, Meyer. 756.

Potgieser, Joach., Tractatus de indole et natura pignoris quoad jus gentium jura et consuctudines Germaniae. Accedit commentatio de obstagio sive pignore personali-cjusque antiquo in Germania usu. Marburgi 1722. 4. . . . . (BRG.; D.)

Potgieser, Ioach., de indole et natura pignoris quoad ius gentium, iura et consuetud. Germau. 4. Marb. (Hermann, Francf.) 722.

POTH, Hugo (Dorstfeld): Ein Fall von beginnendem Magencarcinom.- München: Kastner & Lossen 1896. 16 S., 1 Bl.
14.11.1895 - Chr 1895/96,8; Jv 1895/96,227 (Prom.-Datum: 1896)
Diss. Ingolst.-Landsh.-Mchn.

Poeth, Iosephus (geb. am 4 Okt. 1823 in Korschenbroich Rgbz. Düsseldorf): De Fenestella historiarum scriptore et carminum ... Bonnae, form. F. P. Lechneri 1849. 1 Bl., 56 S., 1 Bl. 8.
Bonn, Phil. Fak., Diss. v. 8 Aug. 1849

Pöthe, Rhold., der Blitzableiter, s.: Handwerker-Bibliothek. 3. Bd.

— Die Wasserbeschaffung. Anleitung zur Herstellung v. Wasserversorgungs-Anlagen f. häusl., gewerbl. u. industrielle Zwecke. Zum Gebrauch f. Installateure, Wasserwerkbeamte, Brunnenbauer, Schlosser usw. (119 S. m. 100 Abb. im Text u. auf 1 Taf.) 8. Dresden 908. G. Wolf. 2.—

Pothean, E.: Über die antitoxischen Wirkungen des Jodipins bei akuten Erkrankungen. Darmstadt 1906.

Poethen, Wilhelm: Das literarische Leben im Wuppertale während des 19. Jahrhunderts. T. 1. Münster i. W. 1910: Westfäl. Vereinsdruckerei. VIII, 126 S. 8° ¶ (Ersch. auch als Buch b. Martini & Gruttefien, Elberfeld.)
Münster, Phil. Diss. v. 5. Febr. 1910, Ref. Schwering
[Geb. 26. Dez. 86 M.-Gladbach; Wohnort: Münster i. W.; Staatsangeh.: Preußen; Vorbildung: Oberrealsch. M.-Gladbach Reife O. 06; Studium: Münster 3, Berlin 1, Münster 3 S.; Rig. 24. Juli 09.] [U 10. 3794

Poethen, Wilh., das literar. Leben im Wuppertale während des 19. Jahrh. 1. Tl. (VIII, 127 S.) gr. 8. Elberfeld 910. A. Martini & Grüttefien. 2. —

Pothier, Jos., der Gregorianische Choral, seine ursprüngliche Gestalt und geschichtliche Ueberlieferung. Uebersetzt von Ambros. Kienle. gr. 8. (X, 273 S.) Tournay 881. (Aachen, Barth.) * 4 —

Pothier, Robert Joseph

Pothier, R. J., Pandectae Justinianeae, in novum ordinem digestae; cum legibus codicis, et novellis quae jus pandectarum confirmant, explicant aut abrogant. Praefixus est index titulorum et divisionum omnium, quo totius operis specimen quoddam et quasi materiarum appendix exhibetur. Subjecta quoque tabula, qua nominatim leges omnes cum suis paragraphis et versiculis ordini Digestorum restituuntur. III Tom. Fol. Paris 782. (Ed. N.) V Voll. 4maj. ibid. 818—20. (Michelsen in Lpz.) 35 ℳ 12 ℊ

Pothier, (R. J.) Pandectae Justinianeae, in novum ordinem digestae, cum legibus codicis, et novellis, quae jus pandectarum confirmant, explicant aut abrogant. Praefixus est index titulorum et divisionum omnium, quo totius operis specimen quoddam et quasi materiarum appendix exhibetur. Subjecta quoque tabula, qua nominatim leges omnes cum suis paragraphis et versiculis ordini Digestorum restituuntur. (N. Edit.) V Tomi. 4 maj. Paris 1818 — 20. (Ponthieu et C. in Leipz.).

Pöthig, H., Rechenbuch f. Volksschulen, }
— Wiederholungs- u. Ergänzungsheft } s.: Möbius, H.
zu dem Rechenbuch für Volksschulen, }

Pöthig, Otto: Das Problem der deutschen Dachform im Einzel- und Städtebau und die neuen Dachkonstruktionen. Mit 1 Titelbild u. 134 Abb. Berlin: Ernst 1911. 288 S., 1 Taf. 8° ¶ Auch als Buch.
Braunschweig, Dr.-Ing.-Diss. v. 22. 12. 1910

Pothmann, Mor. Kasim., Varenholzer Abschieds- u. Lemgoer Antrittspredigt. 8. Lemgo 794. Meyer. 8 ℊ

— s. W. Fassens Funk.

— Gedächtniß-Predigt üb. d. vorgeschriebenen Text: Psalm 31, V. 15, 16. bei d. Todtenfeier d. Fürstin Christina Wilh. zur Lippe. 8. Lemgo 821. Meyer. 2 ℊ

— Predigt üb. 1. Buch Mos. 50, V. 20. gehalten am 2. Juli 1815 nach dem Siege bei belle Alliance. 8. Lemgo 815. Meyer. 4 ℊ

— Sittenbuch für d. christl. Landm. in wahr. Gesch. ꝛc. 8. Leipzig, Barth. 790.

— Sittenbuch f. d. christl. Landmann, mit wahren Geschichten u. Beispielen z. Lehre u. Erbauung. 8. Lpz. 790. Barth. 8 ℊ

— westphäl. Stadt- u. Landchronik z. Nutzen u. Vergnügen f. Handwerker u. Landleute; ein Wochenblatt. Jahrg. 1793. 4. Bückeburg.

— westphäl. Taschenbuch fürs Volk, f. d. Jahr 1815. 8. Lemgo 815. Meyer. 4 ℊ

— westphäl. Volkskalender f. das Jahr 1807, 8 u. 9. 8. Lemgo, Meyer. (807 9 ℊ 808 u. 9 à 8 ℊ) 1 ℳ 1 ℊ

Poths, Heinrich [approb. Arzt aus Echzell]: Aus d. patholog. Institut zu Giessen. Beiträge zur Casuistik der Embolie bei offenem Foramen ovale .... Giessen, Brühl'sche Druckerei (Fr. Chr. Pietsch), 1887; 31 S. 8°
Giessen, Med. Fak., Inaug.-Diss. v. 1887

Poths-Wegner, Friedrich

Poths-Wegner, lose Blätter. Reiseerinnergn. (I.) (VI, 307 S.) 8. Dresden 909. E. Pierson. 3.—; geb. n 4. —

— Die Börse. Schauspiel in 4 Akten. (80 S.) 8. Wiesbaden 908. (R. Bechtold & Co.) Nicht im Handel.

Capri. Venedig. Von [F.] Poths-Wegner. *Berlin: P. Scheller 1901.* (134 S.) 8° [F.]
= Poths-Wegner: Kreuz- u. Querfahrten. 2. [02.11367

Poths-Wegner, Capri-Venedig. 2. [Titel-]Aufl. (134 S.) 8. Leipzig [899.] (903). P. List. n. 2. —

Dalmatien, Montenegro und Albanien. Von [F.] Poths-Wegner. *Berlin: P. Scheller 1901.* (VI, 256 S.) 8°
= Poths-Wegner: Kreuz- u. Querfahrten. 3. [02.11368

— **Dalmatien, Montenegro u. Albanien.** 2. [Titel-]Aufl. (X, 256 S.) 8. Ebd. [899.] (903). n. 3. —

Deutschlands Einigung und Kaiser Wilhelm II. Eine geschichtl. Erzählung von [Friedrich] Poths-Wegner. Mit 15 Portr. *Leipzig: P. List 1903.* (XVI, 412 S.) 8° [F.] [03.11334

— Komödien. 4 Tle. 8. Ebd. 907. à 1.50; in 1 Bd. 5. —
1. Eine Gesellschaft wider Willen. Lustspiel in 3 Akten. (III, 59 S.)
2. Wahlkampf. Schauspiel in 4 Akten. (81 S.)
3. Handel u. Wandel. Schauspiel in 4 Akten. (74 S.)
4. Beim Brett'l. Komödie in 4 Akten. (70 S.)

[F.] Korsika v. [F.] Poths-Wegner. *Berlin: P. Hüthig 1897.* (2 Bl., 158 S.) 1 Bd 8.
= Poths-Wegner, F.: Kreuz- u. Querfahrten. [Bd] 1. [99. 686

Korsika. Von [F.] Poths-Wegner. 2. Ausg. *Berlin: P. Scheller 1901.* (158 S.) 8° [F.]
= Poths-Wegner: Kreuz- u. Querfahrten. 1. [02.11366

— **Korsika.** 2. [Titel-]Aufl. (158 S.) 8. Ebd. [897.] (903). n. 2. —

Pototzkii, N. Skizze des gegenwärtigen Zustandes der Artillerie. Zusammengestellt für Infanterie- und Kavallerie-Lehr-Anstalten. Mit 192 Holzschn. im Texte. gr. 8. St. Petersburg 1862.

Pototzky, Hans. Ludwig Heinrich von Jakob als Nationalökonom. Ein Beitrag zur Geschichte der Nationalökonomie Deutschlands im XIX. Jahrhundert. Diss. Phil. Bern. 101 S. 8. Strassburg i. E., Josef Singer, 1905.

Pototzky, Hans. Die Politik und die Dichtung. 70 S. 8. Bern, Scheitlin, Spring & Cie., 1906. [fr. 1. —]
(Etwas erweiterte Wiedergabe zweier Vorträge....) – Berner Studien zur Philosophie und ihrer Geschichte.... Band 46.

Pototsky, Carl: Versuche zur Auffindung neuer Lokalanästhetica. *Breslau 1903: Bresl. Genoss.-Buchdr.* (24 S.) 8°
Breslau, Med. Diss. v. [16. Nov.] 1903

Pot-Pourri. Gotha 1773. V: *Reichard, Heinrich Aug. Ottocar.* (ADB)

— nach dem Recepte des Leipziger Musenalmanachs. 8. Gotha, Ettinger. 773.

POTPOURRI, oder Sammlung von Gedichten, Erzählungen, Romanen und Satyren etc. Wien, in der von Gehlenschen Buchh. 8°. 1775.

POT-POURRI. Nr. I. O. O. 1781. 8°. (In Stuttgart.) Selten!
386 S. Aufsätze über Sitten, Theater, berühmte Personen, etc., wobei Pikantes.

Potpourri oder Sammlung auserlesener Gegenstände . . . Bamberg 1796. V: *Lochner Freih. von u. zu Hüttenbach, Adam Frdr. von.* (Ky)

— od. Sammlung auserl. Gegenst. z. Nutz. und Vergn. gr. 8. Bamberg, Dederich. (Göbhard.) 796.

Potpourri. Geschichten aus d. Gesellschaft von e. Eingeweihten. 1.–3. Taus. Berlin: R. Eckstein Nachf. [1905]. (206 S.) 8° Ivk. mm 11

POTPOURRI für die Damen. Eine Wochenschrift Bdchn. 1. (einz.) Anspach, bey Bened. Frdr. Haueisen. 1774. 8°. (12 Sgr. Völcker, Frkft. a. M., vor 1875.)
O. M. V. 1775. S. 852.

— f. die Damen. 1r Bd. 8. Ansb. 775. Haueisen. 7 Gr.

Pot-pourri für Dames (!). Eine Auswahl vortrefflicher Aufsäzze (so!). Mit 13 (drast.-pikanten) Kpfrn. von Ramberg u. Buchhorn (welche eigentlich zu Schink's „Abdera" gehören). O. O. 1800. 16°. (15 Mk. C. G. Börner, Lpz., 1907.)

POTPOURRI des dames. Auswahl vorzügl. Aufsätze aus Taschenbüchern f. 1800. (Berl. u. Lpz.) Mit 13 z. Th. erot. Kupf. (zu Schinks Theater zu Abdera) von Ramberg u. Buchhorn. 8°. (5 Mk., Origlbd., Harrwitz, Berlin, 1891; 15 Mk. C. G. Boerner, Lpz., 1907.)
Unter den Aufsätzen: Physische Lebensgeschichte des Menschen. — Von den Fächern. — Filzhüte. — Geschichte der Hochzeitskränze u. Brautringe. — Schädlichkeit der Schnürbrüste, Calendarium, Sitten, Recepte etc.

Potpourri des dames, Auswahl vorzügl. Aufsätze; ein Taschenbuch f. 1800. Mit 13 Kpf. 8. Kopenh. 800. Brummer. (W. Nauck in Leipz.) 1 Thlr.

Potpourri des Dames, Ausw. vorzügl. Aufsätze e. Taschenb. f. 1800. m. K. 16. Copenh. Brummer. (Sommer in Lpz.) 800.

Potpouri, dramat., Auswahl kom. Scenen u. Gesänge rc., s. Bibliothek d. Frohsinns, X. Serie.

Potpourri d'enfantines par une amie des enfants. (Tuisca Hartung.) 4. (16 S. und 12 ill. Stnt. mit Text.) Dresde 855, Meinhold und Söhne.

Potpourri d'enfantines par une amie des enfants. (Par Tuisca Hartung.) 2. édit. 856. — 3. édit. revue et corrigée. Dresde (858.) Meinhold. 4. (20 Bl. mit 12 lith. u. color. Bildern im Text.) 18 ngr.

— hauswirthschaftl., od. natürl. Wunder- u. Zauberkabinett, f. bürgerl. Nahrung u. Gewerbe, (gesammelt u. herausgg. von D. G. Wahrmann). 8. Lpz. 815. R. A. ... Joachim. 20 Gr.

POTPOURRI, Humoristisches. Allerlei Bilder und Schilderungen (!) aus den Straßen Berlins, von *H. A. B.* Berlin, o. J. (18**). 12°. (60 Pfg., Max Jaeckel, Potsdam, Cat. 2. [c. 1902] no. 897.)

POTPOURRI, Humoristisches. Bilder u. Schilder (!) aus den Straßen Berlins. Berlin, Grothe, 1865. 16°. (10 Sgr.)
Herm. Hoppe's Cat. St. Petersb. 1871. S. 852.

Potpourri, humoristisches. Allerlei Bilder u. Schilderungen aus den Straßen Berlin's von G. A. B. Berlin 865. Grothe. 16. (128 S.) n. 10 ngr.

Potpourri, komisches, bestehend aus den besten Anekdoten, Schwänken, Schnurren und Kalauern. Ein Büchlein für lachlust. Leute. 8. (64 S.) Köln 881, Püttmann.

— kritischer, mit allerlei Leb- u. Tadelblumen u. untermischten Geisterstimmen, veranlaßt durch die Darstellung d. Sophie Schröder auf der Bühne zu Breslau u. von u. über diese Bühne. Fünf Blumenstücke mit Beiblumen. 4. Bresl., Schöne. 10 Gr.

— f. die heutige Lesewelt, welches mit gleichem Erfolg v. vorne nach hinten od. von hinten nach vorne gelesen werden kann, u. mehr z. Lachen als z. Weinen eingerichtet ist. gr. 8. Frkf. a. M. 811. Gebhard u. K. 10 Gr.

— f. die Lesewelt z. Unterhaltung, Nachdenken u. Vergnügen. 2 Bdchen. 8. Gera 787. Haller. 1 Thlr.

[Potpourri] Zum 11. März 1826. o. O. [1826]. 2 Bl. 8°.
„Die Freunde all versammeln sich" . . . 358a.

Pierer, Eug.: Poetisches **Potpourri** dem Br. Gesellen Eugen zur Wanderschaft dargebracht beim Abschiedsmahle am 27. Febr. 1850 von mehreren Werkleuten d. k. K. Altenburg [1850]: Hofbuchdr. 1 Bl. 2° [Kopftit.]
Lied ohne Noten: „Auf, auf, Ihr Brüder, und seid stark!" , 3. 193. 358a.

Potpourri. Politisches P" aus Kulturiens Tagesgeschichte. Zurzach s. S(pühler), J[ohann] (J[acob]).

— für Oesterreichs Töchter. 2 Hefte. gr. 8. Wien, Doll. 790.

Potron, Ch., et Bayard, Laure et Delphine, s. Théâtre français.

Potron, Feu Lionel, s.: Scribe.

Pötsch, Anna, der kleine Besenbinder. Märchen in 2 Abtlgn. 8. (16 S.) Schwarzenberg 901. M. Helmert. n.n. — 25

Pötsch, Christian Gottlieb, s. Pötzsch, Christian Gottlieb.

Pötsch, D., Gelobt sei Jesus u. Maria! Besuchungen des Allerheiligsten Altarssacramentes u. Begrüßungen der allerseligsten Jungfrau Maria nach Alph. Maria von Liguori u. anderen Vorbildern auf jeden Tag des Monats eingerichtet. Würzburg 865. Stahel'sche Buchh. 8. (32 S.) 2 ngr.

Poetsch, Frdr. Herm., das Gefrierverfahren. Methode f. schnellen, sicheren u. lotrechten Abteufen v. Schächten im Schwimmsande u. überhaupt im wasserreichen Gebirge; f. Herstellg. tiefgehender Brückenpfeiler u. f. Tunnel-Bauten im rolligen u. schwimm. Gebirge. gr. 8. (50 S. m. 4 Taf.) Freiberg 886. Craz & Gerlach. n. 1. 50

Poetsch, F. H. Das Gefrierverfahren zum Abteufen von Schächten im Schwimmsande. Freiberg. 1885.

Poetsch, F. H., Geschichtliches über die Entstehung und Herausbildung des Gefrierverfahrens. Magdeburg, 1889. 32 S.

Poetsch, J. S., u. K. B. **Schiedermair,** systematische Aufzählung der im Erzherzogth. Oesterreich ob der Enns bisher beobachteten samenlosen Pflanzen [Kryptogamen]. Hrsg. v. der k. k. zoologisch-botan. Gesellschaft in Wien. Vorgelegt in der Sitzg. vom 5. Juli 1871. gr. 8. (XLVII, 384 S.) Wien 872. Leipzig, Brockhaus' Sort. in Comm. n. 8. —

Poetsch, J. S., u. C. B. **Schiedermayr,** systematische Aufzählung der im Erzherzogth. Oesterreich ob der Enns bisher beobachteten samenlosen Pflanzen (Kryptogamen), hrsg. v. der k. k. zoologisch-botan. Gesellschaft in Wien im J. 1872. Nachträge. Unter Mitwirkg. v. Mor. Heeg u. Siegfr. Stockmayer bearb. v. C. B. Schiedermayr. Hrsg. v. der k. k. zoologisch-botan. Gesellschaft in Wien. gr. 8. (216 S.) Wien 894. (A. Hölder.) n. 5. — (Hauptwerk u. Nachträge: n. 13. —)

Pötsch, Jos., bleibe fromm u. gut!, s.: Kinder-Bibliothek, katholische. 34.

Pötsch, Jos., Das undogmatische Christentum u. die unabhängige Morallehre, zwei Ideale der modernen Pädagogik. Kempten, Kösel, 1895, 8°, 48 S., 45 Pf.
Zugleich das 8. Heft der „Pädagogischen Vorträge". Ebenda.

— d. undogmat. Christentum u. d. unabhäng. Morallehre, zwei Ideale d. modernen Pädagogik, s. a. Vorträge u. Abhandlungen, pädagog.

— Christoph Columbus u. die Entdeckung Amerika's, s.: Kinder-Bibliothek, kathol. 31.

Pötsch, Josef: Etwas über Hrn. Dittes selbst, s. Vorträge Pädagog., u. Abhandlungen.

Pötsch, Josef: Fabelbüchlein, s. Kinder-Bibliothek, Kathol.

Die subsidiäre Haftung für fremde Geldstrafen nach deutschem Reichs- und preußischem Recht. Von Dr. jur. [Josef] **Poetsch**, Ger.Ref. Berlin: H. Bahr 1907. (VI, 160 S.) 8° [F.] [07. 10000

— u. J. **Hart**, Heimatkunde des Reg.-Bez. Koblenz. Für Schule u. Haus bearb. 8. (68 S. m. 1 Fig.) Bielefeld 894. A. Helmich. n. — 40; kart. n. — 60

— Johanna d'Arc, genannt die Jungfrau v. Orleans, s.: Kinder-Bibliothek, katholische.

— durch eigene Kraft. Lebensbilder f. jung u. alt. gr. 8. (VI, 328 S. m. Abbildgn.) Kempten 902. J. Kösel. n. 3. —; geb. in Leinw. n. 4. —

Pötsch, Jos., durch eigene Kraft. Lebensbilder f. Jung u. Alt. 2. Aufl. (IX, 330 S. m. Abbild.) 8. Kempten 909. J. Kösel. 3. —; geb. 4. —

Pötsch, Josef: Kurze Lebensskizze d. Domkapitular Prof. Dr. A. Stöckl, s. Vorträge, Pädagog., u. Abhandlungen.

— Leo XIII., s.: Koneberg, Herm.

— Papst Leo XIII. u. Kaiser Wilhelm II. üb. die Aufgabe der Schule in der heutigen Zeit, s.: Vorträge u. Abhandlungen, pädagogische.

— d. Kindes Märchenschatz, s.: Kinder-Bibliothek, kathol.

Pötsch, Jos., das Pontifikat Leos XIII. (122 S.) gr. 8. Augsburg 903. B. Schmid's Verl. n. 1.40

— Religion od. Litteratur als Centrum d. Volksschulunterrichts?, s. a. Broschüren, Frankfurter zeitgemäße.

Poetsch, Joseph: Religion oder Litteratur als Centrum des Volksschulunterrichts? Beitr. z. gegenwärtig. Schulkampf in Preußen. Frankfurt a. M. u. Luzern 1892. 8° *[Umschlagtit.]*

Poetsch, Joseph, Referendar in Tiegenhof: Der begriffliche Unterschied zwischen Werkvertrag, Werklieferungsvertrag, emptio rei futurae, Pacht. Borna-Leipzig 1905: R. Noske. (X, 70 S.) 8° [F. u. Ant.]
Münster, Jur. Fak., Ref. Krückmann, Diss. v. 12. Juli 1905
[Geb. 20. März 81 Alt-Wartenburg, Ostpreußen; Wohnort: Tiegenhof bei Danzig; Staatsangeh.: Preußen; Vorbildung: Gymn. Allenstein Reife O. 01; Studium: Straßburg 1, Berlin 1, Bonn 1, Münster 3 S.; Rig. 13. März 05.]

— s.: Vorträge u. Abhandlungen, pädagogische.

— die hl. Weihnachtszeit u. ihre Feier, s.: Jugend-Bibliothek, katholische.

— s.: Zeitschrift f. christl. Erziehungswissenschaft.

Poetsch, Leopold

Poetsch Dr. L.: Beiträge zur Kritik der Kaiserbiographen Cassius Dio, Herodian u. Aelius Lampridius auf Grund ihrer Berichte über Kaiser Commodus Antoninus. 33. Graz St.-R. 86.
Progr.

Poetsch Dr. Leop. und **Platner** Rudolf: Katalog der Schülerbibliothek. 58. Linz. R. 97.
Progr.

POETSCH, Leopold: Commodus' Leben, Regierung und Charakter, dargestellt nach den für stichhältig befundenen Angaben seiner 3 Hauptbiographen, des Dio Cassius, Herodian und Aelius Lampridius. — 1882. 154 S. Diss. Graz, Univ.

Poetsch Dr. Leopold: Linz und Umgebung im Dienste des erdkundlichen Anschauungsunterrichtes. 38. 46. 35. Linz R. 00. 02. 05.
Progr.

Poetsch, Otto

Poetsch, *O.* [Bauinspektor]: Baubeschreibung *des Königlichen Prinz Heinrichs-Gymnasiums.* Berlin, Druck v. A. W. Hayn's Erben, 1894; 16—20 S., 2 Taf., 2 Pl. 4.
Berlin, k. Prinz Heinrichs-G, P 1894 (67)

Poetsch, Wilh., Versuche über die Einwirkung von Kohlenoxydgas auf ein Gemisch von Natriumacetat und Natriumisoamylat. Inaugural-Dissertation. gr. 8. (32 S.) Jena 882, (Pohle.)

Pötschel, E., erstes Lesebuch, s. Gnerlich, G.

Pötschel, E., erstes Lesebuch, s. Lesebuch, erstes, nach der Lautlehre.

Pötschel, Walter: Jakob Sigismund Beck und Kant. Breslau 1910: Breslauer Genossensch.-Buchdr. 50 S. 8°
Breslau, Phil. Diss. v. 6. Juni 1910, Ref. Kühnemann
[Geb. 27. Juli 82 Breslau; Wohnort: Breslau; Staatsangeh.: Preußen; Vorbildung: Maria-Magdalena-Gymn. Breslau Reife M. 03; Studium: Breslau 18 S.; Rig. 31. Juli 09.] [U 10. 631

POTSCHIWAUSCHEG, Julius: Über einige Reduktionsprodukte des meso-Benzdianthrons bzw. Helianthrons. Zur Kenntnis der blauen Küpe des Flavanthrens und zur Kenntnis der purpurroten Küpe des Pyranthrons. — 1910. 91 Bl. Diss. Graz, Univ.

Potschka, Geo. Hnr., Ding- u. wörtl. Register üb. d. 1769 im Druck erschienenen ersten Haupttheil d. Hamburg. Landrechts. 4. Bamb. 779.

***Potschka,* Geo. Hnr., opusculum, quinquo dissertat. varii argum. cont. 8maj.** Würzb. 790. Stahel. 8 *gr*

Vgl.Potschka,Juv.

Potschka, Jos., Frei- u. Ordnungsübungen f. die Volks- u. Bürgerschule u. die unteren Klassen der Mittelschule. 151 Übungsbeispiele in 3 Stufen aus dem Gebiete der Ordnungs-, Frei-, Hantel- u. Stabübgn. (VIII, 139 S.) 8. Wien 909. A. Pichler's Wwe. & Sohn. 1.70

Potschka, Jos., das Gerätturnen an der Volks- u. Bürgerschule. 294 Uebungsbeispiele in 2 Stufen m. besond. Berücksicht. der volkstüml. Uebgn. a) Mittelstufe. (3., 4. u. 5. Schulj.) b) Oberstufe. (6., 7. u. 8. Schulj.) (VIII, 100 S. m. 50 Abbildgn.) 8. Wien 904. A. Pichler's Wwe. & Sohn. n. 1. 25

Potschka, Josef, u. Etzold, Moritz, Handbuch zur Ausbildung von Vorturnern, E. Wegweiser durch d. Gebiet d. gesamten Turnwesens, m. Abb., Gmunden 1909, 187 S., 8°.

Potschka, Iuvenalis, opusculum, quinq. dissertat. varii argum. cont. 8. maj. Würceb. Stahel. 789.

Vgl.Potschka,Georg Heinrich.

—quinque libri legis Moysi vindicati. 4. Bamb. 769.

Potschka, Juvenalis, Thesaurus linguae sanctae, complectens nitidiores hebraismos, elegantiores tropos, quibus verbi Dei maiestas in s. Scriptura refulget, sive phraseologia Hebraica ad sensum s. Scripturae rite intellegendum e celeberrimis auctoribus collecta. Accedit in fine syntaxis Hebraica P. Petri Guarin. Bamberg und Würzburg, 1780, 8°, 31 Bogen.

— thesaurus linguae sanctae, compl. nitidior. hebraismos etc. 8. maj. Würceb. (Göbhard, Bamb.) 780.

Potschka,* Juvenal, thesaurus linguae sanctae, compl. nitidior. hebraismos etc. 8maj. Würzb. 780. (Weschè in Frankf.) 1 *fl* 4 *gr

Potschka, Ludwig

Potschka, L., s.: Auszug aus der Geschichte d. Tiroler Jäger-Regiments Kaiser Franz Joseph. — Compendio della storia del Reggimento etc.

Potschka, Ludw., Geschichte d. Tiroler Jäger-Regiments Kaiser Franz Joseph, im Auftrage d. k. k. Regimentskommando nach authent. Quellen zusammengestellt. 4 Thle. Lex.-8. (XIII, 359; VI, 213; VI, 245 u. VI, 170 S. m. 25 Plänen.) Innsbruck 885. Wagner. n. 20. —

Pötschke, C. L., Rede am Geburtstage Luise Auguste Wilhelmine, Königin von Preußen. 8. Königsberg, Nicolovius. 808.

Pötschke, Hermann

Pötschke, H., deutsche Handelskorresp., s.: Storn, Rob.

— u. Joh. F. **Herget,** der stenographierende Kaufmann. Methodischer Lehrgang der deutschen Geschäftsstenographie (System Gabelsberger). Zum Gebrauche an Handelsschulen, kaufmänn. u. gewerbl. Fortbildungsschulen, sowie zum Vereins- u. Selbstunterricht nach etymolog., logisch-grammat. u. psycholog. Grundsätzen bearb. 2 Tle. 8. Zwickau, (J. Herrmann). nn 1.85
I. Verkehrsschrift (nach den im J. 1902 durch die Berliner Beschlüsse eingeführten Systemändergn.) (Neue Aufl.) (59 S.) Geb. nn 1.25
II. Satzkürzung. (Redeschrift.) 11. Taus. (40 S.) — 60
Kleine Ausg. d. I. Tls. s.: Herget, Joh. F.

— — Stenographisches Lese-, Übgs.- u. Diktierbuch f. Handelsschulen, kaufmänn. u. gewerbl. Fortbildungsschulen, f. Stenographenvereine u. Stenographen. 1. Heft. Ebd. 908. — 60
I. Lesestücke aus dem Lesebuche Raydt u. Rössger. Deutsches Lesebuch f. Handelsschulen etc., in stenograph. Verkehrsschrift hrsg. (40 S.)

Pötschke, Herm., die Rundschrift. Lehrgang u. Übungsvorlagen f. Handelsschulen u. verwandte Anstalten, wie zum Selbstunterricht. gr. 8. (II, 14 S.) Leipzig 903. L. Viergutz. n. — 50

Poetschke, Otto (geb. Annenhof in Curland 30. 3. 1852): Beiträge zur Diagnostik und Prognostik der Amblyopien durch die Gesichtsfeldprüfung. Berlin [illegible]
Berlin, Med. Diss. v. [illegible] Juli 1878

Poetschke, Otto, die Verwerthung der Gesichtsfeldprüfung für die Diagnostik und Prognostik der Amblyopien. Inaugural-Dissertation. gr. 8. (99 S. mit 8 Taf.) Dorpat 886, (Karow.) *

Potsdam [Sachliches OW]

Potsdam. (12) Ansichten in Photogravüre. qu. gr. 4. (Titelbl. in Lichtdr.) Berlin 895. D. Schweitzer.
In Leinw.-Mappe n. 7. 50

Potsdam, ganz, sammt d. Eisenbahn f. Zehn Silbergroschen, s. Rango, F. L. v.

Potsdam, ganz, für 3 Sgr. Neuester Fremdenführer durch die Stadt und ihre Umgegend. 32. (32 S. mit 1 lithogr. Plane von Potsdam und Sanssouci in qu. Fol.) Berlin 860, [Seehagen.]

Potsdam, ganz, für 5 Silbergroschen, s. Wegweiser.

—— ganz, u. seine Umgebungen f. fünf Silbergroschen, s. Cosmar, A.

Potsdam im J. 1864. Neuester Führer durch Potsdam und seine Umgebungen. 8. (48 S. mit 1 lithogr. neuen Plane von Potsdam und Sanssouci nebst Umgebungen in 4. und 1 Ansicht des Schlosses Sanssouci in Holzschn.) Berlin 864, Nicolai's Verlag. *

—— das militairische, s. Soldaten-Freund, der.

—— und seine Umgebung. Neuester Fremdenführer durch Potsdam, Sanssouci und Umgegend. 16. (38 S. mit 1 lithogr. Plane von Potsdam, Sanssouci und Berlin in Imp.-Fol.) Altona 863, Verlags-Bureau. *

—— und Umgebungen, s. Grieben's Reise-Bibliothek.

Potsdam u. Umgebungen, s.: Grieben's Reisebücher.

—— und seine Umgebungen im 19. Jahrh. gr. 4. (5½ B. u. 10 Stahlst.) Berlin 839, (Gropius'sche Buchh.) *

Potsdam und Umgegend. Prakt. Wegweiser. 37. Aufl., neu bearb. von O[tto] Fellenberg, Oberl. Mit neuem Pl. Berlin: A. Goldschmidt 1904-05. (52 S.) 8°
= **Reiseführer,** Griebens. Bd 10. [06. 3307

Potsdam u. seine Umgegend. Neuester alphabetisch geordneter Wegweiser durch diese Haupt- und Residenzstadt; nebst Beschreibung der königl. Schlösser und Gärten, aller merkwürdigen Gebäude, Sehenswürdigkeiten und Vergnügungsörter in derselben u. in deren Umgebung. Mit 1 Plan von Potsdam. 12. Berlin 843, Morin. n. 1/6 Rthlr.

Potsdam [Schlagwort]

— s. a.: Berlin, Karte. — Pharus Städte-Atlas. — Preussen, Messtischblätter.

— s.: Berlin. Straube, Jul.

— s. a.: Deutschland. Karte (Abt. Preussen). Übersichtskarte. — Europa. Spezialkarte. — Mark. — Wanderkarte.

— s. a.: Deutschland. Kürschner-Peip. — Radfahrerkarten. Ravenstein.

— s.: Heimatskärtchen. 29.

Potsdam, Stadt, s.: Westentaschen-Sammlung.

Potsdam, Stadt. Delius, Th., neuester Plan der königl. Residenzstadt Potsdam u. Umgebung. 1:11,000. 11. Aufl. 44,5×58 cm. Farbendr. Potsdam 894. J. Rentel's Verl. n. — 50

Potsdam — Karte vom Regierungs-Bezirke — aus der Mittelmark, Uckermark und der Priegnitz bestehend. Nach eigenen örtlichen Untersuchungen, Aufnahmen u. Berichtigungen und nach der 1810 und 1811 von dem verstorbenen Hauptmanne von Textor und dem Major von Oesfeld ausgeführten trigonometrischen Vermessung, zusammengetragen und entworfen von F. B. Engelhardt, Königl. Preuss. geheimen Regier. Rathe und Mitglied des statist. Bureaus. Berlin bej Sim. Schropp et Comp. 1825. Gestochen von Carl Mare und Wilh. Bimse in Berlin. 1: 238,000. 4 Bl.

Potsdam, Reg.-Bez. Entfernungskarte, amtliche, des Reg.-Bez. Potsdam. Nach amtl. Ermittelgn. bearb. in d. J. 1906—1907 durch die Katasterverwaltg. der königl. Regierg. in Potsdam. Hrsg. v. R. Mittelbach. 1 : 75.000. Farbdr. Leipzig, Mittelbach.

Kreise:

Angermünde. 72×72 cm. (909.) 2.—. — Beeskow-Storkow. 58×64 cm. (909.) 2.—. — Jüterbog-Luckenwalde. 68×76 cm. (908.) 2.—. — Niederbarnim m. den Stadtkreisen Berlin u. Lichtenberg. 99×84 cm. (910.) 2.50. — Oberbarnim. 63,5×68,5 cm. (909.) 2.—. — Osthavelland m. den Stadtkreisen Potsdam u. Spandau. 80,5×61 cm. (910.) 2.—. — Ostprignitz. 92×89 cm. (909.) 2.50. — Prenzlau. 60,5×69 cm. (909.) 2.—. — Ruppin. 65×94 cm. (909.) 2.50. — Teltow m. den Stadtkreisen Berlin, Charlottenburg, Dt. Wilmersdorf, Schöneberg u. Rixdorf. 74×89 cm. (910.) 2.—. — Templin. 77,5×74 cm. (909.) 2.—. — Westhavelland m. dem Stadtkreise Brandenburg. 69×64,5 cm. (909.) 2.—. — Westprignitz. 81×98 cm. (909.) 2.—. — Zauch-Belzig. 84×89 cm. (910.) 2.—.

Potsdam, Stadt. Kiessling's Touristen-Karte von Potsdam u. Umgegend mit übersichtlichem Touren-Verzeichniss u. prakt. Entfernungsmesser. 1 : 22,000. Entworfen v. Th. Delius, berichtigt v. Th. Mende. 8. Aufl. In Farbendr. Berlin 888. Kiessling. n. — 75

Potsdam. Kiessling's Touristen-Karte v. Potsdam u. Umgegend mit besond. Bezeichnung d. Haupt- u. Nebentouren. 1 : 22,000. Entworfen v. Th. Delius. 9. Aufl., neu bearb. v. Th. Mende. 40,5×50 cm. Farbendr. Mit übersichtl. Touren-Verzeichniss u. prakt. Entfernungsmesser. 8. (2 S.) Berlin 894. A. Kiessling. — 75

Potsdam, Reg.-Bez. Liebenow's, W., Spezial-Karte für den Reg.-Bez. Potsdam-Berlin m. angrenzenden Länderteilen. 1 : 300,000. 68,5×72 cm. Farbdr. Frankfurt a/M. (902). L. Ravenstein. In Decke n. 3. —; auf Leinw. in Decke n. 4. 50

Potsdam, Reg.-Bez. Liebenow's, W., Specialkarte des Reg.-Bez. Potsdam. 1 : 300,000. (Volksausg.) 68,5×72 cm. Farbdr. Frankfurt a/M. (904). L. Ravenstein. n. 1. 50

Potsdam, Stadt. Mende's, Alfr., Taschen-Atlas von Potsdam u. Umgebung. System Ewan u. Mende. Mit 1 Uebersichtskarte, o. aus 98 Sektionen besteh. Spezialkarte u. mehreren Verzeichnissen. Bearb., gezeichnet u. hrsg. v. A. Ewan u. A. Mende. (30 S.) kl. 8. Berlin, A. Mende. n. 1. —

Potsdam, Bez. Nowack, Special-Karte d. Reg.-Bez. Potsdam. 1 : 300,000. Rev. 1888. Kpfrst. u. color. gr. Fol. Berlin 889. Schropp. n. 3. —

Potsdam, Reg.-Bez. Nowack, Specialkarte v. dem Reg.-Bez. Potsdam, nach den besten Materialien entworfen u. zusammengetragen. 1 : 300,000. 73×69 cm. Kpfrst. u. kolor. Berlin 892. S. Schropp. n. 3. —

— Nowack, Special-Karte v. dem Reg.-Bez. Potsdam, nach den besten Materialien entworfen u. zusammengetragen. 1 : 300,000. (Neue Ausg. 1899.) 69,5×74,5 cm. Kpfrst. u. kolor. Berlin (899). S. Schropp. n. 3. —

Potsdam — Plan der Gegend von — herausg. von der topogr. Abtheilung des grossen Generalstabes im Jahr 1855. Berlin. 25,000. 4 Bl.

— Plan, neuester, der Residenzstadt Potsdam. 1 : 11,000. Farbendr. qu. Fol. Potsdam, Rentel. — 50

— Plan, neuester, der königl. Residenzstadt Potsdam u. Umgebung. 1 : 11,000. 12. Aufl. 44 × 57,5 cm. Farbendr. Berlin 896. J. Rentel. n. — 50

— — neuester, der königl. Residenzstadt Potsdam u. Umgebung. 1 : 11,000. 15. Aufl. 44,5×58 cm. Farbdr. Berlin (900). J. Rentel. n. — 50

Potsdam — Plan von — nebst einem Führer durch P. u. seine Umgebungen mit 50 Hauptansichten. Neue rev. Ausg. Berlin, Gershel 1859. 1 Bl.

Potsdam, Stadt. Plan der Residenzstadt Potsdam nach neuen Vermessungen. 1 : 12,500. 37×48,5 cm. Farbdr. Mit Strassenverzeichnis an der Seite. Potsdam (899). A. Stein. — 40

— Plan der Umgegend v. Potsdam. 1 : 25,000. Bearb. in der kartograph. Abteilg. der königl. preuss. Landes-Aufnahme 1903. 56×76,5 cm. Farbdr. Berlin (903). R. Eisenschmidt. n.n. 1. 50; auf Leinw. n. 2. 50

Potsdam — Plan von der Gegend um — Auf Sr. K. M. Allerh. Befehl aufgenommen und in VI Sectionen eingetheilt von dem Major von Putlitz im ehemal. Regiment von Tschammer 1810—1811. Gest. Ludw. Schmitt in Berlin. 1 : 40,000. 6 Bl.

— Straube's, Jul., amtliche Karte zur Baupolizeiordnung des Regierungs-Präsidenten in Potsdam vom 22. VIII. 1898 u. den Polizei-Verordnungen vom 25. X. 1901 u. 21. II. 1903 f. Charlottenburg, Plötzensee u. für die Gemeinden Rummelsburg, Lichtenberg, Stralau, Deutsch-Wilmersdorf, Schöneberg, Tempelhof, Rixdorf u. Treptow, soweit diese innerhalb der Ringbahn liegen, u. zur Baupolizeiordnung für den Stadtkreis Berlin vom 15. VIII. 1897 m. Angabe der Bau-Inspektionsgrenzen. Im Auftrage der königl. Regierg. bearb. u. hrsg. 3. Aufl. 1 : 17,777. 62,5×78 cm. 9 farbig. Nebst Text. (34 S.) gr. 8. Berlin 903. J. Straube. n. 5. —

Potsdam, Stadt. Straube's, Jul., Karte der Umgeg. v. Potsdam, Werder u. Lehnin. 1 : 60,000. 44×56 cm. Farbdr. Berlin (909). J. Straube. • — 75

— Straube, Jul., Spezialkarte der Umgegend v. Potsdam u. Werder. In Generalstabsmanier m. 11 Farben ausgeführt. 1 : 60,000. qu. Fol. Berlin 888. Straube. n. 1. —; 2 farbig n. — 50

— Straube, J., Spezialkarte der Umgegend v. Potsdam u. Werder. 1 : 60,000. 30,5 × 43 cm. 2 farbig. Berlin (894). J. Straube. n. — 50; 11 farbig n. 1. —

— — Spezialplan von Potsdam m. näherer Umgebung. 1 : 50,000. 11 farbig. Ebd. 888. n. — 25

— Touristen-Karte, neue, der Umgegend v. Potsdam. Nach den neuesten Aufnahmen gezeichnet. 1 : 66,000. 2., verb. Aufl. Autogr. u. color. gr. Fol. Mit Text. 8. (4 S.) Potsdam 889. Rentel's Verl. n. 1. —; auf Leinw. n. 1. 50

Potsdam's Bauwerke in malerischen Ansichten. 10 Stahlst. qu. 8. Berlin 852, Ernst und Korn. *

Pott, Peter, der Extra-Zug-Fahrer. Lustspiel in 7 Akten vom Carl am Berge. 12. (19 S.) Paderborn 879. Bonifacius-Druckerei. — 30

Pott, Adph., neue Zierschriften für Weiss- und Kunst-Stickerei in 54 (lithogr.) Taf. mit über 100 Alphabeten der verschiedenen Schriftarten in einfachen sowie verschlungenen Buchstaben [letztere ebenfalls in completen Alphabeten], vielen Eckverzierungen, Vignetten, Kronen u. dgl. m. qu. 4. (5 S. Text.) Hamburg 871, (Gassmann's Verlag.) * 9 —

Pott, Arthur, Gerichtsreferendar a. Witten a. d. R.: Die Rechtsstellung der Erwerbsfrau nach Bürgerlichem Recht. Witten a. d. Ruhr 1906: A. Pott. (58 S.) 8°

Leipzig, Jur. Fak., Diss. v. 5. Nov. 1906

[Geb. 7. Juni 80 Witten a. d. Ruhr; Wohnort: Witten; Staatsangeh.: Preußen; Vorbildung: Gymn. Hagen Reife Juli 99; Studium: Tübingen 3, Leipzig 1, Bonn 2 S.; Rig. 21. Febr. 03.]

Pott, Aug., der abendländische Text d. Apostelgeschichte u. die Wir-Quelle. Eine Studie. gr. 8. (IV, 88 S.) Leipzig 900. J. C. Hinrichs' Verl. n. 3. —

Der Text des Neuen Testamentes nach seiner geschichtlichen Entwickelung. Von August **Pott**, Divisionspfarrer. Mit 8 Taf. Leipzig: B. G. Teubner 1906. (IV, 108 S.) 8° [F.]
— **Natur**, Aus, u. Geisteswelt. Bdch. 134. (07. 9071

Pott, Aug., der Text des Neuen Testamentes nach seiner geschichtl. Entwicklg., s. Aus Natur u. Geisteswelt.

Pott, August Friedrich

Pott, Aug. Friedr., Anti-Kaulen oder mythische Vorstellungen vom Ursprunge der Völker und Sprachen. Nebst Beurtheilung der zwei sprachwissenschaftl. Abhandlungen Heinr. v. Ewald's. gr. 8. (XXX und 298 S.) Detmold 863, Meyer'sche Hofbuchh. *

—— Doppelung (Reduplikation, Gemination) als eines der wichtigsten Bildungsmittel der Sprache, beleuchtet aus Sprachen aller Welttheile. gr. 8. (VI und 304 S.) Detmold 862, Meyer'sche Hofbuchh. *

— Einleitung in die allgemeine Sprachwissenschaft. [SA. aus Internationale Zeitschrift für allgemeine Sprachwissenschaft, herausgegeben von Techmer, Band 2—5.] [Leipzig 1885—1889.]

Pott, Aug. Friedr.: Über vaskische Familiennamen. Detmold 1875.

Pott, Aug. Friedr. u. Rich. Gosche: Festgabe zur XXV. Versammlung deutscher Philologen, Orientalisten und Schulmänner in Halle a. d. S. Halle 1867.

Pott, Aug. Friedr., etymolog. Forschungen auf d. Gebiete d. Indo-German. Sprachen, mit besond. Bezug auf d. Lautumwandlung im Sanskrit, Griech., Latein., Littau. u. Gothischen. gr. 8. (23 B.) Lemgo 833, Meyer.

—— etymolog. Forschungen auf d. Gebiete d. indo-german. Sprachen, insbesond. d. Sanskrit, Griech., Latein., Littau. u. Gothischen. 2. Thl. Grammat. Lautwechsel u. Wortbildung. gr. 8. (51 3/4 B.) Lemgo 836, Meyersche Hofbuchh.
1. Thl. Ebendas. 1833. 1 Thlr. 12 Gr.

— etymologische Forschungen auf dem Gebiete der Indo-Germanischen Sprachen, unter Berücksichtigung ihrer Hauptformen, Sanskrit; Zend-Persisch; Griechisch-Lateinisch; Littauisch-Slawisch; Germanisch u. Keltisch. 2. Aufl. in völlig neuer Umarbeitung. 1. Theil: Präpositionen. Lemgo 859. Meyer. gr. 8. (XXVI, 859 S. u. 1 lith. Taf. in 4.) n. 5 ngr.

Pott, Aug. Frdr., etymologische Forschungen auf dem Gebiete der Indo-Germanischen Sprachen, unter Berücksichtigung ihrer Hauptformen rc. 2. Theil 1. Abth.: Wurzeln; Einleitung. Ebend. 861. gr. 8. (XVII, 1030 S.) n. 5 $\mathscr{B}$ 10 ngr.

Pott, Aug. Friedr., etymologische Forschungen auf dem Gebiete der indogermanischen Sprachen, unter Berücksichtigung ihrer Hauptformen, Sanskrit; Zend-Persisch; Griechisch-Lateinisch ꝛc. 2. Aufl. in völlig neuer Umarbeitung. 2. Thl. 2. Abthl. A. u. d. T.: Wurzel-Wörterbuch. 1. Bd.: Wurzel mit vokalischem Ausgange. Detmold 867. Meyer'sche Hofbuchh. gr. 8. (XII, 1379 S.) n. 6 Thlr. 20 ngr.

Pott, Aug. Friedr., etymologische Forschungen auf dem Gebiete der indo-germanischen Sprachen unter Berücksicht. ihrer Hauptformen, Sanskrit; Zend-Persisch; Griechisch-Lateinisch ꝛc. 2. Aufl. in völlig neuer Umarbeitung. 2. Thl. 3. und 4. Abthl., 3.—5. Thl. gr. 8. Detmold, Meyer'sche Hofbuchh. * 76 —

Inhalt:

Thl. 2. 3. und 4. Abthl. A. u. d. T.: Wurzel-Wörterbuch der indo-germanischen Sprachen. 2. Bd.: Wurzeln mit consonantischem Ausgange. 1. Abthl.: Wurzeln auf r-Laute und l. (XVIII, 740 S.) 869. (*ℳ 17.) *ℳ 15. — 2. Abthl.: Wurzeln auf die Nasale und Zischlaute. (LXIV, 600 S.) (*ℳ 17.) *ℳ 13. 870.

„ 3. A. u. d. T.: Wurzel-Wörterbuch der indo-germanischen Sprachen. 3. Bd.: Wurzeln auf stumme Consonanten. Zuerst: Wurzeln auf Gutturale und Palatale. (VIII, 1055 S.) 871. (*ℳ 30.) *ℳ 20.

„ 4. —— dass. — 4. Bd.: Wurzeln auf stumme Consonanten. Nämlich: Wurzeln auf Cerebrale und Dentale. (932 S.) 873. *ℳ 18.

„ 5. —— dass. — 5. Bd.: Wurzeln auf labiale Mutae. (LXXIX, 433 S.) 873. *ℳ 10.

1. Thl. 1859. (*ℳ 15.) *ℳ 16,50.; 2. Thl. 1. Abthl. 1861. (*ℳ 16.) *ℳ 19,50.; 2. Abthl. 1867. (*ℳ 20.) *ℳ 26.

Pott, Aug. Friedr., etymologische Forschungen auf dem Gebiete der indo-germanischen Sprachen, unter Berücksichtigung ihrer Hauptformen, Sanskrit; Zend-Persisch; Griechisch-Lateinisch ꝛc. 2. Aufl. in völlig neuer Umarbeitung. 6. (Schluß-)Bd.: Wurzel-, Wort-, Namen- und Sachregister zu den 5 Bdn., ausgearb. von Heinr. Ernst Bindseil. gr. 8. (VIII, 603 S.) Detmold 876, Meyer'sche Hofbuchh. *

1.—5. Bd. Ebendas. 1859—73. *ℳ 138.

— Wilhelm v. Humbold u. die Sprachwissenschaft, s.: Calvary's philologische u. archäologische Bibliothek.

Pott, Aug. Friedr., s. Humboldt, Wilh. v., über die Verschiedenheiten des menschlichen Sprachbaues.

Pott, August Friedrich: Latein und griechisch in einigen ihrer wichtigsten lautunterschiede. [A. aus KZ. N. F. VI. 2.]

Pott, A. F., zur Litteratur der Sprachenkunde Europas, s.: Zeitschrift, internat., f. allg. Sprachwissenschaft.

Pott, Aug[ustus] Frid[ericus]: Commentatio de linguarum Letticarum cum vicinis nexu. Halis 1841 [vielmehr: 1842]: Gebauer. S. 2—72. 8° (4°)

Halle-Wittenberg, Progr. z. akad. Preisverteilung 1841

Im Buchhandel 1841 bei Gebauer in Halle, vermehrt um eine Vorrede, u. d. T.: De Borusso-Lithuanicae tam in Slavicis quam Letticis linguis principatu commentatio 2. — Comm. 1 ist Glückwunsch d. Univ. z. 100jähr. Jubil. d. Univ. Göttingen 1837.

Pott, Aug. Friedr., die Personennamen, insbesondere die Familiennamen und ihre Entstehungsarten; auch unter Berücksicht. der Ortsnamen. Eine sprachl. Untersuchung. gr. 8. (XVI und 721 S.) Leipzig 853, Brockhaus. *

— die Personennamen, insbesondere die Familiennamen u. ihre Entstehungsarten; auch unter Berücksichtigung der Ortsnamen. Eine sprachliche Untersuchung. 2., durch ein Register verm. Ausg. Leipzig 859. Brockhaus. gr. 8. (XVI, 721 S. u. Register IV, 156 S.). n. 5 Thlr.; das Register apart n. 1 Thlr.

— de Borusso-Lithuanicae tam in slavicis quam letticis linguis principatu Comment. 4maj. Halle 837. Gebauer. 5/6 Thlr.

Pott, Aug. Frid., de Borussio-Lithuanicae tam in Slavicis quam Letticis linguis principatu Comment. II. 4maj. (9½ B.) Halis Sax. 841. [Lipsiae,] libr. Gebauer. *

Pott, Aug. Fried. (Hannover), De relationibus quae praepositionibus in linguis denotantur diss. Celle (Schulz) 1827. 73 S. (4.50) 27080

—— de relationibus quae praepositionibus in linguis denotantur dissertat. 8. (5 B.) Cellae 828, Schulze.

— Die Sprachverschiedenheit in Europa an den Zalwörtern nachgewiesen sowie die quinäre und vigesimale Zälmethode. Halle 1867.

— die Sprachverschiedenheit in Europa an den Zahlwörtern nachgewiesen sowie die quinäre u. vigesimale Zählmethode. Halle 868. Buchh. des Waisenhauses. gr. 8. (109 S.) n. 20 ngr.

Pott, A. F., allgemeine Sprachwissenschaft u. Carl Abels aegyptische Sprachstudien, s.: Einzelbeiträge zur allgemeinen u. vergleichenden Sprachwissenschaft.

— Studien zur griechischen Mythologie. (Abdr. aus dem 3. Supplem.-Bd. der Jahrbücher für classische Philologie.) Leipzig 859. Teubner. gr. 8. (52 S.) n. 12 ngr.

—— die Ungleichheit menschlicher Rassen hauptsächlich vom sprachwissenschaftlichen Standpunkte, unter besond. Berücksicht. von des Grafen v. Gobineau gleichnam. Werke. Mit einem Ueberblicke über die Sprachverhältnisse der Völker. Ein ethnolog. Versuch. gr. 8. (XL und 275 S.) Lemgo 856, Meyersche Hofbuchh. *

Pott. Unterschied eines transitiven u. intransitiven Nominativs. S.-A. s. a. 22 S.

Pott, Aug. Friedr., die quinare und vigesimale Zählmethode bei Völkern aller Welttheile. Nebst ausführl. Bemerkungen über die Zahlwörter indogerman. Stammes und einem Anhange über Fingernamen. gr. 8. (VIII und 304 S.) Halle 847. [Braunschweig,] Schwetschke und Sohn.

— die Zigeuner in Europa und Asien. Ethnograph.-linguist. Untersuchung, vornehmlich ihrer Herkunft u. Sprache, nach gedruckten u. ungedruckten Quellen. 1. Thl. Einleitung u. Grammatik. gr. 8. Halle 844, Heynemann. n. 2⅔ Thlr.

— dass. 2. Thl. Einleitung über Gaunersprachen. — Wörterbuch und Sprachproben. gr. 8. Ebend. 845. n. 2⅔ Thlr. Beide Thle. compl. n. 5⅓ Thlr.

Pott, W., s. Sprachlehre, engl., f. Deutsche.

Pott, W., brittischer Sprachlehrer oder vollständige englische Sprachlehre für Deutsche. gr. 8. Leipzig, Joachim.

Academiae Georgiae Augustae prorector **David Julius Pott** cum senatu successorem in magistratu academico Gustav Hugo, civibus suis indictis auspiciis. — Disputantur nonnulla de Clavo Romanorum annali. Göttingen (H. Dieterich) Sept. 1812. 8 S. (3.75) 27086

Procancellarius **David Julius Pott** (Münster) sollemnia renunciationis quinque S. theologiae doctorum indicit. — Praemittitur commentatio in locum I Cor. X, 4. Helmstedt (Typ. Acad.) 31. X. 1806. 58 S. (4.25) 27085

Enth. Biogr. v.: Christian Friedrich Duttenhofer (Nürtingen / Württ.) (M.: J. E. Spittler), Immanuel Friedrich Gamm (Stuttgart (M.: A. S. Koch), Johann Gurlitt (Leipzig) (M.: J. Chr. Carnal, Andreas Friedrich Gottlob Glaser (Michelfeld bei Schwäb. Hall/Württ.) (M.: A. Fl. Messerer), Friedrich Philipp Werner Kroll (Braunschweig (M.: C. L. Weusthoff).

— Progr. commentatio in locum 1 Cor. X. 4. Helmst. 806. Fleckeisen. 7 gr.

— David Julius, Commentatio I. in locum Paullinum 1 Cor. XI, 10. Göttingen (Dieterich) (24. XII.) 1831. 26 S. (3.75) **27081**

— — Commentatio II. de loco Paullino 1 Cor. XI, 10. Göttingen (Dieterich) (25. V.) 1833. 24 S. (3.75) 27082

— — Commentatio I. de sacra coena ad locum 1 Cor. XI, 23—25. Göttingen (Dieterich) (Paschal.) 1835. 17 S. (3.75) 27083

— — Commentatio II. de sacra coena ad locum 1 Cor. XI, 26—34. Göttingen (Dieterich) (Pentecostal.) 1835. 18 S. (3.75) 27084

Pott, David Julius: De sacra Coena. Göttingen 1836.

Pott, Dav. Jul., commentatio de antiquo documento, quod extat Gen. II et III. 8maj. Helmst. 797. Fleckeisen. 4 gr.

— epistolae catholicae graece, perpetua annotatione illustr. II Voll. 8maj. 786—90. Ed. nov. 810—16. Dieterich. 2 rthl. 14 gr.

— Moses u. David keine Geologen ꝛc. in Briefen an Crell. 8. Berl. 799. Nicolai. 1 rthl. 4 gr. (A. u. d. T.: Versuch üb. d. Schöpfungshymnus Gen. I., seinen Nachhall Ps. CIV. ꝛc.)

Pott, D. J., de natura atque indole orat. mont. et de nonnullis hujus orat. explicandae praeceptis. Helmst. 1788. 4.

— Commentatio de natura atque indole orationis montanae et de nonnullis hujus orationis explicandae praeceptis. 4. Braunschw. 789. Schulbuchh. 2 gr.

— Predigten, in d. Götting. und Helmstädt. Universitätskirche geh. gr. 8. Helmstädt, Fleckeisen. 791.

— Rede bei Einführung d. Hrn. Priors Seidel in d. Klosterkirche zu Marienthal. Nebst Seidels Antrittsrede. gr. 8. Helmst. 804. Fleckeisen. 6 gr.

— et G. A. Ruperti Sylloge commentation, v. Sylloge.

Pott, David Julius, s. Testamentum Novum, v. Koppe.

— Versuch e. Erklärung zweier Inschriften an der Mammonssäule nach d. Pocockischen Abbild. Tab. XXIX. gr. 8. Helmst. 800. Fleckeisen. 3 gr.

(Pott, Degenhard): Ueb. Bankerotte u. Fallimente nebst einigen Anmerkungen über das neueste Chursächs. Bankerotirmandat. *Wien* u. *Berl.*, 785. 8.

Vgl. Bankerotte, Über,...

Pott, Degenhard, s. Belustigungen, Geograph.-histor.

Pott, Degenhard (Hrsg.), s. Briefe angesehener Gelehrten, ... an ... Karl Frdr. Bahrdt...

– s. Commentar üb. das preuß. Religionsedikt.

Pott, Degenh., Eduard Ebeling; nach d. Engl. des Moore. 2 Thle. 8. Leipz. 797. Weygand. 1 rthl. 18 gr.

— Erzähll. u. histor. Gemälde, aus der ältesten, mittlern u. neuern Zeit. Mit 4 Kpf. gr. 8. Leipz. 798. (W. Nauck) 1 rthl. 18 gr. N. Aufl. Ebd. 814. 1 rthl. 12 gr.

Pott, Degenhard, hist. Gemälde, a. d. ält., mittl. und neuern Zeit. m. K. gr. 8. Leipzig, Sommer. 798.

Pott, D., Erzähll. u. histor. Gemälde aus Deutschlands kraftvollem Zeitalter. Mit 4 Kpf. v. D. Chodowiecki. gr. 8. Lpz. ... N. A. 814 u. 21. W. Nauck. 1 rthl. 12 gr.

Pott, D., Erzählungen u. hist. Gemälde aus Deutschlands kraftvollem Zeitalter, mit Kupf. von D. Chodowiecky. 2te Aufl. gr. 8. Leipz. Sommer. 815.

Pott, D., Erzählungen u. histor. Gemälde aus Deutschlands kraftvollem Zeitalter. Mit 4 Kupf. N. A. gr. 8. Leipzig, Sommer. 820.

Pott, Marcus Flaminius, s. Flaminius.

Pragmatische Geschichte und endlicher Aufschluss der Deutschen Union oder der Zwey und Zwanziger, aus ihren Urkunden entwickelt nebst dem vorzüglichsten Briefwechsel derselben, von Degenhard **Pott.** Leipzig: Weygand 1798. 360 S. 8°
(Briefe angesehener Gelehrten, Staatsmänner u. anderer, an d. berühmten Märtyrer K. F. Bahrdt. 5.)
Kl. 3292. KB.

Leben, Meynungen und Schicksale Carl Friedr. Bahrdts aus Urkunden gezogen von D[egenhard] **Pott.** Th. 1 mit Kpfrn. o. O. 1790. 335 S. 2 Kpfr. 8°
cf. D. neuesten Religionsbegebenheiten. 13 (1790) S. 235–253.
Beschäftigt sich auch mit der Deutschen Union. 110.

Pott, D(egenhard), D. Carl Friedrich Bahrdt's Leben, Meynungen u. Schicksale. Aus Urkunden gezogen. Th. 1 (einz.). Mit Kpfrn. (Nur 1 drast. Kpf. zu S. 103 erschienen.) O. O. 1790. 8°. (4 Mk., etwas fleckiges Expl., Jos. Baer & Co., Frkft. a. M., 1894.)
Reicht bis zum Weggang Bahrdt's von Erfurt nach Giessen, Ende 1770. VIII—238 S. Cfr. über dieses niederträchtige Pasquill Pott's (eines Leipziger Buchhändlers): Bahrdt's Gesch. s. Lebens . . . .). Th. 4. Berlin 1791. 8°, S. 267 bis 284. (Thesaurus libror. Philippi Pfister . . . . Ed. Hugo Hayn. München 1888.)

— Leben, Meinungen u. Schicksale D. Bahrdts. 1r Thl. 8. Lpz. 790. Walther. (Reinecke in Halle). 1 rthl. 4 gr.

— Leben, Meinungen, Schicksale D. Bahrdts. 1r Thl. 8. Leipz. Walther. (Ruff in Halle.) 790.

LEIPZIG, ein Handbuch für Handelsleute, Statistiker und Gelehrte .... (von *Degenhart Pott*). Leipzig 1802.
Anon.-Lex. III. p. 44 (nach Kayser).

Vgl. Leipzig, ...

– s. Liscop, Üb. die Unnöthigkeit ...

– s. Prasch, D.: Briefe.

– s. Swift: Schriften.

SCENEN, Interessante, und historische Gemälde der Vorzeit. Vom Verf. des Marcus Flaminius *(Degenhart Pott)*. Mit 4 Kpfrn. von D. Chodowiecki. Leipzig, Sommer, 1799. Gr. 8°.
TK., VI, 1 Bl. Inh. u. 232 S. Lat. Lett. — Zahm. 1. Otto der Erlauchte. 2. Konrad I. 3. Heinrich, auf Konrads Vorschlag erwählter König — Ankunft der Abgeordneten bei ihm. 4. Ferdinand II. u. Andres Thonradtel (Baron v. Evergassing). Anon.-Lex. IV. p. 27 (Eigenbericht).

v. **Pott,** E. L. M., s. M. G. Lichwer, Schriften.

Pott, Emil, gemeinverständliche Anleitung zur Berechnung von Futterrationen [Futtermischungen] f. Rinder, Schafe, Schweine u. Pferde. Zum Gebrauch in der landwirthschaftlichen Praxis. gr. 8. (VII, 82 S.) München 881. Th. Ackermann. n. 1. 50

Pott, E., s.: Beobachtungen üb. die Cultur d. Hopfens.

— die Biertreber als Futtermittel u. deren Conservirung. Für Bierbrauer u. Landwirthe. [Aus: „Ztschr. des landwirthschaftl. Vereins in Bayern".] gr. 8. (32 S.) Ebend. 882. n. 1. —

Pott, Emil, der Distanzritt u. die Pferdezucht. Ein offenes Wort an deutsche u. österreich.-ungar. Pferdezüchter, sowie an andere Pferdeinteressenten. gr. 8. (36 S.) München 893. F. Bassermann. n. — 80

Pott, Emil, der Distanzritt u. d. Pferdezucht. gr. 8. (36 S.) München 893. [F. Bassermann.] Th. Ackermann. n. — 80

Pott, Emil, unsere Ernährungs-Chemie. Ein Beitrag z. Futter- u. Nahrungsmittellehre. gr. 8. (104 S.) München 895. Th. Ackermann. n. 2. 40

— der Formalismus in der landwirtschaftl. Tierzucht. gr. 8. (VI, 238 S.) Stuttgart 899. E. Ulmer. n. 5. —; geb. in Leinw. n.n. 6. —

Pott, Emil. Die landwirthschaftlichen Futtermittel. Handbuch f. Tierzüchter u. Tierhalter. gr. 8. (XVI, 730 S.) Berl. 889, Parey. geb. * 15 —

Pott, Emil, Handbuch der tierischen Ernährung u. der landwirtschaftl. Futtermittel. Für Landwirte u. Zootechniker. 2., gänzlich neubearb. Aufl. der „Landwirtschaftl. Futtermittel". 1. Bd. Tierische Ernährg. Allgemeine Futtermittellehre, Futterzubereitg. u. Futterverabreichg. (X, 389 S.) gr. 8. Berlin 904. P. Parey. Geb. in Leinw. n. 9. —

Pott, Emil, Handbuch der tierischen Ernährung u. d. landwirtschaftl. Futtermittel. Für Landwirte u. Zootechniker. 2., gänzlich neubearb. Aufl. d. „Landwirtschaftl. Futtermittel". (In 3 Bdn.) 2. u. 3. Bd. gr. 8. Berlin, P. Parey. Geb. in Leinw. 29. —
2. Spezielle Futtermittellehre. Grünfutter, Heu, Stroh, Dreschabfälle, Knollen, Wurzeln, fleisch. Früchte, Körnerfrüchte, schädl. Pflanzen. (XVI, 612 S.) 907. Geb. 14. —
3. Spezielle Futtermittellehre. Nebenprodukte der Öl-, Mühlen-, Stärke-, Brau-, Brennerei-, Zucker-, Sirup-, Obst-, Traubenwein- u. Backindustrie usw. Milch, Molkereiabfälle u. andere animal. Produkte. Beifuttermittel. (XII, 654 S.) 909. Geb. 15. —
Bd. 1. Ebd. 904. Geb. 9. —.

Kontrollvereine für Milchleistungen. Bericht über d. Preisausschreiben f. Milchkontrollvereine von Prof. Dr. [Emil] Pott-München u. Amtsrat Schrewe-Kleinhof. *Berlin: Deutsche Landw.-Ges. 1904.* (39 S.) 8°
= **Arbeiten** d. Deutschen Landwirtschaftsgesellschaft. H. 99.

— zur Kultur der Braugerste. gr. 8. (43 S.) München 883. Th. Ackermann's Verl. n. 1. 20

— Mais als Futtermittel für Pferde. [Aus: „Illustr. landwirtschaftl. Zeitg."] 8. (33 S.) Schöneberg-Berlin 897. K. Telae. n. — 60

Pott E.: Ueber Neubildungen u. Individualpotenz. Ein Beitrag z. Thierzuchtlehre. Wurzen [1874]. 96 S.
(= Samml. landw. Vorträge ... Ser. 1 H. 7/8).

Pott, E., üb. Neubildungen u. Individualpotenz, s. a. Sammlung landwirthschaftl. Vorträge.

— Rassezucht u. Zucht auf Leistung Berl. (1901). 34 S. (Sartr.). P.

Emil Pott und Paul Sorauer, Referat über die Errichtung einer Hopfenbau-Versuchsstation.
Pott (W) o.O. 1878.

Die K. Techn. Hochschule in München, Darstellung aus der Geschichte der Technik, der Industrie und Landwirtschaft in Bayern.
Enthält:

K r a u s, C a r l:	Der Zustand der bayrischen Landwirtschaft vor 100 Jahren.
K r a u s, C a r l:	Acker- und Pflanzenbau in Bayern vor 100 Jahren.
P o t t, E m i l:	Landwirtschaftliche Tierproduktion.

München 1906

Pott, Ernst v., Buch d. Geheimnisse, s. Buch.

v. Pott, E., Buch der Geheimnisse für Gartenliebhaber. Aus Werken unserer Vorfahren mitgetheilt. 8. Leipzig 833. Schreck. 1/3 ₰

Pott, Friedrich Wilhelm August

Witten a. R.: Bericht über die Feier der Lichteinbringung in den Tempel der Loge Friedrich Leopold zur Markaner Treue im Or. Witten an der Ruhr am 15. Nov. 1896. [Unterz.:] Fr. W. Aug. **Pott.** [Berlin 1896: Büxenstein.] 23 S. 8° [Kopftit.]
cf. Bbl. 10 (1896) S. 677—683.
Festrede von A. Michels: Üb. Entbehrlichkeit der Frmrei u. ihren symbolischen Ritus.
215.

Pott, Bormann, Meyer, Geschichte des Märkischen Turngaues, 1874—1899, Iserlohn 1899, 138 S., 8°.

Pott, Friedrich Wilhelm August, Geschichte der Turngemeinde zu Witten von 1848—1898 nebst Nachrichten über das Vereinsturnwesen am Niederrhein und in Westfalen, Witten 1898, VII u. 320 S., 8°.

Pott, Friedrich Wilhelm August, Geschichte des Rheinisch-Westfälischen Volkswetturnens als Sonnenstein-Fest und Harkort-Bergfest v. 1881—1905, J. A. d. Gesamtausch. f. d. Harkortbergfest bearb., Witten 1905, 87 u. 51 S., 8°.
(Angeb.): Siegertafeln d. —, 1881—1904.

Pott, F. W. Aug., s.: Jahrbuch des Vereins f. Orts- u. Heimatskunde in der Grafsch. Mark verbunden m. dem märkischen Museum zu Witten.

Pott, Gerhard, Referendar: Das Verfolgungsrecht in seinem Verhältnis zu den Wirkungen des Frachtbriefes, Frachtbriefduplikates, Konnossements und Ladescheins. Borna-Leipzig 1910: Noske. VIII, 36 S. 8°

Heidelberg, Jur. Diss. v. 22. April 1910, Ref. Schröder

[Geb. 20. Sept. 85 Hannover; Wohnort: Aurich; Staatsangeh.: Preußen; Vorbildung: Leibniz-Gymn. Hannover Reife O. 04; Studium: Freiburg i. B. 3, Göttingen 3 S.; Rig. 2. Dez. 09.] [U 10. 1977

Pott, Gfr., s.: **Bräm's, Andr.,** Briefe an Frauen u. Jungfrauen.

[F.] Eben-Ezer. E. Denkschr. z. Feier d. 50j. Bestehens des Erziehgsver. zu Neukirchen bei Moers nach d. Akten u. Protokollen u. eigenem Erleben hrsg. v. G[ottfried] **Pott,** Insp. *Neukirchen Kr. Moers: Buchh. der Erziehgsver. [1896].* (96 S., 1 Tab.) 1 Bd 8. [97. 4.6

Pott, H. H., Handbuch f. techn. u. kaufmänn. Leiter v. **Fabrikbetrieben, Werkführer, Maschinisten.** I. Thl. **Die Dampfkessel,** ihre Bauart u. sparsamer Betrieb. **Dampfmaschinen. Pumpen.** Anleitgn. zur Anlage v. **Triebwerken (Transmissionen).** II. Thl.: Mälzerei. **Brauerei. Eis- u. Kälteerzeugungs-Maschinen.** Brennerei. gr. 8. (292 u. 3 S. m. Abbildgn.) Hamburg 898. (Boysen & Maasch.) Geb. in Leinw. n. 8. —

Pott, H. H., Handbuch f. technische u. kaufmännische Leiter v. Fabrikbetrieben, Werkführer, Maschinisten. Die Dampfkessel, ihre Bauart u. ihr sparsamer Betrieb. Die Dampfmaschine u. ihre Wartung. Dampfturbinen. Pumpen. Anleitungen zur Anlage v. Triebwerken (Transmissionen). Schmiermittel u. Schmiervorrichtgn. Elektrotechnik. 2. vollständig neu bearb. Aufl. (XIV, 394 S. m. 242 Fig.) gr. 8. Hamburg 911. Boysen & Maasch. 6.—; geb. in Leinw. 7. —

Pott, Heinrich August Georg von

v. Pott, Hur. Aug. Geo., Comment. philosoph.-histor. de Gladiferis seu de Fratribus Militiae Christi in Livonia. Mit 1 illum. Kpf. 8maj. Erlang. 806.

v. Pott, H. A. G. Den Manen des Prinzen Peter Friedrich Georg von Schleswig-Holstein-Oldenburg im Namen der Officiere des von ihm befehligten Ingenieur-Corps geweiht. 8. St. Petersburg 1813.

Pott, Hubert, geprüfter Rechtskand.: Die Übertragung der Namensaktie. Borna-Leipzig 1908: Noske. VIII, 44 S. 8°

Göttingen, Jur. Diss. v. 11. Jan. 1909, Ref. Ehrenberg

[Geb. 15. Juni 82 Dortmund; Wohnort: Dortmund; Staatsangeh.: Preußen; Vorbildung: Kgl. Gymn. Leipzig Reife O. 01; Studium: Bonn 1, Leipzig 5 S.; Rig. 2. Dez. 08.] [U 09. 1284

Nützliche Gedanken und gründliche Untersuchung der metallischen Geschirre, ob solche in der Küchen zuzulaßen sind und was vor welche. ... von Johann Balthasar Philipp Pott. Dresden: Gerlach 1754. 56 S. 8°

Natürliche Untersuchung und vernünfftige Gedancken vom Acido in wieferne solches als ein Universale u. Particulare anzusehen, auch wie dasselbe physice, chymice u. medice zu consideriren sey,... Nebst angehängtem kürtzen und erläutert. Gutachten über die Viehs[euche]...(Kurtzes medicinisches Bedencken [Bedenken] und Gutachten über die Viehseuche ...)entworffe[n] von Johann Balt(hasar P[ott]). D[resden 1747]. 86 S. 8°

[Titelbl. mit Textverlust beschädigt.]

Pott, J. B. P., natürl. Unters. und vernünft. Gedank. von Acido rc. 8. Dresden, Gerlach. 747.

Pott, Johann Fr.

Pott, Jh. Fr., († d. 13. April 1805.) s. **Du Roi,** Harbkesche wilde Baumzucht.

Pott, J.F. (Vorr.):

s.: Ebermaier, Johann Christoph: Vergleichende Beschreibung derjenigen Pflanzen, welche in den Apotheken... Braunschweig: 1794

Pott, Johann Heinrich

Physicalische chymische Abhandlung von dem sonderbahr feuerbeständigen und zartflüssigen Urin-Saltz und dessen weitläuftige Anwendung und Nutzen. Ingleichen eine Untersuchung der Verbindungen eines Acidi vitrioli mit dem sauren Weinstein. Zweite mit einem Anhang vermehrte Auflage. Berlin, 1761. 4to.

First edition, Berlin, 1757.

— v. d. **Urinsalze.** 4. Berlin, Haude. 762.

— physikal.-chem. Abhandl. v. d. sonderbar feuerbeständigen rc. Urinsalz u. dessen Anwend. u. Nutzen rc. 4. Berl. 782. Haude u. Sp. 8 gl.

Pott, Jh. Hnr., († d. 20. März 1777.) physikal.-chem. Anmerkk. üb. verschied. Sätze D. Ellers. 2 Thle. 4. Berl. 756. Haude u. Sp. 9 gl.

— **Exercitationes** chemicae. 4. Berl. Rüdiger. 738.

— neue physikal. chemische **Materien** m. Experimenten. 4. Berlin, Haude. 762.

— neue wichtige, mit Experimenten erläuterte u. ausgeführte physikal.-chemische Materien rc. 4. Berl. 763. Haude u. Sp. 8 gl.

Pott J. H.: Observationum et animadversionum chymicarum collectio 1-2. Berol. 1739-41. (317) S.

(1. Sal commune, Wismuthum. — 2. Zincum, Borax, Pseudogallena).

— **observationum** et animadversion. chemicar. collect. II. 4. Berl. Voss. 739—41.

— Sendschreiben an Justi, in welchem die Einwürfe, die er in seinen Schriften d. Herrn Pott gemacht hat, erörtert u. abfertigt rc. 4. Berl. 762.

Pott, J. H. Sendschreiben an v. Justi über chemische Schriften. Berlin, 1760.

— Chymische Untersuchungen welche fürnehmlich von der Lithogeognosia, oder Erkäntniss und Bearbeitung der gemeinen einfacheren Steine und Erden, ingleichen von Feuer und Licht handelt. Zweite Auflage. Berlin, 1757. pp. [xiv]-88-[viii]-120-[xiv]-148-[ii]-44-[xiii], sm. 4to. Folding plate.

The three parts have separate title-pages bearing the dates 1746, 1751 and 1754. First edition, Potsdam, 1746.

— chemische Untersuchungen, welche vornehml. v. d. Lithogeognosie od. Erkenntniß u. Bearbeitung d. gemein. einfachen Steine rc. handeln. 3 Thle. 4. Potsd. u. Berl. 747—57. Voß. 1 rthl 4 gl

Pott, John Henry Percival, s. Pott, Percival.

Vorbereitung auf die erste hl. Kommunion. Prakt. Hilfsbuch f. Katecheten ... Von Julius **Pott,** Kaplan. Paderborn: F. Schöningh 1900. (X, 162 S.) 8° [F.] [07. 11647

Pott, Jul., Vorbereitung auf die erste hl. Kommunion. Praktisches Hilfsbuch f. Katecheten u. alle, die bei der Vorbereitg. der Festkommunikanten beteiligt sind. 2., verb. u. verm. Aufl. (X, 175 S.) 8. Paderborn 909. F. Schöningh. 2.20

Pott, Julius Heinrich

— des Elémens, ou Essai sur la nature, les proprietés, les effets et l'utilité de l'air, de l'eau, de feu et de la terre II Tom. 8. Lausanne 782. Pott. 2 ℔

Pott, J. H., des Elémens, ou Essai sur la nature, les propriétés, les Effets et l'utilité de l'air. II Vol. 8. Lausan. Pott. (Wolf, Augsb.) 782.

Pott, Jul. Hnr., kleine Naturlehre, od. die vier Elemente, nach ihren natürl. Eigenschaften, Wirkungen u. Nutzen betrachtet 8. Leipz. 779. Hilscher. 12 gr.

— kl. Naturlehre, od. die Elemente nach ihr. natürlichen Eigensch. 8. Leipzig, Hilscher. (Compt. f. Litt.) 779.

Iulius Ludov[icus] Guilielmus Pott: Notationes quaedam de asthmate. Ienae (1800:) Fiedler. 8°

Jena, Med. Diss. v. 27. Sept. 1800

Pott, Carl Wilhelm (Resp.), De camphorae circumspecto usu medico, s. Alberti, Michael (Praes.)

Pott, Constantin, Der doppelte Spiegel-Goniograph. Beschreibung, Gebrauch und Anwendung desselben. Triest 1877.

— Laurentius Philipp Justus (Helmstedt), Commentatio de corporis feminae gravidae mutationibus iisque cum integra ipsius inter graviditatem valetudine recte conciliandis. Göttingen (H. Dieterich) 4. VI. 1814. 1815. 68 S. (4.25) 27088

Pott, Otto, aus Neukirchen, Kr. Moers, Assistenzarzt am Diakonissenhause zu Kaiserswerth: Zur Prognose der Hernien-Radikaloperation. Ein statist. Versuch. *Leipzig 1903: J. B. Hirschfeld.* (37 S.) 8°
Erlangen, Med. Diss. v. (16. Juli) 1903

POTT, Paul Edler von
Expedition S. M. Schiff „Pola" in das rothe Meer nördliche Hälfte. (October 1895—Mai 1896.) Beschreibender Theil. Verfasst von Paul Edler von Pott. (Mit 2 Karten und 4 Tafeln mit 11 photographischen Ansichten.) (Berichte der Commission für oceanographische Forschungen.) Wien. 1898. In Comm. Gerold's Sohn. 4°. 56 S. Cart. fl. 4.—

Pott, Paul Edler v., Expodition S. M. Schiff „Pola" in das Rothe Meer, nördliche Hälfte. (Octbr. 1895—Mai 1896.) Beschreibender Thl. (Mit 2 Karten u. 4 Taf. m. 11 photograph. Ansichten.) gr. 4. (56 S.) Wien 898. (C. Gerold's Sohn.) Kart. n. 8.—
Sonderabdruck aus: „Denkschr. d. k. Akad. d. Wiss."

POTT, Paul Edler von
Expedition S. M. Schiff „Pola" in das rothe Meer. Südliche Hälfte. (September 1897—März 1898.) Beschreibender Theil, verfasst von Paul Edler von Pott. (Mit 1 Karte und 4 Tafeln mit photographischen Ansichten.) Berichte der Commission für oceanographische Forschungen. Wien. 1899. In Comm. Gerold's Sohn. 4°. 51 S. Cart. K 8.—

Pott, Paul, a. Wien: Studien über die Dissoziationen von Calcium-, Strontium- und Baryum-Karbonat. Freiburg i. Br.: Speyer & Kaerner 1905. (79 S.) 8°
Freiburg i. B., Phil. Fak., Ref. Gattermann, Diss. v. 1905
[Geb. 26. Okt. 68 Wien; Wohnort: Freiburg i. B.; Staatsangeh.: Österreich; Vorbildung: Karls-Gymn. Heilbronn Reife M. 87; Studium: Wien T.H., Dresden T.H., Wien Univ., Leipzig, Freiburg i. B.; Rig. 26. Mai 05.]

Percivall Potts [Pott: Observations on the nature and consequences of wounds and contusions of the head. Deutsch:] Abhandlung von den Hauptwunden, worinn von der Beschaffenheit, u. den Folgen derselben... gehandelt wird. Aus d. Engl. übers., nebst einigen Anm. u. e. Verzeichnisse der besten Schriftsteller, so von Hauptwunden handeln. (Vollständiges Verzeichniß [Verzeichnis] der Schriftsteller, so von den Kopfwunden handeln). ([Übers.:] Christoph Gottlieb von Murr.) Nürnberg: Felßecker 1768. XXXII, 120 S. 8°

Pott, Percival: Abhandlung von der Mastdarmfistel. (Remarks on the disease, commonly called a fistula in ano. Dt.) Übers. von Joseph Jakob Plenk. 111 S., gbd.

Wien: Bernhard 1768

— Abhandl. von d. Mastdarmfistel; aus d. Engl. von J. J. Plenk. gr. 8. Wien 768. Gräffer. 5 gr.

— Abhandl. v. d. Thränenfistel; aus d. Engl. v. J. N. Petzold. 8. Dresd. 771. Gröll. 5 gr.

Pott, (John Henry) Percival.
Abhandlung von der Thränenfistel, a. d. Engl. Dresden 1779. Ü: *Pezold, Joh. Nathanael.* (Kläbe, Neuestes Gel. Dresden. Leipz. 1796.)

Percival Pott [Practical Remarks upon the hydrocele. Deutsch:] Abhandlung von dem Wasserbruche und andern Krankheiten des Hodens, seiner Häute u. seiner Gefäße. Mit vielen Fällen erl. Nach der 2. verb. u. vielverm. Ausg. übers. von Johann Clemens Tode. Kopenhagen: Rothe 1770. 324 S. 8°

— über verschiedene Gegenstände d. Wundarzneikunst; aus dem Engl. v. G. L. Rumpelt. 2 Thle. 8. Dresd. 771—74. (Seeger in Leipz.) 1 ℔ 4 gr.

Pott, Percival: Abhandlungen über verschiedene Gegenstände der Wundarzneykunst. Nach den neuesten Ausgaben...übers. von Georg Ludwig Rumpelt u.a. Bd 1 - 2, gbd., Abb.

Dresden: Gröll 1774 - 1779

— über versch. Gegenst. d. Wundarzneykunst. 2 Thle. 8. Dresden, (Seeger in Leipzig.) 779

— Bemerkk. üb. diejenige Art von Lähmung d. unt. Gliedmaßen, welche man bei einer Krümmung d. Rückgrates findet. Aus d. Engl. (von K. H. Spohr). gr. 8. Leipz. 786. Hilscher. 5 gr.

Percival Potts [Pott: Remarks on that kind of palsy of the lower limbs. Deutsch:] Bemerkungen über diejenige Art von Lähmung der untern Gliedmaßen, welche man häufig bey einer Krümmung des Rückgrads findet, und als eine Wirkung derselben angesehen zu werden pflegt. Nebst Betrachtungen über die Nothwendigkeit u. erforderliche Verrichtung der Amputation in gewissen Fällen und unter gewissen Umständen. Aus d. Engl. übers. [Übers.: Karl Heinrich Spohr.] Leipzig: Jacobäer 1786. 66 S. 8°

Percivall Pott's [Chirurgical Observations.Deutsch:] chirurgische Beobachtungen. Aus d. Engl. übers. [Übers.: Christian Gottlieb Selle.] Berlin: Himburg 1776. XVI,173 S. 8°

Pott, J. H., chirurg. Beobachtungen, aus dem Franz. 8. Berlin. 776. Jetzt Reimer.

— v. d. Thränen- und Mastdarmfistel. 8. Dresden, Gröll. 779.

Pott, (J. H.) P. Sämtliche chirurgische Werke ... a. d. Engl. ... Berlin 1787—88. Ü: *Spohr, Carl Heinrich.* (MGT) (Ky) (EngM)

[Werke. Deutsch] Percival Pott's sämmtliche chirurgische Werke nach e. neuen verm. Ausg. aus d. Engl. übers. Bd 1.2. Berlin: Mylius 1787. 8°

Pott, Richard: Ueber die Gefahren und Nachtheile der intrauterinen Injectionen. Halle (1870): Lipke. 38 S. 8°
Halle-Wittenberg, Med. Diss. v. 26. Apr. 1870
Geb. Halle a. d. S. 22. 10. 1844. V.

Pott, R., die acuten Infectionskrankheiten, s. Kuessner, B.

Pott, Richardus: Quaestiones de symptomatibus meningitidis tuberculosae puerorum adiuncta nonnullorum exemplorum enarratione. Halis Saxonum (1876): Karrus. 35 S. 8°
Halle-Wittenberg, Med. Hab.-Schr. v. 29. Jan. 1876

Pott, Rob., kurzes Lehrbuch der anorganischen Chemie für Landwirthe. gr. 8. (XXXII, 164 S.) Berlin 878, [Wiegandt, Hempel und Parey.] Parey. * 4 —

— Johann Heinrich Pott. Ein Beitrag zur Geschichte des Zeitalters der Phlogistontheorie. gr. 8. (23 S.) Jena 876, [Dufft.] Fischer. * 1 —

— vergleichende Untersuchung über die Mengenverhältnisse der durch Respiration und Perspiration ausgeschiedenen Kohlensäure bei verschiedenen Thierspecies in gleichen Zeiträumen, nebst einigen Versuchen über Kohlensäureausscheidung desselben Thieres unter verschiedenen physiolog. Bedingungen. Habilitationsschrift. gr. 8. (88 S. mit 2 eingedr. Holzschn.) Jena 875, (Deistung's Buchh.) * 1 —

— Untersuchungen über die Stoffvertheilung in verschiedenen Culturpflanzen mit besonderer Rücksicht auf ihren Nährwerth, s. Sammlung physiologischer Abhandlungen.

Die Arbeitsschule. Ein Orientierungsvortrag über d. sogenannte 'Zukunftsschule'. Von Alfred Pottag. Berlin: Gerdes & Hödel (1910). 55 S. 8°
(Pädagogische Bausteine. H. 38.) [11. 5668

Pottag, Alfr., die Arbeitsschule, s. Bausteine, pädagog. 38. Heft.

— s.: Blätter f. die Fortbildung des Lehrers u. der Lehrerin.

Die begründend-vergleichende Erdkunde. Von Alfred Pottag, Sem.-Lehrer. Berlin: Gerdes & Hödel 1905. (40 S.) 8°
— Bausteine, Pädagogische. H. 27. [07. 4395 11

Die zweite Lehrerprüfung. Von Alfred Pottag. Berlin: Gerdes & Hödel 1908. 58 S. 8°
(Zur Fortbildung d. Lehrers. H. 1.) [09. 8563

— Die zweite Lehrerprüfung, s. Zur Fortbildung d. Lehrers.

Pottag, Alfred: Zur Mimik der Kinder beim künstlerischen Geniessen. Langensalza: Beyer 1907. 17 S. 8°
(Pädagogisches Magazin. H. 302.)

— das Prinzip der Anschauung im geographischen Unterrichte. (32 S.) 8. Leipzig 906. Dürr'sche Buchh. n. — 50

Schule und Lebensauffassung. Von Alfred Pottag, Seminarl. in Prenzlau. *Langensalza: H. Beyer & Söhne 1904.* (12 S.) 8°
— Magazin, Pädagogisches. H. 234.

Poettcke, Albrecht

Poettcke, A., Anleitg. zur prakt. Kaninchenzucht. [Aus: „Landwirthschaftl. Nachrichten".] 12. (43 S.) Berlin 897. Deutscher Verlag. — 40

Anleitung zur praktischen Kaninchenzucht von A[lbrecht] Poettcke, Frankfurt a. O. 2. verm. u. verb. Aufl. Mit 6 Abb. *Berlin: Deutscher Verl.* (34 S.) 8° [F.]
Aus: Berliner Neueste Nachrichten, Beibl.: Landwirtsch. Nachrichten. [04. 14057

Poettcke, A., Anleitung zur praktischen Kaninchenzucht. 2. verm. u. verb. Aufl. (34 S. m. 6 Abbildgn.) 8. Berlin (904). Deutscher Verlag. n. — 50

(B) Poettcke, A., Anleitung z. Kaninchenzucht. 904. (KWL 34.) Jetzt: Stuttgart, E. Leupoldt.

Poettcke, Ernst: Die partielle Erneuerung von Repräsentativkörpern, unter besonderer Berücksichtigung der deutschen Bundesstaaten. *Anklam 1898: G. Kleese.* (41 S.) 8°
Greifswald, Jur. Diss. v. 1898

Pottenburg, Die Veste. Wien [1885]. V: *Walterskirchen, Otto Baron.* (EB)

POTTENSTEIN, Landulf von, oder die Bewohner der Ruinen im Fichtelgebirge. Mit Kupf. Leipzig, Commissions-Büreau, 1805. 8°. (1/2 Rthl.)
Weller. Lex. Pseud. p. 390.

v. Pottenstein, Landulf, od. die Bewohner der Ruine im Fichtelgebirge. 8. Leipz. 806. Joachim. 12 gr.

Pottenstein und seine Umgegend mit besonderer Rücksicht auf Pfarren, Stifte, Klöster ... [Wien 1826.] V: *Kaiblinger, Ignaz & Malachias Koll.* (EngG)

Potter, Beatrice, s.: Webb, Mrs. Sidney.

Potter, Hebelius

Potter's, H., Reisen d. d. östl. Departem. von Holland rc. s. Biblioth. der Reisebeschr. 43r Bd.

— Reise durch einen Theil v. Südholland rc. s. Ebendaselbst 43 Bd.

Potter, Hebelius. Reisen durch einen grossen Theil von Süd-Holland. In den Jahren 1807 und 1808. A. d. Holl. Weimar 1811. H: *Ehrmann, Theophil Friedrich.* (BrMm)

Potter, John

Potter, Johann. Griechische Archaeologie oder Alterthümer Griechenlandes. Aus dem Englischen übersetzt und mit Anmerkungen und Zusätzen vermehrt von **Johann Jacob Rambach.** 3 Bde. Mit Kupfern.
Halle: Gebauer 1775-778. 8°.

— Griechische Archäologie oder Alterthümer Griechenlands. Aus dem Engl. mit Anm. von J. J. Rambach. Mit Kupf. Halle 775-78. 3 Theile. 8. 6 rthl. 18 gr. (I. 2 rthl. 12 gr. II. 2 rthl. 9 gr. III. 1 rthl. 21 gr.) Theil 3 ist blos von Rambach und führt auch den Titel: *Archäologische Untersuchungen.*

Potter, Ley Francis, a. Leicester (England): Über die Reduktion von Metamethoxybenzaldazin. Heidelberg 1906: K. Rössler. (48 S.) 8°
Heidelberg, Naturw.-math. Fak., Ref. Curtius, Diss. v. 22. Dez. 1906
[Geb. 27. Febr. 82 Leicester; Wohnort: Oldham, England; Staatsangeh.: England; Vorbildung: Bachelor of arts Oxford 04; Studium: Oxford 6, Heidelberg 3 S.; Rig. 2. Aug. 06.]

Potter, Louis de

de Potter, Histoire philosophique, politique et critique du Christianisme et des églises chrétiennes, depuis Jésus jusqu'au XIXe siècle. 8 Vols. gr. in-8. Paris 836. Merklein. (Leipzig, Brockhaus et Avenarius.) (17 5/6 ₰) 6 ₰

v. **Potter,** das Leben u. d. Memoiren des Scipio v. Ricci, Bischof v. Pistoja u. Prato rc. Nach den eigenhänd. Manuscripten dieses Prälaten u. anderer berühmter Männer des vorigen Jahrhunderts bearbeitet, u. mit rechtsgült. Urkunden aus den Archiven d. Hrn. Capo v. Ricci zu Florenz versehen. 4 Bde. Aus d. Französ. gr. 8 Stuttg. 826, Frankh.

Potter, Paul M., Trilby, s.: **Universal-Bibliothek.**

Potter, Paulus

— **Kopf des jungen Stieres,** s.: **Meisterbilder.** 132. Bl.

Potter, Paulus, 1625—1654. 20 Orig.-Abbildgn. seiner vorzüglichsten Handzeichngn. u. Gemälde. 1. u. 2. Lfg. (à 4 Lichtdr.-Taf.) Fol. Haarlem (903. 905). H. Kleinmann & Co. à 5. —

Potter, Thom. J., Fluch u. Segen. Eine Erzählung. Frei nach dem Engl. von Lina Freifrau v. Berlepsch. Köln 867. Bachem. 8. (185 S.) 12 ngr

Potter, Thom. J., Fluch und Segen. Eine Erzählung. Frei nach dem Engl. von Lina Freifrau v. Berlepsch. 2. Aufl. 8. (196 S.) Köln 882, Bachem.

Potter, Th. J., Schloß Percy Grange, s.: **Bibliothek f. die reifere christl. Jugend.**

—— Schloß Percy Grange, oder: der Ocean des Lebens. Eine Erzählung in 3 Büchern. Aus dem Engl. von C. B. Reiching. 8. (XII und 276 S. mit 1 Stahlst.) Regensburg 866, Manz.

— **Schloß Percy Grange oder der Ocean des Lebens.** Eine Erzählung in 3 Büchern. Aus dem Engl. von C. B. Reiching. 2. (Titel-)Ausg. Mit einem Stahlst. 8. (XII, 276 S.) Regensburg (1866) 877. Manz. 2. —

Poetter, August (Hrsg.), s.a. Ärzteordnung f.d. Königreich Sachsen.

Poetter, A., Aerzteordnung f. d. Königr. Sachsen, s.a. **Tänzler, Fritz.**

Poetter, Friedr. Chrph., die Geschichte der Philosophie im Grundriß. Ein übersichtl. Blick in den Verlauf ihrer Entwickelung. 2 Hälften. gr. 8. Elberfeld, Friderichs. * 5 —
Inhalt:
Hälfte 1. Die griechische Philosophie. (127 S.) 873. *M 2.
" 2. Die vor- und nachkantische Philosophie. (204 S.) 874. *M 3.

Poetter, Frdr. Chrph., die Geschichte der Philosophie im Umriß. Ein übersichtl. Blick in den Verlauf ihrer Entwickelung. 2., wesentl. verb. Aufl. gr. 8. (VIII, 372 S.) Gütersloh 882. Bertelsmann. n. 6. —

— **der persönliche Gott u. Welt.** Grundzüge der Wissenschaftslehre. gr. 8. (VI, 76 S.) Ebend. 875. n. 2. —

— **der Herr ist der Geist.** Wo aber der Geist d. Herrn ist, da ist Freiheit. Predigt, am Reformations-Feste 1875 geh. 8. (15 S.) Altena 875. Santz in Comm. n. — 40

Poetter, F. Chr., Logik, s. **Vogel, A., philosophisches Repetitorium.**

Poetter, F. Ch., Psychologie, s.: **Vogel, Aug., philosophisches Repetitorium.**

Pötter, H., Aufgaben zum Gebrauche beim Rechenunterricht, s.: **Schellen.**

— Materialien, s.: Schellen.

Poetter, Heinrich

Poetter, evangel. Losungen auf alle Tage des Jahres. Aus Bibel u. Gesangbuch zusammengestellt u. den Kindern Gottes zur Erbaug. u. Pflege christl. Gemeinschaft dargeboten. (189 S.) kl. 8. Labes (904). (Berlin, G. Nauck. — Stettin, J. Burmeister.) Geb. in Leinw. n. 1. —

Evangelische Losungen auf alle Tage des Jahres. Aus Bibel u. Gesangbuch zsgest. u. den Kindern Gottes z. Erbauung u. Pflege christl. Gemeinschaft dargeboten von D. [Heinrich] **Poetter,** Generalsuperint. a. D. Labes i. P.: A. Straube & Sohn in Komm. (189 S.) 8° [F.] [05. 5625

[F.] Onesimus. E. bibl.-socialer Vortr. nebst einigen nachträgl. Zusätzen v. D. [Heinrich] **Poetter,** Generalsuperintend. *Gütersloh: C. Bertelsmann 1896.* (34 S.) 1 Bd 8. [96. 3642

Poetter, Karl Heinrich, a. Gütersloh: Über den Einfluss der Konzentration und Temperatur auf das spezifische Drehungsvermögen optisch aktiver Verbindungen. Neuwied 1905: Heuser. (62 S.) 8°
Münster, Phil. Fak., Ref. Salkowski, Diss. v. 22. Dez. 1905
[Geb. 6. Dez. 72 Gütersloh; Wohnort: Münster; Staatsangeh.: Preußen; Vorbildung: Gymn. Gütersloh Reife O. 99; Studium: Paderborn 3, München 1, Münster 6 S.; Rig. 12. Dez. 05.]

Pötter, Wilhelm

— u. W. **Krefting,** Lehrgang f. Buchdrucker. Zum Gebrauch an Fortbildungsschulen hrsg. (12 farb. Taf. m. 1 Bl. Text.) 30,5×20,5 cm. Halle 910. W. Knapp. In Umschlag 2. —

Pötter, Wilh., Paul Woenne u. Walt. Krefting, Lehrgang f. Lithographen. Zum Gebrauch an Fach- u. Fortbildungsschulen. (20 farb. Taf.) 33,5×24 cm. Halle (909). W. Knapp. In Umschlag 5. 40

Pötter, Wilh., Tortenverzierungen, s.: Krefting, Walt.

Pötter-Krohn, August, s. Krohn, August

Potterat, d. schweizer. Armee, s.: **Estoppey, D.**

Potterat, D., Bericht an das schweizer. Landwirthschafts-departement üb. den thierärztlichen Unterricht in der Schweiz u. die Mittel zur Hebung desselben. gr. 8. (21 S.) Bern 885. Wyß. n. — 30
Französ. Ausgabe zu gleichem Preise.

Potterat, D. Rapport au Département fédéral de l'agriculture sur l'enseignement vétérinaire en Suisse et moyens à employer pour le compléter. In-8⁰, 21 p. Berne, K. J. Wyss. 1885. — 30

— **stud-book suisse.** Répertoire des étalons améliorateurs nés et importés en Suisse de 1857 à 1894. Publié au nom du département fédéral de l'agriculture. 12. (XV, 190 S. m. 10 Tab.) Bern 895. K. J. Wyss. Kart. n. 2. —

Potters, P., compendium philosophiae moralis seu ethicae secundum principia S. Thomae ad usum scholarum. Pars I. Ethica generalis complectens principia generalia ordinis moralis naturalis. gr. 8. (IV, 383 S.) Breda 892. (Freiburg i/B., Herder.) n.n. 3. 75

Pötters, Armin v., Oster-Gedanken e. Buchhandlungs-Reisenden (gelernten Buchhändler) über das Kartell der Reisebuchhandlungen u. über die jetzige wie zukünftige Lage der Bücher-(Lexikon-)Reisenden. gr. 8. (16 S.) Stuttgart (901). (E. Leupoldt.) n.n.n. — 20

Pottgeißer, Julius

Pottgeißer, J., Predigten auf die Sonn- u. Festtage des Kirchenjahres mit e. Anh. v. Fastenpredigten. 2. Aufl. gr. 8. (V, 487 S.) Paderborn 888. Bonifacius-Druckerei. n. 4. 80

Pottgeißer, J., Predigten auf die Sonn- u. Festtage d. Kirchenjahres m. e. Anh. v. Sakraments- u. Fastenpredigten. 3., verm. u. verb. Aufl. gr. 8. (XIV, 544 S.) Paderborn 892. Bonifacius-Druckerei. n. 4. 80

Pottgeißer, Jul., S. J., Predigten auf die Sonn- u. Festtage des Kirchenjahres m. e. Anh. v. Sakraments- u. Fastenpredigten. 4. Aufl. gr. 8. (XVIII, 512 S.) Paderborn 898. Bonifacius-Druckerei. n. 4. 80

Pottgeißer, Jul., S. J., Predigten auf die Sonn- u. Festtage des Kirchenjahres m. e. Anh. v. Sakraments- u. Fastenpredigten. 5. Aufl. (XVIII, 512 S.) gr. 8. Paderborn 904. Bonifacius-Druckerei. n. 4. 80

Pöttgen, Joh. Wilh., Schleswig-Holsten-Klänge. National-Lieder f. Deutschlands Volk u. Heer. 32. (100 S.) Duisburg 850. Bagel in Comm. n. 3 ngr

Pöttgen, Joh. Wilh., Schleswig-Holstein-Klänge. National-Lieder für Deutschlands Volk und Heer. 32. (100 S.) Duisburg 850, [Ewich.] *

Pottgiesser, Gustav, prakt. Arzt in Dortmund: Acht Fälle von Rhinophym. *Würzburg 1899: P. Schreiner.* (19 S.) 8°
Würzburg, Med. Diss. v. 1899

Pottgiesser (Pottgieser), Heinrich Wilhelm [Übers.]

s.: Guenther, D(aniel) E(rhard): Kurzer Entwurf der anatomischen Nervenlehre. (Cerebri et nervorum distributionis expositio. Dt.) Düsseldorf: 1789

Pottgiesser, Karl Die Einführung des Christentums bei den Völkern germanischer Abstammung. 26 S. Progr. G. *Bochum* 1878

Pottgieser, Karl, Die Einführung des Christenthums bei den Völkern germanischer Abstammung. Bochum 1878. 4.
Progr. Gymn. Bochum. . . . . . (D.)

Potthast, August. Die Abstammung der Familie Decker. Festschrift bei Hundertjähriger Dauer des Königlichen Privilegii der Geheimen Ober-Hofbuchdruckerei. Am 26. Oktober 1863. [Mit Vignetten und 2 Tafeln.] 4. Berlin 1863.

Potthast, Aug., **Bibliotheca historica medii aevi. Wegweiser durch die Geschichtswerke des europäischen Mittelalters von 375—1500. Vollständiges Inhaltsverzeichniss zu „Acta sanctorum" der Bollandisten. Anhang: Quellenkunde für die Geschichte der europäischen Staaten während des Mittelalters.** 3 Thle. Lex.-8. (VIII und 1011 S.) Berlin 862, [Weber.] *

Potthast, Aug., Bibliotheca historica medii aevi. Wegweiser durch die Geschichtswerke des europäischen Mittelalters von 375—1500. Vollständiges Inhaltsverzeichniss zu „Acta Sanctorum" der Bollandisten. Anhang: Quellenkunde für die Geschichte der europäischen Staaten während des Mittelalters. 3 Thle. Berlin 862, 63. Kastner & Co. (Prausnitz.) Lex.-8. (VIII, 1011 S.) n. 6 ℛ

Potthast, Aug., Bibliotheca historica medii aevi. Wegweiser durch die Geschichtswerke des europäischen Mittelalters von 375—1500. Vollständiges Inhaltsverzeichniss zu „Acta sanctorum" der Bollandisten. Anhang: Quellenkunde für die Geschichte der europ. Staaten während des Mittelalters. Supplement. Nebst einer Zeitfolge der röm. Päpste, der deutschen Kaiser u. Könige, sowie sämmtl. deutschen Bischöfe. Berlin 868. W. Weber. Lex.-8. (IV, 456 S.) n. 3 ℛ

Potthast, Aug., bibliotheca historica medii aevi. Wegweiser durch d. Geschichtswerke d. europ. Mittelalters bis 1500. Vollst. Inhaltsverzeichniss zu „Acta Sanctorum" Boll. — Bouquet — Migne — Monum. germ. hist. — Muratori — Rerum britann. scriptores etc. Anh.: Quellenkunde f. d. Geschichte d. europ. Staaten währ. d. Mittelalters. 2., verb. u. verm. Aufl. 2 Bde. gr. 8. (VIII, 1749 S.) Berlin 895. 96. W. Weber. à Bd. n. 24. —; geb. in Halbfrz. n.n. 26.50)
Erschien auch in 4 Halbbdn. à n. 12. —.

Potthast, Aug., Friedrich Wilhelm III. König v. Preußen. Erinnerungsblätter an seine glorreiche Regierg. bei Gelegenheit der Enthüllg. d. ihm errichteten ehernen Standbildes. Mit e. Abbildg. d. Denkmals in Holzschn. gr. 8. (71 S.) Berlin 871. v. Decker. — 75

Potthast, Aug., Geschichte d. siebenjähr. Krieges, s.: Archenholz, J. W. v.

Potthast, Aug., **Geschichte der ehemaligen Cistercienserabtei Rauden in Oberschlesien. Festgabe zur sechsten Säcularfeier ihrer Gründung. gr. 8. (VIII und 308 S. mit 1 Stahlst. und 1 lithogr. Karte in qu. Fol.) Leobschütz 858, [Bauer.]** *

Potthast, Augustus: *De Henrico de Hervordia eiusque chronico inedito specimen historicum. 148 S. 4° (2°)
Halle-Wittenberg, Phil. Diss. v. 20. Okt. 1855
Geb. [Höxter 13. 8. 1824]
Vom Verf. ersch.: Henricus de Hervordia: Liber de rebus memorabilioribus sive Chronicon. Ed. et de scriptoris vita et chronici fatis auctoritateque dissertationem praemisit. Goettingae: Dieterich 1859. XXXVII, 327 S., 1 Taf. 4°

Potthast, Katalog der Bibliothek d. Deutsch. Reichstages. Berlin 882.

— **regesta** pontificum romanorum inde ab a. post christum natum 1198 ad a. 1304. Fasc. I—XII. 4. (1902 S.) Ebend. 873. 74. à n. 6. —

Potthast, Aug., **Regesta pontificum romanorum inde ab anno post Christum natum 1198 ad annum 1304. Fasc. XIII (finis). gr. 4. (Vol. II. VIII, S. 1903—2158.) Berlin 875, v. Decker's Verlag.** * 10 —
Fasc. I—XII. Ebendas. 1873,74. *ℳ 72.; — compl. 2 Vol. *ℳ 82.; geb. *ℳ 87.

Potthast, F., De Euripidis Heraclidis. Diss. 1872. 39 S.

POTTHAST, Heinrich (Lövendorf): Ueber die Vorzüge der Behandlung beweglicher Hernien mit Alkoholinjektionen vor der radicalen Operation.- München: Wolf 1883. 24 S.
1.6.1883 - Urk (Titel: De injectionibus alcoholicis ante operationes herniarum mobilium radicalem instituendis.)
Diss. Ingolst.-Landsh.-Mchn.

Potthast, Johannes [Landwirthschaftslehrer in Billerbeck in Westf.]: **Beiträge** zur Kenntniss des Eiweissumsatzes im thierischen Organismus .... Münster, Regensberg'sche Buchdr. (B. Theissing), 1887; 59 S. + 1 Bl. 8⁰
Leipzig, Phil. Fak., Inaug.-Diss. v. 20. Sept. 1887

Potthast, Johannes, Beiträge zur Kenntniss des Eiweissumsatzes im thierischen Organismus. Diss. Leipzig 1887, Gustav Fock. 8⁰. 52 S.

Potthof, Wilhelm, Gerichtsreferendar a. Bonn: Das gemeinrechtliche Dotalsystem unter der Herrschaft des deutschen Bürgerlichen Gesetzbuches bei besonderer Berücksichtigung des praedium dotale. Bonn 1905: C. Georgi. (52 S.) 8°
Rostock, Jur. Fak., Ref. Bernhöft, Diss. v. 27. Dez. 1905
[Geb. 8. Juli 83 Frankfurt a. M.; Wohnort: Bonn; Staatsangeh.: Preußen; Vorbildung: Gymn. Bonn Reife O. 01; Studium: Lausanne 1, Heidelberg 3, Bonn 2 S.; Rig. 23. Mai 05.]

Potthoff, Ernst (Hrsg.), s. Talent, Das.

Potthoff, Ernst. Wallenstein. s.: Theater-Bibliothek.

Potthoff, Gust. (geb. Halle in Westf. 1. 3. 1820): De venaesectione. Berolini (1843). (28 S.) 8°
Berlin, Med. Diss. v. 4. Aug. 1843

Potthoff, H. W. A., Anna, Gräfin v. Gloswood, od. der Katholicismus in England unter Karl II. Frei nach d. Französ. des Frl. A. Lecler bearb. u. hrsg. 2. Aufl. 8. (VII, 278 S.) Erfurt 887. Brodmann. n. 2.50

Henricus Guilelmus Potthoff: Descriptio casus rarissimi spinae bifidae totalem et columnae vertebralem antrorsum insigniter curvatae exhibentis. Berolini (1827:) Brüschk. 16 S. 4⁰
Berlin, Med. Diss. v. 14. Dez. 1827

Arbeit und Erholung. Vorträge z. Sommerurlaub geh. von Reichstagsabgeordn. Dr. Heinz **Potthoff** u. Prof. Dr. [Artur] Schloßmann. Mit e. Anh. (Hrsg. vom Ausschusse d. Privatangestelltenvereine von Düsseldorf u. Umgebung. Düsseldorf: Werkmeister-Buchh. 1910.) 32 S. 8° [11. 10437

Arbeitskammern, Werkmeister, Techniker und Handlungsgehilfen. Von Dr. Heinz **Potthoff** u. Georg Lisske. Düsseldorf: Werkmeister-Buchh. 1909. 24 S. 8° [Umschlagt.]
(Schriften d. Deutschen Werkmeister-Verbandes. H. 12.) [09. 17761

— u. Geo. **Lisska,** Arbeitskammern, Werkmeister, Techniker u. Handlungsgehilfen, s.a. Schriften des deutschen Werkmeister-Verbandes. 12. Heft.

Potthoff, Heinz: Beamte, Privatangestellte u. Fortschrittliche Volkspartei! Berlin 1910. 8⁰

Die Bekämpfung der Trinksitten an deutschen Hochschulen von Dr. Heinz **Potthoff**. *Berlin: Mäßigkeits-Verl. [1903].* (12 S.) 8° [F.] [03.1104]

Potthoff, Heinz, s.: Blätter, volkswirtschaftliche.

Potthoff, H., Vor der Entscheidung! 16 Gutachten zur Frage der Pensionsversicherung der Privatangestellten. Hrsg. vom Deutschen Werkmeister-Verband. Düsseldorf, 1907. 47 S.

Potthoff, Heinz: Die soziale Frage der Handlungsgehilfinnen. — Gautzsch b. Leipzig: Dietrich 1910. 14 S. 8⁰ (Kultur u. Fortschritt. 291.)

Potthoff, Heinz: Die soziale Frage der Werkmeister. Düsseldorf: Werkmeister-Buchh. 1910. 11 S. 8⁰ [Umschlagt.] (Schriften d. Deutschen Werkmeister-Verbandes. H. 14.)

— Die soziale Frage der Werkmeister, s.a. Schriften des deutschen Werkmeister-Verbandes. 14. Heft.

Potthoff, Heinz: Frauenstimmrecht und allgemeines Wahlrecht. — Berlin 1909: Rinka. 16 S. 8⁰ [Umschlagt.] (Schriften d. Preuß. Landesvereins f. Frauenstimmrecht. [7.])

Potthoff, Heinz, Fürsorge f. Stellenlose, s.: Schriften d. deutschen Werkmeister-Verbandes. 13. Heft. (Most, Otto.)

Potthoff H. Handelsinspektion u Technikerinspektion. (30 S.) Quedlinburg (1906)

Handelsvertragsverein. Verband zur Förderung des deutschen Aussenhandels. Berlin, Anfang Februar 1906. (Petition.) Betr. Reichsfinanzreform. Enthält: Handelspolitik und Steuerreform. Vortrag des Reichstagsabgeordneten Dr. HEINZ POTTHOFF in der Mitgliederversammlung des Handelsvertragsvereins am 21. Januar 1906 zu Frankfurt a. M. (o. O. 1906.) fol.

Potthoff, Heinz, Handelspolitik u. Wehrkraft. gr. 8. (V, 51 S.) Berlin 902. F. Siemenroth. n. 1.20

HEINZ POTTHOFF. Das Interesse der lippischen Ziegler an dem Abschlusse günstiger Handelsverträge. (o. O. u. Dr. Ohne bes. Titelbl.) 4°.

— u. Rhard. **Lehmann, die Konkurrenzklausel der Werkmeister,** Techniker u. Betriebsbeamten, s.a. Schriften des deutschen Werkmeister-Verbandes. 7. Heft.

Potthoff, H., u. R. **Lehmann,** Die Konkurrenzklausel der Werkmeister, Techniker u. Betriebsbeamten. (27 S.) 8. Düsseldorf, Werkmeister-Buchhg. —. 50.
1908.

Die Leinen- und Wäsche-Industrie. Von Heinz **Potthoff**-Bielefeld. *(Berlin 1901: Liebheit & Thiesen.)* (48 S.) 8°
= Interesse d. deutschen Industrie an d. Handelsverträgen. H. 7.
[01. 1198: 3

Potthoff, Heinz, aus Bielefeld: Die **Leinenleggen** in der Grafschaft Ravensberg. *(Bielefeld 1900: Velhagen & Klasing.)* (140 S.) 8° [Umschlagt. F.] ¶ Aus: Jahresbericht d. Hist. Vereins f. d. Grafsch. Ravensberg f. 1900.
Leipzig, Phil. Diss. v. [1. Apr.] 1901

Liberalismus und Beamte... Vortrag d. Reichstagsabg. Dr. Heinz **Potthoff**. Berlin-Schöneberg: 'Hilfe' 1907. 16 S. 8° [Umschlagt.]
[11. 6592

Soziale Not und Organisation der technischen Beamten. Vortrag von Dr. Heinz **Potthoff**, M. d. R., geh. in d. 1. Versammlung d. Berliner Ortsgruppe d. Bundes. Berlin: Bund d. industr. Beamten [1905]. (17 S.) 8° [F.]
= **Schriften** d. Bundes d. industr. Beamten. No 1.

Die Organisation des Privatbeamtenstandes. Die staatl. Pensions- u. Hinterbliebenen-Versicherung d. Privatangestellten. Die Statistik d. Privatangest. Von Dr. Heinz **Potthoff**, M. d. R. Hrsg. v. Deutschen Brennmeister-Bunde. Berlin 1904: Reichsbote. (35 S.) 8° [F.] [04. 4894

— die Organisation des Privatbeamtenstandes. Die staatl. Pensions- u. Hinterbliebenen-Versicherg. der Privatangestellten. Die Statistik der Privatangestellten. Hrsg. vom deutschen Brennmeister-Bunde. (35 S.) gr. 8. Berlin 904. (F. Siemenroth.) n. — 25

— Pensionsversicherung des alten u. neuen Mittelstandes. (8 S.) 8. Düsseldorf 909. Werkmeister-Buchh. — 10
Sonderabdruck aus: „Zentralbl. d. Reichsversicherg." u. „Werkmeister-Ztg."

— Die Pensionsversicherung der Privatangestellten und die Vereinheitlichung der Arbeiterversicherung in Deutschland. Denkschrift an den internationalen Kongress für Arbeiterversicherung zu Rom. 8°. Gautzsch b. Leipzig, Fel. Dietrich, 1908. (Kultur u. Fortschritt, Nr. 211—212.)

Die Pensionsversicherung der Privatangestellten u. die Vereinheitlichung der Arbeiterversicherung in Deutschland, s.a. Kultur u. Fortschritt.

(Potthoff, Heinz), Die staatliche Pensions- und Hinterbliebenen-Versicherung der Privat-Angestellten. 3. wesentl. verm. Aufl. Düsseidorf 1906. 8°.
(Schriften d. Deutschen Werkmeister-Verbandes. H. 1.)

Potthoff, H., Die staatliche Pensions- und Hinterbliebenen-Versicherung für Privatangestelite in Deutschland. Vortrag. Hrsg. vom Deutschen Werkmeister-Verband. 3. Aufl. Düsseldorf, 1906. 18 S.

- Einheitliches Privatbeamtenrecht, s.: Schriften der Gesellschaft f. soziale Reform. III, 3.

— Heinr. Sybel, Karl Kuntze, die Störungen in der deutschen Textilindustrie während der J. 1900ff., s.: Schriften des Vereins f. Socialpolitik. 105. Bd.

Die Vertretung der Angestellten in Arbeitskammern. Von Dr. Heinz Potthoff. Jena: G. Fischer 1905. (47 S.) 8° [F.]
= Schriften d. Gesellschaft f. Soziale Reform. H. 19. [05. 9626 B

Die Vertretung der Angestellten in Arbeitskammern. Von Dr. Heinz Potthoff. Jena: G. Fischer 1905. (47 S.) 8° [F.]
— Schriften d. Gesellschaft f. Soziale Reform. Bd 2, H. 7. [06. 9976 2

Sonderabdruck aus dem „Volkswirtschaftlichen Handbuch" (Bd. I der Schriften des Deutschen Volkswirtschaftlichen Verbandes). Der praktische Volkswirt und sein Arbeitsgebiet. Von Dr. HEINZ POTTHOFF, M. d. R., Düsseldorf. Berlin. Carl Heymanns Verlag. (Ohne bes. Titelbl.) 8°.

Potthoff, Heinz, Ziele und Erfolge des Werkmeister-Standes. Vortr. (Düsseldorf 1906.) 8°.
(Schriften d. Deutschen Werkmeister-Verbandes. H. 2.)

Ziele und Erfolge des Werkmeister-Standes. Vortrag d. Reichstagsabgeordn. Dr. Heinz Potthoff. (Düsseldorf: Deutscher Werkmeister-Verband 1907.) (12 S.) 8° [F.]
— Schriften d. Deutschen Werkmeister-Verbandes. H. 2. [07. 8962

— s.: Zolltarif, der neue niederländische.

Potthoff, Herm. Ludw., die religiös-politischen Fragen der Gegenwart. Ein offener Brief an den Herrn Notar Vincenz v. Zuccalmaglio. Köln 861. Schwann. 8. (48 S.) n. 2½ ngr.

— Goliath u. David, Saul u. Jonathas. Ein religiös-politisches Zeitbild für das katholische Volk. Ebend. 861. 8. (64 S.) n. 3 ngr.

Potthoff, Rudolf, Referendar: Zur Lehre von der rechtlichen Bedeutung der Quittung nach geltendem Rechte. Göttingen 1908: Hofer. IV, 75 S. 8°
Göttingen, Jur. Diss. v. 19. Dez. 1908, Ref. Merkel
[Geb. 27. Apr. 84 Lemgo; Wohnort: Lemgo; Staatsangeh.: Lippe-Detmold; Vorbildung: Gymn. Lemgo Reife O. 03; Studium: Lausanne 2, Marburg 2, München 1, Göttingen 2 S.; Rig. 25. Nov. 08.] [U 09. 1285

Potthoff, Werner [aus Bielefeld]: La Fontaines Stil m. bes. Berücks. d. syntakt. Archaismen ... Marburg, '(Bielefeld, Velhagen & Klasing.)', 1894; 43 S. 8.
Marburg, Phil. Fak., Inaug.-Diss. v. [4. Aug.] 1894

Poettickh von Pettenegg, Eduard Gaston, s.a. Pettenegg

Pöttickh v. Pettenegg, Ed. Gaston Graf, s.: Jahrbuch der k. k. heraldischen Gesellschaft „Adler".

Pottien, C. Gli, vier Casualpredigten, bey Gelegenh. des letzt. Krieges geh. 8. Königsb. Hartung. 779.

Pottien, Harley [aus Bromberg (Preussen)]: Ein Fall von carcinomatöser Degeneration einer dermoiden Ovarialcyste .... Jena, Druck v. B. Engau, 1887; 25 S. 8°
Jena, Med. Fak., Inaug.-Diss. v. [22. Sept.] 1887

Pottien, Harley, ein Fall von carcinomatöser Degeneration einer dermoiden Ovarialcyste. Diss. Jena 1887, G. Neuenhahn. 8°. 25 S.

Pottien, Walther [app. Arzt]: Beiträge zur Addisonschen Krankheit. ... Göttingen, Druck d. Dieterichschen Univ.-Buchdr. W. Fr. Kaestner, 1889; 41 S. 8°
Göttingen, Med. Fak., Inaug.-Diss. v. 7. Aug. 1889

Pottien, W., Beiträge zur Addison'schen Krankheit. Inaug.-Diss. gr. 8. (41 S.) Göttingen 889. (Vandenhoeck & Ruprecht's Verl.) n. — 80

Pötting, Bernard. Untersuchungen über die Entstehung und die historische Entwickelung der Bulldogge und des Mopses. Diss. Vet.-Med. Bern. [Mit 7 Tafeln.] *Kopftitel:* Aus dem zootechnischen Institut der Universität Bern.... II + 34 S. 4. Braunschweig, Friedrich Vieweg & Sohn, 1909.

Um ein Buch. Novelle von Hedwig Gräfin Pötting. Mit Ill. von A. v. Schrötter. *Berlin, Eisenach, Leipzig: H. Hillger [1901].* (125 S.) 8° [F.]
= Bücherschatz, Kürschners. No 241. [02. 14393

Pötting, Hedw. Gräfin, um e. Buch, s.a. Kürschner's, Jos., Bücherschatz.

Pötting, Hedw. Gräfin, Martha's Tagebuch. Nach d. Roman „D. Waffen nieder!" von Bertha v. Suttner f. d. reif. Jugend bearb., illustr. v. Adrienne Gräfin Pötting. gr. 8. (IV, 192 S. m. 4 Lichtdr.-Taf.) Dresden 897. E. Pierson. Geb. in Leinw. n. 6. —

(B) Pötting, H. Gräfin, Martha's Tagebuch. 897. (KBL 30.) Jetzt: Berlin, Verlag Berlin-Wien.

Pötting u. Persing, Jos. Graf, die Fischereigesetze u. das Jagdgesetz f. Mähren, s.: Landesgesetze, mähr., 13. 14.

Pottinger, Heinrich, Reisen durch Beloochistan und Sinde; nebst geographischen und historischen Nachrichten über diese Länder. Aus dem Englischen. [= Neue Bibliothek der wichtigsten Reisebeschreibungen herausgegeben von F. J. Bertuch. 2. Hälfte der 1. Centurie. 12. Band.] Weimar 1817.

Pottinger, Reise durch Beludschistan und Sinde. s.a. neue Bibliothek der Reisen 12r Thl.

Pötringer, Fr., s. Elisäus, Predigten.

Pottler, J. C., s.a. Potler, J. C.

Pottler, J. C., Repertorium üb. die Hochfürstl. Bambergischen Verordnn. 4. Bamb. 797. Lachmüller. 8 gl

Potts, George, B. Sc. ⟨Dun.⟩, aus Newcastle-on-Tyne, Engl.: Zur Physiologie des Dictyostelium mucoroides. *Halle a. S. 1902.* (71 S.) 8° ¶ Aus: Flora od. Allg. Bot. Zeitung, 1902, Bd 91, Erg.-Bd.
Halle, Phil. Diss. v. 1902

Pottsville Adler: 1848-
Democratic weekly. Follows DIE SONNE VON ALT BERKS (Reading, Pa.). Edited & published by Charles W. Günther.
Pottsville, PA

Das Pottsville Volksblatt: 1870? -1873?
Weekly. Circulation: 1872, 1000 (est.). Edited & published by August Knecht, 1870–73.
Pottsville, PA

Potuczek Josef: De Charitonis Aphrodisiensis sermone cap. IV.
II. 1889 PN 585 **Diss.** Wien, Univ.

Potworowski, Georg von: Beitrag zur Kenntniss der Acetonbasen. Halle a. S. 1881: (Hertel in Gandersheim). 31 S. 8°
Halle-Wittenberg, Phil. Diss. v. [11. Febr. 1882]
Geb. Kuchary (Kr. Pleschen; Posen) 2. 8. 1857. V.

Potyka, Jul., Untersuchungen einiger Mineralien. Inaugural-Dissertation. gr. 8. (72 S.) Berlin 859. (Göttingen, Vandenhoeck und Ruprecht's Verlagsh.)

Potz! alle Elemente u. Jahreszeiten! in sinnbildl. Darstellungen mit Versen für gute Kinder. qu. 8. (8 lith. u. color. Taf.) Nürnberg 849, Renner & Co. 1/3 ℛ

POTZ, Ladislaus
(F) Directiven über Masse und Gewichte mit Zuhilfenahme der bestehenden Gesetze, Verordnungen und Aichvorschriften zusammengestellt von Ladislaus Potz. Separatabdruck aus dem „Pilsner Tagblatt". Pilsen. 1900. Maasch's Buchhdlg. Bayer. 8°. 51 S. K —.70

Potz, Ladisl., Directiven über Maße u. Gewichte, m. Zuhilfenahme der besteh. Gesetze, Verordngn. u. Aichvorschriften zusammengestellt. (2. Aufl. Im Anh. Ergänzgn. bis 1901.) 12. (IV, 74 S.) Pilsen 900. C. Maasch. n. 1.—
1. Aufl. (IV, 51 S.) 900. n. —70.
Sonderabdruck aus: „Pilsner Tagblatt".

Potz, Reinhard

Potz, R., Kirche u. Schule, Pfarrhaus u. Schulhaus. [Aus: „Das Pfarrhaus".] gr. 8. (III, 70 S.) Hilchenbach 888. Wiegand. 1.—

Potz, Rhard., der Religionsunterricht in der Volksschule u. der pfarramtliche Religionsunterricht. Vortrag, geh. auf dem 6. evangel. Schulkongreß. gr. 8. (17 S.) Berlin 891. Buchhandlg. d. Deutschen Lehrer-Ztg. (F. Zillessen.) n. —20

Potz, Rhard., die Wunder Jesu in der Schule. Randglossen zu der Abhandlg. v. Prof. B. Otto, Seminardirektor in Eisenach. gr. 8. (28 S.) Berlin (902). F. Zillessen. —30
Sonderabdruck aus: „Ev. Volksschule".

Poetz, E., die Waffen d. königl. bayerischen Infanterie. Handbuch für den Unterricht in Kenntniß u. Behandlung derselben. (2 Liefg.) qu. kl. 8. Passau 842. (Pustet'sche B.) n. 3/4 ℛ

Poetz, E. Die Waffen der kgl. bayer. Infanterie.
Lfg 1. 2. Passau 1842.
— — Dasselbe. 1843. 483 S.

Poetz, (Franz Karl) Hermann

Fortissima turris nomen domini. Der Name d. Herrn ist e. festes Schloß. Spr. 18, 10. Festpredigt z. 300jähr. Jubelfeier d. Schloßkirche zu Königsberg i. Pr. 1893 von H[ermann] **Poetz,** Gen.-Superint. *Königsberg 1893: Ostpr. Zeitungs- u. Verl.-Dr.* (15 S.) 8° [Ant. u. F.] (04. 1195 10

— Ihr seid das Licht der Welt! Antrittspredigt über Matth. 5, 13—17, geh. am 16. Sonntag nach Trinitatis den 21. September 1890 in der königl. Schloßkirche zu Königsberg i/Pr. gr. 8. (18 S.) Königsberg i/Pr. 890. Gräfe & Unzer. n.n. —30

Poetz, H., Sei getreu bis in den Tod! Confirmationsreden. 8. (64 S.) Insterburg 887. (Hopf's Nachf.) n. —80

[F.] Selig sind, die da Leid tragen! Predigt geh. ... in d. Kgl. Schlosskirche zu Königsberg v. F[ranz] K[arl] H[ermann] **Poetz,** Generalsuperint. d. Prov. Ostpreuss. Nach s. Tode hrsg. *Königsberg i. Pr.: Buchh. d. ostpreuss. Provinzialver. f. innere Miss. 1891.* (11 S.) 1 Bd 8. [98. 4542

[F.] Selig sind die Sanftmütigen! Predigt geh. ... in d. Kgl. Schlosskirche zu Königsberg v. F[ranz] K[arl] H[ermann] **Poetz,** Generalsuperint. d. Prov. Ostpreussen. Letzte Predigt, nach s. Tode hrsg. *Königsberg i. Pr.: Buchh. d. ostpreuss. Provinzialver. f. innere Miss. 1891.* (10 S.) 1 Bd 8. [98. 4543

— Vergeßt der teuern Toten nicht! Gedächtnisreden auf den Tod Ihrer Maj. Kaiser Wilhelm's I. u. Friedrich's III. gr. 8. (40 S.) Insterburg 888. Hopf's Nachf. n. —50

Bücher-Verzeichnis der Freimaurer-Loge Friedrich zur Vaterlandsliebe in Coblenz. Im Auftr. der Loge zsgest. von L. Poetz. Ms. f. Bbr. Eigenthum der Loge. Bonn 1902: Georgi. VI, 105 S. 8°
Recens: Bh. 45 (1902) S. 288; L. 25 (1902) S. 144 (R. Fischer). **138.**

Poetz, Selma, das ABC der Haushaltung, nebst Anstandslehre f. Töchter. gr. 8. (VIII, 96 S.) Schöneberg-Berlin 898. F. Telge. n. 1. 70; geb. n.n. 2. 10

ABC der Haushaltung und Anstandslehre von Selma **Poetz.** 5. Aufl. Berlin: Haushaltungshochschule 1905. (XI, 137 S.) 8° [F.] (06. 6300

Poetz, Wilhelm [aus Ems]: Beiträge zur Kenntniss der basaltischen Gesteine von Nord-Syrien ... (Aus: Zeitschr. d. Deutsch. geol. Ges., 1896. LXVIII.) Berlin, Druck v. J. F. Starcke, 1896; 1 Bl., 522—556 S., 1 Bl., 2 Kt. 8.
Erlangen, Phil. Fak., Inaug.-Diss. v. 20. Juli 1892

Potzerne, Benjamin (Stettin/Pomm.), Exercit. Pract. Conscientiae moderatrix, In quaestione: Utrum Studiosus Theologiae Salva Conscientia Theologiae Studium deserere et Jurisprudentiae aut Medicinae se consecrare possit. Präs. Joh. Fried. Mayer. Wittenberg (Chr. Fincel) Febr. o. J. 60 S. (4.75) 27091

— — Dasselbe. Wittenberg (M. Schultz) Febr. o. J. 68 S. (4.75) 27092

— — Exercit. pract. conscientiae moderatrix, in quaestione: Utrum studiosus theologiae salva conscientia theologiae studium deserere et jurisprudentiae aut medicinae se consecrare possit. Oder / Ob ein Studiosus Theologiae mit guten Gewissen / sein Studium verlassen / und ein anders ergreiffen könne. Präs. Joh. Friedrich Mayer. O. O. Rec. 1711. 70 S. (4.75) 27093
Widm. v.: Jo. Fried. Mayer.

Potzger, Karl: Die Beugungserscheinungen im Ultramikroskop. Leipzig: J. A. Barth 1909. 46 S. 8° ¶ (Aus: Annalen d. Physik. F. 4, Bd 30.)
Leipzig, Phil. Diss. v. 14. Okt. 1909, Ref. Wiener, Bruns
[Geb. 5. Mai 84 Dresden-N.; Wohnort: Leipzig; Staatsangeh.: Sachsen; Vorbildung: Dreikönigsch. Dresden-N. Reife O. 03; Studium: Dresden Techn. Hochsch. 4, Leipzig 8 S.; Rig. 1. Juli 09.] [U 10. 3211

POTZINGER, Leopold: Das Gelübde und Opfer Jephtas. — 1908. 97 S.
Diss. Graz, Univ.

Pötzl, Eduard, Bummelei. Neue gesammelte Skizzen. Illustrirt von Koloman Moser. 16. (181 S.) 1.20, eleg. geb. 1.80
Wien: Bibliogr. Institut 1895.

Pötzl, Eduard, Bummelei. Neue gesammelte Skizzen. Illustrirt von Koloman Moser. 16. (181 S.) 1.20, eleg. geb. 1.80
Wien: R.Mohr 1895.

Pötzl, Ed., Bummelei. Neue gesammelte Geschichten. Illustr. v. Koloman Moser. 2. Aufl. 16. (183 S.) Wien 896. R. Mohr. n. 2.40; geb. n. 3.60

Pötzl, Eduard, Bummelei. 5. Aufl. (III, 156 S.) 16. Wien 1911. R. Mohr. 1.50; geb. 2.—

Pötzl, Eduard, Eingeborene. Wienerische Skizzen, gesammelt in diesem Jahr. gr. 16. (166 S.) Wien 903. R. Mohr. n. 1.50; geb. n. 2.—

Pötzl, Eduard: Freundesgabe zum 60. Geburtstag von Peter Rosegger, s. Heimgarten, 60. Jg. 1. Geburtstagsheft.

PÖTZL, Ed.
(F) Ed. Pötzl. Moderner Gschnas und andere Wiener Skizzen. Wien. 1901. Mohr. 16°. 174 S. K 1.80, geb. K 2.40

(F) Ed. Pötzl. Moderner Gschnas und andere Wiener Skizzen. 5. Auflage. Wien. 1901. Mohr. 16°. 174 S. K 1.80, geb. K 2.40

(F) Ed. Pötzl. Heuriges. Skizzen aus Kunst und Leben. 3. Auflage. Wien. 1902. Mohr. 8°. 152 S K 1.80, geb. K 2.40

— Heuriges. Skizzen aus Kunst u. Leben. 4. Aufl. gr. 16. (III, 153 S.) Ebd. 902. n. 1.50; geb. n. 2.—

Pötzl, Ed., e. Hexenproceß, s.: Theater, neues Wiener.

— Hoch vom Kahlenberg, s.: Reclam's Novellen-Bibliothek.

— hoch vom Kahlenberg, s.: Universal-Bibliothek.

Pötzl, Ed., „Jung-Wien". Allerhand wiener Skizzen, hochdeutsch u. in der Muttersprach'. 8. (VI, 226 S.) Leipzig 885. Friedrich. n. 2.—; geb. n. 3.—

Pötzl, Ed., Klein-Wiener. Skizzen in Wiener Art u. Mundart. 1.—3. Aufl. 12. (224 S.) Wien 880. Szelinski. n. 1.50; geb. n. 2.20

— das weltliche Kloster. Illustr. v. Theo Zasche. 1. u. 2. Aufl. 16. (178 S.) Wien 894. R. Mohr. Geb. n. 3.60

Pötzl, Eduard, Das weltliche Kloster. Illustrirt von Zasche. 3. Aufl. 16. (175 S.) 1.20
Wien: Mohr 1894.

Pötzl, Eduard, das weltliche Kloster. 4. Aufl. (III, 138 S.) gr. 16. Wien 904. R. Mohr. n. 1.50; geb. n. 2.—

Pötzl, E., Kriminal-Humoresken, s. Universal-Bibliothek Nr. 1905.

— Kriminal-Humoresken. Skizzen u. Typen aus den Wiener Gerichtssälen. Mit 8 Abbildgn. v. H. Schließmann. 3 Tle. in 1 Bd. gr. 16. (119, 111 u. 103 S.) Leipzig 888. Ph. Reclam jun. geb. n. 1.—

Pötzl, Ed., Landsleute. Kleine Beobachtungen eines Wieners. 1., 2. und 3. Auflage. 16. (133 S.) —.90, geb. 1.20
Wien: Mohr 1898-99.

Pötzl, Eduard, Launen. Neue Sammlung ausgewählter Skizzen. Illustrirt von Theo Zasche. 16. (189 S.) 1.20, geb. 1.80
Wien: Mohr 1896.

— Launen. Neue Sammlg. ausgewählter Skizzen. Illustr. v. Theo Zasche. 2. Aufl. 16. (189 S.) Ebd. 897. n. 2.40; geb. n. 3.60

— Launen. Illustriert v. Theo Zasche. 3. Aufl. (VII, 149 S.) 16. Ebd. 906. n. 1.50; geb. n. 2.—

— Leises Leben. Neue Skizzen. (III, 158 S.) 16. Wien 910. R. Mohr. 1.50; geb. 2.—

— Die Leute v. Wien, s. Universal-Bibliothek.

(F) Eduard Pötzl. Mitbürger. Neueste Skizzensammlung. Wien. 1900. Mohr. 16°. 155 S. fl —.90, geb. fl. 1.20

— Mitbürger. Neueste Skizzensammlg. 3. Aufl. gr. 16. (III, 155 S.) Ebd. 900. n. 1.50; geb. in Leinw. n. 2.—

— Herr Nigerl und lauter solche Sachen. Gesammelte Wiener Schildereien. 16. (240 S.) Teschen 889. Prochaska. n. 1.80

— der Herr v. Nigerl u. andere humoristische Skizzen, s.: Reclam's Unterhaltungs-Bibliothek.

— der Herr v. Nigerl u. andere humoristische Skizzen, s.: Universal-Bibliothek.

Kleine Reiseskizzen. Aus Rund um den Stephansthurm. Ausgew. humor. Erzählgn, Skizzen u. Studien v. Eduard Poetzl. Reklams Univ.-Bibliothek Bd 2411. 2412. *Berlin: F. Schrey 1898.* (37 S.) 1 Bd 8. [Text stenogr.]
[98. 4260

— rund um den Stephansturm, s.: Universal-Bibliothek.

— Wiener Schattenbilder, s.: Schließmann, Hans.

Pötzl, Ed., Gesammelte Skizzen. Vom Verfasser gesichtete Ausgabe in 18 Bändchen. Mit einem Vorwort von Peter Rosegger und dem Bildnis des Verfassers. 1. Im Kriminal. — 2. Rund um den Stephansturm. I. — 3. Rund um den Stephansturm. II. — 4. Hoch vom Kahlenberg. I. — 5. Hoch vom Kahlenberg. II. — 6. Der Herr von Nigerl. — 7. Das weltliche Kloster. — 8. Stadtmenschen. — 9. Bummelei. — 10. Launen. — 11. Landsleute. — 12. Mitbürger. — 13. Moderner Gschnas. — 14. Heuriges. — 15. Eingeborne. — 16. Wiener. — 17. Zeitgenossen. — 18. Wiener Tage. Kl.-8°. 18 Bände geb. K 36.—
Hierzu drehbares Büchergestell K 12.—
Wien: Mohr 1906.

— gesammelte Skizzen. Vom Verf. gesichtete Ausg. in 18 Bdchn. Mit e. Vorwort von Pet. Rosegger u. dem Bildnis des Verf. (VIII, 143; 303, 341, 165, 160, 157, 141, 145, 143, 151, 165, 169, 175, 175, 177 u. 175 S.) 16. Ebd. (906). Geb. in Leinw. n. 30.—

—— Wiener Skizzen aus dem Gerichts-Saal. Mit Bildern von C. v. Stur und H. Schließmann. 1. und 2. Aufl. 8. (VI, 308 S.) Wien 884, Rosner. *

— Stadt u. Land. Allerlei Studien u. Stimmgn. (III 154 S. m. Abb.) 16. 1.50; geb. 2.—
Wien: R.Mohr 1908.

— Stadtmenschen. E. Wiener Skizzenbuch. 16. (133 S.) Ebd. 895. n. 1.80; geb. n. 2.40

— Stadtmenschen. Ein Wiener Skizzenbuch. 3. Aufl. gr. 16. (III, 141 S.) Wien 903. R. Mohr. n. 1.50; geb. n. 2.—

— Wiener Tage. (VII, 157 S.) 16. Ebd. 906. n. 1.50; geb. n. 2. —

—— Wien, } s. Universal-Bibliothek.

— Wiener. Skizzen aus der Vaterstadt. 1. u. 2. Aufl. (Je V, 148 S.) gr. 16. Ebd. 904. n. 1.50; geb. n. 2. —

— Wiener v. Eisen. Gesammeltes. 16. (IV, 240 S. m. Bildnis.) Wien 894. G. Szelinski. n. 1.20; geb. n. 2. —

—— Wiener v. Heute. Gesammelte Skizzen, nebst e. Anh. Wienerischer Ausdrücke. 16. (234 S.) Wien 892, Szelinski. * 1 20; geb. * 2 —

— Wiener Zeitbilder. Ausgew. Humoresken u. Skizzen. 12. (IV, 240 S.) Stuttgart 897. A. Bonz & Co. n. 1. 80; geb. in Leinw. n. 2. 80

— Zeitgenossen. Satiren u. Skizzen aus Wien. (III, 165 S.) 16. n. 1. 50; geb. n. 2. —
Wien: Mohr 1905.

Pötzl, K., die Aussprache des Lateinischen. Versuch e. prakt. Lösg. dieser Frage auf wissenschaftl. Basis. Nebst e. Anh. über die Schulmethode. gr. 8. (129 S.) Leipzig 888. Friedrich. n. 3. —

Poetzl's, M., Führer u. Reisebegleiter durch Frankfurt a. M. u. Umgebg. 11. Aufl. 16. (88 S. m. 1 Plan.) Frankfurt a/M. 889. Gr. Bockenheimerstr. 30. Selbstverl. n. 1. —
Erscheint nicht weiter.

Pötzl, Wilh., s.: Jahrbuch des höheren Unterrichtswesens in Österreich.

POETZOLD, FRIEDR., De diagnosi puris diss. inaug. Kiliae. 1826. 4. P.

Poetzsch, das Niederwald-Denkmal am 22. März 1887. Gedicht zur Feier des 90jähr. Geburtstages S. M. des Kaisers Wilhelm. 8. (12 S.) Dresden 887. Weise. n. — 40

Poetzsch, Albert, a. Skäßchen: Studien zur frühromantischen Politik und Geschichtsauffassung. Leipzig: R. Voigtländer 1907. (VII, 111 S.) 8° ¶[= Beiträge zur Kultur- und Universalgeschichte H. 3.]
Leipzig, Phil. Fak., Ref. Lamprecht-Wundt, Diss. v. 24. Mai 1907
[Geb. 8. Juni 80 Skäßchen; Wohnort: Leipzig; Staatsangeh.: Sachsen; Vorbildung: Fürsten- u. Landes-Sch. St. Afra Meißen Reife O. 00; Studium: Tübingen 2, Leipzig 10 S.; Rig. 30. Juli 06.]

Pötzsch, Christian Gottlieb

Pözsch, Chr. Gli., († d. 12. März 1805.) Bemerkk. u. Beobachtt. aus d. Vorkommen d. Granits in Schichtlagen. u. d. Sienit. gr. 8. Dresd. 802. Walther. 1 / 20 gr

Pötzsch, Ch. G. Bemerkungen und Beobachtungen über das Vorkommen des Granits in geschichteten Lagen oder Bänken, besonders in der Oberlausitz, und dessen relatives Alter, wie auch über den Syenit. Dresden. 1803. 8.

— kurze Beschreib. d. Naturaliencabinetts in Dresden, (hrsgg von J. H. S. Gerlach). Mit 1 Kpf. 8. Dresd. 805. (Weygand in Leipz.) 9 gr

— Beschreibung des Naturaliencabinets in Dresden, m. 1 K. 8. Dresden, Beger. 805.

Pötzsch, Christian Gottlieb.
Kurze Beschreibung des Naturalien-Cabinets in Dresden. Dresden 1805. H: *Gerlach, Johann Heinrich Samuel.* (KY) (MGT)

Pötsch, C. Gli., mineral. Beschr. d. Gegend um Meißen, m. K. gr. 8. Dresden, Walther. 779. Rthlr.

Pötzsch, Christian Gottlieb: Kurze Darstellung der Geschichte über das Vorkommen des gediegenen Eisens, sowohl des mineralischen als auch des problematisch-meteorischen, und anderen darauf Bezug habenden Aerolithen.
Dresden: Walther 1804. 8°

Pötzsch, Ch. G., Chronologische Geschichte der grossen Wasserfluthen des Elbestroms seit 1000 u. mehreren Jahren. Dresden 1784. 4. — Nachtrag u. Fortsetzung Dresden 1786. 4.

— chronolog. Geschichte d. großen Wasserfluthen d. Elbstroms seit 1000 u. mehr. Jahren. 3 Bde. Mit Kpf. gr. 4. Dresd. 784—800. Walther. 3 ℔ 4 gr

Pötzsch, Ed., Beitraege zur schoenen Baukunst. Eine Samml. v. Entwürfen zu öffentl. u. Privatgebäuden mit ihren Fassaden, Grundrissen u. Profilen, einzelnen Theilen, Decorationen d. Zimmer, Prachtmeubeln, Verzierungen etc. 1. u. 2. Hft. qu. gr. Fol. Leipzig, Lauffer. [1. (6 Kpfrt. u. 2 B. Text.) 830., 2. (6 Kpfrt. u. 1 B. Text.) 832. à 1 Thlr. 18 Gr.] Thlr.

Pötzsch, Ed., Entwürfe zu Stubenöfen in Kachel- und Thonconstruction so wie zu solchen Oefen mit eisernem Kasten versehen. Leipzig (854.) Romberg. gr. 4. (1 Bl. Text u. 18 Kpfrtaf.) n. 1 ℔.

Poetzsch, Gust., deutsche Kriegsschiffe. qu. gr. 4. (10 farb. Taf. m. lith. Titel u. 11 Bl. Text.) Magdeburg (Berliner-Str. 30/31) 896. G. Poetzsch. In Leinw.-Mappe n. 10. —

Poetzsch, Hans, Bacc. iur., Referendar in Leipzig: Die rechtliche Stellung der unehelichen Kinder nach B.G.B. §§ 1705 bis 1718. Leipzig 1905: W. Wigand. (110 S.) 8°
Leipzig, Jur. Fak., Diss. v. 2. März 1905
[Geb. 31. März 81 Plauen i. V.; Wohnort: Rittergut Kloschwitz b. Plauen; Staatsangeh.: Sachsen; Vorbildung: Gymn. Plauen Reife O. 00; Studium: Freiburg i. B. 1, München 1, Genf 1, Leipzig 5 S.; Rig. 25. Juli 04.]

Poetzsch, Carl, cand. med. aus Pausitz b. Riesa (Kgr. Sachsen): Über das Auftreten von Fibrin in tuberkulösen Lymphdrüsen. *Erlangen 1898: F. Junge.* (34 S.) 8°
Erlangen, Med. Diss. v. 7. Juli 1898

Pötzsch, Otto, a. Frankfurt a. M.: Ueber die Entwicklung von Niere, Pericard und Herz bei Planorbis corneus. Marburg a. L. 1904: (Frommann, Jena). (29 S.) 8° ¶(Aus: Zoolog. Jahrbb., Abt. f. Anatomie u. Ontogenie d. Tiere. Bd 20, H. 3.)
Marburg, Phil. Fak., Ref. Korschelt, Diss. v. 30. Sept. 1904
[Geb. 13. Nov. 80 Frankfurt a. M.; Wohnort: Frankfurt; Staatsangeh.: Preußen; Vorbildung: Klinger-Oberrealschule Frankfurt Reife O. 99; Studium: Marburg 2, München 2, Marburg 6 S.; Rig. 16. Dez. 03.]

Pötzsch, P., Merkbüchlein der Spielregeln f. Barlauf, Schlagball, Fußball, Schleuderball u. Faustball. 32. (32 S. m. 1 autogr. Taf.) Weißenfels 895. P. Lehmstedt. n. — 20

Pötzsch, P., s.: Normallehrgang f. die Vorstufe des Knabenhandarbeits-Unterrichts.

Pötzsch, Rich., Trinkspruch, anläßlich d. Festcommerses zur Feier d. 70jährigen Geburtstages Fürst Bismarcks geh. 8. (8 S.) Dresden 885. Höckner Sep.-Cto. — 25

Poetzsch, Wilh., üb. die Pietät. Rede, zur Feier d. Geburtstages Sr. Maj. d. Königs Albert am 23. April 1890 geh. gr. 8. (16 S.) Döbeln 891. C. Schmidt. — 30

Pötzsch, *Wilhelm(Eduard)* Viktor von Vita und die Kirchenverfolgung im Wandalenreiche. 4 (XLII S.).
Progr. Rg. u. Landwirtschaftsch. *Döbeln* 1887 (514).

Pötzsch, W., Viktor v. Vita u. die Kirchenverfolgung im Wandalenreiche. gr. 4. (42 S.) Döbeln 887. (Schmidt.) n.n. 2. 50

Poetzsch, Woldemar Friedrich, Referendar am Kgl. Amtsgericht Meißen: Ist es möglich, den gewerblichen Kollektivvertrag ⟨Tarifvertrag⟩ als privatrechtliches Institut zu erklären? Leipzig: Roßberg'sche Verlagsbuchhandlung 1907. (69 S.) 8° [F.]
Leipzig, Jur. Fak., Diss. v. 18. Nov. 1907
[Geb. 21. Juni 81 Skäßchen b. Großenhain; Wohnort: Meißen; Staatsangeh.: Sachsen; Vorbildung: Fürstensch. St. Afra Meißen Reife O. 01; Studium: Leipzig 3, Berlin 1, Leipzig 4 S.; Rig. 19. Juli 04.]

Poetzsche, Erich: Samuel Richardsons Belesenheit. Eine literar. Untersuchung. Kiel 1907: (Trowitzsch, Berlin). XIV, 107 S. 8° ¶(Ersch. auch als: Kieler Studien z. engl. Philol. N. F. H. 4.)
Kiel, Phil. Diss. v. 26. Okt. 1908, Ref. Holthausen
[Geb. 13. Juli 84 Berlin; Wohnort: Berlin; Staatsangeh.: Preußen; Vorbildung: Friedrichs-Werdersche Oberrealsch. Reife O. 04; Studium: Berlin 6, Kiel 2 S.; Rig. 16. Mai 08.] [U 09. 2331

Samuel Richardsons Belesenheit. Eine literat. Untersuchung von Dr. Erich **Poetzsche**. Kiel: R. Cordes 1908. (107 S.) 8°
= **Studien**, Kieler, z. engl. Philologie. N. F. H. 4.

Pötzschke, Frdr., pia desideria, den sächsischen Gesangbuchsentwurf betr. gr. 8. (30 S.) Plauen 881. Kell. n. — 60

Pötzschke, Heinr. Theod. Über den lateinischen Genetiv und Ablativ und den französischen Genetiv. 17 S. **Progr.** *Wurzen* 1879.

Poetzschke, Th., choix de la lyrique française du XIX. siècle. Arrangè pour la recitation et l'histoire littéraire aux écoles secondaires. gr. 8. (VI, 196 S.) Altenburg 871. Pierer. n. 1. 50

Poetzschke, Th., Elementa puerorum. Lateinisches Elementarbuch. I. Cursus der Sexta. Regelmäßige Formenlehre. 8. (VIII und 189 S.) Königsberg 864, Theile's Buchh. * -

Pottau, Bonaventura Thdr., de seminario clericorum disquisitio historico-canonica. gr. 8. (XX, 371 S.) Tournai 874. Castermann. 6. —

Poucet, le petit, ou ruse vaut mieux que force. qu. 8. (24 S. mit 10 ill. Kpfrn.) Leipzig 847, Baumgärtners Buchh.

Poucet, le petit. (12 S. m. 6 Farbdr.) 16. Stuttgart (903). G. Weise. n. — 10

Pouch, Christian Friedrich (Landsberg bei Halle / Sachs.), De asthmate. Diss. med. Halle (Ploetz) 6. VII. 1835. 38 S. mit Biogr. (M.: J. R. Zeising). (3.25) • 27094
Advers. part. suscep.: F. Buettner, D. Menzel, E. Walther. — Gew.: Christian Friedr. Pouch (Oheim).

Pouchkine, A. C., poësies inédites. (In russ. Sprache.) 2. (Titel-)Aufl. Berlin (861)70. Behr. gr. 8. (XII, 239 S.) 1 ℛ 10 ngr.

— — 2. (Titel-)Aufl. Ebend. (861)70. 16. (240 S.) 1 ℛ

Pouchon, Thérèse, avant la première communion. Trente heures de pieuses lectures comme préparation. (296 S. m. 30 Vollbildern u. 1 Titelbild.) kl. 8. Einsiedeln 909. Verlagsanstalt Benziger & Co. Geb. in Leinw. 2. 80

Poucqueville, François Charles Hugues Laurent, s. Pouqueville, François Charles Hugues Laurent.

Poudroie, Eugène la, Voltaire u. seine Zeit, s.: Kulturträger.

Pougens, Marie Charles Joseph de

Pougens, Karl, die 4 Alter. Aus d. Französ. übers. v. L... 8. Schlesw. 820. (Leipz., Knobloch). 6 gr

Pougens, Carl, die 4 Alter. Aus d. Franz. übers. v. L... 8. Schleswig. (Leipzig, Tauchnitz in Comm.) 820. •

Pougens, Charles. Die vier Alter. Aus dem Französ. von L. Schleswig 1820. Ü: *Lowtzow, C. H. v.* Vgl. Lübker-Schröder, S. 355. (DARP)

— die vier Alter d. Lebens. Nach d. zweiten Ausg. d. Originals frei übers. v. Fr. Gleich. 8. Leipz. 820. Reclam. 12 gr

— bibliothèque Française. II Tom. 8. Leipz., Wolf u. C. (Schmidt). 10 gr

Pougens, Charl., Bibliothèque française. XII Tom. 8. Lpz. Wolf et Comp.

Pougens, Marie-Charles-Joseph de
Die drei Brüder, oder Geschichte dreier Verlassenen, in Frankreich, England und den Niederlanden. Frei übertragen von Friedrich Gleich.
Merseburg: Sonntag 1824. 182 S. 8°

Pougens, K., die 3 Brüder, od. Geschichte dreier Verlassenen, in Frankreich, England u. den Niederlanden; frei übertr. von Fr. Gleich. 8. Merseb. 824. Sonntag. (Weidemann). 21 gr

— die Macht der Liebe; kleine Romane u. Erzählungen; aus d. Französ. v. L. Norden. 8. Merseb. 825. Sonntag. (Weidemann). 21 gr

Pougens, Ch., Trésor des Origines et Dictionnaire grammatical raisonné de la langue française etc. gr. 4. Strasbourg, Treuttel et W. 819.

Pouget, (I.), Lebensbeschreibung der Maria Theresia Carolina v. Lamourous, gen. die gute Mutter, Stifterin und ersten Oberin des Hauses der Frauen vom guten Hirten oder der Barmherzigkeit zu Bordeaux, gest. im Rufe der Heiligkeit im J. 1836 daselbst. Aus dem Französ. in das Deutsche übertr. und mit vielen histor. und anderwärt. Erläuterungen bereichert von einem Freunde der guten Sache. gr. 8. (528 S. mit lithogr. Portr. der M. Th. C. v. Lamourous.) Innsbruck 853, Wagner'sche Buchh.

Pouget, (II.), die Seebäder. Die hygiein. und therapeut. Anwendung des Seewassers und der Seeluft. Ein prakt. Handbuch für Aerzte und ein Führer für jeden See-Badegast. Mit Benutzung der Guide médical du baigneur à la mer von Ed. Auber und der neuesten Schriften über Seebäder, bearb. von Hugo Hartmann. 8. (XI und 355 S.) Grimma 852. [Wurzen,] Verlags-Comptoir.

Pouget, Emil[e]. Die Gewerkschaft von Emil P. ([Aus dem Französischen] übersetzt [von] Max Tobler, Zürich.) II + 31 S. 8. Zürich, Sozialistischer Verlag (Typ. F. Hinnen), (1907). [fr. —.20]

Pouget, François Aimé

Pouget, F. A., institut. catholicae in mod. catecheseos in quib. quidquid ad religionis hist. eccles. dogm. etc. pertinet. II Tmi. fol. Augsb. Veith. 764.

— kathol. Unterweisungen, a. d. Franz. und Lat. 9 Thle 8. Ebend. 779.

Poughkeepsie Freie Presse: Apr. 25, 1908—? Poughkeepsie, NY Weekly.

Pougin, Arthur

Pougin, A., Verdi. Sein Leben u. seine Werke. Autoris. Uebersetzg. gr. 8. (VI, 283 S. m. Portr. u. Brief-Facsim.) Leipzig 887. Reißner. n. 5. —; geb. n. 6. —

Pouillet, die Anlegung der Blitzableiter, s. Schauplatz, neuer, der Künste und Handwerke. 229. Bd.

Pouillet, Lehrbuch d. Experimentalphysik u. d. Meteorologie. N. d. 3. Origausg. a. d. Franz. übers., mit Zusätzen u. Ergänzungen vers. v. C. H. Schnuse. 1. Bd. gr. 8. (34 B., 18 Stnt. u. 2 Tab.) Quedlinburg 839, Basse.

Pouillet, Lehrbuch der Experimentalphysik u. der Meteorologie. Nach der 3. Originalausg. a. d. Französ. übersetzt mit Zusätzen u. Ergänzungen versehen v. C. H. Schnuse. 2. Bd. gr. 8. ($46\frac{1}{4}$ B. u. 18 Taf. Abbild.) Quedlinburg 843, Basse.
1. Bd. Ebendas. 1839. 2 Thlr. 25 Ngr.

Pouillet-Müller's Lehrbuch der Physik. 3. Bd., s. Müller, Joh., Lehrbuch der kosmischen Physik.

Pouillet's Lehrbuch der Physik und Meteorologie für deutsche Verhältnisse frei bearb. von Jh. Müller. In 2 Bdn. (13 Liefg.) Mit gegen 1000 in den Text eingedr. Holzschnitten. gr. 8. Braunschweig 842—44, Vieweg u. Sohn. (à n. $\frac{1}{2}$ Thlr) $6\frac{1}{2}$ Thlr — dass. 2. umgearb. u. verm. Aufl. A. u. d. T.: Lehrbuch der Physik und Meteorologie von Jh. Müller. In 2 Bdn. Mit gegen 1200 Holzzeichn. 2 Bde. à 7 Liefg. gr. 8. Ebend. 844—46. n. $6\frac{5}{6}$ Thlr — dass. 3. umgearb. Aufl. A. u. d. T.: Müller, Jh., Lehrbuch d. Physik rc. Als 3. Aufl. von Pouillet's Lehrbuch rc. Mit 1232 eingedruckten Holzschnitten. 4 Liefg. Mit Kpfrn. gr. 8. Ebend. 846, 47. cpl. n. $6\frac{5}{6}$ Thlr

—— dass. 2., umgearb. u. verm. Aufl. A. u. d. Ttl.: Lehrbuch der Physik u. Meteorologie von Johs. Müller. 2 Bde. Mit gegen 1200 Holzschn. Ebds. 844, 45. [1. ($39\frac{5}{8}$ B. u. 2 Taf. in Farbendr.) * 3 Thlr. 15 Ngr., 2. ($42\frac{1}{4}$ B.) * 3 Thlr. 10 Ngr.] *

Pouillet's Lehrbuch der Physik und Meteorologie, für deutsche Verhältnisse frei bearb. von Joh. Müller. 3., umgearb. Aufl. A. u. d. T.: Lehrbuch der Physik und Meteorologie von Joh. Müller. Als 3. Aufl. der Bearbeitung von Pouillet's Lehrbuch rc. Mit 1232 eingedr. Holzschn. 3. und 4. Lfg. oder 2. Bd. gr. 8. (704 S. mit 12 ill. Kpfrt.) Braunschweig 847, Vieweg und Sohn. *
1. und 2. Lfg. oder 1. Bd. Ebendas. 1847. * 3 Thlr. 10 Ngr.

Pouillet's Lehrbuch der Physik u. Meteorologie, für deutsche Verhältnisse frei bearb. v. Joh. Müller. 4. umgearb. u. verm. Aufl. Mit ca. 1500 in den Text eingedr. Holzschn. A. u. d. T.: Lehrbuch der Physik u. Meteorologie v. Joh. Müller. Als 4. umgearb. u. verm. Aufl. der Bearbeitung von Pouillet's Lehrbuch der Physik. 2 Bde. à 4 Lfgn. gr. 8. (400 u. 432 S.) Braunschweig 852, Vieweg & Sohn. (à Lfg. n. $\frac{1}{2}$ Thlr) 4 Thlr

—— Lehrbuch der Physik und Meteorologie, für deutsche Verhältnisse frei bearb. von Joh. Müller. 4., umgearb. und verm. Aufl. Mit ca. 1500 in den Text eingedr. Holzschn. A. u. d. T.: Lehrbuch der Physik und Meteorologie von Joh. Müller. Als 4., umgearb. und verm. Aufl. der Bearbeitung von Pouillet's Lehrbuch der Physik. 2 Bde. gr. 8. Braunschweig, Vieweg und Sohn. [1. (VIII und 644 S.) 2. (778 S. mit 7 zum Theil ill. Stnt.) 852—53.] *

Pouillet, Lehrbuch der Physik u. Meteorologie, s.a. Müller-Pouillet.

Pouilly, s.a. Levesque.

Pouilly, Die Lehre v. d. angenehmen Empfindungen. 1779. 8°.

Pouilly, Levesque de, Theorie der angenehmen Empfindungen, a. d. Franz. 8. Jena, Akadem. Buchh. 793.

Le Droit commercial, le contrat de change, le droit des faillites et le droit maritime d'Haïti. Das Handelsrecht, Wechselrecht, Konkursrecht u. Seerecht von Haiti. Bearb. von Alexandre Poujol. Übers. von Heinrich Hillebrand u. Dr. jur. Georg Alfons v. Rüdiger. Berlin: v. Decker [1909]. 222, 222 S. 4°(8°)
(Die Handelsgesetze d. Erdballs. Ausg. D. Bd 2, [7.]) [10. 17819

Poujol, Alex., das Handelsrecht, Wechselrecht, Konkursrecht u. Seerecht v. Haïti, s.a. Handelsgesetze, die, des Erdballs.

[Poujol, P. Claudius.] Précis historique de l'Abbaye et du Pélerinage de Notre-Dame des Ermites. Depuis son origine jusqu'à nos jours. [Avec 12 planches et couverture illustrée.] 8. Einsideln & New-York 1856.

Poujoulat, Baptiste

Poujulat, die Beduine. Roman. N. d. Franz. frei bearb. v. Friedr. Witt. 8. (13 B.) Dresden u. Leipzig 836, Arnoldische Bh.

Poujoulat, Bapt., Geschichte des heil. Augustin. Sein Leben, seine Lehren u. seine Werke. Aus d. Französ. v. Fr. Hurter. 1. Bd. 1. u. 2. Abtheil. gr. 8. Schaffhausen 845, 46, Hurter'sche Buchh. à $\frac{7}{12}$ Thlr

Poujoulat, Geschichte des heil. Augustin. Sein Leben, seine Lehren u. seine Werke. A. d. Franz. v. Friedr. Hurter. 2 Bde. gr. 8. Schaffhausen, Hurter'sche Buchh. [1. ($25\frac{3}{4}$ B.) 846. 1 Thlr. $7\frac{1}{2}$ Ngr., 2. ($24\frac{1}{4}$ B.) 47. 1 Thlr.]

Poujoulat, Geschichte des heil. Augustin. Sein Leben, seine Lehre u. seine Werke. Aus dem Franz. übers. von Friedr. Hurter. 2 Bde. gr. 8. (427 u. 387 S.) Schaffhausen 847, Hurter. $2\frac{1}{4}$ Thlr

—— Geschichte von Jerusalem. Ein religiös-philosoph. Gemälde. Aus d. Französ. übersetzt u. bearb. v. W. Reithmeier. gr. 12. (19 B.) Augsburg 844, Kollmann'sche Buchh.

—— Geschichte der Kreuzzüge, s. Michaud.

Poujoulat, B., Geschichte des Osmanischen Reichs, s.a. Hausbibliothek, historische.

— Geschichte des osmanischen Reichs von der Eroberung Constantinopels (1453) bis zum Tode Mahmud's II. (1839.) Uebersetzt und bis auf die neueste Zeit fortgesetzt von Julius Seybt. 8. Leipzig 1853.

Poujoulat, Baptistin, Geschichte des osmanischen Reichs von der Eroberung Konstantinopels bis zum Tode Mahmud's II. Übers. und bis auf die neueste Zeit fortgesetzt von J. Seybt. Neue (Titel-)Ausg. gr. 8. (XI und 320 S. mit 1 Stahlst.) Leipzig (853)65, Senf.

Poujoulat, die Rechte des Papstes, s. Sammlung von Schriften über die römische Frage.

— Voyage à Constantinople dans l'Asie mineure, en Mésopotamie, à Palmyre, en Syrie, en Palestine et en Egypte. Faisant suite à la Correspondance d'Orient. Tome I. gr in-8. Bruxelles 841. (Muquardt.) 3/4 ℳ

Puissant, Louis, Sammlung verschiedener Aufgaben der Geometrie, aufgelöst und bewiesen durch die algebraische Analysis als weitere Ausführung zu Lacroix's Trigonometrie und höheren Geometrie. Aus dem Französ. übersetzt von E. M. Hahn. Berlin 1806.

POUKKA, K. A.

Über die Cauchy'schen reziproken Funktionen und deren Anwendung auf die analytische Fortsetzung der Taylor'schen Reihe. Helsingfors 1907. 49 pg. 4:o.
Diss. Hels.

Poulain, Aug., S. J., die Fülle der Gnaden. Ein Handbuch der Mystik. 2 Tle. (Aszetische Bibliothek.) (XXI, 416 u. XIII, 462 S.) kl. 8. Freiburg i/B. (910). Herder. 6. —; geb. in Kunstleder 7. 60

Poulain, Louis, aus Avrauches (Frankreich): Der Ritter vom Turn von Marquart von Stein. Basel 1906. 146 + 2 S. 8°. [4. VII. 06.]
Basel, Phil. Diss. 1906/1907.

Poulain, Louis. Der Ritter vom Turn von Marquart von Stein. Diss. Phil. Basel. 148 S. 8. Basel, M. Werner-Riehm, 1906.

Poule-Regeln f. Billardspieler. Tabelle in gr. Fol. Hamb., Erié. 6 gr.

Poulet, Anna. Ein Fall von Pachymeningitis haemorrhagica interna productiva mit einer Kalottenbildung über beiden Grosshirnhemisphären. Diss. Med. Univ. Zürich. *Kopftitel:* Aus dem pathologisch-anatomischen Institut Zürich. II + 20 S. 8. Zürich, Polygraphisches Institut A. G., 1902.

Poulet, S., A son altesse royale Madame la princesse Ferdinand. Discours prononcé à l'occasion de la paix dans l'Eglise Françoise de Stettin le 13. Mars 1763. à Stettin 1763. 4. (12 S.)

Poulett Cameron, G., Reiseabenteuer in Georgien, Circassien u. Rußland. Frei nach dem Engl. von Fr. Gerstäcker. 2. (Titel-) Ausg. 2 Bde. 8. (VIII u. 349 S.) Leipzig (846) 848, Arnold. 1 ℳ

Poulimenos, Aristoteles, stud. jur.: Obligation und Vermögenswert nach dem corpus juris civilis. Rosswein i. S. 1908: Haubold. 85 S. 8°
Leipzig, Jur. Diss. v. 21. Sept. 1908
[Geb. 31. Aug. 83 Korfu; Wohnort: Korfu; Staatsangeh.: Griechenland; Vorbildung: Collège de Genève Reife M. 03; Studium: Heidelberg 2, Leipzig 7 S.; Rig. 4. Juli 08.] [U 09. 2629

Auf dem Wege zur Ewigkeit [Vers l'éternité]. Von L. Poulin, Priester. Übers. von F. Mersmann. (Vorr.: J[oh.] Mombauer, Pfarrer.) Trier: Paulinus-Dr. 1904. (XIII, 240 S.) 8° [3.] [05. 1308

BRIEFE einer Türkinn, so sich in Paris aufgehalten, an ihre Schwester im Serail. (Aus d. Französ. des *Germain François Poullain de St. Foix.*) Hamburg 1753. 8°. Rar!
Enth. scherzhafte u. erotische Betrachtungen u. Gemälde der Liebe bei den verschiedenen Völkern. — Bibl. Bülov. III, 2. p. 147.
Orig. (in Wolfenbüttel): Lettres d'une Turque à Paris, écrites à sa soeur au serail. Amsterdam, Pierre Mortier, 1730. 12°. (1/2 Rthlr. Maske, Breslau; jetzt theurer!) Rep. ibid. 1732. 12°. — Aussi sous le titre: Lettres de Nedim Coggia, Secretaire de l'Ambassade de Mehemet Effendi à la Cour de France: et autres lettres turques. (Ebd.) (3 frcs. Hanke, Zürich, Cat. 94.)

— — Dasselbe m. d. Titel: Merkwürdige Briefe einer in der Türkey gebornen Dame, welche sie aus Paris an ihre Schwester im Serail zu Constantinopel geschrieben hat. Aus d. Französ. Ibid. 1759. 8°. 16 Bogen. (Cat. Meissner.)

— — Dasselbe. Ebd. 1769. 8°.

(Poullain) de Saint-Foix, G. Fr. Einleitung in die Geschichte der Stadt Paris. A. d. Franz. 2 Th. 8. Kopenhagen 1767. 0,75.

(Poullain) de Saint-Foix, G. Fr. Geschichte der Stadt Paris. A. d. Franz. 5 Th. 8. Kopenhagen 1757 - 68. 2,00. - - 5 Th. 8. Breslau 1796.

Poulle, (französ. Hofprediger,) heil. Reden üb. die wichtigsten Gegenstände d. Religion u. Sittenlehre. 2 Thle. gr. 8. Augsb. 784. Doll. (Landsh., Krüll). 20 gr.

Poulsen, A., Zement in Meerwasser. Bericht üb. Versuche, die auf Veranstaltg. des Vereins skandinav. Portlandzementfabrikanten 1896 ihren Anfang nahmen. (Der internat. Verband f. die Materialprüfgn. d. Technik, V. Kongress, Kopenhagen im Septbr. 1909.) (III, 63 S. m. Abb. u. 4 Taf.) gr. 8. Kopenhagen (910). (G. E. C. Gad.) 3. —

Poulsen, Chr. M., die Contact-Theorie, vertheidigt gegen Faraday's Abhandlung: „über die Quelle der Kraft in der Volta'schen Säule." Inaugural-Dissert. gr. 8. (3 1/4 B.) Heidelberg 845, K. Winter. — 7 1/2

Die Dipylongräber und die Dipylonvasen. Von Frederik Poulsen. Mit 3 Taf. Leipzig: B. G. Teubner 1905. (138 S.) 8°
Ein Teil erschien in dänischer Sprache als Hab.Schr. Kopenhagen 1904. [05. 1601

Poulsen, V. A., Cynocrambaceae, s.: Engler, A., u. K. Prantl, die natürlichen Pflanzenfamilien.

Poulsen, V. A., botanische Mikrochemie. Eine Anleitung zu phytohistolog. Untersuchungen, zum Gebrauch für Studirende ausgearb. Aus dem Dänischen unter Mitwirkung des Verf. übers. v. Carl Müller. 8. (XVI, 83 S.) Kassel 881. Fischer. geb. n. 2. —

— botanische Wandtafeln zum Schulgebrauch. Imp.-Fol. (10 color. Steintaf.) Mit deutschem u. französ. Text. 8. (à 12 S.) Kopenhagen 881. Höst & Sohn. n. 11. —

Poulsson, Edvard

Poulsson, E., Lehrbuch der Pharmakologie. Für Ärzte u. Studierende. Deutsche Orig.-Ausg., besorgt v. Frdr. Leskien. Mit e. Einleitg. v. Walth. Straub. (IX, 574 S. m. 8 Fig.) Lex. 8. Leipzig 909. S. Hirzel. 13. 80; geb. 15. —

Poulsson, Emilie, in the child's world, freie Bearbeitg., s.: Friedrich, A., Kinderwelt.

Poultier, Dekadenreden, a. d. Frz. 2 Stck. gr. 8. Straßburg, Treuttel. 796.

Pound, Louise, of Lincoln, Nebraska: The comparison of adjectives in English in the XV and the XVI century. *Heidelberg: C. Winter 1901.* (X, 82 S.) 8°
Heidelberg, Phil. Diss. v. 1901

The Comparison of Adjectives in English in the XV and the XVI Century by Louise Pound. *Heidelberg: C. Winter 1901.* (X, 82 S.) 8°
= Forschungen, Anglistische. H. 7. [01. 18430

Poupart: Abhandlung von den Flechten. (Traité des dartres. Dt.) Übers.von Johannes Conrad. 198 S., gbd.

Strasburg: König 1784

Poupart: Zusätze zu...Abhandlung von den Flechten. (Traité des dartres. Seconde édition augmentée. Auszüge. Dt.) Übers.von Johannes Conrad. 64 S., gbd.

Straßburg: König 1785

Pouplard, der ehrwürdige Diener Gottes P. Claudius de la Colombière aus der Gesellschaft Jesu, Apostel der Andacht zum heiligsten Herzen Jesu. Mit besonderer Gutheißung des Verf. nach der 3. bedeutend verm. Aufl. übers. von St. Dosenbach. 8. (XII, 250 S.) Regensburg 875, Manz. 2 —

Pouqueville, François Charles Hugues Laurent

— s. Denkwürdigkeiten aus d. ältern u. neuern Zeit.

Pouqueville, Gemälde von Griechenland in Bezug auf Geschichte, Mythologie, Archäologie, Wissenschaft, Kunst u. Leben. Neue (Titel-) Ausg. Mit 112 Kpfrtaf. gr. 8. (727 S.) Leipzig (834. 35) 852, O. A. Schulz. 1 1/2 ℛ︀; in Engl Einb. 1 ℛ︀ 27 ngl

— Geschichte u. Beschreibung von Griechenland. Aus d. Franz. Mit 112 Kpfr. u. 2 Karten. gr. 8. Stuttgart 837, Schweizerbarts Buchh. 2 1/4 ℛ︀

Pouqueville, F. C. H. L., Geschichte der Wiedergeburt Griechenlands 1740 — 1824. Deutsch herausgg. von D. J. P. v. Hornthal. 4 Bde. Mit Abbildd. u. Kart. gr. 8. Heidelb. 824, 25. Winter. 9 ℛ︀ 14 gl Hbg. Pr. compl. 6 ℛ︀ Fein Pap. 7 ℛ︀

— dass. deutsch, bearb. v Chr. Niemeyer. 4 Bdchn. Mit Bildn. u. 1 Charte. 16. Halberstadt 827, Brüggemann.

Pouqueville, Geschichte d. Wiedergeburt Griechenlands. Deutsch bearb. u. fortgeführt bis z. J. 1835. 1 Bdchn. 16. (54 B., 5 Bildn. u. 1 Karte.) Leipzig 835, Schreck.

Pouqueville, Grèce. gr. in-8. (28 1/8 B. u. 112 Taf.) Francfort s. le M. 838. [Leipzig, Kersten.] Thlr. *
Aus: L'univers, besond. abgedruckt.

Pouqueville, Grèce. (Avec 112 Gravures.) gr. in-8. Francfort s/M. 838. Schmerber. n. 2 1/6 ℛ︀

—— Griechenland, s. Weltgemälde-Gallerie, Europa, 1. Bd.

— Griechenland. Mit 112 Stahlstichen. gr. 8. Frankfurt 837. Schmerber. n. 2 1/6 ℛ︀ s. auch Gemälde der Länder u. Völker.

Pouqueville, Fr. Ch. H. L. Leben des Veziers Ali Pascha von Janina. A. d. Franz 8 Jena 1820.

— Reise durch Griechenland. Uebersetzt u. mit Anmerkk. herausgeg. v. F. C. L. Sickler. 1r u. 2r Bd., jeder in 2 Abtheilungen mit 1 Karte. gr. 8. Meiningen 824, 25, Keyßner. (à 3 Rthl. 12 gr.)

— Reise durch Morea und Albanien nach Constantinopel. Aus dem Französ. von K. L. M. Müller. Mit Kupfern und Charten. Leipzig 805. 806. 3 Bde. 8. 2 rthl.

(Pouqueville, F. C. H. L.): Pouqueville's Reise durch Morea und Albanien nach Constantinopel und in mehrere andere Theile des ottomanischen Reichs in den Jahren 1798. 1799. 1800 und 1801. Aus dem Französischen übersetzt von K. L. M. Müller. Bd. 1, 2, 3. Mit Kupfern und Charten. Leipzig 1805. 1 Bd. VIII, 328; X, 272; XXXII, 240 S. 8°.

Poucquevilles, Reise durch Morea und Albanien nach Constantinopel ꝛc. in d. J. 1798—801. a. d. Franz. v. K. L. M. Müller. 3 Bde. m. K. und Chart. gr. 8. Leipz. Hinrichs. 805.
Schreibp.
Vel.np.

Pour Deberndorf, Château de plaisance de S. A. S. Monseigneur le Margrave de Brandenbourg. Anspach 1761. V: *Knebel, Carl Heinrich von.* (ML) (MGT)

Pour les deux sexes: Uebersetzungen vor beyderley Geschlecht. Bresl. 1759. V: *Belach, Andreas.* (ML)

Verband z. Schutze d. belgischen Interessen im Auslande. Der Kongostaat und die Zivilisation Afrikas. V[ictor] **Pourbaix**. (Brüssel) 1905: (Travaux publ.). 32 S. 8° 110 7,05 3

Pourbaix, V[ictor]: Verband z. Schutze d. belg. Interessen im Auslande. Der Kongostaat und die Zivilisation Afrikas. (Brüssel 1908: Travaux Publ.) 32 S. 8°

Pourquoi l'Empereur Joseph II N'est-il point aimé de son peuple. Premiere Partie. Des moyens qu''l devoit employes pour regagner l'affection de son Peuple. Deuxiéme Partie. Par un célèbre Auteur. Avec (1) Figures. Vienne 1787. 20 S. gr. 8°. V: *Richter, Joseph.* (Hans Viktor Pisk: Josef Richter. Diss. Wien 1927. S. 106)

Pourquoi nous faut-il une loi fédérale sur le contrôle des denrées alimentaires? Brochure publiée par l'Union suisse des paysans pour l'édification du peuple suisse. 16 p. 8. Brougg, « Effingerhof », (1903). (fr. —. 15; *par 3, 6, 50 etc. empl. de* fr. —. 10 *à* —. 03 l'exempl.)

Pourquoi sommes-nous Protestants et non pas Catholiques romains? 1re partie. In-12°, 69 p. Genève, Bâle, Lyon, H. Georg. 1888. — 50

Pourtalès, Albert de [aus Neuchâtel]: Untersuchungen über die puerperale Wundinfektion. Berlin 1898. 31 S. 3 Taf. 8°. (Sonder-Abdr. aus dem Archiv f. Gynäkologie. 57. Bd.)
Basel. Med. Diss. 1898/99.

Pourtales, Graf James v., zur Währungsfrage. gr. 8. (56 S.) Breslau 894. (J. Max.) n. — 80

Pourtalès, Graf Carl Friedr. v., Gedenkblatt an denselben, s. Gonzenbach, A. v.

Pous, José, Gori, der Rebell. Roman. (Vom Verf. genehmigte Übertragg. aus dem Katalan. v. Eberh. Vogel.) (332 S.) 8. Frankfurt a/M. 910. Literar. Anstalt. 4. —; geb. in Leinw. 5. —

Poussielgue, Gesch. d. Krankh. des Obergeneral Hoche. 8. Frankfurt, Jäger. 798.

Poussin, s.a.Tell-Poussin.

Poussin, neues Zeichenbuch. Fol. Nürnberg, Schneider und Weigel.

Poussin, G. F., Ueber amerikanische Eisenbahnen. Aus dem Franz. von G. F. Lehritter. Regensburg 1837. 8°.

Poussin's, Nic., Biographie und Charakteristik, s. Regnet, C. A.

Die Meisterbilder von (Nicolas) Poussin. (1594 1665.) Eine Auswahl von 60 Reprod. nach Originalaufnahmen. Berlin & Leipzig: Weicher 1909. 66 S. 8°
(Weichers Kunstbücher. Nr 23.) loy. 0118

Poussin, Meisterbilder, s.a.Weicher's Kunstbücher.

POUSTKA, Venceslaus: De ritu sacramenti poenitentiae antiquissimis ecclesiae temporibus. — (1905) 133 Bl. 4° (Handschr.) Diss. 708
Diss. Wien, Univ.

Pouteau, Claude, verm. Schrift. v. d. Wundarzneykunst. 8. Dresden, Richter. 760.

Pouteau, Claude: Vermischte Schriften von der Wund-Arzeneykunst. (Mélanges de chirurgie. Dt.) Übers.von Georg Ludewig Rumpelt. 504 S., gbd., 4 Taf.

Dreßden u.Warschau: Gröll 1764

Poutnik, Casopis obrázkowy pro kazdého. Redaktor: Karel Wladislow Zap. Priwni rocnik. Swazek I—9. gr. 4. (à 4 B. u. 2 Stahlst.) Prag 846, Haase, Söhne, Vrlgs.-Expedit.

Poutnik z Prahy. Kalendář katolický na rok 1856. Podle návrhu jednoty katolické v Praze sestavený od Wácl. Štulce. Hvězdářské zprávy podal Vojtěch Kuneš. Ročník 5. S měsíčnými obrazy a s několika dřevořezy. Lex.-8. (159 S. mit 1 Stnt.) Prag 856, (Credner.) Thlr.

Poutsma, Alb., Karl Blümleins Besprechg. d. holländ. Gymnasiums, beurteilt. (Uebers. v. E. de Jong.) gr. 8. (35 S.) Amsterdam 894. J. Müller. n. 1. —

Poutsma, Alb., Quaestiones Aeschineae. Diss. gr. 8. (160 S.) Amsterdam 898. (J. Müller.) n. 2. 20

Poutzilo, M., essai de dictionnaire russe-coréen. 8. (XV, 731 S.) St.-Pétersbourg 874. (Berlin, Asher & Co.) n. 12. —

Pouvert, das Thal der Thränen, s.: Leitsterne, neue, auf der Bahn d. Heils.

Pouvillon, E., Césette. Eine franz. Dorfgeschichte. Deutsch v. Ilse Frapan. Mit einer Einleitg. v. Ed. Engel. Autoris. Ausg. 8. (191 S.) Augsburg 886. Gebr. Reichel. n. 3. —

Pouvourville, A. de, s.: Kontinent, der.

FSC
www.fsc.org
MIX
Papier | Fördert
gute Waldnutzung
FSC® C083411

Kolibri 360 GmbH
Ferdinand-Jühlke-Straße 7
99095 Erfurt, Deutschland
produktsicherheit@kolibri360.de